L'ANNUEL DE L'AUTOMOBILE

ANNIVERSAIRE · 10e · ANNIVERSAIRE

DÉJÀ 10 ANS
À VOUS OFFRIR
L'INFORMATION
AUTOMOBILE
LA PLUS COMPLÈTE
AU QUÉBEC

CRÉDITS

//

ÉQUIPES ÉDITORIALE ET DE PRODUCTION

Éditeurs
Benoit Charette et Michel Crépault

Rédacteur en chef
Benoit Charette

Auteurs
Vincent Aubé, Francis Brière, Benoit Charette, Alexandre Crépault,
Michel Crépault, Phillipe Laguë, Frédéric Masse,
Carl Nadeau et Daniel Rufiange

Rédacteurs
Jason Cammisa, Mark Hacking, John Gilbert
et Michael Bettencourt

Photographes
Les membres de *L'Annuel de l'automobile*,
les constructeurs, Bernard Brault

Supplément des prix des voitures neuves
Patrice Rivest

Supplément des prix des voitures d'occasion
Société Trader (Michel Doyon et Patrice Rivest)

Fiches techniques
Charles René et Benoit Charette

Correcteur
Richard Roch

Réviseurs
Jacques Gervais, Benoit Charette, Daniel Rufiange et Gilles Pilon

Conception graphique
Magma design inc. : Éric Béland, Alexandre Dubois,
Grégoire Robin, Sarah Maude Forget, Amélie Lalonde, Amélie Lefort,
Steve Paquette, Olivier Rielland Nadeau, Marc-Antoine Roy,
Kim Samson et Shayne Tupper magmadesign.ca

Imprimerie
Interglobe (Transcontinental)

Distribution
Prologue

Conseiller publicitaire
Stéphanie Masse

Coordonnatrice publicitaire
Mélissa Bissett

Comptabilité
Chantal Gareau
Alina Calin

COORDONNÉES

L'ANNUEL DE L'AUTOMOBILE 2011
Commentaires
C.P. : 930, Coteau-duLac, Québec J0P 1B0
Télécopieur: 450.308.0742

REMERCIEMENTS

· **Audi** Cort Nielsen et Josée Chaumond
· **BMW / MINI** Joanne Bond, Rob Dexter, Terry Grant et Barbara Pitblado
· **Chrysler** Daniel Labre et Anick Lapalme
· **Ferrari / Maserati** Umberto Bonfa (Ferrari Maserati Québec)
· **Ford** Christine Hollander
· **General Motors** Robert Pagé, George Saratlic et Tony LaRocca
· **Honda / Acura** Nadia Mereb, Gisèle Bradley et Richard Jacobs
· **Hyundai** Gérald Godin et Chad Heard
· **Jaguar / Land Rover** Barbara Barrett, Stuart Schorr et Alana Fontaine
· **Kia** Jack Sulymka, Shelley Tavener, Caroline Bastien et Cathy Laroche
· **Lamborghini / Lotus** Bernard Durand (Groupe John Scotti) et Kelly Strong
· **Mazda** Mathieu Fournier, Alain Desrochers et Gregory Young
· **Mercedes-Benz** JoAnne Caza, Michael Minielly, Eva Chang,
  Rob Tackacs, Denis Bellemare et Karen Zlatin
· **Mitsubishi** Sophie Desmarais, Josianne Bétit, Susan Elliott et
  Lara Brown
· **Nissan / Infiniti** Heather Meehan, Rebecca Lucas, Robert Lupien et
  Didier Marsaud
· **Porsche** Laurance Yap et Rick Bye
· **Subaru** Elaine Griffin, Jen Giller, Nicole Chambers et Amyot Bachand
· **Suzuki** André Beaucage
· **Toyota / Lexus** Derrick Tan et Rose Hasham
· **Volkswagen** Thomas Tetzlaff, Peter Viney et Jacynthe Rioux
· **Volvo** Dustin Woods et Erin Farquharson

Les auteurs tiennent également à remercier Sylvain Cossette
pour le prêt de sa voiture personnelle; l'équipe du Circuit ICAR,
particulièrement Louis-Philippe Gélinas, durant la mémorable
journée du Club des 300; Steve Spence (Service Spenco) et Patrice
Marchessault (L.A. Details) pour leur professionnalisme; de même
que les proches qui, pour un dixième été consécutif, se sont montrés
extrêmement conciliants par rapport à des horaires de fou !

Catalogage avant publication de Bibliothèque et Archives Canada
Vedette principale au titre:
L'Annuel de l'automobile
ISBN 978-2-9807312-5-9
Dépôt légal – 3e trimestre 2010
Bibliothèque nationale du Québec
Bibliothèque nationale du Canada
Tous droits de traduction, de reproduction et d'adaptation réservés.

L'équipe de *L'Annuel de l'automobile* vous invite à lui faire part de vos
commentaires. Il est plus que probable que vous, les propriétaires de
voitures, remarquiez au quotidien des qualités ou des défauts qui nous
auraient échappés. Merci à l'avance.

Gemballa MIG-U1-Ferrari-Enzo

TABLE DES MATIÈRES
//

LES REPORTAGES

LES INDISPENSABLES

INDEX DES ESSAIS

//

Hyundai i-flow

Porsche Carrera GT

5

QUI EST QUI ?

//

L'ÉQUIPE ÉDITORIALE

BENOIT CHARETTE COPROPRIÉTAIRE,
RÉDACTEUR EN CHEF et AUTEUR

C'est en janvier 1991 qu'il s'est officiellement lancé dans le métier de journaliste automobile grâce à la confiance de Daniel Héraud. Sa première collaboration au *Carnet de route* de Daniel, en 1992, a donné le coup d'envoi à une carrière d'auteur qui se poursuit. Depuis, le monde automobile s'est grandement amélioré et l'évolution continue à grands pas, parfois trop rapides. L'électricité était encore une utopie à une certaine époque et les préoccupations environnementales, inexistantes. L'automobile et la société vont de l'avant, l'homme aura toujours besoin de se déplacer. Benoit espère écrire pour ses lecteurs encore longtemps en étant le critique de ce monde fascinant.

DANIEL RUFIANGE AUTEUR

Si Daniel est aujourd'hui un passionné d'automobiles, il le doit en partie à son défunt père. Né en 1919, ce dernier a partagé avec Daniel, non seulement sa passion pour l'automobile, mais aussi son histoire. Il n'est donc pas surprenant d'apprendre que Daniel est aussi, aujourd'hui, professeur d'histoire à ses heures. Passionné d'écriture, de voitures, de course automobile, d'histoire et de relations humaines, il s'intéresse à tout. À travers tout cela, l'automobile occupe pour lui une place maîtresse, car elle représente le cœur même de ce que nous sommes, de ce que nous avons été et de ce que nous deviendrons.

MICHEL CRÉPAULT COPROPRIÉTAIRE et AUTEUR

Pour lui, l'automobile est une façon comme une autre d'étudier ses semblables et de se livrer à une auto-analyse. Que de bonheurs et d'angoisses l'auto ne brasse-t-elle pas ?! Avoir le souffle coupé par une silhouette renversante. Se laisser emporter par un 0-100 km/h ou considérer avant tout le budget familial ? Quelles options combleront mes besoins, réels ou imaginaires ? Quelle trouvaille extraordinaire ou débile cet ingénieur vient-il nous présenter ? Si ma voiture prolonge ma personnalité, qui suis-je ? Comme les réponses sont encore plus fascinantes que les questions, Michel a beaucoup de boulot.

ALEXANDRE CRÉPAULT AUTEUR

À 4 ans, il identifiait les autos sur l'autoroute. À 14 ans, il extirpait des chevaux supplémentaires de sa mobylette. À 16 ans : première auto, première contravention, premier accident. À 18 ans : permis de moto et cours de Formule Ford. À 20 ans, il lance le premier magazine de *tuning* au Québec et, plus tard, la première série professionnelle de *drifting*. Aujourd'hui, à 29 ans, après tant d'octane brûlé, Alexandre constate avec un mélange d'effroi et de réalisme que la Honda Odyssey figure désormais parmi ses véhicules favoris et que la consommation d'essence lui importe autant que la puissance envoyée aux roues...

PHILIPPE LAGUË AUTEUR

Si quelqu'un au sein de l'industrie automobile lui parle en utilisant la langue de bois, il le scalpe. Si une sportive commet le péché mortel d'être ennuyeuse, il la bassine au vitriol. Si le constructeur d'un véhicule, dit économique, essaie de prendre les consommateurs pour des valises, il organise une marche pour le brûler en effigie. Dans ses temps libres, l'unique Philippe Laguë dirige la chronique automobile du quotidien *Le Devoir* (depuis 2002), rédige des bulletins de nouvelles au réseau RDI (depuis 2003), signe des essais routiers sur Sympatico Autos (depuis 2010) et, surtout, fait partie de l'équipe de *L'Annuel de l'automobile* depuis le début!

FRANCIS BRIÈRE AUTEUR

Né à Montréal en 1968, Francis Brière a étudié quelques années avant de devenir auteur et journaliste. Comme son père changeait de voiture aux six mois, le goût de conduire de grosses bagnoles lui est venu très rapidement au cours de sa sixième année d'existence. Disponible et assidu, Daniel est curieux d'explorer les dessous de chaque véhicule et il n'est jamais avare de son temps. Fermement convaincu de la justesse de l'adage qui dit que les voyages forment la jeunesse, il a un plaisir fou à parcourir les rues de la planète pour voir ce que ses semblables conduisent *Autour du monde*, sa rubrique fétiche.

FRÉDÉRIC MASSE AUTEUR

L'automobile, au sens large, le fascine depuis son plus jeune âge. Il se souvient jadis où il demandait à son père de rouler plus vite pour « rejoindre la Porsche là-bas! ». Pour lui, l'auto, c'est comme la bouffe. Certains aiment, d'autres pas. Il n'y a rien de plus subjectif. Par contre, la fiabilité, la tenue de route, la qualité des matériaux, ça se note. Il essaie d'ailleurs de capter l'impression générale plutôt que les détails. Qu'un contrôle soit placé plus bas ou plus haut ne le dérange guère, on s'y habitue. Mais qu'une bagnole performante tangue ou qu'une camionnette ne puisse remorquer de lourdes charges, il faut le dire.

VINCENT AUBÉ AUTEUR

Autant vous le dire tout de suite, Vincent raffole des véhicules marginaux. Passionné d'automobile depuis sa tendre enfance, il n'a jamais cessé de s'intéresser à la chose, des modèles réduits aux jouets pleine grandeur qu'il gare dans son entrée de garage. Ayant acquis une formation universitaire en journalisme, il a décidé de joindre l'utile à l'agréable en 2007 alors qu'il faisait ses premiers pas en tant que chroniqueur automobile à temps partiel. Mais puisqu'il pratique le meilleur métier du monde, la passion a pris le dessus et il est aujourd'hui plus que jamais impliqué dans toutes les facettes de l'industrie.

ÉDITORIAL

Absents de la photo : Alexandre Crépault et Gilles Pilon

BONNE FÊTE !

On le sait bien, la vie est ponctuée de moments doux et forts, tristes et heureux. L'automne 2001 n'a pas fait exception. Les évènements horribles du 11 septembre ont peut-être suivi le premier jour attendrissant de votre p'tit dernier à l'école ? Souvenirs inoubliables, peu importe leur origine.

C'est aussi à cette époque que *L'Annuel de l'automobile* est né. L'édition 2011 que vous tenez entre les mains célèbre ses 10 ans.

Déjà.

Nous nous rendons compte aujourd'hui que notre boule de cristal n'était pas parfaitement au point. À celui qui nous aurait dit que General Motors serait un jour en faillite, nous aurions conseillé d'y aller mollo avec le Jell-O. Les guerres au nom du saint pétrole, les sous-compactes qui se prennent pour des intermédiaires, les élucubrations pour alimenter le parc d'automobile en électricité, en hydrogène ou en huile à patates frites alimentent les conversations fébriles.

À chaque automne, un nouvel *Annuel de l'automobile* est venu fidèlement vous expliquer comment ce progrès, parfois imprévisible, toujours étonnant, transforme les nouveaux véhicules exposés chez votre concessionnaire. Chaque fois, les auteurs de *L'Annuel* ont eu le privilège de vous rapporter des expériences passionnantes. De nos premiers kilomètres électrisants au volant de bolides quasiment conçus par la NASA pour les plus passionnés d'entre vous, aux critiques plus pratico-pratiques de véhicules pour lecteurs rationnels.

À travers toutes ces éditions, toujours le même plaisir saupoudré de rigueur et sans cesse le même problème : jamais assez de pages ! Pourtant, la brique en comporte quand même 672 ! Des considérations budgétaires compréhensibles nous obligent à freiner nos ardeurs mais, face à une industrie en constante mutation et en ébullition, nous pourrions facilement tripler le contenu du livre, lequel serait alors vendu avec une brouette pour en faciliter le transport...

MERCI D'ÊTRE LÀ DEPUIS UNE DÉCENNIE. MERCI DE NOUS AVOIR ADOPTÉS COMME LA RÉFÉRENCE AUTOMOBILE AU QUÉBEC !

Quoi qu'il en soit, s'il est clair que nous nous amusons ferme en compilant ces essais et ces statistiques, ce bonheur n'aurait pas la même saveur s'il n'était pas partagé avec vous, chers lecteurs. Merci d'être là depuis une décennie. Merci de nous avoir adoptés comme LA référence automobile au Québec !

Pour les 10 prochaines années de *L'Annuel de l'automobile*, nous prédisons que notre boule de cristal s'entêtera à demeurer quelque peu faillible. Mais nous serons là à être les témoins du cheminement d'une invention qui a changé la face du monde.

Bonne route et bonne lecture !

L'équipe de la rédaction

Photo : Bernard Brault

1 MARQUE : *L'Annuel* a compilé les essais de toutes les marques d'automobiles disponibles chez nous !

MODÈLE : *L'Annuel* a analysé pour vous exactement 256 modèles. C'est ce qu'on appelle avoir l'embarras du choix.

2 NOUVEAUTÉ : Il s'agit d'un modèle tout nouveau en 2011. Cette édition de *L'Annuel* en contient pas moins de 27, la majorité ayant mérité 4 pages parce que nous ne nous sommes pas contentés de les regarder, nous les avons conduits !

ÉVOLUTION : Ici, on parle d'un modèle déjà connu en 2010 qui a subi quelques retouches pour 2011.

JUMEAU : Modèle dérivé d'un autre, lui-même décrit plus en détail dans les pages précédentes ou suivantes (puisque les modèles sont classés par ordre alphabétique).

3 LA COTE VERTE : Une fiche dont nous sommes particulièrement fiers : à partir du moteur le plus économe du modèle, quelles en sont les qualités (ou défauts) écologiques. Outre des informations utiles comme la quantité d'émissions polluantes (CO_2), vous y apprendrez le nombre d'arbres à planter pour compenser l'empreinte écologique du dit véhicule.

4 FICHE D'IDENTITÉ : Données qui expliquent a priori à quel genre de véhicule on a affaire.

5 AU QUOTIDIEN

ASSURANCE : Pour obtenir les primes d'assurance, nous nous sommes basés sur un cas type : **Sexe** homme ou femme **Âge** 25 ans, 40 ans et 60 ans **Ville** Montréal ou sa banlieue immédiate. L'utilisateur prend son véhicule pour aller au travail et parcourt entre 20 et 30 kilomètres par jour. **Type de police** Aucun accident dans les 5 dernières années / Franchise de 250 $ / Responsabilité civile de 1 000 000 $ / Aucun avenant ajouté à la prime de base. Les prix donnés dans *L'Annuel* comprennent les taxes.

PROCÉDURES POUR LES RAPPELS : Les rappels sont basés sur le registre de Transports Canada et portent sur les cinq dernières années de production des véhicules (2006 à 2010).

ADRESSE POUR LES RAPPELS : wwwapps.tc.gc.ca

DÉPRÉCIATION : Valeur résiduelle d'un véhicule calculée sur trois ans (entre 2006 et 2009). Le chiffre indiqué représente le pourcentage de dépréciation : par exemple, « 43 % » signifie que le véhicule aura perdu 43 % de sa valeur au terme des 3 ans.

FORD **MUSTANG / SHELBY GT500** **1** **N** NOUVEAUTÉ **2**
www.ford.ca

LA COTE VERTE

MOTEUR
V6 DE 3,7 L
- **Consommation** (100 Km) :
  ville : 11,8 l
  auto : 9,4 l
- **Émissions polluantes**
  CO_2 : 4 922 kg/an
- **Empreinte écologique** (nombre d'arbres à planter par année) : 27 arbres
- **Indice d'octane** : 87
- **Autre motorisation** : non
- **Coût du carburant moyen par année** : 2140 $
- **Nombre de litres par année** : 2140 l
SOURCE: Ford

1 FICHE D'IDENTITÉ
- **Versions** V6 coupé/cabriolet, GT coupé/cabriolet, Shelby GT500 coupé/cabriolet
- **Roues motrices** arrière
- **Portières** 2 **Nombre de passagers** 4
- **Première génération** 1964 1/2
- **Génération actuelle** 2005
- **Construction** Flat Rock, Michigan, É.-U.
- **Sacs gonflables** 4 (frontaux, latéraux)
- **Concurrence** Chevrolet Camaro, Dodge Challenger, Mini Cooper S, Mitsubishi Eclipse, Nissan 370Z

2 AU QUOTIDIEN **5**
- **Prime d'assurance**
  25 ans : 3300 à 3500 $
  40 ans : 1700 à 1900 $
  60 ans : 1200 à 1400 $
- **Collision frontale** 5/5
- **Collision latérale** 5/5
- **Ventes du modèle de l'an dernier**
  Au Québec 302 Au Canada 5200
- **Dépréciation** 37,8 %
- **Rappels** (2005 à 2010) 1
- **Cote de fiabilité** 5/5

3 GARANTIES... ET PLUS
- **Garantie générale** 3 ans/60 000 km
- **Garantie motopropulseur** 5 ans/100 000 km
- **Perforation** 5 ans/kilométrage illimité
- **Assistance routière** 5 ans/100 000 km
- **Nombre de concessionnaires**
  Au Québec 77 Au Canada 437

4 NOUVEAUTÉS EN 2011
- Améliorations apportées au châssis ainsi qu'au système de freinage.
- Retour du modèle BOSS 302 de 440 ch. (2012)

LA LÉGENDE SE POURSUIT !

PAR FRANCIS BRIÈRE

PAS MOINS DE NEUF MILLIONS DE PERSONNES SE SONT PROCURÉS UNE FORD MUSTANG DEPUIS LE JOUR DE SA CRÉATION, IL Y A PLUS DE 45 ANS. On est encore loin du record du Modèle T, mais si la tendance se maintient, la voiture Pony subsistera encore longtemps. Pour 2011, le constructeur américain a pris le taureau par les cornes : les amateurs de « muscle cars » n'hésiteront plus entre la Mustang et les modèles rivaux. Les ingénieurs ont conçu une voiture qui se rapproche encore davantage de ce qu'on peut imaginer de mieux. Elle est plus rapide, plus désirable, plus respectueuse de l'environnement et aussi abordable. Oui, Ford s'en va dans la bonne direction, et on ne pourrait reprocher au constructeur d'avoir mis autant d'effort dans ses affaires. Pour rivaliser avec les deux autres constructeurs qui offrent des modèles au goût du jour, Ford devait jouer d'audace. L'ancienne génération de Mustang proposait une livrée à moteur V6 un peu poussif de 210 chevaux et une version GT dont le V8 produisait 100 chevaux de moins que celui du modèle concurrent. Les ingénieurs ont mis l'épaule à la roue pour créer deux

œuvres d'art et chefs-d'œuvre de technologie. Réussir l'impossible consistait à produire un engin plus puissant et plus économique, le défi que doivent relever tous les fabricants. Le résultat est concluant : un V6 de 305 chevaux qui consomme moins de 10 litres aux 100 kilomètres (en théorie) et un V8 de 412 chevaux qui brûle moins de pétrole que l'ancien moteur.

[CARROSSERIE] Pour 2011, Ford propose une Mustang qui affiche peu de changements esthétiques. La livrée GT se distingue par un énorme logo GT visible à l'arrière, tandis que l'inscription de la cylindrée du moteur (5.0) est immanquable sur les flancs, à telle enseigne que ça jure ! Autrement, on remarque un nez qui plonge un peu plus vers l'avant et des ensembles offerts en fonction de la livrée choisie. La livrée GT affiche l'emblème de chrome foncé sur la calandre et en ce qui concerne la puissance, le couple et la sonorité. À bien y penser, pour 23 000 $, vous obtenez un bolide de

FORCES · V8 jouissif · Boîte de vitesses améliorée · Sonorité délirante (GT) · Finition en progrès · Prix intéressant

FAIBLESSES · Volant trop gros · Tenue de route sautillante sur mauvaise chaussée · Volant non télescopique

---

MUSTANG / SHELBY GT500 FORD

6

[HABITACLE] L'habitacle de la Mustang 2011 propose peu de changements, si ce n'est la planche de bord qui bénéficie d'une ergonomie améliorée. La navigation par satellite exige l'insertion d'un écran à cristaux liquides (ACL) bien en vue qui intègre les commandes habituelles comme celle de la climatisation. Pour le reste, les places arrière demeurent symboliques, et les sièges ne sont guère plus soutenants que ceux de l'ancienne génération. Ford a pris la décision de conserver l'allure rétro en ce qui a trait aux cadrans à gros chiffres, au gros volant à trois branches et au levier de vitesses qui fait voiture ancienne. Les gros baquets moelleux sur lesquels on s'enfonçait ont été remplacés par des sièges plus fermes qui semblent mieux soutenir l'anatomie. Malgré quelques imperfections notables, l'habitacle de cette cuvée 2011 est amélioré. De fait, la finition est de meilleure qualité et plus solide.

[MÉCANIQUE] Les amateurs de Mustang peuvent choisir le modèle de base en toute quiétude et se réserver du plaisir à revendre. Le V6 de 3,7 litres (une diminution de la cylindrée pour une augmentation de puissance de près de 100 chevaux par rapport à l'ancien moteur), malgré une cylindrée qui demeure imposante, réussit à rendre justice à la partie en ce qui concerne la puissance, le couple et la sonorité. À bien y penser, pour 23 000 $, vous obtenez un bolide de

305 chevaux, et pas n'importe lequel. Pour quelques dollars de plus, vous pouvez y ajouter les roues de 19 pouces et de magnifiques sièges tout cuir. La Mustang V6 est offerte avec une boîte de vitesses manuelle à 6 rapports de série. Même si la boîte automatique est devenue quasi impérative de nos jours, la conduite d'une telle machine se veut fort agréable quand tous les membres sont sollicités, à moins que vous n'ayez d'autres choix que de conduire dans la circulation dense d'une grande ville. L'amateur de la légende ne sera certes pas déçu par cette livrée à moteur V6. Il est suffisamment pétant de santé pour faire vivre des heures d'enchantement à son propriétaire. Pour le prix demandé, le produit a de quoi satisfaire.

Pourtant, c'est le nouveau V8 de 5 litres qui retient davantage l'attention. Cet engin montre sa puissance tout en allégresse, sans le moindre signe de rugosité. Selon moi, il s'agit d'une belle pièce d'ingénierie, un moteur qui rend justice à cette lignée de la Mustang.

> ON ACHÈTE UNE MUSTANG POUR VIVRE LA LÉGENDE, POUR SE NOURRIR DES ÉMOTIONS QUE PROCURE CETTE VOITURE QUI, DÉSORMAIS, PROFITE DE LA DERNIÈRE TECHNOLOGIE SANS QUE CELA NUISE À SA RÉPUTATION.

[COMPORTEMENT] Les routes des environs de Los Angeles regorgent de super bolides. Un spectacle qui se révèle inspirant, car j'ai eu la chance de faire un essai sur les Canyon roads, dans le secteur de Malibu. Quoi de mieux que de passer dans un tunnel aux parois métallisées creusé à même la montagne pour faire résonner le moteur dans toute sa splendeur ! La boîte manuelle est à la fois directive et souple, ce qui permet de garder un contact privilégié avec la voiture. Le troisième rapport devient jouissif si le conducteur sollicite l'accélérateur à fond : le

HISTORIQUE

Le 17 avril 1964 marque un tournant dans l'histoire de l'industrie de l'automobile. Ford introduit la Mustang sur le marché. C'est Lee Iacocca, celui-là même qui allait sauver Chrysler de la faillite avec l'invention de la mini fourgonnette, alors directeur général de Ford qui présenta la voiture à la foire mondiale de New York. Construite sur la base d'une Ford Falcon, le Mustang a traversé toutes les époques et a même résisté à la crise pétrolière. Mais beaucoup veulent oublier le Mustang II qui n'a pas marqué les plus beaux jours de la marque.

248 | 249

Bugatti Veyron

FIABILITÉ : L'équipe de *L'Annuel* s'est basée sur des données du CAA, du périodique *Consumer Reports* et du mensuel *Protégez-Vous*, de même que sur le nombre de rappels de véhicules au cours des cinq dernières années.

5/5 Excellente. Pas ou très peu de défauts.
4/5 Bonne. Peu de défauts.
3/5 Moyenne.
2/5 Inférieure à la moyenne. Plusieurs faiblesses, souvent récurrentes.
1/5 Très faible. Nombreux problèmes, véhicule mal assemblé.
nm nouveau modèle
nd non disponible

6 HISTORIQUE :
Dès qu'il s'agit d'une nouveauté 2011 (étalée sur quatre pages), l'équipe relate l'historique du véhicule en images ou met en relief un point technique qui caractérise le modèle.

7 2e OPINION :
À l'aide de quelques mots bien sentis, un second chroniqueur appuie ou contredit ce que son collègue vient tout juste d'exposer.

8 FICHE TECHNIQUE :
Données sur à peu près tout ce qui est mesurable dans un véhicule ! La consommation indiquée dans la fiche est basée sur l'ÉnerGuide 2010. La puissance des moteurs repose sur une nouvelle charte de la SAE (*Society of Automotive Engineers*) et explique les différences à la baisse quant à la puissance de certains véhicules.

9 EN CONCLUSION
NOS MENTIONS :

La clé d'or de sa catégorie :
Les auteurs de *L'Annuel* ont choisi le modèle comme le meilleur de sa catégorie.

Le choix vert :
Ce modèle se distingue grâce à ses vertus écologiques.

Coup de cœur :
Au diable la raison, c'est l'émotion pure qui nous guide ici!

Modèle recommandé :
Sans peut-être décrocher une palme spécifique, ce modèle représente un achat sûr.

NOTRE VERDICT
À l'aide d'un système d'étoiles éprouvé, nous résumons les aspects importants de n'importe quel véhicule.

9 |

... À VOS MARQUES, PRÊTS, LISEZ !

FORD

MUSTANG / SHELBY GT500

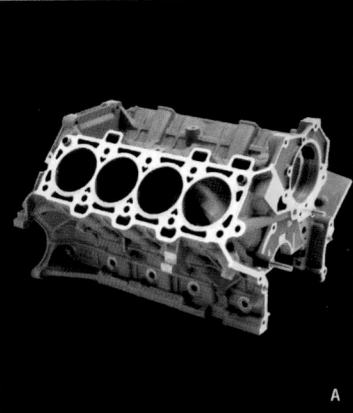

GALERIE

A La grande nouveauté des Mustang 2011 est sous le capot. Avec une vive concurrence de Chevrolet avec sa Camaro qui pousse son V8 à 426 chevaux, les 300 chevaux de la Mustang ne laissaient plus le poids. Ford y va donc avec le retour du V8 de 5 litres avec 412 chevaux.

B Même principe pour le V6 qui passe de 210 à 305 chevaux pour mieux tenir tête à Chevrolet et à Hyundai avec un couple Genesis V6 de 306 chevaux.

C Introduite dans la dernière génération de Mustang, le propriétaire a le choix de plus de 125 coloris d'ambiance dans la voiture qui passe du bleu au rose ou au vert au gré de votre humeur.

D Largement dominé par le noir, la Mustang vous permet d'obtenir en option une finition dans des tons de beige qui offre une toute nouvelle perspective et tend à éclaircir un intérieur plutôt que sa finition traditionnelle.

E La radio satellite SIRIUS® est offerte de série sur la Mustang GT et comprend un abonnement prépayé de 6 mois. Vous profitez également du système SYNC – de série pour la GT, livrable pour la V6. Il utilise votre téléphone cellulaire compatible avec la technologie Bluetooth® couplé à votre lecteur multimédia numérique ou à votre clé USB afin de vous permettre d'utiliser de simples commandes vocales pour faire des appels et écouter de la musique.

250 |

la GT devient encore plus intéressante avec cet engin ronronnant et puissant

vrombissement du V8 donne des frissons dans le dos, la poussée de l'accélération nous enfonce dans notre siège. Voilà un scénario qui, chaque fois, nous fait retomber en enfance. Et puis les ingénieurs de Ford ont joué à quelques autres endroits stratégiques, notamment sur la suspension et le châssis, des modifications qui procurent à la voiture une caisse un tantinet plus rigide. En revanche, l'essieu rigide à l'arrière cause de petits désagréments, en particulier si la chaussée est inégale. Au Québec, cette caractéristique de la voiture peut devenir agaçante si le pavé est truffé de trous et de bosses en plein virage. La performance du V8 donne une valeur ajoutée à la voiture qui doit tout de même composer avec une concurrence féroce. Ford se devait d'offrir un engin de plus de 400 chevaux pour assurer la continuité de la légende.

[CONCLUSION] On n'achète pas une Ford Mustang pour battre des records en piste, on n'achète pas une Mustang pour prendre des virages à toute allure en espérant défier les lois de la gravité. On achète une Mustang pour vivre la légende, pour se nourrir des émotions que procure cette voiture qui, désormais, profite de la dernière technologie sans que cela nuise à sa réputation. Au contraire! Écoutez la sonorité de ce V8, vous serez conquis! De plus, vous pouvez même vous faire plaisir encore davantage avec la livrée décapotable. Pour l'amateur de la silhouette et de la légende, la livrée à moteur V6 vous comblera. Elle offre suffisamment de puissance pour les tâches quotidiennes et procure amplement de plaisir. De plus, ce bolide vous est offert à moins de 25 000 dollars! En revanche, le

7 2e OPINION

FRÉDÉRIC MASSE Avec la nouvelle Mustang, la GT plus particulièrement, Ford a travaillé tout ce qui clochait. Elle a retiré les pneus aux flancs trop mous, la direction déconnectée, le levier de vitesses imprécis et, surtout, surtout, la suspension trop molle. Dans la recette, n'oublions pas de ramener le mythique V8 de 5 litres dont la puissance a été portée à 412 chevaux. Imaginez, le V6 de base, soit le nouveau 3,7-litres, fait 305 chevaux. Il n'est donc plus le parent pauvre, ni la location de fin de semaine, mais bien plutôt une puissante bagnole en soi. Grâce à ces modifications, le rapport qualité/prix/performance de la Mustang est tout simplement stupéfiant. Le nouveau moteur de la GT n'est pas aussi guttural que l'ancien par contre. Il aime maintenant chanter plus haut, soit jusqu'à 7000 tr/min. Bref, les résultats sont là, et la voiture est une merveille et la meilleure du genre, rien de moins. J'achète!

5 FICHE TECHNIQUE

MOTEURS
(V6)
V6 3,7 l DACT, 305 ch à 6500 tr/min
Couple 280 lb-pi à 4250 tr/min
Transmission manuelle à 6 rapports, automatique à 6 rapports (en option)
0-100 km/h 6,9 sec
Vitesse maximale 225 km/h

FORD

MUSTANG / SHELBY GT500

8

•(GT)
V8 5,0 l DACT, 412 ch à 6500 tr/min
Couple 390 lb-pi à 4250 tr/min
Transmission manuelle à 6 rapports, automatique à 6 rapports (en option)
0-100 km/h 5,2 sec
Vitesse maximale 240 km/h
Consommation (100 km) man. 15,9 l
auto. 10,9 l (octane 91)
Émissions de CO 5524 kg/an
Litres par année 2300 l
Coût par an 2576 $
Autre motorisation non
Empreinte écologique 31 arbres

•(SHELBY GT500)
V8 5,4 l suralimenté par compresseur volumétrique DACT, 550 ch à 6200 tr/min
Couple 510 lb-pi à 4500 tr/min
Transmission manuelle à 6 rapports
0-100 km/h 4,4 secondes
Vitesse maximale nd
Consommation (100 km) 12,4 l (octane 91)
Émissions de CO 5612 kg/an
Litres par année 2440 l **Coût par an** 2684 $
Autre motorisation non
Empreinte écologique 37 arbres

•AUTRES COMPOSANTES
Sécurité active freins ABS, antipatinage
Suspension avant/arrière indépendante, essieu rigide
Freins avant/arrière disques ventilés
Direction à crémaillère, assistée
Pneus V6 P215/60R17 Option V6, GT P235/50R18
GT500 P255/40R19 (av.), P285/35ZR19 (arr.)
Option GT500 P265/40R19 (av.), P285/35R20

•DIMENSIONS
Empattement 2720 mm
Longueur 4778 mm **GT500** 4780 mm
Largeur 1877 mm **GT500** 1880 mm
Hauteur 1412 mm **GT500** 1438 mm
cabrio. 1426 mm
Poids coupé V6 man 1566 kg, **V6 auto.** 1575 kg,
GT man. 1636 kg, **GT auto.** 1657 kg,
GT500 1732 kg cabrio. **V6 man** 1627 kg,
V6 auto. 1635 kg, **GT man.** 1687 kg,
GT auto. 1710 kg **GT500** 1800 kg
Diamètre de braquage V6 10,2 m **V8** 11,5 m
Coffre coupé 380 l cabrio. 272 l
Réservoir de carburant 61 l

9

NOS MENTIONS
Coup de cœur

NOTRE VERDICT

Plaisir au volant	● ● ● ● ● ● ○ ○ ○ ○
Qualité de finition	● ● ● ● ● ○ ○ ○ ○ ○
Consommation	● ● ● ○ ○ ○ ○ ○ ○ ○
Rapport qualité/prix	● ● ● ● ● ● ○ ○ ○ ○
Valeur de revente	● ● ● ● ○ ○ ○ ○ ○ ○

251 |

LE BULLETIN VERT

PAR DANIEL BRETON

Ne nous leurrons pas : aucun véhicule n'est complètement vert ! À titre d'exemple, la fabrication d'un véhicule nécessite 300 000 litres d'eau en moyenne. Mais il y a des choix automobiles moins polluants que d'autres. Si vous remplacez un véhicule qui consomme 8 litres aux 100 kilomètres par un modèle qui n'en consomme que 6, vous diminuerez vos émissions de 25 %... et vous atteindrez les objectifs de 2020 recommandés par les scientifiques ! À condition évidemment de ne pas augmenter votre vitesse ou votre kilométrage...

C'est dans cet esprit que j'ai développé la « classification verte » suivante. Je l'offre en primeur aux lecteurs et aux lectrices de *L'Annuel de l'automobile* afin de les aider à faire le meilleur choix auto-écolo.

Dans un premier temps, je vous indique pour chaque modèle sa motorisation et sa consommation. Pour cette dernière, j'utilise deux cotes :

- La première, optimiste, est celle de l'Office de l'efficacité énergétique (OEE) de Ressources naturelles Canada, que vous pourrez atteindre (et même battre) en conditions idéales estivales et en pratiquant l'écoconduite. Références :
  http://oee.nrcan.gc.ca/transports/outils/cotescarburant/

- La seconde est celle du US Department of Energy américain. Cette cote est plus réaliste pour la moyenne des conditions de conduite hiver/été et pour un style de conduite plus traditionnel. Références :
  www.fueleconomy.gov

	CRITÈRES	ÉCHELLE DE POINTS
1	ÉMISSIONS ANNUELLES DE GAZ À EFFET DE SERRE	10
2	LES ÉMISSIONS POLLUANTES	5
3	LA FIABILITÉ ET LA LONGÉVITÉ	5
4	L'EMPREINTE ÉCOLOGIQUE GLOBALE	5
5	LE CÔTÉ PRATIQUE	5
6	PRIX	5
	TOTAL	35

Ensuite, je décerne des points en me basant sur six critères précis :

Émissions annuelles de gaz à effet de serre :
10 points

Les émissions de gaz à effet de serre sont responsables du réchauffement de la planète. Basées sur les données américaines à 45 % sur la route et à 55 % en ville. Comme la consommation est directement proportionnelle aux émissions de CO_2, je n'accorde une note qu'aux seules émissions de CO_2. Chaque litre d'essence émet 2,4 kilos de CO_2; le diesel en émet 2,8 kilos (17 % de plus que l'essence). Puisque la Toyota Prius est la voiture de série qui émet le moins de CO_2 et représente le barème auquel les autres véhicules doivent se comparer, je note pour tous les autres véhicules le pourcentage qu'ils émettent de plus que la Prius.

Les émissions polluantes :
5 points

Les émissions polluantes sont à la base de la formation du smog (*smoke-fog*) causant des maladies pulmonaires,

cardiaques et des cancers. Quelque 1500 personnes par an en meurent dans la région de Montréal. Je me sers de la note de l'EPA (*Environmental Protection Agency*) que je divise par deux car il s'agit maintenant d'un critère de moindre importance que le CO_2 vu que tous les constructeurs s'alignent sur des normes antipollution très performantes s'inspirant des normes californiennes.

Sources : www.epa.gov/oms/climate/regulations.htm

La fiabilité et la longévité :
5 points

Plus un véhicule est fiable et durable, moins grand sera son impact écologique !

L'empreinte écologique globale :
5 points

Le cycle de vie complet inclut l'impact écologique des besoins en eau et en énergie, de l'extraction des matériaux, de la fabrication, de l'utilisation et de la mise au rancart. Cela dit, il est important de comprendre que 85 à 90 % de cette empreinte écologique ont lieu durant l'utilisation du véhicule. Les modes d'extraction des matériaux et de production des différents constructeurs se ressemblant (car de plus en plus mondialisés), il reste deux facteurs : le nombre de gadgets ajoutés (plusieurs composants électroniques des voitures modernes ne sont pas encore recyclables), et la mise au rancart qui dépend alors de vous.

Pour connaître les recycleurs écoresponsables, contactez : www.aqlpa.com

Note : L'empreinte écologique d'un système hybride est absorbé après 25 000 kilomètres en moyenne (source : centre interuniversitaire de recherche sur le cycle de vie des produits, des procédés et des services : CIRAIG/ www.ciraig.org). Et, oui, les batteries sont recyclables...

Le côté pratique :
5 points

Afin d'éviter de devoir se procurer ou utiliser un véhicule plus gros. Un véhicule à hayon est ainsi avantageux...

Prix :
5 points

Moins le véhicule vert est cher, plus il y a de gens qui peuvent devenir plus verts...

Pour un total maximal de 35 points.

1 LES AUTOMOBILES HYBRIDES

Nous fêtons en 2011 le 15e anniversaire de la mise en marché de ces véhicules à double motorisation : un moteur à combustion interne doublé d'un moteur électrique et d'une batterie nickel-métal hydrure (NiMH), dans la plupart des cas. Ces batteries se sont révélées excessivement fiables et durables. Nulle crainte, en effet, quant à leur longévité car elles sont conçues pour durer plus longtemps que le véhicule. Nous entrons depuis peu dans une nouvelle génération de batteries : les différentes déclinaisons de lithium. Les véhicules de série les plus éconergétiques et les moins polluants du monde se retrouvent du côté des hybrides, mais certains hybrides sont des imposteurs. Et c'est ici que nous le démontrerons.

TOYOTA PRIUS : LA MESURE-ÉTALON

Cette voiture consomme et ainsi émet moins de CO_2 que tout autre véhicule. De plus, elle est sans nul doute la plus pratique des intermédiaires grâce à son hayon. Elle est considérée parmi les voitures les plus fiables de toute l'industrie selon le magazine Consumers Report. J'ai souvent réussi à obtenir une consommation de 3,6 litres et, parfois, moins en positionnant le régulateur de vitesse à 100 km/h. Certains diront qu'elle n'est pas très emballante à conduire. Un conseil : allez l'essayer et jugez-en par vous-même. Elle est LA référence.

Motorisation :
4-cylindres de 1,8 litre et moteur électrique (système hybride intégral (full-hybrid) : ce qui signifie que la voiture, contrairement à un modèle hybride léger (mild-hybrid), peut avancer sur la seule énergie électrique à basse vitesse).

Consommation :

	OEE	USDE
ville	3,7 L/100 km	4,6 L/100 km
route	4 L/100 km	4,9 L/100 km
combiné	3,8 L/100 km	4,7 L/100 km

LA COTATION

1	10/10
2	4/5
3	5/5
4	4,5/5
5	5/5
6	3,5/5
T	32/35

Qualifiée au crédit d'impôt du Québec

HONDA INSIGHT : ABORDABLE... ET MÉCONNUE

23 % de plus que la Prius

Injustement critiquée par plusieurs pour ses lacunes présumées, je suis plutôt de ceux qui considèrent cette voiture comme une excellente alternative à la Prius. Moins chère de 3 500 $, elle est presque aussi économique en consommation. Elle est bien sûr moins spacieuse, moins puissante, moins confortable et un peu bruyante à l'accélération, mais elle n'en demeure pas moins un choix très intéressant grâce à son hayon qui rend l'espace de chargement pratique. Un choix judicieux dans sa version de base.

Motorisation :
4-cylindres de 1,3 litre et moteur électrique IMA (système hybride léger)

Consommation :

	OEE	USDE
ville	4,8 L/100 km	5,9 L/100 km
route	4,5 L/100 km	5,5 L/100 km
combiné	--	5,7 L/100 km

LA COTATION

1	8,5/10
2	4/5
3	5/5
4	4,5/5
5	4,5/5
6	4/5
T	30,5/35

Qualifiée au crédit d'impôt du Québec

HONDA CIVIC HYBRIDE : POUR QUELQUES MOIS ENCORE…

19% de plus que la Prius

Qualifiée au crédit d'impôt du Québec

LA COTATION

1	8,5/10
2	4/5
3	4,5/5
4	4/5
5	3/5
6	3,5/5
T	27,5/35

Inchangée pour une sixième année, la Civic hybride commence à laisser paraître son âge. Elle demeure malgré cela l'une des championnes écolos…

Motorisation :
4-cylindres de 1,3 litre et système hybride léger

Consommation :

	OEE	USDE
ville	4,7 L/100 km	5,9 L/100 km
route	4,3 L/100 km	5,2 L/100 km
combiné	--	--

FORD FUSION HYBRIDE : COUP DE CIRCUIT !

30% de plus que la Prius

Qualifiée au crédit d'impôt du Québec

LA COTATION

1	8/10
2	4/5
3	4,5/5
4	4/5
5	3/5
6	3,5/5
T	27/35

Je tiens à souligner le réel succès technique et esthétique ainsi que le plaisir au volant que constitue la Ford Fusion hybride. Cette berline intermédiaire a une apparence à la fois classique et moderne alliée à une qualité d'assemblage et à une finition intérieure des plus agréables, supérieure à celles de la Prius et de l'Insight. Son système hybride très performant lui permet d'avoir des performances en matière de consommation de carburant en ville qui ne sont dépassées que par la Prius et qui égalent l'Insight. Elle est handicapée par la position de sa batterie qui diminue son espace de chargement et empêche de rabattre le dossier. Un excellent achat.

Motorisation :
4-cylindres de 2,5 litres et moteur électrique (système hybride intégral)

Consommation :

	OEE	USDE
ville	4,6 L/100 km	5,7 L/100 km
route	5,4 L/100 km	6,5 L/100 km
combiné	--	6,0 L/100 km

INCITATIF GOUVERNEMENTAL

Le gouvernement du Québec propose l'incitatif suivant à l'achat et à la location de véhicules éconergétiques :

Tout véhicule à essence qui consomme 5,27 litres d'essence par 100 kilomètres ou 4,54 litres de diesel par 100 kilomètres reçoit un crédit d'impôt de 2000 $ à l'achat (4000 $ dans le cas des taxis). À la location, le montant du crédit d'impôt se calcule en fonction de la durée du contrat. (Pour les détails, voir le lien pour le formulaire donnant les infos sur le crédit d'impôt du Québec :

(http://www.revenu.gouv.qc.ca/documents/fr/formulaires/tp/tp-1029.8.36.ec(2009-10).pdf)

D'autres crédits sont offerts pour les véhicules électriques, mais comme aucun ne sera offert pour l'année modèle 2011, aussi bien attendre qu'ils arrivent…

HONDA CR-Z : JOINDRE L'UTILE À L'AGRÉABLE

33% de plus que la Prius

LA COTATION

1	7,5/10
2	4,5/5
3	5/5
4	4/5
5	2/5
6	4/5
T	27/35

Qualifiée au crédit d'impôt du Québec

Un croisement entre les défuntes CRX et Insight 1, cette petite biplace est conçue afin de mettre un peu de piment dans la conduite éconergétique. Et c'est réussi. Elle est un heureux compromis qui, avec sa boîte de vitesses manuelle à 6 rapports, rend la conduite sur les routes des plus agréables, tout en consommant moins qu'une smart. Son espace de chargement est très impressionnant, capable d'accueillir deux sacs de hockey pour adultes! Elle possède trois modes de conduite : normal, éco et sport.

Motorisation :

4-cylindres de 1,5 litre et système hybride léger

Consommation :

	OEE	USDE
ville	6,5 L/100 km	non disponible
route	5,3 L/100 km	non disponible
combiné	5,6 L/100 km	non disponible

TOYOTA CAMRY HYBRIDE : LA PLUS VENDUE AU CANADA

50 % de plus que la Prius

LA COTATION

1	7/10
2	4/5
3	5/5
4	4/5
5	3/5
6	3,5/5
T	26,5/35

Contrairement aux États-Unis, où la Prius se vend beaucoup plus que la Camry hybride, il semble que nous soyons plus conservateurs au nord du 45e parallèle. Cette voiture revient inchangée en matière de motorisation, ce qui est dommage car elle est larguée au chapitre de la technologie par la Ford Fusion. Elle est tout de même une valeur sûre et fidèle à l'histoire Camry, c'est-à-dire sans histoire...

Motorisation :

4-cylindres de 2,4 litres et moteur électrique (système hybride intégral)

Consommation :

	OEE	USDE
ville	5,7 L/100 km	7,1 L/100 km
route	5,7 L/100 km	6,9 L/100 km
combiné	--	6,9 L/100 km

LEXUS HS 250h : UNE HEUREUSE INITIATIVE

50 % de plus que la Prius

LA COTATION

1	7/10
2	4/5
3	5/5
4	4/5
5	3/5
6	3/5
T	26/35

Il était temps qu'un constructeur offre une voiture à basse consommation pour les acheteurs de voitures de luxe d'entrée de gamme. C'est simple, elle n'a aucune concurrence! La BMW diesel de Série 3, qui émet 50 % plus de CO_2 et est beaucoup moins propre que la HS 250h, est dépassée par la Lexus, beaucoup plus écologique. Agréable à conduire, dotée d'une excellente tenue de route et bien équipée pour moins de 40 000$, elle constitue un très bon choix.

Motorisation :

4-cylindres de 2,4 litres et moteur électrique (système hybride intégral)

Consommation :

	OEE	USDE
ville	5,6 L/100 km	6,7 L/100 km
route	5,9 L/100 km	6,9 L/100 km
combiné	--	6,7 L/100 km

VÉRITÉ CHIFFRÉE

Afin que nous puissions réaliser l'impact important de nos choix d'automobile sur l'environnement, voici quelques données importantes :

+19 %	Augmentation de la population du Canada entre 1990 et 2007
+30 %	Augmentation des émissions de CO_2 des véhicules privés au Canada entre 1990 et 2007
+6 %	Augmentation de la population du Québec entre 1998 et 2008
+31 %	Augmentation du nombre de véhicules au Québec entre 1998 et 2008 (5 fois plus)
+36,7 %	Augmentation des émissions de CO_2 au Québec en transport entre 1990 et 2007 (le transport représente environ 40 % des émissions du Québec)
-25 à -40 %	Objectif de réduction des émissions de gaz à effet de serre à l'échelle de la planète fixé par les scientifiques pour 2020 (par rapport à 1990)

On a beaucoup, beaucoup de pain sur la planche...

résultat

« Le CO_2 ne pouvant être stoppé par un catalyseur, le seul moyen d'en diminuer les émissions liées au transport est de réduire votre consommation de carburant. Si l'évolution des catalyseurs a diminué de plus de 90 % les émissions polluantes des véhicules depuis 30 ans, il reste beaucoup à faire quant à la diminution des GES. »

André Bélisle, Président de l'Association québécoise de Lutte contre la Pollution atmosphérique (AQLPA)

NISSAN ALTIMA HYBRIDE : LA PUISSANTE BERLINE

50 %
de plus que
la Prius

LA COTATION
1	7/10
2	4/5
3	4/5
4	4/5
5	3/5
6	3,5/5
T	25,5/30

cote sur 30 plutôt que sur 35, faute d'une cote sur l'émissions polluantes

L'Altima hybride est une voiture agréable à conduire, bien équipée et qui ressemble à s'y méprendre à l'Altima traditionnelle. Au 4-cylindres de 2,5 litres, Nissan a greffé un système hybride emprunté à Toyota qui rend l'auto à la fois presque aussi puissante que le modèle V6 et moins énergivore que le modèle à 4 cylindres. Comme dans le cas de la Ford Fusion et de la Camry hybride, son espace de chargement est légèrement handicapé par les batteries. Soyons clairs : il s'agit d'une bonne voiture, sans doute l'une des plus agréables à conduire et l'une des plus puissantes, mais elle n'a pas été conçue pour être la plus verte.

Motorisation:
4-cylindres de 2,5 litres et moteur électrique (système hybride intégral)

Consommation:

	OEE	USDE
ville	5,6 L/100 km	6,7 L/100 km
route	5,9 L/100 km	7,1 L/100 km
combiné	--	6,9 L/100 km

LEXUS GS 450h : TROP PUISSANTE

120 % de plus que la Prius

LA COTATION

1	5/10
2	4/5
3	4/5
4	2,5/5
5	3/5
6	2/5
T	20,5/35

Il semblerait que les ingénieurs aient voulu se faire plaisir ou faire plaisir à des automobilistes qui aiment les berlines de luxe à caractère sportif, comme certaines BMW ou Audi, en concevant une voiture hybride surpuissante... mais qui consomme pratiquement comme une voiture à moteur V8. Si vous cherchez réellement à diminuer votre empreinte écologique, regardez ailleurs.

Motorisation :
4-cylindres de 2,5 litres et moteur électrique (système hybride intégral)

Consommation :

	OEE	USDE
ville	8,7 L/100 km	10,7 L/100 km
route	7,8 L/100 km	9,4 L/100 km
combiné	--	10,2 L/100 km

MERCEDES-BENZ 400S HYBRID : CONTRE-ATTAQUE ALLEMANDE

140 % de plus que la Prius

LA COTATION

1	4,5/10
2	4/5
3	4/5
4	2/5
5	3/5
6	1,5/5
T	19/35

Treize ans après les Japonais, Mercedes-Benz se lance. La 400S hybride est la première voiture du monde munie d'une batterie lithium-ion, qui a le double avantage d'être plus puissante que les batteries NiMH et de prendre moins d'espace. La voiture brille par son confort, sa douceur de roulement et son raffinement. De plus, j'ai réussi à obtenir une consommation de 7 litres aux 100 kilomètres avec cette énorme voiture. Évidemment, à 105 000 $, elle n'est pas pour toutes les bourses. De plus, je ne peux comprendre que Mercedes-Benz se contente d'un système hybride qui ne permette pas à une voiture si sophistiquée de rouler sur le mode tout à l'électricité en ville. Avec une berline plus légère que la Lexus LS 600hL et une batterie lithium-ion, Mercedes-Benz n'a pas réussi à faire mieux au chapitre des émissions que la LS 600. Allez quoi, un petit effort !

Motorisation :
V6 de 3,5 litres et moteur électrique (système hybride léger)

Consommation :

	OEE	USDE
ville	11 L/100 km	12,4 L/100 km
route	7,7 L/100 km	9,4 L/100 km
combiné	--	11,2 L/100 km

LEXUS LS 600hl : L'AUTO DE SIR PAUL MCCARTNEY

140 % de plus que la Prius

LA COTATION

1	4,5/10
2	4/5
3	4,5/5
4	2/5
5	3/5
6	1/5
T	19/35

Une étude de 2007 a révélé que, si les gens éduqués et fortunés sont le plus au fait du réchauffement climatique, ce sont aussi ceux qui en font le moins pour le contrer. D'où la Lexus LS 600hL. À plus de 120 000 $, c'est la limo écolo des gens riches et célèbres. Très spacieuse, très feutrée, munie d'un véritable La-Z-Boy à l'arrière, elle a été pensée pour celui qui se laisse conduire. Pour déculpabiliser les uns, elle obtient des cotes de consommation acceptables. Elle est évidemment équipée d'une orgie de gadgets. En somme, la protection de l'environnement s'est aussi retrouvée sur la banquette arrière. Mince consolation : elle est bien moins pire que ses concurrentes !

Motorisation :
V6 de 3,5 litres et moteur électrique (système hybride intégral)

Consommation :

	OEE	USDE
ville	10,6 L/100 km	11,8 L/100 km
route	9,1 L/100 km	10,7 L/100 km
combiné	--	11,2 L/100 km

LES CAMIONS LÉGERS HYBRIDES

L'engouement pour ce que les constructeurs appellent n'importe comment sauf un VUS et qui sont, la plupart du temps, ni utilitaires ni sport, est, à mon avis, une abomination environnementale. De plus en plus de gens achètent ces gros véhicules alors qu'ils n'en ont pas vraiment besoin. Cette tendance constitue le plus gros obstacle à une réduction significative de nos émissions nocives. Cela dit, certains constructeurs font de beaux efforts...

FORD ESCAPE HYBRIDE : LOUABLE

LA COTATION

1	7/10
2	4/5
3	4,5/5
4	3,5/5
5	4,5/5
6	3,5/5
T	27,5/35

56% de plus que la Prius

Qualifié au crédit d'impôt du Québec

Ce VUS hybride a eu la bonne idée d'être le précurseur de sa catégorie, et cela mérite le respect. Cette deuxième génération a été améliorée au chapitre des émissions de CO_2 tout en demeurant un véhicule au format à la fois raisonnable et pratique.

Motorisation :
4-cylindres de 2,5 litres et moteur électrique (système hybride intégral)

Consommation :

	OEE	USDE
ville	5,8 L/100 km	6,9 L/100 km
route	6,5 L/100 km	7,6 L/100 km
combiné	--	--

TOYOTA HIGHLANDER HYBRIDE : DÉFINITIVEMENT AMÉLIORÉE...

LA COTATION

1	5/10
2	4/5
3	4,5/5
4	3/5
5	4,5/5
6	3/5
T	25,5/35

68 à 70% de plus que la Prius

Une très bonne nouvelle : le Highlander 2011 aura droit à la technologie du RX 450h, beaucoup plus efficace. Cette version devrait donc être plus éconergétique et moins polluante que la 2010. À suivre...

Motorisation :
V6 de 3,5 litres et moteur électrique (système hybride intégral)

Consommation : *(traction)*

	OEE	USDE
ville	6,3 L/100 km	7,4 L/100 km
route	7,1 L/100 km	8,4 L/100 km
combiné	--	7,8 L/100 km

Consommation : *(transmission intégrale)*

	OEE	USDE
ville	6,6 L/100 km	7,8 L/100 km
route	7,2 L/100 km	8,4 L/100 km
combiné	--	8,1 L/100 km

LEXUS RX 450h : LUXE VERT PÂLE...

Très confortable, luxueux et relativement économique, le Lexus RX 450h est un véhicule impressionnant pour sa catégorie. Il est bien conçu, avec une qualité de finition supérieure du côté technique. Pour ceux qui en ont vraiment besoin (oui, vraiment, posez-vous la question), il est à considérer.

Motorisation :
V6 de 3,5 litres et moteur électrique (système hybride intégral)

Consommation : *(traction)*

	OEE	USDE
ville	6,3 L/100 km	7,4 L/100 km
route	7,1 L/100 km	8,4 L/100 km
combiné	--	7,8 L/100 km

Consommation : *(transmission intégrale)*

	OEE	USDE
ville	6,6 L/100 km	7,8 L/100 km
route	7,2 L/100 km	8,4 L/100 km
combiné	--	8,1 L/100 km

68 à 70 % de plus que la Prius

LA COTATION
1 6,5/10
2 4/5
3 4,5/5
4 3/5
5 5/5
6 1,5/5
T 24,5/35

Qualifié au crédit d'impôt du Québec

CHEVROLET SILVERADO HYBRIDE : PEUT-ÊTRE...

Pour l'avoir très (trop) brièvement essayé, je ne peux me fier que sur les statistiques officielles et faire preuve d'humilité. Je ne sais pas s'il peut remplir le mandat d'un véhicule à la vocation véritablement utilitaire. Si ce camion le peut, il représente une option intéressante. À suivre...

Motorisation :
V8 de 6 litres et moteur électrique (système hybride intégral)

Consommation :

	OEE	USDE
ville	ND	11,2 L/100 km
route	ND	10,7 L/100 km
combiné	--	10,7 L/100 km

127 % de plus que la Prius

LA COTATION
1 5/10
2 3/5
3 4/5
4 3/5
5 5/5
6 3/5
T 23/35

CADILLAC ESCALADE HYBRIDE : DÉCLASSÉ

Avant de grimper dans un Escalade, posez-vous cette question : pourquoi acheter un véhicule qui est surpassé à tous les chapitres par le Lexus RX 450h ? Ce Cadillac hybride émet plus de CO_2, est moins bien fini et offre une tenue de route moins sûre. J'ai été frappé à quel point il était affecté par un vent latéral pourtant faible. Outre l'allure que plusieurs rappeurs affectionnent, je ne vois pas vraiment son intérêt. De plus, contrairement au Lexus, il n'est offert qu'en version à deux roues motrices.

Motorisation :
V8 de 6 litres et moteur électrique (système hybride intégral)

Consommation :

	OEE	USDE
ville	non disponible	11,2 L/100 km
route	non disponible	10,7 L/100 km
combiné	--	10,7 L/100 km

127 % de plus que la Prius

LA COTATION
1 4/10
2 3/5
3 4/5
4 2/5
5 5/5
6 1,5/5
T 19,5/35

BMW X6 ACTIVEHYBRID : VERT... COMME HULK !

LA COTATION

1	3/10
2	ND
3	3/5
4	1/5
5	2/5
6	2/5
T	10,5/30

9,4 tonnes
176 %
de plus que
la Prius

cote sur 30 plutôt que sur 35, faute d'une cote sur les émissions polluantes

Ce véhicule est un extraordinaire exemple de mascarade écologique. Très lourd, immense mais affublé d'un habitacle 2+2, d'un moteur V8 biturbo de 4,4 litres, plus deux moteurs électriques pour une puissance totale de 480 chevaux, de peu d'espace de chargement et peinant à faire moins de 13 litres aux 100 kilomètres, ce véhicule est tout sauf vert. La risée des hybrides.

Motorisation :
V8 de 6 litres et moteur électrique (système hybride intégral)

Consommation :

	OEE	USDE
ville	12,6 L/100 km	13,8 L/100 km
route	10,3 L/100 km	12,4 L/100 km
combiné	--	13,1 L/100 km

EN 2010, LES ÉMISSIONS MOYENNES DE CO_2 PAR KILOMÈTRE DES VÉHICULES NORD-AMÉRICAINS SONT DE 255 GRAMMES PAR KILOMÈTRE PAR COMPARAISON AVEC 143 EN EUROPE ET 133 AU JAPON.

VÉHICULE LE PLUS VENDU AU CANADA ?

LA FORD F-150

VÉHICULE LE PLUS VENDU AU JAPON ?

LA TOYOTA PRIUS

3

L'EXCEPTION NON HYBRIDE

VOLKSWAGEN JETTA TDI / GOLF TDI

LA COTATION

1	6,5/10
2	2,5/5
3	3/5
4	3/5
5	4/5
6	4/5
T	23/35

5,7 tonnes
68 %
de plus que
la Prius

Qualifiée au crédit d'impôt du Québec

Ces voitures sont intéressantes au chapitre de la consommation de carburant et ont un net avantage en ce qui trait au plaisir de conduire sur les Prius et Insight, mais elles sont loin d'être aussi propres que les publicitaires veulent bien nous le faire croire. Couronnées en 2010 par des chroniqueurs comme voitures vertes mondiales de l'année, laissez-moi rigoler... Il reste néanmoins que ce tandem est pratique et peut être considéré comme une alternative aux hybrides si, à prix égal, vous privilégiez le plaisir au volant sur la protection de l'environnement...

Motorisation:
4-cylindres de 2 litres diesel (et non, je n'écrirai pas diesel propre...)

Consommation:

	OEE	USDE
ville	6,7 L/100 km	7,8 L/100 km
route	4,6 L/100 km	5,6 L/100 km
combiné	--	6,9 L/100 km

4

ET CELLE-CI

Voici d'autres véhicules qui, bien que représentant un intérêt moindre du point de vue écologique que les meilleurs modèles présentés plus haut, ne méritent pas une élimination automatique.

SUBARU LEGACY/OUTBACK PZEV : MENTION SPÉCIALE

Ces Subaru PZEV sont les seules non-hybrides à être aussi performantes au chapitre des émissions polluantes que les hybrides. Impressionnant! De plus, bravo à l'efficace boîte de vitesses CVT. Au même prix qu'une Camry, vous obtenez une transmission intégrale! Le modèle Outback peut très bien représenter l'alternative aux VUS et autres dérivés plus énergivores. Ces deux modèles doivent figurer sur votre liste d'achat!

 ## ET D'AUTRES CHOIX VALABLES

VOITURES	COTE	VOITURES	COTE
AUDI A3 TDI	🍃🍃🍃🍃	HYUNDAI ELANTRA TOURING	🍃🍃🍃🍃
CHEVROLET CRUZE	🍃🍃🍃	MAZDA2	🍃🍃🍃🍃
CHEVROLET MALIBU	🍃🍃🍃	MAZDA5	🍃🍃
FORD FIESTA	🍃🍃🍃🍃	NISSAN CUBE/VERSA	🍃🍃🍃
FORD TRANSIT CONNECT	🍃🍃🍃🍃	SCION XB	🍃🍃🍃🍃
HONDA FIT	🍃🍃🍃🍃	SMART	🍃🍃🍃🍃
HONDA CIVIC	🍃🍃🍃🍃🍃	TOYOTA YARIS	🍃🍃🍃
HONDA ACCORD	🍃🍃🍃🍃🍃	TOYOTA MATRIX	🍃🍃🍃🍃🍃
HYUNDAI SONATA	🍃🍃🍃🍃🍃		

L'AVENIR

D e quoi sera-t-il fait, ce futur de l'automobile ? Nul ne peut le prédire avec exactitude, mais, selon Pierre Langlois, physicien et auteur du livre *Rouler sans pétrole* (éditions Multimondes), Pierre Lavallée et Sylvain Castonguay, du Centre National de Transport Avancé (CNTA), l'enquête française Syrota et une récente étude britannique, l'avenir résiderait dans les véhicules hybrides rechargeables. GM, Toyota et Ford sont aux avant-postes de cette technologie. Voici d'ailleurs trois modèles qu'il faudra surveiller :

CHEVROLET VOLT

Si cette voiture est à la hauteur des attentes, GM causera un choc pour avoir mis au point une voiture technologiquement à l'avant-garde de tout ce qu'on trouve actuellement sur le marché. Elle a une autonomie de 64 kilomètres sur le mode électricité. Elle est la seule des trois concurrentes en tête du peloton de la nouvelle génération des voitures hybrides rechargeables à piles lithium dont le moteur à combustion interne n'entraîne pas les roues. À 41 000 $, elle ne sera cependant pas à la portée de bien des bourses.

TOYOTA PRIUS PLUG-IN HYBRID

Avec une autonomie électrique de 20 kilomètres à moins de 75 km/h, cette 4e génération de Prius est à peu près certaine de connaître un immense succès étant donné les succès du modèle à ce jour, surtout que les prévisions de prix sont qu'elle sera passablement moins chère que la Volt. Ma prévision ? Près de 10 000 $ de moins...

FORD ESCAPE PLUG-IN HYBRID

Encore cette fois, Ford entend frapper fort. Dotée d'une autonomie de 48 kilomètres sur le mode électricité, cette 3e génération d'Escape promet elle aussi d'être très intéressante.

ET LES ÉLECTRIQUES...

Véhicules de niches urbaines ou spécialisés, voici quelques modèles à surveiller :

TESLA S

Cette voiture du type berline électrique à l'apparence d'une Maserati aura une autonomie jusqu'à 500 kilomètres pour un peu plus de 50 000 $! Si cela se confirme, wow ! Prévue pour 2011.

NISSAN LEAF

Dotée d'une autonomie de 160 kilomètres et d'une vitesse de pointe de 150 km/h, cette voiture sera offerte au Canada en 2011.

SMART ÉLECTRIQUE

D'une autonomie de 150 kilomètre en conduite urbaine, elle ne sera pas à vendre mais seulement à louer (seulement une vingtaine pour le Québec).

MITSUBISHI I-MiEV

Avec une autonomie de 160 kilomètres, l'I-MiEV effectue déjà des tests chez nous, en partenariat avec Hydro-Québec. J'ai eu la chance de la conduire. Elle se comporte de façon tout à fait décente et sera elle aussi offerte chez nous en 2011.

N.B : Outre les choix automobiles plus verts présentés ici, 11 autres solutions pour un transport encore plus écolo vous sont proposés sur le site www.mcn21.org, dont le transport actif en commun et toute une panoplie d'autres alternatives.

Daniel Breton/ écologiste
Président
Maîtres chez nous-21e siècle (MCN21)
www.mcn21.org

LE CLUB DES 300
N'EST PAS MEMBRE QUI VEUT !

PAR LOUIS-PHILIPPE DUBÉ

C'était sur un tarmac plutôt froid de la piste 11-19 de l'aéroport de Mirabel que s'est déroulé l'évènement *Le Club des 300* imaginé conjointement par le Circuit ICAR et *L'Annuel de l'automobile 2011*. Après plusieurs tentatives déjouées par une météo peu coopérative, l'équipe d'ICAR et de *L'Annuel* ont accepté les conditions qu'a offertes dame Nature le 9 mai dernier. Un 9 mai qui, en plus d'enregistrer des records de vitesse pour les propriétaires de voitures qui se sont présentés ce jour-là, a vu le mercure, combiné à un facteur éolien (rafales de vent à 70 km/h!), descendre à moins 10 degrés Celsius... Pourtant, à notre agréable surprise, plusieurs bolides aux mécaniques effarantes se sont présentés pour justement mettre leurs cylindres à l'épreuve. Dix-huit propriétaires téméraires venus des quatre coins de la province et tous animés du même but : pousser au maximum les limites de leur voiture trop souvent confinée à une utilisation modeste sur un réseau routier laissant à désirer. Des citadines aux allures royales à des abonnées du circuit fermé, nous avons réuni ce dimanche-là le genre d'automobiles que l'on voit surtout sur les posters qui tapissent les murs de la chambre à coucher des jeunes garçons. Elles allaient nous montrer ce qu'elles ont dans le ventre.

La Viper GTS d'Andras Kovacs a fait rugir son 10 cylindres pour elle aussi devenir membre du Club des 300 à 302 km/h.

LE CLUB DES 300

Une autre GT, une Carrera GT de Porsche, a franchi le fil d'arrivée à 316 km. Son propriétaire, Gotham Sastri, déplorait le manque d'adhérence de la piste

~~~~~~

UN COCKTAIL DE QUALITÉS

Qu'est-ce qui détermine la performance globale d'une voiture ? Un bon amalgame entre sa motorisation, sa combinaison châssis/suspension et son aérodynamisme s'avère certainement un bon indice. La vitesse de pointe proclamée de 300 km/h sert souvent d'argument de vente aux manufacturiers d'automobiles exotiques (j'allais préciser « coûteuses » mais j'éviterai ce pléonasme). Mais soyons réalistes : la capacité d'une voiture à atteindre cette vitesse vertigineuse ne mesure en rien sa qualité globale. En revanche, elle est une indubitable preuve de la bonne complicité entre sa motorisation bien conçue et son aérodynamisme tout autant savant. Une vitesse de pointe de 300 km/h revendiquée sur une feuille de spécifications peut-elle être atteinte n'importe où et n'importe quand ? Bien sûr que non. Nous avons décrété que la piste 11-19 de l'aéroport de Mirabel serait l'endroit idéal pour vérifier si les 18 voitures présentes au poste auraient ce qu'il faut pour joindre la pratique à la théorie.

D'une longueur totale de 3,3 km, dont 2,3 km furent consacrés entièrement à l'accélération et la balance pour ralentir en toute confiance, cette grande piste au milieu de nulle part nous offrait ce dont on avait besoin : du béton à perte de vue ! Il est important de mentionner que l'endroit était sécuritaire pour ce genre de test, notamment parce que les enthousiastes pilotes profitaient d'une bonne marge de manœuvre, la piste ayant une largeur totale de 61 mètres, ce qui est amplement mieux qu'une *autobahn*, un autre terrain de jeu de prédilection (mais ce sera pour un autre test...).

Enfin, si la météo n'était pas clémente pour les participants, elle avantageait définitivement les voitures : vent dans le dos, température fraîche et humidex bas.

ATTENTION AUX AVIONS !

Aussi (tristement) célèbre soit-il (qu'il suffise à penser à sa réputation d'éléphant blanc ou aux inutiles expropriations imposées durant sa construction), l'aéroport de Mirabel est encore un endroit relativement fréquenté. Mis à part le circuit ICAR, qui occupe une partie de ce qui était dédié aux aires de service et aux bâtiments relatifs ❯

Tout le monde croyait bien que cette Lamborghini Gallardo serait membre du Club, mais un bris électronique en pleine accélération a limité sa performance à 267 km/h.

à l'entretien des équipements terrestres, les compagnies d'expédition comme FedEx et UPS y ont des installations. Bombardier occupe également une bonne portion des terres expropriées afin de développer et entretenir ses produits aéronautiques.

Étonnement, l'aéroport de Mirabel figure parmi les endroits les mieux gardés au pays à cause de sa participation à des programmes militaires. Une preuve qu'on ne badine pas : quiconque se présente sur les lieux, pour quelque raison que ce soit, doit être approuvé au préalable et recevoir les accréditations appropriées. Pour les besoins de notre test, notre équipe ainsi que les pilotes furent constamment escortés par une horde d'agents de sécurité en convoi maximal de quatre véhicules jusqu'au fin fond de l'aéroport, au point de décollage de la piste 11-19. Heureusement que le circuit ICAR a pu jouer de ses influences puisque la piste est théoriquement fermée du 15 octobre au 15 mai. C'est donc une meute grelottante de photographes, de journalistes et d'agents de la Sûreté du Québec (merci, les gars, pour votre participation !) qui a pris place sur cet océan de béton, juste avant que les premiers bolides ne s'élancent. La vitesse allait être mesurée à trois bornes : 400 m, 1000 m et 2,3 km (l'arrivée). Toutes plus dévergondées les unes que les autres, des Américaines déchaînées aux Italiennes rutilantes, les automobiles d'exception se sont précipitées à vive allure, une à une, à travers la piste de l'aéroport quasiment déchue. Le tiers des 18 participants ont, le radar en faisant foi, brisé la barrière mythique des 300 km/h : les deux Ford GT, la Audi R8 V10, la Carrera GT, la Corvette Z06 et la Dodge Viper. La Lamborghini Gallardo aurait définitivement pu se classer dans ce club d'élite mais, aux prises avec un curieux problème électronique à haute vitesse, son propriétaire a dû suspendre son essai à 267 km/h. « J'aurais définitivement pu faire mieux si je ne manquais pas de traction à chaque changement de vitesse », s'est exclamé pour sa part le propriétaire de la Porsche Carrera GT, une déclaration toute aussi épeurante que révélatrice.

C'est à très haute vitesse, lors de son tout premier essai, que le propriétaire de la Bentley Continental GT s'est fait rappeler, via le système électronique de sa voiture, que la pression des pneus était inadéquate pour la vitesse qu'il souhaitait atteindre. Monsieur Ayen s'est alors empressé d'aller au garage ICAR afin de gonfler les pneus aux pressions prescrites par le manufacturier.

THOMAS LTÉE.

C'est grâce à une firme montréalaise du nom de Thomas Ltée, spécialisée dans l'instrumentation des corps policiers, que les résultats des essais du *Club des 300* ont été recueillis. Fondée en 1952 par Jean-Louis Thomas (toujours fidèle au poste !) et aujourd'hui encore dirigée par fils et petit-fils (merci Patrick !), Thomas Ltée nous a fourni le modèle de laser le plus utilisé par les forces de l'ordre québécoises.

LASER OU DOPPLER ?

Le modèle de radar au laser fourni sert également aux astronautes de la NASA pour mesurer la distance et la vitesse de certains objets lorsqu'ils séjournent sur la station spatiale internationale. Précisons quand même que ce degré de précision n'est pas utilisé par tous les corps policiers... Il existe encore au Québec des radars de type Doppler qui, à la place de fixer un objet spécifique pour en déterminer la vitesse, envoie plutôt des ondes droit devant. Celles-ci sont renvoyées vers l'instrument en révélant la vitesse de la masse la plus grande plutôt qu'un véhicule donné. Le policier décide alors qui est l'heureux élu qui servira d'exemple...

C'est avec un peu de «boucane» dans les ailes que Marc Dubuc a entamé la meilleure prestation de la journée à 337 km/h au volant de sa Ford GT de 700 chevaux.

26

«J'ai choisi la Bentley car elle m'offre un excellent compromis confort/performance. J'ai quelques amis qui sont propriétaires de Porsche et de Ferrari. La Bentley m'a plu par son aspect individuel et unique. C'est un véhicule extrêmement évolué!», a dit M. Ayen. On ne parle pas ici de la même «évolution» qui concerne les Ford GT. L'un des propriétaires a affirmé que «tant que tu as le pied sur l'accélérateur, rien ne l'arrête de pousser!» D'ailleurs, la grande gagnante de la journée, une Ford GT de 700 chevaux, nous a tous laissé bouche bée. Celle qui, pour atteindre ces 700 CV, n'a eu besoin que d'une programmation d'ordinateur, une poulie de compresseur plus sophistiquée et un échappement moins restrictif, a signé la vitesse record de la journée : 337 km/h!

«Les modifications ont été effectuées entièrement par le concessionnaire», d'expliquer le fier pilote. L'Américaine, que l'on qualifie souvent de simple, pour ne pas dire archaïque, est probablement la voiture la moins coûteuse du lot en ce qui a trait à sa mutation électronique. On peut trouver la majorité de ses pièces motrices sur une camionnette F-150, diront certains connaisseurs. Et pourtant, c'est cette simplicité électronique qui a permis à cette Ford GT, version 24 heures du Mans, la possibilité d'exploiter à fond chaque cheval mis à sa disposition sur la piste de l'aéroport de Mirabel.

Les propriétaires de la Dodge Viper, de l'Audi R8 V10 et de la Ford GT (celle du record de la journée) ont tous avoué que, malgré la qualité souvent discutable des routes québécoises et des contrôles routiers nombreux, ils ne regrettent en rien leur achat. Ils vont même jusqu'à utiliser leurs précieuses voitures d'exception à tous les jours, peu importe les circonstances.

«La consommation d'essence est (relativement) bonne lorsqu'on n'abuse pas de la voiture», nous a confié M. Kovacs, propriétaire de la Viper. «Je l'ai choisie parce que je mesure 6'6'' et que c'est probablement la voiture sport dans laquelle je suis le plus confortable», a-t-il dit alors que nous attendions ensemble avant le «décollage»... Et d'ajouter : «La Viper est gérée par une technologie dépassée mais elle est extrêmement fiable.»

Toujours à propos de technologie automobile, une Nissan Skyline, avec quatre roues motrices et poste de pilotage à droite (ce qu'on ne peut plus désormais immatriculer au Québec), nous a prouvé qu'elle était à la hauteur de l'évènement en filant devant notre radar à 290 km/h. La Japonaise a irrévocablement beaucoup de sportivité pour son prix (on peut importer un modèle bien entretenu pour un peu moins de 20 000 $ canadiens). Son propriétaire s'est amusé à la tester en mode deux et quatre roues motrices d'un simple geste à

poser sous le capot, soit le retrait ou l'ajout d'un fusible qui contrôle le système de traction. « La voiture est beaucoup plus stable en traction intégrale », a admis celui qui était le plus jeune pilote du groupe. Nous avons pu remarquer que les deux Lotus inscrites ont eu beaucoup de difficulté à rejoindre le *Club des 300*. À vrai dire, l'Anglaise, qui possède les atouts indéniables d'une sportive, aurait été beaucoup plus performante si elle avait pris part à un concours d'agilité. Elle n'aurait fait qu'une bouchée de la majorité des autres grosses pointures.

L'heureux proprio de l'une de ces Lotus, Fred Robson, l'a acquise après un coup de foudre, tout bonnement. Il s'est produit lors d'un voyage d'affaires où une entreprise de location lui a proposé d'en louer une pour 100$ par jour. Un marché difficile à refuser! Dès son retour à Montréal, Robson a rendu visite à John Scotti Auto et s'est procuré la Lotus. « Malgré le fait que je n'ai pas pu atteindre les 300 km/h, je peux vous confirmer que ma Exige se comporte comme un *kart* sur le circuit et sur la route ». **«**

JUSTE POUR LE FUN

L'après-midi aurait été payante pour la Sûreté du Québec si les essais s'étaient déroulés sur la voie publique. Selon le code de la route, l'échelle des pénalités s'arrête à 279 km/h. Nous avons tout de même effectué un petit calcul approximatif avec un agent du corps policier provincial : 48 105$ en contraventions, 756 points d'inaptitude, 18 remorqueuses et plus de deux millions de dollars de véhicules à la fourrière!

Question de bien préparer toute l'équipe, une BMW M5 a servi de cobaye pour tester les installations et la quincaillerie électronique. Son propriétaire, Serge Daigneault, l'a poussée à 263 km/h

C'est une autre Ford GT, sans modification celle-là, qui a pris le 2ᵉ rang. Son conducteur, Guy Desjardins, a grimpé à 317 km/h

Dans le Club des 300 km/h, on compte aussi l'Audi R8 V10 de Danny Savard qui a arrêté le radar à 307 km/h

Eugène Arseneau a poussé sa Ferrari F430 décapotable à 284 km/h. Il n'avait jamais roulé aussi vite avec le toit souple en place.

LE CLASSEMENT

PILOTE	MARQUE	MODÈLE	400 m	1 000 m	ARRIVÉE (2,3 km)
1. Marc Dubuc	Ford	GT (700 ch)	190	277	337
2. Guy Desjardins	Ford	GT (stock)	188	260	317
3. Gotham Sastri	Porsche	Carrera GT	182	258	316
4. Danny Savard	Audi	R8 V10	168	241	307
5. Pierre Corbeil	Chevrolet	Corvette Z06 (2006)	178	249	303
6. Andras Kovacs	Dodge	Viper	177	250	302
7. Serge Lagacé	Chevrolet	Corvette Z06 (noire)	182	248	297
8. Serge Allaire	Nissan	GT-R	177	239	297
9. Simon Corbeil	Nissan	Skyline (500 ch)	174	237	290
10. Eugène Arseneau	Ferrari	F430 déc	172	239	284
11. Jean Michel Ayen	Bentley	GT décapotable	160	218	284
12. Martin Valois	Audi	R8 V8	167	229	275
13. René Lacasse	Dodge	Challenger SRT8	166	232	272
14. Pierre Galarneau	Dodge	Charger SRT8	158	222	268
15. Howard Levine	Lamborghini	Gallardo (540)	160	235	267*
16. Serge Daigneault	BMW	M5	138	221	263
17. Bernard Durand	Lotus	Élise SC	160	214	250
18. Fred Robson	Lotus	Exige 240	157	212	237

*Problème électronique

LES DISPARUS

PAR VINCENT AUBÉ

Vous pouvez le constater à chaque année, l'arrivée de nouveaux modèles signifie souvent que d'autres doivent tirer leur révérence. Les constructeurs conservent généralement les modèles qui se vendent bien dans leur alignement. Et le contexte de la dernière récession n'a fait que renforcer cette règle. Si 2010 a été une année record en termes de modèles appelés à disparaître, l'année 2011 aura aussi son lot de modèles destinés aux oubliettes. Certains sont tout simplement dépassés, d'autres abandonnés. Voici donc les modèles canadiens qui ne seront plus parmi nous d'ici peu. Dépêchez-vous, il y a peut-être encore quelques aubaines à saisir chez les concessionnaires du pays !

1 CHEVROLET COBALT

+ La division au nœud papillon n'abandonne pas le segment des voitures compactes. La Cobalt, qui a pris la relève de la Cavalier en 2005, n'était pas une mauvaise voiture en soi. Malheureusement, la berline américaine avait beaucoup de difficultés à suivre les ténors de la catégorie que sont les Mazda3, Honda Civic, Toyota Corolla et Hyundai Elantra. Depuis la restructuration du géant américain, GM a définitivement besoin de proposer des véhicules modernes, performants et économiques à la pompe. La nouvelle Chevrolet Cruze 2011 fera vite oublier la vieillissante Cobalt. >

2 CHRYSLER PT CRUISER

+ Le petit « hot rod » de Chrysler tire sa révérence après une longue carrière de 10 ans, une éternité dans le monde de l'automobile moderne. La petite familiale compacte a presque forcé la main des nouveaux dirigeants du constructeur (Fiat) qui ont pensé poursuivre la production de cette vieillissante caisse rétro pour une année supplémentaire. Après tout, la PT Cruiser coûte très peu à produire. Ayant peu changé en 10 ans, la PT séduisait une clientèle qui affectionne ses lignes arrondies. Malheureusement, les organes mécaniques sont un peu à l'image de la carrosserie : elles commencent à dater. Et, donc, le couperet est tombé. >

3 DODGE VIPER

+ Les environnementalistes s'en réjouissent, les amoureux de mécaniques gargantuesques la pleurent déjà. Que vous soyez partisan ou non de la chose, le coupé au long capot est le genre de véhicule qui suscite l'attention partout où il passe. Malheureusement, l'heure de la retraite a sonné pour la voiture musclée de Dodge. La Viper est apparue alors que le contexte économique permettait d'être l'un des bons amis du pompiste du coin. Un moteur V10 d'une cylindrée de 8 litres qui développe 600 chevaux, ça consomme quelques bidons d'essence de plus qu'une Toyota Prius par année, n'est-ce pas ? >

4 FORD EXPLORER SPORT TRAC

+ Voilà une idée qui, au départ, aurait dû être géniale : jumeler les deux styles préférés de nos voisins américains, soit le VUS et la camionnette à boîte utilitaire en un seul véhicule. D'ailleurs, GM a plutôt bien réussi avec l'Avalanche. Mais, la crise économique a beaucoup nui aux ventes du VUS Explorer et de son petit frère, le Sport Trac. Si l'Explorer est sur le point d'être révélé dans sa nouvelle mouture (plus verte, disons-le), le Sport Trac, quant à lui, n'est pas prévu au programme de Ford pour 2011. >

5 KIA AMANTI

+ Le design baroque est en deuil. Kia abandonne enfin l'Amanti. Terminé le temps du mélange des styles – pensons notamment à la Lincoln Town Car, à la Classe E de Mercedes-Benz et à la Jaguar Type S. Surtout que la nouvelle identité du constructeur coréen, due en grande partie au coup de crayon de Peter Schreyer, styliste de l'Audi TT, n'a plus rien à voir avec la période où Kia se cherchait. L'Amanti n'était pas nécessairement une mauvaise voiture à conduire, même que son confort et sa douceur de roulement en étonnaient plus d'un. >

6 KIA MAGENTIS

+ Rassurez-vous, le deuxième constructeur coréen en importance ne se retire pas du segment hautement concurrentiel des berlines intermédiaires. Non, il s'agit plutôt ici d'un changement de nomenclature tout simplement ! Disons seulement que la berline a toujours été dans l'ombre de la Hyundai Sonata, berline sur laquelle elle est basée. La Magentis cède donc le pavé à une nouvelle Optima, nom que porte la Magentis aux États-Unis depuis son introduction en 2000. Et cette fois-ci, il semble que la division Kia en a assez de jouer les seconds violons. La nouvelle Optima, toujours basée sur la plateforme de la nouvelle Sonata, est résolument plus sérieuse dans son exécution. >

7   LAMBORGHINI MURCIELAGO

+ Le taureau suprême doit céder le passage pour l'année 2011, que ce soit en mode LP-650-4 ou LP-670 Superveloce. Heureusement, pour les amoureux de la voiture italienne aux portes à ailettes la plus célèbre de la planète, la relève est déjà en train de s'entraîner sur les pistes du monde pour surpasser la vieillissante Murcielago. Il s'agit ici d'un changement de nom. Après tout, lorsqu'un taureau est vaincu dans la corrida, un autre suit. Le prochain taureau devrait être présenté à la foule au Salon de Paris ou, plus logiquement, au prochain Salon de Genève. Il est évident que Lamborghini est menacé par les nouvelles lois de consommation écologique. >

8   LEXUS SC 430

+ Par où commencer avec ce cabriolet de luxe confortable qui se vend au compte-gouttes ? Peut-être par le prix élitiste apposé sur une voiture conçue au début des années 2000. La SC 430 se fait plutôt rare sur nos routes, c'est à se demander si les vendeurs de Lexus ouvrent une bouteille de champagne quand ils en vendent un exemplaire. Il y a aussi le fait que la SC 430, malgré l'originalité de certaines de ses courbes et la qualité d'assemblage sans reproche, se fait vieillissante. Et pour séduire une clientèle qui en redemande, il faut être au devant du peloton, pas à l'arrière. La SC 430 n'est pas une mauvaise voiture, au contraire. Elle a seulement besoin d'une sérieuse cure de Jouvence. >

9   MAZDA SÉRIE B

+ Basée sur la plateforme du Ford Ranger depuis belle lurette, la camionnette Mazda Série B n'est pas vilaine, malgré une mécanique dépassée. Toutefois, la mort annoncée de la petite camionnette Ford en 2011 signifiait également la retraite pour la version Mazda. Et puisque les ventes sont plus discrètes du côté du constructeur nippon, il est normal que la division Mazda ait laissé tomber le projet pour 2011. Mazda n'aura donc plus de camionnette dans ses rangs... pour l'instant ! >

10   MERCEDES-BENZ SLK55 AMG

+ Voilà un autre bel exemple de ce qui s'en vient. Les grosses cylindrées n'ont plus leur place sous le capot des voitures modernes. Le roadster SLK est toujours au programme, mais la variante AMG avec son énorme moteur V8 de 5,5 litres est retirée du parc de véhicules allemand pour 2011. Heureusement pour les inconditionnels de ce moteur, il est encore offert sous d'autres capots AMG de la marque. >

11 MITSUBISHI ENDEAVOR

+ L'annonce de la mort de ce gros VUS était écrite dans le ciel ! Gourmand à la pompe, peu reluisant en conduite de tous les jours, le Mitsubishi Endeavor est un camion utilitaire du passé. Hormis quelques exceptions qui résistent au changement, les VUS modernes, pour la plupart, sont basés sur des plateformes de voitures, ce qui rend la conduite plus civilisée et confortable. Le gros Endeavor est d'ailleurs la victime du succès de l'Outlander au pays. Équipé du moteur V6, le plus petit des deux fait amplement l'affaire ! Au même titre que la berline Galant, le VUS Endeavor sera rapidement oublié. >

12 MITSUBISHI GALANT

+ Chez Mitsubishi, ce n'est pas compliqué : les ventes du constructeur, pour la plupart, tourne autour de deux modèles en particulier : la compacte Lancer et le VUS Outlander. La berline Galant ne l'a pas eu facile depuis son arrivée sur le marché canadien. Opposée à des modèles établis comme la Toyota Camry, la Honda Accord, la Mazda6, la Nissan Altima et une Hyundai Sonata qui ne cesse d'impressionner (pour ne nommer que celles-là), la Galant n'avait aucune chance. >

13 PORSCHE CAYENNE TURBO S & GTS

+ Porsche vient tout juste de renouveler son premier VUS, et, pour l'instant, seules les versions V6, S, S Hybrid et Turbo seront offertes au public canadien. Pour 2011, il n'y aura pas de Cayenne GTS ni de Cayenne Turbo S. Sommes-nous étonnés ? Pas vraiment. Avec les règles de consommation de carburant de plus en plus strictes sur le continent américain, le constructeur a intérêt à réduire son empreinte écologique. Ces deux versions reviendront-elles au catalogue en 2012 ? Seul le temps pourra nous le dire. >

14 VOLKSWAGEN GOLF CITY

+ Volkswagen a frappé un coup de circuit en recyclant les plateformes de Golf IV en 2007 pour en faire un modèle d'entrée de gamme sur le marché canadien. Après la Jetta City, c'est maintenant au tour de la petite compacte (vendue dans le créneau des sous-compactes). Avec le renouvellement de plusieurs modèles autant sur le plan mécanique qu'esthétique, la Golf City était plus que dépassée. Au moins, elle aura convaincu certains jeunes acheteurs à considérer un autre modèle VW lors du prochain achat. Volkswagen veut aussi préparer le terrain pour la Polo, une sous-compacte plus moderne, qui devrait arriver en Amérique d'ici 2012. >

15   VOLKSWAGEN NEW BEETLE

+ Décidément, la mode des véhicules rétro est en déclin cette année. Après la PT Cruiser (10 ans de carrière), la New Beetle sera aussi retirée du catalogue de Volkswagen. Toujours basée sur la plateforme de la Golf IV, la compacte à quatre places lancée en 1998 a bien du mal à cacher ses origines du siècle dernier. Peu pratique pour ce qui est des places arrière, la New Beetle pâlissait grandement devant la Golf. Étiquetée comme une « voiture de fille », la New Beetle n'a jamais pu répéter les chiffres de ventes des premières années, alors que la fièvre rétro battait son plein. Y aura-t-il une New New Beetle dans un avenir rapproché ? **>**

16   VOLKSWAGEN PASSAT

+ Avec la refonte de la Jetta pour l'Amérique (lire plus logeable), la berline intermédiaire Passat actuelle devient tout à coup trop juste pour le goût de nos voisins du Sud. Volkswagen a des objectifs ambitieux pour les cinq prochaines années; et l'un d'eux consiste à reconquérir le marché nord-américain. Le constructeur de Wolfsburg doit donc élaborer des modèles conçus pour les besoins des consommateurs d'ici. Il faut donc s'attendre à une nouvelle offre de la part de Volkswagen dans la catégorie des intermédiaires d'ici un à deux ans. Heureusement, Volkswagen a conservé la plus belle des trois Passat, la CC, à son catalogue pour 2011. Quant à la Passat familiale, une Golf familiale peut habilement accomplir les mêmes tâches, et ce, à moindre prix. **>**

17   VOLVO V70

+ Depuis ma tendre enfance, j'associe le terme Volvo à une longue familiale peu aérodynamique mais très pratique. Malheureusement, il semble que les goûts de nos chers voisins américains dictent les décisions des constructeurs. Un peu comme l'a fait Subaru en 2010, Volvo abandonne la familiale V70 en 2011. Il ne reste que le XC70, un modèle aux allures plus robustes. D'ailleurs, les véhicules utilitaires ne manquent pas chez le constructeur suédois avec les VUS XC60 et XC90. Au moment d'écrire ces lignes, une nouvelle familiale V60 plus petite vient d'être dévoilée. Malheureusement, cette dernière n'est pas encore prévue au programme de Volvo Canada. Dommage ! **>**

AUTOUR DU MONDE

PAR FRANCIS BRIÈRE

Plusieurs modèles de voitures nous font saliver, mais on ne les offre pas chez nous. D'autres nous laissent indifférents, tandis que leur motorisation pourrait se révéler d'un certain intérêt. Comme c'est la coutume, l'*Annuel de l'automobile* vous présente son petit tour du monde sur papier. En Europe, la frugalité des engins que proposent les constructeurs nous donne un aperçu de ce qui arrivera, un jour, au pays. Et puis il y a les autres, ces bolides de conception extrême qui disposent des dernières technologies et d'une puissance phénoménale. Ces machines nous font rêver puisque nous risquons de ne jamais les apercevoir sur nos routes. Découvrir de nouveaux modèles, des conceptions inédites et des bolides exotiques, quelle belle façon de voyager !

1   ALLEMAGNE > **AUDI A1**

[1] **Malheureusement pour nous, Nord-Américains, la petite urbaine de luxe du constructeur d'Ingolstadt ne sera pas importée. Elle offrira, dès septembre 2010, le luxe urbain pour concurrencer, entre autres, la MINI. L'A1 profite d'un moteur inédit : un 4-cylindres de 1,2 litre TFSI.**

2 ALLEMAGNE > **OPEL MERIVA**

3 ALLEMAGNE > **VOLKSWAGEN SCIROCCO R**

4 ALLEMAGNE > **VOLKSWAGEN SHARAN**

5 ALLEMAGNE > **YES ROADSTER**

6 ANGLETERRE > **LOTUS EUROPA**

[2] Ici, le constructeur allemand propose une conception vraiment sérieuse. La Meriva rivalise avec des modèles français comme la Citroën C3 Picasso. Elle dispose d'un toit panoramique et de portes inversées à l'arrière. Le moteur de 1,3 litre CDTi de 95 chevaux représente la formule économe de carburant pour cette voiture urbaine. [3] La Scirocco fait l'envie des amateurs de voitures sportives d'ici. Même si elle est dotée d'une traction, sa silhouette spectaculaire en fait une voiture désirable à l'allure dynamique. Elle bénéficie de la qualité de constructeur de Volkswagen, et la livrée R profite d'un engin efficace. Il s'agit d'un 4-cylindres produisant 265 chevaux.

En revanche, son prix de 35 990 euros peut en décou-rager quelques-uns. [4] Fabriqué au Portugal, le Sharan est l'un de ces petits véhicules que nous aimerions avoir au pays. Dorénavant, deux moteurs diesel seulement sont offerts : un 1,9-litre de 115 chevaux et un 2-litres de 140 chevaux. Ce monospace peut accueillir sept personnes. [5] Cette voiture se vend à la poignée en raison de son prix (60 000 euros, environ). Elle dispose d'un moteur VR6 provenant de Volkswagen. Rien d'impressionnant jusqu'ici, sauf qu'elle ne pèse que 800 kilos. Que diriez-vous d'un 0 à 100 km/h en 3,9 secondes ? C'est ce que cette petite allemande vous propose.

[6] L'Europa se situe entre l'Elise et l'Exige. De fait, elle reprend la plateforme de la première, mais dispose d'une mécanique qui lui est propre, préparée par Opel. Il s'agit d'un 2-litres turbo produisant soit 200 ou 225 chevaux, selon la configuration. On s'en doute bien, elle ne souffre pas de surcharge pondérale : seulement 995 kilos pour la sportive.

7 ANGLETERRE > **MORGAN AERO SUPERSPORT**

8 ANGLETERRE > **ROLLS-ROYCE GHOST**

9 AUSTRALIE > **HOLDEN UTE**

[7] Si vous voulez l'exclusivité, la Morgan Aero Super-Sport est pour vous. Vous croyez qu'elle se fait vieille, cette Morgan, détrompez-vous. De fait, elle dispose d'un châssis en aluminium et d'un V8 BMW de 4,8 litres produisant 367 chevaux. La livrée SuperSport propose une conception plus dynamique avec une calandre arrondie et de superbes roues. **[8]** Dernière création de Rolls-Royce, la Ghost s'attaque évidemment au marché des grandes berlines de luxe. Ses rivales : Mercedes-Benz S600, Audi A8 W12 et BMW 760i. Comment est-elle propulsée ? Elle profite d'un V12 de 6,6 litres produisant 570 chevaux. Pour une Rolls, il est vrai que sa carcasse revêt un petit quelque chose de moderne. Notez qu'elle dispose de portes inversées à l'arrière. Quelqu'un a parlé de crise économique ? **[9]** Imaginez un peu une version sportive de l'Ute équipée d'un moteur V8 de 367 chevaux ! Cet El Camino des temps modernes est en réalité une berline avec une caisse à ciel ouvert. On peut se questionner sur la pertinence d'un tel modèle. En revanche Holden offre, pour ce véhicule étrange, un moteur fonctionnant à gaz liquide.

10 BELGIQUE > **GILLET VERTIGO**

11 BRÉSIL > **LOBINI H1**

12 CHINE > **BRILLANCE BS6**

[10] Une rareté ! Seulement trois exemplaires de cette Vertigo voient le jour annuellement. Pour 150 000 euros, vous avez un bolide doté d'une suspension de compétition et mû par un V8 de 420 chevaux. Tony Gillet a assemblé sa première voiture homologuée pour la route en 1993. Sa dernière création est la Vertigo de cinquième génération. **[11]** Y voyez-vous des traits de ressemblance ? Vous avez deviné, il s'agit d'une émule de L'Elise conçue par un ancien concepteur de Lotus. De fait, elle s'inspire de l'Elise, mais utilise le moteur de 1,8 litre de l'Audi A3. Elle passe de 0 à 100 km/h en 6 secondes.

[12] Le constructeur chinois a vu ses ventes dégringoler, mais il souhaite repartir la machine avec une version revampée de sa BS6, son modèle-phare. Cette voiture doit se mesurer à une concurrente de taille : l'Audi A6. Elle est mue par un petit moteur de 2 litres de 147 chevaux ou de 1,8 litre turbo de 170 chevaux.

13 | CHINE > **BYD F6**

14 | CHINE > **CHERY QQ6**

15 | CHINE > **GREAT WALL PERI**

16 | CORÉE DU SUD > **SAMSUNG SM5**

17 | DANEMARK > **ZENVO ST1**

38

[13] *Build your dreams* - un peu pompeux comme nom d'entreprise - nourrit de grandes ambitions. La firme chinoise souhaite exploiter une quarantaine d'usines dans le monde d'ici 2025. Du reste, la F6 est un autre modèle qui doit rivaliser avec les grandes berlines allemandes. Pas facile. La voiture est mue par un moteur Mitsubishi de 2 litres produisant 140 chevaux. **[14]** Mine de rien, Chery produit plus de 500 000 véhicules annuellement en Chine. Mais la firme chinoise exporte aussi ses produits, entre autres, au Moyen-Orient, au Maghreb et en Russie. La QQ6 est une version

à cinq portières de la QQ3 dont elle a hérité de la base. Même si elle ressemble à une berline, la QQ6 possède vraiment un hayon. Il s'agit d'une astuce copiée de Seat. La voiture dispose d'un très petit moteur de 1 litre produisant 68 chevaux. Il s'agit d'une voiture munie de technologies anciennes. **[15]** Le constructeur chinois Great Wall est le précurseur de l'exportation du pays de la Grande Muraille. En revanche, un tribunal turinois a forcé Great Wall à verser une amende substantielle pour avoir plagié Fiat et son modèle Panda. De fait, le Peri lui ressemble à s'y méprendre. Pour le reste, il

s'agit d'un petit véhicule utilitaire muni d'un moteur économe de carburant, en l'occurrence un 4-cylindres de 1,3 litre produisant 88 chevaux. **[16]** La SM5 a permis à la firme coréenne de rebondir. Cette voiture emprunte la base de la Laguna. Curieusement, l'ancienne SM5 demeure au catalogue, laquelle est un modèle dérivé de la Nissan Teana. La nouvelle SM5 est mue par un 4-cylindres de 2 litres à essence ou au diesel. **[17]** Limitée à seulement 15 exemplaires, il est peu probable qu'on en voit une sillonner nos routes. La fiche technique de la Zenvo ST1 donne le vertige :

18 ESPAGNE > **SEAT IBIZA**

19 EUROPE > **KIA CEE'D**

20 EUROPE > **MERCEDES-BENZ CLASSE A**

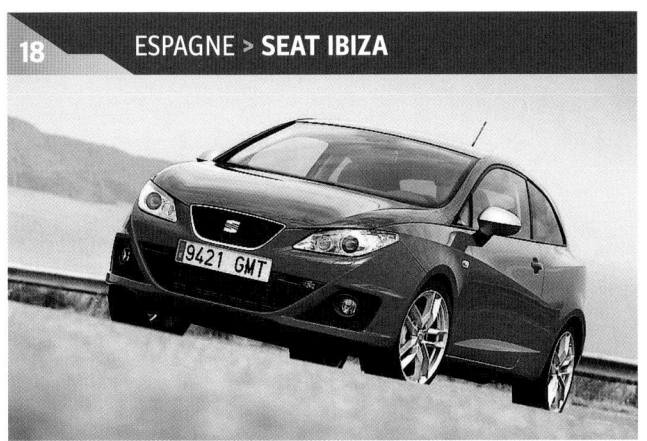

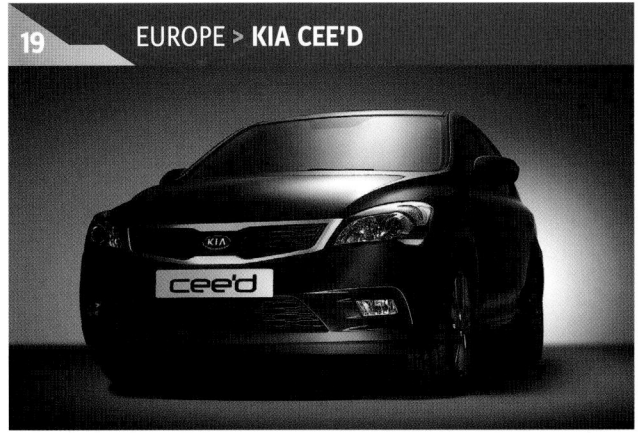

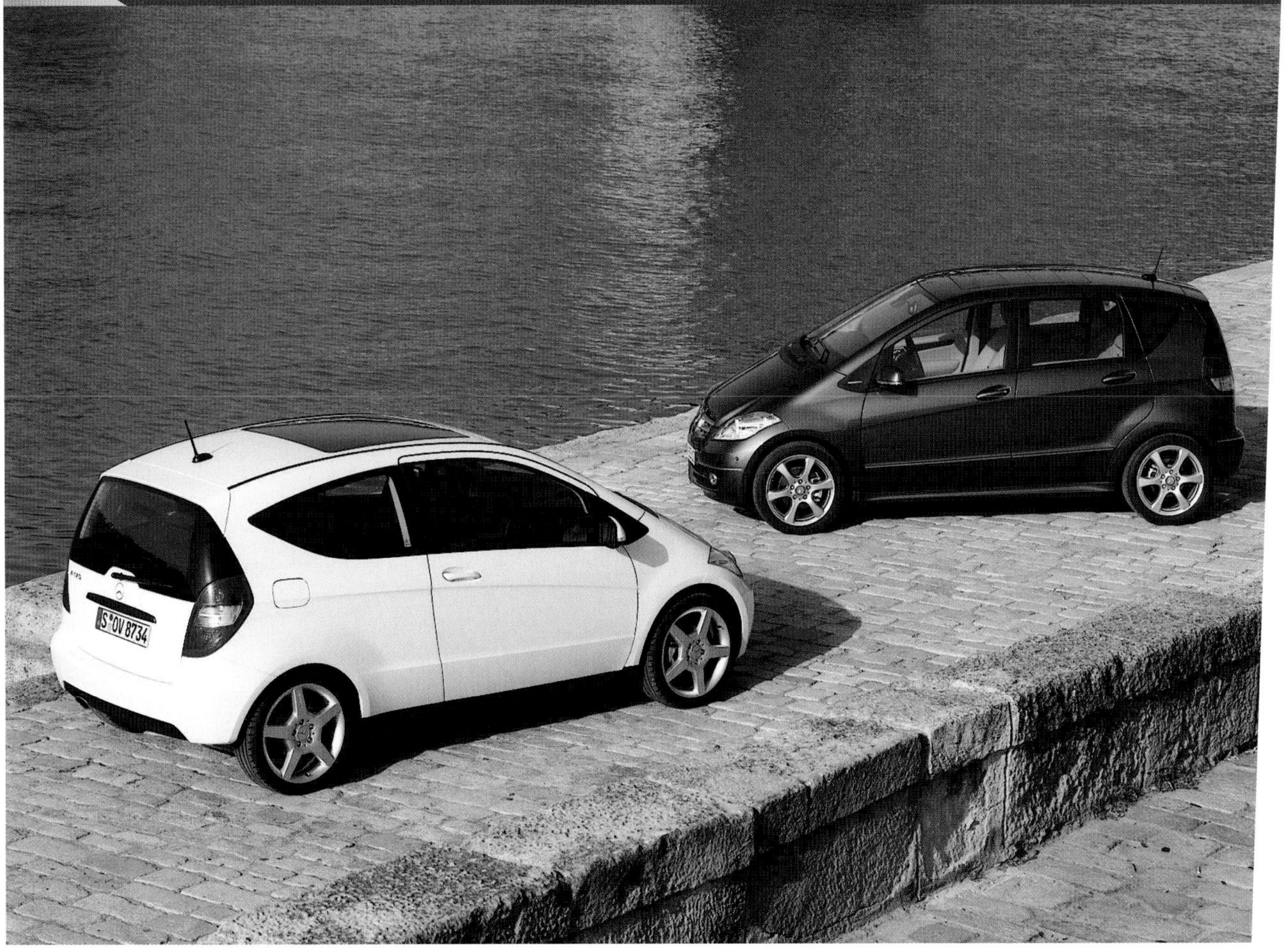

1104 chevaux et vitesse de pointe de 375 km/h, elle accélère de 0 à 100 km/h en moins de 3 secondes. La mécanique responsable est un V8 de 7 litres. **[18]** Filiale de Volkswagen, Seat subit les contrecoups de la crise en Espagne. En revanche, l'Ibiza est le modèle le plus vendu de la firme espagnole. Trois livrées sont offertes : une berline à cinq portes, un coupé à trois portes et une version familiale Sport Tourer. Les bienfaits de l'association entre Seat et le constructeur allemand se font sentir puisque l'Ibiza profite de l'excellente base de la Volkswagen Polo. **[19]** La Cee'd avait besoin d'un coup de pouce pour charmer le public européen. Sa nouvelle gueule en fait une redoutable rivale pour certains modèles concurrents comme la Volkswagen Golf ou la Renault Megane, car elle se vend moins cher. Trois blocs sont offert pour la Cee'd : un moteur de 1,4 litre de 90 chevaux à essence et deux diesels de 90 et de 115 chevaux. La Cee'd a été la première voiture à bénéficier d'une garantie de 7 ans ou 150 000 kilomètres chez Kia. **[20]** La Classe A offerte en Europe est édifiée sur la même base que la Classe B. Les deux modèles se ressemblent étrangement. Une livrée 160 à cinq portes de la Classe A se vend sous la barre des 20 000 euros. Le moteur est un 1,5-litre produisant 95 chevaux.

21 EUROPE > **MITSUBISHI COLT**

22 EUROPE > **NISSAN QASHQAI**

23 EUROPE > **SKODA YETI**

24 EUROPE > **SUZUKI SPLASH**

25 EUROPE > **TOYOTA AYGO**

[21] Qui ne se souvient pas de la Colt ? En Europe, Mitsubishi tente de séduire les amants de la nature avec de petits moteurs économiques. Avec un minuscule moteur de 1,1 litre de 75 chevaux et un autre de 95 chevaux, la Colt ne devrait pas ruiner les écologistes à la pompe. Pour les plus sportifs, une livrée Ralliart est offerte avec un engin de 150 chevaux.

[22] Le Qashqai est le véhicule le plus vendu en Europe pour Nissan, alors qu'il représente le tiers des ventes pour le constructeur japonais. Il est offert en version à cinq ou à sept places et profite d'un moteur diesel dCi de 106 ou de 150 chevaux. Le VUS a sans doute moins la cote de l'autre côté de

l'Atlantique, mais le confort de bon niveau en fait une solution de rechange aux berlines traditionnelles.

[23] Faut-il le rappeler, Skoda appartient au Groupe Volkswagen. Le Yeti est difficilement comparable à son cousin, le Tiguan, mais il s'agit de la même catégorie de véhicules. On l'achète en Europe pour moins de 20 000 euros en version de base tout de même bien équipée. [24] Le développement de la Splash sous l'autorité de General Motors devait donner naissance à la future Opel Agila, mais les deux voitures possèdent leurs propres caractéristiques physiques. Au choix, un moteur à 3 cylindres de 1 litre, ou des 4-cylindres de 1,2 et de 1,3 litre. La consommation

de ce dernier (diesel) se situe sous les 5 litres aux 100 kilomètres. [25] Légèrement plus petite que la Yaris, l'Aygo propose, au choix, un moteur à essence à 3 cylindres de 68 chevaux ou encore un 4-cylindres diesel de 54 chevaux. Cette petite urbaine promet une consommation de 3,4 litres aux 100 kilomètres seulement. [26] Malheureusement pour la firme française, la C3 Pluriel se voulait la descendante directe de la mythique 2CV, mais elle n'a pas réussi. Cette voiture propose des innovations comme un toit souple fort astucieux, mais difficile à manipuler. De fait, les efforts de Citroën n'ont pas été récompensés. La C3 Pluriel dispose de moteurs produisant entre 70

FRANCE > **C3 PLURIEL**

FRANCE > **PEUGEOT 5008**

FRANCE > **PEUGOT RCZ**

FRANCE > **RENAULT MEGANE CC**

INDE > **TATA INDICA VISTA SPORT**

et 110 chevaux, à essence ou au diesel. La gamme DS est sans contredit celle de l'avenir pour le constructeur qui étudie la possibilité de produire une version DS3 décapotable. [27] Ennemie jurée de la Renault Scenic, la 5008 est une tentative pour Peugeot de gruger quelques parts de marché. Il s'agit d'un monospace compact, ce qu'on appellerait ici un véhicule multisegment. Vous disposez au choix de cinq ou de sept places. La planche de bord est celle de la 3008. De fait, ce véhicule ne se distingue pas par son originalité, mais témoigne des efforts de la firme française pour récupérer de bonnes idées. [28] Assemblée à Graz,

en Autriche, la RCZ est une voiture de « salons » qu'on souhaitait devenir voiture de production. La RCZ rajeunit drôlement la gamme Peugeot qui souffrait d'un coup de vieux. Il ne s'agit pas d'une voiture ultra performante, puisqu'elle profite de moteurs allant de 156 à 200 chevaux. Peugeot ne prévoit pas de moteurs plus puissants pour le moment. Espérons une livrée décapotable au plus vite ! [29] La grande nouveauté du côté de Renault, la Megane CC, propose une conception au goût du jour pour les amateurs de conduite à ciel ouvert. En revanche, cette voiture s'attaque à un marché fort concurrentiel occupé par la Volkswagen Golf et la Peugeot 308, notamment. La Megane CC s'adresse tout de même

à une clientèle plus limitée. Elle sera la première de la gamme à disposer d'une boîte de vitesses à double embrayage nommée EDC. [30] Un mélange un peu étrange : la petite voiture indienne est équipée d'un moteur Fiat ! C'est un 1,3-litre diesel produisant 75 chevaux. Peu importe, il s'agit d'un modèle inédit que n'est pas une simple livrée supplémentaire de l'Indica.

31   ITALIE > **ALFA ROMEO GIULIETTA**

32   ITALIE > **FIAT DOBLO**

[31] Bonne nouvelle ! La Giulietta sera en vente chez les concessionnaires canadiens d'ici quelques années. Nous avons cru bon l'inclure dans la série *Autour du monde* pour faire saliver l'amateur de style italien. Cette voiture au magnifique habitacle rivalisera avec les Audi A3 et BMW de Série 1. Il s'agit d'un modèle à hayon à cinq portes. Souhaitons qu'elle connaisse davantage de succès que la Volvo C30. Un seul point d'interrogation, mais un grand : la fiabilité !

[32] Le Doblo est un petit véhicule de loisir qui peut accueillir tout de même sept occupants. Il dispose dorénavant de moteurs plus sophistiqués munis de la technologie d'arrêt-démarrage. L'acheteur a le choix entre des moteurs à essence et au diesel produisant une puissance entre 70 et 135 chevaux. Le petit moteur de 1,3 litre promet une consommation de carburant sous les 5 litres aux 100 kilomètres. Impressionnant !

33 ITALIE > **LANCIA DELTA**

DM 328 NX

34 JAPON > **DAIHATSU COPEN**

SW55 GRF

35 JAPON > **HONDA ZEST**

ZEST SPORTS

[33] La Delta possède une allure audacieuse et une conception peu commune. Elle ne connaît pas le succès auquel on se serait attendu chez Lancia. Cela est dû au fait, entre autres, qu'elle doit se mesurer aux produits allemands. La firme italienne propose plusieurs moteurs pour ce modèle, allant du 1,4-litre T-Jet jusqu'au 2-litres MJT de 190 chevaux.

[34] La Copen est certainement en fin de carrière, mais elle se révèle une exclusivité fort intéressante pour l'amateur de petite décapotable. Étant donné son très petit gabarit, elle n'a besoin que d'un moteur de 1,3 litre produisant 87 chevaux ! Ce roadster n'est pas donné compte tenue de ce qu'il a à offrir, mais il dispose tout de même d'un luxe appréciable, comme les sièges en cuir, la climatisation, etc. [35] La Zest est destinée au marché japonais et méconnue ici. Il s'agit d'une microvoiture longue de moins de 3,4 mètres. Son moteur : un 3-cylindres de 52 chevaux. Elle est offerte en traction ou en intégrale.

36 JAPON > **MITSUBISHI TOPPO**

37 JAPON > **SUBARU STELLA**

38 ROUMANIE > **DACIA LOGAN MCV**

39 RUSSIE > **LADA PRIORA**

40 SUÈDE > **KOENIGSEGG AGERA**

[36] Difficile à croire, mais cette petite voiture urbaine tout en hauteur et dotée d'une immense surface vitrée est mue par un moteur de 50 chevaux. De fait, la Toppo est réapparue sans grand succès en 2008. Évidemment, cette voiture est réservée au marché nippon.
[37] La Stella a été édifiée sur la base de la R2. Il s'agit d'un modèle vendeur au pays du soleil levant. Cette minivoiture dispose d'un moteur de 0,7 litre de 54 chevaux. Elle ne mesure que 340 centimètres de long. [38] Récemment revue à l'intérieur et à l'extérieur, la Logan symbolise la voiture bon marché en Europe. La livrée break MCV connaît plus de succès que la berline et est devenue la coqueluche des familles à budget modeste. La MCV dispose d'un moteur de 1,6 litre de 105 chevaux pouvant carburer à l'E85. À quand une version électrique !
[39] La Priora est une évolution de la Samara, voiture qu'on a connue ici, au Canada. Cette voiture ne se vend pas cher, mais elle est dotée d'une technologie fort rudimentaire. En revanche, le constructeur russe se targue d'offrir trois livrées : à trois ou à cinq portes et, même, une version familiale. Lada offre un engin de 99 chevaux. La Priora se vend environ 9000 euros.
[40] La spectaculaire Agera est presque prête pour la production, le site Web de Koenigsegg nous permet même de choisir la configuration de notre goût. Il s'agit du modèle qui succède à la CCX. Elle se trouve encore à l'extrême du continuum des voitures sportives avec un moteur de 4,7 litres développant 910 chevaux. Son accélération de 0 à 100 km/h ne prend que 3,1 secondes. Ce bolide ne pèse que 1290 kilos.

LES PROTOTYPES

PAR FRANCIS BRIÈRE

La dépendance au pétrole préoccupe toujours les constructeurs d'automobiles. Il s'agit d'une motivation importante qui contribue au développement de solutions de rechange pour les années à venir. Nous verrons les premiers modèles de production à motorisation électrique en 2011, mais ce n'est qu'un début. Le raffinement de la technologie des piles contribuera au développement de nombreux produits pouvant à la fois répondre à un besoin environnemental et contrer la dépendance à l'égard des combustibles fossiles.

La motorisation représente une partie du problème auquel les fabricants et les firmes conceptrices font face. Plus que jamais le poids des automobiles devient un obstacle à l'efficacité énergétique. Dès lors, l'utilisation de matériaux plus légers semble la voie de l'avenir. La fibre de carbone, l'aluminium et d'autres matériaux composites constituent la solution idéale, pour le moment. Sans doute verrons-nous d'autres développements poindre dans un avenir rapproché, mais nous devons nécessairement « penser léger » pour obtenir le résultat attendu.

Cette course contre la montre qui consiste à anéantir la consommation de carburant fossile est également motivée par les pressions gouvernementales qui sévissent en matière d'émissions polluantes. Le CO_2 est devenu un mot à la mode en Europe, tandis que les litres aux 100 kilomètres font l'objet de calculs incessants en Amérique. Peu importe la méthode coercitive, l'objectif demeure le même. Mais ce virage définitif vers les solutions énergétiques « propres » exigera un changement des mentalités. Le transport individuel persistera : il est en pleine expansion ! En revanche, il changera de visage, et les humains devront s'y faire.

DELAHAYE BELLA FIGURA

FORD VD 600

XENATECH COUPE

Malgré tous ces changements radicaux, il y a toujours de la matière pour alimenter les rêves et la passion. Des silhouettes spectaculaires, des moteurs performants, des technologies de pointe, de la vitesse, du luxe, du confort, du divertissement, voilà ce que le prototype nous réserve. Nous en avons pour tous les goûts et pour toutes les bourses. En observant ces changements d'un point de vue énergétique, contemplons le génie créateur des concepteurs qui proposent des idées qui, dans certains cas, auront une suite heureuse. À bien y penser, en réalisant le potentiel d'un prototype comme la Porsche 918 Spyder qui devrait voir le jour étant donné l'engouement qu'il a suscité, l'avenir de l'automobile semble nous sourire. Si le transport urbain et la mobilité individuelle évoluera en faveur de l'environnement et du respect de la planète, il y aura toujours de la place pour le plaisir et pour le rêve. <

46

2 **ALFA ROMEO PANDION PAR BERTONE**

1 **ALFA ROMEO 2UETTOTTANTA**

[1] Il s'agit plutôt d'un prototype imaginé par la firme Pininfarina. Ce roadster a été conçu pour célébrer le 80e anniversaire de la firme italienne de belle façon. Mais c'est aussi un hommage à Alfa Romeo qui célèbre, cette année, son centenaire. La 2uettottanta représente un produit typiquement italien, inspirant la voie de l'avenir avec une silhouette aux qualités esthétiques extraordinaires. La partie avant de la 2uett-tottanta souligne la personnalité unique de la marque Alfa Romeo avec une conception simple, une ligne centrale qui épouse la forme de la silhouette jusqu'au nez de la voiture. L'habitacle est tout aussi soigné avec une planche de bord et des commandes

orientées vers le conducteur. [2] Voici un prototype qui incarne la voiture sportive sans compromis. La position du compartiment passager se situe à l'arrière de la carcasse dont le nez s'allonge presque à l'infini. Sans contredit, il s'agit d'une Alfa Romeo jamais vue. L'accès a été facilité grâce à une portière allongée pour recevoir le passager avec la ligne de toit abaissée. Mike Robinson signe ici sa première création dans son nouveau rôle de chef de la conception chez Bertone. [3] Le constructeur Aston Martin a signé une entente avec Toyota il y a peu de temps. Pourtant, cette affiliation récolte déjà des dividendes avec la Cygnet, un prototype issu de la base d'une Toyota iQ. La Cygnet

se distingue par la signature exclusive d'Aston Martin. Même si la voiture se trouve encore à l'étape de développement d'un prototype, le travail se poursuit en 2010 dans le but d'offrir éventuellement un modèle de production à une clientèle privilégiée. Mue par un moteur à 3 cylindres, la Cygnet bénéficie d'un intérieur aussi luxueux que celui d'une V8 Vantage.
[4] Aussi curieux que cela puisse paraître, ce prototype de la firme Audi ne se trouve pas si loin d'une voiture de production. Elle devrait se nommer R4 et fonctionner uniquement à l'électricité. La puissance sera distribuée aux quatre roues. Par contre, une livrée munie d'un engin à essence pourrait être considérée

3   ASTON MARTIN CYGNET

4   AUDI E-TRON

5   BMW ACTIVE E

6   BMW GRAN COUPE

7   BMW SÉRIE 6 GTA

par le constructeur allemand. Le plus probable est un moteur à 4 cylindres turbo de 2 litres. [5] En mars 2008, BMW annonçait sa division Project i, une entreprise qui vise à étudier des véhicules destinés à la circulation urbaine. Bien que le but premier de Project i consistait à développer des technologies hétéroclites, les prototypes fonctionnant à l'électricité ont volé la vedette. Dans le cadre du salon de l'automobile de Detroit, la firme bavaroise présentera le modèle Active E, une voiture édifiée sur une base de Série 1 et dotée d'un moteur électrique seulement. [6] BMW se devait d'offrir à sa clientèle un modèle coupé à quatre portières, question de

concurrencer les principaux concurrents, soit Audi et Mercedes-Benz. Suivant le concept de l'A7 et de la CLS, le constructeur bavarois présente le prototype Gran Coupe, une voiture fortement inspirée d'une version antérieure nommée CS. Nous en avons appris très peu au sujet de ce modèle qui ressemble davantage à une voiture de préproduction qu'à un prototype pur. Étant donné la tendance naturelle pour BMW de mettre directement en production des modèles inspirés de prototypes, il ne serait pas étonnant que la Gran Coupe voie le jour dans un avenir rapproché. [7] Un nouveau modèle verra peut-être le jour chez BMW : une Série 6 Gran Turismo. Après la Gran Coupe qui

a reçu le feu vert pour la production, voici une autre variante pour une voiture encore à l'étape de prototype. Il s'agirait d'un modèle plus fonctionnel que la Gran Coupe. Imaginons la Série 6 GT comme une voiture plus expressive et plus stylée que la Gran Coupe. Nous pourrions la voir comme une solution plus dynamique que le traditionnel X5 ou le controversé X6. Il faut s'attendre à ce que la voiture intègre un toit panoramique de pleine longueur, des roues surdimensionnées et quatre portières. Cette conception de la voiture de l'avenir par BMW marque un tournant, du moins pour le marché nord-américain. Le temps nous dira si le constructeur bavarois avait raison...

8   BUGATTI 16C GALIBIER

9   BUGATTI RENAISSANCE

10   CHEVROLET VOLT MPV5

11   CITROËN GQ

[8] Ce n'est pas encore définitif, mais la firme Bugatti a franchi une étape de plus vers la production de la Galibier 16C. En effet, le constructeur a réservé les droits sur la conception de la grande berline, mais cela ne confirme pas nécessairement qu'elle sera produite en série. Il semble que ces rumeurs confirment l'intérêt de Bugatti pour la production éventuelle d'une voiture destinée à une clientèle très spéciale. Elle héritera d'un moteur W16 de 8 litres produisant 800 chevaux. Si Bugatti donne le feu vert, la Galibier 16C arrivera vers 2012. [9] Alors que l'existence de la Bugatti Veyron semble tirer à sa fin, nous ignorons toujours quel modèle prendra la relève. Le groupe Volkswagen,

qui détient les actifs du constructeur Bugatti, pourrait bien désigner ce prototype pour remplacer le super bolide de 1001 chevaux. Il s'agit de la Renaissance, une esquisse entièrement virtuelle conçue par le styliste canadien John Mark Vicente, diplômé de l'Université Emily Carr de Vancouver. L'attention du grand public s'est surtout dirigée sur la super limousine Galibier. Mais c'est pourtant pour l'année 2012 que nous devrions assister au dévoilement de la remplaçante de la Veyron. [10] General Motors a présenté au salon de Pékin un prototype inspiré de la Chevrolet Orlando mais possédant la technologie Voltec enfichable. GM insiste sur le fait que ses

produits devront afficher une faible consommation de carburant, même quand il s'agit de véhicules utilitaires. La Chevrolet Volt MPV5 présente des lignes fluides et aérodynamiques semblables à celles de la Volt, ce qui contribuera à rendre le véhicule économe de carburant. La mécanique Voltec permet de déplacer le véhicule grâce à un moteur électrique dont la puissance est transmise aux roues avant. Comme c'est le cas de la Volt, une batterie lithium-ion est placée sous les sièges et permet une autonomie d'environ 70 kilomètres. Un moteur thermique à 4 cylindres de 1,4 litre Ecotec s'active pour recharger la batterie si nécessaire, ce qui fournit une autonomie

12 — CITROËN METROPOLIS

13 — CITROËN REVOLTE

14 — CITROËN SURVOLT

supplémentaire d'environ 500 kilomètres.
[11] Ce prototype allie des caractéristiques classiques et sophistiquées au style contemporain. La partie avant sculptée, les ailes arrondies et la ceinture de caisse musclée sont typiques de la signature Citroën. La voiture est mue par un moteur hybride rechargeable. Le composant thermique est un 4-cylindres de 1,6 litre à essence doté de l'injection directe de carburant permettant à la GQ d'accélérer de 0 à 100 km/h en moins de cinq secondes. Cette motorisation n'émettrait que 80 grammes de CO_2 par kilomètre. [12] La Metropolis est un prototype imaginé pour souligner le développement extraordi-

naire de la Chine. De fait, l'équipe de concepteurs responsable de la création de cette voiture réside à Shanghai depuis 2008. La voiture est munie d'une motorisation hybride ne produisant que 70 grammes de CO_2 par kilomètre. Pourtant, le moteur thermique est puissant; il s'agit d'un V6 de 2 litres développant 272 chevaux jumelé à une boîte de vitesses à 7 rapports. En mode « zéro émission », la Metropolis se déplace à basse vitesse grâce à un moteur électrique de 55 chevaux. [13] La Revolte de la firme française intègre des technologies du futur dans une petite voiture urbaine. Le capot est couvert de cellules photosensibles qui permettent d'extraire de

l'énergie qui servira éventuellement à assurer le confort des occupants, même quand le véhicule est à l'arrêt. Il ne s'agit pas d'une voiture fonctionnant exclusivement à l'électricité, mais plutôt grâce à une motorisation hybride rechargeable. La Revolte peut rouler sur le mode purement électrique ou, encore, au moyen du petit moteur thermique. [14] Inspirée du prototype Revolte, la Survolt est un projet ambitieux qui combine deux mondes opposés : le sport automobile et la haute couture ! De fait, la fibre de carbone est peu présente sur la carcasse de la voiture; on a plutôt dessiné des traits galbés et sensuels, comme si la silhouette se laissait voir à travers le tissu d'une robe.

15 FERRARI GEMBALLA MIG U1

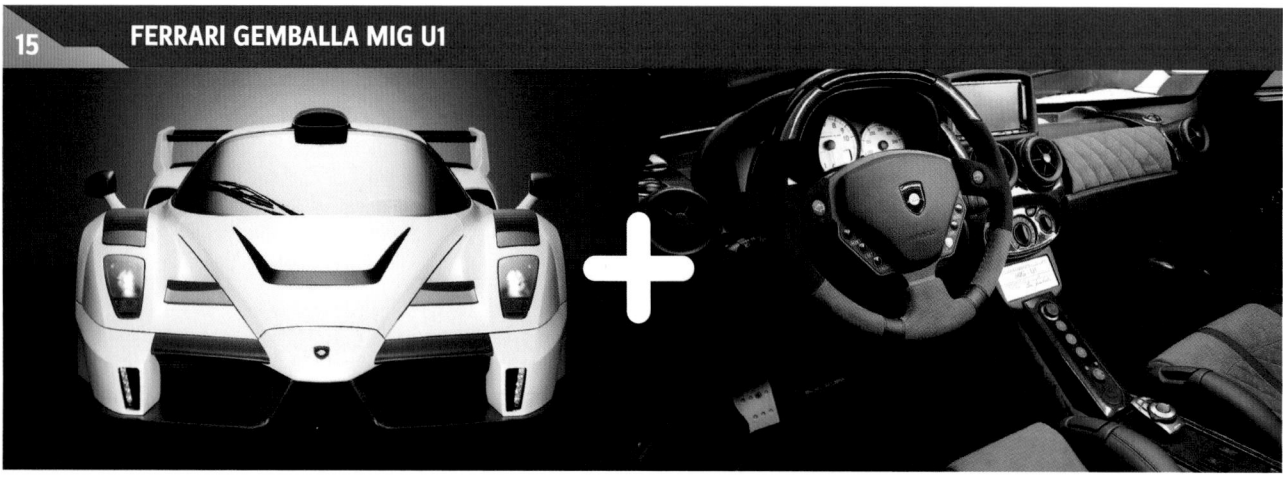

16 GM EN-V

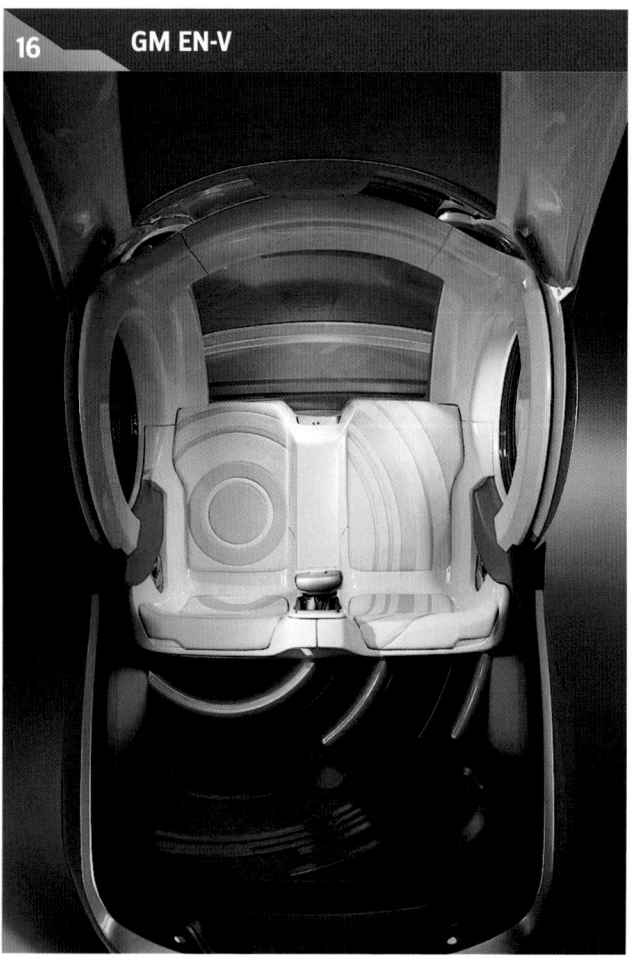

17 GMC GRANITE

18 HONDA 3R-C

//

[15] Depuis 27 ans, Uwe Gemballa réalise des projets qui lui ont valu une solide réputation, entre autres, pour ses créations chez Porsche. Cette fois, c'est avec Ferrari qu'il exprime son talent en transformant une Enzo en une Gemballa MIG U1. Tous les composants sont fabriqués avec de la fibre de carbone afin de réduire le poids de la voiture. L'habitacle procure un confort comparable à celui qu'on retrouve à bord d'une grande berline de luxe. Le V12 de la Gemballa produit 700 chevaux. [16] Le prototype EN-V (*Electric Networked Vehicle*) pourrait répondre à un besoin imminent. Il s'agit d'un petit véhicule à deux places développé à partir d'une plateforme Segway.

La construction est faite de fibre de carbone et d'acrylique. Le résultat : une machine pesant moins de 1000 livres. Un contrôle de stabilité dynamique permet de transporter des objets dans un véhicule qui représente environ le tiers d'une petite voiture tradition- nelle. L'autonomie du EN-V est d'environ 50 kilo- mètres. [17] Le GMC Granite a attiré les foules lors du dernier salon de Detroit. De fait, la division « profes- sionnelle » de GM souhaite ardemment en construire une version destinée au grand public. Selon la nouvelle directrice du Marketing de GMC, Lisa Hutchinson, la principale difficulté consiste à fabriquer le véhicule avec des portes à ouverture inversée, pour

des raisons de sécurité. [18] Honda a dévoilé un prototype inusité lors du salon de Genève, en mars dernier. Il s'agit du 3R-C, une machine à motorisation électrique qui circule sur trois roues. Le nouveau prototype a été développé pour satisfaire un besoin de déplacements urbains. Le petit véhicule est conçu pour transporter un seul passager. Il présente l'avantage de consommer peu de carburant et de protéger le conducteur grâce à une coquille, ce qui permet de l'utiliser en toutes circonstances ou presque. [19] Présentée au salon de Tokyo, l'EV-N est une petite voiture électrique très carrée et dotée de panneaux solaires, permettant d'alimenter à la fois la pile

19 HONDA EV-N

20 HONDA SKYDECK

21 HYUNDAI I-FLOW

22 ITALDESIGN EMAS

23 ITALDESIGN EMAS COUNTRY

24 KIA VENGA EV

et les accessoires. Notons l'allure des phares très ronds qui s'opposent à la silhouette de la voiture. L'habitacle est d'une simplicité désarmante, proposant un seul cadran et un écran de contrôle du système d'information et de divertissement. [20] Dévoilé l'an dernier à Tokyo, le Skydeck est un véhicule utilitaire semblable à une fourgonnette. Il assoit six occupants et présente une configuration de portières unique qui se déploie comme une paire de ciseaux. Le véhicule est muni d'une motorisation hybride qui comprend une batterie de bonne puissance. [21] Le prototype i-Flow de Hyundai a été présenté au salon de Genève. La conception a été réalisée dans les studios allemands

du constructeur à Russelsheim. Il s'agit d'un véritable laboratoire ambulant. L'i-Flow intègre de nouvelles technologies développées par BASF pour réduire le poids de la voiture et la rendre énergétiquement plus efficace. Elle est équipée d'une motorisation hybride qui limite les émissions à seulement 85 grammes par kilomètre. Le moteur thermique est un U2 de 1,7 litre muni de deux turbos. [22] Le premier détail qui attire l'œil dans l'habitacle est la poignée de porte ! Elle permet aux occupants avant de sélectionner certaines options, entre autres celle de la chaîne audio. L'intérieur de l'Emas est stupéfiant avec sa conception angulaire et futuriste. Deux écrans intègrent le système

d'information et de divertissement du véhicule. En ce qui a trait à la motorisation, il s'agit d'un tandem essence-électricité qui procure une autonomie de 50 kilomètres (électricité seulement). [23] Ce prototype est un véhicule hybride dont la motorisation est l'oeuvre de Lotus Engineering. Il s'agit d'un 3 cylindres de 1,2 litre produisant seulement 51 chevaux et fonctionnant à l'essence et à l'éthanol. L'engin électrique produit 60 chevaux en puissance continue avec une pointe à 100 chevaux. Il ne faut pas s'attendre à des performances époustouflantes avec l'Emas qui accélère de 0 à 100 km/h en 14 secondes! [24] La Kia Venga est aussi une voiture de production, mais le

25 LOTUS EVORA CARBON

26 MERCEDES-BENZ BLUEZERO E-CELL

27 MERCEDES-BENZ CLS SHOOTING BREAK

28 MERCEDES-BENZ F800

constructeur coréen suit la tendance en proposant un véhicule électrique. La Venga EV est identique à la Venga, mais elle est dotée d'un moteur électrique produisant 107 chevaux et capable de propulser la voiture de 0 à 100 km/h en 11,8 secondes. La batterie de 24 kilowatt-heures utilise un matériau novateur : le lithium-ion polymère. Pour obtenir une pleine autonomie de la batterie, une recharge normale de 3,3 kilowatts prend environ huit heures. [25] Il s'agit ici d'un exercice de style, semblable à celui d'un préparateur. La Lotus Evora est une voiture de production, mais cette création propose une allure plus agressive, plus dynamique. Deux éléments au menu : la fibre

de carbone et l'alcantara, présentent des matériaux à la fois exotiques et de haute technologie. Elle incarne la philosophie du sport motorisé si chère au constructeur britannique. [26] Le prototype Bluezero E-Cell est un véhicule hybride doté d'un moteur électrique jumelé à un petit engin thermique qui prolonge substantiellement l'autonomie. Sa pile lithium-ion est puissante (18 kWh). Pour une autonomie d'environ 100 kilomètres, une recharge d'une heure à peine est nécessaire. Avec une prise de courant traditionnelle, une pleine recharge ne prend que six heures. La puissance du moteur est transmise aux roues avant. [27] Encore une conception ambitieuse au plan stylistique de la part de

Mercedes-Benz. Il s'agirait, à bien y songer, d'une voiture familiale au style coupé. Si elle voit le jour, elle bénéficiera de la puissance d'un nouveau V6 à injection directe de carburant. La silhouette de ce prototype est large et plate, avec une longue partie avant et un toit qui s'étend jusqu'à l'arrière de la voiture. La ceinture de caisse lui confère un dynamisme et une allure puissante. [28] Le concepteur en chef de la firme, Gordon Wagener, a révélé le résultat de la nouvelle approche du constructeur avec le prototype F800. Il s'agit d'une voiture à cinq places, un coupé aux lignes très tendance qui propose les dernières technologies en matière de conduite,

MINI BEACHCOMBER

MINI COUPE & MINI ROADSTER

MITSUBISHI I-MIEV CARGO

NISSAN LAND GLIDER

de sécurité et de confort. Il a été développé pour recevoir deux motorisations : une version hybride essence-électricité et une autre à pile à combustible à hydrogène. La première combine un moteur à essence V6 de 300 chevaux et un moteur électrique de 109 chevaux. On promet des performances à la hauteur de la réputation du constructeur avec une accélération de 0 à 100 km/h en 4,7 secondes. La seconde configuration promet moins de vélocité, mais une technologie encore plus écologique. [29] C'est au salon de l'automobile de Detroit que MINI a dévoilé son prototype Beachcomber, sorte de véhicule tout-terrain à aire ouverte. Inspiré des

concepts futuristes des années 1960, le Beachcomber possède les caractéristiques d'un véhicule utilitaire mais également les avantages d'une voiture urbaine. En 1964, MINI avait produit le Moke, dont le Beachcomber s'inspire fortement. Il est équipé du système à quatre roues motrices et de piliers A et D renforcés pour plus de protection en cas de capotage. Quatre occupants peuvent y prendre place et profiter du beau temps. [30] Il aura fallu peu de temps pour que MINI confirme la production de deux nouveaux modèles excitants : la Coupe et la Roadster. La première à être produite sera la Coupe, dès août 2011. Puis, la Roadster suivra six mois plus tard, environ.

La MINI Coupe sera le cinquième modèle à joindre la famille, après la Cooper, la décapotable, la Clubman et la Countryman. Elle sera équipée d'un moteur de 211 chevaux, un petit 4-cylindres de 1,6 litre turbo. [31] Mitsubishi présente le prototype i-MiEV Cargo, un véhicule dérivé de la version de production de la petite i-MiEV. L'idée est simple : offrir une solution efficace d'un point de vue énergétique et un espace généreux à l'arrière pour satisfaire des besoins de transport urbain. La i-MiEV Cargo profite d'un volume de chargement appréciable et d'un plancher plat. [32] Le constructeur nippon poursuit son objectif d'offrir des véhicules « zéro émission » à sa clientèle

33 NISSAN NV2500

34 OPEL FLEXTREME GTE

35 PEUGEOT 5

36 PEUGEOT RCZ HYBRID4

37 PEUGEOT SR1

//

en présentant des prototypes comme la Leaf (Nissan débutera la vente de cette petite voiture en 2011 au Canada), la Land Glider et la Qazana. Celle qui nous intéresse propose un mode de transport urbain fonctionnant à l'électricité. Il s'agit d'un véhicule léger, étroit et compact qui procure une accélération linéaire. Cette voiture est capable de transférer son centre de gravité en s'inclinant d'un côté ou de l'autre. [33] Ce véhicule a été conçu à partir de la base de la Nissan Titan. Il s'agit d'une camionnette aux usages multiples qui présente un intérieur à trois zones pour plus de polyvalence. La NV2500 est un laboratoire ambulant permettant de développer des solutions

pour le marché des véhicules commerciaux. La plateforme à partir de laquelle Nissan élabore la NV2500 pourra servir à créer une multitude de camions adaptés aux besoins spécifiques des clients.[34] Ce prototype a fait une première apparition publique lors du salon de Genève en 2010. Encore une fois, Opel exprime son désir de réduire sa dépendance des combustibles fossiles en développant des moteurs fonctionnant à l'électricité. La Flextreme démontre qu'une voiture aux dimensions généreuses peut bénéficier de la technologie E-REV et atteindre une vitesse de plus de 200 km/h. Son coefficient de traînée est de 0,22, ce qui permet d'économiser de l'énergie.

Aussi, Opel a fait le nécessaire pour réduire le poids de la voiture. Étant donné que la Flextreme est dotée d'une technologie hybride, son autonomie se chiffre à plus de 500 kilomètres, et sa consommation, à 1,6 litre aux 100 kilomètres. [35] La Peugeot 5 est un autre prototype qui emprunte la technologie Hybrid4. Elle s'inscrit dans un projet de la firme française d'offrir un véhicule de luxe de bonnes dimensions. La 5 est conçue pour satisfaire un besoin d'élégance et de précision. Elle est dotée d'une motorisation produisant 200 chevaux et de la transmission intégrale. Les émissions de CO_2 sont estimées à 99 grammes par kilomètre. [36] La RCZ Hybrid4 propose une

38 PININFARINA NIDO EV

39 PORSHE 918 SPYDER

40 PROTOSCAR LAMPO2

solution pour jumeler performance et souci de l'environnement. Il s'agit d'une technologie hybride avec moteur thermique diesel qui réduit la consommation de carburant de l'ordre de 35 % par rapport à un engin de même puissance. De plus, son moteur électrique se situe à l'arrière de la voiture et permet d'offrir la transmission intégrale. Les émissions estimées de la RCZ Hybrid4 sont de 95 grammes de CO_2 par kilomètre. [37] La SR1 est l'expression du futur selon Peugeot. La voiture est dynamique, équilibrée et sensuelle et dotée d'un habitacle à la fine pointe. Ce prototype utilise la technologie Hybrid4 et ne lésine pas sur la

performance avec un engin de 308 chevaux (230 kW) et une transmission intégrale. La SR1 représente l'essence du concept de voiture de grand tourisme. [38] Ce prototype a vu le jour en 2004. Il s'agit, de fait, d'une version électrifiée de la Nido par la firme conceptrice italienne. C'est une petite voiture à deux places propulsée par un moteur de 40 chevaux placé à l'arrière et alimenté par des batteries Zebra au sodium-chlorure de nickel, semblable à celles que BMW utilise dans ses véhicules hybrides. La petite Nido possède une autonomie de 140 kilomètres et peut atteindre une vitesse de 120 km/h. [39] Est-il possible qu'une voiture accélère de

0 à 100 km/h en 3,2 secondes tout en ne consommant que 3 litres aux 100 kilomètres ? Oui, c'est possible. Le salon de Genève donne la possibilité aux constructeurs d'automobiles de s'exprimer, et c'est précisément ce que Porsche a décidé de faire. La 918 Spyder hybride rechargeable a été dévoilée lors de l'événement suisse; un bolide qui promet un brillant avenir aux amateurs de conduite sportive et à la planète. La 918 Spyder est issue des dernières technologies de course pour combiner deux aspects qui semblent pourtant incompatibles: la performance et l'économie de carburant. [40] Lors du salon de Genève, en 2010, l'entreprise suisse Protoscar

41   RENAULT FLUENCE ZE

42   RENAULT KANGOO ZE

PERSPECTIVES STRATÉGIQUES
RENAULT

a présenté sa récente création : la Lampo2. Il s'agit d'une version encore plus efficace que la Lampo présentée en 2009. La voiture est équipée de quatre systèmes de recharge : un de 3,3 kilowatts pour la maison, un autre de 6,6 kilowatts pour une recharge par l'entremise d'un dispositif public, une troisième de 9,9 kilowatts permettant d'utiliser un système industriel et, enfin, une interface permettant une recharge maximale de 107 chevaux pour une autonomie additionnelle d'environ 100 kilomètres. Deux moteurs électriques fournissent à la Lampo2 une puissance de 350 chevaux. [41] Le prototype Fluence ZE s'inscrit dans un projet qui vise à offrir une sélection de véhicules électriques dans un avenir rapproché. La Fluence est conçue selon un système de recharge pratique et visionnaire permettant de combler les besoins des automobilistes. Trois modes de recharge sont proposés : le premier étant un mode ordinaire qui requiert un branchement et dure environ huit heures; le second est une recharge rapide de 20 minutes, et le troisième propose un échange de batterie. Brillant ! [42] Basé sur le modèle commercialisé Kangoo de Renault, ce prototype est doté d'une motorisation électrique de 100 chevaux jumelée à un système de batteries lithium-ion. La consommation d'énergie a été soigneusement étudiée pour limiter le gaspillage sans compromettre le confort des occupants. Par exemple, la conception de la voiture prévoit une surface qui réfléchit la lumière de sorte que les fluctuations de température soient réduites au minimum. Deux modes de recharge sont offerts : le premier prend huit heures, et le second, environ 20 minutes. [43] Voici un autre exemple de petite voiture qui propose de révolutionner le mode de transport urbain. Son moteur ne produit aucune émission polluante. Il s'agit d'un tout petit moteur électrique de 20 chevaux qui se compare, en termes de puissance, à un moteur de moto de 125 cc. La voiture reçoit deux occupants qui

43 RENAULT TWIZY ZE

44 REVENGE VERDE

45 RINSPEED UC?

46 SEAT IT BE

47 SMART FORTWO ELECTRIC DRIVE

prennent place l'un derrière l'autre. Elle ne mesure que 2,3 mètres de longueur et 1,13 de largeur.
[44] C'est au salon de Detroit que la Revenge a fait sa première apparition publique, en 2010. Un mouvement de scepticisme est suscité à la vue de cette voiture qui semble issue d'un rêve. Comme son nom l'indique, il s'agirait d'une entreprise qui proposerait la supervoiture verte dont la consommation de carburant se situerait autour de 1 ou 2 litres aux 100 kilomètres. Son engin hybride produit plus de 400 chevaux. En revanche, deux autres options s'offrent à vous, des options qui constituent une proposition moins verte : un moteur GM LS9 de 638 chevaux ou un V8 Roush - Ford

de 605 chevaux. [45] Cette petite voiture conçue en Suisse porte le nom de UC? pour «Urban Commuter». Elle ne mesure que 2,6 mètres et fonctionne uniquement à l'électricité. Le but de ce projet ambitieux est d'associer la voiture aux transports en commun. On imagine un système de transport muni de wagons spécialement conçus qui permettent de charger plusieurs petites UC? très rapidement. La voiture intègre les dernières technologies comme la vidéoconférence, la téléphonie IP et une connexion Internet 3G afin de permettre à son propriétaire de travailler à bord. [46] Il s'agit ici d'une version compacte et sportive de la petite voiture urbaine.

Elle présente un profil bas et large qui lui confère une allure athlétique. Avec ses dimensions raisonnables, sa maniabilité et son aérodynamisme, l'It Be est parfaite pour les trajets urbains. Elle est équipée d'un moteur électrique de 100 chevaux et bénéficie d'une autonomie de 130 kilomètres. [47] Cette version de la Smart Fortwo bénéficiera d'une technologie de batterie lithium-ion avancée lui procurant une autonomie d'environ 115 kilomètres. Elle sera officiellement commercialisée vers 2012. Un petit engin de 40 chevaux a été fixé à l'arrière de la voiture. On estime qu'une recharge complète de la batterie coûte environ deux euros en Allemagne.

48   STEENSTRA STYLETTO

49   TOYOTA FT-86 OU FR-S

50   TOYOTA VENZA PAR LOTUS ENGINEERING

51   TRABANT NT

//

[48] La Styletto est l'une des premières créations américaines d'une supervoiture « zéro émission ». Elle propose un long nez profilé et une silhouette aérodynamique. Elle est l'œuvre de Cornelis Steenstra, un concepteur renommé ayant fait ses classes chez Volvo, Mercedes-Benz et Mazda. Le bolide devrait être commercialisé vers 2013, mais d'abord présenté au fameux Concours d'Élégance de Pebble Beach en 2010. [49] Voici une voiture attendue par les amateurs de sportives à propulsion : la FT-86. Bien qu'elle ne soit qu'un prototype, la FT-86 (il s'agit d'un nom de code qui changera pour le modèle de production, probablement pour FR-S) sera mue par un moteur

conçu par Subaru. Il s'agit d'un 4-cylindres à plat horizontalement opposés jumelé à une boîte de vitesses manuelle à 6 rapports. Cet engin devrait produire environ 200 chevaux. La FT-86 sera sans contredit le produit le plus intéressant de la dernière décennie pour Toyota. [50] Lotus Engineering espère mener à terme ces études sur la réduction du poids du Venza en les introduisant dans un contexte de production d'ici 2020. La clé du succès consiste à utiliser des matériaux plus légers sans compromettre les dimensions et la sécurité. Ces principes appliqués par Lotus serviront un jour à améliorer les performances des véhicules que nous conduisons aujourd'hui.

[51] Ce prototype est caractérisé par une allure distincte et par ses proportions intéressantes. Il s'agit d'un véhicule essentiellement urbain, doté d'un moteur électrique fournissant sa puissance aux roues avant. Il peut atteindre une vitesse d'environ 130 km/h pour une autonomie de 160 kilomètres. La firme allemande vise une commercialisation en 2012. [52] Ceci est l'œuvre d'une firme qui emploie seulement une quinzaine d'employés. Le résultat : un V10 de 507 chevaux qui permet à la voiture d'atteindre une vitesse de pointe de 347 km/h. Qui plus est, ce prototype propose une conception à couper le souffle. De fait, la Veritas RS III est déjà

52 VENTURI VERITAS RS III

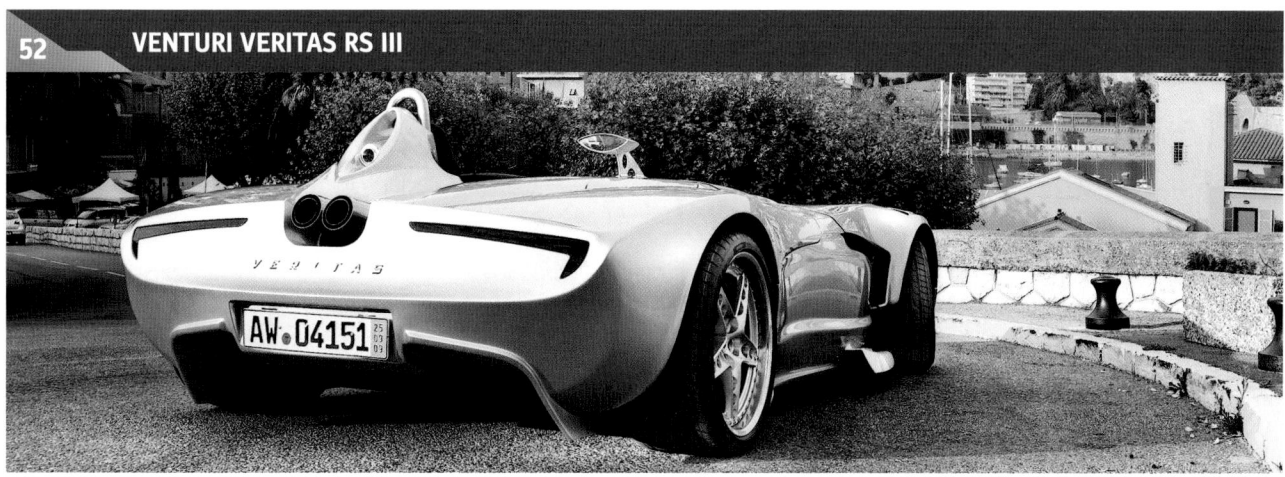

53 VW MILANO TAXI

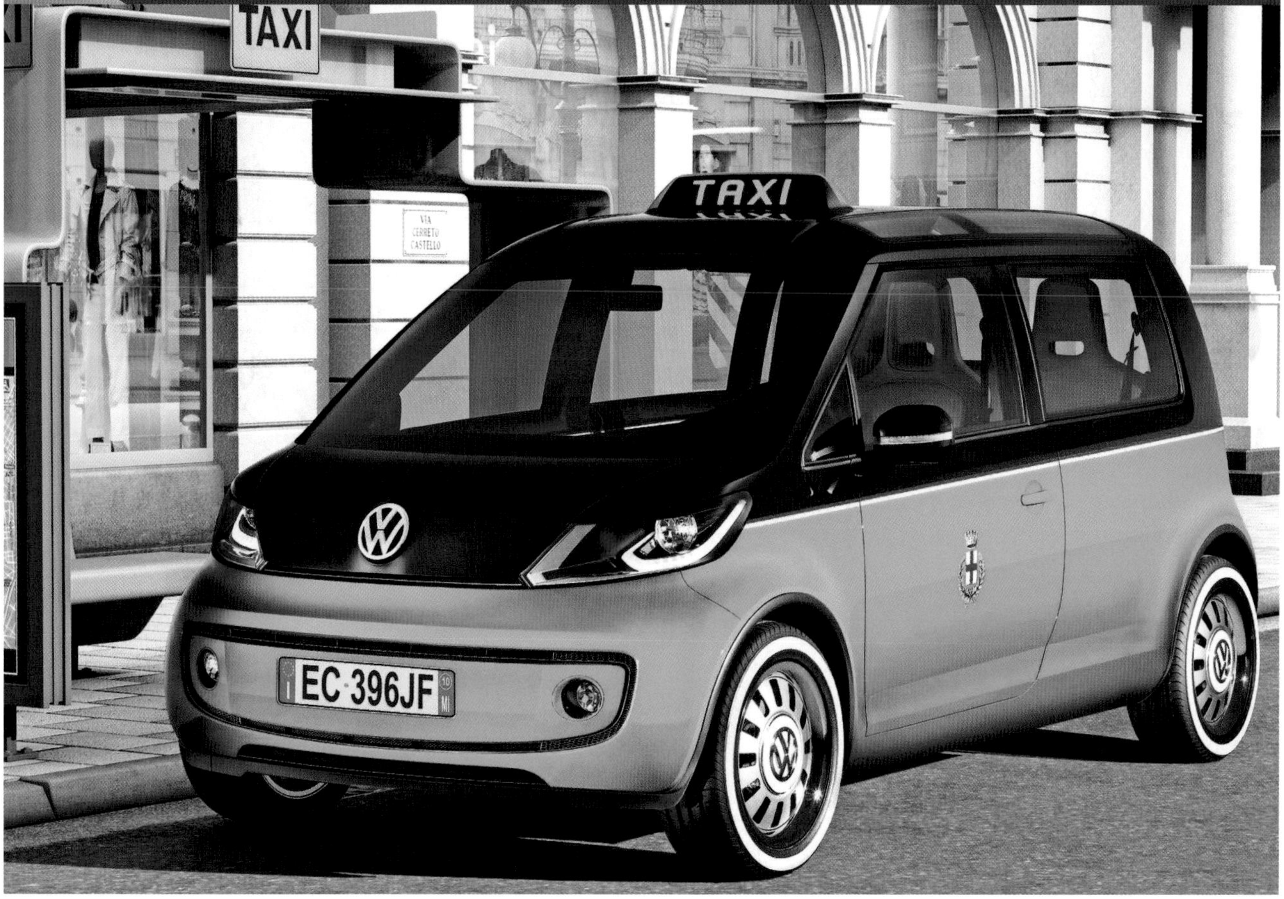

en production. En revanche, comme il s'agit d'un modèle unique en son genre, nous avons cru bon le répertorier parmi nos prototypes pour cette année. [53] Le prototype s'appelle le Milano Taxi et a été conçu pour répondre à un besoin pressant de transport public. Il s'agit d'une voiture compacte du type fourre-tout qui propose des concepts novateurs comme une porte coulissante vers l'avant et un écran tactile programmable. L'engin électrique fournit 114 chevaux et peut propulser le véhicule jusqu'à 120 km/h. Il puise son énergie d'une batterie lithium-ion intégrée sous la voiture. Cette batterie peut emmagasiner 45 kilowatt-heures et permet une autonomie intéressante de plus de 300 kilomètres. Pour une recharge d'environ 80 % de la capacité de la batterie, seulement une heure est nécessaire. Volkswagen a également annoncé que le premier véhicule électrique de production verra le jour en 2013.

LA BOULE DE CRISTAL

PAR VINCENT AUBÉ

L'industrie de l'automobile cause parfois des surprises sur les nouveautés à venir, tandis que d'autres modèles plus attendus peuvent parfois disparaître des plans d'un constructeur. Grâce au travail acharné de quelques photographes espions et aux nombreuses rumeurs émergeant des constructeurs eux-mêmes, il nous est possible de vous présenter encore une fois cette année la chronique Boule de Cristal. Nous y allons de nos meilleures prédictions logiques et de quelques autres un peu plus farfelues. Certaines sont déjà confirmées, tandis que d'autres sont sur le point de le devenir. Une chose est sûre, la multiplication des modèles n'est pas terminée.

1 — AUDI A7 SPORTBACK 2011

+ Fortement inspirée du concept Sportback de 2009, l'Audi A7 Sportback 2011 fraîchement dévoilée prend la forme d'une berline à hayon, plus pratique qu'une A8 et plus inspirante dans sa présentation arrière qui rappelle les coupés d'antan. Malheureusement, au moment d'écrire ces lignes, l'A7 Sportback n'est pas encore confirmée pour l'Amérique du Nord. Si Audi autorise la venue de cette majestueuse berline de ce côté-ci de l'Atlantique, elle sera vraisemblablement équipée du même V6 compressé à essence de la S4. Il faut aussi s'attendre à une version équipée du moteur V8 de 4,2 litres pour satisfaire les plus exigeants.

2 — AUDI R4 2012

+ Le constructeur aux quatre anneaux va vouloir multiplier son offre de véhicules entièrement électriques une fois que l'E-tron basée sur la R8 sera mise en marché. Le troisième concept E-tron, différent des deux premiers, est non seulement plus compact, mais présente aussi les lignes du coupé qui aura la tâche de faire le pont entre la TT et la R8. Et puisqu'il est plus rentable d'élaborer une plateforme pour plusieurs constructeurs à la fois, l'Audi R4 reposera sur les bases du concept Volkswagen Bluesport. De plus, la R4 sera proposée à la fois avec une mécanique traditionnelle et un groupe motopropulseur entièrement électrique.

3 — BMW SÉRIE 6 BERLINE 2012

+ Quelques jours avant le lancement de l'Audi A7 Sportback 2011 sur le Web, le constructeur bavarois a pris tout le monde par surprise en confirmant qu'une berline à allure de coupé hautement inspirée du concept Gran Coupe prendrait le chemin de la production d'ici 2012. BMW est le dernier constructeur de luxe allemand à entrer dans la danse des berlines à allure de coupé après la Mercedes-Benz CLS, la Porsche Panamera et l'Audi A7 Sportback. Heureusement, le coup de crayon de ce concept est très réussi et laisse entrevoir de belles choses pour ce nouveau modèle.

4   BMW SÉRIE 1 M 2011

+ Pour plusieurs, la Série 1 est la résurrection du coupé 2002 Turbo des années 70, et même de la première M3. Compacte, ultra puissante et agile, la Série 1 n'a toutefois pas encore de modèle tatoué de l'écusson M dans ses rangs. Est-ce bien nécessaire ? Il semble que oui puisque les bonzes de la division allemande ont déjà commencé à faire circuler une vidéo d'un coupé Série 1 M camouflé sur l'Internet dans le but de créer une forte attente auprès des mordus de ce modèle. Il est même possible de réserver son essai routier avant même le dévoilement officiel. Pour ne pas cannibaliser la M3, BMW va sûrement opter pour le nouveau moteur à 6 cylindres en ligne biturbo de 340 chevaux qui équipe le roadster Z4 35is.

4

5   BMW MEGACITYCAR 2013

+ Pour réduire la cote moyenne de consommation de carburant de son parc, BMW doit penser à intégrer une petite voiture citadine à zéro émission à sa gamme. Depuis quelques années, une rumeur circule au sujet du retour de la marque Isetta dans le giron de la marque munichoise. BMW a déjà lancé cette esquisse sur le réseau des réseaux pour donner un aperçu de ce qui s'en vient. La MegaCityCar, nom de code actuel, devrait arriver sur nos routes d'ici 2013. Elle serait entièrement électrique, tandis que son châssis serait entièrement fabriqué de CFRP (ou plastique renforcé de fibre de carbone) pour sauver du poids.

5

6   CADILLAC XTS 2012

+ La branche luxueuse du géant GM a grandement modifié son approche ces dernières années en rajeunissant son image avec des modèles plus dynamiques. Si la CTS connaît du succès, les berlines STS et DTS ont plus de misère à trouver preneur. La présence du concept XTS au dernier Salon de Detroit ne fait que confirmer que Cadillac travaille à remplacer les 2 berlines vieillissantes (STS et DTS). La XTS adopte le style « coupé au couteau » des derniers produits de la marque, mais est aussi équipée d'une motorisation plus verte (moteur V6 doublé d'un système hybride rechargeable comme dans la Chevrolet Volt). La XTS sera parmi nous d'ici 2012.

6

63

7 CHEVROLET AVEO 2012

7

+ L'Aveo est parmi nous depuis 2004 en format berline et à 5 portes. Le problème, c'est que ce tandem issu de la division coréenne Daewoo peine à suivre la concurrence. Heureusement, la relève arrive sous la forme d'une sous-compacte plus ficelée. Encore une fois, une berline et une version à hayon seront au programme. Et, contrairement au modèle sortant, les mécaniques à 4 cylindres qui vont équiper les nouvelles Aveo seront modernes.

8 COUPÉ HYUNDAI GENESIS V8 2012

8

+ Le premier concept du coupé Genesis avait un moteur V8 logé à l'avant. Sur le plan technique, le V8 actuel de la berline Genesis peut facilement être transplanté dans le coupé. Toutefois, le constructeur coréen est sur le point de lancer un remplaçant à son moteur de 4,6 litres par un nouveau bloc de 5 litres plus puissant de 429 chevaux. Il équipera la berline Genesis ainsi que la berline Equus un peu plus tard. Cependant, Hyundai serait tentée d'en finir avec les *muscle cars* de Detroit une bonne fois pour toutes.

9 FORD GRAND C-MAX 2011

9

+ La Ford Grand C-MAX sera parmi nous vers la fin de l'année 2011 en tant que modèle 2012. Ford s'attaque directement aux Mazda 5 et Kia Rondo avec ce modèle basé sur la plateforme de la prochaine Focus. Plus économique à la pompe qu'une traditionnelle mini fourgonnette grâce à un 4-cylindres moderne, la Grand C-MAX promet d'être plus excitante à conduire, en plus d'être moins chère que certaines rivales de Toyota et Honda.

10 FORD FOCUS 2012

10

+ Ford a enfin laissé tomber la vieillissante Focus nord-américaine pour la remplacer par une Focus mondiale. Ce changement marque aussi le retour du modèle à 5 portes, offert aux côtés de la berline. Les deux Focus débarqueront au premier trimestre de 2011. En plus de ce nouveau design extérieur, l'habitacle sera parmi les plus luxueux du segment, tandis que le moteur sera un 4 cylindres de 2 litres. Au menu plus tard : une version électrique.

11   HYUNDAI ELANTRA 2011

11

+ Le H coréen n'a pas fini de nous impressionner. Les derniers modèles (Sonata, Tucson) proposent un design beaucoup plus fluide et cette caractéristique va se poursuivre sur la prochaine Elantra (elle porte le nom d'Avante en Corée). L'Avante 2011 destinée au marché asiatique a été présentée au Salon de Busan, en Corée. Outre la refonte complète de la carrosserie, l'habitacle sera entièrement revu, tandis que la mécanique à 4 cylindres de 1,6 litre fera appel à l'injection directe et à une boîte automatique à 6 rapports qui acheminera la puissance (140 chevaux) aux roues avant. La berline sera présentée officiellement à un salon nord-américain avant la fin de 2010.

12   HYUNDAI VELOSTER 2012

12

+ Depuis le départ de la Tiburon, c'est le coupé Genesis qui s'occupe du penchant sportif de la marque. Cependant, les photos espionnes qui circulent sur le Web confirment que le constructeur est à finaliser les détails d'un coupé inspiré du concept Veloster de 2007. Hyundai a aussi l'intention de s'attaquer au tout nouveau coupé Honda CR-Z, ce qui veut dire que l'économie d'essence est une priorité pour ce futur coupé. Espérons seulement que le plaisir de conduite soit au rendez-vous. Il y a de fortes chances que le moteur envisagé soit le même que dans la prochaine Elantra, soit un 4-cylindres de 1,6 litre de 140 chevaux.

13   HYUNDAI ACCENT 2012

13

+ Nul besoin de vous expliquer la popularité des sous-compactes en sol québécois. L'Accent se vend bien, mais elle a besoin d'une nouvelle allure. Comme pour la prochaine Elantra, la carrosserie de la nouvelle Accent va complètement changer pour des lignes plus en harmonie avec le reste de la gamme. Pensez à une Sonata qui aurait passé par la sécheuse. La berline Verna – nom que porte l'Accent sur d'autres marchés – vient d'être dévoilée pour le marché chinois au dernier Salon de Pékin. Sous le capot, ce sera toujours un moteur à 4 cylindres de 1,6 litre qui s'occupera de mouvoir la petite voiture, mais il sera entièrement nouveau en plus de gagner une dizaine de chevaux.

14 · KIA CADENZA 2012

+ Quoi de mieux pour faire oublier la Kia Amanti, cette berline avec un design datant d'une époque lointaine, que de présenter une remplaçante avec des lignes dignes de ce siècle, la Cadenza 2011. Cette berline pleine grandeur est basée sur une toute nouvelle plateforme à traction. Pour notre marché, la seule mécanique offerte sera un moteur V6 de 268 chevaux accouplé à une boîte automatique à 6 rapports. La commercialisation devrait débuter en 2011.

14

15 · LAMBO JOTA 2012

+ La Murcielago est une superbe voiture exotique, mais sa conception commence à dater, ce qui explique la présence d'une remplaçante hautement camouflée à différents endroits stratégiques de la planète. Les détails demeurent vagues pour le moment, mais il est certain que les ingénieurs de la marque italienne plancheront sur un châssis plus léger complètement en aluminium en plus d'utiliser de la fibre de carbone à profusion. Le moteur V12 pourrait bénéficier de l'injection directe de carburant pour rendre cette Jota 2012 plus «éconergétique».

15

16 · LEXUS CT 200h 2011

+ Soucieuse d'améliorer son image de constructeur de véhicules verts, Lexus introduira au début de l'année 2011 son 2e véhicule entièrement hybride au même titre que la berline HS 250h. Semblable aux proportions d'une Mazda3 Sport, la CT 200h sera équipée de la même mécanique que la Prius, donc pas de surprise ici. La CT 200h a tout d'abord été développée pour le marché européen dans le but d'enlever quelques ventes à BMW (Série 1) et Audi (A3).

16

17 · UNE LINCOLN COMPACTE

+ Disons le tout de suite, le concept C est très futuriste. Pour améliorer la cote de consommation moyenne en plus de rajeunir sa clientèle, Lincoln va assurément produire en série une voiture compacte pour attirer une clientèle de plus en plus jeune. La nouvelle plateforme de la Focus 2012 risque d'être réutilisée par Lincoln, tandis que la mécanique de la Focus pourrait aussi être reconduite dans cette petite Lincoln.

17

18 — MAZDA5 2011

+ La minifourgonnette compacte reçoit quelques améliorations pour l'année modèle 2011, à commencer par la carrosserie qui hérite du design aperçu sur les derniers concepts du constructeur comme le Nagare de 2006 ou le Ryoga de 2008. Reste maintenant à savoir si les consommateurs vont apprécier ce changement de cap. Pour le reste, la Mazda5 qui devrait arriver en concession au début de 2011 conserve le même gabarit, tandis que le moteur à 4 cylindres de 2,3 litres cède sa place au plus récent 2,5 litres de la Mazda3. Cette nouvelle 5 promet d'être plus logeable que l'ancienne.

19 — MAZDA RX-7 2012

19

+ La Mazda RX-8 est près de la retraite. Heureusement, Mazda nous a confirmé que les ingénieurs travaillent activement sur un nouveau moteur rotatif dont la cylindrée passerait de 1,3 à 1,6 litre. De plus, cette nouvelle mécanique serait plus économique à la pompe tout en gagnant en puissance et en couple. Le concept Kabura de 2006 commence à dater, mais les lignes de la prochaine RX-7 ressembleront beaucoup à ce coupé. Depuis quelques années, les constructeurs japonais ont ressorti plusieurs modèles performants. Mazda n'a pas le choix, la RX-7 doit revenir à l'avant-plan.

20 — MERCEDES SLS E-CELL AMG 2013

20

+ Même si la récente voiture exotique du constructeur a un côté rétro à l'extérieur, tout ce qui se trouve à l'intérieur n'a rien d'ancien. Même que pendant le développement, les ingénieurs de l'étoile d'argent ont aussi travaillé sur une version entièrement électrique. Au lieu du superbe V8 AMG, la SLS AMG E-Cell est équipée de 4 moteurs-roues électriques, ces derniers pouvant révolutionner jusqu'à 12 000 tr/min. Le 0 à 100 km/h annoncé n'est l'affaire que de 4 secondes, tandis que la puissance atteint 533 chevaux. Finalement, le couple total, est de, tenez-vous bien, 649 livres-pieds!

NISSAN QUEST 2011

21

+ Le segment des minifourgonnettes a déjà connu des jours meilleurs. Plusieurs constructeurs se sont retirés de la catégorie étant donné la migration des consommateurs vers les multisegments. Jusqu'à tout récemment, Nissan semblait avoir abandonné elle aussi, mais, contre toute attente, il y aura une nouvelle Quest en 2011. Le design plus vertical de celle-ci tranche carrément avec celui du modèle 2009. Si l'image change, il faut s'attendre à ce que le V6 de 3,5 litres reprenne du service en mode traction.

PORSCHE 928

22

+ Ce dessin n'est pas aussi clair qu'une photo-espionne, mais il a été aperçu sur le site de Porsche Design. Et puisque le constructeur de Stuttgart a intérêt à multiplier les modèles basés sur la récente Panamera, le retour du coupé 928 avec un moteur logé à l'avant est tout à fait logique. La 928 sera plus une authentique GT qu'une sportive extrême. Sous le long capot de celle-ci, les mécaniques de la berline Porsche seront de retour.

RANGE ROVER EVOQUE

23

+ Voilà un autre constructeur qui doit composer avec les nouvelles exigences en matière de consommation d'essence. La solution est de proposer un modèle d'entrée de gamme qui est moins gourmand à la pompe. D'ailleurs, le modèle de base est une traction seulement. Ne vous affolez pas, la transmission intégrale est toujours au programme ! Les détails au sujet de la mécanique se font rares, mais il faut s'attendre à un V6 accouplé à une boîte automatique. Ce sera aussi le Land Rover le moins polluant de l'histoire.

SAAB 9-4X 2011

24

+ Depuis l'acquisition de SAAB des mains de GM par le constructeur hollandais de voitures exotiques Spyker, il n'y a pas beaucoup d'action du côté de Trollhättan. La nouvelle berline 9-5 ne peut pas nuire et la prochaine 9-3 s'en vient, mais en matière de multisegment, SAAB a peu à offrir en ce moment. La mise en production du concept 9-4X serait plus que bienvenue. Évidemment, la transmission intégrale sera incontournable.

SUZUKI SWIFT 2012

25

+ Le constructeur nippon n'est plus associé à GM depuis quelques mois. La Swift+ est donc une voiture à oublier dans un avenir rapproché. Heureusement, les ingénieurs de Suzuki ont travaillé à rendre la nouvelle Swift 2011 vendue en Europe conforme aux exigences nord-américaines. La Swift est la voiture mondiale du constructeur. Il ne manque plus qu'une distribution sur notre continent. Le modèle équipé du moteur à 4 cylindres de 1,6 litre serait tout indiqué pour notre marché. Avec la catégorie des sous-compactes qui devient de plus en plus concurrentielle, Suzuki se doit d'intégrer la Swift à la gamme nord-américaine. Vivement 2012 !

TESLA MODÈLE S 2012

+ Le petit constructeur californien vient à peine de vendre ses premiers exemplaires de son Roadster entièrement électrique basée sur une plateforme de Lotus Elise. Cette voiture sport a toutefois un prix assez astronomique. Pour arriver à convaincre un auditoire plus large des avantages de la conduite électrique, Tesla va proposer, à compter de 2012, la berline S. Comme le Roadster, elle sera entièrement électrique et proposera différents ensembles de bloc de batterie, selon les besoins de son propriétaire. Le moteur électrique qui acheminera la puissance aux roues arrière développera environ 300 chevaux. Une version intégrale est aussi considérée.

TOYOTA SUPRA 2014

+ Au moment d'écrire ces lignes, le constructeur nippon aurait déjà réservé le nom Supra pour une commercialisation d'ici 3 ans. Le concept FT-HS de 2007 indique clairement la direction que va prendre le développement de ce futur coupé. Le président de Toyota, Akio Toyoda, veut voir rouler la nouvelle Supra très bientôt. Il reste maintenant à savoir quel genre de mécanique équipera cette 5e génération. Il ne serait pas surprenant que le cœur de cette Supra soit un moteur V6 doublé d'un système hybride.

28 VOLKSWAGEN POLO 2012

+ La Golf City n'est plus au programme pour 2011. La raison est fort simple : la nouvelle Polo s'en vient. Présentée en 2010, la sous-compacte de Volkswagen roule déjà en Europe et sur d'autres marchés. Et puisque nos voisins du Sud préfèrent les berlines, la petite berline élaborée pour le marché russe sera aussi parmi nous pour s'insérer sous la Golf dans la gamme nord-américaine. Quant à la version à hayon, il est permis de rêver. Sur le plan mécanique, le constructeur allemand a un arsenal impressionnant de groupes motopropulseurs en Europe pour pallier à ce problème. Il reste à voir lequel sera choisi.

29 VOLKSWAGEN GOLF R 2012

+ La Golf R est, pour les amateurs de la GTI, la Golf ultime. Depuis la 4e génération de la Golf, Volkswagen produit une R32 à moteur V6 et traction intégrale, supérieure en puissance et en prix à la GTI. La Golf R 2010 qui est déjà vendue en Europe n'a pas encore été confirmée pour le marché nord-américain, mais la présence d'un exemplaire sous la forme de concept au Salon de l'Auto de Montréal de 2010 annonce les couleurs du VW. Cette nouvelle Golf R est toujours à traction intégrale, tandis que la mécanique sous le capot est celle de l'Audi TTS, soit un 4-cylindres de 270 chevaux.

30 VOLKSWAGEN JETTA COUPE 2012

+ Le superbe concept N.C.C. présenté à Detroit au début de 2010 avait d'abord la fonction de montrer le design de la toute nouvelle berline Jetta. Sauf que les nombreux commentaires positifs reçus depuis vont forcer le constructeur à lancer le premier coupé Jetta depuis 1989. Au niveau mécanique et habitacle, ce sera du pareil au même. Étant donnée la vocation sportive de ce coupé, le 4-cylindres turbocompressé de la GTI sera le moteur le plus puissant offert. Si la demande le permet, une version plus civilisée équipée du 5-cylindres de la Golf complètera l'offre du constructeur.

28

29

30

Mon auto et moi +

Deux collisions
Même prime

Gagnez à faire route avec nous

Avec la protection **Mon auto et moi +***
d'Intact Assurance, protégez votre bon dossier
de conduite, évitez les augmentations découlant
d'un accident (ou même deux) dont vous êtes
responsable, obtenez jusqu'à 150 $ de rabais
de bienvenue et devenez membre de **CAA-Québec**.

Communiquez avec votre courtier
d'assurance dès aujourd'hui
ou visitez **intactassurance.com**

ASSUREUR OFFICIEL DE CAA-QUÉBEC

 **Repartez du bon pied.**

* Certaines conditions, limitations et exclusions s'appliquent.

CSX

www.acura.ca

ÉVOLUTION

N — É
J

28 885 $ à 31 385 $
transport et préparation: 1395 $

ACURA

LA COTE VERTE

MOTEUR
L4 de 2,0 l

· **Consommation**
(100km):
man . 7,6 l
auto. 8,0 l

· **Émissions**
polluantes CO2:
man. 3542 kg
auto. 3546 kg

· **Empreinte écologique**
(nombre d'arbres à
planter par année): 22

· **Indice d'octane:** 87

· **Autre**
motorisation: non

· **Coût du carburant**
moyen par année:
man. 1540 $
auto . 1620 $

· **Nombre de**
litres par année:
man. 1540 l
auto. 1620 l

(SOURCE: ÉnerGuide)

LE LUXE EN PETIT FORMAT

PAR PHILIPPE LAGUË

MODÈLE D'ENTRÉE DE LA GAMME ACURA, LA CSX EST EN RÉALITÉ UNE HONDA CIVIC ENDIMANCHÉE. Un «copier-coller» de luxe qui s'accompagne, il faut le mentionner, d'une garantie de base offrant une année de plus et 20 000 kilomètres. Parce qu'une Acura doit offrir plus qu'une Honda.

[CARROSSERIE] La filiation avec sa génitrice est évidente: un œil averti pourra faire la différence entre une Civic et une CSX. De profil, ce sont des jumelles identiques; seules les parties avant et arrière ont été retouchées (à peine). Outre ces considérations esthétiques, mentionnons que la «petite Acura» n'est offerte qu'en configuration berline; contrairement à la Civic, il n'y a pas de coupé. Dommage.

[HABITACLE] Ce «copier-coller» est encore plus évident à l'intérieur: outre le logo Acura, au centre du volant, il n'y a pratiquement aucune différence avec une Civic. Un effort minimal aurait été apprécié; un peu moins de plastique, par exemple.

Si ce n'est ce manque de standing, l'habitacle a de belles qualités, à commencer par un équipement de série fort bien garni et une construction irréprochable. Comme toujours chez Honda, l'aspect fonctionnel a été soigné, avec des commandes simples et accessibles ainsi que de nombreux espaces de rangement. Le tableau de bord à deux paliers ne fait pas l'unanimité, mais il offre une vue parfaite sur l'instrumentation. La note serait parfaite si les baquets offraient un meilleur maintien latéral. À l'arrière, la banquette est confortable, mais elle manque aussi de maintien. La CSX n'est pas la plus spacieuse des compactes : le dégagement pour la tête et les jambes est correct, sans plus. En revanche, le coffre est assez grand.

[MÉCANIQUE] Avec la disparition de la plus intéressante des deux versions disponibles, il ne reste plus qu'un seul moteur sous le capot de la CSX. Il s'agit d'un moteur deux litres de 155 chevaux qui a fait les beaux jours de l'Acura RSX et qui a maintenant trouvé sa résidence permanente dans le ventre de la CSX. Dommage

① FICHE D'IDENTITÉ

· **Versions** CSX, CSX i-Tech
· **Roues motrices** avant
· **Portières** 4 **Nombre de passagers** 5
· **Première génération** 1997 (EL)
· **Génération actuelle** 2006
· **Construction** Alliston, Ontario, Canada
· **Sacs gonflables** 6 (frontaux, latéraux avant, rideaux latéraux)
· **Concurrence** Chevrolet Cruze, Ford Focus, Honda Civic, Hyundai Elantra, Kia Forte, Mazda3, Mitsubishi Lancer, Nissan Sentra, Subaru Impreza, Toyota Corolla, Volkswagen Jetta

② AU QUOTIDIEN

· **Prime d'assurance**
25 ans: 1200 à 1400 $
40 ans: 900 à 1100 $
60 ans: 800 à 950 $
· **Collision frontale** 5/5
· **Collision latérale** 5/5
· **Ventes du modèle de l'an dernier**
Au Québec 792 **Au Canada** 2526
· **Dépréciation** 50,2%
· **Rappels** (2005 à 2010) 1
· **Cote de fiabilité** 5/5

③ GARANTIES... ET PLUS

· **Garantie générale** 4 ans/80 000 km
· **Garantie motopropulseur** 5 ans/100 000 km
· **Perforation** 5 ans/kilométrage illimité
· **Assistance routière** 4 ans/ kilométrage illimité
· **Nombre de concessionnaires**
Au Québec 12 **Au Canada** 48

④ NOUVEAUTÉS EN 2011

· La version de base s'appelle désormais CSX
· Version Type-S remplacée par la version CSX i-Tech

FORCES · Équipement de série · Construction irréprochable · Raffinement mécanique · Garantie plus longue qu'une Civic · Fiabilité assurée

FAIBLESSES · Copier-coller à l'intérieur comme à l'extérieur · Sièges qui manquent de maintien · Anonymat garanti

que l'autre moteur 2,0 litres de la Civic Si ne soit plus au rendez-vous. Ses 197 chevaux réveillaient la petite bête qui dort en vous. Avec le moteur de base, votre monstre intérieur ne risque pas de se réveiller La boîte manuelle à 5 rapports commencent à montrer son âge et l'on cherche constamment à passer en sixième. La boîte automatique offre elle aussi cinq rapports bien étagé et relativement souple. Mais comme tous les moteurs de la famille Honda, il faut faire chanter le moteur à haut régime pour extirper toute la puissance disponible. Mais la proverbiale fiabilité du produit nous fait oublier ces petites vicissitudes. Ce petit bijou de technologie combine performance et économie de carburant, ce qui ne court pas les rues. Évidemment, si on le tient toujours à haut régime, il consommera plus ; sinon, en usage normal, il consomme comme une Civic. C'est tout dire. Honda est le constructeur généraliste qui fabrique les meilleures boîtes manuelles. Celle de la CSX est un régal : un modèle de précision et d'étagement, dont le maniement contribue au plaisir de conduire.

[COMPORTEMENT] Sans être une grande sportive, la CSX tient bien la route et offre un bel aplomb. Sa direction rapide et très précise optimise le plaisir de conduire sur un parcours sinueux. Le sous-virage est le propre des tractions, mais, dans le cas de la CSX, il faut vraiment pousser très fort pour qu'il se manifeste. L'effet de couple est inexistant ou presque. Autre bon point : le freinage, prompt et efficace.

[CONCLUSION] À un prix se situant sous la barre des 30 000 dollars, la CSX propose une technologie de pointe, un réel agrément de conduite, un équipement de série ultra complet et une fiabilité exceptionnelle. Évidemment, sa trop forte ressemblance avec la Civic garantit l'anonymat, mais elle permet aussi de ne pas trop attirer l'attention, si l'on veut s'adonner à des plaisirs interdits...

2ᵉ OPINION

BENOIT CHARETTE Voiture Japonaise apprêtée à la sauce européenne pour le marché canadien. Voici le plus bel exemple du vieil adage qui dit que c'est dans les petits pots que l'on trouve les meilleurs onguents. La CSX est à l'image de beaucoup de voitures du vieux continent qui ne limite pas le créneau de luxe aux grosses et imposantes berlines. Cette Acura fait la preuve que le luxe n'est surtout pas une question de format et offre à la fois la faible consommation d'une compacte dans son format de base ou le plaisir d'une sportive en version Type-S ...qui ne revient pas pour 2011. Avec la grandissante popularité des petites berlines dans un proche future, on pointera du doigt la CSX comme un modèle précurseur.

⑤ FICHE TECHNIQUE

· MOTEUR
· (i-TECH)
L4 2,0 l DACT, 155 ch à 6000 tr/min
Couple 139 lb-pi à 4500 tr/min
Transmission manuelle à 5 rapports, automatique à 5 rapports en option (avec mode manuel)
0-100 km/h 8,6 s
Vitesse maximale 205 km/h

· AUTRE COMPOSANTES
Sécurité active freins ABS, répartition électronique de force de freinage
Suspension avant/arrière indépendante
Freins avant/arrière disques
Direction à crémaillère, assistée
Pneus P215/45R17

· DIMENSIONS
Empattement 2700 mm
Longueur 4544 mm
Largeur 1752 mm
Hauteur 1435 mm
Poids man. 1313 kg **autom.** 1343 kg
Diamètre de braquage 10,78 m
Coffre 341 l
Réservoir de carburant 50 l

NOS MENTIONS

☺ Modèle recommandé

NOTRE VERDICT

Plaisir au volant	●●●●○
Qualité de finition	●●●●○
Consommation	●●●●○
Rapport qualité/prix	●●●○○
Valeur de revente	●●●●○

MDX

www.acura.ca

ACURA

53 885 $ à 63 885 $
transport et préparation: 1895 $

LA COTE VERTE

MOTEUR
V6 DE 3,7 L

- **Consommation (100km):** 11,4 l
- **Émissions polluantes CO$_2$:** 5536 kg/an
- **Empreinte écologique (nombre d'arbres à planter par année):** 35
- **Indice d'octane:** 91
- **Autre motorisation:** non
- **Coût du carburant moyen par année:** 2598 $
- **Nombre de litres par année:** 2320 l

(SOURCE: ÉnerGuide)

FICHE D'IDENTITÉ

- **Versions** base, Technologique, Elite
- **Roues motrices** 4
- **Portières** 5 **Nombre de passagers** 7
- **Première génération** 2001
- **Génération actuelle** 2007
- **Construction** Alliston, Ontario, Canada
- **Sacs gonflables** 6 (frontaux, latéraux, rideaux latéraux)
- **Concurrence** Audi Q7, BMW X5, Cadillac SRX, Infiniti FX, Land Rover LR3, Lexus RX, Mercedes-Benz Classe M, Volkswagen Touareg, Volvo XC90

AU QUOTIDIEN

- **Prime d'assurance**
  25 ans: 1600 à 1800 $
  40 ans: 1100 à 1300 $
  60 ans: 1000 à 1200 $
- **Collision frontale** 5/5
- **Collision latérale** 5/5
- **Ventes du modèle de l'an dernier**
  Au Québec 848 **Au Canada** 5994
- **Dépréciation** 48,3%
- **Rappels** (2005 à 2010) 1
- **Cote de fiabilité** 4/5

GARANTIES... ET PLUS

- **Garantie générale** 4 ans/80 000 km
- **Garantie motopropulseur** 5 ans/100 000 km
- **Perforation** 5 ans/kilométrage illimité
- **Assistance routière** 4 ans/kilométrage illimité
- **Nombre de concessionnaires**
- **Au Québec** 13 **Au Canada** 48

4 NOUVEAUTÉS EN 2011

- Retouches extérieures

UN VUS FRÉQUENTABLE

PAR PHILIPPE LAGUË

AU QUÉBEC, LE MDX EST LE CHAMPION DES VENTES DE SON SEGMENT ET, RÉCESSION OU PAS, SES VENTES N'ONT PAS FLÉCHI. Il a été renouvelé en 2007, puis rafraîchi l'année dernière – des changements avant tout cosmétiques.

[CARROSSERIE] Le style demeure le maillon faible des produits Honda (et Acura). Il faut tout de même relativiser: le MDX n'est pas le pire du lot, loin s'en faut. Et puis, ces gros VUS finissent tous par se ressembler. Si l'appréciation du style d'un véhicule est une notion éminemment subjective, un aspect comme la visibilité est, lui, plus concret. Or, celle du MDX n'est pas terrible, pour ne pas dire médiocre, la faute à cet énorme pilier D (à l'arrière) et à ces non moins énormes appuie-tête sur les sièges arrière qui entravent la visibilité. La caméra de recul est, ici, une option pertinente.

[HABITACLE] À l'intérieur, la présentation d'ensemble est agréable à l'œil, mais quelques éléments détonnent dans cet environnement cossu, comme les plastiques imitant le bois et l'aluminium. Par contre, la qualité de la construction est irréprochable. Pas de lacunes ergonomiques non plus: les commandes sont bien placées et faciles à manier. Beaucoup d'espaces de rangement, aussi. Ni trop durs, ni trop mous, les sièges procurent un bon maintien latéral. La banquette arrière est tout aussi confortable en plus d'offrir un maintien comparable. Dommage, cependant, qu'un véhicule de ce gabarit n'offre pas plus de dégagement pour les jambes à l'arrière. Peut-être aurait-on pu gruger quelques centimètres au compartiment à bagages, d'autant plus qu'il n'en aurait pas trop souffert. On y retrouve par ailleurs un compartiment de rangement sous le plancher, ce qui est toujours pratique. Une troisième banquette vient elle aussi s'insérer dans le plancher, mais, une fois en place, elle ne peut accueillir que des enfants en bas âge.

[MÉCANIQUE] Il aurait été logique de proposer une version hybride du MDX, ce que Toyota a fait avec le Lexus RX, un concurrent direct. Au moins, le MDX n'utilise pas un gros V8 glouton et polluant. La seule motorisation offerte est un V6 de 3,7 litres jumelé à une boîte de vitesses

FORCES · Habitacle fonctionnel · Sièges confortables · Raffinement mécanique · Équilibre confort/comportement routier · Fiabilité sans tache

FAIBLESSES · Piètre visibilité arrière · Détails de finition (plastique) · Espace décevant pour les jambes à l'arrière · Consommation d'un VUS · Pas de motorisation hybride ou diesel

automatique à 6 rapports. Attention, monsieur ne consomme que du super, et son appétit, sans être gargantuesque, est celui d'un VUS. L'auteur de ces lignes est difficilement parvenu à descendre sous la barre des 13 litres aux 100 kilomètres de moyenne (ville et route). Replaçons les choses dans leur contexte : le MDX demeure l'un de ceux qui consomment le moins dans cette catégorie de gros buveurs. Les seuls qui parviennent à faire mieux sont soit hybride (Lexus), soit diesel (Audi, BMW, Mercedes-Benz). Comme ses congénères, il n'est pas conçu pour les véritables expéditions hors route, d'où sa transmission intégrale. Ne l'oubliez pas, ces faux-VUS sont avant tout des automobiles déguisées et plus hautes sur pattes. La capacité de remorquage est cependant conforme à ce qu'on attend de ce type de véhicule (2 273 kilos).

[COMPORTEMENT] Le MDX affiche un aplomb surprenant sur la route. N'eût été de la direction, trop assistée, j'aurais pu croire que j'étais au volant d'un VUS allemand. Par ailleurs, le rayon de braquage est important mais pas démesuré non plus. Encore une fois, il n'y a pas de miracle à faire avec un véhicule qui affiche des dimensions aussi importantes. Le comportement ne réserve pas de mauvaises surprises, si ce n'est qu'il faut garder en tête la hauteur et le poids du véhicule. Sur un parcours sinueux, il se défend bien, mais dire qu'il est agile serait nettement exagéré. Le roulis est cependant fort bien maîtrisé, presque réduit à néant. L'amortissement est juste assez ferme, sans pénaliser le confort.

[CONCLUSION] L'Acura MDX demeure l'un des meilleurs de sa catégorie. Confortables comme le sont ces VUS de luxe, il n'a pas grand-chose à envier à ses rivaux allemands en matière de prestations routières ; surtout qu'il est plus fiable. La fiabilité est d'ailleurs une marque de commerce des véhicules Acura. Il ne lui manque qu'une motorisation hybride pour monter sur la première marche du podium.

2ᵉ OPINION

ALEXANDRE CRÉPAULT Acura est parvenue à créer un véhicule multisegment intermédiaire qui se conduit réellement comme une voiture. Le MDX prend les virages avec plus d'aisance que bien des berlines intermédiaires. En plus, il a l'espace d'un autobus scolaire et les gadgets technologiques d'un vaisseau de la NASA. Avec en prime une qualité et un confort à tout casser, il est difficile de lui trouver des défauts. Même son prix (pas donné, avouons-le) ne se révèle pas plus choquant que ceux de la concurrence. Concernant la consommation de carburant, même scénario ; pas géniale, mais par comparaison avec les autres produits du segment, pas si catastrophique que ça. Ce qu'on peut vraiment lui reprocher, c'est un design qui, aussi moderne soit-il, ne plaira pas à tous.

---

⑤ FICHE TECHNIQUE

· MOTEUR
· V6 3,7 l SACT, 300 ch à 6000 tr/min
Couple 270 lb-pi à 4500 tr/min
Transmission automatique à 6 rapports
0-100 km/h 8,5 s
Vitesse maximale 200 km/h

· AUTRES COMPOSANTES
Sécurité active freins ABS, distribution électronique de force de freinage, antipatinage, contrôle de stabilité électronique
Suspension avant/arrière indépendante
Freins avant/arrière disques
Direction à crémaillère, assistée
Pneus MDX P255/55R18 **Option** P255/50R19

· DIMENSIONS
Empattement 2750 mm
Longueur 4867 mm
Largeur 1994 mm
Hauteur 1733 mm
Poids 2069 kg
Technologique 2076 kg **Elite** 2109 kg
Diamètre de braquage 11,44 m
Coffre 2364 l (sièges abaissés)
Réservoir de carburant 79,5 l
Capacité de remorquage 2273 kg

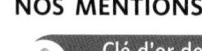

NOS MENTIONS

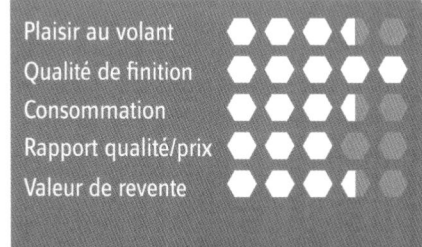

Clé d'or de sa catégorie

Modèle recommandé

Coup de coeur

NOTRE VERDICT

Plaisir au volant	⬡	⬡	⬡	⬡	◯
Qualité de finition	⬡	⬡	⬡	⬡	◯
Consommation	⬡	⬡	◯	◯	◯
Rapport qualité/prix	⬡	⬡	◯	◯	◯
Valeur de revente	⬡	⬡	⬡	⬡	◯

N
ÉVOLUTION   É
J

41 885 $ à 44 885 $
transport et préparation: 1895 $

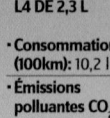

LA COTE VERTE

MOTEUR
L4 DE 2,3 L

- **Consommation**
  (100km): 10,2 l
- **Émissions**
  polluantes CO$_2$:
  4738 kg/an
- **Empreinte écologique**
  (nombre d'arbres à
  planter par année): 32
- **Indice d'octane:** 91
- **Autre**
  motorisation: non
- **Coût du carburant**
  moyen par année:
  2307 $
- **Nombre de**
  litres par année:
  2060 l

(SOURCE: ÉnerGuide)

---

① FICHE D'IDENTITÉ

- **Versions** base, technologique
- **Roues motrices** 4
- **Portières** 5 **Nombre de passagers** 5
- **Première génération** 2007
- **Génération actuelle** 2007
- **Construction** Marysville, Ohio, É-U.
- **Sacs gonflables** 6
  (frontaux, latéraux, rideaux latéraux)
- **Concurrence** Audi Q5, BMW X3, Land Rover LR2

② AU QUOTIDIEN

- **Prime d'assurance**
  25 ans: 1600 à 1800 $
  40 ans: 1000 à 1150 $
  60 ans: 900 à 1100 $
- **Collision frontale** 5/5
- **Collision latérale** 5/5
- **Ventes du modèle de l'an dernier**
  Au Québec 560 **Au Canada** 2869
- **Dépréciation** 45,9%
- **Rappels** (2005 à 2010) 1
- **Cote de fiabilité** 4/5

③ GARANTIES... ET PLUS

- **Garantie générale** 4 ans/80 000 km
- **Garantie motopropulseur** 5 ans/100 000 km
- **Perforation** 5 ans/kilométrage illimité
- **Assistance routière** 4 ans/kilométrage illimité
- **Nombre de concessionnaires**
  Au Québec 12 **Au Canada** 48

④ NOUVEAUTÉS EN 2011

- Aucun changement majeur

TIMIDE COMPROMIS

PAR PHILIPPE LAGUË

LES GROS VUS SONT EN BAISSE DE POPU-
LARITÉ; LES CONSOMMATEURS SE TOURNENT
DONC VERS LES PETITS. La tendance s'observe
également dans le créneau des VUS de luxe : aux
Land Rover LR2 et BMW X3, qui étaient fin seuls,
se sont ajoutés, ces dernières années, les Audi Q5,
Mercedes-Benz GLK et Acura RDX.

[CARROSSERIE] Pour éviter de coûteux frais
de développement, Acura s'est tout bonnement
tournée du côté de la marque-mère, Honda, et
a utilisé la plateforme du CR-V. Dans les faits,
le RDX est un MDX qui semble avoir rétréci au
lavage : il ressemble beaucoup à son grand frère,
en plus petit. Ils ont le même faciès, ce qui n'est
pas nécessairement une bonne nouvelle. Cela
dit, rien ne ressemble plus à un VUS qu'un autre
VUS, et l'allure anonyme du RDX ne le fait pas
ressortir du peloton.

[HABITACLE] Le cuir est très présent, mais il y a
beaucoup de plastique, aussi. La présentation est
cependant réussie, particulièrement le tableau de
bord et ses trois gros cadrans qui s'imbriquent

l'un dans l'autre. La qualité de construction est,
par ailleurs, impeccable. Pas de reproches non
plus en matière d'ergonomie : les commandes
sont simples, bien placées, et les espaces de rangement abondent. À l'avant, les baquets sont moelleux et enveloppants, mais la banquette arrière est
dépourvue de maintien latéral. Le compartiment
à bagages est d'accès facile, grâce à son seuil bas,
et la surface de rangement est bien dégagée. Et
il y a du tapis partout; après tout, nous sommes
dans un Acura.

[MÉCANIQUE] Sous le capot du RDX, on retrouve
un 4-cylindres de 2,3 litres suralimenté par un
turbocompresseur, qui génère une puissance
et un couple appréciables : 240 chevaux et
260 livres-pieds. Le système de calage variable
des soupapes VTEC, une technologie breve-
tée Honda, est également de la partie, question
d'optimiser la consommation de carburant.
De ce côté, par contre, c'est un peu décevant. On
se serait attendu à une consommation inférieure
à celle des V6 de la concurrence, mais ce n'est
pas le cas. Certains font même mieux. Sinon, ce

FORCES • Qualité de construction • Sièges confortables • Moteur puissant et
volontaire • Comportement sportif • Fiabilité exemplaire
FAIBLESSES • Allure timide • Consommation décevante • Motorisation inappro-
priée pour ce type de véhicule • Suspension sèche • Souffre de la comparaison
avec la concurrence

moteur brille par sa souplesse et sa linéarité. Les accélérations sont franches, mais jamais brutales, et le temps de réponse du turbo est à peine perceptible. Cela dit, est-ce une motorisation appropriée pour un VUS ? Pour tracter, par exemple, ce n'est pas recommandé. De plus, les V6 des Audi, BMW et Mercedes-Benz sont des motorisations plus raffinées, plus nobles.

[COMPORTEMENT] Plus sportif que son clone prolétaire, le CR-V, il se démarque par son aplomb, en ligne droite comme en virage. Le roulis est perceptible mais fort bien maîtrisé, et il ne se manifeste que si on le malmène. Sinon, en conduite normale, la caisse reste bien stable dans les virages. En tout temps, la tenue de route est sûre, rehaussée par la motricité du système de transmission intégrale SH-AWD. Les qualités routières du RDX ont cependant un prix : la fermeté de la suspension se fait sentir sur les aspérités du revêtement. Contrairement à l'habitude chez Honda (et Acura), la direction est bien dosée, pas trop légère et précise. Le rayon de braquage est court et, si elle était un poil plus rapide, elle serait parfaite.

[CONCLUSION] Globalement, le RDX est un très bon véhicule. Normal, du reste, puisqu'il a été élaboré à partir du CR-V, qui est l'un des meilleurs utilitaires compacts. Mais pour affronter une concurrence aussi relevée, il faut plus. Certes, on lui a donné une motorisation exclusive et des réglages différents pour rehausser sa conduite, mais ça ne suffit pas. Malgré la qualité et la fiabilité de ses produits, Acura n'a pas une image aussi forte que Land Rover, Audi, BMW ou Mercedes-Benz, et, dans les créneaux de prestige, ça compte. Il faut donc compenser en offrant plus; or le RDX se situe une petite coche en-dessous en matière de confort et de raffinement. Par contre, c'est le plus fiable du lot... Dans le cas d'une location, c'est un moindre mal, mais pour un achat, c'est un argument qui pèse lourd.

2ᵉ OPINION

FRÉDÉRIC MASSE Le RDX n'a jamais su s'imposer, malgré une offre somme toute intéressante. Depuis le renouvellement de son design, c'est pire. J'ai entendu plusieurs personnes me dire que son nez était tout à fait disgracieux. Ils ont raison. Mais, oublions l'excroissance et concentrons-nous sur le reste. Qu'a-t-il qui pourrait me convaincre de le choisir plutôt qu'un Audi Q5, un Volvo XC60 ou un Mercedes-Benz GLK ? De la fiabilité à long terme assurée et un équipement de série très complet pour le prix demandé, mais quoi encore ? Une conduite tout de même assez brillante grâce à une direction bien dosée, un système de transmission intégrale redoutable et un moteur qui ne manque pas de souffle. Est-ce suffisant ? Pour les autres qualités, je dois plutôt me tourner vers l'habitacle. Ce dernier est l'un des plus réussis avec celui de l'Audi Q5. Est-ce que ça fait du RDX mon premier choix ? Je préfère de loin l'équilibre du Q5, le confort du XC60 et l'allure du GLK. Mais, pour ceux qui cherchent un véhicule fiable offrant un peu de tout ce que les autres font (un peu) mieux, c'est le bon choix.

5 FICHE TECHNIQUE

- **MOTEUR**
- L4 2,3 l turbo DACT, 240 ch à 6000 tr/min
Couple 260 lb-pi à 4500 tr/min
Transmission automatique à 5 rapports avec mode manuel
0-100 km/h 7,7 s
Vitesse maximale 210 km/h

- **AUTRES COMPOSANTES**
Sécurité active freins ABS, distribution électronique de force de freinage, assistance au freinage, antipatinage, contrôle de stabilité électronique
Suspension avant/arrière indépendante
Freins avant/arrière disques
Direction à crémaillère, assistée
Pneus P235/55R18

- **DIMENSIONS**
Empattement 2650 mm
Longueur 4635 mm
Largeur 1870 mm
Hauteur 1655 mm
Poids 1788 kg **Technologique** 1793 kg
Diamètre de braquage 11,9 m
Coffre 787 l, 1716 (sièges abaissés)
Réservoir de carburant 68 l
Capacité de remorquage 680 kg

NOS MENTIONS

☺ Modèle recommandé

NOTRE VERDICT

Plaisir au volant	●●●◖
Qualité de finition	●●●○○
Consommation	●●○○○
Rapport qualité/prix	●●●○○
Valeur de revente	●●●●○

RL

www.acura.ca

ÉVOLUTION

N É

J

65 795 $ à 71 395 $
transport et préparation: 1895 $

ACURA

LA COTE VERTE

AVEC MOTEUR V6 DE 3,7 L

- **Consommation (100km):** 11,1 l
- **Émissions polluantes CO_2 :** 5152 kg/an
- **Empreinte écologique (nombre d'arbres à planter par année):** 32
- **Indice d'octane:** 91
- **Autre motorisation:** non
- **Coût du carburant moyen par année:** 2509 $
- **Nombre de litres par année:** 2240 l

(SOURCE: ÉnerGuide)

 FICHE D'IDENTITÉ

- **Versions** RL, Elite
- **Roues motrices** 4
- **Portières** 4 **Nombre de passagers** 5
- **Première génération** 1987 (Legend)
- **Génération actuelle** 2009
- **Construction** Sayama, Japon
- **Sacs gonflables** 6
  (frontaux, latéraux avant et rideaux latéraux)
- **Concurrence** Audi A6, BMW Série 5, Cadillac STS, Jaguar XF, Lexus GS, Mercedes-Benz Classe E, Volvo S80

 AU QUOTIDIEN

- **Prime d'assurance**
  25 ans: 2800 à 3000 $
  40 ans: 1400 à 1600 $
  60 ans: 1200 à 1400 $
- **Collision frontale** 5/5
- **Collision latérale** 5/5
- **Ventes du modèle de l'an dernier**
  Au Québec 11 **Au Canada** 94
- **Dépréciation** 46,9%
- **Rappels** (2005 à 2010) 2
- **Cote de fiabilité** 4/5

 GARANTIES... ET PLUS

- **Garantie générale** 4 ans/80 000 km
- **Garantie motopropulseur** 5 ans/100 000 km
- **Perforation** 5 ans/kilométrage illimité
- **Assistance routière** 4 ans/ kilométrage illimité
- **Nombre de concessionnaires**
  Au Québec 12 **Au Canada** 48

4 NOUVEAUTÉS EN 2011

- Aucun changement majeur

EN SURSIS

PAR PHILIPPE LAGUË

LA BERLINE RL FAIT PARTIE DE LA CATÉGORIE DES MAL AIMÉES. LE VAISSEAU AMIRAL DE LA FLOTTE ACURA N'A JAMAIS RÉUSSI À S'IMPOSER, MALGRÉ D'INDÉNIABLES QUALITÉS, À COMMENCER PAR UNE FIABILITÉ SANS TACHE. Mais dans le créneau des berlines de luxe, il faut plus.

[CARROSSERIE] Ce n'est pas obligatoire, mais une belle carrosserie peut aider à attirer les acheteurs. Or, l'un des principaux handicaps de la RL, c'est son design, franchement banal. La RL se fond dans la masse et garantit l'anonymat à son propriétaire, même si ses ventes confidentielles en font un objet de rareté. Et puis, elle ne rajeunit pas : des changements cosmétiques mineurs ont été apportés au fil des ans, mais le modèle actuel est pratiquement le même qu'en 2006.

[HABITACLE] C'est le même problème à l'intérieur. Tout est là : appliques de bois laqué, sellerie de cuir, planche de bord bien garnie, écran multifonction... Mais il manque ce petit quelque chose qui fait qu'une voiture de prestige

se démarque. Est-ce parce que c'est la même décoration depuis trop longtemps ? Est-ce parce que ça ressemble trop à celle des TL et TSX? Pour la qualité des matériaux et la rigueur de l'assemblage, par contre, il n'y a rien à redire. Et contrairement à ses rivales allemandes, l'équipement de série est pléthorique, et les options, rares. Le côté fonctionnel n'a pas été négligé non plus, comme en témoignent les nombreux espaces de rangement. Le degré de confort est lui aussi conforme à celui d'une voiture de ce rang. La cabine est insonorisée comme un caisson étanche, et les passagers prennent place dans de gros sièges bien sculptés et bien rembourrés. À l'arrière, le dégagement pour la tête et les jambes est cependant décevant, compte tenu du gabarit de la RL, qui n'est pas plus spacieuse qu'une TL ou une TSX.

[MÉCANIQUE] D'aucuns disent que ce qui a toujours manqué à la RL, c'est un V8. Honda a toujours refusé cette voie, et quand on conduit la RL, on comprend pourquoi. Le V6 de 3,7 litres est un superbe moteur. D'une grande élasticité,

FORCES · Équipement de série pléthorique · Qualité de construction
· Habitacle confortable · Mécanique raffinée · Douceur de roulement
· Fiabilité exemplaire
FAIBLESSES · Design anonyme · Habitabilité décevante à l'arrière
· Agrément de conduite quelconque · Manque de personnalité · Modèle en sursis

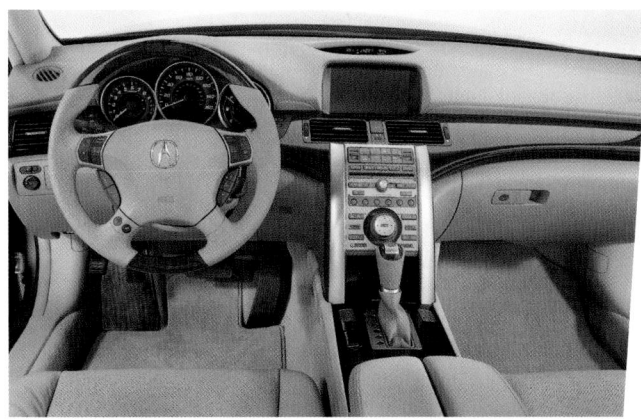

il ne craint pas les incursions à haut régime, et tout se passe en souplesse. Et discret avec cela : même si on écrase la pédale, on l'entend à peine. Mais ça avance ! De plus, il consomme raisonnablement, malgré la puissance et le poids de cette voiture, à transmission intégrale de surcroît. On se demande même si un sixième rapport améliorerait les choses, d'autant plus que cette boîte de vitesses automatique accomplit un travail irréprochable. Ou presque : quand on passe sur le mode manuel, les changements de rapports sont étonnamment lents. Cela dit, le mode séquentiel est-il vraiment utile dans une berline de luxe ? Poser la question, c'est y répondre.

[COMPORTEMENT] Grâce à son système SH-AWD, la RL jouit d'une motricité supérieure qui lui confère une solide tenue de route. Attention, cela n'en fait pas une sportive pour autant; elle est même un peu pataude. Lourde et peu agile, elle pèche aussi par son roulis en virage. Disons qu'on est loin d'une BMW... De plus, sa direction est lente et affligée d'un énorme rayon de braquage. Heureusement, le confort, lui, est royal, et, pour une voiture de luxe, c'est ce qui compte le plus. La douceur de roulement de la RL se situe au même niveau que celle d'une Lexus ou d'une Mercedes-Benz.

[CONCLUSION] Prise isolément, l'Acura RL est une très bonne voiture. Elle ne souffre pas de vices de conception, n'a pas de défauts majeurs. Le problème, c'est quand on la compare à ses concurrentes : face aux allemandes, mais aussi face aux Lexus et Cadillac, elle manque cruellement de personnalité. Compétente, mais zéro charme. L'autre problème de la RL, c'est la TL, qui en donne autant, pour 20 000 dollars de moins. Sa disparition imminente n'est d'ailleurs pas étrangère à cette cannibalisation au sein de la gamme Acura.

2ᵉ OPINION

DANIEL RUFIANGE Celle-là, elle me fait mal au coeur. Pourquoi ? Parce qu'Acura a redessiné l'une des meilleures, sinon la meilleure berline de la catégorie, en l'ornant d'un faciès plutôt douteux et d'un style qui ne fait pas l'unanimité. Au demeurant, la RL répond à toutes les attentes qu'on peut avoir d'une berline de luxe. Le confort des sièges éveille tous nos sens, la position de conduite est divine, comme l'est la douceur de roulement. Vous désirez pousser la voiture un peu ? Aucun problème, elle est capable d'en prendre. Et que dire de son moteur V6 de 3,7 litres qu'on entend à peine à vitesse de croisière, mais qui nous laisse savoir toute sa gratitude quand on enfonce la pédale d'accélérateur ? Une grande dame !

⑤ FICHE TECHNIQUE

· MOTEUR

V6 3,7 l SACT 300 ch à 6300 tr/min
Couple 271 lb-pi à 5000 tr/min
Transmission automatique à 5 rapports avec mode manuel
0-100 km/h 7,5 s
Vitesse maximale 235 km/h

· AUTRES COMPOSANTES

Sécurité active freins ABS, répartition électronique de force de freinage, assistance au freinage, antipatinage, contrôle de stabilité électronique
Suspension avant/arrière indépendante
Freins avant/arrière disques
Direction à crémaillère, assistée
Pneus P245/45R18

· DIMENSIONS

Empattement 2800 mm
Longueur 4973 mm
Largeur 1847 mm
Hauteur 1455 mm
Poids 1860 kg **Elite** 1863 kg
Diamètre de braquage 12,1 m
Coffre 371 l
Réservoir de carburant 73,3 l

NOS MENTIONS

 ☺ Modèle recommandé

NOTRE VERDICT

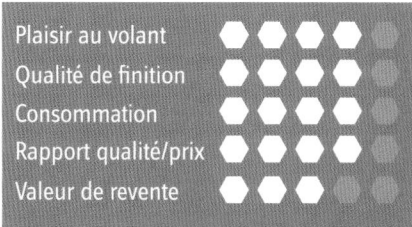

Plaisir au volant	●●●●○
Qualité de finition	●●●●○
Consommation	●●●○○
Rapport qualité/prix	●●●○○
Valeur de revente	●●●○○

ÉVOLUTION
N — J — É

41 885 $ à 50 385 $
transport et préparation: 1895 $

ACURA

LA COTE VERTE

MOTEUR
V6 DE 3,5 L

- Consommation (100km): 9,6 l
- Émissions polluantes CO_2: 4462 kg/an
- Empreinte écologique (nombre d'arbres à planter par année): 27
- Indice d'octane: 91
- Autre motorisation: non
- Coût du carburant moyen par année: 2173 $
- Nombre de litres par année: 1940 l

(SOURCE: ÉnerGuide)

TOUJOURS L'UNE DES MEILLEURES

PAR PHILIPPE LAGUË

 FICHE D'IDENTITÉ

- **Versions** TL, Tech, SH-AWD, SH-AWD Tech, A-Spec
- **Roues motrices** avant/ 4
- **Portières** 4 **Nombre de passagers** 5
- **Première génération** 1992 (Vigor)
- **Génération actuelle** 2009
- **Construction** Marysville, Ohio, É.-U.
- **Sacs gonflables** 6, frontaux, latéraux avant et rideaux latéraux
- **Concurrence** Audi A4, BMW Série 3, Cadillac CTS, Hyundai Genesis, Infiniti G37, Lexus IS/ES, Lincoln MKS, Mercedes-Benz Classe C, Nissan Maxima, Toyota Avalon, Volkswagen Passat

 AU QUOTIDIEN

- **Prime d'assurance**
  25 ans: 1600 à 1800 $
  40 ans: 1100 à 1300 $
  60 ans: 900 à 1100 $
- **Collision frontale** 5/5
- **Collision latérale** 4/5
- **Ventes du modèle de l'an dernier**
  Au Québec 910 **Au Canada** 3577
- **Dépréciation** (3 ans) 40,7%
- **Rappels** (2005 à 2010) 4
- **Cote de fiabilité** 4/5

 GARANTIES... ET PLUS

- **Garantie générale** 4 ans/80 000 km
- **Garantie motopropulseur** 5 ans/100 000 km
- **Perforation** 5 ans/kilométrage illimité
- **Assistance routière** 4 ans/ kilométrage illimité
- **Nombre de concessionnaires**
- **Au Québec** 12 **Au Canada** 48

 NOUVEAUTÉS EN 2011

- Groupe Technologique, ensemble A-Spec

DEPUIS SA CRÉATION, À LA FIN DES ANNÉES 80, LA DIVISION DE PRESTIGE DE HONDA A CONNU DES HAUTS ET DES BAS. Certains modèles ont connu du succès, permettant à cette nouvelle marque de s'implanter; c'est le cas de la berline TL. Quatre générations plus tard, l'environnement dans lequel évolue la TL a changé, et la partie est moins facile avec une concurrence de plus en plus étoffée: Lincoln, Cadillac et, même, Hyundai montrent les dents.

[CARROSSERIE] Les stylistes de Pontiac semblent avoir trouvé refuge chez Acura. Les berlines de la marque ont adopté ces dernières années un style pour le moins controversé, audacieux pour les uns, odieux pour les autres. Le modèle précédent était pourtant l'une des rares berlines de luxe japonaises dotées d'un physique agréable. Si l'on se fie aux ventes, l'effet ne se fait pas trop sentir. Comme toujours, la TL n'existe qu'en une seule configuration. Pas de coupé, donc, ni de cabriolet.

[HABITACLE] À l'avant, on prend place dans des baquets très confortables, enveloppants, qui procurent maintien latéral et soutien lombaire. La banquette arrière est aussi confortable, mais offre un peu moins de maintien, parce que moins sculptée que les sièges avant. La qualité de construction demeure irréprochable, mais il y a plus de plastique qu'auparavant. Pas de lacunes ergonomiques: l'instrumentation est claire, facile à consulter, et les commandes sont simples et bien placées. C'est beaucoup moins compliqué qu'à l'intérieur d'une Mercedes-Benz ou d'une BMW, même si la planche de bord est aussi bien garnie. L'équipement de série est aussi plus complet que dans les modèles concurrents allemands, ce qui est un autre bon point en faveur de la TL.

[MÉCANIQUE] La TL à traction reçoit un V6 de 3,5 litres, dont la cylindrée augmente à 3,7 litres pour la SH-AWD à transmission intégrale. Résultat: pour la première fois, une TL dépasse

FORCES · Habitacle accueillant · Équipement de série pléthorique · Excellents moteurs · Boîte manuelle (SH-AWD) · Équilibre entre le confort et les prestations routières · Fiabilité

FAIBLESSES · Style pour le moins controversé · Plastique à l'intérieur · Empiétement dans la hiérarchie Acura · Manque de caractère

le cap des 300 chevaux. Ces deux moteurs illustrent parfaitement le savoir-faire des motoristes de Honda et n'ont rien à envier à leurs réputés homologues germaniques. Ils brillent par leur rendement global, que ce soit leur tonus, leur souplesse ou leur silence de roulement. Et en plus, ils consomment de façon très raisonnable, compte tenu de leur puissance et du poids du véhicule qu'ils desservent. Une boîte de vitesses manuelle à 6 rapports est également offerte – une rareté dans ce créneau. Seule la SH-AWD y a droit en raison de sa vocation plus sportive. Et comme nous sommes chez Honda, cette boîte est un modèle du genre: la course du levier est courte, le guidage, très précis, bref, ça se manie avec bonheur.

[COMPORTEMENT] Comme c'était le cas avec le modèle précédent, le comportement routier est étonnant pour une traction. Certes, elle sous-vire, penche un peu en virage, mais elle a du mordant et s'agrippe au pavé. La direction brille par sa rapidité d'exécution et sa précision, permettant ainsi d'exploiter l'agilité surprenante de cette grosse berline. Grâce à son système de transmission intégrale sophistiqué qui lui confère une motricité supérieure, la SH-AWD (Super Handling All Wheel Drive) tient encore mieux la route, tandis que le roulis est à toutes fins utiles éliminé. Si l'agrément de conduite est au sommet de vos priorités, c'est cette version qu'il faudra considérer. Ce n'est pas une BMW, mais elle figure parmi ce qui se fait de mieux chez les berlines de luxe asiatiques. C'est sans âme, mais efficace. Le confort, lui, est conforme

à la réputation des japonaises: la douceur de roulement demeure l'une des principales qualités de la TL, tandis que l'insonorisation a été améliorée.

[CONCLUSION]
La TL reste le modèle le plus intéressant de la gamme Acura (et l'un des plus populaires), au point de cannibaliser la pauvre RL qui se vend au compte-gouttes. La stratégie de marketing de cette marque est d'ailleurs difficile à comprendre car chaque modèle semble vouloir empiéter sur le territoire de celui qui se trouve au-dessus. Ainsi, la TSX peut désormais recevoir un V6 et, ce faisant, joue dans les plates-bandes de la TL. Cela dit, cette dernière compte toujours de solides atouts dans sa manche, à commencer par une fiabilité nettement supérieure à ses rivales européennes. Plus fiable, mieux équipée et moins chère, en plus!

2e OPINION

FRANCIS BRIÈRE Avec l'Acura TL, on se retrouve à bord d'une automobile confortable au comportement routier sûr. À mon avis, il s'agit d'un véhicule rendu à pleine maturité, qui possède de nombreuses qualités et qui peut satisfaire une clientèle en quête de conduite sportive et de douceur de roulement. En revanche, si jamais l'envie vous prend de débourser 45 000 dollars pour une voiture, vous pouvez aller voir du côté de BMW et de Mercedes-Benz qui proposent des produits encore plus intéressants. Sans oublier Audi et son A4. Reste que les constructeurs japonais proposent des voitures fiables, bien conçues et intéressantes. J'ajouterai même que, si vous avez goûté au bonheur de conduire une voiture allemande, vous aurez bien du mal à choisir autre chose.

⑤ FICHE TECHNIQUE

· MOTEURS
· (TL)
V6 3,5 l SACT 280 ch à 6200 tr/min
Couple 254 lb-pi à 5000 tr/min
Transmission automatique à 5 rapports avec mode manuel
0-100 km/h 6,3 s
Vitesse maximale 230 km/h

· (SH-AWD)
V6 3,7 l SACT 305 ch à 6200 tr/min
Couple 273 lb-pi à 5000 tr/min
Transmission manuelle à 6 rapports, automatique à 5 rapports avec mode manuel
0-100 km/h 6,1 s
Vitesse maximale 230 km/h
Consommation (100 km) 10 l (octane 91)
Émissions de CO$_2$ 4692 kg/an
Litres par année 2040 l
Coût par an 2284 $
Empreinte écologique 30 arbres

· AUTRES COMPOSANTES
Sécurité active freins ABS, répartition électronique de force de freinage, assistance au freinage, antipatinage, contrôle de stabilité électronique
Suspension avant/arrière indépendante
Freins avant/arrière disques
Direction à crémaillère, assistée
Pneus TL P245/50R17 **SH-AWD** P245/45R18 P245/40R19 (option, A-Spec)

· DIMENSIONS
Empattement 2775 mm
Longueur 4961 mm
Largeur 1880 mm (excluant rétroviseurs)
Hauteur 1452 mm
Poids TL 1688 kg **SH-AWD** 1764 kg
SH-AWD 1797 kg
Diamètre de braquage 11,7 m
Coffre 371 l
Réservoir de carburant 70 l

NOS MENTIONS

☺ Modèle recommandé

NOTRE VERDICT

Plaisir au volant	⬡⬡⬡⬡⬡
Qualité de finition	⬡⬡⬡⬡⬢
Consommation	⬡⬡⬡⬢⬡
Rapport qualité/prix	⬡⬡⬡⬡⬡
Valeur de revente	⬡⬡⬡⬢⬡

LA COTE VERTE

MOTEUR
L4 DE 2,4 L

- **Consommation (100km):**
  man. 8,8 l
  auto. 8,1 l
- **Émissions polluantes CO_2 :**
  man. 4094 kg/an
  auto. 3772 kg/an
- **Empreinte écologique (nombre d'arbres à planter par année): 25**
- **Indice d'octane: 91**
- **Autre motorisation: non**
- **Coût du carburant moyen par année:**
  man. 1994 $
  auto. 1837 $
- **Nombre de litres par année:**
  man. 1780 l
  auto. 1640 l

(SOURCE: ÉnerGuide)

 FICHE D'IDENTITÉ

- **Versions** base, Premium, Tech, V6, V6 Tech, Familiale
- **Roues motrices** avant
- **Portières** 4/5 **Nombre de passagers** 5
- **Première génération** 2004
- **Génération actuelle** 2009
- **Construction** Saitama, Japon
- **Sacs gonflables** 6, frontaux, latéraux avant et rideaux latéraux
- **Concurrence** Audi A4, BMW Série 3, Cadillac CTS, Infiniti G37, Lexus IS, Mercedes-Benz Classe C, Nissan Maxima, Volvo S40

2 AU QUOTIDIEN

- **Prime d'assurance**
  25 ans: 1600 à 1800 $
  40 ans: 1100 à 1300 $
  60 ans: 800 à 1000 $
- **Collision frontale** 5/5
- **Collision latérale** 5/5
- **Ventes du modèle de l'an dernier**
  Au Québec 560 **Au Canada** 2020
- **Dépréciation** 45,7%
- **Rappels (2005 à 2010)** 1
- **Cote de fiabilité** 5/5

3 GARANTIES... ET PLUS

- **Garantie générale** 4 ans/80 000 km
- **Garantie motopropulseur** 5 ans/100 000 km
- **Perforation** 5 ans/kilométrage illimité
- **Assistance routière** 4 ans/ kilométrage illimité
- **Nombre de concessionnaires**
  Au Québec 12 **Au Canada** 48

 NOUVEAUTÉS EN 2011

- Version familiale

EN RECHERCHE D'IDENTITÉ

PAR ALEXANDRE CREPAULT

L'ACURA TSX, C'EST EN RÉALITÉ UNE HONDA ACCORD EUROPÉENNE SUR LAQUELLE ON A POSÉ UN ÉCUSSON ACURA. Elle est plus courte, plus basse et plus large que l'Accord américaine, et l'émotion, plus que la logique, fera qu'on la choisira, elle, et non pas l'Accord. Elle se révèle tout de même un choix très judicieux.

[CARROSSERIE] Cette année, la TSX Sport Wagon (nouveau modèle familial), dérivée de l'Accord Tourer européenne, vient joindre les rangs des TSX. Ses dimensions sont les mêmes que celles de la berline, mais un hayon remplace le coffre. Quelle que soit la TSX choisie, les lignes se montrent juste assez agressives pour ne pas tomber dans l'anonymat. On remarque également la calandre en tête de flèche inversée, marque de commerce des Acura d'aujourd'hui.

[HABITACLE] L'habitacle est tout ce qu'il y a de plus Acura. Le noir et l'argent courent sur les formes ciselées du tableau de bord qui, lui, est fabriqué avec des matériaux d'une qualité irréprochable. Cet environnement moderne et luxueux accroît encore son importance grâce à un éclairage bleuâtre et des cadrans au contour métallique. Les versions Premium, Tech et V6 recevront des sièges et des insérés de portières en cuir perforé. Toutes les TSX seront équipées d'un volant et d'un pommeau de levier de vitesses gainés de cuir. Font également partie de l'équipement de base : des sièges chauffants à réglage électrique, une climatisation bizone, une chaîne audio de 360 watts, une connectivité Bluetooth et un toit ouvrant. Comme c'est le cas des autres produits Honda et Acura, le champ de boutons entraîne quelques plaintes, surtout chez le novice, qui se sentira désorienté. Dans les deux cas, l'espace est généreux à l'avant et décent à l'arrière.

[MÉCANIQUE] Pour l'instant, seule la berline offre deux moteurs. Le plus modeste, un 4-cylindres i-VTEC de 2,4 litres à DACT à 16 soupapes, développe 201 chevaux. Ceux qui aiment la conduite sportive opteront pour

FORCES · Habitacle moderne et confortable · V6 souple et puissant
· Nouveau modèle familial

FAIBLESSES · Calandre Acura · Pas de transmission intégrale
· Pas de motorisation diesel ou hybride

la boîte de vitesses manuelle à 6 rapports. Ceux qui préfèrent garder l'usage de leurs deux mains prendront, en option, la boîte automatique à 5 rapports. Après avoir mis de côté ses tentatives en matière de moteurs alternatifs, comme le diesel ou l'hybride, Honda a décidé d'utiliser un V6 traditionnel à essence. Avec sa cylindrée de 3,5 litres et son système i-VTEC, il peut développer 280 chevaux et produire un couple de 254 livres-pieds. C'est très respectable. Pour une raison qui m'échappe, le V6 n'est pas offert avec le modèle familial. Pas de transmission intégrale non plus pour l'ensemble de la gamme.

[COMPORTEMENT] Lors de l'introduction de la TSX de deuxième génération à la fin de 2008 (le 4-cylindres seulement était offert), les journalistes, pour la plupart, s'entendaient pour dire que la TSX était une excellente voiture qui manquait cependant de punch. Le V6 a réglé le problème. Il est souple et livre sa puissance de façon linéaire. Les roues avant ne semblent pas trop souffrir, puisque très peu de couple se manifeste dans le volant. De son côté, la direction, gérée électroniquement, permet une bonne communication avec la route et n'est pas aussi bizaroïde que celle de la TL. Par contre, dans un virage, en poussant la voiture à ses limites, le devant décroche et sous-vire. Rappelons que les principales rivales utilisent presque toutes la propulsion ou la transmission intégrale. À la fin de la journée, cependant, la TSX conserve si bien son esprit sportif, se révèle si équilibrée entre le confort et une utilisation quotidienne qu'on ne peut pas vraiment lui reprocher son

mode de propulsion par les roues avant (sauf dans la neige).

[CONCLUSION] Plus les années passent, plus la TSX semble faire du sens. Grâce au modèle familial, il y a maintenant une alternative intéressante aux véhicules multisegments. Ce qui lui fait réellement mal, c'est l'absence d'un modèle à transmission intégrale qu'offrent toutes ses concurrentes (BMW Série 3 Xi, Mercedes-Benz Classe C 4Matic, Audi quattro et G37X).

2ᵉ OPINION

DANIEL RUFIANGE Rien n'y fait, la nostalgie s'empare de moi chaque fois que je m'installe aux commandes de cette TSX. En réalité, je regrette l'ancienne génération qui, à défaut d'en offrir moins, possédait ce petit quelque chose de charmeur qui nous faisait littéralement tomber amoureux d'elle. La mouture actuelle ne possède pas le même charme. Reste néanmoins qu'il s'agit d'une voiture bourrée de qualités et qui, pour le prix, représente encore et toujours l'un des meilleurs rapports qualité-prix sur le marché. Toutefois, de grâce, question de respecter un peu l'âme de cette voiture, optez pour une version à moteur à 4 cylindres. Une balade au volant d'une version à moteur V6 vous donnera l'impression de conduire une voiture américaine. *Oh, say, can you see...*

⑤ FICHE TECHNIQUE

- **MOTEURS**
- **(Base, Premium, Tech, Familiale)**
L4 2,4 l DACT, 201 ch à 7000 tr/min
Couple 172 lb-pi à 4300 tr/min
(170 lb-pi à 4300 tr/min boîte auto.)
Transmission manuelle à 6 rapports, automatique à 5 rapports avec mode manuel (option)
0-100 km/h 7,8 s
Vitesse maximale 215 km/h

- **(V6, V6 Tech)**
V6 3,5 l SACT, 280 ch à 6200 tr/min
Couple 254 lb-pi à 5000 tr/min
Transmission automatique à 5 rapports avec mode manuel
0-100 km/h 6,3 s
Vitesse maximale 230 km/h
Consommation (100 km) 9,4 l (octane 91)
Émissions de CO₂ 4370 kg/an
Litres par année 1900 l
Coût par an 2128 $
Empreinte écologique 27 arbres

- **AUTRES COMPOSANTES**
Sécurité active freins ABS, répartition électronique de force de freinage, assistance au freinage, antipatinage, contrôle de stabilité électronique
Suspension avant/arrière indépendante
Freins avant/arrière disques
Direction à crémaillère, assistée
Pneus P225/50R17 **V6** P235/45R18

- **DIMENSIONS**
Empattement 2705 mm
Longueur 4715 mm **Familiale** 4811 mm
Largeur 1840 mm
Hauteur 1439 mm **Familiale** 1471 mm
Poids L4 man. 1542 kg, **L4 auto.** 1574 kg, **V6** 1669 kg
Diamètre de braquage L4 11,2 m, **V6** 11,6 m
Coffre 357 l
Réservoir de carburant 70 l

83

NOS MENTIONS

☺ Modèle recommandé

NOTRE VERDICT

Plaisir au volant	⬢	⬢	⬢	⬢
Qualité de finition	⬢	⬢	⬢	⬢
Consommation	⬢	⬢	⬢	
Rapport qualité/prix	⬢	⬢	⬢	⬢
Valeur de revente	Nm			

ACURA

Ⓝ ÉVOLUTION Ⓔ

Ⓙ

55 990 $ à 59 590 $
transport et préparation: 1895 $

LA COTE VERTE

MOTEUR
V6 DE 3,7 L

· **Consommation**
(100km): 10,9 l
· **Émissions**
polluantes CO_2 :
5114 kg/an
· **Empreinte écologique**
(nombre d'arbres à
planter par année): 32
· **Indice d'octane:** 91
· **Autre**
motorisation: non
· **Coût du carburant**
moyen par année:
2490 $
· **Nombre de**
litres par année:
2224 l

(SOURCE: Acura)

84 |

① FICHE D'IDENTITÉ

· **Versions** Technologique
· **Roues motrices** 4
· **Portières** 5 **Nombre de passagers** 5
· **Première génération** 2010
· **Génération actuelle** 2010
· **Construction** Alliston Ontario
· **Sacs gonflables** 6
(frontaux, latéraux, rideaux latéreaux)
· **Concurrence** Audi Q7, BMW X6, Infiniti FX,
Lexus RX, Volvo XC90

② AU QUOTIDIEN

· **Prime d'assurance**
25 ans: 1600 à 1800$
40 ans: 1100 à 1300$
60 ans: 1000 à 2100$
· **Collision frontale** 5/5
· **Collision latérale** 5/5
· **Ventes du modèle de l'an dernier**
Au Québec 0 **Au Canada** 8
· **Dépréciation** nm
· **Rappels (2005 à 2010)** 1
· **Cote de fiabilité** nm

③ GARANTIES... ET PLUS

· **Garantie générale** 4 ans/80 000 km
· **Garantie motopropulseur** 5 ans/100 000 km
· **Perforation** 5 ans/kilométrage illimité
· **Assistance routière** 4 ans/kilométrage illimité
· **Nombre de concessionnaires**
Au Québec 12 **Au Canada** 48

④ NOUVEAUTÉS EN 2011

· Aucun changement majeur

LA QUÊTE DU BÉBÉ-BOUMEUR

PAR FRANCIS BRIÈRE

LES AMBITIONS DES DIRIGEANTS D'ACURA SE RÉVÈLENT MODESTES : OFFRIR UN NOUVEAU PRODUIT À UNE CLIENTÈLE CONNUE DONT LES BESOINS ONT CHANGÉ. Cela signifie que le propriétaire d'un Acura MDX, par exemple, serait tenté de changer son véhicule sous prétexte que les enfants ont quitté le nid familial. En revanche, ce changement s'inscrit dans une quête de style, de luxe et d'exaltation. L'idée du ZDX a émergé à partir d'un nouveau mode de vie, celui du couple qui désire s'évader les longs week-ends dans une petite auberge de charme, des personnes qui partent à l'aventure en savourant chaque moment d'une vie pleinement vécue.

[CARROSSERIE] Les lignes du ZDX surprennent de prime abord. La partie avant s'apparente à celle des autres modèles de la gamme Acura. Cependant, le profil et l'arrière du véhicule suggèrent fluidité, contraste, volume et dynamisme. Les ingénieurs ont travaillé à élaborer une structure de toit qui puisse permettre d'y installer une surface vitrée qui s'étend de l'avant jusqu'au bout du hayon. Cette prouesse d'ingénierie suppose un dur labeur consistant à élaborer un châssis suffisamment rigide fabriqué à partir d'un seul élément. Applaudissons, puisque la conception du ZDX prend tout son sens à partir de ce seul exploit.

[HABITACLE] Bien que le véhicule ait été édifié à partir de la base du MDX, Acura a su remodeler l'intérieur selon des critères précis. L'habitacle est composé de matériaux plus nobles, comme le cuir, mais les plastiques demeurent en bonne quantité. À l'avant, les occupants bénéficient d'un espace circonscrit grâce à la console, et à l'intérieur des portes, s'offre un prolongement de la planche de bord. Les sièges procurent un confort appréciable sans compromettre le maintien latéral qui plaira à l'amateur de conduite incisive. Les concepteurs ont réussi à simplifier les commandes de la console sans toutefois réduire le nombre de boutons placés sur le volant. La chaîne audio est de bonne qualité. Mentionnons également qu'on a déployé des efforts afin de concevoir un habitacle des plus silencieux.

FORCES · Lignes modernes · Habitacle de bon goût · Bonne tenue de route

FAIBLESSES · V6 insuffisant · Boîte de vitesses lente · Espace à l'arrière
· Coffre ridicule · Visibilité

[MÉCANIQUE] En ce qui a trait au groupe moto-propulseur, Acura propose une version améliorée du moteur et de la boîte de vitesses qui équipent le MDX. Le V6 de 3,7 litres produit 300 chevaux, tandis que la boîte automatique à 6 rapports distribue la puissance aux quatre roues. En conduite normale, le couple est principalement dirigé à l'avant, mais peut automatiquement se concentrer à 70 % à l'arrière quand la situation l'exige. Le conducteur peut profiter d'un mode manuel avec de petits leviers de sélection au volant selon son humeur.

[COMPORTEMENT] Les ingénieurs d'Acura ont conçu le ZDX sans élever son centre de gravité outre-mesure. Sa garde au sol est celle d'un véhicule utilitaire sport, mais la conduite rappelle davantage celle d'une grosse voiture. La direction du ZDX ne permet pas de négocier les virages avec grande justesse : le conducteur apprécierait plus de précision et de fermeté. Compte tenu du poids imposant du véhicule, les 300 chevaux du V6 ne suffisent pas toujours à la tâche, en particulier quand le terrain est accidenté. La boîte de vitesses réagit avec lenteur, et le mode manuel devient frustrant si l'on sollicite l'accélérateur avec entrain. Une balade en ZDX n'est pas désagréable. Le propriétaire de ce véhicule devra se réjouir du confort et de l'insonorisation qu'il procure. Sur un mauvais pavé, le ZDX se révèle efficace. On apprécie la rigidité de sa caisse et le travail de la suspension.

[CONCLUSION] En proposant le ZDX, Acura souhaite séduire une clientèle à la recherche de passion et d'émotions. Tout est dans le style, puisque ce véhicule n'offre rien de bien exaltant pour le conducteur en quête de sensations fortes. Oublions également la famille, même peu nombreuse : l'espace pour les occupants à l'arrière est insuffisant. Parions que ce nouveau modèle se fera plutôt rare sur nos routes. De fait, on prévoit en vendre entre 6000 et 8000 exemplaires par an en Amérique du Nord.

2ᵉ OPINION

BENOIT CHARETTE Le ZDX est le véhicule le plus luxueux jamais produit par Acura. L'habitacle met l'accent sur le confort et la commodité pour le conducteur et le passager avant. Un tableau de bord et une console centrale en cuir cousu à la main, ce qui est plus habituel dans les berlines allemandes, donnent une grande impression d'intimité et de luxe. Avec un poids d'un peu plus de deux tonnes, il est difficile de parler d'agilité, mais sa nervosité surprend. Avec le mode manuel et les leviers de sélection au volant, on exploite au maximum les 300 chevaux proposés; de plus, le système SH-AWD se révèle très efficace sur les petites routes en lacets. La caisse est lourde, mais très bien équilibrée, le châssis est très rigide, et le véhicule n'éprouve aucune peine à évoluer à une cadence élevée. Pour ce qui est des lignes, votre opinion vaut bien la mienne.

⑤ FICHE TECHNIQUE

• MOTEUR
• V6 3,7 l SACT, 300 ch à 6300 tr/min	
Couple 270 lb-pi à 4500 tr/min	
Transmission automatique à 6 rapports avec mode manuel	
0-100 km/h 8,2 s	
Vitesse maximale 200 km/h	

• AUTRES COMPOSANTES
Sécurité active freins ABS, distribution électronique de force de freinage, antipatinage, contrôle de stabilité électronique
Suspension avant/arrière indépendante
Freins avant/arrière disques
Direction à crémaillère, assistée
Pneus P255/50R19

• DIMENSIONS
Empattement 2750 mm
Longueur 4887 mm
Largeur 1993 mm
Hauteur 1596 mm
Poids 2016 kg
Diamètre de braquage 11,4 m
Coffre 745 l, 1580 l (sièges abaissés)
Réservoir de carburant 79,5 l
Capacité de remorquage 680 kg

NOS MENTIONS

☺ Modèle recommandé

NOTRE VERDICT

Plaisir au volant	●●●●○
Qualité de finition	●●●●○
Consommation	●○○○○
Rapport qualité/prix	●●●◐○
Valeur de revente	Nm

DB9

www.astonmartin.com

ÉVOLUTION

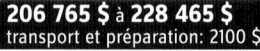

206 765 $ à 228 465 $
transport et préparation: 2100 $

LA COTE VERTE

MOTEUR
V12 DE 6,0 L

- **Consommation (100km):**
  man. 15,3 l
  auto. 13,2 l
- **Émissions polluantes CO_2:**
  man. 7222 kg/an
  auto. 6210 kg/an
- **Empreinte écologique (nombre d'arbres à planter par année):** 45
- **Indice d'octane:** 91
- **Autre motorisation** non
- **Coût du carburant moyen par année:**
  man. 3488 $
  auto. 3024 $
- **Nombre de litres par année:**
  man. 3114 l
  auto. 2700 l

(SOURCE: ÉnerGuide)

(1) FICHE D'IDENTITÉ

- **Versions** Coupe, Volante
- **Roues motrices** arrière
- **Portières** 2 **Nombre de passagers** 2+2
- **Première génération** 2004
- **Génération actuelle** 2004
- **Construction** Gaydon, Angleterre
- **Sacs gonflables** 4 (frontaux, latéraux)
- **Concurrence** Chevrolet Corvette, Ferrari F458, Jaguar XK, Lamborghini Gallardo, Maserati GT, Mercedes-Benz Classe SL, Porsche 911

(2) AU QUOTIDIEN

- **Prime d'assurance**
  25 ans: 7500 à 7800 $
  40 ans: 5000 à 5400 $
  60 ans: 4200 à 4400 $
- **Collision frontale** nd
- **Collision latérale** nd
- **Ventes du modèle de l'an dernier**
  Au Québec nd Au Canada nd
- **Dépréciation** nd
- **Rappels** (2005 à 2010) 1
- **Cote de fiabilité** 3/5

(3) GARANTIES... ET PLUS

- **Garantie générale** 3 ans/kilométrage illimité
- **Garantie motopropulseur** 3 ans/kilométrage ill.
- **Perforation** 10 ans/kilométrage illimité
- **Assistance routière** 3 ans/kilométrage illimité
- **Nombre de concessionnaires**
  Au Québec 1 Au Canada 3

(4) NOUVEAUTÉS EN 2011

- Légèrement redessinée
- Moniteur de la pression des pneus de série
- Nouveau système de contrôle de l'amortissement.

LA ROYALE GT

PAR MICHEL CRÉPAULT

SANS ÊTRE AUSSI VIEILLES QUE LA MARQUE ELLE-MÊME (FONDÉE EN 1913), LES LETTRES DB FONT RÉFÉRENCE À SIR DAVID BROWN QUI MIT LA MAIN SUR LA COMPAGNIE EN 1947. Il serait tentant de dire que la DB9 est la 9e de la famille qui a l'honneur de porter ce monogramme; cependant, des DBS ou DB AR1 sont venues mêler les cartes, et on préféra éviter le patronyme DB8 de peur que le public n'en déduise qu'un V8 sommeillait sous le capot. La Volante s'affiche comme le pendant décapotable. Depuis que Ford a cédé les rênes d'Aston Martin au groupe Prodrive, présidé par David Richards, les millionnaires n'ont jamais eu un si bel embarras du choix.

[CARROSSERIE] Je soupçonne Ian Callum, le dessinateur de la DB9, de s'être penché longtemps sur une goutte d'eau. Il l'a ensuite placée devant un ventilateur. L'air a donc sculpté la goutte. Et puis, voilà ! Callum tenait la silhouette de base de sa DB9 ! Des blocs optiques aussi effilés que la silhouette, des ouïes latérales fines et des poignées affleurées ne viennent en rien altérer la fluidité du fuselage. Même en lui retirant son toit dur pour le remplacer par la capote automatisée de la Volante, la goutte d'eau n'a pas souffert. Cette remarquable interprétation d'un 2+2 repose sur une plateforme en aluminium ultra moderne baptisée VH par Ford. Les légères retouches pour 2011 affectent notamment le pare-chocs avant, les phares plus cristallins que jamais et les étriers de disque de couleur argent.

[HABITACLE] Le cuir, les bois, l'aluminium brossé sont de première qualité. Ces matériaux fins sont agencés à la main par des artisans qui auraient autant leur place dans une usine de GM que le pape dans une loge d'effeuilleuses. Cet intérieur si élégant cache presque le fait que l'indicateur de vitesse sait compter au-delà de 300 km/h. Une sono Bang & Olufsen s'ajoute aux options de 2011. Comme il sied à toutes les voitures de ce prix qui s'adresse à une poignée de gens très fortunés, ces derniers peuvent faire fi de la palette de couleurs pourtant élaborée et commander la teinte de leur caprice, à l'extérieur comme à l'intérieur.

FORCES · Le coupé brillant autant sur l'autoroute que dans les lacets · La sonorité du V12 subjugue · L'habitacle est une oeuvre d'art

FAIBLESSES · Dommage que la Volante soit moins athlétique que le coupé · La consommation n'a rien de rigolo · Le prix non plus

[MÉCANIQUE] Un V12 naturellement aspiré de 6 litres, dérivé du moteur de la défunte Vanquish, produit 470 chevaux et un couple de 443 livres-pieds. Que la boîte de vitesses soit manuelle ou automatique (la Touchtronic 2), elle comporte 6 rapports. Le coupé est livrable avec un ensemble Sport qui épice sérieusement les balades. Pour 2011, les amortisseurs du coupé et de la décapotable reçoivent de série un dispositif électronique qui leur permet de mieux s'adapter automatiquement aux irrégularités de la chaussée.

[COMPORTEMENT] Immobile, la DB9 attire immédiatement les louanges. En mouvement, les passants seront tout autant renversés, mais c'est bel et bien le pilote qui s'accapare de la plus grande partie du plaisir. Il n'a qu'à effleurer l'accélérateur pour entendre le V12 lui susurrer « oui, encore ! ». En revanche, la Volante se montre moins téméraire en raison de l'amputation du toit qui lui a, du même coup, amoindri la rigidité, surtout en courbe. Les ingénieurs l'ont d'ailleurs, semble-t-il, admis en lui conférant derechef une suspension moins agressive. Alors que le coupé, malgré son air mondain, peut puiser dans ses entrailles pour donner une leçon ou deux au pavé récalcitrant, la décapotable se contente davantage d'être belle et aguichante.

[CONCLUSION] La marque a eu sa part de difficultés financières tout au long de son histoire. N'eût été de la belle visibilité que lui a valu un certain 007, son destin aurait pu être pire. Depuis ses débuts mondiaux en 2004, la DB9 a néanmoins donné un énième souffle à la firme britannique. Elle se définit comme le summum du grand tourisme exotique, et bien jaloux celui qui oserait la contredire.

2ᵉ OPINION

BENOIT CHARETTE Il est rare qu'une voiture qui a déjà sept ans conserve toute sa beauté originale. C'est pourtant le cas de la DB9 qui a bien reçu un petit coup de jeunesse très discret cette année, mais demeure dans l'ensemble intact. Certainement une des plus belles voitures sur la route, il n'y a pas que sa beauté qui vous envoûtera, le son de son V12 est digne d'un orchestre philarmonique. Le confort de la suspension est étonnant pour une voiture aussi sportive. Les imperfections de la route sont vite gommées et les bruits de roulement réduits au minimum, malgré la présence de larges pneus de 19 pouces. Une voiture rare qu'il faut prendre le temps d'admirer si vous avez le bonheur d'en croiser une.

⑤ FICHE TECHNIQUE

· MOTEUR

· V12 6,0 l DACT, 470 ch à 6000 tr/min Couple 443 lb-pi à 5000 tr/min	
Transmission manuelle à 6 rapports, manuelle robotisée à 6 rapports (en option)	
0-100 km/h 4,8 s	
Vitesse maximale 306 km/h	

· AUTRES COMPOSANTES

Sécurité active freins ABS, assistance au freinage, répartition électronique de force de freinage, antipatinage, contrôle de stabilité électronique	
Suspension avant/arrière indépendante	
Freins avant/arrière disques	
Direction à crémaillère, assistée	
Pneus P235/40R19 (av.), P275/35R19 (arr.)	

· DIMENSIONS

Empattement 2740 mm	
Longueur 4710 mm	
Largeur 1875 mm	
Hauteur 1300 mm	
Poids coupé man. 1760 kg, **coupé robo.** 1800 kg	
Diamètre de braquage 12,0 m	
Coffre 186 l	
Réservoir de carburant 80 l	

NOTRE VERDICT

Plaisir au volant	⬢⬢⬢⬢⬡
Qualité de finition	⬢⬢⬢⬡⬡
Consommation	⬢⬔⬡⬡⬡
Rapport qualité/prix	⬢⬢⬔⬡⬡
Valeur de revente	⬢⬢⬢⬡⬡

DBS

www.astonmartin.com

ÉVOLUTION

303 495 $ à **320 196 $**
transport et préparation: 2100 $

KX57 AOK

LA COTE VERTE

MOTEUR
V12 DE 6.0 L

- **Consommation (100km):**
  man. 15,6 l
  robo. 14,7 l
- **Émissions polluantes CO_2:**
  man. 7314 kg/an
  robo. 6854 kg/an
- **Empreinte écologique (nombre d'arbres à planter par année): 45**
- **Indice d'octane: 91**
- **Autre motorisation: non**
- **Coût du carburant moyen par année:**
  man. 3562 $
  robo. 3338 $
- **Nombre de litres par année:**
  man. 3180 l
  robo. 2980 l

(SOURCE: ÉnerGuide)

88

FICHE D'IDENTITÉ

- **Versions** coupé, coupé Carbon Black, Volante
- **Roues motrices** arrière
- **Portières** 2 **Nombre de passagers** 2 (2+2 option coupé, standard cabriolet)
- **Première génération** 2007
- **Génération actuelle** 2007
- **Construction** Gaydon, Angleterre
- **Sacs gonflables** 4 (frontaux, latéraux)
- **Concurrence** Chevrolet Corvette ZR1, Ferrari 599 et 612, Jaguar XKR, Maserati GTS, Mercedes-Benz Classe SL AMG

AU QUOTIDIEN

- **Prime d'assurance**
  25 ans: 7500 à 7800 $
  40 ans: 5000 à 5400 $
  60 ans: 4200 à 4400 $
- **Collision frontale** 5/5
- **Collision latérale** 5/5
- **Ventes du modèle de l'an dernier**
  Au Québec nd **Au Canada** nd
- **Dépréciation** nd
- **Rappels** (2005 à 2010) Aucun à ce jour
- **Cote de fiabilité** 3/5

GARANTIES... ET PLUS

- **Garantie générale** 3 ans/kilométrage illimité
- **Garantie motopropulseur** 3 ans/kilométrage ill.
- **Perforation** 10 ans/kilométrage illimité
- **Assistance routière** 3 ans/kilométrage illimité
- **Nombre de concessionnaires**
  Au Québec 1 **Au Canada** 3

NOUVEAUTÉS EN 2011

- Aucun changement majeur

UN ART DE VIVRE

PAR BENOIT CHARETTE

ALORS QUE LA GUERRE À LA PERFORMANCE PURE ET AUX PLUS RAPIDES CHRONOS SUR LE NURBURGRING FAIT RAGE ENTRE LES EXO-TIQUES ITALIENNES, ASTON MARTIN EST SUR UNE AUTRE PATINOIRE. Ici, on cultive une vision de la voiture sport qui est différente. Les Anglais, même dans le sport extrême, cultivent l'art de vivre. Conduire une Aston Martin, c'est une initia-tion à la noblesse automobile ou le mot ordinaire ne fait pas partie du quotidien.

[CARROSSERIE] Aston, qui a récemment lancé la magnifique Rapide et greffé un V12 à sa petite Vantage, veut apporter quelques changements à sa DBS au début de 2011. Beaucoup d'amateurs (car les propriétaires sont assez rares) reprochent à la DBS de trop ressembler à sa sœur la DB9. Les concepteurs opéreront donc une légère chirurgie qui consistera à installer de nouveaux pare-chocs, un becquet arrière un peu plus gros et, surtout, à ajouter des phares à diodes électrolumines-centes qui lui donneront les yeux de la Rapide. Cela devrait être suffisant pour la démarquer de la DB9 sans trop la modifier, car la DBS

demeure l'une des plus belles voitures sur la route en ce moment.

[HABITACLE] La clé à bout de cristal s'insère dans le haut du tableau de bord, au-dessus de la radio, et devient le bouton de démarrage. C'est ça la grande classe. Il n'y a que les Anglais qui sont capables de laisser transpirer une telle classe dans un véhicule. Tous les matériaux nobles se côtoient dans la plus belle harmonie. Le regard est attiré par les superbes baquets en cuir, les placages au carbone, les insérés d'aluminium, un mélange de traditionnel et de moderne de très bon goût. Deux petites fausses notes, le volant, qui semble, au milieu de cette débauche de luxe, provenir d'un banal produit Ford, et l'instrumentation qui est présentée avec un certain manque d'imagination. À plus de 300 000 $, je me permets d'être plus critique. Mais somme toute, ces défauts demeu-rent mineurs. La sono de 700 watts m'a vite fait oublier tout cela.

[MÉCANIQUE] La base moteur est celle de la DB9, un V12 de 6 litres tout en aluminium. Mais com-

FORCES · Style · Présentation/finition · V12 volubile
· Freinage carbone/céramique

FAIBLESSES · Prix · Visibilité · Poids

(5) **FICHE TECHNIQUE**

· MOTEUR

· V12 6,0 l DACT, 510 ch à 6500 tr/min
Couple 420 lb-pi à 5750 tr/min

Transmission manuelle à 6 rapports, manuelle robotisée à 6 rapports (en option)	
0-100 km/h 4,3 s	
Vitesse maximale 307 km/h	

· AUTRES COMPOSANTES

Sécurité active freins ABS, assistance au freinage, répartition électronique de force de freinage, antipatinage, contrôle de stabilité électronique
Suspension avant/arrière indépendante
Freins avant/arrière disques
Direction à crémaillère, assistée
Pneus P245/35R20 (av.), P295/30R20 (arr.)

· DIMENSIONS

Empattement 2740 mm
Longueur 4721 mm
Largeur 1905 mm
Hauteur 1280 mm
Poids 1695 kg   **cabrio** 1810 kg
Diamètre de braquage 12,0
Coffre 186 l
Réservoir de carburant 78 l

me il s'agit du modèle haut de gamme d'Aston Martin, il fallait lui donner un petit quelque chose de plus. Les ingénieurs se sont concentrés sur les vocalises en passant par l'admission et l'échappement. Au final, les 470 chevaux de la DB9 se sont multipliés à 510 chevaux dans la DBS. Le gain de 40 chevaux passe par des prises d'air qui arrive à vive allure, par des tubulures d'admission à géométrie variable, améliorant ainsi la réponse du V12. Le moteur tourne aussi à 750 tours par minute plus haut que la DB9, grappillant quelques chevaux au passage. Avec ce surplus de puissance, l'embrayage est renforcé et du type compétition signé AP Racing. La boîte à 6 rapports tire plus court que sur la DB9 participant ainsi à l'accroissement général des performances. Attention, si vous décidez de mettre le pied à fond, il faut avoir beaucoup de route devant soi et éviter les quartiers résidentiels la nuit, vous réveillerez tout le monde.

[COMPORTEMENT] Outre sa puissance phénoménale, la DBS se distingue par sa conduite coulée, nous ne sommes pas ici dans une GT extrême. La suspension triangulée est elle aussi empruntée à la DB9, mais dispose de réglages spécifiques avec des ressorts et des barres antiroulis plus rigides de 50 %. Mais le secret réside dans le système d'amortissement ADS (Adaptative Damping System). Cette suspension pilotée à deux modes de fonction-nement donne toute sa magie à la voiture et permet même, en mode sport, de conserver un certain confort et permet aussi de faire oublier les 1,7 tonne du véhicule en lui donnant une agilité peu ordinaire pour un véhicule aussi imposant.

[CONCLUSION] La DBS s'adresse à ceux qui recherchent une facette plus civilisée de la voiture GT où se côtoient luxe, exclusivité et performances mais dans un enrobage plus convivial et sans perdre de sensations au volant.

NOTRE VERDICT

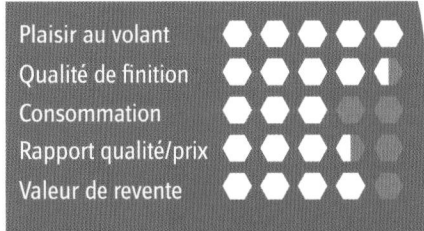

Plaisir au volant	
Qualité de finition	
Consommation	
Rapport qualité/prix	
Valeur de revente	

RAPIDE

www.astonmartin.com

ÉVOLUTION N É J

215 000 $
transport et préparation: 2100 $

LA COTE VERTE

MOTEUR
V12 DE 6,0 L

- **Consommation (100km):** 15,3 l
- **Émissions polluantes CO_2 :** 7488 kg/an
- **Empreinte écologique (nombre d'arbres à planter par année):** 45
- **Indice d'octane:** 91
- **Autre motorisation:** non
- **Coût du carburant moyen par année:** 3432 $
- **Nombre de litres par année:** 3120 l

(SOURCE: ÉnerGuide)

 FICHE D'IDENTITÉ

- **Versions** unique
- **Roues motrices** arrière
- **Portières** 4 **Nombre de passagers** 4
- **Première génération** 2010
- **Génération actuelle** 2010
- **Construction** Gaydon, Angleterre
- **Sacs gonflables** 8 (frontaux, latéraux)
- **Concurrence** Porsche Panamera, Maserati Quattroporte 4,7S

 AU QUOTIDIEN

Prime d'assurance
25 ans: 7500 à 7800 $
40 ans: 5000 à 5400 $
60 ans: 4200 à 4400 $
- **Collision frontale** nm
- **Collision latérale** nm
- **Ventes du modèle de l'an dernier**
  Au Québec nm **Au Canada** nm
- **Dépréciation** nm
- **Rappels** (2005 à 2010) Aucun à ce jour
- **Cote de fiabilité** nm

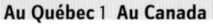 **GARANTIES... ET PLUS**

- **Garantie générale** 3 ans/kilométrage illimité
- **Garantie motopropulseur** 3 ans/kilométrage ill.
- **Perforation** 10 ans/kilométrage illimité
- **Assistance routière** 3 ans/kilométrage illimité
- **Nombre de concessionnaires**
  Au Québec 1 **Au Canada** 3

 NOUVEAUTÉS EN 2011

- Aucun changement

ODEUR DE SAINTETÉ

PAR BENOIT CHARETTE

Il semble que les coupés à quatre portes fassent fureur depuis quelques années et dans tous les créneaux. Mercedes-Benz a commencé le bal avec la CLS, Volks a suivi peu de temps après avec la Passat CC. Depuis, la Porsche Panamera, la récente refonte de la Maserati Quattroporte, et, même, la Hyundai Sonata, se sont jointes au bal. Il semble que les bonnes idées ne connaissent pas de frontière, car même Aston Martin se joint à la parade avec la magnifique Rapide.

[CARROSSERIE] Après l'avoir présenté comme concept au salon de l'auto de Detroit en 2006, c'est uniquement en mars 2009, à Genève, que la firme anglaise a présenté son modèle définitif. On reconnaît un grand design à sa capacité de conserver des éléments spectaculaires dans la version de production. C'est là l'une des grandes forces de la Rapide. Elle se situe à un degré d'élégance très élevé ! Des lignes fluides et sportives qui convergent vers la calandre, typiques des véhicules de la marque. Pour compenser ses lignes fuyantes au toit très bas, les portes arrière s'ouvrent en « ailes de cygne » (elles se surélèvent en s'ouvrant) pour

faciliter l'accès à bord. Il faut aussi mentionner son toit panoramique qui court jusqu'à l'arrière du véhicule apportant beaucoup de luminosité dans l'habitacle.

[HABITACLE] En visitant l'usine de Gaydon, en Angleterre, où est fabriquée la Rapide, j'ai réalisé que le travail fait à la main est à l'honneur. Des dizaines d'artisans façonnent et cousent dix des revêtements en cuir les plus luxueux qui soient pour créer un habitacle magnifiquement décoré. L'excellence du processus de fabrication d'Aston Martin est sans pareille. En voyant la minutie du travail, le cuir qui provient de peaux de vaches élevées dans des climats plus froids où il y a moins d'insectes pour une peau de meilleure qualité qui se retrouve dans la voiture, vous savez pourquoi Aston demande un tel prix. En ce qui concerne l'aménagement, on se retrouve à peu de choses près dans une DB9. La planche de bord est quasi identique. C'est beau, bien fini, avec des matériaux choisis (cuir, bois, magnésium...) et assemblés avec soin. Il faut mentionner que la Rapide est un strict quatre-places. On ne peut

FORCES · V12 envoûtant · Direction précise · Silhouette à faire baver d'envie · Confort de bon aloi

FAIBLESSES · Places arrière trop petites · Accès aux places arrière difficile · Freinage limite quand on augmente la cadence

pas dire que les places arrière soient généreuses. Avec très peu d'espace entre vos jambes et le siège devant, les genoux sont exagérément pliés. C'est un 2+2 bonifié. La majorité des propriétaires utiliseront plutôt le bouton au tableau de bord qui abaisse les dossiers arrière automatiquement pour pallier le manque d'espace dans le coffre.

[MÉCANIQUE] On retrouve avec délectation le joyau en verre servant de clé, qu'on insère dans son écrin au centre du tableau de bord pour réveiller le V12. Aston fait aussi un emprunt à la DB9 pour la mécanique. Le V12 de 6 litres de 470 chevaux, avec sa voix profonde, se charge de déplacer la bête. Malgré les deux tonnes de la Rapide, le 0 à 100 km/h se franchit en 5 secondes tout juste grâce à une boîte de vitesses automatique à 6 rapports très bien calibrée.

[COMPORTEMENT] Aston Martin et Jaguar ont développé, il y a quelques années, un processus de fabrication de châssis utilisant de l'aluminium collé qui était strictement réservé au milieu de l'aéronautique. Cette méthode de collage procure une rigidité exemplaire aux modèles anglais. Mais cela ne fait pas de la Rapide une sportive. Oui, elle est étonnante d'agilité pour sa taille. La direction très précise donne beaucoup de retour de sensations dans les mains du conducteur. D'un autre côté, la boîte automatique à 6 rapports séquentiels est lente à réagir en conduite plus sportive, et son poids joue contre elle sur les tracés plus étroits. Il faut aller sur les autoroutes pour profiter des grandes qualités routières de la Rapide qui font éloge à son nom.

[CONCLUSION] Avec Aston Martin, on quitte le monde du rationnel pour verser dans le monde du passionnel. D'un strict point de vue rationnel, une Porsche Panamera Turbo est plus performante, offre plus d'espace pour les occupants, est plus polyvalente et coûte beaucoup moins cher. Mais ceux qui achètent une Rapide ne regardent pas le prix mais l'exclusivité et la beauté, et, à ce chapitre, la Panamera ne fait pas le poids.

2ᵉ OPINION

MICHEL CRÉPAULT Il y a assurément un marché pour les GT exotiques (pensez ici marge de profit et non quantité), et Aston Martin s'est jetée dans la mêlée en étirant juste assez une DB9 pour lui ajouter deux portières (une nouveauté depuis l'excentrique Lagonda). La silhouette longiligne en aluminium est superbe. Les Anglais savent coudre et assembler des intérieurs qui moulent comme un gant. La sonorité du V12 est fabuleuse, et ses performances, à l'avenant. Cela dit, il est dommage de se donner autant de trouble pour deux portières supplémentaires si l'on se retrouve avec deux baquets arrière aussi exigus qu'un confessionnal en raison de la massive console centrale. À ce chapitre, la Porsche Panamera offre mieux. Mais si c'est le prix à payer pour rouler en Rapide, laissez les passagers le payer à l'arrière et, vous, régalez-vous!

⑤ FICHE TECHNIQUE

· MOTEUR
· V12 6,0 l DACT, 470 ch à 6000 tr/min
Couple 443 lb-pi à 5000 tr/min
Transmission automatique à 6 rapports avec mode manuel
0-100 km/h auto. 5,3 s
Vitesse maximale 296 km/h

· AUTRES COMPOSANTES
Sécurité active freins ABS, assistance au freinage, répartition électronique de force de freinage, antipatinage, contrôle de stabilité électronique
Suspension avant/arrière indépendante
Freins avant/arrière disques
Direction à crémaillère, assistée
Pneus P245/40ZR19 (av.), P275/35ZR19 (arr.)

· DIMENSIONS
Empattement 2989 mm
Longueur 5019 mm
Largeur 2140 mm (avec rétro.)
Hauteur 1360 mm
Poids 1990 kg
Diamètre de braquage nd
Coffre 317 l , 886 l (sièges abaissés)
Réservoir de carburant 90,5 l

NOTRE VERDICT

Plaisir au volant	⬡⬡⬡⬡⬡
Qualité de finition	⬡⬡⬡⬡⬢
Consommation	⬡⬡⬡⬢⬢
Rapport qualité/prix	⬡⬡⬡⬡⬢
Valeur de revente	Nm

VANTAGE

www.astonmartin.com

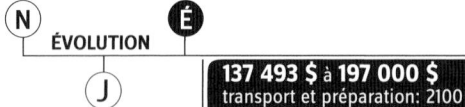

N ÉVOLUTION É
J

137 493 $ à 197 000 $
transport et préparation: 2100 $

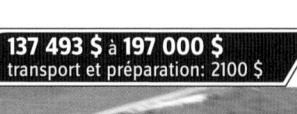

LA COTE VERTE

MOTEUR
V8 DE 4,7 L

·**Consommation (100km):**
man. 14,1 l
robo. 12,7 l

·**Émissions polluantes CO_2:**
man. 6624 kg/an
robo. 5934 kg/an

·**Empreinte écologique (nombre d'arbres à planter par année):** 40

·**Indice d'octane:** 91

·**Autre motorisation:** non

·**Coût du carburant moyen par année:**
man. 3226$
robo. 2890 $

·**Nombre de litres par année:**
man. 2880 l
robo. 2580 l

(SOURCE: ÉnerGuide)

---

① FICHE D'IDENTITÉ

· **Version** coupé V8, cabriolet V8, coupé V12, coupé V12 Carbon Black, N420
· **Roues motrices** arrière
· **Portières** 2 **Nombre de passagers** 2
· **Première génération** 2006
· **Génération actuelle** 2006
· **Construction** Gaydon, Angleterre
· **Sacs gonflables** 4 (frontaux, latéraux)
· **Concurrence** Chevrolet Corvette, Ferrari F458, Jaguar XK, Lamborghini Gallardo, Maserati Coupé, Mercedes-Benz Classe SL, Porsche 911

② AU QUOTIDIEN

· **Prime d'assurance**
25 ans : 6000 à 6200 $
40 ans : 4100 à 4300 $
60 ans : 3500 à 4000 $
· **Collision frontale** nd
· **Collision latérale** nd
· **Ventes du modèle l'an dernier**
Au Québec nd **Au Canada** nd
· **Dépréciation** 36,2 %
· **Rappels** (2005 à 2010) Aucun à ce jour
· **Cote de fiabilité** nd

③ GARANTIES... ET PLUS

· **Garantie générale** 3 ans/kilométrage illimité
· **Garantie motopropulseur** 3 ans/kilométrage ill.
· **Perforation** 10 ans/kilométrage illimité
· **Assistance routière** 3 ans/kilométrage illimité
· **Nombre de concessionnaires**
Au Québec 1 **Au Canada** 3

④ NOUVEAUTÉS EN 2011

· Ajout du moteur V12 en option pour le coupé
· Ajout de la version N420

GARDIEN DE LA TRADITION

PAR MARK HACKING

APRÈS LA VANTAGE V8, ASTON MARTIN NOUS EMMÈNE DANS LE TERRITOIRE DE L'EXCLUSIVITÉ AVEC L'AJOUT D'UN MOTEUR V12 DANS LA VANTAGE POUR 2011. Le constructeur britannique possède maintenant trois modèles différents à moteurs V12, la DB9, la DBS et la Vantage. Et pour ajouter à la confusion, il serait probablement difficile de différencier les trois voitures dans une ruelle un peu sombre. Alors, pourquoi ajouter un autre V12 à la famille ? Parce que c'est tout simplement la meilleure Aston à ce jour.

[CARROSSERIE] Stationnée à côté d'une Vantage V8, la version V12 montre ses vraies couleurs. Les proportions ont pris du volume. On retrouve des trappes de ventilation sur le capot, des ailes bombées plus musclées et un becquet arrière sculpté. La version d'origine n'a rien perdu de son sex-appeal, mais le modèle V12 possède ce petit côté viril qui dévoile son caractère plus sportif. Difficile de croire qu'Aston a réussi à enfoncer un V12 dans un espace qui était à peine assez grand pour un V8. Mais, ce tour de force était nécessaire pour

conserver l'intégralité et l'équilibre des lignes de la voiture. Cette Vantage fait rougir de honte des modèles qui coûtent le double du prix.

[HABITACLE] Comme toutes les exotiques digne de ce nom, la Vantage V12 est dessinée avec un objectif en tête : offrir la meilleure communion possible entre la route et le pilote. Pour arriver à ses fins, Aston a inclus la fibre de carbone au programme avec sièges en Alcantara et soutien lombaire. Comme toutes les voitures sport, l'intérieur est un peu à l'étroit, et le tunnel de transmission prend beaucoup de place et limite l'amplitude des mouvements du levier de vitesses. Les rétroviseurs n'offrent pas une assez bonne couverture des angles morts. Ce sont, somme toute, des problèmes mineurs qui sont attribuables à une position de conduite très basse, mais les matériaux utilisés flattent l'ego de son propriétaire.

[MÉCANIQUE] Sous le capot, Aston utilise la même recette que la DB9 et la DBS, un V12 de 6 litres qui, dans ce cas-ci, génère 510 chevaux et produit un couple de 420 livres-pieds

FORCES · Beauté intemporelle · Excellente motricité

FAIBLESSES · Intérieur un peu étriqué · Tunnel central imposant · Mauvaise visibilité des rétroviseurs extérieurs

à 5750 tours par minute. Le moteur est en position avant, mais derrière l'essieu avant pour un meilleur équilibre de la répartition du poids avant/arrière. La Vantage arrête la balance 15 kilos avant la DBS pour un petit gain à l'accélération. Elle prend 4,2 secondes pour un 0 à 100 km/h contre 4,3 pour la DBS. Et la DBS termine la course à 307 km/h contre 306 pour la Vantage V12. En raison de ce poids, la Vantage est rapide, mais pas ultra rapide. La plus grande qualité du V12 est sa très large plage d'utilisation qui débute à très bas régime et qui pousse jusqu'à la ligne rouge avec une note sonore exaltante. Cette belle mélodie s'étouffe toutefois si le coffre est plein.

[COMPORTEMENT] La Vantage V12 canalise l'air à son avantage et profite d'un calibrage de suspension idéal. La voiture se moque des imperfections de la route en restant bien collée au sol et est capable de générer une force impressionnante pour tenir à plat dans les courbes. Cela vous permet d'attaquer des routes tortueuses sans arrière-pensée en restant en plein contrôle. Notre essai routier comportait 10 tours de « l'enfer vert » ou le fameux circuit du Nürburgring. Le circuit est composé de tous les pièges de la conduite sur piste, long droit à vitesse élevée, changement d'élévation, virage à angles inversés, pas d'échappatoire, tout ce qu'il faut pour vous donner des sueurs froides. La Vantage V12 n'a fait que s'améliorer au fil des tours avec une tenue de route remarquable et des freins en carbo-céramique faits sur mesure pour cette tâche.

[CONCLUSION] La Vantage V8, qui ne manque

pas de charme, souffre considérablement par rapport à la V12, mais il n'y a pas à rougir. Le fabricant a pris une voiture sport et l'a transformée en exotique avec un V12 qui ronronne de bonheur. Même si le V12 est beaucoup plus cher que le V8, il l'est beaucoup moins que celui de la DBS sans rien sacrifier sur la qualité et la performance, ce qui fait de cette Vantage la meilleure Aston sur le marché.

2ᵉ OPINION

MICHEL CRÉPAULT Il faut bien commencer quelque part, et la Vantage est la porte d'entrée dans l'univers sélect d'Aston Martin. Résumons son comportement routier en le qualifiant à la fois de maladroit et d'arrogant. Sans doute en raison de la lourdeur relative, la suspension peine à encaisser toutes les misères infligées par nos méchantes routes. Quand, enfin, elle s'élance sans être perturbée, la belle file avec son chant haut perché. Le freinage exige du muscle, tout comme la pédale d'embrayage. Le cockpit nous convainc rapidement qu'on est assis dans un jet privé. La visibilité est loin d'être idéale, à moins d'abaisser le toit du cabrio, ce qui donne plus de charme à la bête. Et on doit cocher plusieurs options qui devraient être de série, comme le régulateur de vitesse et les baquets chauffants.

⑤ FICHE TECHNIQUE

· MOTEURS
· (COUPÉ V8, CABRIOLET V8, N420)
V8 4,7 l DACT, 420 ch à 7300 tr/min
Couple 346 lb-pi à 5750 tr/min (N420 5000 tr/min)

Transmission manuelle à 6 rapports ou manuelle robotisée à 6 rapports

0-100 km/h 4,9 s

Vitesse maximale 290 km/h

· (COUPÉ V12)
V12 5,9 l DACT, 510 ch à 6500 tr/min
Couple 420 lb-pi à 5750 tr/min

Transmission manuelle à 6 rapports

0-100 km/h 4,2 s

Vitesse maximale 305 km/h

Consommation (100 km) 16,3 l (octane 91)

Émissions de CO$_2$ nd

Litres par année nd

Coût par an nd

Empreinte écologique nd

· AUTRES COMPOSANTES
Sécurité active freins ABS, assistance au freinage, répartition électronique de force de freinage, antipatinage, contrôle de stabilité électronique

Suspension avant/arrière indépendante

Freins avant/arrière disques ventilés

Direction à crémaillère, assistée

Pneus P235/40ZR19 (av.), P275/35ZR19 (arr.)
coupé V12 P255/35ZR19 (av.), P295/30ZR19 (arr.)

· DIMENSIONS
Empattement 2600 mm

Longueur 4380 mm

Largeur 1865 mm

Hauteur 1255 mm **cabriolet** 1265 mm
coupé V12 1241 mm

Poids 1630 kg **cabriolet** 1710 kg **coupé V12** 1680 kg

Diamètre de braquage 11,1 m

Coffre 300 l | **roadster** 144 l

Réservoir de carburant 80 l

NOS MENTIONS

♥ Coup de coeur

NOTRE VERDICT

Plaisir au volant	●●●●◇
Qualité de finition	◇◇◇◇◇
Consommation	◇◇●◇◇
Rapport qualité/prix	●●◇●◇
Valeur de revente	◇●●◇◇

A3

www.audi.ca

N — ÉVOLUTION — É
J

32 300 $ à 39 950 $
transport et préparation : 1300 $

AUDI

① FICHE D'IDENTITÉ

- **Versions** 2.0T, 2.0T quattro, 2.0 TDI
- **Roues motrices** avant, 4
- **Portières** 5 **Nombre de passagers** 4
- **Première génération** 2006
- **Génération actuelle** 2006
- **Construction** Ingolstadt, Allemagne
- **Sacs gonflables** 6, frontaux, latéraux avant
  et rideaux latéraux
- **Concurrence** Acura TSX, Mercedes-Benz
  Classe B, Subaru Impreza WRX, Volkswagen Jetta,
  Volvo S40 / V50

② AU QUOTIDIEN

- **Prime d'assurance**
  25 ans : 1500 à 1700 $
  40 ans : 1300 à 1500 $
  60 ans : 900 à 1100 $
- **Collision frontale** 5/5
- **Collision latérale** 5/5
- **Ventes du modèle de l'an dernier**
  Au Québec 396 **Au Canada** 1245
- **Dépréciation** 41,8 %
- **Rappels** (2005 à 2010) 2
- **Cote de fiabilité** 3,5/5

③ GARANTIES... ET PLUS

- **Garantie générale** 4 ans/80 000 km
- **Garantie motopropulseur** 4 ans/80 000 km
- **Perforation** 12 ans/kilométrage illimité
- **Assistance routière** 4 ans/kilométrage illimité
- **Nombre de concessionnaires**
  Au Québec 7 **Au Canada** 35

④ NOUVEAUTÉS EN 2011

- Version diesel
- Retouches extérieures
- Nouvelles jantes

LA PERFECTION A SON PRIX...

PAR ALEXANDRE CRÉPAULT

L'AUDI A3 INCARNE LA VOITURE COMPACTE DE LUXE IDÉALE. ELLE EST CONFORTABLE ET AFFICHE UN EXCELLENT COMPORTEMENT ROUTIER. Cependant, les options sont nombreuses, chères et risquent de faire monter le prix passablement.

[CARROSSERIE] L'Audi A3 est construite sur la même plateforme que la Golf. Son empreinte au sol est semblable, sauf que les roues de l'A3 sont plus grosses. Dans l'ensemble, ses dimensions se rapprochent également beaucoup de celles de la Golf à 5 portes. Ce qui distingue cette Audi et, surtout, justifie son prix, c'est le design, prestigieux, dynamique et moderne. Et si l'on veut vraiment apprécier l'A3, il faut ouvrir grand son portefeuille et ajouter de jolies options, comme le toit panoramique teint en noir et les phares bixénon. Et la cerise sur le sundæ, c'est l'ensemble S-Line qui comprend des roues de 18 pouces, des pare-chocs avant et arrière sport et un becquet arrière sur le hayon. Là, cette compacte devient l'une des plus belles sur le marché.

[HABITACLE] C'est ce que j'apprécie le plus sur l'A3. À la fois sobre et luxueux, l'habitacle offre l'essentiel : espace compact mais confortable. Les sièges en cuir maintiennent bien le corps des occupants, surtout les bancs sport, de série avec l'ensemble S-Line. La position de conduite est idéale et place parfaitement le pilote par rapport aux commandes du véhicule. Le beau volant sport gainé de cuir perforé et muni de sélecteurs de vitesses en aluminium (lui aussi inclus dans l'ensemble S-Line) se révèle un petit délice à manœuvrer. Les garnitures, la finition et la disposition des accessoires sont également sans reproche. S'il faut absolument trouver un défaut à la conception de l'habitacle, on peut, à la limite, se plaindre de la banquette arrière qui ne se rabat pas parfaitement à plat...

[MÉCANIQUE] Depuis qu'Audi vend son A3 chez nous, il nous faut faire des compromis plus ou moins évidents. L'histoire se répète pour 2011. Commençons par le carburant : essence ou diesel ? Dans les deux cas, nous repartirons avec un moteur à 4 cylindres de 2 litres muni d'un

FORCES • Très belle voiture • Moteur diesel • Transmission quattro
• Habitacle réussi

FAIBLESSES • Coûteuse • Pas de manuelle avec la quattro • Pas de quattro
avec le diesel

turbocompresseur. Si vous privilégiez l'essence pour son caractère plus sportif et sa facture moins salée, vous devrez décider si la légendaire transmission intégrale quattro est pour vous. Si oui, vous devrez faire avec la boîte de vitesses à double embraye DSG. Sinon, Audi vous laissera choisir entre la manuelle à 6 rapports ou la DSG. Enfin, ceux qui voudront se gâter avec le modèle turbodiesel pourront sélectionner une pédale parmi les deux ou trois possibles, mais se verront refuser les quatre roues motrices. Je vous l'avais dit : rien d'évident.

[COMPORTEMENT] L'A3 est un véritable charme à conduire. Dans le cas du modèle TDI le train avant se comporte de façon impressionnante malgré le couple de 236 livres-pieds. Pas d'effet de couple désagréable dans la colonne de direction, même lors des départs arrêtés musclés. Le couple finit par s'essouffler rapidement, mais la boîte DSG passe les rapports avec une souplesse et une vitesse hors du commun. Quant à la boîte de vitesses manuelle, elle exécute bien sa tâche, et l'embrayage se révèle relativement léger. Cette option a ma préférence. Les amateurs de performances, eux, apprécieront les avantages du moteur de 2 litres TSFI turbo. Il livre sa puissance rapidement sans souffrir d'un délai de réponse du turbo. La boîte de vitesses est sans faille, la direction, bien dosée, et les freins font un travail exemplaire.

[CONCLUSION] L'A3 est belle, confortable et se conduit bien. Ses atouts sont également très intéressants : le moteur diesel, le meilleur sur le marché, ou la transmission quattro, parfaite et

réellement utile chez nous. Mais il y a un prix à payer : 40 000 $, en l'équipant un petit peu. C'est de l'argent, ça, pour une « Golf de luxe » !

2e OPINION

MICHEL CRÉPAULT Son format est craquant, surtout pour les Québécois, goulus appréciateurs de sportback. Le meilleur d'Audi s'y retrouve : esthétique songé, finition impressionnante, transmission intégrale réputée et choix de moteurs appropriés, bien plus d'ailleurs depuis que le diesel (Jetta) a chassé le V6. Elle n'est pas sans agacements, toutefois, dont l'exiguïté des places arrière et le prix corsé des options qui nous rappellent que la version de base est malheureusement trop nue. Je ne suis pas vraiment surpris de voir les ventes traîner de la patte : cette hardie compacte fait baver d'envie des jeunes qui n'ont pas le budget, tandis que les plus vieux ont ces dollars pour se gâter avec une Audi mais plus grosse ! Le proverbe est connu : dans les petits pots les bons onguents. Paraphrasons : dans l'A3, miniAudi à maxi prix.

⑤ FICHE TECHNIQUE

· MOTEURS

· **TDI**
L4 2,0 l turbodiesel DACT 140 ch à 4200 tr/min
Couple 236 lb-pi de 1750 tr/min à 2500 tr/min
Transmission automatique à 6 rapports avec mode manuel
0-100 km/h 8,8 s
Vitesse maximale 209 km/h (bridée)

· **2.0T**
L4 2,0 l turbo DACT 200 ch à 5100 tr/min
Couple 207 lb-pi à 1700 tr/min
Transmission manuelle à 6 rapports, automatique à 6 rapports avec mode manuel (option 2.0T, équipement standard sur version quattro)
0-100 km/h man 6,9 s **auto** 6,7 s
Consommation (100 km) 8,5 l
Vitesse maximale 209 km/h (bridée)
Émissions de CO$_2$ 3818 kg/an
Litres par année 1660 l
Coût par an 1826 $
Empreinte écologique 26

· AUTRES COMPOSANTES
Sécurité active freins ABS, répartition électronique de force de freinage, assistance au freinage, antipatinage, contrôle de stabilité électronique
Suspension avant/arrière indépendante
Freins avant/arrière disques
Direction à crémaillère, assistée
Pneus P225/45R17 **Option 2.0T** P225/40R18

· DIMENSIONS
Empattement 2578 mm
Longueur 4292 mm
Largeur 1995 mm (avec miroirs)
Hauteur 1423 mm
Poids 1505 kg
Diamètre de braquage 10,7 m
Coffre 370 l, 1100 l (sièges abaissés)
Réservoir de carburant 55 l

95

NOS MENTIONS

☺ Modèle recommandé

NOTRE VERDICT

Plaisir au volant	●●●●○
Qualité de finition	●●●●○
Consommation	●●●○○
Rapport qualité/prix	●●●○○
Valeur de revente	●○○○○

N ○ ÉVOLUTION ○ É
J ○

40 295 $ à **59 195 $**
transport et préparation : 1995 $

AUDI

LA COTE VERTE

MOTEUR
L4 DE 2,0 L

- **Consommation (100km): Berline quattro man.** 7,8 l **Berline CVT** 7,7 l
- **Émissions polluantes CO₂:** Berline quattro man. 3726 kg/an **Berline CVT** 3588 kg/an
- **Empreinte écologique (nombre d'arbres à planter par année):** 24
- **Indice d'octane:** 91
- **Autre motorisation:** non
- **Coût du carburant moyen par année: Berline quattro man.** 1814 $ **Berline CVT** 1747 $
- **Nombre de litres par année: Berline quattro man.** 1620 l **Berline CVT** 1560 l

(Source : ÉnerGuide)

---

① FICHE D'IDENTITÉ

- **Versions** 2.0T, 2.0T quattro, 2.0T quattro Avant, S4
- **Roues motrices** avant, 4
- **Portières** 4/5 **Nombre de passagers** 5
- **Première génération** 1996
- **Génération actuelle** 2009
- **Construction** Ingolstadt, Allemagne
- **Sacs gonflables** 6, frontaux, latéraux avant et rideaux latéraux
- **Concurrence** Acura TSX, BMW Série 3, Cadillac CTS, Infiniti G37, Lexus IS, Mercedes-Benz Classe C, Volkswagen Passat, Volvo S40/V50

② AU QUOTIDIEN

- **Prime d'assurance**
  25 ans: 1500 à 1700 $
  40 ans: 1400 à 1600 $
  60 ans: 1000 à 1200 $
- **Collision frontale** 5/5
- **Collision latérale** 5/5
- **Ventes du modèle de l'an dernier**
  Au Québec 1247 **Au Canada** 4224
- **Dépréciation** 50,7%
- **Rappels** (2005 à 2010) aucun
- **Cote de fiabilité** 3,5/5

③ GARANTIES... ET PLUS

- **Garantie générale** 4 ans/80 000 km
- **Garantie motopropulseur** 4 ans/80 000 km
- **Perforation** 12 ans/kilométrage illimité
- **Assistance routière** 4 ans/kilométrage illimité
- **Nombre de concessionnaires**
  Au Québec 7 **Au Canada** 35

④ NOUVEAUTÉS EN 2011

- Nouvelle transmission automatique à 8 rapports pour le modèle 2.0T

UNE NOUVELLE FLAMME?

PAR FRÉDÉRIC MASSE

AUTREFOIS... IL N'Y PAS TRÈS LONGTEMPS, EN RÉALITÉ, IL ÉTAIT FACILE POUR MOI DE METTRE LE DOIGT SUR MA BERLINE SPORT PRÉFÉRÉE : « BMW SÉRIE 3 », M'EXCLAMAIS-JE. Aujourd'hui, je dois l'avouer, j'ai un nouveau béguin. Celle qui fait battre mon cœur n'a plus seulement l'insigne blanc et bleu, mais quatre anneaux et elle porte le nom d'A4.

[CARROSSERIE] Ça a d'abord commencé avec de nouvelles lignes. L'Audi a changé de robe, elle est devenue plus sexy, plus aguichante, plus affirmée. À force de succès de vente, elle a pris confiance en ses moyens. Sa calandre, notamment, en impose. Ses phares, avec ses petites perles de lumière, lui confèrent encore et toujours un aspect visuel intéressant. En version S-Line ou, mieux encore, S4, elle en met plein la vue sans trop exagérer. Un autre avantage de l'A4 est sa version familiale qui, en plus d'être très pratique, est la plus réussie d'entres toutes en matière de design.

[HABITACLE] On dit souvent que la vraie beauté est intérieure. La qualité de la présentation de l'habitacle est extrêmement impressionnante. C'est beau, bien assemblé, bien insonorisé, et le design est tout à fait à la page. Les sièges avant de la version 2.0T que j'ai pu récemment essayer n'avaient rien à envier à la concurrence. L'espace offert à l'avant est également fort apprécié, quoique la console centrale soit trop intrusive. Depuis l'arrivée de la nouvelle génération, Audi a aussi étiré l'habitacle ce qui permet aux passagers arrière d'avoir plus de place. Ce n'est toujours pas le Klondike, mais c'est mieux que bien des concurrentes. Chose moins intéressante, le système de gestion MMI, une option qui permet de gérer la plupart des commandes, est trop distrayant, et il manque d'espace de rangement à l'intérieur. Pour se faire pardonner, le coffre est plus grand que la plupart des rivales.

[MÉCANIQUE] S'il y a un endroit où l'A4 ne fait pas tellement le poids par rapport à la concurrence, c'est la puissance du moteur de base. Le 2.0T n'est pas anémique, mais ses 211 chevaux n'ont pas ce que proposent plusieurs concur-

FORCES · Frugalité et prix de base · Amusante à conduire et équilibrée · Drive Select · Version S4

FAIBLESSES · Manque de rangement · Moteur de base moins puissant que la concurrence · Certaines commandes à améliorer

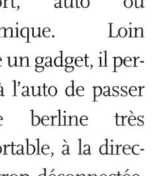

rentes vendues à prix similaire. L'Acura TL et l'Infiniti G37 me viennent tout de suite en tête. Ce n'est tout de même pas lent, avec un o à 100 km/h en un peu plus de 7 secondes, et le couple disponible grâce au turbo est suffisant, mais on reste un peu sur son appétit. Le moteur à 4 cylindres a aussi cette fâcheuse tendance à tourner comme un diesel quand il est froid. La nouvelle boîte de vitesses automatique à 8 rapports permettra peut-être aussi d'exploiter un peu plus la puissance disponible. Dans la 2.0T, je suggère fortement toutefois la manuelle à 6 rapports pour augmenter le plaisir de conduire. La S4, avec son 3-litres compressé, est dans une autre classe. C'est 333 chevaux qui sont délivrés, et la différence est énorme. Elle peut d'ailleurs être accompagnée de la fameuse boîte DSG à 7 rapports à double embrayage. Passive, mais extrêmement efficace quand on la laisse sur le mode automatique, elle devient d'une précision redoutable quand on l'active manuellement grâce aux leviers de sélection derrière le volant.

[COMPORTEMENT] Si vous achetez une Audi, investissez les quelques dollars supplémentaires pour obtenir la transmission intégrale quattro. Elle permet vraiment d'exploiter le superbe potentiel du châssis en plus des avantages évidents en conditions hivernales. L'A4 a été conçue pour des personnes qui aiment conduire. Si vous avez les moyens (l'option coûte environ 2500 $), je suggère fortement l'achat de l'option Drive Select qui permet de régler la direction et les amortisseurs en trois modes :

confort, auto ou dynamique. Loin d'être un gadget, il permet à l'auto de passer d'une berline très confortable, à la direction trop déconnectée, même, à une petite sportive qui adore avaler les courbes. En fait, si vous avez encore un peu plus les moyens, optez pour la S4 qui pousse (littéralement!) ces deux concepts beaucoup plus loin tout en profitant d'un moteur nettement plus puissant et plus agréable à entendre.

[CONCLUSION] Pour pleinement profiter de la voiture, il faut absolument cocher l'option de la transmission intégrale quattro. De plus, considérant que la fiabilité de ce produit allemand s'améliore constamment depuis environ quatre ans, l'A4 devient encore plus intéressante.

2ᵉ OPINION

DANIEL RUFIANGE L'A4, c'est le pain et le beurre du fabricant Audi. La dernière génération, qui date de 2009, représente l'apogée de la carrière de ce modèle. C'est simple, il est difficile de trouver des défauts à cette voiture. Chaque petite balade se transforme en grands moments de plaisir. Et que dire de plus sur le seul moteur qu'Audi propose sous le capot de l'A4, un 4-cylindres turbo de 2 litres? Ce moteur offre une puissance linéaire et se montre économe en carburant. Sur la route, le confort est princier, la douceur de roulement, exemplaire, et la chaîne audio Bang & Olufsen, offerte en option, divine. C'est simple, ça frise la perfection. Même la fiabilité est à la hausse, mais ne crions pas victoire trop tôt.

⑤ FICHE TECHNIQUE

· MOTEURS

(2.0T)
L4 2,0 l turbo DACT, 211 ch à 5300 tr/min
Couple 258 lb-pi à 1500 tr/min
Transmission manuelle à 6 rapports, automatique à 8 rapports avec mode manuel (option, standard sur la Avant), automatique à variation continue (berline)
0-100 km/h 2,0T 6,9 s, **quattro** 7,3 s
Vitesse maximale 209 km/h (bridée)

(S4)
V6 3,0 l suralimenté par compresseur volumétrique,
DACT, 333 chevaux à 5300 tr/min
Couple 325 lb-pi à 1500 tr/min
Transmission manuelle à 6 rapports, automatique robotisée à 7 rapports (option)
0-100 km/h 5.4 s
Vitesse maximale 250 km/h (bridée)
Consommation (100 km) man. 10,2 l (octane 91) **robo.** 10,0 (octane 91)
Émissions de CO_2 man. 4738 kg/an, **S-Tronic.** 4692 kg/an
Litres par année man.2060 l, **robo.** 2040 l
Coût par an man. 2307 $ **S-Tronic.** 2285 $
Autre motorisation non
Empreinte écologique nd

· AUTRES COMPOSANTES

Sécurité active freins ABS, répartition électronique de force de freinage, assistance au freinage, antipatinage, contrôle de stabilité électronique
Suspension avant/arrière indépendante
Freins avant/arrière disques
Direction à crémaillère, assistée
Pneus 2.0T P225/50R17, **option 2.0T** 225/55R16, **quattro** P225/45R17,
option quattro/S4 P245/40R18, **option quattro avec S Line/option S4** 255/35R19

· DIMENSIONS

Empattement 2808 mm
Longueur 4703 mm
Largeur 1826 mm
Hauteur 2.0T 1427 mm, **2.0T Avant** 1436 mm
Poids 1555 à 1935 kg
Diamètre de braquage 11,4 m, **S4** 11,5 m
Coffre ber. 480 l 962 l (sièges abaissés)
fam. 490 l, 1430 l (sièges abaissés)
Réservoir de carburant 64 l

NOS MENTIONS

 Coup de coeur

 Modèle recommandé

NOTRE VERDICT

Plaisir au volant		⬡⬡⬡⬡⬡⬡⬡⬢⬢
Qualité de finition		⬡⬡⬡⬡⬡⬡⬡⬡⬢
Consommation		⬡⬡⬡⬡⬡⬢⬢⬢⬢
Rapport qualité/prix		⬡⬡⬡⬡⬡⬡⬢⬢⬢
Valeur de revente		⬡⬡⬡⬡⬢⬢⬢⬢⬢

LA COTE VERTE

MOTEUR
L4 DE 2,0 L

- **Consommation** (100km):
  man. 10,2 l
- **Émissions polluantes CO_2 :**
  man. 3726 kg/an
- **Empreinte écologique** (nombre d'arbres à planter par année): 24
- **Indice d'octane :** 91
- **Autre motorisation:** non
- **Coût du carburant moyen par année:** 1814 $
- **Nombre de litres par année:** 1620 l

(SOURCE: ÉnerGuide)

① FICHE D'IDENTITÉ

- **Versions** 2.0T **coupé/cabriolet**, 3.2 coupé, S5 coupé/cabriolet, RS5
- **Roues motrices** 4
- **Portières** 2 **Nombre de passagers** 4
- **Première génération** 2008
- **Génération actuelle** 2008
- **Construction** Ingolstadt, Allemagne
- **Sacs gonflables** 6 (frontaux, latéraux avant, rideaux latéraux)
- **Concurrence** BMW Série 3 coupé, Infiniti G37, Mercedes-Benz Classe E coupé, Volvo C70

② AU QUOTIDIEN

- **Prime d'assurance**
  25 ans: 3000 à 3200 $
  40 ans: 2100 à 2300 $
  60 ans: 1800 à 2000 $
- **Collision frontale** 5/5
- **Collision latérale** 5/5
- **Ventes du modèle de l'an dernier**
  Au Québec 476 **Au Canada** 1520
- **Dépréciation** (2 ans) 31,2 %
- **Rappels** (2005 à 2010) aucun à ce jour
- **Cote de fiabilité** 3,5/5

③ GARANTIES... ET PLUS

- **Garantie générale** 4 ans/80 000 km
- **Garantie motopropulseur** 4 ans/80 000 km
- **Perforation** 12 ans/kilométrage illimité
- **Assistance routière** 4 ans/kilométrage illimité
- **Nombre de concessionnaires**
  Au Québec 7 **Au Canada** 35

④ NOUVEAUTÉS EN 2011

- Nouvelle transmission automatique à 8 rapports pour la version 2.0T, ajout de la version RS5.

BELLE ET BONNE

PAR PHILIPPE LAGUË

J'AIME LES COUPÉS. LES « DEUX-PORTES », COMME ON DISAIT DANS MA JEUNESSE, ALORS QUE CHAQUE MODÈLE OU PRESQUE SE DÉCLINAIT EN 2 ET EN 4 PORTES. Aujourd'hui, on parle plutôt de coupés et de berlines; c'est plus chic. Et c'est justement la carte que joue l'Audi A5, un coupé de luxe qui mise sur le style, le confort et les performances.

[CARROSSERIE] Un coupé se doit d'être beau: c'est l'essence même de son existence. Mission accomplie : l'A5 est non seulement l'une des plus belles Audi jamais construites, c'est également l'une des plus belles voitures à l'heure actuelle. Elle peut aussi se découvrir, mais le cabriolet n'a pas le même effet visuel que le coupé. Contrairement à BMW et à Mercedes-Benz, Audi reste fidèle au toit souple qui gruge moins d'espace dans le coffre une fois abaissé. De plus, cette capote est fort bien insonorisée.

[HABITACLE] Chez les réputés constructeurs allemands, les habitacles d'Audi constituent la référence. Qu'il s'agisse de la présentation, de la qualité de construction ou de l'ergonomie, les Audi montrent la voie à suivre. L'A5 ne fait certes pas mentir cette réputation: n'eût été de l'exiguïté des places arrière, on lui aurait donné une note parfaite. On lui pardonne parce que c'est un coupé, et que sa vocation n'a rien de familial. Les sièges sont fermes mais confortables et offrent un maintien irréprochable. De plus, l'environnement est fort agréable, avec un tableau de bord complet, un écran multifonction beaucoup moins complexe que ceux des Mercedes-Benz et BMW et une chaîne stéréo qui comblera les mélomanes, peu importe leur allégeance (Van Halen, Van Morrison ou Van Beethoven).

[MÉCANIQUE] Le V6 de 3,2 litres à injection directe est une pure merveille: non seulement a-t-il la vélocité d'un V8, mais il en a aussi la souplesse, que dis-je, l'onctuosité. Et la bonne nouvelle dans tout cela, c'est qu'il consomme comme un V6. Pendant que BMW et Mercedes-Benz se livrent à une escalade de puissance pour leurs versions plus sportives (M et AMG), Audi, plus en phase avec son époque, a réduit celle de la S5 en remplaçant

FORCES · Beauté classique · Superbe finition · Solide quatuor de moteurs · Parfait équilibre confort/comportement · Utilisation quatre saisons

FAIBLESSES · Places arrière un peu justes · Encore trop d'options

son gros V8 par un V6 suralimenté. Un geste aussi intelligent qu'audacieux. De toute façon, le turbo permet d'en extirper 333 chevaux, ce qui est plus qu'il n'en faut pour s'amuser ferme et perdre son permis. Un 4-cylindres turbo de 2 litres est aussi offert en entrée de gamme.

[COMPORTEMENT] Précision: l'A5 n'est pas une A4 ou une A6 à deux portes, mais bien un modèle à part entière, qui dispose de son propre châssis. Et celui-ci est une réussite, à en juger par la tenue de route de ce coupé. Ce qui frappe en premier lieu, c'est la grande rigidité de la carrosserie, qui semble coulée toute d'un bloc. Et le cabriolet ne perd rien en rigidité (ou si peu). La transmission intégrale quattro confère à l'A5 une motricité exceptionnelle, mais l'excellent travail des trains roulants y est aussi pour beaucoup. Le roulis est complètement neutralisé, même dans les courbes les plus prononcées, et le sous-virage ne se manifeste que si on pousse la voiture à la limite. Les A5 et S5 sont des GT au sens véritable : des coupés de grand tourisme qui marient le confort d'une voiture de luxe au comportement d'une sportive.

[CONCLUSION] Même après 20 ans de métier, il y a des voitures dont je n'ai tout simplement pas envie de m'extraire. Des voitures dans lesquelles je roulerais sans fin, juste pour profiter du confort, de l'insonorisation, de la douceur de roulement; mais aussi de leurs qualités dynamiques et de l'agrément de conduite qui en découle. L'Audi A5 est de cette trempe. De plus, elle peut être utilisée hiver comme été, contrairement à bon nombre de coupés et autres sportives, grâce à ses quatre roues motrices. Et contrairement à une Mercedes-Benz ou à une BMW, sa fiabilité ne risque pas de vous causer des maux de tête, et vous serez traité avec respect par les concessionnaires de la marque.

2ᵉ OPINION

BENOIT CHARETTE Arrivée sur le marché en 2008, l'Audi A5 est encore aujourd'hui l'une des plus belles voitures de la famille. Si la S5 demeure assez conservatrice dans son approche, Audi présentera d'ici l'été prochain la RS5 qui reprend le V8 de 4,2 litres de l'A8 mais qui développe une puissance de 450 chevaux. Avec un châssis ultra rigide, une direction active (de série) et un système quattro qui va même jusqu'à contenir la puissance individuelle sur chaque roue, la RS5 comblera les amateurs de véritables sportives. Sa suspension adaptative sur les modes confort et automatique permet de conduire la voiture comme une GT confortable sur de longues distances et d'attaquer les courbes sur le mode dynamique. À plus de 90 000 $ l'exemplaire, les acheteurs d'une RS5 seront des privilégiés. Mais ce super coupé à quatre places est un athlète complet et l'un des rares véhicules de cette catégorie que je choisirais pour abattre de longs trajets.

5 FICHE TECHNIQUE

- **MOTEURS**
- **(2.0T)**
L4 2,0 l turbo DACT 211 ch à 5300 tr/min
Couple 258 lb-pi à 1500 tr/min
Transmission manuelle à 6 rapports, automatique à 8 rapports avec mode manuel (option pour coupé, standard pour cabriolet)
0-100 km/h 7,3 s
Vitesse maximale 209 km/h (bridée)

- **(3.2 coupé)**
V6 3,2 l DACT 265 ch à 6500 tr/min Couple 243 lb-pi à 3000 tr/min automatique à 6 rapports avec mode manuel (option)
0-100 km/h 6,3 s
Vitesse maximale 209 km/h (bridée)
Consommation (100 km)
10,1 l (octane 91)

- **(S5 cabriolet)**
V6 3,0 l suralimenté par compresseur volumétrique, DACT, 333 chevaux à 5300 tr/min
Couple 325 lb-pi à 1500 tr/min
Transmission Séquentielle à 7 rapports
0-100 km/h 5,6 s
Vitesse maximale 250 km/h (bridée)
Consommation (100 km) 10,5 l (octane 91)

- **(S5 coupé)**
V8 4,2 l DACT 354 ch à 6800 tr/min
Couple 325 lb-pi à 3500 tr/min
Transmission manuelle à 6 rapports, automatique à 6 rapports avec mode manuel
0-100 km/h 5,1 s
Vitesse maximale 250 km/h (bridée)
Consommation (100 km)
man. 12,3 l (octane 91), **auto.** 10,9 l (octane 91)

- **(RS5)**
V8 4,2 l DACT 450 ch à 8250 tr/min
Couple 315 lb-pi à 4000 tr/min
Transmission Séquentielle à 7 rapports
0-100 km/h 4,6 s
Vitesse maximale 250 km/h (bridée)
Consommation (100 km) 10,8 l

- **AUTRES COMPOSANTES**
Sécurité active freins ABS, répartition électronique de force de freinage, assistance au freinage, antipatinage, contrôle de stabilité électronique
Suspension avant/arrière indépendante
Freins avant/arrière disques
Direction à crémaillère, assistée
Pneus P245/40R18, **option** P255/35R19, **RS5** P265/35R20, **option RS5** P275/30R20

- **DIMENSIONS**
Empattement 2751 mm
Longueur 4625 mm
Largeur coupé 1981 mm, **cabriolet** 2020 mm
Hauteur coupé 1372 mm, **cabriolet** 1383 mm
Poids 1625 kg à 1955 kg
Diamètre de braquage 11,4 m
Coffre 340 l **Cabrio** 289 l
Réservoir de carburant 64 l

NOS MENTIONS

 Coup de cœur

NOTRE VERDICT

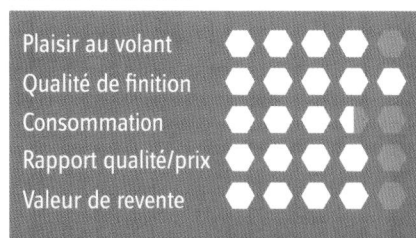

Plaisir au volant	●●●●○
Qualité de finition	●●●●○
Consommation	●●○○○
Rapport qualité/prix	●●●○○
Valeur de revente	●●●○○

AUDI

A6

www.audi.ca

ÉVOLUTION

N J É

64 200 $ à 99 500 $
transport et préparation : 1995 $

Audi

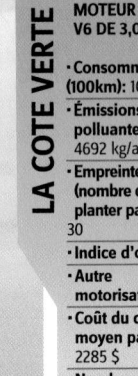

100

SIXIÈME CIEL

PAR BENOIT CHARETTE

 FICHE D'IDENTITÉ

· **Versions** 3.0, 3.0 Avant, 4.2, S6
· **Roues motrices** 4
· **Portières** 4/5 **Nombre de passagers** 5
· **Première génération** 1995
· **Génération actuelle** 2005
· **Construction** Neckarsulm, Allemagne
· **Sacs gonflables** 8
(frontaux, latéraux avant et arrière, rideaux latéraux)
· **Concurrence** Acura RL, BMW Série 5, Cadillac STS, Jaguar XF, Lexus GS, Lincoln MKS, Mercedes-Benz Classe E, Volvo S80

 AU QUOTIDIEN

· **Prime d'assurance**
25 ans: 3000 à 3200 $
40 ans: 2100 à 2300 $
60 ans: 1800 à 2000 $
· **Collision frontale** 5/5
· **Collision latérale** 5/5
· **Ventes du modèle de l'an dernier**
Au Québec 161 **Au Canada** 579
· **Dépréciation** 51,7%
· **Rappels (2005 à 2010)** 1
· **Cote de fiabilité** 3/5

 GARANTIES... ET PLUS

· **Garantie générale** 4 ans/80 000 km
· **Garantie motopropulseur** 4 ans/80 000 km
· **Perforation** 12 ans/kilométrage illimité
· **Assistance routière** 4 ans/kilométrage illimité
· **Nombre de concessionnaires**
Au Québec 7 **Au Canada** 35

 NOUVEAUTÉS EN 2011

· Abandon du V6 de 3,2 l
· Abandon des roues 17po.

AU MOMENT OÙ VOUS LIREZ CES LIGNES, LA PROCHAINE GÉNÉRATION DE LA NOUVELLE A6 AURA PROBABLEMENT ÉTÉ DÉVOILÉE AU GRAND PUBLIC AU SALON DE L'AUTO DE LOS ANGELES. La septième génération de la routière allemande (si l'on tient compte des Audi 100) se positionnera pile sous la séduisante A8, ciblant une clientèle plutôt conservatrice, avide de prestige, et la mondaine A7, le coupé à quatre portes, qui sera commercialisée l'an prochain. Avec le renforcement constant de sa gamme, Audi devait faire bouger cette A6 qui est à la traîne au chapitre des ventes. Mais tout cela c'est pour l'année modèle 2012. On devra se contenter de beaux « restes » pour cette année.

[CARROSSERIE] C'est probablement ici que L'A6 perd le plus de points. Elle ressemble à n'importe quelle autre voiture, ce qui est un peu insultant quand vous payez entre 65 000 et plus de 75 000 dollars pour un véhicule. Il y a bien des phares à diodes électroluminescentes offerts en option et les feux arrière en amande ajoutés en 2009 qui donnent un petit quelque chose de plus, mais toute cette discrétion manque de courage. Une faute grave pour une voiture de cette trempe. Parions que le nouveau modèle, basé sur la belle A5 fera mieux.

[HABITACLE] Vos yeux prendront un plaisir certain à voyager en A6. L'habitabilité généreuse, la finition sans reproche, le confort des sièges et un coffre immense contribuent à rendre le séjour agréable. Deux bémols toutefois, le système compliqué et mal situé pour les lecteurs de musique numérique est indigne d'une voiture de cette catégorie. Il y a aussi le lecteur de CD qui se trouve encore dans la boîte à gants amputant au passage la moitié de l'espace de rangement. Au chapitre de la sécurité, vous avez droit à tout l'arsenal habituel pour une berline de luxe y compris le « Lane Assist » qui prévient le conducteur en faisant vibrer le volant quand il quitte sa voie sans clignoter : plus agaçant que réellement utile. Quant au « Side Assist », un détecteur d'angle mort, il contrôle les côtés de la voiture pour éviter de changer de voies dans la portière de votre voisin d'autoroute. Ils font partie de la liste des options.

FORCES · Tenue de route inébranlable · Qualité de finition exemplaire · Excellente boîte automatique

FAIBLESSES · Poids élevé · Nombreuses options coûteuses · Lignes sans inspiration

A6

[MÉCANIQUE] Comme c'est maintenant devenu la norme dans presque tous ses modèles, Audi utilise l'injection directe de carburant dans son moteur V6 de 3 litres sous le capot de cette A6. Un compresseur mécanique se joint à la fête et fait grimper la puissance à 300 chevaux et, surtout, affiche un couple impressionnant de 310 livres-pieds. Ce moteur est offert de série avec la berline A6 et Avant. Pour ceux qui ne peuvent se passer du ronronnement d'un V8, le 4,2-litres de 350 chevaux est toujours au poste. Et ceux qui désirent la berline de course au profil le plus bas de l'industrie, il y a la S6 et son ronflant moteur V10 de 435 chevaux qui fera trembler de bonheur à haut régime. Tous les moteurs sont jumelés à une boîte de vitesses automatique à 6 rapports et au système intégral quattro qui célèbre ses 30 ans cette année.

[COMPORTEMENT] Au volant, on ne peut que sourire. Souple comme une danseuse de ballet, la voiture offre des relances sans effort à tous les régimes, et la consommation annoncée par Audi se situe à 9,4 litres aux 100 kilomètres. Ces chiffres sont toutefois possibles uniquement si vous accélérez avec votre gros orteil. Si comme moi, vous y allez franchement, vos chiffres seront plus près des 12 litres aux 100 kilomètres. Pour davantage de dynamisme, le système quattro favorise le train arrière (60 % en conditions normales). Sa légendaire réputation d'objet immuable sur la route n'est pas entachée, elle est souveraine, peu importe les conditions.

[CONCLUSION] Avec l'A8 et, surtout, la récente A7, Audi remet les pendules à l'heure en ce qui concerne le style à venir. Si la prochaine génération d'A6 profite du même traitement, elle ira chercher beaucoup d'acheteurs car, une fois au volant, vous tombez sous le charme.

2ᵉ OPINION

MICHEL CRÉPAULT L'allure de l'A6 m'agace. Au premier coup d'œil, j'aurais envie de la qualifier de générique (et de trop ressembler à l'A4) puis, presque aussitôt, je me traite d'idiot. Il n'y a qu'à détailler le muscle discret de la robe, les minimes interstices entre les panneaux, l'élégante signature des phares et des feux pour constater la beauté et l'équilibre de la machine qui s'ébroue devant moi. Seul préalable : apprécier la sobriété. Sur le plan de la conduite, la complicité entre les moteurs, la transmission quattro, la suspension de rêve et la direction au poil nous interdisent de la prendre en défaut. Est-ce un hasard si le cœur de la gamme A6 se détaille dans les 60 000 $? Sauf que rien n'a été laissé au hasard en ce qui concerne cette prestigieuse berline.

---

⑤ FICHE TECHNIQUE

· MOTEURS

· (3.0)
V6 3,0 l suralimenté par compresseur volumétrique DACT, 300 ch à 4850 tr/min
Couple 310 lb-pi à 2500 tr/min
Transmission automatique à 6 rapports avec mode manuel
0-100 km/h 6,1 s
Vitesse maximale 209 km/h (bridée)

· (4.2)
V8 4,2 l DACT, 350 ch à 6800 tr/min
Couple 325 lb-pi à 3500 tr/min
Transmission automatique à 6 rapports avec mode manuel
0-100 km/h 5,8 s
Vitesse maximale 209 km/h (bridée)
Consommation (100 km) 10,9 l (octane 91)

· (S6)
V10 5,2 l DACT, 435 ch à 6800 tr/min
Couple 398 lb-pi à 3000 tr/min
Transmission automatique à 6 rapports avec mode manuel
0-100 km/h 5,1 s
Vitesse maximale 250 km/h (bridée)
Consommation (100 km) 12,8 l (octane 91)

· AUTRES COMPOSANTES
Sécurité active freins ABS, répartition électronique de force de freinage, assistance au freinage, antipatinage, contrôle de stabilité électronique
Suspension avant/arrière indépendante
Freins avant/arrière disques
Direction à crémaillère, assistée
Pneus P245/40R18, **S6** 265/35R19

· DIMENSIONS
Empattement 2843 mm, **S6** 2847 mm
Longueur 4927 mm, **S6** 4938 mm
Largeur 1855 mm, **S6** 2030 mm
Hauteur 1459 mm, **Avant** 1463 mm, **S6** 1442 mm
Poids 3.0 1870 kg, **Avant** 1930 kg,
4.2 1915 kg, **S6** 2035 kg
Diamètre de braquage 11,9 m
Coffre 546 l **Avant** 961 l, 1807 l (sièges abaissés)
S6 450 l
Réservoir de carburant 80 l

NOS MENTIONS

😊 Modèle recommandé

NOTRE VERDICT

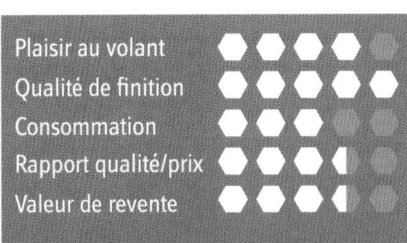

Plaisir au volant	⬢⬢⬢⬢⬡
Qualité de finition	⬢⬢⬢⬢⬡
Consommation	⬢⬢⬡⬡⬡
Rapport qualité/prix	⬢⬢⬢⬡⬡
Valeur de revente	⬢⬢⬢⬢⬡

A8/A8L

www.audi.ca

NOUVEAUTÉ

95 000 $
transport et préparation : 1995 $

Audi

LA COTE VERTE

MOTEUR
V8 DE 4,2 L

· **Consommation (100km):** 10,3 l
· **Émissions polluantes CO_2:** 5161 kg/an
· **Empreinte écologique (nombre d'arbres à planter par année):** 39
· **Indice d'octane:** 91
· **Autre motorisation:** non
· **Coût du carburant moyen par année:** 2442 $
· **Nombre de litres par année:** 2220 l

(SOURCE: Audi)

102

FICHE D'IDENTITÉ

· **Versions** 4.2, 4.2L
· **Roues motrices** 4
· **Portières** 4
· **Nombre de passagers** 5
· **Première génération** 1995
· **Génération actuelle** 2011
· **Construction** Ingolstadt, Allemagne
· **Sacs gonflables** nd
· **Concurrence** BMW Série 7, Jaguar XJ, Lexus LS, Mercedes-Benz Classe S

AU QUOTIDIEN

· **Prime d'assurance**
  25 ans: 4000 à 4200 $
  40 ans: 3100 à 3300 $
  60 ans: 2700 à 2900 $
· **Collision frontale** nm
· **Collision latérale** nm
· **Ventes du modèle de l'an dernier**
  Au Québec   Au Canada
· **Dépréciation** 52,4 % (modèle 2010)
· **Rappels** (2005 à 2010)
· **Cote de fiabilité** nm

GARANTIES... ET PLUS

· **Garantie générale** 4 ans/80 000 km
· **Garantie motopropulseur** 4 ans/80 000 km
· **Perforation** 5 ans/kilométrage illimité
· **Assistance routière** 4 ans/kilométrage illimité
· **Nombre de concessionnaires**
  Au Québec 7 **Au Canada** 35

NOUVEAUTÉS EN 2011

Nouvelle génération

LA REINE DES ANNEAUX

PAR BENOIT CHARETTE

LES RACINES D'AUDI SONT SPORTIVES, ET LE CONSTRUCTEUR D'INGOLSTADT CÉLÈBRE LES 30 ANS DE SA DYNAMIQUE TRANSMISSION QUATTRO. LES CONCEPTEURS ONT DONC DÉCIDÉ D'ENFOUIR LE SAVOIR-FAIRE SPORTIF DE LA FIRME DANS LES ENTRAILLES DE LA GRANDE A8 POUR EN FAIRE UNE LIMOUSINE AUX PIEDS AGILES. Dans un monde où les limousines allemandes sont efficaces, mais un peu triste au volant, Audi ajoute un zeste de piquant au volant.

[CARROSSERIE] En termes visuels, on peut dire que cette A8 2011 se reconnaît assez facilement. Les constructeurs de voitures haut de gamme n'ont pas l'habitude de bousculer la clientèle. Toutefois, il est bon de noter que la silhouette est un peu plus ramassée et plus découpée pour des lignes générales un peu plus sportives. Parmi les modifications les plus tangibles, on retiendra l'évolution de sa calandre qui descend désormais très bas, ainsi que l'apparition de veilleuses de jour à diodes électroluminescentes (DEL) (en option au Canada), qui sont devenues la marque de commerce d'Audi et qui ont nécessité près de 13 000 heures de développement.

[HABITACLE] Comme chaque nouvelle limousine allemande qui arrive sur la route, l'A8 repousse encore un peu les limites du possible. Notons d'abord que l'habituelle rigueur de la marque se transforme à l'intérieur de l'A8 en poursuite de la perfection. Outre la légendaire qualité de la finition de son habitacle, Audi ajoute le souci du détail dans cette A8. De la qualité des sièges en cuir cousu main aux divers réglages d'éclairage d'ambiance en passant par les sièges arrière réglables, le confort est au centre des préoccupations. En ce qui a trait aux innovations, cette grande berline n'est pas en reste. Bien calé dans son fauteuil aux multiples réglages, le conducteur a sous ses yeux, entre les deux compteurs du tableau de bord, un écran à cristaux liquides de 7 pouces. Un avertissement toutefois, le propriétaire d'une A8 qui veut plonger dans le catalogue des équipements en option risque la migraine tant la variété de cuir, de bois et d'options est grande. Et la facture sera aussi très salée. L'abondance des aides à

FORCES · Technologie impressionnante · Consommation réduite · Présentation intérieure · Rigidité de châssis exemplaire

FAIBLESSES · Coffre un peu petit · Prix de certaines options

la conduite et des assistances ne submerge jamais le conducteur. On retrouve, de série, le système de navigation avec sa commande MMI (sur l'écran central), complété ici d'un petit pavé tactile situé juste au-dessus du sélecteur de vitesses. Il s'agit d'une surface de reconnaissance d'écriture qui permet de saisir des données dans le système multimédia (des adresses, notamment). Vous écrivez donc un M un O un N pour Montréal ou un numéro de téléphone, et ça fonctionne très bien. Le système multimédia propose également de la vidéo avec deux écrans offerts en option et placés derrière les appuie-tête à l'avant. On retrouve aussi des services connectés comme la recherche d'adresses (hôtels, restaurants) effectuée sur la base de données de Google, efficace et rapide. Contrairement à la complexité des ordinateurs de bord de BMW et de Mercedes-Benz, celui d'Audi est d'une grande simplicité. Nous n'avons pas eu besoin de consulter le manuel de bord pour comprendre comment accéder aux fonctionnalités offertes.

[MÉCANIQUE] Audi conserve l'excellent moteur V8 de 4,2 litres sous le capot. En améliorant encore l'efficacité de l'injection directe, les ingénieurs ont arraché 22 chevaux de plus pour un total de 372. Mais la grande nouveauté se trouve derrière le moteur; une nouvelle boîte de vitesses automatique à 8 rapports ZF travaille avec une

> **COMME CHAQUE NOUVELLE LIMOUSINE ALLEMANDE QUI ARRIVE SUR LA ROUTE, L'A8 REPOUSSE ENCORE UN PEU LES LIMITES DU POSSIBLE.**

douceur comparable à une boîte à double embrayage. Bien adaptée au couple très élevé du moteur, cette boîte permet de rouler sur le 8e rapport à 130 km/h sur l'autoroute, et ce, à 1600 tours par minute et dans un silence impressionnant. Et il est facile de relancer le moteur qui se tape un 0 à 100 km/h en 5,7 secondes. Pour un peu plus de « punch », vous pouvez utiliser les leviers de sélection au volant. Mais la meilleure nouvelle, c'est la consommation qui se situe sous la barre des 10 litres aux 100 kilomètres sur l'autoroute. Pour une bête de 372 chevaux dont la masse fait 1835 kilos, c'est exceptionnel. Et Audi, qui, de plus, commercialisera deux moteurs diesel en Europe (un V8 de 4,2 litres TDI et un V6 de 3 litres TDI), envisage peut-être d'amener le V8 TDI de 350 chevaux au Canada dans un avenir pas trop lointain. La différence en termes de performances entre les V8 à essence et le diesel est à peine perceptible, et ce V8 diesel offre une consommation moyenne de 7,6 litres aux 100 kilomètres, des chiffres de sous-compacte.

[COMPORTEMENT] Vous dire que cette A8 est confortable serait un euphémisme. Ce qui la démarque le plus de ses rivales BMW et Mercedes-Benz, c'est son dynamisme derrière le volant, la vivacité de sa direction et l'étonnante agilité. On ne pourrait jamais deviner qu'on est au volant d'une berline de cette taille. Il y a naturellement la formidable transmission intégrale quattro qui aide la cause, mais il ne faut pas oublier le

HISTORIQUE

La première A8 du nom est arrivé en 1994. Les Audi 5000 et la Audi 100 ont été les précurseurs de la version plus moderne. En janvier 2003, au salon de l'auto de Détroit, Audi présente la 2e génération de l' A8 à laquelle viendra se greffer une S8. C'est seulement cette année qu'Audi nous arrive avec une nouvelle cuvée de sa grande voiture de prestige.

103

B

C

D

E

A

GALERIE

A Le système de vision nocturne, qui met en évidence l'image de piétons détectés, utilise une caméra thermosensible pour capter tout piéton devant votre véhicule à une distance entre 15 et 90 mètres et les éclairer. Si le système détermine qu'il y a risque de collision entre le véhicule et le piéton, la couleur de l'image au bloc-instruments devient rouge et un avertissement sonore retentit. Vous pouvez activer ou désactiver ce système à l'aide d'un bouton situé sur la commande rotative d'éclairage.

B Une autre nouveauté provient de la saisie d'adresses par reconnaissance d'écriture. Un pavé numérique permet d'entrer des adresses par reconnaissance de caractères. C'est très efficace, mais à ne pas utiliser lorsque vous conduisez.

C L'interface musicale Audi, offerte en option, propose une intégration iPod unique et intelligente. Tout iPod à compter de la quatrième génération [iPod, iPod nano, iPod photo] peut être branché au véhicule dans la boîte à gants. Ainsi, toutes les commandes iPod sont accessibles via l'écran de l'interface multimédia (MMI).

D Pour agrémenter au maximum vos oreilles musicales, Audi propose aussi sur la liste des options le système audio Bang & Olufsen qui allie des technologies de pointe, telles la technologie de lentille acoustique, le traitement numérique des signaux exclusif et l'amplification numérique ICEpower, au luxe de l'habitacle Audi. Il transforme l'habitacle en véritable salle de concert.

E La nouvelle boîte à 8 rapports se complète par un démarrage sans clef. Il suffit d'appuyer sur un bouton pour démarrer ou arrêter le moteur.

châssis qui a aussi sa part de responsabilité dans cette vivacité. Grâce à des suspensions pneumatiques mariant impeccablement confort et dynamisme, vous pouvez passer par quatre réglages de suspension, de confort à sport. Loin d'être un gadget que seuls de fins connaisseurs pourront apprécier, ce sélecteur de conduite modifie complètement le tempérament de la voiture grâce à sa gestion de l'amortissement et de la direction. Le mariage parfait de la direction, de la suspension et de la rigidité de la caisse en fait une voiture d'un dynamisme rare pour une berline de cette envergure. Du côté des aides à la conduite, on a droit à l'intégralité de l'arsenal d'Audi (alerte de franchissement de ligne, régulateur adaptatif, freinage d'urgence...) Les concepteurs ont aussi franchi un nouveau pas avec le « Predictive Road Data ». Ce système utilise en effet la cartographie des grands axes de circulation référencés par le GPS pour prévoir des situations potentiellement dangereuses. Par exemple, à l'approche d'un virage serré, le régulateur de vitesse et la transmission seront optimisés pour le franchir. Dans une courbe, les phares seront dirigés dans l'angle de la route; de nuit, la projection des phares sera élargie à l'approche d'une intersection référencée par le GPS. Comme BMW sur sa Série 7, l'A8 offre également la vision nocturne (l'écran placé entre les compteurs affiche une vision infrarouge de la route), mais elle est ici complétée par un système qui détecte un piéton sur la chaussée. Si celui-ci est sur le trottoir, il est entouré de vert, sur la chaussée, il sera rouge. Une grande facilité de conduite, mais il faut demeurer vigilant, car comme bien des berlines de luxe, la sensation de vitesse est complètement gommé par le confort et l'excellente insonorisation. Vous devrez donc garder un œil en permanence sur l'odomètre ou bloquer le régulateur de vitesse, sinon vous serez à 150 km/h en moins de deux.

[CONCLUSION] La berline A8 est la plus sportive de son segment et au fil des ans, les concurrents ont tour à tour cédé à l'offre de la transmission intégrale avec BMW qui a récemment doté sa Série 7 d'un système X-Drive. Audi a été la pionnière et demeure sur la plus haute marche du podium au chapitre de la dynamique de conduite. Il y a vraiment très peu de choses à redire, si ce n'est le prix d'achat de ce petit bijou.

2ᵉ OPINION

MICHEL CRÉPAULT Audi ne s'en cache pas, elle veut surpasser ses rivales germaniques dans le créneau des voitures de prestige. En l'espace de quelques années, la marque aux anneaux nous a prouvé qu'elle savait décliner le luxe en petit format (A3) et en supervoiture (R8). Mais s'il y a un segment où elle sait faire, c'est bien celui de la grosse berline. Tout son savoir-faire part de là. Et tout ce savoir-faire s'exprime dans la nouvelle A8. À partir du squelette ou du cadre de châssis en treillis en aluminium, les trouvailles technologiques se multiplient pour créer une limousine de rêve. Si vous avez les sous, Audi a la voiture qui a tout. Sa principale qualité : malgré l'équipement et la technologie montés à bord, l'A8 n'est jamais lourdaude ou parvenue dans sa conduite.

⑤ FICHE TECHNIQUE

- **MOTEURS**
- **(4.2)**
V8 4,2 l DACT 372 ch à 6800 tr/min
Couple 328 lb-pi à 3500 tr/min
Transmission automatique à 8 rapports avec mode manuel
0-100 km/h 5,7 s
Vitesse maximale 250 km/h (bridée)

- **AUTRES COMPOSANTES**
Sécurité active freins ABS, assistance au freinage, distribution électronique de force de freinage, antipatinage, contrôle de stabilité
Suspension avant/arrière indépendante
Freins avant/arrière disques
Direction à crémaillère, assistée
Pneus P235/55R18

- **DIMENSIONS**
Empattement 2992 mm **A8L** 3122 mm
Longueur 5137 mm , **A8L** 5267 mm
Largeur 1949 mm (sans rétroviseurs)
A8L 2111 mm
Hauteur 1460 mm **A8L** 1471 mm
Poids A8 1835 kg
Diamètre de braquage 12,3 m
Coffre 510 l
Réservoir de carburant 90 l

NOS MENTIONS

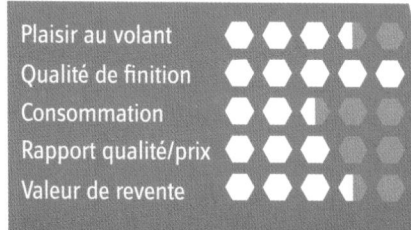

☺ Modèle recommandé

♥ Coup de coeur

NOTRE VERDICT

Plaisir au volant	●	●	●	●	◖
Qualité de finition	●	●	●	●	●
Consommation	●	◖	⬡	⬡	⬡
Rapport qualité/prix	●	●	◖	⬡	⬡
Valeur de revente	●	●	●	●	◖

AUdI

ÉVOLUTION
N É
J

43 500 $ à 48 500 $
transport et préparation : 1300 $

LA COTE VERTE

MOTEUR
L4 de 2.0 t

· **Consommation (100km):**
7,9 l

· **Émissions polluantes CO$_2$:**
3588 kg/an

· **Empreinte écologique (nombre d'arbres à planter par année):**
26

· **Indice d'octane:** 91

· **Autre motorisation:** non

· **Coût du carburant moyen par année:**
1716 $

· **Nombre de litres par année:**
1560 l

(SOURCE : ÉnerGuide)

DÉJÀ LA RÉFÉRENCE

PAR PHILIPPE LAGUË

AUDI ÉTAIT UN NATUREL DANS CE CRÉNEAU. LA MARQUE AUX ANNEAUX POSSÈDE LES DEUX ÉLÉMENTS-CLÉS POUR EN FAIRE PARTIE: LE PRESTIGE ET LA TRANSMISSION AUX QUATRE ROUES. Déjà présente dans la catégorie supérieure avec le Q7, elle n'a eu qu'à reprendre la plateforme et les organes mécaniques de son modèle A4 pour concevoir rapido presto un petit frère au Q7.

[CARROSSERIE] Première bonne nouvelle, le petit dernier est mignon comme tout. Cela dit, il ne révolutionne rien sur le plan esthétique, et, comme c'est désormais la norme dans toutes les catégories de VUS, il n'y a qu'une seule configuration, à quatre portes. Le hayon s'ouvre de bas en haut et non latéralement, ce que plusieurs apprécieront.

[HABITACLE] C'est solide, confortable et, en plus, c'est beau ! Audi, répétons-le, est le constructeur allemand qui a la plus belle finition à l'intérieur de ses modèles. Le tableau de bord, entre autres, devrait servir d'exemple à toute l'industrie. À cette décoration intérieure réussie s'ajoute une qualité

d'assemblage irréprochable. À l'avant, les baquets sont moins fermes que d'habitude, ce que les douillets acheteurs américains apprécieront. Le maintien latéral est correct, sans plus. À l'arrière, les passagers prennent place sur une banquette très confortable et disposent d'un bon dégagement pour la tête et les jambes. Notez cependant que le toit panoramique (en option) enlève quelques précieux centimètres de garde au toit. Le dossier de la banquette peut s'incliner, ce qui augmente la capacité de chargement, déjà supérieure à celle des BMW X3 et Mercedes-Benz GLK L'ergonomie est un autre point fort des Audi: dans le Q5, tout est bien placé, accessible, et les espaces de rangement abondent. Seule l'interface multimédia MMI, inutilement compliquée, prive l'habitacle d'une note parfaite.

[MÉCANIQUE] Côté mécanique, l'offre s'étend à deux moteurs cette année avec l'arrivé du brillant 4 cylindres 2,0T et sa transmission à huit rapports. Une décision qui risque de faire augmenter les ventes de manière significative pour le constructeur bavarois. Ceci dit,

1 FICHE D'IDENTITÉ

· **Versions** 2,0 T Premium, 2,0 T Premium Plus, 3.2, 3.2 Premium,
· **Roues motrices** 4
· **Portières** 5 **Nombre de passagers** 5
· **Première génération** 2009
· **Génération actuelle** 2009
· **Construction** Bratislava, Slovaquie
· **Sacs gonflables** 6, frontaux, latéraux avant et rideaux latéraux (latéraux arrière en option)
· **Concurrence** Acura RDX, BMW X3, Mercedes-Benz GLK, Volkswagen Tiguan, Volvo XC60, Infiniti EX35, Infiniti FX35

2 AU QUOTIDIEN

· **Prime d'assurance**
25 ans: 1700 $ à 1900 $
40 ans: 1400 $ à 1600 $
60 ans: 1100 $ à 1300 $
· **Collision frontale** 5/5
· **Collision latérale** 5/5
· **Ventes du modèle l'an dernier**
Au Québec 534 **Au Canada** 1942
· **Dépréciation** (1 an) 21,6%
· **Rappels** (2005 à 2010) 1
· **Cote de fiabilité** nm

3 GARANTIES... ET PLUS

· **Garantie générale** 4 ans/80 000 km
· **Garantie motopropulseur** 4 ans/80 000 km
· **Perforation** 12 ans/kilométrage illimité
· **Assistance routière** 4 ans/kilométrage illimité
· **Nombre de concessionnaires**
Au Québec 7 **Au Canada** 35

4 NOUVEAUTÉS EN 2011

· Nouvelle version 2,0T avec transmission à huit rapports
· Connectivité bluetooth de série
· Rehaussement de l'équipement de série

FORCES · Physique agréable · Finition et présentation intérieur · Superbe V6 · Consommation raisonnable · Comportement et confort d'une Audi

FAIBLESSES · Offre mécanique limitée · Interface multimédia inutilement compliquée · Options nombreuses et coûteuses

FICHE TECHNIQUE

le V6 de 3,2 litres à injection directe (FSI) est incontestablement l'un des meilleurs moteurs de la planète automobile à l'heure actuelle. Très souple, silencieux et plus vif que les précédents V6 de la marque, il brille sur tous les plans. L'injection directe apporte une importante contribution, et ce, aux deux extrémités : plus de puissance et une consommation moindre. Nous avons maintenu une moyenne (ville et route) de 11,6 litres aux 100 kilomètres, ce qui est raisonnable pour un engin de cette cylindrée, d'autant plus que le Q5 n'est pas un poids plume : sur la balance, il accuse un bon 400 kilos de plus que ses rivaux de BMW et de Mercedes-Benz. En bon véhicule allemand, le Q5 freine comme un avion de ligne : vite et fort.

[COMPORTEMENT] Que dire à propos du système de transmission intégrale quattro, sinon que c'est le meilleur de l'industrie de l'automobile ? Le véhicule est cloué au sol comme s'il avançait sur des rails, et l'adhérence en virage est exceptionnelle. Et quand il neige ou qu'il pleut, la sensation de sécurité est incomparable. On retrouve cette direction vive, incisive et ultra précise, avec, en prime, un court rayon de braquage, des qualités qui permettent d'exploiter au mieux l'agilité remarquable de ce véhicule. Le comportement routier de cette Audi A4 déguisée en VUS se rapproche beaucoup de celui d'une A4, justement. La seule différence réside dans le poids : le Q5 est plus lourd, plus haut sur pattes, aussi, et on atteint plus rapidement la limite dans une courbe. Le confort est lui aussi comparable en tous points à celui de sa génitrice : la douceur de roulement est bel et bien celle d'une berline de luxe.

[CONCLUSION]

Le Q5 n'a pas tardé à s'imposer dans ce créneau. Si on le compare à ses deux plus proches rivaux, il est plus spacieux que le X3 de BMW, et sa fiabilité fait moins peur que celle du Mercedes-Benz GLK. Hélas, il a également le même défaut que ses compatriotes, c'est-à-dire une liste d'options longue comme le bras. Dans un véhicule de ce prix, c'est difficile à comprendre, inadmissible, même.

2ᵉ OPINION

FRÉDÉRIC MASSE Wow ! C'est le premier mot qui me vient en tête quand vient le temps de parler de l'Audi Q5. Actuellement, dans la catégorie, il fait carrément des leçons de conduite aux autres (au sens propre et littéral du mot). En termes d'espace offert, de plaisir de conduire, de confort, de présentation de l'habitacle et de solidité, rien n'égale actuellement ce VUS allemand. Le Q5 a donc, par conséquent, très peu de défauts... Il faut dire que tout débute par la base, soit celle de l'A4, l'une de mes berlines de luxe préférées. La principale ombre au tableau : l'offre exclusive du moteur. Aussi bon soit-il, le V6 de 3,2 litres consomme tout de même passablement de carburant. Je rêve du jour où le 4-cylindres turbo ou, même, un moteur diesel seront offerts sur le petit VUS. Mais, comme je vous le disais, le Q5 serait, et de loin, mon premier choix si j'avais à faire l'acquisition d'un véhicule dans cette catégorie demain matin ! J'en veux un, j'en veux un !

MOTEUR

L4 2,0T TFSI, 211 ch à 4300 tr/min	
couple 258 lb-pi à 1500 tr/min	
Transmission automatique à 8 rapports avec mode manuel	
0-100 km/h 7,5 s	
Vitesse maximale 209 km/h (bridée)	

V6 3,2 l DACT, 270 ch à 6500 tr/min	
couple 243 lb-pi à 3000 tr/min	
Transmission automatique à 6 rapports avec mode manuel	
0-100 km/h 7,2 s	
Vitesse maximale 209 km/h (bridée)	
Consommation (100 km) 10,3 l (octane 91)	
Émissions de CO$_2$ auto. 4784 kg/an	
Litres par année 2080 l	
Coût par an 2330 $	
Autre motorisation non	
Empreinte écologique 36 arbres	

AUTRES COMPOSANTES

Sécurité active freins ABS, répartition électronique de force de freinage, assistance au freinage, contrôle de stabilité électronique
Suspension avant/arrière indépendante
Freins avant/arrière disques ventilés
Direction à crémaillère, assisté
Pneus Base : P235/60R18, Option : P235/55R19, 255/45 R20

DIMENSIONS

Empattement 2807 mm	
Longueur 4629 mm	
Largeur 1880 mm	
Hauteur 1653 mm	
Poids 1895 kg	
Diamètre de braquage 11,6 m	
Coffre 540 l, 1560 l (sièges abaissés)	
Réservoir de carburant 75 l	
Capacité de remorquage 2000 kg	

NOS MENTIONS

☺ Modèle recommandé

NOTRE VERDICT

Plaisir au volant	⬡⬡⬡⬡◁⬡
Qualité de finition	⬡⬡⬡⬡◁⬡
Consommation	⬡⬡⬡◁⬡⬡
Rapport qualité/prix	⬡⬡⬡◁⬡⬡
Valeur de revente	⬡⬡⬡⬡◁⬡

ÉVOLUTION

N É
J

56 195 $ à 77 195 $
transport et préparation : 1995 $

Audi

108

① FICHE D'IDENTITÉ

· **Versions** 3.0 l TDI, 3.0 l base, 3.0 l
· **Roues motrices** 4
· **Portières** 5 **Nombre de passagers** 7
· **Première génération** 2007
· **Génération actuelle** 2007
· **Construction** Bratislava, Slovaquie
· **Sacs gonflables** 6, frontaux, latéraux avant et rideaux latéraux (latéraux arrière en option)
· **Concurrence** Acura MDX, BMW X5, Cadillac SRX, Infiniti FX, Land Rover LR3, Lexus RX/GX, Mercedes-Benz ML, Porsche Cayenne, Volkswagen Touareg, Volvo XC90

② AU QUOTIDIEN

· **Prime d'assurance**
25 ans : 3000 à 3200 $
40 ans : 2000 à 2200 $
60 ans : 1400 à 1600 $
· **Collision frontale** 5/5
· **Collision latérale** 5/5
· **Ventes du modèle de l'an dernier**
Au Québec 264 **Au Canada** 1146
· **Dépréciation** 26,7 % (modèle 2010)
· **Rappels** (2005 à 2010) 1
· **Cote de fiabilité** 3,5/5

③ GARANTIES... ET PLUS

· **Garantie générale** 4 ans/80 000 km
· **Garantie motopropulseur** 4 ans/80 000 km
· **Perforation** 12 ans/kilométrage illimité
· **Assistance routière** 4 ans/kilométrage illimité
· **Nombre de concessionnaires**
Au Québec 7 **Au Canada** 35

④ NOUVEAUTÉS EN 2011

· Nouvelles motorisations

LE DIESEL DE LA RÉDEMPTION

PAR PHILIPPE LAGUË

À L'HEURE OÙ LES QUESTIONS ENVIRONNE-MENTALES PRÉOCCUPENT DE PLUS EN PLUS DE GENS, AU POINT DE DEVENIR DES ENJEUX POLI-TIQUES ET SOCIÉTAUX, LES VUS N'ONT PAS TEL-LEMENT BONNE PRESSE. On leur reproche avant tout leur consommation, ces gros véhicules étant de gros buveurs. Pour pallier cette lacune, plu-sieurs constructeurs ont opté pour une motorisa-tion hybride. Audi a plutôt opté pour le diesel, une solution chère aux constructeurs allemands.

[CARROSSERIE] Officiellement, le Q7 n'est pas un VUS mais un véhicule multisegment. Bien malin qui pourra dire la différence : à l'œil, c'est du pareil au même. Cela dit, son design ne fait pas l'unanimité, avec sa calandre massive et son physique imposant. Mais il a l'air costaud, viril, et il en impose; c'est exactement ce que veut la clientèle-cible.

[HABITACLE] Les habitacles de véhicules de la marque aux anneaux sont devenus une ré-férence, tant pour la présentation intérieure que pour l'assemblage. L'ergonomie n'est pas en reste,

et, si les versions plus équipées viennent avec une panoplie de commandes électroniques (GPS, interface multimédia et tout le bazar), ça reste moins compliqué que chez Mercedes-Benz ou BMW. Ce n'est pas simple pour autant, mais c'est d'utilisation plus conviviale. Audi est égale-ment la marque allemande qui a les meilleures chaînes audio, et le Q7 ne fait pas exception. Le confort, lui, est royal, à l'avant comme à l'arrière, tandis que l'habitacle est immense et fort bien insonorisé. Sans parler du confort de roulement, en tous points comparable aux berlines de la marque. C'est tout dire. Comme bien des véhi-cules qui prétendent loger sept occupants, il con-vient de préciser que la troisième banquette peut, au mieux, accueillir des enfants. Parlons plutôt de places d'appoint.

[MÉCANIQUE] Audi a réorganisé la gamme des mo-teurs destinés au Q7. Les deux V6 à essence sont nouveaux, tout comme le V6 TDI de la deuxième génération. Tout d'abord, en lieu et place du V6 de 3,6 litres, Audi a fait appel au V6 suralimenté de 3 litres provenant de l'A6. Ce moteur à

FORCES · Finition et présentation intérieure · Confort royal · Solide trio de moteurs · V6 turbodiesel impressionnant · Douceur de roulement · Aplomb germanique

FAIBLESSES · Encombrement · Physique discutable · Options nombreuses et coûteuses · Fiabilité sous la moyenne

compresseur se présente en deux versions. Dans sa version de base, il déploie une puissance de 272 chevaux et peut passer de 0 à 100 km/h en 7,9 secondes et atteindre une vitesse maximale de 222 km/h. La version plus puissante offre 333 chevaux. L'accélération de 0 à 100 km/h se fait en 6,9 secondes seulement, la vitesse monte jusqu'à 243 km/h. Cette version plus puissante remplace le V8 de 4,2 litres qui a lui aussi disparu de la circulation en 2011. Pour sa part, le 3-litres diesel, qui constitue plus de 90 % des ventes du Q7, est complètement réorganisé. Grâce à une nouvelle construction, on a réduit son poids de 20 kilogrammes et porté sa puissance à 240 chevaux. La nouvelle commande par chaîne et le procédé sophistiqué de fabrication des chemises de cylindres minimisent le frottement interne. En prime, Audi annonce une consommation à la baisse de 19 % pour un maigre 7,4 litres aux 100 kilomètres.

[COMPORTEMENT] Le système de transmission intégrale quattro demeure la référence absolue dans le domaine. Toutefois, n'espérez pas jouer aux aventuriers: le Q7 n'est pas conçu à cette fin, comme en témoigne l'absence de réglages appropriés, notamment une prise basse. Le travail des suspensions impressionne lui aussi: la douceur de roulement n'altère en rien la tenue de route qui bénéficie de la motricité exceptionnelle du système quattro. Malgré sa hauteur et son poids, le Q7 penche peu en virage et il est assez agile – bien servi, il est vrai, par une direction aussi rapide que précise.

[CONCLUSION] Même s'il s'agit d'un gros VUS, le Q7 se fait pardonner grâce à son moteur diesel qui lui permet d'avoir une consommation comparable à celle d'une berline intermédiaire. Ce qui est moins pardonnable, c'est son prix, gonflé, comme c'est toujours le cas chez les constructeurs allemands, par une liste d'options aussi longue que coûteuse. Quant à la fiabilité, elle n'est pas parfaite; elle est même inférieure à celle des autres modèles de la marque. L'achat d'une garantie prolongée doit donc être considéré, à moins que vous n'optiez pour la location.

2ᵉ OPINION

BENOIT CHARETTE Si vous voulez éliminer le sentiment de culpabilité de posséder un gros utilitaire, il faut aller du côté de l'Audi Q7 diesel. Audi a retravaillé son V6 de 3 litres TDI qui offre maintenant 240 chevaux; de plus, selon Audi, grâce à la nouvelle injection programmable plus performante, il affiche une consommation de carburant de 7,4 litres aux 100 kilomètres. Pour le confort et la finition, le Q7 mérite une médaille. L'insonorisation est très réussie, les sièges offrent un bon maintien ainsi qu'une assise confortable, et la finition est irréprochable, à l'image des autres produits de la famille. Pour ajouter à ce confort, voici deux options qui valent le supplément: la suspension pneumatique pilotée et, pour les musicologues, la chaîne audio danoise Bang et Olufsen. Bref, c'est quelque chose, comme tout le reste du véhicule.

⑤ FICHE TECHNIQUE

· MOTEURS

· **(TDI)**
V6 3,0 l turbodiesel, 240 ch à 3800 tr/min
Couple 406 lb-pi à 1750 tr/min
Transmission automatique à 8 rapports avec mode manuel
0-100 km/h 7,9 s **Vitesse maximale** 215 km/h

· **(3.0 BASE)**
V6 3,0 l suralimenté par compresseur volumétrique DACT, 272 ch à 4750 tr/min
Couple 295 lb-pi à 2250 tr/min
Transmission automatique à 8 rapports avec mode manuel
0-100 km/h 7,9 s **Vitesse maximale** 222 km/h
Consommation (100 km) 10,7 (octane 91)
Émissions de CO_2 nd
Litres par année nd **Coût par an** nd
Empreinte écologique nd

· **(3.0)**
V6 3,0 l suralimenté par compresseur volumétrique DACT, 333 ch à 5500 tr/min
Couple 324 lb-pi à 2900 tr/min
Transmission automatique à 8 rapports avec mode manuel
0-100 km/h 6,9 s **Vitesse maximale** 243 km/h
Consommation (100 km) 10,7 (octane 91)
Émissions de CO_2 nd
Litres par année nd **Coût par an** nd
Empreinte écologique nd

· AUTRES COMPOSANTES

Sécurité active freins ABS, répartition électronique de force de freinage, assistance au freinage, antipatinage, contrôle de stabilité électronique
Suspension avant/arrière indépendante
Freins avant/arrière disques ventilés
Direction à crémaillère, assistée
Pneus P235/60R18, P255/55R18

· DIMENSIONS

Empattement 3002 mm
Longueur 5086 mm
Largeur 1983 mm
Hauteur 1737 mm
Poids nd
Diamètre de braquage 12 m
Coffre 775 l, 2035 l (sièges abaissés)
Réservoir de carburant 100 l
Capacité de remorquage 3500 kg

NOS MENTIONS

 Clé d'or de sa catégorie

 Modèle recommandé

NOTRE VERDICT

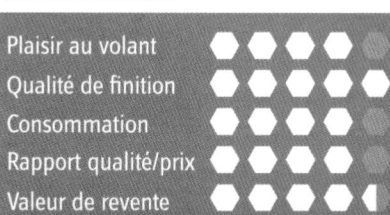

Plaisir au volant	●●●●◐
Qualité de finition	●●●●◐
Consommation	●●●○○
Rapport qualité/prix	●●●◐○
Valeur de revente	●●●●◐

AUDI

LA COTE VERTE

MOTEUR
V8 DE 4.2 L

- **Consommation (100km):**
  Man 13,7 l
  Man robo.14,0 l
- **Émissions polluantes CO_2:**
  Man. 6440 kg/an
  Man robo.6578 kg/an
- **Empreinte écologique (nombre d'arbres à planter par année):** 39
- **Indice d'octane:** 91
- **Autre motorisation:** non
- **Coût du carburant moyen par année:**
  Man. 3136 $
  Man robo. 3158 $
- **Nombre de litres par année:**
  Man. 2800 l
  Man robo. 2820 l

(SOURCE: ÉnerGuide)

① FICHE D'IDENTITÉ

- **Versions** V8, V10, Spyder, GT
- **Roues motrices** 4
- **Portières** 2 **Nombre de passagers** 2
- **Première génération** 2008
- **Génération actuelle** 2008
- **Construction** Neckarsulm, Allemagne
- **Sacs gonflables** 6 (frontaux, latéraux avant, rideaux latéraux; latéraux en option)
- **Concurrence** Aston Martin V8, BMW Série 6, Ferrari F458, Lamborghini Gallardo, Maserati GT, Mercedes-Benz SL, Mercedes-Benz SLS AMG, Porsche 911

② AU QUOTIDIEN

- **Prime d'assurance**
  25 ans : 6900 $ à 7100 $
  40 ans : 4500 $ à 4700 $
  60 ans : 3900 $ à 4100 $
- **Collision frontale** 5/5
- **Collision latérale** 5/5
- **Ventes du modèle de l'an dernier**
  Au Québec 32 Au Canada 152
- **Dépréciation** (2 ans) 19,3%
- **Rappels** (2005 à 2010) nd
- **Cote de fiabilité** nd

③ GARANTIES... ET PLUS

- **Garantie générale** 4 ans/80 000 km
- **Garantie motopropulseur** 6 ans/120 000 km
- **Perforation** 12 ans/kilométrage illimité
- **Assistance routière :** 4 ans/kilométrage illimité
- **Nombre de concessionnaires**
  Au Québec 7 Au Canada 35

④ NOUVEAUTÉS EN 2011

- Nouvelles versions Spyder et GT

OPÉRA ITALIEN OU ROCK AMÉRICAIN

PAR BENOIT CHARETTE

TOUT COMME LES EMPREINTES DIGITALES, LA SONORITÉ D'UN MOTEUR EST UNIQUE. La sonorité d'une Ferrari, d'une Porsche ou d'une Corvette se distingue les yeux fermés. Audi propose pour les clients de la R8 deux tonalités très distinctives. Les 420 chevaux du moteur V8 émettent une sonorité typiquement américaine: c'est bruyant et ça manque de finition. La sonorité du V10 joue la trompette métallique et pousse des notes dignes de Puccini quand le moteur monte en régime. Si certains parlaient de sportive pour désigner la version V8, ce terme n'est plus adéquat pour les 525 chevaux du V10, nous plongeons dans le monde de l'exotique, la quatrième dimension automobile. Ses performances et sa tenue de route défient les lois de la physique.

[CARROSSERIE] Vous avez le choix cette année d'une version coupé ou Spyder. Les différences entre le V8 et le V10 coupé sont minimes, les stylistes n'ont pas osé dénaturer son caractère. Un œil averti remarquera toutefois sur le V10 les prises d'air

optimisées, les jantes de 19 pouces exclusives et la double sortie d'échappement ovale. Pour le reste, le modèle V10 profite de quelques couleurs exclusives et de panneaux décoratifs de chaque côté de la porte, comme la version V8. Sur la version Spyder, nous retrouvons les ouïes d'air latérales, mais les panneaux décoratifs disparaissent. La capote en toile de seulement 42 kilos ne dénature en rien la silhouette du bolide qui conserve tout son dynamisme.

[HABITACLE] Vous vous sentez sportif et vous voulez vous mettre dans la peau d'un coureur automobile? Audi vous offre le choix d'un siège de compétition avec dossier rigide (du genre voiture de course) ou d'un fauteuil plus confortable avec réglages électriques et un dossier inclinable. J'ai préféré la seconde option, plus confortable si vous envisagez de passer quelques heures au volant. Tout l'intérieur respire la voiture d'exception. Le système de navigation, la chaîne audio Bang & Olufsen et les phares à diodes électroluminescentes viennent de série. La version Spyder offre même les micros

FORCES · Silhouette époustouflante · Moteur V10 · Grande facilité de conduite · Tenue de route irréprochable

FAIBLESSES · Boîte R-Tronic mal adaptée · Sièges à réglage manuel sur une voiture de ce prix

de téléphone au nombre de trois installés le long de la ceinture de sécurité; ils vous permettront de converser sans gêne sur l'autoroute, même si la capote est ouverte. Avec un coffre à l'avant qui fait à peine 100 litres, il faudra limiter vos déplacements et penser plutôt petit week-end en amoureux. Pour maximiser le peu d'espace offert, Audi propose en option un jeu de valises fabriquées sur mesure. Pour ce qui est de la capote, il faut compter 19 secondes pour la monter ou l'abaisser; de plus, à l'arrière, la lunette électrique est escamotable et chauffante.

[MÉCANIQUE] Les moteurs sont les mêmes pour 2011. Un V8 aux notes de NASCAR qui donne ce qu'il faut, mais qui semble un peu hors contexte face aux 525 chevaux du V10. Audi nous confirme un V8 Spyder pour 2011. Pour ce qui est de la boîte de vitesses, je vous conseille fortement la manuelle à 6 rapports. La boîte R-Tronic ne possède pas la technologie DSG à double embrayage des autres produits Audi (les ingénieurs y travaillent en ce moment). Cette boîte à 6 rapports à simple embrayage réagit trop lentement et enlève 50 % du plaisir de conduite. Une version GT de 560 chevaux est à confirmer pour le Canada.

[COMPORTEMENT] La R8 Spyder est livrée de série avec un amortissement piloté « Audi Magnetic Ride » qui s'adapte au style de conduite grâce aux capteurs installés dans les roues, les freins et la direction. En plus d'assurer votre confort, cet amortissement propose un mode Sport qui augmente la précision de la conduite et réduit à néant le roulis. Mais pour accentuer l'impression de conduire une voiture de course, les puristes peuvent

également s'orienter, sans supplément, vers une vraie version châssis sport aux amortisseurs traditionnels encore plus fermes. Cette R8 est prévisible, se prend facilement en main, et, avec la transmission intégrale quattro, vous avez l'impression de rouler sur des rails tellement elle tient la route.

[CONCLUSION] Belle, envoûtante à conduire et hors de prix, cette R8 a toutes les qualités requises d'une vraie voiture d'exception. Elle chasse sur le territoire des grandes exotiques en offrant, en prime, une facilité de conduite déconcertante. C'est la perfection allemande avec la personnalité magnétique des italiennes. Audi a fait un travail exceptionnel.

2ᵉ OPINION

FRÉDÉRIC MASSE La R8 est la deuxième plus belle invention après le pain tranché. Qu'elle soit équipée d'un V8 (moteur de l'ancienne RS4) ou d'un V10 (mécanique qu'elle partage avec la Lamborghini Gallardo... dont elle emprunte également le châssis et la boîte de vitesses E-Gear – appelée R-Tronic pour les besoins d'Audi), elle se veut un choix logique pour quiconque veut accéder au monde des exotiques sans devoir supporter les ennuis de fiabilité et la facture trop salée. J'adorais la R8, j'aime la R8 et j'apprécierai toujours la R8 pour ce qu'elle est. Résultat d'un travail absolument divin, elle fait tourner les têtes tout en avalant les courbes d'un seul trait. La R8 demeure l'exotique la plus accessible sur le marché (dans tous les sens du terme) et pourrait même, à la limite, être conduite à longueur d'année. C'est vraiment toute une bagnole qui demande, comme le bon vin, un peu de temps pour être véritablement appréciée. Une exotique qu'on peut utiliser au quotidien et qui permet d'avoir les meilleures places aux restaurants, j'adhère à l'idée!

⑤ FICHE TECHNIQUE

· MOTEURS

· (4.2 L)
V8 4,2 l DACT, 420 ch à 7800 tr/min
Couple 317 lb-pi à 6000 tr/min
0-100 km/h 4,6 s
Vitesse maximale 300 km/h (bridée)
Transmission manuelle à 6 rapports, manuelle robotisée à 6 rapports (en option)

· (5,2 ET SPYDER)
V10 5,2 l DACT 525 ch à 8000 tr/min
Couple 390 lb-pi à 6500 tr/min
Transmission manuelle à 6 rapports, manuelle robotisée à 6 rapports (en option)
0-100 km/h 3,9 s. (estimé.), 4,1 (Spyder)
Vitesse maximale 313 km/h (bridée)
Consommation (100 km) man. 15,4 l
man robo. 13,4 l (octane 91)
Émissions de CO$_2$ man. 7222 kg/an man robo. 6486 kg/an
Litres par année man. 3140 l man robo. 2820 l
Coût par an man. 3517 $ man robo. 3147 $
Carburant alternatif non
Empreinte écologique 42 arbres

· (GT)
V10 5,2 l DACT 560 ch à 8000 tr/min
Couple 398 lb-pi à 6500 tr/min
Transmission manuelle robotisée à 6 rapports
0-100 km/h 3,6 s
Vitesse maximale 320 km/h
Consommation (100 km) 13,7 l (octane 94)
Émissions de CO$_2$ 7538kg/an
Litres par année 3141 l
Coût par an 3 518$ **Carburant alternatif** non
Empreinte écologique 45 arbres

· AUTRES COMPOSANTES

Sécurité active freins ABS, répartition électronique de force de freinage, assistance au freinage, antipatinage, contrôle de stabilité électronique
Suspension avant/arrière indépendante
Freins avant/arrière disques ventilés + perforés
Direction à crémaillère et pignon, assistée
Pneus P235/35ZR19 (av.) P295/30ZR19 (arr.)

· DIMENSIONS

Empattement 2650 mm **Longueur** 4435 mm
Largeur 2029 mm **Hauteur** 1252 mm
Poids 4.2 man 1635 kg **5.2 man** 1685 kg
Spyder man 1720 kg **GT** 1525 kg
Diamètre de braquage 11,8 m **Coffre** 100 l
Réservoir de carburant 90 l

NOS MENTIONS

 Clé d'or de sa catégorie

 Modèle recommandé

 Coup de coeur

NOTRE VERDICT

Plaisir au volant	⬡⬡⬡⬡⬡
Qualité de finition	⬡⬡⬡⬡⬢
Consommation	⬡⬡⬢⬢⬢
Rapport qualité/prix	⬡⬡⬡⬢⬢
Valeur de revente	⬡⬡⬡⬡⬢

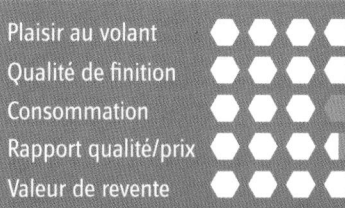

ÉVOLUTION

AUDI

49 350 $ à 61 900 $
transport et préparation : 1995 $

LA COTE VERTE

MOTEUR
L4 DE 2.0 L

- **Consommation (100km):** 8,1 l.
- **Émissions polluantes CO_2:** 3910 kg/an
- **Empreinte écologique (nombre d'arbres à planter par année):** 24
- **Indice d'octane:** 91
- **Autre motorisation:** non
- **Coût du carburant moyen par année:** 1870$
- **Nombre de litres par année:** 1700 l

(source : ÉnerGuide)

 FICHE D'IDENTITÉ

- **Versions** TT coupé, cabriolet, TTS coupé, cabriolet, TT RS coupé, cabriolet
- **Roues motrices** 4
- **Portières** 2 **Nombre de passagers** 2+2 (coupé) 2 cabrio
- **Première génération** 2000
- **Génération actuelle** 2007
- **Construction** Gyösr, Hongrie
- **Sacs gonflables** 6, frontaux, latéraux avant et rideaux latéraux
- **Concurrence** BMW Z4, Infiniti G37 Coupé, Mercedes-Benz SLK, Nissan 370Z, Porsche Cayman

 AU QUOTIDIEN

- **Prime d'assurance**
- **25 ans :** 2800 à 3000 $
- **40 ans :** 1400 à 1600 $
- **60 ans :** 1100 à 1300 $
- **Collision frontale** 5/5
- **Collision latérale** 5/5
- **Ventes du modèle de l'an dernier**
  Au Québec 110 **Au Canada** 406
- **Dépréciation** (2 ans) 31,1%
- **Rappels** (2005 à 2010) 2
- **Cote de fiabilité** 3,5/5

 GARANTIES... ET PLUS

- **Garantie générale** 4 ans/80 000 km
- **Garantie motopropulseur** 4 ans/80 000 km
- **Perforation** 12 ans/kilométrage illimité
- **Assistance routière :** 4 ans/kilométrage illimité
- **Nombre de concessionnaires**
  Au Québec 7 **Au Canada** 35

 NOUVEAUTÉS EN 2011

- Version RS

TOUTE UNE PALETTE D'ÉMOTIONS

PAR BENOIT CHARETTE

LES RÉSULTATS D'UN SONDAGE MENÉ PAR AUDI SUR PLUSIEURS MARCHÉS OCCIDENTAUX DÉMONTRENT QUE LA TT EST LE MODÈLE LE PLUS SOUVENT CITÉ QUAND ON DEMANDE AUX GENS DE NOMMER UN MODÈLE DE LA FAMILLE AUDI. Pas étonnant alors que le fabricant augmente encore sa diffusion et rajeunisse son aspect pour 2011. Pour ceux qui aiment l'économie, un modèle à moteur diesel s'ajoute à la gamme, en Europe seulement. Pour ceux qui trouvent les 265 chevaux de la TTS insuffisants, une TT RS viendra chez nous, mais en quantité limitée et seulement à partir du printemps 2011. Au-delà du simple modèle sport, la TT RS est une véritable exotique de poche.

[CARROSSERIE] Comme toute la gamme des produits Audi en ce moment, la TT, qui a maintenant cinq ans, voit sa calandre se faire un peu plus imposante et se coiffer des fameux phares à diodes électroluminescentes (DEL) en mitraillette. De son côté, la TT RS offre une calandre encore plus imposante comportant de larges prises d'air latérales. L'arrière est dominé par un aileron fixe, deux sorties d'échappement chromées ainsi que des roues de 18 pouces de série ou de 20 pouces en option.

[HABITACLE] Typique des voitures sport, le noir domine dans l'habitacle. De son côté, la TT RS est plus proche du sport extrême. Les sièges sculptés façon course donnent tout de suite la mesure de la voiture. Le grand souci du détail est de mise dans toutes les versions et des touches d'aluminium brossé sont du meilleur effet dans la RS. Le combiné d'instruments est placé sous un capitonnage qui peut, sur demande, être recouvert de cuir. Le volant sport à trois branches gainé de cuir, réglable et télescopique, offre une excellente prise en main grâce à une partie aplatie sur sa face inférieure en version RS. En option, il est possible de commander le volant sport multifonction comportant les commandes radio et téléphone; pour ce qui est des versions TT avec S-Tronic, on trouvera deux leviers de sélection de chaque côté du volant.

FORCES · Lignes dominantes · Performances homériques (RS) · Boîte S-Tronic · Un moteur puissant à tous les régimes · Finition

FAIBLESSES · Freinage surpuissant qui rend le train arrière nerveux (RS) · Léger sous-virage quand on pousse très fort

[MÉCANIQUE] Audi a procédé à une révision mécanique cette année. La TT de base offre maintenant l'injection directe sur le moteur de deux litres de base qui passe de 200 à 211 chevaux. En reprogrammant l'ordinateur, la version TTS reçoit 265 chevaux du même moteur de 2 litres et une sérieuse hausse des performances. Si cela n'est pas assez, la version RS, qui sera vendue comme modèle 2012 quelque part à la fin du printemps prochain, utilise un 5-cylindres de 2,5 litres turbo de 340 chevaux. Vous arrivez ici dans le territoire des Porsche Boxster S. Vous avez le choix de la boîte manuelle ou de la S-Tronic à 6 rapports ou S-Tronic à 7 rapports dans le cas de la RS.

[COMPORTEMENT] Malgré une forte pluie sur les routes allemandes, c'est avec une facilité déconcertante que nous avons poussé la RS à plus de 230 km/h. Seulement 4,6 secondes séparent le 0 du 100 km/h avec la boîte manuelle et 4,4 secondes avec notre boîte S-Tronic à 7 rapports. Bestiale à la limite de la violence, cette RS peut faire honte à une Porsche. La surprenante accélération qui vous cloue au siège n'a d'égale que la transmission quattro qui colle toujours aussi fort à la route, même à haute vitesse sur chaussée détrempée. La sonorité du moteur n'est pas sans rappeler le V10 de la Lamborghini. Situé dans l'embout d'échappement gauche, un volet acoustique qu'on peut activer au moyen de la touche sport, rend la sonorité rauque et unique du 5-cylindres encore plus intense. Le système d'échappement sport offert en option augmente encore ce phénomène. La tenue de route est très ferme, mais jamais inconfortable. La suspension Magnetic Ride, qui vous

laisse choisir entre un amortissement normal ou sport, rend la conduite plus civilisée. Sur la TTS, un septième rapport (comme sur la RS) aurait été apprécié car le moteur tourne à près de 4000 tours par minute à 120 km/h.

[CONCLUSION] La TT est encore un petit bijou, et le prix demandé vaut largement l'investissement. La boîte S-Tronic est magique et d'une rapidité incroyable, un vrai beau jouet.

2ᵉ OPINION

FRÉDÉRIC MASSE On ne confondra jamais la TT avec une Porsche Cayman ou une Nissan 370Z. La petite Audi, qui n'est plus si petite après tout, se veut l'agréable mélange entre une routière et une grande sportive. Elle est plus homogène qu'incisive, et il est possible de l'utiliser au quotidien. Si j'avais à m'en acheter une (ce que je ferais volontiers), je m'obligerais à choisir la suspension Magnetic Ride et la version TTS, plus puissante, mais aussi évidemment plus chère que la version de base. Audi offre également les meilleures boîtes de vitesses séquentielles sur le marché (S-Tronic) et l'un des habitacles les plus réussis de l'industrie. Bref, c'est beau, pas trop gros, juste assez nerveux, ça ne consomme pas beaucoup de carburant et c'est capable de rouler toute l'année. C'en fait des points pour la TT, ça. Toutefois, petit bémol, avec la visibilité limitée, optez pour la caméra de recul, ça vous évitera bien des maux de tête et, peut-être même, des éraflures...

⑤ FICHE TECHNIQUE

· MOTEURS
L4 2,0 l turbo DACT, 211 ch à 5300 tr/min
Couple 207 lb-pi à 1700 tr/min
Transmission automatique à 6 rapports avec mode manuel
0-100 km/h 6,1 s
Vitesse maximale 209 km/h (bridée)

· (TTS)
L4 2,0 l turbo DACT 265 ch à 6000 tr/min
Couple 258 lb-pi à 2500 tr/min
Transmission automatique à 6 rapports avec mode manuel
0-100 km/h coupé 5,2 s. **cabriolet** 5,3 s.
Vitesse maximale 250 km/h (bridée)
Consommation (100 km) 8,4 l (octane 91)
Émissions de CO$_2$ 4020 kg/an
Litres par année man. 1750 l
Coût par an 1960 $
Empreinte écologique 25 arbres

· (TTRS)
L5 2,5 l DACT Turbo 340 ch à 6500 tr/min
couple : 378 lb-pi à 3250 tr/min
Transmission : Manuelle à six rapports, S-Tronic à sept rapports (en option)
0-100 km/h : BVM : 4,6 s, **S-Tronic** : 4,4 s
Vitesse maximale : 250 km/h (bridée)
Consommation (100 km) 10,0 l (octane 91)
Émissions de CO$_2$: 4820 kg/an
Litres par année man. 2060 l
Coût par an 2310 $
Empreinte écologique 31 arbres

· AUTRES COMPOSANTES
Sécurité active freins ABS, répartition électronique de force de freinage, assistance au freinage, antipatinage, contrôle de stabilité électronique
Suspension avant/arrière indépendante
Freins avant/arrière disques
Direction à crémaillère assistée
Pneus TT P225/50 R17 **TTS- TT RS** P245/40R18
option TT RS 255/30ZR20
option S-Line P255/35R19

· DIMENSIONS
Empattement 2468 mm
Longueur 4178 mm, **TTS** 4198 mm
Largeur 1842 mm, **TTS** 1952 mm
Hauteur 1352 mm **TTS** 1345 mm, **cab.** 1358 mm
TT RS 1335 mm
Poids 2.0T 1345 kg, **cab.** 1420 kg
TTS cabrio 1350 kg **TT RS** 1450 kg
Diamètre de braquage 10,96 m
Coffre 371 l m **TTS - TTRS** 290 l
Réservoir de carburant 55 l **TTS-TTRS** 60 l

NOS MENTIONS

 Modèle recommandé

 Coup de coeur

NOTRE VERDICT

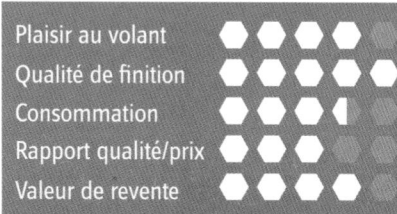

Plaisir au volant ●●●●○
Qualité de finition ●●●●○
Consommation ●●●◐○
Rapport qualité/prix ●●●○○
Valeur de revente ●●●●○

113

218 595 $ à 248 795 $
transport et préparation : 3695 $

One Hundred Summer Stree

LA COTE VERTE

MOTEUR
W12 DE 6,0 L

- **Consommation (100km):** 16,4 l
- **Émissions polluantes CO$_2$:** 7774 kg/an
- **Empreinte écologique (nombre d'arbres à planter par année):** 48
- **Indice d'octane:** 91
- **Autre motorisation:** non
- **Coût du carburant moyen par année:** 3786 $
- **Nombre de litres par année:** 3360 l

(SOURCE: ÉnerGuide)

1 FICHE D'IDENTITÉ

- **Version** Flying Spur, Flying Spur Speed
- **Roues motrices** 4
- **Portières** 4 **Nombre de passagers** 4 ou 5
- **Première génération** 2005
- **Génération actuelle** 2005
- **Construction** Crewe, Angleterre
- **Sacs gonflables** 6 (frontaux, latéraux, rideaux latéraux)
- **Concurrence** BMW 760Li, Mercedes-Benz S600, Maserati Quattroporte

2 AU QUOTIDIEN

- **Prime d'assurance**
  25 ans : 7700 à 8000 $
  40 ans : 5000 à 5400 $
  60 ans : 4000 à 4200 $
- **Collision frontale** 5/5
- **Collision latérale** 5/5
- **Ventes du modèle l'an dernier Au Québec** nd **Au Canada** nd
- **Dépréciation** nd
- **Rappels (2005 à 2010)** 2
- **Cote de fiabilité** 3/5

3 GARANTIES... ET PLUS

- **Garantie générale** 3 ans/kilométrage illimité
- **Garantie motopropulseur** 3 ans/kilométrage illimité
- **Perforation** 3 ans/kilométrage illimité
- **Assistance routière** 3 ans/kilométrage illimité
- **Nombre de concessionnaires Au Québec** 1 **Au Canada** 3

4 NOUVEAUTÉS EN 2011

- Aucun changement majeur

RIGUEUR ALLEMANDE CHARME ANGLAIS

PAR BENOIT CHARETTE

LE FONDATEUR DE LA COMPAGNIE BENTLEY, WALTER OWEN BENTLEY, ÉTAIT INGÉNIEUR DE FORMATION ET CULTIVAIT UNE GRANDE PASSION POUR LES TRAINS AVANT DE SE LANCER DANS L'AVENTURE DE L'AUTOMOBILE. IL A UN JOUR LUI-MÊME AVOUÉ S'ÊTRE INSPIRÉ DES CABINES DE LUXE DES TRAINS DE L'ÉPOQUE POUR CONCEVOIR LES BENTLEY. La Flying Spur est presque aussi grosse et aussi lourde qu'un train, et les nobles valeurs de la haute société anglaise se détectent au premier regard. Volkswagen a apporté la rigueur du travail germanique dans l'équation sans dénaturer les prémisses de base des origines de Bentley.

[CARROSSERIE] Avec ses 5,30 mètres de longueur et son poids de 2,5 tonnes, la Flying Spur est énoooorme. Cette approche offre au moins un avantage, celui de laisser tout l'espace voulu aux occupants. Le propre de la vraie élégance est la discrétion, et peu importe qu'il s'agisse de la version régulière ou de la version Speed, cette

Bentley épouse des lignes intemporelles qui n'ont pas vieilli après six ans. La Speed adopte des jantes de 20 pouces et des sorties d'échappement ovales légèrement majorées.

[HABITACLE] Il faudrait un chapitre complet pour parler de cet intérieur unique. La large banquette à l'odeur subtile de cuir surpiqué, l'espace royal pour les jambes, le bois précieux, les touches de chrome et les tablettes en bois laqué adossées aux sièges avant comme dans les avions, voilà une foule de détails magnifiquement ficelés dans une exécution sans faille. Vous pouvez même choisir d'installer un service en cristal ou votre portable dans la console centrale. Et dans tout ce luxe, toute la modernité des berlines allemandes se fait discrète et s'incorpore à merveille à ce décor à nul autre pareil.

[MÉCANIQUE] La longueur du capot est un premier indice de ce qui se cache dans le compartiment-moteur. La salle des machines est im-

FORCES · Confort royal · Plaisir de conduire surprenant · Un W12 aux performances surréalistes

FAIBLESSES · Format hors normes · Poids éléphantesque · Ai-je mentionné le prix ?

posante. Volkswagen, qui a pris l'habitude des assemblages, a ici utilisé deux moteurs VR6 pour en faire un W12 en lui greffant deux turbos pour 552 chevaux. La seule boîte de vitesses automatique compte 6 rapports. Contrairement aux allemandes qui se limitent à une vitesse de pointe de 250 km/h, rien de ce genre chez Bentley. La version de base de la Flying Spur peut atteindre 312 km/h et franchir au passage les 100 km/h en 5,2 secondes. Il est impressionnant de déplacer 2,5 tonnes à si grande vitesse. Pour ce qui est de la version Speed, avec quelques réglages des turbos, elle crache 600 chevaux et peut atteindre les 322 km/h et retrancher 0,4 seconde sur le 0 à 100 km/h. Et la puissance est aussi discrète que musclée, progressive et continue.

[COMPORTEMENT] Dans la version Speed, Bentley a retravaillé l'échappement pour le rendre plus expressif. Le moindre coup d'accélérateur déclenche une joyeuse vague de décibels rauques et profonds. C'est l'une des rares limousines au volant de laquelle j'ai vraiment éprouvé un réel plaisir de conduire. Outre la solidité propre du véhicule, vous avez l'impression de rouler dans une voûte de banque tellement les bruits extérieurs sont bien filtrés. La poussée du moteur fait penser à un 747 au décollage, rien de violent, mais on sent toute la puissance qui déplace cette masse. Chose encore plus surprenante, la direction est très informative pour une voiture de cette taille, et la transmission intégrale fait un travail remarquable pour garder cette bête sur la route; on ne se sent jamais en perte de contrôle, même sur de petites routes à vive allure. Il faut remer-

cier également la suspension pneumatique qu'on peut régler pour tous les styles de conduite.

[CONCLUSION] À ce prix, la Flying Spur n'a pas vraiment beaucoup de voitures pour lui faire ombrage. Et après avoir fait l'essai de la très beige Maybach, qui a réussi à pratiquement tout aseptiser, la Bentley fait cavalier seul. Une véritable voiture d'exception.

2ᵉ OPINION

MICHEL CRÉPAULT Alors que les Bentley d'origine respiraient le chic anglais, l'exécution manquait parfois de cohérence. La Flying Spur, apparue en avril 2005, est née du mariage avec le groupe Volkswagen. On retrouve ainsi la rigueur germanique qui transpire à bord. Heureusement, les dirigeants de VW ont su laisser assez d'amplitude à ses géniteurs pour ne surtout pas dénaturer l'esprit Bentley. Vous avez donc le meilleur des deux mondes, une voiture rigoureusement construite qui ne perd rien du charme anglais. Le luxe transpire par tous les pores du cuir fin. L'ancien compagnon de Rolls-Royce, plus sportif que son voisin, a bien fait sentir la chose avec la venue récente d'une version Speed qui met 600 chevaux sous cette énoooooorme bête. Avec ce W12 à double turbo, cet éléphant peut atteindre les 322 km/h. Difficile à concevoir que l'on puisse aller aussi vite avec une limousine de luxe. Elle se savoure beaucoup mieux à bas régime, surtout assis à l'arrière.

⑤ FICHE TECHNIQUE

• MOTEURS
W12 6,0 l biturbo DACT, 552 ch à 6100 tr/min
Couple 479 lb-pi à 1600 tr/min

Transmission automatique à 6 rapports avec mode manuel	
0-100 km/h 5,2 s	
Vitesse maximale 312 km/h	

• (SPEED)
W12 6,0 l biturbo DACT, 600 ch à 6000 tr/min
Couple 553 lb-pi à 1700 tr/min

Transmission automatique à 6 rapports avec mode manuel	
0-100 km/h 4,8 s	
Vitesse maximale 322 km/h	
Consommation (100 km) 18,5 l (octane 91)	
Émissions de CO$_2$ 9185 kg/an	
Litres par année 3827 l	
Coût par an 4210 $	
Autre motorisation non	
Empreinte écologique 54 arbres	

• AUTRES COMPOSANTES
Sécurité active freins ABS, antipatinage, contrôle de stabilité électronique	
Suspension avant/arrière indépendante	
Freins avant/arrière disques	
Direction à crémaillère, assistée	
Pneus P275/40R19 option/ Speed 275/35ZR20	

• DIMENSIONS
Empattement 3065 mm	
Longueur 5290 mm	
Largeur 1976 mm	
Hauteur 1475 mm, **Speed** 1465 mm	
Poids 2440 kg	
Diamètre de braquage 11,8 m	
Coffre 475 l	
Réservoir de carburant 90 l	

115

NOTRE VERDICT

Plaisir au volant	●●●●●
Qualité de finition	●●●●○
Consommation	●○○○○
Rapport qualité/prix	●●●○○
Valeur de revente	●●●○○

BENTLEY

CONTINENTAL / GT

www.bentleymotors.com

ÉVOLUTION

224 000 $ à 255 095 $
transport et préparation : 3695 $

116

LA COTE VERTE

MOTEUR
W12 DE 6,0 L

- **Consommation**
  (100km): 14,7 l
- **Émissions**
  polluantes CO_2 :
  6946 kg/an
- **Empreinte écologique**
  (nombre d'arbres à
  planter par année): 48
- **Indice d'octane**: 91
- **Autre**
  motorisation: non
- **Coût du carburant**
  moyen par année:
  3382 $
- **Nombre de**
  litres par année:
  3020 l

(SOURCE: ÉnerGuide)

---

(1) FICHE D'IDENTITÉ

- **Version** GT, GTC, GT Speed, GTC Speed,
  GT Supersports, GTC Supersports
- **Roues motrices** 4
- **Portières** 2 **Nombre de passagers** 2+2
- **Première génération** 2004
- **Génération actuelle** 2004
- **Construction** Crewe, Angleterre
- **Sacs gonflables** 6 (frontaux, latéraux,
  rideaux latéraux)
- **Concurrence** Aston Martin DB9, Ferrari 612 Scaglietti,
  Mercedes-Benz CL600/CL63 AMG/CL65 AMG

(2) AU QUOTIDIEN

- **Prime d'assurance**
  25 ans: 7700 à 8000 $
  40 ans: 5000 à 5400 $
  60 ans: 4000 à 4200 $
- **Collision frontale** 5/5
- **Collision latérale** 5/5
- **Ventes du modèle l'an dernier**
  Au Québec nd **Au Canada** nd
- **Dépréciation** nd
- **Rappels** (2005 à 2010) 1
- **Cote de fiabilité** 3/5

(3) GARANTIES... ET PLUS

- **Garantie générale** 3 ans/kilométrage illimité
- **Garantie motopropulseur**
  3 ans/kilométrage illimité
- **Perforation** 3 ans/kilométrage illimité
- **Assistance routière** 3 ans/kilométrage illimité
- **Nombre de concessionnaires**
  Au Québec 1 **Au Canada** 3

(4) NOUVEAUTÉS EN 2011

- Aucun changement majeur

POUR MÉGALOMANES AVERTIS

PAR MICHEL CRÉPAULT

PARMI LA CLIENTÈLE CIBLÉE, IL N'Y A PAS QUE DES HÉRITIERS PARESSEUX, MAIS AUSSI DES GENS QUI ONT GAGNÉ LEURS PESOS À LA SUEUR DE SYNAPSES PARTICULIÈREMENT AFFÛTÉS. Le constructeur (en l'occurrence Volkswagen) a donc intérêt à leur proposer un produit qui vaut tout le bidou demandé.

[CARROSSERIE] À partir d'une même recette, plusieurs variantes. Les versions de base (si on peut dire...) GT (coupé) et GTC (cabriolet) ont donné naissance aux éditions Speed et Supersports. De plus, Bentley offre des possibilités de personnalisation aux clients dont les seules limites sont celles du chéquier. La GT dérive de la berline Continental Flying Spur, laquelle doit beaucoup à la Volkswagen Phaeton (bébé de Ferdinand Piëch disparu d'Amérique du Nord en 2006). Il y a quelque chose de balistique dans la façon avec laquelle le pavillon sans pilier central survole les superbes jantes. De face, les quatre phares trouent la banalité. Alors que le coupé mord dans la modernité, la décapotable dégage davantage un air traditionnel. Les versions plus rapides entraînent des trappes d'aération et des jantes de 20 pouces. Cela dit, la GT a déjà sept ans, ce qui prédispose à une cure de jouvence imminente. Heureusement, si l'on en fait presque une indigestion sur Rodeo Drive, elle continue de faire tourner les têtes au rodéo de Saint-Tite.

[HABITACLE] On sait que gros budget ne signifie pas toujours bon goût. On aurait pu le rater, cet intérieur. Mais que non! Il s'en dégage une ambiance unique grâce au mariage réussi du passé et du présent. Le cuir déborde, et ce qui est en bois précieux mérite de l'être. En revanche, les concessions au monde moderne (iPod, sono, navigation, etc.) ne sont pas traitées avec le même brio. Bentley, appelle Apple ! Vous voudrez porter à votre poignet la montre Breitling qui trône au centre du tableau (ce que d'ailleurs offre l'astucieux horloger). Les ensembles décoratifs Mulliner et Series 51 (comme dans 1951, l'année de création du premier département consacré au style Bentley) poussent l'exclusivité plus loin. J'oubliais la banquette arrière. Et, de fait, mieux vaut

---

FORCES · Allure du tonnerre jumelée à un confort exceptionnel et à une puissance prodigieuse · Travail d'artisan · Véhicule d'exception

FAIBLESSES · Accès aux places arrière difficile · Rareté des espaces de rangement · Technologie de l'info-divertissement à parfaire

[CONCLUSION] À un moment donné de son histoire, Bentley n'était plus que le pâle reflet de Rolls-Royce. Depuis que VW s'en est portée acquéreur, la prestigieuse marque revit. Personnellement, je vendrais une partie de mon âme (vous savez, celle pétrie de culpabilité judéo-chrétienne) pour héberger une Continental GT dans mon garage.

l'oublier, ce qui est décevant compte tenu de la longueur du palace mobile.

[MÉCANIQUE] Toutes les versions partagent un W12 de 6 litres à double turbo relié à une boîte de vitesses séquentielle à 6 rapports avec leviers de sélection au volant et mode Sport. Au départ, ça nous donne 552 chevaux. Comme si ça ne suffisait pas, cette puissance repose sur une transmission intégrale à différentiel Torsen qui divise le couple entre les essieux au gré de leur besoin en adhérence. À bord de la version Speed, on passe à 600 chevaux, et la Supersports, truffée de fibre de carbone, en propose 621 ! Et qui fonctionne aussi au biocarburant (E85) ! En option ou de série : des disques en carbone-céramique qui vous assureront le freinage le plus spectaculaire et le plus cher de votre vie.

[COMPORTEMENT] Les lois de la physique sont respectées : alors que la GT négocie les courbes comme si elle les avait dessinées, la GTC se montre moins agile. Malgré les renforcements apportés à sa charpente, elle apprécie mieux quand on la traite en boulevardière. Cela dit, sur une droite, toutes les Continental se déguisent en locomotive supersonique. À bord de la version Speed, on descend le 0 à 100 km/h à 4,5 secondes. Comparaison ? Pensez Audi R8 (V8) ! Et au volant de la Supersports, on frôle les 4 secondes. Ne nous étendons pas trop sur la consommation de carburant ou sur les émissions de dioxyde de carbone, sinon Green Peace assiégera demain les locaux de Bentley.

2ᵉ OPINION

PHILIPPE LAGUË Le lancement de la Continental GT, en 2003, aura été le début du renouveau de Bentley. Ce superbe coupé ultra rapide et ultra sophistiqué est venu dépoussiérer l'image de l'auguste marque britannique, dont les modèles étaient plutôt vieillots. Mais tout n'est pas parfait : les places arrière étriquées et la petitesse du coffre sont difficilement excusables dans une aussi grosse voiture. N'empêche, la Continental GT fait déjà partie des classiques de la marque, tout comme la première du nom, en plus d'être la plus vendue. À un quart de million la copie, l'exploit est digne de mention...

⑤ FICHE TECHNIQUE

· **MOTEURS**
· **(GT, GTC)**
W12 6,0 l biturbo DACT, 552 ch à 6100 tr/min
Couple 479 lb-pi à 1600 tr/min
Transmission automatique à 6 rapports avec mode manuel
0-100 km/h 4,8 s, **GTC** 5,1 s
Vitesse maximale 318 km/h, **GTC** 314 km/h

Consommation (100 km) GT 16 l, **GTC** 16,4 l (octane 91)
Émissions de CO_2 GT 7544 kg/an, **GTC** 7774 kg/an
Litres par année GT 3280 l **GTC** 3380 l
Coût par an GT 3674 $ **GTC** 3786 $
Empreinte écologique 48 arbres

· **(GT Speed/GTC Speed)**
W12 6,0 l biturbo DACT, 600 ch à 6000 tr/min
Couple 553 lb-pi à 1700 tr/min
Transmission automatique à 6 rapports avec mode manuel
0-100 km/h 4,5 s
Vitesse maximale 326 km/h, **GTC** 322 km/h (toit en place)
Consommation (100 km) 18,5 l (octane 91)
Émissions de CO_2 9185 kg/an
Litres par année 3827 l
Coût par an 4210 $
Empreinte écologique 54 arbres

· **(GT Supersports/ GTC Supersports)**
W12 6,0 l biturbo DACT, 621 ch à 6000 tr/min
Couple 590 lb-pi à 2000 tr/min
Transmission automatique à 6 rapports avec mode manuel
0-100 km/h 3,9 s, **cabriolet** 4,2 s
Vitesse maximale 329 km/h, **cabriolet** 325 km/h
Consommation (100 km) 14,7 l (octane 91)
Émissions de CO_2 6946 kg/an
Litres par année 3020 l
Coût par an 3382 $
Empreinte écologique 54

· **AUTRES COMPOSANTES**
Sécurité active freins ABS, antipatinage, contrôle de stabilité électronique
Suspension avant/arrière indépendante
Freins avant/arrière disques
Direction à crémaillère, assistée
Pneus GT/GTC P275/40ZR19 **(option GT)** P275/30ZR20 **GT Speed/GTC Speed/GT Supersports coupé/GTC Supersports** P275/35ZR20

· **DIMENSIONS**
Empattement 2745 mm
Longueur 4804 mm
Largeur 1965 mm **GTC/GTC Speed** 1927 mm **GT Supersports/GTC Supersports** 1945 mm
Hauteur 1390 mm **GT** 1398 mm **GT Speed/ GT Supersports** 1380 mm **GTC Speed/ GTC Supersports** 1388 mm
Poids GT/GT Speed 2350 kg **GTC/GTC Speed** 2485 kg **GT Supersports** 2240 kg **GTC Supersports** 2395 kg
Diamètre de braquage 11,2 m **Supersports** 11,4 m
Coffre coupé 370 l **cabriolet** 260 l
Réservoir de carburant 90 l

DK07 OYM

NOTRE VERDICT

Plaisir au volant	●	●	●	●	⬡
Qualité de finition	⬡	⬡	⬡	⬡	⬡
Consommation	●	⬡	⬡	⬡	⬡
Rapport qualité/prix	●	●	●	●	◗
Valeur de revente	⬡	●	●	●	⬡

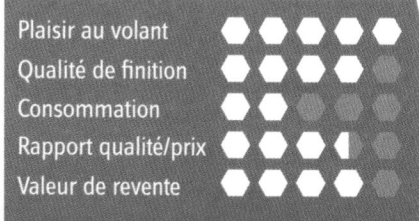

MULSANNE

www.bentleymotors.com

N NOUVEAUTÉ É
J

313 500 $
transport et préparation : Nd $

DK10 BGZ

LA COTE VERTE

MOTEUR
V8 DE 6,75 L

- **Consommation** (100km): 16,9 l
- **Émissions polluantes** CO_2 : 8880 kg/an
- **Empreinte écologique** (nombre d'arbres à planter par année): 58
- **Indice d'octane**: 91
- **Autre motorisation**: non
- **Coût du carburant moyen par année**: 4070$
- **Nombre de litres par année**: 3700 l

(SOURCE: Bentley)

---

① FICHE D'IDENTITÉ

- **Versions** unique
- **Roues motrices** arrière
- **Portières** 4
- **Nombre de passagers** 5
- **Première génération** 2011
- **Génération actuelle** 2011
- **Construction** Crewe, Angleterre
- **Sacs gonflables** 8 (frontaux, latéraux avant et arrière, rideaux latéraux)
- **Concurrence** Maybach 57/62, Rolls-Royce Phantom

② AU QUOTIDIEN

- **Prime d'assurance**
  25 ans: 7700 à 8000 $
  40 ans: 5000 à 5400 $
  60 ans: 4000 à 4200 $
- **Collision frontale** nm
- **Collision latérale** nm
- **Ventes du modèle de l'an dernier**
  Au Québec nm **Au Canada** nm
- **Dépréciation** nm
- **Rappels** (2005 à 2010) nm
- **Cote de fiabilité** nm

③ GARANTIES... ET PLUS

- **Garantie générale** 3 ans/kilométrage illimité
- **Garantie motopropulseur** 3 ans/kilométrage ill.
- **Perforation** 3 ans/kilométrage illimité
- **Assistance routière** 3 ans/kilométrage illimité
- **Nombre de concessionnaires**
  Au Québec 1 **Au Canada** 3

④ NOUVEAUTÉS EN 2011

- Nouveau modèle

LE RETOUR DE LA GRANDE BENTLEY

PAR MARK HACKING

LA DERNIÈRE GRANDE LIMOUSINE DESSINÉE ENTIÈREMENT PAR BENTLEY ÉTAIT LE MODÈLE À MOTEUR DE 8 LITRES QUI A FAIT SES PREMIERS TOURS DE ROUES EN 1930. Par la suite, le fabricant, qui a souffert comme bien d'autres durant la grande dépression, a été vendu à son rival Rolls-Royce. Il aura fallu huit décennies pour trouver un successeur à la 8-litres; c'est long, mais pour les artisans de cette voiture fabriquée à la main, l'attente valait la peine.

[CARROSSERIE] À la base, la Mulsanne remplace l'Arnage comme porte-étendard de la marque, mais il y a peu de similitudes entre les deux modèles. La Mulsanne est plus longue, plus grosse, plus large. Elle est si imposante qu'il faut être prudent sur les routes étroites et dans les courbes serrées en zone urbaine pour ne pas rayer la peinture ou les roues. Mais, malgré sa taille démesurée, les proportions sont idéales. La calandre en acier inoxydable, grande comme l'Afrique du Sud avec les phares ronds, donne immédiatement le ton qui fait écho aux Bentley Type-S des années 50. Le profil de cette berline est aussi atypique qu'original et incroyablement harmonieux. La célèbre « Flying B Mascot » se dissimule à l'extinction de l'allumage, moyennant un supplément.

[HABITACLE] Qui dit Bentley dit grand confort, mais la Mulsanne vous amène à un autre niveau. Il y a plus de bois, de cuir et d'acier inoxydable que dans n'importe quel autre modèle de Bentley. Des exclusivités comme les garnitures de bois qui font littéralement le tour de l'habitacle ou une pièce de bois d'un seul morceau qui enveloppe le tableau de bord où les plaques d'acier inoxydable poli dans le bas des portières. Il y a de place pour 4 ou 5 heureux occupants qui pourront se flatter les pieds sur des tapis à 100 % laine avec contrôle individuel de température et sièges qui s'inclinent, chauffent ou ventilent et massent (en option). La définition du vrai confort. En matière de technique, vous aurez droit à un disque dur

---

FORCES · Confort surréel · Moteur d'une grande souplesse · Chaîne audio

FAIBLESSES · Aussi lourde qu'un autobus · Format hors normes · Prix hors normes

de 60 gigaoctets, la navigation par satellite avec écran de 8 pouces qui se cache derrière un volet rétractable en bois vernis. Juste sous cet écran, tout aussi bien dissimulé, réside un compartiment ingénieux garni de cuir pour ranger et brancher votre iPod. Un mot enfin sur la chaîne audio Naim qui produit 2200 watts inimaginables de son ambiophonique.

[MÉCANIQUE] L'objectif derrière la création de la Mulsanne était de lui procurer une puissance sans effort. À ce chapitre, mission accomplie. Avec une version complètement révisée du V8 biturbo de 6,75 litres. La puissance annoncée est de 505 chevaux, et le gargantuesque couple atteint 752 livres-pieds à 1750 tours par minute. Le constructeur estime le 100 km/h départ arrêté en 5,3 secondes et la vitesse de pointe à 296 km/h. Aucun besoin de rétrograder si vous voulez effectuer un dépassement, un petit coup sur les leviers de sélection derrière le volant, une première pour une voiture super deluxe. Un seul petit coup vous permet de passez les 8 rapports de la boîte de vitesses automatique sans effort.
Après un petit moment d'inertie des turbos, le moteur pousse fort et sans effort et désactive 4 des 8 cylindres à vitesse normalisée, permettant une économie de carburant de 15 %.

[COMPORTEMENT] Construite sur un nouveau châssis plus léger

et plus rigide que sa devancière, la Mulsanne peut également compter sur une suspension hydraulique réglable en 4 positions entre confort et sport. Assise sur des roues de 20 pouces avec une suspension à double triangulation, la Bentley ne peut être qualifiée de sportive, mais il est possible de transformer un éléphant en ballerine amateur, et cette voiture est surprenante pour une bête de cette taille.

[CONCLUSION] La Mulsanne ne manque pas de charme et est surprenante à plus d'un chapitre. Pour une voiture qui se détaillera à plus de 330 000 $, on s'attend à rien de moins. Mais même à ce prix, elle est surprenante, car elle est beaucoup moins chère qu'une Rolls-Royce ou une Maybach et offre immensément plus de charme, et ce, sans sacrifices sur l'équipement offert. Un bel exemple qui démontre qu'il est possible d'en obtenir plus pour son argent, même dans cette catégorie de grand luxe.

⑤ FICHE TECHNIQUE

· MOTEUR

V8 6,75 l biturbo, 505 ch à 4200 tr/min
Couple 752 lb-pi à 1750 tr/min

Transmission automatique à 8 rapports avec mode manuel

0-100 km/h 5,3 s

Vitesse maximale 296 km/h

· AUTRES COMPOSANTES

Sécurité active freins ABS, assistance au freinage, distribution électronique de force de freinage, antipatinage, contrôle de stabilité électronique

Suspension avant/arrière indépendante

Freins avant/arrière disques

Direction à crémaillère, assistée

Pneus P265/45R20 **option** P265/40R21

· DIMENSIONS

Empattement 3266 mm

Longueur 5575 mm

Largeur 1926 mm

Hauteur 1521 mm

Poids 2585 kg

Diamètre de braquage nd

Coffre 443 l

Réservoir de carburant 96 l

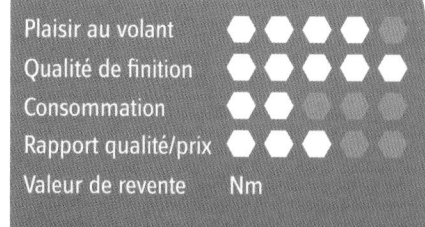

NOTRE VERDICT

Plaisir au volant	⬡⬡⬡⬡⬡
Qualité de finition	⬡⬡⬡⬡⬡
Consommation	⬡⬡⬡⬡⬡
Rapport qualité/prix	⬡⬡⬡⬡⬡
Valeur de revente	Nm

ÉVOLUTION

N É
J

35 800 $ à 48 500 $
transport et préparation : 1995 $

120

 FICHE D'IDENTITÉ

· **Versions** coupé 128i, 135i, cabriolet 128i, 135i
· **Roues motrices** arrière
· **Portières** 2 **Nombre de passagers** 4
· **Première génération** 2008
· **Génération actuelle** 2008
· **Construction** Dingofling, Allemagne
· **Sacs gonflables** 6 (frontaux, latéraux avant, rideaux latéraux)
· **Concurrence** Audi A3, MINI Cooper S, Volvo C30

 AU QUOTIDIEN

· **Prime d'assurance**
25 ans : 3200 à 3400 $
40 ans : 2000 à 2200 $
60 ans : 1600 à 1800 $
· **Collision frontale** nd
· **Collision latérale** nd
· **Ventes du modèle l'an dernier**
Au Québec 769 **Au Canada** 2533
· **Dépréciation** (2 ans) 32,7%
· **Rappels** (2005 à 2010) 2
· **Cote de fiabilité** 3/5

 GARANTIES... ET PLUS

· **Garantie générale** 4 ans/80 000 km
· **Garantie motopropulseur** 4 ans/80 000 km
· **Perforation** 12 ans/kilométrage illimité
· **Assistance routière** 4 ans/kilométrage illimité
· **Nombre de concessionnaires**
Au Québec 9 **Au Canada** 40

④ NOUVEAUTÉS EN 2011

· La 135i reçoit en option une boîte automatique à 7 rapports.
· Écran central de plus grande dimension

UN INDÉNIABLE SUCCÈS

PAR BENOIT CHARETTE

DEPUIS SON LANCEMENT EN EUROPE, EN 2004, LA PETITE BMW DE SÉRIE 1 S'EST VENDUE À PLUS D'UN MILLION D'EXEMPLAIRES EN CINQ ANS SEULEMENT. L'an dernier, les ventes ont augmenté de 48 % au Québec. Son format, sa fougue et le plaisir indéniable de conduite sont des gages de succès de cette compacte sport.

[CARROSSERIE] BMW a réussi à fabriquer un modèle d'entrée de gamme qui, visuellement, ne fait pas de compromis sur la qualité. D'allure classique, la Série 1 est jolie en coupé, et j'oserais dire « sexy » en cabriolet. Outre de légères nervures sur les portières, les lignes générales sont conçues pour plaire à tous. Assez costaude pour être prise au sérieuse et assez petite pour se faufiler partout, elle offre un format très bien pensé. Pour ceux qui ont l'œil, vous pourrez faire la différence entre la 128i et la 135i par le format des pneus (17 pouces contre 18 pouces) et par la calandre plus proéminente sur la 135i, question d'alimenter les turbos en air frais.

[HABITACLE] À l'intérieur, pas de surprise, nous sommes bel et bien à bord d'une BMW. La finition est à la hauteur même des autres modèles de la gamme, avec une certaine sportivité en moins. Les sièges conservent un confort comparable à la Série 3, les matériaux offrent la même qualité tactile. Sur le papier, la Série 1 est une quatre-places, et vous arriverez à installer sans trop de problèmes deux adultes à l'arrière; mentionnons seulement que l'espace est d'abord pensé pour les places avant. L'espace coffre est très correct pour une voiture de ce format et, en plus, la banquette fractionnable vous procure un surplus d'espace appréciable. Le seul changement notable pour 2011 est un nouvel écran central de plus grandes dimensions.

[MÉCANIQUE] Il y a toujours deux moteurs au programme pour la Série 1. Le moteur atmosphérique de 3 litres de la 128 offre toujours 230 chevaux de plaisir avec une boîte de vitesses manuelle ou automatique à 6 rapports. Si la puissance du 6-cylindres biturbo de la 135 demeure le même, le coupé et le cabriolet ont eu droit à

FORCES · Conduite · Moteurs · Boîte à double embrayage · Confort général

FAIBLESSES · Places arrière un peu juste · L'étendue et le prix des options · Un intérieur qui manque de « pep »

des améliorations. BMW ajoute au turbo et à l'injection directe la levée variable des soupapes baptisée Valvetronic chez BMW. Il y a toujours 300 chevaux, mais la consommation est maintenant annoncée à 8,8 litres aux 100 kilomètres pour le coupé et 9,2 litres aux 100 kilomètres pour le cabriolet. Ce moteur peut désormais être jumelé à la boîte à double embrayage à 7 rapports ou à la manuelle à 6 rapports.

[COMPORTEMENT] L'une des plus belles qualités de la Série 1 est sa capacité à jouer les caméléons sur la route. Peu importe votre humeur au volant, la Série 1 s'adapte. Que vous ayez envie de renifler les grands boulevards à bas régime ou de chatouiller les courbes serrées à 7 000 tours par minute, vous éprouverez un égal plaisir. Si la sonorité de la 135i est un peu étouffée par les turbos, vous serez impressionné par sa capacité d'accélération. Et si vous demeurez sage, vous serez agréablement surpris par sa consommation sur la route. Sinon, vous viderez en moins de deux le trop petit réservoir de 53 litres. L'amortissement est ferme mais toujours confortable. Le châssis ne perd jamais son intégrité, même en version cabriolet, et les freins n'ont montré aucun signe de fatigue durant notre semaine d'essai. Une belle journée d'été au volant d'une Série 1 décapotable nous fait grandement apprécier notre métier de journaliste automobile.

[CONCLUSION] BMW n'est pas tombée dans le piège d'offrir un sous-produit comme modèle d'entrée de gamme. La Série 1 est une vraie BMW au même titre que les autres membres déjà célèbres de la famille. Elle offre fougue, plaisir de conduire et sensations fortes garanties, que ce soit en version 128 ou 135. Elle est facile à vivre au quotidien, mais vous devrez seulement vous méfier de la liste d'options interminables qui fera très rapidement grimper le prix de la voiture pour la rendre inabordable.

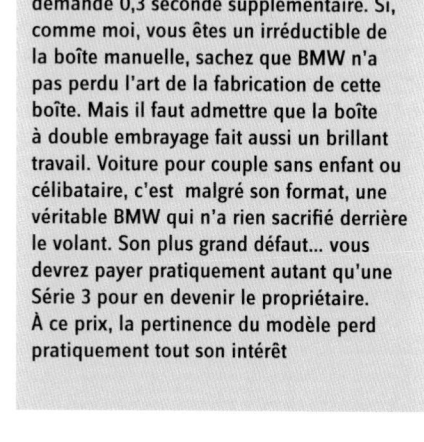

2ᵉ OPINION

PHILIPPE LAGUË De 0 à 100 km/h, le coupé 135i ne demande que 5,4 secondes ! Voilà qui en fait une vraie sportive, qui pourrait mériter l'appellation M1 ! Le cabriolet demande 0,3 seconde supplémentaire. Si, comme moi, vous êtes un irréductible de la boîte manuelle, sachez que BMW n'a pas perdu l'art de la fabrication de cette boîte. Mais il faut admettre que la boîte à double embrayage fait aussi un brillant travail. Voiture pour couple sans enfant ou célibataire, c'est malgré son format, une véritable BMW qui n'a rien sacrifié derrière le volant. Son plus grand défaut... vous devrez payer pratiquement autant qu'une Série 3 pour en devenir le propriétaire. À ce prix, la pertinence du modèle perd pratiquement tout son intérêt

⑤ FICHE TECHNIQUE

· MOTEURS

· (128i)
L6 3,0 l DACT, 230 ch à 6500 tr/min
Couple 200 lb-pi à 2750 tr/min
Transmission manuelle à 6 rapports, automatique à 6 rapports avec mode manuel (en option)
0-100 km/h man. 6,4 s; **auto.** 7,0 s
cab. man. 6,7s; **auto.** 7,3s.
Vitesse maximale 210 km/h (limitée)

· (135i)
L6 3,0 l biturbo DACT, 300 ch à 5800 tr/min
Couple 300 lb-pi à 1200 tr/min
Transmission manuelle à 6 rapports, automatique à 7 rapports avec mode manuel (en option)
0-100 km/h man. 5,4 s; **auto.** 5,3 s;
cab. man. 5,7s; **cab. auto.** 5,6s.
Vitesse maximale 240 km/h (limitée)
Consommation (100 km) man. 8,8 l (octane 91)
Émissions de CO$_2$ man. 4090 kg/an
Litres par année man 1780 l.
Coût par an man : 1995$
carburant alternatif non
Empreinte écologique 25 arbres

· AUTRES COMPOSANTES
Sécurité active freins ABS, répartition électronique de force de freinage, assistance au freinage, antipatinage, contrôle de stabilité électronique
Suspension avant/arrière indépendante
Freins avant/arrière disques ventilés
Direction à crémaillère, assistée
Pneus 128i P205/50R17, **option 128i** 205/50R17 (av.), 225/45R17 (arr.) **135i** P215/40R18 (av.), P245/35R18 (arr.)

· Dimensions
Empattement 2660 mm
Longueur 4373 mm
Largeur 1748 mm
Hauteur 128i 1423 mm , **135i** 1408 mm , **128i cab.** 1411 mm , **135i cab.** 1392 mm
Poids ber. 128i man. 1475 kg , **128i auto.** 1510 kg, **128i cab. man.** 1585 kg, **128i cab. auto.** 1620 kg, **135i man.** 1530 kg, **135i auto.** 1560 kg, **135i cab. man.** 1650 kg, **135i cab. auto.** 1680 kg
Diamètre de braquage 10,7 m
Coffre 370 l, **cab.** 260-305 l
Réservoir de carburant 53 l

NOTRE VERDICT

Plaisir au volant	●●●●○
Qualité de finition	●●●○○
Consommation	●●○○○
Rapport qualité/prix	●●○○○
Valeur de revente	●●●●○

SÉRIE 3

www.bmw.ca

ÉVOLUTION

N — J

É

34 900 $ à 81 900 $
transport et préparation : 1995 $

LA COTE VERTE

**MOTEUR
L6 DE 3,0 L
TURBODIESEL**

- **Consommation (100km):** 7,4 l
- **Émissions polluantes** CO_2 : 3996 kg/an
- **Empreinte écologique (nombre d'arbres à planter par année):** 23
- **Indice d'octane:** Diesel
- **Autre motorisation:** Essence
- **Coût du carburant moyen par année:** 1376 $
- **Nombre de litres par année:** 1480 l

(SOURCE: ÉnerGuide))

 1 FICHE D'IDENTITÉ

- **Versions berl:** 323i, 328i, 328i xDrive, 335i, 335ixDrive, 335d, M3 **coupé:** 328i, 328i xDrive, 335i, 335i xDrive, 335is M3 **fam:** 328i xDrive **cabrio:** 328i, 335i, 335is, M3
- **Roues motrices** arrière, 4
- **Portières** 2, 4 **Nombre de passagers** 5
- **Première génération** 1981
- **Génération actuelle** 2006
- **Construction** Dingofling, Allemagne
- **Sacs gonflables** 6 (frontaux, latéraux avant, rideaux latéraux)
- **Concurrence** Acura TSX/TL, Audi A4, Cadillac CTS, Infiniti G37, Lexus IS, Lincoln MKZ, Mercedes-Benz Classe C, Volvo S40/V50/S60/V70

2 AU QUOTIDIEN

- **Prime d'assurance**
  25 ans : 1500 à 1700 $
  40 ans : 1400 à 1600 $
  60 ans : 1000 à 1200 $
- **Collision frontale** 4/5
- **Collision latérale** 5/5
- **Ventes du modèle l'an dernier**
  Au Québec 2990 **Au Canada** 12 610
- **Dépréciation** 42,3 %
- **Rappels** (2005 à 2010) 3
- **Cote de fiabilité** 4/5

3 GARANTIES... ET PLUS

- **Garantie générale** 4 ans/80 000 km
- **Garantie motopropulseur** 4 ans/80 000 km
- **Perforation** 12 ans/kilométrage illimité
- **Assistance routière** 4 ans/kilométrage illimité
- **Nombre de concessionnaires**
  Au Québec 9 **Au Canada** 40

4 NOUVEAUTÉS EN 2011

Version 335is, le L6 de la 335i mise maintenant sur un seul turbo.

INCONTOURNABLE

PAR BENOIT CHARETTE

CEUX QUI CONNAISSENT ET APPRÉCIENT LES PRODUITS BMW LES CHOISISSENT POUR LA PERFORMANCE, LE STYLE DE CONDUITE ET LE FAIT QU'ILS SONT CAPABLES DE PERFORMER ET DE SE TAILLER UN CHEMIN AVEC PRÉCISION SUR LA ROUTE. Mesure de référence depuis des années dans ce segment de marché très convoité, la Série 3 représente aussi le pain et le beurre de la firme munichoise qui offre des modèles pour tous les goûts, mais pas tout à fait pour tous les budgets.

[CARROSSERIE] Rien de majeur pour 2011. En raison de sa grande diffusion, la Série 3 bouge toujours avec prudence. Peu de gens ont remarqué que, l'an dernier, la face avant s'est faite légèrement plus agressive et donne maintenant l'impression d'être un brin plus large en raison des lamelles situées dans la partie basse du boulier. À l'arrière, c'est principalement le bouclier qui a profité des modifications. Les bas de caisse évoluent également. L'éclairage diurne des coupés-cabriolets se fait désormais grâce à une lumière d'un blanc éclatant ! Je vous avais prévenu, c'est très subtil tout cela. Mais sa beauté intemporelle demeure intacte.

[HABITACLE] Si la berline et la familiale peuvent se vanter de pouvoir accueillir quatre personnes dans un confort relatif (vous aurez les genoux à l'étroit), les versions coupé et cabriolet relèvent plus du 2+2. La finition est exemplaire, la position de conduite, toujours aussi agréable, et tout tombe dans la main. La nouvelle génération du système de commande iDrive possède désormais des boutons d'accès direct (CD-Radio-Tél-Navi-Back-Menu) en complément de la fameuse molette. De plus, BMW dote son système de navigation d'une cartographie en 3D, d'un disque dur de 12 gigaoctets ou encore d'un accès illimité à Internet, grâce au système « Connected Drive » (en option). Pour le reste, le cuir de qualité, les sièges enveloppants et sportifs et les nouveaux appuie-tête actifs installés d'office dans la Série 3 auront pour agréable effet de vous éviter le coup du lapin, en cas de choc arrière.

[MÉCANIQUE] Vous avez le choix de 200 à 300 chevaux qui proviennent de moteurs à 6 cylindres en ligne, à l'exception de la M3 qui reste fidèle, cette année encore, au V8 à haut régime de 4 litres qui distille 420 chevaux de bonheur. Pour les plus

FORCES · Moteur exceptionnel · Sonorité envoûtante · Confort · Esthétique réussie · Finition exemplaire

FAIBLESSES · Prix des options · Accès au coffre toit replié · iDrive d'utilisation peu intuitive

conservateurs, les 200 chevaux de la 323 vous donnent toutes les qualités routières de la firme, avec une consommation et un prix plus raisonnables. Vient ensuite la 328 avec son moteur de 3 litres atmosphérique de 230 chevaux. La 335i ajoute un turbo pour ramener le tout à 300 chevaux. Et la 335d propose un 6-cylindres en ligne diesel de 3 litres gavé par deux turbos, qui développe 265 chevaux. Toutes les versions viennent avec un choix de boîtes de vitesses manuelle ou automatique à 6 rapports, sauf la version diesel qui n'utilise que la boîte automatique. À la manuelle à 6 rapports, la M3 ajoute une boîte séquentielle robotisée à 7 rapports.

[COMPORTEMENT] Le châssis rigide se dévoile sous son meilleur jour quand on met la voiture à l'épreuve. On peut reprocher à la boîte automatique une certaine lenteur dans le passage des rapports en virages serrés sur la version diesel; certains trouveront la suspension un peu souple sur les modèles cabriolets, mais ce sont de petits accrochages. Au volant, la position de conduite est naturelle, vous faites corps avec la voiture, qui, elle, fait corps avec la route. Vous êtes la route, c'est de la poésie en mouvement. Tout est bien dosé. La direction est très informative, et le train avant donne l'impression d'être collé à la route. BMW n'a jamais oublié son leitmotiv même dans le cas de la version diesel : la boîte est réglée pour une conduite sportive. Votre degré de plaisir au volant augmente avec la version choisie. La M3 vous amène dans une autre dimension qui s'approche de l'exotisme.

[CONCLUSION] Avec la Série 3, BMW prouve encore une fois ses grands talents de motoriste. Ses 6-cylindres sont une pure réussite. Puissants, musicaux et peu gourmands, il faut leur donner 10 sur 10. C'est sur la fiabilité qu'il faut continuer de travailler.

⑤ FICHE TECHNIQUE

▸ MOTEURS

▸ (335d)
L6 3,0 l turbodiesel DACT, 265 ch à 4200 tr/min
Couple 425 lb-pi à 1750 tr/min
Transmission automatique à 6 rapports avec mode manuel
0-100 km/h 6,3 s
Vitesse maximale 210 km/h (bridée)

▸ (323i)
L6 2,5 l DACT, 200 ch à 6000 tr/min
Couple 180 lb-pi à 4000 tr/min
Transmission manuelle à 6 rapports, automatique à 6 rapports avec mode manuel (en option)
0-100 km/h man. 7,4 s **auto.** 8,1 s
Vitesse maximale 210 km/h (bridée)
Consommation (100 km) man. 9,2 l **auto.** 9,0 l (octane 91)

▸ (328i, 328xi)
L6 3,0 l DACT, 230 ch à 6500 tr/min
Couple 200 lb-pi à 2750 tr/min
Transmission manuelle à 6 rapports, automatique à 6 rapports avec mode manuel (en option)
0-100 km/h ber. 6,7 s **ber. xDrive** 7,2 s **coupé** 6,6 s **coupé xDrive** 7,1 s **fam. xDrive** 7,4 s
Vitesse maximale 210 km/h
Consommation (100 km) berl. man. 9,1 l **berl. auto.** 9,1 l (octane 91)

▸ (335i, 335i xDrive)
L6 3,0 l turbo DACT, 300 ch à 5800 tr/min
Couple 300 lb-pi à 1200 tr/min
Transmission manuelle à 6 rapports, automatique à 6 rapports avec mode manuel (en option)
0-100 km/h ber. 5,7 s **ber. xDrive** 5,6 s

coupé xDrive 5,5 s **cabrio** 5,8 s
Vitesse maximale 210 km/h (bridée)
Consommation (100 km) berl. 9,2 l

▸ (335is)
L6 3,0 l biturbo DACT, 320 ch à 5900 tr/min
Couple 332 lb-pi à 1500 tr/min
Transmission manuelle à 6 rapports, manuelle robotisée à 7 rapports (en option)
0-100 km/h coupé 5,4 s **cabrio.** 5,5 s
Vitesse maximale 240 km/h (bridée)
Consommation (100 km) man. 11,2 l **robo.** 12,4 l (octane 91)

▸ (M3)
V8 4,0 l DACT, 420 ch à 8300 tr/min
Couple 295 lb-pi à 3900 tr/min
Transmission manuelle à 6 rapports, manuelle robotisée à 7 rapports (en option)
0-100 km/h coupé man. 4,8 s **coupé auto.** 4,6 s
Vitesse maximale 250 km/h (bridée)
Consommation (100 km) man. 12,5 l **robo.** 12,7 l (octane 91)

▸ AUTRES COMPOSANTES
Sécurité active freins ABS, répartition électronique de force de freinage, assistance au freinage, antipatinage, contrôle de stabilité électronique
Suspension avant/arrière indépendante
Freins avant/arrière disques
Direction à crémaillère, assistée
Pneus 323 P205/55R16 **328/335i xDrive/335d** P225/45R17 **335i/335is** P225/40R18 (av) P255/35R18 (ar) **M3** P245/40R18 (av.), P265/40R18 (arr.)

▸ DIMENSIONS
Empattement 2760 mm **M3** 2761 mm
Longueur berl. 4541 mm **coupé** 4588 mm **fam.** 4537 mm **M3 coupé/cabrio.** 4618 mm **M3 berl.** 4583 mm
Largeur 1817 mm **coupé** 1782 mm **M3 coupé/cabrio** 1804 mm
Hauteur 1421 mm **fam./M3 coupé** 1418 mm **coupé** 1395 mm **coupé xDrive/335is** 1375 mm **cabrio.** 1384 mm
M3 cabrio 1392 mm **M3 berl.** 1447 mm
Poids berl.: 323i man. 1500 kg **328i** 1555 kg **328i man.** 1525kg **328 i xDrive man./335i man.** 1635 kg **335i xDrive man.** 1730 kg **335d** 1735 kg **M3 man.** 1690 kg **coupé: 328i man** 1525 kg **328i xDrive man.** 1625 kg **335i man.** 1615 kg **335i xDrive man.** 1695 kg **335is man** 1620 kg **M3** 1680 kg 1735 kg **fam: 328i xDrive man.** 1710 kg
Diamètre de braquage 11,0 m **xDrive** 11,8 m **M3** 11,7 m
Coffre berl. 460 l **cabrio** 255 l **coupé** 311 l **fam.** 460 l, 1385 l (sièges abaissés)
Réservoir de carburant 61 l **M3** 63 l

NOS MENTIONS

 Clé d'or de sa catégorie

NOTRE VERDICT

Plaisir au volant	⬡⬡⬡⬡⬡
Qualité de finition	⬡⬡⬡⬡⭘
Consommation	⬡⬡⬡⭘⭘
Rapport qualité/prix	⬡⬡⬡⭘⭘
Valeur de revente	⬡⬡⬡⬡⭘

NOUVEAUTÉ

55 895 $ à 75 295 $
transport et préparation: 1995 $

LA COTE VERTE

MOTEUR
L6 DE 3,0 L

- **Consommation (100km):**
  man. 9,1 l **auto.** 9,3 l
- **Émissions polluantes CO_2:**
  4140 kg/an
- **Empreinte écologique (nombre d'arbres à planter par année):** 27
- **Indice d'octane:** 91
- **Autre motorisation:** non
- **Coût du carburant moyen par année:**
  1980 $
- **Nombre de litres par année:**
  1800 l

1 FICHE D'IDENTITÉ

- **Versions** 528i, 528i xDrive, 535i, 535i xDrive, 550i, 550i xDrive,
- **Roues motrices** arrière, 4
- **Portières** 4 **nombre de passagers** 5
- **Première génération** 1972
- **Génération actuelle** 2011
- **Construction** Dingofling, Allemagne
- **Sacs gonflables** 6 (frontaux, latéraux avant, rideaux latéraux; latéraux arrière)
- **Concurrence** Acura RL, Audi A6, Cadillac STS, Infiniti M, Jaguar XF, Lexus GS, Mercedes-Benz Classe E, Volvo S80

2 AU QUOTIDIEN

- **Prime d'assurance**
  25 ans: 3000 à 3200 $
  40 ans: 2100 à 2300 $
  60 ans: 1800 à 2000 $
- **Collision frontale** nm
- **Collision latérale** nm
- **Ventes du modèle l'an dernier**
  Au Québec 340 **Au Canada** 1619
- **Dépréciation** (3 ans) 41,2%
- **Rappels** (2005 à 2010) 4
- **Cote de fiabilité** nm

3 GARANTIES... ET PLUS

- **Garantie générale** 4 ans/80 000 km
- **Garantie motopropulseur** 4 ans/80 000 km
- **Perforation** 12 ans/kilométrage illimité
- **Assistance routière** 4 ans/kilométrage illimité
- **Nombre de concessionnaires**
  Au Québec 9 **Au Canada** 40

4 NOUVEAUTÉS EN 2011

- Nouvelle génération, abandon de la version familiale, retour projeté de la M5 pour 2011 ou 2012 avec un moteur V8 biturbo.

TOUR DE FORCE

PAR BENOIT CHARETTE

BMW NOUS OFFRE CETTE ANNÉE LA SIXIÈME GÉNÉRATION DE SÉRIE 5. Malgré un prix qui est loin d'être abordable, la compagnie Munichoise a vendu pas moins de 5,5 millions de Série 5 depuis ses débuts dans les années 70. Avec les nouvelles attentes en matière de consommation et de performance, BMW innove à plus d'un chapitre avec cette nouvelle 5 et continue d'offrir plus de luxe et plus d'espace.

[CARROSSERIE] Les lignes générales de cette nouvelle 5 sont plus classiques. Il y a bien quelques nervures sur le capot, mais BMW, sous la gouverne de son nouveau patron du design, Adrian van Hooydonk, revient à un style plus sobre, sans laisser de côté l'héritage sportif de la marque. Construite sur la plateforme de la Série 7, la 5 se veut un peu plus large et un peu plus longue. En ce sens, BMW répond aux critiques de beaucoup de clients qui trouvaient cette voiture de format intermédiaire un peu juste pour ce qui est de l'espace habitable. Le dégagement pour les épaules et surtout l'espace pour les passagers arrière est en progression.

[HABITACLE] Le poste de pilotage tourné vers le conducteur comporte un volant multifonction de série, deux leviers de commande sur la colonne de direction, l'affichage tête haute en option. Le système de commande iDrive simplifié fait partie de l'équipement de série. Qu'elles soient de série ou en option, les fonctions audio, de navigation et de communication sont pilotées par le bouton multicommandes logé dans la console centrale et l'écran de contrôle de respectivement 10,2 ou 7 pouces harmonieusement intégré dans le tableau de bord. Parmi la liste d'options techno, la nouvelle 5 propose : l'assistant au stationnement, l'avertisseur de collision avec amorce de freinage associé au régulateur actif vitesse-distance avec fonction « stop & go », « Surround View » et « Speed Limit Device ». De plus, elle peut se doter de l'assistant de trajectoire, de l'alerte de dérive, de l'indicateur « Speed Limit Info », de l'assistant pleins phares, du système vision de nuit avec repérage de piétons, du « Park Distance Control » et de la caméra de recul. L'option la plus appréciée est sans doute l'affichage à tête haute qui incorpore la

FORCES · Une icône technologique · Confort et tenue de route hors pair · Meilleur équilibre entre sport et confort

FAIBLESSES · Beaucoup d'équipements en option · Pas de version diesel pour le Canada · Faible indice de fiabilité des dernières générations

vitesse et le guidage du système de navigation, un déboursé qui vaut le coût.

[MÉCANIQUE] Il y a un peu de tout sous le capot. Le neuf prend la forme du premier 6 cylindres en ligne à essence au monde bénéficiant du « TwinPower Turbo », de l'injection directe « High Precision Injection » et de la distribution VALVETRONIC chez BMW. En lieu et place d'un double turbo, le moteur est coiffé d'un seul turbo à double entrée qui simplifie les opérations, améliore la consommation de carburant et diminue les émissions polluantes sans sacrifier sur la puissance car ce moteur sous le capot de la 535 produit toujours 300 chevaux. Le moteur V8 de 4,8 litres atmosphérique de la version 550i est remplacé par un V8 à double turbo de 4,4 litres qui se pointe à 400 chevaux. Au chapitre du déjà vu, le 6 cylindres en ligne de 240 chevaux a toujours sa place dans la version 528. Vous avez le choix d'une version à boîte de vitesses manuelle à 6 rapports ou la nouvelle boîte automatique à 8 rapports avec changement de rapports au volant pour les modèles 535 et 550. Tous les modèles sont également livrables avec la transmission intégrale xDrive. Impossible de parler de toute la technologie embarquée, mais je me permets un mot sur l'«Efficient Dynamics» qui est le fer de lance de BMW. C'est grâce à cette technologie de pointe que BMW va pouvoir à

DANS L'ENSEMBLE BMW A RÉUSSI À RENDRE LA CONDUITE ENCORE PLUS CONFORTABLE SANS RIEN SACRIFIER DE SON LÉGENDAIRE ESPRIT SPORTIF.

la fois respecter les normes les plus strictes d'un point de vue environnemental sans sacrifier le plaisir de conduire et la puissance. Dans la nouvelle Série 5, sans que cela ne transparaisse dans la conduite, l'«Efficient Dynamics» fait son boulot. Les moteurs bénéficient de l'injection directe de deuxième génération. La consommation peut ainsi baisser, même en cycle urbain ou mixte. Le « Brake Energy Regeneration » récupère l'énergie dégagée lors des freinages pour recharger la batterie et inversement, permettre au moteur de déployer toute sa puissance lors des phases d'accélération en stoppant la recharge de la batterie temporairement. Toutes les Séries 5 profitent également d'une direction électrique qui utilise beaucoup moins d'énergie qu'une direction hydraulique tout en sauvant du poids. La 5 possède même des volets d'air actifs dans la calandre. Ils restent fermés pour améliorer l'aérodynamisme et donc abaisser les consommations jusqu'à ce que le moteur ait besoin d'être refroidi. Une fois la température abaissée, les volets se referment et ainsi de suite. De plus, en hiver, la fermeture des volets au démarrage permet au moteur d'atteindre sa température idéale plus rapidement et donc encore une fois de baisser les consommations. Finalement les pneus de 18 pouces à faible résistance améliorent eux aussi la consommation. Ces mesures sont suffisamment importantes pour être capable de rencontrer les mesures environnementales les plus sévères.

HISTORIQUE

Tout au long des cinq générations que l'on a vu passer depuis la naissance de ce modèle en 1972, plus de 5,5 millions de voitures ont été vendues. Avec une carrosserie tricorps à quatre places, des moteurs montés en position longitudinale avant, une transmission aux roues arrière et un train de roulement raffiné, BMW fournit la preuve de sa compétence dans le domaine des berlines et réussit ainsi sa percée à l'échelle mondiale comme constructeur d'automobiles modernes et prisées se distinguant par une personnalité individuelle.

I 125

BMW Série 5
1972

BMW 528
1972 à 1981

BMW 5 2e génération
1981 à 1988

BMW 5 3e génération
1988 à 1996

BMW 5 4e génération
1996 à 2003

BMW 5 5e génération
2004 à 2010

BMW 5 6e génération
2011

A

B

C

D

E

GALERIE

A Présentant l'empattement le plus long de son segment, la 6ᵉ génération de la Série 5 offre un espace pour les passagers à l'arrière le plus généreux de son histoire. On s'approche de la limousine.

B Parmi les aides à la conduite inaugurées dans le cadre de BMW ConnectedDrive, comptons l'Assistant au stationnement et la fonction *Surround View* qui permet de voir tout autour du véhicule afin de détecter les obstacles potentiels. La gamme des aides à la conduite propose de plus l'assistant de trajectoire, l'alerte de dérive, l'indicateur de la limitation de vitesse *Speed Limit Info*, l'affichage à tête haute, la vision nocturne *BMW Night Vision* avec repérage de piétons et la caméra de recul.

C Tous les moyens sont bons pour sauver quelques gouttes de pétrole. La 5 profite du *BMW EfficientDynamics* qui récupère l'énergie du freinage et ferme les volets dans la calandre pour améliorer l'aérodynamique de la voiture.

D En option, toutes les variantes de la nouvelle berline BMW Série 5 Berline peuvent recevoir la nouvelle boîte automatique à 8 rapports. La BMW 528i est dotée en série de cette boîte automatique à rendement optimisé qui permet de meilleures économies de carburant sans nuire au rendement.

E La rigidité moyenne de la structure de la carrosserie a progressé d'environ 55 % par rapport au modèle précédent. Outre le capot moteur, les panneaux latéraux avant ainsi que les supports de ressort avant côté carrosserie, les portes de la nouvelle BMW Série 5 Berline sont également en aluminium.

• (535)
L6 3,0 l turbo DACT, 300 ch à 5800 tr/min
Couple 300 lb-pi à 1200 tr/min
Transmission manuelle à 6 rapports, automatique à 8 rapports avec mode manuel (en option)
0-100 km/h 5,9 s
Vitesse maximale 210 km/h (bridée)
Consommation (100 km) man. 11,2 l (octane 91), **auto.** 10,5 l (octane 91)
Émissions de CO_2 nd
Litres par année nd
Coût par an nd
Carburant alternatif non
Empreinte écologique nd

• (550)
V8 4,4l biturbo DACT, 400 ch à 5500 tr/min
Couple 450 lb-pi à 1750 tr/min
Transmission manuelle à 6 rapports, automatique à 8 rapports avec mode manuel (en option)
0-100 km/h 5,2 s
Vitesse maximale 210 km/h (bridée)
Consommation (100 km) man. 14,4 l (octane 91), **auto.** 12,2 l (octane 91)
Émissions de CO_2 man nd
Litres par année nd
Coût par an nd
Carburant alternatif non
Empreinte écologique nd

• AUTRES COMPOSANTES
Sécurité active freins ABS, répartition électronique de force de freinage, assistance au freinage, antipatinage, contrôle de stabilité électronique
Suspension avant/arrière indépendante
Freins avant/arrière disques ventilés
Direction à crémaillère, assistée
Pneus 528i P225/55R17 (av.) **535i** P245/45R18 **550i** P245/35R19 (av.), P275/35R19 (arr.)

• DIMENSIONS
Empattement 2968 mm
Longueur 4905 mm
Largeur 1860 mm
Hauteur 1464 mm
Poids 528i 1730 kg, **535i man.** 1840 kg, **535i auto.** 1855 kg, **550i man.** 1970 kg, **550i auto.** 1985 kg (modèles xDrive nd)
Diamètre de braquage 11,95 m
Coffre 520 l
Réservoir de carburant 70 l

[COMPORTEMENT] En plus de posséder un châssis 55 % plus rigide que sa devancière, la nouvelle Série 5 profite d'une nouvelle géométrie de sa suspension à double triangulation à l'avant qui remplace la configuration du type Macpherson qui avait cours depuis 1972 sur la Série 5. Le résultat est probant, vous avez le confort de la Série 7 et la maniabilité d'une Série 3. Le moteur de la 535 ne rate aucune sollicitation du pied droit et pousse très fort à tous les régimes. Le conducteur peut de plus choisir entre la conduite confort, sport ou sport+ qui désactive partiellement le contrôle de la motricité. On peut en appuyant 5 secondes sur le bouton DSC en mode Sport+ complètement désactiver l'antipatinage comme certains de mes collègues l'ont fait sur le circuit d'Estoril, mais là, il faut être réveillé au volant, car le poids se fait un peu sentir dans les courbes. Dans l'ensemble, BMW a réussi à rendre la conduite encore plus confortable sans rien sacrifier de son légendaire esprit sportif. Le V8 offre la sonorité typique des grosses cylindrées allemandes avec juste ce qu'il faut d'insonorisation pour l'apprécier à sa juste valeur. Pour les amateurs de diesel, il faudra patienter, BMW Canada n'a pas encore ce modèle en ligne de mire, dommage car il est aussi prompt que le 6 cylindres à essence et beaucoup moins gourmand.

[CONCLUSION] Les Allemands repoussent constamment les limites technologiques du monde de l'automobile et BMW a réussi le difficile pari de respecter les normes environnementales les plus sévères sans sacrifier le caractère sportif de la Série 5.

2ᵉ OPINION

DANIEL RUFIANGE La BMW de Série 5, c'est ma voiture préférée depuis que je suis un gamin. Ce qui m'a toujours fasciné de cette voiture, c'est qu'elle peut satisfaire tant l'amateur de conduite sportive que celui qui carbure au grand confort. La dernière génération (2004-2010) n'a pas fait l'unanimité en matière de style, mais, personnellement, elle a été ma préférée. C'est donc avec un peu d'appréhension que j'attendais le dévoilement de la nouvelle cuvée. J'ai été rassuré. Le résultat est spectaculaire. De plus, la voiture en offre encore plus au chapitre du confort, de l'équipement et des performances. Mais voilà : tout cela me laisse songeur. La nouvelle génération de la Série 5 s'endimanche et gagne en volume. Risque-t-elle de perdre tout son charme au passage ?

⑤ FICHE TECHNIQUE

• MOTEURS
• (528)
L6 3,0 l DACT, 240 ch à 6600 tr/min
Couple 230 lb-pi à 2600 tr/min
Transmission automatique à 8 rapports avec mode manuel
0-100 km/h 7,0 s
Vitesse maximale 210 km/h (bridée)

NOS MENTIONS

Clé d'or de sa catégorie

Coup de coeur

NOTRE VERDICT

Plaisir au volant	●●●●◀
Qualité de finition	●●●●●
Consommation	●●●○○
Rapport qualité/prix	●●●●○
Valeur de revente	Nm

127

ÉVOLUTION

56 200 $ à 81 595 $
transport et préparation : 1995 $

LA COTE VERTE

MOTEUR
L6 DE 3,0 L

· **Consommation**
(100km) : 11,4 l
· **Émissions**
polluantes CO_2 :
4186 kg/an
· **Empreinte écologique**
(nombre d'arbres à
planter par année) :
30
· **Indice d'octane** : 91
· **Autre**
motorisation : non
· **Coût du carburant**
moyen par année :
2022 $
· **Nombre de**
litres par année :
1820 l

(SOURCE : ÉnerGuide)

---

1 FICHE D'IDENTITÉ

· **Versions** 535 GT, 550i GT, 550i xDrive
· **Roues motrices** arrière, 4
· **Portières** 5 **nombre de passagers** 4
· **Première génération** 2010
· **Génération actuelle** 2010
· **Construction** Dingofling, Allemagne
· **Sacs gonflables** 6 (frontaux, latéraux avant)
· **Concurrence** Audi A6 Avant, Mercedes-Benz
Classe E Familiale

2 AU QUOTIDIEN

· **Prime d'assurance**
25 ans : 3000 à 3200 $
40 ans : 2100 à 2300 $
60 ans : 1800 à 2000 $
· **Collision frontale** 5/5
· **Collision latérale** 5/5
· **Dépréciation** nd
· **Rappels** (2005 à 2010) 4 (Série 5)
· **Cote de fiabilité** nd

3 GARANTIES... ET PLUS

· **Garantie générale** 4 ans/80 000 km
· **Garantie motopropulseur** 4 ans/80 000 km
· **Perforation** 12 ans/kilométrage illimité
· **Assistance routière** 4 ans/kilométrage illimité
· **Nombre de concessionnaires**
Au Québec 9 **Au Canada** 40

4 NOUVEAUTÉS EN 2011

· Aucun changement majeur

MÉTISSAGE

PAR BENOIT CHARETTE

DANS L'ESPOIR DE TROUVER LE PROCHAIN KLONDIKE, LES CONSTRUCTEURS D'AUTO-MOBILES S'INGÉNIENT À TROUVER DE NOUVEAUX CRÉNEAUX. Le plus récent consiste à jumeler l'ADN d'un camion à la conduite d'une voiture. Si le X6 est définitivement plus camion que voiture, la Série 5 GT offre l'envers de la médaille avec une approche plus voiture que camion.

[CARROSSERIE] Plutôt qu'un coffre traditionnel à l'arrière, vous avez un hayon qui s'ouvre de deux manières : la manière traditionnelle, soit un hayon pleine grandeur qui libère jusqu'à 1 700 litres d'espace, et la seconde qui lui permet de s'ouvrir comme un coffre et d'offrir 440 ou 590 litres de volume selon la position des sièges à l'arrière. Il faut également souligner que le propriétaire peut programmer la hauteur d'ouverture du hayon en fonction, par exemple, de la faible hauteur du plafond de son garage. Malgré son gabarit imposant, la Gran Turismo affiche une ligne de toit fuyante qui contribue

un peu à affiner sa silhouette. Les amoureux des BMW d'antan seront également ravis de découvrir que les naseaux de la calandre sont (légèrement) inclinés vers l'avant, rappelant ainsi le fameux « shark nose » des années 70.

[HABITACLE] La position de conduite se trouve à mi-chemin entre une Série 5 et un X5. Une fois installé, on se rend compte que cette Gran Turismo a puisé son inspiration de la Série 7. Planche de bord épurée, lignes horizontales, technologie « Black Panel » : c'est chic et luxueux, mais pas sportif. Le plat de résistance est à l'arrière. L'espace pour les jambes est celui dont on dispose dans une Série 7, et la garde au toit est identique à celle d'un X5. De plus, les sièges coulissent individuellement sur 10 centimètres, et les dossiers sont inclinables. Une véritable limousine, BMW a d'ailleurs voulu aller jusqu'au bout de ses idées puisqu'une cloison, aménagée derrière les sièges, assure une isolation acoustique et climatique entre les passagers et le coffre.

FORCES · Habitabilité arrière · Modularité · Confort · Insonorisation · Coffre à double ouverture · Performances

FAIBLESSES · Seulement 4 places · Poids · Quantité d'options

[MÉCANIQUE] Tous les modèles sont équipés de la boîte de vitesses à 8 rapports provenant de la 760i V12. Douceur, réactivité et intelligence de fonctionnement cadrent parfaitement avec le positionnement de la voiture. Le modèle d'entrée est le 535i avec un 6-cylindres turbo de 300 chevaux. Pour ceux qui en veulent un peu plus, le 550 avec son V8 turbo de 400 chevaux saura vous combler. Les 300 chevaux de la 535 font du bon travail, mais il serait exagéré de qualifier la voiture de sportive. Son poids de deux tonnes à vide est un sérieux handicap aux montées d'adrénaline. Mais considérant la vocation du véhicule, c'est plus que suffisant.

[COMPORTEMENT] Le mot confort résume bien l'expérience de conduite. L'ambiance de conduite, l'insonorisation et l'espace généreux invite à la détente. Comme il s'agit d'un produit BMW, la tenue de route n'a pas été oubliée. Notre 535 était équipé de l'option « direction active intégrale » qui agit sur le braquage des roues arrière en fonction de la vitesse. Parmi les autres options intéressantes, il y a « l'Adaptive Drive » qui agit en continu sur l'amortissement (réglage indépendant de la détente et de la compression). Quatre modes sont au programme: Confort, Normal, Sport ou Sport+. Ce système permet de contrecarrer les effets du poids excessif de la voiture et rend la conduite plus nerveuse, surtout quand le rythme s'accélère. Si vous avez la patience de jouer dans le programme intégré du système « iDrive », vous pouvez même régler individuellement la suspension, la direction, l'amortissement et le ratio de la boîte de vitesses, ou laisser le système intégrer tout cela. À noter que, sur les modes sport et sport+, vous perdez l'usage du huitième rapport pour plus d'énergie... et de consommation.

[CONCLUSION] Avant-gardiste, soignée et fort agréable à conduire, la nouvelle Gran Turismo explore de nouveaux horizons. Une chose toutefois est à craindre. Avec une voiture à vocation double comme cette GT, l'avenir de la version familiale est sérieusement remis en question. On le sait, les Américains détestent les familiales, et la GT a été conçue pour plaire à ce public. La Série 5 familiale et la GT ne pourront partager le marché, c'est sans doute la familiale qui va écoper.

2ᵉ OPINION

DANIEL RUFIANGE BMW s'est lancée dans la démesure depuis quelques années. On n'a qu'à penser aux versions M des X5 et X6 pour s'en convaincre. La Série 5 GT s'inscrit dans cette foulée qui, on se le demande, sert à quoi et à qui finalement. Chez BMW, on dit s'adresser aux présidents d'entreprises de ce monde qui recherchent du raffinement, de l'élégance et quoi d'autre. Mais alors, à quoi sert bien la Série 7 si ce n'est exactement à cela ? La Série 5 GT est une grande routière et une bombe qui efface le 0 à 100 km/h en moins de temps qu'il ne faut pour envoyer un courriel. De plus, côté design, ne trouvez-vous pas qu'on aurait pu faire mieux ? À l'avant, c'est parfait, mais à l'arrière...

---

⑤ FICHE TECHNIQUE

MOTEURS

(535i GT)
L6 3,0 l biturbo DACT, 300 ch à 5800 tr/min
Couple 300 lb-pi à 1200 tr/min
Transmission automatique à 8 rapports
0-100 km/h. 6,8 s
Vitesse maximale 240 km/h (limitée)

(550i GT)
V8 4,4 l Bi-Turbo DACT, 400 ch à 5500 tr/min
Couple 450 lb-pi à 1750 tr/min
Transmission automatique à 8 rapports
0-100 km/h 5,8 s
Vitesse maximale 250 km/h (limitée)
Consommation (100km): 12,2 l (octane 91)
Émissions de CO_2 Propulsion 5428 kg/an,
Litres par année 2360 l
Coût par an 2643$
Carburant alternatif non
Empreinte écologique 33 arbres

AUTRES COMPOSANTES

Sécurité active freins ABS, répartition électronique de force de freinage, assistance au freinage, antipatinage, contrôle de stabilité électronique
Suspension avant/arrière indépendante
Freins avant/arrière disques ventilés
Direction à crémaillère, assistée
Pneus 535: 245/50R18
550: 245/50R19 (av), 275/50R19 (ar.)

DIMENSIONS

Empattement 3070 mm
Longueur 5000 mm
Largeur 1901 mm
Hauteur 1559 mm
Poids 535 2080 kg **550i** 2240 kg
Diamètre de braquage 12,2 m
Coffre GT 440 l à 1700 l
Réservoir de carburant 70 l

NOTRE VERDICT

Plaisir au volant	●●●●○
Qualité de finition	●●●●○
Consommation	●●○○○
Rapport qualité/prix	●●●○○
Valeur de revente	●●●○○

SÉRIE 6
www.bmw.ca

LA COTE VERTE

MOTEUR
V8 DE 4,8 L

· **CONSOMMATION (100KM):**
man. 11,0 l
auto. 11,5 l

· **Émissions polluantes CO_2:**
man. 5382 kg/an
auto. 5152 kg/an

· **Empreinte écologique** (nombre d'arbres à planter par année): 33

· **Indice d'octane:** 91

· **Autre motorisation:** non

· **Coût du carburant moyen par année:**
man. 2621 $
auto. 2509 $

· **Nombre de litres par année:**
man. 2340 l
auto. 2240 l

(SOURCE: ÉnerGuide)

① FICHE D'IDENTITÉ

· **Versions** 650i, 650i cabriolet, M6 (coupé/cabriolet)
· **Roues motrices** arrière
· **Portières** 2
· **Première génération** 2004
· **Génération actuelle** 2004
· **Construction** Dingolfing, Allemagne
· **Sacs gonflables** 6, frontaux, latéraux avant et rideaux latéraux (rid. lat. non disp. sur cabriolet)
· **Concurrence** Aston Martin V8 Vantage, Chevrolet Corvette, Jaguar XK, Lexus SC, Maserati GT, Mercedes-Benz Classe SL, Porsche 911

② AU QUOTIDIEN

· **Prime d'assurance**
25 ans : 4000 à 4200 $
40 ans : 2500 à 2700 $
60 ans : 2000 à 2200 $
· **Collision frontale** 5/5
· **Collision latérale** 5/5
· **Ventes du modèle de l'an dernier**
Au Québec 38 Au Canada 165
· **Dépréciation** 44,0 %
· **Rappels** (2005 à 2010) 4
· **Cote de fiabilité** 2,5/5

③ GARANTIES... ET PLUS

· **Garantie générale** 4 ans/80 000 km
· **Garantie motopropulseur** 4 ans/80 000 km
· **Perforation** 12 ans/kilométrage illimité
· **Assistance routière** 4 ans/kilométrage illimité
· **Nombre de concessionnaires**
Au Québec 9 Au Canada 40

④ NOUVEAUTÉS EN 2011

· 2010, dernière année de production

C'ÉTAIT UN P'TIT BONHEUR

PAR BENOIT CHARETTE

APRÈS SEPT ANS SUR LA ROUTE AVEC UNE PETITE RETOUCHE EN 2007, LA SÉRIE 6, NÉE SOUS LA PLUME DU CONTROVERSÉ CHRIS BANGLE, TIRERA SA RÉVÉRENCE EN 2011. Dès le printemps, BMW présentera une nouvelle mouture de sa grande routière qu'on pressent déjà comme plus sage. Elle reposera sur la nouvelle plate-forme de la Série 5. Elle en partagera également les motorisations, qui font aujourd'hui beaucoup de place au turbo. Au sommet de la gamme, on attend ainsi une M6 de 550 chevaux qui abandonne malheureusement le V10 atmosphérique de 5 litres de l'actuelle (500 chevaux) pour le V8 biturbo de 4,4 litres de 550 chevaux des X5 et X6 M.

[CARROSSERIE] Le grand coupé de BMW a toujours offert des lignes sculpturales. Le coffre coupé à la tronçonneuse a d'ailleurs été l'objet de plusieurs railleries lors de son lancement. Les concepteurs ont un peu adouci cet article à la dernière refonte. Ailleurs, nous avons droit à une voiture qui respire la classe. La silhouette basse et dominante, les lignes étirées à près de 5 mètres en font une voiture imposante mais discrète. Le toit en verre, en option, allège considérablement les lignes et, même s'il ne fait que s'entrouvrir, apporte beaucoup de luminosité à l'habitacle.

[HABITACLE] Dans un véhicule de plus de 100 000 $, on s'attend à rien de moins que le traitement royal, et vous ne serez pas déçu. Tous les matériaux sont de qualité, et il règne à bord une ambiance sportive teintée d'aristocratie. Le cuir se marie ici au bois et au plastique dans une atmosphère au noir dominant, typique des voitures sport. Quelques touches d'aluminium soulignent aussi la vocation de la 6. Naturellement l'incontournable iDrive de nouvelle génération trône au centre de la console. Ses fonctions ont été simplifiées, et son utilisation, sans être facile, est plus intuitive. Le confort domine la partie avant du véhicule avec des sièges ergonomiques et une position de conduite qui frise la perfection. C'est autre chose à l'arrière. Malgré ses 4 m 80, la 6 offre peu d'espace pour les jambes, et il faut prendre la voiture pour ce qu'elle est, un 2+2. Comme prix de consolation, le coffre dispose d'un espace de 450 litres.

FORCES · Confort · Tenue de route · Motorisation · Ambiance à bord

FAIBLESSES · Une conduite parfois un peu aseptisée · Une boîte SMG qui demande encore du raffinement

[MÉCANIQUE] En véritable GT, la Série 6 met l'accent sur la performance et c'est votre dernière chance en 2011 de profiter d'une pièce d'orfèvrerie qui risque malheureusement de se retrouver dans un musée avant longtemps. Le V10 de 5 litres de la version M6 offre des envolées lyriques à plus de 8 000 tours par minute. Oui le moteur est plutôt fragile et même capricieux, mais quelle pièce d'ingénierie mécanique. La sonorité qui émane du compartiment moteur ne laisse aucun doute sur les capacités de la bête. Le seul bémol est la boîte SMG à 7 rapports qui, elle aussi, s'est améliorée aux fils des générations. La version 650 offre toujours le V8 de 4,8 litres de 360 chevaux qui suffisent amplement à la tâche. Le mot d'ordre ici est discrétion et efficacité. Vous avez même le choix d'une boîte de vitesses manuelle ou automatique à 6 rapports.

[COMPORTEMENT] La Série est le parfait exemple du juste mélange de confort et de sportivité. L'insonorisation s'inscrit dans la tradition des grands coupés GT. L'ambiance intérieure est au calme, même quand vous augmentez le rythme sur la route, rien de perturbe l'atmosphère sereine. Vous pouvez profiter à plein de la chaîne audio. Sa conduite à basse vitesse est souple et conciliante et devient acérée si vous sollicitez l'accélérateur. Mais tout se fait sans heurt. La direction précise et incisive n'a d'égale que l'excellente tenue de route rarement prise à partie. La console de la M6 a aussi un bouton «puissance». À chaque démarrage, le programme de puissance P400 privilégie le confort et fait appel à une puissance moteur de 400 chevaux qui est activé automatiquement.

Il suffit cependant que le conducteur appuie sur le bouton dit de puissance intégré pour disposer de toute la puissance du 10 cylindres.

[CONCLUSION] Par sa souplesse, son confort soutenue et ses performances dignes d'une exotique, la 6 mérite d'être considérée. Le budget est naturellement à l'avenant.

2ᵉ OPINION

FRÉDÉRIC MASSE Peu de gens connaissent ou considèrent la BMW de Série 6. Grande routière, elle est à BMW ce qu'est la XK à Jaguar ou le coupé Classe E à Mercedes-Benz. Confort, polyvalence, tenue de route étonnante et stabilité déconcertante à (très) haute vitesse sont ses faits d'armes. Il est évident que j'aime la Série 6, tout comme j'admirais l'ancienne génération de Série 5 puisqu'elles partagent le même châssis. Comme c'est le cas de la Série 5, on peut aussi choisir la version M avec son V10 brutal de 500 chevaux. On peut en plus se la procurer en version cabriolet qui permet de rouler avec quatre passagers dans un confort surprenant. Je ne comprends pas pourquoi la Série 6 n'a pas remporté les honneurs qu'elle méritait: son prix élevé, ses lignes affranchies, sa niche trop restreinte, sa valeur de revente problématique ? Il faut évidemment savoir ce qu'on cherche; mais même au prix d'une 911, si je cherchais une grande routière confortable et puissante, la Série 6 serait en tête de liste, même si elle vieillit et même si le nouveau coupé Classe E (ou cabriolet) est dans les parages.

⑤ FICHE TECHNIQUE

· MOTEURS
· (650i coupé, 650i cabriolet)
V8 4,8 l DACT 360 ch à 6300 tr/min
couple 360 lb-pi à 3400 tr/min
Transmission manuelle à 6 rapports, automatique à 6 rapports avec mode manuel (option)
0-100 km/h coupé 5,5 s, cabriolet 5,8 s
Vitesse maximale 240 km/h

· (M6 coupé, M6 cabriolet)
V10 5,0 DACT 500 ch à 7750 tr/min
couple 383 lb-pi à 6100 tr/min
Transmission manuelle 6 rapports, manuelle robotisée 7 rapports (option)
0-100 km/h coupé 4,6 s   cabriolet 4,8
Vitesse maximale 250 km/h (bridée)
Consommation (100 km)
man. 15,9 l (octane 91)
man robo. 14,5 l (octane 91)
Émission de CO₂:
man. 7452 kg/an **man robo.** 6808 kg
Litres par année man. 3240 l **man robo.** 2960 l
Coût par an man. 3629 $ **man robo.** 3315 $
Autre motorisation: non
Empreinte écologique: nd

· AUTRES COMPOSANTES
Sécurité active freins ABS, répartition électronique de force de freinage, assistance au freinage, antipatinage, contrôle de stabilité électronique
Suspension avant/arrière indépendante
Freins avant/arrière disques ventilés
Direction à crémaillère, assistée
Pneus 650i P245/45R18,
M6 P255/40R19 (av.) P285/35R19 (arr.)

· DIMENSIONS
Empattement 2780 mm
Longueur 4831 mm
Largeur 1855 mm
Hauteur 650i 1374 mm, **Cabrio** 1372 kg
Poids: 650i coupé 1730 kg, **650i cabriolet** 1940 kg,
M6 coupé 1773 kg, **M6 cabriolet** 1995 kg
Diamètre de braquage 11,4 m **M6** 12,5 m
Coffre coupé 450 l,
cabriolet 350 l, 300 l (toit abaissé)
Réservoir de carburant 70 l

NOTRE VERDICT

Plaisir au volant	●●●●◖
Qualité de finition	●●●●○
Consommation	●●○○○
Rapport qualité/prix	●●●○○
Valeur de revente	●●●◖○

ÉVOLUTION N É J

104 900 $ à 112 900 $
transport et préparation : 1995 $

LA COTE VERTE

MOTEUR
L6 DE 3,0 L

· **CONSOMMATION**
(100KM) : 11,8 l

· **Émissions
polluantes CO$_2$:**
4186 kg/an

· **Empreinte écologique
(nombre d'arbres à
planter par année) :** 30

· **Indice d'octane :** 91

· **Autre
motorisation :** non

· **Coût du carburant
moyen par année :**
2002 $

· **Nombre de
litres par année :**
1820 l

(SOURCE: BMW)

132 |

 FICHE D'IDENTITÉ

· **Versions** Active Hybrid, Active Hybrid L, 740i,
740 Li, 750i, 750si xDrive, 750Li, 750 Li xDrive,
760Li
· **Roues motrices** arrière, 4
· **Portières** 4, **Nombres de passagers** 5
· **Première génération** 1977
· **Génération actuelle** 2009
· **Construction** Munich, Allemagne
· **Sacs gonflables** 10 (frontaux, latéraux avant et
arrière, rideaux latéraux, genoux)
· **Concurrence** Audi A8, Jaguar XJ, Lexus LS,
Mercedes-Benz Classe S

 AU QUOTIDIEN

· **Prime d'assurance**
25 ans : 4000 à 4200 $
40 ans : 3100 à 3300 $
60 ans : 2700 à 2900 $
· **Collision frontale** 5/5
· **Collision latérale** 5/5
· **Ventes du modèle de l'an dernier**
Au Québec 115 **Au Canada** 638
· **Dépréciation** 56,5%
· **Rappels** (2005 à 2010) 4
· **Cote de fiabilité** 3/5

 GARANTIES... ET PLUS

· **Garantie générale** 4 ans/80 000 km
· **Garantie motopropulseur** 4 ans/80 000 km
· **Perforation** 12 ans/kilométrage illimité
· **Assistance routière** 4 ans/kilométrage illimité
· **Nombre de concessionnaires**
Au Québec 9 **Au Canada** 40

④ **NOUVEAUTÉS EN 2011**

· **Versions** ActiveHybrid et 740i

ELLE FAIT TOUT !

PAR DANIEL RUFIANGE

**LA GÉNÉRATION ACTUELLE DE LA SÉRIE 7 A DÉJÀ
TROIS ANS. POURTANT, LA VOITURE SEMBLE EN-
CORE FRAÎCHEMENT REDESSINÉE.** Cela prouve à quel
point son design, résultat du crayon habile du Montréalais d'origine libanaise, Karim Habib, est réussi.
Disons que cela contraste avec les anciennes générations, prisonnières d'un conservatisme qui fait que
cette grande berline ne s'est jamais vraiment démar-
quée. Il en est tout autrement aujourd'hui. En prime,
depuis 2010, la transmission intégrale qui est désormais offerte sur les variantes 750i. Qui dit mieux?

[CARROSSERIE] Le design de la Série 7 contient les bases
de tous les futurs modèles de la marque. Inspirée du concept CS, la présence avancée des nasaux, endroit à partir
duquel est dessiné le reste de la voiture, est maintenant la
caractéristique dominante sur d'autres modèles du fabricant – Z4, Série 5 –. Ce nouveau museau, beaucoup plus
agressif, confère un caractère immédiat au bolide. Les
yeux avertis remarqueront de subtils reliefs tout autour du
bolide. Les détails font toute la différence comme la pointe
inférieure du feu arrière qui est alignée avec le centre du
pneu. C'est à cause de tous ces détails qu'elle n'est plus anonyme; elle accroche l'œil, tout simplement.

[HABITACLE] À l'intérieur, le conservatisme demeure.
Les commandes sont omniprésentes, presque autant
qu'à l'intérieur d'un cockpit d'avion. Heureusement,
BMW a réussi à simplifier leur utilisation; l'iDrive
est presque devenu convivial. L'espace ne manque
pas, surtout quand on s'installe dans une version L.
La présentation intérieure est très réussie, mais n'a
rien pour émouvoir: on respecte la tradition, peut-être
même un peu trop. Les matériaux sont de très bon
goût, mais leur assemblage m'a laissé perplexe. La liste
d'équipements a de quoi rendre certains propriétaires
de maison jaloux: cinéma-maison avec moniteurs ACL
à l'arrière, climatisation à quatre zones, écrans pare-soleil automatiques, radio satellite Sirius, etc. J'ai trouvé
particulièrement brillant l'option vision nocturne qui
nous permet de voir les piétons dans la pénombre.

[MÉCANIQUE] Sous l'immense capot avant peuvent siéger deux moteurs. Primo, un V8 de 4.4 litres
biturbo qui permet à la voiture de galoper au rythme
de 400 chevaux. Et, secundo, puisque la démence est
acceptée avec ce genre de véhicule, un V12 de 6 litres,
également à double turbo, vient pousser l'audace de
nous offrir 544 étalons prêts à tout. Et s'ajoute cette

FORCES · Comportement routier · Caractéristiques de sécurité inégalées
· Moteurs raffinés et ultra performants · Design irrésistible
FAIBLESSES · Prix · Ensembles d'options plus chers que certaines voitures sous-
compactes · Quelques bruits de craquement qui laissent douter de l'assemblage
· Reconnaissance capricieuse des appareils iPod

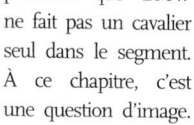

Jaguar XJ et vous comprendrez que BMW ne fait pas un cavalier seul dans le segment. À ce chapitre, c'est une question d'image. Quelle est la vôtre? .

année un six cylindres en ligne turbo complété par un modèle hybride à l'image du X6. Ajoutez à cela quatre choix différents de suspensions – activables sur simple pression d'un bouton – et vous pouvez adapter le comportement de la Série 7 selon votre humeur. Sur les modes confort et normal, j'ai cependant été déçu du temps de réponse de l'accélérateur. C'est comme si la voiture nous demandait, « êtes-vous bien certain de vouloir accélérer », avant de s'élancer. Sur les modes sport et sport +, le régime moteur est plus nerveux, et les réponses de l'accélérateur, plus rapides.

[COMPORTEMENT] La Série 7 est lourde de quelque 2000 kilos. Pas étonnant qu'on sente ce poids lors des déplacements. Cependant, rien n'y paraît; ce bolide réalise le 0 à 100 km/h en des temps impressionnants. Sur l'autoroute, on privilégie le mode confort afin de se laisser bercer dans une insonorité épatante. À l'amorce d'un virage serré ou pour effectuer une manœuvre de dépassement, on active le mode sport, et le comportement de la Série 7 ressemble plus à celui d'une Série 3. Ajoutez à cela la direction active intégrale – braquage des roues arrière — et vous aurez l'impression de rouler sur des rails. À la pompe, c'est presque raisonnable: 13,2 litres aux 100 kilomètres en moyenne (pour le V8), et ce, avec net abus de la pédale d'accélérateur.

[CONCLUSION] La concurrence dans le segment est féroce. Les Lexus LS, Mercedes-Benz Classe S et Audi A8/S8 rivalisent de finesse, de classe et d'adresse afin de faire trembler la grosse allemande – la voiture, on s'entend –. Ajoutez à la concurrence la Porsche Panamera ainsi que la

 2ᵉ OPINION
〰〰〰〰〰〰〰〰〰〰〰〰〰〰〰〰〰〰〰

FRÉDÉRIC MASSE L'an dernier, lors des votes de l'Annuel pour les clés d'or, j'avais consacré la BMW Série 7 la meilleure grande berline de luxe. Un an plus tard, ai-je changé d'avis? Pas d'un iota. La Série 7 est encore et toujours la reine. Pourquoi? Parce que c'est elle qui en offre le plus. Est-ce que c'est la puissance douce et la frugalité relative du V8 biturbo des versions 750? La démence du V12 de 6 litres qui génère un couple de 553 livres-pieds et des accélérations de 0 à 100 km/h en 4,6 secondes dans la 760 Li? La suspension conciliante sur toutes les versions? L'efficacité de la transmission intégrale? L'habitacle réussi à la perfection? Ou le fait que la Série 7 se manie presque comme une sportive? Je ne sais trop. Aussi équilibrée soit la Mercedes-Benz Classe S et aussi efficace soit l'Audi A8 actuelle, je crois pourtant que la BMW de Série 7 domine cette catégorie. Elle a tout ce qu'on peut désirer dans ce type de voiture, tout simplement.

⑤ FICHE TECHNIQUE

· MOTEURS

· (740i)
L6 3,0 l biturbo DACT, 315 ch à 5800 tr/min
Couple 330 lb-pied à 1600 tr/min
Transmission automatique
à 6 rapports avec mode manuel
0-100 km/h 6,1 s
Vitesse maximale 240 km/h (limitée)

· (750i, 750Li)
V8 4,4 l biturbo DACT, 400 ch à 5500 tr/min
Couple 450 lb-pi à 1800 tr/min
Transmission automatique à 6 rapports

avec mode manuel
0-100 km/h 5,3 s
Vitesse maximale 240 km/h (limitée)
Consommation (100 km) 750i 11,8 l
Émissions de CO$_2$ 5520 kg/an
Litres par année 2400 l
Coût par an 2688$
Empreinte écologique 33 arbres

· (760 Li)
V12 6,0 l biturbo DACT, 544 ch à 5000 tr/min
Couple 553 lb-pi à 1 500 tr/min
Transmission automatique à 8 rapports
avec mode manuel
0-100 km/h 4,6 s
Vitesse maximale 240 km/h (limitée)
Consommation (100 km) 13 l (octane 91)
Émissions de CO$_2$ 6118 kg/an
Litres par année 2660 l
Coût par an 2979 $
Empreinte écologique 39 arbres

· (Active Hybrid, Active Hybrid L)
V8 4,4 l biturbo DACT + moteur électrique
455 ch à 5500 tr/min Couple 515 lb-pi à 2000 tr/min
Transmission automatique à 8 rapports
avec mode manuel
0-100 km/h 5,0 s
Vitesse maximale 240 km/h (limitée)
Consommation (100 km) nd
Émissions de CO$_2$ nd
Litres par année nd
Coût par an nd
Empreinte écologique nd

· AUTRES COMPOSANTES
Sécurité active freins ABS, répartition électronique de force de freinage, assistance au freinage, antipatinage, contrôle de stabilité électronique
Suspension avant/arrière indépendante
Freins avant/arrière disques ventilés
Direction à crémaillère, assistée
Pneus P245/50R18,
Option P245/40R20 (av.) P275/30R20 (arr.),
Active Hybrid P245/45R19 (av.), P275/40R19(arr.)

· DIMENSIONS
Empattement 750i 3070 mm **750Li** 3210 mm
Longueur 750i 5074 mm **750Li** 5214 mm
Largeur 1902 mm **Hauteur** 1482 mm **Hybrid** 1484 mm
Poids 740i 1970 kg, **740 Li** 2010 kg, **750i** 2070 kg,
750Li 2105 kg **760Li** 2280 kg,
Active Hybrid 2175 kg, **Active Hybrid L** 2195 kg
Diamètre de braquage 750i 12,2 m; **750i,**
xDrive/Active Hybrid 12,5 m, **740 Li/750Li/760Li** 12,7 m,
750Li xDrive/Active Hybrid L 13,0 m
Coffre 500 l
Réservoir de carburant 82 l, **Active Hybrid** 80 l

NOS MENTIONS

☺ Modèle recommandé

NOTRE VERDICT

Plaisir au volant	⬡⬡⬡⬡○
Qualité de finition	⬡⬡⬡⬡◖
Consommation	⬡⬡⬡○○
Rapport qualité/prix	⬡⬡⬡○○
Valeur de revente	⬡⬡⬡○○

ÉVOLUTION

N É

J

41 795 $ à 47 795 $
transport et préparation : 1995 $

LA COTE VERTE

MOTEUR
L6 DE 3.0 L

· **Consommation**
(100km):
man : 9,9 l
auto : 9,0 l
· **Émissions**
polluantes CO_2 :
4140 kg/an
· **Empreinte écologique**
(nombre d'arbres à
planter par année): 26
· **Indice d'octane** : 91
· **Autre**
motorisation : non
· **Coût du carburant**
moyen par année:
man : 2244 $
auto : 2222 $
· **Nombre de litres par**
année:
man : 2040 l
auto : 2020 l

(SOURCE: ÉnerGuide)

134

 FICHE D'IDENTITÉ

· **Versions** xDrive28i, xDrive35i
· **Roues motrices** 4
· **Portières** 4 **Nombre de passagers** 5
· **Première génération** 2000
· **Génération actuelle** 2011
· **Construction** Spartanburg, Caroline du Sud, É.-U.
· **Sacs gonflables** 6
(frontaux, latéraux, rideaux latéraux)
· **Concurrence** Acura RDX, Infiniti EX35,
Land Rover LR2

② **AU QUOTIDIEN**

· **Prime d'assurance**
25 ans : 2000 à 2200 $
40 ans : 1600 à 1800 $
60 ans : 1300 à 1500 $
· **Collision frontale** nm
· **Collision latérale** nm
· **Ventes du modèle l'an dernier**
Au Québec 450 **Au Canada** 2236
· **Dépréciation** 46,8%
· **Rappels** (2005 à 2010) 5
· **Cote de fiabilité** nm

③ **GARANTIES... ET PLUS**

· **Garantie générale** 4 ans/80 000 km
· **Garantie motopropulseur** 4 ans/80 000 km
· **Perforation** 12 ans/kilométrage illimité
· **Assistance routière** 4 ans/kilométrage illimité
· **Nombre de concessionnaires**
Au Québec 9 **Au Canada** 40

 NOUVEAUTÉS EN 2011

· Légère refonte

NOUVELLE GUEULE

PAR BENOIT CHARETTE

CELA FAISAIT PLUS D'UN AN QUE DES PHO-
TOS-ESPION CIRCULAIENT SUR INTERNET ET
DANS LES MAGAZINES SPÉCIALISÉS. BMW A
ENFIN FAIT SAVOIR QUE SON NOUVEAU X3
DE DEUXIÈME GÉNÉRATION PRENDRA LA
ROUTE AU DÉBUT DE L'ANNÉE 2011. Le pré-
curseur des petits utilitaires de luxe qui a connu
beaucoup de succès avec la première mouture
compte bien reprendre là où il a laissé avec cette
nouvelle cuvée.

[CARROSSERIE] Question de se démarquer du
futur X1 qui propose pratiquement les mêmes
proportions et des lignes assez proches, le X3
prend un peu de volume à tous les chapitres
(12 millimètres en hauteur, 83 en longueur,
28 en largeur, la garde au sol étant plus haute
de 12 millimètres, tandis que l'empattement a
28 millimètres de plus). Pour ce qui est du style,
le nouveau ressemble beaucoup à l'ancien. Le
dessin des phares est différent; ils sont plus gros,
une caractéristique qui peut aussi qualifier la
calandre plus dominante. La partie arrière, l'un
des points faibles de la première génération, est

ici plus réussie avec une meilleure intégration
des phares et des lignes plus finies. En termes
visuels, c'est donc une évolution qui se veut la
démarche logique pour un véhicule qui a connu
un tel succès.

[HABITACLE] L'ambiance haut de gamme
demeure de mise dans le nouveau X3.
L'aménagement intérieur a été repensé, mais
les habitués de la marque seront encore en pays
de connaissance. Il faut noter l'apparition d'un
écran central de 22 centimètres à haute résolution. C'est le plus grand écran de bord dans cette
catégorie d'utilitaire. Comme le véhicule offre
plus d'espace, les passagers bénéficieront de plus
d'espace et d'un coffre plus conséquent qui offre
entre 550 et 1600 litres de volume. BMW a mis
le paquet sur les équipements technologiques :
affichage à tête haute, accès Internet à bord,
caméra de recul, phares adaptatifs pivot-
ants... Sans compter une foule de technologies
destinées à améliorer le confort, le dynamisme
et le comportement routier de l'auto comme le
contrôle dynamique de la stabilité, la direction à

FORCES · Meilleure habitabilité · Confort à la hausse · Solides performances

FAIBLESSES · Options multiples et onéreuses · Confort un peu ferme

assistance électromécanique variable Servotronic ou encore le régulateur de vitesse adaptatif avec fonction freinage.

[MÉCANIQUE] Sous le capot, BMW applique les derniers développements techniques utilisés sur les plus récents modèles et l'incorpore au X3. Le XDrive28i arrive avec le 6-cylindres en ligne de 3 litres atmosphérique de 240 chevaux. Le XDrive35i aura droit au dernier 6-cylindres turbo de la récente Série 5. Avec 300 chevaux en réserve et autant de couple, le XDrive35i ne manquera pas de souffle. Les deux moteurs sont accouplés à la nouvelle boîte de vitesses automatique à 8 rapports avec mode manuel, un exemple de douceur et d'efficacité. En ce qui concerne le système intégral, il achemine normalement 40 % du couple aux roues avant, tandis que 60 % va à l'arrière. Mais cette 3e génération du système XDrive peut varier à l'infini et envoyer au besoin 100 % de la puissance aux roues arrière.

[COMPORTEMENT] BMW a révisé tout le train roulant. Les suspensions proches des grandes berlines côtoient des moteurs plus puissants et un système intégral plus performant. Capable de franchir les 100 km/h en 7,1 secondes, le modèle de base retranche déjà une demi-seconde à la présente génération. Alors que les 300 chevaux de la version xDrive35i vous amènent à la même vitesse en 5,8 secondes. Il ne faut pas oublier le fonctionnement souple et sans effort de la nouvelle boîte à 8 rapports, elle aussi empruntée aux modèles de Série 7 et 5. En deux mots, BMW a pris ce qu'elle avait

de meilleur de sa technologie routière et l'a installée à bord du X3.

[CONCLUSION] Le nouveau modèle de la BMW X3 sera produit dans l'usine BMW de Spartanburg et arrivera en concession à la fin de l'année 2010. Sans être révolutionnaire, il reprend les plus récentes innovations techniques et les incorpore à un véhicule déjà très compétent. Les résultats sont prometteurs.

2e OPINION

MICHEL CRÉPAULT De la même façon que le format d'une Série 3 m'a toujours plus inspiré au volant que celui d'une Série 5, le gabarit du X3 me parle tout autant par rapport au gros X5 et au monstrueux X6. Et voici que se pointe (enfin !) la 2e génération. La silhouette a gagné de la personnalité. Sans tomber dans le style sci-fi du Tucson de Hyundai, le nouveau X3 exhibe les muscles fins d'un triathlète. J'ai surtout hâte de mettre la main sur la nouvelle version xDrive35i dotée du 6-cylindres en ligne turbo compressé de 3 litres qui délivre 300 chevaux et autant de couple. Desservi par une boîte de vitesses automatique à 8 rapports, le compact mais féroce utilitaire fournira, j'en suis sûr, encore plus de plaisir au moment d'épouser les virages comme une ventouse. Bien entendu, quand j'égrènerai les options, j'aurai peut-être moins de fun...

⑤ FICHE TECHNIQUE

· MOTEURS

· (xDrive28i)
L6 3,0 l DACT, 240 ch à 6600 tr/min
Couple 230 lb-pi à 2600 tr/min
Transmission automatique à 8 rapports avec mode manuel
0-100 km/h 7,1 s
Vitesse maximale nd

· (xDrive35i)
L6 3,0 l turbo DACT, 300 ch à 5800 tr/min
Couple 300 lb-pi à 1200 tr/min
Transmission automatique à 8 rapports avec mode manuel
0-100 km/h 5,8 s
Vitesse maximale 245 km/h
Consommation (100 km) 8,8 l (octane 91)
Émissions de CO$_2$ 4738 kg/an
Litres par année 2060 l
Coût par an 2266$
Empreinte écologique 30 arbres

· AUTRES COMPOSANTES
Sécurité active freins ABS, répartition électronique de force de freinage, assistance au freinage, antipatinage, contrôle de stabilité électronique
Suspension avant/arrière indépendante
Freins avant/arrière disques
Direction à crémaillère, assistée
Pneus xDrive35i P245/50R18

· DIMENSIONS
Empattement 2810 mm
Longueur 4648 mm
Largeur 1881 mm
Hauteur 1661 mm
Poids xDrive35i 1805 kg
Diamètre de braquage 11,9 m
Coffre 550 l, 1600 l (sièges abaissés)
Réservoir de carburant 67 l
Capacité de remorquage 2400 kg

NOS MENTIONS

 Modèle recommandé

NOTRE VERDICT

Plaisir au volant	●●●●◖
Qualité de finition	●●●●○
Consommation	●●◐○○
Rapport qualité/prix	●●●◖○
Valeur de revente	●●●○○

X5

www.bmw.ca

59 990 $ à 97 900$
transport et préparation : 1995 $

BMW

 FICHE D'IDENTITÉ

· **Versions** xDrive35i, xDrive35d, xDrive50i, X5 M
· **Roues motrices** 4
· **Portières** 4 **Nombre de passagers** 5 ou 7
· **Première génération** 2000
· **Génération actuelle** 2007
· **Construction** Spartanburg,
Caroline du Sud, É.-U.
· **Sacs gonflables** 8 (frontaux, latéraux avant et
arrière, rideaux latéraux)
· **Concurrence** Acura MDX, Audi Q7, Cadillac SRX,
Infiniti FX, Land Rover LR4, Lexus RX, Mercedes-
Benz Classe M, Porsche Cayenne, Volkswagen
Touareg, Volvo XC90

 AU QUOTIDIEN

· **Prime d'assurance**
25 ans : 3000 à 3200 $
40 ans : 2000 à 2200 $
60 ans : 1400 à 1600 $
· **Collision frontale** 4/5
· **Collision latérale** 5/5
· **Ventes du modèle l'an dernier**
Au Québec 521 **Au Canada** 3410
· **Dépréciation** 45,0%
· **Rappels** (2005 à 2010) 5
· **Cote de fiabilité** 2,5/5

 GARANTIES... ET PLUS

· **Garantie générale** 4 ans/80 000 km
· **Garantie motopropulseur** 4 ans/80 000 km
· **Perforation** 12 ans/kilométrage illimité
· **Assistance routière** 4 ans/kilométrage illimité
· **Nombre de concessionnaires**
Au Québec 9 **Au Canada** 40

④ **NOUVEAUTÉS EN 2011**

· Nouveaux L6 et V8 à essence plus puissants et
turbocompressés, nouvelles montes
pneumatiques, nouveau L6 à simple turbo pour
le xDrive35i.

ROI ET MAÎTRE

PAR DANIEL RUFIANGE

LES SCEPTIQUES ÉTAIENT LÉGION LORS
DU LANCEMENT DU X5. PEU IMPORTE, IL CON-
NAÎT ENCORE DU SUCCÈS, ONZE ANS APRÈS
SON LANCEMENT. Compte tenu du prix qu'on
en exige, ses chiffres de ventes sont même
étonnants. Imaginez : on a produit, au cours
de la dernière année, le millionième exemplaire
du X5. On en est à se demander ce que BMW
pourrait bien faire de plus pour l'améliorer.
Est-il parfait à ce point ?

[CARROSSERIE] Le X5 possède une gueule d'enfer.
Rares sont les utilitaires qui proposent autant de
ca-ractère. Tout sur ce véhicule respire la puissance.
Bien assis sur des roues de 18, de 19 ou de 20 pouces, on a l'impression qu'il va bondir à la première
occasion, au premier feu vert. Son design respecte
les traditions BMW, de la calandre au nasaux bien
prononcés jusqu'aux vitres latérales arrière, courbées vers le bas à leur extrémité, comme sur tous les
autres modèles de la marque. Les détails font souvent la différence. Le X5 est proposé en quatre
configurations. La version diesel est de retour,
inchangée, tout comme l'impénitente X5M. La

version 3.0si disparaît pour faire place à la xDrive35i,
pendant que la mouture xDrive4,8i est rebaptisée
xDrive50i. Une question de changement de moteurs,
tout simplement.

[HABITACLE] À l'intérieur, BMW continue d'offrir
le nec plus ultra. L'amateur de conduite pure
notera une position de conduite qui frise la perfection, notamment grâce aux nombreux réglages
des sièges. En matière d'équipement, il est moins
fastidieux d'énumérer ce qu'on ne retrouve pas
à bord du X5, comme un minifrigo, par exemple. Il semble plus important de spécifier que la
grande majorité de l'équipement trouve une niche
dans les quatre variantes du X5. Seule la livrée
xDrive50i peut compter sur un équipement plus
huppé que les deux autres versions. Citons par
exemple la présence de cuir Nevada, d'une
chaîne audio de qualité supérieure ainsi que d'un
toit panoramique gigantesque.

[MÉCANIQUE] Cette année, les changements
sont de taille. Dans les faits, BMW était désireuse
de se repositionner dans le segment, question

FORCES · Gueule d'enfer · Tenue de route épatante
· Confort des sièges et douceur de roulement · Version moteur diesel

FAIBLESSES · X5 M inutile · Fiabilité · Frais d'entretien
· Prix des ensembles d'options

Il y a ce minifrigo dont nous parlions précédemment... Sans blague, dans le style, le X5 frise la perfection. Seul le MDX d'Acura peut le menacer. Autrement, il est roi et maître.

de solidifier sa suprématie. Le premier nouveau venu est un moteur à 6 cylindres en ligne turbo de 3 litres, le même qui équipe plusieurs modèles de la gamme. Avec ses 300 chevaux et son couple de 300 livres-pieds, inutile de dire qu'il suffit amplement à la tâche. Mais, pour ceux qui en désirent plus, la présence d'un nouveau V8 de 4,4 litres vient proposer 100 chevaux supplémentaires. Enfin, le bon vieux moteur diesel – il n'a que deux ans – à 6 cylindres en ligne de 3 litres vient non seulement proposer des économies de carburant substantielles, mais aussi des performances étonnantes, résultat d'un couple impressionnant de 425 livres-pieds. À noter que tous ces moteurs profitent de l'injection directe de carburant et de la distribution variable (le calage, la durée d'ouverture et/ou la levée des soupapes d'admission et d'échappement).Et, puisque le ridicule ne tue pas, le X5 M et son moteur V8 biturbo de 4,4 litres offre 555 chevaux et un couple de 500 livres-pieds.

[COMPORTEMENT] Peu importe la version, on a l'impression de piloter un char d'assaut tellement le X5 est solide. Ce qui impressionne, c'est la tenue de route, exemplaire pour un utilitaire de cet acabit. Au volant de la version munie de roues de 20 pouces, on attaque les courbes comme si on pilotait une petite sportive. À bord du X5 M, c'est la démence. Un autre monde, quoi !

[CONCLUSION] Qu'est-ce que BMW peut bien faire pour améliorer son X5 ? Bien franchement, peu de choses. Pourrait-on le rendre plus léger sans compromettre la sécurité ? Pourrait-on améliorer, encore et toujours, le système iDrive ?

2ᵉ OPINION

BENOIT CHARETTE C'est l'année du renouveau chez les constructeurs d'utilitaires allemands. Alors que les nouveaux Volkswagen Touareg et Porsche Cayenne pointent le bout de leur nez et que le Q7 chez Audi a refait le tour des mécaniques, la firme munichoise a fait de même et Mercedes prépare aussi un tout nouveau ML350. Le mot d'ordre est de ne pas sacrifier la puissance en améliorant les cotes de consommation. La solution Turbo sert bien BMW qui veut continuer la belle aventure du X5 qui a vendu après 11 ans et deux générations de modèles pas moins d'un million d'unités à travers le monde. Si le sort de la planète ne fait pas parti de vos préoccupations il y a le X5M. Capable de transporter ses passagers dans un confort princier, il peut se transformer sur demande en un véritable dragster que rien ne semble pouvoir arrêter. Sauf peut-être son appétit démesuré pour le carburant.

⑤ FICHE TECHNIQUE

· MOTEURS

· (xDrive35i)
L6 3,0 l turbo DACT, 300 ch à 5800 tr/min Couple 300 lb-pi à 1200 tr/min
Transmission automatique à 8 rapports avec mode manuel
0-100 km/h 6,8 s
Vitesse maximale 210 km/h (bridée)

Consommation (100 km) 10,2 l (octane 91)
Émissions de CO$_2$ 4720 kg/an
Litres par année 1820 l
Coût par an 2002 $
Empreinte écologique 28

· (xDrive50i)
V8 4,4 l biturbo DACT, 400 ch à 5500 tr/min Couple 450 lb-pi à 1750 tr/min
Transmission automatique à 8 rapports avec mode manuel
0-100 km/h 5,6 s
Vitesse maximale 210 km/h (bridée)
Consommation (100 km) 12,9 l (octane 91)
Émissions de CO$_2$ 5840 kg/an
Litres par année 2400 l
Coût par an 2688 $
Empreinte écologique 36

· (xDrive35d)
L6 3,0 l DACT biturbo diesel, 265 ch à 4200 tr/min Couple 425 lb-pi à 1750 tr/min
Transmission automatique à 6 rapports avec mode manuel
0-100 km/h 7,4 s
Vitesse maximale 210 km/h (bridée)

· (X5 M)
V8 4,4 l biturbo DACT, 555 ch à 6000 tr/min Couple 500 lb-pi à 1500 tr/min
Transmission automatique à 6 rapports
0-100 km/h 4,7 s
Vitesse maximale 250 km/h (bridée)
Consommation (100 km) 14,8 l (octane 91)
Émissions de CO$_2$ 6500 kg/an
Litres par année 2940 l
Coût par an 3293 $
Empreinte écologique 40

· AUTRES COMPOSANTES

Sécurité active freins ABS, répartition électronique de force de freinage, assistance au freinage, antipatinage, contrôle de stabilité électronique,contrôle de descente de pente
Suspension avant/arrière indépendante
Freins avant/arrière disques avec système de régénération
Direction à crémaillère, assistée
Pneus P255/55R18; **option 35i** P255/50R19 (av.) P285/45R19 (arr.); **option 35d** 255/50R19; **option 50i/option 2 35i/option 2 35d/X5 M** 275/40R20 (av.) P315/35R20 (arr.)

· DIMENSIONS

Empattement 2933 mm
Longueur 4857 mm, **X5 M** 4851 mm
Largeur 1933 mm, **X5 M** 1994 mm
Hauteur 1776 mm, **X5 M** 1764 mm
Poids 35i 2250 kg, **35d** 2355kg, **50i** 2440 kg, **X5 M** 2435 kg
Diamètre de braquage 12,8 m
Coffre 620 l, 1750 l (sièges abaissés)
Réservoir de carburant 85 l
Capacité de remorquage 1588 kg

NOTRE VERDICT

Plaisir au volant	●●●●○
Qualité de finition	●●●●○
Consommation	●●○○○
Consommation (Diesel V6 3l)	●●●○○
Rapport qualité/prix	●●●○○
Valeur de revente	●●●●◐

N EVOLUTION É

J

81 000 $ à 99 900 $
transport et préparation : 1995 $

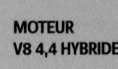

LA COTE VERTE

MOTEUR
V8 4,4 HYBRIDE

· **Consommation**
(100km): 11,5 l

· **Émissions**
polluantes CO_2 :
5336 kg/an

· **Empreinte écologique**
(nombre d'arbres à
planter par année): nd

· **Indice d'octane**: 91

· **Autre**
motorisation: non

· **Coût du carburant**
moyen par année:
2598 $

· **Nombre de**
litres par année:
2320 l

(source : ÉnerGuide)

FICHE D'IDENTITÉ

· **Versions** xDrive 35i, xDrive 50i, ActiveHybrid, M
· **Roues motrices** 4
· **Portières** 5 **Nombre de passagers** 4
· **Première génération** 2009
· **Génération actuelle** 2009
· **Construction** Spartanburg, Caroline du Sud, É.-U.
· **Sacs gonflables** 8 (frontaux, latéraux avant et
  arrière, rideaux latéraux)
· **Concurrence** Acura MDX, Audi Q7, Cadillac SRX,
  Infiniti FX, Land Rover LR3, Lexus RX, Mercedes-
  Benz Classe M, Porsche Cayenne, Volkswagen
  Touareg, Volvo XC90

AU QUOTIDIEN

· **Prime d'assurance**
  25 ans : 3000 à 3200 $
  40 ans : 2000 à 2200 $
  60 ans : 1400 à 1600 $
· **Collision frontale** 5/5
· **Collision latérale** 5/5
· **Ventes du modèle de l'an dernier**
  Au Québec 235 **Au Canada** 1027
· **Dépréciation (2 ans)** 31,2%
· **Rappels (2004 à 2009)** 2
· **Cote de fiabilité** 3/5

GARANTIES... ET PLUS

· **Garantie générale** 4 ans/80 000 km
· **Garantie motopropulseur** 4 ans/80 000 km
· **Perforation** 12 ans/kilométrage illimité
· **Assistance routière** 4 ans/kilométrage illimité
· **Nombre de concessionnaires**
  Au Québec 9 **Au Canada** 40

NOUVEAUTÉS EN 2011

· Nouvelle transmission automatique
  à 8 rapports pour les xDrive 35i et xDrive 50i.

L'INUTILITAIRE

PAR PHILIPPE LAGUË

**BMW SURFE, COMME LES AUTRES CON-
STRUCTEURS, SUR LA VAGUE DES MULTISEG-
MENTS, CATÉGORIE FOURRE-TOUT PAR EXCEL-
LENCE OÙ L'ON RETROUVE DE PLUS EN PLUS
N'IMPORTE QUOI.** Comme des automobiles
déguisées en VUS qui se prennent pour des voi-
tures sport... À quoi ça sert? Poser la question,
c'est y répondre.

[CARROSSERIE] Première fausse note pour ce
présumé compromis, censé être moins encombrant qu'un VUS : le X6 est plus long, plus large
et plus lourd qu'un X5. Quant à son physique, il
est loin de faire l'unanimité, certains allant même
jusqu'à évoquer une ressemblance avec la défunte
Pontiac Aztek. Remarquez, il y en a qui trouvent
ça beau; plusieurs d'entre eux sont sans doute
obnubilés ou aveuglés par le logo BMW. Qu'on
aime ou pas, ça se discute. Mais certains sacrifices
imposés par le design sont plus difficiles à avaler :
la visibilité arrière, pour une, est tout simplement
atroce. Comme toujours chez BMW, la liste des
options est longue comme le bras, et parmi celles-
ci, je vous recommande fortement la caméra de

recul. Par ailleurs, la forte inclinaison de la lunette prive les passagers de précieux centimètres
de dégagement, en plus de limiter la capacité de
chargement.

[HABITACLE] Tout, mais alors là TOUT est compliqué, même des opérations a priori aussi simples
que changer de rapports avec la boîte de vitesses
automatique ou remettre l'odomètre à zéro. Pour
résumer, disons que tout ce qui a été conçu pour
vous simplifier la vie à bord fait exactement le
contraire. Aberrant. L'habitacle n'a pas que des
défauts, heureusement. On constate une finition
très soignée, avec une décoration sobre et une
construction irréprochable. L'excellente position de
conduite est rehaussée par des baquets qui sont,
ma foi, parfaits : bien rembourrés tout en étant
fermes, avec un soutien latéral exemplaire. Bien
enveloppants et ultra confortables, ils se comparent
à n'importe quel fauteuil haut de gamme. Les
passagers arrière ont droit au même traitement:
en lieu et place de la bonne vieille banquette, on
retrouve deux sièges individuels, séparés par
une large console.

FORCES · Note parfaite pour les sièges · Finition soignée · Excellence mécanique · Performances musclées · Comportement sportif

FAIBLESSES · Encombrement · Physique ingrat · Visibilité médiocre · Habitabilité décevante · Commandes inutilement compliquées · Consommation
élevée (même en version hybride) · Liste des options interminable

les qualités pratiques d'un VUS, comme l'habitabilité, la polyvalence et les capacités hors route; mais il n'a rien de tout cela. C'est juste gros pour rien, et ça ne sert à rien.

[MÉCANIQUE] La version 35i reçoit un 6-cylindres en ligne de 3 litres, dont la puissance atteint 300 chevaux grâce à deux turbos. Un cran plus haut, la version 50i a droit, elle, à un V8 de 4,4 litres gavé lui aussi par des turbos. Une version encore plus musclée, le X6 M, affiche 555 chevaux. Et n'oublions pas la version hybride, question de se donner bonne conscience. Avec le V8, la consommation oscillait entre 16 et 20 litres aux 100 kilomètres, selon le rythme. Et je tiens à préciser que je m'en suis tenu à une conduite plutôt sage. Je n'ai pas de mérite : à chaque fois que je pesais sur l'accélérateur, je pensais à mon compte en banque. L'hybride fait à peine mieux : 14 litres aux 100 kilomètres.

[COMPORTEMENT] Malgré son format et son poids, le X6 est très agile, remarquablement servi, il est vrai, par une direction rapide et ultra précise. De plus, il tient la route comme un champion. Le roulis ? Éliminé, réduit à néant. Et le freinage ? Surpuissant. En somme, le X6 est à la hauteur de la réputation de la marque bavaroise en matière de comportement routier et d'agrément de conduite. Maintenant, à quoi ça sert d'avoir un simili-VUS qui affiche les performances et la tenue de route d'une voiture sport ?

[CONCLUSION] Le X6 a beau avoir de solides qualités, à commencer par son comportement routier exceptionnel, elles sont occultées par d'énormes défauts. Commercialiser un tel véhicule alors que l'heure est à la lutte au réchauffement climatique, en pleine crise économique mondiale de surcroît, est une aberration. Si, au moins, il avait

2ᵉ OPINION

DANIEL RUFIANGE En ce qui me concerne, le X6 représente la démesure dans le domaine de l'automobile. Qui a besoin d'un utilitaire d'environ 100 000 $ doté de plus de 400 chevaux, n'offrant que quatre places et un espace de rangement restreint de même qu'une visibilité arrière nulle ? Personne ! Ceci dit, le X6 est un véhicule extraordinaire. Ce char d'assaut en pantoufle livre une puissance démentielle, surtout dans le cas du X6M. Le degré de confort est franchement impressionnant, et la tenue de route l'est encore plus. Le X6 peut faire la leçon à tous les autres utilitaires. Depuis un an, une version hybride est offerte et permet d'économiser environ 4 litres aux 100 kilomètres. Si j'avais à me procurer un X6, j'opterais pour cette variante, probablement pour me donner bonne conscience.

⑤ FICHE TECHNIQUE

· MOTEURS

· (ActiveHybrid)
V8 4,4 biturbo DACT + moteur électrique, 480 ch à nd tr/min
Couple 575 lb-pi à nd tr/min
Transmission automatique à 7 rapports avec mode manuel
0-100 km/h 5,4 s
Vitesse maximale 210 km/h (limitée)

· (xDrive 35i)
L6 3,0 l biturbo DACT, 300 ch à 5800 tr/min Couple 300 lb-pi à 1200 tr/min
Transmission automatique à 8 rapports avec mode manuel
0-100 km/h 6,7 s
Vitesse maximale 210 km/h (limitée)
Consommation (100 km) nd
Émissions de CO_2 nd
Litres par année nd
Coût par an nd
Carburant alternatif non
Empreinte écologique nd

· (xDrive 50i)
V8 4,4 l biturbo DACT, 400 ch à 5500 tr/min Couple 450 lb-pi à 1750 tr/min
Transmission automatique à 8 rapports avec mode manuel
0-100 km/h 5,5 s
Vitesse maximale 210 km/h (limitée)
Consommation (100 km) nd
Émissions de CO_2 nd
Litres par année nd
Coût par an nd
Carburant alternatif non
Empreinte écologique nd

· (M)
V8 4,4 l biturbo DACT, 555 ch à 6000 tr/min Couple 500 lb-pi à 1500 tr/min
Transmission automatique à 6 rapports avec mode manuel
0-100 km/h 4,7 s
Vitesse maximale 250 km/h (limité)
Consommation (100 km) 14,5 l
Émissions de CO_2 6762 kg/an
Litres par année 2940 l
Coût par an 3293 $
Carburant alternatif non
Empreinte écologique 41

· AUTRES COMPOSANTES
Sécurité active freins ABS, répartition électronique de force de freinage, assistance au freinage, antipatinage, contrôle de stabilité électronique
Suspension avant/arrière indépendante
Freins avant/arrière disques ventilés
Direction à crémaillère, assistée
Pneus 35i P255/50R19,
50i/M 275/40R20 (av.), 315/35R20 (arr.)

· DIMENSIONS
Empattement 2933 mm
Longueur 4877 mm
Largeur 1983 mm
Hauteur 1690 mm, **M** 1684 mm
Poids xDrive35 2250kg, **xDrive50** 2440 kg, **M** 2415 kg, **ActiveHybrid** 2580 kg
Diamètre de braquage 12,8 m
Coffre 570 l, 1450 l (sièges abaissés)
Active Hybride : 725 l, 1690 l (siège abaissé)
Réservoir de carburant 85 l
Capacité de remorquage 2721 kg

NOTRE VERDICT

Plaisir au volant	⬢⬢⬢⬢⬢◗
Qualité de finition	⬢⬢⬢⬢⬡
Consommation	⬢⬡⬡⬡⬡
Rapport qualité/prix	⬢⬢⬡⬡⬡
Valeur de revente	⬢⬢⬢⬡⬡

LA COTE VERTE

MOTEUR
L6 DE 3,0 l

· **Consommation** (100km): man. 8,9 l ou auto. 9,1 l
· **Émissions polluantes CO2 :** 4278 kg/an
· **Empreinte écologique** (nombre d'arbres à planter par année): 27
· **Indice d'octane :** 91
· **Autre motorisation:** non
· **Coût du carburant moyen par année:** auto. 2083 $
· **Nombre de litres par année:** auto. 1860 l

(SOURCE: BMW)

 FICHE D'IDENTITÉ

· **Versions** sDrive30i, sDrive35i, sDrive35is
· **Roues motrices** arrière
· **Portières** 2 **Nombre de passagers** 2
· **Première génération** 2003
· **Génération actuelle** 2010
· **Construction** Regensburg, Allemagne
· **Sacs gonflables** 6 (frontaux, latéraux avant, genoux, incluant tête)
· **Concurrence** Audi TT, Infiniti G37 coupé, Mercedes-Benz SLK, Nissan 370Z, Porsche Boxter/Cayman

 AU QUOTIDIEN

· **Prime d'assurance**
25 ans: 3000 à 3200 $
40 ans: 1900 à 2100 $
60 ans: 1400 à 1600 $
· **Collision frontale** 5/5
· **Collision latérale** 5/5
· **Ventes du modèle l'an dernier**
Au Québec 107 **Au Canada** 486
· **Dépréciation** 42,1 %
· **Rappels** (2005 à 2010) 1
· **Cote de fiabilité** 3/5

 GARANTIES... ET PLUS

· **Garantie générale** 4 ans/80 000 km
· **Garantie motopropulseur** 4 ans/80 000 km
· **Perforation** 12 ans/kilométrage illimité
· **Assistance routière** 4 ans/kilométrage illimité
· **Nombre de concessionnaires**
Au Québec 9 **Au Canada** 40

 NOUVEAUTÉS EN 2011

· Nouvelle version sDrive35is avec moteur de 335 chevaux.

PÉCHÉ VÉNIEL

PAR ALEXANDRE CRÉPAULT

LA COURSE AU ROADSTER CONTINUE SON ASCENSION VERS LA DÉMESURE. Les petits deux-places qui, jadis, préconisaient la légèreté et l'agilité sont maintenant devenus des machines aussi puissantes que luxueuses. À ce chapitre, la Z4 ne donne pas sa place !

[CARROSSERIE] Depuis sa refonte en 2009, la Z4 semble avoir repris le droit chemin. Du moins, visuellement parlant. Offerte en trois variantes (sDrive30i, sDrive35i et sDrive35is), elle comprend un toit rigide qui se rétracte électroniquement en une vingtaine de secondes. Avec ou sans toit, la Z4 attire l'œil. Quel que soit l'angle sous lequel on la regarde, ses lignes sont fluides mais musclées. Son long capot bombé, son aile bien large et son porte-à-faux minimaliste lui donnent des airs de Z8 moderne. Elle est vraiment très belle. Mais aussi très lourde. Le modèle 35is fait grimper la balance à presque 1610 kilos ! Les données sur le coffre ne sont pas très reluisantes non plus. L'espace passe de 0,31 mètre cube à 0,18 mètre cube une fois le toit abaissé.

[HABITACLE] BMW maîtrise l'art du design intérieur comme peu de constructeurs peuvent le faire. La Z4 témoigne de ce talent. Le luxe et la technologie abondent dans cet habitacle aussi confortable qu'élégant. Les multiples formes du tableau de bord sont recouvertes de matériaux de très grande qualité. Le tout peut être enrobé d'une palette complète de cuir. Parmi la longue liste d'accessoires qui équipent la Z4, le système iDrive joint à un écran rétractable de 8,8 pouces surprend par sa facilité d'utilisation.

[MÉCANIQUE] Le modèle de base sDrive30i est le seul à utiliser une mécanique atmosphérique. Son 6-cylindres en ligne de 3 litres produit 255 chevaux et un couple de 220 livres-pieds. Le modèle sDrive35i ajoute une paire de turbocompresseurs, ce qui lui permet d'extraire 300 chevaux et 300 livres-pieds. Dans les deux cas, la boîte de vitesses manuelle à 6 rapports est de série. On peut opter pour une boîte automatique, à 6 rapports pour la 30i, à 7 rapports à double embrayage pour la 35i. Le modèle sDrive35is se sert pratiquement de la même mécanique, mais

FORCES · Allure sexy et virile · Moteur biturbo sensationnel · Habitacle de grand luxe

FAIBLESSES · Poids · Servodirection électronique

revue par les Allemands pour atteindre 335 chevaux et 332 livres-pieds, disponibles dès 1500 tours par minute. De plus, le mode « surcouple temporaire » augmente le couple à 369 livres-pieds pendant quelques secondes lors des fortes accélérations. Seule une boîte à double embrayage à 7 rapports est offerte. Il s'agit de la même boîte qu'a conçue Getrag pour la M3.

[COMPORTEMENT] Il est important de traiter la nouvelle Z4 comme un roadster de grand tourisme... et non comme une sportive pointue. C'est le sort qui l'attendait à la minute où BMW a décidé de combiner coupé et décapotable sous un même toit rigide rétractable. Malgré toute cette masse, le moteur de base se tire correctement d'affaire. Cela dit, pourvue du 6-cylindres biturbo, la Z4 semble plus que jamais dans son élément. La puissance délivrée est instantanée, tout comme les changements de rapports sur la 35is d'ailleurs. Il faut prendre une seconde pour apprécier la mélodie que chante cette dernière, surtout à bas régime. Grâce à un petit bouton, le conducteur peut choisir entre trois modes : normal, sport et super sport. Selon le mode sélectionné, la servodirection, la réponse de l'accélérateur et les changements de rapports de la boîte de vitesses seront réglés en conséquence. Toutefois, quel que soit le mode, en poussant fort, la Z4 finit par crouler sous son embonpoint, et l'avant de la voiture décroche. La servodirection électronique ne communique pas très bien avec le pilote. Une suspension adaptative MSport est possible en option sur le modèle sDrive35i, mais sera de série sur la sDrive30is. Cette suspension s'adapte

automatiquement au type de conduite du conducteur.

[CONCLUSION] On est loin de la petite Z3. La Z4 d'aujourd'hui est une voiture virile, autant par ses lignes musclées que par son habitacle luxueux et son artillerie performante. Tout ce luxe et cette technologie, par contre, ont un prix... sur le plan financier et sur le plan sportif.

2ᵉ OPINION

FRÉDÉRIC MASSE Il est assez facile de situer la Z4... exactement à mi-chemin entre la confortable Mercedes-Benz SLK et l'incisive Porsche Boxster. J'adore d'ailleurs cet entre-deux qui permet à la fois d'avaler les courbes tout en profitant confortablement du soleil lors des balades plus contemplatives. Chose certaine, jamais la sonorité de l'échappement ne vous laissera agacé, jamais la séquentielle à 7 rapports offerte en option n'hésitera, jamais les 335 chevaux de la 35is ou son 0 à 100 km/h en 5 secondes ne vous laisseront sur votre faim. À mon avis, la Z4 se veut le choix idéal pour quiconque aime assez conduire pour faire un tout petit sacrifice au confort, mais tout de même pas assez pour avoir à supporter les manières rudes d'une Porsche Boxster. Simplement, elle est mon choix dans cette catégorie !

⑤ FICHE TECHNIQUE

· MOTEURS
· (sDrive30i)
L6 3,0 l DACT, 255 ch à 6600 tr/min
Couple 220 lb-pi à 2600 tr/min
Transmission manuelle à 6 rapports, automatique à 6 rapports avec mode manuel (en option)
0-100 km/h man. 5,9 s; **auto.** 6,3 s
Vitesse maximale 210 km/h (limitée)

· (sDrive35i)
L6 3,0 l biturbo DACT, 300 ch à 5800 tr/min
Couple 300 lb-pi à 1400 tr/min
Transmission manuelle à 6 rapports, automatique à 7 rapports avec mode manuel (en option)
0-100 km/h man. 5,4 s; **auto.** 5,3 s
Vitesse maximale 210 km/h (limitée)
Consommation (100 km) man. 9,6 l (octane 91)
auto. 10,6 l (octane 91)
Émissions de CO2 man. 4508 kg/an,
auto. 4738 kg/an
Litres par année man 1960 l, **auto.** 2060 l
Coût par an man. 2195$, **auto.** 2307 $
Carburant alternatif non
Empreinte écologique 29 arbres
· (sDrive35is)
L6 3,0 l biturbo DACT, 335 ch à 5900 tr/min
Couple 332 lb-pi à 1500 tr/min (369 lb-pi lors d'une courte augmentation de la pression des turbos)
Transmission automatique à 7 rapports avec mode manuel
0-100 km/h man. 5,0 s
Vitesse maximale 250 km/h (limitée)
Consommation (100 km) 10,6 l (constructeur)
Émissions de CO2 4200 kg/an
Litres par année 1980 l
Coût par an man 2178$
carburant alternatif non
Empreinte écologique 32 arbres

· AUTRES COMPOSANTES
Sécurité active freins ABS, répartition électronique de force de freinage, assistance au freinage, antipatinage, contrôle de stabilité électronique
Suspension avant/arrière indépendante
Freins avant/arrière disques
Direction à crémaillère, assistée
Pneus sDrive30i P225/45R17 option sDrive30i/sDrive35i sDrive35is 225/40R18 (av.), 255/35R18 (arr.) option sDrive35i/option sDrive35is 225/35R19(av.), 255/30R19 (arr.)

· DIMENSIONS
Empattement 2496 mm, **sDrive35is** 4244 mm
Longueur 4239 mm
Largeur 1790 mm
Hauteur 1291 mm, **sDrive35is** 1284 mm
Poids sDrive30i man. 1470 kg,
sDrive30i auto. 1510 kg, **sDrive35i man.** 1590 kg,
sDrive35i auto./sDrive35is 1610 kg
Diamètre de braquage 10,7 m
Coffre 310 l, 180 l (toit abaissé)
Réservoir de carburant 55 l

NOS MENTIONS

 Modèle recommandé

 Coup de coeur

NOTRE VERDICT

Plaisir au volant	●●●●
Qualité de finition	●●●●
Consommation	●●○
Rapport qualité/prix	●●●
Valeur de revente	●●●●

143

LA COTE VERTE

MOTEUR
W16 DE 8,0 L

- **Consommation (100km):** 22 l
- **Émissions polluantes CO_2:** 10166 kg/an
- **Empreinte écologique (nombre d'arbres à planter par année):** 82
- **Indice d'octane:** 91
- **Autre motorisation:** non
- **Coût de carburant moyen par année:** 4950 $
- **Nombre de litres par année:** 4420 l

Source : (Énerguide)

① FICHE D'IDENTITÉ

- **Version** 16.4, Grand Sport, Super Sport
- **Roues motrices** 4
- **Portières** 2 **Nombre de passagers** 2
- **Première génération** 2005
- **Génération actuelle** 2005, 2008 (Grand Sport)
- **Construction** Molsheim, France
- **Sacs gonflables** 2
- **Concurrence** Unique

② AU QUOTIDIEN

- **Prime d'assurance**
  25 ans: nd
  40 ans: nd
  60 ans: nd
- **Collision frontale** 5/5
- **Collision latérale** 5/5
- **Ventes du modèle de l'an dernier**
  Au Québec 1 **Au Canada** 3
- **Dépréciation** nm
- **Rappels** (2005 à 2010) nm
- **Cote de fiabilité** nm

③ GARANTIES... ET PLUS

- **Garantie générale** 2 ans/56 000 km
- **Garantie motopropulseur** 2 ans/56 000 km
- **Perforation** 2 ans/ 56 000 km
- **Assistance routière** nd
- **Nombre de concessionnaires**
  Au Québec 0 **Au Canada** 2

④ NOUVEAUTÉS EN 2011

- Nouvelle version de la Veyron

L'EXCEPTION À L'EXCEPTIONNEL

PAR BENOIT CHARETTE

À NOËL, EN 1909, ETTORE BUGATTI ET SA FA-MILLE S'INSTALLENT À MOLSHEIM DANS UNE DEMEURE QUI ALLAIT DEVENIR LE QUARTIER GÉNÉRAL DU PATRON, COMME LE SURNOM-MAIT SES EMPLOYÉS (en raison de sa mainmise sur toutes les étapes de la fabrication) pour les 30 prochaines années. La légende Bugatti était née. En 1956, la compagnie cessa toutes activi-tés. Cinquante ans plus tard, en octobre 2005, la première Bugatti Veyron sortit de la nouvelle so-ciété Bugatti Automobiles S.A.S grâce au groupe Volkswagen qui avait acquis les droits de la marque (en 1998). À ce jour, 250 exemplaires du coupé Bugatti Veyron ont été livrés aux clients fortunés. En juin 2009, Bugatti commença la production de la Bugatti Veyron Grand Sport, une version Targa de l'exotique alsacienne. On fabrique deux modèles par semaine, et trois ont été vendus au Canada dont un au Québec à un certain propriétaire de cirque bien connu et grand amateur de voitures. La Veyron, c'est d'abord un tour de force technologique. C'est ensuite un reflet de l'irrationnelle automobile dans toute sa splendeur ou son indécence, tout dépend de quel côté de la clôture vous vous situez. C'est aussi un monument à l'ego démesuré de Ferdinand Piech, brillant ingénieur, arrière-petit-neveu de Ferdinand Porsche et l'homme derrière le rachat de Bugatti en 1998. Mais la Veyron, c'est surtout le dernier exemple du savoir-faire extrême en matière d'automobile. C'est dans le cahier des charges de cette voiture que se regroupent tous les chiffres les plus impressionnants de l'industrie de l'automobile. Dans cette époque où le politique-ment correct prend toute la place, cette voiture est probablement le dernier pied-de-nez aux conven-tions, et c'est pourquoi je suis aussi fier d'avoir eu la chance d'en faire l'essai. Est-ce utile de vous mentionner que la voiture va se vendre plus cher que toute la gamme de voitures Ferrari réunies : 2,2 millions de dollars au Canada, et seulement 150 Bugatti Grand Sport seront produites à l'usine de Molsheim, en Alsace.

[CARROSSERIE] Mais avant d'aller plus loin, voyons un peu ce qui fait la différence entre le coupé Veyron et la version Grand Sport. Par rapport au coupé Veyron, la Grand Sport af-

FORCES · Performances stratosphériques · Facilité de conduite surprenante · Motricité sans faille

FAIBLESSES · Sonorité décevante · Prix inabordable

parapluie, permet de se protéger lors d'une averse impromptue. Mais alors, la vitesse maximale est limitée à 160 km/h.

[MÉCANIQUE] Comment décrire cette débauche de puissance! Son moteur est un 16-cylindres en W de 8 litres gavé par 4 turbocompresseurs à basse pression (dans le ventre de la Super Sport, on passe à 1200!) Bugatti a installé onze refroidisseurs sur la voiture. Les pneus arrière font un pied de largeur, et la voiture frise les deux tonnes à sec. La boîte DSG à 7 rapports rend la conduite aussi facile qu'une Honda Civic à la différence que nous sommes assis beaucoup plus bas. Une seule petite déception, si vos tympans ont gardé en mémoire l'exubérance d'un V8 Ferrari ou d'un V12 Lamborghini, cette Veyron Grand Sport n'offre pas l'envoûtement qu'on attend de la part de la reine des exotiques. Mais la puissance sans limite compense largement cette note musicale un peu monochrome de la mécanique.

fiche un pare-brise légèrement surélevé et des phares redessinés. Les ingénieurs de Molsheim ont travaillé sur la rigidité pour compenser l'absence de toit. Ainsi, la carcasse monocoque a été renforcée à la hauteur des bas de caisse latéraux et du tunnel central ajoutant 40 kilos au passage. Les montants B ont été rigidifiés transversalement par une traverse en fibre de carbone. Enfin, une plaque en carbone a été ajoutée sous le tunnel central. D'autres modifications ont été apportées pour la sécurité à la hauteur des portes en fibre de carbone. Pour protéger les deux occupants en cas de retournement, les deux prises d'air ventilant le 16-cylindres ont été modifiées pour éviter l'écrasement en cas de tonneau.

> **À MOINS D'ÊTRE SUR UN ANNEAU DE VITESSE ET DANS DES CONDITIONS CONTRÔLÉES, IL EST IMPOSSIBLE D'EXPLOITER LE PLEIN POTENTIEL DE CE MONSTRE.**

[HABITACLE] Le cockpit est habillé de cuir traité contre l'humidité. La caméra de recul, placée dans le pare-chocs arrière et qui renvoie une image sur un écran intégré dans le rétroviseur intérieur, fait partie de l'équipement de série. Cette Bugatti possède aussi une connexion iPod et un système de verrouillage central à distance pour la boîte à gants et la console centrale. Avec le toit fermé, la Bugatti Veyron 16.4 Grand Sport peut rouler à 407 km/h. Une fois le toit retiré, elle peut encore grimper jusqu'à 360 km/h. Et comme il n'y a pas moyen de placer le toit dans l'auto (c'est pour cela que le cuir est traité contre l'humidité), une capote « de secours » qui ressemble plus à un

[COMPORTEMENT] À moins d'être sur un anneau de vitesse et dans des conditions contrôlées, il est impossible d'exploiter le plein potentiel de ce monstre. Ma rencontre avec la Grand Sport a eu lieu à Vancouver. Accompagné de mon copilote, j'ai quitté le centre-ville en passant par Stanley Park pour constater à quel point cette voiture est conviviale. La visibilité latérale n'est pas idéale en raison des piliers B, et le poste de pilotage est un peu à l'étroit pour les jambes, mais le confort du siège compense. Vient ensuite l'entrée sur l'autoroute direction Whistler. Je commence à deviner le potentiel du moteur

HISTORIQUE

La compagnie Bugatti a officiellement produit des véhicules de 1909 à 1951. En 1963, Hispano-Suiza rachète la marque pour l'intégrer à sa division aéronautique. De nouvelles productions d'automobiles portant le nom de Bugatti furent entreprises après la disparition de la marque, d'abord en 1987 par l'italien Romano Artioli sous le nom de Bugatti Automobile Spa, puis en 1998 par le groupe allemand Volkswagen avec la création de la société Bugatti Automobiles SAS. Quelques prototypes ont été produits durant les années 90, qui ont sans doute inspiré Volkswagen pour les contours de la Veyron.

Bugatti EB 110
1991

Bugatti EB 112
1993

Bugatti EB 118
1998

Bugatti Chiron 18.3
1999

Bugatti EB 218
1999

Bugatti Veyron
prototype 2004

VEYRON

GALERIE

A Le moteur est sans contredit l'objet de désir de cette voiture et un tour de force technologique sans pareil. Cette mécanique est un moteur 16 cylindres en W de 64 soupapes composé de deux VR8 Volkswagen alimentés par 4 turbocompresseurs. Les 1001 chevaux font accélérer la voiture à 100 km/h en 2.7 secondes et un 0-200 km/h en 7.3 secondes. Le système de refroidissement est composé de 11 radiateurs d'une capacité de 55 litres pour réussir à tenir ce monstre au frais.

B Lors de son introduction sur le marché, la Veyron profitait de la première transmission faisant appel à une boîte DSG à sept rapports disposée longitudinalement devant le moteur central. La boîte DSG-Volkswagen a été améliorée pour offrir des passages de rapport aussi rapides que possible.

C À partir de 220 km/h, l'ensemble de la caisse de la Veyron s'abaisse automatiquement pour adopter une garde au sol de 80 mm à l'avant, 95 mm à l'arrière. Les clapets de diffusion demeurent ouverts, l'aileron arrière comme les spoilers s'extraient automatiquement. Dans une configuration à grande vitesse, la carrosserie affiche une garde au sol de 65 mm à l'avant, de 70 mm à l'arrière.

D La Veyron 16.4 est équipée d'un système de freinage basé sur des disques en carbone/céramique de 40 cm de diamètre. Le freinage est assisté par l'aileron arrière, appelé « airbrake », dont la mise en action s'effectue avec la pédale des freins, dans la configuration « handling », à des vitesses entre 200 et 375 km/h.

E La structure de la coque est composée de deux éléments en carbone boulonnés. Le berceau avant est en aluminium extrudé, l'arrière est en acier inoxydable. Le titane est utilisé pour les moyeux, les étriers de frein, les ressorts et l'échappement. Pas étonnant qu'elle soit si chère.

en empruntant la bretelle d'entrée. Le président de Lamborghini Vancouver, Asqar Virji, ouvre la route au volant d'une Lamborghini LP 560 noire. Après quelques minutes à négocier dans la circulation, une petite éclaircie, la Lamborghini noire hurle de bonheur devant moi, et mon instructeur, calme, me dit d'attendre. Nous laissons aller la Lambo qui accélère à fond pendant 10 bonnes secondes et, soudain, j'ai le feu vert. Je commence par rétrograder sur le 3e rapport pour mettre les gaz à fond. La violence de la poussée perturbe mon cerveau. La ligne rouge, qui arrive très vite à 6 500 tours par minute, oblige à passer très rapidement les rapports. En moins de 8 secondes, je suis passé de 80 à 240 km/h en tricotant seulement deux rapports et je suis arrivé dans l'arrière-train de la Lamborghini comme si elle était à l'arrêt. La stabilité du véhicule, redevable à un impressionnant système de transmission intégrale, est proprement irréelle. L'ingénieur de Bugatti sur place à Vancouver, Jens Schulenberg, m'expliquait qu'il a fallu six ans de travail pour en arriver là. Être capable de donner une telle tenue de route coiffée de toutes les aides électroniques (d'une efficacité redoutable) à un véhicule plus puissant qu'une F1 relève presque de la science-fiction. Tous les systèmes ont été conçus pour réagir aux millisecondes. Imaginez un peu, cette Veyron accélère à 100 km/h en 2,7 secondes sur le premier rapport. Rajoutez 4,7 secondes, et vous voilà à 200 km/h. L'inconscient qui reste 9,4 secondes de plus le pied au plancher pulvérise le seuil des 300 km/h. Et la tempête ne s'arrête qu'au-delà de 400 km/h. À la suite de ces quelques secondes de délire, entrent en scène les freins de 400 millimètres en

carbone-céramique qui stoppent la voiture aussi férocement qu'elle accélère. J'ai même eu de l'aide de l'aileron arrière qui se transforme en aérofrein à haute vitesse. J'avais presque l'impression d'avoir un parachute derrière. Comment vous décrire cette poussée d'adrénaline autrement qu'en utilisant le mot surréaliste.

[CONCLUSION] Les premières Grand Sport ont été proposées en priorité aux actuels propriétaires de Veyron. Il y a un concessionnaire à Vancouver et un autre à Toronto.

LE SAVIEZ-VOUS ?
\\\\\\\\\\\\\\\\\\\\\\\\\\\\\\\\\\\

Il vous faudra 22 000$ pour un entretien de routine. Bugatti recommande aussi que l'on change de pneus à tous les 4000 kilomètres. (10000 km maximum) Les gommes, fabriquées par Michelin, coûtent 10 000$ chacun, auquel il faut ajouter 70 000$ de frais de transport car seuls les techniciens de Bugatti, en France, peuvent procéder au remplacement de ces pneus. Aussi, Bugatti recommande de faire vérifier les roues à chaque trois changements de pneus, pour s'assurer qu'aucune microfissure n'est apparue à cause du stress subi en roulant à très haute vitesse. Chaque roue se vend 12 000$. Si vous faites pas mal de route, vous dépenserez bon an, mal an des coûts d'entretien normaux d'environ 300 000$. Et si jamais vous avez des ennuis mécaniques, sachez par exemple que la transmission intégrale Haldex coûte plus de 120 000$ à remplacer.

⑤ FICHE TECHNIQUE

· MOTEURS

· W16 8,0 l quadraturbo DACT, 1001 ch à 6000 tr/min	
Couple 929 lb-pi à 2200 tr/min	
Transmission séquentielle à 7 rapports	
0-100 km/h 2,7 s	
Vitesse maximale 407 km/h	

· (SUPER SPORT)

· W16 8,0 l quadraturbo DACT, 1200 ch à 6000 tr/min	
Couple 1260 lb-pi de 2000 à 5000 tr/min	
Transmission séquentielle à 7 rapports	
0-100 km/h 2,5s	
Vitesse maximale 415 km/h (bridée)	
Consommation par 100 km 23 l (octane 94)	

· AUTRES COMPOSANTES

Sécurité active freins ABS, antipatinage
Suspension avant/arrière indépendante
Freins avant/arrière disques ventilés
Direction à crémaillère, assistée
Pneus P265/35R19,7 (av.), P365/R21,3 (arr.)

· DIMENSIONS

Empattement 2650 mm **Grand Sport** 2710 mm
Longueur 4527 mm **Grand Sport** 4462 mm
Largeur 1937 mm **Grand Sport** 1998 mm
Hauteur 16.4 1158 mm **Grand Sport** 1204 mm
Poids 16.4 1888 kg, **Grand Sport** 1990 kg
Diamètre de braquage 12 m
Coffre nd
Réservoir de carburant 100 l

NOS MENTIONS

 Coup de coeur

NOTRE VERDICT

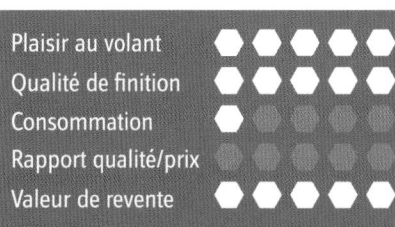

Plaisir au volant	⬡⬡⬡⬡⬡
Qualité de finition	⬡⬡⬡⬡⬡
Consommation	⬡
Rapport qualité/prix	⬡⬡⬡
Valeur de revente	⬡⬡⬡⬡

ENCLAVE

www.gm.ca

ÉVOLUTION

43 505 $ à 55 490$
transport et préparation : 1350 $

LA COTE VERTE

MOTEUR
V6 DE 3,6 L

· **Consommation (100km):**
2RM 10,6 l
4RM 11,2 l

· **Émissions polluantes CO_2 :**
2RM 4968 kg/an
4RM 5244 kg/an

· **Empreinte écologique (nombre d'arbres à planter par année):** 31

· **Indice d'octane:** 87

· **Autre motorisation :** non

· **Coût du carburant moyen par année:**
2RM 2160 $
4RM 2280 $

· **Nombre de litres par année:**
2RM 2160 l
4RM 2280 l

(source : ÉnerGuide)

① FICHE D'IDENTITÉ

· **Versions** CX, CXL
· **Roues motrices** avant, 4
· **Portières** 4 **Nombre de passagers** 7, 8
· **Première génération** 2008
· **Génération actuelle** 2008
· **Construction** Lansing, Michigan, É.-U.
· **Sacs gonflables** 6 (frontaux, latéraux avant, rideaux latéraux)
· **Concurrence** Acura MDX, Audi Q7, Ford Flex, Honda Pilot, Hyundai Veracruz, Lexus RX350, Mazda CX-9, Nissan Murano, Toyota Highlander, Volvo XC90

② AU QUOTIDIEN

· **Prime d'assurance**
25 ans: 2400 à 2600 $
40 ans: 1400 à 1600 $
60 ans: 1200 à 1400 $
· **Collision frontale** 5/5
· **Collision latérale** 5/5
· **Ventes du modèle de l'an dernier**
Au Québec 451 **Au Canada** 3854
· **Dépréciation** (2 ans) 38,6%
· **Rappels** (2005 à 2010) 5
· **Cote de fiabilité** 3,5/5

③ GARANTIES... ET PLUS

· **Garantie générale** 4 ans/80 000 km
· **Garantie motopropulseur** 5 ans/160 000 km
· **Perforation** 6 ans/kilométrage illimité
· **Assistance routière** 5 ans/60 000 km
· **Nombre de concessionnaires**
Au Québec 84 **Au Canada** 450

④ NOUVEAUTÉS EN 2011

· Aucun changement majeur

LAISSEZ-VOUS DORLOTER

PAR FREDERIC MASSE

IL ARRIVE PARFOIS QU'ON NE SE SOU-VIENNE PLUS POURQUOI ON AIMAIT TANT UN VÉHICULE. Dans le cas de l'Enclave, cela faisait plus de deux ans que j'avais essayé le modèle. J'avais beau me replonger dans mes notes et les sensations lointaines, je n'arrivais plus à figurer ce qui m'avait tant plus dans ce Buick. Puis, j'ai remis la main sur le volant spécialement pour *L'ANNUEL*, et ça m'est revenu très rapidement. L'Enclave est une machine fantastique. Je me dois de répandre la bonne nouvelle.

[CARROSSERIE] Le Buick Enclave partage la même plateforme Lambda que ses deux cousins, le GMC Acadia et le Chevrolet Traverse. De loin le plus beau des trois, ses lignes allient le style à une taille qui n'a rien de lilliputien. Sa calandre revêt un air noble, tandis que les accents de chromes ici et là doivent probablement plaire à la clientèle cible... que je ne suis évidemment pas. Même son de cloche pour les grosses roues chromées de 20 pouces offertes en option. On a vu plus discret, mais, dans le genre, c'est réussi. Je me servirais toutefois

bien d'une de ces pales comme leurre de pêche. Je suis certain que ça mordrait. Mais, trêve de plaisanterie, je le trouve beau l'Enclave et pour demeurer chez Buick, je dirais même qu'il a fière Allure.

[HABITACLE] C'est du sérieux que ce produit Buick. À l'instar de Cadillac, les nouvelles générations de cette division de la General Motors n'ont plus du tout de croûtes à manger. La finition est impeccable. Les matériaux sont bien choisis, et il y a de la place pour trimbaler en tout confort sept personnes (vous pouvez monter à huit en cochant l'option qui remplace les fauteuils en deuxième rangée par une banquette). À l'arrière, quand la troisième rangée de sièges est relevée (chose qui se fait en un tournemain), il reste même encore un peu de place pour les bagages ou l'épicerie de la semaine. Outre les sièges que j'aurais appréciés plus profonds (on a l'impression de flotter plutôt qu'être supporté), un angle mort à gauche difficile à faire et une visibilité arrière problématique (la caméra de recul est un préalable), je ne trouve rien

FORCES · Insonorisation · Qualité de finition · Confort de roulement · Impression de sécurité · Espace de chargement

FAIBLESSES · Vision arrière difficile · Soutien des sièges avant

à redire tant sur la présentation, l'insonorisation que sur l'ergonomie. C'est beau et bien fait.

[MÉCANIQUE] Ici, c'est encore la douceur qui prime, tout comme ailleurs. Un V6 de 3,6 litres développant 288 chevaux s'est frayé un chemin sous le capot. Sans passager et sans bagage, la mécanique suffit amplement, surtout que sa boîte de vitesses à 6 rapports travaille merveilleusement bien. Chargé, avec les enfants et le bataclan, là ce sera peut-être un peu plus compliqué. Les reprises seront plus lentes, les dépassements, plus difficiles, et chaque cheval semble peiner à la tâche. Mais ça demeure dans la limite de l'acceptable. À moins que vous ne remorquiez de lourdes charges avec un habitacle rempli à ras bord, ça devrait suffire.

[CONDUITE] On ne parlera évidemment pas des talents de ballerine à tutu de l'Enclave, vous le devinerez. Mais, ce n'est pas ce que vous cherchez non plus, avouez. Vous voulez une direction légère, une suspension à quatre roues indépendantes conciliante et un freinage sûr. Vous l'avez dans l'Enclave. En plus, malgré son poids, il projette tout de même une sensation de sûreté sur la route. Il étire et plonge un peu, mais jamais il ne vous forcera à exécuter une fausse manœuvre, et sa direction est étonnamment précise. J'apprécie ce type de véhicule qui s'assume, et l'Enclave joue parfaitement bien son rôle de dorloteur de première. Avec la transmission intégrale offerte en option, l'Enclave se voudra en plus un véhicule sûr et agréable à conduire (dans le genre évidemment) en conditions hivernales.

[CONCLUSION] On ne voit pas encore assez d'Enclave sur les routes. Certes, la concurrence est féroce, comme le Lexus RX et l'Acura MDX, mais l'Enclave mérite une plus grande part du gâteau. Il trimbale certes avec lui l'image un peu vieillotte des produits Buick, mais bien des acheteurs qui recherchent un produit axé sur la douceur de roulement tout en ayant besoin de beaucoup d'espace devraient le mettre sur leur liste. La fiabilité de l'Enclave n'est toutefois pas encore au même niveau que celle d'Acura ou de Lexus, mais à voir les efforts récents de GM en la matière, ça viendra peut-être plus vite qu'on ne le pense.

2ᵉ OPINION

DANIEL RUFIANGE Je me souviendrai toujours de mon premier contact avec le Buick Enclave. Je m'attendais à découvrir un produit moribond, conçu et pensé pour plaire aux Snowbirds. La surprise avait été de taille. J'ai fait la découverte d'un véhicule s'adressant à une clientèle jeune et branchée. Confortable au possible, doté d'un habitacle spacieux, luxueux, bien assemblé et à la présentation très jolie, l'Enclave séduit, tout simplement. Bien qu'il puisse recevoir huit occupants, c'est la configuration à sept places qui plaît le plus avec ses fauteuils à la deuxième rangée et son allée centrale qui permet de rejoindre la troisième rangée. Dans les faits, l'Enclave ne nous donne qu'une envie : partir avec ses amis pour une destination de golf, pas très loin du paradis des... Snowbirds !

⑤ FICHE TECHNIQUE

· MOTEURS
· (CX, CXL)
V6 3,6 l DACT, 288 ch à 6300 tr/min
Couple 270 lb-pi à 3400 tr/min
Transmission automatique à 6 rapports
0-100 km/h 8,2 s
Vitesse maximale 210 km/h

· AUTRES COMPOSANTES
Sécurité active freins ABS, répartition électronique de force de freinage, assistance au freinage, antipatinage, contrôle de stabilité électronique
Suspension avant/arrière indépendante
Freins avant/arrière disques
Direction à crémaillère, assistée
Pneus CX P255/65R18, **CXL** P255/60R19, **option** P255/55R20

· DIMENSIONS
Empattement 3020 mm
Longueur 5126 mm
Largeur 2007 mm
Hauteur 1846 mm
Poids 2RM 2168 kg **4RM** 2261 kg
Diamètre de braquage 12,3 m
Coffre 657 l, 3265 l (sièges abaissés)
Réservoir de carburant 83,3 l
Capacité de remorquage 2041 kg

NOS MENTIONS

☺ Modèle recommandé

NOTRE VERDICT

Plaisir au volant	●●●●○
Qualité de finition	●●●●○
Consommation	●●○○○
Rapport qualité/prix	●●●○○
Valeur de revente	●●●○○

LACROSSE

www.gm.ca

ÉVOLUTION

N É J

32 995 $ à 42 145 $
transport et préparation : 1350 $

LA COTE VERTE

MOTEUR
L4 DE 2,4 L

· **Consommation
(100km):** 9,0 l
· **Émissions
polluantes CO$_2$:**
3588 kg/an
· **Empreinte écologique
(nombre d'arbres à
planter par année):** 27
· **Indice d'octane:** 87
· **Autre
motorisation:** non
· **Coût du carburant
moyen par année:**
auto. 1560$
· **Nombre de
litres par année:**
1560 l

(SOURCE: ÉnerGuide)

① FICHE D'IDENTITÉ

· **Versions** CX 2,4 l, CX V6, CXL, CXL 4RM, CXS
· **Roues motrices** avant, 4
· **Portières** 4 **Nombre de passagers** 5
· **Première génération** 2005 (Allure)
· **Génération actuelle** 2010
· **Construction** Kansas City, Kansas, États-Unis
· **Sacs gonflables** 6 (frontaux, latéraux, rideaux latéraux)
· **Concurrence** Acura TL, Chevrolet Malibu/Impala,
Chrysler Sebring/300, Dodge Charger, Ford
Fusion/Taurus, Honda Accord, Hyundai Sonata,
Kia Magentis, Lexus ES350, Mazda6, Mitsubishi
Galant, Nissan Altima/Maxima, Toyota Camry,
Volkswagen Passat

② AU QUOTIDIEN

· **Prime d'assurance**
25 ans: 1900 à 2100 $
40 ans: 1200 à 1400 $
60 ans: 1000 à 1200 $
· **Collision frontale** 5/5
· **Collision latérale** 5/5
· **Ventes du modèle de l'an dernier (Allure)**
Au Québec 536 **Au Canada** 2835
· **Dépréciation** 67,1%
· **Rappels** (2005 à 2010) 4 (Allure)
· **Cote de fiabilité** 4/5

③ GARANTIES... ET PLUS

· **Garantie générale** 4 ans/80 000 km
· **Garantie motopropulseur** 5 ans/160 000 km
· **Perforation** 6 ans/kilométrage illimité
· **Assistance routière** 4 ans/80 000 km
· **Nombre de concessionnaires**
Au Québec 84 **Au Canada** 450

④ NOUVEAUTÉS EN 2011

· V6 de 3 litres remplacé par le 4-cylindres
Ecotec de 2,4 litres

À L'ASSAUT DE LEXUS

PAR PHILIPPE LAGUË

INTRODUITE EN 2005, LA BUICK LACROSSE (RE-BAPTISÉE ALLURE AU QUÉBEC) AVAIT LE MAN-DAT D'ALLER JOUER DANS LES PLATES-BANDES DES MARQUES DE LUXE JAPONAISES, LEXUS EN TÊTE DE LISTE. L'Allure a subi sa première re-fonte l'année dernière et elle s'appelle désormais LaCrosse comme dans le reste de l'Amérique du Nord. Tant pis pour les railleries.

[CARROSSERIE] Non seulement ne ressemble t-elle pas à une voiture américaine, mais elle n'a surtout pas l'air d'une Buick, à cause de la mo-dernité de son design. Ses lignes évoquent plutôt Lexus ou Infiniti, ce qui n'est évidemment pas une coïncidence. Est-ce beau? Je vous laisse juger, mais force est d'admettre qu'il s'en dégage une certaine prestance. Le design a cependant imposé certains sacrifices et non les moindres. Comme le veut la tendance, la ceinture de caisse est haute, ce qui réduit la surface vitrée et affecte la visibilité. Celle de la nouvelle LaCrosse est franchement médiocre: vivement le sonar et la caméra de recul pour les manœuvres de stationnement!

[HABITACLE] Depuis une dizaine d'années, cette division se démarque par le soin apporté à la fi-nition et à la construction. C'est assemblé avec rigueur, avec des matériaux de qualité. La déco-ration intérieure n'est pas sans rappeler, encore une fois, Lexus, avec un amalgame de cuir et de bois du meilleur goût. Très classe. Le tableau de bord, simple et facile à consulter, est constitué de deux cadrans, séparés par un petit écran qui intègre des infos comme l'odomètre, la consommation et l'autonomie. Le tout s'opère à partir du même levier que les clignotants, ce qui permet de ne pas quitter la route des yeux. Bien pensé. Très con-fortables, les sièges avant offrent un bon soutien lombaire, mais manquent de maintien latéral. Cela s'applique mot pour mot à la banquette arri-ère. L'habitabilité est correcte, sans plus: beaucoup d'espace pour les jambes à l'arrière mais pour la tête, c'est plus juste. Cette fois, c'est l'inclinaison du toit qui est en cause.

[MÉCANIQUE] Le 4-cylindres effectue en 2011 son grand retour chez Buick. L'Ecotec de 2,4 litres adopte l'injection directe, tout comme le V6

FORCES · Design moderne · Finition et construction soignées · Raffinement mécanique
· 4-cylindres au menu · Comportement étonnant · Routière confortable et silencieuse

FAIBLESSES · Piètre visibilité arrière · Sièges qui manquent de maintien · Espace
restreint pour la tête à l'arrière · Consommation décevante (V6) · Nombreuses options

de Buick. Elle est désormais outillée pour affronter des rivales asiatiques comme la Lexus ES350, l'Acura TL, la Nissan Maxima ou la Hyundai Genesis. Autre bon point en sa faveur, la fiabilité, un mot qui fait partie du vocabulaire de Buick. La «nouvelle GM» semble promise à un bel avenir, mais restons tout de même prudents : ce constructeur n'a pas son pareil pour se mettre lui-même en échec.

de 3,6 litres. Ce dernier est l'un des bons moteurs de GM, mais il n'est pas parfait non plus; souple et silencieux, il manque cependant de mordant, surtout lors des reprises. L'étagement de la boîte de vitesses automatique y est aussi pour quelque chose : les passages sont fluides, mais on perçoit un délai dans les changements de rapports. De plus, la combinaison de cette boîte avec un moteur à injection directe laisse entrevoir de belles promesses côté consommation, mais le résultat déçoit, avec une moyenne oscillant autour des 12 litres aux 100 kilomètres. Le freinage, lui, ne manque pas de mordant. La réponse est instantanée, et ça freine rapidement. La direction mérite elle aussi une bonne note : elle est précise et l'assistance est bien dosée, contrairement aux Buick d'antan.

[COMPORTEMENT] Oubliez tous les préjugés que vous avez envers cette marque : le comportement de la nouvelle LaCrosse est à des années-lumière de celui des Buick des décennies précédentes. Jamais une voiture de cette marque n'a aussi bien tenu la route. Bon, restons calme, ce n'est pas une Audi ou une BMW; mais la cible, rappelons-le, ce sont les marques de luxe japonaises. La Buick n'a rien à leur envier en matière de douceur de roulement et d'insonorisation, mais au fond, ce n'est pas une surprise : cette marque a toujours été synonyme de confort. Ce qui étonne, c'est son aplomb sur la route, particulièrement dans les virages, où le roulis est fort bien maîtrisé. Ça, une Buick? Vous êtes sûrs?

[CONCLUSION] La nouvelle cuvée de LaCrosse (quel nom, vraiment!) illustre la métamorphose

2ᵉ OPINION

DANIEL RUFIANGE On a mis du temps chez GM avant d'accoucher d'une berline haut de gamme capable de rivaliser avec les ténors de la catégorie. L'arrivée du modèle LaCrosse a permis au constructeur d'affirmer : mission accomplie ! Historiquement critiqués pour des habitacles moribonds et une conduite conçue sur mesure pour les retraités, les produits Buick se départissent assurément de cette image. Sièges confortables, position de conduite sans reproche, tenue de route rassurante, les qualificatifs qui caractérisent la LaCrosse surprennent. En réalité, cette voiture est difficile à prendre en défaut. Seul le manque d'espace de rangement à l'intérieur se veut une tache au dossier d'une berline qui se veut aussi spacieuse qu'accueillante. Néanmoins, je la préfère à la Ford Taurus et à la Lexus ES.

⑤ FICHE TECHNIQUE

· MOTEURS

· (CX 2,4 L)
L4 2,4 l DACT, 182 ch à 6700 tr/min
Couple 172 lb-pi à 4900 tr/min
Transmission automatique à 6 rapports avec mode manuel
0-100 km/h 8.4 s
Vitesse maximale 190 km/h

· (CX, CXL)
V6 3,0 l DACT, 255 ch (T) 252 ch (4RM) à 6900 tr/min
Couple 217 lb-pi (T) 215 lb-pi (4RM) à 5100 tr/min
Transmission automatique à 6 rapports avec mode manuel
0-100 km/h 7,8 s
Vitesse maximale 200 km/h
Consommation (100 km) Traction 10,2 l (octane 87), **4RM** 10,7 l (octane 87)
Émissions de CO$_2$ Traction 4784 kg/an, **4RM** 5014 kg/an
Litres par année Traction 2080 l, **4RM** 2180 l
Coût par an Traction 2080 $, **4RM** 2180 l
Carburant alternatif non
Empreinte écologique 30 arbres

· (CXS)
V6 3,6 DACT , 280 ch à 6300 tr/min
Couple 259 lb-pi à 4800 tr/min
Transmission automatique à 6 rapports avec mode manuel
0-100 km/h 7,4 s
Vitesse maximale 210 km/h
Consommation (100 km) 9,8 l (octane 91)
Émissions de CO$_2$ 4600 kg/an
Litres par année 2000 l
Coût par an man. 2240 $
Carburant alternatif non
Empreinte écologique 32 arbres

· AUTRES COMPOSANTES

Sécurité active freins ABS, antipatinage, contrôle de stabilité électronique
Suspension avant/arrière indépendante
Freins avant/arrière disques
Direction à crémaillère, assistée
Pneus CX 2,4 l, CX V6, CXL Traction P245/50R17
Option (CXL Traction), CXL 4RM, CXS P245/45R18
Option (CXS) P245/40R19

· DIMENSIONS

Empattement 2837 mm **Longueur** 5001 mm
Largeur 1857 mm **Hauteur** 1496 mm
Poids CX 2,4 l 1732 kg, **CXL Traction** 1823kg, **CXL 4RM** 1905 kg **CXS** 1844 kg
Diamètre de braquage 11,75 m
Coffre CX 2,4 l, CX V6, CXL 376 L **CXS** 362 L
Réservoir de carburant CX 2,4 l, CX V6, CXL Traction, CXS 69,6 L, **CXL 4RM** 73,8 L

NOTRE VERDICT

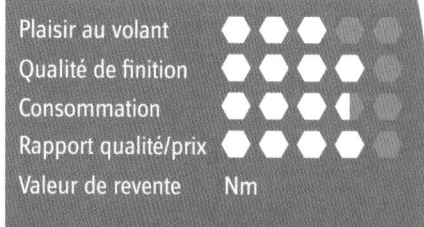

Plaisir au volant	●●●○○
Qualité de finition	●●○○○
Consommation	●●●○○
Rapport qualité/prix	●●●○○
Valeur de revente	Nm

LUCERNE
www.gm.ca

33 095 $ à 47 795 $
transport et préparation : 1350 $

LA COTE VERTE

MOTEUR
V6 DE 3,9 L

- **Consommation (100km):**
Octane 87 9,7 l
Éthanol 13,2 l
- **Émissions polluantes CO$_2$:**
Octane 87 4600 kg/an
Éthanol 4320 kg/an
- **Empreinte écologique (nombre d'arbres à planter par année):** 31
- **Indice d'octane:** 87
- **Autre motorisation:** Éthanol E85
- **Coût du carburant moyen par année:** Octane 87 2000 $
- **Nombre de litres par année:**
Octane 87 2000 l
Éthanol 2700 l

(SOURCE: ÉnerGuide)

① FICHE D'IDENTITÉ

- **Versions** CX, CXL, CXL Premium, Super
- **Roues motrices** avant
- **Portières** 4 **Nombre de passagers** 5, 6
- **Première génération** 2006
- **Génération actuelle** 2006
- **Construction** Detroit, Michigan, États-Unis
- **Sacs gonflables** 6 (frontaux, latéraux, rideaux latéraux)
- **Concurrence** Acura TL, Chevrolet Impala, Chrysler 300, Dodge Charger, Ford Taurus, Hyundai Genesis, Nissan Maxima, Toyota Avalon

② AU QUOTIDIEN

- **Prime d'assurance**
25 ans: 1900 à 2100 $
40 ans: 1200 à 1400 $
60 ans: 1000 à 1200 $
- **Collision frontale** 5/5
- **Collision latérale** 4/5
- **Ventes du modèle de l'an dernier**
Au Québec 203 **Au Canada** 1749
- **Dépréciation** 56,5%
- **Rappels** (2005 à 2010) 4
- **Cote de fiabilité** 4/5

③ GARANTIES... ET PLUS

- **Garantie générale** 4 ans/80 000 km
- **Garantie motopropulseur** 5 ans/160 000 km
- **Perforation** 6 ans/kilométrage illimité
- **Assistance routière** 5 ans/160 000 km
- **Nombre de concessionnaires**
Au Québec 84 **Au Canada** 450

④ NOUVEAUTÉS EN 2011

- Système d'antipatinage de série sur tous les modèles.
- Nouveaux systèmes audio pour les versions à 5 passagers.

LA VIEILLE ÉCOLE

PAR BENOIT CHARETTE

AVEC LE RENOUVEAU DE LA REGAL ET UNE ALLURE PLUS MODERNE POUR LA LACROSSE, LA LUCERNE EST LA DERNIÈRE SURVIVANTE DE LA GLORIEUSE ÉPOQUE DES PAQUEBOTS D'AUTOROUTE. GM a tout de même pris le soin d'intégrer bon nombre de technologies modernes qui en font une voiture moins instable que ses ancêtres.

[CARROSSERIE] Les mots conservatisme et démodées sont probablement ceux qui s'appliquent le mieux aux lignes de la Lucerne. L'abondance des accents de chrome, les roues en alliage poli ajoutent au côté « ancestral » de la chose. La version Super comporte quelques éléments de style supplémentaires comme des embouts d'échappement intégrés, un dessin de calandre unique et des logos Super sur la voiture.

[HABITACLE] Le luxe et le confort sont en tête de liste de la Lucerne. Pour souligner son côté rétro, la Lucerne est probablement la dernière grande berline qui peut être livrée avec une banquette à l'avant. Vous profitez également de sièges avant chauffants à réglage électrique en huit directions, un soutien lombaire à réglage électrique, une mémoire des réglages et un volant chauffant gainé de cuir. Chaque modèle Lucerne profite de la technologie QuietTuning, un système d'insonorisation conçu pour atténuer, isoler et absorber grandement les bruits indésirables de la route. La Lucerne Super se distingue par son dessus de tableau de bord garni de cuir à surpiqûres anglaises, les garnitures en suède dans les portes et sur les sièges avant chauffants et rafraîchissants de série. La Super offre aussi une chaîne audio Harman Kardon de 280 watts à neuf haut-parleurs avec changeur de six disques compacts et lecteur de MP3. Les acheteurs de Lucerne CXL Premium et Super peuvent de plus opter pour un système de navigation à écran tactile ou un toit ouvrant.

[MÉCANIQUE] Les modèles CX, CXL et CXL Premium sont propulsés par un V6 de 3,9 litres de 227 chevaux. La Lucerne Super est équipée d'un moteur V8 Northstar de 4,6 litres d'une puissance de 292 chevaux. Les deux mécaniques

FORCES • Intérieur vaste et confortable • Grand silence de roulement • Liste exhaustive d'équipement de série • Excellente présentation du tableau de bord

FAIBLESSES • V6 dépassé par les évènements • Style sans saveur • Rayon de braquage trop large • Direction floue et sans vie dans les modèle V6

sont liées à une boîte de vitesses automatique à 4 rapports. À l'image de la voiture, la technologie des moteurs n'est pas récente (surtout le V6), et les boîtes sont désuètes. Mais cette technologie depuis longtemps éprouvée est d'une grande fiabilité. Pour ajouter à l'impression de conduire un nuage, le V8 profite d'un capot insonorisé, d'un tendeur de chaîne d'arbres à cames spécial, de supports de couvre-arbre à cames isolants et de pistons enduits du polymère Grafal; tout cela contribue à son fonctionnement silencieux.

[COMPORTEMENT] Vous l'aurez deviné, nous ne sommes pas au volant d'une berline sport ici, mais, malgré sa conception d'une autre époque, GM a ajouté plusieurs éléments qui font en sorte que la voiture tienne quand même la route. Oui, la suspension est souple, et non il n'est pas recommandé de prendre des virages à trop vive allure. Mais lors de mon essai avec la version Super, j'ai réalisé que la suspension Magnetic Ride Control, recalibrée pour une meilleure maîtrise de la conduite, combinée aux roues de 18 pouces procure une tenue de route tout à fait acceptable. Il y a également la suspension arrière avec correcteur d'assiette automatique qui règle la hauteur du véhicule selon la charge et le système électronique de contrôle de la stabilité StabiliTrak à quadruple circuit avec aide au freinage, qui détecte les situations de freinage d'urgence et augmente la puissance de freinage au besoin. Des éléments modernes qui aident à la conduite et à la sécurité.

[CONCLUSION] La Lucerne est une espèce en voie de disparition, et bien des rumeurs l'envoient déjà au rancart à court terme ; d'autres disent qu'on en fera une traction. Je ne suis pas un amateur de ce genre de voiture, mais pour ceux qui aiment, GM s'est très bien acquittée de sa tâche. Unique en son genre, il faut aller vers Lincoln et sa MKS pour trouver quelque chose de semblable, mais avec une présentation beaucoup plus contemporaine.

2ᵉ OPINION

DANIEL RUFIANGE La gamme des produits Buick s'est entièrement renouvelée depuis 2008. Cette année, l'arrivée du modèle d'entrée de gamme Regal vient boucler la boucle, du moins pour l'instant. Dans tous ces changements, on semble avoir oublié la Lucerne, dernier vestige qui témoigne de ce que Buick a déjà été. Au volant, on ne sera donc pas surpris de retrouver un véhicule offrant un excellent confort, peu de maintien des sièges, une planche de bord simple, fonctionnelle mais sans intérêt, ainsi que de la place pour toute la famille et les beaux-parents. À moins d'en désirer une à tout prix, je ne recommande pas l'achat d'une Lucerne neuve en raison de sa forte dépréciation. Par contre, du côté du marché de l'occasion, il y a de bonnes affaires à réaliser car, au demeurant, il ne s'agit pas d'un mauvais produit.

⑤ FICHE TECHNIQUE

· MOTEURS
· (CX, CXL)
V6 3,9 l ACC, 227 ch à 5700 tr/min
Couple 237 lb-pi à 3200 tr/min
Transmission automatique à 4 rapports
0-100 km/h 9,6 s
Vitesse maximale 190 km/h

· (SUPER)
V8 4,6 l DACT, 292 ch à 6300 tr/min
Couple 288 lb-pi à 4500 tr/min
Transmission automatique à 4 rapports
0-100 km/h 7,4 s
Vitesse maximale 210 km/h
Consommation (100 km) 11,3 l (octane 91)
Émissions de CO$_2$ 5290 kg/an
Litres par année 2300 l
Coût par an 2576 $
Carburant alternatif non
Empreinte écologique 33 arbres

· AUTRES COMPOSANTES
Sécurité active freins ABS, assistance au freinage, antipatinage, contrôle de stabilité électronique
Suspension avant/arrière indépendante
Freins avant/arrière disques
Direction à crémaillère, assistée
Pneus CX/CXL P235/55R17 **Super** P245/50R18

· DIMENSIONS
Empattement 2936 mm
Longueur 5161 mm
Largeur 1874 mm
Hauteur 1473 mm
Poids CX 1707 kg **CXL** 1800 kg **Super** 1816 kg
Diamètre de braquage CX/CXL 12,9 m
Super 13,4 m
Coffre 481 l
Réservoir de carburant 70 l

NOTRE VERDICT

Plaisir au volant	●●●◖
Qualité de finition	●●●
Consommation	●●
Rapport qualité/prix	●●
Valeur de revente	●●◖

REGAL

www.gm.ca

N NOUVEAUTÉ **É**

J

31 990 $ à 34 990 $
transport et préparation : 1450 $

MOTEUR
L4 DE 2,4 L

- **Consommation (100km):** 8,8 l
- **Émissions polluantes CO_2 :** 3588 kg/an
- **Empreinte écologique (nombre d'arbres à planter par année):** 25
- **Indice d'octane:** 87
- **Autre motorisation:** non
- **Coût du carburant moyen par année:** 1560 $
- **Nombre de litres par année:** 1560 l

(SOURCE: ÉnerGuide)

152

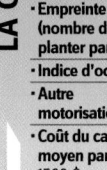

① FICHE D'IDENTITÉ

- **Versions** CXL, CXL Turbo
- **Roues motrices** avant
- **Portières** 4 **Nombre de passagers** 5
- **Première génération** 1974
- **Génération actuelle** 2011
- **Construction** Russelsheim, Allemagne
- **Sacs gonflables** 6 (2 à l'arrière en option) (frontaux, latéraux, rideaux latéraux)
- **Concurrence** Acura TSX, Audi A4, BMW Série 3, Mercedes Classe C, Infiniti G37, Lexis IS, Volvo S60 Volkswagen Passat CC

② AU QUOTIDIEN

- **Prime d'assurance**
  25 ans: 1700 à 1900 $
  40 ans: 1200 à 1400 $
  60 ans: 1000 à 1200 $
- **Collision frontale** 5/5
- **Collision latérale** 4/5
- **Ventes du modèle de l'an dernier Au Québec** nm **Au Canada** nm
- **Dépréciation** nm
- **Rappels** (2005 à 2010) nm
- **Cote de fiabilité** nm

③ GARANTIES... ET PLUS

- **Garantie générale** 4 ans/80 000 km
- **Garantie motopropulseur** 5 ans/160 000 km
- **Perforation** 6 ans/kilométrage illimité
- **Assistance routière** 5 ans/160 000 km
- **Nombre de concessionnaires Au Québec** 84 **Au Canada** 450

④ NOUVEAUTÉS EN 2011

- Nouveau modèle

OPÉRATION RAJEUNISSEMENT EN COURS

PAR MICHEL CRÉPAULT

LA REGAL DÉBARQUE POUR AIDER GM À ABAISSER LA MOYENNE D'ÂGE DE LA CLIENTÈLE DE BUICK, COMME L'ONT FAIT AVANT ELLE L'ENCLAVE ET LA LACROSSE. Cette berline intermédiaire à traction bonne pour cinq occupants s'en vient concurrencer principalement, selon GM, l'Acura TSX et la Volkswagen Passat CC.

[CARROSSERIE] La Regal est née Insignia en Europe, dans le giron d'Opel (cette division que GM a failli vendre à l'équipementier canadien Magna avant de se raviser à la dernière minute). On peut dire sans rire qu'elle a grandi sur les autobahn, ce qui, comme on le sait, forge le caractère ! La même calandre en fanons qui orne l'Enclave et la LaCrosse poursuit sa signature visuelle du côté de la Regal. De profil, on dirait un coupé, alors que ses quatre portières et son coffre ample offrent bel et bien la praticabilité d'une berline. Elle chausse du 18 ou du 19 pouces. La CXL est en vente depuis juillet, tandis que la CXL Turbo le sera cet automne. Quand GM a dévoilé la Regal

au dernier salon de l'auto de Detroit, elle nous a montré un prototype GS à transmission intégrale. Or, il verra le jour, mais GM refuse de dire quand et s'il s'éloignera ou pas du concept. Par contre, nous savons qu'une livrée moins chère, la CX, avec sièges en tissu, se pointera à l'été 2011. On continuera de l'appeler Insignia en Europe et Regal en Chine où, d'ailleurs, une usine locale fournit la nation de Mao. Ce qui m'amène à poser une question, comme cela, en passant : combien de temps s'écoulera-t-il avant qu'une Regal roulant au Québec soit truffée de pièces made in China ?

[HABITACLE] Bien assemblé et conçu avec le souci d'une ergonomie prudente. Beaucoup de chrome (l'auto est un « hit » en Chine), mais on a évité le débordement vers le clinquant. L'instrumentation se révèle moderne, les contrastes plaisent à l'œil, la boîte à gants est immense, et les gâteries de série comprennent un siège du conducteur avec soutien lombaire électrique, la radio satellite XM, une prise USB, la connectivité Bluetooth et

FORCES • Silhouette moderne • Plateforme robuste et tenue de route homogène • 2-litres turbo vivement conseillé

FAIBLESSES • Moteur de 2,4 litres un peu juste • Habitacle harmonieux mais qui ne déborde pas d'imagination

le système de communication OnStar. Oui, c'est vrai, de plus en plus de véhicules offrent ces gadgets. Les intégrer intelligemment, voilà le défi. Buick y répond notamment avec une mollette multifonction pour la navigation, la sono et le téléphone. Au premier coup d'œil sur la banquette, la portière entrouverte, j'ai tout de suite cru que j'y serais à l'étroit. Erreur. Le dégagement pour les jambes et pour la tête est suffisant et, même, très confortable si le passager devant ne recule pas son siège à outrance. À défaut de pouvoir rabattre les dossiers arrière, une trappe permet d'accéder au coffre, au demeurant généreux.

[MÉCANIQUE] Deux 4 cylindres Ecotec au menu. Le premier, un 2,4-litres de 182 chevaux et produisant un couple de 172 livres-pieds, utilise quatre soupapes par cylindre, le calage continuellement variable, l'injection directe de carburant et le contrôle des gaz électronique. Le second exhibe une cylindrée de 2 litres mais 220 chevaux et un couple de 258 livres-pieds grâce à son turbo-compresseur (les premières Solstice ont reçu ce moteur). Les deux engins sont reliés à une boîte de vitesses automatique à 6 rapports qui autorise les changements manuels quand on a le goût de diriger le sélecteur vers le + ou le − de la console au plancher. D'ici la fin de l'année, GM prévoit être en mesure d'offrir la CXL Turbo avec une boîte manuelle Aisin à 6 rapports.

[COMPORTEMENT] La plateforme Epsilon combine sa rigidité à une direction rapide (mais un peu trop élastique) et à une suspension bien dosée (McPherson à l'avant, multibras à l'arrière) pour nous donner une tenue de route qui n'a absolument rien à voir avec le style paquebot qui a fini par entacher la réputation de Buick. Il apparait clairement que les origines européennes de cette Opel désormais nord-américanisées rapportent des dividendes bénéfiques pour le conducteur. Une influence d'ailleurs impossible à nier puisque les premières Regal qui débarqueront chez nous proviendront de Russelsheim, en Allemagne. À partir du premier trimestre de 2011, l'usine GM à Oshawa (Ontario) prendra la relève. Dans les montagnes de la vallée de l'Okanagan où s'est déroulé le lancement canadien de la Regal, la boîte de vitesses a parfois bégayé avant d'arrêter son choix sur le bon rapport. Je l'ai aidée en passant sur le mode manuel et en écrasant l'accélérateur au plancher avec comme résultat que la Regal émet une sonorité encourageante mais ne bondit pas exactement vers l'avant. Sur une droite idéale, j'ai mesuré un 0 à 100 km/h de plus de 11 secondes. Mais au volant de la CXL Turbo, c'est une autre histoire. Ce moteur (le premier à être turbocompressé chez Buick depuis la légendaire Grand National) rend des services plus complets. Avec le Turbo vient en option un *Interactive Drive Control*. Ses trois modes – Normal, Tour et Sport – modifient la sensibilité de la direction, le calibrage des amortisseurs et la vitesse des changements des rapports. De plus,

> **LA PLATEFORME EPSILON COMBINE SA RIGIDITÉ À UNE DIRECTION RAPIDE ET À UNE SUSPENSION BIEN DOSÉE POUR NOUS DONNER UNE TENUE DE ROUTE QUI N'A ABSOLUMENT RIEN À VOIR AVEC LE STYLE PAQUEBOT QUI A FINI PAR ENTACHER LA RÉPUTATION DE BUICK.**

HISTORIQUE

Le nom Regal a d'abord été utilisé par la compagnie Studebaker, mais quelques années après que celle-ci a cessé de produire des voitures, le nom fut repris par Buick pour désigner une version plus luxueuse de son modèle intermédiaire Century en 1973. Une berline s'ajouta en 1974 pour être suivie par plusieurs autres générations en passant par la populaire Grand National dans les années 80.

REGAL 1974

REGAL 1980

GRAND NATIONAL 1987

REGAL 1996

REGAL LIMITED 1996

REGAL 2004

REGAL GS CONCEPT 2010

REGAL 2011

GALERIE

A En option, un moteur Ecotec de 2 litres turbocompressé à injection directe d'une puissance estimée de 220 chevaux - livrable début 2011.

B La Regal offre en option un système de navigation, une chaîne sonore Harman Kardon, une clé interne à mémoire flash, un disque dur de 40 Go avec 10 Go pour la musique et port USB.

C Des boîtes automatiques à 6 rapports distinctes à calibrage exclusif sont couplées à chacun des moteurs. Les deux boîtes de vitesses offrent la commande manuelle sans embrayage qui rehausse quelque peu le sentiment de conduite sportive de la Regal.

D Les sièges fermes à rembourrage généreux de la Regal s'inspirent directement de sa jumelle européenne, l'Opel Insignia. On se sent réellement dans une berline d'outre-atlantique en matière de confort et de soutien tandis que la console centrale allongée offre amplement de rangement aux passagers à l'avant et à l'arrière.

E GM avait présenté l'an dernier au salon de l'auto de Los Angeles, une Regal GS, qui a toujours été le modèle sport de la famille. Pas de date encore sur une éventuelle commercialisation, mais beaucoup d'amateurs attendent avec impatience.

au fildes kilomètres, le système tente d'épouser la personnalité du conducteur. Et si le conducteur principal change ? « Le dispositif fait des merveilles », m'a répondu Fred Dixon, le responsable des produits de format intermédiaire chez GM Canada. Permettez-moi un brin de scepticisme. Quand une auto m'ouvrira elle-même la portière en me demandant si j'ai bien dormi, seulement alors croirai-je qu'elle me reconnaît et se comportera sous mon pied droit comme l'étalon réagit aux ordres imperceptibles de son cavalier. En attendant, je crois qu'il y a des limites à la sensibilité d'un logiciel ! Tout ça pour vous dire, tout de même, que le programme Sport fonctionne : les amortisseurs se raidissent, le rapport en place persiste plus longtemps pour nous donner un maximum de révolutions, et les rétrogradations sont plus vives. On choisira le mode Tour pour que la berline encaisse mieux les nids-de-poule. Est-ce à dire que je ne recommande pas le 2,4-litres ? Non car, pour les gens intéressés par une Buick contemporaine et qui n'ont absolument pas le pied pesant, le moteur atmosphérique devrait faire l'affaire. Ce qui nous place dans une situation quand même amusante : d'une part, il y a les stratèges de GM qui veulent transformer Buick et, d'autre part, il y a cette motorisation un peu juste. Allons chercher de nouveaux amateurs (turbo) mais n'effrayons pas les anciens (atmosphérique).

[CONCLUSION] L'actuelle gestion de Buick fournit une idée de l'élan que tente d'imprimer GM à chacune de ses divisions survivantes. Et ça semble marcher : 50 % des acheteurs d'Enclave sont des femmes. Qui aurait dit cela d'une Buick il y a cinq ans ? En Chine, l'âge moyen des acheteurs de Regal est de 32 ans. Au tour maintenant des Nord-Américains de réaliser que Buick ne rime plus avec soporifique. En offrant trois modèles, la marque plus que centenaire (1903) répond tout juste à 15 % des besoins des consommateurs; elle vise 40 à 45 % rapidement, d'où l'arrivée prochaine d'une petite Buick et d'un multisegment. La Regal accélérera-t-elle la métamorphose de Buick ? Je dis oui. Un essai vous convaincra du bien-fondé des nouvelles ambitions de la marque.

2ᵉ OPINION

BENOIT CHARETTE Rappelez-vous la dernière fois que vous avez trouvé un billet de 20 dollars dans la poche d'un manteau le printemps, vous êtes heureux et surpris. C'est exactement le même sentiment que j'ai eu au volant de la nouvelle Buick Regal. Construite sur les mêmes bases que la très acclamée Opel Insignia en Europe, Buick nous propose uniquement des moteurs à 4 cylindres dans un véhicule intermédiaire. On pourrait s'attendre au pire, mais non, la direction est précise, la suspension ferme et extrêmement bien calibrée, les sièges confortables à l'européenne, bref GM a fait un superbe travail, même au chapitre de la finition. C'est de loin le meilleur produit Buick qu'il m'ait été donné d'essayer depuis très longtemps et il tient tête à n'importe qui dans sa catégorie. Comme sa jumelle Opel qui a déjà conquis la Chine et l'Europe, cette Buick risque de connaître du succès ici; un fichu de beau produit

⑤ FICHE TECHNIQUE

· MOTEURS

· (CXL)
L4 2,4 l DACT, 182 ch à 6700 tr/min
Couple 172 lb-pi à 4900 tr/min
Transmission automatique à 6 rapports
0-100 km/h 8,4 s
Vitesse maximale 200 km/h

· (CXL Turbo)
L4 2.0 l DACT, 220 ch à 5300 tr/min
Couple 258 lb-pi à 2000 tr/min
Transmission automatique à 6 rapports
0-100 km/h 7,6 s
Vitesse maximale 242 km/h
Consommation (100 km) 8,9 l (octane 91)
Émissions de CO_2 4140 kg/an
Litres par année 1600 l
Coût par an 1728 $
Carburant alternatif non
Empreinte écologique 29 arbres

· AUTRES COMPOSANTES
Sécurité active freins ABS, assistance au freinage, antipatinage, contrôle de stabilité électronique, traction asservie
Suspension avant/arrière indépendante
Freins avant/arrière disques
Direction à crémaillère, assistée
Pneus CXL P235/50R18
option **CXL Turbo** : P245/40R19

· DIMENSIONS
Empattement 2738 mm
Longueur 4831 mm
Largeur 1857 mm
Hauteur 1483 mm
Poids CXL 1633 kg
Diamètre de braquage 11,4 m
Coffre 402 l
Réservoir de carburant 68 l

NOS MENTIONS

☺ Modèle recommandé

NOTRE VERDICT

Plaisir au volant	⬡⬡⬡⬡⬡	
Qualité de finition	⬡⬡⬡⬡⬡	
Consommation	⬡⬡⬡⬡⬡	
Rapport qualité/prix	⬡⬡⬡⬡⬡	
Valeur de revente	Nm	

ÉVOLUTION

40 650 $ à 72 045 $
transport et préparation: 1420 $

LA COTE VERTE

MOTEUR
V6 DE 3,0 L

· **Consommation**
(100km):
auto. 9,3 l
4RM 9,8 l
· **Émissions**
polluantes CO_2 :
auto. 4370 kg/an
4RM. 4600 kg/an
· **Empreinte écologique**
(nombre d'arbres à
planter par année): 30
· **Indice d'octane:** 87
· **Autre**
motorisation: non
· **Coût du carburant**
moyen par année:
auto. 1900 $
4RM. 2000 $
· **Nombre de**
litres par année:
auto. 1900 l
4RM 2000 l

(SOURCE: ÉnerGuide)

① FICHE D'IDENTITÉ

· **Versions** CTS, CTS Sport Wagon, CTS coupé, CTS-V (berline, familiale, coupé)
· **Roues motrices** arrière, 4
· **Portières** 2/4/5 **Nombre de passagers** 5
· **Première génération** 2003
· **Génération actuelle** 2008 (2011 coupé)
· **Construction** Lansing, Michigan, É.-U.
· **Sacs gonflables** 6 (frontaux, latéraux, rideaux latéraux)
· **Concurrence** Acura TL, Audi A4/A5, BMW Série 3, Infiniti G37/G37 coupé, Lexus IS/ES, Lincoln MKS, Mercedes-Benz Classe C, Volvo S60/C70

② AU QUOTIDIEN

· **Prime d'assurance**
25 ans: 2200 à 2400 $
40 ans: 1500 à 1700 $
60 ans: 1100 à 1300 $
· **Collision frontale** 4/5
· **Collision latérale** 4/5
· **Ventes du modèle de l'an dernier**
Au Québec 489 **Au Canada** 2488
· **Dépréciation** 48,8%
· **Rappels** (2005 à 2010) 6
· **Cote de fiabilité** 4/5

③ GARANTIES... ET PLUS

· **Garantie générale** 4 ans/80 000 km
· **Garantie motopropulseur** 5 ans/160 000 km
· **Perforation** 6 ans/kilométrage illimité
· **Assistance routière** 5 ans/160 000 km
· **Nombre de concessionnaires**
Au Québec 84 **Au Canada** 450

④ NOUVEAUTÉS EN 2011

· Ajout à la gamme de la version coupé, version familiale pouvant dorénavant être commandée avec le groupe d'options V.

UN PAS DE GÉANT

PAR PHILIPPE LAGUË

EN PIGEANT DANS LE RÉPERTOIRE DE LED ZEPPELIN POUR LA TRAME SONORE DE LA CAMPAGNE DE PUBLICITÉ DU LANCEMENT DE LA CTS, IL Y A HUIT ANS, CADILLAC ENVOYAIT UN SIGNAL ON NE PEUT PLUS CLAIR. La célèbre marque dépoussiérait son image et visait désormais une clientèle plus jeune. La CTS, elle, avait le mandat de réussir là où les défuntes Cimarron et Catera avaient échoué, soit de rivaliser avec les berlines de luxe européennes.

[CARROSSERIE] Les lignes de la CTS, qui semblent avoir été coupées à la hache, ont autant d'admirateurs que de détracteurs. Chose certaine, c'est une rupture de style avec les Cadillac des décennies précédentes – qui s'en plaindra? – et les stylistes de la marque ont réussi à lui donner une identité visuelle très forte. On reconnaît une Cadillac au premier coup d'œil, ce qui est déjà un exploit de design. Deux autres configurations sont venues s'ajouter à la berline: une familiale (vous avez bien lu) et un coupé. À quand une décapotable?

[HABITACLE] Rupture de style, disions-nous... C'est aussi vrai à l'intérieur où on est à des années-lumière des habitacles kitsch des années 80. Sur le plan visuel, c'est franchement réussi, et on ne dénote pas de lacune ergonomique non plus. Les commandes sont d'accès facile et moins compliquées que chez Mercedes-Benz et BMW. On constate également un énorme progrès aux chapitres de la finition et de l'aspect fonctionnel. Qui dit Cadillac, dit confort, et à ce chapitre, la CTS fait honneur à la réputation de la marque. À l'avant, les baquets évoquent ceux des berlines européennes par leur relative fermeté, tout en offrant un bon maintien, tant latéral que lombaire. La banquette arrière, bien sculptée, est tout aussi confortable et offre elle aussi un excellent maintien. On se serait cependant attendu à plus de dégagement pour la tête et les jambes, en regard des dimensions de cette berline; idem pour le coffre. De plus, son ouverture étroite ne facilite pas le chargement.

[MÉCANIQUE] Au menu : deux V6 à injection directe de carburant et un V8. Les V6 ont une

FORCES · Design audacieux · Habitacle cossu et confortable · Bon trio de moteurs · Performances à couper le souffle (V) · Gamme étoffée · Fiabilité en progrès

FAIBLESSES · Habitabilité moyenne · Coffre arrière décevant · Valeur de revente inférieure aux berlines de luxe importées

[CONCLUSION] Cadillac a fait des pas de géant depuis le début de ce siècle. La qualité générale s'était déjà considérablement améliorée au cours de la décennie précédente, mais c'est l'arrivée de la CTS qui a constitué le point tournant. La deuxième génération est nettement supérieure à la première : la qualité d'assemblage, le raffinement mécanique et le comportement ont progressé au point où elle se compare désormais aux BMW, Mercedes-Benz et Audi. Les voitures de luxe japonaises n'ont pas encore réussi à se doter d'une personnalité aussi affirmée, tant sur le plan du style que du comportement. Quant à la fiabilité, la CTS fait montre d'un bon bilan, supérieur à celui de certaines marques européennes prestigieuses.

cylindrée de 3 et de 3,6 litres, pour une puissance respective de 270 et 304 chevaux. Grâce à l'injection directe et à une boîte de vitesses automatique à 6 rapports, leur consommation est tout à fait raisonnable. Signe que les temps changent chez Cadillac, une boîte manuelle à 6 rapports est aussi offerte. Le 3,6-litres m'a particulièrement impressionné : ce moteur n'a rien à envier à la concurrence japonaise et européenne en matière de sophistication et de raffinement. Autre point digne de mention : la puissance de freinage, comparable à celle d'une berline de luxe allemande. C'est tout dire. La CTS-V, qui se targue d'être la berline la plus rapide du monde, a les moyens de ses ambitions : son V8 de 6,2 litres (emprunté à la Corvette) génère 556 chevaux, soit une cinquantaine de plus que le V10 de la BMW M5 ou le V8 biturbo de la Porsche Panamera. Le tout nouveau coupé se décline lui aussi en version V.

[COMPORTEMENT] Les ingénieurs de Cadillac ont bien fait leurs devoirs, car cette berline montre beaucoup d'aplomb, et ce, tant en conduite normale que sportive. L'efficacité des trains roulants confère à la CTS une grande douceur de roulement, conforme à ce qu'on attend d'une voiture de luxe. Le débattement des amortisseurs cause du roulis; dans les virages, la caisse bouge, penche... mais ça colle. Encore plus avec la suspension de l'ensemble Sport, qui comprend aussi une monte pneumatique plus agressive. Encore une fois, la CTS n'a pas à rougir devant ses rivales allemandes. Comme ces dernières, elle offre désormais la propulsion ou la transmission intégrale.

⑤ FICHE TECHNIQUE

· MOTEURS

· (3.0)
V6 3,0 l DACT, 270 ch à 7000 tr/min
Couple 223 lb-pi à 5700 tr/min
Transmission manuelle à 6 rapports, automatique à 6 rapports avec mode manuel (en option)
0-100 km/h 7,1 s
Vitesse maximale 230 km/h

· (3.6, option familiale, option berline, standard coupé)
V6 3,6 l DACT, 304 ch à 6400 tr/min
Couple 273 lb-pi à 5200 tr/min
Transmission manuelle à 6 rapports, automatique à 6 rapports avec mode manuel (en option)
0-100 km/h 6,2 s
Vitesse maximale 250 km/h
Consommation (100 km)
man. 10,5 l, **auto.** 9,2 l
4RM 9,7 l (octane 87)
Émissions de CO$_2$ man. 4922 kg/an,
auto. 4324 kg/an, **4RM** 4508 kg/an
Litres par année man. 2140 l, **auto.** 1880 l,
4RM 1960 l
Coût par an man. 2140 $, **auto.** 1880 $,
4RM 1960 $
Carburant alternatif non
Empreinte écologique 30 arbres

· (CTS-V)
V8 6,2 l suralimenté par compresseur volumétrique DACT, 556 ch à 6100 tr/min
Couple 551 lb-pi à 3800 tr/min
Transmission manuelle à 6 vitesses, automatique à 6 rapports avec mode manuel (en option)
0-100 km/h 4,3 s
Vitesse maximale 307 km/h
Consommation (100 km) man. 12,7 l,
auto. 14,3 l (octane 91)
Émissions de CO$_2$ man. 5934 kg/an,
auto. 6716 kg/an
Litres par année man. 2580 l, **auto.** 2920 l,
Coût par an man. 2890 $, **auto.** 3270 $,
Carburant alternatif non
Empreinte écologique 34 arbres

· AUTRES COMPOSANTES

Sécurité active freins ABS, antipatinage, assistance au freinage, contrôle de stabilité électronique, répartition électronique de la force de freinage
Suspension avant/arrière indépendante
Freins avant/arrière disques ventilés
Direction à crémaillère, assistée
Pneus 3.0 P235/55R17 **3.6** P235/50R18
option 3.6 2RM P245/45ZR19
CTS-V P255/40R19 (av.), P285/35R19 (arr.)

· DIMENSIONS

Empattement 2880 mm
Longueur 4866 mm ,
fam 4859 mm, **coupé** 4789 mm
Largeur 1842 mm, **coupé** 1883 mm
Hauteur 1472 mm, **fam** 1502 mm,
coupé 1422 mm
Poids CTS 1744 kg à 1995 kg
Diamètre de braquage 10,7 m;
berline 4RM/ familiale/coupé 2RM 11,0 m;
CTS-V 11,6 m; **coupé 4RM** 11,2 m
Coffre berline 385 l; **familiale** 720 l,
1644 l (sièges abaissés); **coupé** 298 l
Réservoir de carburant 68 l

NOS MENTIONS

 Modèle recommandé

NOTRE VERDICT

Plaisir au volant	⬢	⬢	⬢	⬢	⬡
Qualité de finition	⬢	⬢	⬢	⬢	⬡
Consommation	⬢	⬢	⬡	⬡	⬡
Rapport qualité/prix	⬢	⬢	⬢	◐	⬡
Valeur de revente	⬢	⬢	⬢	⬡	⬡

CADILLAC

DTS

www.gm.ca

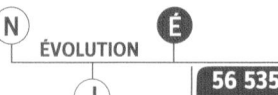

ÉVOLUTION

N É

J

56 535 $ à 74 675$
transport et préparation: 1420 $

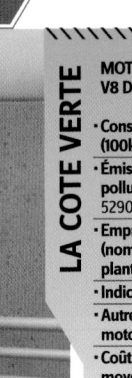

LA COTE VERTE

MOTEUR
V8 DE 4,6 L

- **Consommation**
  (100km): 11,3 l
- **Émissions**
  polluantes CO$_2$:
  5290 kg/an
- **Empreinte écologique**
  (nombre d'arbres à
  planter par année): 33
- **Indice d'octane:** 87
- **Autre**
  motorisation: non
- **Coût du carburant**
  moyen par année:
  2300 $
- **Nombre de**
  litres par année:
  2300 l

(SOURCE: ÉnerGuide)

158

FICHE D'IDENTITÉ

- **Versions** DTS, DTS Platinum, DTS-L
- **Roues motrices** avant
- **Portières** 4 **Nombre de passagers** 5 ou 6
- **Première génération** 1949 (DeVille)
- **Génération actuelle** 2006
- **Construction** Detroit, Michigan, É.-U.
- **Sacs gonflables**
  6 (frontaux, latéraux avant, rideaux latéraux)
- **Concurrence** Acura RL, Infiniti M, Lexus LS460

AU QUOTIDIEN

- **Prime d'assurance**
  25 ans: 2600 à 2800 $
  40 ans: 1700 à 1900 $
  60 ans: 1300 à 1500 $
- **Collision frontale** 5/5
- **Collision latérale** 4/5
- **Ventes du modèle de l'an dernier**
  Au Québec 42 **Au Canada** 355
- **Dépréciation** 60,7%
- **Rappels** (2005 à 2010) 3
- **Cote de fiabilité** 3/5

GARANTIES... ET PLUS

- **Garantie générale** 4 ans/80 000 km
- **Garantie motopropulseur** 5 ans/160 000 km
- **Perforation** 6 ans/kilométrage illimité
- **Assistance routière** 5 ans/160 000 km
- **Nombre de concessionnaires**
  Au Québec 84 **Au Canada** 450

NOUVEAUTÉS EN 2011

- Aucun changement majeur

CHRONIQUE D'UNE MORT ANNONCÉE

PAR MICHEL CRÉPAULT

IL SEMBLERAIT, EN EFFET, QUE LES JOURS DE LA DTS SOIENT COMPTÉS. L'usine de Hamtramck délaisserait la limousine pour assembler la Chevrolet Volt et la nouvelle Malibu, tandis que la XTS remplacerait, en décembre 2011, la DTS (et la STS) au sommet du totem Cadillac (et on l'assemblerait à Oshawa, aux côtés de la Camaro, de l'Impala et de la nouvelle Regal).

[CARROSSERIE] Directe descendante de la DeVille du début des années cinquante, la DTS personnifie ce qu'a déjà été Cadillac, la division des paquebots qui écumaient les autoroutes infinies. Était-ce le bon vieux temps ? À certains égards, sûrement (on ne se demandait pas, par exemple, si les choux de Bruxelles étaient cancérigènes). Mais des grosses voitures, on en a encore. On a même le choix : Série 7, Classe S, A8, Lexus LS 460 et tutti quanti avec empattement allongé. Ne reste plus qu'à avoir le gros budget.

[HABITACLE] Si je vous parle d'un intérieur spacieux et luxueux, je ne commets quand même pas un sacrilège. Les compactes elles-mêmes se prennent pour des intermédiaires, et c'est la course à celui qui fournira le plus d'équipement au meilleur prix. Non, Cadillac n'a pas à renier ses traditions. Elle doit seulement les dépoussiérer. Ce qu'elle fait avec brio depuis l'avènement de la CTS en 2003. Dans le cas de la DTS, on n'a même pas besoin de rallier les extrêmes car elle s'adresse d'abord à un public conservateur. Pour lui, nul besoin de cadrans 3D ou de sièges Recaro; mais il aime bien les incrustations de bois jusque dans le volant. La version Platinum inclut un avertisseur de changement de voies et d'angles morts. On n'arrête pas le progrès, même à bord d'un océanique. En revanche, ce public ne détesterait pas un assemblage plus minutieux. Au moins, de l'espace, en voilà ! Le conducteur et son passager avant promènent leur postérieur dans des trônes en cuir dodu, mais le candidat républicain optera pour la banquette avant ca-

FORCES · Quand la vie n'est que douceur ! · V8 plus qu'adéquat · Espace à revendre · En mémoire du bon vieux temps

FAIBLESSES · Qualité de la finition à revoir · Silhouette en mal de modernisme · Boîte automatique archaïque · Consommation éculée

de Caruso avec la précision d'un RCA au petit chien tendant l'oreille (je rigole, la DTS possède jusqu'à un lecteur MP3 et une prise auxiliaire pour l'iPod de l'arrière-petite-fille du proprio...).

pable d'accueillir un 6e électeur. À l'arrière, sur l'autre banquette également douillette, les passagers peuvent lire, roupiller ou disputer une partie de croquet. L'ampleur du coffre à bagages a maintes fois dépanné les membres du clan Soprano. Les commandes sont grosses et faciles à utiliser (à partir d'un certain âge, c'est fou comme les pédales se ressemblent trop, parlez-en à Lexus).

[MÉCANIQUE] La DTS s'enorgueillit d'un V8 Northstar de 4,6 litres qui développe 275 chevaux, sauf dans la version Platinum qui bénéficie de 17 chevaux d'extra. Cette docile puissance est expédiée aux roues avant par l'entremise d'une bonne vieille boîte de vitesses Hydra-Matic à 4 rapports. Des leviers de sélection au volant ? Vous rigolez ! Cela dit, le Platinum passe quand même de 0 à 100 km/h en moins de 8 secondes. Pour l'amateur de DTS, c'est même trop rapide. La consommation est décente, si l'on considère la masse à mouvoir, et, bonus, la DTS se contente de carburant ordinaire.

[COMPORTEMENT] Les dépassements ne prennent guère que le temps d'un soupir (celui de madame qui espère que monsieur en aura bientôt fini avec son retour d'âge). La suspension n'est pas aussi guimauve que les mauvaises langues le disent. Il faut en créditer la suspension magnétique (standard sur le modèle Platinum et présente sur la Corvette). Le silence à bord est total à moins d'être volontairement rompu par le plus récent bulletin de santé de tante Germaine ou par la sono à huit haut-parleurs qui reproduit les envolées

[CONCLUSION] Maintenant que nous savons que Cadillac peut se réinventer, les disciples convaincus devraient attendre de voir ce que la marque fera avec son plus long survivant, au propre et au figuré. Pour les moins patients, la DTS est toujours là, avec ses lacunes par rapport à une concurrence à des années-lumière en avance, mais aussi avec sa principale qualité, c'est-à-dire un prix attrayant quand on mesure au pied linéaire.

2e OPINION

DANIEL RUFIANGE Les marques Cadillac et Lincoln ont entrepris des virages jeunesse au cours de la décennie qui s'achève. C'était nécessaire. Chez Cadillac, un modèle a été oublié sur les tablettes et poursuit sa carrière, vieille de 61 ans : la DTS, ou l'ancienne DeVille, pour les plus âgés. Justement, la DTS s'adresse principalement aux personnes du troisième âge pour une foule de raisons qu'il ne faut pas essayer de comprendre. Chose certaine, une balade au volant d'une DTS demeure charmante, car elle s'effectue dans un confort royal. Pour le prix, elle représente même une aubaine en raison de son équipement complet, et c'est encore plus vrai dans le marché de l'occasion où sa dépréciation fait chuter son prix de plus de 60 % après trois ans.

---

⑤ FICHE TECHNIQUE

· MOTEURS
· (DTS)
V8 4,6 l DACT, 275 ch à 6000 tr/min
Couple 295 lb-pi à 4400 tr/min
Transmission automatique à 4 rapports
0-100 km/h 8,1 s
Vitesse maximale 190 km/h

· (DTS Platinum)
V8 4,6 l DACT, 292 ch à 6300 tr/min
Couple 288 lb-pi à 4500 tr/min
Transmission automatique à 4 rapports
0-100 km/h 7,8 s
Vitesse maximale 210 km/h
Consommation (100 km) 11,3 l (octane 91)
Émissions de CO_2 5290 kg/an
Litres par année 2300 l
Coût par an 2576 $
Autre motorisation non
Empreinte écologique 33 arbres

· AUTRES COMPOSANTES
Sécurité active freins ABS, antipatinage, contrôle de stabilité électronique, répartition électronique de force de freinage, assistance au freinage
Suspension avant/arrière indépendante
Freins avant/arrière disques
Direction à crémaillère, assistée
Pneus DTS P235/55R17 **Platinum** P245/50R18

· DIMENSIONS
Empattement 2936 mm
Longueur 5273 mm
Largeur 1900 mm
Hauteur 1463 mm
Poids 1818 kg
Diamètre de braquage 12,8 m, 13,4 m (roues 18 pouces)
Coffre 532 l
Réservoir de carburant 70 l
Capacité de remorquage 454 kg

159

NOTRE VERDICT

Plaisir au volant	●●●○○
Qualité de finition	●●●○○
Consommation	●●○○○
Rapport qualité/prix	●●●◐○
Valeur de revente	●●◐○○

ESCALADE / EXT

www.gm.ca

ÉVOLUTION

N · J · É

83 460 $ à 110 820 $
transport et préparation: 1420 $

LA COTE VERTE

MOTEUR
V8 de 6,0 l HYBRIDE

· **Consommation (100km):**
2RM 9,5 l
4RM 10,2 l

· **Émissions polluantes CO_2 :**
2RM 4560 kg/an
4RM 4896 kg/an

· **Empreinte écologique (nombre d'arbres à planter par année):** 30

· **Indice d'octane:** 87

· **Autre Motorisation:**
Ethanol E85

· **Coût du carburant moyen par année:**
2RM 2090 $
4RM 2244 $

· **Nombre de litres par année: 2RM** 1900 l
4RM 2040 l

(SOURCE: ÉnerGuide)

 FICHE D'IDENTITÉ

· **Versions** base, EXT, ESV, Hybride
· **Roues motrices** 4
· **Portières** 5 **Nombre de passagers** 6 (EXT), 7,8
· **Première génération** 1999
· **Génération actuelle** 2007
· **Construction** base/ESV/Hybride Arlington, Texas, É.-U.; EXT Silao, Mexique
· **Sacs gonflables** 6 (frontaux, latéraux avant, rideaux latéraux)
· **Concurrence** Infiniti QX56, Land Rover Range Rover, Lexus GX/LX, Lincoln Navigator, Mercedes-Benz Classe G/Classe GL

 AU QUOTIDIEN

· **Prime d'assurance   25 ans:** 3200 à 3400 $
40 ans: 1700 à 1900 $ **60 ans:** 1300 à 1500 $
· **Collision frontale** 5/5
· **Collision latérale** 5/5
· **Ventes du modèle de l'an dernier**
Au Québec 101 **Au Canada** 801
· **Dépréciation** (3 ans) 57,1%
· **Rappels** (2005 à 2010) 6
· **Cote de fiabilité** 2/5

 GARANTIES... ET PLUS

· **Garantie générale** 4 ans/80 000 km
· **Garantie motopropulseur** 5 ans/160 000 km
· **Perforation** 6 ans/kilométrage illimité
· **Assistance routière** 5 ans/160 000 km
· **Nombre de concessionnaires**
Au Québec 84 **Au Canada** 450

 NOUVEAUTÉS EN 2011

Aucun changement majeur

VIVE LE CHROME !

PAR MICHEL CÉPAULT

LE HUMMER A PRIS LA POUDRE D'ESCAMPETTE MAIS POINT L'ESCALADE. Le géant utilitaire si chromé qu'on peut le voir de la lune continue sa carrière en version monstre, camionnette tronquée (EXT) et hybride.

[CARROSSERIE] L'Escalade respire le clinquant. Ça vous branche, ça vous hérisse. Certains rêvent de manœuvrer cette montagne de métal, alors que d'autres la considèrent comme une gifle au fragile équilibre de notre planète. Choisissez votre camp. Déjà impressionnant, l'Escalade le devient encore plus grâce à des accessoires comme les roues éblouissantes de 22 pouces, les marchepieds électriquement escamotables, les glaces teintées. Le modèle hybride est, pour sa part, parsemé d'écussons qui proclament haut et fort ses vertus vertes. Comme l'ail contre les vampires, ça sert à repousser les écolos fâchés.

[HABITACLE] À sa naissance, il avait été concocté à la sauvette dans l'unique but de répliquer au Lincoln Navigator. Aujourd'hui, les stylistes ont su donner une réelle personnalité à cet intérieur qui peut accueillir jusqu'à huit personnes, selon la configuration choisie. Les gens de Cadillac n'avaient pas imaginé dans leurs rêves les plus fous que l'Escalade deviendrait un succès auprès d'artistes et de sportifs en mal de bling-bling. Ce luxe ostentatoire ne s'aventure sur aucun territoire novateur, mais sa présence justifie la facture très salée. On retrouve donc, de série ou autrement, une chaîne audio Bose capable de soulever les pavés du Vieux-Québec, un volant chauffant, des sièges climatisés, assez de cuir pour traumatiser un végétarien et des écrans DVD intégrés aux appuie-tête. On a poussé la fantaisie jusqu'à proposer des porte-gobelet qui réchauffent ou réfrigèrent ! Le dossier des places arrière se rabat électriquement si vous avez cochez la bonne option. Impossible, par contre, d'avoir un plancher de chargement plat à moins d'enlever carrément la 3e banquette (étriquée). Dans le cas de l'EXT, la cloison entre la caisse et la cabine bascule.

[MÉCANIQUE] Le V8 de 6,2 litres de 403 chevaux, couplé à une boîte de vitesses automatique à 6 rapports, a la bonne idée d'accepter le carburant

---

FORCES · Hybride fonctionnel et déculpabilisant · Tenue de route à la fois musclée et ouatée· Une manière comme une autre de soigner son statut social

FAIBLESSES · Banquette de 3e rangée exiguë · Plancher plat ardu à obtenir · Opérations de stationnement délicates

ordinaire ou l'éthanol E85. Le modèle hybride repose sur un cocktail technologique comprenant un V8 Vortec de 6 litres de 332 chevaux, des moteurs électriques et une boîte qui se comporte comme une CVT à basse vitesse. Bien qu'une règle de trois nous apprenne que cette version coûte 12 % de plus que la non-hybride, elle permet une réelle économie de carburant de l'ordre de 30 à 40 %, selon vos habitudes de conduite. En bonus, la transmission intégrale.

[COMPORTEMENT] L'hybride peut se mouvoir à l'aide de l'électricité seule, mais c'est surtout pour spectacle étant donné la maigre autonomie. Le fait que les deux V8 peuvent désactiver la moitié de leurs cylindres quand ils naviguent à vitesse de croisière rend des services plus utiles. Si vos besoins incluent le remorquage, l'hybride ou son grand frère se débrouillent avec des charges allant respectivement à 3 402 et à 3 674 kilos. La suspension, même magnétique, a la tâche délicate de supporter un énorme poids et d'encaisser nos cratères routiers. Elle s'en tire honorablement. La caisse écrase les obstacles, comme le ferait un char d'assaut en mission. Si l'envie vous prend d'accélérer de toute urgence, le V8 répond prestement à l'appel. Si vous voulez poursuivre la partie de plaisir dans des virages serrés, à peu près n'importe quel autre véhicule sera plus approprié pour ce genre de gymnastique. Les mots points de corde et Escalade ne devraient jamais se retrouver dans la même phrase. Par contre, nous pourrions épiloguer longuement sur la force tranquille qui enrobe les déplacements.

[CONCLUSION] Tous les goûts meublent la nature (humaine), et l'Escalade s'arrange pour en combler une poignée. Des gens plantent des statues romaines sur leur gazon manucuré. Ils en ont les moyens, et ça les inspire. Ils font tourner l'économie. Même chose pour les acheteurs d'Escalade : ils se procurent un VUS qui exhibe sa richesse. On ne les accusera jamais d'être hypocrites. Ils brûlent trop d'essence ? Voyez le bon côté : dès qu'on l'aura tout brûlée, on pourra passer à une autre alternative... Sans blague, l'Escalade heurte peut-être des consciences, mais il faut en avoir conduit un pour apprécier l'assurance qu'il confère à son utilisateur.

2ᵉ OPINION

FRÉDÉRIC MASSE On ne s'en sort pas avec le Cadillac Escalade. Il s'agit du camion « m'as-tu-vu » par excellence. Il faut dire qu'au-delà de la carapace, le Cadillac est tout un VUS. De plus, avec sa puissance, je pourrais amener tout le bataclan de mon équipe d'explorateurs sans nuire aux accélérations d'un iota ! Bien ficelé, son habitacle est aussi invitant, spacieux et agréable à l'œil. Selon la version choisie, il offre aussi une denrée précieuse, soit de la souplesse et beaucoup, beaucoup d'espace. Ne resterait plus qu'à régler le problème de banquette de la troisième rangée (qu'on doit peiner à enlever plutôt de la rabattre dans le plancher) et à augmenter sa fiabilité très moyenne; l'Escalade aurait ainsi presque tout pour lui... sauf l'amour des écolos. Quoique la version hybride parviendrait probablement à réduire leur hargne... Au moins un peu.

⑤ FICHE TECHNIQUE

· MOTEURS
- V8 6,2 l ACC, 403 ch à 5700 tr/min
  Couple 417 lb-pi à 4300 tr/min
- **Transmission** automatique à 6 rapports
- **0-100 km/h** 7,3 s
- **Vitesse maximale** 185 km/h
- **Consommation (100 km)** 14,3 l (octane 87), 18,8 l (E85)
- **Émissions de CO_2** 7008 kg/an (octane 87), 3840 kg/an (E85)
- **Litres par année** 2920 l (octane 87), 3840 l (E85)
- **Coût par an** 3270 $
- **Carburant alternatif** Ethanol E85
- **Empreinte écologique** 42 arbres

· (HYBRID)
- V8 6,0 l ACC, 332 ch à 5100 tr/min
  Couple 367 lb-pi à 4100 tr/min
- **Transmission** à variation continue
- **0-100 km/h** 8,8 s
- **Vitesse maximale** 185 km/h

· AUTRES COMPOSANTES
- **Sécurité active** freins ABS, antipatinage, distribution électronique du freinage, aide au freinage, contrôle de stabilité électronique
- **Suspension avant/arrière** indépendante
- **Freins avant/arrière** disques
- **Direction** à crémaillère, assistée
- **Pneus** P265/65R18, option/ Hybride P285/45R22

· DIMENSIONS
- **Empattement base/hybride** 2946 mm
- **ESV/EXT** 3302 mm
- **Longueur base/hybride** 5144 mm **EXT** 5639 mm
- **ESV** 5662 mm
- **Largeur base/hybride** 2007 mm
- **ESV/EXT** 2009 mm
- **Hauteur base/hybride** 1887 mm **EXT** 1892 mm
- **ESV** 1857 mm
- **Poids base** 2581 kg **Hybride** 2729 kg **EXT** 2717 kg
- **ESV** 2695 kg
- **Diamètre de braquage base** 11,9 m
- **Coffre base/hybride** 478 l, 3084 l (sièges abaissés) **EXT** 1289 l, 2859 l (cloison et sièges arrière abaissés) **ESV** 1298 l, 3891 l (sièges abaissés)
- **Réservoir de carburant base** 98 l, **ESV/EXT** 117 l, Hybride 92,7 l
- **Capacité de remorquage base** 3674 kg **EXT** 3402 kg **ESV** 3538 kg

NOS MENTIONS

 Le choix vert

NOTRE VERDICT

Plaisir au volant	●●●◖○
Qualité de finition	●●●○○
Consommation	◖○○○○
Rapport qualité/prix	●●○○○
Valeur de revente	●●●◖○

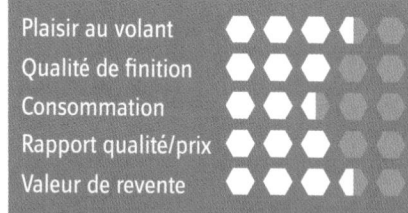

SRX

www.gm.ca

ÉVOLUTION

N · É · J

43 075 $ à 62 770 $
transport et préparation: 1500 $

LA COTE VERTE

MOTEUR
V6 DE 3,0 L

· **Consommation (100km):**
2RM 9,8 l
4RM 10,5 l

· **Émissions polluantes CO_2:**
2RM 4554 kg/an
4RM 4922 kg/an

· **Empreinte écologique (nombre d'arbres à planter par année):** 34

· **Indice d'octane:** 87

· **Autre motorisation:** non

· **Coût du carburant moyen par année:**
2RM 1980 $
4RM 2140 $

· **Nombre de litres par année:**
2RM 1980 l
4RM 2140 l

(SOURCE: ÉnerGuide)

① FICHE D'IDENTITÉ

· **Versions** 3.0, 2.8 turbo
· **Roues motrices** avant, 4
· **Portières** 5 **Nombre de passagers** 5
· **Première génération** 2004
· **Génération actuelle** 2010
· **Construction** Ramos Arizpe, Mexique
· **Sacs gonflables** 6 (frontaux, latéraux avant, rideaux latéraux)
· **Concurrence** Acura MDX, Audi Q7, BMW X5, Infiniti FX, Land Rover LR3, Lexus RX, Mercedes-Benz Classe M, Porsche Cayenne, Volkswagen Touareg, Volvo XC90

② AU QUOTIDIEN

· **Prime d'assurance**
25 ans: 2400 à 2600 $
40 ans: 1300 à 1500 $
60 ans: 1100 à 1300 $
· **Collision frontale** 4/5
· **Collision latérale** 5/5
· **Ventes du modèle de l'an dernier**
Au Québec 201 Au Canada 990
· **Dépréciation** (3 ans) 52,9%
· **Rappels** (2005 à 2010) 4
· **Cote de fiabilité** 2/5

③ GARANTIES... ET PLUS

· **Garantie générale** 4 ans/80 000 km
· **Garantie motopropulseur** 5 ans/160 000 km
· **Perforation** 6 ans/kilométrage illimité
· **Assistance routière** 5 ans/160 000 km
· **Nombre de concessionnaires**
Au Québec 84 Au Canada 450

④ NOUVEAUTÉS EN 2011

· Aucun changement majeur

NOUVELLE MISSION

PAR FRÉDÉRIC MASSE

QUEL MULTISEGMENT DE LUXE INTERMÉDIAIRE A LE PLUS DE SUCCÈS, CROYEZ-VOUS? Le Lexus RX. Après tout, c'est Lexus qui a inventé le segment. Cadillac, pas folle du tout, s'est probablement dit : pourquoi ne pas faire un véhicule semblable au RX plutôt qu'une version familiale et allongée de notre CTS? Puis de très bons ingénieurs ont travaillé sur le projet, et le nouveau SRX est né, complètement différent de celui qu'il remplace. Cadillac en avait d'ailleurs bien besoin, car si ce n'était de la CTS actuelle, il n'y aurait aucun porte-flambeau dans ses salles d'exposition. Mais, avec le SRX, Cadillac a maintenant une deuxième torche.

[CARROSSERIE] Tout est plus beau pour le nouveau SRX. Les stylistes ont conservé l'allure distinctive des Cadillac avec encore une fois des lignes étirées, carrées. Mais, comme c'est le cas avec la dernière CTS, Cadillac a mis de l'eau dans son vin. Avec les roues de 20 pouces (les 18 pouces sont de série), j'avoue qu'elle a fière allure, et que je préfère ce design à celui du Lexus RX, plus pépère finalement.

[HABITACLE] Cadillac était parvenue, à force d'améliorer le produit, à rendre le SRX d'ancienne génération fort acceptable en matière de présentation et de finition. On ne s'attendait donc pas à moins avec celui-ci. Et... c'est ce que Cadillac a livré. Tout comme la CTS, la finition est impeccable, et les matériaux, superbement bien choisis. Ça ne me surprend plus quand j'entre dans une Caddy, mais il faut se rappeler que, il y a moins de cinq ans, on critiquait les plastiques trop durs, l'assemblage défaillant, l'insonorisation manquée et le manque de sérieux... C'est étrange comme une faillite peut aider une entreprise à se remettre sur les rails...

[MÉCANIQUE] Deux mécaniques sont proposées dans le SRX. D'abord, le V6 de 3 litres à injection directe de carburant; il développe une puissance de 265 chevaux, assez juste vu le couple de 223 livres-pieds produit à haut régime. Il ne propulse évidemment pas le SRX à une vitesse supersonique, mais il suffit tout de même à la tâche. Je lui préfère toutefois le second, un V6 turbo de 2,8 litres qui fait passer la puissance à 300 chevaux

FORCES · Qualité de l'assemblage et de la présentation · Confort général · Belle gueule · Conduite sage

FAIBLESSES · Moteur de 3 litres peu puissant · Visibilité arrière limitée · Confort des places arrière

et le couple à 295 livres-pieds à très bas régime. Le gain de puissance est notable et influe sur les performances, mais comprenez-moi, le SRX ne sera jamais une bombe à l'accélération. Il est l'un des plus lents, sinon le plus lent de la catégorie. La consommation de carburant, elle, ne change pas beaucoup, peu importe le moteur. Quelle que soit la version choisie, transmission intégrale ou pas, vous jouirez aussi toujours de l'une des deux excellentes boîtes de vitesses automatiques à 6 rapports. Un exemple d'efficacité et de douceur si vous voulez mon avis.

[COMPORTEMENT] C'est sur ce plan que le SRX a fait le plus gros changement en proposant une configuration de base à traction plutôt qu'à propulsion. En perdant aussi plusieurs kilos au passage, en éloignant les roues aux extrémités, en rapetissant pas mal le véhicule et en perfectionnant le freinage, Cadillac a vraiment réussi à rendre le véhicule sûr, solide et très confortable. La suspension, à la limite, rappelle celle de certaines allemandes, ce qui est un excellent signe en soi. Je n'irais jamais jusqu'à dire excitant à conduire (l'ancien SRX était plus vivant), mais, dans le genre, je le qualifierais d'agréable. Plus de survirage, on a maintenant affaire à un véhicule très sage.

[CONCLUSION] Le SRX se veut une excellente réponse à Lexus. Il est solide, bien construit et bien assemblé. Les performances n'ont rien pour soulever les foules, mais ce n'est pas ce qu'on recherchait. Raffinement d'abord et plaisir... ensuite... vraiment plus tard, en réalité. Avouons-le,

Cadillac l'a encore mis dans le mille grâce à un prix décent et à un équipement de série complet. Il faut toutefois dire que la concurrence est féroce et tentante, notamment quand on regarde du côté de Lexus, mais encore plus chez Volvo et son XC60 et, surtout, Audi avec son Q5, mon préféré.

2e OPINION

DANIEL RUFIANGE Cadillac déploie de vaillants efforts afin de gagner des parts de marché dans le segment des utilitaires de luxe, mais la concurrence féroce ne lui rend pas la vie facile. L'an dernier, la deuxième génération du SRX a vu le jour. Les progrès sont notables, mais avec des rivaux qui comptent pour noms Acura MDX, BMW X5 et Lexus RX, pour ne nommer que ceux-là, vous comprendrez que la guerre est loin d'être gagnée. Le SRX a cependant le loisir d'offrir des lignes tout à fait jolies et uniques, deux nouveaux moteurs et un prix révisé à la baisse, signe patent du désir de Cadillac de faire une percée dans le segment. Malheureusement, tout cela semble trop peu trop tard.

⑤ FICHE TECHNIQUE

- **MOTEURS**
- **(3.0)**
V6 3,0 l DACT, 265 ch à 6950 tr/min
Couple 223 lb-pi à 5100 tr/min
Transmission automatique à 6 rapports avec mode manuel
0-100 km/h 8,4 s
Vitesse maximale 200 km/h

- **(2.8 turbo)**
V6 2,8 l turbo DACT, 300 ch à 5500 tr/min
Couple 295 lb-pi à 2000 tr/min
Transmission automatique à 6 rapports avec mode manuel
0-100 km/h 6,9 s
Vitesse maximale 230 km/h
Consommation (100 km) 11,4 l (octane 91)
Émissions de CO_2 5336 kg/an
Litres par année 2320 l
Coût par an 2598 $
Empreinte écologique nd

- **AUTRES COMPOSANTES**
Sécurité active freins ABS, répartition électronique de force de freinage, assistance au freinage, antipatinage, contrôle de stabilité électronique
Suspension avant/arrière indépendante
Freins avant/arrière disques ventilés
Direction à crémaillère, assistée
Pneus P235/65R18, option P235/55R20

- **DIMENSIONS**
Empattement 2807 mm
Longueur 4834 mm
Largeur 1910 mm
Hauteur 1670 mm
Poids 2RM 1907 kg, **4RM** 1981 kg
Diamètre de braquage 12,2 m
Coffre 839 l, 1733 l (sièges abaissés)
Réservoir de carburant 79,5 l
Capacité de remorquage 1136 kg, 1590 kg (option)

163

NOS MENTIONS

☺ Modèle recommandé

NOTRE VERDICT

Plaisir au volant	●●●◖○
Qualité de finition	●●●○○
Consommation	●○○○○
Rapport qualité/prix	●●●○○
Valeur de revente	●●○○○

STS

www.gm.ca

ÉVOLUTION

62 505 $ à 89 420 $
transport et préparation: 1420 $

164

① FICHE D'IDENTITÉ

· **Versions** V6, V8
· **Roues motrices** arrière, 4
· **Portières** 4 **Nombre de passagers** 5
· **Première génération** 1976 (Seville)
· **Génération actuelle** 2005
· **Construction** Lansing, Michigan, É.-U.
· **Sacs gonflables** 6 (frontaux, latéraux avant,
rideaux latéraux)
· **Concurrence** Acura RL, Audi A6, BMW Série 5,
Infiniti M, Jaguar XF, Lexus GS, Lincoln MKS,
Mercedes-Benz Classe E, Volvo S80

② AU QUOTIDIEN

· **Prime d'assurance**
25 ans: 2600 à 2800 $
40 ans: 2400 à 2600 $
60 ans: 2000 à 2200 $
· **Collision frontale** 5/5
· **Collision latérale** 4/5
· **Ventes du modèle de l'an dernier**
Au Québec 11 Au Canada 74
· **Dépréciation** 62,7 %
· **Rappels** (2005 à 2010) 5
· **Cote de fiabilité** 3/5

③ GARANTIES... ET PLUS

· **Garantie générale** 4 ans/80 000 km
· **Garantie motopropulseur** 5 ans/160 000 km
· **Perforation** 6 ans/kilométrage illimité
· **Assistance routière** 5 ans/160 000 km
· **Nombre de concessionnaires**
Au Québec 84 Au Canada 450

④ NOUVEAUTÉS EN 2011

· Aucun changement majeur

QU'EST DEVENU
LE RÊVE EUROPÉEN ?

PAR BENOIT CHARETTE

LE RÊVE AMÉRICAIN EST UN IDÉAL, UN CONCEPT, ET A ÉTÉ PRIS COMME MODÈLE PAR DES MILLIERS DE COLONS VENUS TROUVER LA RICHESSE ET LA GLOIRE EN AMÉRIQUE. Et pendant des générations, l'une des manières de montrer sa gloire et sa richesse était de rouler en Cadillac. Le rêve américain se déroule plutôt au volant d'une allemande de nos jours. Comment expliquer que Cadillac, malgré de bons produits et un virage technologique dans ses produits, n'a pas réussi à ramener la clientèle qui a fait sa réputation.

[CARROSSERIE] Comme cette voiture devait attaquer les marchés internationaux, GM y est allée d'un style passe-partout avec sa STS. On voit des airs de famille avec la CTS dans la calandre, les lignes tendues et très contemporaines du capot à la custode. Si la silhouette a le mérite général de bien vieillir, elle n'inspire par contre aucune attirance, c'est neutre au point d'être un peu plate. À ce prix, on veut habituellement se démarquer

et, malheureusement, on peut facilement perdre une STS dans la foule.

[HABITACLE] L'intérieur est à la hauteur des attentes de Cadillac qui a toujours eu le faible pour amener ses occupants en tout confort, peu importe leur destination. Il est clair que les nouvelles générations de Cadillac ont pris des leçons des Allemands. Le style général de la cabine est sobre. Le dessin de la planche de bord avec un écran central bien aménagé perd quelques points pour les commandes trop petites et quelquefois mal situées. Depuis 2009, la qualité des matériaux est à la hausse comme les vraies insérés de bois et l'ajout d'élégantes touches en aluminium, c'est plus riche. L'ambiance est à la hauteur des ambitions de la berline qui offre aussi toute la panoplie habituelle d'aides à la conduite.

[MÉCANIQUE] La STS est disponible en deux motorisations : un V6 entièrement en aluminium d'une cylindrée de 3,6 litres couplé à une

FORCES · Silence à bord · Confort · Allure anticonformistes

FAIBLESSES · Petite prise de roulis sur le V6 · Un modèle intégral est un préalable si vous roulez l'hiver · Direction un peu flou

boîte de vitesses automatique à 6 rapports et un V8 Northstar de 4,6 litres équipé lui aussi d'une boîte automatique à 6 rapports et jumelé à une propulsion ou à la transmission intégrale. Les 302 chevaux du V6 combleront tous vos besoins. Souple, réactif mais jamais brutal, ce moteur n'a rien à envier à la concurrence, et son association avec la boîte à 6 rapports est des plus heureuses. Dans une proportion de 90 %, le couple maximal est disponible à 1 800 tours par minute. Le V8 donne seulement 18 chevaux de plus. C'est le couple et, surtout, la sonorité inimitable du V8 qui fait la différence. Mais pour être honnête, le V6 est amplement suffisant et moins gourmand avec une consommation moyenne de 13 litres aux 100 kilomètres.

[COMPORTEMENT] Développée sur la plateforme Sigma de GM au même titre que la CTS et la SRX, la STS est très à l'aise sur la route. Son châssis ultra rigide n'engendre pas de vibrations ni bruits parasites dans l'habitacle. La STS V6 n'est pas pourvue du système de suspension auto-adaptatif Magnetic Ride Control réservé aux versions V8 (réglable suivant deux modes de conduite: Tourisme et Performance) et se contente de ressort hélicoïdaux avec barres stabilisatrices à l'avant et à l'arrière ainsi que d'un correcteur d'assiette. Ce qui se traduit par un V6 qui aura plus rapidement tendance au roulis. Un conseil, si vous devez rouler l'hiver, il faut opter pour une version intégrale, le système Stabilitrak ne vaut rien dans la neige, et vous blasphémerez tout l'hiver sans les 4 roues motrices.

[CONCLUSION]
Cadillac a su moderniser son rêve américain, c'est malheureusement la clientèle qui n'a pas suivi. La STS est un excellent produit, mais Cadillac a mis trop de temps à renouveler sa gamme ancestrale; la clientèle bien nantis a fui vers d'autres cieux. Les Allemands ont maintenant le savoir-faire, la réputation et la clientèle qui, autrefois, roulait en Cadillac. Pour arriver à reconquérir cette clientèle, il faudrait faire mieux que Mercedes-Benz, Audi et BMW à plus petit prix, et ce n'est pas le cas. Mais la STS demeure un excellent produit.

2ᵉ OPINION

PHILIPPE LAGUË La STS est loin d'avoir connu le succès de sa petite sœur, la CTS. Le positionnement de cette berline n'a jamais été très clair - tout comme celui de la CTS, d'ailleurs; mais cette dernière est moins chère, ce qui lui a permis de mieux se vendre. Chez la concurrence, c'est plutôt simple, surtout chez les allemands : Mercedes a ses modèles Classe C, Classe E et Classe S; Audi, ses A4, A6 et A8; et BMW, ses séries 3, 5 et 7. À qui s'attaquait la STS ? Aux Mercedes Classe E ou Classe S ? BMW Série 5 ou 7 ? Audi A6 ou A8 ? Est-ce ce flou qui explique ses ventes confidentielles ? Ou sa trop grande ressemblance avec la CTS, qui amenaient les clients potentiels à se tourner vers cette dernière en se disant : pourquoi payer plus cher ? Malgré tout, la STS rempile pour une autre année, mais il pourrait bien s'agir de sa dernière. L'an prochain, la XTS, dévoilée au Salon de Detroit 2010, prendra sans doute le relais, remplaçant du même coup la STS et la DTS pour devenir le modèle-phare de Cadillac.

⑤ FICHE TECHNIQUE

MOTEURS
(V6)
V6 3,6 l DACT, 302 ch à 6300 tr/min
Couple 272 lb-pi à 5200 tr/min
Transmission automatique à 6 rapports avec mode manuel
0-100 km/h 7,6 s
Vitesse maximale 220 km/h

(V8)
V8 4,6 l DACT, 320 ch à 6400 tr/min
Couple 315 lb-pi à 4400 tr/min
Transmission automatique à 6 rapports avec mode manuel
0-100 km/h 6,2 s
Vitesse maximale 250 km/h
Consommation (100 km) 2RM 11,1 l
4RM 11,7 l (octane 91)
Émissions de CO$_2$ 2RM 5244 kg/an
4RM 5474 kg/an
Litres par année 2RM 2280 l **4RM** 2380 l
Coût par an 2RM 2554 $ **4RM** 2666 $
Autre motorisation non
Empreinte écologique 33 arbres

AUTRES COMPOSANTES
Sécurité active freins ABS, répartition électronique de force de freinage, assistance au freinage, antipatinage, contrôle de stabilité électronique
Suspension avant/arrière indépendante
Freins avant/arrière disques ventilés
Direction à crémaillère, assistée
Pneus P235/50R17 **option** P235/50R18 (av.) P255/45R18 (arr.)

DIMENSIONS
Empattement 2957 mm
Longueur 4985 mm
Largeur 1845 mm
Hauteur 1464 mm
Poids V6 1750 kg **V6 4RM** 1795 kg **V8** 1779 kg
V8 4RM 1919 kg
Diamètre de braquage 11,5 m (pneus 17 po.), 11,8 m (pneus 18 po.)
Coffre 391 l
Réservoir de carburant 64 l
Capacité remorquage 454 kg

NOS MENTIONS

☺ Modèle recommandé

NOTRE VERDICT

Plaisir au volant	⬡⬡⬡⬡⬡
Qualité de finition	⬡⬡⬡⬡⬡
Consommation	⬡⬡⬡⬡⬡
Rapport qualité/prix	⬡⬡⬡⬡⬡
Valeur de revente	⬡⬡⬡⬡⬡

AVALANCHE

www.gm.ca

ÉVOLUTION

N   É   J

39 950 $ à 43 195 $
transport et préparation : 1350 $

LA COTE VERTE

MOTEUR
V8 DE 5,3 L

- **Consommation (100km):**
  2RM 12,0 l (octane 87)
  2RM 16,1 l (E85)
- **Émissions polluantes CO$_2$:**
  2RM 5612 kg/an (octane 87)
  2RM 5280 kg/an (E85)
- **Empreinte écologique (nombre d'arbres à planter par année):**
  36, 20 (éthanol)
- **Indice d'octane:** 87
- **Autre motorisation:**
  Ethanol E85
- **Coût du carburant moyen par année:**
  2RM 2440 $ (octane 87)
- **Nombre de litres par année:**
  2RM 2440 l
  2RM 3300 l (Éthanol)

(source : ÉnerGuide)

---

① FICHE D'IDENTITÉ

- **Versions** LS, LT, LTZ
- **Roues motrices** arrière, 4
- **Portières** 4 **Nombre de passagers** 5/6
- **Première génération** 2002
- **Génération actuelle** 2007
- **Construction** Silao, Mexique
- **Sacs gonflables** 4 (frontaux, rideaux latéraux)
- **Concurrence** Chevrolet Silverado, Dodge Ram, Ford F-150, GMC Sierra, Nissan Titan, Toyota Tundra

② AU QUOTIDIEN

- **Prime d'assurance**
  25 ans: 1700 à 1900 $
  40 ans: 1000 à 1100 $
  60 ans: 700 à 900 $
- **Collision frontale** 5/5
- **Collision latérale** 5/5
- **Ventes du modèle de l'an dernier**
  Au Québec 305 **Au Canada** 2775
- **Dépréciation** 61,2 %
- **Rappels** (2005 à 2010) 8
- **Cote de fiabilité** 2,5/5

③ GARANTIES... ET PLUS

- **Garantie générale** 3 ans/60 000 km
- **Garantie motopropulseur** 5 ans/160 000 km
- **Perforation** 6 ans/160 000 km
- **Assistance routière** 3 ans/60 000 km
- **Nombre de concessionnaires**
  Au Québec 84 **Au Canada** 450

④ NOUVEAUTÉS EN 2011

- Nouveaux éléments de série: sièges baquets avant, connexion Bluetooth, commandes audio à l'arrière, console au plancher, longerons pour porte-bagage et centraux.

LE *TRANSFORMER* DE CHEVROLET

PAR BENOIT CHARETTE

BIEN AVANT LES FILMS À SUCCÈS DU GRAND ÉCRAN, GM AVAIT SON TRANSFORMER SUR LE MARCHÉ DEPUIS 2002. Croisement entre un utilitaire et une camionnette, l'Avalanche nous revient cette année sans grands changements depuis sa dernière refonte en 2007.

[CARROSSERIE] L'extérieur monochrome a remplacé depuis quelques années le châssis bardé de plastique qui lui donnait des airs de gros camion Tonka. La nouvelle approche lui ajoute beaucoup de raffinements, le pare-brise est aussi plus en angle et donne un effet d'étirement à la ligne de toit. Le devant a été refait aux normes Chevrolet et ressemble à la fois à une Malibu et à un Tahoe, son géniteur. Dans l'ensemble cette approche plus sobre donne une allure générale beaucoup plus sophistiquée que la première génération.

[HABITACLE] Il est rare qu'on arrive à faire d'heureux compromis en automobile, mais l'Avalanche est un bon exemple. Pour tous ceux qui ont besoin de remorquer à l'occasion, mais n'ont pas réellement besoin d'une grosse camionnette, l'Avalanche offre ce qu'il faut avec, en prime, le confort d'un utilitaire de luxe à l'intérieur. L'ingénieux système de modularité permet de proposer de l'espace pour 5 ou 6 passagers avec une petite boîte à l'arrière ou, quand on abaisse le panneau, d'offrir jusqu'à trois places à l'avant et une boîte de huit pieds. L'Avalanche offre tout le confort voulu. Si on oublie les plastiques habituels un peu bon marché, on retrouve une climatisation bizone tout comme la radio (une à l'arrière, une à l'avant!), et un confort réellement plaisant. Les versions plus cossues offrent de multiples réglages électriques pour les sièges, ce qui ajoute encore au confort. Vraiment, un petit cocon douillet.

FORCES · Pratique · Confortable · Ingénieux · Beaucoup d'espace

FAIBLESSES · Faible visibilité à l'arrière · Direction un peu légère · Gros appétit en carburant

[MÉCANIQUE] On retrouve ici le même V8 de 5,3 litres que l'an dernier. Généreux en couple et silencieux avec sa boîte de vitesses à 6 rapports. À tel point qu'on se demande s'il tourne quand on roule à 120 km/h sur l'autoroute! Sur ce point, le confort de ce V8 est en parfait accord avec la souplesse générale du châssis. L'Avalanche met à l'aise. Les 310 chevaux sont bien nécessaires pour mouvoir cette lourde bête de 2,5 tonnes, et si la sonorité est évocatrice à l'accélération, l'Avalanche n'est pas dans son élément pour les sprints. Il est fait pour les longues routes, pour dorloter son conducteur et ses passagers. Autre point positif, le moteur désactive 4 des 8 cylindres quand il n'est pas sollicité, si vous ne roulez pas trop chargé, vous réussirez à sauver quelques dollars.

[COMPORTEMENT] C'est la conduite qui m'a conquis la première fois où j'ai pris le volant de l'Avalanche. Les suspensions sont très bien maîtrisées, et on se sent avant tout en parfaite sécurité. Elles absorbent les défauts sans les communiquer au conducteur. Vous avez le confort souple d'un utilitaire et le côté pratique de la camionnette tout en un. L'envers de la médaille se traduit par une direction un peu molle et une communion avec la route qui est plus approximative, mais le gain en confort compense largement ce manque. Rouler en Avalanche, c'est comme surfer sur un tapis de poudreuse, on est à l'aise, mais les mouvements brusques sont interdits...

[CONCLUSION] Si certains lui préfèrent la Honda Ridgeline pour la meilleur tenue de route et

son côté plus pratique, je dois admettre que l'Avalanche l'emporte haut la main pour le confort général, l'espace et son panneau amovible qui fait de lui une véritable camionnette pleine grandeur. Attention toutefois, le calibrage des suspensions ne permet pas de mettre autant de pression que sur une Silverado; ce confort amène quelques compromis dont le principal est le poids des charges. Mais dans l'ensemble, c'est un excellent véhicule si vous avez un bon budget de pétrole.

2ᵉ OPINION

FRÉDÉRIC MASSE Il y a de ces camionnettes dont on ne se lasse jamais. L'Avalanche est l'une de celles-là. Dans le genre, il ne se fait guère mieux, tant en matière de confort, de puissance et de polyvalence. L'une de ses forces est le fait qu'on peut ouvrir la partie arrière pour allonger la caisse. De plus, grâce à un couvercle amovible, cette dernière est hermétique à 100 %. Il s'agit donc du meilleur de deux mondes, alors qu'elle mélange à merveille les qualités d'un VUS à la souplesse d'une camionnette. Que demander de plus ? Un peu plus de fiabilité, les rapports de *Consumer Reports* sont peu flatteurs. J'aimerais aussi une meilleure consommation de carburant, mais c'est le prix à payer pour permettre au gros V8 de s'exprimer.

⑤ FICHE TECHNIQUE

· MOTEUR
V8 5,3 l ACC, 310 ch à 5200 tr/min
(326 ch à 5300 tr/min avec E85)
Couple 335 lb-pi à 4400 tr/min
(350 ch à 4400 tr/min avec E85)
Transmission automatique à 6 rapports
0-100 km/h 11,6 s
Vitesse maximale 180 km/h

· AUTRES COMPOSANTES
Sécurité active Freins ABS, antipatinage, contrôle de stabilité électronique
Suspension avant/arrière indépendante/essieu rigide
Freins avant/arrière disques
Direction à crémaillère, assistée
Pneus LS/LT P265/70R17
option LS/option LT P265/65R18
option LS/option LT/ LTZ P275/55R20

· DIMENSIONS
Empattement 3302 mm
Longueur 5621 mm
Largeur 2009 mm
Hauteur 1946 mm
Poids 2RM 2485 kg **4RM** 2560 kg
Diamètre de braquage 13,1 m
Coffre 1537 l, 2859 l (sièges rabattus)
Réservoir de carburant 117 l
Capacité de remorquage
2RM 3674 kg **4RM** 3583 kg

NOS MENTIONS

☺ Modèle recommandé

NOTRE VERDICT

Plaisir au volant	⬡⬡⬡⬡⬡
Qualité de finition	⬡⬡⬡⬡⬡
Consommation	⬡⬡⬡⬡⬡
Rapport qualité/prix	⬡⬡⬡⬡⬡
Valeur de revente	⬡⬡⬡⬡⬡

AVEO

www.gm.ca

ÉVOLUTION

14 150 $ à 16 850 $
transport et préparation : 1350 $

LA COTE VERTE

MOTEUR
L4 DE 1,6 L

- **Consommation (100km):**
  man. 6,6 l
  auto. 7,0 l
- **Émissions polluantes CO₂:**
  man. 3082 kg/an
  auto. 3266 kg/an
- **Empreinte écologique (nombre d'arbres à planter par année):** 20
- **Indice d'octane:** 87
- **Autre motorisation:** non
- **Coût du carburant moyen par année:**
  man. 1340 $
  autom. 1420 $
- **Nombre de litres par année:**
  man. 1340 l
  auto. 1420 l

(SOURCE: ÉnerGuide)

---

① FICHE D'IDENTITÉ

- **Versions** berline LS, berline LT, Aveo5 LS, Aveo5 LT
- **Roues motrices** avant
- **Portières** 4/5 **Nombre de passagers** 5
- **Première génération** 2004
- **Génération actuelle** 2007 (berline)
- **Construction** Bupyong, Corée du Sud
- **Sacs gonflables** 4, frontaux, latéraux
- **Concurrence** Honda Fit, Hyundai Accent, Kia Rio, Nissan Versa, Suzuki Swift+, Toyota Yaris

② AU QUOTIDIEN

- **Prime d'assurance**
  25 ans: 1600 à 1800 $
  40 ans: 1100 à 1300 $
  60 ans: 800 à 1000 $
- **Collision frontale** 5/5
- **Collision latérale** 4/5
- **Ventes du modèle de l'an dernier**
  Au Québec 2896 **Au Canada** 7486
- **Dépréciation** 56,7%
- **Rappels** (2005 à 2010) 6
- **Cote de fiabilité** 2,5/5

③ GARANTIES... ET PLUS

- **Garantie générale** 3 ans/60 000 km
- **Garantie motopropulseur** 5 ans/160 000 km
- **Perforation** 6 ans/160 000 km
- **Assistance routière** 3 ans/60 000 km
- **Nombre de concessionnaires**
  Au Québec 84 **Au Canada** 450

④ NOUVEAUTÉS EN 2011

- Groupe sport
- Aileron en option sur modèle 5 portes
- Boîte de vitesse automatique avec climatiseur (LS)

VIVEMENT 2012

PAR DANIEL RUFIANGE

DANS SA FORME ACTUELLE, L'AVEO EN EST À SES DERNIERS MILLES. PERSONNE NE S'EN PLAINDRA. QUAND UNE VOITURE APPARAÎT DANS LA LISTE DES 10 VOITURES LES MOINS RECOMMANDABLES DU SÉRIEUX MAGAZINE CONSUMER REPORTS, CE N'EST PAS BON SIGNE. C'est donc une triste fin de carrière qui attend l'Aveo. Cependant, le nom va perdurer avec l'arrivée d'une nouvelle Aveo (2012), plus grosse et nettement plus jolie. Elle appartiendra au segment des compactes. En réalité, c'est la toute nouvelle Spark qui viendra remplacer l'Aveo actuelle, en 2012 encore, dans le segment des sous-compactes. D'ici là, surveillez les offres; certaines pourraient se révéler alléchantes.

[CARROSSERIE] On ne peut pas reprocher grand-chose aux lignes actuelles de l'Aveo. La voiture présente une bouille sympathique, que ce soit en format berline ou en petite sportive à cinq portes. L'Aveo a été l'une des premières à présenter le nouveau museau de GM, maintenant le signe distinctif de tous les nouveaux produits de la marque. Offerte en deux versions, LS et LT, c'est

la première que j'aurais à recommander si... je recommandais cette voiture! Pourquoi? Parce que c'est la moins chère, point à la ligne. À noter les dimensions quasi lilliputiennes des pneus proposés sur l'Aveo. Ces derniers sont montés sur des jantes de 14 pouces, une rareté dans l'industrie d'aujourd'hui. Des pneus de 15 pouces sont offerts en option.

[HABITACLE] L'Aveo plaira aux personnes de grande taille, du moins à l'avant où le dégagement pour la tête et les jambes est plus qu'adéquat. Cependant, cela se fait au détriment de l'espace pour les passagers arrière. Les claustrophobes aimeront moins! Pour en revenir à l'avant, mentionnons que, malgré leur confort acceptable, les sièges manquent de réglages, ce qui complique la recherche d'une position de conduite idéale. C'est surtout pénalisant sur de longues distances où la fatigue se fait sentir plus rapidement. En matière de qualité, c'est couci-couça. On sent tout le bon vouloir de GM dans le choix des matériaux, mais ça sent encore le magasinage au rabais. Cependant, à la décharge de l'entreprise, l'Aveo actuelle

---

FORCES · Silhouette charmante · Douceur de roulement · À surveiller: offres de liquidation

FAIBLESSES · Tenue de route peu rassurante · Beaucoup trop chère sans les rabais du fabricant · Freins ABS en option (!) · Sièges peu confortables sur de longues distances

ne représente pas la nouvelle image de GM. On aura certes droit à mieux avec les modèles remplaçants qui seront introduits en 2012.

[MÉCANIQUE] Ce n'est assurément pas en fin de carrière qu'un véhicule peut compter sur une nouvelle motorisation. Les derniers acheteurs de cette Aveo devront donc se contenter du moteur à 4 cylindres de 1,6 litre proposant 108 chevaux. À défaut d'offrir des performances renversantes, il se montre fiable et peu coûteux à l'entretien. Une boîte de vitesses automatique à 4 rapports – oui, il s'en fait encore – ou une boîte manuelle à 5 rapports sont offertes. Le système de freinage de l'Aveo présente des signes de vieillesse; disques à l'avant, tambours à l'arrière, et le système ABS qui n'est offert qu'en option. Oui, vous lisez bien l'Annuel de l'automobile 2011. Le travail de la suspension n'est pas des plus reluisants non plus, soyez-en averti.

[COMPORTEMENT] La Chevrolet Aveo réagit très mal aux manœuvres brusques. Par exemple, un freinage intense combiné à un braquage des roues peut faire lever l'une des roues arrière, ce qui révèle un sérieux problème d'équilibre. Bon, d'accord, l'Aveo n'est pas conçue pour être conduite de façon agressive, et j'en conviens. Cependant, en cas de manœuvre d'urgence, la voiture risque de mal réagir, et ça, il faut le décrier. Nous conseillons donc aux propriétaires d'Aveo une conduite axée sur la prudence. Dans ce cas, l'Aveo vous mènera à bon port en toute sécurité, et ce, dans un certain confort.

[CONCLUSION] La dernière année risque d'être difficile pour l'Aveo. Celui qui compte faire l'achat d'une sous-compacte a tout avantage à attendre la prochaine Spark ou tout simplement à magasiner ailleurs. GM devra donc rivaliser d'adresse et jouer de finesse afin de conserver ses objectifs de ventes pour cette voiture. Prévoyez des incitatifs à l'achat intéressant, des taux d'intérêt imbattables et des offres renversantes. Sinon, passez votre tour!

2ᵉ OPINION

MICHEL CRÉPAULT La Chevrolet Aveo nous permet toujours d'en avoir pour notre argent. Le prix proposé est drôlement alléchant pour des jeunes en quête d'une première liberté mobile. Si, en plus d'être naïfs, ils se révèlent paresseux et ne comparent pas avec les Accent, Yaris et Fit de ce monde, ils se croiront bienheureux. Mais s'ils accomplissent leurs devoirs de consommateurs, ils se rendront compte à quel point l'intérieur est ordinaire, et la conduite, quoique décente, peu inspirante. À tout prendre, je choisis l'Aveo5 à hayon et j'ai de bons mots pour la boîte de vitesses automatique. Le dégagement dans la cabine ne soumettra pas les occupants à la torture, mais les sièges, eux, manquent de maintien. Si vous êtes mélomane, optez pour la meilleure sono possible ou visitez l'après-marché.

5 | FICHE TECHNIQUE

· MOTEURS
L4 1,6 l DACT 108 ch à 6400 tr/min
Couple 105 lb-pi à 4000 tr/min
Transmission manuelle à 5 rapports, automatique à 4 rapports (en option)
0-100 km/h 12,2 s
Vitesse maximale 170 km/h

· AUTRES COMPOSANTES
Sécurité active freins ABS (option)
Suspension avant/arrière indépendante/essieu rigide
Freins avant/arrière disques/tambours
Direction à crémaillère, assistée
Pneus P185/60R14 **Option** P185/55R15

· DIMENSIONS
Empattement 2480 mm
Longueur berline 4310 mm **Aveo5** 3920 mm
Largeur berline 1710 mm **Aveo5** 1680 mm
Hauteur 1505 mm
Poids berline 1170 kg **Aveo5** 1160 kg
Diamètre de braquage 10,06 m
Coffre berline 351 l
Aveo5 425 l, 1053 l (sièges abaissés)
Réservoir de carburant 45 l

NOS MENTIONS

Le choix vert

NOTRE VERDICT

Plaisir au volant	●●●◖○
Qualité de finition	●●●○○
Consommation	●●●○○
Rapport qualité/prix	●●●●○
Valeur de revente	●●●◖○

CAMARO

www.gm.ca

N — ÉVOLUTION — É
J

26 995 $ à 41 430 $
transport et préparation : 1350 $

LA COTE VERTE

MOTEUR
V6 DE 3,6 L

- **Consommation** (100km):
  man. 9,6 l
  auto. 9,2 l
- **Émissions polluantes CO_2 :**
  man. 4508 kg/an
  auto. 4324 kg/an
- **Empreinte écologique** (nombre d'arbres à planter par année): 22
- **Indice d'octane:** 87
- **Autre motorisation:** non
- **Coût du carburant moyen par année:**
  man. 1960 $
  auto. 1880 $
- **Nombre de litres par année:**
  man. 1960 l
  auto. 1880 l

(SOURCE: ÉnerGuide)

---

① FICHE D'IDENTITÉ

- **Versions** LS, LT, SS
- **Roues motrices** arrière
- **Portières** 2 **Nombre de passagers** 4
- **Première génération** 1967
- **Génération actuelle** 2010
- **Construction** Oshawa, Ontario, Canada
- **Sacs gonflables** 6 (frontaux, latéraux avant et arrière)
- **Concurrence** Dodge Challenger, Ford Mustang, Nissan 370Z

② AU QUOTIDIEN

- **Prime d'assurance**
  25 ans: 3300 à 3500 $
  40 ans: 1700 à 1900 $
  60 ans: 1200 à 1400 $
- **Collision frontale** 5/5
- **Collision latérale** 4/5
- **Ventes du modèle de l'an dernier**
  Au Québec nm **Au Canada** nm
- **Dépréciation (3 ans)** nm
- **Rappels (2005 à 2010)** nm
- **Cote de fiabilité** nm

③ GARANTIES... ET PLUS

- **Garantie générale** 3 ans/60 000 km
- **Garantie motopropulseur** 5 ans/160 000 km
- **Perforation** 6 ans/160 000 km
- **Assistance routière** 3 ans/60 000 km
- **Nombre de concessionnaires**
  Au Québec 84 **Au Canada** 450

④ NOUVEAUTÉS EN 2011

- Le modèle cabriolet pourra être commandé dès la fin 2010
- Augmentation de la puissance du moteur V6 de 3,6 L à 312 ch
- Visualisation tête haute de série dans les Camaro 2LT et 2SS.

TROP RÉTRO

PAR PHILIPPE LAGUË

C'ÉTAIT UN ÉVÉNEMENT TRÈS ATTENDU : LA RÉSURRECTION DE LA CAMARO. Problème : entre le début du développement de ce modèle et sa sortie, le prix du pétrole s'est mis à jouer aux montagnes russes, l'économie américaine a été frappée par sa pire crise depuis 1929, et GM a déclaré faillite. C'est ce qui s'appelle être née sous une mauvaise étoile.

[CARROSSERIE] Pour dessiner la « Camaro 2.0 », les stylistes de GM ont appliqué la même recette que Ford avec la Mustang en s'inspirant des premiers modèles. Qu'on l'aime ou pas, il faut admettre qu'elle a de la gueule et, surtout, une sacrée présence. Juste pour ça, il va s'en vendre à la pelletée. Cette pseudo-sportive devrait cependant suivre un régime minceur car elle a plusieurs kilos à perdre. Par ailleurs, sa ceinture de caisse haute – une tendance très fâcheuse en design automobile – et sa faible surface vitrée lui confèrent une visibilité arrière médiocre.

[HABITACLE] Cette touche rétro, on la retrouve aussi à l'intérieur. L'habitacle nous ramène 40 ans en arrière, pour le meilleur et pour le pire. Au premier coup d'œil, c'est plutôt réussi : avec ses gros cadrans carrés, le tableau de bord pourrait être celui des premières Camaro. Mais il y a ce volant, beaucoup trop gros; et, surtout, l'omniprésence de plastique, qui rappelle les moments moins glorieux de la Camaro (les années 80 et 90). L'ergonomie est un ratage complet: les commandes sont complexes et d'utilisation peu intuitive, tandis que l'espace pour la tête et les jambes à l'arrière est limité. Comme dans les anciens modèles, il y a beaucoup d'espace perdu. Accéder aux places arrière n'a rien d'aisé non plus. Cette sportive obèse n'est pas plus généreuse en rangement : les vide-poches brillent par leur absence dans la console, et ceux des portières sont ridiculement petits. La capacité du coffre arrière n'est pas conforme, elle non plus, aux dimensions de la voiture, et son ouverture est si étroite qu'elle compliquera, plus souvent qu'autrement, le chargement.

[MÉCANIQUE] Le V6 de 3,6 litres à injection directe de carburant est l'un des meilleurs mo-

---

FORCES · Impact visuel · Solide tandem de moteurs · Bonnes boîtes de vitesses · Freinage puissant · Confort surprenant
FAIBLESSES · Trop grosse, trop lourde · Visibilité arrière médiocre · Finition très plastique · Lacunes ergonomiques majeures · Habitabilité décevante · Anachronisme sur roues

teurs de GM. Ses accélérations ne sont cependant pas électrisantes, en raison du surplus de poids de la Camaro. C'est le seul reproche qu'on peut lui faire et encore, ce n'est vraiment pas de sa faute. Sinon, il brille à tous les chapitres, y compris la consommation. Malgré son architecture archaïque, le gros V8 de 6,2 litres à culbuteurs m'impressionne à chaque fois. Il accélère comme une flèche, sans jamais être brutal; le couple est toujours disponible; et il fait aussi montre d'une grande souplesse. Évidemment, il consomme plus que le V6 mais rien d'exagéré; c'est même plutôt surprenant pour un aussi gros moteur, dans une aussi grosse voiture. Les deux motorisations peuvent être accouplées à des boîtes de vitesses manuelle ou automatique, toutes deux à 6 rapports. J'ai particulièrement apprécié la boîte manuelle, très précise et agréable à manier. Quant à la boîte automatique, c'est depuis longtemps une spécialité de GM.

[COMPORTEMENT] Comme c'est trop souvent le cas à Detroit, on se fie surtout sur les pneus pour faire le gros du travail. C'est un élément important, certes, mais il faut plus que cela. Les réactions intempestives du train arrière incitent à la prudence. Et puis, la Camaro, faut-il le répéter, souffre de son format qui pénalise sa maniabilité. En revanche, j'ai rarement conduit une sportive aussi confortable. La SS reçoit des pneus de 20 pouces et une suspension plus ferme qui transforment son comportement. Dans les virages, elle colle, et l'antipatinage n'interfère pas dans le travail du conducteur, sinon que pour lui éviter de se retrouver dans le décor. L'excellent travail de la direction, vive et précise, permet de rehausser l'agilité de cette voiture. La SS arrive à faire oublier (ou presque) le surplus de poids de la Camaro.

[CONCLUSION] La Camaro ne représente en rien la « nouvelle GM » mais plutôt l'ancienne, avec son habitacle en plastique et ses défauts de conception. Et puis, c'est tout ce qu'une voiture sport ne doit pas être : trop grosse, trop lourde... Pour faire un *muscle car* typiquement américain adapté au XXIe siècle, quelqu'un, chez GM, aurait dû examiner de plus près une Mustang. Ou embaucher quelqu'un de Ford.

2ᵉ OPINION

FRÉDÉRIC MASSE Les moteurs, V6 ou V8, sont deux bons exemples d'efficacité et génèrent pas mal de puissance, un préalable dans cette catégorie. La voiture passe rapidement d'une monture docile à une voiture nettement plus agile (outre une direction un peu déconnectée) quand on décide de l'utiliser pour ce pour quoi elle a été créée. Est-elle meilleure que la Mustang ? Non, mais elle apporte une expérience tellement différente qu'elle vaut amplement la peine d'être essayée et, même, achetée. Meilleure que la Challenger ? Outre la version SRT8, je dirais que oui, je préfère la Camaro, plus compétente en matière de conduite sportive. Mais, vous le savez comme moi, dans cette catégorie coup de cœur, le design ou le nom de la voiture fait plus souvent la différence que les qualités de toute manière.

⑤ **FICHE TECHNIQUE**

- **MOTEURS**
- **(LS,LT)**
V6 3,6 l DACT, 312 ch à 6400 tr/min
Couple 278 lb-pi à 5200 tr/min
Transmission manuelle à 6 rapports, transmission automatique à 6 rapports avec mode manuel
0-100 km/h 6,4 s
Vitesse maximale 225 km/h

- **(SS)**
V8 6,2 l ACC, 426 ch à 5900 tr/min
V8 6,2 l ACC, 400 ch à 5900 tr/min (auto.)
Couple 420 lb-pi à 4600 tr/min
410 lb-pi à 4300 tr/min (auto.)
Transmission manuelle à 6 rapports, automatique à 6 rapports avec mode manuel
0-100 km/h 5,0s
Vitesse maximale 250 km/h
Consommation (100 km) man. 10,7 l **auto.** 10,6 l (octane 91)
Émissions de CO_2 man : 5014 kg/an **auto** 4968 kg/an
Litres par année man. 2180 l **auto.** 2160 l
Coût par an man. 2442 $ **auto.** 2419 $

- **AUTRES COMPOSANTES**
Sécurité active freins ABS, répartition électronique de force de freinage, assistance au freinage, antipatinage, contrôle de stabilité électronique

Suspension avant/arrière indépendante
Freins avant/arrière disques
Direction à crémaillère, assistée
Pneus LS P245/55R18 **LT** P245/55R18
option LT P245/50R19
SS P245/45ZR20, P275/40ZR20

- **DIMENSIONS**
Empattement 2852 mm
Longueur 4836 mm
Largeur 1918 mm
Hauteur 1376 mm
Poids LS man. 1718 kg, **LS auto.** 1713 kg,
SS man. 1746 kg, **SS auto.** 1770 kg
Diamètre de braquage 11,5 m
Coffre 320 l
Réservoir de carburant 71,9 l

NOTRE VERDICT

Plaisir au volant	●●●◐○
Qualité de finition	●●●○○
Consommation	●●○○○
Rapport qualité/prix	●●●◐○
Valeur de revente	Nd

COLORADO

www.gm.ca

N — ÉVOLUTION — É
J

23 860 $ à 37 825$
transport et préparation : 1350 $

LA COTE VERTE

MOTEUR
L4 DE 2,9 L

- **Consommation**
  (100km):
  man. 9,6 l
  auto. 9,8 l
- **Émissions**
  polluantes CO_2 :
  man. 4508 kg/an
  auto. 4600 kg/an
- **Empreinte écologique**
  (nombre d'arbres à
  planter par année): 30
- **Indice d'octane:** 87
- **Autre**
  motorisation: non
- **Coût du carburant**
  moyen par année:
  man. 1960 $
  auto. 2000 $
- **Nombre de**
  litres par année:
  man. 1960 l
  auto. 2000 l

(SOURCE: ÉnerGuide)

① FICHE D'IDENTITÉ

- **Versions** Cabine classique, cabine allongée, cabine multiplace
- **Roues motrices** arrière, 4
- **Portières** 2, 4 **Nombre de passagers** 3 à 6
- **Première génération** 2004
- **Génération actuelle** 2004
- **Construction** Shreveport, Louisiane, É.-U.
- **Sacs gonflables** 4 (frontaux, latéraux)
- **Concurrence** Dodge Dakota, Ford Ranger, GMC Canyon, Nissan Frontier, Toyota Tacoma

② AU QUOTIDIEN

- **Prime d'assurance**
  25 ans: 1400 à 1600 $
  40 ans: 1000 à 1100 $
  60 ans: 700 à 900 $
- **Collision frontale** 5/5
- **Collision latérale** 4/5
- **Ventes du modèle de l'an dernier**
  Au Québec 600 **Au Canada** 2838
- **Dépréciation** (3 ans) 61,0 %
- **Rappels** (2005 à 2010) 3
- **Cote de fiabilité** 2/5

③ GARANTIES... ET PLUS

- **Garantie générale** 3 ans/60 000 km
- **Garantie motopropulseur** 5 ans/160 000 km
- **Perforation** 6 ans/160 000 km
- **Assistance routière** 3 ans/60 000 km
- **Nombre de concessionnaires**
  Au Québec 84 **Au Canada** 450

④ NOUVEAUTÉS EN 2011

- Nouveaux appuie-tête avant
- On-Star 9.0

PLAN B

PAR BENOIT CHARETTE

PHYSIQUEMENT BIEN PROPORTIONNÉ, LA COLORADO, QUI DEVAIT AU DÉPART VISER TOUTE LA CLIENTÈLE QUI NE CHERCHE PAS VRAIMENT UNE CAMIONNETTE PLEINE GRANDEUR, N'A JAMAIS ATTEINT SA CIBLE. Certains affirment que la piètre qualité de l'intérieur a freiné leur élan, d'autres ont cédé au prix fortement à la baisse des modèles pleine grandeur au cours des derniers mois. Peu importe la raison, dans la majorité des cas, les gens qui partent avec l'idée d'acheter une Colorado reviennent à la maison avec autre chose.

[CARROSSERIE] Les remarques sur l'aspect physique de la Colorado sont habituellement bonnes. Son style plutôt carré et les épaules assez large lui confèrent la stature d'une camionnette qui peut faire le travail, mais il faut tout de même admettre qu'elle a vieilli rapidement. Le style simple et utilitaire qui faisait le charme de ces camionnettes il y a quelques années semble plutôt bon marché aujourd'hui.

[HABITACLE] Comme dirait l'autre : «C'est pas fort!» Alors que bien des concurrentes n'ont cessé de hausser la qualité des matériaux depuis quelques années, la Colorado est encore tapissée de plastiques durs, noirs et bon marché. Il est vrai que tout est là, mais il me semble que quelques dollars de plus pour rendre la chose un tant soit peu plus haut de gamme ne pourraient pas nuire. Selon la configuration, la Colorado peut accueillir trois à six occupants. Les espaces de rangement sont rares dans la version à cabine régulière et un peu plus nombreux dans la cabine allongée. Ceux qui prennent place aux sièges arrière devront faire avec un confort très précaire car les banquettes sont aussi raides que des bancs d'autobus scolaire.

[MÉCANIQUE] Ici, à vouloir plaire à trop de gens, GM s'est mis le doigt dans l'œil. Il y a d'abord un 4-cylindres de 2,9 litres de 185 chevaux qui vous amènera à la pépinière du coin et permettra de faire les petits travaux. La boîte de vitesses manuelle à 5 rapports est correcte, et la consommation de carburant, raisonnable. Vient ensuite le 5-cylindres de 3,7 litres de 242 che-

FORCES • Aspect physique intéressant • Modèle à 4 cylindres pertinent • Tenue de route honnête

FAIBLESSES • Plastiques de mauvaise qualité • Manque d'insonorisation • Direction lourde • Suspension sautillante • Fiabilité aléatoire

vaux. Il fait à peine plus que le 4-cylindres et consomme comme un V6. Depuis 2009, Chevrolet a ajouté un V8 de 5,3 litres qui fait 300 chevaux. Il peut abattre du vrai boulot, mais à ce stade, plusieurs se tourneront plutôt vers une Silverado, qui coûte à peine plus.

[COMPORTEMENT] Chaque fois que je conduis une Colorado, j'ai l'impression de me retrouver 20 ans en arrière quand le mot insonorisation ne faisait pas partie du vocabulaire de l'automobile. On entend tous les bruits de la route, des pneus, du moteur, bref, il n'y a rien entre la tôle et nous qui permet d'étouffer un peu les bruits parasites. Cela dit, la tenue de route est sautillante, mais pas plus qu'avec d'autres camionnettes. La suspension ZQ8, offerte en option, améliore sensiblement le comportement. La direction manque de précision et donne une impression de lourdeur.

[CONCLUSION] Je crois encore qu'il y a de la place pour de petites camionnettes sur le marché. Toutefois, dans le cas de la Colorado, c'est plutôt comme l'histoire de la grenouille qui voulait devenir aussi grosse que le bœuf. Je comprends mal pourquoi un consommateur irait faire l'achat d'une camionnette avec des capacités moindres qu'une camionnette pleine grandeur sans avoir les avantages du format. La Colorado à 4 cylindres est, à mon avis, le seul choix qui fait du sens. Si vous voulez plus gros, n'allez pas faire l'achat d'un petit qui se prend pour un gros, allez chercher un gros, tout simplement. Tiens et un dernier conseil, la firme

J.D. Power and Associates ne lui a accordé qu'une cote de 4 sur 10 en matière de fiabilité, pas très reluisant. Enfin, la bonne vieille Ranger n'est peut-être pas une si mauvaise idée !

2e OPINION

DANIEL RUFIANGE Ça ne va pas très bien pour la Chevrolet Colorado qui a vu ses ventes chuter de 40 % l'an dernier. C'est même pire pour sa jumelle, la GMC Canyon. Pourtant, dans le segment, les ventes de la Nissan Frontier se maintiennent pendant que celles de la Toyota Tacoma sont en hausse. Voilà deux véhicules de même catégorie, mais qui se montrent bien plus spacieux, une preuve que la recette à la sauce Colorado a fait son temps. Cette camionnette a toujours été sous-motorisée avant l'arrivée du moteur V8 et elle s'est toujours vendue trop cher, à mon humble avis. Je me souviendrai toujours d'avoir aperçu une Colorado affichant, dans la cour d'un concessionnaire, un prix de détail suggéré de 38 995 $. Avec de bons incitatifs, Ford propose sa F-150 à moins de 25 000 $; allez y comprendre quelque chose.

FICHE TECHNIQUE

· MOTEURS
· (de série avec cabine class. et all.)
L4 2,9 l DACT, 185 ch à 5600 tr/min
Couple 190 lb-pi à 2800 tr/min
Transmission manuelle à 5 rapports, automatique à 4 rapports (option)
0-100 km/h nd **Vitesse maximale** 180 km/h

· (option avec cabine cab./class./all. de série avec cabine multi.)
L5 3,7 l DACT, 242 ch à 5600 tr/min
Couple 242 lb-pi à 4600 tr/min
Transmission manuelle à 5 rapports, automatique à 4 rapports (option)
0-100 km/h 8,5 s **Vitesse maximale** 185 km/h
Consommation (100 km)
2RM 10,6 l **4RM** 11,0 l (octane 87)

· (option avec cabine cab. all. et multi.)
V8 5,3 l ACC, 300 ch à 5200 tr/min
Couple 320 lb-pi à 4000 tr/min
Transmission automatique à 4 rapports
0-100 km/h 8,0 s **Vitesse maximale** 190 km/h
Consommation (100 km)
2RM 12,2 l (octane 87) **4RM** 12,7 l (octane 87)

· AUTRES COMPOSANTES
Sécurité active freins ABS, système de contrôle de stabilité, antipatinage
Suspension avant/arrière indépendante/essieu rigide
Freins avant/arrière disques/tambours
Direction à crémaillère, assistée
Pneus P215/70R16, **4RM** P235/65R18
suspension Z71 P265/70R17,
suspension ZQ8 P235/50R18

· DIMENSIONS
Empattement 2RM cab class. 2826 mm,
4RM cab class. 2827 mm, **cab all./multi.** 3200 mm
Longueur cab. class. 4886 mm
cab. all./cab. multi. 5260 mm
Largeur 2RM 1717 mm, **4RM** 1742 mm
Hauteur **2RM cab. class./cab. all.** 1649 mm,
cab. multi. 1656 mm,
4RM cab. class./cab. all. 1718 mm,
cab. multi. 1723 mm
Poids 1527 kg à 1820 kg
Diamètre de braquage 2RM emp. court 12 m,
4RM emp. court 12,4 m **emp. long** 13,5 m
Coffre cab. rég. et all. 1245 l **cab. double** 1040 l
Réservoir de carburant 74,2 l
Capacité de remorquage 862 kg à 2721 kg

NOTRE VERDICT

Plaisir au volant	⬡⬡⬡◖
Qualité de finition	⬡⬡⬡⬡
Consommation	⬡⬡◖
Rapport qualité/prix	⬡⬡⬡◖
Valeur de revente	⬡⬡◖

CORVETTE

www.gm.ca

ÉVOLUTION

67 050 $ à 128 515 $
transport et préparation : 1420 $

LA COTE VERTE

MOTEUR
V8 DE 6,2 L

- **Consommation (100km):**
  man. 10,3 l
  auto. 11,2 l
- **Émissions polluantes CO_2:**
  man. 4876 kg/an
  auto. 5290 kg/an
- **Empreinte écologique (nombres d'arbres à planter par année):** 30
- **Indice d'octane:** 91
- **Autre motorisation:** non
- **Coût du carburant moyen par année:**
  man. 2374 $
  auto. 2530 $
- **Nombre de litres par année:**
  man. 2120 l
  auto. 2576 l

(SOURCE: ÉnerGuide)

① FICHE D'IDENTITÉ

- **Versions** coupé, cabriolet, coupé Grand Sport, cabriolet Grand Sport, Z06, ZR1
- **Roues motrices** arrière
- **Portières** 2 **Nombre de passagers** 2
- **Première génération** 1953
- **Génération actuelle** 2005, 2010 (Grand Sport)
- **Construction** Bowling Green, Kentucky, É.-U.
- **Sacs gonflables** 4 (frontaux, latéraux)
- **Concurrence** BMW Série 6, Dodge Viper, Jaguar XK, Porsche 911

② AU QUOTIDIEN

- **Prime d'assurance**
  25 ans: 4000 à 4200 $
  40 ans: 2300 à 2500 $
  60 ans: 1800 à 2000 $
- **Collision frontale** nd
- **Collision latérale** nd
- **Ventes du modèle de l'an dernier**
  Au Québec 26 **Au Canada** 307
- **Dépréciation** 45,4%
- **Rappels** (2005 à 2010) 5
- **Cote de fiabilité** 3,5/5

③ GARANTIES... ET PLUS

- **Garantie générale** 3 ans/60 000 km
- **Garantie motopropulseur** 5 ans/160 000 km
- **Perforation** 6 ans/160 000 km
- **Assistance routière** 3 ans/60 000 km
- **Nombre de concessionnaires**
  Au Québec 84 **Au Canada** 450

④ NOUVEAUTÉS EN 2011

- Aucun changement majeur

LA MENACE AMÉRICAINE

PAR CARL NADEAU

IL EST LOIN LE TEMPS OÙ IL FALLAIT COORDONNER SES RENDEZ-VOUS CHEZ LE CHIROPRATICIEN AVEC LE RETOUR DE L'ÉTÉ ET LES SORTIES EN CORVETTE. Peu importe la version choisie, elle a atteint une maturité qui nous donne espoir sur l'avenir des constructeurs américains.

[CARROSSERIE] Des lignes superbes qui ne se démodent pas, mais un manque de distinction entre les modèles. Chevrolet perd des ventes potentielles de ZR1 chaque année au profit de fabricants plus prestigieux comme Porsche, malgré les qualités incroyables du bolide. Dans un monde souvent artificiel, l'acheteur prêt à payer plus de 100 000 dollars pour une voiture sport, aime souvent afficher la valeur de son véhicule. Heureusement, les connaisseurs prêts à débourser jusqu'à 75 000 dollars supplémentaires pour la ZR1 identifieront immédiatement le projectile céleste grâce, en partie, à l'élément translucide du capot qui laisse voir le fameux compresseur. La Corvette est simplement belle, sans artifice; on se surprend à caresser sa silhouette du regard,

comme le vent qui l'effleure en douceur malgré des vitesses de pointe indécentes.

[HABITACLE] C'est là que le bât blesse! On y retrouve certains interrupteurs traditionnels de GM, et la qualité est douteuse sur certaines appliques. Comprenez-moi bien, l'habitacle recèle tout de même de grandes qualités. La position de conduite est excellente, l'habitacle est pour le moins confortable, les cadrans bien placés et faciles à consulter; mais il est essentiel d'avoir un affichage à tête haute avec un tel bolide pour savoir à quelle vitesse on roule. Les acheteurs de la ZR1, bien sûr, ont droit à de meilleurs sièges et, surtout, un volant plus petit et beaucoup mieux adapté à la conduite sportive. La Corvette vous permet de longues balades agréables bercées par le ronron discret du V8, jusqu'à ce que vous trituriez l'accélérateur avec autorité.

[MÉCANIQUE] Le bonheur, tout simplement! Le couple généreux est disponible sur toutes les livrées, ce qui rend la Corvette facile à conduire en toutes circonstances. Le Z06 est offert de sé-

FORCES · Rapport prix-performance · Performances de la ZR1 ahurissantes · Confort

FAIBLESSES · Finition intérieure · Arrière parfois sautillant

rie avec un carter sec et plus de 500 chevaux, de quoi faire battre le cœur des plus endurcis, mais le ZR1 redéfinit à lui seul le mot performance. Il peut ronronner en douceur sur l'autoroute à un régime moteur qui s'approche du ralenti et, ensuite, vous propulser à des vitesses scandaleuses aussi rapidement que la De Lorean du docteur Brown traversait le temps. Il est étonnant de constater que, à partir d'une architecture moteur plutôt archaïque, on arrive à un groupe motopropulseur assez léger et aussi performant. Les moteurs GM de série LS sont une référence sur le marché car, en plus de la puissance délivrée, ils sont compacts, ce qui facilite le travail des ingénieurs dans l'atteinte d'une répartition de poids idéale sur la voiture.

[COMPORTEMENT] La tenue de route est saine et incisive, et l'antipatinage à l'accélération vous permet de demeurer sur la route en cas d'excès. Les réactions de la suspension du Z06 peuvent se révéler sèches sur surfaces bosselées, une «rareté» sur nos routes, mais la ZR1 redéfinit le confort en mode normal. Qui aurait cru qu'une voiture si performante pouvait aussi dorloter ses occupants.

[CONCLUSION] Si l'industrie de l'automobile américaine a souffert le martyr au cours des dernières années, les voitures comme la Corvette prouvent au monde entier le savoir-faire des ingénieurs américains. La Corvette met en évidence que tout est possible, qu'on peut faire aussi bien si ce n'est mieux que les autres, et ce,

à un prix qui défie toute concurrence. La menace américaine, pourquoi pas! L'avenir nous dira si la septième génération à venir saura monter la barre une fois de plus.

2ᵉ OPINION

MICHEL CRÉPAULT Réglons tout de suite un point qui devrait être une évidence après toutes ces années: la Corvette propose le meilleur rapport performances/prix parmi les sportives capables de peler l'asphalte. Comme vous l'aurez constaté en dévorant notre reportage spécial sur Le Club des 300 au début de cet Annuel, une Corvette Z06 a su tirer son épingle du jeu parmi plusieurs exotiques coûtant le double de son prix. Bien que GM ait connu sa part de mésaventures, le missile américain n'a fait que s'améliorer au fil des ans. Son grondement typique nous propulse au nirvana, et la férocité de ses accélérations nous propulse tout court! Les mâchoires de cuir qui servent de sièges dans une cabine constellée de boutons vous assurent de meilleures places pour un show qui se déroule droit devant et dans vos tripes!

5 FICHE TECHNIQUE

MOTEURS

(COUPÉ, CABRIOLET, GRAND SPORT)
V8 6,2 l ACC, 430 ch à 5900 tr/min (échappement option. GS 436 ch)
Couple 424 lb-pi à 4600 tr/min (échappement option. GS 428 lb-pi)
Transmission manuelle à 6 rapports automatique à 6 rapports avec mode manuel
0-100 km/h 4,3 s
Vitesse maximale 305 km/h

(Z06)
V8 7,0 l ACC, 505 ch à 6300 tr/min
Couple 470 lb-pi à 4800 tr/min
Transmission manuelle à 6 rapports
0-100 km/h 3,7 s
Vitesse maximale 319 km/h
Consommation (100 km) 11,2 l (octane 91)
Émissions de CO_2 5590 kg/an
Litres par année 2300 l
Coût par an 2576 $
Empreinte écologique 33 arbres

(ZR1)
V8 6,2 l suralimenté par compresseur volumétrique, ACC, 638 ch à 6500 tr/min
Couple 604 lb-pi à 3800 tr/min
Transmission manuelle à 6 rapports
0-100 km/h 3,3 s
Vitesse maximale 330 km/h
Consommation (100 km) 12,9 l (octane 91)
Émissions de CO_2 6026 kg/an
Litres par année 2620 l
Coût par an 2934 $
Empreinte écologique 37 arbres

AUTRES COMPOSANTES
Sécurité active freins ABS, antipatinage
Suspension avant/arrière indépendante
Freins avant/arrière disques
Direction à crémaillère, assistée
Pneus P245/40R18 (av.), P285/35R19 (arr.),
Z06/GS P275/35R18 (av.), P325/30R19 (arr.),
ZR1 P285/30R19 (av.), P335/25R20 (arr.)

DIMENSIONS
Empattement 2685 mm
Longueur 4435 mm, **GS/Z06** 4460 mm,
ZR1 4476 mm
Largeur 1844 mm, **GS/Z06** 1928 mm, **ZR1** 1929 mm
Hauteur 1244 mm, **GS/Z06/ZR1** 1236 mm,
Poids coupé 1455 kg, **cabriolet** 1461 kg,
GS coupé 1502 kg, **GS cabriolet** 1492 kg,
Z06 1440 kg, **ZR1** 1512 kg
Diamètre de braquage 12,0 m
Coffre coupé, GS coupé, Z06, ZR1 634 l,
cabriolet, GS cabriolet 295 l, 212 l (toit abaissé)
Réservoir de carburant 68,1 l

NOS MENTIONS

 Coup de coeur

 Modèle recommandé

NOTRE VERDICT

Plaisir au volant	●●●●●
Qualité de finition	●●●●○
Consommation	●●○○○
Rapport qualité/prix	●●●●◖
Valeur de revente	●●●●○

CRUZE

www.gm.ca

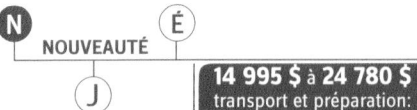

14 995 $ à 24 780 $
transport et préparation: Nd

LA COTE VERTE

MOTEUR
L4 DE 1,8 l

- **Consommation (100km):** nd
- **Émissions polluantes CO_2 :** nd
- **Empreinte écologique (nombre d'arbres à planter par année):** nd
- **Indice d'octane:** 87
- **Autre motorisation:** non
- **Coût du carburant moyen par année :** nd
- **Nombre de litres par année:** nd

(SOURCE: ÉnerGuide)

① FICHE D'IDENTITÉ

- **Versions** LS, Eco, LT Turbo, LTZ Turbo
- **Roues motrices** avant
- **Portières** 4 **Nombre de passagers** 5
- **Première génération** 2011
- **Génération actuelle** 2011
- **Construction** Lordstown, Ohio, É.-U.
- **Sacs gonflables** 10 (frontaux, latéraux avant et arrière, rideaux latéraux, genoux)
- **Concurrence**, Dodge Caliber, Ford Focus, Honda Civic, Hyundai Elantra, Kia Spectra, Mazda 3, Mitsubishi Lancer, Nissan Sentra, Subaru Impreza, Suzuki SX4, Toyota Corolla, Volkswagen Golf

② AU QUOTIDIEN

- **Prime d'assurance**
  25 ans: nm
  40 ans: nm
  60 ans: nm
- **Collision frontale** nm
- **Collision latérale** nm
- **Ventes du modèle de l'an dernier**
  Au Québec nm **Au Canada** nm
- **Dépréciation** nm
- **Rappels** nm
- **Cote de fiabilité** nm

③ GARANTIES... ET PLUS

- **Garantie générale** 3 ans/60 000 km
- **Garantie motopropulseur** 5 ans/160 000 km
- **Perforation** 6 ans/160 000 km
- **Assistance routière** 3 ans/60 000 km
- **Nombre de concessionnaires**
  Au Québec 84 **Au Canada** 450

④ NOUVEAUTÉS EN 2011

- Nouveau modèle remplaçant la Cobalt.

LA NOUVELLE ARME DE GM

PAR JOHN GILBERT

LE CHEVROLET CRUZE POURRAIT BIEN AIDER GM À PASSER DU RÔLE DE JOUEUR MARGINAL À CELUI DE JOUEUR IMPORTANT DANS LE CONCURRENTIEL SEGMENT DES VOITURES COMPACTES. Contre de gros canons comme la Honda Civic, la Mazda3, la Toyota Corolla, la Nissan Sentra, la Volkswagen Golf, la Hyundai Elantra et la Ford Focus, la meilleure réplique de GM a été la Saturn Astra, une version revampée de la populaire allemande, l'Opel Astra. Pendant qu'Opel a redessiné et amélioré l'Astra, Saturn est disparue du giron de General Motors. Cependant, la toute nouvelle Chevrolet Cruze, qui sera construite à l'usine de Lordstown, en Ohio, profitera de la nouvelle plateforme de l'Astra. Chevrolet mise sur les cinq éléments suivants pour assurer le succès de la Cruze : d'abord, un véhicule qui en offre plus que ce que les gens attendent d'une petite voiture; deux, la meilleure consommation de carburant du segment; trois, des caractéristiques de sécurité exceptionnelles; quatre, une conduite dynamique misant sur le confort et le silence; cinq, des moteurs raffinés en termes de qualité et de durabilité. Les premiers tours

de roues au volant de la Cruze tendent à prouver que GM a plutôt bien atteint ses objectifs...

[CARROSSERIE] On retrouve cinq versions de la Cruze, du modèle de base LS à la plus luxueuse LTZ. Entre les deux, les variantes LT, Eco et 2LT viennent compléter l'offre. Il est à noter que la variante Eco est conçue pour offrir une consommation de carburant avoisinant les 6 litres aux 100 kilomètres, elle qui profite du tout nouveau moteur Ecotec à 4 cylindres turbocompressé de 1,4 litre. En matière de design, la Cruze possède des contours brillamment sculptés. Le style de la voiture vise autant à séduire les plus jeunes qui recherchent une voiture plus « mature », que les plus vieux qui désirent changer pour une petite voiture à l'allure plus jeune. Malheureusement, la Cruze ne sera offerte qu'en version berline, alors qu'une cinq-portes sillonne les routes européennes. À l'avant, le nœud papillon Chevrolet s'impose et sépare la calandre dont les pointes rejoignent de façon agressive les phares qui, eux, contournent le faciès pour se marier avec le haut des ailes. Les passages de roues immenses

FORCES • Châssis robuste, tenue de route stable • Bonne insonorisation • Capable de douceur et de fougue • Consommation encourageante

FAIBLESSES • La bicorps à 5 portes est demeurée en Europe • L'intérieur des version de base paraît plus chiche • Utilisation des 4 disques parcimonieuse

accentuent l'espace dont dispose le pneu, tant à l'avant qu'à l'arrière. Les standards de construction en vigueur à l'usine de Lordstown font part d'une tolérance maximale de 3 millimètres entre les différents panneaux de la carrosserie.

[HABITACLE] Certains critiques de la défunte Saturn Aura trouvaient que son habitacle était un peu trop allemand. Justement, les intérieurs de voitures allemandes sont reconnus comme étant ultra fonctionnel, et la Cruze s'inscrit dans cette vague. Les indicateurs sont regroupés à l'intérieur de trois cercles et se présentent sur un fond bleu glacial éclairé par des diodes électroluminescentes. La console est bien dessinée et facilite l'utilisation des commandes de la radio et de la climatisation. L'habitacle est aussi tapissé d'appliques métallisées qui sont bien moins aveuglantes que ne le seraient des accents de chrome. Le dessus du tableau de bord est recouvert de matériaux douillets qui marient leur couleur à celle des sièges. Malheureusement, les livrées d'entrée de gamme doivent se contenter d'une texture grossière et plus épaisse. Notons que le niveau d'insonorisation à bord est remarquable. GM a mis le paquet et utilisé d'innombrables techniques acoustiques afin de réduire les intrusions de bruit. Pour ce qui est de l'équipement, la Cruze en propose un certain nombre : sièges électriques réglables en six

> NOTONS QUE LE NIVEAU D'INSONORISATION À BORD EST REMARQUABLE. GM A MIS LE PAQUET ET UTILISÉ D'INNOMBRABLES TECHNIQUES ACOUSTIQUES AFIN DE RÉDUIRE LES INTRUSIONS DE BRUIT.

positions, sièges en cuir chauffants, connectivité Bluetooth, commandes audio au volant, démarrage à distance et une aide sonore au stationnement ne sont que quelques-unes des caractéristiques qu'on retrouve de série sur les modèles plus haut de gamme. Sinon, il faut piger dans l'onéreuse liste d'options. Un système intégré de navigation, doté d'un disque dur de 40 gigaoctets qui autorise le transfert de votre musique préférée à partir d'un disque compact ou de votre lecteur iPod, fait aussi partie de l'équipement de la Cruze. Votre musique peut résonner grâce à la présence d'une chaîne audio Pioneer munie d'un amplificateur de 250 watts ainsi que de neuf haut-parleurs. Quant à la nouvelle version du système OnStar, elle permet aux téléphones d'y être reliés. Cela signifie que les propriétaires de Cruze pourront verrouiller ou déverrouiller leurs portières, ou démarrer la voiture à distance avec leur seul cellulaire.

[MÉCANIQUE] Sous le capot de la Cruze, on retrouve un tout nouveau moteur Ecotec turbocompressé de 1,4 litre. Cet engin a été développé en Allemagne, en Suède et aux États-Unis et est assemblé en Autriche – l'usine de Flint au Michigan le produira également. Il équipe toutes les versions de la Cruze sauf la livrée de base LS. En outre, il est muni d'une distribution à programme variable et de déphaseurs de came localisés à l'admission et à l'échappement. Ces

Les origines de la Cruze remontent à la Cavalier qui est apparue en 1981 sur la plateforme J. Ce châssis servait aussi de base pour les modèles Pontiac Sunbird (plus tard la Sunfire), la Cadillac Cimarron, la Oldsmobile Firenza et la Buick Skyhawk. La Cavalier était supposée être discontinuée en 2004 mais des retards avec la production de la Chevrolet Cobalt ont fait qu'elle est restée en vente jusqu'en 2005.

CHEVROLET CAVALIER 1981

OLDSMOBILE FIRENZA 1986

CADILLAC CIMARRON 1988

CHEVROLET CAVALIER 1990

CHEVROLET CAVALIER 1996

CHEVROLET CAVALIER 2003

CHEVROLET COBALT 2010

CHEVROLET CRUZE 2011

CRUZE

A

B

C

D

GALERIE

A Caractéristique plutôt rare dans ce segment, le centralisateur informatique de bord fournit au conducteur de nombreuses données sur le véhicule. Le tout est installé bien en vue en plein centre du tableau

B Une colonne centrale intégrée qui s'harmonise parfaitement au tableau de bord renferme l'écran du système d'infodivertissement ainsi que les commandes de la température et du système sonore. Les diodes électroluminescentes projettent une lumière claire d'un bleu glacé depuis les instruments analogiques, en plus d'éclairer d'autres commandes intérieures.

C Le montant intérieur et les autres moulures sont assortis aux couleurs du pavillon et affichent une texture similaire, tandis que la couleur des empiècements de sièges est harmonisée à celle des garnitures du tableau de bord ce qui confère à la Cruze un habitacle propre aux berlines haut de gamme de plus grande taille.

D Les versions haut de gamme ont droit à un volant avec rappel des principales commandes pour la radio, le téléphone et les données sur les fonctions de la voiture.

E Doté d'un turbocompresseur entraîné par l'échappement, le moteur Ecotec de 1,4 L turbo de la Cruze génère la puissance d'un plus gros moteur, au besoin, tout en affichant le rendement éconergétique d'un 4 cylindres de petite cylindrée dans la plupart des conditions de conduite. Ce moteur est offert de série dans les modèles Eco, LT et LTZ et génère une puissance estimée de 138 chevaux.

E

derniers permettent d'améliorer le rendement du moteur tout en le rendant plus stable au ralenti. Ils augmentent aussi la livrée de puissance et de couple tout en offrant une meilleure consommation de carburant. Grâce au turbo, le petit moteur développe 138 chevaux et produit un couple de 148 livres-pieds exploitable dès 1850 tours par minute. Selon GM, il sera possible de maintenir une moyenne de consommation de 5,9 litres aux 100 kilomètres sur l'autoroute. L'autre moteur de la Cruze est un 4-cylindres de 1,8 litre qui développe 138 chevaux (à 6300 tours) et produit un couple de 125 livres-pieds. Deux boîtes de vitesses sont livrables, soit une automatique et une manuelle, toutes deux à 6 rapports.

[COMPORTEMENT] La force de la nouvelle Cruze réside dans sa structure qui utilise des métaux à haute résistance en des points stratégiques. On retrouve également un longeron principal qui relie l'avant à l'arrière, ainsi qu'une poutre transversale localisée entre le moteur et le tableau de bord. La rigidité obtenue augmente la résistance aux impacts, mais rend aussi la conduite de la Cruze ferme et dynamique. Des jambes de force MacPherson s'occupent de la suspension avant, pendant qu'une nouvelle suspension arrière du type Z-Link contribue à réduire le bruit et les vibrations, tout en ajoutant de la fermeté à la cambrure des roues, ce qui a pour effet de réduire le roulis; l'arrière de la voiture devient donc plus stable. En fait, la Cruze répond très bien quand on la pousse, mais offre également une belle douceur de roulement. Le freinage est aussi

ferme et précis, mais l'utilisation de quatre freins à disques est réservée à la mouture LTZ seulement.

[CONCLUSION]
Avec Ford qui vient d'introduire sa Fiesta sur le marché et qui lancera sa Focus au cours de la prochaine année, la pression était sur les épaules de GM pour offrir une solution de rechange valable. La Cruze amène Chevrolet au plein cœur du segment des compactes et le fait en offrant une qualité intrinsèque bien au-delà de ce que n'a jamais offert la Cobalt qu'elle remplace. La Cruze est jolie et agréable à conduire, que ce soit doucement sur l'autoroute pour l'aller-retour au travail ou de façon agressive sur des chemins sinueux.

BENOIT CHARETTE Un style équilibré, un habitacle agréable, un équipement abondant, des prestations routières quasi inspirantes, la Cruze veut nous faire oublier la tiède Cobalt et la mauvaise Cavalier. Avec ses moteurs plus économiques, son insonorisation plus poussée et une qualité générale en hausse par rapport à ses devancières, la Cruze possède maintenant tous les éléments pour réussir. La compétition demeure très forte et la partie n'est pas gagnée, mais, pour la première fois de son histoire, GM a réussi à produire une berline compact qui tient la route face à la concurrence asiatique.

⑤ FICHE TECHNIQUE

MOTEURS

(LS)
L4 1,8 l DACT, 138 ch à 6300 tr/min
Couple 125 lb-pi à 3800 tr/min
Transmission manuelle à 6 rapports, automatique à 6 rapports avec mode manuel (en option)
0-100 km/h nd
Vitesse maximale nd

(Eco, LT, LTZ)
L4 1,4 l turbo DACT, 138 ch à 4900 tr/min
Couple 148 lb-pi à 1850 tr/min
Transmission manuelle à 6 rapports, automatique à 6 rapports avec mode manuel (LT, LTZ, option LS, Eco))
0-100 km/h nd
Vitesse maximale nd
Consommation (100km): nd
Émissions polluantes CO_2 : nd
Litres par année: nd
Coût du carburant moyen par année: nd
Empreinte écologique nd

AUTRES COMPOSANTES
Sécurité active freins ABS, antipatinage, contrôle électronique de la stabilité.
Suspension avant/arrière indépendante/semi-indépendante
Freins avant/arrière disques/tambours, **LTZ turbo** disques
Direction à crémaillère, assistée
Pneus LS/LT P215/50R16 **ECO/LTZ** P225/50R17 **option LT** et **LTZ** P235/45R18

DIMENSIONS
Empattement 2685 mm
Longueur 4597 mm
Largeur 1796 mm
Hauteur 1476 mm
Poids nd
Diamètre de braquage nd
Coffre 425 l
Réservoir de carburant 57 l
Capacité de remorquage 750 kg

179

NOS MENTIONS

☺ Modèle recommandé

NOTRE VERDICT

Plaisir au volant	●●●●◐○
Qualité de finition	●●●●○○
Consommation	●●●●●○
Rapport qualité/prix	●●●●○○
Valeur de revente	Nm

EQUINOX

www.gm.ca

N ÉVOLUTION É
J

27 345 $ à 36 420 $
transport et préparation : 1350 $

LA COTE VERTE

AVEC MOTEUR L4 DE 2,4 L

- **Consommation (100km):**
  2RM 7,7 l
  4RM 8,5 l
- **Émissions polluantes CO_2 :**
  2RM 3588 kg/an
  4RM 4002 kg/an
- **Empreinte écologique (nombre d'arbres à planter par année):** 26
- **Indice d'octane:** 87
- **Autre motorisation:** non
- **Coût du carburant moyen par année:**
  2RM 1560 $
  4RM 1740 $
- **Nombre de litres par année:**
  2RM 1560 l
  4RM 1740 l

(SOURCE: ÉnerGuide)

---

(1) FICHE D'IDENTITÉ

- **Versions** LS, LT, LTZ
- **Roues motrices** avant, 4
- **Portières** 5 **Nombre de passagers** 5
- **Première génération** 2005
- **Génération actuelle** 2010
- **Construction** Ingersoll, Ontario, Canada
- **Sacs gonflables** 6 (frontaux, rideaux latéraux)
- **Concurrence** Ford Escape, Honda CR-V, Hyundai Tucson, Kia Sportage, Mazda CX-7, Mitsubishi Outlander, Subaru Forester, Suzuki Grand Vitara, Toyota RAV4

(2) AU QUOTIDIEN

- **Prime d'assurance**
  25 ans : 2000 à 2200 $
  40 ans : 1300 à 1500 $
  60 ans : 1000 à 1200 $
- **Collision frontale** 5/5
- **Collision latérale** 5/5
- **Ventes du modèle de l'an dernier**
  Au Québec 1976 **Au Canada** 11 759
- **Dépréciation** (3 ans) 46,9 %
- **Rappels** (2005 à 2010) 5
- **Cote de fiabilité** 2/5

(3) GARANTIES... ET PLUS

- **Garantie générale** 3 ans/60 000 km
- **Garantie motopropulseur** 5 ans/160 000 km
- **Perforation** 6 ans/160 000 km
- **Assistance routière** 3 ans/60 000 km
- **Nombre de concessionnaires**
  Au Québec 84 **Au Canada** 450

(4) NOUVEAUTÉS EN 2011

- Aucun changement majeur

COUP SÛR

PAR MICHEL CRÉPAULT

REVU DE FOND EN COMBLE L'AN DERNIER, L'EQUINOX ET SON FRÈRE JUMEAU, LE GMC TERRAIN (OUI, ON EN PARLE PLUS LOIN), SONT EN TRAIN DE RENDRE DE PRÉCIEUX SERVICES À GM ET À L'ÉCONOMIE CANADIENNE. L'usine de CAMI à Ingersoll, en Ontario, a rappelé tous ses employés, et même plus, à la fin de mai parce que les modèles en question connaissent un réel succès. Et, quant à faire, il existe même un parc de quelque 100 Equinox fonctionnant à hydrogène (piles à combustible).

[CARROSSERIE] On ne le remarque pas forcément dans un centre commercial bondé mais, par ailleurs, il ne choque ni n'agresse l'œil. Ses volumes sont harmonieux, et chacun des éléments de la coque évoque un modernisme de bon aloi. La fenestration latérale a adopté des angles qui frisent le futurisme, tandis que les phares ont des airs de cristaux scrutateurs. Bref, mine de rien, l'Equinox dégage une personnalité certaine.

[HABITACLE] Là aussi, GM vient de marquer de bons points. Le tableau de bord est invitant.

L'intégralité du poste de pilotage donne envie de s'installer aux commandes, surtout dans le cas de la version huppée LTZ, où les accents techno produisent une ambiance d'exactitude, mais feutrée. L'espace de chargement à l'arrière est transformable de multiples façons, en commençant par les glissières de la banquette arrière vers l'avant (tant que les rotules des occupants de la banquette ne protesteront pas). Sinon, vous pourrez faire basculer les dossiers. Ces permutations sont les bienvenues étant donné que les tourelles de la suspension empiètent visiblement dans l'aire de chargement. Sur ce plan, de redoutables rivaux comme le Toyota RAV4 et le Honda CR-V détiennent l'avantage.

[MÉCANIQUE] Il fallait remplacer le gourmand V6 de 3,6 litres, un moteur qui avait pourtant récolté sa part de lauriers. Tant qu'à rebâtir, pourquoi ne pas démontrer aux clients potentiels qu'il est possible d'apprécier un utilitaire intermédiaire sans pour autant consommer et polluer à outrance. D'où l'entrée en scène du 4-cylindres de 2,4 litres Ecotec à injection directe de carburant

---

FORCES · Deux nouveaux moteurs qui rendent de bons services sans nous ruiner · Une plaisante cohésion à bord · Une tenue de route rassurante

FAIBLESSES · Un espace de chargement un brin torturé et exigu · Le plaisir au volant provient de l'homogénéité du véhicule et non pas de sa direction plutôt inerte

capable de délivrer 182 chevaux tout en limitant sa soif à moins de 10 litres aux 100 kilomètres. Pour pouvoir tracter en toute quiétude, GM offre également un V6 de 3 litres de 264 chevaux. Les deux engins sont liés à une boîte de vitesses automatique à 6 rapports qui se laisse travailler sur le mode manuel si le cœur vous en dit. Et les deux motorisations peuvent s'enorgueillir de la transmission intégrale en option. Notons quand même que la présence de série des aides électroniques habituelles, comme le système de contrôle de la stabilité, rende les versions à traction efficaces.

[COMPORTEMENT] On a beau être au volant d'un utilitaire (ou multisegment, je ne sais plus!), il faut bien admettre que sa tenue de route est douce. Comme si tous les organes mécaniques travaillaient à l'unisson pour réaliser des trajets sous le signe du contrôle parfait. En un mot, l'Equinox se révèle très civilisé. Peut-être même un peu trop puisque la direction ne communique à peu près rien. Votre réserve d'adrénaline demeurera intacte. Le 4-cylindres, bien que bruyant en forte accélération, fait enfin le travail en plus de snober les pétrolières. Le V6 devrait surtout vous intéresser si vous prévoyez tracter quelque chose. Il n'est pas aussi fougueux que celui qu'il remplace, mais son empreinte écologique est plus responsable. Dans l'ensemble, le maniement facile de l'Equinox va de pair avec son intérieur convivial. La suspension à roues indépendantes rime avec le rembourrage des sièges. Je le dis comme je le pense: si GM

avait toujours conçu des véhicules de cette qualité...

[CONCLUSION] À partir d'une fourchette de prix raisonnables, GM met sur la table une proposition très honnête. Le constructeur a réussi à amalgamer apparence, volume, confort et économie de carburant. Le véhicule qui en résulte accomplit tout avec une surprenante aisance.

2ᵉ OPINION

DANIEL RUFIANGE L'ancienne génération de l'Equinox connaissait du succès au chapitre des ventes. Pourtant, ce véhicule présentait de sérieuses lacunes. Heureusement, GM en a pris bonne note, et la génération actuelle lui est supérieure en tous points. Parmi les améliorations, notons l'ergonomie, le confort, la tenue de route et l'insonorité, certes l'une des plus belles surprises. L'Equinox continue de figurer parmi les plus populaires de sa catégorie, surtout équipé du moteur à 4 cylindres. Soyez cependant avisé que, quand GM annonce une consommation de 6,1 litres aux 100 kilomètres sur l'autoroute, elle vous jette de la poudre aux yeux. Pour y arriver, il faut rouler environ 90 km/h et ne jamais gravir une côte. Prévoyez une moyenne ville/route oscillant autour des 10 litres aux 100 kilomètres.

⑤ FICHE TECHNIQUE

· MOTEURS
· (LS, LT, LTZ)
L4 2,4 l DACT, 182 ch à 6700 tr/min
Couple 172 lb-pi à 4900 tr/min
Transmission automatique à 6 rapports
0-100 km/h 8,7 s
Vitesse maximale 185 km/h

· (Option LT, Option LTZ)
V6 3 l DACT, 264 ch à 6950 tr/min
Couple 222 lb-pi à 5100 tr/min
Transmission automatique à 6 rapports
0-100 km/h 8,1 s
Vitesse maximale 200 km/h
Consommation (100 km) 2RM 10,2
4RM 10,4 l (octane 87)
Émissions de CO_2 2RM 4784 kg/an
4RM 4830 kg/an
Litres par année 2RM 2080 l **4RM** 2100 l.
Coût par an 2RM 2080$ **4RM** 2100$
Carburant alternatif non
Empreinte écologique 28 arbres

· AUTRES COMPOSANTES
Sécurité active freins ABS, assistance au freinage, contrôle de la stabilité électronique , antipatinage
Suspension avant/arrière indépendante
Freins avant/arrière disques
Direction à crémaillère, assistée
Pneus P225/65R17, **option LT et LTZ** P235/55R18, **option LTZ** P235/55R19

· DIMENSIONS
Empattement 2857 mm
Longueur 4771 mm
Largeur 1842 mm
Hauteur 1684 mm
Poids 1710 kg
Diamètre de braquage 12,2m
(roues de 17, 18 po) ,
13m (roues de 19po)
Coffre 889 l, 1803 l (sièges abaissés)
Réservoir de carburant L4 71,1 l ; **V6** 79,1 l
Capacité de remorquage L4 680 kg,
V6 1 588 kg

181

NOS MENTIONS

☺ Modèle recommandé

NOTRE VERDICT

Plaisir au volant	●●●●○
Qualité de finition	⬡⬡⬡⬡⬡
Consommation	●●●○○
Rapport qualité/prix	●●●○○
Valeur de revente	Nd

EXPRESS

www.gm.ca

31 460 $ à 46 180 $
transport et préparation : 1350 $

LA COTE VERTE

MOTEUR
V6 DE 4,3 L

- **Consommation (100km):** 12,1 l
- **Émissions polluantes CO_2 :** 5904 kg/an
- **Empreinte écologique (nombre d'arbres à planter par année):** 36
- **Indice d'octane:** 87
- **Autre motorisation:** non
- **Coût du carburant moyen par année:** 2460 $
- **Nombre de litres par année:** 2460 l

(SOURCE: ÉnerGuide)

 FICHE D'IDENTITÉ

- **Versions** base, LS, LT
- **Roues motrices** arrière, 4
- **Portières** 4 **Nombre de passagers** 8 à 15
- **Première génération** 1971
- **Génération actuelle** 1996
- **Construction** Wentzville, Missouri, É.-U.
- **Sacs gonflables** 2 (frontaux)
  version passager 4 (frontaux, rideaux latéraux)
- **Concurrence** Mercedes Benz Sprinter, Ford Série E, GMC Savana

 AU QUOTIDIEN

- **Prime d'assurance**
  25 ans : 1600 à 1800 $
  40 ans : 900 à 1100 $
  60 ans : 700 à 900 $
- **Collision frontale** 5/5
- **Collision latérale** 4/5
- **Ventes du modèle de l'an dernier**
  Au Québec 1461 **Au Canada** 4494
- **Dépréciation** 62,8 %
- **Rappels (2004 à 2009)** 10
- **Cote de fiabilité** 3/5

 GARANTIES... ET PLUS

- **Garantie générale** 3 ans/60 000 km
- **Garantie motopropulseur** 5 ans/160 000 km
- **Perforation** 6 ans/160 000 km
- **Assistance routière** 3 ans/60 000 km
- **Nombre de concessionnaires**
  Au Québec 84 **Au Canada** 450

 NOUVEAUTÉS EN 2011

- Aucun changement majeur

FIGÉ DANS LE TEMPS

PAR DANIEL RUFIANGE

UN VÉHICULE COMME LE CHEVROLET EXPRESS EST UNE NÉCESSITÉ SUR LE MARCHÉ. Connaissez-vous beaucoup de véhicules capables de transporter jusqu'à 15 passagers ou tout l'équipement d'une petite entreprise ? Ces utilitaires datant d'une autre époque trouvent donc toujours preneur auprès d'une clientèle très ciblée, et la lutte que se livrent les fabricants dans ce segment est aussi féroce qu'à l'intérieur d'autres créneaux. Elle est seulement moins médiatisée et certainement moins intéressante pour les passionnés de conduite pure. Et l'Express dans tout cela ? Quelle est sa véritable valeur ?

[CARROSSERIE] Observez bien la carrosserie de l'Express. Maintenant, allez voir la mine d'un modèle 1996 et vous constaterez que sa configuration date d'un autre... millénaire. Je n'ai rien contre, mais une touche de modernité au fil des années n'aurait pas nui. Regardez comment le Sprinter, jadis proposé par Dodge, maintenant par Mercedes-Benz, ainsi que le tout nouveau Transit Connect de Ford, réussissent à proposer une certaine différence dans le segment. L'Express est mur pour une refonte. En attendant, on a droit aux deux mêmes livrées que depuis l'époque ou Clinton était président, soit la version Cargo et la version Tourisme, toutes deux vouées à servir différemment leurs propriétaires.

[HABITACLE] Ainsi, la version Cargo a tout d'une soute à bagages d'avion. Un grand espace rectangulaire caverneux derrière les deux baquets principaux à l'avant sert pour le chargement. Sur la version Tourisme, on peut y aller de différentes configurations de sièges. En tout, ce sont 15 passagers qui peuvent prendre place à bord, idéal pour le transport de petits groupes de personnes ou pour une sérieuse opération de covoiturage. Le reproche principal qu'on peut adresser à l'habitacle de l'Express a trait à la position de conduite à l'avant. On aurait voulu irriter le conducteur qu'on n'aurait pas fait autrement. L'espace pour les jambes est restreint au possible, la position de conduite atroce et la présentation visuelle du tableau de bord ont de quoi déprimer un motivateur. Il faut l'aimer pour son côté utile.

FORCES · Choix de versions · Choix de moteurs · Transmission intégrale offerte · Aspect pratique

FAIBLESSES · Position de conduite lamentable · Insonorité déficiente · Comportement routier · Vite, une refonte !

[MÉCANIQUE] Là, par contre, c'est la joie. GM propose pas moins de cinq moteurs pour son Express. Un V6, trois motorisations V8, dont une de 6 litres qui livre une puissance de 323 chevaux et un couple de 373 livres-pieds. Pour les gros travaux, il va sans dire. Mais, et surtout, GM propose une motorisation diesel, beaucoup plus économique et performante à l'usage que n'importe quel autre moteur. Bien sûr, pour rentabiliser la différence de prix exigée pour cette version, il faut s'assurer de faire suffisamment de kilométrage.

[COMPORTEMENT] Il faut distinguer ici deux Express : celui qui est chargé de celui qui ne l'est pas. On comprendra que, à vide, le train arrière sautille comme une enfant à la vue du Père Noël. Quelques sacs de sable bien placés auront pour effet de bien asseoir le train arrière et vous permettront d'apprécier le comportement routier. Une fois chargé, que ce soit de matériaux ou de passagers, on apprécie plus la douceur de roulement de l'Express. Mais attention, toutefois; le comportement routier de l'Express date d'une autre époque. La direction est floue, le freinage pourrait être plus mordant, et la tenue de route n'est qu'une suggestion. À son grand avantage, l'Express peut profiter de la transmission intégrale, une option qui vous évitera bien des soucis l'hiver venu.

[CONCLUSION] Deux observations sont importantes ici. D'abord, il faut situer l'Express face à ses rivaux; le Sprinter de Mercedes-Benz et le Transit Connect et la Série E de Ford. Sans contredit, le Sprinter est dans une classe à part, mais aussi hors de prix. Du côté de la Série E de Ford, on parle aussi d'un véhicule désuet, mais qui demeure populaire. Je lui préfère l'Express pour son choix de moteur et sa transmission intégrale. Quant au Transit Connect, il offre le meilleur comportement routier du lot – lui qui repose sur le châssis de l'ancienne génération de Ford Focus –, mais demeure de format plus réduit que l'Express.

2ᵉ OPINION

BENOIT CHARETTE Le Chevrolet Express existe sous une forme ou une autre depuis 1971. La dernière refonte remonte à 1996. Voici donc un véhicule qui n'a pas vraiment connu d'évolution marquante depuis 15 ans. Il n'y avait aucune conséquence lorsque le seul concurrent se nommait le Ford Econoline et datait de la même époque. Mais depuis l'arrivée du moderne Sprinter et du très pratique et moins gourmand Transit Connect, l'Express fait figure de véhicule de la préhistoire. GM devrait faire un grand ménage dans tout cela et éliminer quelques moteurs; est-il bien nécessaire de garder trois V8 ? Et pendant que vous y êtes, repensez un peu le concept pour qu'il réponde aux besoins des gens de commerce d'aujourd'hui, pas à ceux d'hier. Ce n'est pas un mauvais véhicule, mais il est vieux et un peu dépassé.

⑤ FICHE TECHNIQUE

MOTEURS

- V6 4,3 l ACC, 195 ch à 4600 tr/min
Couple 260 lb-pi à 2800 tr/min
Transmission automatique à 4 rapports
0-100 km/h 12,5 s **Vitesse maximale** 180 km/h

- V8 4,8 l ACC, 280 ch à 5200 tr/min
Couple 296 lb-pi à 4600 tr/min
Transmission automatique à 4 rapports
0-100 km/h 10,3 s **Vitesse maximale** 200 km/h
Consommation (100 km) 12,8 l (octane 87)
Émissions de CO₂ 6288 kg/an
Litres par année 2620 l **Coût par an** 2620 $
Carburant alternatif éthanol E85
Empreinte écologique 37 arbres

- V8 5,3 l ACC, 310 ch à 5200 tr/min
Couple 334 lb-pi à 4500 tr/min
Transmission automatique à 4 rapports
0-100 km/h 9,1 s **Vitesse maximale** 220 km/h
Consommation (100 km) 2RM 13,8 l **4RM** 14,1 l
(octane 87) **2RM** 18,3 l (éthanol) **4RM** 18,5 l (éthanol)
Émissions de CO₂ 2RM 6486 kg/an
4RM 6670 kg/an **2RM** 5952 kg/an (éthanol)
4RM 6048 kg/an (éthanol)
Litres par année 2RM 2820 l **4RM** 2900 l
2RM (éthanol) 3720 l **4RM** 3780 l (éthanol)
Coût par an 2RM 2820 $ **4RM** 2900 $
Carburant alternatif éthanol E 85
Empreinte écologique 39 arbres

- V8 6,0 l ACC, 323 ch à 4600 tr/min
Couple 373 lb-pi à 4400 tr/min
Transmission automatique à 4 rapports
0-100 km/h 8,5 s **Vitesse maximale** 220 km/h
Consommation (100 km) 16,0 l (octane 87)
Émissions de CO₂ 7680 kg/an
Litres par année 3200 l **Coût par an** 3200 $
Carburant alternatif éthanol E85
Empreinte écologique 45 arbres

- V8 6,6 l turbo diesel, ACC, 250 ch à
3200 tr/min Couple 460 lb-pi à 1600 tr/min
Transmission automatique à 4 rapports
0-100 km/h 9,0 s **Vitesse maximale** 185 km/h
Consommation (100 km) 11,4 l (diesel)
Émissions de CO₂ 6156 kg/an
Litres par année 2280 l **Coût par an** 2280 $
Carburant alternatif Diesel
Empreinte écologique 36 arbres

AUTRES COMPOSANTES

Sécurité active freins ABS, antipatinage et contrôle de stabilité (12 et 15 passagers)
Suspension avant/arrière indépendante / essieu rigide
Freins avant/arrière disques
Direction à crémaillère, assistée
Pneus 1500 P235/75R16 **2500** LT225/75R16
3500 LT245/75R16

DIMENSIONS

Empattement 3429 mm, **emp. long** 3937 mm
Longueur 5691 mm , **emp. long** 6199 mm
Largeur 2007mm, **3500** 2017mm,
emp. long 2012mm
Hauteur 2072mm, **3500** 2110mm,
emp. long 2100mm
Poids 2198 à 2873 kg
Diamètre de braquage 1500 13,2 m
2500 et 3500 15,0 m, **emp. long** 16,6 m
Coffre 5777 l **emp. long** 6720 l
Réservoir de carburant 117 l
Capacité de remorquage 2812 à 4491 kg

HHR

www.gm.ca

ÉVOLUTION

20 395 $ à 30 955 $
transport et préparation : 1350 $

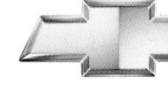

LA COTE VERTE

MOTEUR
L4 DE 2,2 L

- **Consommation**
(100km):
man. 7,7 l
auto 8,1 l
man. (E85) 10,6 l
auto. (E85) 11,1 l

- **Émissions
polluantes CO_2 :**
man. 3588 kg/an
aut. 3772 kg/an
man. (E85) 3456 kg/an
auto (E85) 3616 kg/an

- **Empreinte écologique
(nombre d'arbres à
planter par année): 24**
- **Indice d'octane:** 87
- **Autre
motorisation:**
Éthanol E85

- **Coût du carburant
moyen par année:**
man. 1560 $
auto 1640 $

- **Nombre de litres par
année:**
man. 1560 l
auto 1640 l
man. (E85) 2160 l
auto. (E85) 2260 l

(SOURCE: ÉnerGuide)

184

① FICHE D'IDENTITÉ

- **Versions** LS, LT, SS, Cargo
- **Roues motrices** avant
- **Portières** 5 **Nombre de passagers** 5, 2 (Cargo)
- **Première génération** 2006
- **Génération actuelle** 2006
- **Construction** Ramos Arizpe, Mexique
- **Sacs gonflables** 4, frontaux et rideaux latéraux
- **Concurrence** Chrysler PT Cruiser, Jeep Compass, Mazda5, Pontiac Vibe, Suzuki SX4, Toyota Matrix

② AU QUOTIDIEN

- **Prime d'assurance**
  25 ans : 1500 à 1700 $
  40 ans : 1000 à 1150 $
  60 ans : 800 à 1000 $
- **Collision frontale** 5/5
- **Collision latérale** 5/5
- **Ventes du modèle de l'an dernier**
  Au Québec 534 **Au Canada** 2862
- **Dépréciation** 57,8%
- **Rappels** (2005 à 2010) 3
- **Cote de fiabilité** 3/5

③ GARANTIES... ET PLUS

- **Garantie générale** 3 ans/60 000 km
- **Garantie motopropulseur** 5 ans/160 000 km
- **Perforation** 6 ans/160 000 km
- **Assistance routière** 3 ans/60 000 km
- **Nombre de concessionnaires**
  Au Québec 84 **Au Canada** 450

④ NOUVEAUTÉS EN 2011

- Aucun changement majeur

RÉTRO SUR TOUTE LA LIGNE

PAR DANIEL RUFIANGE

LA MODE DES VÉHICULES RÉTRO EST PROPRE À LA DÉCENNIE 2000. On n'a qu'à penser au précurseur, la PT Cruiser, à la Volkswagen New Beetle, à la Mini et, bien sûr, aux Ford Mustang, Dodge Challenger et Chevrolet Camaro, pour ne nommer que celles-là. L'exercice en valait la peine. Non seulement les produits ci-haut mentionnés ont-ils de la gueule, mais ils sont de beaux clins d'œil à l'histoire de l'automobile. Le HHR s'inscrit dans cette catégorie et, depuis 2006, roule sa bosse tant bien que mal. Le problème avec ce dernier n'est pas esthétique; il est structurel. Cette Chevrolet Cobalt drapée d'une veille robe est mal née et vieillit très mal. Pour permettre à la HHR de survivre, GM devra faire du vieux avec du neuf.

[CARROSSERIE] C'est un fait connu, le styliste de la HHR, Brian Nesbitt, a également dessiné la PT Cruiser. En ce qui me concerne, il s'est fait la main sur la première pour trouver la bonne formule sur la deuxième. En gros, la mine du HHR me plaît beaucoup. Elle s'inspire, en réalité, des lignes de la Chevrolet Suburban 1949.

Suffit de trouver une image de ce monstre préhistorique pour constater que le clin d'œil au passé est réussi. Et, tradition oblige, le HHR est aussi offert en deux configurations, soit cargo ou passager, comme l'étaient les Suburban de l'époque, alors nommés Suburban Carryall. À noter que la version cargo, avec sa surface tôlée, permet aux entreprises de bien s'afficher. Et, modernité oblige, on retrouve de nos jours une version vitaminée du HHR, la SS, qui en offre plus aux amateurs de performances.

[HABITACLE] La grande question : est-ce qu'un véhicule rétro doit offrir un habitacle rétro? Si l'on se fie à ce qu'on retrouve à l'intérieur, GM ne semble pas si sûre elle non plus. La planche de bord fait dans la simplicité, les matériaux utilisés font TRÈS bon marché et s'éraflent au moindre contact, sans compter que la qualité d'assemblage est très aléatoire. Mon neveu s'est procuré un HHR 2009 et me racontait qu'il n'y a pas une partie du véhicule qui n'émet pas de bruit après 30 000 kilomètres. Si seulement il pouvait les camoufler avec une chaîne audio de qualité...

FORCES · Lignes séduisantes · Version cargo intéressante · Prix de base invitant
· Version SS

FAIBLESSES · Habitacle atroce · Comportement routier à faire pleurer
· Freinage spongieux · Visibilité réduite et carrément nulle sur la version cargo

nes de pertes et de profits feront foi de tout. Mais, de grâce, si on va de l'avant avec une deuxième génération, peut-on ne conserver de rétro que la carrosserie ?

Et puis, il y a ces sièges, peu confortables et absents de maintien. Ces aspects rétro, le consommateur s'en passerait volontiers.

[MÉCANIQUE] GM propose trois moteurs pour son HHR. Les livrées LS et LT1 profitent d'un moteur Ecotec à 4 cylindres de 2,2 litres, bon pour une puissance de 155 chevaux. En option sur les versions LT1 et de série sur les variantes LT2, un autre moteur à 4 cylindres, de 2,4 litres celui-là, offrant 17 chevaux de plus que le premier. Ces moteurs font le travail et ont le mérite d'être relativement économes en carburant. Pour les personnes avides de sensations fortes, le moteur de la version SS, un 4-cylindres turbo de 2 litres, livre 260 chevaux.

[COMPORTEMENT] Ici, ça se gâte sérieusement. On vous mentionnait plus tôt que le HHR repose sur le châssis de la Cobalt. C'est assez pour être inquiet. Encore, on aurait pu corriger le tir un tant soit peu en calibrant mieux les suspensions, mais ce n'est pas le cas. Le résultat est donc TRÈS décevant. Dans les faits, le comportement routier du HHR fait très rétro et nous rappelle les Suburban des années 70; pas certain que GM recherchait cet effet. Même le freinage est désagréable au possible; il donne le mal de mer. La version SS vient sauver la donne, elle qui offre une tenue de route plus sûre.

[CONCLUSION] GM écoule environ quelque 600 exemplaires de son HHR annuellement au Québec, 3000 au Canada. Est-ce que ce sera suffisant pour le maintenir en vie ? Les colon-

2ᵉ OPINION

MICHEL CRÉPAULT Il y a deux raisons qui devraient vous inciter à vous ranger dans le camp des propriétaires de HHR : le goût de l'originalité et le besoin de transporter des machins... dans une familiale originale. Si vous en avez soupé de cette tendance néo-rétro et si vous avez applaudi au retrait de la PT Cruiser, j'imagine que vous trouverez un autre véhicule pour trimballer vos bébelles. Mais si son style vous jase, alors là, prenons le temps de noter la version Cargo (sans banquette arrière) vraiment attrayante d'un point de vue commercial, et la livrée SS qui, avec son engin turbocompressé et son comportement enthousiaste, n'a besoin que de décalques en forme de flammes sur les flancs pour nous placer au volant d'un hot rod!

⑤ FICHE TECHNIQUE

· MOTEURS · (LS, LT)

L4 2,2 l DACT 155 ch à 6100 tr/min (161 ch à 6000 tr/min) E85
Couple 150 lb-pi à 4800 tr/min(158 lb-pi à 4600 tr/min) E85
Transmission manuelle à 5 rapports, automatique à 4 rapports en option
0-100 km/h 9,7 s **Vitesse maximale** 180 km/h

· (option LT)

L4 2,4 l DACT 172 ch à 5800 tr/min (176 ch à 5800 tr/min) E85

Couple 167 lb-pi à 4500 tr/min (170 lb-pi à 5000 tr/min) E85
Transmission manuelle à 5 rapports, automatique à 4 rapports en option
0-100 km/h 9,2 s **Vitesse maximale** 180 km/h
Consommation (100 km) man./auto. 8,1l (octane 91), **man.** 10,7 l (E85) **auto.** 11,6 l (E85)
Émissions de CO$_2$ man./auto. 3772 kg/an **man.** 3488 kg/an (E85) **auto.** 3744 kg/an (E85)
Litres par année man./auto. 1640 l **man.** 2180 l (E85), **auto.** 2340 l (E85)
Coût par an man./auto. 1837 $ (octane 91)
Carburant alternatif éthanol E85
Empreinte écologique 24 arbres

· (SS)

L4 2,0 l turbo DACT 260 ch à 5300 tr/min (250 ch à 5900 tr/min avec boîte auto.)
Couple 260 lb-pi à 2000 tr/min (222 lb-pi à 1650 tr/min avec boîte auto.)
Transmission manuelle à 5 rapports, automatique à 4 rapports en option
0-100 km/h 6,6 s **Vitesse maximale** 180 km/h
Consommation (100 km) man. 8,3 l **auto.** 8,9 l (octane 91)
Émissions de CO$_2$ man. 3910 kg/an **auto.** 4140 kg/an
Litres par année man. 1700 l **autom.** 1800 l
Coût par an man. 1904 $ **auto.** 2016 $
Carburant alternatif non
Empreinte écologique 26 arbres

· AUTRES COMPOSANTES

Sécurité active freins ABS, antipatinage, contrôle de stabilité
Suspension avant/arrière indépendante/semi-indépendante
Freins avant/arrière disques/tambours, **SS** disques
Direction à crémaillère, assistée
Pneus LS/LT P215/55R16, **opt. LT** P215/50R17, **SS** P225/45R18

· DIMENSIONS

Empattement 2631 mm
Longueur 4475 mm, **SS** 4483 mm
Largeur 1755 mm **Hauteur** 1588 mm
Poids LS 1431 kg, **LT** 1455 kg
SS man. 1488 kg, **SS auto** 1524 kg
Diamètre de braquage LS 11 m, **LT (avec suspension optionnelle)** 11,5 m, **SS** 12,0 m
Coffre 638 l, 1634 l (sièges abaissés), 1787 l (sièges retirés)
Réservoir de carburant 49 l
Capacité de remorquage 453 kg (non recommandé sur SS)

NOTRE VERDICT

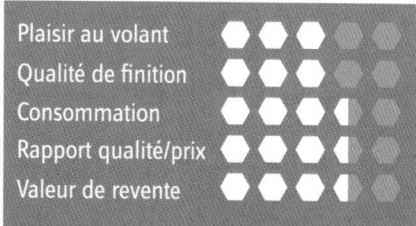

Plaisir au volant	⬢⬢⬢⬡⬡
Qualité de finition	⬢⬢⬢⬡⬡
Consommation	⬢⬢⬡⬡⬡
Rapport qualité/prix	⬢⬢⬢⬢⬡
Valeur de revente	⬢⬢⬢⬢⬡

185

IMPALA

www.gm.ca

ÉVOLUTION N É J

28 295 $ à 31 915 $
transport et préparation : 1350 $

LA COTE VERTE

MOTEUR
V6 DE 3,5 L

- **Consommation (100km):** 8,8 l (octane 87) 12,0 l (E85)
- **Émissions polluantes CO_2 :** 4140 kg/an (octane 87) 3936 kg/an (E85)
- **Empreinte écologique (nombre d'arbres à planter par année):** 14 (éthanol) à 27 (essence)
- **Indice d'octane:** 87
- **Autre motorisation:** Éthanol E85
- **Coût du carburant moyen par année:** 1800 $ (octane 87)
- **Nombre de litres par année:** 1800 l (octane 87) 2460 l (E85)

(source: ÉnerGuide)

 FICHE D'IDENTITÉ

- **Versions** LS, LT, LTZ
- **Roues motrices** avant
- **Portières** 4 **Nombre de passagers** 5 ou 6
- **Première génération** 1958
- **Génération actuelle** 2006
- **Construction** Oshawa, Ontario, Canada
- **Sacs gonflables** 6 (frontaux, latéraux, rideaux latéraux)
- **Concurrence** Buick LaCrosse, Chrysler Sebring/300, Dodge Charger, Ford Fusion/Taurus, Honda Accord, Hyundai Sonata, Mazda6, Nissan Altima/Maxima, Toyota Camry

 AU QUOTIDIEN

- **Prime d'assurance**
  25 ans: 1800 à 2000 $
  40 ans: 800 à 1000 $
  60 ans: 600 à 800 $
- **Collision frontale** 5/5
- **Collision latérale** 4/5
- **Ventes du modèle de l'an dernier**
  Au Québec 2029 **Au Canada** 12 292
- **Dépréciation** 65,9 %
- **Rappels** (2005 à 2010) 3
- **Cote de fiabilité** 3/5

 GARANTIES... ET PLUS

- **Garantie générale** 3 ans/60 000 km
- **Garantie motopropulseur** 5 ans/160 000 km
- **Perforation** 6 ans/160 000 km
- **Assistance routière** 3 ans/60 000 km
  Nombre de concessionnaires
  Au Québec 84 **Au Canada** 450

4 NOUVEAUTÉS EN 2011

- Climatiseur à commande manuelle de série sur le modèle LS, moulures latérales de la couleur de la carrosserie de série.

LA BERLINE PASSE-PARTOUT

PAR MICHEL CRÉPAULT

LES INSPECTEURS DE POLICE PORTENT UNE GABARDINE ÉPROUVÉE PAR LES INTEMPÉRIES ET UNE MOUSTACHE. ILS CONDUISENT AUSSI UNE IMPALA. Toujours pour passer inaperçus. Sur la route, on les prendra pour des vacanciers venant de louer leur véhicule chez Avis, Hertz & Cie, d'autres amateurs de l'Impala. Collez un losange lumineux sur le toit, et ils se déguiseront en chauffeur de taxi, d'autres amateurs de l'Impala. Bref, c'est l'auto qui convient à un bon nombre de gens parce qu'elle se fond dans la masse. Elle est beige à ce point.

[CARROSSERIE] On ne peut pas accuser cette silhouette d'être mièvre sous peine de devoir porter la même accusation contre le tiers de la production en 2011. Qualifions-la plutôt de prudente. J'y discerne nettement un capot, des phares, quatre roues et un coffre. J'oubliais le toit et les glaces, grand distrait que je suis ! Avec ces composants qu'on retrouve sur la très, très grande majorité des berlines intermédiaires, le préposé au stationnement qui avance l'Impala jusqu'au

touriste venu la louer n'offusque pas ses goûts personnels. Il n'y a rien à contester. Si Chrétiens et Musulmans adoptaient le code vestimentaire de l'Impala, nous serions tous des frères.

[HABITACLE] À titre de locateur de voitures ou de chauffeur de taxi, vous ne voudriez pas coincer vos clients sur une banquette étroite. Même le policier menottera le malfrat dans un vaste espace au cas où un coup de matraque serait le bienvenu. L'Impala répond à ces exigences pratico-pratiques de tout un chacun. Dans un décor similirone de noyer ou acier techno, on peut remplacer les deux baquets avant par une banquette (sauf dans la LTZ) et, dès lors, le levier de vitesses se transforme en sélecteur de vitesses sur la colonne de direction. Si l'avant ne reçoit pas un 3e larron, on peut basculer le coussin central qui se transforme en console. On doit soulever l'assise de la banquette arrière pour pouvoir abaisser le dossier (60/40) qui libère un beau passage vers le coffre à bagages, lui-même béant.

FORCES • Espace à bord presque royal, de même que dans le coffre • Balade sous le signe de la tranquillité • Zéro mauvaise surprise à l'horizon

FAIBLESSES • Matériaux et design trop ordinaires • Tenue de route qui pourrait endormir une mouche tsé-tsé • Valeur résiduelle dans les bas fonds

[MÉCANIQUE] Deux V6. Avec celui de 3,5 litres de 207 chevaux à calage variable des soupapes, on parvient à conserver une consommation moyenne de carburant sous les 10 litres aux 100 kilomètres. Le 3,9-litres de 230 chevaux est réservé exclusivement à la version LTZ. Lui aussi s'en tire honorablement à la pompe. Mieux, le duo digère l'éthanol E85 sans problèmes. Outre la boîte de vitesses automatique à 4 rapports, l'ABS et le dispositif StabiliTrak aident tous les modèles à garder le bon cap. Sinon, il y a toujours OnStar qui veille au grain.

[COMPORTEMENT] Ennuyeux ? Non, je ne serai pas aussi bête et méchant. L'Impala est parfaitement compétente à l'ouvrage. Je dirais même qu'elle rassure tant elle est saine, normale, conservatrice. Bon, d'accord, je reviens à mon qualificatif ennuyeux… Il y avait bien une version SS, mais elle a disparu, et c'est mieux comme cela : avez-vous déjà vu une berceuse en fibre de carbone ? La suspension travaille tout en douceur. En ligne droite et à vitesse de croisière, la musique à bord est mieux d'être entraînante si vous avez plusieurs kilomètres à parcourir.

[CONCLUSION] Une chose est certaine, il faut donner crédit à la résilience de l'Impala. Contre vents et marées, le modèle tient bon depuis 1958 ! Rien que pour cet exploit, elle mérite notre respect. Si elle chevauche autant de décennies, elle fait pareil avec les goûts. Elle est la berline politiquement correcte par excellence. Son mantra est de ne pas faire de vagues. Il y a certes un danger : à vouloir contenter autant de monde, on peut finir par manquer de saveur. Et, le pire, c'est de voir ses propres concepteurs tourner les coins ronds parce que l'auto n'est pas censée déranger les humeurs ou allumer les ardeurs. Pourtant, il suffirait d'un assemblage plus soigné et d'un soupçon d'originalité pour continuer à rejoindre plein de monde sans pour autant banaliser leurs besoins.

2ᵉ OPINION

BENOIT CHARETTE L'impala est un peu le moyen-âge automobile dans le monde des voitures intermédiaires. Ses mécaniques sont d'une autre époque, au même chapitre que le châssis, la conception et la finition. Toutefois, même si elle laisse un gros avantage aux ténors du segment comme les Accord, Camry et, même, Sonata, l'Impala est confortable, spacieuse et offerte à un prix concurrentiel. GM a même travaillé sur ses moteurs pour les rendre un peu plus économiques. Si, en bout de piste, cela ne vous dérange pas de rouler dans une voiture anonyme qui vous fera passer pour un chauffeur de taxi ou une police fantôme en patrouille, vous trouverez certainement quelques bons côtés à l'Impala. Mais elle ne vaut pas plus qu'un 5 sur 10.

⑤ FICHE TECHNIQUE

· MOTEURS
· (LS, LT)
V6 3,5 l ACC, 207 ch à 5800 tr/min
Couple 215 lb-pi à 4000 tr/min
Transmission automatique à 4 rapports
0-100 km/h 8,8 s
Vitesse maximale 195 km/h

· (LTZ)
V6 3,9 l ACC, 230 ch à 5700 tr/min
Couple 238 lb-pi à 3200 tr/min
Transmission automatique à 4 rapports
0-100 km/h 8,4 s
Vitesse maximale 200 km/h
Consommation (100 km) 9,7 l (octane 87)
13,2 l (E85)
Émissions de CO$_2$ 4600 kg/an (octane 87)
4320 kg/an (E85)
Litres par année 2000 l (octane 87)
2700 l (E85)
Coût par an 2000 $ (octane 87)
Carburant alternatif Ethanol E85
Empreinte écologique 27 arbres

· AUTRES COMPOSANTES
Sécurité active freins ABS, antipatinage, contrôle de stabilité électronique
Suspension avant/arrière indépendante
Freins avant/arrière disques
Direction à crémaillère, assistée
Pneus LS/LT P225/60R16 **LTZ** P235/55R18

· DIMENSIONS
Empattement 2807 mm
Longueur 5090 mm
Largeur 1851 mm
Hauteur 1491 mm
Poids LS/LT 1613 kg **LTZ** 1655 kg
Diamètre de braquage 11,6 m, **LTZ** 12,2 m
Coffre 527 l
Réservoir de carburant 64 l

NOTRE VERDICT

Plaisir au volant	⬢⬢⬢⬡⬡
Qualité de finition	⬢⬢⬢⬡⬡
Consommation	⬢⬢⬡⬡⬡
Rapport qualité/prix	⬢⬢⬢⬡⬡
Valeur de revente	⬢⬢◐⬡⬡

MALIBU

www.gm.ca

23 995 $ à 34 660 $
transport et préparation : 1350 $

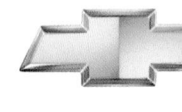

LA COTE VERTE

MOTEUR
L4 DE 2,4 L

- **Consommation**
  (100km):
  auto. 4. 8,0 l
  auto. 6. 7,7 l
- **Émissions**
  polluantes CO_2 :
  auto. 4. 3772 kg/an
  auto. 6. 3588 kg/an
- **Empreinte**
  écologique (nombre
  d'arbres à planter
  par année): 24
- **Indice d'octane:** 87
- **Autre**
  motorisation:
  éthanol E85
- **Coût du carburant**
  moyen par année:
  auto. 4. 1640 $
  auto. 6. 1560 $
- **Nombre de**
  litres par année:
  auto. 4. 1640 l
  auto. 6. 1560 l

(source: ÉnerGuide)

PRESQUE SUR LE PODIUM

PAR DANIEL RUFIANGE

ON COMPTE UNE DOUZAINE DE RIVALES DANS LE TRÈS CONCURRENTIEL SEGMENT DES BERLINES INTERMÉDIAIRES. S'il était jadis nécessaire de lire les palmarès à l'envers pour retrouver la Malibu au sommet, cette époque est révolue. La mouture actuelle n'a plus rien à envier à ses éternelles rivales qui, dans certains cas, plafonnent. Ne devient plus une américaine qui veut! En réalité, la nouvelle menace vient de la Corée, et n'allez pas croire que la Honda Accord a dit son dernier mot. Au fait, où se situe maintenant la Malibu?

[CARROSSERIE] La Malibu a été l'une des premières voitures à arborer la nouvelle signature stylistique de Chevrolet. Cette calandre à deux sections est jolie et donne du panache à l'avant du véhicule. De profil, le résultat est spectaculaire. Seuls les feux arrière nous rappellent des temps plus moribonds sur le plan du style, mais dans l'ensemble, la Malibu a de la gueule. Quatre livrées – LS, LT, LT platine et LTZ – viennent différencier un tant soit peu les modèles, surtout au chapitre de l'équipement intérieur, l'enveloppe

extérieure demeurant pratiquement le même peu importe le modèle. De l'extérieur, les principales différences ont trait au fini des jantes de 17 pouces, diffèrent sur les trois premières versions, pendant que la livrée LTZ profite de jantes de 18 pouces.

[HABITACLE] Pour rattraper la concurrence, GM devait certes améliorer la qualité de ses habitacles. C'est simple, GM a berné le peuple pendant des années avec une utilisation éhontée de matériaux indignes. La version actuelle de la Malibu vient panser un peu les plaies. C'est loin d'être parfait, mais les progrès sont visibles et palpables. Cependant, on retrouve encore des plastiques bon marché, surtout dans le bas des portières; l'usure laissera des traces prématurées. Par contre, côté confort, là, bravo. Les sièges de la Malibu sont seyants, et les longues randonnées n'indisposent aucunement. À l'arrière, l'espace est généreux, et le niveau de confort, plus que passable.

[MÉCANIQUE] GM propose deux motorisations pour sa Malibu; l'une à 4 cylindres, l'autre,

① FICHE D'IDENTITÉ

- **Versions** LS, LT, LTZ
- **Roues motrices** avant
- **Portières** 4 **Nombre de passagers** 5
- **Première génération** 1997
- **Génération actuelle** 2008
- **Construction** Kansas City, Kansas, É.-U. et Orion, Township, Michigan
- **Sacs gonflables** 6 (frontaux, rideaux latéraux)
- **Concurrence** Buick LaCrosse, Chrysler Sebring, Ford Fusion, Honda Accord, Hyundai Sonata, Kia Magentis, Mazda6, Mitsubishi Galant, Nissan Altima, Subaru Legacy, Toyota Camry, Volkswagen Jetta

② AU QUOTIDIEN

- **Prime d'assurance**
  25 ans: 1500 à 1700 $
  40 ans: 800 à 1000 $
  60 ans: 600 à 800 $
- **Collision frontale** 5/5
- **Collision latérale** 5/5
- **Ventes du modèle de l'an dernier**
  Au Québec 2621 **Au Canada** 12 427
- **Dépréciation** 68,7%
- **Rappels (2005 à 2010)** 2
  Cote de fiabilité 3,5/5

③ GARANTIES... ET PLUS

- **Garantie générale** 3 ans/60 000 km
- **Garantie motopropulseur** 5 ans/160 000 km, 8 ans pour l'hybride
- **Perforation** 6 ans/160 000 km
- **Assistance routière** 3 ans/60 000 km
- **Nombre de concessionnaires**
  Au Québec 84 **Au Canada** 450

④ NOUVEAUTÉS EN 2011

- Aucun changement majeur

FORCES · Belle silhouette · Tenue de route et grand confort · Coffre généreux · Moteurs compétents

FAIBLESSES · Boîte automatique à 4 rapports · Certains plastiques toujours bon marché · Valeur de revente encore faible

V6. Il est à noter que toutes les versions reçoivent de série le moteur à 4 cylindres Ecotec de 2,4 litres. Il faut cocher l'option ensemble performance sur les livrées LT platine et LTZ pour profiter du moteur V6 de 3,6 litres. Ce qui est cependant triste dans le cas de la Malibu, c'est qu'elle offre encore une boîte de vitesses automatique à 4 rapports, cette dernière équipant de série les modèles LS et LT. Pour vraiment profiter de l'économie de carburant dont sont tapissées les publicités de GM à propos de la Malibu, il faut opter pour une version équipée de la boîte à 6 rapports, maintenant un standard dans l'industrie. Quant à la suspension, à 4 roues indépendantes, elle propose un excellent compromis entre la fermeté et la souplesse, une équation qui a souvent fait défaut du côté des produits de la General Motors.

[COMPORTEMENT] Qu'on l'affuble de la plus belle robe de bal, qu'on y installe du marbre ou de l'or à l'intérieur, si le comportement routier d'une voiture est décevant, le reste devient secondaire. Ici, la Malibu se dresse devant la concurrence. L'expérience au volant est agréable en tous points. La tenue de route est bonne, la direction est précise et communicative, la douceur de roulement et le confort sont au poil, bref, la Malibu impressionne. Seul le caractère un peu poussif du moteur à 4 cylindres est irritant en accélération quand il est jumelé à la boîte automatique à 4 rapports, mais, règle générale, on s'en accommode bien. Souhaitons que GM élimine de son catalogue cette boîte désuète.

[CONCLUSION] Honda Accord ou Toyota Camry ? Ni l'une ni l'autre, si vous voulez mon avis. En réalité, dans le segment, mon choix s'arrête sur la Subaru Legacy, une très belle surprise et une transmission intégrale en prime. La Malibu ? Presque sur le podium, tout juste derrière la Ford Fusion, la Honda Accord et la Hyundai Sonata.

2ᵉ OPINION

BENOIT CHARETTE Physiquement, la Malibu est réussie, et son format est généreux à l'extérieur comme à l'intérieur. La qualité du produit est en hausse, et seuls quelques plastiques un peu bon marché trahissent une qualité générale presque sans reproche. Pour les amateurs de statistiques, il y a pas moins de 12 nœuds papillons un peu partout sur l'extérieur du véhicule, question de ne pas la confondre avec la concurrence.
Au volant, l'impression générale est bonne, le confort, sans reproche. Cette voiture se compare avantageusement aux berlines japonaises. Le modèle le plus intéressant et le plus économe est la version de base mue par le moteur à 4 cylindres et la boîte de vitesses automatique à 6 rapports. Votre consommation sera à peine supérieur à celle d'une compacte, et vous n'aurez pas à faire de sacrifice au chapitre de l'espace. L'une des meilleures voitures de GM sur la route en ce moment.

⑤ FICHE TECHNIQUE

· **MOTEURS**
· **(LS, LT1, LT2, LTZ)**
L4 2,4 l DACT, 169 ch à 6400 tr/min
Couple 160 lb/-pi à 4500 tr/min
Transmission automatique à 4 rapports, automatique à 6 rapports avec mode manuel (en option)
0-100 km/h 9,4 s
Vitesse maximale 180 km/h

· **(option LT, option LTZ)**
V6 3,6 l DACT, 252 ch à 6300 tr/min
Couple 251 lb-pi à 3200 tr/min
Transmission automatique à 6 rapports avec mode manuel
0-100 km/h 7,7 s
Vitesse maximale 180 km/h
Consommation (100 km) 10,0 l (octane 87)
Émissions de CO$_2$ 4692 kg/an
Litres par année 2040 l
Coût par an 2040$
Empreinte écologique (nombre d'arbres à planter par année) 30

· **AUTRES COMPOSANTES**
Sécurité active freins ABS et antipatinage, répartition électronique de force de freinage
Suspensions avant/arrière indépendantes
Freins avant/arrière disques
Direction à crémaillère, assistée
Pneus LS/ LT P225/50R17, **option LT** 215/55R17, **option LT/ LTZ** P225/50R18

· **DIMENSIONS**
Empattement 2852 mm
Longueur 4872 mm
Largeur 1786 mm
Hauteur 1450 mm
Poids LS 1549 kg, **LT** 1561 kg, **LTZ** 1577 kg,
Diamètre de braquage 12,3 m
Coffre 427 l
Réservoir de carburant 61 l

189

NOS MENTIONS

☺ Modèle recommandé

NOTRE VERDICT

Plaisir au volant	●●●◖
Qualité de finition	●●●●
Consommation	●●◖
Rapport qualité/prix	●●●◖
Valeur de revente	●●●◖

SILVERADO

www.gm.ca

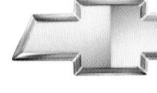

LA COTE VERTE

MOTEUR
V8 DE 6,0 L HYBRIDE

· **Consommation**
(100km):
2RM 9,4 l
4RM 9,5 l

· **Émissions polluantes**
CO_2 :
2RM 4324 kg/an
4RM 4370 kg/an

· **Empreinte écologique**
(nombre d'arbres à
planter par année): 28

· **Indice d'octane:** 87

· **Autre**
motorisation:
Essence, E85

· **Coût du carburant**
moyen par année:
2RM 1880 $
4RM 1900 $

· **Nombre de litres**
par année:
2RM 1880 l
4RM 1900 l

(SOURCE: ÉnerGuide)

① FICHE D'IDENTITÉ

- **Versions** WT, LS, LT, LTZ, XFE
- **Roues motrices** arrière, 4
- **Portières** 2, 4
- **Nombre de passagers** 2, 3, 5 ou 6
- **Première génération** 1936
- **Génération actuelle** 2007
- **Construction** Flint, Michigan, É.-U.; Fort Wayne, Indiana, É.-U.; Silao, Mexique
- **Sacs gonflables** 6 (frontaux; rideaux latéraux, sacs latéraux)
- **Concurrence** Ram 1500, Ford F-150, GMC Sierra, Nissan Titan, Toyota Tundra

② AU QUOTIDIEN

- **Prime d'assurance   25 ans:** 1700 à 1900 $
  40 ans: 1100 à 1300 $
  60 ans: 800 à 1000 $
- **Collision frontale** 5/5
- **Collision latérale** nd
- **Ventes du modèle de l'an dernier**
  Au Québec 4524 **Au Canada** 36 428
- **Dépréciation** 71,4%
- **Rappels** (2005 à 2010) 12
- **Cote de fiabilité** 2,5/5

③ GARANTIES... ET PLUS

- **Garantie générale** 3 ans/60 000 km
- **Garantie motopropulseur** 5 ans/160 000 km
- **Perforation** 6 ans/160 000 km
- **Assistance routière** 3 ans/60 000 km
- **Nombre de concessionnaires**
  Au Québec 84 **Au Canada** 450

④ NOUVEAUTÉS EN 2011

- Insonorisation améliorée, nouvelles couleurs.

LA « NERD » DU MICHIGAN

PAR BENOIT CHARETTE

CEUX QUI SUIVENT L'ÉVOLUTION DES CAMIONNETTES ONT SANS DOUTE REMARQUÉ QUE FOR D ET RAM ONT REFAIT L'IMAGE DE LEURS MODÈLES RÉCEMMENT. Pour sa part, la Silverado, qui est passée au salon d'esthétique pour la dernière fois en 2007, nous revient sans grandes modifications cette année. Elle a l'air de la petite intellectuelle à lunette dans nos classes à l'école primaire. Sympathique, mais pas très attirante. On devine le potentiel, mais sa gêne maladive camoufle tout le reste. Cette camionnette aurait besoin d'un peu d'exubérance pour se démarquer.

[CARROSSERIE] La variété est toujours au programme pour 2011. Trois modèles de cabines sont offerts : classique, allongée et multiplace, en plus de trois longueurs de caisse. La camionnette se décline en quatre modèles : WT, LS (cabine allongée ou multiplace seulement), LT et LTZ, livrable en version à 2RM ou 4RM. Le pare-chocs chromé est offert de série sur les modèles LT, tandis que les modèles LTZ sont équipés de pare-chocs de la couleur de la carrosserie. Les modèles Silverado sont offerts avec des roues de 17, de 18 et de 20 pouces. Les roues de 18 pouces sont offertes en option avec le groupe Z71, mais sont offertes de série pour le modèle LTZ. Les roues de 20 pouces sont offertes en option dans les modèles LT et LTZ.

[HABITACLE] À l'intérieur, vous avez droit à deux sortes de configurations. Les modèles WT, LS et LT proposent un habitacle plus utilitaire, tandis que le modèle LTZ offre un intérieur luxueux calqué sur les utilitaires comme le Tahoe et le Suburban. Les grosses commandes sont toutes conçues pour être manipulées avec des gants. Sièges garnis de tissus de série dans les modèles WT, LS et LT; sièges garnis de cuir offerts dans les modèles LT en plus du siège conducteur à réglage électrique en six sens. Un compartiment de rangement verrouillable est incorporé à la nouvelle banquette rabattable et divisée 40/20/40; il offre suffisamment d'espace pour ranger un ordinateur portatif en plus de proposer une prise de courant de 12 volts. La banquette arrière à assise relevable divisée 60/40 avec

FORCES · Choix de moteurs, de châssis, de configurations · Confortable · Insonorisation

FAIBLESSES · Son air un peu « nerd » · Freins un peu spongieux (modèles de base)

accoudoir central rabattable est offerte de série dans les modèles à cabine multiplace et en option dans les modèles à cabine allongée.

[MÉCANIQUE] Le choix a toujours été l'élément vendeur des camionnettes de l'Oncle Sam, et la Silverado offre pas moins de cinq moteurs. Un V6 de 4,3 litres de 195 chevaux suivi d'un V8 de 4,8 litres de 302 chevaux. Viennent ensuite deux V8. Le premier, et le plus populaire, est un 5,3 litres de 315 chevaux, l'autre, un 6,2-litres de 403 chevaux. Ce moteur est livrable dans les modèles à cabine multiplace et à cabine allongée. Les moteurs de 4,3 et de 4,8 litres sont couplé aux boîtes automatiques électroniques à 4 rapports Hydra-Matic. La boîte Hydra-Matic 6L80 à 6 rapports est couplée aux moteurs de 5,3 et de 6,2 litres. Ce qui fait du V8 un meilleur choix. Enfin, il y a aussi la version hybride qui offre un moteur V8 de 6 litres de 332 chevaux et une surprenante consommation de carburant sans faire de concession sur la capacité de remorquage.

[COMPORTEMENT] C'est le confort qui est le mot clé pour la Silverado. Vous avez le choix de cinq configurations de suspensions différentes selon vos besoins. Du confort à la tenue de route ou pour rehausser votre expérience hors route. Il y a même la suspension NHT qui offre une capacité maximale de remorquage. Le système de freinage antiblocage est offert de série dans tous les modèles et est connecté au système électronique de contrôle de la stabilité *Stabili-Trak* qui réduit les risques de capotage. Comme

toutes les camionnettes, elle n'aime pas être brusquée, et l'essieu arrière rigide sautille joyeusement sur mauvais revêtement. Toutefois dans l'ensemble, l'expérience de conduite est empreinte d'une bonne insonorisation et d'un châssis rigide qui rend la conduite agréable.

[CONCLUSION] Tout ce qui manque vraiment à cette Silverado, c'est une gueule un peu plus rebelle. Pour le reste, c'est un excellent choix.

2ᵉ OPINION

DANIEL RUFIANGE Les choses vont rapidement dans le segment des camionnettes. Hier encore, je participais à un programme où GM nous présentait sa nouvelle Silverado qui se mesurait à la toute nouvelle Toyota Tundra et aux plus vieillissantes Ford F-150 et Dodge Ram. Aujourd'hui, ces deux dernières sont passées par les départements de carrosserie et d'ingénierie pour revenir ragaillardies au point où on a l'impression que la Silverado n'est plus dans le coup. Mais ce n'est pas le cas. Au contraire, la Silverado et sa cousine la GMC Sierra continuent de faire la joie d'entrepreneurs qui sont bien satisfaits de la robustesse qu'elles offrent et du degré de confort qu'elles proposent. Personnellement, je trouve que la Silverado a moins de caractère que ses deux rivales américaines, mais les camionnettes, ça demeure une question de tripes.

(5) FICHE TECHNIQUE

· MOTEURS
· **V6** 4,3 l ACC, 195 ch à 4600 tr/min
Couple 260 lb-pi à 2800 tr/min
Transmission automatique à 4 rapports
0-100 km/h 10,5 s **Vitesse maximale** 180 km/h
Consommation (100 km)
2RM 12,3 l **4RM** 13,3 l (octane 87)

· **V6** 4,8 l ACC, 302 ch à 5600 tr/min
Couple 305 lb-pi à 4600 tr/min
Transmission automatique à 4 rapports
0-100 km/h 9,5 s **Vitesse maximale** 180 km/h
Consommation (100 km)
2RM 13,1 l (octane 87) 17,3 l (E85)
4RM 13,9 l (octane 87) 18,2 l (E85)

· **V8** 5,3 l ACC, 315 ch à 5200 tr/min
(326 ch à 5300 tr/min avec E85)
Couple 335 lb-pi à 4400 tr/min
(348 lb-pi à 4400 tr/min)
Transmission automatique à 6 rapports
0-100 km/h 9,2 s **Vitesse maximale** 185 km/h
Consommation (100 km)
2RM 12,1 l (octane 87) 16,0 l (E85)
4RM 12,2 l (octane 87) 16,1 l (E85)

· **(OPTION CABINE MULTIPLACE OU ALLONGÉE)**
V8 6,2 l ACC, 403 ch à 5700 tr/min
Couple 417 lb-pi à 4300 tr/min
Transmission automatique à 6 rapports
0-100 km/h 9,5 s **Vitesse maximale** 200 km/h
Consommation (100 km)
2RM 13,8 l (octane 91) 18,3 l (E85)
4RM 14,1 l (octane 91) 18,8 l (E85)

· **(HYBRIDE)**
V8 6,0 l ACC, 332 ch à 5100 tr/min
Couple 367 lb-pi à 4100 tr/min
Transmission à variation continue
0-100 km/h 8,8 s **Vitesse maximale** 185 km/h

· AUTRES COMPOSANTES
Sécurité active freins ABS, antipatinage, contrôle de stabilité électronique
Suspension avant/arrière indépendante/essieu rigide
Freins avant/arrière disques/tambours ou disques aux 4 roues
Direction à crémaillère, assistée
Pneus P245/70R17, P265/70R17, P265/65R18, P275/55R20

· DIMENSIONS
Empattement 3023 à 4001 mm
Longueur 5222 à 6325 mm
Largeur 2031 mm
Hauteur 1868 à 1876 mm
Poids 2102 à 2489 kg
Diamètre de braquage 12,1 à 15,6 m
Coffre boîte courte 1718 l **boîte longue** 2138 l
Réservoir de carburant boîte courte 98 l **boîte longue** 128 l
Capacité de remorquage 3402 à 4853 kg

NOTRE VERDICT

Plaisir au volant	⬡⬡⬡⬡⬢
Qualité de finition	⬡⬡⬡⬡⬢
Consommation	⬡⬡⬢⬢⬢
Rapport qualité/prix	⬡⬡⬡⬢⬢
Valeur de revente	⬡⬡⬡⬢⬢

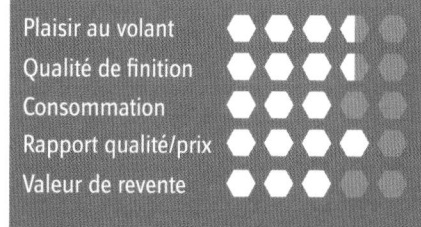

TAHOE/SUBURBAN

www.gm.ca

ÉVOLUTION

49 290 $ à 68 625 $
transport et préparation : 1350 $

LA COTE VERTE

MOTEUR
V8 DE 6,0 L HYBRIDE

- **Consommation (100km):**
  2RM 9,4 l
  4RM 9,5 l
- **Émissions polluantes CO_2:**
  2RM 4324 kg/an
  4RM 4370 kg/an
- **Empreinte écologique (nombre d'arbres à planter par année):** 28
- **Indice d'octane:** 87
- **Autre motorisation:** Essence
- **Coût du carburant moyen par année:**
  2RM 1880 $
  4RM 1900 $
- **Nombre de litres par année:**
  2RM 1880 l
  4RM 1900 l

(SOURCE: ÉnerGuide)

---

1 FICHE D'IDENTITÉ

- **Versions** LS, LT, LTZ, Hybride (Tahoe)
- **Roues motrices** arrière, 4
- **Portières** 4 **Nombre de passagers** 7, 9
- **Première génération** 1970 **Suburban** 1935
- **Génération actuelle** 2007
- **Construction** Arlington, Texas, É.-U
- **Sacs gonflables** 6 (frontaux, latéraux avant et arrière)
- **Concurrence** Ford Expedition, GMC Yukon / Yukon XL, Nissan Armada, Toyota Sequoia

2 AU QUOTIDIEN

- **Prime d'assurance**
  25 ans: 2200 à 2400 $
  40 ans: 1200 à 1400 $
  60 ans: 1000 à 1200 $
- **Collision frontale** 5/5
- **Collision latérale** 5/5
- **Ventes du modèle de l'an dernier**

Au Québec	Au Canada
Tahoe 92	**Tahoe** 1048
Suburban 176	**Suburban** 1059

- **Dépréciation** 63,6%
- **Rappels** (2005 à 2010) **Tahoe** 7 **Suburban** 8
- **Cote de fiabilité** 2/5

3 GARANTIES... ET PLUS

- **Garantie générale** 3 ans/60 000 km
- **Garantie motopropulseur** 5 ans/160 000 km
- **Perforation** 6 ans/160 000 km
- **Assistance routière** 3 ans/60 000 km
- **Nombre de concessionnaires**
  Au Québec 84 **Au Canada** 450

4 NOUVEAUTÉS EN 2011

- Nouvelles couleurs, le groupe remorquage comprend maintenant une commande intégrée du frein de remorque

---

NOCES D'ALBÂTRE

PAR DANIEL RUFIANGE

SI CERTAINS D'ENTRE VOUS CROYIEZ QUE LA RÉCENTE CRISE FINANCIÈRE ALLAIT AVOIR RAISON DU TANDEM CHEVROLET TAHOE/SUBURBAN, CE SERAIT MAL CONNAÎTRE LE LIEN QUI UNIT LE PEUPLE AMÉRICAIN À CE TYPE DE VÉHICULES. Si la version Tahoe est plus récente, sachez que le Suburban a fêté ses 75 ans de mariage avec le public l'an dernier. Déjà, en 1935, il offrait de la place pour huit occupants et constituait une solution intéressante pour les familles nombreuses de l'époque. Mais l'histoire a changé; les familles sont plus petites, le prix du carburant a été légèrement revu à la hausse, et il faut débourser plus de 50 000 $ pour s'en procurer un exemplaire en version de base. Cependant, une chose demeure : ce véhicule peut tout faire, un argument presque aussi imposant que sa taille.

[CARROSSERIE] Au fil des années, l'allure de ce camion s'est raffinée. Les boîtes carrées de l'époque ont laissé place à des designs mariant caractère et style. Pour 2011, un nouvel emblème doré trône au centre de la calandre du Suburban.

Notez que ce dernier est plus long, plus large et plus lourd que le Tahoe ! En tout, cinq versions vous sont proposées, dont le Tahoe hybride qui, depuis deux ans, permet de vraies économies de carburant à ses propriétaires.

[HABITACLE] On n'apprend pas à un vieux singe à faire des grimaces. La même maxime s'applique quand on parle du savoir-faire de GM en matière de conception de camions. On trouve donc à bord un environnement bien pensé. Les sièges sont accueillants, et le choix des matériaux, surprenant; la preuve que GM est capable. L'espace à bord est irréel. C'est surtout en prenant place sur la troisième banquette d'un Suburban qu'on le réalise. Le chauffeur semble assis dans une autre province. En matière d'équipement, tout y est : écran DVD à l'arrière, deuxième banquette rabattable électriquement et climatisation à trois zones, entre autres. À noter l'espace incroyable qu'on obtient quand on rabat les banquettes du Suburban : 3890 litres. C'est deux fois plus que la plupart des utilitaires compacts.

+ **FORCES** · Habitabilité · Degré de confort · Capacité de remorquage
· Version hybride

− **FAIBLESSES** · Consommation pantagruélique · Prix · Dépréciation ruineuse
· Nombreux rappels (de 2005 à 2010)

[MÉCANIQUE] Si GM est passé maître dans l'art de confectionner des camions, on peut en dire autant de sa capacité à offrir des moteurs bien adaptés à ce type de véhicules. En tout, quatre motorisations différentes peuvent être boulonnées sous le capot. Si celle du Tahoe hybride est la plus intéressante, elle n'est pas la mieux prescrite pour les gros travaux de remorquage. Pour cela, il faut opter pour le V8 de 6 litres de 352 chevaux (modèle Suburban 2500) qui permet de remorquer des charges avoisinant les 4354 kilos. Si vous en avez besoin, l'ensemble tout-terrain Z71 équipe votre camion d'amortisseurs à gaz monotubes, de ressorts spécialement calibrés, d'une plaque de protection et d'une myriade d'autres éléments qui permettent au Tahoe d'affronter les pires travaux. Des boîtes de vitesses à 6 rapports équipent les différents modèles, sauf pour le Tahoe hybride qui reçoit l'aide d'une boîte CVT.

[COMPORTEMENT] Prenez le temps d'observer le cortège du président des États-Unis, Barak Obama. Vous y apercevrez une quantité impressionnante de Tahoe et de Suburban, preuve irréfutable de leur aspect logeable et indestructible. Il s'agit aussi de véhicules offrant un confort... présidentiel. Quelques kilomètres au volant de ces mastodontes vous font sentir à l'aise et invincible. Bien entendu, il faut avoir les poches pleines de billets verts (quel paradoxe) pour rouler au volant de ces véhicules qui ne demandent qu'une chose : de l'essence. Beaucoup d'essence ! C'est pourquoi la version Tahoe hybride, à condition de ne pas avoir de trop grands besoins en remor-

quage, représente la solution de rechange la plus intéressante.

[CONCLUSION] On ne fait pas la file pour se procurer un Tahoe, rien d'étonnant là. En 2002, GM écoulait plus de 520 000 utilitaires issus de ce moule aux États-Unis (Tahoe, Suburban, GMC Yukon). En 2009, à peine 160 000 exemplaires. Voilà un portrait plus réaliste.

2ᵉ OPINION

MICHEL CRÉPAULT Il n'y a que les Américains pour adorer les gros utilitaires à ce point. Qu'importe si la planète broie littéralement du noir, on trouve toujours dans des coins précis des 50 états des fanatiques de ces monstres. J'allais écrire « coins reculés » mais ça serait médire les contremaîtres qui sont bien heureux de transporter leur équipement sur les chantiers de construction. GM a bien senti le vent tourner par rapport à ces avaleurs de pétrole en présentant le Tahoe hybride. Difficile de redire du confort, du roulement ou du luxe, tout est là, dans un enrobage encore une fois que seuls nos voisins maîtrisent. Pour accomplir de la grosse besogne tout en choyant ses proches, le Suburban 2500 dégage puissance et opulence. Le dernier de sa race !

⑤ FICHE TECHNIQUE

• MOTEURS
• (TAHOE, SUBURBAN 1500)
V8 5,3 l ACC, 320 ch à 5200 tr/min (326 ch à 5300 tr/min avec E85)
Couple 335 lb-pi à 4000 tr/min (348 lb-pi à 4400 tr/min avec E85)

Transmission auto. à 6 rapports
0-100 km/h 9,7 s **Vitesse maximale** 175 km/h

• (TAHOE, SUBURBAN 1500 4RM)
V8 5,3 l ACC, 320 ch à 5200 tr/min (326 ch à 5300 tr/min) E85
Couple 335 lb-pi à 4400 tr/min (350 lb-pi à 4400 tr/min) E85
Transmission auto. à 6 rapports
0-100 km/h 9,9 s **Vitesse maximale** 175 km/h
Consommation (100 km)
Sub. 2RM 12,2 l (octane 87) 16,1 (E85)
Tah. 4RM 12,2 l (octane 87) 16,1 (E85)

• (SUBURBAN 2500)
V8 6,0 l ACC, 352 ch à 5400 tr/min
Couple 382 lb-pi à 4200 tr/min
Transmission automatique à 6 rapports
0-100 km/h 9,2 s **Vitesse maximale** 180 km/h
Consommation (100 km) 12,9 l (octane 87)

• (TAHOE HYBRIDE)
V8 6,0 l ACC, 332 ch à 5100 tr/min
Couple 367 lb-pi à 4100 tr/min
Transmission à variation continue
0-100 km/h 8,8 s **Vitesse maximale** 185 km/h

• AUTRES COMPOSANTES
Sécurité active freins ABS, antipatinage, contrôle de stabilité électronique
Suspension avant/arrière indépendante / rigide (2500)
Freins avant/arrière disques
Direction à crémaillère, assistée
Pneus LS/LT P265/70R17 **LTZ** P275/55R20
Hybride P265/65R18 **Suburban 2500**
LT265/70R17, P275/55R20 (en option sur **LTZ**)

• DIMENSIONS
Empattement Tahoe 2946 mm
Suburban 3302 mm
Longueur Tahoe 5131 mm **Suburban** 5648 mm
Largeur Tahoe 2007 mm **Suburban** 2009 mm
Hauteur Tahoe 2RM 1953 mm **Suburban** 1951 mm
Poids Tah. 2RM 2388 kg / **4RM** 2505 kg /
Hybride 2RM 2548 kg / **Hybride 4RM** 2647 kg;
Sub. 1500 2RM 2579 kg / **1500 4RM** 2647 kg /
2500 2RM 2803 kg, **2500 4RM** 2924 kg
Diamètre de braquage
Tahoe 11,9 m **Suburban** 13,1 et 13,8 m
Coffre Tahoe 479 l, 3084 l (sièges abaissés)
Suburban 1298 l, 3890 l (sièges abaissés)
Réservoir de carburant
Tahoe 98 l ; **Suburban 1500** 119 l, **2500** 148 l
Capacité de remorquage
Tahoe 2RM 3810 kg / **4RM** 3720 kg /
Hybride 2RM 2812 kg / **Hybride 4RM** 2721 kg
Suburban 1500 2RM 3674 kg / **1500 4RM** 3626 kg
/ **2500 2RM** 4354 kg / **2500 4RM** 4263 kg

193

NOS MENTIONS

 Clé d'or de sa catégorie

 Modèle recommandé

NOTRE VERDICT

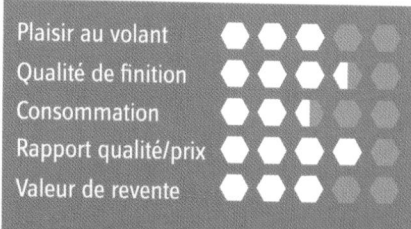

Plaisir au volant
Qualité de finition
Consommation
Rapport qualité/prix
Valeur de revente

TRAVERSE

www.gm.ca

35 700 $ à 50 525$
transport et préparation : 1350 $

LA COTE VERTE

MOTEUR
V6 DE 3,6 L

- **Consommation (100km):**
  2RM 10,1 l
  4RM 11,0 l
- **Émissions polluantes CO$_2$:**
  2RM 4968 kg/an
  4RM 5106 kg/an
- **Empreinte écologique (nombre d'arbres à planter par année):** 34
- **Indice d'octane:** 87
- **Autre motorisation:** non
- **Coût du carburant moyen par année:**
  2RM 2160 $
  4RM 2220 $
- **Nombre de litres par année:**
  2RM 2160 l
  4RM 2220 l

(source : ÉnerGuide)

1 FICHE D'IDENTITÉ

- **Versions** LT, LS LTZ
- **Roues motrices** avant, 4
- **Portières** 5 **Nombre de passagers** 7 ou 8
- **Première génération** 2009
- **Génération actuelle** 2009
- **Construction** Spring Hill, Tennessee, États-Unis
- **Sacs gonflables** 6
  (frontaux; latéraux; rideaux latéraux)
- **Concurrence** Acura MDX, Ford Flex, Honda Pilot, Hyundai Veracruz, Lexus RX350 Mazda CX-9, Nissan Murano, Subaru Tribeca, Toyota Highlander, Volvo XC90

2 AU QUOTIDIEN

- **Prime d'assurance**
  25 ans: 2000 à 2200 $
  40 ans: 1300 à 1500 $
  60 ans: 1000 à 1200 $
- **Collision frontale** 5/5 **Collision latérale** 5/5
- **Ventes du modèle de l'an dernier**
  Au Québec 611 **Au Canada** 4351
- **Dépréciation** (1 an) 23,0 %
- **Rappels** (2005-2010) 4
- **Cote de fiabilité** nd

3 GARANTIES... ET PLUS

- **Garantie générale** 3 ans/60 000 km
- **Garantie motopropulseur** 5 ans/160 000 km
- **Perforation** 6 ans/160 000 km
- **Assistance routière** 3 ans/60 000 km
- **Nombre de concessionnaires**
  Au Québec 84 Au Canada 450

4 NOUVEAUTÉS EN 2011

- Deux nouvelles couleurs extérieures :
  Triple couche blanc diamant et vert acier métallisé
- Sièges chauffants en tissu livrables dans les modèles LT
- Port USB pour la radio déplacé dans le compartiment de rangement supérieur du tableau de bord

DOUBLON

PAR FRÉDÉRIC MASSE

POUR CELLES ET CEUX QUI VOUDRAIENT CONNAÎTRE MON AVIS SUR LE CHEVROLET TRAVERSE, IL VOUS SUFFIRA DE LIRE L'ESSAI COMPLET DU BUICK ENCLAVE. Il n'offre pas un habitacle aussi raffiné que ce dernier, mais pour le reste, c'est du copier coller ou presque, le Traverse étant un multisegment que j'apprécie particulièrement.

[CARROSSERIE] Personnellement, je trouve que le Traverse est la version la moins jolie du trio de la General Motors. Mais les goûts ne se discutent pas. Offert en version LT, LS et LTZ, il se distingue notamment grâce à sa calandre propre à Chevrolet et propose des roues allant de 17 à 20 pouces.

[HABITACLE] Le Traverse offre les mêmes avantages que ses cousins, c'est-à-dire une excellente insonorisation, une capacité d'accueil maximale de 8 occupants et énormément d'espace de chargement. De plus, grâce à ses sièges qui se rabattent très facilement, il permet d'avoir accès à une grande caverne pour trimbaler de grosses et de longues pièces. En termes de finition, c'est aussi bien réussi que les cousins, quoique l'habitacle un

peu plus plastifié des versions de base n'est pas aussi impressionnant que celui de Buick. C'est d'ailleurs tout à fait normal compte tenu de la différence de prix. Il a toutefois les mêmes défauts : vision arrière et angle mort gauche difficiles.

[MÉCANIQUE] Ici, on retrouve donc aussi le moderne V6 de 3,6 litres de 281 ou de 288 chevaux selon la version choisie. C'est toutefois la même boîte de vitesses à 6 rapports efficace que vous retrouverez peu importe le modèle choisi. Pour ce qui est des performances, elles sont correctes.

[CONDUITE] Le Traverse propose une direction précise et une suspension conciliante. Malgré sa taille, transmission intégrale ou pas, il est tout de même assez agile et d'une facilité déconcertante à conduire. En fait, comme le Buick, c'est son raffinement d'ensemble qui le sépare de la concurrence.

[CONCLUSION] Le Traverse est à l'image de ses cousins GMC et Buick. Il est bien né, bien construit, solide et agréable à conduire.

FORCES · Agilité · Confort de roulement · Espace · Insonorisation

FAIBLESSES · Vision arrière · Intérieur un peu plastifié (version de base)

auto HEBDO.net MC

PLUS DE *100 000* VÉHICULES NEUFS EN INVENTAIRE : TROUVEZ FACILEMENT ET RAPIDEMENT.

Utilisez notre outil de comparaison de véhicules neufs

VOLT

www.gm.ca

41 000 $ (estimé)
transport et préparation: n.d.

LA COTE VERTE

MOTEUR
L4 DE 1,4 L

- **Consommation (100km):**
4,7 l (estimé, lorsque le moteur à combustion est en fonction)
Autonomie de 64 km en mode électrique (estimé)
- **Émissions polluantes CO_2:** nd
- **Empreinte écologique (nombre d'arbres à planter par année):** nd
- **Indice d'octane:** 87
- **Autre motorisation:** non
- **Coût du carburant moyen par année:** nd
- **Nombre de litres par année:** nd

(SOURCE: GM)

① FICHE D'IDENTITÉ

- **Versions** base
- **Roues motrices** avant
- **Portières** 4 **Nombre de passagers** 4
- **Première génération** 2011
- **Génération actuelle** 2011
- **Construction** Detroit, États-Unis
- **Sacs gonflables** nd
- **Concurrence** aucune

② AU QUOTIDIEN

- **Prime d'assurance**
  25 ans: nd
  40 ans: nd
  60 ans: nd
- **Collision frontale** nd
- **Collision latérale** nd
- **Ventes du modèle de l'an dernier**
  Au Québec nm **Au Canada** nm
- **Dépréciation** nm
- **Rappels (2005 à 2010)** nm
- **Cote de fiabilité** nm

③ GARANTIES... ET PLUS

- **Garantie générale** 3 ans/60 000 km
- **Garantie motopropulseur** 5 ans/160 000 km
- **Perforation** 6 ans/160 000 km
- **Assistance routière** 3 ans/60 000 km
- **Nombre de concessionnaires**
  Au Québec 84 **Au Canada** 450

④ NOUVEAUTÉS EN 2011

- Nouveau modèle

LE GRAND PARI DE GM

PAR BENOIT CHARETTE

AUCUNE VOITURE DANS L'HISTOIRE RÉCENTE DE L'AUTOMOBILE N'A FAIT L'OBJET D'AUTANT DE PUBLICITÉ AU VU ET AU SU DE TOUS. Habituellement, quand les constructeurs d'automobiles alimentent le débat sur un nouveau concept, ils gardent la voiture hors de la vue et montrent quelques modèles fortement camouflés. Rien de tout cela dans le cas de la Volt. Depuis 2007, GM nous a montré, sans scrupule, tous les prototypes, toutes les modifications de moteurs. La voiture a même, sous sa forme de prototype, été présentée à la presse automobile plus d'une fois. Bref, GM, qui traversait des moments difficiles, avait désespérément besoin de quelque chose de positif pour aller de l'avant, et c'est la Volt qui a joué ce rôle. Il est très rare qu'un véhicule qui n'a pas encore franchi l'étape de la commercialisation soit aussi bien connu du public. Le moment tant attendu approche. Les Américains pourront conduire cette Volt avant la fin de l'année 2010 comme année modèle 2011. Chez nous, il faudra être un peu plus patient et attendre jusqu'en juin 2011. La voiture sera un modèle 2012 au Canada. L'Annuel de l'automobile a eu la chance, durant les olympiques

de Vancouver, le 19 février 2010, de faire l'essai d'un modèle de la Volt. Comme il s'agissait d'un prototype, il était interdit de fréquenter les routes publiques. C'est donc à l'intérieur du Stanley Park (une boucle de 8 kilomètres) que nous avons fait la rencontre de la Volt.

[CARROSSERIE] Installée dans un stationnement public, la Volt qui nous attend a l'air d'une berline tout à fait normale. Elle se distingue un peu par ses lignes plus costaudes, mais sans plus. Nous sommes loin des formes futuristes des premiers prototypes. GM a tout de même fait de grands efforts pour garder le coefficient de pénétration dans l'air faible tout en lui donnant une gueule plus sympathique que la Toyota Prius ou la Honda Insight.

[HABITACLE] La finition de notre modèle n'était pas définitive, mais le directeur de la Planification technologique de GM Canada, Tom Odell, nous confirmait que la partie centrale du tableau de bord sera blanche et pourrait être présentée en deux ou trois autres coloris. Pour sa part le tableau

FORCES · Innovation technologique · Conduite et format convivial · Confortable

FAIBLESSES · Boîte CVT · Direction encore un peu molle
· Le prix sera un facteur déterminant.

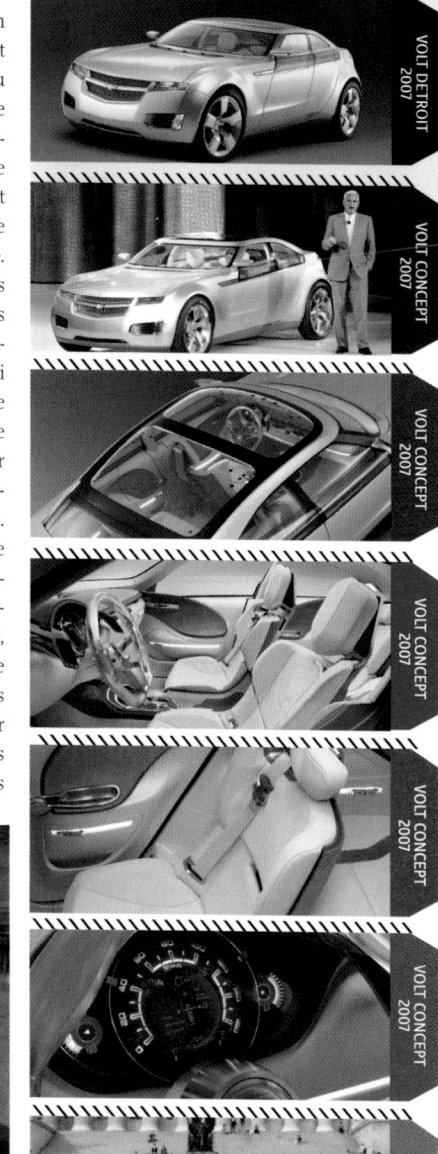

de bord est numérique (en bleu et vert) et change de configuration selon que vous roulez sur le mode électricité ou essence. Cette présentation graphique est la plus avancée sur le marché et, de surcroît, très conviviale. On peut simplement lui reprocher des boutons de commande trop petits, mais cela pourrait aussi changer d'ici la commercialisation du véhicule. GM n'est pas tombée dans l'excès écolo. Pour le moment, une bille en équilibre vous indique si vous conduisez de manière responsable; toutefois, cette bille pourrait être remplacée d'ici la commercialisation officielle du véhicule. Au chapitre de l'espace passager, il s'agit d'un strict véhicule à 4 places suffisamment généreux, et le hayon maximise le volume de chargement. Les piles, qui sont situées sous le véhicule, ne dérangent pas vraiment l'espace de rangement. Notre modèle d'essai était aussi muni d'une caméra de recul, et il y aura, selon GM Canada, une prise iPod dans la livrée de base. Pour le reste, il faudra attendre d'être plus près de la mise en marché. Pour les amateurs de gadgets, la Volt sera reliée à un programme Blackberry ou iPhone qui permettra notamment de brancher la voiture à distance et d'afficher tous les paramètres sur votre écran.

[MÉCANIQUE] Pour mettre le véhicule en marche, un bouton rectangulaire. C'est comme si vous allumiez une lumière, aucune sonorité.

LORSQUE J'AI DIT À L'INGÉNIEUR DE GM QUE L'EXPÉRIENCE AU VOLANT ÉTAIT EN TOUS POINTS ORDINAIRE, À MA GRANDE SURPRISE, IL M'A SOURI. LOIN D'ÊTRE INSULTÉ, IL AJOUTE MÊME QUE C'EST EXACTEMENT CE QUE GM RECHERCHAIT.

Le tableau de bord s'allume, quelques bruits électriques, et vous êtes prêt à partir. Avec l'absence de l'habituel bruit de moteur, il est facile d'aller trop vite sur le mode électricité. Le véhicule sera capable de franchir le 0 à 100 km/h en moins de 9 secondes. La puissance est suffisante, et il y a même un bouton sport qui permet d'utiliser le plein potentiel des batteries (111 kilowatts) au lieu des 90 en conduite normale. Ce surplus est pratique si vous avez un dépassement à effectuer ou si vous désirez accéder à une bretelle d'autoroute. GM annonce une autonomie de 60 à 65 kilomètres sur le mode électricité. Mais la question qui me brûlait les lèvres était de savoir comment cette Volt se comporte sur le mode essence. Au moment où la réserve électrique indiquait 1 kilomètre, il y a eu une légère vibration sous le capot, et le moteur à 4 cylindres de 1,4 litre s'est mis en branle. Ce moteur n'entraîne pas les roues motrices, mais sert uniquement à entraîner une génératrice qui fournit l'électricité requise pour faire fonctionner le moteur électrique. Le tableau de bord devant les yeux du conducteur change également pour indiquer la réserve de carburant qui remplace la réserve d'énergie des piles. Le niveau sonore est comparable à une voiture compacte, mais la différence avec le très silencieux mode électricité est notable. Si la conduite sur le mode électricité est intéressante, elle est encore très approximative sur le mode traditionnel. On sent beaucoup plus le poids du véhicule, la boîte CVT est d'une lenteur gênante, et le moteur a peine à traîner les 180 kilos de batteries sous le véhicule. Mais

C'est le 7 janvier 2007, au salon de l'auto de Detroit que GM présentait, via son vice-président de l'époque, Robert Lutz, une nouveau concept de voiture qui allait redéfinir l'automobile de demain. La Volt a depuis reçu plus de couverture médiatique que pratiquement toute autre voiture de l'industrie. Avec sa commercialisation à nos portes les attentes sont grandes. Et même si le concept était plus éclatant que le modèle de production, c'est ce qu'il y a sous le capot qui importe.

VOLT DETROIT 2007

VOLT CONCEPT 2007

VOLT CONCEPT 2007

VOLT CONCEPT 2007

VOLT CONCEPT 2007

VOLT CONCEPT 2007

VOLT 2011

941 MFK

VOLT

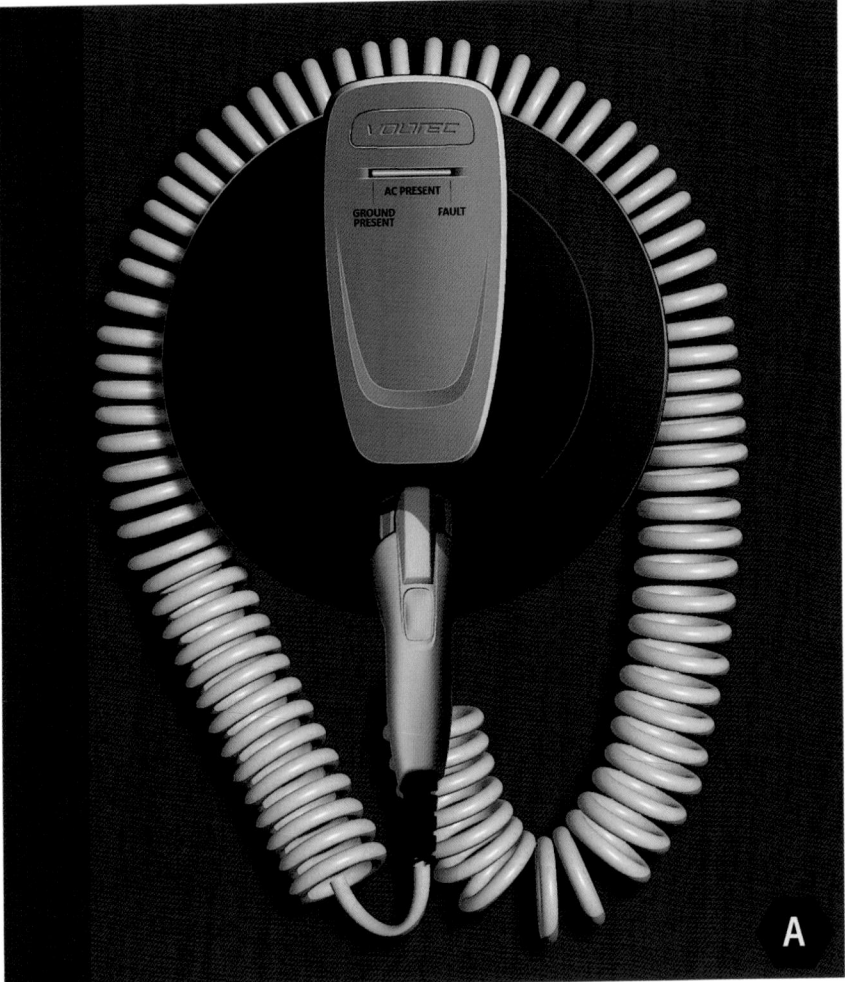

A

B

C

D

GALERIE

A Les batteries de la Volt font appel à 220 cellules lithium-ion. La Volt est également rechargeable directement sur secteur (plug-in), via une prise domestique standard de 240 volts. La recharge est alors effectuée en moins de trois heures. Vous pouvez aussi utiliser une prise de 120 volts, il vous faudra alors 8 heures.

B Avec l'application mobile d'OnStar, vous aurez accès à plusieurs fonctions à distance comme le déverrouillage des portières, la vérification de la charge de la batterie, du système électrique et de l'autonomie disponible. L'application vous enverra même un message texte ou un courriel si votre Volt n'est pas branchée. Tout cela en temps réel, et sur votre téléphone.

C Contrairement aux autres hybrides, sur la Volt, seul le moteur électrique assure en permanence la motricité du véhicule. Le moteur à essence ne fait qu'actionner un générateur qui recharge la batterie au besoin. Le moteur thermique (générateur) démarre automatiquement lorsqu'il ne reste que 30 % de l'électricité dans la batterie. L'autonomie en mode électrique pur est d'environ 60 km.

D Une fois la Volt lancée, GM a bien l'intention d'utiliser cette plateforme pour donner naissance à d'autres modèles. Cadillac a déjà présenté un modèle dans ce sens au dernier salon de l'auto de Detroit et il y a fort à parier qu'il y en aura d'autres.

E La conduite de la Volt n'est pas très différente des berlines à essence de même format, le silence de roulement en plus. Le tableau de bord et la présentation graphique est plus technologique, mais tout le monde peut conduire une Volt.

E

donnons une chance au coureur, il s'agit encore d'un prototype. L'impression globale de conduite est tout à fait dans les normes d'une voiture compacte. La boîte de vitesses automatique, quoique légèrement surdimensionnée, se trouve au plancher, fonctionne comme toutes les autres, et son format la rend facile à conduire.

[COMPORTEMENT] Lorsque j'ai dit à l'ingénieur de GM que l'expérience au volant était en tous points ordinaire, à ma grande surprise, il m'a souri. Loin d'être insulté, il ajoute même que c'est exactement ce que GM recherchait. «Nous voulons faire comprendre aux gens que cette voiture sera comme toutes les autres voitures, aussi facile, plaisante et sans problèmes, le silence de roulement en plus», me précise Tom Odell. La recharge se fait sur une prise de 120 ou de 240 volts normale. Vous aurez besoin de huit ou neuf heures sur le mode 110 volts et 3 heures sur le mode 240. GM a même pensé à un préchauffage de la cabine pour économiser les batteries quand il fera froid. La batterie, qui sera garantie pour 8 ans ou 160 000 kilomètres, fonctionne à 50 % de sa capacité pour garantir une excellente durée de vie et sera revendue pour des fins commerciales; ainsi, le propriétaire pourra récupérer une partie de sa mise.

[CONCLUSION] Même si le prix demeure encore une énigme (on parle de 40 000 à 45 000 $), la Volt aura un impact majeur car c'est la première voiture électrique rechargeable sur le marché, une nouvelle race de véhicule. Notre expérience a, de plus, démontré qu'elle est aussi

simple à conduire que n'importe quelle sous-compacte. GM continue entre temps de raffiner son approche en travaillant par exemple sur des piles à hydrogène pour remplacer le moteur à combustion interne, ce qui rendrait le véhicule totalement écologique.

SAVIEZ-VOUS QUE ?

L'utilisation de batteries lithium-ion offre une puissance supérieure, une durée de vie prolongée, une efficacité et une durabilité élevées (la batterie de la Volt aura une durée de vie de 10 ans ou 240 000 kilomètres) et un meilleur rapport énergie-poids que les batteries traditionnelles. Un autre avantage pour l'environnement est la facilité de recyclage des batteries lithium-ion, qui sont couramment utilisées dans l'électronique grand public. GM étudie actuellement différentes manières de réutiliser les batteries de la Chevrolet Volt dans diverses applications, après leur cycle de vie prévu dans un véhicule, notamment pour des générateurs électriques fixes dans des maisons en cas de coupure de courant, en vue de réduire les besoins en générateurs électriques d'urgence alimentés au diesel ou à l'essence, qui s'avèrent peu efficaces.

⑤ FICHE TECHNIQUE

· MOTEUR
· Moteur électrique + L4 1,4 l DACT (génératrice) 150 ch, couple 273 lb-pi
Transmission CVT
0-96 km/h 9 s
Vitesse maximale 161 km/h

· AUTRES COMPOSANTES
Sécurité active nd
Suspension avant/arrière indépendante / essieu rigide
Freins avant/arrière disques
Direction à crémaillère, assistée
Pneus P215/55R17

· DIMENSIONS
Empattement 2685 mm
Longueur 4404 mm
Largeur 1798 mm
Hauteur 1430 mm
Poids nd
Diamètre de braquage nd
Coffre 301 l
Réservoir de carburant nd

NOS MENTIONS

Le choix vert

NOTRE VERDICT

Plaisir au volant	⬡⬡⬡⬡⬡
Qualité de finition	⬡⬡⬡⬡⬡
Consommation	⬡⬡⬡⬡⬡
Rapport qualité/prix	⬡⬡⬡⬡⬡
Valeur de revente	Nm

300

www.chrysler.ca

34 395 $ à 56 245 $
transport et préparation : 1400 $

CHRYSLER

LA COTE VERTE

MOTEUR
V6 DE 3,5 L

- **Consommation (100km):**
  2RM 10,2 l
  4RM 10,6 l
- **Émissions polluantes CO_2 :**
  2RM 4738 kg/an
  4RM 4968 kg/an
- **Empreinte écologique (nombre d'arbres à planter par année):** 33
- **Indice d'octane:** 87
- **Autre motorisation:** non
- **Coût du carburant moyen par année:**
  2RM 2060 $
  4RM 2160 $
- **Nombre de litres par année:**
  2RM 2060 l
  4RM 2160 l

(source: ÉnerGuide)

---

1 FICHE D'IDENTITÉ

- **Versions** Touring, Limited, C, SRT8
- **Roues motrices** arrière, 4
- **Portières** 4 **Nombre de passagers** 5
- **Première génération** 2005
- **Génération actuelle** 2005
- **Construction** Brampton, Ontario, Canada
- **Sacs gonflables** 6 (frontaux; latéraux avant et rideaux latéraux en option)
- **Concurrence** Acura TL, Buick LaCrosse/Lucerne, Chevrolet Impala, Dodge Charger, Ford Taurus, Hyundai Genesis, Nissan Maxima, Toyota Avalon

2 AU QUOTIDIEN

- **Prime d'assurance**
  25 ans : 1800 à 2000 $
  40 ans : 1100 à 1300 $
  60 ans : 800 à 1000 $
- **Collision frontale** 5/5
- **Collision latérale** 5/5
- **Ventes du modèle de l'an dernier**
  Au Québec 954 Au Canada 5234
- **Dépréciation** 62,7 %
- **Rappels** (2005 à 2010) 11
- **Cote de fiabilité** 3/5

3 GARANTIES... ET PLUS

- **Garantie générale** 3 ans/60 000 km
- **Garantie motopropulseur** 5 ans/100 000 km
- **Perforation** 5 ans/160 000 km
- **Assistance routière** 5 ans/100 000 km
- **Nombre de concessionnaires**
  Au Québec 93 Au Canada 440

4 NOUVEAUTÉS EN 2011

- Aucun changement majeur

UN CLASSIQUE

PAR DANIEL RUFIANGE

LORS DU DÉVOILEMENT DE LA 300 ACTUELLE EN 2005, CHRYSLER A FRAPPÉ UN GRAND COUP. Elle a introduit, dans un segment rempli de voitures toutes aussi moribondes les unes que les autres, une bagnole remplie de caractère et qui a fait parler d'elle. Son concepteur, le Montréalais Ralph Gilles, est devenu une vedette, lui qui, depuis ce temps, est maintenant à la tête de la division Dodge. Cinq ans plus tard, la 300 est encore une bonne voiture, même si son âge commence à se faire sentir. Mais n'allez pas le dire aux amateurs de tuning, eux qui voient en elle la pimp mobile parfaite.

[CARROSSERIE] L'une des choses qui avaient tant fait jaser lors du lancement de la 300 est la petitesse des vitres latérales. Ce design rappelle les voitures de gangsters des années 30. Et que dire de ce faciès, décoré d'une immense calandre et de phares tout aussi imposants? La 300 a de la gueule. Le reste du design respecte un certain classicisme et permet à la voiture de bien traverser le temps. La 300 sera encore belle dans 25 ans. Au catalogue, on retrouve quatre versions:

Touring, Limited, C et SRT8. Si les trois premières sont intéressantes, c'est le modèle SRT8 qui frappe l'imaginaire. Suffit d'en prendre le volant pour comprendre à quel point cette voiture peut exercer un attrait.

[HABITACLE] L'habitacle de la 300 a la particularité d'être très spacieux, tant à l'avant qu'à l'arrière. Après tout, il s'agit d'une voiture américaine, même si son code génétique est allemand, fruit d'une déjà lointaine collaboration avec Daimler. En réalité, c'est à l'intérieur que l'ADN Chrysler est le plus présent et c'est ce qui fait le plus mal à la voiture, surtout avec le temps. Si la présentation passe le test, la qualité des matériaux, elle, échoue lamentablement. On s'attend à mieux d'une voiture affichant une telle mine. Souhaitons que la prochaine génération fasse mieux à ce chapitre. Les amateurs de golf seront ravis de constater que le coffre de la 300 est très logeable. On peut y entasser quatre sacs de golf et, même, au besoin, un caddy!

FORCES · Modèle classique · Gueule qui fait encore tourner les têtes · Choix de moteurs · Comportement routier

FAIBLESSES · Consommation · Sièges manquant de maintien · Valeur de revente · Qualité générale de l'habitacle

LaCrosse, entre autres. Chrysler devra donc réagir avec promptitude pour rester dans le coup.

[MÉCANIQUE] Trois moteurs sont proposés pour la 300. Les versions Touring et Limited profitent du compétent moteur V6 de 3,5 litres de 250 chevaux, pendant que la variante C jouit de la puissance du moteur V8 HEMI de 5,7 litres qui offre 110 chevaux de plus que le V6. Comme si ce n'était pas suffisant, la version SRT8 se laisse vrombir un V8 de 6,1 litres qui met 425 chevaux et 420 livres-pieds de couple à la disposition du conducteur. Inutile de mentionner que c'est trop. À noter que la 300 est livrable en version à quatre roues motrices sur les versions Touring et C.

[COMPORTEMENT] Sur la route, les fruits de la collaboration entre Chrysler et Daimler se font toujours sentir. Assise sur un châssis signé Mercedes-Benz, la 300 propose une douceur de roulement toute américaine, mais combiné à une tenue de cap qui a de l'allemand dans le nez. Il en résulte un compromis routier à la fois fort impressionnant, mais aussi surprenant, compte tenu du gabarit de la voiture. Les performances sont au rendez-vous avec les trois motorisations. En ce qui concerne la version SRT8, mentionnons que le simple fait d'enfoncer la pédale d'accélération à fond et de se sentir collé au siège, pendant qu'on boucle le 0 à 100 km/h en à peine 5 secondes est suffisant pour faire circuler à la vitesse de l'éclair la testostérone présente dans nos veines.

[CONCLUSION] Déjà une septième année pour la 300. Même si la voiture vieillit relativement bien, ses chiffres de ventes nous prouvent que les consommateurs la délaissent au profit de voitures plus modernes comme la Ford Taurus et la Buick

2ᵉ OPINION

BENOIT CHARETTE La voiture qui a redonné un second souffle à la grosse berline américaine demeurera sur la route dans ce qui deviendra le nouveau groupe Chrysler, géré par Fiat. Depuis son arrivée en 2005, la 300, qualifiée par plusieurs de « gangster car », a redonné vie à un segment qui croulait sous la morosité. Les moteurs HEMI ont conquis les amateurs et remis les pendules à l'heure. Les ventes ont certes ralenti avec la montée du prix du pétrole, mais le style lui, plaît toujours autant. C'est une grande berline sans compromis qui respire la testostérone. Chrysler devrait s'inspirer de cette réussite pour injecter un peu de 300 dans toutes les berlines à venir sur le marché; en effet, non seulement est-elle inspirante, mais elle offre en plus une exceptionnelle douceur de roulement, un grand confort et une base Mercedes-Benz pour le prix d'une Honda Accord, tout est dit.

⑤ FICHE TECHNIQUE

· MOTEURS

· (Touring, Touring 4RM, Limited, Limited 4RM)
V6 3,5 l SACT, 250 ch à 6400 tr/min
Couple 250 lb-pi à 3800 tr/min
Transmission automatique à 4 rapports,
4RM automatique à 5 rapports avec mode manuel
0-100 km/h 8,9 s, **4RM** 9,5 s
Vitesse maximale 210 km/h

· (C, C 4RM)
V8 5,7 l ACC, 360 ch à 5150 tr/min
Couple 389 lb-pi à 4250 tr/min
Transmission automatique à 5 rapports
avec mode manuel
0-100 km/h 6,3 s, **4RM** 6,8 s
Vitesse maximale 240 km/h
Consommation (100 km)
2RM 10,8 l (octane 87) **4RM** 11,2 l (octane 87)
Émissions de CO_2
2RM 5106 kg/an **4RM** 5198 kg/an
Litres par année
2RM 2220 l **4RM** 2260 l
Coût par an
2RM 2220 $ **4RM** 2260 $
Empreinte écologique 33 arbres

· (SRT8)
V8 6,1 l ACC 425 ch à 6000 tr/min
Couple 420 lb-pi à 4800 tr/min
Transmission automatique à 5 rapports
avec mode manuel
0-100 km/h 5,3 s **Vitesse maximale** 250 km/h
Consommation (100 km) 13,3 l (octane 91)
Émissions de CO_2 6256 kg/an
Litres par année 2720 l **Coût par an** 3046 $
Empreinte écologique 40 arbres

· AUTRES COMPOSANTES
Sécurité active freins ABS, répartition électronique de force de freinage, assistance au freinage, antipatinage, contrôle de stabilité électronique
Suspension avant/arrière indépendante
Freins avant/arrière disques
Direction à crémaillère, assistée
Pneus Touring P215/65R17,
Limited/300C P225/60R18, **SRT8** P245/45R20

· DIMENSIONS
Empattement 3048 mm
Longueur 4999 mm
Largeur 1881 mm
Hauteur 1483 mm, **SRT8** 1471 mm
Poids Touring 1693 kg, **Touring 4RM** 1831 kg,
Limited 1729 kg, **300C** 1862 kg, **300C 4RM** 1946 kg,
SRT8 1888 kg
Diamètre de braquage 11,9 m
Coffre 44,2 l
Réservoir de carburant 68 l,
Touring 4RM/300C/300C 4RM/SRT8 72 l

NOTRE VERDICT

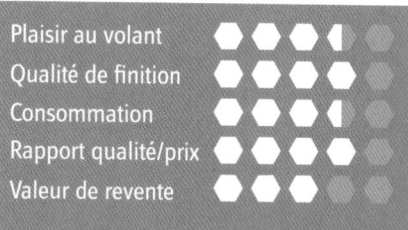

Plaisir au volant	●●●◐○
Qualité de finition	●●●○○
Consommation	●●○○○
Rapport qualité/prix	●●●○○
Valeur de revente	●●●○○

TOWN & COUNTRY

www.chrysler.ca

JUMEAU

J

37 745 $ à **43 795 $**
transport et préparation : 1400 $

CHRYSLE

LA COTE VERTE

MOTEUR
V6 DE 4,0 L

- **Consommation**
  (100km): 10,1 l
- **Émissions**
  polluantes CO$_2$:
  essence 4738 kg/an
- **Empreinte écologique**
  (nombre d'arbres à
  planter par année): 29
- **Indice d'octane:** 87
- **Autre**
  motorisation: non
- **Coût du carburant**
  moyen par année:
  2060 $
- **Nombre de**
  litres par année:
  2060 l

(source : ÉnerGuide)

1 FICHE D'IDENTITÉ

- **Versions** Touring, Limited
- **Roues motrices** avant
- **Portières** 5 **Nombre de passagers** 7
- **Première génération** 1989
- **Génération actuelle** 2008
- **Construction** Windsor, Ontario, Canada
- **Sacs gonflables** 4 (frontaux, rideaux latéraux)
- **Concurrence** Honda Odyssey, Kia Sedona,
Nissan Quest, Toyota Sienna

2 AU QUOTIDIEN

- **Prime d'assurance**
  25 ans: 1600 à 1800 $
  40 ans: 1100 à 1300 $
  60 ans: 800 à 1000 $
- **Collision frontale** 5/5
- **Collision latérale** 5/5
- **Ventes du modèle de l'an dernier**
  Au Québec 511 **Au Canada** 3165
- **Dépréciation** 60,3 %
- **Rappels** (2005 à 2010) aucun
- **Cote de fiabilité** 3,5/5

3 GARANTIES... ET PLUS

- **Garantie générale** 3 ans/60 000 km
- **Garantie motopropulseur** 5 ans/100 000 km
- **Perforation** 5 ans/160 000 km
- **Assistance routière** 5 ans/100 000 km
- **Nombre de concessionnaires**
  Au Québec 93 **Au Canada** 440

4 NOUVEAUTÉS EN 2011

- Nouveaux moteurs, panneaux extérieurs
et habitacles

LE LUXE À FORT PRIX

PAR FRANCIS BRIÈRE

SOYONS HONNÊTE : LA FOURGONNETTE A PERDU EN POPULARITÉ DEPUIS UNE DIZAINE D'ANNÉES. Les véhicules utilitaires sport ont la cote. Pour la famille, les activités de plein air ou pour transporter des objets, la fourgonnette demeure le modèle le plus pratique qui soit. À 50 000 $ environ, cette fourgonnette n'est pas pour toutes les bourses. En revanche, l'acheteur qui est prêt à débourser autant d'argent pour l'achat d'un véhicule de ce genre s'attend à obtenir beaucoup. De fait, la Town & Country en offre beaucoup.

[CARROSSERIE] Chez Chrysler, on a créé une version de la Grand Caravan qui se veut plus luxueuse et mieux équipée. En ce qui a trait à sa carcasse, la Town & Country propose une calandre Chrysler qui procure au véhicule une partie avant moins rustre que celle de Dodge. Par contre, la ressemblance entre les deux produits est frappante.

[HABITACLE] Le fameux "Stow'n Go" de Chrysler est une invention géniale. Les sièges escamotables se rabattent comme un jeu d'enfant. La Town & Country propose des boutons à commandes électriques situés complètement à l'arrière qui s'occupent de cacher tout ce qu'il faut pour obtenir un plancher plat. Bravo!

[MÉCANIQUE] Le V6 de 4 litres procure à la fourgonnette des accélérations franches. Auparavant, cet engin n'était offert que dans la livrée Limited. Cette fois, Chrysler a décidé de n'en proposer qu'un seul. Jumelé à la boîte de vitesses automatique à 6 rapports.

[COMPORTEMENT] Sur la route, la Town & Country procure la sensation recherchée au volant d'une fourgonnette: la douceur de roulement. Malheureusement, les bruits de caisse font encore partie de l'expérience de conduite.

[CONCLUSION] On préférera encore une Honda Odyssey à la Chrysler Town & Country. Si la fibre américaine vous démange au point de bouder les fabricants étrangers, la Town & Country est un bon véhicule, bien construit et bien pensé, mais sans doute un peu cher pour l'offre.

FORCES · Belles lignes · Intérieur luxueux · Équipement

FAIBLESSES · Moteur rugueux · Prix élevé · Finition perfectible

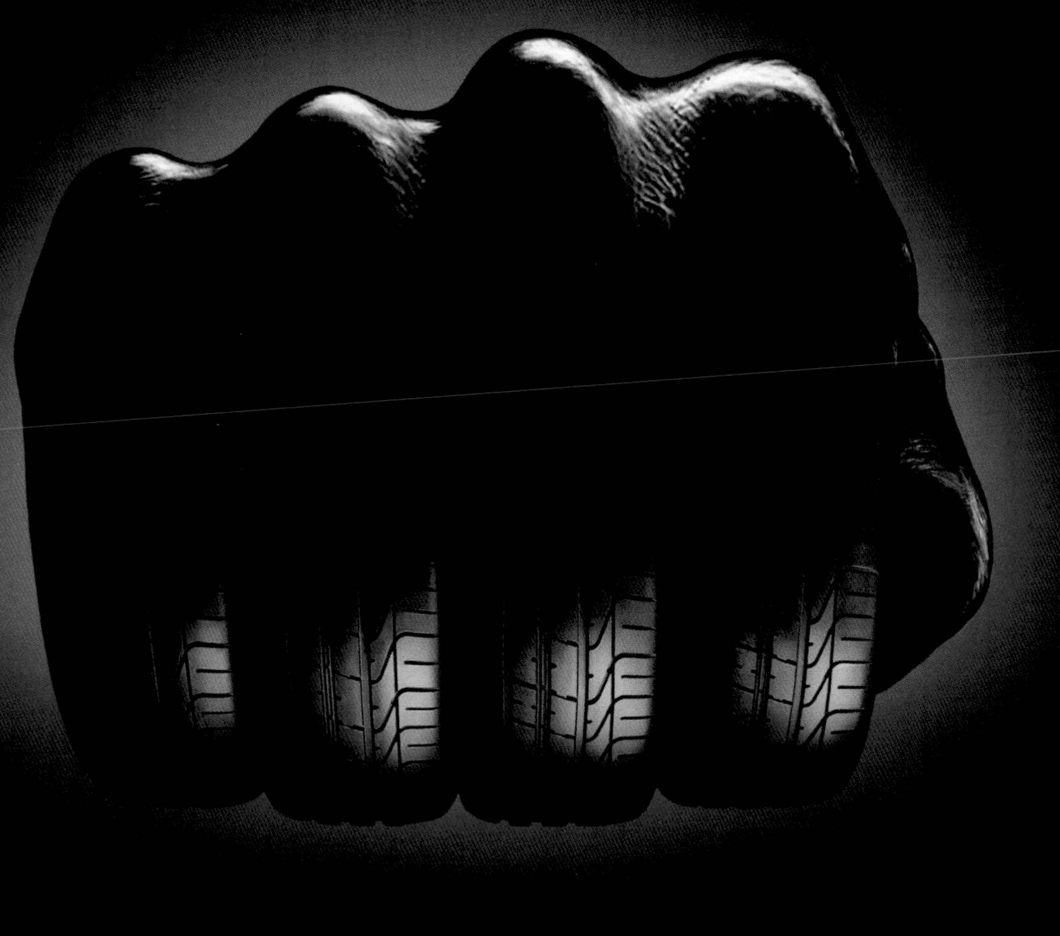

SEBRING

www.chrysler.ca

25 395 $ à 45 470 $
transport et préparation : 1400 $

CHRYSLER

LA COTE VERTE

MOTEUR
L4 DE 2,4 L

- **Consommation (100km):** 8,2
- **Émissions polluantes CO$_2$:** 3818 kg/an
- **Empreinte écologique (nombre d'arbres à planter par année):** 24
- **Indice d'octane:** 87
- **Autre motorisation:** non
- **Coût du carburant moyen par année:** 1660 $
- **Nombre de litres par année:** 1660 l

(SOURCE: ÉnerGuide)

(1) FICHE D'IDENTITÉ

- **Versions** berline: LX, Touring, Limited cabriolet: LX, Touring, Limited
- **Roues motrices** avant
- **Portières** 2, 4 **Nombre de Passagers** 4 ou 5
- **Première génération** 1995
- **Génération actuelle** 2007
- **Construction** Sterling Heights, Michigan, É.-U.
- **Sacs gonflables** 6 (frontaux, latéraux avant, rideaux latéraux)
- **Concurrence** Chevrolet Malibu, Ford Fusion, Honda Accord, Hyundai Sonata, Kia Magentis, Subaru Legacy, Mitsubishi Galant, Nissan Altima, Mazda6, Toyota Camry

(2) AU QUOTIDIEN

- **Prime d'assurance**
  25 ans: 1400 à 1600 $
  40 ans: 1000 à 1100 $
  60 ans: 800 à 1000 $
- **Collision frontale** 4/5
- **Collision latérale** 4/5
- **Ventes du modèle de l'an dernier**
  Au Québec 830 **Au Canada** 4832
- **Dépréciation** 63,3%
- **Rappels** (2005 à 2010) 10
- **Cote de fiabilité** 2,5/5

(3) GARANTIES... ET PLUS

- **Garantie générale** 3 ans/60 000 km
- **Garantie motopropulseur** 5 ans/100 000 km
- **Perforation** 5 ans/160 000 km
- **Assistance routière** 5 ans/100 000 km
- **Nombre de concessionnaires**
  Au Québec 93 **Au Canada** 440

(4) NOUVEAUTÉS EN 2011

- Aucun changement majeur

SUR LE QUATRIÈME TRIO

PAR DANIEL RUFIANGE

QUAND ON FAIT L'ACQUISITION D'UNE ENTREPRISE, LA PREMIÈRE OPÉRATION QU'ON ENTAME EST UNE OPÉRATION NETTOYAGE; ON CONSERVE LES ACTIFS SUSCEPTIBLES DE FAIRE PROGRESSER L'ENTREPRISE ET ON ÉLIMINE LES CORPS MORTS. En mettant la main sur Chrysler, Fiat doit se livrer à cet exercice. Est-ce une bonne ou une mauvaise nouvelle pour la Sebring?

[CARROSSERIE] Je ne vous le cacherai pas, j'ai en aversion le design de la Sebring. Parce que cette voiture est laide, tout simplement. Si vous la trouvez belle, grand bien vous fasse! Heureusement, tous les goûts sont dans la nature. Cependant, je vous avouerai que des griffes de patte de lion sur le capot, des feux arrière aux proportions exagérées et un profil aux lignes très peu harmonieuses, ce n'est pas dans mes cordes! Seule la version décapotable a le potentiel pour faire tourner les têtes, mais son prix vous fera tourner les talons!

[HABITACLE] La grande qualité de la Sebring demeure son espace intérieur. Tant à l'avant qu'à l'arrière, les passagers profitent d'un dégagement plus que suffisant pour tous leurs membres. Considérant que cette voiture a d'abord été pensée pour plaire à la masse, notamment aux entreprises de location et de taxi, ses sièges doivent accueillir des personnes de tout gabarit. Donc, côté confort, on a droit au minimum. Peu de maintien latéral, peu de soutien pour les cuisses, bref, on a l'impression de prendre place dans une vieille Chrysler Dynasty. Côté présentation, c'est terne. Si les cadrans ronds apportent une touche de style à la présentation, leur éclairage vert formol donne envie de régurgiter. La console centrale, tapissée d'appliques métallisées, fait dans la simplicité, mais demeure fonctionnelle.

[MÉCANIQUE] Il existe trois versions de la Sebring : LX, Touring et Limited. Chacune reçoit une motorisation différente. La version de base est équipée d'un moteur à 4 cylindres de 2,4 litres qui annonce une puissance de 173 chevaux. Ce dernier n'est pas une référence en matière de raffinement et est jumelé à une boîte de vitesses automatique à 4 rapports; déplorable. La version Touring profite, quant à elle, d'un

FORCES · Prix de base · Douceur de roulement · Elle disparaîtra bientôt

FAIBLESSES · Design raté · Tenue de route couci-couça
· Sièges peu accueillants · Qualité de finition

V6 de 2,7 litres. Plus puissant de 13 chevaux et produisant 25 livres-pieds de couple de plus que le 4-cylindres, il a l'avantage d'être jumelé à une boîte automatique à 6 rapports, nettement plus moderne. Enfin, la Sebring version Limited profite d'un V6 de 3,5 litres qui surprend par sa puissance et son entrain. Aussi associé à une boîte automatique à 6 rapports, il est de loin le plus intéressant des trois.

[COMPORTEMENT] Pour apprécier le comportement de la Sebring, il faut aimer la conduite linéaire et plutôt pépère. La suspension réagit avec mollesse quand on pousse un peu trop la voiture. C'est normal si l'on considère la clientèle visée par cette bagnole qui mise plus sur le confort et la douceur de roulement qu'autre chose. Par contre, il faut souligner que, malgré un roulis bien perceptible en virage, le châssis demeure solide. Même la décapotable propose une tenue de route rassurante, une fois qu'on comprend bien le dynamisme de la suspension. À bord d'une version Limited, on se surprend même à abuser de la pédale d'accélérateur, preuve que les 235 chevaux de ce moteur livrent une puissance suffisante. Néanmoins, c'est en conduisant la voiture doucement qu'on l'apprécie le plus. Le problème, c'est que la concurrence propose mieux, tout simplement.

[CONCLUSION] On sait qu'une toute nouvelle berline intermédiaire est attendue au cours de la prochaine année, ce qui sonnera le glas de la carrière de la Sebring, carrière qui aura été, au demeurant, peu reluisante. Dans 10 ans, lorsqu'on se remémorera ce qui a cloché chez Chrysler au cours des années 2000, on pointera du doigt des produits comme la Sebring qui, malgré de bonnes intentions, n'a jamais été dans le coup. Heureusement, Chrysler a toujours su l'offrir à prix d'ami, ce qui lui a toujours assuré un succès certain au chapitre des ventes. Cependant, à l'amorce d'une nouvelle décennie, cela ne suffit plus.

2ᵉ OPINION

BENOIT CHARETTE Conduire une Sebring, c'est comme manger de la viande bouillie, un potage sans épices, ça nourrit, mais ce n'est pas bon. Générique, sans saveur, sans odeur et incolore, la Sebring ne génère aucune émotion. Heureusement, son règne s'achève, et elle sera, selon les plus récentes rumeurs, remplacée par un modèle Lancia qui arrivera au Canada l'an prochain. Comme tous les modèles en fin de parcours, il y a de fortes chances de pouvoir se procurer une Sebring à rabais. Sachez qu'elle offre tout de même quelques qualités comme la douceur de roulement et un V6 de 3,5 litres qui s'harmonise bien avec le véhicule. Le confort, la tenue de route, la rigidité de la caisse et l'exécution dans son ensemble ne méritent même pas la note de passage.

⑤ FICHE TECHNIQUE

· MOTEURS
· **(LX)**
L4 2,4 l DACT, 173 ch à 6000 tr/min
Couple 166 lb-pi à 4400 tr/min
· **Transmission** automatique à 4 rapports
· **(TOURING)**
V6 2,7 l DACT, 186 ch à 5500 tr/min
Couple 191 lb-pi à 4000 tr/min
· **Transmission** automatique à 6 rapports
0-100 km/h 9,2 s **Vitesse maximale** 180 km/h
Consommation (100 km) 9,0 l (octane 87)
12,8 l (éthanol)
Émissions de CO_2 4232 kg/an (octane 87)
4160 kg/an (éthanol)
Litres par année 1840 l (octane 87),
2600 l (éthanol)
Coût par an 1840 $
Carburant alternatif Éthanol E85
Empreinte écologique 26 arbres

· **(LIMITED)**
V6 3,5 l SACT, 235 ch à 6400 tr/min
Couple 232 lb-pi à 4000 tr/min
Transmission automatique à 6 rapports
avec mode manuel
0-100 km/h 7,7 s **Vitesse maximale** 210 km/h
Consommation (100 km) 10,2 l (octane 87)
Émissions de CO_2 4784 kg/an
Litres par année 2080 l
Coût par an 2080$
Carburant alternatif non
Empreinte écologique 30 arbres

· AUTRES COMPOSANTES
Sécurité active freins ABS, assistance au freinage (option LX), antipatinage (option sur LX), contrôle de stabilité électronique (option)
Suspension avant/arrière indépendante
Freins avant/arrière disques
Direction à crémaillère, assistée
Pneus LX P215/65R16,
option LX, Touring P215/60R17, **Limited** P215/55R18

· DIMENSIONS
Empattement 2765 mm
Longueur 4842 mm, **cabrio.** 4922 mm
Largeur 1808 mm, **cabrio.** 1816 mm
Hauteur 1498 mm, **cabrio.** 1485 mm
Poids berl. LX 1501 kg, **Touring** 1552 kg,
Limited 1599 kg **cabrio. LX** 1697 kg,
Touring 1745 kg, **Limited** 1796kg
Diamètre de braquage 11,1 m
Coffre 390 l, **cabrio.** 370 l, 186 l (toit replié)
Réservoir de carburant 64 l

NOTRE VERDICT

Plaisir au volant	●●◖○○
Qualité de finition	●●○○○
Consommation	⬡⬡⬡○○
Rapport qualité/prix	●●●○○
Valeur de revente	●●○○○

AVENGER

www.dodge.ca

ÉVOLUTION

N É

J

22 995 $ à 27 995 $
transport et préparation : 1400 $

LA COTE VERTE

MOTEUR
L4 DE 2,4 L

- **Consommation** (100km): 8,2
- **Émissions polluantes CO$_2$** : 3818 kg/an
- **Empreinte écologique** (nombre d'arbres à planter par année): 24
- **Indice d'octane**: 87
- **Autre motorisation**: non
- **Coût du carburant moyen par année**: 1660 $
- **Nombre de litres par année**: 1660 l

(SOURCE: ÉnerGuide)

 FICHE D'IDENTITÉ

- **Versions** SE, SXT, R/T
- **Roues motrices** avant
- **Portières** 4 **Nombre de Passagers** 5
- **Première génération** 1995
- **Génération actuelle** 2007
- **Construction** Sterling Heights, Michigan, É.-U.
- **Sacs gonflables** 6 (frontaux, latéraux avant, rideaux latéraux)
- **Concurrence** Chevrolet Malibu, Ford Fusion, Honda Accord, Hyundai Sonata, Kia Magentis, Mazda6, Mitsubishi Galant, Nissan Altima, Subaru Legacy, Toyota Camry

 AU QUOTIDIEN

- **Prime d'assurance**
  25 ans: 1400 à 1600 $
  40 ans: 1000 à 1100 $
  60 ans: 800 à 1000 $
- **Collision frontale** 5/5
- **Collision latérale** 4/5
- **Ventes du modèle de l'an dernier**
  Au Québec 894 **Au Canada** 5533
- **Dépréciation** (2 ans) 56,5%
- **Rappels** (2005 à 2010) 8
- **Cote de fiabilité** 2,5/5

 GARANTIES... ET PLUS

- **Garantie générale** 3 ans/60 000 km
- **Garantie motopropulseur** 5 ans/100 000 km
- **Perforation** 5 ans/160 000 km
- **Assistance routière** 5 ans/100 000 km
- **Nombre de concessionnaires**
  Au Québec 93 **Au Canada** 440

NOUVEAUTÉS EN 2011

- Suppression du V6 2,7 l du catalogue

DES JOURS PAISIBLES

PAR FRANCIS BRIÈRE

SI VOUS RECHERCHEZ, COMME GRAND-PAPA ET GRAND-MAMAN, UNE VOITURE TRÈS CONFORTABLE ET DOUCE COMME DU COTON, LA DODGE AVENGER POURRAIT SANS DOUTE COMBLER TOUS VOS BESOINS. Supposons que votre choix s'arrête sur cette voiture, et qu'il ne manque qu'un germe de motivation pour que vous vous précipitiez chez le concessionnaire pour vous en acheter une, sachez que cette voiture vous offre, peu importe ce qu'en penseront les ennemis de Chrysler, un bon rapport qualité-prix.

[CARROSSERIE] Les âmes sensibles risquent de trouver sa silhouette un peu agressive. Dans ce cas, vous pouvez toujours opter pour la Chrysler Sebring, il s'agit de la même voiture ou presque. Même si son dessin date un peu, vous obtenez une excellente caisse pour le prix. De toute façon, il y a peu de chances que l'Avenger séduise son propriétaire avec son allure. Du reste, vous pouvez agrémenter son apparence avec de superbes roues chromées de 18 pouces qui sont offertes en option.

[HABITACLE] L'intérieur n'est guère plus joli que la carcasse, mais il vous offre un environnement paisible et confortable. Les sièges mollasses se chargeront d'adoucir les coups pour votre postérieur, mais oubliez le maintien. L'espace généreux de l'habitacle profite aux passagers arrière qui bénéficient d'un dégagement appréciable pour les jambes. Le modèle R/T est offert avec des sièges couverts d'un cuir douceux, mais on le préférera au revêtement de tissu dont on ne pourrait deviner l'origine. Si vous rêvez d'un coffre qui peut contenir quatre sacs de golf et le contenu de votre sous-sol, cette voiture est pour vous. La finition, chez Chrysler, ne semble pas se trouver en haut de la liste des priorités. Les boutons qui servent à commander la climatisation rappellent la qualité qu'on retrouvait à bord des voitures des années 1980. Cependant, la composition de l'habitacle relativement homogène se révèle solide et exempt de bruits de caisse.

[MÉCANIQUE] Pour l'Avenger, le V6 de 3,5 litres produit une puissance amplement suffisante et appréciable. Si cet engin ne fait pas partie

FORCES · Confort · Douceur de roulement · Espace arrière

FAIBLESSES · Modèle agonisant · Silhouette abominable · Suspension guimauve

⑤ FICHE TECHNIQUE

· MOTEURS

· (SE, SXT)

L4 2,4 l DACT, 173 ch à 6000 tr/min

Couple 166 lb-pi à 4400 tr/min

Transmission automatique à 4 rapports

0-100 km/h 9,8 s Vitesse maximale 180 km/h

· (R/T)

V6 3,5 l SACT, 235 ch à 6400 tr/min

Couple 232 lb-pi à 4000 tr/min

Transmission automatique à 6 rapports
avec mode manuel

0-100 km/h 7,7 s Vitesse maximale 210 km/h

Consommation (100 km) 10,2 l (octane 87)

Émissions de CO_2 4784 kg/an

Litres par année 2080 l

Coût par an 2080$

Carburant alternatif non

Empreinte écologique 30 arbres

· AUTRES COMPOSANTES

Sécurité active freins ABS, assistance au freinage,
antipatinage (en option),
contrôle de stabilité électronique (en option)

Suspension avant/arrière indépendante

Freins avant/arrière disques

Direction à crémaillère, assistée

Pneus SE P215/65R16 **SXT** P215/60R17
R/T P215/55R18

· DIMENSIONS

Empattement 2765 mm

Longueur 4849 mm

Largeur 1824 mm

Hauteur 1498 mm

Poids SXT 1545 kg **R/T** 1618 kg

Diamètre de braquage 11,1 m

Coffre 379 l

Réservoir de carburant 64 l

des pièces d'ingénierie en lice pour des mentions d'honneur, il fait le travail de procurer à l'Avenger du muscle et de l'assurance qui ne lui font pas de tort. Chrysler lui a greffé une boîte de vitesses automatique à 6 rapports bien adaptée qui transmet la puissance aux roues avant. Malgré le poids important du véhicule, les freins réussissent à ralentir et à immobiliser l'Avenger de façon raisonnable. On souhaiterait une direction légèrement plus précise, mais avec une caisse semblable, on ne pourrait s'attendre à des composants dignes de ceux d'un bolide de course.

[COMPORTEMENT] Dans un monde idéal, un conducteur savoure chaque seconde derrière le volant grâce à des performances hors du commun, à une tenue de route d'une précision chirurgicale et à un confort princier. Il faut savoir que ce genre de véhicule existe, mais il n'est pas donné à toutes les bourses. Le propriétaire d'une Dodge Avenger se réjouit du degré de confort que lui procure sa voiture pour le montant qu'il a déboursé. Il sillonne les routes sans chercher à dépasser les limites de son véhicule. Comme il le fait assis dans son salon, le conducteur de l'Avenger profite d'une quiétude apaisante qui rend l'expérience de conduite zen. On ne s'énerve pas, mais on peut accélérer en toute confiance, on peut même effectuer un dépassement de façon franche et sans perdre de temps.

[CONCLUSION] Cette catégorie de voitures regorge d'offres intéressantes: Honda Accord, Ford Fusion, Toyota Camry et Mazda6. Mentionnons cependant que la Dodge Avenger est of-ferte à un prix raisonnable avec amplement d'équipement pour satisfaire une grande soif de luxe. Pour le reste, il faut apprécier un monde doux, paisible et sans histoire. Tout est en douceur et en mollesse, question de vivre des jours tranquilles à l'abri des éléments stressants de la vie quotidienne. Même si la voiture se montre sous un jour plus agressif avec une silhouette légèrement audacieuse, son tempérament est réservé aux conducteurs du dimanche. L'Avenger s'adresse aux personnes qui ne peuvent supporter de se retrouver derrière le volant d'un tape-cul.

2ᵉ OPINION

DANIEL RUFIANGE En voilà une qui est sur la corde raide! Avec sa cousine, la Chrysler Sebring, elle n'est plus dans le coup dans le segment depuis... son lancement. Cette voiture mal née a néanmoins connu une carrière intéressante grâce aux propriétaires de parcs de taxis et d'entreprises de location de voitures. C'est cependant insuffisant pour se bâtir une crédibilité. La voiture a le mérite d'offrir beaucoup d'espace, un confort certain et de la puissance à revendre, fruit du moteur V6 de 3,5 litres de Dodge. Toutefois, le plaisir au volant est inexistant, une tare qui annonce la mort à moyen terme d'un modèle. Le consortium Chrysler/Fiat nous promet une remplaçante à cette berline intermédiaire et, bien franchement, le plus tôt sera le mieux.

NOTRE VERDICT

Plaisir au volant	●●●○○
Qualité de finition	●●●○○
Consommation	●●○○○
Rapport qualité/prix	●●●◐○
Valeur de revente	●●●◐○

CALIBER

www.dodge.ca

ÉVOLUTION

N — É
J

13 995 $ à 21 740 $
transport et préparation : 1400 $

LA COTE VERTE

MOTEUR
L4 DE 2,0 L

- **Consommation
  (100km) :**
  man. 7,7 l
  auto . 8,2 l
- **Émissions polluantes
  CO_2 :**
  man. 3588 kg/an
  auto. 3818 kg/an
- **Empreinte écologique
  (nombre d'arbres
  à planter par année) :** 21
- **Indice d'octane :** 87
- **Autre
  motorisation :**
  non
- **Coût du carburant
  moyen par année :**
  man. 1560 $
  auto. 1660 $
- **Nombre de
  litres par année :**
  man. 1560 l
  auto. 1660 l

(SOURCE : ÉnerGuide)

① FICHE D'IDENTITÉ

- **Versions** SE, SXT
- **Roues motrices** avant
- **Portières** 5 **Nombre de passagers** 5
- **Première génération** 2007
- **Génération actuelle** 2007
- **Construction** Belvidere, Illinois, É.-U.
- **Sacs gonflables** 4 (frontaux et rideaux latéraux,
  latéraux avant en option)
- **Concurrence**, Ford Focus,
  Mazda3 Sport, Nissan Versa, Subaru
  Impreza familiale, Suzuki SX4, Toyota Matrix,
  Volkswagen Golf

② AU QUOTIDIEN

- **Prime d'assurance**
  25 ans : 1900 à 2100 $
  40 ans : 900 à 1100 $
  60 ans : 600 à 800 $
- **Collision frontale** 5/5
- **Collision latérale** 5/5
- **Ventes du modèle de l'an dernier**
  Au Québec 2047 Au Canada 9802
- **Dépréciation** 60,7 %
- **Rappels** (2005 à 2010) 6
- **Cote de fiabilité** 4/5

③ GARANTIES... ET PLUS

- **Garantie générale** 3 ans/60 000 km
- **Garantie motopropulseur** 5 ans/100 000 km
- **Perforation** 5 ans/160 000 km
- **Assistance routière** 5 ans/100 000 km
- **Nombre de concessionnaires**
  Au Québec 93 Au Canada 440

④ NOUVEAUTÉS EN 2011

- Aucun changement majeur

CREUSER SA TOMBE

PAR BENOIT CHARETTE

**COMMENT VOUS DIRE POLIMENT CE QUE JE
PENSE DE LA CALIBER ?** Si je vous disais que
c'est une des moins bonnes voitures que j'ai
eu l'occasion d'essayer dans les cinq dernières
années, est-ce suffisamment poli ? Pourtant, le
concept part d'une bonne intention. Chrysler
voulait offrir autre chose que la très soporifique
Neon qui tirait sa révérence. Comme le dit le
vieux proverbe : « L'enfer est pavé de bonnes
intentions ». Ce qui était une bonne idée s'est
rapidement transformé en cauchemar. Heureusement le modèle disparaît cette année. Fiat
compte reprendre le concept à son compte. Espérons seulement que le châssis sera plus sain,
et qu'un concepteur italien ou deux reverront
l'intérieur.

[CARROSSERIE] Comme je le disais plus haut,
l'idée de base part d'un bon concept qui paraissait
même audacieux pour une voiture américaine.
Une voiture avec un hayon construite en Illinois
pour le marché américain. Difficile à classer ce
véhicule qui se trouve à mi-chemin entre une
compacte et une fourgonnette ; Dodge voulait

se faire une petite niche. Le problème n'est pas
dans le style qui, je le concède, est assez réussi.
Les seuls modèles pertinents en matière de style
ont rapidement disparu (R/T et SRT4) pour
laisser place aux pâles versions SE et SXT ; mais
avec des jantes chromées, elles dégagent tout de
même quelque chose, un rien d'émotion.

[HABITACLE] L'impression de grandeur qui
émane des lignes du véhicule se ressent à
l'intérieur. La voiture est spacieuse pour une
compacte, et le confort est au rendez-vous. Il y a
plein de petits gadgets intéressants comme une
boîte à gants réfrigérée, un support d'iPod et des
bancs rabattables pour un intéressant surplus
d'espace. En contrepartie, la qualité des matériaux donne mal aux yeux. Le mot bon marché
commence à peine à décrire les plastiques et la
mauvaise qualité de la finition. Durant ma semaine d'essai, deux moulures de bas de porte et
un panneau situé sous le volant me sont littéralement restés dans les mains. Ceux qui ont connu
les japonaises des années 70 savent de quoi je
parle. Cela vient gâcher tout le reste.

FORCES • Des lignes différentes • Habitacle généreux
• Équipement de série complet

FAIBLESSES • Tout le reste

5 FICHE TECHNIQUE

· **MOTEUR**
· L4 2,0 l DACT, 158 ch à 6400 tr/min
Couple 141 lb-pi à 5000 tr/min
Transmission manuelle à 5 rapports,
automatique à variation continue (en option)
0-100 km/h 10,8 s
Vitesse maximale 185 km/h

· **AUTRES COMPOSANTES**
Sécurité active freins ABS (avec boîte à variation
continue), contrôle de stabilité électronique
(option SXT),
antipatinage (option SXT)
Suspension avant/arrière indépendante
Freins avant/arrière disques/tambours (disques
aux 4 roues avec groupe SXT Sport Plus)
Direction à crémaillère, assistée
Pneus P205/70R15, **option SE, SXT** P215/60R17,
option SXT 215/55R18

· **Dimensions**
Empattement 2635 mm
Longueur 4414 mm
Largeur 1747 mm
Hauteur 1533 mm
Poids SE 1334 kg, **SXT** 1366 kg
Diamètre de braquage 10,8 m
Coffre 521 l, 1342 l (sièges abaissés)
Réservoir de carburant 51,5 l

[CONCLUSION] À moins que quelqu'un vous en donne une en cadeau, regardez ailleurs; c'est vraiment une mauvaise voiture, même à rabais.

[MÉCANIQUE] Auparavant vous aviez le choix entre un mauvais moteur et... un plus mauvais moteur. Malheureusement, seul le plus mauvais est encore au programme. Il s'agit d'une mécanique de 2 litres de 158 chevaux qui est gérée par une affreuse boîte de vitesses CVT. Le moteur trop petit n'arrive pas à traîner cette lourde carcasse, et, quand vous appuyez franchement sur l'accélérateur, la boîte pousse un cri de mort, mais la voiture ne va pas plus vite, elle fait seulement plus de bruit. Après trois jours de ce régime, ma santé mentale commençait à être mise à rude épreuve. Et il n'y a pas d'autres boîtes offertes. Il vous faut donc un calendrier pour calculer vos dépassements sur l'autoroute. Une conseil : optez pour la chaîne audio en option qui est la seule assez puissante pour enterrer les bruits du moteur en pleine accélération.

[COMPORTEMENT] Vous aurez compris que, avec un aussi mauvais moteur, l'expérience au volant ne s'annonce pas très bonne. Mais attention, les choses s'enveniment encore un peu. Ajoutez au moteur poussif et à une mauvaise boîte de vitesses, une direction lourde et imprécise et une suspension sèche et mal calibrée et vous avez réellement un mauvais véhicule. C'est comme essayer de saisir un poisson à pleine main, il vous glisse toujours entre les doigts. Au volant de la Caliber, il faut constamment corriger et, même là, vous aurez encore l'impression que ce n'est pas cela.

2ᵉ OPINION

MICHEL CRÉPAULT La Dodge Caliber, la remplaçante de la Neon, affiche un indéniable effort de style. Qu'elle vous plaise ou non, c'est une autre histoire. Ensuite, le pavillon haut et le hayon fournissent aux humains et à leurs bagages un espace satisfaisant. Pour le reste... Mettons que les ingénieurs de Chrysler essaient de réparer leurs erreurs du début. Le moteur est quand même frugal mais rugueux et mal servi par une boîte de vitesses CVT préhistorique. De nouveaux matériaux dans la cabine tentent d'effacer le méchant souvenir laissé par des plastiques indignes et, surtout, par une finition qui faisait passer n'importe quel artisan tibétain pour un génie. En deux mots, la Caliber est une bonne idée mais exécutée à la va-vite. Il n'existe plus vraiment de mauvais véhicules en ces temps modernes, mais, quand on compare la Caliber à la concurrence, il y a de quoi protester.

NOTRE VERDICT

Plaisir au volant	⬤⬤⬤⬡⬡
Qualité de finition	⬤⬤⬤⬡⬡
Consommation	⬤⬤⬤⬤⬡
Rapport qualité/prix	⬤⬤⬤⬡⬡
Valeur de revente	⬤⬤⬤⬡⬡

CHALLENGER

www.dodge.ca

ÉVOLUTION N É J

25 995 $ à 46 995 $
transport et préparation : 1400 $

LA COTE VERTE

MOTEUR
V6 DE 3,5 L

- **Consommation**
(100km): 9,9 l
- **Émissions
polluantes CO_2:**
4646 kg/an
- **Empreinte écologique
(nombre d'arbres à
planter par année):** 30
- **Indice d'octane:** 87
- **Autre
motorisation:** non
- **Coût du carburant
moyen par année:**
2020 $
- **Nombre de
litres par année:**
2020 l

(SOURCE: ÉnerGuide)

① FICHE D'IDENTITÉ

- **Versions** SE, SXT, R/T, SRT8
- **Roues motrices** arrière
- **Portières** 4 **Nombre de passagers** 4
- **Première génération** 2008
- **Génération actuelle** 2008
- **Construction** Brampton, Ontario, Canada
- **Sacs gonflables** 6 (frontaux, latéraux avant et
rideaux latéraux)
- **Concurrence** Chevrolet Camaro,
Ford Mustang, Nissan 370 Z,
Infiniti G37 coupé

② AU QUOTIDIEN

- **Prime d'assurance**
25 ans : 1900 à 2100 $
40 ans : 1100 à 1300 $
60 ans : 900 à 1100 $
- **Collision frontale** 5/5
- **Collision latérale** 5/5
- **Ventes du modèle de l'an dernier**
Au Québec 418 **Au Canada** 2660
- **Dépréciation** (2 ans) 27,2%
- **Rappels** (2005 à 2010) 4
- **Cote de fiabilité** 3/5

③ GARANTIES... ET PLUS

- **Garantie générale** 3 ans/60 000 km
- **Garantie motopropulseur** 5 ans/100 000 km
- **Perforation** 5 ans/160 000 km
- **Assistance routière** 5 ans/100 000 km
- **Nombre de concessionnaires**
Au Québec 93 **Au Canada** 440

④ NOUVEAUTÉS EN 2011

- Aucun changement majeur

RACOLEUSE

PAR BENOIT CHARETTE

TOUS LES CONSTRUCTEURS D'AUTOMOBILES ONT BESOIN D'UNE VEDETTE QUI AMÈNE LES FOULES AUX CONCESSIONS, ET C'EST PRÉCISÉMENT LE RÔLE QUE CHRYSLER A DONNÉ À LA CHALLENGER. Peu coûteuse à produire, elle profite du châssis de la 300 et d'une gamme de moteurs qui existent déjà dans la banque de composants de l'entreprise. Elle est aussi construite côte à côte avec la 300 et la Charger à Brampton, en Ontario. Chrysler n'a dépensé que 151 millions sur le programme de la Challenger et a réalisé le modèle en 21 mois. Donc, une véritable aubaine pour ramener l'enfant prodige des années 60 sur la route.

[CARROSSERIE] Même après deux ans sur la route et sans avoir changé, la Challenger attire toujours les curieux qui tournent immanquablement la tête quand elle passe, toujours surpris par l'allure agressive de la voiture. Et en plus d'être provocante, elle en impose physiquement avec plus de 5 mètres de longueur sur près de deux mètres de largeur. Dans la vague néo-rétro, c'est sans doute Chrysler qui a réussi le plus beau design avec cette Challenger.

[HABITACLE] C'est précisément sur ce point que la Challenger m'a conquis. Ce segment de voitures aux muscles gonflés nous a habitués au fil des générations à un inconfort chronique et à de piètres conditions de conduite, prix à payer pour avoir droit à une « vraie » mécanique décapante. Le châssis de la 300 avec une suspension très bien calibrée procure un confort qui m'a réellement impressionné, vous êtes dans une grande berline, silencieuse et confortable. Il faut composer avec un habitacle que certains trouveront un peu sombre, mais tout est à sa place. L'habitabilité est taillée pour les grands gabarits, la stéréo est excellente, et la climatisation se charge de souffler un vent glacial. Le coffre manque toutefois de volume. La finition est très bonne pour un produit américain. Vous n'êtes pas dans un véhicule européen, mais pour l'Oncle Sam, c'est du bon travail.

[MÉCANIQUE] Pour ceux qui veulent avoir l'air sans la chanson, il y a la Challenger avec un V6 de 3,5 litres de 250 chevaux. Il vous mènera à bon port, sans soubresaut, mais avec suffisamment

FORCES · Physique inspiré · Confort remarquable
· Puissance décoiffante (SRT8)

FAIBLESSES · Boîte automatique paresseuse · Intérieur fade · Poids
· Direction un peu légère · Consommation de carburant

de puissance pour apprécier la voiture. Une seule boîte de vitesses automatique à 5 rapports est livrée avec ce modèle. Viennent ensuite les V8. Le premier est le très utilisé V8 Hemi de 5,7 litres de 372 chevaux qui coiffe les versions R/T, et l'autre est le redoutable SRT8 de 6,1 litres et 425 chevaux. Les deux V8 viennent avec une boîte manuelle à 6 rapports ou une automatique à 5 rapports.

[COMPORTEMENT] Contrairement à la Mustang qui s'en remet à des solutions archaïques avec son essieu arrière rigide, la Challenger propose des solutions plus modernes, et le confort est hautement plus civilisé que dans une Mustang. Son principal handicap vient du poids. Avec près de deux tonnes, toutes les manœuvres qui demandent une certaine agilité deviennent délicates. Son châssis très sain permet de bien s'en sortir dans bien des cas, mais disons simplement que ce n'est pas toujours élégant. La masse et le format en font un véhicule capable d'aller très vite, oui, mais qui, à l'image de ses ancêtres, préfère les lignes droites aux courbes accentuées. Les V8 conservent aussi un attribut de leur ancêtre, la sonorité inimitable qui fait remuer la caisse et donne des frissons dans le dos. Un petit coup d'accélérateur, juste pour voir, et vous ferez pleurer les enfants du quartier.

[CONCLUSION] Il existe plus raffiné, plus subtil sur la route et plus efficace, mais ce n'est pas ce qu'on recherche au volant d'une Challenger. C'est une voiture qui carbure à l'émotion, qui vient vous chercher dans les tripes. Son ambiance rétro, le timbre a nul autre pareil du V8 qui vocifère de plaisir à chaque poussée de l'accélérateur. Un véhicule qui échappe à toute logique et qui est politiquement incorrect; le fruit défendu a toujours eu plus de charme.

2ᵉ OPINION

DANIEL RUFIANGE Chaque constructeur américain possède son «muscle car». Si la Mustang ne nous a jamais quittés, la Chevrolet Camaro et la Dodge Challenger ont dû renaître de leurs cendres. Des trois, je préfère la Challenger, surtout pour son design, tout simplement spectaculaire. Mais ce n'est pas tout. Il suffit de s'installer au volant d'une version SRT8 à boîte de vitesses manuelle pour être totalement séduit. Du moins, l'ai-je été. Dodge a reproduit l'essence même de l'esprit du « muscle car » à une exception près; la voiture ne tremble pas comme une feuille de papier quand on la sollicite. Ma seule déception a trait au compte-tours. Il atteint trop rapidement la zone rouge, fixée à 6200 tours par minute, là où la sonorité du V8 devient grisante. À 9000 tours, ce serait l'extase.

5 FICHE TECHNIQUE

- **MOTEURS**
- **(SE/SXT)**

V6 3,5 L SACT 250 ch. à 6400 tr/min
Couple 250 lb-pi à 3800 tr/min
Transmission automatique à 5 rapports
0-100 km/h 8,7 s
Vitesse maximale 210 km/h

- **(R/T)**

V8 5,7 l ACC, 372 ch (auto.)
à 5200 tr/min / 376 ch (man.) à 5150 tr/min
Couple 400 lb-pi (auto.)
à 4400 tr/min / 410 lb-pi (man.) à 4300 tr/min
Transmission automatique à 5 rapports avec mode manuel, manuelle à 6 rapports (option)
0-100 km/h 5,9 s
Vitesse maximale 210 km/h
Consommation (100 km) man. 11,0 l (octane 87)
auto. 10,8 l (octane 87)
Émissions de CO$_2$ man. 5198 kg/an
auto. 5106 kg/an
Litres par année man. 2260 l **auto.** 2220 l
Coût par an man. 2260 $, **auto.** 2220 $
Autre motorisation: non
Empreinte écologique 34 arbres

- **(SRT8)**

V8 6,1 l ACC, 425 ch à 6200 tr/min
Couple 420 lb-pi à 4800 tr/min
Transmission automatique à 5 rapports avec mode manuel, manuelle à 6 rapports (option)
0-100 km/h 5,4 s
Vitesse maximale 250 km/h
Consommation (100 km)
man. 12,4 l (octane 91) **auto.** 13,3 l (octane 91)
Émissions de CO$_2$
man. 5842 kg/an **auto.** 6256 kg/an
Litres par année
man. 2540 l **auto.** 2720 l
Coût par an
man. 2844 $ **auto.** 3046 $
Autre motorisation: non
Empreinte écologique 38 arbres

- **AUTRES COMPOSANTES**

Sécurité active freins ABS, répartition électronique de force de freinage, assistance au freinage, antipatinage, contrôle de stabilité électronique
Suspension avant/arrière indépendante
Freins avant/arrière disques
Direction à crémaillère, assistée
Pneus SE P215/65R17, **SXT** P225/60R18
R/T P235/55R18, **SRT8** P245/45ZR20,
option SRT8 P245/45ZR20 (av.),
P255/45ZR20 (arr.)

- **DIMENSIONS**

Empattement 2946 mm
Longueur 5023 mm
Largeur 1923 mm
Hauteur 1449 mm
Poids SE 1732 kg, **R/T** 1833 kg, **SRT8** 1874 kg
Diamètre de braquage 11,9 m
Coffre 460 l
Réservoir de carburant SE/SXT 68,1 l,
R/T/SRT8 71,9 l

NOTRE VERDICT

Plaisir au volant	⬡⬡⬡⬡⬡
Qualité de finition	⬡⬡⬡⬡⬡
Consommation	⬡⬡⬡⬡⬡
Rapport qualité/prix	⬡⬡⬡⬡⬡
Valeur de revente	⬡⬡⬡⬡⬡

CHARGER

www.dodge.ca

ÉVOLUTION

N É J

31 395 $ à **48 845 $**
transport et préparation : 1400 $

LA COTE VERTE

MOTEUR
V6 DE 2,7 L

- **Consommation (100km):** 9,5 l
- **Émissions polluantes CO$_2$:** 4462 kg/an
- **Empreinte écologique (nombre d'arbres à planter par année):** 28
- **Indice d'octane:** 87
- **Autre motorisation:** non
- **Coût du carburant moyen par année:** 1940 $
- **Nombre de litres par année:** 1940 l

(SOURCE: ÉnerGuide)

 FICHE D'IDENTITÉ

- **Versions** SE, SXT, R/T, SXT 4RM, R/T 4RM, SRT8
- **Roues motrices** arrière, 4
- **Portières** 4 **Nombre de passagers** 5
- **Première génération** 2006
- **Génération actuelle** 2006
- **Construction** Brampton, Ontario, Canada
- **Sacs gonflables** 4 (frontaux latéraux avant rideaux latéraux)
- **Concurrence** Buick LaCrosse, Chevrolet Impala, Chrysler 300, Ford Taurus

 AU QUOTIDIEN

- **Prime d'assurance**
  25 ans: 1900 à 2100 $
  40 ans: 1100 à 1300 $
  60 ans: 900 à 1100 $
- **Collision frontale** 5/5
- **Collision latérale** 5/5
- **Ventes du modèle de l'an dernier**
  Au Québec 985 **Au Canada** 4861
- **Dépréciation** 70,0 %
- **Rappels** (2005 à 2010) 8
- **Cote de fiabilité** 3/5

 GARANTIES... ET PLUS

- **Garantie générale** 3 ans/60 000 km
- **Garantie motopropulseur** 5 ans/100 000 km
- **Perforation** 5 ans/160 000 km
- **Assistance routière** 5 ans/100 000 km
- **Nombre de concessionnaires**
  Au Québec 93 **Au Canada** 440

 NOUVEAUTÉS EN 2011

- Aucun changement majeur

FIN DE CYCLE

PAR BENOIT CHARETTE

À SA SIXIÈME ANNÉE SUR LE MARCHÉ, LA CHARGER A RAPIDEMENT VIEILLI. Les grosses berlines ont perdu la cote, et les gros V8 aussi. Mais soyez sans crainte, Chrysler ne va pas abandonner la Charger qui se refait une beauté d'ici la fin de l'année 2011. Certaines sources proches du dossier confirment que le style sera plus évolutif que révolutionnaire, et que, comme bien de nouvelles recettes, les ingénieurs retravailleront les moteurs pour plus d'efficacité. Mais que les amateurs de performances dorment en paix, il y a toujours une SRT8 qui est prévue quelque part durant le cycle de développement.

[CARROSSERIE] La Charger symbolise deux éléments du passé de Chrysler. Elle représente d'abord la belle époque des voitures musclées, propulsées par un gros V8 et aussi l'alliance ratée avec Daimler. Offerte en pas moins de quatre variantes qui vont du profil de la voiture de location en modèle de base jusqu'à l'exubérante SRT8, la Charger, même après six ans, se présente encore bien. Il est clair que, entre la version de base délavée et la SRT8, il y a un monde de différence. La SRT8 bien campée sur ses roues de 20 pouces, sa prise d'air sur le capot, son bouclier modifié et deux grosses sorties d'échappement avec becquet fixe à l'arrière impressionne plus. Il n'y a que le regard de tous les modèles qui est commun. Les stylistes Ralph Gilles et Freeman Thomas peuvent être fiers de leur travail. Ils ont été capables de rendre attrayante une grosse berline, ce qui n'était pas une mince affaire.

[HABITACLE] L'intérieur est typique des américaines d'une autre époque. L'ambiance générale est plutôt bon marché, et c'est une fois assis dans la voiture qu'on se rend compte qu'elle a pris un sérieux coup de vieux. Autre tradition chère aux voitures américaines, la liste d'équipements de série est généreuse, et la liste d'options, longue comme le bras et dont les Allemands raffolent, n'a pas sa place ici. Au-delà de l'intérieur bon marché, il faut admettre que le confort général et le degré d'insonorisation surprennent toujours positivement. L'espace est généreux et fait en sorte qu'on se sent toujours à l'aise. Il y a donc assez de bonnes choses pour faire oublier la finition approximative.

FORCES · Confort général · Douceur de roulement · Lignes affirmées · Modèle à 4 roues motrices · Moteurs V8

FAIBLESSES · Finition bâclée · Direction un peu lourde · Version de base inintéressante · Revente difficile

[MÉCANIQUE] Ici, ce n'est pas le choix qui manque, du poussif V6 de 2,7 litres au plus réaliste V6 de 3,5 litres; ces deux moteurs sont d'abord là pour donner bonne conscience à Chrysler. Soyons réalistes, avec un tel gabarit, les moteurs qui siéent le mieux à la Charger sont les V8. La version R/T et ses 370 chevaux se révèle à mon avis la meilleure combinaison châssis/moteur de la Charger. Mais je dois admettre que, après une semaine dans le V6 de 3,5 litres, je n'ai rien à redire sur les performances. Vous n'avez pas les palpitations cardiaques associées au V8, mais il fait le boulot proprement. Pour ceux qui n'ont pas peur des fluctuations du prix du pétrole, la SRT8 qui part d'une base de moteur HEMI de 5,7 litres réalésée à 6,1 litres vous transporte dans un monde de plus hautes performances avec 425 chevaux qui arrachent le bitume et crachent le feu.

[COMPORTEMENT] Comme la majorité des berlines imposantes, la Charger est plus à l'aise sur les grandes bandes d'autoroute que les petits chemins en lacets. La voiture profite toutefois d'une excellente répartition du poids avant/arrière et d'une suspension bien calibrée qui rendent sa conduite rassurante. Le train avant n'est toutefois pas très précis, et la direction souffre d'un léger flou au centre, typique des grandes berlines américaines d'une autre époque. Si vous poussez la machine sur routes sinueuses, vous découvrirez rapidement les limites de la voiture. Il faut conduire de manière progressive et privilégier les lignes droites pour la remise des gaz, spécialement en version V8, car le sur-virage vous guette.

[CONCLUSION] Malgré ces quelques défauts, la Charger est l'une des rares berlines pleine grandeur qui a du charisme et des performances décoiffantes. Vous pouvez à la fois jouer le bon père de famille et laisser aller votre fou à l'occasion.

2ᵉ OPINION

MICHEL CRÉPAULT Pas facile de garder vivant un « muscle car » quand les hybrides pullulent, et que Green Peace veille au grain. Pourtant, si la Camaro et la Mustang ont su se réinventer, pourquoi pas la Charger ? On vise donc une clientèle particulière. Les nostalgiques sans doute mais aussi les adeptes d'une berline issue d'un moule plus « cartoonesque » que générique. D'ailleurs, les retouches esthétiques de 2011 accentuent cet air de mauvais garçon. Les ingénieurs ont porté secours au V6 de base en lui confiant les chevaux qui lui manquait et, tant qu'à faire, en ont aussi refilé au V8 des maniaques. Cela dit, la Charger traite la colonne vertébrale de ses baby-boomers avec beaucoup de délicatesse en offrant une tenue de route étonnamment confortable. La Charger est une façon comme une autre de s'évader du quotidien.

⑤ FICHE TECHNIQUE

· MOTEURS
· (SE)
V6 2,7 l SACT, 178 ch à 5500 tr/min
Couple 190 lb-pi à 4000 tr/min
Transmission automatique à 4 rapports
0-100 km/h 9,8 s
Vitesse maximale 210 km/h

· (Option SE, SXT)
V6 3,5 l SACT, 250 ch à 6400 tr/min

Couple 250 lb-pi à 3800 tr/min
Transmission automatique à 4 rapports, automatique à 5 rapports avec mode manuel (4RM)
0-100 km/h 8,7 s, **4RM** 9,2 s
Vitesse maximale 210 km/h
Consommation (100 km) 10,2 l, **4RM** 10,6 l (octane 87)
Émissions de CO$_2$ 4738 kg/an, **4RM** 4968 kg/an
Litres par année 2060 l, **4RM** 2160 l
Coût par an 2060 $, **4RM** 2160 $
Autre motorisation non
Empreinte écologique 30 arbres

· (R/T)
V8 5,7 l ACC, 368 ch à 5200 tr/min (372 ch à 5200 avec option perf.)
Couple 395 lb-pi à 4350 tr/min (400 lb-pi à 4350 tr/min avec option perf.)
Transmission automatique à 5 rapports avec mode manuel
0-100 km/h 5,9 s **Vitesse maximale** 250 km/h
Consommation (100 km) 10,8 l, **4RM** 11,2 l (octane 87)
Émissions de CO$_2$ 5106 kg/an, **4RM** 5198 kg/an
Litres par année 2220 l, **4RM** 2260 l
Coût par an 2220 $, **4RM** 2260 $
Autre motorisation non
Empreinte écologique 33 arbres

· (SRT8)
V8 6,1 l ACC, 425 ch à 6200 tr/min
Couple 420 lb-pi à 4800 tr/min
Transmission automatique à 5 rapports avec mode manuel
0-100 km/h 5,3 s **Vitesse maximale** 250 km/h
Consommation (100 km) 13,3 l (octane 91)
Émissions de CO$_2$ 6256 kg/an
Litres par année 2720 l **Coût par an** 3045 $
Autre motorisation non
Empreinte écologique 40 arbres

· AUTRES COMPOSANTES
Sécurité active freins ABS, antipatinage, contrôle de stabilité électronique
Suspension avant/arrière indépendante
Freins avant/arrière disques
Direction à crémaillère, assistée
Pneus SE/SXT P215/65R17; option SXT, R/T P225/60R18; SRT8 P245/45R20; option SRT8 P245/45R20 (av.), P255/45R20 (arr.)

· DIMENSIONS
Empattement 3048 mm
Longueur 5082 mm **Largeur** 1891 mm
Hauteur 1479 mm, **SRT8** 1466 mm
Poids SE 1695 kg, **SXT** 1720 kg, **R/T** 1857 kg, **SRT8** 1887 kg, **SXT 4RM** 1846 kg, **R/T 4RM** 1940kg
Diamètre de braquage 2RM 11,8 m, **4RM/SRT8** 11,9 m **Coffre** 460 l
Réservoir de carburant SE/SXT 68 l; R/T, SXT 4RM, R/T 4RM 76 l; SRT8 72 l

NOS MENTIONS
☺ Modèle recommandé

NOTRE VERDICT

Plaisir au volant	●●●◗
Qualité de finition	●●●◗
Consommation	●●◗
Rapport qualité/prix	●●●◗
Valeur de revente	●●●◗

GRAND CARAVAN

www.dodge.ca

ÉVOLUTION N — É — J

28 845 $ à 33 970 $
transport et préparation : 1400 $

LA COTE VERTE

MOTEUR
V6 DE 3,3 L

- **Consommation (100km):**
10,5 l (octane 87)
15,2 l (éthanol)
- **Émissions polluantes CO$_2$:**
4922 kg/an (octane 87)
4960 kg/an (éthanol)
- **Empreinte écologique (nombre d'arbres à planter par année):**
30 (octane 87)
18 (éthanol)
- **Indice d'octane:** 87
- **Autre motorisation:** E85
- **Coût du carburant moyen par année:** 2140 $
- **Nombre de litres par année:**
2140 l (octane 87)
3020 l (éthanol)

(source: ÉnerGuide)

214

① FICHE D'IDENTITÉ

- **Versions** Cargo, SE, SXT
- **Roues motrices** avant
- **Portières** 4 **Nombre de passagers** 7/8
- **Première génération** 1984
- **Génération actuelle** 2008
- **Construction** St. Louis, Missouri, É.-U.; Windsor, Ontario, Canada
- **Sacs gonflables** 4 (frontaux, rideaux latéraux)
- **Concurrence** Honda Odyssey, Kia Sedona, Nissan Quest, Toyota Sienna

② AU QUOTIDIEN

- **Prime d'assurance**
  25 ans: 1400 à 1600 $
  40 ans: 900 à 1100 $
  60 ans: 700 à 900 $
- **Collision frontale** 5/5
- **Collision latérale** 5/5
- **Ventes du modèle de l'an dernier**
  Au Québec 8467 **Au Canada** 40 283
- **Dépréciation** 62,8%
- **Rappels** (2005 à 2010) 3
- **Cote de fiabilité** 3/5

③ GARANTIES... ET PLUS

- **Garantie générale** 3 ans/60 000 km
- **Garantie motopropulseur** 5 ans/100 000 km
- **Perforation** 5 ans/160 000 km
- **Assistance routière** 5 ans/100 000 km
- **Nombre de concessionnaires**
  Au Québec 93 **Au Canada** 440

④ NOUVEAUTÉS EN 2011

- Aucun changement majeur

INTOUCHABLE ?

PAR DANIEL RUFIANGE

BON AN MAL AN, DODGE ÉCOULE DES MILLIERS DE GRAND CARAVAN ET COMPTE ENVIRON 75 % DES PARTS DE MARCHÉ DANS LE SEGMENT AU CANADA. Pourtant, si l'on compare la fourgonnette de Chrysler aux autres de la catégorie, peu de gens affirment qu'elle est la meilleure du créneau. Et pourtant...

[CARROSSERIE] J'avoue avoir été déçu lors de la dernière refonte du véhicule en 2008. Dodge n'a pas vraiment accouché d'un produit aux lignes attrayantes. Cependant, on a simplifié l'offre, alors que trois versions seulement sont proposées aux consommateurs, et ce, à l'intérieur d'une seule configuration de véhicule, soit une version allongée. Dans les faits, pour une plus petite fourgonnette, il faut se tourner du côté du Dodge Journey.

[HABITACLE] C'est à l'intérieur qu'on doit vraiment évaluer les qualités d'une fourgonnette. Après tout, ce véhicule est conçu pour la famille, et c'est là qu'il se doit de mieux la servir. À ce chapitre, l'histoire de Dodge en matière d'innovation lui a toujours permis d'occuper le haut du pavé. Dans le cas qui nous concerne ici, c'est l'option *Stow'N* Go qui retient l'attention. Cette possibilité d'enfouir les banquettes de deuxième et de troisième rangées sous le plancher pour libérer de l'espace de chargement ou simplement se servir de l'espace dans le plancher pour ranger les jouets des petits, n'a tout simplement pas d'égale. Sachez toutefois que ces baquets maniables ne sont pas des plus confortables. À noter aussi cette autre innovation signée Chrysler qui consiste à transformer l'espace arrière en salle à manger avec l'option *Swivel'N* go qui permet d'installer une table insérée dans le plancher. Pour le reste, on s'accommode des fonctionnalités mises à notre disposition à bord. L'ergonomie est bonne dans l'ensemble, mais il faut composer avec une présentation simpliste et une piètre qualité de matériaux qui confèrent un aspect terne à l'environnement.

[MÉCANIQUE] Ici, il y a un hic! Dodge propose sa Grand Caravan à très bon prix en version de base, mais cette dernière compte sur une motorisation qui se fait vieillotte et à bout de souffle.

FORCES · Prix · Configuration de l'habitacle · Douceur de roulement

FAIBLESSES · Consommation élevée · Qualité des matériaux et de l'assemblage · Forte dépréciation

Le V6 de 3,3 litres qui animent la version SE ne propose que 175 chevaux et s'accompagne d'une boîte de vitesses automatique à 4 rapports. Nous sommes aux portes de l'an 2011! Pour profiter d'une meilleure combinaison, il faut opter pour une version SXT, plus chère mais équipée d'un V6 de 4 litres, un moteur bien plus compétent et capable de déplacer le véhicule sans qu'on ait l'impression qu'une roulotte est constamment attelée à l'arrière. De plus, ce moteur est jumelé à une boîte automatique à 6 rapports qui vient contribuer à réduire la consommation de carburant, un élément qui n'est déjà pas le point fort de la Grand Caravan. Nos essais ne nous ont jamais permis de maintenir une moyenne sous la barre des 13 litres aux 100 kilomètres.

[COMPORTEMENT] Ici, la Grand Caravan marque des points. Ce qui compte à bord d'un véhicule à vocation familiale de ce type, c'est une bonne douceur de roulement et une tenue de route rassurante. Dans les deux cas, la Grand Caravan tient ses promesses. Cependant, encore une fois, il faut conduire une version équipée du moteur de 4 litres et de la boîte à 6 rapports pour vraiment apprécier. Au volant de l'autre livrée, on a l'impression de s'être fait berner, mécaniquement parlant.

[CONCLUSION] Si Dodge domine le segment des fourgonnettes pleine grandeur, c'est principalement en raison de son approche marketing agressive et d'offres imbattables. Quand une version de base est soldée à 20 495 $, il est bien difficile pour une famille de tourner le dos et d'aller magasiner du côté de la concurrence. Il ne faut pas oublier une chose: pour la majorité des acheteurs, le prix fait foi de tout, particulièrement quand on parle d'un véhicule à vocation familiale. Les détails d'ordre esthétique ou la piètre qualité de certains matériaux n'ébranlent pas le calcul fondamental auquel se livre toute famille : ça coûte combien par mois?

2ᵉ OPINION

MICHEL CRÉPAULT Pendant que Chrysler traversait l'enfer, on se doutait qu'un produit comme la Grand Caravan allait maintenir la firme dans le royaume des vivants. Car Chrysler a quand même réalisé de bons coups, et la fourgonnette en est un exemple patent. La firme a quand même créé le concept de toutes pièces. Au fil des ans, l'*Autobeaucoup* (oui, je trahis mon âge!) a su s'adapter et innover. Que ce soit les sièges qui jouent à cache-cache dans le plancher ou les tables amovibles qui donnent au véhicule un petit air récréatif, la Grand Caravan demeure la référence. Ce qui ne gâte rien, le produit a su rester abordable. En cette époque de multisegments, dès l'instant où un consommateur identifie clairement son besoin d'acquérir une fourgonnette, la Dodge Grand Caravan doit inexorablement faire partie de sa liste de magasinage.

(5) FICHE TECHNIQUE

· MOTEURS

(Cargo, SE)

V6 3,3 l ACC, 175 ch à 5000 tr/min

Couple 205 lb-pi à 4000 tr/min

Transmission automatique à 4 rapports

0-100 km/h 12,4 s

Vitesse maximale 175 km/h

(SXT)

V6 4,0 l SACT, 251 ch à 6000 tr/min

Couple 259 lb-pi à 4100 tr/min

Transmission automatique à 6 rapports

0-100 km/h 9,3 s

Vitesse maximale 185 km/h

Consommation (100 km) 10,1 l (octane 87)

Émissions de CO$_2$ 4738 kg/an

Litres par année 2060 l

Coût par an 2060 $

Autre motorisation: non

Empreinte écologique 32

· AUTRES COMPOSANTES

Sécurité active freins ABS, contrôle de stabilité électronique, répartition de freinage électronique, antipatinage

Suspension avant/arrière indépendante/essieu rigide

Freins avant/arrière disques

Direction à crémaillère, assistée

Pneus P225/65R16, **SXT** P225/65R17

· DIMENSIONS

Empattement 3078 mm

Longueur 5143 mm

Largeur 1952 mm

Hauteur 1750 mm

Poids Cargo 1856 kg, **SE** 1961 kg. **SXT** 2047 kg

Diamètre de braquage 11,9 m

Coffre 920 l, **Cargo/SE** 4072 l (sièges abaissés), **SXT** 3967 l (siège abaissés)

Réservoir de carburant 76 l

Capacité de remorquage SE 818 kg, **SXT** avec option 1727 kg

215

NOS MENTIONS

 Clé d'or de sa catégorie

 Modèle recommandé

NOTRE VERDICT

Plaisir au volant ⬡⬡⬡

Qualité de finition ⬡⬡⬡

Consommation ⬡⬡⬡

Rapport qualité/prix ⬡⬡⬡

Valeur de revente ⬡⬡

JOURNEY

www.dodge.ca

19 995 $ à 29 895 $
transport et préparation : 1400 $

LA COTE VERTE

MOTEUR
L4 DE 2,4 L

- **Consommation (100km):** 9,5 l
- **Émissions polluantes CO$_2$:** 4416 kg/an
- **Empreinte écologique (nombre d'arbres à planter par année):** 27
- **Indice d'octane:** 87
- **Autre motorisation:** non
- **Coût du carburant moyen par année:** 1920 $
- **Nombre de litres par année:** 1920 l

(source : ÉnerGuide)

① FICHE D'IDENTITÉ

- **Versions** SE valeur, SE plus, SXT (2RM), R/T (4RM)
- **Roues motrices** avant, 4
- **Portières** 5 **Nombre de passagers** 5, 7
- **Première génération** 2009
- **Génération actuelle** 2009
- **Construction** Toluca, Mexique
- **Sacs gonflables** 6 (frontaux, sièges et rideaux latéraux)
- **Concurrence** Kia Rondo, Mazda5

② AU QUOTIDIEN

- **Prime d'assurance**
  25 ans : 1900 à 2100 $
  40 ans : 900 à 1100 $
  60 ans : 600 à 800 $
- **Collision frontale** 5/5
- **Collision latérale** 5/5
- **Ventes du modèle de l'an dernier**
  Au Québec 3356 **Au Canada** 15 390
- **Dépréciation** (1 an) 35,0%
- **Rappels** (2005 à 2010) 4
- **Cote de fiabilité** nd

③ GARANTIES... ET PLUS

- **Garantie générale** 3 ans/60 000 km
- **Garantie motopropulseur** 5 ans/100 000 km
- **Perforation** 5 ans/160 000 km
- **Assistance routière** 5 ans/100 000 km
- **Nombre de concessionnaires**
  Au Québec 93 **Au Canada** 440

④ NOUVEAUTÉS EN 2011

- Refonte majeure pour l'année modèle 2012

PETIT CRÉNEAU, GRANDS RIVAUX

PAR DANIEL RUFIANGE

SI LA SITUATION DE CHRYSLER DEMEURE PRÉCAIRE AUX ÉTATS-UNIS, IL FAUT SAVOIR QUE LA DIVISION CANADIENNE FAIT DE BONNES AFFAIRES. On entrevoit l'avenir avec positivisme chez Chrysler Canada. Et ce positivisme est alimenté par le succès commercial de véhicules comme le Journey. Ce dernier nous revient pratiquement inchangé pour 2011. Après tout, pourquoi s'attarder sur un produit qui connaît du succès ? Toutefois, Chrysler aura tout avantage à s'inspirer de ce que fait la concurrence pour guider les créateurs de la prochaine génération ; les rivaux offrent pour l'instant des produits plus intéressants.

[CARROSSERIE] Pour un véhicule à vocation familiale, le Journey ne manque pas de style. Calandre agressive signée Dodge, profil seyant, feux arrière en forme de sourcils froncés, il est clair que ce véhicule s'adresse aux plus jeunes. Quatre versions sont proposées : SE, SE plus, SXT et R/T. Les deux premières se veulent très intéressantes en raison de leur ratio prix/équipement. Par contre, nous y reviendrons plus loin, un moteur à 4 cylindres d'une paresse indescriptible équipe ces versions. Ce sont donc les variantes SXT et R/T, plus chères, qui profitent d'un moteur plus compétent et qui se veulent plus attirantes. Pour différencier les versions de l'extérieur, observez surtout les dimensions des pneus ; 16 pouces pour les modèles SE et SE plus, 17 pouces pour la variante SXT et 19 pouces sur le modèle R/T.

[HABITACLE] Laissez-moi débuter avec le pot. Le tableau de bord du Journey est l'un des plus laids sur le marché. Les cadrans sont regroupés dans une boîte rectangulaire en totale asymétrie avec le reste du design. Une fois le choc passé, on découvre un environnement axé sur la fonctionnalité. Le Journey peut recevoir jusqu'à sept occupants. Les banquettes de deuxième et

FORCES · Répond aux besoins des familles · Douceur de roulement · Prix de base très intéressant · Polyvalence

FAIBLESSES · Moteur à 4 cylindres anémique et désuet · Présentation intérieure douteuse · Suspension peu réactive · La concurrence propose mieux (Kia Rondo et Mazda5)

de troisième rangées sont rabattables afin de libérer un maximum d'espace de chargement: 1901 litres au total. Des espaces de rangement sont aussi accessibles sous le plancher à l'arrière.

[MÉCANIQUE] On ne sait plus trop quel qualificatif utiliser pour décrire la désuétude du moteur à 4 cylindres de 2,4 litres que Chrysler s'entête à boulonner dans les versions de base du Journey. Cette mécanique manque de coffre et de raffinement. Imaginez maintenant: on lui demande de déplacer un véhicule relativement imposant. Pire encore, imaginez-le chargé ou tirant une remorque. Le résultat est peu reluisant! De plus, il est couplé à une boîte de vitesses automatique à 4 rapports seulement. Reste donc l'option du moteur V6 de 3,5 litres qui se veut beaucoup mieux adapté à ce véhicule. De plus, il est jumelé à une boîte automatique à 6 rapports. Voilà une combinaison plus intéressante. Cependant, le consommateur doit opter pour une version plus onéreuse du Journey, pas nécessairement ce que souhaite l'acheteur type.

[COMPORTEMENT] Au volant d'un véhicule à vocation familiale, il faut mettre son chapeau de père de famille et oublier le casque de pilote. Cet exercice nous permet d'apprécier à sa juste valeur le comportement routier d'un véhicule. On s'entend que les prétentions du Journey n'ont rien de sportif. C'est le confort et la douceur de roulement qui sont au rendez-vous et qui séduisent dès les premiers kilomètres parcourus. Des réglages de suspensions un peu trop permissifs rendent la tenue de route un peu

quelconque, toutefois. Ce qui irrite le plus, au risque de me répéter, c'est de se retrouver au volant d'une version équipée du moteur à 4 cylindres. Pour le reste, le Journey remplit à merveille ce pour quoi il a été conçu; mener à bon port la petite famille.

[CONCLUSION] Il ne faut donc pas se surprendre de retrouver plusieurs jeunes familles propriétaires de Journey. Conçu sur mesure pour elles, il se montre spacieux, polyvalent et abordable en version de base. C'est d'ailleurs son prix intéressant qui en fait l'un des préférés des Québécois. Parmi toutes les difficultés qu'a pu connaître Chrysler depuis quelques années, le Journey est l'une des bonnes nouvelles sorties de Dearborn récemment. Malgré quelques défauts gros comme le bras, il demeure dans le coup.

2ᵉ OPINION

BENOIT CHARETTE Voici l'un des véhicules qui a maintenu à flot le fabricant Chrysler durant sa longue traversée du désert en compagnie de Fiat. C'est vrai qu'on achète d'abord ce véhicule pour son prix très abordable; mais attention, le 4-cylindres n'est pas le meilleur atout de ce véhicule. Si votre budget vous le permet, optez plutôt pour le V6, plus agréable avec ce qu'il faut de puissance. On achète ensuite le Journey pour son côté pratique, ses compartiments cachés, bien pensés, l'espace modulable bien aménagé; un véhicule intelligemment conçu pour la petite famille active et qui n'est pas aussi encombrant que les fourgonnettes pleine grandeur. Il faudra faire avec une planche de bord ordinaire et beaucoup de plastique, mais à ce prix, ce sont des défauts d'ordre mineur.

---

⑤ FICHE TECHNIQUE

· MOTEURS
· (SE VALEUR, SE PLUS)
L4 2,4 l DACT, 173 ch à 6000 tr/min
Couple 166 lb-pi à 4400 tr/min
Transmission automatique à 4 rapports
0-100 km/h 10,1 s
Vitesse maximale 190 km/h

· (SXT, R/T)
V6 3,5 l DACT, 235 ch à 6400 tr/min
Couple 232 lb-pi à 4000 tr/min
Transmission automatique à 6 rapports
0-100 km/h 7,7 s
Vitesse maximale 210 km/h
Consommation (100 km)
SXT 10,8 l (octane 87), **R/T** 11,2 l (octane 87)
Émissions de CO$_2$:
SXT 5106 kg/an, **R/T** 5244 kg/an
Litres par année SXT 2220 l **R/T** 2280 l
Coût par an SXT 2220 $ **R/T** 2280 $
Empreinte écologique 32 arbres

· AUTRES COMPOSANTES
Sécurité active freins ABS répartition électronique de force de freinage, antipatinage et contrôle de stabilité électronique
Suspension avant/arrière indépendante
Freins avant/arrière disques
Direction à crémaillère, assistée
Pneus SE valeur, **SE plus** P225/70R16
SXT P255/65R17 **Option SXT, R/T** 255/55R19

· DIMENSIONS
Empattement 2890 mm
Longueur 4887 mm
Largeur 1835 mm
Hauteur 1693 mm
Poids SE 1724 kg, **SXT** 1814 kg, **R/T** 1920 kg
Diamètre de braquage 17 po 11,7 m **19 po** 11,9 m
Coffre 303 l, 1048 l, 1901 l (sièges abaissés)
Réservoir de carburant
SE 70 l **SXT** 77,6 l **R/T** 79,9 l
Capacité de remorquage L4 450 kg **V6** 1600 kg

NOS MENTIONS

☺ Modèle recommandé

NOTRE VERDICT

Plaisir au volant	●●●●◖
Qualité de finition	●●●○○
Consommation	●●●◖○
Rapport qualité/prix	●●●●○
Valeur de revente	●●●○○

NITRO

www.dodge.ca

32 895 $ à 34 220 $
transport et préparation : 1400 $

LA COTE VERTE

MOTEUR
V6 DE 3,7 L

- **Consommation (100km) :**
  man. 11,9 l
  autom. 9,7 l
- **Émissions polluantes CO_2 :**
  5566 kg/an
- **Empreinte écologique (nombre d'arbres à planter par année) :** 32
- **Indice d'octane :** 87
- **Autre motorisation :** non
- **Coût du carburant moyen par année :** 2240 $
- **Nombre de litres par année :** 2240 l

(Source : ÉnerGuide)

 FICHE D'IDENTITÉ

- **Versions** SXT
- **Roues motrices** 4
- **Portières** 5 **Nombre de passagers** 5
- **Première génération** 2007
- **Génération actuelle** 2007
- **Construction** Toledo, Ohio, É.-U.
- **Sacs gonflables** 6 (frontaux, latéraux avant, rideaux latéraux)
- **Concurrence** Chevrolet Equinox, Ford Escape, Honda CR-V, Hyundai Tucson et Santa Fe, Kia Sportage, Jeep Liberty, Mitsubishi Outlander, Nissan Rogue, Subaru Forester, Suzuki Grand Vitara, Toyota RAV4

 AU QUOTIDIEN

- **Prime d'assurance**
  25 ans: 1500 à 1700 $
  40 ans: 900 à 1100 $
  60 ans: 800 à 1000 $
- **Collision frontale** 5/5
- **Collision latérale** 5/5
- **Ventes du modèle de l'an dernier**
  Au Québec 490 **Au Canada** 2348
- **Dépréciation** 65,4 %
- **Rappels** (2005 à 2010) 7
- **Cote de fiabilité** 2/5

 GARANTIES... ET PLUS

- **Garantie générale** 3 ans/60 000 km
- **Garantie motopropulseur** 5 ans/100 000 km
- **Perforation** 5 ans/160 000 km
- **Assistance routière** 5 ans/100 000 km
- **Nombre de concessionnaires**
  Au Québec 93 **Au Canada** 440

 NOUVEAUTÉS EN 2011

- Aucun changement majeur

DRÔLE DE POUTINE

PAR BENOIT CHARETTE

PARFOIS, À VOULOIR TROP BIEN FAIRE, ON SE MET CARRÉMENT LES PIEDS DANS LES PLATS, ET C'EST CE QUE DODGE A FAIT AVEC LE NITRO. En tentant de trouver une niche peu exploitée, les concepteurs ont réussi à rater à peu près toutes les cibles et à tomber dans un « no man's land » automobile.

CARROSSERIE Le style est sa seule force, et c'est probablement ce qui a fait vendre la majorité des véhicules à ce jour. Basé sur une version allongée de la plateforme du Jeep Liberty, il possède la même orientation à 4 roues motrices, mais assis sur un châssis monocoque avec un essieu rigide arrière mais sans boîtier de transfert. Une recette avec de bien drôles de compromis. On laisse tous les défauts sans y mettre de qualité. Tout ce que Dodge a réussi à faire, ça a été de donner un air branché et urbain à ce véhicule.

HABITACLE Comment vous décrire l'intérieur sans faire une séance de démolition. Disons qu'il est austère à la limite du sinistre, les plastiques sortent tout droit du Dollarama,

et les sièges sont un peu raides. Il y a tout de même de bonnes nouvelles. Le tissu des sièges, baptisé YES Essentials, est recouvert d'une formule antitache qui repousse pratiquement tous les dégâts que vous ou vos enfants pourriez faire. Si, par contre, vous êtes seul à bord, le dossier du siège du passager s'abaisse pour se transformer en une petite table. L'espace est généreux, et la garde au toit élevée dégage beaucoup d'espace pour les occupants. Vous pouvez aussi choisir dans la liste des options le système de divertissement MyGig. Je n'ai pas eu assez de ma semaine d'essai pour saisir toutes les subtilités du système. Disons seulement que vous pouvez emmagasiner toute votre musique dans cette mémoire qui devient votre discothèque mobile. Il y a même un système de navigation, une connexion USB et la connectivité Bluetooth pour votre téléphone cellulaire.

MÉCANIQUE Dodge n'offre qu'une seule version, la SXT, mais propose deux mécaniques. Le moteur de base est correct, sans plus. Il s'agit d'un V6 de 3,7 litres de 210 chevaux. Le

FORCES • Belle gueule • Prix concurrentiel • Bien équipé
• Aménagement bien pensé

FAIBLESSES • Matériaux de piètre qualité • Tenue de route aléatoire
• Plutôt gourmand

le Nitro. Si vous tenez mordicus à faire l'achat d'un Dodge, allez voir du côté du Journey, plus économique et bien meilleur.

même moteur qu'on retrouve dans l'ancien Grand Cherokee. Vous avez le choix entre la boîte de vitesses manuelle à 6 rapports ou la vieille automatique à 4 rapports. On reste sur sa faim. Le meilleur choix est le V6 de 4 litres. Un peu plus moderne et, surtout, plus doux, il propose 260 chevaux et, à quelques gouttes près, les mêmes cotes de consommation que le 3,7-litres. Ce n'est pas un foudre de guerre, mais la boîte automatique à 5 rapports travaille plus en douceur que celle du 3,7-litres. Tous les modèles viennent de série avec un système à 4 roues motrices à la volée. On passe de deux à quatre roues en tournant une petite molette.

COMPORTEMENT En un mot la conduite est raide. L'essieu rigide à l'arrière vous fait ressentir le moindre caillou. La suspension ne donne que très peu de confort. La seule bonne nouvelle vient de la liste d'aides électroniques à la conduite comme le contrôle de direction, l'antipatinage et le contrôle directionnel en mode remorquage. Mais dans l'ensemble, le manque de souplesse du véhicule rend l'expérience de conduite désagréable. Il faut impérativement lever le pied quand la route devient sinueuse car l'arrière devient léger et sautillant, la direction semble à certains moments déconnectée de la route, et le freinage est déficient, même avec quatre disques. Tout cela n'est pas très joyeux.

CONCLUSION Dans un univers maintenant bien garni de petits utilitaires urbains, le Nitro est sans doute le dernier modèle que je choisirais. C'est bien simple, n'importe quoi fera mieux que

2e OPINION

DANIEL RUFIANGE Un proche me demandait récemment ce que je pensais du Nitro, sa conjointe étant désireuse de s'en procurer un. Ma réponse fut courte : « Oublie cela ! » Ce n'est pas que je désire m'acharner sur le Nitro, mais en toute conscience, je ne peux recommander un véhicule aussi mauvais. La seule chose qui me plaît du Nitro, ce sont ses lignes, aussi incroyable que cela puisse paraître. Il est différent et il a de la gueule. Toutefois, son habitacle, de mauvais goût et de mauvaise qualité, est un exemple de ce qu'il ne faut pas faire. Sa conduite est atroce; roulis, tangage, mauvaise tenue de route, freinage déficient, moteur poussif et j'en passe. L'effet nouveauté passé, ses ventes sont en chute libre.

FICHE TECHNIQUE
5

- **MOTEURS**
- **(SXT)**
  V6 3,7 l SACT, 210 ch à 5200 tr/min
  Couple 235 lb-pi à 4000 tr/min
  Transmission manuelle à 6 rapports, automatique à 4 rapports
  0-100 km/h 10,3 s
  Vitesse maximale 185 km/h

- **(SXT) OPTION**
  V6 4,0 l SACT, 260 ch à 6000 tr/min
  Couple 265 lb-pi à 4200 tr/min
  Transmission manuelle à 5 rapports, Automatique à 5 rapports
  0-100 km/h 9,4 s
  Vitesse maximale 195 km/h
  Consommation (100 km) 11,6 l (octane 87)
  Émissions de CO$_2$ 5428 kg/an
  Litres par année 2320 l
  Coût par an 2320 $
  Empreinte écologique 34 arbres

- **AUTRES COMPOSANTES**
  Sécurité active freins ABS, antipatinage, contrôle de stabilité électronique
  Suspension avant/arrière indépendante/essieu rigide
  Freins avant/arrière disques
  Direction à crémaillère, assistée
  Pneus P235/65R17 option P245/50R20

- **DIMENSIONS**
  Empattement 2763 mm
  Longueur 4544 mm
  Largeur 1857 mm
  Hauteur 1776 mm
  Poids 3,7 l 1879 kg **4,0 l** 1911 kg
  Diamètre de braquage 11,1 m
  Coffre 909 l, 2141 l (sièges abaissés)
  Réservoir de carburant 74 l
  Capacité de remorquage 2268 kg

NOTRE VERDICT

Plaisir au volant
Qualité de finition
Consommation
Rapport qualité/prix
Valeur de revente

458 ITALIA

www.ferrariquebec.ca

279 000 $
transport et préparation: 3500 $

LA COTE VERTE

MOTEUR
V8 DE 4,5 L

· **Consommation**
(100km): 13,3 l
· **Émissions**
polluantes CO_2 :
6140 kg/an
· **Empreinte écologique**
(nombre d'arbres à
planter par année): 36
· **Indice d'octane**: 94
· **Autre**
motorisation: non
· **Coût du carburant**
moyen par année:
3304 $
· **Nombre de**
litres par année:
2800 l

(SOURCE: ÉnerGuide)

FICHE D'IDENTITÉ

· **Version** unique
· **Roues motrices** arrière
· **Portières** 2 **Nombre de passagers** 2
· **Première génération** 2010
· **Génération actuelle** 2010
· **Construction** Maranello, Italie
· **Sacs gonflables** 4 (frontaux et latéraux)
· **Concurrence** Aston Martin Vantage,
Chevrolet Corvette Z06/ZR1,
Lamborghini Gallardo, Porsche 911 Turbo

AU QUOTIDIEN

· **Prime d'assurance**
25 ans: 8000 à 8200 $
40 ans: 5300 à 5500 $
60 ans: 4000 à 4200 $
· **Collision frontale** nd
· **Collision latérale** nd
· **Ventes du modèle de l'an dernier**
Au Québec nd **Au Canada** nd
· **Dépréciation** nd
· **Rappels** (2005 à 2010) aucun à ce jour
· **Cote de fiabilité** nm

GARANTIES... ET PLUS

· **Garantie générale** 3 ans/kilométrage illimité
· **Garantie motopropulseur** 3 ans/kilométrage ill.
· **Perforation** 3 ans/kilométrage illimité
· **Assistance routière** 3 ans/kilométrage illimité
· **Nombre de concessionnaires**
Au Québec 1 **Au Canada** 3

4 NOUVEAUTÉS EN 2011

· Nouveau modèle

LA NAISSANCE D'UNE (AUTRE) LÉGENDE

PAR MICHAEL BETTENCOURT

LA TOUTE NOUVELLE FERRARI 458 ITALIA EST
SI RAPIDE QUE MÊME FERRARI N'INSISTE PAS
POUR EN DÉVOILER LES VÉRITABLES CHIFFRES.
Est-ce que Ferrari, d'ordinaire une pourvoyeuse de
passion mobile, se serait découvert une soudaine
modestie corporative? À moins qu'il ne s'agisse
d'une stratégie pour commercialiser une nouvelle
auto exotique dans un univers qui réclame du vert?
Ou peut-être a-t-elle décidé d'émuler une habitude
pratiquée par les marques d'élite comme Rolls-
Royce et Bentley qui, des décennies durant, ont
décrit la puissance de leurs moteurs comme « suffisante » et « adéquate ». Non, rien de tout cela. Ferrari est plutôt embêtée par le fait que sa voiture la
moins chère offre des performances égales, sinon
supérieures, à ses autres bolides. Par conséquent,
le seul indice 0 à 100 km/h que Ferrari consent
à dévoiler pour l'Italia se limite à « en-deçà de
3,4 secondes ». En comparaison, la beaucoup
plus coûteuse Ferrari 599 GTO à édition limitée
se vante d'un chrono très précis de 3,35 secondes.

[CARROSSERIE] Une 458 Italia est actuellement
exposée au musée Galleria qui se trouve en face de
l'usine de Maranello d'où sortent tous les modèles
de la marque. Même en s'exhibant à côté d'une
F430, la Ferrari la plus vendue de tous les temps,
le design réussi de la 458 accomplit l'inévitable:
faire en sorte que sa superbe devancière paraisse
démodée. Autour du musée, un nouveau genre
de commerce prend de l'expansion: des vendeurs
de rue offrent des balades à bord de vieux ou de
récents modèles Ferrari. La très gentille Brési-
lienne avec qui j'ai discuté m'offrait 10 minutes
dans une nouvelle California pour 80 euros,
ou 100 pour la plus rapide et la plus coûteuse
F430 Scuderia, une auto qui – à l'instar de la
supervoiture Enzo – peut boucler la fameuse
piste d'essai de Fiorano avec le même chrono de
1 minute 25 que signe la 458. Il y avait même un
téméraire vendeur qui offrait une balade dans
une Lamborghini Gallardo, la rivale la plus directe
de la 458. Assemblées toutes les deux à 45 min-

FORCES · Belle mais aussi modeste · Inspirée de la F1
· Coupé « abordable » avec les performances d'une supervoiture
· Direction ultra vive · Révolutionne jusqu'à 9 000 tr/min !
FAIBLESSES · Première Ferrari à ne pas offrir une boîte manuelle · Direction
parfois trop directe à grande vitesse · Il lui faut un circuit fermé pour exprimer
son plein potentiel

HISTORIQUE

Nouveau flambeau d'une longue tradition, la 458 devient le modèle d'entrée de gamme de la famille Ferrari et prend sa place dans l'histoire prestigieuse de la famille. Malgré ses lignes très contemporaines, on garde le même esprit de corps que les lointaines Ferrari 308 des années 70.

[MÉCANIQUE]

Étrangement, on parle ici du même nombre de chevaux et de livres-pieds pour l'Italia et la Gallardo Superleggera: respectivement 570 et 338. Mais la différence réside dans la manière d'atteindre ces statistiques: le grognement machiste de la Lambo provient d'un V10 de 5,2 litres, alors que la Ferrari a recours à un V8 de 4,5 litres, comme le suggère son nom, et ce, même si le chiffre 48 ou le patronyme n'apparaissaient pas sur notre voiture d'essai de préproduction. Ces deux engins en disent beaucoup sur leur façon d'enjôler les enthousiastes. La Ferrari emprunte le chemin qui mène au paradis des performances à l'aide d'une technologie dernier cri inspirée de la F1, tandis que Lamborghini propose une séduction plus immédiate, plus abrasive. Toutes les deux, toutefois, se concentrent sur la relation entre l'homme et sa machine au lieu de se contenter d'aller vite. De toute façon, quand il s'agit de vitesse maximale, Ferrari a encore recours à ses réponses évasives, avec quelque chose comme « plus de 325 km/h », ce qui reviendrait à la même vitesse de pointe que la Gallardo. Cela dit, la Ferrari semble plus avancée technologiquement. Elle affiche un corps subtilement plus aérodynamique, comprenant un aileron arrière intégré, de petites entrées d'air dans les phares et à l'arrière (mais pas sur les flancs). La boîte de vitesses à 7 rapports à double embrayage se situe aussi à des années-lumière devant la boîte plus primitive employée par la Lambo et la F430.

utes de route l'une de l'autre, la Gallardo propose aussi une allure basse et sensuelle, 570 chevaux (dans sa version Superleggera), en plus d'afficher un prix oscillant aussi dans les 270 000 $.

[HABITACLE] Cette Ferrari marque un tournant historique pour cette entreprise pourtant célèbre pour son amour de la technologie: il s'agira de la toute première à ne pas offrir une boîte de vitesses manuelle, non seulement pour des raisons de performance, mais également pour respecter diverses normes environnementales. Observons, si vous le voulez bien, une minute de silence pour la disparition du traditionnel « click-click » que produisait le parcours cranté métallique depuis 50 ans, une signature copiée par tant de rivales encore aujourd'hui. Il est fort probable qu'il soit humainement impossible d'embrayer aussi rapidement que la nouvelle boîte séquentielle qui ne requiert même pas qu'on lève le pied de l'accélérateur. Mais ce « click-click » sera regretté par tous ceux qui étaient autant attachés à l'expérience tactile qu'à la vitesse pure. Ferrari réplique qu'elle vend maintenant moins de 5 % de ses modèles équipés d'une boîte manuelle. Combinez cette tendance avec les objectifs avoués de Ferrari d'améliorer sa consommation de carburant, plus son souhait de produire des versions hybrides de toutes ses voitures d'ici quatre ans, et je prédis l'abandon de la pédale d'embrayage sur tous les modèles.

DÉTAIL INTÉRESSANT, LES LEVIERS DE SÉLECTIONS SONT LES SEULES EXCROISSANCES DERRIÈRE LE VOLANT. LES COMMANDES POUR LE CLIGNOTANTS, LES ESSUIE-GLACES ET LE LAVE-GLACE SONT TOUTES DES BOUTONS PLACÉS SUR LE VOLANT.

FERRARI 308

FERRARI 328 GTS

| 221

FERRARI 348 GTS

FERRARI MONDIAL CABRIO

FERRARI F355 GTS

FERRARI 360

FERRARI F 430

FERRARI 458

458 ITALIA

A

B

C

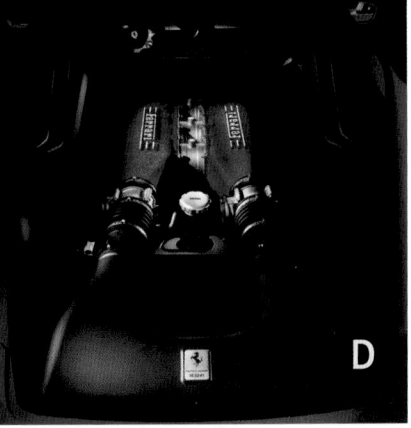

D

GALERIE

A Pour simplifier la conduite, les commandes principales sont réunies sur le volant pour laisser tout l'arrière libre pour la boîte séquentielle à double embrayage. Le conducteur peut ainsi modifier rapidement les différents modes de suspension et les niveaux d'aides électroniques ; ceux-ci sont composés du mode Sol glissant permettant de maintenir toutes les aides, du mode Sport permettant une plus grande marge de manœuvre et des modes Race, CT off et CST off pour les pilotes plus expérimentés. Les clignotants, le klaxon et les essuies-glaces ne sont pas aussi évidents à opérer.

B La triple sortie d'échappement est similaire à celle de la F40. Le diffuseur exerce une poussée verticale vers le sol allant jusqu'à 140 kilos à 200 km/h.

C En plus du diffuseur à l'arrière, deux lames déformables sont placées à l'avant du capot pour faciliter l'écoulement de l'air. Elles s'abaissent d'un maximum de 200 mm selon la vitesse de la voiture. En plus de garder la voiture collée au sol, ces différentes modifications permettent à la 458 d'obtenir un CX de 0,33.

D Par rapport à la F430, la base mécanique est similaire, mais elle a fait l'objet de diverses modifications. Toujours monté en position centrale arrière, le V8 bénéficie désormais d'une injection directe. Sa cylindrée est portée de 4,3 à 4,5 litres, ce qui lui permet de développer une puissance de 570 chevaux à 9 000 tr/min, soit 80 de plus que la F430 ; sa puissance spécifique atteint ainsi 127 chevaux par litre de cylindrée.

E La 458 innove par ses optiques de phares, utilisant la technologie des diodes électroluminescentes.

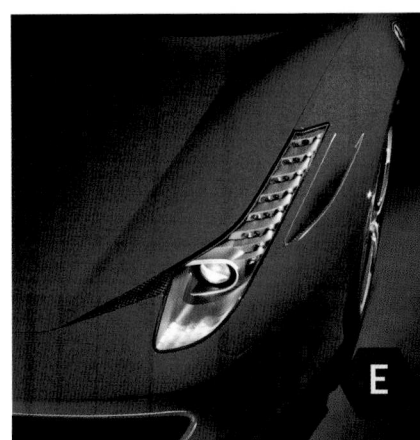

E

Mais ce boudin aux 1001 fonctions réalise la plus importante avec brio: aiguiller l'auto sur le pavé au millimètre près. La 458 dispose d'une toute nouvelle suspension en aluminium laquelle, combinée avec les deux tours de volant complets d'une butée à l'autre, contribue à l'ultra rapidité de cette direction, dotée de réflexes aussi chirurgicaux, qu'on roule à 20 ou à 220 km/h. De telle sorte que l'auto vous oblige à être très concentré, ne vous laissant même pas la marge de manœuvre pour éternuer. Afin de stabiliser le bolide, les ingénieurs ont intégré des ailettes au museau qui collent l'auto au sol par simple pression d'air. Des ailettes similaires ont déjà été utilisées en F1, puis condamnées parce qu'elles procuraient un avantage déloyal à leurs utilisateurs.

[COMPORTEMENT] À partir du siège du conducteur, il est impossible de ne pas être impressionné. La boîte Getrag – identique à celle qu'on retrouve dans la nouvelle Mercedes-Benz SLS – survole rapidement les vitesses en mode automatique avec une surprenante douceur, de sorte que je suis en 5e en criant ciseau. Ça aide surement à atteindre l'étonnante consommation combinée de 13,3 litres aux 100 kilomètres, tout en privant l'auto de révolutions, ce dont elle a vraiment besoin pour chanter juste. Parce que le cap des 570 chevaux est atteint à proximité de l'invraisemblable zone rouge qui débute à 9 050 tours par minute, et aussi parce qu'il se produit une rauque résonance métallique à basse vitesse. Au-dessus des 6000 tours, voilà où se situe le bonheur. Écrasez l'accélérateur, et la rapidité maniaque avec laquelle cet engin file vers la zone rouge est hallucinante! Ça rend l'option du volant qui intègre un compte-tours à diodes électroluminescentes très souhaitable. Atteindre cette zone rouge n'est pas facile, dans les courbes ou les virages, alors prévoyez de réserver du temps de piste sur un circuit privé si vous tenez à votre permis de conduire. Détail intéressant, les leviers de sélection sont les seuls excroissances derrière le volant. Les commandes pour les clignotants, les essuie-glaces et le lave-glace sont toutes des boutons placés sur la charmante partie inférieure rectiligne du volant, avec les autres interrupteurs pour démarrer l'engin, adoucir la suspension et allumer les phares de route. En plus, on y retrouve le cadran emprunté à la F1 qui nous permet de jongler avec les réglages de la boîte. Il s'agit de loin du volant le plus encombré de toute l'industrie!

[CONCLUSION] Paradoxalement, si on dit de la 458 Italia qu'elle vit pour les performances, nous sommes loin de la vérité. Il y a de l'histoire, à la fois sur et hors piste, de la technologie et un talent artistique indéniable qui exultent du dernier rejeton du studio de design Pininfarina, mais ces qualités ont été jouées mollo par rapport aux standards habituels de Ferrari. Alors, même si on reste vague au sujet de ses réelles spécifications, la 458 Italia rassure le vrai amateur de Ferrari en amorçant une nouvelle légende à l'aide d'une automobile dont le style débonnaire, les sonorités et la vitesse valent assurément plus que 10 euros la minute.

⑤ FICHE TECHNIQUE

· MOTEUR
· (F458)
V8 4,5 l DACT, 570 ch à 9000 tr/min
Couple 398 lb-pi à 6000 tr/min
Transmission manuelle robotisée à 7 rapports
0-100 km/h 3,4 s
Vitesse maximale 325 km/h

· AUTRES COMPOSANTES
Sécurité active freins ABS, antipatinage
Suspension avant/arrière indépendante
Freins avant/arrière disques
Direction à crémaillère, assistée
Pneus P235/35ZR20 (av.), P295/35ZR20 (arr.)

· DIMENSIONS
Empattement 2650 mm
Longueur 4527 mm
Largeur 1937 mm
Hauteur 1213 mm
Poids 1485 kg
Diamètre de braquage 10,8 m
Coffre 230 l
Réservoir de carburant 86 l

NOS MENTIONS

 ☺ Modèle recommandé

 ♥ Coup de coeur

NOTRE VERDICT

Plaisir au volant	⬡⬡⬡⬡⬡
Qualité de finition	⬡⬡⬡⬡⬡
Consommation	⬡⬡⬡⬡⬡
Rapport qualité/prix	⬡⬡⬡⬡⬡
Valeur de revente	Nm

599

www.ferrariquebec.ca

ÉVOLUTION

À partir de **399 000 $**
transport et préparation: 3500 $

LA COTE VERTE

MOTEUR
V12 DE 6,0 L

·Consommation
(100km):
man. 16,5 l
robo. 16,7 l
·Émissions
polluantes CO$_2$:
man. 7728 kg/an
robo. 7820 kg/an
·Empreinte écologique
(nombre d'arbres à
planter par année): 48
·Indice d'octane: 91
·Autre
motorisation non
·Coût du carburant
moyen par année:
man. 3763 $
robo. 3808 $
·Nombre de
litres par année:
man. 3360 l
auto. 3400 l

(SOURCE: ÉnerGuide)

① FICHE D'IDENTITÉ

· **Version** GTB Fiorano, GTO
· **Roues motrices** arrière
· **Portières** 4 **Nombre de passagers** 2
· **Première génération** 2007
· **Génération actuelle** 2007
· **Construction** Maranello, Italie
· **Sacs gonflables** 4 (frontaux, latéraux)
· **Concurrence** Aston Martin DBS,
  Bentley Continental GT/Speed,
  Lamborghini Murciélago,
  Mercedes-Benz McLaren SLR

② AU QUOTIDIEN

· **Prime d'assurance**
  25 ans : 15 000 à 15 300 $
  40 ans : 9500 à 9800 $
  60 ans : 8000 à 8500 $
· **Collision frontale** nd
· **Collision latérale** nd
· **Ventes du modèle de l'an dernier**
  Au Québec nd **Au Canada** nd
· **Dépréciation** (2 ans) 31,4% (modèle 2009)
· **Rappels** (2005 à 2010) aucun à ce jour
· **Cote de fiabilité** nd

③ GARANTIES... ET PLUS

· **Garantie générale** 3 ans/kilométrage illimité
· **Garantie motopropulseur** 3 ans/kilométrage ill.
· **Perforation** 3 ans/kilométrage illimité
· **Assistance routière** 3 ans/kilométrage illimité
· **Nombre de concessionnaires**
  Au Québec 1 **Au Canada** 3

④ NOUVEAUTÉS EN 2011

· Version GTO

LES NOCES DE CANA

PAR BENOIT CHARETTE

SANS FAIRE DE PARALLÈLE AVEC LA RELIGION, FERRARI CONTINUE DE MULTIPLIER LE NOMBRE DE VERSIONS DE LA 599. Comme Jésus avait changé l'eau en vin et fait boire tous les invités aux noces de Cana, il semble que Ferrari veut rejoindre toutes les sphères de clientèles possibles pour sa 599. Née en 2006, la 599 Fiorano est toujours l'une des reines de la production automobile mondiale. Depuis peu, Ferrari a introduit une version XX spécialement conçue pour la piste et a récemment ressuscité la prestigieuse appellation GTO. Et la Scuderia prévoit ajouter un modèle cabriolet d'ici l'an prochain.

[CARROSSERIE] Plus belle Ferrari de tous les temps pour certains, forme obligée d'une GT pour d'autres, une chose est certaine, la 599 aura sa place au panthéon des GT. Elle incarne tout ce qui fait d'une voiture une véritable GT qui peut même se vanter d'être une GTO depuis peu, une récompense rare même chez Ferrari. Qui dit GTO, dit course, et même si les 599 offrent toutes le même nez long et une silhouette à la taille basse, la GTO a fait l'objet d'une sérieuse diminu-

tion de poids. Le carbone, largement utilisé pour les boucliers, les sièges et les habillages intérieurs, permet d'effacer 39 kilos, tandis qu'un travail sur les organes mécaniques (échappements hydroformés, tube de transmission et barres antiroulis creuses, freins, roues...) coupe encore 46 kilos. Au total, en y ajoutant des vitres plus fines et des ouvrants allégés, les 100 kilos gagnés donneront un élan supplémentaire.

[HABITACLE] Le décor dans la 599 est sportif mais civilisé, l'insonorisation est bonne, les sièges confortables et la sono aussi. Avec le groupe HGTE, Ferrari voulait monter d'un cran l'esprit sportif de la voiture, en supposant que cela était vraiment nécessaire. Pour ceux qui veulent une 599 de compétition, il y a maintenant la GTO. Plaque d'aluminium en guise de revêtement de sol, baquets aux bourrelets protubérants et carbone omniprésent jusqu'au volant et aux leviers de sélection – allongés – de passage des rapports : on se croirait presque au volant d'une voiture des 24 heures du Mans. Le célèbre « manettino » permettant de paramétrer tous les systèmes

FORCES · Puissance irréelle · Sonorité du moteur jouissive
· Freinage hallucinant · Grande efficacité motrice

FAIBLESSES · Tout est déjà vendu ou presque · Prix indécents
· Châssis assez lourd (599 GTB)

électroniques (accélérateur, boîte, suspension, différentiel piloté, antipatinage et antidérapage) perd la position Neige au profit d'un bien plus sportif CT barré (antipatinage coupé), qui autorise aux plus téméraires quelques glissades sur circuit. Selon quelques personnes qui ont eu la chance de faire des balades au volant d'une version GTO, l'insonorisation est beaucoup moindre, et le V12 vous hurle dans les oreilles.

[MÉCANIQUE] Je suis le premier à vous confirmer que les 612 chevaux de la 599 de base sont plus que suffisants, et je peux vous affirmer qu'aucune route du Québec ne vous permet d'exploiter ne serait-ce que la moitié de son potentiel. Sur la GTO, la puissance passe de 612 à 664 chevaux grâce à son taux de compression plus élevé, une réduction de ses frictions internes, un vilebrequin du type 599XX et un contrôle fin du cliquetis. Ferrari a aussi travaillé la boîte de vitesses à double embrayage. La séquence débrayage, changement de rapport, réembrayage et ouverture de l'accélérateur chute

ainsi de 100 millisecondes pour une 599 GTB à seulement 60 milliseconds pour la GTO, comme sur la 430 Scuderia (120 ms pour l'Enzo). La GTO annonce le 0 à 200 km/h en tout juste 9,8 secondes!

[COMPORTEMENT] Lors de mon essai de la version GTB au circuit du Mont-Tremblant, j'ai été surpris de l'agilité de cette grosse et lourde carcasse. On sent le poids, mais l'électronique embarquée fait des merveilles pour contenir le tout, et même en engageant la sélection sur le mode sport, on peut avoir encore beaucoup de plaisir avant que la fée électronique entre en jeu. Mes temps limités de pilote m'interdisaient d'utiliser le mode RACE qui désengage l'électronique, il faut être un pilote aguerri pour faire « mano a mano » avec une 512. J'ai peine à imaginer comment il est possible de maîtriser une GTO qui fait 50 chevaux de plus et 100 kilos en moins.

[CONCLUSION] La 599 est et demeurera une voiture d'exception, la version GTO apparue sur un peu plus de 30 exemplaires sur un modèle 250 en 1962 et la rarissime GTO de 1984, l'ancêtre des voitures exotiques ont maintenant une 599 dans leur club très sélect.

⑤

- **MOTEURS**
- **(GTB Fiorano)**
V12 6,0 l DACT, 620 ch à 7600 tr/min
Couple 448 lb-pi à 5600 tr/min
Transmission manuelle à 6 rapports, manuelle robotisée à 6 rapports (en option)
0-100 km/h 3,7 s
Vitesse maximale 330 km/h

- **(GTO)**
V12 6,0 l DACT, 670 ch à 8250 tr/min
Couple 457 lb-pi à 6500 tr/min
Transmission manuelle robotisée à 6 rapports
0-100 km/h 3,4 s
Vitesse maximale 335 km/h
Consommation (100 km) 17,5 l (octane 91)
Émissions de CO_2 nd
Litres par année nd
Coût par an nd
Carburant alternatif non
Empreinte écologique nd

- **AUTRES COMPOSANTES**
Sécurité active freins ABS, antipatinage, contrôle de stabilité électronique
Suspension avant/arrière indépendante
Freins avant/arrière disques
Direction à crémaillère, assistée
Pneus P245/40R19 (av.), P305/35R20 (arr.)
GTO P285/30R20 (av.), P315/35R20 (arr.)

- **DIMENSIONS**
Empattement GTB 2751 mm
Longueur GTB 4666 mm **GTO** 4710 mm
Largeur 1961 mm
Hauteur GTB 1335 mm **GTO** 1326 mm
Poids GTB 1688 kg **GTO** 1605 kg
Diamètre de braquage nd
Coffre GTB 326 l **GTO** 320 l
Réservoir de carburant GTB 127 l **GTO** 105 l

NOTRE VERDICT

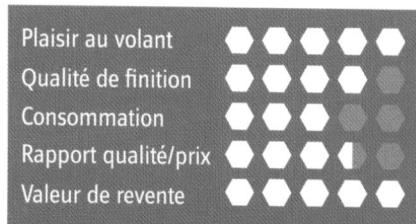

Plaisir au volant
Qualité de finition
Consommation
Rapport qualité/prix
Valeur de revente

612 SCAGLIETTI

www.ferrariquebec.ca

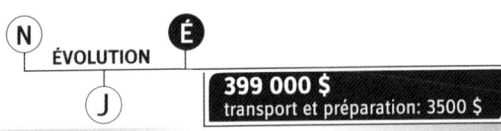

ÉVOLUTION N É J

399 000 $
transport et préparation: 3500 $

① FICHE D'IDENTITÉ

· **Versions** unique
· **Roues motrices** arrière
· **Portières** 2 **Nombre de passagers** 2+2
· **Première génération** 2004
· **Génération actuelle** 2004
· **Construction** Maranello, Italie
· **Sacs gonflables** 4 (frontaux, latéraux)
· **Concurrence** Bentley Continental GT,
Jaguar XKR, Mercedes-Benz CL600

② AU QUOTIDIEN

· **Prime d'assurance**
25 ans: 15 000 à 15 300 $
40 ans: 9500 à 9800 $
60 ans: 8000 à 8500 $
· **Collision frontale** nd
· **Collision latérale** nd
· **Ventes du modèle de l'an dernier**
Au Québec nd **Au Canada** nd
· **Dépréciation** nd
· **Rappels** (2005 à 2010) 2
· **Cote de fiabilité** 3,5/5

③ GARANTIES... ET PLUS

· **Garantie générale** 3 ans/kilométrage illimité
· **Garantie motopropulseur** 3 ans/kilométrage illimité
· **Perforation** 3 ans/kilométrage illimité
· **Assistance routière** 3 ans/kilométrage illimité
· **Nombre de concessionnaires**
· **Au Québec** 1 **Au canada** 3

④ NOUVEAUTÉS EN 2011

· Aucun changement majeur

TOURNÉE D'ADIEU

PAR MICHEL CRÉPAULT

DANS LE PAYSAGE AUTOMOBILE DEPUIS MAIN-
TENANT PLUS DE SIX ANS, LA 612 SCAGLIETTI
(QUI AVAIT SUCCÉDÉ À LA 456M) EN EST À SES
DERNIERS KILOMÈTRES. Le modèle 2011 cédera
la place à un nouveau pour le millésime 2012.
Chant du cygne...

[CARROSSERIE] La 612 Scaglietti est la manière
de Ferrari d'encourager la natalité puisque
quatre personne peuvent confortablement y
trouver refuge. Qu'on se le dise, papa et maman,
vous n'avez plus besoin de louer une fourgonnette la fin de semaine pour partir au bord de la
plage en famille – ou alors prêter vos enfants aux
premiers voisins naïfs du quartier si la conduite
d'une fourgonnette vous déprime à ce point. Mais
comment accoucher d'une berline, finalement,
sans porter ombrage au nom Ferrari? En gardant basse la silhouette, en couchant les phares
sur l'infini capot et en ne perdant pas de vue les
signatures visuelles que sont la calandre, l'écusson
au cheval cabré et l'arrière où tout vient par groupe
de quatre (feux et embouts d'échappement). Et
puis, quoi, l'auto est signée Pininfarina, ce qui, en

soi, est un exploit. La Scaglietti (en l'honneur du
carrossier – prénom Sergio – qui traduit dans le métal – ici, de l'alu – les inspirations du styliste) n'est
pas la plus fascinante des Ferrari à admirer, mais elle
réussit à communiquer un sentiment d'exotisme...
sous contrôle (tel un anneau de mariage).

[HABITACLE] Voici un intérieur qui a l'agréable
tâche de cajoler tout en donnant les outils pour
s'éclater. Ainsi, le cuir est abondant, les baquets
sont seyants comme une tenue de plongée, et la
sono Bose irradie ses décibels ourlés. En même
temps, les cadrans ostensibles, les interrupteurs placés partout comme ceux d'un jet nous
rappellent que, si le cœur nous en dit, il y a du
bon pilotage à abattre! La banquette arrière
propose quelque chose de mieux qu'un vulgaire
2+2, le dégagement pour la tête et les jambes
étant satisfaisant même pour une personne de
1,80 mètre. Le défi, c'est de s'y rendre! L'héritière
de la 612 renforcera cette image de grande routière
avec des dossiers de banquette pliables (comme
la California). En attendant, on peut glisser deux
sacs de golf ou cinq valises taillées sur mesure.

FORCES · V12 aux manières divines · Banquette arrière confortable (bien
qu'ardue à atteindre) · Intéressante alternative à la Dodge Grand Caravan...

FAIBLESSES · Silhouette belle mais pas passionnante · Poids, consommation,
entretien, options et prix qui n'aiment pas les chiffres insignifiants

⑤ FICHE TECHNIQUE

- **MOTEUR**
- V12 5,7 l DACT, 540 ch à 7250 tr/min
  Couple 434 lb-pi à 5250 tr/min

Transmission manuelle robotisée à 6 rapports
0-100 km/h 4,0 s
Vitesse maximale 320 km/h

- **AUTRES COMPOSANTES**

Sécurité active freins ABS, antipatinage, contrôle de stabilité électronique
Suspension avant/arrière indépendante
Freins avant/arrière disques
Direction à crémaillère, assistée
Pneus P245/40R19 (av.), P285/40R19 (arr.)

- **DIMENSIONS**

Empattement 2949 mm
Longueur 4902 mm
Largeur 1956 mm
Hauteur 1344 mm
Poids 1875 kg
Diamètre de braquage nd
Coffre 240 l
Réservoir de carburant 109 l

[MÉCANIQUE] La puissance du V12 de 5,7 litres est acheminée aux roues arrière. Une boîte de vitesses à la F1, dotée de 6 rapports se contrôlant à partir du volant si on fuit la paresse de l'automatique. La remplaçante recevra certainement la boîte automatique à double embrayage et à 7 rapports qui, plus rapidement qu'on le croit, fraye son chemin dans toute l'écurie Ferrari. On prédit que la nouvelle venue continuera à honorer le signor Scaglietti mais remplacerait le chiffre 612 (6 pour la cylindrée – enfin, un 5,7 arrondi... – et 12 pour le nombre de cylindres) par 640 puisque le muscle passerait de 540 à 640 chevaux! Surtout, la future Scaglietti recevra une transmission intégrale...

[COMPORTEMENT] C'est bien beau de posséder une Ferrari, mais comment en jouir comme les vrais amateurs? Depuis l'an dernier, la firme de Maranello a greffé au volant une « manettino », une petite roulette qui permet au pilote de sélectionner l'un des cinq modes de fonctionnement du V12 et de ses composants associés. Nous sommes loin du carrosse de banlieue! L'aplomb du coupé emprunte sa technique, je crois, aux tentacules du poulpe, tandis que son chant est symphonique. Dans le genre, pour déposer les jumelles à leur cours de ballet (ou de physique quantique, c'est selon): inégalable.

[CONCLUSION] Pour déplacer quatre personnes dans une automobile aussi performante, on peut songer à la Bentley Continental GT, à la Mercedes-Benz CL triturée par AMG ou, quant à rester Italien, à la Maserati GranTurismo (ou même la Quattroporte, encore plus pratique). Mais elles sont toutes plus lourdes... et ce ne sont pas des Ferrari!

2ᵉ OPINION

BENOIT CHARETTE La Ferrari 612 arrive au crépuscule de sa vie, on parle d'une remplaçante dès l'an prochain. Selon les informations les plus sérieuses, la nouvelle Scaglietti recevra un nouveau V12 à essence plus puissant, plus économique et surtout plus propre que le V12 actuel. On parle même de faire de cette belle Italienne une version hybride pour 2014. Le moteur à essence sera épaulé par deux moteurs électriques qui viendront entraîner les roues avant en cas de besoin. A priori, le but de l'hybridation chez Ferrari n'est donc pas de réduire la consommation et les émissions polluantes mais d'améliorer la tenue de route et la motricité dans les virages. Un autre point de vue sur l'hybridation...

NOTRE VERDICT

Plaisir au volant	⬡⬡⬡⬡⬡
Qualité de finition	⬡⬡⬡⬡⬡
Consommation	⬡⬡⬡⬡⬡
Rapport qualité/prix	⬡⬡⬡⬡⬡
Valeur de revente	⬡⬡⬡⬡⬡

CALIFORNIA

www.ferrariquebec.ca

ferrari

LA COTE VERTE

MOTEUR
V8 DE 4,3 L

- **Consommation (100km):** 13,8 l
- **Émissions polluantes CO_2 :** 6762 kg/an
- **Empreinte écologique (nombre d'arbres à planter par année):** 36
- **Indice d'octane:** 91
- **Autre motorisation:** non
- **Coût du carburant moyen par année:** 3293 $
- **Nombre de litres par année:** 2940 l

(SOURCE: ÉnerGuide)

228

① FICHE D'IDENTITÉ

- **Version** California
- **Roues motrices** arrière
- **Portières** 2 **Nombre de passagers** 2+2
- **Première génération** 2010
- **Génération actuelle** 2010
- **Construction** Maranello, Italie
- **Sacs gonflables** 4 (frontaux et latéraux)
- **Concurrence** Aston Martin V8 Vantage, Chevrolet Corvette Z06/ZR1, Dodge Viper, Lamborghini Gallardo, Porsche 911 Turbo

② AU QUOTIDIEN

- **Prime d'assurance**
  25 ans: 8000 à 8200 $
  40 ans: 5300 à 5500 $
  60 ans: 4000 à 4200 $
- **Collision frontale** 5/5
- **Collision latérale** 5/5
- **Ventes du modèle de l'an dernier**
  Au Québec nd Au Canada nd
- **Dépréciation** nm
- **Rappels** (2005 à 2010) aucun à ce jour
- **Cote de fiabilité** nd

③ GARANTIES... ET PLUS

- **Garantie générale** 3 ans/kilométrage illimité
- **Garantie motopropulseur** 3 ans/kilométrage ill.
- **Perforation** 3 ans/kilométrage illimité
- **Assistance routière** 3 ans/kilométrage illimité
- **Nombre de concessionnaires**
  Au Québec 1 Au Canada 3

④ NOUVEAUTÉS EN 2011

- Aucun changement majeur

L'EXOTISME POUR LES NULS

PAR MICHEL CRÉPAULT

AFIN D'AUGMENTER SA CLIENTÈLE ET SANS DILUER SON PEDIGREE, FERRARI A MULTIPLIÉ LES PRIMEURS POUR ACCOUCHER D'UNE VOITURE QUE LE PREMIER MILLIONNAIRE VENU PEUT S'OFFRIR SANS RISQUER D'AVOIR L'AIR FOU EN ÉTOUFFANT LE MOTEUR AU FEU VERT.

[CARROSSERIE] Un cabriolet chez Ferrari, on a déjà vu cela. Pensez aux versions Spyder de la 365 Daytona ou de la F430. Mais que l'azur bleu soit accessible à partir d'un toit rigide et escamotable, il s'agit d'une première accordée à la California (prénommée ainsi en l'honneur de la 250 GT des années 50).

[HABITACLE] L'indicateur de vitesse sait compter jusqu'à 340 km/h. De la frime? Ferrari dit avoir bridé la vitesse maxi à 325 km/h. Ne vous reste plus qu'à soudoyer assez de policiers sur une droite suffisamment longue pour aller le vérifier. Des porte-gobelet? Un seul, au centre, et certains puristes le trouvent déjà de trop. Le coffre, encombré par les panneaux du toit, accepte néanmoins un gros sac de golf et,

nouveauté, les dossiers de la banquette se rabattent (50/50). Un 2+2? Oubliez les adultes, à moins de leur scier les jambes. En Europe, Ferrari offre de remplacer les ceintures de sécurité arrière par un capitonnage à l'intention de bagages supplémentaires. Pas chez nous. L'ouverture du toit ne prend que 14 secondes, sans doute un record.

[MÉCANIQUE] Aussi pour la première fois de son histoire, Ferrari a placé son moteur à l'avant. Le V8 de 4,3 litres de 462 chevaux, version assagie de la F430, a été forgé en aluminium. Autre première: l'utilisation de l'injection directe de carburant. Et encore une première: la suppression de la boîte de vitesses manuelle. La séquentielle automatique, progrès oblige, dénombre 7 rapports, tous contrôlables à partir de leviers de sélection au volant. Bien entendu, si c'est la dolce vita qui vous intéresse, vous n'aurez qu'à positionner le sélecteur en mode automatique, l'électronique du bolide s'occupant de tout. Cette boîte Getrag dispose d'un double embrayage, comme c'est de plus en plus la tendance du côté des voitures qui vénèrent les

FORCES • Bolide pour toutes les saisons et pour tout le monde (suffisamment nanti) • Pléiade de primeurs destinée à faciliter la vie à bord

FAIBLESSES • Banquette arrière pour la forme • Toujours ardu de passer du rêve à la réalité pour le commun des mortels

réactions aux millièmes de seconde. La California est équipée d'un dispositif d'abord baptisé *Launch Control*, comme les autres, puis renommé PS (pour *Performance Start*), parce que Ferrari trouvait que la première appellation comportait une mauvaise connotation. Peu importe, le bidule automatise des accélérations foudroyantes. Si vous vous estimez plus habile que la machine, ce sera un chrono de 4,0 secondes au 0 à 100 km/h qu'il vous faudra battre. Bonne chance!

[COMPORTEMENT] Difficile de trouver moment plus orgasmique dans l'univers de l'automobile que le démarrage d'une Ferrari. Imaginez le croisement entre une Harley-Davidson et un fauve blessé à mort. J'en ai des frissons rien qu'à rejouer le CD dans ma tête. Il se passe avec la California le même phénomène que j'ai été à même de constater chez Porsche. Avec le temps, même une bête comme la 911 s'est civilisée. Finie la pédale d'embrayage qui exigeait une cuisse d'haltérophile ou le cap impossible à garder. De nos jours, un novice peut conduire une 911 (régulière, s'entend) et ne courra aucun risque (tant qu'il respectera les lois de la physique). Même chose pour la California: autant des Ferrari avant elles se sont montrées capricieuses, neurasthéniques même, celle-ci se présente sage comme une image. À moins de vouloir jouer avec le feu en manœuvrant la « manettino » pour désactiver les aides électroniques. Veuillez alors disposer de certaines aptitudes au pilotage car la California, jusque-là docile, peut devenir imprévisible de l'arrière.

[CONCLUSION] On dit de la California qu'elle a ce qu'il faut pour aguicher davantage une clientèle féminine. Vrai: les femmes représentent à ce jour 7 % des acheteurs, contre 1 %, par exemple, dans le cas de la F430. Avec la California, Ferrari démocratise le pilotage d'une exotique et, de surcroît, elle est la moins chère des Ferrari sur le marché!

2ᵉ OPINION

BENOIT CHARETTE La California représente le début d'une nouvelle ère pour la petite firme de Maranello. Elle brise le moule de la tradition, mais en respectant ce qui a fait de Ferrari une légende. C'est la première Ferrari à toit rétractable rigide qui passe de coupé à cabriolet en 14 secondes. C'est aussi la première GT à moteur avant V8 au lieu du célèbre V12. C'est aussi la première Ferrari moderne avec suspension multibras (et non à double triangulation) pour une conduite plus confortable.
La tradition demeure avec une sonorité moteur qui vous fera frissonner; résultat: 462 chevaux et le 100 km/h départ-arrêté en 4,0 secondes. Ferrari a réussi à conserver l'âme de la marque dans une voiture qui est agréable à conduire au quotidien, c'est là sa plus belle réussite avec la California.

⑤ FICHE TECHNIQUE

· MOTEUR
V8 4,3 l DACT, 462 ch à 7750 tr/min
Couple 358 lb-pi à 5000 tr/min
Transmission séquentielle à 7 rapports (en option)
0-100 km/h 4,0 s
Vitesse maximale 325 km/h

· AUTRES COMPOSANTES
Sécurité active freins ABS, antipatinage, contrôle électronique de la stabilité
Suspension avant/arrière indépendante
Freins avant/arrière disques ventilés
Direction à crémaillère, assistée
Pneus P245/40ZR19 (av.), P285/40ZR19 (arr.)
Option : P245/35ZR20 (av.), P285/35ZR20 (arr.)

· DIMENSIONS
Empattement 2670 mm
Longueur 4563 mm
Largeur 1902 mm
Hauteur 1308 mm
Poids 1735 kg
Diamètre de braquage 10,8 m
Coffre 340 l (240 l toit abaissé)
Réservoir de carburant 78 l

NOS MENTIONS

♥ Coup de coeur

NOTRE VERDICT

Plaisir au volant	⬢⬢⬢⬢⬢
Qualité de finition	⬢⬢⬢⬢⬡
Consommation	⬢⬢⬡⬡⬡
Rapport qualité/prix	⬢⬢⬢⬡⬡
Valeur de revente	⬢⬢⬢⬢⬡

EDGE

www.ford.ca

N
ÉVOLUTION
É
J

31 899 $ à 42 099 $
transport et préparation: 1400 $

LA COTE VERTE

MOTEUR
V6 DE 3,5L

- **Consommation (100km):**
  2RM 10,6 l
  4RM 11,4 l
- **Émissions polluantes CO_2:**
  2RM 5184 kg/an
  4RM 5568 kg/an
- **Empreinte écologique nombre d'arbres à planter par année): 32**
- **Indice d'octane: 87**
- **Carburant alternatif: non**
- **Coût du carburant moyen par année:**
  2RM 2160 $
  4RM 2320 $
- **Nombre de litres par année:**
  2RM 2160 l
  4RM 2320 l

(SOURCE: ÉnerGuide)

 FICHE D'IDENTITÉ

- **Versions** SE, SEL, SEL 4RM, Limited, Limited 4RM, Sport 4RM
- **Roues motrices** avant, 4
- **Portières** 5 **Nombre de passagers** 5
- **Première génération** 2007
- **Génération actuelle** 2011
- **Construction** Oakville, Ontario, Canada
- **Sacs gonflables** 6 (frontaux, latéraux avant, rideaux latéraux)
- **Concurrence** Buick Enclave, Honda Pilot, GMC Acadia, Hyundai Santa Fe, Mazda CX-7 et CX-9, Nissan Murano, Subaru Tribeca, Suzuki XL7, Toyota Highlander

 AU QUOTIDIEN

- **Prime d'assurance**
  25 ans: 2000 à 2200 $
  40 ans: 1000 à 1200 $
  60 ans: 800 à 1000 $
- **Collision frontale** 5/5
- **Collision latérale** 5/5
- **Ventes du modèle de l'an dernier**
  Au Québec 1812 **Au Canada** 12 060
- **Dépréciation** 48,9%
- **Rappels** (2005 à 2010) 2
- **Cote de fiabilité** 4/5

③ **GARANTIES... ET PLUS**

- **Garantie générale** 3 ans/60 000 km
- **Garantie motopropulseur** 5 ans/100 000 km
- **Perforation** 5 ans/kilométrage illimité
- **Assistance routière** 5 ans/100 000 km
- **Nombre de concessionnaires**
  Au Québec 77 **Au Canada** 437

④ **NOUVEAUTÉS EN 2011**

- Redessiné, moteur V6 3,5 l plus puissant, ajout du V6 3,7 l pour version Sport.

EXTRAVERTI

PAR FRÉDÉRIC MASSE

FORD MISE DE PLUS EN PLUS SUR L'EXPÉRIENCE TECHNOLOGIQUE POUR ATTIRER DES ACHETEURS POTENTIELS. Il n'y a si longtemps, le fabricant avait également décidé de cibler la qualité de l'habitacle et de l'insonorisation en oubliant un peu (trop) le design. Mais, le monde de l'automobile change rapidement, et l'Edge en était la preuve. C'était le monde à l'envers, lui qui était plus beau dehors qu'en dedans. C'est maintenant chose du passé, Ford a visiblement maintenant les moyens de s'occuper simultanément de la beauté de la carrosserie et de la qualité de l'habitacle.

[CARROSSERIE] Bon, commençons par le commencement, comme le dit l'adage. L'Edge partage la même plateforme que le Mazda CX-7, vestige d'un passé pas si lointain où l'Américain possédait des parts importantes du Japonais. Redessiné partiellement en 2011, il propose une calandre imposante et des lignes agréables à l'œil. Offert en six configurations, l'Edge peut être déshabillé jusqu'à revêtir des roues de 17 pouces et des poignées noires ou arborer une gueule de champion avec un ensemble de carrosserie plus agressif et des roues allant jusqu'à 22 pouces (je n'aimerais pas payer la facture pour les changer) dans sa version Sport.

[HABITACLE] Ford a mis le paquet en 2011 pour améliorer ses points faibles. Avec de nouveaux matériaux, le fabricant a pratiquement tout retouché : planche de bord, panneaux de finition, garniture de porte et bouches d'air... et j'en passe. Ford a, du même coup, corrigé son principal défaut soit sa qualité très moyenne d'assemblage et de finition. Ford innove également en matière de technologie (vraiment, le fabricant prend l'avance dans ce domaine) avec, notamment, le nouveau système *MyFord Touch*, offert en option, qui vous permet, grâce à un écran tactile, de contrôler les interactions : musique, commandes de la température, etc. On a l'impression de contrôler un iPod! À noter que contrairement à certains de ses concurrents, l'Edge n'accueille que cinq personnes (les passagers à l'arrière sont d'ailleurs bien reçus). Il laisse plutôt tout l'espace arrière aux bagages... c'est plus logique. Le Flex

FORCES · Habitacle renouvelé · Lignes distinctes · Bourré de techno

FAIBLESSES · Consommation de carburant

s'occupera du reste de toute manière.

[MÉCANIQUE] Désormais, il y aura des classes sociales pour les mécaniques de Ford. Tous les modèles à l'exception de la version Sport reçoivent, pour l'instant, un nouveau V6 de 3,5 litres dont la puissance passe de 265 à 285 chevaux. Ce dernier est accompagné d'une très bonne boîte de vitesses à 6 rapports, mais sa consommation moyenne est supérieure à celle du Nissan Murano notamment (quoique ce dernier roule sur du carburant super). Le modèle Sport dispose, quant à lui d'un V6 de 3,7 litres et fait bondir la puissance à 305 chevaux et le couple à 280 livres-pieds à 4000 tours par minute. À noter que la version Sport voit des leviers de sélection montés derrière le volant pour les changements de rapports. Plus tard en 2011, les versions de base devraient également recevoir une nouvelle mécanique, soit un 4-cylindres de 2 litres turbocompressé.

[COMPORTEMENT] Bien qu'il soit assis sur le même châssis que le CX-7, l'Edge n'a pas les mêmes manières. Résolument moins sportif (je ne parle pas de la version Sport), il est plus axé sur le confort, et ça se voit quand on le malmène. La suspension étire, le nez plonge un peu, mais ce n'est rien d'alarmant, il fait tout de même les choses avec pas mal d'aplomb et propose une bonne puissance de freinage. L'Edge demeure un véhicule facile à conduire et sécurisant grâce à une direction assez précise. Il propose une expérience de conduite intéressante, transmission intégrale ou pas.

[CONCLUSION] J'aime bien l'Edge. En outre, avec les modifications que Ford a pu apporter à ses points faibles, il devient encore plus intéressant. Je n'ai pas eu la chance d'essayer une version 2011 avant d'écrire cet essai, mais j'avais déjà un bon parti pris pour la machine. Il est donc facile pour moi de dire que le Ford s'est amélioré. Pour résumer, j'aime l'Edge parce qu'il est beau, bien conçu et rempli de gadgets technos. Il n'est certainement pas parfait, mais il détone de l'offre dans le marché et se distingue nettement de la concurrence en proposant des lignes différentes. Sa fiabilité n'est toutefois pas mieux que dans la moyenne, selon Consumer Reports.

2ᵉ OPINION

BENOIT CHARETTE L'Edge a rejoint la famille Ford en 2007 et nous revient cette année avec quelques retouches d'équipements, un modèle sport et sensiblement la même conduite. Malgré son poids un peu excessif, l'expérience de conduite est globalement positive. Son châssis monocoque en fait un véhicule aussi agréable à conduire qu'une berline, et le réglage des suspensions offre un excellent confort, sauf pour la version sport à la calibration plus sèche qui la rend plus désagréable à conduire sur les mauvaises routes. L'ajout d'un système à 4 roues motrices efficace et d'une capacité de remorquage intéressante en fait un véhicule de choix pour ceux qui ont des charges à tirer. Dans l'ensemble, un excellent choix pour ceux qui veulent le côté pratique d'un utilitaire sans avoir à conduire un camion.

⑤ FICHE TECHNIQUE

· MOTEURS

· (SE, SEL, Limited)
V6 3,5 l DACT, 285 ch à 6500 tr/min
Couple 253 lb-pi à 4000 tr/min
Transmission SE automatique à 6 rapports
SEL, LIMITED automatique à 6 rapports avec mode manuel
0-100 km/h 9,8 s
Vitesse maximale 180 km/h

· (Sport)
V6 3,7 l DACT, 305 ch à 6500 tr/min
Couple 280 lb-pi à 4000 tr/min
Transmission automatique à 6 rapports avec mode manuel
0-100 km/h 9,0 s
Vitesse maximale 200 km/h
Consommation (100 km) nd
Émissions de CO$_2$ 5198 kg/an
Litres par année 2260 l
Coût par an 2260 $
Empreinte écologique 34

· AUTRES COMPOSANTES

Sécurité active freins ABS, assistance au freinage, répartition électronique de la force de freinage, antipatinage, contrôle de stabilité électronique
Suspension avant/arrière indépendante
Freins avant/arrière disques
Direction à crémaillère, assistée
Pneus SE P235/65R17, **SEL/Limited** P245/60R18, **option Limited** P245/50R20, **Sport** P265/40R22

· DIMENSIONS

Empattement 2824 mm
Longueur 4679 mm
Largeur 1930 mm
Hauteur 1702 mm
Poids 3.5 2RM 1852 kg; **3.5 4RM** 1935 kg; **Sport** 2029 kg
Diamètre de braquage 11,7 m
Coffre 820 l / 1750 l (sièges abaissés)
Réservoir de carburant 2RM 68 l; **4RM** 72 l
Capacité de remorquage 1587 kg

NOS MENTIONS

☺ Modèle recommandé

NOTRE VERDICT

Plaisir au volant	●●●●○
Qualité de finition	●●●○○
Consommation	⬡⬡○○○
Rapport qualité/prix	●●●○○
Valeur de revente	●●●○○

ESCAPE

www.ford.ca

ÉVOLUTION

N   É

J

24 499 $ à **42 299 $**
transport et préparation : 1350 $

LA COTE VERTE

MOTEUR
L4 DE 2,5 L
(HYBRIDE)

· **Consommation
(100km):**
2RM 6,2 l
4RM 7,0 l

· **Émissions
polluantes CO$_2$:**
2RM 2806 kg/an
4RM 3174 kg/an

· **Empreinte écologique
(nombre d'arbres à
planter par année):**20

· **Indice d'octane:**87

· **Autre
motorisation:** essence

· **Coût du carburant
moyen par année:**
2RM 1220 $
4RM 1380 $

· **Nombre de
litres par année:**
2RM 1220 l
4RM 1380 l

(SOURCE: ÉnerGuide)

232

1 FICHE D'IDENTITÉ

· **Versions** XLT, Hybride, Limited
· **Roues motrices** avant, 4
· **Portières** 5 **Nombre de passagers** 5
· **Première génération** 2001
· **Génération actuelle** 2007
· **Construction** Kansas City, Missouri
· **Sacs gonflables** 6 (frontaux, lat. av., rideaux lat.)
· **Concurrence** Chevrolet Equinox, Honda CR-V,
Hyundai Tucson, Jeep Compass/Patriot,
Mitsubishi Outlander, Nissan Rogue,
Subaru Forester, Suzuki Grand Vitara,
Toyota RAV4

2 AU QUOTIDIEN

· **Prime d'assurance**
25 ans : 2000 à 2200 $
40 ans : 1300 à 1500 $
60 ans : 1100 à 1300 $
· **Collision frontale** 5/5
· **Collision latérale** 5/5
· **Ventes du modèle de l'an dernier**
Au Québec 6576 **Au Canada** 36 980
· **Dépréciation** 55,9%
· **Rappels** (2005 à 2010) 4
· **Cote de fiabilité** 3/5

3 GARANTIES... ET PLUS

· **Garantie générale** 3 ans/60 000 km
· **Garantie motopropulseur** 5 ans/100 000 km
· **Perforation** 5 ans/kilométrage illimité
· **Assistance routière** 5 ans/100 000 km
· **Nombre de concessionnaires**
Au Québec 77 **Au Canada** 437

4 NOUVEAUTÉS EN 2011

· 3 nouvelles couleurs extérieurs : Noir
Smoking, Bleu Flamme, Vert Limette

LE PARFAIT BLUFFEUR

PAR FRÉDÉRIC MASSE

LA CATÉGORIE DES VUS COMPACTS EST EN
PLEINE EXPLOSION DEPUIS QUELQUES AN-
NÉES. À preuve, les ventes sont encore en hausse,
et les questions fusent de toutes parts à propos
de ces modèles. Et le Ford Escape, Fred... t'en
penses quoi? Je l'entends tellement souvent.
La réponse est souvent bien simple. L'Escape est
le plus camion des VUS compacts qui n'en sont
pas des vrais. Il bluffe. Je m'explique, il roule
comme un vrai quatre sur quatre, même s'il n'en
a pas les capacités. Est-ce que c'est un défaut?
Non, pas du tout, j'adore.

[CARROSSERIE] L'idée du véritable camion se
décline évidemment dans son design. Avec sa
calandre au caractère fort, l'Escape en impose,
contrairement à la plupart des concurrents.
Il ne se cache pas, lui, il s'affirme et se la joue.
On pourra l'obtenir en de nombreuses versions, soit à traction, à transmission intégrale
et, même, en hybride. Même s'il est un copier-
coller de son jumeau, le Tribute, l'Escape demeure le plus affirmé de deux frérots. Comme
s'il avait hérité du caractère et des bonnes

lignes, et que l'autre était né avec plus de délicatesse et de doigté.

[HABITACLE] J'aime bien le design de l'habitacle
de l'Escape. Encore là, il met une couleur à ses
prétentions. C'est moi le plus fort, semble-t-il
crier. Les gros boutons, les grosses aiguilles, les
couleurs contrastantes, c'est bien. Ce qui est
moins bien, c'est l'espace entre les panneaux,
la qualité générale d'assemblage et des plastiques.
Ces derniers sont durs et semblent souvent très
bon marché. Les sièges, quant à eux, maintiennent bien, tissus ou cuir. L'espace de chargement
est correct également, et, une fois les sièges abaissés, ce qui est compliqué à faire, on obtient une
bonne petite caverne pour trimbaler le matériel de camping ou de construction. Autre détail
important, les moteurs, plus principalement le
4-cylindres, sont bruyants, et on les entend beaucoup dans l'habitacle.

[MÉCANIQUE] L'Escape offre trois motorisations :
à 4 cylindres, V6 et hybride. Le premier,
un 2,5-litres, génère 171 chevaux et sera suffisant

FORCES · Style affirmé · Habitacle intéressant · Frugalité de la version hybride

FAIBLESSES · Moteur à 4 cylindres et V6 bruyants · Qualité d'assemblage
· Qualité des matériaux

pour quiconque n'a pas de lourdes charges à remorquer ou des montagnes à franchir. Sa consommation de carburant est fort respectable. Le second, un 3-litres de 240 chevaux, est nettement plus puissant et permet de remorquer des charges jusqu'à 1588 kilos, sans que sa consommation ne s'en ressente trop. Le dernier, un système hybride acheté de Toyota il y a déjà plusieurs années, se veut fort efficace et économe, mais le prix à payer est trop élevé pour l'économie qu'il génère. Le 4-cylindres et le V6 peuvent être jumelés à une boîte de vitesses automatique à 6 rapports qui se veut douce et bien étagée. Le modèle de base à traction peut aussi être équipé d'une boîte manuelle à 5 rapports, tandis que la version hybride profite d'une boîte CVT.

[COMPORTEMENT] Là, on est loin d'un Honda CR-V, on s'entend. L'Escape brasse et absorbe étrangement les défauts de la chaussée. Il tangue et plonge tout de même passablement, mais c'est quand même contrôlé. Le système de contrôle de la stabilité devrait aider à vous garder sur la bonne voie (dans tous les sens du terme). Je dois avouer que j'aime ce type de comportement plus camion, plus vivant. J'ai déjà eu l'occasion de tester le système de transmission intégrale dans une vraie situation problématique. Lors d'un voyage de pêche, je m'étais pas mal enlisé dans la boue (les quatre roues étaient ensevelies). L'Escape ne m'a pas lâché et m'a permis de me dépêtrer de cette situation malencontreuse qui aurait pu, vu l'éloignement géographique, être très problématique. Depuis ce temps, j'ai d'ailleurs développé un attachement émotif avec l'Escape. Ah oui,

pour terminer, sachez que, même si le devant plonge passablement, l'efficacité du freinage est très correcte... encore là, preuve à l'appui.

[CONCLUSION]

J'aime l'Escape pour ce qu'il est: un camion qui bardasse et qui en impose. Il ne fait pas dans la dentelle comme un CR-V ou un Tucson, mais n'est pas aussi glouton qu'un véritable quatre sur quatre comme le Jeep Liberty. Il n'est pas le plus raffiné, ni le plus fiable, ni le moins cher (quoique...). Il est dans la moyenne avec un caractère plus affirmé, c'est tout. Vous savez donc un peu plus à quoi vous attendre quand vous choisissez ce camion. Il n'est certainement pas le plus vendu en Amérique pour rien.

2ᵉ OPINION

MICHEL CRÉPAULT La recette est éprouvée et elle commence même à dater, malgré la refonte de 2007. Par contre, l'Escape continue de bien faire car Ford décline cet utilitaire compact à plusieurs sauces: traction, transmission intégrale, 4 cylindres à essence, hybride, V6, boîte de vitesse manuelle, automatique ou à variation continue (CVT), alouette! Et comme si ça ne suffisait pas, on a saupoudré les modèles des dernières gâteries haute-tech comme les dispositifs Sync, MyKey et le stationnement en parallèle robotisé. Par-dessus le marché, l'Escape peut loger et tirer. Bref, difficile de réellement le prendre en défaut. Quand quelque chose nous irrite, comme l'abondant plastique de la cabine ou l'inconstant moteur de base, on n'a qu'à se tourner vers les accessoires dernier cri ou les autres moteurs pour se consoler. Et toujours à un prix abordable.

⑤ FICHE TECHNIQUE

· MOTEURS
· **(XLT, LIMITED)**
L4 2,5 l DACT, 171 ch à 6000 tr/min
Couple 171 lb-pi à 4500 tr/min
Transmission man. à 5 rap., auto. à 6 rap.
0-100 km/h 10,0 s **Vitesse maximale** 175 km/h
Consommation (100 km) 2RM man. 8,2 l
auto. 8,6 **4RM auto.** 9 l (octane 87)
Émissions de CO₂ 2RM man. 3818 kg/an
auto. 4002 kg/an **4RM auto.** 4186 kg/an
Litres par année 2RM man. 1660 l
auto. 1740 l **4RM auto.** 1820 l
Coût par an 2RM man. 1660 $
auto. 1740 $ **4RM auto.** 1820 $
Empreinte écologique 30 arbres

· **(HYBRIDE)**
L4 2,5 l cycle Atkinson DACT, 153 ch à 6000 tr/min
Couple 136 lb-pi à 4500 tr/min
Moteur électrique de 94 ch à 5000 tr/min
Transmission automatique CVT
0-100 km/h 8,7 s Vitesse maximale 175 km/h

· **(OPTION XLT, LIMITED)**
V6 3,0 l DACT, 240 ch à 6550 tr/min
Couple 223 lb-pi à 4300 tr/min
Transmission automatique à 6 rapports
0-100 km/h 8,5 s **Vitesse maximale** 190 km/h
Consommation (100 km) 2RM 9,5 l **4RM** 10,2 l
Émissions de CO₂
2RM 4416 kg/an **4RM** 4738 kg/an
Litres par année 2RM 1920 l **4RM** 2060 l
Coût par an 2RM 1920 $ **4RM** 2060 $
Empreinte écologique 32 arbres

· AUTRES COMPOSANTES
Sécurité active freins ABS, antipatinage, contrôle de stabilité électronique
Suspension indépendante
Freins avant/arrière disques/tambours
Direction à crémaillère, assistée
Pneus XLT, Hybride, Hybride Limited, Limited 235/70R16
Option XLT, Option Limited P225/65R17

· DIMENSIONS
Empattement 2619 mm **Longueur** 4437 mm
Largeur 2065 mm **Hauteur** 1727 mm
Poids Hybride 2RM 1650 kg **4RM** 1721 kg
XLT 2RM 1536 kg **4RM** 1609 kg
Diamètre de braquage 11,2 m
Coffre 827 l, 1877 l (sièges abaissés)
Hybride 787 l, 1869 l (sièges abaissés)
Réservoir de carburant 62,5 l
Capacité de remorquage
Hybride 454 kg **XLT/Limited** 1588 kg

NOS MENTIONS
 Le choix vert (hybride)

NOTRE VERDICT

Plaisir au volant	⬡⬡⬡⬡⬡
Qualité de finition	⬡⬡⬡⬡⬡
Consommation	⬡⬡⬡⬡⬡
Rapport qualité/prix	⬡⬡⬡⬡⬡
Valeur de revente	⬡⬡⬡⬡⬡

FORD

EXPEDITION

www.ford.ca

47 399 $ à 65 799 $
transport et préparation: 1400 $

234 |

LA COTE VERTE

MOTEUR
V8 DE 5,4 L

- **Consommation (100km):**
  Octane 87 14,5 l
  Éthanol E85 19,4 l
- **Émissions polluantes CO$_2$:**
  Octane 87 6762 kg/an
  Éthanol E85 6336 kg/an
- **Empreinte écologique (nombre d'arbres à planter par année):** 42
- **Indice d'octane:** 87
- **Autre motorisation:**
  Éthanol E85
- **Coût du carburant moyen par année:** 2960 $
- **Nombre de litres par année:**
  Octane 87 2960 l
  Éthanol 3960 l

(SOURCE: ÉnerGuide)

---

① FICHE D'IDENTITÉ

- **Versions** VSS, VSS Max, XLT, XLT MAX, Limo, Limited, Limited Max
- **Roues motrices** 4
- **Portières** 4 **Nombre de passagers** 7
- **Première génération** 1997
- **Génération actuelle** 2007
- **Construction** Wayne, Michigan, É.-U.
- **Sacs gonflables** 6 (frontaux, latéraux avant, rideaux latéraux)
- **Concurrence** Chevrolet Tahoe, GMC Yukon, Nissan Armada, Toyota Sequoia

② AU QUOTIDIEN

- **Prime d'assurance**
  25 ans: 2200 à 2400 $
  40 ans: 1300 à 1500 $
  60 ans: 1200 à 1400 $
- **Collision frontale** 5/5
- **Collision latérale** 5/5
- **Ventes du modèle de l'an dernier**
  Au Québec 129 **Au Canada** 1584
- **Dépréciation** 58,2 %
- **Rappels (2005 à 2010)** 5
- **Cote de fiabilité** 4/5

③ GARANTIES... ET PLUS

- **Garantie générale** 3 ans/60 000 km
- **Garantie motopropulseur** 5 ans/100 000 km
- **Perforation** 5 ans/kilométrage illimité
- **Assistance routière** 5 ans/100 000 km
- **Nombre de concessionnaires**
  Au Québec 77 **Au Canada** 437

④ NOUVEAUTÉS EN 2011

- Nouveau système audiovisuel arrière avec lecteur DVD
- 2 nouvelles couleurs de peinture
- Nouvelles jantes

IL A SURVÉCU

PAR DANIEL RUFIANGE

L'AN DERNIER, LES CHIFFRES DE VENTES DE L'EXPEDITION ATTEIGNAIENT LE FOND DU BARIL. IL NE FAUT PAS POINTER DU DOIGT LA QUALITÉ DU VÉHICULE POUR EN EXPLIQUER LA RAISON MAIS PLUTÔT LE PRIX DU CARBURANT. Les utilitaires gloutons n'ont plus la cote. Cependant, puisque le prix du carburant s'est relativement stabilisé, il en va de même pour les ventes, à la fois canadiennes et québécoises de ce modèle, même qu'elles sont légèrement en hausse depuis la fin de 2008. L'Expedition a donc survécu à la crise et au choc pétrolier, lui qui rend de très fiers services aux gens qui en ont vraiment besoin.

[CARROSSERIE] L'Expedition revient pratiquement inchangé cette année outre l'arrivée de trois nouvelles couleurs. Notons également l'entrée en scène de nouvelles jantes de 20 pouces en aluminium qui remplacent les anciennes jantes de 20 pouces chromées. Au menu cette année, trois versions, soit VSS, XLT et Limited chacune disponible en version MAX. Elles offrent toutes un degré de confort et de luxe impressionnant,

mais la version MAX demeure celle qui séduit par son immensité.

[HABITACLE] Incroyable est le mot juste pour décrire l'habitacle de l'Expedition. Non seulement procure-t-il une habitabilité sans précédent, mais il s'accompagne d'un luxe franchement impressionnant. La planche de bord elle-même respire la richesse. En matière d'équipement, on note un changement important au système de divertissement DVD. Il n'est plus logé dans le pavillon. On retrouve désormais les écrans encastrés dans les appuie-tête du siège avant. Pour ce qui est des ensembles d'options, Ford a revu son offre et propose trois nouveaux ensembles : équipements de haut calibre, commodité pour parcs et sièges en cuir. On se doit de souligner également la qualité de finition ainsi que l'usage plus répandu de matériaux dignes à bord. Ford a fait un progrès immense depuis quelques années, et le résultat est palpable.

[MÉCANIQUE] Ford offre toujours le même moteur V8 de 5,4 litres pour déplacer son

---

FORCES · Construction de qualité · Robustesse indéniable · Confort et douceur de roulement · De la place pour tout le monde

FAIBLESSES · Consommation : rien de mieux que 16 L/100 km · Dépréciation · Prix d'une version Max bien équipée

Expedition. Ce moteur voit sa puissance monter à 310 chevaux cette année. Le couple demeure identique à 365 livres-pieds. Les consommateurs auraient sans doute apprécié l'arrivée du moteur EcoBoost; il faudra patienter. En attendant, l'Expedition consomme toujours comme un boulimique. Par contre, ce qu'on estime à tous coups de l'Expedition, c'est sa capacité de travail. Outre les monstres proposés par GM – GMC Yukon, Chevrolet Tahoe et Suburban —, l'Expedition est seul dans son créneau pour les durs labeurs. Dans les faits, il ne se trouve pas d'égal pour allier tant de confort et de robustesse.

[COMPORTEMENT] Le confort, revenons-y, est certes l'un des éléments qui surprend le plus quand on prend les commandes d'un Expedition. C'est simple : l'envie nous prend de filer à l'anglaise. Quant à la tenue de route, qu'on pourrait croire horrible de la part d'un tel monstre, elle étonne par son équilibre. Le fait que l'Expedition partage ses racines avec la Ford F-150 n'y est pas étranger. La caisse est solide, l'ensemble est fort; c'est perceptible en tout temps. Seul le freinage nous laisse sur notre appétit, mais comment faire autrement quand il faut mettre à l'arrêt près de 2800 kilos d'acier ?

[CONCLUSION] Tant et aussi longtemps que le prix du carburant demeurera stable (un dollar le litre), il se vendra des Expedition. Si, par contre, comme le prédisent nombre d'experts, il atteint 1,50 $ d'ici un an ou deux, c'en sera fait de l'Expedition dans sa forme actuelle. Dans un ave-

nir plus ou moins rapproché, seules des motorisations plus vertes permettront à ce type de véhicule de continuer d'exister. Car, à l'exception de gens fortunés vivant dans un autre monde, il y a des limites à prévoir un budget de 100 à 150 $ par semaine en carburant.

2ᵉ OPINION

BENOIT CHARETTE Pour ceux qui voient la vie en grand, il ne faut pas chercher plus loin, l'Expedition répondra à tous vos besoins de base. La version 2011 nous revient sans grands changements si ce n'est au chapitre des ensembles d'options et de quelques couleurs de carrosserie. Si l'extérieur ne porte pas à la critique, certaines améliorations seraient les bienvenues à l'intérieur. Les commandes ne sont pas toujours faciles à identifier ou à utiliser. Dans les modèles haut de gamme, le système de navigation absorbe toutes les fonctions dont celles de la radio qui devient difficile à utiliser, surtout en plein jour, où l'on perd l'écran dans le soleil. Pour le reste, l'espace est plus que généreux, même à la 3ᵉ banquette, et les cuirs, de qualité. Pour ceux qui aiment le café, il y a au moins deux douzaines de porte-gobelet.

⑤ FICHE TECHNIQUE

· MOTEUR

· V8 5,4 l SACT, 310 ch à 5100 tr/min
Couple 365 lb-pi à 3750 tr/min

Transmission automatique à 6 rapports	
0-100 km/h 8,8 s **Max** 9,3 s	
Vitesse maximale 200 km/h	

· AUTRES COMPOSANTES

Sécurité active freins ABS, antipatinage, contrôle de stabilité électronique	
Suspension avant/arrière indépendante	
Freins avant/arrière disques	
Direction à crémaillère, assistée	
Pneus XLT P265/70R17 Option P275/65R18	
Option2 XLT/Limited/Limited Max P275/55R20	

· DIMENSIONS

Empattement 3023 mm **Max** 3327 mm	
Longueur 5227 mm **Max** 5621 mm	
Largeur 2002 mm (sans rétro.)	
Hauteur 1961 mm **Max** 1974 mm	
Poids 2652 kg **Max** 2781 kg	
Diamètre de braquage 12,4 m **Max** 13,4 m	
Coffre 527 l à 3064 l **Max** 1206 l à 3704 l	
Réservoir de carburant 106 l **Max** 127 l	
Capacité de remorquage 4036 kg **Max** 3946 kg	

NOS MENTIONS

☺ Modèle recommandé

NOTRE VERDICT

Plaisir au volant	⬡⬡⬡⬡◖⬡⬡
Qualité de finition	⬡⬡⬡⬡◖
Consommation	⬡⬡◖
Rapport qualité/prix	⬡⬡⬡◖
Valeur de revente	⬡⬡⬡◖

EXPLORER

www.ford.ca

30 000 $ (ESTIMÉ)
transport et préparation: Nd $

LA COTE VERTE

MOTEUR
L4 DE 2,0 L

- **Consommation (100km):** 9,5 l
- **Émissions polluantes CO_2:** nd
- **Empreinte écologique (nombre d'arbres à planter par année):** nd
- **Indice d'octane:** nd
- **Autre motorisation:** non
- **Coût du carburant moyen par année:** nd
- **Nombre de litres par année:** nd

(SOURCE: ÉnerGuide)

LE VUS DU XXIᵉ SIÈCLE

PAR VINCENT AUBÉ

MINE DE RIEN, LE FORD EXPLORER FÊTE SES 20 ANS CETTE ANNÉE! POUR CE PASSAGE À L'ÂGE ADULTE, LE VUS INTERMÉDIAIRE A DROIT À LA TOTALE : UNE REFONTE COMPLÈTE D'UN PARE-CHOCS À L'AUTRE ET, CROYEZ-MOI, IL EN AVAIT BIEN BESOIN! On a carrément changé les mécaniques pour optimiser la consommation de carburant. Et, sacrilège, le châssis à échelle du « traditionnel VUS » est troqué pour un châssis monocoque de voiture, celui de la Taurus. Ford parle de son Explorer comme du premier VUS du XXIe siècle. Au moment de mettre sous presse, aucun de nos collègues journalistes n'avait pu l'essayer. Toutefois, Ford nous avait invités au lancement canadien pour un premier contact.

[CARROSSERIE] Clairement, le dessin de ce camion s'inspire du langage « cinétique » observé sur plusieurs autres produits de l'ovale bleu. La calandre est imposante, les phares rappellent ceux de la F-150, tandis que la partie arrière met en valeur des feux à diodes électroluminescentes inspirés de ceux du concept Explorer America de 2008. De profil, il n'y a pas de doute, c'est un Explorer tel qu'on le connaît. Le pilier C est toujours aussi large et sépare la fenestration arrière du reste du véhicule. Un petit détail anodin, le pilier A, peint en noir un peu à la manière du Kia Soul, ajoute du caractère à l'ensemble. Enfin, il faut aussi mentionner que l'Explorer est un gros véhicule. Même les jantes de 20 pouces offertes en option paraissent petites pour les passages de roues.

[HABITACLE] Le constructeur américain travaille constamment à améliorer la qualité d'assemblage de ses véhicules. Lors de la présentation, il nous a été possible de monter à bord du VUS, et force est d'admettre que l'Explorer 2011 a pris du galon : les matériaux sont de bonne qualité et, bien que ce premier contact ait été bref, je n'ai décelé aucune faute d'assemblage. Le tableau de bord est à l'image des autres véhicules du constructeur : simple et facile à consulter. Les boutons sans pression inaugurés sur le Lincoln MKX 2011 se retrouvent au centre du tableau de bord. Les sièges sont moelleux à souhait à l'avant, idem pour la deuxième rangée. La banquette

---

1 FICHE D'IDENTITÉ

- **Versions** Base, XLT, Limited
- **Roues motrices** avant, 4
- **Portières** 5 **Nombre de passagers** 6, 7
- **Première génération** 1991
- **Génération actuelle** 2011
- **Construction** Chicago, Illinois, É.-U.
- **Sacs gonflables** 6 (frontaux, lat. av. et rideaux lat.) ceintures de sécurité avant et arrière gonflables.
- **Concurrence** Jeep Grand Cherokee/Commander, Kia Sorento, Nissan Pathfinder, Toyota 4Runner

2 AU QUOTIDIEN

- **Prime d'assurance**
  25 ans: 2000 à 2200 $
  40 ans: 1200 à 1400 $
  60 ans: 1000 à 1200 $
- **Collision frontale** nm
- **Collision latérale** nm
- **Ventes du modèle de l'an dernier**
  Au Québec 537 **Au Canada** 4121
- **Dépréciation** nm
- **Rappels** (2005 à 2010) 4
- **Cote de fiabilité** nm

3 GARANTIES... ET PLUS

- **Garantie générale** 3 ans/60 000 km
- **Garantie motopropulseur** 5 ans/100 000 km
- **Perforation** 5 ans/kilométrage illimité
- **Assistance routière** 5 ans/100 000 km
- **Nombre de concessionnaires**
  Au Québec 77 **Au Canada** 437

4 NOUVEAUTÉS EN 2011

- Nouvelle génération

FORCES • Habitacle logeable • Fabrication de qualité • Moteurs modernes, enfins !

FAIBLESSES • C'est toujours un VUS imposant • Pas d'intégrale avec le 4-cylindres • Capacité de charge réduite par rapport à l'ancien modèle

de la troisième rangée l'est un peu moins, mais un de nos collègues de plus de 1,80 mètre a pu s'y asseoir sans problème. Il y a donc sept « vraies » places ! Enfin, les espaces de rangement sont nombreux.

[MÉCANIQUE] Les petites cylindrées sont à la mode semble-t-il, et l'Explorer n'échappe pas à ce changement de mentalité. Imaginez, le bon vieux V8 est relégué au musée, tandis que le V6 de 4 litres laisse sa place au plus moderne 3,5-litres qui développe 290 chevaux. Ce dernier devient aussi, du même coup, le « gros » moteur puisque, en entrée de gamme, Ford présente son premier modèle nord-américain à pouvoir profiter du nouveau 4-cylindres EcoBoost de 2-litres turbocompressé de 237 chevaux (estimation), ce dernier étant aussi aidé par l'injection directe de carburant et le calage variable des soupapes. Les deux sont accouplés à des boîtes de vitesses automatiques à 6 rapports. Il faut également mentionner que la version à 4-cylindres ne sera proposée qu'en traction, le modèle V6 pouvant être commandé avec l'intégrale.

[COMPORTEMENT] Puisque la présentation ne comportait pas d'essai routier, il est difficile de parler du comportement du véhicule. Malgré tout, il est déjà acquis que l'Explorer 2011 se comportera comme une grosse familiale et non comme un camion au châssis rigide. Résultat : la tenue de route sera grandement améliorée. Aussi, Ford inaugure un nouveau système de « contrôle de la vitesse en courbe »; ce système peut réduire la vitesse et, même, appliquer une pression sur chaque frein. On n'arrête pas le progrès!

[CONCLUSION] Les ventes de VUS intermédiaires sont intimement liées au prix du carburant. En rendant l'Explorer plus civilisé et plus économique à la pompe, Ford prend la bonne décision. Pour ce qui est du titre de « VUS du siècle », il reste encore 90 ans pour vérifier cette prémisse.

2ᵉ OPINION

DANIEL RUFIANGE Au moment où vous lisez ces lignes, nous n'aurons toujours pas mis à l'essai le tout nouveau Ford Explorer. Cependant, nous avons eu l'occasion d'assister à un pré-lancement du modèle, question d'en avoir un bref aperçu. On sait donc que ce dernier profitera du premier moteur à 4 cylindres EcoBoost à être commercialisé par Ford, mais aussi d'une myriade d'avancées technologiques qui feront de cet Explorer l'un des produits les plus modernes lancés par Ford. Ce dont nous sommes plus certains, c'est que le comportement routier de l'Explorer prendra un virage douceur, lui qui profite désormais de la plateforme qui sert de base à la Taurus et au Flex, entre autres. L'Explorer d'ancienne génération n'avait plus la cote, et ce renouveau ne pourra que le relancer.

⑤ FICHE TECHNIQUE

· MOTEURS
· DACT.Ti-VCT 290
V6 3,5 l DACT, 290 ch à 6500 tr/min	
Couple 255 lb-pi à 4000 tr/min	
Transmission automatique à 6 rapports (mode manuel en option)	
0-100 km/h nd	
Vitesse maximale 215 km/h	
Consommation (100 km) 10,5 l (octane 87)	
Émissions de CO_2 2RM 4922 kg/an	
Litres par année 2140 l	
Coût par an 2140 $	
Empreinte écologique 31 arbres	

· (OPTION)
L4 2,0 l turbo DACT, 237 ch à 5500 tr/min	
Couple 250 lb-pi à 1750 tr/min	
Transmission automatique à 6 rapports	
0-100 km/h nd	
Vitesse maximale nd	

· AUTRES COMPOSANTES
Sécurité active freins ABS, assistance au freinage, antipatinage, contrôle de stabilité électronique	
Suspension avant/arrière indépendante	
Freins avant/arrière disques	
Direction à crémaillère, assistée	
Pneus Base P245/65R17 **XLT** P245/60R18 **Limited** P255/50R20	

· DIMENSIONS
Empattement 2860 mm	
Longueur 5006 mm	
Largeur 2291 mm (avec rétro.)	
Hauteur 2RM 1788 mm **4RM** 1803 mm	
Poids nd	
Diamètre de braquage nd	
Coffre 444 l, 2285 l (les trois rangées abaissées)	
Réservoir de carburant 85 l	
Capacité de remorquage L4 907 kg **V6** 2268 kg	

NOTRE VERDICT

Plaisir au volant	Nd
Qualité de finition	⬡⬡⬡⬡◖
Consommation	Nd
Rapport qualité/prix	⬡⬡⬡⬡⬡
Valeur de revente	Nm

N NOUVEAUTÉ É
J

12 999 $ à 18 899 $
transport et préparation: 1350 $

LA COTE VERTE

MOTEUR
L4 DE 1,6 L

- **Consommation (100km):** man. 7,2 l auto. 6,7 l
- **Émissions polluantes CO_2:** man. 2 780 kg/an
- **Empreinte écologique (nombre d'arbres à planter par année):** 18
- **Indice d'octane:** 87
- **Autre motorisation:** non
- **Coût du carburant moyen par année:** man 1300 $
- **Nombre de litres par année:** man 1300 l

(SOURCE: Ford)

238

① FICHE D'IDENTITÉ

- **Versions** S, SE, SE 5 portes, SEL, SES 5 portes
- **Roues motrices** avant
- **Portières** 4/5 **Nombre de passagers** 5
- **Première génération** 2011
- **Génération actuelle** 2011
- **Construction** Cuautitlan Izcalli, Mexique
- **Sacs gonflables** 6 (frontaux, latéraux, rideaux latéraux)
- **Concurrence** Chevrolet Aveo, Hyundai Accent, Kia Rio, Nissan Versa, Suzuki Swift+, Toyota Yaris

② AU QUOTIDIEN

- **Prime d'assurance**
  25 ans: 1400 à 1600 $
  40 ans: 900 à 1100 $
  60 ans: 700 à 900 $
- **Collision frontale** 5/5 (Europe)
- **Collision latérale** 5/5 (Europe)
- **Ventes du modèle de l'an dernier**
  Au Québec nm **Au Canada** nm
- **Dépréciation** (3 ans) nm
- **Rappels** (2005 à 2010) nm
- **Cote de fiabilité** nd

③ GARANTIES... ET PLUS

- **Garantie générale** 3 ans/60 000 km
- **Garantie motopropulseur** 5 ans/100 000 km
- **Perforation** 5 ans/kilométrage illimité
- **Assistance routière** 5 ans/100 000 km
- **Nombre de concessionnaires**
  Au Québec 77 **Au Canada** 437

④ NOUVEAUTÉS EN 2011

- Nouveau modèle

L'ENFANT PRODIGE

PAR BENOIT CHARETTE

LA FORD FIESTA N'AVAIT PLUS ÉTÉ COMMERCIALISÉE SUR LE MARCHÉ NORD-AMÉRICAIN DEPUIS LA PREMIÈRE GÉNÉRATION DU MODÈLE, SOIT IL Y A QUELQUE 30 ANS! Ford avait préféré proposer la Festiva coréenne au cours des années 1980. C'est donc à sa sixième génération que Ford a décidé de réintroduire la Fiesta sur le marché nord-américain. Contrairement aux Européens qui doivent se contenter de versions à hayon, les États-Unis et le Canada profiteront également d'une berline moins jolie mais plus susceptible de plaire à nos voisins du sud à l'esprit plus étroit. Avec notre tempérament plus sportif, d'autres diront latin, c'est sans doute le coupé qui sera le plus populaire chez nous. Il est plus joli, plus provocant que la berline qui correspond mieux au conservatisme de nos amis anglophones. La bonne nouvelle c'est qu'il y en a pour tous les goûts et dans une impressionnante palette de couleurs.

[CARROSSERIE] Des jantes de 16 pouces au large becquet de toit en passant par un bouclier avant aux yeux effilés, Ford a frappé dans le mille avec la nouvelle Fiesta. La version à hayon est non seulement belle, mais elle ne donne pas l'impression d'être bon marché. Il y a aussi la berline, plus commune mais non moins pratique. Ford n'a pas hésité à sortir des sentiers battus en jouant d'audace avec des surfaces sculptées et des couleurs pastel pour la carrosserie. Cette Fiesta a le regard expressif, la calandre est ouverte comme une bouche béante, la ceinture de caisse est plongeante, et notre modèle d'essai vert lime lui donnait un air très branché. À lui seul, l'esthétique de cette voiture ira chercher beaucoup de clients.

[HABITACLE] On retrouve un degré de qualité d'équipement rarement vu dans une voiture de ce segment. La partie centrale de la planche de bord est le principal point d'attraction de l'habitacle. Les commandes ont été conçues pour une utilisation simple et conviviale, un peu comme le clavier d'un téléphone cellulaire. La Fiesta nord-américaine comporte des sièges baquets à l'avant et une banquette divisée 60/40 à l'arrière. Le revêtement confortable en tissu varie en fonction des niveaux de garnitures, lesquels

FORCES · Plaisir de conduire · Structure solide · Habitacle bien dessiné · Excellent confort

FAIBLESSES · Régime moteur élevé à haute vitesse (boîte manuelle) · Un 6e rapport serait apprécié (boîte manuelle) · Boîte automatique un peu lente à bas régime

permettent à l'acheteur d'afficher son style et son individualité. De plus, les modèles Fiesta haut de gamme offrent un revêtement de cuir pourvu d'un passepoil de couleur contrastante qui confère aux sièges une allure sportive. Ces formes nouvelles et bien pensées donnent véritablement un style avant-gardiste à la Fiesta. De l'entrée sans clé de série au démarrage à bouton-poussoir, une exclusivité dans ce segment, la Fiesta propose également en option le système SYNC® de Ford, qui intègre un téléphone cellulaire au système de communication et de divertissement à commande vocale de la Fiesta, un investissement qui vaut le coût. Un intérieur bien pensé, de haute technologie, futuriste dans sa disposition et agréable à l'œil. Et, chose encore plus importante, les matériaux sont de qualité; et comme à l'extérieur, rien n'a l'air bon marché. Ford a aussi jugé bon d'associer à la Fiesta des équipements habituellement absents de cette catégorie: l'antidérapage, l'allumage automatique des phares et des essuie-glaces, le régulateur de vitesse, la technologie sans fil Bluetooth® ainsi que les vitres teintées en sont des exemples.

[MÉCANIQUE] Sous le capot, Ford a logé le plus puissant moteur de la famille, un 4-cylindres de 1,6 litre de 120 chevaux. L'offre de base se résume à une boîte de vitesses manuelle à 5 rapports bien échelonnés et assez vive à

> ON RETROUVE UN DEGRÉ DE QUALITÉ D'ÉQUIPEMENT RAREMENT VU DANS UNE VOITURE DE CE SEGMENT. LA RIGIDITÉ DU CHÂSSIS, COMBINÉE À LA FERMETÉ DE LA SUSPENSION PROCURE UNE BELLE ASSURANCE AU VOLANT.

l'utilisation; un seul reproche, un sixième rapport serait apprécié. À 120 km/h sur l'autoroute, le moteur tourne à un peu plus de 3 500 tours par minute, et le ronronnement devient un peu fatiguant. La belle surprise vient sous la forme d'une toute nouvelle boîte de vitesses automatique à 6 rapports. Baptisée PowerShift, elle est offerte en exclusivité nord-américaine et allie la performance réactive et l'économie de carburant d'une boîte manuelle à la commodité d'une boîte automatique classique, dans un seul système de pointe à double embrayage « à sec ». Ford annonce une consommation de carburant de l'ordre des 6 litres aux 100 kilomètres. Dans la réalité, nous sommes plus près de 7 à 7,5 litres aux 100 kilomètres, ce qui est encore excellent. Sans être réellement sportif, ce moteur, le seul offert pour le moment, est plus nerveux que la moyenne dans la catégorie des sous-compactes qui se contentent, en moyenne, de 103 à 110 chevaux. Ce petit moteur Duratec offre le calage variable des soupapes et un excellent silence de roulement une fois la vitesse de croisière atteinte.

[COMPORTEMENT] Maniable, agile et douce, la Fiesta avale les chemins sinueux et les petites routes de montagne avec brio. La rigidité du châssis, combinée à la fermeté de la suspension, procure une belle assurance au volant. Elle survole littéralement la concurrence. Et que ceux qui craignent une «américanisation» de la conduite se rassurent. Ford, qui chausse ses Fi-

HISTORIQUE

Même si elle est nouvelle chez nous, la Fiesta existe depuis 1976 en Europe qui a eu l'exclusivité du modèle jusqu'en 1996. Depuis, des variantes sont aussi produites dans les pays émergents (Brésil, Inde, Afrique du Sud). La présente version représente la 6e génération de cette petite voiture passe-partout.

Ford Fiesta
1976 - 1983

Ford Fiesta
1983 - 1989

Ford Fiesta
1989 - 1995

Ford Fiesta MK4
1995 - 1999

Ford Fiesta
1999 - 2002

Ford Fiesta
2002 - 2008

Ford Fiesta
2008 - aujourd'hui

A

B

C

D

GALERIE

A La partie centrale de la planche est avant-gardiste et fonctionnelle. La configuration des commandes a été conçue pour nous sembler aussi simple et familière que d'utiliser le clavier d'un téléphone cellulaire, dont elle est inspirée.

B La Fiesta nord-américaine comporte des sièges baquets à l'avant et une banquette arrière divisée 60/40. De plus, les modèles haut de gamme offrent un revêtement de cuir, une option rarissime dans ce segment.

C Autre caractéristique assez rare chez les sous-compactes, la Fiesta offre un coussin gonflable pour les genoux, situé tout juste sous le volant.

D Une toute nouvelle boîte à automatique 6 rapports PowerShift, offerte en exclusivité nord-américaine, allie la performance réactive et l'économie de carburant d'une boîte manuelle à la commodité d'une boîte automatique classique. Il s'agit sans doute d'un des éléments les plus réussis de cette voiture qui la place en avant de la concurrence.

E Le capot de la Fiesta abrite un moteur à 4 cylindres DACT de 1,6 litre qui développe une puissance de 120 chevaux. Nerveux sans être sportif, ce moteur permet aussi des économies de carburant appréciable grâce à sa boîte automatique et à son injection perfectionnée.

E

FICHE TECHNIQUE

· MOTEUR

· L4 1,6 l DACT, 120 ch à 6350 tr/min
Couple 112 lb-pi à 5000 tr/min
Transmission manuelle à 5 rapports, automatique à 6 rapports avec mode manuel (en option)
0-100 km/h 9,4 s
Vitesse maximale 195 km/h

· AUTRES COMPOSANTES
Sécurité active freins ABS
Suspension avant/arrière indépendante
Freins avant/arrière disques, tambours
Direction à crémaillère, assistée
Pneus S, SE, SE 5 portes P185/60R15
Option SE, Option SE 195/60R15
SEL, SES 5 portes 195/50R16

· DIMENSIONS
Empattement 2489 mm
Longueur berline 4409 mm, **5 portes** 4067 mm
Largeur 1722 mm
Hauteur 1473 mm
Poids berline man. 1169 kg,
berline auto. 1192 kg, **5 portes man.** 1151 kg,
5 portes auto. 1168 kg
Diamètre de braquage 10,5 m
Coffre coupé berline 362 l, **5 portes** nd
Réservoir de carburant 45,4 l

esta européennes de pneus d'été performants, a choisi des pneus quatre saisons pour l'Amérique. Pour compenser cette petite lacune, les ingénieurs ont revu le tarage un peu plus agressif de la suspension et augmenté légèrement l'épaisseur des barres antiroulis. En bout de piste, nous ne perdons pas au change; mieux encore, si vous équipez votre Fiesta de pneus de performance en remplacement des pneus quatre saisons, vous aurez un véhicule encore plus ferme que les Européens. La boîte manuelle offre une course assez courte et un guidage précis; malgré l'absence d'un sixième rapport. Pour ce qui est de la boîte automatique, elle est quasi irréprochable; seul un léger manque de vie au démarrage est à signaler, sinon, elle fait un sans-faute. Comme tous les petits 4-cylindres, le moteur fait sentir sa présence à bas régime, mais le bruit se dissipe dès qu'on atteint la vitesse de croisière. Sans être très toniques, les performances sont quand même au-dessus de la moyenne pour une sous-compacte. Dans un monde de petites voitures souvent pratiques mais inintéressantes d'un point de vue de conducteur, la Fiesta amène une grosse bouffée d'air frais.

[CONCLUSION] Enfin, Ford a décidé de mettre à profit sa forte image européenne au service de l'Amérique. Et cela ne fait que commencer! Nous assisterons au cours des deux prochaines années à un véritable raz-de-marée inspiré de produits issus de la filiale européenne. Si ces produits sont tous aussi beaux et originaux que la Fiesta, cela ne posera aucun problème. Grâce à son comportement routier tranchant,

à son freinage mordant et à sa tenue de route enjouée, elle fera le bonheur des amateurs de conduite au budget restreint. Une réu-ssite sur toute la ligne. Souhaitons que la prochaine Focus, elle aussi arrivant directement d'Europe, sera aussi pertinente! Rendez-vous dans l'Annuel 2012 pour plus de détails.

2ᵉ OPINION

FRÉDÉRIC MASSE J'ai essayé la Fiesta, alors que Ford nous avait permis de conduire un modèle importé avant tout le monde. Là encore, je dois lever mon chapeau au fabricant américain pour avoir mis le doigt dans le mille. Dans cette catégorie, le design extérieur est primordial et on peut affirmer qu'il s'agit d'une des plus belles voitures de la catégorie. Ce qui est encore plus formidable, c'est que ce design se retrouve aussi à l'intérieur. Il y a certes plusieurs plastiques trop durs qui font bon marché, mais la qualité d'ensemble l'emporte sur ce détail. La Fiesta, en plus, est très agréable à conduire et consomme peu grâce à son petit 4 cylindres de 1,6 litre (entre 5 et 7 litres aux 100 kilomètres). En plus, sa boîte automatique est la plus sophistiquée dans cette catégorie alors que l'on peut choisir entre une automatique à 6 (!) rapports ou une manuelle 5 rapports. En fait, à moins d'un désastre en matière de fiabilité (ce que Ford ne fait plus depuis un moment), la Fiesta est destinée au succès.

NOS MENTIONS

 Voiture de l'année

 Modèle recommandé

NOTRE VERDICT

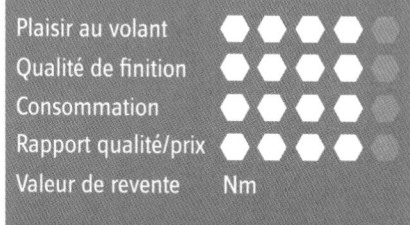

Plaisir au volant	●●●●
Qualité de finition	●●●
Consommation	●●●
Rapport qualité/prix	●●●
Valeur de revente	Nm

FORD

FLEX
www.ford.ca

ÉVOLUTION

N É J

32 699 $ à 46 699 $
transport et préparation : 1350 $

LA COTE VERTE

MOTEUR
V6 DE 3,5 L

- **Consommation (100km):**
  2RM 10,0 l
  4RM 11,3 l
- **Émissions polluantes CO_2:**
  2RM 4646 kg/an
  4RM 5290 kg/an
- **Empreinte écologique (nombre d'arbres à planter par année):** 31
- **Indice d'octane:** 87
- **Autre motorisation:** non
- **Coût du carburant moyen par année:**
  2RM 2020 $
  4RM 2300 $
- **Nombre de litres par année:**
  2RM 2020 l
  4RM 2300 l

(SOURCE: ÉnerGuide)

242

 FICHE D'IDENTITÉ

- **Versions** SE, SEL, SEL 4RM, Limited, Limited 4RM, Limited EcoBoost
- **Roues motrices** avant, 4
- **Portières** 5 **Nombre de passagers** 7
- **Première génération** 2009
- **Génération actuelle** 2009
- **Construction** Oakville, Ontario, Canada
- **Sacs gonflables** 6 (frontaux, latéraux avant, rideaux latéraux)
- **Concurrence** GMC Acadia, Honda Pilot, Hyundai Santa Fe, Mazda CX-9, Nissan Murano, Subaru Tribeca, Toyota Highlander

② AU QUOTIDIEN

- **Prime d'assurance**
  25 ans: 1800 à 2000 $
  40 ans: 1100 à 1300 $
  60 ans: 900 à 1100 $
- **Collision frontale** 5/5
- **Collision latérale** 5/5
- **Ventes du modèle de l'an dernier**
  Au Québec 877 Au Canada 6047
- **Dépréciation (1 an)** 33,3%
- **Rappels (2004 à 2009)** aucun
- **Cote de fiabilité** 3/5

③ GARANTIES... ET PLUS

- **Garantie générale** 3 ans/60 000 km
- **Garantie motopropulseur** 5 ans/100 000 km
- **Perforation** 5 ans/kilométrage illimité
- **Assistance routière** 5 ans/100 000 km
- **Nombre de concessionnaires**
  Au Québec 77 Au Canada 437

④ NOUVEAUTÉS EN 2011

- Modèle titanium au cours de l'année
- 3 nouvelles couleurs extérieurs.

LE COÛT DE L'EXCELLENCE

PAR DANIEL RUFIANGE

ILS ONT ÉTÉ NOMBREUX À RIGOLER DES PRE-MIÈRES ESQUISSES DU FLEX. CERTAINS ONT CRU À UNE BLAGUE. J'avouerai mon scepticisme d'alors à la vue de cette boîte rectangulaire munie de quatre roues. Ford a osé avec le Flex, un véhicule qui défit la logique en matière de style. Cette stratégie s'est révélée excellente pour l'Element de Honda, mais moins couronnée de succès pour le Cube de Nissan. Quant au Flex...

[CARROSSERIE] Les lignes du Flex séduisent ou horripilent. Il est offert en trois configurations: SE, SEL et Limited. Les plus observateurs les différencieront à la vue de leurs jantes, différentes selon les versions; 18 pouces pour les versions SE et SEL, 19 ou 20 pouces pour un modèle Limited. Seules les deux dernières variantes peuvent profiter de la transmission intégrale, offerte en option. Stipulons que le Flex est avant tout un véhicule à traction. L'acheteur peut personnaliser son Flex en optant pour une peinture à deux tons. Fait intéressant, c'est sans égard de la version choisie. Deux choix de couleurs sont sélectionnables pour le toit, soit blanc ou argent. Le jumelage

de tons confère énormément de style au Flex. Suffit de le comparer à une version unicolore pour s'en convaincre.

[HABITACLE] Êtes-vous à la recherche d'espace? Avec un volume total de 4412 litres, l'habitacle du Flex offre beaucoup d'espace. La forme carrée de la carlingue y contribue également. On peut rabattre chaque section de rangée pour adapter l'habitacle à ses besoins. En tout, sept occupants peuvent trouver leur aise à bord, même ceux confinés à la troisième banquette. À noter que les sièges de deuxième et de troisième rangées sont placés en estrades de façon à permettre aux occupants de bien voir. C'est bien, mais peu convivial pour les plus grands. Un toit panoramique à trois sections est offert en option et permet un flux constant de lumière dans l'habitacle; une option qui plaira aux claustrophobes. Signalons également le confort des sièges et l'interface Sync, une référence.

FORCES · Habitacle spacieux · Douceur de roulement · Sept véritables places · Quantité d'options offertes

FAIBLESSES · Prix · Coûts des options · Sièges arrière lourds à manipuler

[MÉCANIQUE] De série, les versions du Flex sont munies du moteur V6 Duratec de 3,5 litres. Ce dernier se montre compétent avec sa puissance de 262 chevaux et son couple de 248 livres-pieds. Pour ceux qui en veulent plus, le moteur EcoBoost livre une puissance de 355 chevaux et un couple de 350 livres-pieds. On comprendra qu'il n'est livrable que sur une version, AWD; l'effet de couple serait catastrophique sur une traction. Pour ceux qui comptent tirer une remorque, sachez que Ford propose un très efficace dispositif de stabilisation de la remorque. Ce dernier détecte d'éventuelles pertes de contrôle ou d'adhérence de l'attelage afin d'appliquer les freins pour stabiliser la charge à l'arrière. Efficace et sûr!

[COMPORTEMENT] Le Flex propose un comportement routier très civilisé. Son empattement important et son centre de gravité bas lui confère une stabilité remarquable. Malgré son poids, il se montre agile et stable en virage. La présence du dispositif AdvanceTrac — qui mesure le taux de roulis 100 fois par seconde — n'y est pas étrangère. Le moteur EcoBoost est le plus intéressant à l'usage, mais il exige la sélection d'une version Limited AWD, la plus chère de la gamme. Sa consommation de carburant se compare à l'autre moteur, à condition de ne pas abuser du turbo.

[CONCLUSION] Lors d'une même journée, j'ai eu droit à deux commentaires diamétralement opposés sur le Flex. Un cousin m'a dit: «Tu essaies un corbillard cette semaine?» Puis, un type me lance: «C'est votre Flex? Il est comment? Je le trouve tellement beau!» Cela illustre bien la perception du public à l'égard du Flex; c'est tout ou rien! Cependant, ceux qui le conduisent sont séduits. Toutefois, c'est un véhicule qui sous-tend une facture salée, peu importe la version. Le modèle que j'ai eu à l'essai affichait un prix de 56 029 $. À ce prix-là, je regarde ailleurs! Songez à un modèle de base ou un Flex d'occasion.

2ᵉ OPINION

MICHEL CRÉPAULT Il a d'abord le mérite d'exhiber une carlingue pas comme les autres. Ses longs flancs cannelés sont uniques sur l'autoroute. On pourrait les qualifier de rétros, sauf que leur traitement leur confère un air futuriste. Je conviens cependant que l'allure inusitée du Flex ne ralliera pas tous les goûts. Par contre, les gens à la recherche d'espace, de polyvalence, de robustesse et, oui, disons-le, d'attentions spéciales, peuvent difficilement mieux choisir. J'aime aussi sa motorisation, en particulier le V6 EcoBoost qui génère de réelles économies sans sacrifier la puissance et le plaisir. Dans les faits, le Flex est tout indiqué pour tirer vos joujoux jusqu'au chalet. L'ensemble de remorquage comprend un dispositif antilouvoiement qui chassera les sueurs froides. De la part de Ford, le Flex n'est rien de moins qu'un coup de circuit!

⑤ FICHE TECHNIQUE

· MOTEURS

· (SE, SEL, SEL 4RM, LIMITED, LIMITED 4RM)
V6 3,5 l DACT, 262 ch à 6250 tr/min
Couple 248 lb-pi à 4500 tr/min
Transmission automatique à 6 rapports
0-100 km/h 8,8 s
Vitesse maximale 200 km/h

· (LIMITED ECOBOOST)
V6 3,5 l biturbo DACT, 355 ch à 5700 tr/min
Couple 350 lb-pi à 3500 tr/min
Transmission automatique à 6 rapports avec mode manuel
0-100 km/h 8,2 s
Vitesse maximale 215 km/h
Consommation (100 km) 4RM 11,1 l
(octane 87, octane 91 recommandé)
Émissions de CO_2 5198 kg/an
Litres par année 2260 l
Coût par an 2260$
Autre motorisation non
Empreinte écologique 33 arbres

· AUTRES COMPOSANTES
Sécurité active freins ABS, antipatinage, contrôle de stabilité électronique
Suspension avant/arrière indépendante
Freins avant/arrière disques
Direction à crémaillère, assistée
Pneus SE, SEL, SEL 4RM P235/60R18 **Limited, Limited 4RM, Limited EcoBoost** P235/55R19, P255/45R20 (option)

· DIMENSIONS
Empattement 2994 mm
Longueur 5125 mm
Largeur 1927 mm
Hauteur 1726 mm
Poids SE, SEL, Limited 2027 kg **SEL 4RM, Limited 4RM, Limited EcoBoost** 2105 kg
Diamètre de braquage 12,4 m
Coffre 566 l, 1224 l, 2355 l (sièges abaissés)
Réservoir de carburant 70,4 l
Capacité de remorquage 2041 kg

NOS MENTIONS

☺ Modèle recommandé

NOTRE VERDICT

Plaisir au volant	●●●◖○
Qualité de finition	●●●○○
Consommation	●●◖○○
Rapport qualité/prix	●●●○○
Valeur de revente	●●●●○

FORD

FOCUS

www.ford.ca

ÉVOLUTION

N
J
É

16 349 $ à 21 549 $
transport et préparation: 1350 $

Ford

244

LA COTE VERTE

MOTEUR
L4 DE 2,0 L

- **Consommation (100km):**
man. 7,1 l
auto. 7,1 l
- **Émissions polluantes CO_2:**
man. 3312 kg/an
auto. 3312 kg/an
- **Empreinte écologique (nombre d'arbres à planter par année):** 21
- **Indice d'octane:** 87
- **Autre motorisation:** non
- **Coût du carburant moyen par année:**
man 1440 $
Auto 1440 $
- **Nombre de litres par année:**
man : 1440 l
auto 1440 l

(source: ÉnerGuide)

FICHE D'IDENTITÉ

- **Versions** S, SE, SES, SEL
- **Roues motrices** avant
- **Portières** 4 **Nombre de passagers** 5
- **Première génération** 2000
- **Génération actuelle** 2008
- **Construction** Wayne, Michigan, É.-U.
- **Sacs gonflables** 6 (frontaux, latéraux, rideaux latéraux)
- **Concurrence** Chevrolet Cruze, Honda Civic, Hyundai Elantra, Kia Spectra, Mazda3, Mitsubishi Lancer, Nissan Sentra, Pontiac Vibe, Subaru Impreza, Suzuki SX4, Toyota Corolla/ Matrix, Volkswagen Golf

AU QUOTIDIEN

- **Prime d'assurance**
25 ans: 1400 à 1600 $
40 ans: 900 à 1100 $
60 ans: 700 à 900 $
- **Collision frontale** 5/5
- **Collision latérale** 3/5
- **Ventes du modèle de l'an dernier**
Au Québec 4212 **Au Canada** 21 831
- **Dépréciation** (3 ans) 61,0 %
- **Rappels** (2005 à 2010) 2
- **Cote de fiabilité** 4/5

GARANTIES... ET PLUS

- **Garantie générale** 3 ans/60 000 km
- **Garantie motopropulseur** 5 ans/100 000 km
- **Perforation** 5 ans/kilométrage illimité
- **Assistance routière** 5 ans/100 000 km
- **Nombre de concessionnaires**
Au Québec 77 **Au Canada** 437

NOUVEAUTÉS EN 2011

- Abandon de la version coupé, système SYNC. offert en option, prochaine génération prévue pour l'année-modèle 2012.

PATIENCE ET BOULE DE GOMME

PAR MICHEL CRÉPAULT

POUR ÊTRE FRANC, JE PRÉFÉRERAIS DE BEAU-COUP VOUS ENTRETENIR DE LA NOUVELLE FO-CUS MILLÉSIMÉE 2012. Je l'ai vue, je l'ai palpée en primeur au dernier salon de l'auto de Detroit, mais, hélas, je ne l'ai pas conduite. Personne ne l'a conduite. Sa mise en marché ne se fera pas avant le début de 2011. Vous devrez donc patienter avec moi. Pour vous désennuyer, vous pouvez aussi lire les lignes qui suivent. Sait-on jamais: elles vous convaincront peut-être d'aller chasser les aubaines en magasinant une Focus neuve déjà vieille...

[CARROSSERIE] Pendant que d'autres se ter-raient dans des abris nucléaires pour contrer le redoutable bogue de l'an 2000, Ford célébrait le nouveau millénaire en relâchant la Focus. En 2008, elle en a revu l'allure, sachant très bien que la nouvelle avait déjà dépassé l'étape de la table à dessins. Pour encore mieux préparer le terrain à la remplaçante, Ford élimine du catalogue 2011 les coupés à deux portes SE et SES qu'elle avait introduits il y a à peine deux ans. La présente cuvée s'en tiendra donc à la berline (la prochaine ajoutera un modèle bicorps à 5 portes, mais rien n'a encore filtré au sujet d'une familiale) déclinée en version S, SE, SEL et SES, dont les jantes varient de 15 à 17 pouces. L'actuel coefficient de traînée de 0,32 devrait passablement s'améliorer si j'en juge d'après la coque plus svelte et sportive de la future Focus.

[HABITACLE] Un nouvel ensemble comprenant un toit ouvrant électrique et une chaîne audio de meilleure qualité avec radio AM/FM, lecteur de CD/MP3, montre, quatre haut-parleurs et un caisson d'extrêmes-graves est désormais facultatif pour les modèles SES et SEL. Il faut également s'en tenir au haut de gamme si l'on souhaite donner des ordres de vive voix au lecteur de mu-sique ou au téléphone à l'aide du système SYNC développé conjointement avec Microsoft; la SE l'offre en option, mais point le modèle de base. Bonne chance pour habituer le système à votre voix, votre articulation, votre accent du Lac-Saint-

FORCES · Moteur raisonnablement vivant et consommation intéressante · Tenue de route très satisfaisante · De bonnes affaires à l'horizon

FAIBLESSES · Espaces de rangement limités · Matériaux et assemblage bon marché par endroits · Chant du cygne de l'actuelle génération

Jean, là, là... Les boutons au fond du hublot qui contrôlent le centre d'information continuent de m'agacer, la console centrale me rappelle un autre produit Ford (l'Escape), et le confort des sièges, qu'ils soient habillés de tissu ou de cuir, est juste décent, tout comme le volume du coffre, expansible grâce aux dossiers rabattables. Il y a quand même des plastiques bon marché et de la finition qui laisse à désirer et qui nous rappellent que le tournage de coins ronds est encore pratiqué pour garder les coûts bas.

[MÉCANIQUE] On sait que la nouvelle emploiera un 2-litres de 155 chevaux, et je m'attends à de la sorcellerie EcoBoost éventuellement. En attendant, prière de vous débrouiller avec les 140 chevaux de l'actuel Duratec en ligne de 2 litres (couple de 136 livres-pieds). La boîte de vitesses automatique à 4 rapports est désormais de série pour le modèle SEL, alors que les trois autres livrées se présentent d'abord avec une manuelle à 5 rapports. L'ABS, l'antipatinage et le programme de stabilité sont standard.

[COMPORTEMENT] Une consommation moyenne de carburant de 7 litres aux 100 kilomètres et quelques gouttes est déjà, en soi, une bonne raison de choisir une Focus, même ancienne. Une autre en serait la tenue de route très honnête, quasiment européenne grâce à un châssis rigide et à une suspension à quatre roues indépendantes qui sait garder son cap. La boîte manuelle garantit une conduite plus vivante et des visites à la pompe plus espacées. L'absence de disques à l'arrière n'handicape pas le freinage, mais la sensation de la pédale est quelconque.

[CONCLUSION] La Fiesta est déjà là, et la nouvelle Focus s'en vient. Ford fait ce qu'il faut pour accaparer le gros des ventes dans les créneaux des minis et des compactes. On pourrait même dire que le constructeur a été le premier des ex-trois grands à réaliser l'importance qu'auront les petites voitures dans un futur vraiment rapproché. Genre demain. Si vous êtes à la recherche d'une bonne affaire, allez-y, tentez le coup. Sinon, patientez, la 2012 est toute proche.

2ᵉ OPINION

BENOIT CHARETTE Si l'envie vous prend d'aller chercher une Focus chez votre concessionnaire Ford, prenez quelques minutes de repos, installez-vous confortablement et attendez que votre envie passe. Je n'ai rien contre la présente génération de Focus, qui s'est montrée fiable et a rendu de bons services à ses propriétaires. Mais cette vieille chose est à la fin de sa vie, et Ford arrive en janvier 2011 avec une nouvelle cuvée 2012 qui promet énormément. Alors, même si Ford, au cours des prochains mois, offre des rabais à couper le souffle, si vous voulez vraiment une Focus qui vous fera monter l'adrénaline, de grâce, attendez la prochaine génération. Si vous voulez seulement un moyen de transport pour aller boulot, profitez des rabais, mais mon petit doigt me dit que vous allez le regretter.

⑤ FICHE TECHNIQUE

MOTEUR
- L4 2,0 l DACT, 140 ch à 6000 tr/min
- Couple 136 lb-pi à 4500 tr/min
- **Transmission** manuelle à 5 rapports, automatique à 4 rapports (en option)
- **0-100 km/h** 9,4 s
- **Vitesse maximale** 180 km/h

AUTRES COMPOSANTES
- **Sécurité active** freins ABS, contrôle électronique de la stabilité
- **Suspension avant/arrière** indépendante
- **Freins avant/arrière** disques/ tambours
- **Direction** à crémaillère, assistée
- **Pneus S/SE** P195/60R15, **SEL** P205/50R16, **SES** P215/45VR17

DIMENSIONS
- **Empattement** 2614 mm
- **Longueur** 4445 mm
- **Largeur** 1991 mm (avec rétroviseurs)
- **Hauteur** 1491 mm
- **Poids** 1190 kg (manuelle)
- **Diamètre de braquage** 15 po/16 po 10,4 m; 17 po 11,1 m
- **Coffre** 391 l
- **Réservoir de carburant** 51 l

| 245

NOTRE VERDICT

Plaisir au volant	●●●◖○
Qualité de finition	●●●○○
Consommation	●●●●◖
Rapport qualité/prix	●●●◖○
Valeur de revente	●◖○○○

FUSION
www.ford.ca

ÉVOLUTION

N — É
J

21 499 $ À 35 299 $
transport et préparation : 1350 $

LA COTE VERTE

MOTEUR
L4 DE 2,5 L HYBRIDE

- **Consommation (100km):**
5,3 l
- **Émissions polluantes CO$_2$:**
2300 kg/an
- **Empreinte écologique (nombre d'arbres à planter par année):** 18
- **Indice d'octane:** 87
- **Autre motorisation:** essence, E85
- **Coût du carburant moyen par année:** 1000$
- **Nombre de litres par année:** 1000 l

(SOURCE: ÉnerGuide)

---

① FICHE D'IDENTITÉ

- **Versions** S, SE, SEL, Sport et Hybride
- **Roues motrices** avant, 4
- **Portières** 4 **Nombre de passagers** 5
- **Première génération** 2006
- **Génération actuelle** 2010
- **Construction** Hermosillo, Mexique
- **Sacs gonflables** 6 (frontaux, latéraux avant, rideaux latéraux)
- **Concurrence** Chevrolet Malibu, Chrysler Sebring, Honda Accord, Hyundai Sonata, Kia Magentis, Mazda6, Mitsubishi Galant, Nissan Altima, Subaru Legacy, Toyota Camry, Volkswagen Jetta/Passat

② AU QUOTIDIEN

- **Prime d'assurance**
  25 ans: 2000 à 2200$
  40 ans: 1000 à 1200$
  60 ans: 800 à 1000$
- **Collision frontale** 4/5
- **Collision latérale** 4/5
- **Ventes du modèle de l'an dernier**
  Au Québec 2840 **Au Canada** 16 526
- **Dépréciation** 62,3%
- **Rappels (2005 à 2010)** 2
- **Cote de fiabilité** 4/5

③ GARANTIES... ET PLUS

- **Garantie générale** 3 ans/60 000 km
- **Garantie motopropulseur** 5 ans/100 000 km
- **Perforation** 5 ans/kilométrage illimité
- **Assistance routière** 5 ans/100 000 km
- **Nombre de concessionnaires**
  Au Québec 77 **Au Canada** 437

④ NOUVEAUTÉS EN 2011

- Aucun changement majeur

MISSION ACCOMPLIE

PAR PHILIPPE LAGUË

INTRODUITE À L'AUTOMNE 2005, LA FUSION ÉTAIT LE MODÈLE DE LA DERNIÈRE CHANCE POUR FORD. Mission accomplie : son premier mandat a été fructueux, et le second, amorcé avec l'arrivée de la deuxième génération, l'année dernière, continue le bon travail souligné par des récompenses au chapitre de la fiabilité. Comme diraient nos analystes de hockey, la Fusion a le momentum.

[CARROSSERIE] La Fusion 2.0 reprend les grandes lignes de sa devancière, avec des retouches cosmétiques aux parties avant et arrière. La berline est la seule configuration offerte; pas de coupé, pas de familiale, pas de décapotable non plus. La deuxième génération s'est toutefois enrichie de deux nouvelles versions, Sport et Hybride.

[HABITACLE] De la version de base (S) aux plus cossues, la décoration est de bon goût, et la qualité de construction, comparable, sinon supérieure à celle des berlines japonaises qui ont longtemps été la référence. Décernons une étoile au tableau de bord de la Fusion Hybride, qui est le plus réussi des voitures hybrides, tant pour sa clarté que pour son apparence. Les autres commandes brillent aussi par leur simplicité et elles sont bien placées. Une bonne note également pour les nombreux espaces de rangement. Les sièges figurent également parmi les points forts de l'habitacle. À l'avant, les baquets sont généreusement rembourrés mais juste assez fermes et procurent un bon maintien. Confortable, la banquette arrière l'est tout autant et, chose rare, elle offre un maintien latéral digne de ce nom. Les passagers arrière bénéficient d'un bon dégagement pour la tête et les jambes. Dans la version Hybride, il faudra faire une croix sur le dossier inclinable, en raison de la présence de la batterie juste derrière la banquette. Cette batterie gruge également beaucoup d'espace dans le coffre.

[MÉCANIQUE] Le menu est étoffé avec pas moins de quatre moteurs : un 4-cylindres, deux V6 et une motorisation hybride. Le 4-cylindres de 2,5 litres est le seul qui peut être jumelé à une boîte de vitesses manuelle. Une boîte automatique est également offerte sur toutes les versions.

FORCES · Choix de versions · Finition et construction irréprochables · Sièges confortables · Choix de moteurs · Version Hybride convaincante · Fiabilité rassurante

FAIBLESSES · Configuration unique · Coffre tronqué (Hybride) · Version Sport décevante · Important rayon de braquage · Consommation (sauf Hybride)

La Fusion Hybride reçoit, elle, une boîte à variation continue (CVT). Le 4-cylindres de la Fusion n'a pas à rougir devant ceux de la concurrence asiatique. La consommation est cependant décevante avec une moyenne qui oscille entre 9 et 10 litres aux 100 kilomètres. En revanche, la Fusion Hybride cartonne à ce chapitre avec une moyenne de 6,7 litres. Sur l'autoroute, à 100 km/h, ça descend à 5,3 litres aux 100 kilomètres. Là, ça commence à être diablement intéressant! Deux V6 sont également offerts, d'une cylindrée respective de 3 et de 3,5 litres. Plus puissant, le second est réservé exclusivement à la version Sport. Malgré leur puissance, ces deux V6 ne vous décoifferont pas; leurs performances sont correctes, sans plus. En outre, ils n'ont pas l'onctuosité des V6 japonais.

[COMPORTEMENT] Réglons tout de suite le cas de la Fusion Sport qui n'a de sportif que le nom. Performances moyennes, pas de boîte manuelle, comportement placide, ça frôle l'usurpation. Sur toutes les versions, la direction est précise mais légère et, si l'on conduit de façon un peu plus intense, il faut corriger constamment, surtout dans les grandes courbes. Le rayon de braquage, lui, est ÉNORME (en majuscules dans mon calepin de notes), un défaut hérité de sa devancière. Les suspensions ont été calibrées en fonction du confort, et, de ce côté, c'est réussi. C'est encore plus vrai dans la Fusion Hybride, où l'insonorisation et la douceur de roulement atteignent des sommets. Les trains roulants font aussi un excellent travail en absorbant avec souplesse les trous, les bosses et les autres aspérités de notre réseau routier.

[CONCLUSION] La Fusion Hybride permet à Ford de marquer le pas chez les Américains en matière de voitures hybrides. Sa technologie n'a rien à envier à celle de Honda ou de Toyota, ni en raffinement, ni en rendement. C'est la meilleure voiture hybride américaine et, à mon avis, c'est la meilleure hybride, point. Dans l'ensemble, la qualité est au rendez-vous, la fiabilité aussi, et la Fusion de deuxième génération confirme que le retour en force de la marque à l'ovale bleu n'est pas l'effet du hasard.

⑤ FICHE TECHNIQUE

- **MOTEURS**
- **(HYBRIDE)**
L4 2,5 l cycle Atkinson DACT, 156 ch à 6000 tr/min (puissance nette de 191 ch)
Couple 136 lb-pi à 2250 tr/min (avec moteur électrique)
Transmission automatique à variation continue
0-100 km/h 9,3 s
Vitesse maximale 170 km/h

- **(S, SE, SEL)**
L4 2,5 l DACT, 175 ch à 6000 tr/min
Couple 172 lb-pi à 4500 tr/min
Transmission manuelle à 6 rapports, automatique à 6 rapports (en option)
0-100 km/h 9,1 s
Vitesse maximale 205 km/h
Consommation (100 km) man. 8,2 l (octane 87)
auto. 7,9 l (octane 87)
Émissions de CO_2 man. 3818 kg/an, **auto.** 3726 kg/an
Litres par année man. 1660 l, **auto.** 1620 l
Coût par an man. 1660 $, **auto.** 1620 $
Empreinte écologique 24 arbres

- **(SE V6, SEL V6, SEL V6 4RM)**
V6 3,0 l DACT, 240 ch à 6550 tr/min
Couple 223 lb-pi à 4300 tr/min
Transmission automatique à 6 rapports avec mode manuel
0-100 km/h 7,6 s
Vitesse maximale 225 km/h
Consommation (100 km) 2RM 9,2 l (octane 87), **4RM** 9,8 l (octane 87)
Émissions de CO_2 2RM 4324 kg/an **4RM** 4600 kg/an
Litres par année 2RM 1880 l **4RM** 2000 l
Coût par an 2RM 1880$ **4RM** 2000$
Empreinte écologique 29 arbres

- **(SPORT)**
V6 3,5 l DACT, 263 ch à 6250 tr/min
Couple 249 lb-pi à 4500 tr/min
Transmission automatique à 6 rapports avec mode manuel
0-100 km/h 7,3 s
Vitesse maximale 225 km/h
Consommation (100 km) 10,5 l (octane 87)
Émissions de CO_2 2RM 4922 kg/an
Litres par année 2140 l
Coût par an 2140 $
Empreinte écologique 31 arbres

- **AUTRES COMPOSANTES**
Sécurité active freins ABS, répartition électronique de force de freinage, antipatinage, contrôle de stabilité électronique
Suspension avant/arrière indépendante
Freins avant/arrière disques
Direction à crémaillère, assistée
Pneus S, SE P205/60R16
SE, SEL, Hybride P225/50R17
Option SEL, Option SEL 4RM, Sport P225/45R18

- **DIMENSIONS**
Empattement 2727 mm
Longueur 4841 mm
Largeur 1833 mm
Hauteur 1445 mm
Poids L4 man. 1490 kg, **L4 auto.** 1516 kg, **SEL** 1563 kg, **SEL 4RM** 1649 kg, **Sport** 1629 kg, **Hybride** 1687 kg
Diamètre de braquage 11,4 m
Coffre 467 l, **Hybride** 334 l
Réservoir de carburant 66 l
SEL 4RM, Sport, Hybride 63 l

NOS MENTIONS

 Le véhicule le «plus vert»

 Modèle recommandé

NOTRE VERDICT

Plaisir au volant	●	●	●	●	⬡
Qualité de finition	●	●	●	⬡	⬡
Consommation	⬡	●	●	●	●
Rapport qualité/prix	●	●	●	⬡	⬡
Valeur de revente	●	●	●	●	⬡

MUSTANG / SHELBY GT500

N NOUVEAUTÉ **É**

J

22 999 $ à 63 699 $
transport et préparation: 1400 $

www.ford.ca

LA COTE VERTE

MOTEUR
V6 DE 3,7 L

· **Consommation**
(100km):
man. 9,8 l
auto. 9,4 l
· **Émissions polluantes**
CO_2 : 4 922 kg/an
· **Empreinte écologique**
(nombre d'arbres à
planter par année):
27 arbres
· **Indice d'octane**: 87
· **Autre**
motorisation: non
· **Coût du carburant**
moyen par année:
2140 $
· **Nombre de litres par**
année: 2140 l

(SOURCE: Ford)

---

① FICHE D'IDENTITÉ

· **Versions** V6 coupé/cabriolet, GT coupé/cabriolet,
Shelby GT500 coupé/cabriolet
· **Roues motrices** arrière
· **Portières** 2 **Nombre de passagers** 4
· **Première génération** 1964 1/2
· **Génération actuelle** 2005
· **Construction** Flat Rock, Michigan, É.-U.
· **Sacs gonflables** 4 (frontaux, latéraux)
· **Concurrence** Chevrolet Camaro,
Dodge Challenger, Mini Cooper S,
Mitsubishi Eclipse, Nissan 370Z

② AU QUOTIDIEN

· **Prime d'assurance**
25 ans: 3300 à 3500 $
40 ans: 1700 à 1900 $
60 ans: 1200 à 1400 $
· **Collision frontale** 5/5
· **Collision latérale** 5/5
· **Ventes du modèle de l'an dernier**
Au Québec 902 Au Canada 5200
· **Dépréciation** 37,8 %
· **Rappels** (2005 à 2010) 1
· **Cote de fiabilité** 3/5

③ GARANTIES... ET PLUS

· **Garantie générale** 3 ans/60 000 km
· **Garantie motopropulseur** 5 ans/100 000 km
· **Perforation** 5 ans/kilométrage illimité
· **Assistance routière** 5 ans/100 000 km
· **Nombre de concessionnaires**
Au Québec 77 Au Canada 437

④ NOUVEAUTÉS EN 2011

· Améliorations apportées au châssis ainsi qu'au
système de freinage.
· Retour du modèle BOSS 302 de 440 ch. (2012)

LA LÉGENDE SE POURSUIT !

PAR FRANCIS BRIÈRE

PAS MOINS DE NEUF MILLIONS DE PERSONNES
SE SONT PROCURÉS UNE FORD MUSTANG
DEPUIS LE JOUR DE SA CRÉATION, IL Y A PLUS
DE 45 ANS. On est encore loin du record du
Modèle T, mais si la tendance se maintient, la
voiture Pony subsistera encore longtemps. Pour
2011, le constructeur américain a pris le taureau
par les cornes : les amateurs de « muscle cars »
n'hésiteront plus entre la Mustang et les modèles
rivaux. Les ingénieurs ont conçu une voiture qui
se rapproche encore davantage de ce qu'on peut
imaginer de mieux. Elle est plus rapide, plus désirable, plus respectueuse de l'environnement
et aussi abordable. Oui, Ford s'en va dans la
bonne direction, et on ne pourrait reprocher au
constructeur d'avoir mis autant d'ordre dans
ses affaires... Pour rivaliser avec les deux autres
constructeurs qui offrent des modèles au goût
du jour, Ford devait jouer d'audace. L'ancienne
génération de Mustang proposait une livrée à
moteur V6 un peu poussif de 210 chevaux et une
version GT dont le V8 produisait 100 chevaux de
moins que celui du modèle concurrent. Les ingénieurs ont mis l'épaule à la roue pour créer deux

œuvres d'art et chefs-d'œuvre de technologie.
Réussir l'impossible consistait à produire un engin plus puissant et plus économique, le défi que
doivent relever tous les fabricants. Le résultat est
concluant : un V6 de 305 chevaux qui consomme
moins de 10 litres aux 100 kilomètres (en théorie) et un V8 de 412 chevaux qui brûle moins de
pétrole que l'ancien moteur.

[CARROSSERIE] Pour 2011, Ford propose une Mustang qui affiche peu de changements esthétiques.
La livrée GT se distingue par un énorme logo GT
visible à l'arrière, tandis que l'inscription de la
cylindrée du moteur (5.0) est immanquable sur
les flancs, à telle enseigne que ça jure! Autrement,
on remarque un nez qui plonge un peu plus vers
l'avant et des ensembles offerts en fonction de
la livrée choisie. La livrée GT affiche l'emblème
de chrome foncé sur la calandre et des roues de
18 pouces en aluminium peint à rayons larges.
Nos voisins du sud ont de la chance : une livrée
spéciale Mustang Club of America leur est offerte. Ce modèle se distingue par sa calandre qui
arbore fièrement le logo de l'organisation.

FORCES · V8 jouissif · Boîte de vitesses améliorée · Sonorité délirante (GT)
· Finition en progrès · Prix intéressant

FAIBLESSES · Volant trop gros · Tenue de route sautillante sur mauvaise
chaussée · Volant non télescopique

MUSTANG / SHELBY GT500

[HABITACLE] L'habitacle de la Mustang 2011 propose peu de changements, si ce n'est la planche de bord qui bénéficie d'une ergonomie améliorée. La navigation par satellite exige l'insertion d'un écran à cristaux liquides (ACL) bien en vue qui intègre les commandes habituelles comme celle de la climatisation. Pour le reste, les places arrière demeurent symboliques, et les sièges ne sont guère plus soutenants que ceux de l'ancienne génération. Ford a pris la décision de conserver l'allure rétro en ce qui a trait aux cadrans à gros chiffres, au gros volant à trois branches et au levier de vitesses qui fait voiture ancienne. Les gros baquets moelleux sur lesquels on s'enfonçait ont été remplacés par des sièges plus fermes qui semblent mieux soutenir l'anatomie. Malgré quelques imperfections notables, l'habitacle de cette cuvée 2011 est amélioré. De fait, la finition est de meilleure qualité et plus solide.

[MÉCANIQUE] Les amateurs de Mustang peuvent choisir le modèle de base en toute quiétude et se réserver du plaisir à revendre. Le V6 de 3,7 litres (une diminution de la cylindrée pour une augmentation de puissance de près de 100 chevaux par rapport à l'ancien moteur), malgré une cylindrée qui demeure imposante, réussit à rendre justice à la voiture en ce qui concerne la puissance, le couple et la sonorité. À bien y penser, pour 23 000 $, vous obtenez un bolide de

> ON ACHÈTE UNE MUSTANG POUR VIVRE LA LÉGENDE, POUR SE NOURRIR DES ÉMOTIONS QUE PROCURE CETTE VOITURE QUI, DÉSORMAIS, PROFITE DE LA DERNIÈRE TECHNOLOGIE SANS QUE CELA NUISE À SA RÉPUTATION.

305 chevaux, et pas n'importe lequel. Pour quelques dollars de plus, vous pouvez y ajouter des roues de 19 pouces et de magnifiques sièges tout cuir. La Mustang V6 est offerte avec une boîte de vitesses manuelle à 6 rapports de série. Même si la boîte automatique est devenue quasi impérative de nos jours, la conduite d'une telle machine se veut fort agréable quand tous les membres sont sollicités, à moins que vous n'ayez d'autres choix que de conduire dans la circulation dense d'une grande ville. L'amateur de la légende ne sera certes pas déçu par cette livrée à moteur V6. Il est suffisamment pétant de santé pour faire vivre des heures d'enchantement à son propriétaire. Pour le prix demandé, le produit a de quoi satisfaire.

Pourtant, c'est le nouveau V8 de 5 litres qui retient davantage l'attention. Cet engin montre sa puissance tout en allégresse, sans le moindre signe de rugosité. Selon moi, il s'agit d'une belle pièce d'ingénierie, un moteur qui rend justice à cette lignée de la Mustang.

[COMPORTEMENT] Les routes des environs de Los Angeles regorgent de super bolides. Un spectacle qui se révèle inspirant, car j'ai eu la chance de faire un essai sur les Canyon roads, dans le secteur de Malibu. Quoi de mieux que de passer dans un tunnel aux parois métallisées creusé à même la montagne pour faire résonner le moteur dans toute sa splendeur! La boîte manuelle est à la fois directive et souple, ce qui permet de garder un contact privilégié avec la voiture. Le troisième rapport devient jouissif si le conducteur sollicite l'accélérateur à fond : le

HISTORIQUE

Le 17 avril 1964 marque un tournant dans l'histoire de l'industrie de l'automobile. Ford introduit la Mustang sur le marché. C'est Lee Iacocca, celui-là même qui allait sauver Chrysler de la faillite avec l'invention de la mini fourgonnette, alors directeur général de Ford qui présenta la voiture à la foire mondiale de New York. Construite sur la base d'une Ford Falcon, le Mustang a traversé toutes les époques et a même résisté à la crise pétrolière. Mais beaucoup veulent oublier la Mustang II qui n'a pas marqué les plus beaux jours de la marque.

MUSTANG 1967

MUSTANG 1972

MUSTANG 1974

MUSTANG 1979

MUSTANG 1985

MUSTANG 1994

MUSTANG 1995

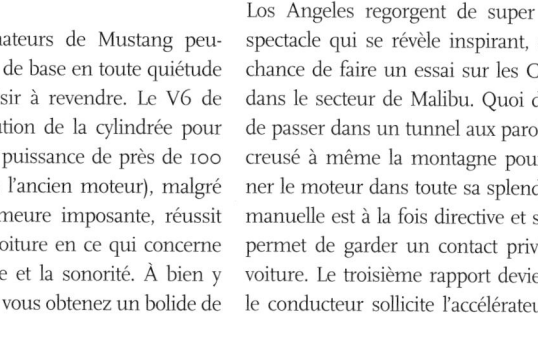

MUSTANG / SHELBY GT500

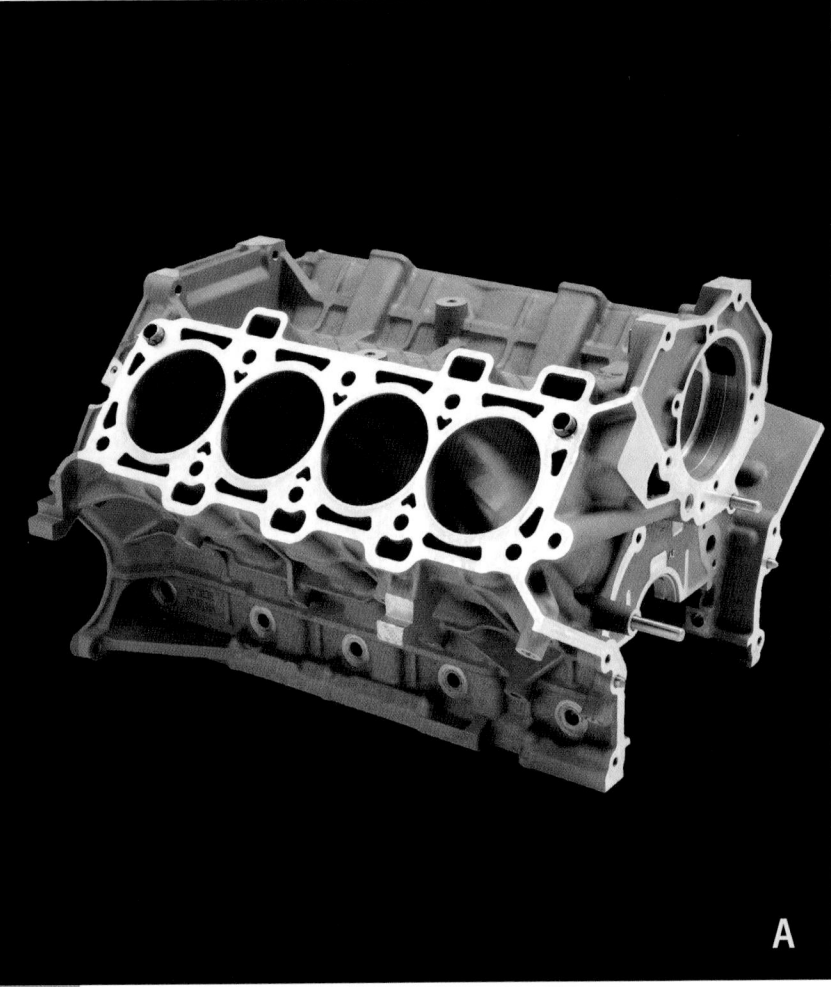

A

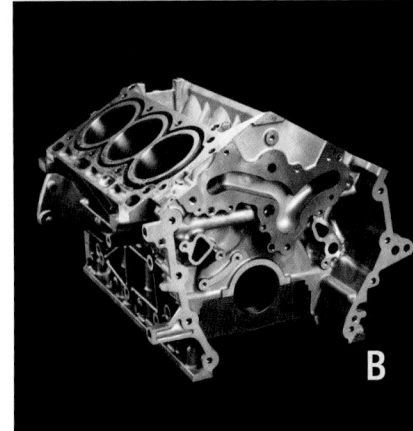

B

C

D

E

GALERIE

A
B La grande nouveauté des Mustang 2011 est sous le capot. Avec une vive concurrence de Chevrolet avec sa Camaro qui pousse son V8 à 426 chevaux, les 300 chevaux de la Mustang ne faisaient plus le poids. Ford y va donc avec le retour du V8 de 5 litres avec 412 chevaux. Même principe pour le V6 qui passe de 210 à 305 chevaux pour mieux tenir tête à Chevrolet et à Hyundai avec un coupé Genesis V6 de 306 chevaux.

C Introduite dans la dernière génération de Mustang, le propriétaire a le choix de plus de 125 coloris d'ambiance dans la voiture qui passe du bleu au rose ou au vert au gré de votre humeur.

D Largement dominé par le noir, la Mustang vous permet d'obtenir en option une finition dans des tons de beige qui offre une toute nouvelle perspective et tend à éclaircir un intérieur plutôt sombre dans sa finition traditionnelle.

E La radio satellite SIRIUS® est offerte de série sur la Mustang GT et comprend un abonnement prépayé de 6 mois. Vous profitez également du système SYNC – de série pour la GT, livrable pour la V6. Il utilise votre téléphone cellulaire compatible avec la technologie Bluetooth® couplé à votre lecteur multimédia numérique ou à votre clé USB afin de vous permettre d'utiliser de simples commandes vocales pour faire des appels et écouter de la musique.

MUSTANG / SHELBY GT500

la GT devient encore plus intéressante avec cet engin ronronnant et puissant.

vrombissement du V8 donne des frissons dans le dos, la poussée de l'accélération nous enfonce dans notre siège. Voilà un scénario qui, chaque fois, nous fait retomber en enfance. Et puis les ingénieurs de Ford ont joué à quelques autres endroits stratégiques, notamment sur la suspension et le châssis, des modifications qui procurent à la voiture une caisse un tantinet plus rigide. En revanche, l'essieu rigide à l'arrière cause de petits désagréments, en particulier si la chaussée est inégale. Au Québec, cette caractéristique de la voiture peut devenir agaçante si le pavé est truffé de trous et de bosses en plein virage. La performance du V8 donne une valeur ajoutée à la voiture qui doit tout de même composer avec une concurrence féroce. Ford se devait d'offrir un engin de plus de 400 chevaux pour assurer la continuité de la légende.

[CONCLUSION] On n'achète pas une Ford Mustang pour battre des records en piste, on n'achète pas une Mustang pour prendre des virages à toute allure en espérant défier les lois de la gravité. On achète une Mustang pour vivre la légende, pour se nourrir des émotions que procure cette voiture qui, désormais, profite de la dernière technologie sans que cela nuise à sa réputation. Au contraire! Écoutez la sonorité de ce V8, vous serez conquis! De plus, vous pouvez même vous faire plaisir encore davantage avec la livrée décapotable. Pour l'amateur de la silhouette et de la légende, la livrée à moteur V6 vous comblera. Elle offre suffisamment de puissance pour les tâches quotidiennes et procure amplement de plaisir. De plus, ce bolide vous est offert à moins de 25 000 dollars! En revanche,

2ᵉ OPINION

FRÉDÉRIC MASSE Avec la nouvelle Mustang, la GT plus particulièrement, Ford a travaillé tout ce qui clochait. Elle a retiré les pneus aux flancs trop mous, la direction déconnectée, le levier de vitesses imprécis et, surtout, surtout, la suspension trop molle. Dans la recette, n'oubliez pas de ramener le mythique V8 de 5 litres dont la puissance a été portée à 412 chevaux. Imaginez, le V6 de base, soit le nouveau 3,7-litres, fait 305 chevaux. Il n'est donc plus le parent pauvre, ni la location de fin de semaine, mais bien plutôt une puissante bagnole en soi. Grâce à ces modifications, le rapport qualité/prix/performance de la Mustang est tout simplement stupéfiant. Le nouveau moteur de la GT n'est plus aussi guttural que l'ancien par contre. Il aime maintenant chanter plus haut, soit jusqu'à 7000 tr/min. Bref, les résultats sont là, et la voiture est une merveille et la meilleure du genre, rien de moins. J'achète!

5 FICHE TECHNIQUE

MOTEURS

(V6)
V6 3,7 l DACT, 305 ch à 6500 tr/min
Couple 280 lb-pi à 4250 tr/min
Transmission manuelle à 6 rapports, automatique à 6 rapports (en option)
0-100 km/h 6,9 sec
Vitesse maximale 225 km/h

(GT)
V8 5,0 l DACT, 412 ch à 6500 tr/min
Couple 390 lb-pi à 4250 tr/min
Transmission manuelle à 6 rapports, automatique à 6 rapports (en option)
0-100 km/h 5,2 sec
Vitesse maximale 240 km/h
Consommation (100 km) man. 10,9 l
auto. 10,9 l (octane 91)
Émissions de CO$_2$ 5124 kg/an
Litres par année 2300 l
Coût par an man. 2576 $
Autre motorisation non
Empreinte écologique 31 arbres

(SHELBY GT500)
V8 5,4 l suralimenté par compresseur volumétrique DACT, 550 ch à 6200 tr/min
Couple 510 lb-pi à 4500 tr/min
Transmission manuelle à 6 rapports
0-100 km/h 4,4 secondes
Vitesse maximale 260 km/h
Consommation (100 km) 12,4 l (octane 91)
Émissions de CO$_2$ 5612 kg/an
Litres par année 2440 l **Coût par an** 2 684 $
Autre motorisation non
Empreinte écologique 37 arbres

AUTRES COMPOSANTES

Sécurité active freins ABS, antipatinage
Suspension avant/arrière indépendante, essieu rigide
Freins avant/arrière disques ventilés
Direction à crémaillère, assistée
Pneus V6 P215/60R17 **Option V6, GT** P235/50R18
GT500 P255/40R19 (av.), P285/35ZR19 (arr.)
Option GT500 P265/40R19 (av.), P285/35R20

DIMENSIONS

Empattement 2720 mm
Longueur 4778 mm **GT500** 4780 mm
Largeur 1877 mm **GT500** 1880 mm
Hauteur 1412 mm **GT500** 1438 mm
cabrio. 1426 mm
Poids coupé V6 man 1566 kg, **V6 auto.** 1575 kg,
GT man. 1636 kg, **GT auto.** 1657 kg,
GT500 1732 kg **cabrio. V6 man** 1627 kg,
V6 auto. 1635 kg, **GT man.** 1687 kg,
GT auto. 1710 kg **GT500** 1800 kg
Diamètre de braquage V6 10,2 m **V8** 11,5 m
Coffre coupé 380 l **cabrio.** 272 l
Réservoir de carburant 61 l

NOS MENTIONS

♥ Coup de coeur

NOTRE VERDICT

Plaisir au volant	●●●●○
Qualité de finition	●●●○○
Consommation	●●○○○
Rapport qualité/prix	●●●○○
Valeur de revente	●○○○○

LA COTE VERTE

MOTEUR
V6 DE 3,6 L

- **Consommation (100km):**
  man. 10,9 l
  auto. 9,7 l
  4RM 10,2 l
- **Émissions polluantes CO_2:**
  man. 5328 kg/an
  auto. 4752 kg/an
  4RM 4992 kg/an
- **Empreinte écologique (nombre d'arbres à planter par année):** 30
- **Indice d'octane:** 87
- **Autre motorisation:** non
- **Coût du carburant moyen par année:**
  man. 2220 $
  auto. 1980 $
  4RM 2080 $
- **Nombre de litres par année:**
  man. 2220 l
  auto. 1980 l
  4RM 2080 l

(SOURCE : EnerGuide)

252

 FICHE D'IDENTITÉ

- **Versions** XL, Sport, XLT
- **Roues motrices** arrière, 4
- **Portières** 2, 4 **Nombre de passagers** 2+2
- **Première génération** 1983
- **Génération actuelle** 1993
- **Construction** St.Paul, Minnesota, É.-U.
- **Sacs gonflables** 2 (frontaux)
- **Concurrence** Chevrolet Colorado, Dodge Dakota, GMC Canyon, Nissan Frontier, Toyota Tacoma

② **AU QUOTIDIEN**

- **Prime d'assurance**
  25 ans: 1400 à 1600 $
  40 ans: 900 à 1100 $
  60 ans: 600 à 800 $
- **Collision frontale** 4/5
- **Collision latérale** 4/5
- **Ventes du modèle de l'an dernier**
  Au Québec 4435 **Au Canada** 20 715
- **Dépréciation** 58,4 %
- **Rappels** (2005 à 2010) 3
- **Cote de fiabilité** 3/5

③ **GARANTIES... ET PLUS**

- **Garantie générale** 3 ans/60 000 km
- **Garantie motopropulseur** 5 ans/100 000 km
- **Perforation** 5 ans/kilométrage illimité
- **Assistance routière** 5 ans/100 000 km
- **Nombre de concessionnaires**
  Au Québec 77 **Au Canada** 437

 NOUVEAUTÉS EN 2011

- Aucun changement majeur

MUSÉOLOGIE 101

PAR DANIEL RUFIANGE

ÇA Y EST, LA FORD RANGER FAIT DÉSORMAIS PARTIE DU PATRIMOINE. N'Y TOUCHEZ PLUS, QU'ON CESSE DE PARLER TOUT DE SUITE DE LA PROCHAINE GÉNÉRATION. Il est incroyable de réaliser que l'arrivée de la génération actuelle sur le marché remonte au temps où Jean Chrétien accédait au titre de Premier ministre du Canada. Imaginez ce que nous dirions si ce dernier était toujours Premier ministre du pays : allez, ouste, dehors !

[CARROSSERIE] La Ranger se présente toujours sous les mêmes configurations, soit en versions à 2 ou à 4 roues motrices et avec cabine simple ou double. De l'extérieur, peu de choses ont changé depuis 1983, l'année de naissance de la première Ranger, et encore moins depuis 1993. Heureusement qu'il s'agit d'une camionnette. Imaginez si une voiture avait conservé les mêmes lignes pendant 27 ans! Ce qui réussit bien à la Ranger, il faut l'admettre, c'est que ses lignes rétro sont sympathiques, et les petites retouches apportées au fil du temps la maintiennent à flot.

[HABITACLE] Ici, tout est question d'interprétation. Si vous aimez les espaces exigus, vous serez servi. À bord de la Ranger, les personnes de grande taille pesteront. Même si je ne fais que 1,75 mètre, votre humble serviteur a réussi à se démantibuler un coude et à se fracasser un genou contre des parties de l'habitacle, que ce soit en montant à bord de la Ranger, en en descendant ou en roulant en ligne droite, tout bonnement ! La présentation intérieure date d'un autre siècle, mais c'en est devenu sympathique. La qualité des matériaux n'est pas très bonne, mais, à l'intérieur d'une camionnette qu'on peut décrocher pour moins de 15 000 $ chez certains concessionnaires, mal venu celui qui osera se plaindre. Disons que c'est dans le ton.

[MÉCANIQUE] Encore cette année, Ford nous propose les deux mêmes moteurs pour assurer les déplacements de la Ranger, soit un 4-cylindres de 2,3 litres, qui ne développe que 143 chevaux, et un V6 de 4 litres qui génère 207 chevaux et produit un couple de 238 livres-pieds. Compte tenu du poids relativement faible de la Ranger,

FORCES · Modèle de collection (!) · Rapport qualité/prix
· Camionnette robuste et efficace

FAIBLESSES · Complètement dépassée · Habitacle archaïque
· Comportement routier qui donne la nausée

le 4-cylindres suffit pour les déplacements quotidiens. Cependant, si la nécessité de transporter du matériel lourd ou de tracter une petite remorque survient, il faut opter pour le moteur V6 de 4 litres. Il ne propose peut-être que 207 chevaux, mais son couple permet à la Ranger d'accomplir de la bonne besogne. À noter que chacun des moteurs peut travailler de concert avec une boîte manuelle ou une automatique, toutes deux profitant de 5 rapports.

[COMPORTEMENT] Cœur sensible, abstenez-vous! Une balade à bord de la Ranger équivaut à une visite chez un médecin généraliste. Vous saurez illico si vous êtes en bonne forme physique. Les sièges inconfortables auront tôt fait d'évaluer la santé de votre dos, pendant que la suspension, très rigide, et le sautillement quasi constant à bord, vous permettront de vérifier l'état de votre estomac. Pour ceux qui aiment se faire brasser, c'est la joie. Cependant, après quelques kilomètres, assez, c'est assez! On ne peut toutefois pas reprocher à la Ranger sa robustesse. Ceux qui doivent franchir des sentiers accidentés pour se rendre à leur chalet de pêche apprécieront. En fait, comme c'est le cas de la présentation intérieure, l'acheteur en a pour son argent et, même, plus. Toutefois, nul doute qu'un comportement routier plus feutré ne serait pas un luxe.

[CONCLUSION] Il y a quelques années, on parlait de l'arrivée de la nouvelle Ranger. Puis, la crise financière est venue retarder les plans du côté de Ford. Où était-ce un prétexte? Un simple regard du côté des ventes nous fait réaliser que, dans le fond, rien ne presse. On écoule tellement de Ranger qu'elle en est devenue une machine à imprimer de l'argent. Pensez-y : depuis combien de temps Ford a-t-elle recouvré son investissement en matière de développement? La Ranger demeure une histoire à succès. L'édition actuelle n'est simplement plus conforme aux standards de l'industrie. En attendant, ce qui apparaît comme la prochaine génération est à l'essai.

2ᵉ OPINION

MICHEL CRÉPAULT On attend impatiemment la nouvelle Ranger mais, aux dernières nouvelles, Ford n'avait pas encore pris une décision quant à la nature de son renouvellement. Mine de rien, cette camionnette, qui date du déluge, n'en finit pas d'accumuler les bonnes ventes! Son géniteur se dit donc que rien ne presse et préfère se concentrer sur les Focus et Fiesta. Ce que j'aime de la Ranger, c'est qu'elle rend des services inestimables à un prix ridicule. Son gabarit compact la rend très maniable, et sa cabine, bien qu'étroite, la rend pratique au quotidien. Les analystes de Ford ont d'ailleurs découvert que la Ranger joue le rôle d'automobile pour plusieurs jeunes acheteurs qui sont ainsi en mesure de réaliser le rêve des petits garçons : posséder leur propre camionnette. Rouge de préférence!

⑤ FICHE TECHNIQUE

· MOTEURS

· (XL/2RM)
L4 2,3 l DACT, 143 ch à 5250 tr/min
Couple 154 lb-pi à 3750 tr/min

Transmission manuelle à 5 rapports, automatique à 5 rapports (en option)	
0-100 km/h 12,0 s	
Vitesse maximale 160 km/h	

· 4RM, FX4 Off-Road
V6 4,0 l SACT 1, 207 ch à 5250 tr/min
Couple 238 lb-pi à 3000 tr/min

Transmission manuelle à 5 rapports, automatique à 5 rapports (en option)	
0-100 km/h 10,7 s	
Vitesse maximale 175 km/h	
Consommation (100 km)	
2RM man. 11,9 l **auto.** 11,6 l	
4RM man. 12,3 l **auto.** 13,2 l (octane 87)	
Émissions de CO$_2$	
2RM man. 5760 kg/an **auto.** 5664 kg/an	
4RM man. 6096 kg/an **auto.** 6432 kg/an	
Litres par année	
2RM man. 2400 l **auto.** 2340 l	
4RM man. 2480 l **auto.** 2680 l	
Coût par an	
2RM man. 2400 $ **auto.** 2340 $	
4RM man. 2480 $ **auto.** 2680 $	
Empreinte écologique 36 arbres	

· AUTRES COMPOSANTES

Sécurité active freins ABS, assistance au freinage, distribution électronique du freinage, contrôle électronique de la stabilité

Suspension avant/arrière indépendante/essieu rigide

Freins avant/arrière disques

Direction à crémaillère, assistée

Pneus XL P225/70R15 **XTL** P235/75R15
Sport P235/70R16 **FX4** P255/70R16

· DIMENSIONS

Empattement 2855 mm
cabine double 2RM 3200 mm
cabine double 4RM 3198 mm
Longueur 4811mm **cabine double** 5171 mm
Largeur 1763 mm **cabine double** 1763 mm
Hauteur 1681 mm
cabine double 2RM 1648 mm
Poids 1365 à 1633 kg
Diamètre de braquage 11,5
cabine double 13,0 m
Réservoir de carburant 64 l **cabine allongée** 74 l
Capacité de remorquage 680 à 2531 kg

NOTRE VERDICT

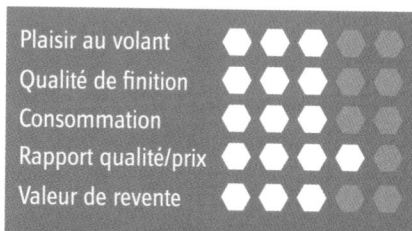

Plaisir au volant	⬡⬡⬡⬡⬡⬡⬡
Qualité de finition	⬡⬡⬡⬡⬡⬡⬡
Consommation	⬡⬡⬡⬡⬡⬡⬡
Rapport qualité/prix	⬡⬡⬡⬡⬡⬡⬡
Valeur de revente	⬡⬡⬡⬡⬡⬡⬡

ÉVOLUTION N É J

35 199 $ à 39 199 $
transport et préparation: 1400 $

LA COTE VERTE

MOTEUR
V8 DE 4,6 L

- **Consommation
(100km):** 13,4 l
- **Émissions
polluantes CO$_2$:**
6576 kg/an
- **Empreinte écologique
(nombre d'arbres à
planter par année):** 39
- **Indice d'octane:** 87
- **Autre
motorisation:** E85
- **Coût du carburant
moyen par année:**
2740 $
- **Nombre de
litres par année:**
2740 l

(SOURCE: ÉnerGuide)

---

① FICHE D'IDENTITÉ

- **Versions** XL, XLT
- **Roues motrices** arrière
- **Portières** 5 **Nombre de passagers** 15 (maximum)
- **Première génération** 1962
- **Génération actuelle** 1992
- **Construction** Lorian, Ohio, É.-U.
- **Sacs gonflables** 2 (frontaux)
- **Concurrence** Chevrolet Express,
  Mercedes-Benz Sprinter, GMC Savana

② AU QUOTIDIEN

- **Prime d'assurance**
  25 ans: 1600 à 1800 $
  40 ans: 900 à 1100 $
  60 ans: 700 à 900 $
- **Collision frontale** 4/5
- **Collision latérale** 4/5
- **Ventes du modèle de l'an dernier**
  Au Québec 1876 **Au Canada** 5962
- **Dépréciation** 66,1 %
- **Rappels** (2005 à 2010) 6
- **Cote de fiabilité** 3/5

③ GARANTIES... ET PLUS

- **Garantie générale** 3 ans/60 000 km
- **Garantie motopropulseur** 5 ans/100 000 km
- **Perforation** 5 ans/kilométrage illimité
- **Assistance routière** 5 ans/100 000 km
- **Nombre de concessionnaires**
  Au Québec 77 **Au Canada** 437

④ NOUVEAUTÉS EN 2011

- Aucun changement majeur

MATHUSALEM

PAR BENOIT CHARETTE

VOUS CONNAISSEZ LE VIEIL ADAGE QUI DIT:
« Quand vous avez une bonne recette, il ne faut pas la changer. » Il semble que Ford possède une superbe recette car la dernière refonte du Série E remonte à 1992. Mais il est vrai que ce fourgon rend de grands services, se modifie presque à l'infini et est offert à un prix raisonnable. Alors, que voulez-vous de plus ? Un peu de modernisme ne ferait sans doute pas de mal, surtout que le modèle célèbre cette année son 50e anniversaire.

[CARROSSERIE] Le Série E est d'abord un outil de travail, et, comme tous les outils de travail, on pense d'abord à la fonction avant la forme. Ce camion n'est pas très élégant, Ford lui a foutu en 2008 une calandre un peu grotesque qui n'améliore rien au chapitre de l'élégance. Mais si vous avez à faire du déménagement sur une base régulière ou à transporter jusqu'à 15 occupants, il s'acquitte de la tâche avec brio.

[HABITACLE] Comment dire archaïque de manière polie ? On pourrait aussi dire minimaliste. Peu importe votre version du Série E, vous

aurez droit à deux sièges avant en vinyle, une radio AM/FM avec deux et seulement deux mauvais haut-parleurs, une console centrale en gros plastique avec beaucoup de rangement, un volant télescopique et le climatiseur (quand même). Il y a naturellement une pléiade d'options souvent liées à la fonction utilitaire du véhicule comme les rétroviseurs pour les roulottes. Vous pouvez aussi choisir la radio satellite et une chaîne audio de meilleure qualité (fortement conseillée). Mais peu importe la quantité d'options que vous ajoutez au véhicule, il conserve toujours une ambiance froide de cabine de tôle.

[MÉCANIQUE] Vous avez le choix de trois moteurs. Les versions 150 et 250 offrent comme moteur de base un V8 de 4,6 litres de 225 chevaux jumelé à une boîte de vitesses automatique à 4 rapports. Cette combinaison vous permet de tirer jusqu'à 2950 kilos. En option, vous avez le V8 de 5,4 litres, bon pour 255 chevaux, également couplé à une boîte automatique à 4 rapports. Votre capacité de remorquage passe à 3350 kilos. Ce même moteur est la mécanique de base du

---

FORCES · Beaucoup d'espace de chargement · Construction robuste
· Beaucoup d'options · Moteur V8 de 5,4 litres efficace

FAIBLESSES · Rayon de braquage inacceptable · Plateforme dépassée
· Habitacle minimaliste · Conduite générale qui frise le dangereux

E-350 qui offre, en option, le V10 de 6,8 litres de 305 chevaux qui peut traîner jusqu'à 4536 kilos avec sa boîte automatique à 5 rapports. Inutile de préciser qu'aucun de ces moteurs n'offre une bonne consommation de carburant; et j'ajouterais que le V8 de base est même insuffisant pour déplacer cette énorme caisse, le 5,4-litres étant le meilleur choix.

[COMPORTEMENT] Je vais être cruellement honnête en vous disant que l'expérience de conduite est un mauvais quart d'heure à passer. Avec un rayon de braquage digne d'un char d'assaut, il ne faut pas aller en ville avec cette chose. Si vous ne voyagez pas chargé à bloc, l'essieu rigide à l'arrière est aussi dur qu'un bloc de ciment. Si le vent se lève, vous aurez tendance à valser sur la route et sous la pluie ou, encore pire, dans la neige; les pneus de 16 pouces semblent minuscules et se mettent vite à glisser. Bref, si vous n'êtes pas en juillet par une belle journée d'été, conduire un Série E peut être dangereux. J'exagère un peu, mais à peine.

[CONCLUSION] Même si sa plateforme est dépassée, et sa conduite, d'une autre époque, le Série E demeure le plus abordable des fourgons commerciaux sur le marché; c'est souvent cet argument qui fait pencher la balance. Il faudrait toutefois que Ford considère un jour quelques réglages, la possibilité d'avoir une transmission intégrale comme Chevrolet et le nouveau moteur diesel, notamment. Dans l'ensemble, c'est un mauvais camion offert à bon prix qui répond aux attentes de la clientèle.

2ᵉ OPINION

DANIEL RUFIANGE Pour transporter tout votre attirail de travail, le Ford Série E est un cheval de travail hors pair. Un volume de charge qui peut atteindre 7 881 l avec double paroi de leur habitacle qui contribue à protéger le panneau extérieur de la carrosserie en cas de déplacement du chargement. Il faudra cependant être prêt à travailler avec un produit technologiquement dépassé et gourmand en carburant. Les fourgons utilitaires Série E proposent uniquement des combinaisons moteur-boîte de vitesses 5 rapports avec le moteur V10. Son meilleur atout demeure son prix qui est encore le plus abordable parmi les fourgons commerciaux. Alors vous pourrez vous consoler en faisant contre mauvaise fortune, bon cœur.

⑤ FICHE TECHNIQUE

· MOTEURS

· (E-150, E-250)
V8 4,6 l SACT, 225 ch à 4800 tr/min
Couple 286 lb-pi à 3500 tr/min

Transmission automatique à 4 rapports	
0-100 km/h 15 s **Vitesse maximale** 160 km/h	

· (E-350, en option sur E-150, E-250)
V8 5,4 l SACT, 255 ch à 4500 tr/min
Couple 350 lb-pi à 2500 tr/min

Transmission automatique à 4 rapports	
0-100 km/h 13,4 s **Vitesse maximale** 160 km/h	
Consommation (100 km) 14,2 l (octane 87)	
Émissions de CO$_2$ 6912 kg/an	
Litres par année 2880 l **Coût par an** 2880 $	
Autre motorisation non	
Empreinte écologique 42 arbres	

· (En option sur le E-350)
V10 6,8 l SACT, 305 ch à 4250 tr/min
Couple 420 lb-pi à 3250 tr/min

Transmission automatique à 5 rapports	
0-100 km/h 11,3 s **Vitesse maximale** 180 km/h	
Consommation (100 km) 16,6 l (octane 87)	
Émissions de CO$_2$ 8240 kg/an	
Litres par année 3150 l **Coût par an** 3150 $	
Autre motorisation non	
Empreinte écologique 49 arbres	

· AUTRES COMPOSANTES

Sécurité active freins ABS, antipatinage avec contrôle de stabilité électronique	
Suspension avant/arrière indépendante/essieu rigide	
Freins avant/arrière disques	
Direction à crémaillère, assistée	
Pneus E-150 P225/75R16	
E-250/E-350 P245/75R16	

· DIMENSIONS

Empattement 3505 mm	
Longueur 5385 mm **allongé** 5892 mm	
Largeur 2014 mm	
Hauteur 2032 mm à 2159 mm	
Poids 1942 kg à 2830 kg	
Diamètre de braquage 14,8 m	
Coffre 6734 l **allongé** 7881 l	
Réservoir de carburant 132,5 l	
Capacité de remorquage 2950 kg à 4536 kg	

| 255

NOTRE VERDICT

Plaisir au volant	◆◆◁○○○○
Qualité de finition	◆◆◆○○○○
Consommation	◆◆○○○○○
Rapport qualité/prix	◆◆◆○○○○
Valeur de revente	◆◆◆○○○○

ÉVOLUTION N → É → J

24 599 $ à 56 599 $
transport et préparation: 1400 $

Ford

LA COTE VERTE

MOTEUR
V6 DE 3,7 L

- **Consommation**
(100km): 12,1 l
- **Émissions
polluantes CO2 :**
2RM 5136 kg/an
4RM 5280 kg/an
- **Empreinte écologique
(nombre d'arbres à
planter par année):** 33
- **Indice d'octane:** 87
- **Autre motorisation:**
Éthanol E85
- **Coût du carburant
moyen par année:**
2RM 2140 $
4RM 2200 $
- **Nombre de
litres par année:**
2RM 2140 l
4RM 2200 l

(SOURCE: Ford)

256

FICHE D'IDENTITÉ

- **Versions** XL, STX, XLT, FX4, Lariat, Raptor, Harley-Davidson
- **Roues** motrices arrière, 4
- **Portières** 2, 4 **Nombre de passagers** 2, 5
- **Première génération** 1948
- **Génération actuelle** 2009
- **Construction** Kansas City, Missouri, É.-U.; Norfolk, Virginie, É.-U.; Louisville, Kentucky, É.-U.; Oakville, Ontario, Canada
- **Sacs gonflables** 2 (frontaux; rideaux latéraux en option)
- **Concurrence** Chevrolet Silverado, Dodge Ram, GMC Sierra, Honda Ridgeline, Nissan Titan, Toyota Tundra

AU QUOTIDIEN

- **Prime d'assurance**
  25 ans: 1900 à 2100 $ **40 ans:** 1100 à 1300 $
  60 ans: 900 à 1100 $
- **Collision frontale** 5/5   · **Collision latérale** 5/5
- **Ventes du modèle de l'an dernier**
  Au Québec 10 254 **Au Canada** 81 396 (Série F)
- **Dépréciation** 60,6 %
- **Rappels** (2005 à 2010) 5
- **Cote de fiabilité** 3/5

GARANTIES... ET PLUS

- **Garantie générale** 3 ans/60 000 km
- **Garantie motopropulseur** 5 ans/100 000 km
- **Perforation** 5 ans/kilométrage illimité
- **Assistance routière** 5 ans/100 000 km
- **Nombre de concessionnaires**
  Au Québec 77 **Au Canada** 437

NOUVEAUTÉS EN 2011

De toutes nouvelles motorisations rejoignent le catalogue, V6 biturbo Ecoboost disponible peu après le lancement du modèle 2011.

ENCORE PLUS DURE À CUIRE

PAR FRANCIS BRIÈRE

LA RENAISSANCE DE FORD S'EST AMORCÉE IL Y A QUELQUE TEMPS DÉJÀ. La firme américaine présente des résultats impressionnants malgré un contexte économique encore moribond. Ford a édifié une solide réputation avec sa gamme de Série F, une camionnette qui a suscité l'enthousiasme de millions d'entrepreneurs, de travailleurs et de simples propriétaires ayant besoin d'un véhicule pour transporter des objets ou, encore, pour tirer des charges.

[CARROSSERIE] Certains qualifient son allure de conservatrice, malgré sa calandre dont on exagère davantage la masculinité d'année en année. Du reste, trois choix de cabine et de caisse vous sont offerts, de même que de petites fioritures comme un marchepied latéral pour accéder aisément au contenu de la boîte.

[HABITACLE] L'habitacle de la Super Duty 2011, comme celui de la F-150, a été conçu pour accommoder les travailleurs qui doivent passer de longues heures à bord du véhicule. La technologie Sync a été intégrée de belle façon, mais c'est

également la qualité d'accueil qui a été rehaussée. Les sièges tout cuir du modèle King Ranch ont impressionné par leur excellent maintien et leur ergonomie remarquable. Ford a également étudié et repensé la suspension ainsi que la direction de la Super Duty pour améliorer la tenue de route et le confort. On se croirait au volant d'une grosse voiture tant on apprécie la douceur de roulement de la grosse camionnette. Le poste de pilotage procure une bonne position de conduite et du confort à souhait. L'accès aux commandes du système électronique est aisé, mais certaines manœuvres se révèlent complexes et déroutantes. Il se peut que le néophyte ou le conducteur réfractaire aux bienfaits de la technologie y perde son sang-froid.

[MÉCANIQUE] Pour 2011, le constructeur américain a fait ses devoirs et propose quatre nouveaux blocs pour sa camionnette vedette. Le moteur de base est un V6 de 300 chevaux, le même engin Duratec de 3,7 litres qui équipe la Mustang. Selon Ford, la capacité de remorquage de ce moteur se situe à environ 2770 kilos. Vient ensuite le V8 de 5 litres, celui qu'on retrouve encore une fois

FORCES · Robustesse légendaire · Moteur diesel brillant (Super Duty)
· Boîte de vitesses efficace · Silence et confort · Choix de modèles

FAIBLESSES · Moteur à essence gourmand
· Système de gestion électronique d'utilisation peu intuitive

sous le capot de la Mustang GT. En revanche, la F-150 profitera d'une puissance de 360 chevaux et d'un couple de 380 livres-pieds. Un refroidisseur d'huile additionnel permettra de reporter la vidange d'huile aux 16 000 kilomètres. Le troisième engin est un V8 de 6,2 litres dont la puissance est estimée à 411 chevaux. Toujours selon le constructeur, le moteur qui équipe la livrée Raptor augmente la capacité de remorquage à 5125 kilos. Enfin, le quatrième moteur se retrouve déjà sous le capot de plusieurs modèles Ford. Il s'agit d'un V6 EcoBoost de 3,5 litres biturbo à injection directe de carburant. Il promet une puissance semblable à celle d'un V8, mais une meilleure consommation de carburant. La fierté des ingénieurs de Ford provient du fait que la mécanique diesel a été conçue et développée à l'interne, pour la Super Duty. Ce moteur se révèle fort efficace dans toutes les situations, démontrant beaucoup de souplesse et de silence de roulement. Encore plus impressionnant, nous avons obtenu une consommation d'environ 10 litres aux 100 kilomètres sur la route, sans tirer de charge.

[COMPORTEMENT] La meilleure façon de vérifier les compétences d'un produit est encore de le comparer avec d'autres produits concurrents. Nous avions à notre disposition une camionnette Ram HD 2500 ainsi qu'une Chevrolet Silverado 2500. C'est en escaladant une montagne escarpée avec une remorque d'environ 4535 kilos attachée à l'arrière des trois véhicules que nous voulions comparer. La Super Duty est sortie vainqueur de l'épreuve pour plusieurs raisons. De fait, le nouveau moteur fait maison, le 6,2-litres

Power Stroke diesel, s'est montré plus souple, plus doux et plus silencieux que le Cummins de la Ram et que le moteur de GM.

[CONCLUSION] Ford est le chef de file dans ce marché de camionnettes destinées au travail dur. Ce n'est pas pour rien que la Série F se vend autant : il s'agit du meilleur véhicule. La variété de modèles offerts, la robustesse, la souplesse des moteurs, le confort et la qualité de construction font de cette camionnette un produit quasi incomparable.

2e OPINION

PAR FRÉDÉRIC MASSE Je le dis et je le répète, le Ford F-150 est la reine de la montagne. C'est aussi simple que cela. Si, en plus, on ajoute à notre liste de critères « travailler très fort », rien ne vaut une bonne vieille Ford. Par contre, il y a quelques exceptions. Si l'on cherche la plus confortable des camionnettes, on se tournera vers GM. Si, pour une raison ou pour une autre, on aime conduire vite et de façon sportive et qu'on veut tout de même une camionnette, on choisira la Ram avec le Hemi. Pour toutes les autres raisons ou presque, on prendra la F-150. Oui, c'est vrai, même avec le moteur Triton, les accélérations et les reprises sont justes, mais personnellement je n'en fais pas de cas. J'apprécie plutôt la consommation raisonnable. Pour le reste, la Ford fait très bien : insonorisation supérieure, habitacle de qualité et bonne capacité de remorquage. En passant, je vous suggère fortement le Triton 5.4 si vous choisissez cette camionnette, les autres moteurs sont moins intéressants.

⑤ FICHE TECHNIQUE

· MOTEURS

V6 3,7 l DACT, 291 ch à 6500 tr/min
Couple 275 lb-pi à 4500 tr/min
Transmission automatique à 6 rapports avec mode manuel
0-100 km/h nd
Vitesse maximale nd

V8 5,0 l DACT, 360 ch à 5750 tr/min
Couple 380 lb-pi à 4500 tr/min
Transmission automatique à 6 rapports avec mode manuel
0-100 km/h nd **Vitesse maximale** nd
Consommation (100 km) 13,1 l
Émissions de CO2 nd
Litres par année nd
Coût par an nd
Autre motorisation non
Empreinte écologique nd

V8 6,2 l SACT, 411 ch à 5500 tr/min
Couple 434 lb-pi à 4500 tr/min
Transmission automatique à 6 rapports avec mode manuel
0-100 km/h nd **Vitesse maximale** nd
Consommation (100 km) 15,7 l
Émissions de CO2 nd
Litres par année nd
Autre motorisation
Empreinte écologique nd

· AUTRES COMPOSANTES
Sécurité active freins ABS, antipatinage (en option sur 2RM, de série sur Lariat)
Suspension avant/arrière indépendante/essieu rigide
Freins avant/arrière disques
Direction à crémaillère, assistée
Pneus XL/XLT P235/70R17 **STX** P255/65R17 **XL/STX/XLT** P255/70R17 **XLT (cabine double et SuperCrew)** P275/60R18, P265/60R18 **XL/XLT (4 x 4)** LT245/70R17 **FX4/Lariat** LT275/65R18

· DIMENSIONS
Empattement 3200 à 4140 mm
Longueur 5364 à 6311 mm **Largeur** 2004 mm
Hauteur 1867 à 1991 mm **Poids** 2158 à 2667 kg
Diamètre de braquage 12,7 m à 15,9 m
Réservoir de carburant 98 l, 113 l, 132 l
Capacité de remorquage 3919 à 5216 kg

NOS MENTIONS

 Modèle recommandé

NOTRE VERDICT

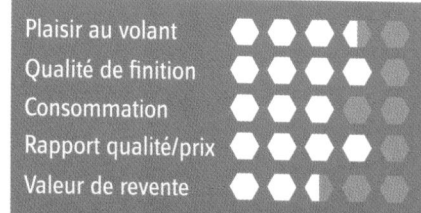

Plaisir au volant
Qualité de finition
Consommation
Rapport qualité/prix
Valeur de revente

257

TAURUS

www.ford.ca

ÉVOLUTION

N É J

31 349 $ à 49 549 $
transport et préparation: 1350 $

LA COTE VERTE

MOTEUR
V6 DE 3,5 L

- **Consommation (100km):**
  2RM 9,4 l
  4RM 10,1 l
- **Émissions polluantes CO_2:**
  2RM 4416 kg/an
  4RM 4738 kg/an
- **Empreinte écologique (nombre d'arbres à planter par année):** 28
- **Indice d'octane:** 87
- **Autre motorisation:** non
- **Coût du carburant moyen par année:**
  2RM 1920 $
  4RM 2060 $
- **Nombre de litres par année:**
  2RM 1920 l
  4RM 2060 l

(SOURCE: ÉnerGuide)

LA REVANCHE DE TEAM AMERICA

PAR FRANCIS BRIÈRE

DEPUIS PEU, LES VOITURES AMÉRICAINES ONT REPRIS DU GALON. On leur reprochait un comportement routier somnifère, une finition digne des modèles réduits et une qualité de construction déficiente. Nous devons admettre que, dorénavant, les grands constructeurs étatsuniens ont pris les choses en main. En revanche, par rapport à l'excellence des produits européens, la Taurus doit s'améliorer en ce qui a trait à la rigidité de la caisse, à la finition et, surtout, à la sensation de conduite. Il faudrait quand même débourser davantage pour se procurer une Audi ou une BMW de gabarit semblable. Considérons le prix comme un argument de poids !

[CARROSSERIE] Les lignes de la Taurus sont résolument modernes. Cela comporte certains désavantages si l'on considère la ceinture de caisse élevée. En augmentant la quantité de tôle, il faut inévitablement réduire la surface vitrée. Or, si cette formule séduit davantage l'œil, elle a pour effet d'amener la visibilité à un niveau critique.

Du reste, la Taurus possède un profil dynamique et une allure sportive, surtout dans le cas de la livrée SHO. Nous avons cependant remarqué quelques failles en ce qui a trait à l'assemblage et à la finition extérieure.

[HABITACLE] Compte tenu de la taille de cette grande berline, on s'attend à bénéficier d'un espace appréciable à l'intérieur. Si vous n'avez pas encore visité l'habitacle de la Taurus, une déception vous attend. Malgré une présentation inspirée, une finition de qualité et une ergonomie améliorée, on se sent à l'étroit. La console centrale a pour effet de circonscrire les deux sièges avant, mais elle laisse peu d'espace. À l'arrière, la ceinture de caisse profilée rend l'accès difficile, surtout pour le passager de grande taille. De plus, il n'y a pas trop d'espace pour les jambes. Par contre, le coffre affiche de bonnes dimensions.

[MÉCANIQUE] La Taurus a hérité du V6 de 3,5 litres qui équipe de nombreux modèles Ford et

FICHE D'IDENTITÉ

- **Versions** SE, SEL, SEL 4RM, Limited (4RM), SHO (4RM)
- **Roues motrices** avant, 4
- **Portières** 4 **Nombre de passagers** 5
- **Première génération** 1985
- **Génération actuelle** 2010
- **Construction** Chicago, Illinois, É.-U.
- **Sacs gonflables** 10 (frontaux, latéraux avant, rideaux latéraux)
- **Concurrence** Buick LaCrosse/Lucerne, Chevrolet Impala, Chrysler 300, Dodge Charger, Hyundai Genesis, Nissan Maxima, Toyota Avalon

AU QUOTIDIEN

- **Prime d'assurance**
  25 ans: 1500 à 1700 $
  40 ans: 1100 à 1300 $
  60 ans: 900 à 1100 $
- **Collision frontale** 5/5
- **Collision latérale** 5/5
- **Ventes du modèle de l'an dernier**
  Au Québec 199 Au Canada 2 035
- **Dépréciation** 55,4%
- **Rappels (2005 à 2010)** 2
- **Cote de fiabilité** 3/5

GARANTIES... ET PLUS

- **Garantie générale** 3 ans/60 000 km
- **Garantie motopropulseur** 5 ans/100 000 km
- **Perforation** 5 ans/kilométrage illimité
- **Assistance routière** 5 ans/100 000 km
- **Nombre de concessionnaires**
  Au Québec 77 Au Canada 437

NOUVEAUTÉS EN 2011

- Aucun changement majeur

FORCES • Silhouette charmeuse • Confort appréciable • Douceur de roulement • Moteur EcoBoost vigoureux (SHO)

FAIBLESSES • Visibilité d'un bunker • Assise trop haute • Habitacle étriqué • Prix corsé (SHO) • Consommation (SHO)

Lincoln. Ce n'est pas un moteur à dédaigner, mais les amateurs apprécieront davantage la nouvelle génération d'engins EcoBoost. Le moteur suralimenté de la SHO produit un couple musclé et fournit une puissance comparable à celle d'un V8. Le moteur atmosphérique convient amplement pour une conduite sûre et des reprises franches. Cependant, une direction trop assistée ajoute aux déceptions. La suspension, de bon calibre, rend la conduite sur mauvaise chaussée endurable tout en procurant une grande douceur de roulement sur pavé lisse.

[COMPORTEMENT] Dès que le conducteur parcourt quelques kilomètres à bord de la Taurus, l'impression ne trompe pas. En fouillant un peu, nous comprenons que la base de la voiture porte le nom de code D3, une plateforme ayant servi à la S80 et au XC90. Voilà qui est rassurant. La douceur de roulement caractéristique de la Taurus se perçoit dès les premiers tours de roues. La Taurus procure confort, douceur de roulement, tenue de route et est dotée d'un équipement complet (SEL). De plus, notre modèle d'essai était équipé de la transmission intégrale, une option appréciable pour nos hivers. La livrée SHO est capable de performances relevées, mais la consommation de carburant en souffre. Il faut s'attendre à 15 litres aux 100 kilomètres, surtout si vous devez conduire en ville. La position de conduite trop haute a pour effet de démotiver le pilote en nous qui oserait pousser la machine plus près de ses limites.

[CONCLUSION] Cela se sent au volant : la douceur de roulement et la rigidité de la caisse sont au rendez-vous. La Taurus bénéficie d'une finition juste, procure un confort appréciable et offre la douceur de roulement. Avec un moteur légèrement moins assoiffé et un niveau de performances à la hausse, la nouvelle Taurus pourrait chauffer les fesses de la concurrence européenne. Surtout à un prix juste, cette voiture se distingue de belle façon dans une catégorie toujours aussi compétitive.

2ᵉ OPINION

BENOIT CHARETTE La Taurus personnifie le renouveau de Ford. C'est une voiture bien conçue, pratique, sûre et agréable à conduire. C'est la berline intermédiaire qui en offre le plus. À l'intérieur, Ford a réussi à utiliser un matériau en plastique souple qui imite à merveille le cuir. Ford utilise aussi ses années de recherche avec Volvo pour offrir un degré de sécurité inégalé dans ce segment. Enfin, la conduite est inspirée, et les moteurs V6 avec ou sans turbo vous feront passer par une large gamme d'émotions. Tout sur cette voiture sent le travail bien fait. C'est sans l'ombre d'un doute la meilleure berline intermédiaire sur le marché et pas seulement chez les voitures américaines, tous modèles confondus. Elle a ramené le degré de sophistication à celui des voitures de luxe; les Japonais ont du rattrapage à faire à partir de maintenant.

 FICHE TECHNIQUE

· MOTEURS

· (SE, SEL, Limited)
· V6 3,5 l DACT, 263 ch à 6250 tr/min
Couple 249 lb-pi à 4500 tr/min
Transmission automatique à 6 rapports
(mode manuel avec SEL et Limited)
0-100 km/h 7,9 s
Vitesse maximale 220 km/h

· (SHO)
· V6 3,5 l biturbo DACT, 365 ch à 5500 tr/min
Couple 350 lb-pi à 1500 tr/min
Transmission automatique à 6 rapports
avec mode manuel
0-100 km/h 6,2 s
Vitesse maximale 240 km/h
Consommation (100km): 10,2 l
Émissions CO$_2$: 4784 kg/an
Empreinte écologique (nombre d'arbres à planter par année): 33
Carburant alternatif: non
Coût par an: 2288 $
Nombre de litres par année: 2080 l

· AUTRES COMPOSANTES
Sécurité active freins ABS, antipatinage, contrôle de stabilité électronique
Suspension avant/arrière indépendante
Freins avant/arrière disques
Direction à crémaillère, assistée
Pneus SE P235/60R17, **SEL** P235/55R18,
Limited P255/45R19, **SHO** P245/45R20

· DIMENSIONS
Empattement 2868 mm
Longueur 5154 mm
Largeur 1936 mm
Hauteur 1542 mm
Poids V6 2RM 1821 kg, **V6 4RM** 1916 kg,
SHO 1981 kg
Diamètre de braquage 12,1 m
Coffre 569 l
Réservoir de carburant 72 l

| 259

NOS MENTIONS

 Clé d'or de sa catégorie

 Modèle recommandé

NOTRE VERDICT

Plaisir au volant	●●●◖○
Qualité de finition	●●●●○
Consommation	●●○○○
Rapport qualité/prix	●●●○○
Valeur de revente	●●●◖○

TRANSIT CONNECT

www.ford.ca

ÉVOLUTION

28 199 $ à 29 699 $
transport et préparation: 1400 $

LA COTE VERTE

MOTEUR
L4 DE 2,0 L

- **Consommation** (100km): 8,7 l
- **Émissions polluantes CO$_2$:** 4048 kg/an
- **Empreinte écologique (nombre d'arbres à planter par année):** 27
- **Indice d'octane:** 87
- **Autre motorisation:** non
- **Coût du carburant moyen par année:** 1760$
- **Nombre de litres par année:** 1760 l

(SOURCE: ÉnerGuide)

260

① FICHE D'IDENTITÉ

- **Versions** XLT utilitaire, XLT tourisme, XLT tourisme Premium
- **Roues motrices** avant
- **Portières** 4 **Nombre de passagers** 2, 5
- **Première génération** 2010
- **Génération actuelle** 2010
- **Construction** Kocaeli, Turquie
- **Sacs gonflables** 4 (frontaux, latéraux)
- **Concurrence** Chevrolet HHR, Dodge Journey, Honda Element

② AU QUOTIDIEN

- **Prime d'assurance**
  25 ans: 1400 à 1600 $
  40 ans: 900 à 1100 $
  60 ans: 700 à 900 $
- **Collision frontale** 4/5
- **Collision latérale** 5/5
- **Ventes du modèle de l'an dernier**
  Au Québec 229 Au Canada 803
- **Dépréciation** nm
- **Rappels** (2005 à 2010) aucun à ce jour
- **Cote de fiabilité** nm

③ GARANTIES... ET PLUS

- **Garantie générale** 3 ans/60 000 km
- **Garantie motopropulseur** 5 ans/100 000 km
- **Perforation** 5 ans/kilométrage illimité
- **Assistance routière** 5 ans/100 000 km
- **Nombre de concessionnaires**
  Au Québec 77 Au Canada 437

④ NOUVEAUTÉS EN 2011

- Aucun changement majeur

LE MULET DE L'ENTREPRENEUR

PAR MICHEL CRÉPAULT

POURQUOI CE NOM COMPOSÉ UN BRIN BAR-BARE? Transit désigne une fourgonnette que Ford décline en Europe à toutes les sauces depuis 1965. Autant le marchand de crème glacée que le plombier, sans oublier le braqueur de banques, se l'arrachent. Transit est devenu là-bas le terme générique du fourgon. En 2002, Ford réquisitionne la plateforme de la Focus pour introduire le Transit Connect, le petit frère de l'autre, qui vient remplacer le Courier, lui-même basé sur l'Escort/Fiesta. En Amérique du Nord, pour le moment, seul le Mexique héberge le gros Transit (depuis 2007). Vers 2012, on estime qu'un nouveau Transit remplacera l'actuelle Série E (Econoline) et, à ce moment, le Sprinter de Mercedes-Benz aura enfin un véritable rival. En attendant, pour nous mettre en appétit, nous avons droit depuis 2009 au Transit Connect, lequel a récolté rien de moins que le titre de camion de l'année au dernier Salon de l'auto de Detroit.

[CARROSSERIE] On ne peut réinventer la roue quand l'objectif est d'obtenir un espace de charge-ment maximal dans un format compact. On évite difficilement la boîte coiffée d'un haut-de-forme. Le TC a une allure baroque, mais il fait le travail. Les stylistes ont tracé ici et là des traits lui donnant du caractère. Des bandes aussi décoratrices que protectrices et des bas de caisse en relief ajoutent une touche, mettons, songée. Il a quand même l'air d'un vilain petit canard... mais qui s'assume!

[HABITACLE] Ford importe le TC de Turquie avec banquette pour trois personnes et glaces à l'arrière pour contourner la Chicken Tax! Un impôt de 25 % sur les camions légers importés en vigueur depuis 1964 (quand l'Europe s'est avi-sée de taxer les poulets importés des États-Unis, le président Johnson a répliqué avec une prime sur les camionnettes de livraison). En débarquant au pays avec banquette et vitres, le TC tombe dans la catégorie des familiales, échappant ainsi à la taxe... Bien sûr, si vous souhaitez ces vitres et la banquette (parce qu'un taxi vous sourit davantage), vous les aurez, moyennant supplé-ment. La planche de bord est minimaliste, inspirée de celle de la Focus. Ford propose en option

FORCES · Facilité de chargement dans une soute caverneuse · Tenue de route très amicale · Format passe-partout

FAIBLESSES · On ne l'achète pas pour son allure quoique... · Groupe motopro-pulseur économique mais anémique

TRANSIT CONNECT

4 cylindres et une cage de métal. Il a beau jeu, il est seul. Quand la concurrence aura fini de dormir au gaz, la fourchette de prix devrait s'améliorer.

des étagères et des gadgets électroniques élaborés avecMicrosoft, notamment pour suivre à la trace votre parc de TC.

[MÉCANIQUE] Le 4-cylindres Duratec de 2 litres de 136 chevaux (Focus encore) a la compacité et la frugalité qui sied à ce véhicule censé aider les petites entreprises non seulement à slalomer dans le centre-ville mais aussi à mieux boucler les fins de mois grâce à une consommation raisonnable. Et qui serait encore plus sympa si nous avions droit au 1,8-litre diesel européen (mais ne désespérons pas). Ford travaille aussi sur une version tout à l'électricité dotée d'une autonomie annoncée de 130 kilomètres.

[COMPORTEMENT] Couplé à une boîte de vitesses automatique à 4 rapports, l'ensemble est d'une lenteur infinie, mais on s'en fout. La construction monocoque se traduit par une prise en main très agréable. Par contre, oubliez toute velléité de remorquage. C'est un fourgon si aisé à charger (plus de 700 kilos dans une aire de 3 831 litres) qu'on se surprend à siffler en travaillant ! Le TC peut transporter un réfrigérateur debout. Essayez ça avec la version commerciale du Chevrolet HHR. Mon bémol : le plancher de 4 pieds sur 6 nous oblige à transporter une feuille de contreplaqué les portes ouvertes, celles-ci heureusement maintenues en place sur les flancs par des aimants.

[CONCLUSION] Le Transit Connect s'impose dans son créneau comme l'a fait le Sprinter. Je le trouve toutefois un peu cher pour un petit véhicule à

2ᵉ OPINION

FRÉDÉRIC MASSE Il est étrange, ce Transit Connect, mais Dieu qu'il est pratique. Je m'en suis moi-même servi lors des rénovations de mon sous-sol, alors que Ford m'avait fait parvenir une version pour entrepreneur. C'est tout à fait génial. Frugal, avec une consommation se situant entre 8 et 9 litres aux 100 kilomètres, efficace et bien pensé, il se conduit en plus tout de même très bien. Il manque toutefois un pied ou deux de longueur pour pouvoir y mettre un panneau complet de gypse ou de contreplaqué (la longueur maximale des objets qu'on peut y mettre est de 1,83 mètre). Ses portes coulissantes, la facilité d'accès par l'arrière (il n'est pas haut sur pattes), son petit moteur, sa charge utile maximale de 725 kilos, son étagère au-dessus du pare-brise, ses portes arrière qui s'ouvrent à 180 degrés, tout est parfait pour faciliter le travail. Évidemment, comme dans la version utilitaire, l'arrière est complètement vide, l'insonorisation s'en ressent, mais c'est acceptable pour un véhicule de ce type. On peut même se le procurer en version tourisme pour trimbaler la famille ou cinq occupants et, évidemment, obtenir des glaces latérales.

⑤ FICHE TECHNIQUE

MOTEUR
- L4 2,0 l DACT, 136 ch à 6300 tr/min
Couple 128 lb-pi à 4750 tr/min
Transmission automatique à 4 rapports
0-100 km/h 9,4 s
Vitesse maximale 180 km/h

AUTRES COMPOSANTES
Sécurité active freins ABS, contrôle électronique de la stabilité (en option)
Suspension avant/arrière indépendante
Freins avant/arrière disques/ tambours
Direction à crémaillère, assistée
Pneus P205/65R15

DIMENSIONS
Empattement 2912 mm
Longueur 4590 mm
Largeur 1796 mm
Hauteur 2014 mm
Poids utilitaire 1524 kg **tourisme** 1608 kg
Diamètre de braquage 11,9 m
Coffre 3830 l (cargo)
Réservoir de carburant 55,8 l

NOS MENTIONS

☺ Modèle recommandé

NOTRE VERDICT

Plaisir au volant	⬢	⬢	⬢	◯	◯
Qualité de finition	⬢	⬢	⬢	◯	◯
Consommation	⬢	⬢	⬢	⬢	◯
Rapport qualité/prix	⬢	⬢	⬢	⬢	◯
Valeur de revente	⬢	◯	⬢	⬢	◯

ACADIA

www.gm.ca

37 990 $ à 53 665 $
transport et préparation: 1350 $

LA COTE VERTE

MOTEUR
V6 DE 3,6 L

· **Consommation (100km):**
2RM 10,6 l
4RM 11,0 l
· **Émissions polluantes CO$_2$:**
2RM 4968 kg/an
4RM 5106 kg/an
· **Empreinte écologique (nombre d'arbres à planter par année):** 31
· **Indice d'octane:** 87
· **Autre motorisation:** non
· **Coût du carburant moyen par année:**
2RM 2160 $
4RM 2220 $
· **Nombre de litres par année:**
2RM 2160 l
4RM 2220 l

(source: ÉnerGuide)

① FICHE D'IDENTITÉ

· **Versions** SLT, SLE
· **Roues motrices** avant, 4
· **Portières** 5 **Nombre de passagers** 7 ou 8
· **Première génération** 2007
· **Génération actuelle** 2007
· **Construction** Lansing, Michigan, É.-U.
· **Sacs gonflables** 6 (frontaux, latéraux avant, rideaux latéraux)
· **Concurrence** Acura MDX, Ford Taurus X, Honda Pilot, Hyundai Santa Fe, Lexus RX 350, Mazda CX-9, Mitsubishi Endeavor, Nissan Murano, Subaru Tribeca, Toyota Highlander, Volvo XC90

② AU QUOTIDIEN

· **Prime d'assurance**
25 ans: 2400 à 2600 $
40 ans: 1400 à 1600 $
60 ans: 1200 à 1400 $
· **Collision frontale** 5/5
· **Collision latérale** 5/5
· **Ventes du modèle de l'an dernier**
Au Québec 516 **Au Canada** 4197
· **Dépréciation** 52,3 %
· **Rappels** (2005 à 2010) 5
· **Cote de fiabilité** 3/5

③ GARANTIES... ET PLUS

· **Garantie générale** 3 ans/60 000 km
· **Garantie motopropulseur** 5 ans/160 000 km
· **Perforation** 6 ans/160 000 km
· **Assistance routière** 3 ans/60 000 km
· **Nombre de concessionnaires**
Au Québec 84 **Au Canada** 450

④ NOUVEAUTÉS EN 2011

· Aucun changement majeur

LE FRÈRE DE L'AUTRE

PAR FRANCIS BRIÈRE

LE GMC ACADIA PLAIRA CERTAINEMENT À L'ACHETEUR QUI A BESOIN D'ESPACE POUR TRANSPORTER DES PERSONNES ET DES OBJETS ET QUI NE PEUT CONSIDÉRER L'ACHAT D'UNE FOURGONNETTE. En revanche, pour la qualité de fabrication qu'offre ce véhicule, on en demande encore bien cher...

[CARROSSERIE] La carcasse se ressemble d'un modèle à l'autre. L'Ènclave possède une finition et une touche plus luxueuses. Le Traverse propose plutôt une partie avant typiquement Chevrolet, ce modèle étant fortement inspiré de la Malibu. L'Acadia, pour sa part, possède une calandre plus masculine.

[HABITACLE] Malgré les quelque 46 000 dollars qu'exigera votre concessionnaire GM pour faire l'acquisition d'un Acadia, une surprise vous attend à l'intérieur : des matériaux bon marché, une présentation ordinaire, des sièges trop mous et j'en passe. Le Traverse est une meilleure affaire.

[MÉCANIQUE] Le seul moteur offert, un V6 de 3,6 litres, développe 288 chevaux. Jumelé

à une boîte de vitesses à 6 rapports, ce moteur fait son boulot. GM y a intégré un certain raffinement technologique tel que l'injection directe. La suspension, bien calibrée, procure une tenue de route adéquate et un bon confort aux occupants.

[COMPORTEMENT] Malgré l'ennui qu'on ressent habituellement au volant de ce genre de véhicule, l'Acadia est agréable à conduire. Son gabarit imposant cache une maniabilité surprenante. Le confort prime, et la position de conduite facilite la tâche. Un tel format de carcasse cause souvent des désagréments lors de dépassements sinueux ou de conduite sur chaussée minée. Mais l'Acadia se tire bien d'affaire dans ces conditions.

[CONCLUSION] Beau véhicule, l'Acadia prend place dans la famille GM à titre de modèle de milieu de gamme. En ce qui concerne la concurrence, le choix s'étale sous vos yeux, à commencer par le Mazda CX-9. Une fois à bord, vous apprécierez la finition plus juste du véhicule japonais. Malgré les défauts de l'Acadia, vous pouvez en faire l'achat sans craintes.

FORCES · Belles lignes · Espace de chargement · Espace pour les passagers

FAIBLESSES · Finition triste · Encombrement assuré · Consommation de carburant

N **É**

JUMEAU

J

25 210 $ à 37 825 $
transport et préparation: 1350 $

CANYON

www.gm.ca

GMC

LA COTE VERTE

MOTEUR
L4 DE 2,9 L

Consommation
(100km): man. 9,6 l
auto. 9,8 l
Émissions polluantes
CO₂ :
man. 4508 kg/an
auto. 4600 kg/an
Empreinte écologique
(nombre d'arbres à
planter par année): 30
Indice d'octane: 87
Autre
motorisation: non
Coût du carburant
moyen par année:
man. 1960 $
auto. 2000 $
Nombre de
litres par année:
man. 1960 l
auto. 2000 l
(SOURCE: ÉnerGuide)

263

TERNE ET COÛTEUX

PAR BENOIT CHARETTE

GM A TENTÉ TOUTES SORTES D'APPROCHES POUR STIMULER LES VENTES DE SON DUO COLORADO ET CANYON. Rien n'y a fait, les ventes ont encore baissé de 38 % l'an dernier. C'est simple, ce véhicule est anonyme et trop cher.

[CARROSSERIE] Au très terne Colorado, nous pourrions ajouter que le Canyon offre un peu plus, et je pèse bien mes mots, d'inspiration. Vous avez toujours le choix d'une cabine simple ou allongée avec une boîte de 6 pieds, ou encore la plus pratique version à 4 portes et boîte de 5 pieds. Le modèle à 2 roues motrices ne fait aucun sens entre octobre et avril et au modèle à 4 roues motrices vous devrez ajouter le différentiel à glissement limité pour être en mesure de rouler l'hiver.

[HABITACLE] L'intérieur est à l'image de l'extérieur : générique. Il n'y a pas de gros défauts, mais pas de grandes qualités non plus. Les plastiques sont durs, et la présentation générale, sans vie. Les modèles pleine grandeur font tellement mieux qu'il est facile de comprendre pourquoi on lève le nez sur ses intermédiaires.

[MÉCANIQUE] Vous avez le choix entre deux moteurs anémiques et un gourmand. Le 4-cylindres est tout juste bon pour transporter de la terre à jardin. Le 5-cylindres est un mauvais compromis car il fait à peine plus de travail que le 4-cylindres et consomme comme un V6. Alors que, si vous êtes à considérer un V8, aussi bien allez chercher une Silverado. Bref, aucune combinaison n'est réellement porteuse.

[COMPORTEMENT] À défaut de me répéter, c'est ordinaire. De toute manière, personne n'achète une camionnette pour son expérience de conduite. Si vous aimez le côté rustique de la conduite des camionnettes des années 70, vous serez bien servi, sinon, passez à autre chose. Le Dakota fait mieux à ce chapitre.

[CONCLUSION] Toutes les petites camionnettes ont voulu devenir grosses et ont perdu au passage leur clientèle première. Pour réussir, GM devrait penser petit et rendre ces camionnettes aussi attrayantes et modernes que les grosses; peut-être connaîtrait-elle plus de succès.

① FICHE D'IDENTITÉ
- **Versions** Cabine classique, cabine allongée, cabine multiplace
- **Roues motrices** arrière, 4
- **Portières** 2, 4 **Nombre de passagers** 3 à 6
- **Première génération** 2004
- **Génération actuelle** 2004
- **Construction** Shreveport, Louisiane, É.-U.
- **Sacs gonflables** 4 (frontaux, latéraux)
- **Concurrence** Chevrolet Colorado, Dodge Dakota, Ford Ranger, Nissan Frontier, Toyota Tacoma

② AU QUOTIDIEN
- **Prime d'assurance**
- **25 ans:** 1400 à 1600 $
- **40 ans:** 1000 à 1200 $
- **60 ans:** 800 à 1000 $
- **Collision frontale** 4/5
- **Collision latérale** 4/5
- **Ventes du modèle de l'an dernier**
  Au Québec 404 **Au Canada** 2041
- **Dépréciation** (3 ans) 64,4%
- **Rappels** (2005 à 2010) 3
- **Cote de fiabilité** 3/5

③ GARANTIES... ET PLUS
- **Garantie générale** 3 ans/60 000 km
- **Garantie motopropulseur** 5 ans/160 000 km
- **Perforation** 6 ans/160 000 km
- **Assistance routière** 3 ans/60 000 km
- **Nombre de concessionnaires**
  Au Québec 84 **Au Canada** 450

④ NOUVEAUTÉS EN 2011
- Aucun changement majeur

FORCES · Plusieurs choix de modèles · Format pratique

FAIBLESSES · Trop chère · Lignes et finition sans inspiration · Conduite rétrograde

SAVANA

www.gm.ca

JUMEAU

31 460 $ à **46 290 $**
transport et préparation: 1350 $

LA COTE VERTE

MOTEUR
V6 DE 4,3 L

- **Consommation (100km):** 12,1 l
- **Émissions polluantes CO_2 :** 5904 kg/an
- **Empreinte écologique (nombre d'arbres à planter par année):** 36
- **Indice d'octane:** 87
- **Autre motorisation:** non
- **Coût du carburant moyen par année:** man. 2460 $
- **Nombre de litres par année:** man. 2460 l

(SOURCE: ÉnerGuide)

 FICHE D'IDENTITÉ

- **Versions** base, SL, SLE
- **Roues motrices** arrière, 4
- **Portières** 5
- **Nombre de passagers** 2 à 15
- **Première génération** 1971
- **Génération actuelle** 1996
- **Construction** Wentzville, Missouri, É.-U.
- **Sacs gonflables** 2 (frontaux) version passager 4 (frontaux, rideaux latéraux)
- **Concurrence** Chevrolet Express, Mercedes-Benz Sprinter, Ford Série E

 AU QUOTIDIEN

- **Prime d'assurance**
  25 ans: 1600 à 1800 $
  40 ans: 900 à 1100 $
  60 ans: 700 à 900 $
- **Collision frontale** 5/5
- **Collision latérale** 4/5
- **Ventes du modèle de l'an dernier**
  Au Québec 1593 **Au Canada** 4259
- **Dépréciation (3 ans)** 66,3%
- **Rappels (2005 à 2010)** 10
- **Cote de fiabilité** 3/5

 GARANTIES... ET PLUS

- **Garantie générale** 3 ans/60 000 km
- **Garantie motopropulseur** 5 ans/160 000 km
- **Perforation** 6 ans/160 000 km
- **Assistance routière** 3 ans/60 000 km
- **Nombre de concessionnaires**
  Au Québec 84 **Au Canada** 450

4 NOUVEAUTÉS EN 2011

- Nouvelle radio en option avec connectivité Bluetooth.

ENTRE DEUX

PAR BENOIT CHARETTE

SI VOUS ÊTES UNE PETITE ENTREPRISE DE SERVICE, LE CHOIX D'UN FOURGON A PROBABLEMENT DÉJÀ FAIT L'OBJET D'UNE DISCUSSION. Le Savana ou l'Express de Chevrolet a forcément fait partie de cette discussion.

[CARROSSERIE] Plus moderne que son éternel rival, le Ford de Série E, et moins cher que le Sprinter, le Savana peut transporter matériel et passagers dans deux versions distinctes, assez grande pour les entrepreneurs ou pouvant accueillir jusqu'à 15 occupants dans un confort tout à fait correct.

[HABITACLE] Ici, il faut prendre le mot utilitaire au pied de la lettre. Le tableau est réduit à sa plus simple expression, l'aménagement est d'une autre époque. On achète un Savana pour l'espace généreux qu'il procure. Le principal inconvénient par rapport au Sprinter est sa garde au toit; on doit constamment rester courbé à l'intérieur, un énorme avantage pour Mercedes-Benz qui permet de s'y tenir debout.

[MÉCANIQUE] Ici c'est l'embarras du choix, un V6, trois V8 à essence et un V8 turbodiesel. Rien d'aussi économique que le V6 diesel du Sprinter, mais la puissance et la capacité de remorquage sont au rendez-vous.

[COMPORTEMENT] Voici sans doute la plus belle surprise du Savana, sa conduite. Malgré un siège un peu trop dur et pas facile à bien régler, la tenue de route est très agréable. La transmission intégrale efficace (en option) n'est pas étrangère à ce bon comportement. Un choix à considérer surtout si vous ne roulez pas toujours chargé. Avec un modèle à propulsion, l'hiver, l'arrière devient très léger et rendra vos déplacements beaucoup plus difficiles.

[CONCLUSION] Avec un modèle qui n'a pas changé beaucoup depuis 1996 et deux alternatives de qualité avec un Mercedes-Benz Sprinter ou, maintenant, le Ford Transit Connect, dans un format plus petit, mais tellement plus moderne et pratique, GM devra bouger avant de perdre des parts de marché.

FORCES · Volume de chargement · Transmission intégrale
· Vaste choix de mécaniques

FAIBLESSES · Style et présentation intérieure · Technologie dépassée
· Siège du conducteur peu confortable

GMC.

JUMEAU

N | É
J

26 260 $ à 56 605 $
transport et préparation: 1350 $

LA COTE VERTE

MOTEUR
V8 DE 6,0 L HYBRIDE

- **Consommation (100km):**
  2RM 9,4 l
  4RM 9,5 l
- **Émissions polluantes CO$_2$:**
  2RM 4324 kg/an
  4RM 4370 kg/an
- **Empreinte écologique (nombre d'arbres à planter par année):** 28
- **Indice d'octane:** 87
- **Autre motorisation:** non
- **Coût du carburant moyen par année:**
  2RM 1880 $
  4RM 1900 $
- **Nombre de litres par année:**
  2RM 1880 l
  4RM 1900 l

(SOURCE: ÉnerGuide)

265 |

LA RICHE DE LA FAMILLE

PAR BENOIT CHARETTE

LA GMC SIERRA EST LA SŒUR PLUS FORTUNÉE DE LA SILVERADO. Elle paraît mieux, offre plus de luxe et, franchement, démontre une prestance qui manque à la Silverado.

[CARROSSERIE] Si les versions changent de dénomination de Chevrolet à GMC, elles sont en réalité les mêmes. Une seule exception, la version Denali qui revient en 2011. Elle allie les performances d'un V8 de 6,2 litres à un luxe digne d'une grande berline. Comme chez Chevrolet, les combinaisons sont nombreuses, mais manquent de souplesse car certaines options ne sont offertes qu'avec des modèles spécifiques.

[HABITACLE] Vous avez ici trois niveaux de finition. La camionnette d'abord utilisée pour le travail est le lot des modèles de base. Le modèle SLT qui offre des sièges de cuir chauffants et électriques, un tableau de bord et des panneaux de porte uniques, une console centrale de plus grande contenance et une chaîne audio Bose. Chez Chevrolet cela s'arrête ici; chez GMC, la Denali vous amène un peu plus loin, du volant chauffant gainé de cuir aux sièges chauffants et rafraîchissants, la commande automatique de la température à deux zones, le démarreur à distance, le hayon EZ Lift et le radar de stationnement arrière. C'est la totale.

[MÉCANIQUE] Vous avez la même offre mécanique que Chevrolet, y compris la Sierra hybride. Il y a deux V6, deux V8 à essence et le V8 hybride bimode qui est plutôt coûteux, mais fonctionne rudement bien. J'ai une préférence pour les V8 qui offrent une boîte à 6 rapports, laquelle rend le véhicule pratiquement aussi économique que les V6 avec la vieille boîte à 4 rapports.

[COMPORTEMENT] On sent plus de noblesse dans la conduite de la Sierra. Une meilleure insonorisation, des sièges dans les versions haut de gamme mieux sculptés. Avec la F-150, c'est certainement la plus confortable et agréable à conduire.

[CONCLUSION] Si j'avais à mettre mes dollars sur un camion GM, mon vote irait à la Sierra, il est mieux fini et respire ce petit côté plus haut de gamme.

 FICHE D'IDENTITÉ

- **Versions** W/T, SLE, SLT, Denali, Hybride
- **Roues motrices** arrière, 4
- **Portières** 4 **Nombre de passagers** 5
- **Première génération** 1936
- **Génération actuelle** 2007
- **Construction** Pontiac, Michigan, É.-U.; Fort Wayne, Indiana, É.-U.
- **Sacs gonflables** 6 (frontaux; rideaux latéraux; sacs latéraux)
- **Concurrence** Chevrolet Silverado, Dodge Ram, Ford F-150, Nissan Titan, Toyota Tundra

 AU QUOTIDIEN

- **Prime d'assurance**
  25 ans: 1600 à 1800 $
  40 ans: 900 à 1100 $
  60 ans: 700 à 900 $
- **Collision frontale** 5/5
- **Collision latérale** nd
- **Ventes du modèle de l'an dernier**
  Au Québec 4809 **Au Canada** 37 316
- **Dépréciation** 65,7 %
- **Rappels** (2005 à 2010) 12
- **Cote de fiabilité** 2,5/5

 GARANTIES... ET PLUS

- **Garantie générale** 3 ans/60 000 km
- **Garantie motopropulseur** 5 ans/160 000 km
- **Perforation** 6 ans/160 000 km
- **Assistance routière** 3 ans/60 000 km
- **Nombre de concessionnaires**
  Au Québec 84 **Au Canada** 450

NOUVEAUTÉS EN 2011

- Aucun changement majeur

FORCES · Excellente insonorisation · Conduite confortable · Hybridation efficace · Version Denali

FAIBLESSES · Rigidité dans le choix des options · Boîte à 4 rapports · Version Denali qui va vider votre compte en banque

GMC
TERRAIN
www.gm.ca

N · É
JUMEAU
J

27 495 $ à 34 520 $
transport et préparation: 1420 $

GMC

LA COTE VERTE

MOTEUR
L4 DE 2,4 L

· **Consommation**
(100km):
2RM 7,7 l
4RM 8,5 l

· **Émissions polluantes**
CO_2 :
2RM 3588 kg/an
4RM 4002 kg/an

· **Empreinte écologique**
(nombre d'arbres à
planter par année):
26

· **Indice d'octane:** 87

· **Autre**
motorisation: E85

· **Coût du carburant**
moyen par année:
2RM 1560 $
4RM 1740 $

· **Nombre de litres**
par année:
2RM 1560 l
4RM 1740 l

(SOURCE: ÉnerGuide)

266

① FICHE D'IDENTITÉ

· **Versions** SLE 2RM, SLE 4RM, SLT 2RM, SLT 4RM
· **Roues motrices** avant, 4
· **Portières** 4 **Nombre de passagers** 5
· **Première génération** 2005
· **Génération actuelle** 2010
· **Construction** Ingersoll, Ontario, Canada
· **Sacs gonflables** 6 (frontaux, rideaux latéraux)
· **Concurrence** Ford Escape, Honda CR-V, Hyundai Tucson, Kia Sportage, Mazda CX-7, Mitsubishi Outlander, Subaru Forester, Suzuki Grand Vitara, Toyota RAV4

② AU QUOTIDIEN

· **Prime d'assurance**
25 ans: 2000 à 2200 $
40 ans: 1300 à 1500 $
60 ans: 1000 à 1200 $
· **Collision frontale** 5/5
· **Collision latérale** 5/5
· **Ventes du modèle de l'an dernier**
Au Québec 392 **Au Canada** 2252
· **Dépréciation** nm
· **Rappels** (2005 à 2010) 2
· **Cote de fiabilité** 4/5

③ GARANTIES... ET PLUS

· **Garantie générale** 3 ans/60 000 km
· **Garantie motopropulseur** 5 ans/160 000 km
· **Perforation** 6 ans/160 000 km
· **Assistance routière** 3 ans/60 000 km
· **Nombre de concessionnaires**
Au Québec 84 **Au Canada** 450

④ NOUVEAUTÉS EN 2011

· Moteur V6 compatible avec E85
· 2 nouvelles couleurs (bleu acier et blanc)

DU CHAUD ET DU FROID

PAR MICHEL CRÉPAULT

L'ARBRE GÉNÉALOGIQUE DU TERRAIN EST PLUS EMBERLIFICOTÉ QUE LA DESCENDANCE D'UN MARIN AU LONG COURS: Opel Antara, Chevrolet Captiva, Saturn Vue, Chevrolet Equinox. Il devait naître dans la famille Pontiac pour succéder au Torrent mais c'est GMC qui a en hérité.

[CARROSSERIE] Les modèles SLE et SLT se distinguent des cousins grâce à une calandre massive ponctuée d'alvéoles modernes, des passages de roues proéminents et un arrière découpé à la tronçonneuse. Autant le style de l'Equinox donne dans le familial, autant le Terrain suinte la robustesse.

[HABITACLE] J'ai aimé mon essai grâce à la cabine équipée jusqu'au bouchon. Un intérieur plaisant à utiliser, comme cet écran tactile qui s'apprivoise en un temps record. L'espace de chargement est adéquat mais gêné par les tourelles des amortisseurs. On améliore la situation en faisant coulisser la banquette Multi-Flex ou alors en repliant les dossiers asymétriques.

[MÉCANIQUE] Un moteur à 4 cylindres Ecotec de 2,4 litres qui développe 182 chevaux et un V6 de 3 litres, offert en option. Entre le deux? Le 4-cylindres grogne beaucoup quand on le sollicite, d'aucuns le trouveront donc un peu juste compte tenu de la masse à déplacer, mais il s'en tire avec une consommation raisonnable. Le V6 boit davantage mais se montrera utile pour tracter. La boîte de vitesses automatique à 6 rapports dessert bien les deux engins, et GMC offre deux roues motrices ou la transmission intégrale (simpliste).

[COMPORTEMENT] Le 4-cylindres à traction a au moins le mérite de vous faire parcourir plus de 1 100 kilomètres (selon GM) avec un seul plein d'essence. Compte tenu du poids et de la vocation du Terrain, je m'étonne qu'on néglige la version AWD.

[CONCLUSION] Le Terrain impressionne mais à la condition de débourser. Une version de base mieux défendue manque à l'appel. Il vous faudra construire un menu à la mesure de votre budget et, ce faisant, il sera difficile de mettre de côté les autres ténors de la catégorie.

FORCES · Une allure qui a du caractère · Un intérieur ergonomique et de bon goût

FAIBLESSES · Un 4-cylindres un peu juste, un V6 un peu gourmand
· Une transmission intégrale sommaire

 **GMC.**

LA COTE VERTE

MOTEUR
V8 DE 6,0 L HYBRIDE

Consommation (100km):
2RM 9,4 l
4RM 9,5 l

Émissions polluantes CO$_2$:
2RM 4324 kg/an
4RM 4370 kg/an

Empreinte écologique (nombre d'arbres à planter par année): 28

Indice d'octane: 87

Autre motorisation: non

Coût du carburant moyen par année:
2RM 1880 $
4RM 1900 $

Nombre de litres par année:
2RM 1880 l
4RM 1900 l

(OURCE: ÉnerGuide)

ENCORE À SA PLACE

PAR BENOIT CHARETTE

PLUSIEURS ÂMES BIEN PENSANTES CROIENT QUE, AVEC L'ARRIVÉE DES VÉHICULES VERTS ET ÉLECTRIQUES, LES UTILITAIRES DISPARAÎTRONT. Il faudra encore 10 ans pour voir un peu de véhicules électriques sur la route, mais les utilitaires de la taille du Yukon seront encore là, sous une forme ou une autre.

[CARROSSERIE] Le Yukon se situe entre le Tahoe de base et le luxueux Cadillac Escalade, c'est le modèle qui dégage un chic discret, sans le clinquant de Cadillac. Offert en version de base, XL, Denali et Hybride, ce n'est pas le choix qui manque.

[HABITACLE] C'est à l'intérieur qu'on constate la plus grande différence avec un Chevrolet Yukon. Ici c'est le grand luxe, les insérés de bois dans certaines versions, un travail de finition plus minutieux, des plastiques de meilleure qualité, souples au toucher. Les sièges de cuir, en option, offrent également une qualité digne des grandes berlines européennes. Si vous allez dans la version Denali, vous avez droit à un cuir Nuance encore plus délicat et à des touches de chrome. Le seul endroit qui est un peu plus pé-

nible, c'est la banquette de 3e rangée, un peu dure sur les trajets de plus d'une heure.

[MÉCANIQUE] Parmi les changements apportés aux modèles 2011, notons la distribution à calage variable qui améliore la consommation des modèles équipés du moteur de 5,3 litres, de même que la gestion active du carburant et le rapport de pont qui passe à 3,08 sur les modèles Denali. De plus, la compatibilité avec le carburant mixte est une nouveauté pour le moteur de 5,3 litres. La version Denali offre le puissant et gourmand 6,2-litres, et la version hybride, un V8 de 6 litres.

[COMPORTEMENT] Confortable, agréable à conduire et montrant un rayon de braquage compact pour un aussi gros camion, le Yukon vous transporte en tout confort. Sa conduite est à l'abri des reproches et se classe en haut du sommet pour un véhicule de cette taille.

[CONCLUSION] Oui il est gros, mais pour ceux qui recherchent ce genre de véhicule, le Yukon figure parmi les meilleurs.

① FICHE D'IDENTITÉ

- **Roues motrices** arrière, 4
- **Portières** 5 **Nombre de passagers** 7, 8
- **Première génération** 1970
- **Génération actuelle** 2007
- **Construction** Janesville, Wisconsin, É.-U.; Arlington, Texas, É.-U.
- **Sacs gonflables** 6 (frontaux, latéraux avant et arrière)
- **Concurrence** Chevrolet Tahoe/Suburban, Ford Expedition, Nissan Armada, Toyota Sequoia

② AU QUOTIDIEN

- **Prime d'assurance**
- **25 ans:** 2300 à 2500 $
- **40 ans:** 1200 à 1400 $
- **60 ans:** 1000 à 1200 $
- **Collision frontale** 5/5
- **Collision latérale** 4/5
- **Ventes du modèle de l'an dernier**
  Au Québec Yukon 128 Yukon XL 83
  Au Canada Yukon 1227 Yukon XL 664
- **Dépréciation** 65,1%
- **Rappels (2005 à 2010)** 8
- **Cote de fiabilité** 2/5

③ GARANTIES... ET PLUS

- **Garantie générale** 3 ans/60 000 km
- **Garantie motopropulseur** 5 ans/160 000 km
- **Perforation** 6 ans/160 000 km
- **Assistance routière** 3 ans/60 000 km
- **Nombre de concessionnaires**
  Au Québec 84 Au Canada 450

④ NOUVEAUTÉS EN 2011

- Aucun changement majeur

FORCES · Puissance moteur · Espace de chargement · Conduite · Confort

FAIBLESSES · Consommation · 3e banquette peu confortable · Version hybride hors de prix

ACCORD

www.honda.ca

ÉVOLUTION

25 290 $ à 36 900 $
transport et préparation: 1420 $

HONDA

LA COTE VERTE

MOTEUR
L4 DE 2,4 L

- **Consommation (100km):**
  man. 7,8 l
  auto. 8,0 l
- **Émissions polluantes CO_2:**
  man. 3726 kg/an
  auto. 3822 kg/an
- **Empreinte écologique (nombre d'arbres à planter par année):** 23
- **Indice d'octane:** 87
- **Autre motorisation:** non
- **Coût du carburant moyen par année:**
  man. 1600 $
  auto. 1660 $
- **Nombre de litres par année:**
  man. 1600 l
  auto. 1660 l

(source: ÉnerGuide)

① FICHE D'IDENTITÉ

- **Versions** berl. SE, EX, EX-L, coupé EX
- **Roues motrices** avant
- **Portières** 2, 4 **Nombre de passagers** 5
- **Première génération** 1976
- **Génération actuelle** 2008
- **Construction** Marysville, Ohio, É.-U.
- **Sacs gonflables** 6 (frontaux, latéraux avant, rideaux latéraux)
- **Concurrence** Chevrolet Malibu, Chrysler Sebring, Ford Fusion, Hyundai Sonata, Kia Magentis, Mazda 6, Mitsubishi Galant, Nissan Altima, Subaru Legacy, Toyota Camry, VW Jetta/Passat

② AU QUOTIDIEN

- **Prime d'assurance**
  25 ans: 1600 à 1800 $
  40 ans: 1000 à 1200 $
  60 ans: 900 à 1100 $
- **Collision frontale** 5/5
- **Collision latérale** 5/5
- **Ventes du modèle de l'an dernier**
  Au Québec 4023 **Au Canada** 16 017
- **Dépréciation** 49,8 %
- **Rappels** (2005 à 2010) 5
- **Cote de fiabilité** 4/5

③ GARANTIES... ET PLUS

- **Garantie générale** 3 ans/60 000 km
- **Garantie motopropulseur** 5 ans/100 000 km
- **Perforation** 5 ans/kilométrage illimité
- **Assistance routière** 3 ans/kilométrage illimité
- **Nombre de concessionnaires**
  Au Québec 64 **Au Canada** 229

④ NOUVEAUTÉS EN 2011

- Calandre redessinée • Bluetooth en équipement de série • Nouvelles roues

EST-ELLE DÉPASSÉE ?

PAR FRANCIS BRIÈRE

BIEN ASSISE SUR SES LAURIERS DEPUIS BELLE LURETTE, HONDA DOIT MAINTENANT FAIRE FACE À UNE CONCURRENCE DES PLUS FÉROCES, PEU IMPORTE LA CATÉGORIE DE VOITURES. Pendant des années, l'Accord et la Civic n'avaient rien à craindre: le public était conquis. Aujourd'hui, le vent a tourné. Personne n'oserait affirmer que l'Accord est une mauvaise voiture. En revanche, il existe d'autres produits intéressants sur le marché, et le consommateur n'est pas dupe. Qu'en est-il donc de l'Accord, que vaut-elle si l'on ne tient pas compte de la concurrence? Ah! Voilà le problème...

[CARROSSERIE] L'Accord a subi une refonte en 2008 qui n'a pas fait l'unanimité. Il se peut fort bien que ce soit l'une des raisons qui expliquent la volte-face des acheteurs. Malheureusement pour nous, la livrée familiale a disparu. Honda a préféré la remplacer par la Crosstour. Pour le modèle qui nous occupe, affirmons simplement que les lignes de l'Accord sont élégantes en livrée berline, plus dynamiques en coupé.

[HABITACLE] L'intérieur de la voiture propose de l'espace à revendre. Si le modèle de génération actuelle a pris du poids et a grandi passablement, cette transformation a eu un effet bénéfique sur l'habitacle. Encore une fois, la présentation ne plaît pas à tous. Honda propose une finition impeccable, mais l'ensemble demeure plastifié à l'excès. L'ergonomie des sièges n'est pas parfaite quand il est question de l'assise et du soutien lombaire. Le maintien latéral, par contre, suffit amplement. Si vous optez pour une livrée bien équipée, vous aurez la mauvaise surprise de devoir maîtriser la complexité relative des commandes de la planche de bord. Cette fâcheuse manie typiquement japonaise est pratiquement devenue chose commune.

[MÉCANIQUE] Ici, Honda n'a rien à envier à quelque constructeur que ce soit. De fait, que vous choisissiez le moteur à 4 cylindres ou V6, ils vous donneront satisfaction. En ce qui a trait au second, sa puissance est telle que vous sentirez un généreux effet de couple dans le volant en accélération vive, puisque l'Accord utilise toujours

FORCES • Lignes élégantes (berline) • Moteur V6 puissant • Finition impeccable

FAIBLESSES • Surplus de poids • Boîte de vitesses à 5 rapports dépassée • Modèle moins concurrentiel

une traction, ce qui peut causer quelques désagréments quand la voiture bénéficie d'un surplus de puissance. Autre point négatif à noter: Honda n'offre que la boîte de vitesses automatique à 5 rapports. Pour 2011, c'est nettement dépassé. Le constructeur devra faire ses devoirs et mettre à jour ce composant mécanique. La performance et la consommation de carburant en souffrent à coup sûr. Pour qui peut s'en accommoder, la boîte manuelle à 6 rapports offerte avec le V6 plaira davantage.

[COMPORTEMENT] Le comportement de l'Accord s'apparente à celui d'une berline de cette catégorie, mais elle pourrait offrir davantage de confort. Toutefois, elle procure une douceur de roulement typiquement japonaise. Comme la voiture souffre d'une légère surcharge pondérale, sa prestation sur la route s'en ressent. Évidemment, on ne compte pas sur l'Accord pour s'éclater sur la piste, surtout qu'elle se révèle moins maniable que certains modèles concurrents. De plus, son comportement routier n'est pas des plus sportifs: la direction manque de précision, et la suspension est davantage calibrée pour offrir du confort à ses occupants. En revanche, la clientèle ciblée ne s'en plaindra pas, puisqu'elle recherche d'abord une bonne routière.

[CONCLUSION] On constate depuis quelque temps que Honda perd du terrain. Même son de cloche chez les concurrents japonais Mazda et Toyota. L'émergence des constructeurs coréens et la renaissance de Ford ont éveillé la conscience des consommateurs pour les attirer

vers des produits plus intéressants. Que dire de Subaru qui offre l'excellente Legacy, laquelle profite de la meilleure transmission intégrale sur le marché. La bataille n'est toutefois pas perdue pour Honda, mais des changements devront être apportés pour survivre à cette guerre sans merci.

2ᵉ OPINION

ALEXANDRE CRÉPAULT Depuis 1976, l'Accord se vend comme des petits pains chauds. Sa recette est simple: pas de fanfares, pas de trompettes, mais de l'efficacité. Économique, fiable, confortable, facile à conduire, valeur de revente sûre... l'Accord se révèle avant tout la logique dans le choix. L'éventail de modèles et de motorisations est assez large: tout le monde y trouvera son compte. La berline excelle grâce à ses places avant et arrière généreuses. Les critiques qui reviennent de façon récurrente sont les bruits de roulement, surtout avec le moteur à 4 cylindres, et la nuée de boutons qui recouvrent le tableau de bord. Le coupé doit être vu comme une voiture de tourisme et non de sport. Le V6 du modèle EX-L et sa boîte de vitesses manuelle à 6 rapports nous permettent, occasionnellement, de changer le mal de place, sans vraiment nous faire croire à une sportive pure et dure. En contrepartie, l'utilité des places arrière est sacrifiée.

 FICHE TECHNIQUE

- **MOTEURS**
- **(Berline SE)**
L4 2,4 l DACT, 177 ch à 6500 tr/min
Couple 161 lb-pi à 4300 tr/min
- **Transmission** manuelle à 5 rapports,

automatique à 5 rapports (en option)
0-100 km/h 8,0 s
Vitesse maximale 210 km/h

- **(Berline et coupé EX, EX-L)**
L4 2,4 l DACT, 190 ch à 7000 tr/min
Couple 162 lb-pi à 4400 tr/min
Transmission manuelle à 5 rapports (coupé),
automatique à 5 rapports
(en option EX, EX-L coupé)
0-100 km/h 8,0 s
Vitesse maximale 210 km/h
Consommation (100 km) man. 7,8 l
autom. 8,0 l (octane 87)
Émissions de CO$_2$ man. 3726 kg/an
autom. 3822 kg/an
Litres par année man. 1620 l **auto.** 1660 l
Coût par an man. 1620 $ **auto.** 1660 $
Empreinte écologique 24 arbres

- **(Berline EX V6, EX-L V6, coupé EX-L V6)**
V6 3,5 l, 271 ch à 6200 tr/min
Couple 254 lb-pi à 5000 tr/min, 251 lb-pi, man.
Transmission automatique à 5 rapports
(de série pour berline, en option pour coupé),
manuelle à 6 rapports (de série pour coupé)
0-100 km/h 6,9 s
Vitesse maximale 230 km/h
Consommation (100 km) man. 10,2 l
autom. 9,0 l (octane 87)
Émissions de CO$_2$ man. 5040 kg/an
auto. 4416 kg/an
Litres par année man. 2100 l **auto.** 1840 l
Coût par an man. 2100 $ **auto.** 1840 $
Empreinte écologique 28 arbres

- **AUTRES COMPOSANTES**
Sécurité active freins ABS, distribution électronique de force de freinage, antipatinage, contrôle de stabilité électronique
Suspension avant/arrière indépendante
Freins avant/arrière disques
Direction à crémaillère, assistée
Pneus SE P215/60R16, **EX /EX-L** P225/50R17, **EX-L V6 coupé** P235/45R18

- **DIMENSIONS**
Empattement berl. 2800 mm, **coupé** 2740 mm
Longueur berl. 4930 mm, **coupé** 4849 mm
berline V6 4935 mm
Largeur berl. 1846 mm, **coupé** 1848 mm
Hauteur berl. 1476 mm **coupé** 1432 mm
Poids SE man. 1468 kg, **EX berl.** 1550 kg,
EX-L berl. 1560 kg **EX V6 berline** 1621 kg,
EX-L V6 1637 kg, **EX coupé** man. 1491 kg,
EX-L coupé man. 1504 kg, **EX-L V6** man. 1566 kg
Diamètre de braquage 11,5 m; **EX-L V6 coupé** 11,7 m
Coffre berl. 397 l, **coupé** 338 l
Réservoir de carburant 70 l

NOS MENTIONS

☺ Modèle recommandé

NOTRE VERDICT

Plaisir au volant	●●●●○
Qualité de finition	●●●○○
Consommation	●●●○○
Rapport qualité/prix	●●●○○
Valeur de revente	●●●●○

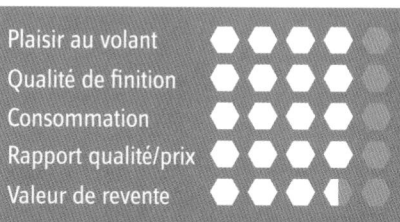

CIVIC / HYBRIDE

www.honda.ca

ÉVOLUTION N — É — J

17 190 $ à 27 350 $
transport et préparation: 1310 $

HONDA

① FICHE D'IDENTITÉ

- **Versions** DX, DX-G, Sport (berline), LX (coupé), EX-L, Si, Hybrid
- **Roues motrices** avant
- **Portières** 2, 4 **Nombre de passagers** 4
- **Première génération** 1973
- **Génération actuelle** 2006
- **Construction** Alliston, Ontario, Canada; East Liberty, Ohio, É.-U.
- **Sacs gonflables** 6 (frontaux, latéraux avant, rideaux latéraux)
- **Concurrence** Acura CSX, Chevrolet Cruze, Ford Focus, Hyundai Elantra, Kia Forte, Mazda 3, Mitsubishi Lancer, Nissan Sentra, Subaru Impreza, Suzuki SX4, Toyota Corolla, Volkswagen Golf

② AU QUOTIDIEN

- **Prime d'assurance**
  25 ans: 1600 à 1800 $
  40 ans: 1000 à 1150 $
  60 ans: 800 à 1000 $
- **Collision frontale** 5/5
- **Collision latérale ber.** 4/5 **coupé** 3/5
- **Ventes du modèle de l'an dernier**
  Au Québec 22 015 **Au Canada** 62 654
- **Dépréciation** (3 ans) 50,9 %
- **Rappels** (2005 à 2010) 12
- **Cote de fiabilité** 5/5

③ GARANTIES... ET PLUS

- **Garantie générale** 3 ans/60 000 km
- **Garantie motopropulseur** 5 ans/100 000 km
- **Perforation** 5 ans/kilométrage illimité
- **Assistance routière** 3 ans/60 000 km
- **Nombre de concessionnaires**
  Au Québec 64 **Au Canada** 229

④ NOUVEAUTÉS EN 2011

- Aucun changement majeur

LE SECRET DE SON SUCCÈS

PAR DANIEL RUFIANGE

LES PUBLICITÉS NOUS RAPPELLENT DEPUIS 12 ANS QUE LA CIVIC EST LA VOITURE LA PLUS VENDUE DE SA CATÉGORIE AU CANADA. Ce n'est pas banal ! La clef du succès de la Civic repose sur une recette aux ingrédients aussi simples que connus; rapport qualité-prix et fiabilité. Une question de gros bon sens !

[CARROSSERIE] Depuis l'introduction de la dernière génération, je ne me suis jamais gêné pour le dire; je ne raffole pas des lignes de la Civic. La calandre présente un style plutôt simplet, alors que le dessin des feux est moribond sur la berline. Le coupé a plus de style. Néanmoins, la voiture a un profil élancé et présente un excellent coefficient de traînée de 0,27.

L'acheteur a, bien sûr, le choix entre la berline ou le coupé à trois portes. En tout, on compte une dizaine de variantes de la Civic, de quoi causer des maux de tête aux acheteurs. En vérité, elles ne sont pas toutes intéressantes. La version de base DX a beau être la moins coûteuse, son peu d'équipement rappelle les Civic des années 80

qui étaient livrées sans aucune radio. Il faut regarder du côté de la version DX-G pour trouver le meilleur rapport qualité-prix. D'ailleurs, 50 % des Civic vendues sont des versions DX-G. Le rapport qualité-prix demeure excellent sur les versions plus chères, y compris les modèles Si. Seul le prix de la version hybride est une insulte à 27 350 $.

[HABITACLE] Je l'avoue, l'habitacle de la Civic me charme. Quiconque s'installe à bord est certain de trouver sa zone de confort, merci aux nombreux réglages possibles des sièges. De plus, cette présentation de l'information sur deux paliers est non seulement différente, mais aussi très sûre. La vitesse de croisière est toujours affichée dans notre champ de vision. D'ailleurs, nombreux sont les fabricants de voiture haut de gamme à offrir un affichage à tête haute pour des raisons de sécurité. La Civic l'offre, et ce, sans supplément !

Bien entendu, tout ce qui peut être branché trouve une prise à bord de la Civic, du lecteur MP3 au téléphone; la plus populaire des compactes est à la mode !

POINTS FORTS · Réputation enviable · Fiabilité légendaire · Valeur de revente inégalée · Elle fait tout bien

POINTS FAIBLES · Version hybride : pour la conscience · Positionnement encombrant du frein à main · Confort un peu rustre à l'arrière

[MÉCANIQUE] Honda, c'est avant tout une entreprise qui sait fabriquer des moteurs, fiables, de surcroît. C'est pourquoi les produits de la marque jouissent d'une aussi solide réputation. Trois motorisations sont offertes. Un 4-cylindres de 1,8 litre de 140 chevaux pour mouvoir toutes les versions sauf la Si qui profite d'un 4-cylindres de 2 litres de 197 chevaux. Quant à la version hybride, c'est un moteur 4 cylindres de 1,3 litre qui se joint au moteur IMA (Integrated Motor Assist) pour proposer 110 chevaux. Deux choses sont à retenir à propos des moteurs; ils sont des exemples de fiabilité et aiment les montées en régime.

[COMPORTEMENT] Au fil des années, la Civic a pris du volume. Ce n'est plus la petite voiture agile et nerveuse du début des années 90. Cependant, l'impression de conduite est toujours aussi solide, résultat d'une direction précise, d'une tenue de route rassurante et d'une douceur de roulement qui permet d'apprécier toutes les randonnées, qu'elles soient longues ou courtes.

De toute évidence, la version choisie vous fera vivre différentes émotions. Entre la conduite d'une version Si et de son moteur nerveux qui vous transmettra une dose d'adrénaline certaine et la conduite d'une version hybride, certaine de tester votre limite d'endurance à la fatigue, il y a un fossé. Il y en a pour tous les goûts. Une constante à retenir : l'économie de carburant.

[CONCLUSION] La Civic reste pratiquement inchangée cette année. Si la tendance se maintient, il faudra attendre 2011 pour voir la pro-chaine génération. En attendant, la mouture actuelle continuera-t-elle d'être la voiture la plus vendue au Canada? On le saura à la fin de l'année. En effet, à la fin d'avril 2010, la Mazda3 avait déjà pris une légère avance sur la Civic en termes de ventes, et ce, pour la première fois en douze ans.

2ᵉ OPINION

ALEXANDRE CRÉPAULT La Honda Civic de huitième génération est appelée à être remplacée sous peu. Cela veut dire que les derniers modèles 2011 devraient se vendre à bon prix. Nous n'avons pas encore eu la chance de tester l'héritière de la Civic. Cependant, le modèle actuel est assez bon et vaut la peine d'être considéré. Toujours économique et fiable; toujours une très bonne valeur de revente; toujours assez plaisante à conduire pour ne pas lui préférer le métro. Par contre, le modèle Si me chicote un peu. Oui, il se tire bien d'affaire sur une piste de course. Mais sur la rue, la concurrence... la GTI surtout, disons-le ouvertement, se révèle plus polyvalente et un peu plus amusante. Avant de terminer cet article, sûrement un des derniers sur ce modèle de Civic, parlons du fameux tableau de bord. Son style tiré d'une soucoupe volante continue à se partager les opinions.

⑤ FICHE TECHNIQUE

· MOTEURS
(DX, DX-G, Sport, LX, EX-L)
L4 1,8 l SACT, 140 ch à 6300 tr/min
Couple 128 lb-pi à 4300 tr/min
Transmission manuelle à 5 rapports, automatique à 5 rapports (en option)

0-100 km/h 9,3 s
Vitesse maximale 205 km/h
Consommation (100 km) man. 6,4 l
auto. 7,0 l (octane 87)
Émissions de CO$_2$ man. 2990 kg/an
auto. 3266 kg/an
Litres par année man. 1300 l **auto.** 1420 l
Coût par an man. 1300 $ **auto.** 1420 $
Empreinte écologique 19 arbres

· (Si)
L4 2,0 l DACT, 197 ch à 7800 tr/min
Couple 139 lb-pi à 6100 tr/min
Transmission manuelle à 6 rapports
0-100 km/h 6,9 s **Vitesse maximale** 230 km/h
Consommation (100 km) 8,5 l (octane 91)
Émissions de CO$_2$ 4002 kg/an
Litres par année 1440 l **Coût par an** 1653 $
Empreinte écologique 25 arbres

· (HYBRID)
L4 1,3 l SACT + IMA (moteur électrique), 110 ch (puissance maximale combinée) à 6000 tr/min
Couple 123 lb-pi (couple maximal combiné) entre 1000 à 2500 tr/min
Transmission automatique à variation continue
0-100 km/h 12,7 s **Vitesse maximale** 175 km/h

· AUTRES COMPOSANTES
Sécurité active freins ABS, répartition électronique de force de freinage, assistance au freinage (Hybrid seulement). Système de contrôle de la stabilité (EX-L, Si, Hybrid).
Suspension avant/arrière indépendante
Freins avant/arrière disques/tambours (DX, DX-G, Hybrid) disques (Sport, EX-L, Si)
Direction à crémaillère, assistée
Pneus DX/DX-G/Hybrid P195/65R15
LX/Sport/EX-L P205/55R16 **Si** P215/45R17

· DIMENSIONS
Empattement berl. 2700 mm, **coupé** 2650 mm
Longueur berl. 4504 mm, **coupé** 4457 mm
Largeur berl. 1752 mm, **coupé** 1751 mm
Hauteur berl. 1435 mm, **Hybrid** 1430 mm, **coupé** 1396 mm
Poids berl. DX 1200 kg, **DX-G** 1218 kg, **Sport** 1226 kg, **EX-L** 1252 kg, **Hybrid** 1305 kg, **coupé DX** 1179 kg, **LX** 1208 kg, **EX-L** 1230 kg, **Si** 1314 kg
Diamètre de braquage nd
Coffre berl. 340 l, **coupé** 327 l, **Hybrid** 294 l
Réservoir de carburant 50 l, **Hybrid** 46,6 l

NOS MENTIONS

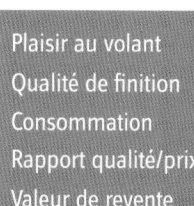 Le choix vert

NOTRE VERDICT

Plaisir au volant	●●●●○
Qualité de finition	●●●●○
Consommation	○○○○○
Rapport qualité/prix	●●●●○
Valeur de revente	●●●●○

HONDA

CROSSTOUR

www.honda.ca

ÉVOLUTION

36 450 $ à 38 456 $
transport et préparation: 1550 $

272

LA COTE VERTE

MOTEUR
V6 DE 3,5 L

- **Consommation (100km):**
2RM 9,4 l
4RM 10,2 l
- **Émissions polluantes CO_2:**
2RM 4416 kg/an
4RM 4784 kg/an
- **Empreinte écologique (nombre d'arbres à planter par année):** 28
- **Indice d'octane:** 87
- **Autre motorisation:** non
- **Coût du carburant moyen par année:**
2RM 2180 $
4RM 2260 $
- **Nombre de litres par année:**
2RM 2180 l
4RM 2260 l

(source: ÉnerGuide)

---

(1) FICHE D'IDENTITÉ

- **Versions** EX-L, EX-L 4RM
- **Roues motrices** avant, 4
- **Portières** 5 **Nombre de passagers** 5
- **Première génération** 2010
- **Génération actuelle** 2010
- **Construction** Marysville, Ohio, É.-U.
- **Sacs gonflables** 6 (frontaux, latéraux avant, rideaux latéraux)
- **Concurrence** Nissan Murano, Toyota Venza

(2) AU QUOTIDIEN

- **Prime d'assurance**
25 ans: 1600 à 1800 $
40 ans: 1000 à 1200 $
60 ans: 900 à 1100 $
- **Collision frontale** 5/5
- **Collision latérale** 5/5
- **Ventes du modèle de l'an dernier**
Au Québec nm **Au Canada** nm
- **Dépréciation** nm
- **Rappels** (2005 à 2010) aucun à ce jour
- **Cote de fiabilité** nm

(3) GARANTIES... ET PLUS

- **Garantie générale** 3 ans/60 000 km
- **Garantie motopropulseur** 5 ans/100 000 km
- **Perforation** 5 ans/kilométrage illimité
- **Assistance routière** 3 ans/kilométrage illimité
- **Nombre de concessionnaires**
Au Québec 64 **Au Canada** 229

(4) NOUVEAUTÉS EN 2011

- Aucun changement majeur

POUR FAIRE DIFFÉRENT

PAR MICHEL CRÉPAULT

JE NE ME SOUVIENS PLUS QUI, LE PREMIER, A PARLÉ DE VÉHICULE MULTISEGMENT, MAIS, DEPUIS, C'EST L'AVALANCHE. Du côté de Honda aussi, on a décidé d'embarquer dans la parade; on a même poussé la subtilité jusqu'à l'appeler Crosstour (multisegment se dit crossover en anglais).

[CARROSSERIE] Comptez sur Honda pour concevoir, de temps à autre, un véhicule à l'allure distinctive, excentrique même. On dirait une ancienne CR-X gonflée à l'hélium. Même s'il partage l'architecture de l'Accord, le Crosstour brise tout de même l'hégémonie soporifique qui est trop souvent le lot des parcs d'automobiles. Les seuls autres qui rivalisent dans ce style sont le cousin Acura ZDX et le germanique BMW X6. EX-L, voilà la seule livrée offerte au Canada (deux aux USA), avec l'option des quatre roues motrices.

[HABITACLE] Oui, le tableau de bord partage des éléments avec celui de l'Accord, mais, grosso modo, les stylistes ont étalés les cadrans de manière à reposer l'œil, tandis que tout le reste est concentré dans la portion centrale de la planche de bord, plutôt encombrée, merci, par des interrupteurs tous semblables. L'intérieur de la cabine est si bien matelassé que les bruits parasites sont maintenus à l'extérieur, mieux que dans la berline. Les sièges avant sont reposants, et la position de conduite, aisée à dénicher. Le dégagement tous azimuts de la banquette est excellent, et ce, malgré la chute dramatique du pavillon. L'espace de chargement est quelque peu décevant compte tenu de l'apparence extérieure. Pour transporter plus, on abaissera les dossiers grâce aux ingénieuses manettes.

[MÉCANIQUE] Le V6 de 3,5 litres de l'Accord a été transplanté intégralement avec ses 271 chevaux et son le couple de 254 livres-pieds de même que la boîte de vitesses automatique à 5 rapports. Seul ajout : une motricité intégrale facultative (celle du CR-V), qui envoie du couple à l'essieu arrière si nécessaire.

[COMPORTEMENT] Quand je pense au Crosstour, le Toyota Venza me vient en tête. Or, le premier explore une tenue de route plus stimulante

---

FORCES · Style qui ne passe pas inaperçu · Cabine intérieure confortable et silencieuse · Comportement routier civilisé · Transmission intégrale offerte

FAIBLESSES · Style justement controversé · Moins d'espace de chargement qu'on pense · Pléiade d'interrupteurs qui sèment la confusion · En manque d'un modèle de base équipé d'un 4-cylindres

que le second. Si vous songez à l'utilitaire classique, le Crosstour suggère des manières plutôt apparentées à la familiale qu'au camion grâce à une position de conduite moins juchée et un roulis mieux contenu (garde au sol de 5,9 centimètres plus élevée que l'Accord). Étant donné la section arrière tourmentée, vous aurez deviné que la caméra de recul vaut ici son pesant d'or sinon la visibilité vers l'arrière se révèle médiocre, bien que Honda ait rendu translucide la portion sous le hayon. La suspension et la direction offrent un très agréable compromis entre la sportivité et le confort. La puissance offerte rappelle celle de l'Accord mais sans oublier qu'il faut ici déménager 300 kilos supplémentaires. Malgré tout, on peut signer un chrono de quelque 8 secondes au 0 à 100 km/h (avec l'AWD), ce qui est amplement rapide pour se rendre à sa leçon de tennis. La boîte de vitesses automatique accomplit un bon travail sans bégayer entre les rapports et ne s'énerve pas, question de sauver de précieuses gouttes de pétrole comme elle le peut. D'ailleurs, à ce sujet, le V6 n'hésitera pas à désactiver deux ou trois de ses cylindres s'il calcule pouvoir maintenir la vitesse de croisière souhaitée sans efforts. On épargne beaucoup? Pas tant que cela, au final, mais, au moins, le réservoir se contente-t-il de carburant ordinaire.

[CONCLUSION] Quand les parents ont des enfants à la maison qu'ils doivent trimballer d'un match de soccer à l'autre, le mode de transport se doit d'être pratico-pratique. Quand les enfants quittent le nid familial, les parents pensent enfin à eux. Afin de s'adonner à leur douzaine de hob-bies et cours de yoga, ils ont besoin d'un véhicule capable de transporter du matériel aussi varié qu'un vélo de montagne ou une tour de potier mais dans un véhicule qui a du panache, même si sa bouille originale l'emporte sur la fonction, de sorte qu'on doive accepter le fait que le Crosstour n'est pas si spacieux que cela. Ni familiale, ni utilitaire, le Crosstour s'aventure dans un segment si singulier qu'il en serait le seul représentant!

2ᵉ OPINION

FRANCIS BRIÈRE Les constructeurs d'automobiles ont osé faire croire aux gens que les véhicules multisegments pouvaient remplacer sans heurt la fourgonnette tout en proposant une allure masculine. Si vous avez besoin d'espace pour transporter des objets ou des personnes, vous risquez d'être déçu si vous achetez l'un de ces véhicules. Les gens se laissent tenter par la silhouette gonflée d'un Crosstour alors qu'ils auraient mieux fait de considérer l'achat d'une fourgonnette. Si votre choix s'est arrêté sur le Honda Crosstour, c'est que vous avez déterminé le style qui vous plaît. J'apprécie l'allure de cette voiture, et sa conduite m'a étonné. C'est une Accord qui affiche la puissance et la souplesse de son merveilleux V6. Encore une fois, c'est une affaire de style, une affaire de goût.

⑤ FICHE TECHNIQUE

▪ MOTEUR
- V6 3,5 l, 271 ch à 6200 tr/min
- Couple 254 lb-pi à 5000 tr/min
- **Transmission** automatique à 5 rapports
- **0-100 km/h** 7,0 sec. **4RM** 8,0 sec.
- **Vitesse maximale** 230 km/h

▪ AUTRES COMPOSANTES
- **Sécurité active** freins ABS, distribution électronique de force de freinage, antipatinage, contrôle de stabilité électronique
- **Suspension avant/arrière** indépendante
- **Freins avant/arrière** disques
- **Direction** à crémaillère, assistée
- **Pneus** 225/60R18

▪ DIMENSIONS
- **Empattement** 2797 mm
- **Longueur** 4999 mm
- **Largeur** 1898 mm
- **Hauteur** 1670 mm
- **Poids** 1755 kg, **4RM** 1845 kg
- **Coffre** 727 l, 1453 l (siège abaissés)
- **Réservoir de carburant** 70 l

NOS MENTIONS

 😊 Modèle recommandé

NOTRE VERDICT

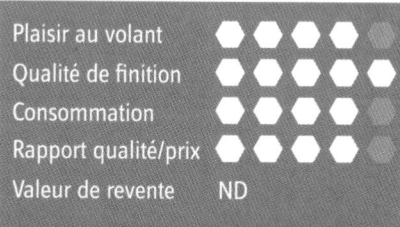

Plaisir au volant	⬡⬡⬡⬡⬡
Qualité de finition	⬡⬡⬡⬡⬡
Consommation	⬡⬡⬡⬡⬡
Rapport qualité/prix	⬡⬡⬡⬡⬡
Valeur de revente	ND

CR-V

www.honda.ca

ÉVOLUTION

N É
J

26 290 $ à 35 590 $
transport et préparation: 1560 $

HONDA

LA COTE VERTE

MOTEUR
L4 DE 2,4 L

- **Consommation (100km):**
 2RM 8,5 l
 4RM 8,8 l
- **Émissions polluantes CO_2:**
 2RM 3910 kg/an
 4RM 4140 kg/an
- **Empreinte écologique (nombre d'arbres à planter par année): 26**
- **Indice d'octane: 87**
- **Autre motorisation: non**
- **Coût du carburant moyen par année:**
 2RM 1700$
 4RM 1800 $
- **Nombre de litres par année:**
 2RM 1700 l
 4RM 1800 l

(source: ÉnerGuide)

SAIN DE CORPS ET D'ESPRIT

PAR BENOIT CHARETTE

QUESTION DE STIMULER DES VENTES QUI ONT CHUTÉ DE 15 % ENTRE 2008 ET 2009, HONDA A REFAIT UNE BEAUTÉ AU CR-V À L'AUTOMNE DERNIER. Rien pour choquer la clientèle, une simple mise à jour de cette génération qui a vu le jour en 2007, question de conserver un certain air de jeunesse.

[CARROSSERIE] Parmi les améliorations apportées aux lignes extérieures, mentionnons le carénage, la calandre, le pare-chocs avant et le capot redessiné et la nouvelle forme du pare-chocs arrière. Les roues en alliage à 10 rayons, de série sur les versions EX et EX-L du CR-V, remplacent les roues en alliage à 7 rayons du modèle précédent. On fait ainsi disparaître quelques petites rides pour garder le modèle jeune encore deux ans.

[HABITACLE] Les améliorations intérieures sont principalement liées à de nouvelles caractéristiques et à de nouvelles fonctions. Le système à mains libres Bluetooth(MD) HandsFreeLink(MD) est maintenant inclus avec le système de navigation Honda relié par satellite « Honda Satellite-Linked Navigation System(MC) », la version EX comporte des phares qui s'allument et s'éteignent automatiquement, et les sièges avant de toutes les versions sont munis d'un accoudoir central plus large. Il y a aussi des retouches apportées à la radio et à la disposition des commandes, les nouvelles textures des tissus pour les sièges et la conception des poignées intérieures des portières qui a été renouvelée par un revêtement de caoutchouc. Les nouveaux panneaux de garniture du volant, du levier de vitesses et de la boîte à gants supérieure rehausse un peu l'éclat de l'habitacle dans son ensemble. Afin d'offrir plus de confort, les accoudoirs centraux rabattables des sièges du conducteur et du passager avant sont maintenant plus larges. Il y a aussi quelques nouveautés comme un système de climatisation bizone automatique, un siège du conducteur à 8 réglages électriques, des phares qui s'allument et s'éteignent automatiquement, une console centrale, une prise USB, des rétroviseurs et des poignées de portes de couleur assortie.

 FICHE D'IDENTITÉ

- **Versions** LX 2RM, LX 4RM, EX 2RM, EX 4RM, EX-L
- **Roues motrices** avant, 4
- **Portières** 5 **Nombre de passagers** 5
- **Première génération** 1997
- **Génération actuelle** 2007
- **Construction** East Liberty, Ohio, É.-U.
- **Sacs gonflables** 6, frontaux, latéraux avant et rideaux latéraux
- **Concurrence** Chevrolet Equinox, Ford Escape, Hyundai Tucson, Jeep Compass/Patriot, Kia Sportage, Mitsubishi Outlander, Nissan Rogue, Suzuki Grand Vitara, Toyota RAV4

 AU QUOTIDIEN

- **Prime d'assurance**
 25 ans: 1400 à 1600 $
 40 ans: 1000 à 1200 $
 60 ans: 900 à 1100 $
- **Collision frontale** 5/5
- **Collision latérale** 5/5
- **Ventes du modèle de l'an dernier**
 Au Québec 4036 **Au Canada** 18 554
- **Dépréciation** 35,0%
- **Rappels** (2005 à 2010) Aucun
- **Cote de fiabilité** 5/5

 GARANTIES... ET PLUS

- **Garantie générale** 3 ans/60 000 km
- **Garantie motopropulseur** 5 ans/100 000 km
- **Perforation** 5 ans/kilométrage illimité
- **Assistance routière** 3 ans/illimité
- **Nombre de concessionnaires**
 Au Québec 64 **Au Canada** 229

4 NOUVEAUTÉS EN 2011

- Aucun changement majeur

FORCES · Finition · Tenue de route · Fiabilité · Valeur de revente

FAIBLESSES · Pas de V6 ou de diesel · Insonorisation un peu juste · Prix un peu plus élevé que la moyenne

[MÉCANIQUE] L'an dernier, Honda a jouté 14 chevaux à son moteur à 4 cylindres de 2,4 litres pour un total de 180 chevaux. Dans les faits, Honda n'a pas changé de moteur. Le surcroît de puissance découle de l'augmentation du taux de compression (10,5 : 1 par comparaison avec 9,7 : 1), des injecteurs qui projettent un jet de carburant plus fin, des soupapes d'admission plus larges, des bougies d'allumage munies d'électrodes plus longues, des segments de piston qui réduisent la friction, un capteur de distribution plus précis et un système d'échappement au débit plus grand. Le jet de carburant plus fin permet une légère amélioration de la consommation. Honda annonce autour de 10 litres aux 100 kilomètres. D'une manière plus réaliste, vous serez plus près de 11.

[COMPORTEMENT] Le CR-V est depuis 10 ans l'un des petits utilitaires les plus populaires sur le marché et pour cause. Sa fiabilité est exemplaire, sa polyvalence, éprouvée, et son format, approprié. Mais comme bien des véhicules de cette catégorie, il s'embourgeoise et n'est plus aussi économique en termes de rendement que la première génération de CR-V qui tirait ses origines de la modeste Civic. La transmission intégrale et le moteur à 4 cylindres de bonne taille n'offre guère mieux que 10,5 à 11 litres aux 100 kilomètres, c'est dans la bonne moyenne, mais pas exceptionnel. La tenue de route est plus ferme que confortable, mais jamais désagréable, le système à 4 roues motrices rarement pris en défaut rend la conduite hivernale plus sûre. En deux mots, il s'agit encore et toujours d'un excellent véhicule dans sa caté-gorie, qui ne brille pas par son excentrisme, mais fait remarquablement bien le travail qu'on lui demande de faire.

[CONCLUSION] À l'heure où les petits utilitaires sont maintenant partie intégrante du paysage automobile, Honda demeure à l'avant-scène avec son CR-V qui n'est certes pas excitant, mais offre à la fois une conduite rassurante et les plus récents atouts technologiques qui le placent en tête du peloton dans ce segment. C'est vrai que le prix est un peu plus élevé que la moyenne mais pour citer un vieux commercial mettant en vedette Albert Millaire, c'est plus que du bonbon.

2ᵉ OPINION

FRÉDÉRIC MASSE Le CR-V est le maître de la légèreté dans la catégorie des VUS compacts. Sa suspension est molle et conciliante (à la limite un peu trop...) et sa direction légère. Évidemment, on concède le plaisir au volant, mais les acheteurs de CR-V ne s'en soucieront guère, car ils cherchent la sécurité, la faible consommation d'essence, une qualité d'assemblage impeccable et la fiabilité déroutante. Le CR-V se veut donc pratique, relativement bien insonorisé et efficace. Sa position assise haute et la bonne visibilité sous la plupart des angles (l'arrière est un peu plus difficile... sans être problématique) procurent également un sentiment de sécurité pour le conducteur. Encore une fois, Honda a travaillé fort pour offrir un moteur doux et une transmission à cinq vitesses qu'on ne prend jamais en défaut. La traction intégrale n'est toutefois pas la plus efficace.

⑤ FICHE TECHNIQUE

- **MOTEUR**

L4 2,4 l DACT 180 ch à 6800 tr/min
Couple 161 lb-pi à 4400 tr/min
Transmission automatique à 5 rapports avec mode manuel
0-100 km/h 10,2 s
Vitesse maximale 185 km/h

- **AUTRES COMPOSANTES**

Sécurité active freins ABS, répartition électronique de force de freinage, antipatinage, contrôle de stabilité électronique
Suspension avant/arrière indépendante
Freins avant/arrière disques
Direction à crémaillère, assistée
Pneus P225/65R17

- **DIMENSIONS**

Empattement 2620 mm
Longueur 4554 mm
Largeur 1820 mm
Hauteur 1680 mm
Poids LX 1598 kg **EX 4RM** 1605 kg **EX-L** 1614 kg
Diamètre de braquage 11,5 m
Coffre 1011 l, 2064 l (sièges abaissés)
Réservoir de carburant 58 l
Capacité de remorquage 680 kg

275

NOS MENTIONS

☺ Modèle recommandé

♥ Coup de coeur

NOTRE VERDICT

Plaisir au volant	●	●	●	●	◖
Qualité de finition	●	●	●	●	●
Consommation	●	●	●	⬡	⬡
Rapport qualité/prix	●	●	●	⬡	⬡
Valeur de revente	●	●	●	●	⬡

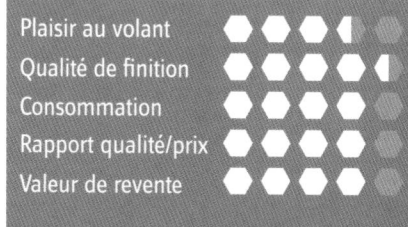

CR-Z
www.honda.ca

NOUVEAUTÉ É J

23 490 $ à 24 290 $
transport et préparation: 1395 $

HONDA

LA COTE VERTE

MOTEUR
L4 DE 1,5 L HYBRIDE

- **Consommation (100km):**
  man. 5,9 l
  CVT. 5,3 l
- **Émissions polluantes CO_2:**
  man. 2340 kg/an
- **Empreinte écologique (nombre d'arbres à planter par année):** 18
- **Indice d'octane:** 87
- **Coût du carburant moyen par année:**
  man. 1250 $
  CVT. 1230$
- **Nombre de litres par année:**
  man. 1250$
  CVT 1230$

(SOURCE: ÉnerGuide)

---

① FICHE D'IDENTITÉ

- **Versions** Base
- **Roues motrices** avant
- **Portières** 2 **Nombre de passagers** 2
- **Première génération** 2011
- **Génération actuelle** 2011
- **Construction** Suzuka, Mie, Japon
- **Sacs gonflables** 6 (frontaux, latéraux avant, rideaux latéraux)
- **Concurrence** Aucune

② AU QUOTIDIEN

- **Prime d'assurance**
  25 ans: 1400 à 1600$
  40 ans: 1100 à 1300$
  60 ans: 900 à 1100$
- **Collision frontale** nm
- **Collision latérale** nm
- **Ventes du modèle de l'an dernier**
  Au Québec nm **Au Canada** nm
- **Dépréciation** nm
- **Rappels (2005 à 2010)** nm

③ GARANTIES... ET PLUS

- **Garantie générale** 3 ans/60 000 km
- **Garantie motopropulseur** 5 ans/100 000 km
- **Perforation** 5 ans/kilométrage illimité
- **Assistance routière** 3 ans/kilométrage illimité
- **Nombre de concessionnaires**
  Au Québec 64 **Au Canada** 229

④ NOUVEAUTÉS EN 2011

- Nouveau modèle

RIRE VERT

PAR MICHEL CRÉPAULT

ON L'ATTENDAIT AVEC IMPATIENCE, CETTE CR-Z, LA PLUS RÉCENTE OFFRANDE HYBRIDE DE HONDA. Elle vous fait penser à la CRX (de 1984 à 1991) ou à la del Sol (de 1992 à 1998) ? Vous avez bien raison, ne serait-ce que par le nom et la silhouette. Durant le lancement, le constructeur lui-même y a fait allusion mais sans plus. Pourquoi insister ? La filiation est évidente, mais a-t-on vraiment besoin d'en faire un plat quand on réinterprète un véhicule en misant sur l'inéluctable progrès ?

[CARROSSERIE] On pense à la CRX, mais on devrait davantage songer à l'Insight puisque la CR-Z en est une version biplace raccourcie, allégée et pimentée. L'allure est réussie, ne trouvez-vous pas ? Si cette CR-Z n'a pas l'air d'une voiture bien de son temps, futuriste même, nous n'avons pas la même perception de *Star Wars*. Honda a décidé pour le moment de n'offrir que trois couleurs extérieures : argent, blanc et bleu. Des trois, le bleu m'a le plus séduit, mais le blanc distille de jolis reflets nacrés. Le coefficient de traînée (Cx) d'une voiture qui entend enregistrer

des consommations de carburant intéressantes doit être bon. Mercedes-Benz parvient à signer des merveilles d'aérodynamisme avec, par exemple, sa nouvelle berline Classe E qui affiche un brillant Cx de 0,28. La Toyota Prius bat tout le monde avec un superbe 0,25 (un score atteint il y a 10 ans par la première Insight). Or, la CR-Z doit se contenter de 0,30. Surprenant et décevant. La faute en incombe sans doute à la calandre encombrée.

[HABITACLE] La présentation du tableau de bord est aussi branchée que l'extérieur. La vitesse atteinte est indiquée grâce à un effet 3D sympathique, le chiffre étant entouré d'un halo lumineux qui vire au vert quand on conduit écolo et au rouge quand on tente de peler l'asphalte. J'aime le plastique laqué noir et le (faux) aluminium dont le lustre donne dans le techno en évitant le cheapo. Il n'y a que deux places. Confortables ? Mmouiii. Car plutôt fermes et munies de soutiens latéraux évasés. En revanche, le recouvrement est novateur. Honda utilise un tissu qui imite une cotte

---

FORCES · Silhouette aussi sympathique que futuriste
· Boîte manuelle aiguisée · Mode Sport surprenant pour une hybride
FAIBLESSES · Comportement sportif, certes, mais encore perfectible
· Aérodynamisme et consommation ordinaires pour une hybride
· Visibilité arrière médiocre

de maille finement tressée, de couleur argent, effet *Patrouille du cosmos*! Des tranches de la taille d'une grosse pizza débordent sur les portières. Quand le regard embrasse le luisant, les graphiques, les témoins lumineux, on a vraiment l'impression d'être à bord d'un vaisseau du 21ᵉ siècle. Seule la console au plancher serait la plus ennuyeuse du monde si le sélecteur de vitesses ne la décorait pas. Vous trouverez une prise USB mais dans un compartiment quasiment secret. Derrière les deux baquets, les stylistes ont aménagé des cases de rangement qui miment l'espace que prendrait une banquette. En réalité, au Japon, les acheteurs de CR-Z bénéficient d'un 2+2. Ils peuvent le garder, à moins que vous teniez réellement à punir quelqu'un.

Cet espace de rangement est séparé du coffre à bagages par une cloison. Surprise, elle se rabat, la capacité de chargement passant alors de 286 (le cache-bagages en place) à 711 litres. Le hayon vitré se soulève avec facilité, et le beau petit plancher plat invite au remplissage, mais les objets ont tendance à valser sur le tapis. Vivement des crochets et un filet. Belle idée : si le store nuit au chargement, on le couche au sol dans des fentes prévues à cet effet.

[MÉCANIQUE] On parle ici d'un 4-cylindres à essence de 1,5 litre i-VTEC de 109 chevaux (celui de la Fit) couplé, en parallèle, au système

IMA (*Integrated Motor Assist*) dont le cœur est un moteur électrique (celui de l'Insight) de 13 chevaux (10 kilowatts). Le tandem délivre en combiné 122 chevaux à 6 000 tours par minute et un couple de 122 livres-pieds entre 1 000 et 1 750 tours (un peu plus avec la boîte CVT). La boîte d'entrée est manuelle à 6 rapports, alors que la CVT, avec leviers de sélection au volant, constitue l'unique option (du moins du côté du constructeur, alors que les concessionnaires proposent des accessoires, dont des jantes de 18 pouces).

[COMPORTEMENT] Ce qui change la donne dans l'univers des hybrides, c'est le dynamisme qu'on a voulu insuffler à la CR-Z.

Ça peut paraître contradictoire avec la mission de pareil véhicule, mais, dans le fond, ça ne l'est pas vraiment. Devra-t-on dans le futur sacrifier tout plaisir au volant pour pouvoir rouler vert ? Ce serait bien triste. Or, voici que Honda nous concocte une voiture écolo sur laquelle Jeremy Clarkson, le sarcastique animateur de *Top Gear* (BBC), ne tirera pas à boulets rouges (quoique...). De fait, la petite machine répond avec ardeur à nos zigzags enthousiastes. La boîte manuelle à 6 rapports se laisse tricoter comme un charme, et la solidité de la caisse communique une bonne impression. Ça, une hybride ! Avec la CVT, la vocation écologique reprend le dessus. La voiture est plus balourde. Mon pari : les jeunes choisiront la manuelle, les autres, la CVT. À gauche du volant s'alignent trois interrupteurs identiques sauf pour le titre : Econ, Normal, Sport. Sur le mode Econ, la CR-Z devi-

> **LA BOÎTE MANUELLE À 6 RAPPORTS SE LAISSE TRICOTER COMME UN CHARME, ET LA SOLIDITÉ DE LA CAISSE COMMUNIQUE UNE BONNE IMPRESSION. ÇA, UNE HYBRIDE !**

HISTORIQUE

Le nouveau CR-Z a été puisé dans l'histoire de la marque pour son inspiration sportive. Le lien de parenté avec la populaire CRX des années 1980 et 90 est évident. On peut aussi reconnaître plusieurs traits de caractère de la première génération de l'Insight. Le concept du CR-Z a été présenté au salon de l'auto de Tokyo en octobre 2007.

CRX Di 1986

CRX Si 1991

INSIGHT 2001

CR-Z CONCEPT 2006

CR-Z CONCEPT 2006

CR-Z CONCEPT 2007

CR-Z CONCEPT 2007

CR-Z 2011

CR-Z

GALERIE

A La CR-Z est alimentée par un moteur i-VTEC à 4 cylindres de 1,5 litre, lequel s'allie au système Assistance à moteur intégré (IMA). La même technologie qui est aussi utilisée dans la Honda Civic hybride et la Insight.

B Sa boîte manuelle à 6 rapports, offerte en équipement de série, est une première pour une voiture hybride produite à grande échelle. La boîte automatique à variation continue (CVT), en option, comprend un sélecteur de vitesses monté sur le volant qui permet au conducteur de maîtriser la position de passage des rapports d'une manière s'apparentant à celle de la conduite manuelle.

C Le conducteur a le choix de trois modes de conduite. Le mode Sport accroît le rendement de nombreux systèmes du véhicule, notamment les commandes du papillon des gaz, la direction électrique à assistance et le système d'assistance motorisée. Le mode Normal correspond à la configuration régulière de la conduite, du moteur, de l'Assistance à moteur intégré et de la climatisation. En mode Econ, lequel est conçu pour optimiser l'économie de carburant, la réponse du moteur est adaptée afin d'optimiser l'économie de carburant. La CR-Z est plus lente et endormie.

D Les cadrans inspirés du concept CR-Z, présenté en 2007 au salon de l'auto de Tokyo, s'illuminent d'une profonde et vive harmonie de couleurs bleutées qui donnent un aspect multidimensionnel à l'ensemble.

E Contrairement aux premières générations d'hybride, la CR-Z offre un espace de chargement généreux qui peut accueillir jusqu'à 711 litres de marchandise.

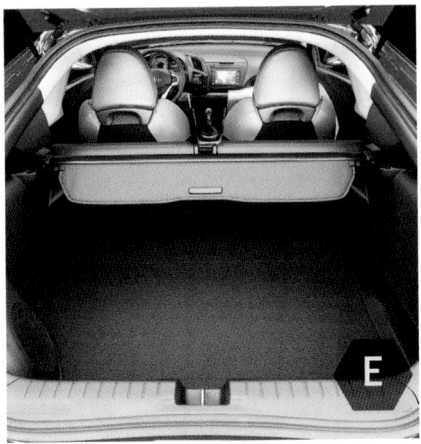

ent zen, presque paresseuse. Le message est clair : modérez vos transports et vous serez récompensé par une consommation très frugale, ce qui est, n'est-ce pas, le but avoué de toute hybride. Le symbole au tableau de bord est d'ailleurs une fleur. Qui plus est, vous devriez changer de rapport quand l'indicateur au tableau le suggère, c'est-à-dire souvent. Sur le mode Normal, on perçoit déjà une différence de comportement. Les gaz et la direction regagnent un certain enthousiasme. Le mode Sport est, bien entendu, le plus rigolo. Passer d'Econ à Sport, c'est comme passer d'un concert d'Isabelle Boulay à AC/DC. Sans toucher à l'accélérateur, la vitesse augmente aussitôt. Ça ne peut pas être sacrilège si Honda elle-même propose cette transition. D'ailleurs, l'appétit en carburant demeure toujours correct (autour des 6 litres aux 100 kilomètres) mais avec des réserves. En effet, peu importe le mode choisi, la CR-Z n'arrive pas à la cheville de l'Insight au plan de la consommation, et ce, même si elle est plus légère (1196 kilos par comparaison avec les 1238 kilos de l'Insight). Et puis, l'accélération m'intrigue. Durant le lancement de l'auto, un collègue a mesuré un 0 à 100 km/h de 13 secondes. Deux fois de suite. Des gens de Honda, eux, m'ont dit que le site d'Edmunds avait réalisé 9 secondes. Ils croient que le collègue n'a pas désactivé l'antipatinage à l'accélération durant son test. Non, réplique le collègue... Je peux au moins vous dire que, durant une épreuve de slalom, la direction de la CR-Z a imprimé des mouvements vifs, mais le roulis et le décrochage de l'arrière-train se sont mani-

festés. La voiture n'arrêtait pas de vouloir déraper, ce qui était, en soi, distrayant, mais pas très pratique pour qui veut réaliser un bon chrono. L'auto est encore trop lourde, et la suspension manque de raideur.

[CONCLUSION] Au final, la CR-Z est une manière très originale de se payer du bon temps tout en se déculpabilisant. Au prix demandé pour le seul modèle vendu chez nous (contre deux aux États-Unis), Honda, avec la Civic Hybrid, l'Insight et maintenant la CR-Z, se trouve à offrir sur le marché canadien les trois hybrides les moins chères. Dont l'une d'elles qui commence à avoir des allures de p'tit bolide.

2ᵉ OPINION

DANIEL RUFIANGE Voilà, c'est fait, l'industrie de l'automobile possède sa première voiture sportive hybride. Cette troisième tentative de Honda en matière de voitures hybrides (après la récente Insight et la Civic hybride) pourrait bien être la bonne. Pourquoi ? Parce que la CR-Z, outre le fait que ses lignes soient un calque moderne de la défunte CRX, offre vraiment une expérience de conduite intéressante. Ses 122 chevaux n'ont rien pour effrayer, mais son rapport poids/puissance permet des accélérations intéressantes et pourvues de sensations. Le conducteur a droit, en prime, à trois modes de conduite : Econ, Normal et Sport, ce dernier étant celui qui procure le plus de sensations au volant. Cependant, le mode Econ promet des économies de carburant inégalées, soit moins de 5 litres aux 100 kilomètres.

⑤ FICHE TECHNIQUE

· MOTEURS
L4 1,5 l SACT + moteur électrique
122 ch à 6000 tr/min
Couple 122 lb-pi à entre 1000-1750 tr/min
(boîte CVT 128 lb-pi)
Transmission manuelle à 6 rapports, automatique à variation continue
0-100 km/h 9.0 s
Vitesse maximale 190 km/h

· AUTRES COMPOSANTES
freins ABS, répartition électronique de force de freinage, assistance au freinage, système de contrôle de la stabilité
Suspension avant/arrière indépendante/essieu rigide
Freins avant/arrière disques/tambours
Direction à crémaillère, assistée électrique
Pneus P195/55R16

· DIMENSIONS
Empattement 2435 mm
Longueur 4079 mm
Largeur 1740 mm
Hauteur 1394 mm
Poids man. 1196 kg **CVT.** 1220 kg
Diamètre de braquage 10,8 m
Coffre 286 l 711 l (cloison abaissée
Réservoir de carburant 40 l

NOS MENTIONS

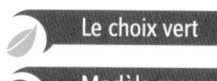

Le choix vert

Modèle recommandé

Coup de coeur

NOTRE VERDICT

Plaisir au volant	●●●●○
Qualité de finition	●●●○○
Consommation	●●○○○
Rapport qualité/prix	●●●○○
Valeur de revente	Nm

ELEMENT
www.honda.ca

ÉVOLUTION
N — É
J

28 580 $ à 33 680 $
transport et préparation: 1590 $

HONDA

LA COTE VERTE

MOTEUR
L4 DE 2,4 L

- **Consommation (100km):**
  2RM 9,3 l
  4RM 9,7 l
- **Émissions polluantes CO_2:**
  2RM 4324 kg/an.
  4RM 4508 kg/an
- **Empreinte écologique (nombre d'arbres à planter par année): 27**
- **Indice d'octane:** 87
- **Autre motorisation:** non
- **Coût du carburant moyen par année:**
  2RM 1880 $
  4RM 1960 $
- **Nombre de litres par année:**
  2RM 1880 l
  4RM 1960 l

(source: ÉnerGuide)

① FICHE D'IDENTITÉ

- **Versions** LX, SC, EX 4RM
- **Roues motrices** avant, 4
- **Portières** 5 **Nombre de passagers** 4
- **Première génération** 2003
- **Génération actuelle** 2003
- **Construction** East Liberty, Ohio, É.-U.
- **Sacs gonflables** 6, frontaux, latéraux avant et rideaux latéraux
- **Concurrence** Chevrolet Equinox, Ford Escape, Honda CR-V, Hyundai Tucson, Jeep Compass/Patriot, Kia Sportage, Mitsubishi Outlander, Nissan Rogue, Subaru Forester, Suzuki Grand Vitara, Toyota RAV4

② AU QUOTIDIEN

- **Prime d'assurance**
  25 ans: 1400 à 1600 $
  40 ans: 1000 à 1200 $
  60 ans: 900 à 1100 $
- **Collision frontale** 5/5
- **Collision latérale** 5/5
- **Ventes du modèle de l'an dernier**
  Au Québec 205 Au Canada 976
- **Dépréciation** 54,8 %
- **Rappels** (2005 à 2010) 2
- **Cote de fiabilité** 5/5

③ GARANTIES... ET PLUS

- **Garantie générale** 3 ans/60 000 km
- **Garantie motopropulseur** 5 ans/100 000 km
- **Perforation** 5 ans/kilométrage illimité
- **Assistance routière** 3 ans/illimité
- **Nombre de concessionnaires**
  Au Québec 64 Au Canada 229

④ NOUVEAUTÉS EN 2011

- Aucun changement majeur

DRÔLE DE BOÎTE...

PAR FRÉDÉRIC MASSE

DRÔLE DE BOÎTE QUE CET ELEMENT. Même après toutes ces années, il suscite encore autant de réactions. Seulement pendant ma semaine d'essai, j'ai eu droit à au moins une quinzaine de commentaires de nature totalement différente: « Il est cool », disaient certains; « maudit que c'est laid » ajoutaient d'autres; « il paraît que c'est pratique », m'a-t-on aussi souligné. Certain que c'est pratique... et en plus d'offrir de la souplesse, c'est pas mal du tout à conduire et bien construit, ça reste une Honda, me pressais-je d'ajouter!

[CARROSSERIE] C'est vrai, l'Element ne fera jamais l'unanimité et n'attirera jamais la même ni autant de clientèle que son cousin germain le CR-V. Ces portes du type suicide et son allure générale totalement anti-aérodynamique l'ont toujours stigmatisé. Sa version SC, qui fait dans le nettement plus agressif, parvient toutefois à le rendre plus « cool ». Ses roues de 18 pouces, sa suspension surbaissée et son ensemble de carrosserie plus vivant ne laissent personne indifférent. Moi le premier, j'ai été surpris de lui aimer la bine. Il faut aussi donner à Honda ce qui lui revient, le style boîte a fait des petits. On a qu'à penser au Nissan Cube et au Kia Soul. Mais, cette forme cubique a son prix... l'insonorisation est très ordinaire et les bruits de vent et même de route percent facilement l'habitacle.

[HABITACLE] Si on parle beaucoup de son allure, c'est à l'intérieur que l'Element se distingue le plus avec ses 64 configurations de sièges différentes (dont la possibilité de transformer l'habitacle en grand lit ou de lever les sièges arrière sur le côté). J'ai aussi aimé la fermeté des sièges, même si la position de conduite est un peu étrange. Quelques petits bémols, par contre: avec des sièges aussi souples, il y a de l'espace sous la banquette arrière. À toutes les fois qu'on place un objet qui risque de bouger dans le coffre, on le trouve souvent bien loin d'où on l'avait originellement mis. Autre point à regarder, l'Element n'offre que quatre places. Moi, j'ai adoré avec un gamin à trimbaler (il avait de l'espace). Autre point négatif, puisqu'il n'y a pas de pilier B (au centre du véhicule), la ceinture est attachée directement au banc. Quand on fait six pieds ou plus, elle agace

FORCES · Souplesse des configurations · Consommation de carburant · Fiabilité · Ergonomie

FAIBLESSES · Insonorisation · Ceintures de sécurité agaçantes · Beaucoup de plastiques

l'épaule inévitablement. De plus, les ceintures arrière se trouvent très loin des bancs, ce qui oblige à faire des contorsions pour les attacher. Pour le reste, c'est très bien. La visibilité générale est tout de même bonne, malgré ses gros piliers à l'avant, et les commandes sont simples et d'utilisation intuitive.

[MÉCANIQUE] Honda demeure encore l'un des plus grands motoristes du monde. Le 4-cylindres de 2,4 litres qui anime l'Element est d'ailleurs l'un des excellents 4-cylindres de l'industrie. Ses 166 chevaux bien comptés et son couple de 161 livres-pieds n'ont rien d'impressionnant sur le papier, mais parviennent à faire leur travail. Ce n'est certes pas une formule un, on s'entend, mais les accélérations sont suffisantes, et la faible consommation de carburant justifie amplement les reprises un peu lentes. C'est un compromis auquel je consens, en fait, volontiers.

[COMPORTEMENT] La tenue de route du SC, avec ses suspensions raffermies et ses roues de 18 pouces, est tellement plus gratifiante que dans sa version de base. Il est certes un peu plus enclin à réagir sèchement sur chaussée dégradée, mais ça n'a rien de dramatique. Offert en traction ou en intégrale, il peut aussi être équipé d'une boîte manuelle ou automatique à 5 rapports. Cette dernière fait d'ailleurs un excellent travail en exploitant merveilleusement bien la puissance du moteur. La direction qui renvoie une bonne rétro-action est toutefois sous assistée à basse vitesse, et je crains que certaines personnes la trouvent un peu difficile à manier. Mais, de manière générale,

le SC accomplit son travail d'une très belle façon pour un camion de cette catégorie où la tendance à étirer et à plonger rapidement fait partie de la réalité. C'est le cas du modèle de base de l'Element qui emprunte la suspension d'origine au CR-V et qui, lui, ressemble davantage à la définition dont je viens de vous faire.

[CONCLUSION] PL'Element est certainement une espèce à part dans la catégorie des VUS. À mon avis, sa souplesse se rapproche de celle des mini-fourgonnettes, dans une enveloppe qui projette tout à fait le contraire!

2ᵉ OPINION

BENOIT CHARETTE Comme il est plus proche du jouet pour adulte que d'un véritable utilitaire, la critique avait été dure avec l'Element lorsqu'il a fait son apparition, en 2003. Avec son CR-V déguisé en petit camion Tonka, Honda visait la jeune clientèle qui ne l'a jamais regardé. Ce sont plutôt les « snowbirds » qui sont devenus les principaux clients : ils l'installaient derrière leur véhicule récréatif pour aller passer l'hiver en Floride. Mais son style hirsute s'est vite démodé. S'il attire toujours les regards, il n'attire plus les acheteurs, les ventes sont littéralement en chute libre depuis deux ans. Et c'est uniquement une question de style, car ce petit utilitaire est sans doute le plus pratique, le mieux conçu à l'intérieur et le plus polyvalent de sa catégorie, Mais que voulez-vous, quand un concept a fait son temps, tout le reste devient secondaire.

FICHE TECHNIQUE

· MOTEUR

L4 2,4 l DACT 166 ch à 5800 tr/min	
Couple 161 lb-pi à 4000 tr/min	
Transmission automatique à 5 rapports	
0-100 km/h 2RM 9,5 s, **4RM** 10,3 s	
Vitesse maximale 180 km/h	

· AUTRES COMPOSANTES

Sécurité active freins ABS, répartition électronique de force de freinage, antipatinage, contrôle de stabilité électronique
Suspension avant/arrière indépendante
Freins avant/arrière disques
Direction à crémaillère, assistée
Pneus LX/EX P215/70R16, **SC** P225/55R18

· DIMENSIONS

Empattement 2575 mm
Longueur LX/EX 4315 mm, **SC** 4328 mm
Largeur 1819 mm
Hauteur 1788 mm, **SC** 1765 mm
Poids LX 1594 kg, **SC** 1632 kg,
EX 4RM 1652 kg
Diamètre de braquage 10,6 m
Coffre 711 l, 2212 l (sièges abaissés)
Réservoir de carburant 60 l
Capacité de remorquage 680 kg

NOS MENTIONS

☺ Modèle recommandé

NOTRE VERDICT

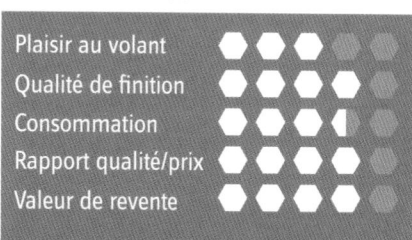

Plaisir au volant	●●●○○
Qualité de finition	●○○○○
Consommation	●●○○○
Rapport qualité/prix	●●○○○
Valeur de revente	●●●●○

FIT

www.honda.ca

14 480 $ à 18 780 $
transport et préparation: 1420 $

HONDA

LA COTE VERTE

MOTEUR
L4 DE 1,5 L

- **Consommation (100km):**
  man. 6,5 l
  auto. 6,3 l
- **Émissions polluantes CO_2:**
  man. 2990 kg/an
  auto. 2944 kg/an
- **Empreinte écologique (nombre d'arbres à planter par année):** 18
- **Indice d'octane:** 87
- **Autre motorisation:** non
- **Coût du carburant moyen par année:**
  man. 1300 $
  auto. 1280 $
- **Nombre de litres par année:**
  man. 1300 l
  auto. 1280 l

(source: ÉnerGuide)

1 FICHE D'IDENTITÉ

- **Versions** DX, LX, Sport
- **Roues motrices** avant
- **Portières** 5 **Nombre de passagers** 4
- **Première génération** 2007
- **Génération actuelle** 2009
- **Construction** Tochigi, Japon
- **Sacs gonflables** 6, frontaux, latéraux avant et rideaux latéraux
- **Concurrence** Chevrolet Aveo, Hyundai Accent, Kia Rio, Nissan Versa, Suzuki Swift+, Toyota Yaris

2 AU QUOTIDIEN

- **Prime d'assurance**
  25 ans: 1400 à 1600 $
  40 ans: 1100 à 1300 $
  60 ans: 800 à 1000 $
- **Collision frontale** 5/5
- **Collision latérale** 5/5
- **Ventes du modèle de l'an dernier**
  Au Québec 3451 **Au Canada** 9553
- **Dépréciation** 46,1 %
- **Rappels** (2005 à 2010) 2
- **Cote de fiabilité** 5/5

3 GARANTIES... ET PLUS

- **Garantie générale** 3 ans/60 000 km
- **Garantie motopropulseur** 5 ans/100 000 km
- **Perforation** 5 ans/kilométrage illimité
- **Assistance routière** 3 ans/illimité
- **Nombre de concessionnaires**
  Au Québec 64 **Au Canada** 229

4 NOUVEAUTÉS EN 2011

- Aucun changement majeur

REGARDER PLUS LOIN QUE L'ÉTIQUETTE

PAR ALEXANDRE CRÉPAULT

LA HONDA FIT EST, À MON HUMBLE AVIS, LA MEILLEURE VOITURE SOUS-COMPACTE SUR LE MARCHÉ. Et je ne semble pas être le seul à le penser. Motor Trend, Car and Driver, Top Gear et bien d'autres publications de renom lui ont déjà décerné une multitude de prix. D'ailleurs, si ce n'était de son prix, je suis certain qu'on en verrait beaucoup plus sur la route.

[CARROSSERIE] La Fit a longtemps été la seule de sa catégorie à présenter une allure plus dynamique que soporifique. Maintenant, elle fait face à des rivales de taille : Mazda2, Ford Fiesta... Même la nouvelle Accent s'est permis des lignes plus modernes et sportives. Malgré tout, la Fit n'a pas à rougir devant la concurrence. Non seulement son nez profilé, son pare-brise avancé et ses petites vitres triangulaires sous le pilier A facilitent-ils la visibilité, mais ils lui procurent une petite allure aérodynamique. Le modèle Sport grimpe l'échelon grâce à une bavette avant, des bas de caisse, un becquet arrière et des roues de 16 pouces en alliage.

[HABITACLE] À lui seul, l'habitacle de la Fit se révèle un argument de poids. Il est spacieux. Dans les faits, le volume intérieur est plus important que celui d'une Civic à hayon du début du siècle. Il est pratique. Les banquettes arrière 60/40 se rabattent à plat, tout comme les sièges avant, au cas où l'envie soudaine d'une sieste vous prendrait. On peut également rabattre les coussins de la banquette arrière vers le haut pour y ranger des objets en hauteur comme une plante. Il est confortable. Le dégagement pour les passagers est plus que convenable. Les sièges sont mieux rembourrés que ceux de la génération précédente et maintiennent bien ses occupants en place. La position de conduite idéale se trouve aisément, grâce à un volant complètement réglable. Je ne perdrai pas un temps précieux à louanger la qualité irréprochable de la finition. Je tiens quand

FORCES · Allure sportive · Intérieur hyper pratique · Valeur résiduelle

FAIBLESSES · Plus chère que la concurrence · Manque des accoudoirs

même à dire que je succombe à la disposition des commandes. Tout est si simple. Si plaisant au toucher. Surtout quand on se rappelle qu'on est au volant d'une voiture d'entrée de gamme! Mais la Fit n'est pas parfaite. L'accoudoir du conducteur ne vient pas sur toutes les versions, et celui du passager brille par son absence. Un soutien lombaire serait aussi apprécié.

[MÉCANIQUE] Des rumeurs ont circulé au sujet d'une Fit à motorisation hybride. Pour l'instant, la tâche en environnement sera l'affaire des deux modèles hybrides, l'Insight et la CR-Z de Honda. Il faut dire que le moteur de 1,5 litre de la Fit n'a pas trop à se préoccuper de consommation et de pollution. Selon les données du constructeur, le 4-cylindres à 16 soupapes consomme entre 5,5 et 7,2 litres aux 100 kilomètres, selon la boîte de vitesses et l'utilisation qu'on en fait. Parlant de boîte, Honda propose le duo classique: manuelle et automatique à 5 rapports.

[COMPORTEMENT] C'est entendu, la Fit n'est pas une voiture de course (bien que son 1,5-litre propulse maintenant aux États-Unis les formules F). Sans blague, avec 117 chevaux au vilebrequin et un 0 à 100 km/h au-dessous de 10 secondes, pas vraiment le choix de se tenir tranquille aux feux de circulation. Cependant, il suffit d'un petit tour au volant de la Fit pour se rendre compte de la façon dont elle exploite sa puissance. Utilisant l'une des meilleures boîtes manuelles du segment, elle révolutionne gaiement et déplace ses quelque 1134 kilos comme si de rien n'était. Elle est agile comme un chat et s'arrête en criant « ciseau »,

malgré l'utilisation de freins à tambour à l'arrière.

[C O N C L U S I O N]
Je suggère la Fit à tous ceux qui peuvent se la payer. C'est vrai qu'elle est souvent plus chère que la concurrence. Cependant, sa valeur résiduelle est si bonne que l'investissement, au bout du compte, en vaut le coup. Et franchement, pour une voiture sous-compacte, la Fit a vraiment beaucoup de bonnes choses à offrir.

MICHEL CRÉPAULT Dans ce créneau où les constructeurs bataillent de plus en plus ferme, la jolie Fit porte bien son nom : elle batifole dans ce segment comme un poisson dans l'eau. Plus précisément, elle le domine, et ce, sans surprise, puisque c'est dans la nature même de Honda de briller quand il s'agit de concevoir de petites voitures. Je n'ai pas encore conduit une seule rivale qui procure un tel plaisir au volant. Exception faite du modèle de base nanti de l'automatique qui manque un peu d'étincelles, la Fit est alerte, nerveuse sans être indocile, et le pétillement de son groupe motopropulseur n'a d'égal que le côté pratique de ses sièges modulables. L'étouffement des bruits extérieurs n'est pas son point fort, mais, pour le prix, la Fit demeure un choix très judicieux.

⑤ FICHE TECHNIQUE

- **MOTEUR**

(DX, LX, Sport)	
L4 1,5 l SACT 16 s, 117 ch à 6600 tr/min	
Couple 106 lb-pi à 4800 tr/min	
Transmission manuelle à 5 rapports, automatique à 5 rapports en option	
0-100 km/h 9,2 s	
Vitesse maximale 180 km/h	

- **AUTRES COMPOSANTES**

Sécurité active freins ABS, répartition électronique de force de freinage	
Suspension avant/arrière indépendante / essieu rigide	
Freins avant/arrière disques / tambours	
Direction à crémaillère, assistée	
Pneus DX, LX P175/65R15 **Sport** P185/55R16	

- **DIMENSIONS**

Empattement 2500 mm	
Longueur 4105 mm	
Largeur 1695 mm	
Hauteur 1525 mm	
Poids DX 1119 kg **LX** 1134 kg **Sport** 1147 kg	
Diamètre de braquage 10,5 m	
Coffre 585 l, 1622 l (sièges abaissés)	
Réservoir de carburant 40 l	

283

NOS MENTIONS

 Le choix vert

 Modèle recommandé

NOTRE VERDICT

Plaisir au volant	⬡⬡⬡⬡◖
Qualité de finition	⬡⬡⬡⬡◖
Consommation	⬡⬡⬡⬡⬡
Rapport qualité/prix	⬡⬡⬡⬡◖
Valeur de revente	⬡⬡⬡⬡⬡

INSIGHT

www.honda.ca

23 900 $ à 27 500 $
transport et préparation: 1395 $

HONDA

LA COTE VERTE

AVEC MOTEUR L4 DE 1,3 L HYBRIDE

- **Consommation (100km):**
  LX 4,7 l
  EX 4,8 l
- **Émissions polluantes CO_2:**
  LX 2162 kg/an
  EX 2208 kg/an
- **Empreinte écologique (nombre d'arbres à planter par année):** 12
- **Indice d'octane:** 87
- **Autre motorisation:** non
- **Coût du carburant moyen par année:**
  LX 940 $
  EX 960 $
- **Nombre de litres par année:**
  LX 940 l
  EX 960 l

(source: ÉnerGuide)

① FICHE D'IDENTITÉ

- **Versions** LX, EX
- **Roues motrices** avant
- **Portières** 5 **Nombre de passagers** 5
- **Première génération** 1999
- **Génération actuelle** 2010
- **Construction** Suzuka, Mie, Japon
- **Sacs gonflables** 6 (frontaux, latéraux avant, rideaux latéraux)
- **Concurrence** Ford Fusion hybride, Nissan Altima hybride, Toyota Prius

② AU QUOTIDIEN

- **Prime d'assurance**
  25 ans: 1600 à 1800 $
  40 ans: 1000 à 1150 $
  60 ans: 800 à 1000 $
- **Collision frontale** 5/5
- **Collision latérale** 5/5
- **Ventes du modèle de l'an dernier**
  Au Québec 170 **Au Canada** 668
- **Dépréciation** nm
- **Rappels** (2004 à 2009) nm

③ GARANTIES... ET PLUS

- **Garantie générale** 3 ans/60 000 km
- **Garantie motopropulseur** 5 ans/100 000 km
- **Perforation** 5 ans/kilométrage illimité
- **Assistance routière** 3 ans/kilométrage illimité
- **Nombre de concessionnaires**
  Au Québec 64 **Au Canada** 229

④ NOUVEAUTÉS EN 2011

- Aucun changement majeur

UN HIVER EN HYBRIDE

PAR PHILIPPE LAGUË

APRÈS UN HIATUS DE TROIS ANS, L'INSIGHT A EFFECTUÉ SON RETOUR L'ANNÉE DERNIÈRE. Honda a choisi une approche moins marginale. Le petit coupé à deux portes (et à deux places) à l'allure ésotérique est devenu une berline à 5 portes. L'insight est désormais une rivale avouée de la Toyota Prius à laquelle elle ressemble étrangement...

[CARROSSERIE] Ce constructeur a un besoin criant de bons designers. Qu'elles soient dessinées au Japon ou aux États-Unis, les Honda sont, au mieux, fades, quand elles ne sont pas franchement laides. Outre ces considérations superficielles, on apprécie la nouvelle configuration de l'Insight: un hayon arrière, c'est toujours pratique. Un irritant majeur, cependant, qu'on retrouve sur d'autres modèles de la grande famille Honda, c'est cette lunette séparée en deux, avec la partie inférieure tronquée. La saleté s'y accumule en un rien de temps, et l'essuie-glace arrière ne couvre que la partie supérieure.

[HABITACLE] Même si c'est une Honda, même si elle est fabriquée au Japon, l'Insight n'échappe pas à l'invasion du plastique. Heureusement, l'assemblage respecte les standards de Honda: pas le moindre petit craquement ni défaut de construction. Pas de lacunes ergonomiques non plus: tout est accessible, facile à manipuler, et les espaces de rangement abondent.

Le tableau de bord à deux paliers, façon Civic, ne fait pas l'unanimité, mais moi, j'aime beaucoup: la vue est imprenable, et la consultation des cadrans, facilitée. Vocation oblige, un voyant au tableau de bord vous indique que vous conduisez de façon écologique. L'éclairage du tableau de bord varie aussi selon votre conduite.

À l'avant, les baquets sont fermes sans être inconfortables, avec un bon maintien latéral et un bon soutien lombaire. Il y en a moins sur la banquette arrière, comme c'est souvent le cas. Rien à redire côté habitabilité: pour une compacte, c'est très correct.

FORCES · Qualité d'assemblage irréprochable · Habitacle spacieux et fonctionnel · Faible consommation · Routière confortable · Prix concurrentiel

FAIBLESSES · Lunette à redessiner · Beaucoup de plastique à l'intérieur · Puissance et performances timides · Direction très légère

[MÉCANIQUE] Le moteur thermique est le même que celui de la Civic Hybrid, soit un 4-cylindres de 1,3 litre jumelé à un moteur électrique alimenté par une grosse batterie, qui sert de motorisation d'appoint. Leur puissance combinée n'atteint même pas 100 chevaux, ce qui est modeste dans le contexte actuel (et inférieur à la Prius). C'est néanmoins cohérent, avec nos limites de vitesse et la vocation verte de cette voiture. Pour maximiser la consommation de carburant, Honda a opté pour une boîte automatique à variation continue (CVT). Cette boîte ne brille pas par sa rapidité d'exécution, ce qui contribue à la timidité des performances de ce petit moteur. Une fois lancée, l'Insight affiche des performances tout à fait correctes. Et puisque la question vous brûle les lèvres, nous avons obtenu une moyenne oscillant entre 5,5 et 6,5 litres aux 100 kilomètres pendant les trois mois de notre essai, en plein hiver. Le froid augmente sensiblement la consommation, les pneus d'hiver aussi; ces chiffres sont donc concluants.

[COMPORTEMENT] Pour exploiter une voiture hybride à son mieux, il faut adopter une conduite tout en douceur. À défaut d'être excitant, c'est très relaxant, d'autant plus que l'Insight est une routière confortable qui se distingue par sa douceur de roulement. La tenue de route n'est pas vilaine non plus; une monte pneumatique plus agressive permettrait de mieux exploiter le potentiel – réel – du châssis. La direction est vive et précise, mais un peu légère. Son court rayon de braquage favorise cependant les manœuvres en ville. C'est d'ailleurs là qu'on

profite pleinement d'un véhicule hybride. À l'arrêt, quand on a le pied sur le frein, le moteur à essence s'arrête complètement. Un embouteillage? Un feu de circulation? On économise et en plus, on ne pollue pas!

[CONCLUSION] Les ventes de l'Insight demeurent marginales. Je m'explique mal ce peu d'engouement car cet essai prolongé m'a convaincu des bienfaits de cette voiture hybride. De plus, l'Insight en version de base coûte environ 4 000 dollars de moins qu'une Prius et elle n'a rien à lui envier, que ce soit pour l'équipement de série, le confort, la qualité de construction, la fiabilité et la consommation. Ce qui a fait mal à l'Insight, c'est sans doute son absence de quelques années pendant lesquelles la Prius en a profité pour marquer son territoire.

2ᵉ OPINION

BENOIT CHARETTE Ce ne sont pas les bonnes idées qui manquent chez Honda, mais les acheteurs. L'Insight cherche encore des clients après deux ans sur le marché. Est-ce en raison de sa trop forte ressemblance avec la Prius qui est la mesure-étalon dans ce segment ou d'une conduite qui frôle l'insomnie? Pour apprécier ce véhicule, il faut mettre sa conduite en mode économie. Si le confort est bon, la tenue de route est correcte même avec des pneus à faible résistance qui n'invite pas à la conduite sportive. Mais il semble que les québécois ne soient pas encore prêts à sacrifier le plaisir de conduire pour économiser quelques dollars de carburant. C'est pour cela que Honda amène la CR-Z qui offrira les mêmes caractéristiques hybrides que l'Insight avec des lignes et une conduite plus agressives.

⑤ FICHE TECHNIQUE

· MOTEUR

(LX, EX)

L4 1,3 l SACT, 98 ch à 5800 tr/min

Couple 123 lb-pi à 1000-1500 tr/min

+ IMA (moteur électrique) 13 ch à 1500 tr/min

Couple 123 lb-pi à 1000-1700 tr/min

Transmission automatique à variation continue (avec palettes au volant pour la EX)

0-100 km/h 13,0 s

Vitesse maximale 170 km/h

· AUTRES COMPOSANTES

freins ABS, répartition électronique de force de freinage, assistance au freinage, système de contrôle de la stabilité

Suspension avant/arrière indépendante

Freins avant/arrière disques/ à tambours

Direction à crémaillère, assistée électrique

Pneus P175/65 R15

· DIMENSIONS

Empattement 2550mm

Longueur 4376 mm

Largeur 1694 mm

Hauteur 1427 mm

Poids LX 1235 kg, **EX** 1237 kg

Diamètre de braquage 11,0 m

Coffre 450 litres, 891 litres (sièges abaissés)

Réservoir de carburant 40 l

NOS MENTIONS

 Le choix vert

 Modèle recommandé

NOTRE VERDICT

Plaisir au volant	⬢	⬢	◖	
Qualité de finition	⬢	⬢	⬢	
Consommation	⬢	⬢	⬢	⬢
Rapport qualité/prix	⬢	⬢	⬢	
Valeur de revente	⬢	⬢	⬢	⬢

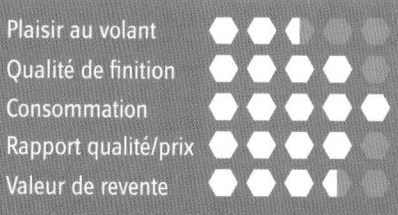

ODYSSEY

www.honda.ca

NOUVEAUTÉ

33 280 $ à 51 280 $
transport et préparation: 1590 $

HONDA

LA COTE VERTE

MOTEUR
V6 DE 3,5 L

- **Consommation** (100km):
  DX, SE 10,9 l
  EX-L, Touring 10,1 l
- **Émissions polluantes CO_2 :**
  DX, SE 5106 kg/an
  EX-L, Touring 4738 kg
- **Empreinte écologique** (nombre d'arbres à planter par année): 32
- **Indice d'octane:** 87
- **Autre motorisation:** non
- **Coût du carburant moyen par année:**
  DX, SE 2220 $
  EX-L, Touring 2060 $
- **Nombre de litres par année:**
  DX, SE 2220 l
  EX-L, Touring 2060 l

(source: ÉnerGuide)

 FICHE D'IDENTITÉ

- **Versions** DX, SE, EX-L, Touring
- **Roues motrices** avant
- **Portières** 5 **Nombres de passagers** 8
- **Première génération** 1995
- **Génération actuelle** 2010
- **Construction** Alliston, Ontario, Canada
- **Sacs gonflables** 6
  (frontaux, latéraux avant, rideaux latéraux)
- **Concurrence**, Chrysler Town & Country, Dodge Grand Caravan, Kia Sedona, Nissan Quest, Toyota Sienna, Volkswagen Routan

 AU QUOTIDIEN

- **Prime d'assurance**
  25 ans: 1300 à 1500 $
  40 ans: 1000 à 1200 $
  60 ans: 800 à 1000 $
- **Collision frontale** 5/5
- **Collision latérale** 5/5
- **Ventes du modèle de l'an dernier**
  Au Québec 1089 **Au Canada** 6449
- **Dépréciation** 41,6 %
- **Rappels** (2005 à 2010) 4
- **Cote de fiabilité** 4/5

 GARANTIES... ET PLUS

- **Garantie générale** 3 ans/60 000 km
- **Garantie motopropulseur** 5 ans/100 000 km
- **Perforation** 5 ans/kilométrage illimité
- **Assistance routière** 3 ans/kilométrage illimité
- **Nombre de concessionnaires**
  Au Québec 64 **Au Canada** 229

 **NOUVEAUTÉS EN 2011**

- Nouveau modèle

LA FIN D'UNE GÉNÉRATION

PAR ALEXANDRE CRÉPAULT

DEPUIS 2005, LA HONDA ODYSSEY DE TROISIÈME GÉNÉRATION A DOMINÉ SON MARCHÉ DE FAÇON OUTRAGEUSE. Pour 2011, Honda va remplacer par un nouveau modèle qui, si on se fie au prototype présenté dans cette page (photo de droite), devrait encore une fois hausser la barre d'un cran. Entre-temps, Honda continue d'être, à mon avis, la référence en matière de fourgonnette.

[CARROSSERIE] Les lignes de l'Odyssey actuelle se veulent plutôt anonymes, mais je l'aime comme ça ! À la fin de la journée, on sort d'une fourgonnette, pas d'une voiture sport. Pas besoin d'épater la galerie ! Elle passe inaperçue, peut-être, elle n'est pas laide pour autant. Massive, sans aucun doute, mais pas laide. Les grandes portes coulissantes de chaque côté permettent un accès facile aux occupants des deuxième et troisième banquettes, et le seuil du coffre se révèle assez bas pour permettre de charger aisément la cargaison. Ces portes et le hayon peuvent s'ouvrir à l'aide d'une télécommande aussi pratique que parfois frustrante. Quant à la partie avant de la voiture,

ses liens de parenté avec la famille Honda sont indéniables. La calandre, par exemple, nous rappelle celle de l'Accord.

[HABITACLE] Être au volant de l'Odyssey, c'est comme passer du temps dans son salon. Le confort est irréprochable. À l'avant, bien assis dans les fauteuils, les coudes bien posés sur les accoudoirs, on peut adopter une position de conduite intuitive. Le tableau de bord intègre un très grand nombre de commandes qui sont d'accès facile et d'utilisation conviviale. Tous les matériaux transpirent la qualité. La deuxième rangée de sièges est divisée en trois : deux sièges de taille normale et un plus petit, au milieu, qui contient un espace de rangement sous le coussin. Malheureusement, ces sièges ne se replient pas dans le plancher et peuvent causer quelques maux de tête au moment de les retirer. La situation n'est pas plus évidente quant vient le temps de les remettre en place. Au moins, la troisième banquette se trouve divisée 60/40 et se replie du bout des doigts dans le fond de l'Odyssey. Moyennant des frais supplémentaires, on peut

---

+

−

FORCES · L'habitacle pour mille et une raisons · Performances · Confort · Aspect pratique

FAIBLESSES · Trop sobre pour certains · Un peu chère · Consommation

⑤ FICHE TECHNIQUE (2010)

· MOTEURS

V6 3,5 l SACT, 244 ch à 5750 tr/min
Couple 240 lb-pi à 5000 tr/min

Transmission automatique à 5 rapports	
0-100 km/h 11,2 s	
Vitesse maximale 195 km/h	

· AUTRES COMPOSANTES

Sécurité active freins ABS, assistance au freinage, distribution électronique de force de freinage, antipatinage, contrôle de stabilité électronique
Suspension avant/arrière indépendante
Freins avant/arrière disques
Direction à crémaillère, assistée
Pneus P235/65R16 **Touring** P235/60R17

· DIMENSIONS

Empattement 3000 mm
Longueur 5132 mm
Largeur 1958 mm
Hauteur 1748 mm
Poids DX 1993 kg **SE** 2040 kg
EX-L 2077 kg **Touring** 2107 kg
Diamètre de braquage 11,2 m
Coffre 1934 l, 4173 l (sièges abaissés)
Réservoir de carburant 80 l
Capacité de remorquage 1588 kg

équiper l'Odyssey jusqu'aux dents : système de navigation d'utilisation conviviale, cuir, une très bonne chaîne audio de luxe, un système de divertissement arrière avec écran de 9 pouces, écouteurs sans fil, ambianceur, et j'en passe. Qui dit fourgonnette dit sécurité. Et à ce sujet, Honda ne lésine pas sur les moyens : ABS, EBD, ACE et des coussins gonflables partout dans l'habitacle.

[MÉCANIQUE] Un seul moteur, soit le V6 de 3,5 litres de 24 soupapes. Les modèles EX-L et Touring ont droit à une version i-VTEC, donc à un couple de 5 livres-pieds supplémentaires, et à un litre de carburant en moins par tranche de 100 kilomètres. Sinon, toutes les Odyssey partagent la même boîte de vitesses automatique à 5 rapports.

[COMPORTEMENT] L'Odyssey est aussi douce qu'athlétique. Les performances de son V6 sont linéaires et amplement suffisantes pour déplacer avec vigueur les 2000 kilos du véhicule. La boîte de vitesses, équipée du système *Grade Logic Control*, choisit toujours les bons rapports ou à peu près. La direction se fait légère et précise, et la tenue de route, impressionnante. Si papa, une fois seul, décide de se défouler sur une route en lacets, l'Odyssey est capable de prendre virage après virage sans gâcher la fête avec du roulement et du tangage excessif. Un mot pour les freins : excellents. Là où l'Odyssey fait mal au cœur, c'est à la pompe. Avec son réservoir de 80 litres, elle peut soutirer près de 100 $ le plein.

[CONCLUSION] J'ai hâte d'avoir des enfants. J'aurai ainsi une bonne raison d'acheter une Odyssey. Je suis curieux de voir ce que la prochaine génération offrira. Quelque chose en moi aime le côté sobre du modèle actuel. Chose certaine, l'Odyssey est l'une des meilleures, sinon la meilleure fourgonnette sur le marché à l'heure actuelle.

2ᵉ OPINION

MICHEL CRÉPAULT Au royaume des fourgonnettes, il y a des Grand Caravan et il y a des Odyssey. Tout dépendra de votre budget. Dans son offre, Honda, semble-t-il, s'est jurée de se soucier du moindre détail : la finition impeccable, le confort des sièges (même des banquettes), l'ergonomie et la polyvalence de l'équipement (sauf les places ardues à modifier) et, enfin, le comportement souverain. On a beau traîner dans l'Odyssey une marmaille turbulente, la douceur du V6 et l'absence de couinements auront un effet apaisant même sur l'enfant le plus hyperactif du lot. Le dispositif qui désactive trois des six cylindres en mode croisière est une bénédiction des dieux. L'achat d'une fourgonnette est davantage pratique que sexy, mais l'Odyssey a le don de redonner aux sorties en famille le charme d'autrefois dans un environnement moderne.

NOS MENTIONS

☺ Modèle recommandé

NOTRE VERDICT

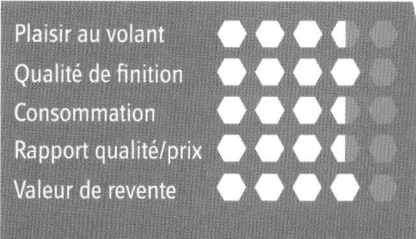

Plaisir au volant	●●●●○
Qualité de finition	●●●●○
Consommation	●●○○○
Rapport qualité/prix	●●●○○
Valeur de revente	●●●●○

ÉVOLUTION

N ——— É

J

38 410 $ à 52 010 $
transport et préparation: 1590 $

HONDA

LA COTE VERTE

MOTEUR
V6 DE 3,5 L

- **Consommation
(100km):**
2RM 10,7 l
4RM 11,1 l
- **Émissions
polluantes CO$_2$:**
2RM 5014kg/an
4RM 5198kg/an
- **Empreinte écologique
(nombre d'arbres à
planter par année):** 32
- **Indice d'octane:** 87
- **Autre
motorisation:** non
- **Coût du carburant
moyen par année:**
2RM 1920 $
4RM 2080 $
- **Nombre de litres
par année:**
2RM 1920 l
4RM 2080 l

(SOURCE: ÉnerGuide)

 FICHE D'IDENTITÉ

- **Versions** LX 2RM, LX, EX, EX-L, Touring
- **Roues motrices** avant, 4
- **Portières** 5 **Nombre de passagers** 8
- **Première génération** 2003
- **Génération actuelle** 2009
- **Construction** Alliston, Ontario, Canada
- **Sacs gonflables** 6 (frontaux, latéraux, rideaux
latéraux)
- **Concurrence** Buick Enclave, Ford Edge/Flex,
GMC Acadia, Hyundai Veracruz, Kia Sorento,
Nissan Murano, Toyota Highlander

 AU QUOTIDIEN

- **Prime d'assurance**
25 ans : 2000 à 2200 $
40 ans : 1300 à 1500 $
60 ans : 1000 à 1200 $
- **Collision frontale** 5/5
- **Collision latérale** 5/5
- **Ventes du modèle de l'an dernier**
Au Québec 691 **Au Canada** 4452
- **Dépréciation** 49,2%
- **Rappels** (2005 à 2010) aucun
- **Cote de fiabilité** 5/5

 GARANTIES... ET PLUS

- **Garantie générale** 3 ans/60 000 km
- **Garantie motopropulseur** 5 ans/100 000 km
- **Perforation** 5 ans/kilométrage illimité
- **Assistance routière** 3 ans/kilométrage illimité
- **Nombre de concessionnaires**
Au Québec 64 **Au Canada** 229

4 NOUVEAUTÉS EN 2011

- Aucun changement majeur

PROFIL BAS

PAR ALEXANDRE CRÉPAULT

IL N'Y A PAS SI LONGTEMPS, DANS L'ÉTAT DE L'OHIO, LA SECONDE GÉNÉRATION DE HONDA PILOT A ÉTÉ REPENSÉE. L'idée, c'était d'en faire un camion plus viril aux yeux des Américains, mais de garder son côté pratique, économique et fiable.

[CARROSSERIE] Honda a mis beaucoup d'effort pour enlever l'étiquette « fourgonnette » de son Pilot. On dirait qu'elle l'a dessinée à partir d'un cube d'acier avant d'en arrondir les coins. La calandre, comme celle de la Ridgeline, avec lequel le Pilot partage également la plateforme, se la joue « grosse méchante camionnette ». Audacieux mais un tantinet hypocrite. Comme une sportive de 160 chevaux avec un gros aileron...

[HABITACLE] Si le Pilot ne veut pas avoir l'air d'une fourgonnette, il essaye certainement d'être aussi pratique. Au départ, il offre huit vraies places assises. À l'aide d'un levier, on replie aisément la seconde rangée de bancs pour accéder à la banquette arrière. On peut aussi rabattre les deux rangées de sièges divisées 60/40 à plat pour ainsi découvrir qu'on peut transporter un réfrigérateur. À l'avant, les deux fauteuils sont séparés par une console centrale aussi commode qu'un couteau suisse. Utile, voilà la qualité de cet habitacle généreux en rangements et comprenant porte-gobelet et prise de courant continue. Le tableau de bord recevra moins de louanges; il se révèle d'utilisation moins intuitive qu'on l'aurait espéré. La qualité de certains matériaux est en-deçà de ce à quoi Honda nous a habitués. Cela dit, j'ai beaucoup aimé le fini transparent et très moderne de la partie centrale du tableau de bord. Bref, une fois la disposition des commandes mémorisée, la position de conduite idéale trouvée, le Pilot se manipule aussi aisément qu'un ordinateur Mac.

[MÉCANIQUE] Il s'agit du même V6 transversal de 3,5 litres i-VTEC d'une puissance de 250 chevaux et d'un couple de 253 livres-pieds qui se trouve dans la Ridgeline et l'Odyssey. Il envoie la puissance aux roues motrices, alors que dans la version LX 2WD, les roues avant sont responsables de transmettre la puissance sur le tarmac. Concernant les autres modèles, la transmission

FORCES · Espace de vie polyvalent · 3ᵉ banquette utilisable pour un adulte · Excellente consommation

FAIBLESSES · Lignes fades · Modèles haut de gamme dispendieux

intégrale intervient dans la seconde quand une perte d'adhérence est ressentie et elle dirige la puissance vers les roues qui ont la meilleure adhérence. Le système peut aussi être verrouillé manuellement sous les 30 km/h. Décrit comme un utilitaire, le Pilot doit pouvoir tirer des charges. On le voit donc équipé d'une attache-remorque de classe 3, d'un radiateur robuste et d'un refroidisseur de liquide qui lui permettent de tirer (sauf le modèle 2WD) une charge très honorable de 2041 kilos.

[COMPORTEMENT] Le Pilot est tout sauf excitant à conduire. Vous n'atteindrez pas le 7e ciel à chaque balade, mais le confort de roulement est bon. Pas trop mou, pas trop fébrile. Un bel équilibre pour les besoins du quotidien. Le V6 transportera occupants et bagages sans jamais broncher, et ce, en consommant une quantité raisonnable de carburant, surtout sur le mode « ECO » (deux ou trois cylindres sont désactivés). Nous n'avons pas eu la chance de tester le Pilot hors des sentiers battus, mais nous sommes certains que sa généreuse garde au sol et sa transmission intégrale performante lui permettront de franchir 99,99 % des chemins que les propriétaires emprunteront.

[CONCLUSION] Ce Pilot de deuxième génération a réussi à atteindre ses objectifs : il est vraiment pratique, relativement économique et fiable. Quant à son style, eh bien, disons qu'il nous laisse indifférents. La seule chose qui me chicote, ce sont les autres options : s'il vous faut absolument sept ou huit places, pourquoi ne pas aller voir la

formidable Odyssey? On n'est pas plus cool au volant d'un Pilot. Il y a aussi l'ingénieuse Crosstour qui a de l'espace de cargaison à revendre. Le Pilot est donc seulement réellement utile si vous devez tirer des charges ou faire du hors-route de façon plus sérieuse... Et encore, est-ce le meilleur véhicule pour cela?

2ᵉ OPINION

DANIEL RUFIANGE Le Pilot, c'est le Titanic des produits Honda. Il peut recevoir autant de passagers que l'Odyssey, mais peut en plus remorquer une charge de 2041 kilos. Cependant, à l'inverse du Titanic, il semble insubmersible. Ses ventes ont repris du poil de la bête depuis la dernière refonte. Force est de constater qu'il y a un marché pour ce genre de véhicule qui se révèle plus que spacieux, plus qu'accueillant pour les passagers et, ma foi, plus qu'agréable à l'usage. Le Pilot se conduit du bout des doigts et offre une tenue de route rassurante. En prime, malgré son poids, le V6 de 3,5 litres que Honda lui a greffé se montre relativement économe à la pompe grâce à un système de gestion variable des cylindres.

⑤ FICHE TECHNIQUE

· MOTEUR

V6 3,5 l SACT, 250 ch à 5700 tr/min

Couple 253 lb-pi à 4800 tr/min

Transmission automatique à 5 rapports

0-100 km/h 9,1 s

Vitesse maximale 175 km/h

· AUTRES COMPOSANTES

Sécurité active Freins ABS, distribution électronique de force de freinage, antipatinage, contrôle de stabilité électronique

Suspension avant/arrière indépendante

Freins avant/arrière disques

Direction à crémaillère, assistée

Pneus P245/65R17

· DIMENSIONS

Empattement 2775 mm

Longueur 4850 mm

Largeur 1995 mm

Hauteur 1846 mm

Poids LX 2RM 1963 kg, **LX 4RM** 2047 kg, **EX** 2042 kg, **EX-L** 2058 kg, **Touring** 2090 kg

Diamètre de braquage 11,8 m

Coffre 510 l, 2464 l (sièges abaissés)

Réservoir de carburant 79,5 l

Capacité de remorquage 2RM 1588 kg, **4RM** 2041 kg

NOS MENTIONS

 Modèle recommandé

NOTRE VERDICT

Plaisir au volant	●●●◖○
Qualité de finition	●●●◖○
Consommation	●●●○○
Rapport qualité/prix	●●●◖○
Valeur de revente	●●●●○

RIDGELINE

www.honda.ca

N ── É
ÉVOLUTION
J

36 580 $ à 45 280 $
transport et préparation: 1590 $

LA COTE VERTE

AVEC MOTEUR V6 DE 3,5 L

- **Consommation (100km):** 12,0 l
- **Émissions polluantes CO_2:** 5566 kg/an
- **Empreinte écologique (nombre d'arbres à planter par année):** 36
- **Indice d'octane:** 87
- **Autre motorisation:** non
- **Coût du carburant moyen par année:** 2420 $
- **Nombre de litres par année:** 2420 l

(SOURCE: ÉnerGuide)

1 FICHE D'IDENTITÉ

- **Versions** DX, VP, EX-L, EX-L NAUi
- **Roues motrices** 4
- **Portières** 5 **Nombre de passagers** 5
- **Première génération** 2006
- **Génération actuelle** 2006
- **Construction** Alliston, Ontario, Canada
- **Sacs gonflables** 6 (frontaux, latéraux avant, rideaux latéraux)
- **Concurrence** Dodge Dakota, Ford Explorer Sport Trac, Nissan Frontier, Toyota Tacoma

2 AU QUOTIDIEN

- **Prime d'assurance**
- **25 ans:** 1600 à 1800 $
- **40 ans:** 1100 à 1300 $
- **60 ans:** 900 à 1100 $
- **Collision frontale** 5/5
- **Collision latérale** 5/5
- **Ventes du modèle de l'an dernier**
  Au Québec 656 **Au Canada** 3546
- **Dépréciation** 47,1%
- **Rappels (2005 à 2010)** 4
- **Cote de fiabilité** 4/5

3 GARANTIES... ET PLUS

- **Garantie générale** 3 ans/60 000 km
- **Garantie motopropulseur** 5 ans/100 000 km
- **Perforation** 5 ans/kilométrage illimité
- **Assistance routière** 3 ans/kilométrage illimité
- **Nombre de concessionnaires**
  Au Québec 64 **Au Canada** 229

4 NOUVEAUTÉS EN 2011

- Aucun changement majeur

TROP UNIQUE OU TROP CHÈRE ?

PAR DANIEL RUFIANGE

LA RIDGELINE REPRÉSENTE UN MYSTÈRE QUAND VIENT LE TEMPS D'ANALYSER LE MARCHÉ DE L'AUTOMOBILE. Ses ventes sont en chute libre depuis 2008 au point où les spéculations vont bon train à propos de son avenir au-delà de l'année modèle 2011. La question est de savoir pourquoi elle est boudée par les amateurs. Est-ce en raison de son style peu orthodoxe ? Est-ce parce qu'il ne s'agit pas d'une vraie camionnette étant donné qu'elle n'est pas assemblée sur un robuste châssis en échelle ? Est-ce que parce que la Ridgeline serait trop... utilitaire ?

[CARROSSERIE] Je l'avoue candidement, lorsque j'ai aperçu la carrosserie de la Ridgeline pour la première fois, mon visage s'est subitement plissé. Le design n'a pas passé l'important test de l'esthétique, particulièrement en ce qui a trait à la boîte arrière et à sa ceinture qui relie maladroitement la cabine et l'arrière du véhicule. À l'avant, le design manque cruellement de testostérone. Mais ça ne saurait être que ça. Il faut aussi regarder du

côté du prix. La version de base DX affiche une note de 36 580 $ et n'inclut pas les commandes électriques des sièges, ni de prise auxiliaire pour appareils audio et aucune interface Bluetooth. Diable, pour avoir droit à cette option devenue aussi nécessaire qu'une radio, il faut opter pour la version haut de gamme EX-L et se payer l'option !

[HABITACLE] À l'intérieur, la Ridgeline se démarque par une présentation simple et à l'allure différente. Les cadrans sont faciles à consulter, et les commandes sont surdimensionnées et faciles à utiliser. Comme toujours chez Honda, il y a peu à redire sur la qualité d'assemblage, quoique les matériaux utilisés à bord de la Ridgeline ne figurent pas parmi les plus riches. Surtout, on apprécie le confort des sièges, tant à l'avant qu'à l'arrière, qui se montrent accueillants pour deux passagers, trois au besoin. Ce qui est surtout intéressant à propos de la Ridgeline, c'est cette caisse arrière, d'abord protégée par un enduit en composite renforcé d'acier qui permet d'épargner la

FORCES · Polyvalence · Confort et douceur de roulement · Fiabilité · Véhicule novateur

FAIBLESSES · Design qui ne passe pas · Prix d'une version EX-L Navi avec beaucoup d'options : 60 000 $ · Capacité de remorquage limitée par la mécanique

peinture, mais aussi d'une caisse de rangement dissimulée sous le plancher et qu'on peut verrouiller. Difficile d'être plus pratique.

[MÉCANIQUE] Sous le capot, Honda utilise son fameux V6 de 3,5 litres, un moteur qui ne cesse de m'impressionner. Ce n'est pas tant qu'il offre une puissance démesurée avec ses 250 chevaux, mais c'est qu'il fonctionne en souplesse en plus de proposer une consommation de carburant raisonnable. Les chiffres officieux de Honda parlent d'une consommation moyenne de 12,3 litres aux 100 kilomètres. Lors de mon essai, elle avoisinait les 11 litres aux 100 kilomètres, ce qui est excellent. Et puis il y a cette fiabilité Honda dont il est impossible de se lasser. Et, comme mentionné plus tôt, la Ridgeline ne repose pas sur un châssis de camion, mais plutôt sur un châssis tubulaire fermé avec construction monocoque. En conséquence, le comportement routier de la Ridgeline se rapproche bien plus de celui d'un utilitaire que de celui d'une camionnette.

[COMPORTEMENT] C'est donc dans un confort total que se réalisent les déplacements. C'en est d'ailleurs franchement étonnant. La suspension à 4 roues indépendantes absorbe à merveille les imperfections de la route, plutôt nombreuses au Québec. Quant au système à 4 roues motrices à contrôle variable du couple, sachez qu'il peut transférer jusqu'à 70 % du couple aux roues arrière. Honda affirme que la Ridgeline peut remorquer jusqu'à 2268 kilos de charge. C'est vrai. Cependant, sachez qu'avec une telle charge fixée à l'arrière, le moteur V6 montrera ses limites.

[CONCLUSION] La Ridgeline est un vrai véhicule utilitaire. Il peut transporter beaucoup de matériel, accueillir 5 occupants, possède un système à quatre roues motrices compétent et peut s'aventurer hors des sentiers battus. Le problème, c'est qu'elle revêt une robe de camion dont personne ne semble vouloir et n'est pas donnée. Si la version de base est abordable mais dénudée, une version EX-L Navi à 45 280 $, sans aucune option additionnelle, ça se passe de commentaire.

2ᵉ OPINION

FRÉDÉRIC MASSE Pour décrire la Ridgeline, c'est simple : c'est la camionnette la plus utile, la plus polyvalente, la plus fiable et la plus sensée (sa consommation moyenne est en deçà de 12 litres aux 100 kilomètres) de sa catégorie si l'on n'a pas besoin des capacités d'une véritable camionnette. Elle est remplie de gadgets et de détails intéressants, comme l'espace de rangement dans la caisse, qui font vraiment la différence. De plus, à l'intérieur, elle est passée maître en matière de confort, de finition et de qualité des matériaux. Bien qu'elle ne soit pas des plus puissantes avec son V6 de 3,5 litres, elle demeure néanmoins capable de travailler, de trimbaler le matériel et de remorquer près de 2300 kilos. J'adore la fonctionnalité de cette camionnette, sa taille respectable (qui la rend passablement plus pratique en zone urbaine) et son confort de roulement. Outre son design un peu douteux, je ne trouve pas vraiment de défauts majeurs à la Ridgeline. Honda a pensé à tout dans cette camionnette, et il suffit de constater tout l'espace de rangement disponible dans l'habitacle pour comprendre que rien n'a été laissé au hasard.

RIDGELINE

⑤ FICHE TECHNIQUE

· MOTEUR
V6 3,5 l SACT, 250 ch à 5700 tr/min
Couple 247 lb-pi à 4300 tr/min
Transmission automatique à 5 rapports
0-100 km/h 8,9 s
Vitesse maximale 200 km/h

· AUTRES COMPOSANTES
Sécurité active Freins ABS, assistance au freinage, répartition électronique de force de freinage, antipatinage, contrôle de stabilité électronique
Suspension avant/arrière indépendante
Freins avant/arrière disques
Direction à crémaillère, assistée
Pneus DX/VP P245/65R17,
EX-L P245/60R18

· DIMENSIONS
Empattement 3100 mm
Longueur 5255 mm
Largeur 1976 mm
Hauteur 1786 mm, **EX-L** 1808 mm
Poids DX 2047 kg, **VP** 2033 kg, **EX-L** 2065 kg
Diamètre de braquage 13,0 m
Coffre 241 l, 1172 l (sièges abaissés)
Réservoir de carburant 83 l
Capacité de remorquage 2268 kg

NOS MENTIONS

 ☺ Modèle recommandé

NOTRE VERDICT

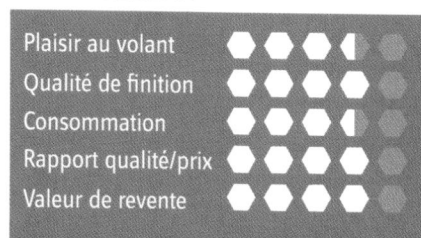

Plaisir au volant	●●●◀○
Qualité de finition	●●●●○
Consommation	●●●◀○
Rapport qualité/prix	●◀○○○
Valeur de revente	●●●◀○

ACCENT

www.hyundaicanada.ca

ÉVOLUTION

13 599 $ à 18 999 $
transport et préparation : 1495 $

LA COTE VERTE

MOTEUR
L4 DE 1,6 L

- **Consommation (100km):**
  man. 6,5 l
  auto. 6,6 l
- **Émissions polluantes CO_2 :**
  man. 2990 kg/an
  auto. 3082 kg/an
- **Empreinte écologique (nombre d arbres à planter par année): 20**
- **Indice d'octane: 87**
- **Autre motorisation: non**
- **Coût du carburant moyen par année:**
  man. 1300$
  auto. 1340 $
- **Nombre de litres par année:**
  man. 1300 l
  auto. 1340 l

(SOURCE: ÉnerGuide)

---

① FICHE D'IDENTITÉ

- **Versions** L, GL (berline et 3 portes), GLS (berline), GL Sport (hayon)
- **Roues** motrices avant
- **Portières** 3, 4 **nombre de passagers** 4
- **Première génération** 1995
- **Génération actuelle** 2006
- **Construction** Ulsan, Corée du Sud
- **Sacs gonflables** 6 (frontaux, latéraux avant, rideaux latéraux sur GLS)
- **Concurrence** Chevrolet Aveo, Ford Fiesta, Honda Fit, Kia Rio, Mazda 2, Nissan Versa, Scion xD, Suzuki Swift+, Toyota Yaris

② AU QUOTIDIEN

- **Prime d'assurance**
  25 ans: 1200 à 1400 $
  40 ans: 1000 à 1100 $
  60 ans: 800 à 1000 $
- **Collision frontale** 5/5
- **Collision latérale** 4/5
- **Ventes du modèle de l'an dernier**
  Au Québec 13 147 **Au Canada** 25 220
- **Dépréciation** 58,1 %
- **Rappels** (2005 à 2010) 1
- **Cote de fiabilité** 4/5

③ GARANTIES... ET PLUS

- **Garantie générale** 5 ans/100 000 km
- **Garantie motopropulseur** 5 ans/100 000 km
- **Perforation** 5 ans/kilométrage illimité
- **Assistance routière** 3 ans/kilométrage illimité
- **Nombre de concessionnaires**
  Au Québec 60 **Au Canada** 186

④ NOUVEAUTÉS EN 2011

- Aucun changement majeur

PROPOSITION ALLÉCHANTE

PAR MICHEL CRÉPAULT

PENDANT QUE LES CORÉENS S'AMUSAIENT À NOUS CONVAINCRE DE DÉPENSER DES TAS DE DOLLARS POUR DES VÉHICULES IMPROBABLES IL Y A 10 ANS (LES ÉTONNANTES GENESIS, LA SOMPTUEUSE EQUUS), N'OUBLIONS PAS QUE LA RAISON PRINCIPALE QUI LEUR PERMET AUJOURD'HUI D'ÉLARGIR LEUR OFFRE ET DE RELEVER DES DÉFIS, CE SONT LES VOITURES ÉCONOMIQUES, DONT L'ACCENT. Sans elle, Hyundai n'aurait pu s'élever autant. La revoici pour un dernier tour de piste, une nouvelle génération étant attendue pour 2012.

[CARROSSERIE] L'Accent se débat en plus dans une catégorie très âprement disputée. Les sous-compactes sont à la mode quand la récession cogne à nos chaumières, quand des joueurs comme Ford et Mazda jugent pertinents d'introduire la Fiesta et la Mazda2. Pour bien tenir son bout, on commence par offrir un choix de silhouettes, ce que Hyundai exécute avec une berline et un modèle bicorps à 3 portières. Ce dernier l'emporte au plan visuel, la berline imitant la fève qui ressemble à une autre fève, mais le

modèle 2012 dévoilé au salon de l'auto de Beijing est vraiment beau, reprenant à sa façon les traits ciselés de la nouvelle Sonata.

[HABITACLE] Difficile d'être plus minimaliste, du moins dans la version de base. Les plastiques sont nombreux et durs, les sièges avant presque autant. Mais ils accommodent tout le monde, de même que la banquette au dégagement plaisant (mais pas d'accès facile sur la 3-portes). Par ailleurs, la chaîne audio surprend par sa qualité. Et si ça vous chante d'agrémenter votre auto soi-disant économique d'accessoires dernier cri, l'Accent vous les offre, dépendant de la livrée et des options. De tout pour tous.

[MOTEUR] Le moteur à 4 cylindres de 1,6 litre à double arbre à cames en tête délivre 110 chevaux qui s'acquittent de leur tâche sans rechigner, tant qu'on se montre patient. Soyez empressé avec la pédale d'accélération, et l'insonorisation du véhicule, jusque-là décente, affiche ses limites. Et l'opération se solde par un 0 à 100 km/h digne d'une marchette, du moins avec la boîte

---

FORCES · Clientèle bien ciblée, véhicule sur mesure · Qualités à tous les chapitres · Gamme de prix attrayante

FAIBLESSES · Accélération bruyante · Plastiques nombreux · Boîte automatique · Dernière année...

de vitesses automatique à 4 rapports. La manuelle à 5 rapports sied beaucoup mieux aux capacités de l'auto, et la consommation moyenne de carburant qui en découle est excellente. La suspension et le freinage à l'arrière sont respectivement l'affaire d'un essieu rigide et de tambours, budget oblige. On peut toutefois se payer l'ABS et la répartition électronique de la force de freinage sur les versions plus huppées.

[COMPORTEMENT] Tant qu'on n'achète pas une Accent pour ses qualités sportives, on peut continuer... L'acheteur type s'est donc procuré l'auto pour essentiellement se véhiculer dans le confort le plus accessible pour son budget. Il demeure agréablement surpris. L'Accent accomplit tout relativement bien. Si on la compare aux rivales, elle est souvent déclassée selon l'aspect comparé. Par exemple, une Fit est plus amusante à conduire; une Mazda2 affiche une suspension plus subtile; la cabine d'une Versa est plus spacieuse. Mais additionnez toutes les parties de l'Accent et, même « vieille », elle tire encore son épingle du jeu.

[CONCLUSION] Ce qu'il y a de bien avec des spécialistes, c'est qu'ils connaissent leur matière à l'endroit et à l'envers. Or, Hyundai est une experte du petit véhicule bon marché. Depuis toutes ces années, on peut lui faire confiance. Le constructeur ne prend pas les consommateurs pour des cruches en leur offrant un produit qui se déglingue au bout de six mois. Sa garantie de 5 ans ou 100 000 kilomètres en est la meilleure preuve. Du même souffle, il doit faire des pro-

fits. Voilà pourquoi il a étiré la sauce de sa vétuste boîte automatique le plus longtemps possible; voilà pourquoi tous les experts recommandent de se débarrasser des pneus d'origine. Mais peu importe la marge de profit du constructeur, il nous refile une honnête bagnole qui fait ce qu'on attend d'elle, et même plus.

2ᵉ OPINION

VINCENT AUBÉ Le constructeur coréen a bâti sa réputation en offrant des véhicules abordables et bien équipés comme la Hyundai Accent. Force est d'admettre que son acharnement a fini par payer, surtout dans un marché où la sous-compacte est reine. Non seulement la voiture a-t-elle bien vieilli au fil des ans sur le plan visuel, mais son prix concurrentiel et la garantie de 5 ans sont des arguments de taille pour les acheteurs de ce segment. Si, en plus de ces qualités, Hyundai travaillait un peu plus fort à peaufiner les mécaniques de sa sous-compacte, elle ferait un malheur en sol québécois. Ah oui, prévoyez un budget supplémentaire pour des pneus moins médiocres que la monte d'origine.

⑤ FICHE TECHNIQUE

· MOTEUR
· L4 1,6 l DACT, 110 ch à 6000 tr/min
Couple 106 lb-pi à 4500 tr/min
Transmission manuelle à 5 rapports, automatique à 4 rapports sur GLS (en option sur L, GL, GL Sport)
0-100 km/h 10,6 s

· AUTRES COMPOSANTES
Sécurité active freins ABS et répartition électronique de force de freinage (sur GLS)
Suspension avant/arrière indépendante/semi-indépendante
Freins avant/arrière disques/tambours
Direction à crémaillère, assistée
Pneus L/GL 3 portes P175/70R14
L 4 portes P185/65R14 **GLS** P195/55R15
GL Sport P205/45R16

· DIMENSIONS
Empattement 2500 mm
Longueur hayon 4045 mm **berl.** 4280 mm
Largeur 1695 mm
Hauteur 1470 mm
Poids hayon 1119 kg **berl.**1072 kg
Diamètre de braquage 10,2 m
Coffre hayon 450 l **ber.** 351 l
Réservoir de carburant 45 l

NOS MENTIONS

 Le choix vert

 Modèle recommandé

 Coup de coeur

NOTRE VERDICT

Plaisir au volant	●	●	●	⬡	⬡
Qualité de finition	●	●	●	⬡	⬡
Consommation	●	●	●	●	⬡
Rapport qualité/prix	●	●	●	●	⬡
Valeur de revente	●	●	●	⬡	⬡

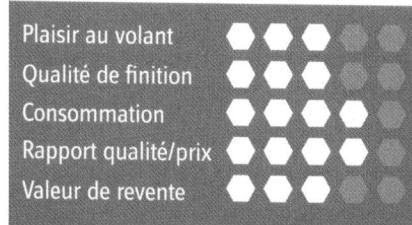

ELANTRA

www.hyundaicanada.ca

14 999 $ à 23 249 $
transport et préparation : 1495 $

LA COTE VERTE

MOTEUR
L4 DE 2,0 L

- **Consommation (100km):**
man. 6,9 l
auto. 6,8 l
- **Émissions polluantes CO_2:**
man. 3220 kg/an
auto. 3174 kg/an
- **Empreinte écologique (nombre d'arbres à planter par année):** 21
- **Indice d'octane:** 87
- **Autre motorisation:** non
- **Coût du carburant moyen par année:**
man. 1400 $
auto. 1380 $
- **Nombre de litres par année:**
man. 1400 l
auto. 1380 l

(SOURCE: ÉnerGuide)

294

① FICHE D'IDENTITÉ

- **Versions**
Berline L, GL, GL Sport, GLS, Limited (2010)
Touring L, GL, GLS, GLS Sport (2011)
- **Roues motrices** avant
- **Portières** 4, 5 **Nombre de passagers** 5
- **Première génération** 1992
- **Génération actuelle** 2007
- **Construction** Ulsan, Corée du Sud
- **Sacs gonflables** 6
(frontaux, latéraux avant, rideaux latéraux)
- **Concurrence** Chevrolet Cruze, Ford Focus, Honda Civic, Kia Spectra, Mazda3, Mitsubishi Lancer, Nissan Sentra, Subaru Impreza, Suzuki SX4, Toyota Corolla, Volkswagen Golf / Jetta

② AU QUOTIDIEN

- **Prime d'assurance**
25 ans: 1800 à 2000 $
40 ans: 900 à 1100 $
60 ans: 700 à 900 $
- **Collision frontale** 5/5
- **Collision latérale** 4/5
- **Ventes du modèle de l an dernier**
Au Québec 13 379 **Au Canada** 30 675
- **Dépréciation** (3 ans) 61,5 %
- **Rappels** (2005 à 2010) 4
- **Cote de fiabilité** 5/5

③ GARANTIES... ET PLUS

- **Garantie générale** 5 ans/100 000 km
- **Garantie motopropulseur** 5 ans/100 000 km
- **Perforation** 5 ans/kilométrage illimité
- **Assistance routière** 3 ans/kilométrage illimité
- **Nombre de concessionnaires**
Au Québec 60 **Au Canada** 186

④ NOUVEAUTÉS EN 2011

- Berline redessinée prochainement offerte.

LE PETIT PLUS DE LA TOURING

PAR PHILIPPE LAGUË

ON PREND DÉSORMAIS LES HYUNDAI AU SÉRIEUX, ET L'ELANTRA FAIT PARTIE DES MODÈLES QUI ONT CONTRIBUÉ À CHANGER LA PERCEPTION DE LA MARQUE CORÉENNE. Cette berline fait partie de la gamme depuis près de 20 ans, et elle en est à sa quatrième génération; sa dernière refonte date de 2007. Depuis, ses ventes ont connu une forte augmentation, lui permettant de réduire l'écart avec les reines de ce segment (Civic, Corolla et Mazda3). Il est vrai qu'avec un prix d'entrée ramené sous la barre des 12 000 dollars, ça devient drôlement intéressant.

[CARROSSERIE] L'an dernier, une version à cinq portes, la Touring, est venue étoffer la gamme. Hyundai vise directement la Matrix ainsi que les autres compactes à 5 portes (Mazda3 Sport, Mitsubishi Lancer Sportback, Subaru Impreza, VW Golf). Sur le plan esthétique, la Touring fait l'unanimité, contrairement à la berline. C'est effectivement réussi, surtout en version GLS, avec les roues en alliage et autres petits accessoires qui donnent une touche sportive.

[HABITACLE] En m'installant à bord, je me suis dit que j'aurais très bien pu être dans une Honda, une Mazda ou une Toyota. Qu'il s'agisse de la qualité des matériaux ou de l'assemblage, c'est du même calibre. La présentation est sobre mais agréable à l'œil, et l'ergonomie a été bien étudiée, comme en témoigne l'habitabilité du véhicule mais aussi les nombreux espaces de rangement ainsi que l'accessibilité et la simplicité des diverses commandes. Et comme toujours chez Hyundai, l'équipement de série est bien garni. À l'arrière, les passagers bénéficient d'un bon dégagement pour la tête et les jambes, mais la banquette ne les gâte pas : elle est ferme et ne procure aucun maintien. C'est nettement mieux à l'avant : non seulement les baquets sont mieux rembourrés, mais leur maintien est nettement supérieur.

[MÉCANIQUE] Comme la berline, la Touring utilise les services du 4-cylindres de 2 litres, seule motorisation offerte. Si sa puissance (138 chevaux) est tout à fait convenable, ce moteur à 100 % coréen n'a pas le raffinement de ses homologues japonais. Il est plus bruyant que ces

FORCES · Belle et pratique · Finition à niveau avec les japonaises · Comportement plus inspiré (Touring) · Le prix, toujours · Garantie de 5 ans
FAIBLESSES · Style qui vieillit mal (berline) · Banquette arrière inconfortable · Moteur rugueux · Boîte automatique à 4 rapports · Boîte manuelle à revoir · Berline moins attrayante que la Touring

derniers, à l'accélération surtout, et il n'a pas leur souplesse non plus. En outre, l'effet de couple est parfois perceptible. Ce moteur est cependant fiable, ce qui doit être souligné. Il peut être jumelé à deux boîtes de vitesses : une manuelle à 5 rapports et une automatique à 4 rapports. Un rapport supplémentaire permettrait notamment d'améliorer la consommation de carburant : celle de l'Elantra se situe dans la moyenne. La boîte manuelle ne m'a pas emballé : la course du levier est longue, et le guidage gagnerait à être plus précis.

[COMPORTEMENT] L'Elantra Touring reprend d'une main ce qu'elle donne de l'autre. Son comportement est plus affirmé que celui de la placide berline, grâce à un rééquilibrage de la suspension et des pneus de 17 pouces; mais cet amortissement plus ferme a un prix, et c'est la douceur de roulement qui écope. Il faudra donc établir vos priorités : le confort ou l'agrément de conduite ? Si vous aimez ressentir encore quelques sensations en conduisant, la Touring est plus indiquée que la berline, franchement ennuyeuse. Le châssis est rigide, et la direction, bien dosée, quoique lente un brin. Dans l'ensemble, le comportement est sain, signe que la Touring repose sur une bonne plateforme. La caisse reste neutre en virage, et le roulis est bien maîtrisé. Même avec les pneus de 15 pouces de la version de base, la tenue de route est sûre.

[CONCLUSION] La Touring est un bel ajout à la gamme Elantra. Plus pratique, elle propose aussi une conduite nettement plus amusante que la

berline. Son physique agréable contribue également à son charme – ce même charme qui fait cruellement défaut à la berline, décidément trop sage. Sur une note plus rationnelle, l'Elantra Touring est une voiture pratique et fiable; sa garantie de base de 5 ans est la meilleure des constructeurs généralistes (ex-æquo avec Mitsubishi).

2ᵉ OPINION

FRÉDÉRIC MASSE Il y a trois raisons principales pour choisir l'Elantra. Primo, on a besoin d'espace. La Hyundai offre en fait autant de place pour les occupants qu'une Honda Accord d'ancienne génération. Il ne se fait guère mieux dans la catégorie. Secundo, on veut une garantie béton. Le groupe coréen ne propose rien de moins qu'une couverture de pare-chocs à pare-chocs de 5 ans ou de 100 000 kilomètres et de 7 ans ou de 120 000 kilomètres sur le groupe motopropulseur. Tertio, on veut un petit paiement. Souvent offerte en promotion, avec de bas taux de financement, l'Elantra se veut souvent l'une des moins chères de la catégorie. Je dois avouer que la coréenne n'est vraiment pas ma préférée, mais compte tenu des qualités citées ci-haut et de sa finition, il me serait difficile de vous dire qu'il ne s'agit pas d'une bonne affaire.

(5) FICHE TECHNIQUE

MOTEUR
- L4 2,0 l DACT, 138 ch à 6000 tr/min
Couple 136 lb-pi à 4600 tr/min
Transmission manuelle à 5 rapports, automatique à 4 rapports (Berline GLS, Limited, option Touring et Berline L, GL)
0-100 km/h 10,2 s
Vitesse maximale 190 km/h

AUTRES COMPOSANTES
Sécurité active freins ABS et répartition électronique de la force de freinage (**Berl. GL Sport, GLS, Limited tour. GL, GLS, GLS Sport**), assistance au freinage (**Berl. GLS, Limited**)
Suspension avant/arrière indépendante
Freins avant/arrière
Berl. L, GL disques / tambours,
Touring/berl. GL Sport, GLS, Limited disques
Direction à crémaillère, assistée

Pneus		
	Berl. L, GL, GLS	P195/65R15,
	GL Sport, Limited	P205/55R16
	Tour. L, GL, GLS	P195/65R15
	GLS Sport	P215/45R17

DIMENSIONS
Empattement berl. 2650 mm **tour.** 2700 mm
Longueur berl. 4505 mm **tour.** 4485mm
Largeur berl. 1775 mm **tour.** 1765mm
Hauteur berl. 1480 mm **tour.** 1520 mm
Poids 1235 à 1412 kg
Capacité de remorquage: 340 kg, 680 kg (avec freins remorque)
Diamètre de braquage 10,3 m tour. 10,4 m
Coffre berl. 402 l
tour. 689 l, 1848 l (sièges abaissés)
Réservoir de carburant 53 l

NOS MENTIONS

☺ Modèle recommandé

NOTRE VERDICT

Plaisir au volant	⬡⬡⬡⬡⬡
Qualité de finition	⬡⬡⬡⬡⬡
Consommation	⬡⬡⬡⬡⬡
Rapport qualité/prix	⬡⬡⬡⬡⬡
Valeur de revente	⬡⬡⬡⬡⬡

EQUUS

www.hyundai.ca

N NOUVEAUTÉ **É**
J

68 000 $ à 73 000 $ (estimé)
transport et préparation: 1525 $

LA COTE VERTE

MOTEUR
V8 DE 4,6 L

- **Consommation (100km):** 12,4 l
- **Émissions polluantes CO$_2$:** 4876 kg/an
- **Empreinte écologique (nombre d'arbres à planter par année):** 32
- **Indice d'octane:** 91
- **Autre motorisation:** non
- **Coût du carburant moyen par année:** 2374 $
- **Nombre de litres par année:** 2120 l

(SOURCE: ÉnerGuide)

(1) FICHE D'IDENTITÉ

- **Versions** Signature, Ultimate
- **Roues motrices** arrière
- **Portières** 4 **Nombre de passagers** 4, 5
- **Première génération** 2011
- **Génération actuelle** 2011
- **Construction** Ulsan, Corée du Sud
- **Sacs gonflables** 9 (genoux conducteur, frontaux, latéraux avant et arrière, rideaux latéraux)
- **Concurrence** Audi A8, BMW Série 7, Mercedes-Benz Classe S, Lexus LS

(2) AU QUOTIDIEN

- **Prime d'assurance**
  25 ans: nd
  40 ans: nd
  60 ans: nd
- **Collision frontale** nm
- **Collision latérale** nm
- **Ventes du modèle de l'an dernier**
  Au Québec nm **Au Canada** nm
- **Dépréciation** nm
- **Rappels (2005 à 2010)** nm
- **Cote de fiabilité** nm

(3) GARANTIES... ET PLUS

- **Garantie générale** 5 ans/100 000 km
- **Garantie motopropulseur** 5 ans/100 000 km
- **Perforation** 5 ans/kilométrage illimité
- **Assistance routière** 3 ans/kilométrage illimité
- **Nombre de concessionnaires**
  Au Québec 60 **Au Canada** 186

(4) NOUVEAUTÉS EN 2011

- Nouveau modèle

FINI LES COMPLEXES!

PAR MICHEL CRÉPAULT

ARMÉE DE LA CONFIANCE INSUFFLÉE PAR LE SUCCÈS DE LA GENESIS, HYUNDAI HAUSSE LA BARRE D'UN CRAN, DE DEUX CRANS, MÊME. Le fabricant sud-coréen, qui s'est invité en Amérique du Nord au début des années 80, s'en vient maintenant faire la leçon aux Mercedes-Benz de ce monde. Bienvenue à l'Equus, une nouvelle façon de conjuguer le luxe sur quatre roues. Quoique... nouvelle, vraiment?

[CARROSSERIE] Question de vous mettre dans le bain sans tarder, disons que l'Equus est environ 10 centimètres plus longue qu'une Lexus LS 460 mais plus courte d'autant qu'une Mercedes-Benz S550. Elle repose sur la plate-forme de la Genesis allongée de 18,3 centimètres. Procédé de plus en plus courant, le squelette utilise l'acier à haute résistance. Cette robustesse influe positivement sur le silence à bord. Les deux grosses différences par rapport à l'Equus vendue en Corée se résument au badge déposé à plat sur le nez, au lieu de jouer à la *Flying Lady* de Rolls-Royce, et les lamelles de la calandre qui passent de la verticale à l'horizontale, comme la Genesis. Sur

le rebord du coffre, il est inscrit VS 460. Guère subtil. Ce n'est plus de l'imitation, c'est de la copie crasse. La coque est fardée de chrome mais pas trop. Les roues (étincelantes !), les baguettes de protection, quelques accents ici et là. À l'intérieur aussi ça brille, mais jamais ne sombre-t-on dans le parvenu. L'emblème de l'Equus a des ailes. Un signe *Peace & Love* coréen ? Pégase ? J'opte pour le mythique étalon ailé puisque « equus » signifie cheval en latin, mais j'en retiens surtout le thème subtilement récurrent. Les longues incrustations de bois (du vrai !) s'envolent (j'vous le jure !) autour des cadrans et au-dessus de la vaste boîte à gants. Les formes trapézoïdales des buses d'aération n'y échappent pas. À l'extérieur, les phares bridés et leurs cils chromés poursuivent l'illusion.

[HABITACLE] Les couleurs sont annoncées, l'équipement doit rivaliser avec celui de prestigieuses concurrentes. Nous avons donc droit, sans l'ombre d'une hésitation, au gadget qui nous alerte si on zigzague sur la ligne blanche, au régulateur de vitesse intelligent, à la suspension pneu-

FORCES · Tenue de route somptueuse · Calme à bord expérimenté seulement par Toutankhamon dans son sarcophage · Une affaire pour les gens avisés

FAIBLESSES · Copie à tant d'égards que ça peut être gênant pour certains · tendance au kitsch évitée de justesse

HISTORIQUE

Les grandes berlines existent depuis long-temps en Corée. Proposée pour la première fois en 1999 sur le marché domestique, l'Equus devient le vaisseau amiral de la marque Hyundai. Elaborée sur la même base que la Genesis, avec laquelle elle partage nombre de composantes, l'Equus entend s'attaquer aux BMW Série 7, Lexus LS et autres Mercedes Classe S, mais à bien meilleur prix.

matique à commandes électroniques, à la sono Lexicon pas piquée des vers, au cuir cousu jusque sur le tableau de bord, au pavillon tapissé de ce suède appelé Alcantara, lequel invite immanquablement les doigts à le caresser. Les baquets sont larges, une décision volontaire, en accord avec le type de client visé. Ils ne sont pas que moelleux et réglables mais aussi chauffants et ventilés, tandis que l'option massage est offerte (thaïlandais ou suédois, ça reste à voir). Le tableau de bord, capitonné, n'est pas inondé de boutons comme on aurait pu le craindre. Dans la console centrale, quelques-uns tiennent compagnie à la grosse molette multifonction. Celle-ci n'est pas débilitante comme l'ont été ses devancières allemandes. Elle sert surtout à raffiner les choix principaux effectués d'abord à l'aide de bons vieux interrupteurs. Sur la banquette, on s'en doute, l'espace abonde. Détail important : dans le modèle Signature, cette banquette accueille trois passagers; dans l'Ultimate, une console centrale chasse la place médiane. Quant au coffre à bagages, il a été conçu par le clan Panneton. En tout, l'Equus propose une habitabilité supérieure à celle de la Lexus LS 460. En revanche, la version à empattement allongé de la japonaise ramène le trophée de son côté... mais les Coréens ont développé une version étirée pour leur marché local (et même une autre, blindée !), et je ne serais pas surpris de la voir un jour en Amérique, équipée

d'un plus gros moteur (existant).

[MÉCANIQUE] Le V8 de 4,6 litres pro-vient de la Genesis. Dénommé Tau, une marque déposée, il affiche une puissance de 385 chevaux. Mine de rien, c'est davantage que la LS 460 (380) ou que la S550 (382). Des trois, c'est néanmoins l'allemande qui consomme le moins. Toutefois, le V8 coréen est heureux si on lui sert à boire de l'essence ordinaire, quitte à voir alors sa puissance décliner à 378 chevaux. Une boîte de vitesses automatique ZF à 6 rapports, doublée d'un contrôle manuel SHIFTRONIC (qui permet de pousser à la mitaine le levier des vitesses vers le + ou le –, le genre d'espièglerie qui intéressera sans doute 0,004 % des propriétaires d'Equus), complète le tandem qui propulse la grosse berline de 0 à 100 km/h en 6,5 secondes, quand même! Pareille voiture ne s'en tire pas sans accorder beaucoup d'attention à sa suspension. Pour son propriétaire et ses passagers, la quiétude de la balade se révèle un critère décisif. Les ingénieurs ont donc installé une suspension pneumatique qui passe son temps à s'adapter aux divers types de chaussées maussades qui gratifient notre réseau routier. Le conducteur s'interpose en sélectionnant le mode Sport qui raffermit les coins pour s'amuser dans les courbes.

[COMPORTEMENT] Durant mon essai, le même mot m'a continuellement traversé l'esprit :

> DURANT MON ESSAI, LE MÊME MOT M'A CONTINUELLEMENT TRAVERSÉ L'ESPRIT : BEURRE. L'EQUUS FILE COMME UN COUTEAU QUI FEND DU BEURRE. MOU. JE ROULAIS À 130 KM/H SANS M'EN RENDRE COMPTE, IMMERGÉ QUE J'ÉTAIS DANS UNE INTÉRESSANTE CONVERSATION.

EQUUS

GALERIE

A Pour affronter une concurrence huppée, elle s'équipe de tout ce que Hyundai peut actuellement proposer de mieux sur le marché. Par exemple, à l'image de la Maybach ou de la Lexus LS, les passagers à l'arrière peuvent choisir de s'étirer les jambes avec le siège Ottoman.

B Comme la majorité des berlines haut de gamme, l'Equus profite d'un écran de navigation gérer par une mollette bien en vue au centre de la console. De là, vous avez accès à la majorité des fonctions de la voiture.

C Utilisée par les riches hommes d'affaires Coréen, L'Equus met naturellement l'accent sur les places arrière, lieu de prédilection des propriétaires. On peut ainsi, bien installé, gérer toutes les fonctions de la voiture de l'arrière du véhicule. Notons que les sièges arrière sont chauffants, climatisés et inclinables.

D La chaîne audio de base est une Lexicon à 17 haut-parleurs et d'une puissance de 608 watts. De quoi flatter les oreilles des audiophiles.

E Pour faire simple, Hyundai a choisi d'offrir un seul moteur, le V8 4,6 litres déjà offert dans la berline Genesis. Avec ses 378 chevaux, il se compare sans rougir à la compétition allemande et japonaise. Plus tard dans le cycle de production, V8 de 5 litres et 429 chevaux viendra s'ajouter à l'offre.

FICHE TECHNIQUE (5)

MOTEUR

V8 4,6 l DACT 378 ch à 6500 tr/min
(385 ch à 6500 tr/min avec octane 91)
Couple 324 lb-pi à 3500 tr/min
(333 lb-pi à 3500 tr/min avec octane 91)

Transmission automatique à 6 rapports avec mode manuel

0-100 km/h 6.5 s

Vitesse maximale 215 km/h

AUTRES COMPOSANTES

Sécurité active freins ABS, antipatinage, contrôle de stabilité électronique, distribution électronique de la force de freinage, assistance au freinage

Suspension avant/arrière indépendante

Freins avant/arrière disques ventilés

Direction à crémaillère, assistée

Pneus P245/45R19 (av.) P275/40R19 (arr.)

DIMENSIONS

Empattement 3045 mm

Longueur 5159 mm

Largeur 1890 mm (sans rétro.)

Hauteur 1491 mm

Poids 5 pass. 2018 à 2066 kg
4 pass. 2035 à 2083 kg

Diamètre de braquage 11,5 m

Coffre 473 l

Réservoir de carburant 77 l

beurre. L'Equus file comme un couteau qui fend du beurre. Mou. Je roulais à 130 km/h sans m'en rendre compte, immergé que j'étais dans une intéressante conversation. J'avais l'impression de rouler au ralenti. Les pneus avaient dû être remplacés par des coussins d'air. Le silence à bord est quasiment palpable, à trancher lui aussi au couteau. Un dépassement à effectuer ? Une pression sur l'accélérateur, et le V8, après une brève hésitation, catapulte la limo avec à peine un feulement audible. On ne peut pas être grognon en conduisant cette auto. Elle veut la paix et nous la fournit. La direction, relativement lourde au centre, n'a aucune difficulté à communiquer nos ordres aux belles roues de 19 pouces. Une niaiserie (mais qui prouve que la perfection n'est pas de ce monde, excepté dans celui d'Angelina Jolie) : je l'ai dit, le pavillon est tapissé d'Alcantara. Le pare-soleil du panneau ouvrant aussi. Qu'est-ce qui se passe quand on veut faire coulisser suède contre suède ? En plein cela : ça coulisse très mal. Une passagère n'a pas été capable avec son bras gauche... Par contre, faites-le 20 fois par jour, et votre entraîneur personnel sera très content de vous ! À la livrée Signature, si bien nantie, la version Ultimate ajoute des gentillesses comme un compartiment réfrigéré dans la console centrale arrière, un moniteur vidéo pivotant et une place arrière à droite qui, comme dans la Lexus, se transforme en La-Z-Boy. Appuyez sur un bouton, et le fauteuil devant avance et se plie (son occupant, lui, aura plié bagages...), pendant que le vôtre fait saillir un repose-jambes qui n'exige plus qu'une seule chose de vous : au diable les chaussures ! Ensuite, laissez Firmin prendre les commandes de l'appareil. D'ailleurs, en Asie, l'Equus est davantage confiée à des chauffeurs qu'à des pilotes en mal de sensations fortes.

[CONCLUSION] L'Equus vous intéresse ? Un conseiller aux Ventes se déplacera chez vous ou à votre bureau pour vous offrir un essai routier. Vous l'avez achetée et voilà qu'elle nécessite une visite chez le docteur ? Pour autant que vous résidiez ou que vous travailliez dans un rayon raisonnable, quelqu'un ira chercher l'auto et vous laissera une voiture de courtoisie, si nécessaire. Ah oui, le manuel du propriétaire figurera dans un iPad, lequel sera vôtre ! Au moment d'écrire ces lignes, Hyundai estimait que le prix de vente se situerait quelque part entre 68 000 et 73 000 $. La question n'est plus de savoir si les Coréens peuvent assembler du luxe, mais bien si nous sommes prêts à dire à nos proches que nous venons de dépenser 70 000 $ pour une Hyundai. Les acheteurs intelligents connaissent déjà la réponse.

NOTRE VERDICT

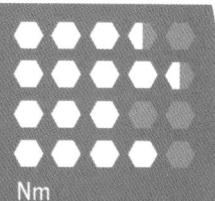

Plaisir au volant

Qualité de finition

Consommation

Rapport qualité/prix

Valeur de revente   Nm

GENESIS COUPE

www.hyundaicanada.ca

N ────── É
ÉVOLUTION
J

24 495 $ à 36 495 $
transport et préparation : 1565 $

LA COTE VERTE

MOTEUR
L4 DE 2,0 L

· **Consommation**
(100km):
man. 8,4 l
auto. 8,5 l

· **Émissions**
polluantes CO_2 :
man. 3910 kg/an
auto. 4002 kg/an

· **Empreinte écologique**
(nombre d'arbres à
planter par année): 21

· **Indice d'octane:** 87

· **Autre**
motorisation: non

· **Coût du carburant**
moyen par année:
man. 1700 $
auto. 1740 $

· **Nombre de**
litres par année:
man. 1700 l
auto. 1740 l

(SOURCE: ÉnerGuide)

300 |

FICHE D'IDENTITÉ

· **Versions** 2.0T, 2.0T GT, 3.8, 3.8 GT
· **Roues motrices** arrière
· **Portières** 2 **Nombre de passagers** 2+2
· **Première génération** 2010
· **Génération actuelle** 2010
· **Construction** Ulsan, Corée du Sud
· **Sacs gonflables** 6
(frontaux, latéraux avant ,rideaux latéraux)
· **Concurrence** BMW 335i, Ford Mustang,
Honda Accord Coupe, Honda Civic Si, Mazda RX-8,
Mitsubishi Eclipse, Nissan Altima Coupe, Infiniti G37

AU QUOTIDIEN

· **Prime d'assurance**
25 ans: 2500 à 2800 $
40 ans: 1600 à 1800 $
60 ans: 1000 à 1200 $
· **Collision frontale** 4/5
· **Collision latérale** 5/5
· **Ventes du modèle de l'an dernier**
Au Québec 595 **Au Canada** 2408
· **Dépréciation** nm
· **Rappels** (2005 à 2010) aucun à ce jour
· **Cote de fiabilité** nm

GARANTIES... ET PLUS

· **Garantie générale** 5 ans/100 000 km
· **Garantie motopropulseur** 5 ans/100 000 km
· **Perforation** 5 ans/kilométrage illimité
· **Assistance routière** 3 ans/kilométrage illimité
· **Nombre de concessionnaires**
Au Québec 60 **Au Canada** 186

NOUVEAUTÉS EN 2011

· Aucun changement majeur

POUR LE PLAISIR D'ABORD

PAR BENOIT CHARETTE

HYUNDAI N'A RIEN INVENTÉ AVEC SON COUPÉ GENESIS. ELLE A SIMPLEMENT UTILISÉ UNE RECETTE ÉPROUVÉE ET AJOUTÉ QUELQUES BONS INGRÉDIENTS À UN PRIX RÉALISTE DANS UN ENROBAGE QUI ATTIRE L'ŒIL. Un coupé qui mise sur l'essentiel : le plaisir de conduire. Hyundai n'a pas cherché à faire compliqué, et c'est tant mieux.

[CARROSSERIE] Avec son regard trapu et son profil de prédateur, les lignes du coupé Genesis s'apparentent plus à celles de ses concurrentes japonaises comme la 370Z ou la Mitsubishi Eclipse. Nous pourrions ajouter le coupé Nissan Altima. Sa calandre étirée, ses flancs sculptés et un porte-à-faux absent ou presque confèrent beaucoup de caractère à cette voiture qui a surpris bon nombre de personnes qui ne croyaient pas avoir une voiture coréenne sous les yeux. Donc, nous pouvons affirmer que, en termes visuels, Hyundai a fait de l'excellent boulot,

[HABITACLE] Une fois que vous prendrez place à bord, vous déchanterez peut-être quelque peu.

La voiture n'est pas mal dessinée, mais le choix des matériaux laisse un peu à désirer. Il est compréhensible que les fabricants d'automobiles qui veulent offrir une voiture à meilleur prix doivent couper quelque part, mais il existe certainement des manières plus discrètes que l'utilisation de mauvais plastiques et l'absence de petits extras comme des touches d'aluminium ou, même, une jolie imitation de fibre de carbone. C'est noir et sans inspiration. Autrement dit, l'intérieur n'est pas en harmonie avec l'extérieur qui en met plein la vue. Cela dit, l'ergonomie est bonne, et les sièges en cuir, soigneusement cousus, offrent un bon maintien latéral. À l'arrière, en authentique 2 + 2, la Genesis n'offre que deux places de secours et un bon espace de chargement.

[MÉCANIQUE] Dans la concurrence mentionnée plus tôt, nous avons volontairement omis la Ford Mustang, car avec ses nouveaux moteurs, les performances sont bien au-delà de celles de la Genesis. Mais Hyundai semble vouloir s'attaquer de front à ce problème. D'ici juillet 2011, une version V8 du coupé Genesis devrait (nous sommes

FORCES · Châssis très rigide · Réel plaisir à conduire · Prix concurrentiel
· Équipement complet

FAIBLESSES · Présentation intérieure décevante · Pédale d'embrayage un peu dure · Un seuil de coffre très petit · Freins qui manquent de mordant

Avec le coupé Genesis, Hyundai nous montre qu'elle sait maintenant comment faire. La recette n'est pas parfaite, et l'harmonie des ingrédients manque encore de maturité, mais les Coréens apprennent très vite et envisagent déjà d'ajouter un V8 à la recette qui risque de devenir très intéressante. Il y a encore du chemin à faire, mais Hyundai est sur la bonne voie.

encore au conditionnel) voir le jour. Les rumeurs portent sur un moteur V8 de 5 litres à injection directe de carburant (quel hasard) qui fournirait 429 chevaux. Il est permis de rêver, mais d'ici là, le V6 de 3,8 litres de 306 chevaux est toujours le plus puissant offert. L'offre se complète par un 4-cylindres de 2 litres turbo de 210 chevaux. Les boîtes manuelles proposent 6 rapports pour les deux mécaniques, alors que la boîte automatique offre 5 rapports avec le 4-cylindres et 6 avec le V6.

[COMPORTEMENT] Commençons par les bonnes nouvelles, le châssis très sain du véhicule est un facteur important dans la recette du plaisir de conduire. Ce plaisir est toutefois dilué par le poids assez lourd du V6 et le manque de puissance à plus haut régime du 4-cylindres, pas assez puissant pour être qualifié de sportif. Il y a aussi la relative légèreté de la direction et le manque de fermeté de la pédale de frein, d'autres petites faiblesses qui tempèrent les ardeurs d'une conduite plus sportive. Le V6 a de la ressource, mais le moteur est creux, et les montées en régime se font au prix de beaucoup de « moulinage » de boîte de vitesses. Enfin, la volonté de s'accrocher à la route est authentique, et c'est cela qui sauve la mise et vous permettra d'avoir beaucoup de plaisir en dépit des autres défauts.

[CONCLUSION] Avant l'an dernier, peu de gens auraient associé le mot coupé sport à Hyundai. Il y a bien eu la Scoupe, une horreur automobile, suivi de la Tiburon qui avait déjà fait de grands progrès, mais demeurait une pseudo-sportive.

2ᵉ OPINION

ALEXANDRE CRÉPAULT Qui aurait cru que Hyundai serait la première à ressusciter le segment des petits coupés à propulsion abordables ? Pendant que Toyota, Subaru et Nissan travaillent sur leurs petits coupés sport de demain, Hyundai se retrouve seule avec son modèle 2.0T qui, à mon avis, représente l'une des meilleures valeurs sur le marché. Même le modèle de base est très bien équipé. Je dois l'admettre, les lignes du coupé Genesis sont vraiment réussies. En ce qui concerne la version munie du V6 de 3,8 litres, elle est amusante à piloter. La répartition du couple et de la puissance est si linéaire que la voiture se conduit avec une aisance déconcertante, tant en ligne droite que de travers. Son prix plus élevé, par contre, la rapproche d'une concurrence qu'elle ne peut pas prendre à la légère (Mustang, Camaro, 370Z, etc.). Mon conseil : optez pour un modèle 2.0T et gardez vos sous pour quelques pièces de performance.

⑤ FICHE TECHNIQUE

· MOTEURS
· **L4** 2,0 l turbo DACT, 210 ch à 6000 tr/min
Couple 223 lb-pi à 2000 tr/min

Transmission manuelle 6 rapports, automatique à 5 rapports avec mode manuel (en option)	
0-100 km/h 8,2 s	
Vitesse maximale 220 km/h	

· **V6** 3,8 l DACT, 306 ch à 6300 tr/min
Couple 266 lb-pi à 4700 tr/min

Transmission manuelle à 6 rapports, automatique à 6 rapports avec mode manuel	
0-100 km/h 6,3 s	
Vitesse maximale 240 km/h	
Consommation (100 km) **man.** 9,8 l, **auto.** 9,6 l (octane 87)	
Émissions de CO₂ **man.** 4600 kg/an, **auto.** 4508 kg/an	
Litres par année man. 2000 l, **auto.** 1960 l	
Coût par an man. 2000 $, auto. 1960 $	
Autre motorisation non	
Empreinte écologique 30 arbres	

· AUTRES COMPOSANTES
Freins ABS, contrôle de stabilité électronique, antipatinage, assistance au freinage, distribution électronique de la force de freinage	
Suspension avant/arrière indépendante	
Freins avant/arrière disques	
Direction à crémaillère, assistée	
Pneus **2.0T/3.8** P225/45R18 (av.), P245/45R18 (arr.); **2.0T GT/3.8 GT** P225/40R19 (av.), P245/40R19 (arr.)	

· DIMENSIONS
Empattement 2820 mm	
Longueur 4630 mm	
Largeur 1865 mm	
Hauteur 1385 mm	
Poids 2.0T 1498 kg à 1579 kg, **3.8** 1543 à 1595 kg	
Diamètre de braquage 11,4 m	
Coffre 332 l	
Réservoir de carburant 65 l	

NOS MENTIONS

 ☺ Modèle recommandé

NOTRE VERDICT

Plaisir au volant	●●●●○
Qualité de finition	●●●●○
Consommation	○○○○○
Rapport qualité/prix	●●●○○
Valeur de revente	●○○○○

GENESIS
www.hyundaicanada.ca

N ———— É
ÉVOLUTION
J

40 759 $ à 51 759 $
transport et préparation : 1760 $

302

 FICHE D'IDENTITÉ

- **Versions** 3.8, 4.6
- **Roues motrices** arrière
- **Portières** 4 **Nombre de passagers** 5
- **Première génération** 2009
- **Génération actuelle** 2009
- **Construction** Ulsan, Corée du Sud
- **Sacs gonflables** 8 (frontaux, latéraux avant et arrière, rideaux latéraux)
- **Concurrence** Acura TL, Buick Lucerne, BMW Série 5, Infiniti G37, Lexus ES 350, Mercedes-Benz Classe E, Nissan Maxima, Toyota Avalon

 AU QUOTIDIEN

- **Prime d'assurance**
  25 ans: 1600 à 1800 $
  40 ans: 1200 à 1400 $
  60 ans: 1000 à 1200 $
- **Collision frontale** 5/5
- **Collision latérale** 5/5
- **Ventes du modèle de l'an dernier**
  Au Québec 252 **Au Canada** 1030
- **Dépréciation** (1 an) 29,2 %
- **Rappels** (2005 à 2010) aucun à ce jour
- **Cote de fiabilité** nd

 GARANTIES... ET PLUS

- **Garantie générale** 5 ans/100 000 km
- **Garantie motopropulseur** 5 ans/100 000 km
- **Perforation** 5 ans/kilométrage illimité
- **Assistance routière** 3 ans/kilométrage illimité
- **Nombre de concessionnaires**
  Au Québec 60 **Au Canada** 186

4 **NOUVEAUTÉS EN 2011**

- Aucun changement majeur

QU'EN RESTE-T-IL ?

PAR FRÉDÉRIC MASSE

BON, ÇA Y EST, HYUNDAI SE POSITIONNE DÉSORMAIS COMME UN FABRICANT CAPABLE DE CONCEVOIR DES VOITURES AU-DESSUS DE LA MOYENNE EN MATIÈRE DE QUALITÉ. Mais, maintenant que l'attrait de la nouveauté et la surprise sont passés, que reste-t-il de la voiture halo qu'est la berline Genesis ? Sommes-nous retombés sur terre pour nous rendre compte qu'elle n'est absolument pas dans le coup ? Devrons-nous nous excuser de nous être fait prendre par l'effet de surprise ? Qu'elle n'était pas si solide que cela finalement ? Devrons-nous nous confesser ? Pas du tout !

[CARROSSERIE] Oui, les stylistes de la Genesis ont copié... outrageusement copié. De côté, elle ressemble étrangement à une BMW Série 5 d'ancienne génération. De face, on dirait une Mercedes-Benz. De dos, on jurerait une Infiniti M d'ancienne génération. Oui, c'est du toc. Je n'aime pas beaucoup le plagiat, mais, en consolation, je dois au moins dire que c'est fait de la bonne façon, et que, de toute manière, les voitures se ressemblent de plus en plus. Je maugrée aussi sur l'absence du signe Hyundai sur l'avant du capot. Les gens du Marketing ont parlé: sans le logo de la marque, la voiture se vendra mieux. C'en dit long sur la polémique que soulève la Genesis.

[HABITACLE] La finition de l'habitacle de la Hyundai n'a rien à envier à Lexus... dont elle semble s'être fortement inspirée. Sur certains aspects, elle l'équivaut totalement. Vous ne vous sentirez jamais dépaysé dans une Genesis; les lignes sont classiques tout comme le choix des matériaux. C'est simple, beau et efficace, mais sans superflu. C'est aussi très bien insonorisé et très (très) confortable. La qualité des cuirs, le maintien des sièges, la position de conduite, l'espace disponible... nous nous trouvons vraiment dans une berline de luxe. L'ergonomie, outre le système de navigation plus complexe, est parfaitement bien maîtrisée. On en vient presque à penser qu'il manque des commandes tellement tout est simple et d'accès facile, c'est très bon signe. Les places arrière sont aussi confortables. Il manque toutefois d'espace de rangement dans l'habitacle.

FORCES • Rapport qualité/prix hallucinant • Finition et qualité des matériaux • Fiabilité • Performances du tandem moteur/boîte de vitesses • Freinage puissant

FAIBLESSES • Manque de raffinement de la suspension • Manque de prestige • Design plagié

[MÉCANIQUE] La Genesis offre deux mécaniques, mais je ne comprends pas pourquoi on opterait pour le V8. Le V6 de 3,8 litres développe déjà 290 chevaux et permet de franchir le 0 à 100 km/h sous les 7 secondes. C'est suffisant pour le type de voiture. L'onctueux V8 de 4,6 litres est certes plus gratifiant avec ses 375 chevaux, évidemment, mais il consomme davantage, et requiert du carburant super. Les deux engins sont jumelés à une boîte de vitesses automatiques à 6 rapports qui accomplit un travail admirable avec des passages de rapports quasi imperceptibles. Le raffinement sur ce plan est d'ailleurs digne de mention.

[CONDUITE] À mon avis, la Genesis est ce qui se rapproche le plus d'une Lexus GS en matière de comportement routier, le raffinement total en moins. Oui, la suspension est conciliante, mais elle est aussi parfois sèche sur mauvaise chaussée. Il n'y a pas non plus équilibre parfait entre confort et sport, mais au prix demandé, on peut s'y faire. À bonne vitesse, le véhicule est stable et sécurisant, mais il n'a pas l'aplomb d'une Mercedes-Benz ou d'une Audi. Par contre, au quotidien, elle se veut rassurante et confortable. La direction est particulièrement précise et transmet une bonne rétroaction. Le freinage est tout aussi puissant et efficace. C'est l'une des forces de la Hyundai. Bref, en conduite normale, elle fait aussi bien que les grandes berlines de luxe de ce monde, mais on atteint rapidement ses limites quand on la pousse.

[CONCLUSION]

Hyundai a tout mis sur la table pour que la coréenne soit un produit halo: solidité, fiabilité, luxe, exécution parfaite et prix enviable. Il lui manque (encore) que deux petites choses pour que sa Genesis réussisse davantage à convaincre les acheteurs traditionnels de voitures de luxe : du prestige et un raffinement total. Même si Hyundai a fait des pas de géants depuis dix ans en la matière, elle n'est pas encore une marque de luxe.

2ᵉ OPINION

BENOIT CHARETTE La Genesis fait la preuve par quatre qu'il n'est pas facile de changer des habitudes de consommation bien enracinée. L'Annuel de l'automobile avait donné le titre de voiture de l'année à cette grande berline en 2009, car Hyundai propose, à un prix très concurrentiel, une voiture à la fois statutaire, raffinée et particulièrement bien équipée. Mais après deux ans sur le marché, les acheteurs se font encore rares. On dirait que personne ne veut être vu au volant d'une Hyundai de luxe. Le seul élément qui manque vraiment à cette voiture est une transmission intégrale pour l'hiver, un sérieux obstacle aux ventes chez nous. Sinon, cette berline rassemble le meilleur de la technologie Hyundai et symbolise la détermination du géant coréen à se positionner dans le segment très concurrentiel des voitures de luxe, mais il faudra être patient, les préjugés ont la vie dure.

---

5 FICHE TECHNIQUE

· MOTEURS
· V6 3,8 l DACT 290 ch à 6200 tr/min
Couple 264 lb-pi à 4500 tr/min

Transmission automatique à 6 rapports avec mode manuel

0-100 km/h 6,6 s

Vitesse maximale 215 km/h

· V8 4,6 l DACT 378 ch à 6500 tr/min
(385 ch à 6500 tr/min avec octane 91)
Couple 324 lb-pi à 3500 tr/min
(333 lb-pi à 3500 tr/min avec octane 91)

Transmission automatique à 6 rapports avec mode manuel

0-100 km/h 6,0 s

Vitesse maximale 250 km/h

Consommation (100 km) 10,4 l (octane 91)

Émissions de CO_2 4876 kg/an

Litres par année 2120 l

Coût par an 2374 $

Carburant alternatif non

Empreinte écologique 33 arbres

· AUTRES COMPOSANTES
Sécurité active freins ABS, antipatinage, contrôle de stabilité électronique, distribution électronique de la force de freinage, assistance au freinage

Suspension avant/arrière indépendante

Freins avant/arrière disques

Direction à crémaillère, assistée

Pneus 3.8 P225/55R17;
option 3.8, 4.6 P235/50R18

· DIMENSIONS
Empattement 2935 mm

Longueur 4975 mm

Largeur 1890 mm

Hauteur 1475 mm

Poids 3.8 1729 à 1837kg, **4.6** 1817 kg

Diamètre de braquage 11,0 m

Coffre 453 l

Réservoir de carburant 3.8 73 l, **4.6** 77 l

NOS MENTIONS

 Modèle recommandé

 Coup de coeur

NOTRE VERDICT

Plaisir au volant	●●●●○
Qualité de finition	●●●○○
Consommation	●●●○○
Rapport qualité/prix	●●●●○
Valeur de revente	●●●○○

SANTA FE

www.hyundaicanada.ca

LA COTE VERTE

MOTEUR
L4 DE 2,4 L

- **Consommation**
  (100km):
  man. 9,1 l
  auto. 8,7 l
- **Émissions**
  polluantes CO₂:
  man. 4278 kg/an
  auto. 4094 kg/an
- **Empreinte écologique**
  (nombre d'arbres à
  planter par année): 28
- **Indice d'octane:** 87
- **Autre**
  motorisation: non
- **Coût du carburant**
  moyen par année:
  man. 1860 $
  auto. 1780 $
- **Nombre de**
  litres par année:
  man. 1860 l
  auto. 1780 l

(source: ÉnerGuide)

 ① FICHE D'IDENTITÉ

- **Versions** 2.4 GL, 2.4 GL 4RM, 3.5 GL, 3.5 GL 4RM, 3.5 GL Sport, 3.5 GL Sport 4RM, 3.5 Limited
- **Roues motrices** avant, 4
- **Portières** 5
- **Première génération** 2001
- **Génération actuelle** 2007
- **Construction** Montgomery, Alabama
- **Sacs gonflables** 6
  (frontaux, latéraux avant, rideaux latéraux)
- **Concurrence** Chevrolet Equinox, Ford Edge, Honda Pilot, Kia Sorento, Mazda CX-7, Mitsubishi Outlander, Nissan Murano, Toyota RAV4/ Highlander

② AU QUOTIDIEN

- **Prime d'assurance**
  25 ans: 2200 à 2400 $
  40 ans: 1700 à 1900 $
  60 ans: 1500 à 1700 $
- **Collision frontale** 5/5
- **Collision latérale** 5/5
- **Ventes du modèle de l'an dernier**
  Au Québec 6355 Au Canada 24 676
- **Dépréciation** 56,2%
- **Rappels** (2005 à 2010) 3
- **Cote de fiabilité** 3/5

③ GARANTIES... ET PLUS

- **Garantie générale** 5 ans/100 000 km
- **Garantie motopropulseur** 5 ans/100 000 km
- **Perforation** 5 ans/kilométrage illimité
- **Assistance routière** 3 ans/kilométrage illimité
- **Nombre de concessionnaires**
  Au Québec 60 Au Canada 186

④ NOUVEAUTÉS EN 2011

- Modèle 4RM avec moteur 4-cylindres

L'HABIT NE FAIT PAS LE MOINE, MAIS...

PAR ALEXANDRE CRÉPAULT

LE SANTA FE VA BIENTÔT SUBIR UNE REFONTE COMPLÈTE. Pour l'instant, nous voici avec la proposition simple et efficace que Hyundai nous a pondue il y a maintenant 6 ans de cela, en matière d'utilitaire sport intermédiaire.

[CARROSSERIE] L'allure extérieure du Santa Fe est sans doute le point le plus décevant. Malgré les améliorations de l'an dernier (calandre et feux rouges arrière sur fond chrome, entre autres), les courbes sont tout bonnement sans attrait. Le pire, c'est que le nouveau langage visuel de Hyundai laisse présager un prochain Santa Fe qui nous en mettra plein la vue. Bon, l'habit ne fait pas le moine, dit-on, et le Santa Fe en est un parfait exemple.

[HABITACLE] Encore une fois, si on ne s'attarde qu'au style, l'habitacle du Santa Fe ne gagnera probablement aucun concours de beauté. D'un point de vue pratique, par contre, il a tout pour plaire. L'espace ne manque pas, tant pour les occupants que pour leur cargaison. La position de conduite est naturelle, bonifiée par le siège du conducteur qui permet huit réglages. Les commandes se laissent attraper et manipuler aisément. Les accessoires de série se trouvent sur une liste complète : par exemple, connexion sans fil Bluetooth, chaîne audio avec radio XM et prise pour iPod. La finition intérieure est excellente. Assurément, les matériaux ne proviennent pas de chez Fisher Price. Un bémol: la cuirette, en option, révèle son caractère bon marché au toucher et n'est pas aussi confortable que les tissus de base. Un autre bémol, tiens: le Santa Fe n'offre pas de troisième banquette, mais qui de doute façon, sur les véhicules du genre, est habituellement plus théorique que pratique.

[MÉCANIQUE] Hyundai nous laisse choisir entre deux moteurs : un 4-cylindres de 2,4 litres et un V6 de 3,5 litres. Seul le premier peut être jumelé à une boîte de vitesses manuelle à 6 rapports.

FORCES •Bon rapport qualité-prix • Bien équipé, même de base
• Habitacle spacieux et pratique

FAIBLESSES • Consommation du 4-cylindres • Performance du 6-cylindres
• Lignes mornes et sans intérêt

Autrement, c'est la boîte automatique à 6 rapports que vous utiliserez avec l'un ou l'autre des moteurs. La transmission intégrale se vend sur tous les modèles munis du V6 et aussi pour le 4 cylindres cette année, mais est comprise dans le prix des modèles Limited et Limited Navigation.

[COMPORTEMENT] Mon premier essai s'est effectué dans le modèle de base à 4 cylindres. Je dois admettre qu'il m'a beaucoup plu. La puissance est un peu juste, mais au quotidien, ça ne pose pas vraiment problème. Cependant, l'absence de 4 roues motrices se fait parfois sentir sur certaines surfaces glissantes. Quant au V6, il se conduit bien, mais où est le surplus de puissance attendu des deux cylindres et des chevaux en plus? Au moins, la capacité de remorquage passe de 907 à 1587 kilos. Autre bizarrerie: les deux moteurs consomment à peu près la même quantité de carburant. Pour le reste, on parle d'un comportement correct. La direction pourrait être plus précise, et les suspensions traînent un peu de la patte. La boîte de vitesses n'est pas des plus rapides non plus. Par contre, l'insonorisation de l'habitacle est bonne, et les bruits de roulement s'en tiennent au minimum. En fin de compte, si le besoin de performance domine chez vous, tournez la tête vers les CX-7 de ce monde. Sinon, le Santa Fe se trimbale du point A au point B de façon relativement confortable et sûre.

[CONCLUSION] Il ne faut pas se fier aux apparences. Le Sante Fe n'est peut-être pas l'utilitaire le plus original en ville, mais il accomplit un travail plus que respectable. Difficile de choisir le moteur, vu la minime différence entre les prix, la consommation et les performances. Quoi qu'il en soit, le Santa Fe se révèle une option logique et décente dans son créneau.

2ᵉ OPINION

FRANCIS BRIÈRE Le Santa Fe dispose d'un engin puissant et souple. Le V6 de 3,5 litres – contrairement au 2,4-litres qui est poussif – produit une puissance jouissive et une sonorité masculine. Hyundai offre une transmission à quatre roues motrices sur demande qui vous permettra de vous sortir de toutes les situations sur la route. Les produits coréens se démarquent de plus en plus par la qualité de la finition intérieure. Le Santa Fe en est la preuve puisque son habitacle accueillant propose des sièges confortables et une présentation fort jolie. Derrière le volant, le Santa Fe surprend par sa douceur de roulement et par le confort qu'il procure. C'est sans aucun de sa plus grande qualité, surtout si vous devez emprunter des chemins cabossés.

FICHE TECHNIQUE ⑤

MOTEURS

(2.4 GL)
L4 2,4 l DACT, 175 ch à 6000 tr/min
Couple 169 lb-pi à 3750 tr/min
Transmission manuelle à 6 rapports, automatique à 6 rapports avec mode manuel (option)
0-100 km/h nd
Vitesse maximale nd

(3.5 GL, 3.5 LIMITED)
V6 3,5 l DACT, 276 ch à 6300 tr/min
Couple 248 lb-pi à 5000 tr/min
Transmission automatique à 6 rapports avec mode manuel
0-100 km/h nd
Vitesse maximale nd
Consommation (100 km) 2RM 8,9 l **4RM** 9,1 l
Émissions de CO_2
2RM 4140 kg/an **4RM** 4232 kg/an
Litres par année 2RM 1800 l **4RM** 1840 l
Coût par an 2RM 1800 $ **4RM** 1840 $
Autre motorisation non
Empreinte écologique 28

AUTRES COMPOSANTES
Sécurité active Freins ABS, répartition électronique de force de freinage, antipatinage, contrôle de stabilité électronique
Suspension avant/arrière Indépendante
Freins avant/arrière Disques
Direction à crémaillère, assistée
Pneus GL/GLS P235/70R16 **Limited** P235/60R18

DIMENSIONS
Empattement 2700 mm
Longueur 4676 mm
Largeur 1890 mm
Hauteur 1725 mm
Poids 2.4 GL man. 1672 kg, **2.4 GL auto.** 1689 kg, **3.5 GL, 3.5 GL Sport** 1769 kg
3.5 GL 4RM/3.5 GL Sport 4RM/Limited 1868 kg
Diamètre de braquage 10,8 m
Coffre 968 l, 2214 l (sièges abaissés)
Réservoir de carburant 68 l
Capacité de remorquage 2.4 907 kg, **3.5** 1587 kg

NOS MENTIONS

☺ Modèle recommandé

NOTRE VERDICT

Plaisir au volant	●●●●○
Qualité de finition	●●●●○
Consommation	●●●○○
Rapport qualité/prix	●●●○○
Valeur de revente	●●●●○

SONATA

www.hyundai.ca

22 649 $ à 30 564 $
transport et préparation : 1565 $

LA COTE VERTE

MOTEUR
L4 DE 2,4 L

- **Consommation (100km):**
  man. 7,4 l
  autom. 7,7 l
- **Émissions polluantes CO_2:**
  man. nd
  autom. nd
- **Empreinte écologique (nombre d'arbres planter par année):**
  nd
- **Indice d'octane:** 87
- **Autre motorisation:** non
- **Coût du carburant moyen par année:**
  man. nd
  autom. nd
- **Nombre de litres par année:**
  man. nd
  autom. nd

(SOURCE : Hyundai)

① FICHE D'IDENTITÉ

- **Versions** GL, GLS, Limited
- **Roues motrices** avant
- **Portières** 4 **Nombre de passagers** 5
- **Première génération** 1989
- **Génération actuelle** 2011
- **Construction** Montgomery, Alabama
- **Sacs gonflables** 6 (front., lat. avant, rideaux lat.)
- **Concurrence** Buick Allure, Chevrolet Malibu, Chrysler Sebring, Ford Fusion, Honda Accord, Kia Magentis, Mazda6, Mitsubishi Galant, Nissan Altima, Subaru Legacy, Toyota Camry, Volkswagen Passat

② AU QUOTIDIEN

- **Prime d'assurance**
  25 ans : 1500 à 1700 $
  40 ans : 1000 à 1200 $
  60 ans : 800 à 1000 $
- **Collision frontale** nm
- **Collision latérale** nm
- **Ventes du modèle de l'an dernier**
  Au Québec 3068 **Au Canada** 8975
- **Dépréciation** 54,6%
- **Rappels** (2005 à 2010) 5
- **Cote de fiabilité** nm

③ GARANTIES... ET PLUS

- **Garantie générale** 5 ans/100 000 km
- **Garantie motopropulseur** 5 ans/100 000 km
- **Perforation** 5 ans/kilométrage illimité
- **Assistance routière** 3 ans/kilométrage illimité
- **Nombre de concessionnaires**
  Au Québec 60 **Au Canada** 186

④ NOUVEAUTÉS EN 2011

- Nouvelle génération

LE VENT EN POUPE

PAR BENOIT CHARETTE

ALORS QUE LE MARCHÉ MONDIAL DE L'AUTOMOBILE ÉTAIT EN CRISE EN 2009, HYUNDAI A CONNU UNE ANNÉE RECORD. Pour la première fois de son histoire, le constructeur coréen a vendu plus de 100 000 véhicules au Canada, 103 233 pour être plus précis. Le nombre de concessionnaires canadiens est passé de 175 à 186, et Hyundai est le constructeur d'automobiles qui affiche la consommation moyenne de carburant la plus basse sur le marché. C'est avec cet objectif en tête que l'entreprise a introduit depuis peu un nouveau Hyundai Tucson sans moteur V6 et qu'elle adopte la même philosophie avec la Sonata. Une décision courageuse quand on sait que les Chevrolet Malibu, Honda Accord, Toyota Camry, Nissan Altima ou Mazda6 offrent toutes un moteur à 4 cylindres en ligne de série mais un V6 en option. Pour la Sonata, le choix se fera entre un 4-cylindres de 2,4 litres d'une puissance de 198 chevaux, le Theta II à injection directe de carburant, et un moteur à 4 cylindres de 2 litres turbocompressé emprunté au coupé Genesis. Hyundai fait le pari que, avec les nouvelles normes plus sévères en matière de consom-mation de carburant, que les concurrents devront faire de même, et Hyundai a décidé de bouger le premier.

[CARROSSERIE] Le design « sculpture fluide », ainsi baptisé par Hyundai, est une approche basée sur la constance qui se reflètera sur toutes les prochaines générations de véhicules Hyundai. C'est dans le studio de design d'Irvine, en Californie, que les formes de cette nouvelle Sonata ont pris forme. Les stylistes ont choisi d'intégrer les éléments naturels et fluides aux surfaces et aux structures plus rigides afin de créer une illusion de mouvement constant. Il ne fait également aucun doute que ces mêmes concepteurs se sont fortement inspirés du style de la Mercedes-Benz CLS et de la Passat CC; cependant, il faut admettre que cette recette fonctionne bien et, surtout, que la Sonata a enfin de la gueule, une caractéristique qui lui faisait défaut jusqu'à ce jour. La partie avant se démarque par une imposante calandre chromée et des phares affichant des détails de grande précision. Son allure est rehaussée par des roues de 16, de 17 ou de 18 pouces à rayons multiples.

FORCES · Lignes réussies · Finition sans reproche · Confortable

FAIBLESSES · Direction un peu lourde à bas régime · Forme du toit qui oblige à courber l'échine pour prendre place à l'arrière

L'histoire de la Sonata a débuté en Corée du Sud en 1985, le nom Sonata était unique à ce pays. Ici nous avons eu droit à la Stellar qui rouillait tellement vite qu'on la croyait bio-dégradable. La première Sonata chez nous est arrivé en 1988 avec les jeux Olympiques de Séoul et cinq autres génération ont suivi. Beaucoup de chemin de parcouru depuis les pénibles débuts.

Notons également un coefficient de traînée de 0,28 qui favorise une meilleure consommation de carburant. Comme tous les récents produits Hyundai, la Sonata dégage une silhouette haut de gamme et le fabricant démontre une fois encore qu'il n'est pas nécessaire de payer le gros prix pour avoir fière allure, et cette recette connaît un franc succès.

[HABITACLE] L'inspiration se poursuit à l'intérieur avec un habitacle dépouillé, exempt de commandes inutiles, qui brille par sa simplicité. Le rétro-éclairage bleuté la nuit ajoute une touche de bon goût. L'espace est généreux, tant à l'avant qu'à l'arrière, mais vous aurez besoin de vous pencher un peu pour prendre place à l'arrière en raison de la ligne de toit; mais une fois à l'intérieur, pas de problème. Six coussins de sécurité gonflables, un système de contrôle électronique de la stabilité (ESC), des freins ABS et la répartition électronique de la puissance de freinage (EBD) complètent le tableau. Une radio AM/FM/XM/CD/MP3 comportant 6 haut-parleurs est livrée de série dans les Sonata GL et GLS. Les modèles Limited sont dotés, de série, d'une radio haut de gamme Dimension AM/FM/XM/changeur de 6 CD/MP3. Un système de navigation avec écran tactile est offert en option. Hyundai a aussi fait un effort au chapitre de l'insonorisation, et la Sonata n'a rien à envier à la concurrence japonaise à ce chapitre.

[MÉCANIQUE] À l'instar des berlines allemandes, Hyundai offre une mécanique proposant la technologie d'injection directe de carburant. Effectuée au moment optimal afin d'accroître l'efficacité du moteur et de diminuer la consommation, l'injection directe de carburant dans les chambres de combustion procure un meilleur contrôle du mélange air-essence. Vous obtenez donc un moteur à 4 cylindres capable de produire 198 chevaux tout en consommant un peu moins de 6 litres aux 100 kilomètres sur l'autoroute. Pour remplacer le moteur V6, un moteur à 4 cylindres Theta II GDI turbocompressé de 2 litres s'ajoute à la gamme, et, plus tard, une motorisation hybride Blue Drive alimentée par des batteries au lithium-polymère. Notez aussi que ce 4-cylindres est jumelé à une boîte de vitesses manuelle ou automatique à 6 rapports.

AVEC L'AGRESSIVITÉ QUE HYUNDAI MET AU COMBAT DEPUIS DES ANNÉES, LES JAPONAIS DEVRONT REHAUSSER LA BARRE DE LEURS PRODUITS, CAR LE CORÉEN N'EST PLUS UNE LUEUR DISTANTE DANS LE RÉTROVISEUR, IL FAIT JEU ÉGAL AVEC LES MEILLEURS À TOUS LES CHAPITRES.

[COMPORTEMENT] Notons au départ que cette nouvelle mouture de la Sonata est 25 % plus rigide en torsion et 19 % plus rigide en flexion que la génération précédente. Ajoutons à cela que l'utilisation d'acier plus léger et la disparition du V6 nous donnent une voiture qui fait 60 kilos de moins. Il y a bien ce bruit caractéristique de hautes révolutions des moteurs à 4 cylindres au moment d'accélérer (un petit défaut qui pourrait être corrigé avec quelques retouches à l'insonorisation moteur), mais une fois la vitesse

HYUNDAI STELLAR 1986 - 1987

HYUNDAI SONATA 1988

HYUNDAI SONATA 1993 - 1996

HYUNDAI SONATA 2000

HYUNDAI SONATA 2003

HYUNDAI SONATA 2009

HYUNDAI SONATA 2011

SONATA

A

B

C

D

GALERIE

A La nouvelle Sonata offre un moteur à 4 cylindres de 2,4 litres à injection directe, procurant une meilleure économie de carburant et produisant moins d'émissions polluantes. La Sonata est la première berline intermédiaire à offrir la technologie d'injection directe de carburant (GDI) de série dans un véhicule avec moteur atmosphérique.

B Le style raffiné de l'extérieur se retrouve aussi dans l'habitacle où Hyundai a créé une ambiance sophistiquée grâce à un tableau de bord et une planche centrale bien intégrés. Ces surfaces fluides, complémentant ses lignes extérieures, enveloppent avec bon goût le conducteur et les passagers.

C Un système de navigation avec écran tactile à haute résolution est offert en option sur la Sonata Limited. Ce système de navigation offre des capacités de lecture audio Bluetooth en transit. Ce système facile à utiliser peut être contrôlé à l'aide d'un écran tactile ACL de 6,5 po ou par commandes vocales via un micro intégré au pavillon. La Sonata offre de série un abonnement d'essai gratuit de 3 mois au service de radio XM Satellite.

D Comme d'autres berlines de cette catégorie, un indicateur lumineux (ECO) vous indique lorsque vous roulez de manière responsable et profitez au maximum de l'économie de carburant. Un incitatif simple, mais qui fonctionne très bien en général.

E La Sonata est toujours considérée par l'EPA comme étant une berline de grandes dimensions, une classe supérieure aux Camry, Altima, Fusion et Malibu, considérées comme étant de classe intermédiaire. Cet avantage se voit aux places arrière qui sont très spacieuses et cela se prolonge aussi dans le coffre avec 464 litres de rangement.

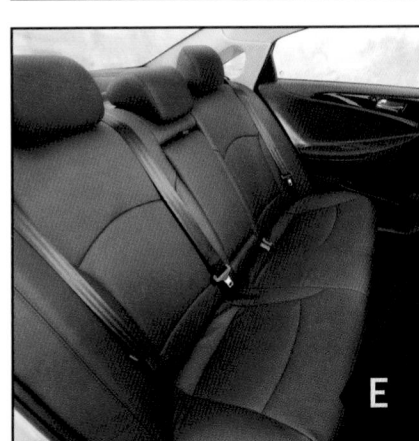

E

de croisière atteinte, le moteur devient très discret et ronronne à bas régime grâce à la boîte à 6 rapports. La direction électrique est aussi nouvelle. Elle offre une réponse un peu lente à bas régime, mais s'améliore à mesure que la vitesse augmente. Sans être sportive, ce n'est pas le but, cette Sonata se mesure sans honte aux autres berlines de la catégorie. On ressent une conduite plus haut de gamme au volant de cette nouvelle génération. Hyundai démontre à nouveau le sérieux de son approche, celle d'être capable de construire un produit de qualité supérieure tout en conservant un prix de vente réaliste. C'est cette combinaison de rigueur à prix abordable qui demeure la clé du succès de la compagnie coréenne. À chaque nouvelle génération de véhicules qui se présente, Hyundai réussit à pousser un peu plus loin cette philosophie, un exemple qui devrait inspirer la concurrence.

[CONCLUSION] Si la Hyundai Sonata réussissait jusqu'à récemment à se maintenir au milieu du peloton, elle passe maintenant à l'avant-plan des berlines intermédiaires, surtout si l'on considère que le fabricant offre un modèle de base à 22 649 $, et que, même tout équipé, le modèle haut de gamme dépassera à peine les 30 000 $. Cette nouvelle Sonata va sans l'ombre d'un doute connaître le succès. Elle rassemble toutes les qualités requises pour sérieusement ébranler la concurrence. Sur la route, non seulement est-elle jolie, mais elle est aussi agréable à conduire que les Honda Accord ou Nissan Altima. Avec l'agressivité que Hyundai met au combat depuis des années, les Japonais devront rehausser la barre de leurs produits, car le Coréen n'est plus une lueur distante dans le rétroviseur, il fait jeu égal avec les meilleurs à tous les chapitres.

2ᵉ OPINION

DANIEL RUFIANGE Avec cette nouvelle génération, la Sonata vient d'entrer dans les ligues majeures. Si la dernière génération avait impressionné à ses débuts, elle a mal vieilli. La livrée actuelle ne connaîtra pas le même sort. Lorsque j'ai pris le volant de la Sonata, le premier commentaire que je me suis fait c'est : « Enfin, la voiture profite d'un châssis rigide. » L'expérience de conduite s'en trouve transformée. La direction a gagné en précision, et la tenue de route se veut désormais rassurante. Le modèle que j'ai mis à l'essai était muni du moteur à 4 cylindres de 2,4 litres que j'ai trouvé fort intéressant et suffisamment puissant. Mon seul bémol : le design. L'enchevêtrement de stries à l'avant et sur les flancs frise le mauvais goût. À vouloir trop en faire...

5 FICHE TECHNIQUE

- **MOTEURS**
- **(L4)**

L4 2,4 l DACT, 198 ch à 6300 tr/min
Couple 184 lb-pi à 4250 tr/min
Transmission manuelle à 6 rapports, automatique à 6 rapports avec mode manuel (option pour GL)
0-100 km/h 8,0 sec
Vitesse maximale 210 km/h

- **(2.0 T)**

L4 2.0 l Turbo DACT 274 ch à 6000 tr/min
Couple 269 lb-pi à 1800 tr/min
Transmission aotomatique à 6 rapports avec mode manuel

- **AUTRES COMPOSANTES**

Sécurité active freins ABS et répartition électronique de force de freinage, antipatinage et contrôle de stabilité électronique
Suspension avant/arrière indépendante
Freins avant/arrière disques
Direction à crémaillère, assistée
Pneus GL, GLS P205/65R16 **Limited** P215/55R17
2.0 T P225/45R18

- **DIMENSIONS**

Empattement 2795 mm
Longueur 4820 mm
Largeur 1835 mm (sans rétroviseurs)
Hauteur 1470 mm
Poids GL man. 1437 kg
GL auto., GLS, Limited 1454 kg
Diamètre de braquage 10,9 m
Coffre 464 l
Réservoir de carburant 70 l

NOS MENTIONS

 Clé d'or de sa catégorie

 Modèle recommandé

 Coup de coeur

NOTRE VERDICT

Plaisir au volant	●●●●◖
Qualité de finition	●●●●○
Consommation	●●●○○
Rapport qualité/prix	●●●○○
Valeur de revente	Nm

TUCSON

www.hyundai.ca

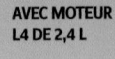

NOUVEAUTÉ

24 759 $ à 34 209 $
transport et préparation: 1760 $

LA COTE VERTE

AVEC MOTEUR L4 DE 2,4 L

- **Consommation (100km):**
  man. 8,2 l
  auto 7,7 l
  auto 4RM 8,5 l
- **Émissions polluantes CO_2:**
  man. 3818 kg/an
  auto 3588 kg/an
  auto 4RM 3956 kg/an
- **Empreinte écologique (nombre d'arbres à planter par année): 25**
- **Indice d'octane:** 87
- **Autre motorisation:** non
- **Coût du carburant moyen par année:**
  man. 1660 $
  auto 1560 $
  auto 4RM 1720 $
- **Nombre de litres par année: man.** 1660 l
  auto 1560 l
  auto 4RM 1720 l

(SOURCE: ÉnerGuide)

TOUT DANS LE DESIGN

PAR BENOIT CHARETTE

FICHE D'IDENTITÉ

- **Versions** GL, GL 4RM, GLS, GLS 4RM, Limited 4RM
- **Roues motrices** avant, 4
- **Portières** 5 **Nombre de passagers** 5
- **Première génération** 2005
- **Génération actuelle** 2011
- **Construction** Ulsan, Corée du Sud
- **Sacs gonflables** 2 (frontaux)
- **Concurrence** Chevrolet Equinox, Ford Escape, Honda CR-V, Jeep Liberty, Kia Sportage, Mitsubishi Outlander, Subaru Forester, Suzuki Grand Vitara, Toyota RAV4

AU QUOTIDIEN

- **Prime d'assurance**
  25 ans: 1400 à 1600 $
  40 ans: 1000 à 1200 $
  60 ans: 900 à 1100 $
- **Collision frontale** nm
- **Collision latérale** nm
- **Ventes du modèle de l'an dernier**
  Au Québec 1686 **Au Canada** 7278
- **Dépréciation** 48,3 %
- **Rappels** (2005 à 2010) 5
- **Cote de fiabilité** 4/5

GARANTIES... ET PLUS

- **Garantie générale** 5 ans/100 000 km
- **Garantie motopropulseur** 5 ans/100 000 km
- **Perforation** 5 ans/kilométrage illimité
- **Assistance routière** 3 ans/kilométrage illimité
- **Nombre de concessionnaires**
  Au Québec 60 **Au Canada** 186

NOUVEAUTÉS EN 2011

- Nouvelle génération dévoilée à la fin 2009

Les constructeurs coréens ont compris quelque chose d'important dans la perception des consommateurs face à l'automobile. Peu importe où le client se situe sur la planète, il veut toujours avoir l'impression d'en avoir pour son argent. Il y a quelques années à peine, les produits coréens étaient comme de la crème glacée à la vanille. C'est bien, mais la crème glacée à la vanille n'a jamais fait naître des passions effrénées. Depuis peu, Hyundai et sa consœur Kia ont décidé d'en mettre plein la vue en proposant des styles qui sortent des sentiers battus. Vous avez toujours un véhicule à prix abordable, mais ce dernier semble coûter le double. La dernière Sonata et le nouveau Tucson sont des exemples probants de cette nouvelle politique du style. On met beaucoup l'accent sur le contenu. Toutefois, certains diront qu'on laisse un peu en friche le contenant. Les matériaux ne sont pas à l'égale de la fabrication allemande, les plastiques sont parfois un peu durs, mais c'est tout aussi bien que beaucoup de concurrentes japonaises. Disons que, pour le moment, les chiffres de ventes donnent largement raison à cette nouvelle approche.

[CARROSSERIE] Fini le design sans saveur des productions Hyundai, la marque coréenne réagit et propose des nouveautés pour le moins séduisantes. Là où, autrefois, tous les petits utilitaires se ressemblaient, le nouveau Tucson brise le moule et se donne une saveur internationale qui sera à l'aise tant en Europe que chez nous. Hyundai s'est concentrée à rendre le regard plus expressif, les lignes plus dynamiques avec, notamment, des angles plus saillants, des courbes plus étudiées. D'un point de vue strictement visuel, le Tucson est vraiment réussi. Le petit utilitaire repose aussi sur une nouvelle plateforme plus rigide mais aussi plus légère qui a permis d'abaisser le poids de 29 kilos. C'est le premier Tucson que je trouve réellement désirable, un puissant argument de vente. Pour séduire une clientèle internationale, Hyundai a confié au centre de design de Rüsselsheim, en Allemagne, le soin de dessiner le concept ix-ionic qui est pour ainsi devenu le nouveau Tucson.

[HABITACLE] Même constat à l'intérieur où le tableau de bord est complètement remodelé avec

FORCES · Silhouette superbe · Ergonomie exemplaire · Confort à la hausse · Boîte à 6 rapports moderne

FAIBLESSES · Capacité de remorquage plus faible avec le 4-cylindres · Visibilité arrière un peu faible

une ambiance plus moderne et une qualité de fabrication en hausse. Pour établir un point de comparaison, je dirais que les Coréens se sont inspirés d'Infiniti pour concevoir leur intérieur, ce qui n'est pas mauvais en soi. L'empattement plus long de 7 centimètres du nouveau Tucson se traduit par plus d'espace pour les jambes, particulièrement à l'arrière. L'espace de chargement est également plus volumineux de 13 % par rapport à la précédente génération. Hyundai offre également, moyennant supplément, le premier toit ouvrant panoramique de son histoire. Le panneau avant du toit ouvrant s'ouvre en inclinaison ou entièrement par glissement au-dessus du panneau arrière. L'habitacle dispose de série d'un rétroéclairage bleu ainsi que de glaces électriques, du verrouillage électrique, de rétroviseurs rabattables et du télédéverrouillage avec alarme et bouton de panique. Le système à mains libres Bluetooth à reconnaissance vocale et les commandes audio et du régulateur de vitesse montées au volant sont également offerts de série. Une autre caractéristique offerte dans le Tucson Limited est l'ioniseur « CleanAir » nettoyant automatiquement l'air de l'habitacle quand le chauffage ou la climatisation est activée. Entre autres caractéristiques offertes, mentionnons les sièges en cuir, les baquets avant chauffants, le siège du conducteur à réglage électrique avec soutien lombaire, les phares automatiques, les

SI HYUNDAI SE CONTENTAIT AUTREFOIS D'ÊTRE DANS LA BONNE MOYENNE À MEILLEUR PRIX, ELLE PREND MAINTENANT DU POIDS ET OFFRE UN PRODUIT EN TOUS POINTS CONCURRENTIEL. IL FAUT MAINTENANT LE COMPARER AVEC CE QUI SE FAIT DE MIEUX COMME LE CR-V ET LE RAV4.

clignotants intégrés aux rétroviseurs extérieurs, le système de déglaçage des essuie-glaces du pare-brise et la régulation automatique à double zone de la température. Les amateurs apprécieront la chaîne audio AM/FM/XM/CD/MP3 de 160 watts avec 6 haut-parleurs, offerte de série sur la version Limited. Il y a même un système de navigation en option.

[MÉCANIQUE] Hyundai suit une tendance certaine dans le monde de l'automobile en diminuant le format de ses mécaniques. Ainsi, les V6 sont maintenant interdits de séjour dans le Tucson. Un seul moteur à 4 cylindres de 2,4 litres se chargera de faire bouger le véhicule. À 176 chevaux, ce moteur Theta offre à peu de choses près la même puissance que l'ancien V6. Hyundai qui ne veut pas traîner de la patte en matière d'avancement technolo-gique a doté le Tucson d'une nouvelle boîte de vitesses automatique à 6 rapports qui constitue 90 % des ventes. Une boîte manuelle à 6 rapports est également offerte. Pour l'année modèle 2011, Hyundai lancera un modèle « Blue » qui sera propulsé par un moteur de 2 litres offrant plus de puissance et une meilleure économie de carburant que le moteur à 4 cylindres Beta du Tucson 2009. Afin d'offrir une meilleure consommation de carburant et de réduire les émissions polluantes, le moteur Theta II de 2 litres sera doté du calage variable continu des soupapes d'admission et d'échappement (Double CVVT).

Le Tucson a débuté sa carrière en 2005 et arrive seulement à sa 2e génération. Mais à travers les différents concepts présentés aux fils des dernières années, on comprend que les concepteurs travaillaient sur un nouveau design dès 2006 avec la présentation du Talus au salon de l'auto de Détroit. On voit ensuite l'évolution dans les lignes avec le concept HED 5 présenté au salon de l'auto de Genève en 2008. Des courbes qui se retrouvent dans la version définitive du Tucson.

HYUNDAI TUCSON PROTO 2004

HYUNDAI TUCSON 2005

HYUNDAI TUCSON HYDROGÈNE 2005

HYUNDAI TALUS CONCEPT 2006

HYUNDAI HED 2008

HYUNDAI iX35 2009

HYUNDAI TUCSON 2011

TUCSON

A

B

C

GALERIE

A Le Tucson est le premier véhicule multisegment utilitaire conçu et développé dans les centres de design et techniques de Hyundai situés à Francfort en Europe. Les lignes athlétiques d'inspiration européenne affichent un contraste surprenant par rapport à son prédécesseur et représente une grande amélioration à plusieurs niveaux.

B Le thème du design en X se retrouve dans de nombreux détails dans l'habitacle tandis que des garnitures chromées ajoutent une touche « haut de gamme » à son aménagement. Le Tucson peut également être doté d'un système de navigation en option avec caméra de recul. En marche arrière, la caméra de recul s'active automatiquement, offrant une vue arrière grand-angle contribuant à réduire les risques d'accident. Ce système de navigation offre des capacités audio Bluetooth en transit. Ce système facile à utiliser peut

C être contrôlé à l'aide de l'écran ACL tactile de 6,5 po ou par commandes vocales via un micro intégré au pavillon.

Le Tucson est doté d'un système de traction intégrale électronique de haute technologie appelé JTEKT. Ce système de traction intégrale s'active automatiquement lorsque les conditions routières l'exigent, distribuant la puissance à parts égales et optimisant ainsi les performances de conduite. Sous des conditions normales, le système distribue toute la puissance aux roues avant seulement afin de réduire la consommation de carburant.

D Le système comprend un mode de verrouillage de la traction intégrale activé par le conducteur répartissant le couple 50/50 entre les roues avant et arrière pour la conduite hors route ou lorsque la chaussée est très glissante. Pour encore plus de contrôle, le Tucson 2011 est doté du premier système d'assistance au départ en montée et de contrôle du freinage en descente de Hyundai.

Le moteur 4 cylindres en ligne Theta II de 2,4 litres offre à peu près la même puissance et la même accélération que le V6 du Tucson de précédente génération tout en procurant

E une économie de carburant 20 % supérieure à l'ancien moteur 4 cylindres. Sa cote de consommation impressionnante est estimée à 9,0 litres/100 km (ville) et 6,3 litres/100 km (autoroute) avec la boîte automatique à 6 rapports.

D

E

[COMPORTEMENT] Sur les routes accidentées et tortueuses des canyons de la région de Malibu, nous avons pu constater les progrès dynamiques du Tucson. Une première bonne note pour le confort et la rigidité du châssis qui ne laisse pas place à la critique. Il est clair que le moteur à 4 cylindres ne pousse pas aussi fort que le V6, mais les 176 chevaux répondent présents, même si certaines montées ont demandé un effort supplémentaire. La boîte automatique à 6 rapports offre un complément idéal au moteur. Même dans les côtes les plus abruptes, la boîte ne chassait pas d'un rapport à l'autre et conservait une belle homogénéité. La boîte manuelle est offerte uniquement pour pouvoir annoncer le véhicule à plus bas prix. Elle est intéressante, mais je lui ai préféré de beaucoup la boîte automatique. Afin de rendre le véhicule encore plus polyvalent, les ingénieurs de Hyundai ont doté le Tucson d'un système de transmission intégrale électronique de haute technologie appelé JTEKT. Ce système de transmission intégrale s'active automatiquement quand les conditions routières l'exigent, distribuant la puissance aux roues à parts égales et optimisant ainsi les performances de conduite. Dans des conditions normales, le système distribue toute la puissance aux roues avant seulement afin de réduire la consommation de carburant. Le système comprend un mode de verrouillage de la transmission intégrale activé par le conducteur répartissant le couple 50/50 entre les roues avant et arrière pour la conduite hors route ou quand la chaussée est très glissante. Le Tucson 2010 est aussi doté du premier système d'assistance au départ en montée et de contrôle du freinage en descente de Hyundai.

[CONCLUSION] Si Hyundai se contentait autrefois d'être dans la bonne moyenne à meilleur prix, elle prend maintenant du poids et offre un produit en tous points concurrentiel. Il faut maintenant le comparer avec ce qui se fait de mieux comme le CR-V et le RAV4. Ce nouveau Tucson est plus joli, mieux construit et plus spacieux que ses concurrents, sans oublier la garantie, elle aussi supérieure. Que voulez-vous demander de plus?

2e OPINION

FRANCIS BRIÈRE Hyundai a décidé de prendre les choses en main. En ce qui a trait à la conception et au style, je crois que le constructeur coréen réussit à séduire une quantité d'acheteurs. Ce Tucson de dernière génération a de quoi charmer: une silhouette à la mode, un intérieur à la fine pointe et un comportement routier plus sportif. Le prix de base du Tucson est juste, mais si vous souhaitez acquérir la totale, la livrée Limited, il vous faudra débourser 35 000 $. Or, à ce prix, vous pouvez vous payer un Santa Fe qui, à mon avis, est plus pratique, plus confortable et consomme à peine plus de carburant. Le choix n'est pas difficile à faire.

⑤ FICHE TECHNIQUE

• MOTEUR
L4 2,4 l DACT, 176 ch à 6000 tr/min
Couple 168 lb-pi à 4000 tr/min
Transmission manuelle à 6 rapports (GL), automatique à 6 rapports avec mode manuel (option pour GL)
0-100 km/h 10,6 s
Vitesse maximale 180 km/h

• AUTRES COMPOSANTES
Sécurité active freins ABS, antipatinage, contrôle de stabilité électronique
Suspension avant/arrière indépendante
Freins avant/arrière disques
Direction à crémaillère, assistée
Pneus GL, GLS P225/60R17 **Limited** P225/55R18

• DIMENSIONS
Empattement 2640 mm
Longueur 4400 mm
Largeur 1820 mm (sans rétroviseurs)
Hauteur 1655 mm
Poids GL man. 2RM 1439 kg,
GL auto 4RM 1529 kg ,
GLS 4RM et Limited 1582 kg
Diamètre de braquage 10,6 m
Coffre 728 l, 1580 l (sièges abaissés)
Réservoir de carburant 55 l
Capacité de remorquage 907 kg (avec remorque dotée de freins)

NOS MENTIONS

 Clé d'or de sa catégorie

 Modèle recommandé

NOTRE VERDICT

Plaisir au volant	⬡⬡⬡⬡⬡
Qualité de finition	⬡⬡⬡⬡⬡
Consommation	⬡⬡⬡⬡⬡
Rapport qualité/prix	⬡⬡⬡⬡⬡
Valeur de revente	Nm

VERACRUZ

www.hyundaicanada.ca

34 759 $ à 45 059 $
transport et préparation : 1760 $

LA COTE VERTE

MOTEUR
V6 DE 3,8 L

- **Consommation (100km):**
  2RM 10,6 l
  4RM 11,1 l
- **Émissions polluantes CO_2 :**
  2RM 4968 kg/an
  4RM 5198 kg/an
- **Empreinte écologique (nombre d'arbres à planter par année):** 33
- **Indice d'octane:** 87
- **Autre motorisation:** non
- **Coût du carburant moyen par année:**
  2RM 2160 $
  4RM 2260 $
- **Nombre de litres par année:**
  2RM 2160 l
  4RM 2260 l

(SOURCE: ÉnerGuide)

3|4

LE PREMIER À OSER

PAR MICHEL CRÉPAULT

QUAND LE CONSTRUCTEUR SUD-CORÉEN NOUS A SORTI SON VERACRUZ EN 2008, NOUS AVONS ÉTÉ PLUSIEURS À HOCHER LA TÊTE EN SIGNE DE SCEPTICISME : UN HYUNDAI À PRÈS DE 50 000 $? Ils sont complètement maboul ! Or, non seulement ce large utilitaire bien tourné a-t-il réussi à fermer le clapet à la majorité des disciples du capitaine Bonhomme, mais il a été le premier véhicule de la marque à se débarrasser des complexes qui reléguaient le fabricant dans les allées bon marché. Depuis ce temps, tout ce que touche Hyundai se transforme en ventes, comme le prouvent éloquemment les succès récents de la Genesis et de la Sonata.

[CARROSSERIE] Alors que le marché étatsunien marche à coups d'ensembles et d'options qui s'annulent ou s'additionnent, les livrées GL, GLS et Limited proposées au Canada embarquent un équipement fort complet, au point que les options se limitent à des accessoires très secondaires comme un protège-capot ou un marchepied. Les roues varient de 17 à 18 pouces. Le Veracruz a été érigé sur la plateforme étirée du Santa Fe et,

ma foi, il rappelle un peu le CX-9 de Mazda.

[HABITACLE] Les insérés de bois et l'éclairage bleuté des cadrans nous transportent dans un univers réservé aux véhicules dits de luxe. L'ambiance huppée se marie avec une évidente finition de qualité. Des stylistes ont bien fait leurs devoirs et, heureusement, l'assemblage a suivi. Dans les faits, quand nous apprenons que le Lexus RX 350 a servi d'inspiration aux géniteurs du Veracruz, on comprend tout. Les gâteries incluses de série même dans le menu du GL sont exceptionnellement nombreuses : sièges en tissu chauffants, radio satellite XM, prises pour iPod, sonar de recul, pour ne nommer que celles-là. Grâce à un coût de revient dont les Coréens ont semble-t-il une maîtrise particulière, le modèle Limited comprend, entre autres, la sellerie de cuir, des systèmes de navigation et de divertissement haut de gamme et un hayon à ouverture électrique. À l'instar toujours du Mazda CX-9, tous les Veracruz s'amènent avec une troisième rangée de sièges, mais nous conviendrons qu'il faut être souple en titi pour en apprécier l'accessibilité

① FICHE D'IDENTITÉ

- **Versions** GL, GLS, Limited
- **Roues motrices** avant, 4
- **Portières** 4 **Nombre de passagers** 7
- **Première génération** 2008
- **Génération actuelle** 2008
- **Construction** Ulsan, Corée du Sud
- **Sacs gonflables** 6 (frontaux, latéraux, rideaux latéraux)
- **Concurrence** Acura MDX, BMW X5, Honda Pilot, Mazda CX-9, Mercedes-Benz ML, Toyota Highlander, Volkswagen Touareg, Volvo XC90

② AU QUOTIDIEN

- **Prime d'assurance**
  25 ans : 1700 à 1900 $
  40 ans : 1100 à 1300 $
  60 ans : 1000 à 1200 $
- **Collision frontale** 5/5
- **Collision latérale** 5/5
- **Ventes du modèle de l'an dernier**
  Au Québec 295 **Au Canada** 1525
- **Dépréciation** 53,0 %
- **Rappels** (2005 à 2010) 1
- **Cote de fiabilité** 4/5

③ GARANTIES... ET PLUS

- **Garantie générale** 5 ans/100 000 km
- **Garantie motopropulseur** 5 ans/100 000 km
- **Perforation** 5 ans/kilométrage illimité
- **Assistance routière** 3 ans/kilométrage illimité
- **Nombre de concessionnaires**
  Au Québec 60 **Au Canada** 186

④ NOUVEAUTÉS EN 2011

- Aucun changement majeur

FORCES • Fait tout bien avec une homogénéité qui échappait à l'industrie sud-coréenne il y a quelques années • Équipement standard luxuriant

FAIBLESSES • Accomplit son travail sans briller • Plaisir de conduire remplacé par le plaisir de posséder un utilitaire bien équipé • Troisième banquette réservée aux enfants

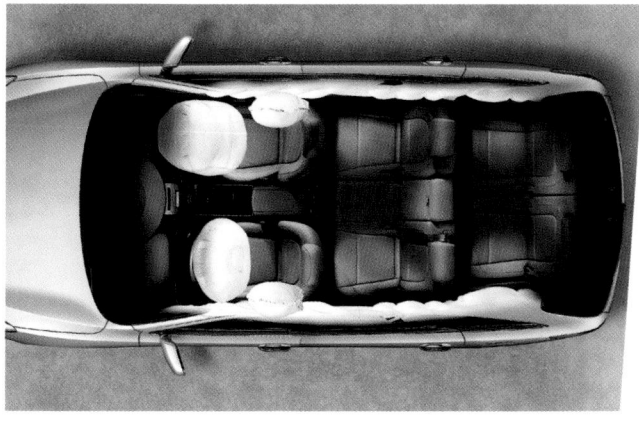

et le dégagement. L'espace de chargement est décent, mais il faut sacrifier des places assises pour vraiment l'améliorer.

[MÉCANIQUE] En jetant votre dévolu sur le modèle de base, vous héritez d'un Veracruz à roues motrices avant; en optant pour les deux autres versions, ce sera la transmission intégrale sur demande (elle intervient quand l'arrière patine, et vous pouvez la verrouiller en-deçà de 30 km/h). Le V6 de 3,8 litres à calage continu des 24 soupapes développe 260 chevaux et produit un couple de 257 livres-pieds. Une seule boîte de vitesses automatique SHIFTRONIC est au programme et elle comporte 6 rapports. Comptez entre 9 et 10 secondes au test du 0 à 100 km/h, selon la motricité choisie, ce qui n'est pas mal du tout vu le gabarit du véhicule.

[COMPORTEMENT] Personne ne décernera un prix au Veracruz pour la vivacité de sa tenue de route. La suspension privilégie la souplesse de manière un peu exagérée, la direction communique un minimum d'information, les virages serrés et les nids-de-poule ne sont pas sa tasse de thé. Mais, dans l'ensemble, qu'on se comprenne bien, ce gros machin s'en tire honorablement, sans mauvaise surprise (mais également sans éclat). L'insonorisation est exemplaire, ce qui nous laisse le loisir d'apprécier la sono Infinity. En promenant votre regard sur l'élégant tableau de bord, vous vous féliciterez surtout de l'avoir obtenu avec tout plein d'extras vendus d'ordinaire plus cher par la concurrence.

[CONCLUSION] Dans la catégorie des gros utilitaires, on en trouve certes qui sont plus athlétiques, plus luxueux et plus spacieux que le Veracruz. Mais on en trouve peu qui offrent une telle qualité à un tel prix accompagnée d'une telle garantie. En réalité, il est difficile de prendre le Veracruz en gros défaut. Il n'a pas d'autre choix que de figurer sur votre liste de magasinage, à moins qu'une conduite sportive fasse aussi partie de vos critères essentiels.

2ᵉ OPINION

BENOIT CHARETTE Construit sur une plateforme allongée du Santa Fe, le Veracruz s'adresse d'abord et avant tout à ceux qui ont souvent de longs trajets à franchir et qui désirent le faire dans la douceur et le confort d'une cabine bien insonorisée. La suspension assez souple souffre de quelques petits défauts comme une certaine difficulté à absorber les petits nids-de-poule qui viennent résonner dans la colonne. D'un autre côté, vous obtiendrez de série bien des équipements qui viennent en option sur des modèles concurrents. En fin de parcours, vous obtenez un véhicule spacieux, capable d'accueillir sept personnes, bien équipé et accroché à une solide garantie. Un bon choix dans cette catégorie d'utilitaires de grand format.

⑤ FICHE TECHNIQUE

· MOTEUR
· V6 3,8 l DACT, 260 ch à 6000 tr/min
Couple 257 lb-pi à 4500 tr/min
Transmission automatique à 6 rapports avec mode manuel
0-100 km/h 9,8 s
Vitesse maximale 180 km/h

· AUTRES COMPOSANTES
Sécurité active freins ABS, antipatinage, contrôle de stabilité électronique, assistance au freinage, distribution électronique de la force de freinage
Suspension avant/arrière indépendante
Freins avant/arrière disques
Direction à crémaillère, assistée
Pneus GL P235/65R17, **GLS/Limited** P245/60R18

· DIMENSIONS
Empattement 2805 mm
Longueur 4840 mm
Largeur 1945 mm (sans rétro.)
Hauteur 1807 mm
Poids 1935 kg, **4RM** 2010 kg
Diamètre de braquage 11,2 m
Coffre 184 l, 2458 l (sièges abaissés)
Réservoir de carburant 78 l
Capacité de remorquage 1588 kg

NOS MENTIONS

☺ Modèle recommandé

NOTRE VERDICT

Plaisir au volant	●	●	●	◖
Qualité de finition	●	●	●	◖
Consommation	●	○		
Rapport qualité/prix	●	●	●	●
Valeur de revente	●	●	●	

EX35

www.infiniti.ca

ÉVOLUTION

N
J É

41 250 $
transport et préparation: 1825 $

LA COTE VERTE

MOTEUR
V6 de 3,5 L

- **Consommation (100km):** 10,8 l
- **Émissions polluantes CO$_2$:** 5060 kg/an
- **Empreinte écologique (nombre d'arbres à planter par année):** 32
- **Indice d'octane:** 91
- **Autre motorisation:** non
- **Coût du carburant moyen par année:** 2464 $
- **Nombre de litres par année:** 2200 l

(SOURCE: ÉnerGuide)

① FICHE D'IDENTITÉ

- **Versions** base
- **Roues motrices** 4
- **Portières** 5 **Nombre de passagers** 5
- **Première génération** 2008
- **Génération actuelle** 2008
- **Construction** Tochigi, Japon
- **Sacs gonflables** 6 (frontaux, latéraux avant, rideaux latéraux)
- **Concurrence** Acura RDX, BMW X3, Hummer H3, Land Rover LR2

② AU QUOTIDIEN

- **Prime d'assurance**
  25 ans: 2800 à 3000 $
  40 ans: 1500 à 1700 $
  60 ans: 1200 à 1400 $
- **Collision frontale** 4/5
- **Collision latérale** 5/5
- **Ventes du modèle de l'an dernier**
  Au Québec 432 **Au Canada** 1785
- **Dépréciation** (2 ans) 36,7 %
- **Rappels** (2005 à 2010) 2
- **Cote de fiabilité** 4/5

③ GARANTIES... ET PLUS

- **Garantie générale** 4 ans/100 000 km
- **Garantie motopropulseur** 6 ans/110 000 km
- **Perforation** 7 ans/kilométrage illimité
- **Assistance routière** 4 ans/kilométrage illimité
- **Nombre de concessionnaires**
  Au Québec 6 **Au Canada** 29

④ NOUVEAUTÉS EN 2011

- Boîte de vitesses à sept rapports
- Roues de 18 pouces de série
- 3 nouvelles couleurs de carrosserie

PETIT LUXE À GROS PRIX

PAR FRANCIS BRIÈRE

POUR LA MODIQUE SOMME D'ENVIRON 50 000 DOLLARS, LES PETITS VÉHICULES UTILITAIRES DE LUXE OFFRENT LE PRESTIGE ET L'AGRÉMENT QU'ON RETROUVE DANS LES BERLINES DE RENOM, MAIS ILS PROPOSENT ÉGALEMENT UNE ALLURE À LA MODE. La clientèle féminine apprécie particulièrement la conduite en hauteur et la facilité avec laquelle on monte à bord de ces petits camions. De plus, malgré le centre de gravité relativement élevé, ils offrent une tenue de route sûre et un certain plaisir de conduire. Évidemment, l'appréciation de ces caractéristiques demeure arbitraire, mais l'EX35 d'Infiniti ne trouve pas preneur autant que les dirigeants du constructeur le souhaiteraient. Pourquoi ?

[CARROSSERIE] Voici un véhicule dont le style et la catégorie demeurent mystérieux. En observant un EX35 de près, difficile d'affirmer s'il s'agit d'une voiture familiale, d'un véhicule multi-segment ou, encore, d'un utilitaire sport. Quoi qu'il en soit, l'espace de chargement n'impressionne guère. Il se distingue de la concurrence par son profil plus bas et par son style plus arrondi. Il semble que le style de ce véhicule soit justement son principal argument de vente, mais les concessionnaires québécois peinent à en vendre une poignée annuellement. Du reste, l'EX35 affiche des lignes très féminines tout en courbes et en sensualité.

[HABITACLE] La finition intérieure est sublime, de même que le confort des sièges. Ce sont probablement parmi les meilleurs de l'industrie, malgré une assise qui manque un peu d'amplitude. Déplorons les dispositifs électroniques intrusifs et le nombre de boutons et de commandes qui exigent des connaissances avancées ou un diplôme d'ingénieur. Tout en se réjouissant de la qualité de la présentation et du style de la planche de bord, le propriétaire d'un EX35 ressentira de la frustration devant l'apprentissage du fonctionnement de tous ces dispositifs et gadgets. Chez Infiniti et Lexus, les ingénieurs ont cette tendance à équiper les véhicules de systèmes alertant le conducteur de façon intrusive. C'est franchement agaçant. Le pire défaut de l'EX35 est

FORCES · Intérieur luxueux · Sièges exceptionnels · Tenue de route précise · Moteur puissant

FAIBLESSES ·Espace de chargement ridicule · Consommation de carburant · Prix élevé

sans contredit son manque d'espace. De fait, une Nissan Sentra vous en procurera autant et, même, davantage.

[MÉCANIQUE] L'Infiniti EX35 possède le moteur le plus puissant des trois concurrents, un V6 de 3,5 litres qui a fait ses preuves chez Nissan. Avec une puissance de près de 300 chevaux, cet engin est le plus performant offert dans cette catégorie de véhicules. Du reste, on a bien peu à reprocher à l'EX35 quand il s'agit de mécanique. On s'étonne tout de même de constater que le constructeur japonais n'offre qu'une boîte de vitesses à 7 rapports. Les constructeurs allemands proposent une technologie plus actuelle qui contribue à réduire la consommation de carburant, entre autres avec des boîtes à 7 rapports. Justement, le V6 de l'Infiniti EX35 brûle encore trop de carburant. Il faut s'attendre à une consommation de plus de 13 litres aux 100 kilomètres, surtout si votre parcours est de nature urbaine.

[COMPORTEMENT] Si la tenue de route est marquée par la douceur et la précision, nous devons admettre que l'ingénierie japonaise n'a pas encore réussi à produire des véhicules aussi solides et aussi rigides que ne le font les Allemands. On retrouvera une plus grande rigidité de caisse avec un BMW X3 ou un Mercedes-Benz GLK. En revanche, le véhicule offre une direction précise, une puissance inspirante et une douceur de roulement peu commune dans cette catégorie.

[CONCLUSION] Les gens d'Infiniti affirment que l'EX35 est bien équipé à un prix de base de 41 000 $. Si le goût du luxe vous habite, vous pouvez ajouter les groupes privilège, voyage, technologie et navigation pour un total de 11 000 $. Avec les taxes de vente, votre EX35 coûtera plus de 60 000 $. Indécent! Pour un véhicule offrant si peu d'espace, c'est trop. Mais, on ne peut empêcher un cœur d'aimer un produit de style qui possède d'excellentes qualités sur la route. Du reste, on ne peut que constater l'insuccès que connaît Infiniti avec son EX35.

2ᵉ OPINION

FRÉDÉRIC MASSE Dans les petits pots les meilleurs onguents, dit le proverbe. Dans le cas de l'EX, le plus petit VUS de cette catégorie, c'est vrai à 75 %. En réalité, avant même d'avoir fait un seul mètre derrière son volant, il est facile de constater qu'il se destine à une famille de cinq personnes. Plus petit que ses concurrents, il sacrifie l'espace de chargement et la place pour les passagers arrière au profit d'une conduite vive et agréable. Basé sur le châssis de la G, il propose les mêmes manières que cette dernière, mais avec un moteur un peu moins puissant. Car, il faut le rappeler, l'EX n'a pas fait le saut au 3,7-litres. Toutefois, ce qu'il sacrifie en puissance, l'EX le redonne en confort. À l'intérieur, c'est tout à fait Infiniti : bien fini et dégageant une atmosphère technologique pas vilaine du tout. Avec l'EX, il faut donc savoir ce qu'on veut (ou ce qu'on ne veut pas). On veut du plaisir, de la fiabilité et un véhicule nerveux. Si c'est ce qu'on cherche, on sera servi.

5 FICHE TECHNIQUE

MOTEUR

V6 3,5 l DACT, 297 ch à 6800 tr/min	
Couple 253 lb-pi à 4800 tr/min	
Transmission automatique à 7 rapports avec mode manuel	
0-100 km/h 6,2 s	
Vitesse maximale 235 km/h	

AUTRES COMPOSANTES

Sécurité active freins ABS, répartition électronique de force de freinage, assistance au freinage, antipatinage, contrôle de stabilité électronique	
Suspension avant/arrière indépendante	
Freins avant/arrière disques	
Direction à crémaillère, assistée	
Pneus P225/55R18	

DIMENSIONS

Empattement 2850 mm	
Longueur 4631 mm	
Largeur 1803 mm	
Hauteur 1589 mm	
Poids 1776 kg	
Diamètre de braquage 12,3 m	
Coffre 527 l	
Réservoir de carburant 76 l	

NOS MENTIONS

☺ Modèle recommandé

NOTRE VERDICT

Plaisir au volant	⬢⬢⬢⬢⬡
Qualité de finition	⬢⬢⬢⬡⬡
Consommation	⬢⬡⬡⬡⬡
Rapport qualité/prix	⬢⬢⬢⬡⬡
Valeur de revente	⬢⬢⬢⬡⬡

LA COTE VERTE

**MOTEUR
V6 DE 3,5**

- **Consommation (100km):** 11,3 l
- **Émissions polluantes CO_2 :** 5280 kg/an
- **Empreinte écologique (nombre d'arbres à planter par année):** 33
- **Indice d'octane:** 91
- **Autre motorisation:** non
- **Coût du carburant moyen par année:** 2576 $
- **Nombre de litres par année:** 2300 l

(SOURCE: ÉnerGuide)

 FICHE D'IDENTITÉ

- **Versions** 35, 50
- **Roues motrices** 4
- **Portières** 5 **Nombre de passagers** 5
- **Première génération** 2003
- **Génération actuelle** 2009
- **Construction** Tochigi, Japon
- **Sacs gonflables** 6 (frontaux, latéraux, rideaux latéraux)
- **Concurrence** Acura MDX, Audi Q7, BMW X5, Cadillac SRX, Jeep Grand Cherokee, Land Rover LR4, Lexus RX, Mercedes-Benz Classe M, Porsche Cayenne, Volkswagen Touareg, Volvo XC90

 AU QUOTIDIEN

- **Prime d'assurance**
  25 ans: 2400 à 2600 $
  40 ans: 1300 à 1500 $
  60 ans: 1100 à 1300 $
- **Collision frontale** 5/5
- **Collision latérale** 5/5
- **Ventes du modèle de l'an dernier**
  Au Québec 198 Au Canada 919
- **Dépréciation** 48,4 %
- **Rappels** (2005 à 2010) 6
- **Cote de fiabilité** 3,5/5

 GARANTIES... ET PLUS

- **Garantie générale** 4 ans/100 000 km
- **Garantie motopropulseur** 6 ans/110 000 km
- **Perforation** 7 ans/kilométrage illimité
- **Assistance routière** 4 ans/kilométrage illimité
- **Nombre de concessionnaires**
  Au Québec 6 Au Canada 29

 NOUVEAUTÉS EN 2011

- Roues de 20 pouces disponible avec V6
- Hayon à ouverture électrique de série

CONCENTRÉ D'ÉNERGIE

PAR MICHEL CRÉPAULT

S'IL NE PLEUT PAS SUR NOS ROUTES, AVOUONS QUE LE FX N'EST PAS DONNÉ; MAIS POUR L'ARGENT DÉPENSÉ, ON OBTIENT BEAUCOUP. Puisque la refonte de la 2ᵉ génération remonte tout juste à 2009, le duo de luxueux multisegments poursuit son discret chemin.

[CARROSSERIE] Les proportions sont harmonieuses, et les détails affirment l'unicité. Le nez est classique, mais les phares brillent d'une géométrie complexe; les ouïes, qui épousent les ailes avant, ajoutent une touche de sportivité. J'aime les saillies qui bornent le capot et l'arc audacieux du pavillon. Le résultat donne une machine qui chasse la grisaille du parc d'automobiles et qui semble conçue pour l'autobahn. Bonne chance si vous essayez de noter les différences visuelles entre les modèles 35 et 50 (qui a succédé au 45 en 2008), hormis les badges.

[HABITACLE] Je suis un fanatique du régulateur de vitesse intelligent et du bidule qui semonce ma conduite erratique (un signal sonore résonne quand je piétine la ligne blanche sans raison autre qu'une dangereuse fatigue). Ces trouvailles m'émeuvent autant que quand Skype m'autorise à voir ma sœur à Stockholm ! Que voulez-vous, le progrès, moi, ça me captive ! Au lieu de dire « Mais où s'en va-t-on ? », je clame « Emmenez-moi ! ». J'essaie de me contrôler, comme la fois où j'ai refusé de coucher devant une boutique Apple pour me procurer un iPad avant tout le monde. Quoi de mieux que la cabine d'un FX pour calmer la fièvre des gadgets : système de navigation dernier cri doublé d'un disque dur pour emmagasiner votre discothèque, caméra qui ceinture tout le véhicule, Bluetooth, sono Bose qui accepte les clefs USB, ensembles d'accessoires (Techno ou Sport) qui en jettent encore plus. Le seul petit péché commis par les FX serait l'exiguïté relative de la banquette arrière.

[MÉCANIQUE] Le V6 de 3,5 litres a reçu 28 chevaux de plus l'an dernier pour hausser sa puissance à 303. La boîte de vitesses automatique à 7 rapports a remplacé la boîte à 5 rapports avec laquelle le FX est venu au monde en 2003. Boîte identique

FORCES · Silhouette qui ravit l'oeil · Accessoires avant-gardistes de série et en option · Deux bons moteurs au diapason de notre budget
FAIBLESSES · Visibilité, dégagement et chargement arrière limités · Délai d'apprentissage pour la complexité des commandes · D'aucuns trouveront un peu raide la suspension du FX50

pour le FX50, avec leviers de sélection au volant, mais puissant V8 de 5 litres dont les 390 chevaux sont capables de peler l'asphalte tout en émettant un étonnant rugissement. Aux États-Unis, on peut commander un FX35 à propulsion, alors que, chez nous, seule la transmission intégrale est standard sur les deux modèles, un dispositif dit « intelligent », mesure d'envoyer ce qu'il faut de couple aux roues avant pour aider la motricité.

[COMPORTEMENT] Parce que les FX partagent leur plateforme avec la sportive G37, on comprend mieux d'où vient le plaisir qu'on extirpe du volant. Le confort de l'habitacle ne brime pas le comportement d'athlète. Seul un centre de gravité élevé nous rappelle dans les courbes serrées que nous conduisons une variante d'utilitaire. Cela dit, la prise en virage du FX50 est facilitée par un système qui fait pivoter très légèrement les roues arrière (en option). Ajoutez-y les pneus de 21 pouces et l'AWD et vous roulez sur du ruban gommé. La suspension adaptative (en option) se comporte comme celle de la Porsche Panamera en tentant de constamment marier les désirs du pilote avec l'état de la chaussée. Le prix à payer pour une coque joliment tourmentée est une visibilité arrière médiocre et un espace de chargement réduit. Et si l'accélération sous les 6 secondes réjouit, la consommation supérieure à 15 litres aux 100 kilomètres refroidit. L'acheteur un tantinet moins porté sur le grand jeu se contentera du FX35, qui fait tout aussi bien mais sans débauche.

[CONCLUSION] Le FX50 riposte aux BMW X6 et Porsche Cayenne de ce monde. À mon avis, il est plus raffiné que le premier et plus original que le second. Les deux FX promènent une allure remarquable (mais que Nissan commence à surexploiter au sein de sa propre famille); leur technologie comble le disciple de Star Trek, tandis que leur sportive docilité ne fait pas regretter tant que ça son ancien coupé sport au nouveau père de famille.

2ᵉ OPINION

FRÉDÉRIC MASSE Exclusif, c'est le mot qui vient en tête pour décrire le FX. J'ai essayé la version à moteur V6 (un moteur utilisé partout par Infiniti) et découvert une belle machine à conduire. Sa cavalerie est suffisante, et le plaisir au volant est omniprésent (il faut rappeler qu'il partage la plateforme de base avec la G37). Bien que le confort ne semble pas être la priorité, les manières du FX sont tout de même fort acceptables compte tenu de ses performances routières. À l'intérieur, l'aménagement de l'habitacle est bien exécuté et fort réussi. C'est chic, c'est beau et c'est exclusif... encore une fois. À l'arrière toutefois, il n'y a que très peu de place pour les jambes des passagers, et la vision est problématique. Dans les faits, je dirais simplement que le FX est destiné à un acheteur qui aime conduire et qui n'a pas à trimbaler beaucoup de bagages ou à remorquer de lourdes charges et qui aime le beau. Pour celles et ceux qui aiment la puissance, tournez-vous vers la version V8 avec son puissant moteur de 5 litres. C'est mon genre !

---

⑤ FICHE TECHNIQUE

· MOTEURS

V6 3,5 l DACT, 303 ch à 6800 tr/min
Couple 262 lb-pi à 4800 tr/min
Transmission automatique à 7 rapports avec mode manuel
0-100 km/h 7,0 s
Vitesse maximale 235 km/h

V8 5,0 l DACT, 390 ch à 6500 tr/min
Couple 369 lb-pi à 4400 tr/min
Transmission automatique à 7 rapports avec mode manuel
0-100 km/h 5,9 s
Vitesse maximale 250 km/h
Consommation (100 km) 12,5 l (octane 91)
Émissions de CO_2 5842 kg/an
Litres par année 2540 l
Coût par an 2844 $
Carburant alternatif non
Empreinte écologique 37 arbres

· AUTRES COMPOSANTES

Sécurité active freins ABS, répartition électronique de force de freinage, assistance au freinage, contrôle de stabilité électronique, antipatinage
Suspension avant/arrière indépendante
Freins avant/arrière disques
Direction à crémaillère, assistée
Pneus FX35 P265/60R18 **FX50** P265/45R21

· DIMENSIONS

Empattement 2885 mm
Longueur 4859 mm
Largeur 1928 mm
Hauteur 1680 mm
Poids FX35 1950 kg **FX50** 2075 kg
Diamètre de braquage 11,2 m
Coffre 702 l, 1756 l (sièges abaissés)
Réservoir de carburant 90 l
Capacité de remorquage 1588 kg

NOS MENTIONS

☺ Modèle recommandé

NOTRE VERDICT

Plaisir au volant	⬡⬡⬡⬡⬡
Qualité de finition	⬡⬡⬡⬡⬢
Consommation	⬡⬡⬢⬢⬢
Rapport qualité/prix	⬡⬡⬡⬢⬢
Valeur de revente	⬡⬡⬡⬡⬢

G37

www.infiniti.ca

ÉVOLUTION

40 515 $ à 61 600 $
transport et préparation: 1825 $

LA COTE VERTE

MOTEUR
V6 DE 3,7 L

- **Consommation (100km):**
  man. 10,2 l
  auto. 9,4 l
  auto. 4RM 9,8 l
- **Émissions polluantes**
  CO_2 :
  man. 4784 kg/an
  auto. 4416 kg/an
  auto. 4RM 4600 kg/an
- **Empreinte écologique (nombre d'arbres à planter par année): 29**
- **Indice d'octane:** 91
- **Autre motorisation:** non
- **Coût du carburant moyen par année:**
  man. 2330 $
  auto. 2150 $
  auto. 4RM 2240 $
- **Nombre de litres par année:**
  man. 2080 l
  auto. 1920 l
  auto. 4RM 2000 l

(SOURCE: ÉnerGuide)

① FICHE D'IDENTITÉ

- **Versions** G37, G37X, Sport, G37 coupé, G37 coupé Sport, G37 cabriolet, G37 cabriolet sport
- **Roues motrices** arrière, 4
- **Portières** 2, 4 **Nombre de passagers** 2/5
- **Première génération** 2003
- **Génération actuelle** 2007
- **Construction** Tochigi, Japon
- **Sacs gonflables** 6 (frontaux, latéraux avant, rideaux latéraux)
- **Concurrence berline** Acura TL, Audi A4, BMW Série 3, Cadillac CTS, Lexus IS, Mercedes-Benz Classe C, Volvo S60 **Coupé** Audi A5, Lexus IS, BMW Série 3 Coupé, Mercedes-Benz Classe E coupé

② AU QUOTIDIEN

- **Prime d'assurance**
  25 ans: 2500 à 2700 $
  40 ans: 1400 à 1600 $
  60 ans: 1000 à 1200 $
- **Collision frontale** 4/5
- **Collision latérale** 5/5
- **Ventes du modèle de l'an dernier**
  Au Québec 747 **Au Canada** 3998
- **Dépréciation** 44,9 %
- **Rappels** (2005 à 2010) 1
- **Cote de fiabilité** 4/5

③ GARANTIES... ET PLUS

- **Garantie générale** 4 ans/100 000 km
- **Garantie motopropulseur** 6 ans/110 000 km
- **Perforation** 7 ans/kilométrage illimité
- **Assistance routière** 4 ans/kilométrage illimité
- **Nombre de concessionnaires**
  Au Québec 6 **Au Canada** 29

④ NOUVEAUTÉS EN 2011

- Retouches à la calandre
- Nouvelles roues de 18 et 19 pouces
- Système de navigation de série décapotable et coupé

L'ANTI-BMW

PAR DANIEL RUFIANGE

VOILÀ DÉJÀ 20 ANS QU'INFINITI A PÉNÉTRÉ LE MARCHÉ NORD-AMÉRICAIN. Parmi les modèles que le constructeur a introduits, il y avait la berline G20. Cette dernière possédait peut-être certains atouts qui lui permettaient de rivaliser avec la concurrence, mais certainement pas l'image de prestige requise pour aller ébranler des marques comme BMW ou Mercedes-Benz. De plus, la G20 était un véhicule à traction. Une loi non écrite fait de ce genre de véhicule un mort-né dans le segment. Il a fallu attendre 2003 avant que la troisième génération de la G ne fasse des vagues dans l'industrie. Huit ans plus tard, peut-on parler d'une voiture arrivée à maturité ?

[CARROSSERIE] Le moins qu'on puisse dire à propos de la G37, c'est qu'elle a de la gueule. Les stylistes ont réussi à lui donner l'allure d'un roadster alors qu'il s'agit d'une berline très... familiale. Cette illusion est attribuable à son capot allongé et à son profil fluide qui semble épouser la force du vent. D'ailleurs, les flancs de la voiture sont dessinés de sorte qu'on les croie sculptés par Éole. À l'arrière, le positionnement et la forme des embouts d'échappement n'arrivent pas à cacher toute la puissance que peut générer la G. L'acheteur a le choix entre la berline, le coupé ou la décapotable.

[HABITACLE] Les G du début de la décennie proposaient des habitacles d'une qualité risible. Heureusement, le fabricant a entendu les doléances. Depuis, on a mis fin aux séances de magasinage à rabais, et c'est tout l'habitacle qui en a bénéficié : qualité des revêtements du tableau de bord, richesse des cuirs et confort des sièges, présentation visuelle tape-à-l'œil, bref, tout a été revu, et pour le mieux, même si ce n'est pas encore parfait. Pour ce qui est de l'espace, la berline en offre suffisamment. Les places arrière du coupé et de la décapotable sont plus restreintes, on le comprendra. Quant au coffre de cette dernière, il s'agit d'une mauvaise blague.

[MÉCANIQUE] Le moteur V6 de 3,7 litres de la G est l'un des plus intéressants de l'industrie. J'ai de la difficulté à imaginer cette voiture avec

FORCES · Moteur jouissif · Fiabilité · Version à boîte manuelle intéressante · Sensations au volant

FAIBLESSES · Coffre du cabriolet risible · Versions coupé et cabriolet nettement moins intéressantes que la berline · Boîte automatique : changements de rapports lents et peu fluides

une autre motorisation. À cette dernière se jumellent deux types de boîtes de vitesses, l'une manuelle à 6 rapports, l'autre automatique à 7 rapports avec un mode sport. À l'usage, la boîte manuelle est nettement plus intéressante. Je qualifierais même la boîte automatique de lente et peu fluide, particulièrement quand on se montre vigoureux avec l'accélérateur. À noter que les 214 kilos supplémentaires du cabriolet handicapent les performances et l'agilité du bolide.

[COMPORTEMENT] La G rivalise dans un créneau où la concurrence a pour noms BMW, Mercedes-Benz et Audi. Pour se tailler une place parmi ces ténors, il faut offrir une expérience de conduite hors pair. Longtemps, la G traînait de la patte à ce chapitre, incapable d'offrir au pilote cette connexion avec la route qu'offre une Série 3 de BMW, par exemple. Eh bien, ce temps est révolu. Infiniti a fait des progrès immenses afin d'offrir une tenue de route aussi incisive que communicative, et, dorénavant, les sensations passent très bien entre le volant et la route. Et Infiniti peut toujours compter sur une fiabilité typiquement japonaise, un atout qu'elle a toujours eu dans sa manche.

[CONCLUSION] Il y a six ans, je cherchais à louer une voiture dans ce créneau. J'avais essayé tous les modèles et écarté la G35 d'alors assez rapidement pour les raisons mentionnées précédemment; qualité générale de l'habitacle, image de prestige encore en devenir et une facture alors plutôt salée. J'avais opté pour une Série 3, BMW

offrant un meilleur taux de financement qu'Audi à ce moment précis. Si j'avais le même choix à faire aujourd'hui, la G37 serait probablement mon choix pour l'ensemble de son œuvre; habitacle riche et fonctionnel, esthétique extérieure, expérience de conduite et fiabilité. Oui, la G37 est arrivée à pleine maturité. Par contre, pour le cabriolet, BMW possède toujours une longueur d'avance.

2ᵉ OPINION

FRÉDÉRIC MASSE J'aime tout de la G. Je l'ai dit à maintes reprises. Elle offre un raffinement de conduite qui se rapproche énormément des cousines allemandes tout en proposant un rapport qualité/prix/performances/fiabilité inégalable. Avec leur V6 de 3,7 litres, la berline et le coupé sont propulsés en un éclair jusqu'à 100 km/h. La précision de leur direction est également impressionnante, et l'on prend rapidement confiance derrière le volant. J'aime toutefois moins la version cabriolet qui n'offre à peu près pas d'espace de chargement quand le toit est abaissé. De plus, le poids du cabriolet déséquilibre la voiture au comportement routier si pointu. Tant qu'à être dans le négatif, comme bien de ses concurrentes, il manque d'espace pour les passagers arrière, et le coffre, même dans la berline, est juste. Par contre, toutes les versions proposent une fiabilité enviable et une excellente valeur de revente. Leur habitacle est attirant, et Infiniti marque vraiment des points dans ce département. Il faut aussi souligner sa puissance de freinage. Bref, j'achète et je conserve longtemps !

⑤ FICHE TECHNIQUE

MOTEURS
(G37, G37x)
Berline V6 3,7 l DACT, 328 ch à 7000 tr/min
Couple 269 lb-pi à 5200 tr/min
Coupé V6 3,7 l DACT, 330 ch à 7000 tr/min
Couple 270 lb-pi à 5200 tr/min
Cabriolet V6 3,7 l DACT, 325 ch à 7000 tr/min
Couple 267 à 5200 tr/min
Transmission automatique à 7 rapports avec mode manuel, manuelle à 6 rapports (option)
0-100 km/h man. 6,2 s **autom.** 6,8 s
Vitesse maximale 250 km/h

AUTRES COMPOSANTES
Sécurité active freins ABS, répartition électronique de force de freinage, assistance au freinage, antipatinage, contrôle de stabilité électronique
Suspension avant/arrière indépendante
Freins avant/arrière disques
Direction à crémaillère, assistée
Pneus G37/G37X berl. P225/55R17 **berl. G37 man.** P225/50R18 (av.) P245/45R18 (ar.) **coupé** P225/50R18 **coupé Sport/cabrio.** 225/45R19 (av.), 245/40R19 (arr.)

DIMENSIONS
Empattement 2850 mm
Longueur berl. 4750 mm **coupé** 4650 mm **cabrio.** 4656 mm
Largeur berl. 1773 mm **coupé** 1824 mm **cabrio.** 1852 mm
Hauteur berl. 1453 mm **cabrio** 1399 mm
Poids berl. 1635 kg **berl. 4RM** 1727 kg **berl. man.** 1651 kg **coupé** 1645 kg **coupé 4RM** 1737 kg **cabrio.** 1849 kg **cabrio. man.** 1859 kg
Diamètre de braquage berl. 2RM 10,8 m **4RM/coupé 2RM/cabrio.** 11,0 m **coupé 4RM** 11,2 m
Coffre berl. 382 l **coupé** 210 l **cabriolet** 292 l (le toit en place)
Réservoir de carburant 76 l

NOS MENTIONS

☺ Modèle recommandé

NOTRE VERDICT

Plaisir au volant	⬡⬡⬡⬡◖
Qualité de finition	⬡⬡⬡⬡⬡
Consommation	⬡⬡⬡◖○
Rapport qualité/prix	⬡⬡⬡⬡◖
Valeur de revente	⬡⬡⬡⬡◖

M

www.infiniti.ca

NOUVEAUTÉ

52 400 $ à 73 400 $
transport et préparation: 1890 $

LA COTE VERTE

MOTEUR
V6 DE 3,7 L

- **Consommation (100km):**
  2RM 9,5 l
  4RM 10,2 l
- **Émissions polluantes CO_2:**
  4416 kg/an
- **Empreinte écologique (nombre d'arbres à planter par année):** 29
- **Indice d'octane:** 91
- **Autre motorisation:** non
- **Coût du carburant moyen par année:** 2112$
- **Nombre de litres par année:** 1920 l

(SOURCE: Infiniti)

322

 FICHE D'IDENTITÉ

- **Versions** 37, 37x, 37 Sport, 56, 56x, 56 Sport
- **Roues motrices** arrière, 4
- **Portières** 4 **Nombre de passagers** 5
- **Première génération** 2003
- **Génération actuelle** 2011
- **Construction** Tochigi, Japon
- **Sacs gonflables** 6 (frontaux, latéraux avant, rideaux latéraux)
- **Concurrence** Acura TL, Audi A6, BMW Série 5, Cadillac STS, Jaguar XF, Lexus GS, Lincoln MKS, Mercedes-Benz Classe E, Volvo S80

 AU QUOTIDIEN

- **Prime d'assurance**
  25 ans: 2700 à 2900 $
  40 ans: 1500 à 1700 $
  60 ans: 1300 à 1500 $
- **Collision frontale** nd
- **Collision latérale** nd
- **Ventes du modèle de l'an dernier**
  Au Québec 86 **Au Canada** 217
- **Dépréciation** 47,9%
- **Rappels** (2005 à 2010) 1
- **Cote de fiabilité** nm

 GARANTIES... ET PLUS

- **Garantie générale** 4 ans/100 000 km
- **Garantie motopropulseur** 6 ans/110 000 km
- **Perforation** 7 ans/kilométrage illimité
- **Assistance routière** 4 ans/kilométrage illimité
- **Nombre de concessionnaires**
  Au Québec 6 **Au Canada** 29

4 NOUVEAUTÉS EN 2011

- Nouvelle génération

MIEUX SENTI

PAR DANIEL RUFIANGE

LE MILLÉSIME 2011 VOIT L'ARRIVÉE DE LA TROISIÈME GÉNÉRATION DE LA M D'INFINITI. Le moins qu'on puisse dire à propos de la dernière génération, c'est qu'elle n'aura jamais réussi à s'implanter sur le marché. Chaque année, elle ne s'écoulait qu'au compte-gouttes. La nouvelle mouture peut difficilement faire pire. Cette dernière est plus racée, plus intéressante en tous points, mais également, plus informatisée que jamais. En réalité, on peut se demander si on n'en est pas à un moment de l'histoire où l'informatique est devenue trop présente à l'intérieur des véhicules. Le cas de la M est représentatif de cette mouvance.

[CARROSSERIE] Depuis 20 ans, Infiniti travaille à bâtir son image de prestige. Pourtant, quand on questionne les gens sur ce qu'est une marque de prestige, ils répondent instinctivement BMW et Mercedes-Benz. Même Audi est oubliée dans le lot. Imaginez alors le défi du département de Marketing d'Infiniti qui doit, justement, convaincre le consommateur à propos de sa propre image. Rome ne s'est pas bâtie en une journée. Infiniti travaille fort pour changer les

perceptions, et nul doute qu'un produit comme la toute nouvelle M est un pas dans la bonne direction. Le tout nouveau design de la M s'inspire du concept Essence, voiture pour le moins spectaculaire qu'on a pu admirer au dernier Salon de l'auto de Montréal, entre autres. La M présente désormais des lignes superbes qui attirent les regards. Son profil élancé et son capot allongé nous donnent l'impression d'être en présence d'un roadster. La voiture se propose toujours sous deux principales livrées, rebaptisées M37 et M56. Chacune est aussi offerte avec la transmission intégrale, M37x et M56x. Les livrées à propulsion uniquement sont aussi proposées en version sport S. Il va sans dire, la M souhaite faire concurrence aux voitures allemandes de la catégorie. Elle possède maintenant le panache pour le faire. Ne lui manque qu'un peu de... prestige.

[HABITACLE] À bord, Infiniti a fait un travail remarquable. Le design est tout en fluidité et des plus harmonieux. La présentation visuelle est, en conséquence, magnifique. L'environnement ainsi créé est très riche. Le confort des sièges est sans

FORCES · Lignes superbes · Moteurs puissants et raffinés · Intérieur riche et luxueux · Chaîne audio de qualité · Comportement routier

FAIBLESSES · Aspect intrusif des aides à la conduite · Image de prestige encore inférieure aux marques allemandes · Lecture du manuel du propriétaire obligatoire (!)

INFINITI M 30
1989

INFINITI M 30
1990

INFINITI I 30
2000

INFINITI I 35
2002

INFINITI M 45
2003

INFINITI M
2006

INFINITI ESSENCE
CONCEPT 2009

INFINITI M
2011

HISTORIQUE

L'histoire de la M a commencé au Japon en 1989 avec un modèle coupé. Ce clone de la Nissan Léopard offrait une seule distinction chez Infiniti, une version décapotable qui n'existait pas chez Nissan. Après quelques années, c'est la berline I 30 et I35 qui ont pris la relève.

reproche, et comme il se doit à bord d'une voiture de ce gabarit, les places arrière sont confortables et bien aérées. Infiniti a aussi eu une pensée pour les audiophiles. Effectivement, grâce à une collaboration avec Bose, la M peut être équipée de trois types de configurations audio, chacune offrant une sonorité juste. D'ailleurs, les représentants de Bose nous ont confié avoir travaillé étroitement avec les concepteurs afin de trouver l'emplacement idéal pour la disposition des haut-parleurs. L'exercice a porté ses fruits. L'excellente insonorité, améliorée grâce à un dispositif de contrôle actif du bruit signé Infiniti, nous permet d'apprécier la qualité des chaînes audio. Soulignons aussi le travail qui a été fait pour améliorer l'ergonomie. La disposition des commandes est intuitive, et il ne suffit que de quelques heures au volant avant que tout nous tombe sous la main. Du côté du coffre, rassurons immédiatement les amateurs de golf; quatre sacs peuvent y trouver refuge. Cependant, l'accès à ce dernier pourrait être plus large.

[MÉCANIQUE] L'appellation des deux versions de la M trahit la taille du bloc-moteur reposant sous le capot. Ainsi, la M37 profite du moteur V6 de 3,7 litres dont Nissan fait un usage tous azimuts. Quant à elle, la M56 est mue par un V8 de 5,6 litres offrant la coquette puissance de 420 chevaux, 90 de plus que celle du V6. Toutes les M misent sur une boîte de vitesses automatique

à 7 rapports. Ce qu'on retient toutefois d'un premier contact avec la M c'est l'abondance d'aides à la conduite. Système de contrôle de la stabilité, antipatinage, système de surveillance des angles morts, bref, la liste semble interminable. La M est même dotée d'un système d'intervention des angles morts. Ce dernier, si activé, détecte les changements de voie grâce à une caméra. Si le clignotant n'est pas activé, le système intervient et corrige la trajectoire du véhicule à la place du conducteur. Ajoutez à cela le système d'avertissement des changements de voie qui émet un bip quand il détecte une ligne sur la chaussée et que le clignotant n'est pas activé. C'est irritant dans les sorties d'autoroute alors qu'on empiète souvent sur les lignes de démarcation des voies. Pour désactiver le système, il a été nécessaire de consulter le manuel du propriétaire. Désagréable! Il ne s'agit pas de lancer ici une diatribe contre la sécurité routière, mais il faudrait peut-être laisser un peu plus de liberté au conducteur. Quand on a demandé aux gens d'Infiniti s'il était possible de désactiver le système de contrôle de la stabilité, on nous a répondu que oui, mais que ce dernier entre à nouveau en fonction s'il détecte une dérobade. Voyez le topo...

[COMPORTEMENT] Avec respectivement 330 et 420 chevaux, selon la version, on comprendra que la puissance n'est pas le point faible de la M. Dans les faits, cette voiture a bien peu de défauts. Les deux versions offrent des tenues de route hors pair, une douceur de roulement exemplaire, le tout dans une insonorité qui nous isole du monde extérieur. Étonnamment,

> AVEC CETTE NOUVELLE M, INFINITI PEUT MAINTENANT S'ATTAQUER À SES RIVALES SANS AVOIR L'IMPRESSION DE NE PAS EN OFFRIR ASSEZ.

A

B

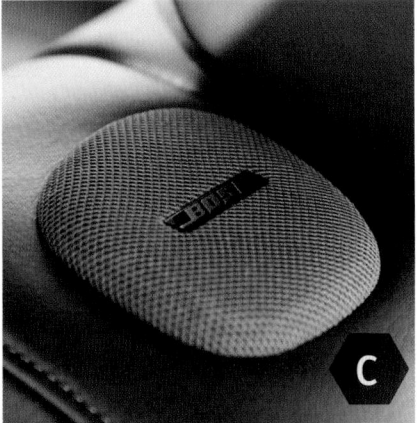

C

D

GALERIE

A L'intérieur de la nouvelle M se propose de présenter un concept élégant, mais fonctionnel, qui allie l'art à la précision, le confort à l'innovation.

B Discrètement dissimulé à la gauche du conducteur, on retrouve un système de détection et de prévention de sortie de voie, l'ouverture du coffre, un bouton pour réchauffer le volant, le programme de contrôle de stabilité qui peut être enlevé et un rideau d'intimité dans la lunette arrière.

C Pour les audiophiles, l'ensemble Tourisme ajoute des caractéristiques telles que la sonorisation Studio Surround md de Bose md avec décodage de canal numérique 5.1 et 16 haut-parleurs (dont deux haut-parleurs individuels montés dans le dossier des sièges avant).

D La nouvelle M met en vedette les technologies avancées et axées sur l'utilisateur d'Infiniti, comme la Traction Infiniti, une commande de sélection de quatre modes de puissance et d'application à la boîte de vitesses qui permet au conducteur d'optimiser la performance du véhicule selon ses besoins.

E Le tableau de bord de la M est doté de cadrans à éclairage électroluminescent haute définition, entourés d'un anneau pour un effet « engrenage », un écran d'affichage d'information sur le véhicule de 7 po, une montre analogique Infiniti et des garnitures d'aluminium exclusives. Revêtus de cuir, les sièges du conducteur et du passager avant chauffés, à 10 réglages électriques et support lombaire réglable, sont de série.

E

c'est la M37 qui offre l'expérience de conduite la plus saine. La M56 est plus lourde, ce qui est perceptible à chaque mouvement du volant. Bien franchement, avez-vous sérieusement besoin de 420 chevaux pour vos déplacements quotidiens? En ce qui concerne les versions à transmission intégrale, il ne nous a pas été encore possible de les essayer en condition hivernale. On sait toutefois que la transmission intégrale intelligente d'Infiniti répartit le couple de façon automatique aux roues, le tout selon les conditions routières en vigueur. À propos de la consommation, Infiniti estime que celle des versions à moteur V6 devrait osciller aux environs de 11,4/7,6 litres aux 100 kilomètres (ville/autoroute). Pour ce qui est du moteur V8, ces moyennes sont annoncées à 12,9 litres et 8 litres aux 100 kilomètres, toujours en conduite de ville et d'autoroute, respectivement. La M56 profite de l'injection directe de carburant, ce qui contribue à améliorer sa consommation. Les deux versions proposent même un mode eco qui, si activé, a pour effet d'augmenter la tension sur la pédale d'accélérateur pour nous rappeler de ne pas trop en abuser afin d'économiser du carburant. Quand nous vous disions que la voiture en fait trop...

[CONCLUSION] Avec cette nouvelle M, Infiniti peut maintenant s'attaquer à ses rivales sans avoir l'impression de ne pas en offrir assez. La M arrive à maturité huit ans après sa conception. La question demeure à savoir si les acheteurs de berlines de luxe haut de gamme sont prêts à laisser le prestige de certaines marques allemandes pour la fiabilité et la technologie japonaise.

2ᵉ OPINION

BENOIT CHARETTE On donne rarement 3 chances à un modèle pour réussir, mais Infiniti l'a fait avec la M. Peu convaincante dans ses deux premières livrées, Infiniti s'est donnée comme mission avec cette nouvelle mouture de s'éloigner le plus possible des produits Nissan et de se rapprocher considérablement des vrais concurrents allemands. Rien à dire sur les mécaniques qui livrent la marchandise, rien à dire sur le niveau de confort et de luxe qui rivalise avec les meilleurs. Même l'allure beaucoup plus dynamique, inspirée du concept Essence, est très bien. Il faut aussi mentionner son prix, sensiblement moins élevé que les ténors germains. Finalement, Infiniti a réussi à se trouver une voie qui lui est propre, enveloppée dans une ligne inspirée. On dit toujours qu'il vaut mieux tard que jamais, mais la nouvelle M mérite réellement votre attention si vous êtes dans le créneau des grandes berlines de luxe. Un seul bémol, le poste de pilotage pourrait être plus grand, mais c'est un accroc mineur.

(5) FICHE TECHNIQUE

· MOTEURS

· (M37)
V6 3,7 l DACT, 330 ch à 7000 tr/min
Couple 270 lb-pi à 5200 tr/min
Transmission automatique à 7 rapports avec mode manuel
0-100 km/h 6,8 s
Vitesse maximale 250 km/h

· (M56)
V8 5,6 l DACT, 420 ch. à 6000 tr/min
Couple 417 lb-pi à 4400 tr/min
Transmission automatique à 7 rapports avec mode manuel
0-100 km/h 5,6 s
Vitesse maximale 250 km/h
Consommation (100 km)
2RM 10,5 l, **4RM** 11,0 l (octane 91)
Émissions de CO₂ nd
Litres par année nd
Coût par an nd
Carburant alternatif non
Empreinte écologique nd

· AUTRES COMPOSANTES
Sécurité active Freins ABS, répartition électronique de la force de freinage, assistance au freinage, antipatinage, contrôle de stabilité électronique
Suspension avant/arrière indépendante
Freins avant/arrière disques
Direction à crémaillère, assistée (4 roues actives avec groupe Sport)
Pneus P245/50R18,
M37 Sport/M56 Sport P245/40R20

· DIMENSIONS
Empattement 2900 mm
Longueur 4945 mm
Largeur 1845 mm
Hauteur 1500 mm, **M37x/M56x** 1515 mm
Poids M37 1750 kg, **M37x** 1815 kg, **M56** 1827 kg
M56x 1881 kg
Diamètre de braquage M37/M56 11,2 m,
M37x/M56x 11,4 m
Coffre 422 l
Réservoir de carburant 76 l

NOS MENTIONS

 ☺ Modèle recommandé

NOTRE VERDICT

Plaisir au volant	●●●●○
Qualité de finition	●●●⬡⬡
Consommation	●●●⬡⬡
Rapport qualité/prix	●●●●○
Valeur de revente	Nm

QX56

www.infiniti.ca

73 000 $ à 81 000 $
transport et préparation: n.d.

LA COTE VERTE

MOTEUR
V8 DE 5,6 L

- **Consommation**
  (100km): 14,7 l
- **Émissions polluantes**
  CO_2: nd
- **Empreinte écologique**
  (nombre d'arbres à
  planter par année): nd
- **Indice d'octane:** 91
- **Autre**
  motorisation: non
- **Coût du carburant**
  moyen par année:
  nd
- **Nombre de litres par**
  année: nd

(SOURCE: Infiniti)

 FICHE D'IDENTITÉ

- **Versions** 7 passagers, 8 passagers
- **Roues motrices** 4
- **Portières** 5 **Nombre de passagers** 7 ou 8
- **Première génération** 2004
- **Génération actuelle** 2011
- **Construction** Kyushu, Japon
- **Sacs gonflables** 6 (frontaux, latéraux avant, rideaux latéraux)
- **Concurrence** Cadillac Escalade, Land Rover Range Rover, Lexus LX 570, Lincoln Navigator, Mercedes-Benz Classe GL

 AU QUOTIDIEN

- **Prime d'assurance**
  25 ans: 3700 à 3900 $
  40 ans: 2300 à 2500 $
  60 ans: 2000 à 2200 $
- **Collision frontale** nd
- **Collision latérale** nd
- **Ventes du modèle de l'an dernier**
  Au Québec 23 **Au Canada** 162
- **Dépréciation** 60,9%
- **Rappels** (2005 à 2010) 5
- **Cote de fiabilité** nm

 GARANTIES... ET PLUS

- **Garantie générale** 4 ans/100 000 km
- **Garantie motopropulseur** 6 ans/110 000 km
- **Perforation** 7 ans/kilométrage illimité
- **Assistance routière** 4 ans/kilométrage illimité
- **Nombre de concessionnaires**
  Au Québec 6 **Au Canada** 29

 NOUVEAUTÉS EN 2011

- Nouvelle génération

L'ÉVOLUTION DU DINOSAURE

PAR BENOIT CHARETTE

PLUSIEURS ÉCOLOGISTES ONT SABRÉ LE CHAMPAGNE LORSQUE LE LITRE D'ESSENCE EST GRIMPÉ À PLUS DE 1 DOLLAR 25 CROYANT BIEN VOIR LA FIN DES GROS UTILITAIRES BASÉS SUR UN CHÂSSIS À ÉCHELLE. En réalité, même si leurs ventes sont modestes, environ 6 000 par année au Canada, ces gros utilitaires servent encore un public qui a besoin d'un gros véhicule. C'est exactement pour cette raison que Nissan a renouvelé son QX56 pour 2011 en travaillant sur les lignes et les économies d'échelle.

[CARROSSERIE] Cette nouvelle génération de QX56 n'a plus de lien de parenté avec l'Armada de Nissan. L'ancienne génération partageait la plateforme de la camionnette Titan. Le nouveau QX56 emprunte son châssis au Nissan Patrol. Si l'empattement est un peu plus court, la longueur totale gagne quelques centimètres. La silhouette a aussi été complètement revue. La carrosserie gagne en dynamisme et en élégance. Son imposante calandre chromée se trouve entre des phares bixénon à allumage et à extinction automatique avec lave-phares escamotables et feux antibrouillard intégrés à l'avant. Le véhicule est aussi plus bas que son prédécesseur de 9,6 centimètres. Ajoutez à cela un becquet sous la carrosserie avant, un déflecteur intégré au hayon, des rétroviseurs extérieurs redessinés qui améliorent l'aérodynamisme et des jantes de 20 pouces de série (et de 22 pouces en option) le QX ne manque pas de présence.

[HABITACLE] Selon les gens d'Infiniti, on s'est basé sur un intérieur de jet privé pour concevoir l'habitacle du QX 56. Infiniti vise la même approche avec les teintes chaudes des cuirs et l'harmonie des couleurs entre le tableau de bord et les sièges. Le QX est offert en version à 7 ou à 8 occupants; les sièges avant se règlent presque à l'infini et offrent un confort sans reproche. Consciente du format du véhicule, Infiniti a installé un système de caméra à 360 degrés qui vous permet de voir tout ce qui se passe autour du véhicule par l'entremise d'un écran central placé dans la console. Un outil pratique pour le stationnement en ville ou pour tourner un coin serré avec une remorque. Les sièges de 2e rangée se reculent

FORCES · Lignes plus réussies · Rigidité et tenue de route accrues · Excellente puissance moteur

FAIBLESSES · 3e rangée de sièges un peu à l'étroit · Seuil de chargement du coffre élevé

pour plus de confort, et ceux de la troisième rangée se replient électriquement sur une simple pression d'un bouton dans le tableau de bord.

[MÉCANIQUE] Si le V8 est toujours de 5,6 litres, Nissan a revu à la hausse la puissance et le couple en changeant au passage la boîte de vitesses. Ce V8 est maintenant pourvu de la distribution à levée et durée d'ouverture variables ainsi que de l'injection directe. La puissance passe ainsi de 320 à 400 chevaux, et le couple de 393 à 413 livres-pieds. Comme l'injection directe utilise juste ce qu'il faut de carburant, la consommation, malgré cette hausse de puissance de 25 %, diminue de 10 %. La boîte passe de 5 à 7 rapports et contribue elle aussi à une plus faible consommation de carburant.

[COMPORTEMENT] Un des premiers bénéfices d'un changement de plateforme est la rigidité, supérieure de 26 % au châssis du Nissan Patrol. Cela se traduit par une tenue de route plus stable dans le nouveau QX. La nouvelle boîte à 7 rapports offre aussi une plus grande souplesse et moins de « chasse » au bon rapport. Si vous optez pour le groupe technologie, vous profiterez aussi du HBMCS (Hydraulic Body Motion Control System). Ce système contribue à atténuer l'inclinaison de la carrosserie dans les virages au moyen de cylindres hydrauliques reliés aux amortisseurs (par des raccords transversaux et deux accumulateurs); il modifie la rigidité de roulis en permettant le transfert de liquide entre les côtés gauche et droit du véhicule pendant le transfert de poids passif en conduite normale.

Il améliore le confort des passagers et conserve l'intégrité du véhicule en virage. Enfin, il est possible de remorquer jusqu'à 3855 kilos avec ce nouveau QX.

[CONCLUSION] Oui, le QX est gros, mais il servira bien la clientèle qui recherche ce genre de véhicule. Il est plus puissant, plus agile, moins gourmand, et les nouvelles lignes camouflent mieux son embonpoint. Tout cela pour le même prix que la précédente génération.

2ᵉ OPINION

MICHEL CRÉPAULT C'est pour ainsi dire un retour aux sources pour le QX56 qui délaisse ses racines nord-américaines pour reprendre des éléments internationaux dans son approche. La nouvelle cuvée 2011 est maintenant basée sur un Nissan Patrol européen et non plus sur l'approximative plateforme de la Titan et de l'Armada. Sa fabrication est aussi laissée aux Japonais et non plus aux Américains. Tout cela a pour effet de donner un bien meilleur camion dans son ensemble. Il est toujours aussi gros, mais ses lignes mieux galbées le font paraître plus petit. Il faut tout de même se poser la question. Après seulement 23 ventes au Québec en 2009, reste-t-il encore un public pour ce véhicule ? Seul l'avenir nous le dira.

 FICHE TECHNIQUE

- **MOTEUR**
V8 5,6 l DACT, 400 ch à 5800 tr/min
Couple 413 lb-pi à 4000 tr/min
Transmission automatique à 7 rapports avec mode manuel
0-100 km/h nd
Vitesse maximale nd

- **AUTRES COMPOSANTES**
Sécurité active freins ABS, répartition électronique de force de freinage, assistance au freinage, antipatinage, contrôle de stabilité électronique
Suspension avant/arrière indépendante
Freins avant/arrière disques ventilés
Direction à crémaillère, assistée
Pneus P275/60R20, **option** P275/50R22

- **DIMENSIONS**
Empattement 3075 mm
Longueur 5290 mm
Largeur 2030 mm
Hauteur 1920 mm
Poids 2654 kg
Diamètre de braquage 12,7 m
Coffre 471 l (derrière la 3ième rangée)
Réservoir de carburant 98 l
Capacité de remorquage 3855 kg

NOTRE VERDICT

Plaisir au volant	●●●○○
Qualité de finition	●●●●○
Consommation	●●○○○
Rapport qualité/prix	●●○○○
Valeur de revente	●●○○○

XF

www.jaguar.ca

ÉVOLUTION

N
J
É

64 150 $ à 86 850 $
transport sans préparation: 1350 $

JAGUAR

LA COTE VERTE

MOTEUR
V8 DE 5,0 L

- **Consommation**
(100km): 10,7 l
- **Émissions**
polluantes CO_2 :
5060 kg/an
- **Empreinte écologique**
(nombre d'arbres à
planter par année): 33
- **Indice d'octane:** 91
- **Autre**
motorisation: non
- **Coût du carburant**
moyen par année:
2464 $
- **Nombre de**
litres par année:
2200 l

(SOURCE: ÉnerGuide)

FICHE D'IDENTITÉ

- **Versions** Luxe, Premium, XFR
- **Roues motrices** arrière
- **Portières** 4 **Nombre de passagers** 5
- **Première génération** 2009
- **Génération actuelle** 2009
- **Construction** Coventry, Angleterre
- **Sacs gonflables** 6
(frontaux, latéraux avant, rideaux)
- **Concurrence** Acura TL, Audi A6, BMW Série 5,
Cadillac STS, Infiniti M, Lexus GS, Lincoln MKS,
Mercedes-Benz Classe E, Volvo S80

AU QUOTIDIEN

- **Prime d'assurance**
25 ans: 3000 à 3200 $
40 ans: 2100 à 2300 $
60 ans: 1800 à 2000 $
- **Collision frontale** nd
- **Collision latérale** nd
- **Ventes du modèle de l'an dernier**
Au Québec 104 **Au Canada** 604
- **Dépréciation** (1 an) 30,0 %
- **Rappels** (2005 à 2010) 5
- **Cote de fiabilité** nd

GARANTIES... ET PLUS

- **Garantie générale** 4 ans/80 000 km
- **Garantie motopropulseur** 4 ans/80 000 km
- **Perforation** 6 ans/kilométrage illimité
- **Assistance routière** 4 ans/80 000 km
- **Nombre de concessionnaires**
Au Québec 4 **Au Canada** 29

NOUVEAUTÉS EN 2011

- Abandon du V8 de 4,2 l qui était destiné
à la version Luxe.

TRANSITION RÉUSSIE

PAR MICHEL CRÉPAULT

INTRODUITE EN 2009, EN RUPTURE AUDA-
CIEUSE AVEC LE PASSÉ, CETTE JAGUAR A AN-
NONCÉ LE RENOUVELLEMENT DRACONIEN DE
LA PRESTIGIEUSE MARQUE.

[CARROSSERIE] Une voiture comme la 911 a
réussi à évoluer au fil des ans en respectant sa silhouette d'origine. La XF, de son côté, a fait table
rase de la tradition en proposant du neuf radical.
Il n'y a, en effet, aucun lien visuel avec la Type-S.
On efface et on recommence. Une stratégie du
styliste Ian Callum qui rencontre ses partisans et
ses détracteurs. Si on peut regretter les formes en-
veloppées (surannées ?) de l'ancienne Jag, il faut
admettre que la nouvelle pose ses roues dans le
futur avec un raffinement consommé. On perçoit un bel élan dans cette coque fuselée et, ma
foi, tout ce qui bondit me semble convenir avec
l'image que je me fais d'un fauve en action. Des
détails esthétiques distinguent les différentes versions, mais un œil aiguisé est de rigueur.

[HABITACLE] En général, le fauve est au repos.
Les baquets larges (trop) invitent à la détente.

Même la banquette arrière procure un dégagement généreux, idem pour la tête, bien que,
de l'extérieur, on aurait pu croire le contraire en
raison de l'inclinaison prononcée du pavillon.
Une fois encore, la tradition en prend pour son
rhume. Oh, bien sûr, les boiseries foisonnent,
mais leur effet aristocratique est supplanté par
un arsenal électronique. J'adore le bouton de
démarrage qui commande la sortie du sélecteur
de vitesses. J'aime moins l'intégration fastidieuse
de l'écran tactile. Le mariage entre les deux siècles
n'est pas encore parfaitement au point.

[MÉCANIQUE] La XF de base et la livrée Premium
hébergent un V8 de 5,0 litres de 385 chevaux,
mais ce n'est peut-être pas suffisant pour ceux et
celles qui estiment qu'une Jaguar doit vraiment
rugir en plus s'être somptueuse. La XFR utilise
donc le même V8, mais y greffe le compresseur
Roots afin d'en soutirer 510 chevaux. Cette XF
plus musclée profite, dans le même esprit, d'un
raffermissement et d'un surdimensionnement
de ses autres organes mécaniques. Les deux engins réclament la même boîte de vitesses automa-

FORCES · Silhouette fluide et moderne · Dégagement excellent tous azimuts
dans l'habitacle · Variations sur un V8 intéressantes

FAIBLESSES · Fusion entre le passé et le côté moderne de l'électronique
encore perfectible · Visibilité arrière aléatoire· Frugalité toujours fugace

tique ZF à 6 rapports rehaussée d'un mode Sport et de leviers de sélection au volant.

[COMPORTEMENT] Le modèle suralimenté offre une tenue de route vindicative. Mais quelle amélioration par rapport aux précédentes versions R ! Tout se parle et se tient ! La direction réagit promptement, et les freins élargis immobilisent les roues de 20 pouces avec le ton sans réplique d'un général. La suspension s'ajuste automatiquement aux conditions de la chaussée et au style de pilotage du conducteur. Dans les faits, les ingénieurs ont relevé un beau défi : comment donner un comportement athlétique, agressif même, à une automobile dont le simple nom évoque la tradition britannique du confort ? Ils y sont parvenus en conservant notamment à la suspension un rebond contrôlé. Le muscle du jarret travaille en subtilité, ce qui fait qu'on mord dans la courbe mais sans jamais renier nos manières onctueuses. Tout un tour de force ! Les versions moins gavées de chevaux n'ont pas cet appétit pour l'asphalte. La balade est sous le signe de la détente, et nos tentatives pour titiller la bête se sont soldées par du roulis dans les virages. Dans tous les cas, le solide châssis fait toute la différence. Alors que l'ancien donnait l'impression de vouloir se disloquer à tout moment, celui de la XF respire la cohérence.

[CONCLUSION] Jaguar a pris le pari d'une métamorphose totale. Cette berline a pris ses distances avec son ancienne vie comme le papillon avec la chenille. La révolution est désormais encore plus complète avec l'arrivée de Jaguar dans le groupe Tata. Je dis bravo à l'audace. La XF est dans la bonne direction. Tant que les nouvelles équipes protégeront l'aura quasi-siment princière de la marque tout en lui insufflant un modernisme au moins égal à celui des meilleures allemandes et asiatiques.

2ᵉ OPINION

BENOIT CHARETTE La XF, c'est un peu l'anti Jaguar, elle fait fi des traditions séculaires de la marque, mais véhicule tout de même un certain héritage. Dans un habitacle, tendu de cuir, il manque le bois odorant qui fait parti du décor de toute voiture britannique qui se respecte. En lieu et place, un univers plafonné de cuir, d'Alcantara, ainsi que d'aluminium brossé. Un mariage sombre plus proche de la mentalité allemande, suggérant une certaine sportivité. L'habitabilité est toutefois relativement restreinte à l'arrière (pour le gabarit) et le coffre n'est pas des plus vastes. La XF est probablement la berline de luxe qui vous offrira le meilleur compromis entre sport et confort. Elle n'a pas la hargne de certaines allemandes de la Bavière sur la route, mais votre dos s'en portera beaucoup mieux.

⑤ FICHE TECHNIQUE

· MOTEURS
· (Luxe, Premium)
V8 5,0 l DACT, 385 ch à 6500 tr/min
Couple 380 lb-pi à 3500 tr/min
Transmission automatique à 6 rapports avec mode manuel
0-100 km/h 5,7 s
Vitesse maximale 195 km/h (bridée)

· (XFR)
V8 5,0 l suralimenté par compresseur volumétrique DACT, 510 ch à 6000 tr/min
Couple 461 lb-pi à 2500 tr/min
Transmission automatique à 6 rapports avec mode manuel
0-100 km/h 4,9 s
Vitesse maximale 250 km/h (bridée)
Consommation (100 km) 11,8 l (octane 91)
Émissions de CO_2 5474 kg/an
Litres par année 2380 l
Coût par an 2666$
Carburant alternatif non
Empreinte écologique 37

· AUTRES COMPOSANTES
Sécurité active freins ABS, répartition électronique de force de freinage, assistance au freinage, antipatinage, contrôle de stabilité électronique
Suspension avant/arrière indépendante
Freins avant/arrière disques
Direction à crémaillère, assistée

Pneus	Luxe	P245/45R18
	Premium	P245/40R19
	XFR	P255/35ZR20

· DIMENSIONS
Empattement 2909 mm
Longueur 4961 mm
Largeur 1877 mm
Hauteur 1460 mm
Poids 5,0 1780 kg **5,0 suralimenté** 1891 kg
Diamètre de braquage 11,5 m
Coffre 500 l, 923 l (sièges abaissés)
Réservoir de carburant 69,5 l

NOTRE VERDICT

Plaisir au volant	⬡⬡⬡⬡⬡
Qualité de finition	⬡⬡⬡⬡⬡
Consommation	⬡⬡⬡⬡⬡
Rapport qualité/prix	⬡⬡⬡⬡⬡
Valeur de revente	⬡⬡⬡⬡⬡

XJ

www.jaguar.ca

NOUVEAUTÉ N É J

89 270 $ à 132 270 $
transport sans préparation: 1350 $

LA COTE VERTE

MOTEUR
V8 DE 5,0 L

- **Consommation**
(100km) : 11,5 l
- **Émissions**
polluantes CO_2 :
5490 kg/an
- **Empreinte écologique**
(nombre d'arbres à
planter par année) :
34
- **Indice d'octane :** 91
- **Autre**
motorisation : non
- **Coût du carburant**
moyen par année :
2508 $
- **Nombre de litres**
par année :
2240 l

(SOURCE : ÉnerGuide)

 1 **FICHE D'IDENTITÉ**

- **Versions** XJ , XJL, XJ Supercharged, XJL Super charged, XJ Supersport, XJL Supersport
- **Roues motrices** arrière
- **Portières** 4 **Nombre de passagers** 5
- **Première génération** 1968
- **Génération actuelle** 2011
- **Construction** Coventry, Angleterre
- **Sacs gonflables** 6 (frontaux, latéraux avant, rideaux latéraux)
- **Concurrence** Audi A8, BMW Série 7, Lexus LS460, Maserati Quattroporte, Mercedes-Benz Classe S

 2 **AU QUOTIDIEN**

- **Prime d'assurance**
25 ans : 3700 à 3900 $
40 ans : 2400 à 2600 $
60 ans : 1600 à 1800 $
- **Collision frontale** nm
- **Collision latérale** nm
- **Ventes du modèle de l'an dernier**
Au Québec 11 **Au Canada** 77
- **Dépréciation** nm
- **Rappels** (2005 à 2010) 2
- **Cote de fiabilité** nm

 3 **GARANTIES... ET PLUS**

- **Garantie générale** 4 ans/80 000 km
- **Garantie motopropulseur** 4 ans/80 000 km
- **Perforation** 6 ans/kilométrage illimité
- **Assistance routière** 4 ans/80 000 km
- **Nombre de concessionnaires**
Au Québec 4 **Au Canada** 29

 4 **NOUVEAUTÉS EN 2011**

- Nouveau modèle

UN CHAT QUI A DU CHIEN

PAR MICHEL CRÉPAULT

CHEZ JAGUAR, LA CURE DE JOUVENCE SE POUR-SUIT. Après la XF et la XK, voici la XJ, totalement repensée. Et l'entreprise qui en profite pour célébrer ses 75 ans...

[CARROSSERIE] La première XJ remonte à 1968. Elle s'est rapidement imposée comme la quintessence de Jaguar, surtout quand on l'a gratifiée d'un V12. Le style a lentement progressé au fil des décennies. La cuvée 2011, marque une rupture, c'est-à-dire que les nouvelles Jaguar affichent désormais un esthétisme qui ne doit laisser subsister aucun doute sur la beauté et la rapidité de la bête. Or, disons tout de suite que les gens se sont constamment retournés sur le passage de la XJ. Elle vient en deux configurations, soit en empattement régulier ou allongé. Dès le départ, les stylistes et les ingénieurs ont testé leurs idées sur la plus longue, de sorte que même la plus étirée des XJ a l'air musclée. À l'avant, la calandre en treillis et la face du fauve disent tout; à l'arrière, le toit demeure très bas grâce à son arc prononcé, les feux à diodes électroluminescentes encadrent un coffre sur lequel s'élance le félin, et deux

tuyaux d'échappement ovales complètent ce tableau qui inspire le respect; mais rien n'est plus réussi sur cette XJ que son profil. Une série de traits effilés (Cx de 0,29), dont le pavillon résolument sexy, procure à cette berline une allure qui frise la perfection. Certains se poseront des questions au sujet du pilier C peint en noir. Chez Jaguar, on dit que c'est pour créer l'illusion que le toit « flotte ».

[HABITACLE] Comme l'extérieur, l'intérieur réjouit. L'un de ceux que j'ai découverts avait des fauteuils caramel et un tableau de bord bleu marine : wow ! Et tout autour de nous, le grand luxe. Un coup de circuit ? Ici aussi, question de goûts personnels. Les designers ont eu la délicate mission de jouer la carte du futur sans pour autant renier la tradition. C'est ainsi que le bois et beaucoup de chrome coexistent avec l'écran tactile et des interrupteurs modernes. On pourrait accuser cet intérieur d'être surchargé, contrairement à l'extérieur où le pelage lisse procure une impression de fluidité ininterrompue. L'œil passe de l'horloge ronde, ni trop ancienne, ni

FORCES · Une nouvelle allure aussi élégante que sportive · Une direction qui obéit au doigt et à l'œil · Un luxe qui dégage une personnalité propre

FAIBLESSES · Un habitacle un brin surchargé · Un écran tactile qui se salit rapidement

trop moderne, à la massive console au plancher plantée du non moins énorme sélecteur de vitesses rondouillard. On l'appelle le Drive Selector. C'est une roulette imposante, étincelante et même ouvragée. Mais contrairement aux rivaux qui utilisent leur grosse roulette pour contrôler différents accessoires, celle de la XJ, qui se soulève dès qu'on enfonce l'interrupteur *Start/Stop*, se limite à modifier le menu de la boîte de vitesses automatique ZF. Parmi les technologies notables, il y a le nouvel écran TFT (thin-film transistor) derrière le volant où 614 400 pixels fournissent de l'information en haute définition. L'indicateur de vitesse virtuel, par exemple, a la particularité d'illuminer l'info la plus pertinente. Ainsi, quand je roule à 110 km/h, la section de 100 à 120 km/h ressort en gros plan. Plus jovial encore : en mode Dynamic et Sport, la couleur ambiante des cadrans vire au rouge. L'écran tactile de 8 pouces (plus généreux que l'ancien) me laisse perplexe. Oui, nous y sommes de plus en plus habitués (merci iPhone), mais il se macule rapidement d'empreintes graisseuses. L'option la plus magique concernant cet écran s'appelle *Dual-View* : selon l'angle de vision, le conducteur peut étudier la carte de navigation, tandis que son passager peut suivre un film sur DVD ! Pour le moment uniquement offerte en Europe, l'option devrait finir par se faufiler ici, dès que les sages fonctionnaires en charge de notre sécurité routière

auront admis qu'il est impossible pour le conducteur de suivre le film lui aussi... La sono montée à bord est hallucinante. Je parle ici de la chaîne haut de gamme Bowers & Wilkins, car on peut également se « contenter » de deux autres chaînes. Outre ses 1200 watts, j'aime beaucoup la grille transpa-rente des haut-parleurs (20 en tout) qui laisse voir les cônes de fibre aramide jaune.

[MÉCANIQUE] Le V8 de 5 litres développe 385 chevaux et constitue un choix de base très satisfaisant. Il s'acquitte d'une consommation raisonnable et limite les émissions de CO_2. Une version à compresseur fait grimper la puissance à 470 chevaux et, au quatrième trimestre de 2010, Jaguar introduira la version Supersport offerte sur commande spéciale. Grâce à quelques tours de magie sous le capot, le V8 suralimenté crachera 510 chevaux. Peu importe la version, la suspension reste la même (double fourchette à l'avant, multibras à l'arrière), les ingénieurs se contentent de jongler avec le calibrage des amortisseurs. Les disques et les roues des deux plus puissantes Jag gagnent en diamètre, tandis que la boîte de vitesses automatique à 6 rapports est un délice, avec ou sans l'intervention manuelle des leviers de sélection au volant. Rapide, tout ça ? Le 0 à 100 km/h en 5,7 ou 5,2 ou 4,9 secondes, selon l'engin. On a quand même bridé électroniquement les voitures à 250 km/h.

[COMPORTEMENT] Pour accoucher d'une Jaguar plus agressive, ses ingénieurs se sont préoc-

> POUR ACCOUCHER D'UNE JAGUAR PLUS AGRESSIVE, SES INGÉNIEURS SE SONT PRÉOCCUPÉS, PAR EXEMPLE, DE LA SENSATION QUE LAISSE LA PÉDALE DE FREIN. RÉSULTAT : UN FREINAGE IMPLACABLE.

HISTORIQUE

La première Jaguar XJ est présentée au salon de l'auto de Paris en 1968, dessinée par William Lyons. En 1973, la Série 1 laisse place à la Série 2 avec un pare choc plus rehaussé. Elle recevra en 1979 des retouches de carrosserie et en octobre 1986 la nouvelle génération baptisée XJ40 voit le jour. Les retouches succèdent depuis. C'est vraiment avec cette nouvelle cuvée de 2011 que Jaguar sort des rangs.

Jaguar XJ-6 1968-1973

XJ 1973-1979

XJ 1979-1986

XJ 1986-1994

XJ 1994-1997

XJR 2001

XJ 2009

XJ 2011

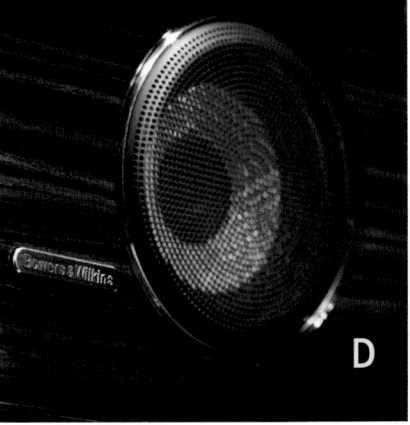

GALERIE

A Les architectes d'intérieur ont pu concevoir un environnement plus proche d'un espace de vie dernier cri que d'un simple habitacle de voiture. Du tableau de bord virtuel haute définition de 12,3 pouces vient s'ajouter l'écran tactile Dual-View de 8 pouces qui permet de visualiser simultanément des informations sur les fonctions du véhicule ou la navigation par satellite.

B Père des produits Jaguar depuis quelques années, Ian Callum est aussi celui qui a mis son talent au service de la nouvelle XJ.

C Jaguar propose une palette de couleurs, de boiseries et de cuirs inédits. Les quatre niveaux de dotation – Luxury, Premium Luxury, Portfolio et Supersport - conjuguent différents éléments pour permettre au client de personnaliser sa voiture en fonction de ses goûts propres. La version phare étant la Supersport qui allie, par exemple, une garniture de ciel de pavillon en cuir, des sièges en cuir semi-aniline et des boiseries avec incrustations laser.

D Le système audio surround de luxe de 1200 watts Bowers & Wilkins tient la dragée haute aux meilleures installations de divertissement à domicile en termes de qualité sonore.

E Carrosserie en aluminium légère – élaborée à 50 % avec des matériaux recyclés – et approche fondée sur le cycle de vie des produits lors de la conception et de la fabrication du véhicule sont autant d'atouts qui permettent à la nouvelle XJ de réduire son empreinte carbone. À elle seule, cette mesure économise jusqu'à trois tonnes de CO_2 par véhicule par rapport à une carrosserie en aluminium neuf.

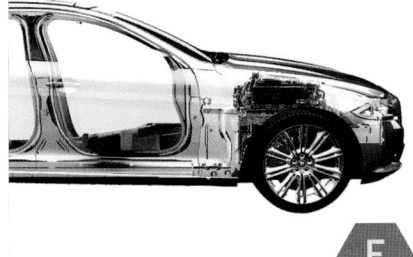

pés, par exemple, de la sensation que laisse la pédale de frein. Résultat : un freinage implacable. La direction n'est pas en reste. En fait, à mon avis le coup de volant de la nouvelle XJ se révèle son plus bel attribut. Il est incisif (inspiré en cela par celui de la XFR), même si l'on conduit la version allongée. Et, ce qui ne gâte rien, la prise en main du boudin est sensationnelle. Le calibrage des amortisseurs change plusieurs fois par seconde pour s'adapter aux conditions routières. Le V8 atmosphérique fait entendre le grognement qu'on attend d'un prédateur en chasse. Grâce à l'insonorisation du véhicule, on ne le perçoit toutefois que quand le pilote passe effectivement à l'attaque. Sinon, discrétion assurée, même de la part du diesel (réservé à l'Europe). La version Supersport multiplie la testostérone, pas de doute là-dessus, mais croyez-moi quand je vous dis que le V8 de base fait parfaitement l'affaire. Ce châssis où l'aluminium domine se révèle 11 % plus rigide que l'ancien et donne un avantage marqué à la limousine anglaise par rapport à ses rivales, beaucoup plus lourdes. Le dynamisme du chat, ses réactions vives le prouvent, tout comme le roulis qui a diminué de 25 %.

[CONCLUSION] Le positionnement de Jaguar dans le monde est un défi quotidien pour ses dirigeants (qui, au sommet de la hiérarchie, sont indiens depuis que Tata a acheté Jaguar et Land Rover de Ford). Qu'est-ce qui peut bien distinguer la marque par rapport aux BMW, Mercedes-Benz, Audi et Lexus de ce monde ? Il y a déjà l'apparence, à l'extérieur comme à l'intérieur. Sur ce plan, la renaissance moderne de la XJ est

une réussite, bien que des gens émettront un bémol sur l'aspect hétéroclite de l'habitacle. Pour le reste, by Jove! Mission accomplie! Le gros chat est redevenu athlétique mais sans rien sacrifier de sa grâce innée.

2ᵉ OPINION

BENOIT CHARETTE Le surprenant virage amorcé par la nouvelle génération de XF se poursuit avec la XJ. Cette grande berline se tourne résolument vers l'avenir et prend un véritable penchant sportif. Elle se sépare des Classe S et Série 7 de ce monde en offrant une ligne exclusive. La conduite est pro active, le V8 se fait bien entendre et la conduite est beaucoup plus sportive. Le félin s'est sérieusement mis à l'entraînement. Cette nouvelle XJ a beaucoup de panache, elle est extravertie tant en conduite qu'en esthétique et l'habitacle, tout en demeurant d'un raffinement sans faille, a su se moderniser. Au risque de froisser sa clientèle d'initiés, la nouvelle XJ rompt donc avec ses racines ''précieuses'' et espère, en contrepartie, grappiller de nouvelles parts de marché aux intouchables allemandes.

⑤ FICHE TECHNIQUE

- **MOTEURS**
(XJ, XJL)
V8 5,0 l DACT, 385 ch à 6500 tr/min
Couple 380 lb-pi à 3500 tr/min
Transmission automatique à 6 rapports avec mode manuel
0-100 km/h 5,7 s
Vitesse maximale 195 km/h (bridée)

- **(XJ/XJL SUPERCHARGED)**
V8 5,0 l suralimenté par compresseur volumétrique DACT, 470 ch à 6000 tr/min
Couple 424 lb-pi à 2500 tr/min
Transmission automatique à 6 rapports avec mode manuel
0-100 km/h 5,2 s
Vitesse maximale 250 km/h (bridée)
Consommation (100 km) 12,1 l (octane 91)
Émissions de CO_2 5780 kg/an
Litres par année 2360 l
Coût par an 2596 $
Autre motorisation non
Empreinte écologique 36 arbres

- **(XJ SUPERSPORT)**
V8 5,0 l suralimenté par compresseur volumétrique DACT, 510 ch à 6000 tr/min
Couple 461 lb-pi à 2500 tr/min
Transmission automatique à 6 rapports avec mode manuel
0-100 km/h 4,9 s
Vitesse maximale 250 km/h (bridée)
Consommation (100 km) 12,3 l (octane 91)
Émissions de CO_2 5875 kg/an
Litres par année 2400 l **Coût par an** 2688 $
Autre motorisation non
Empreinte écologique 37 arbres

- **AUTRES COMPOSANTES**
Sécurité active freins ABS, répartition électronique de force de freinage, antipatinage, contrôle de stabilité électronique
Suspension avant/arrière indépendante
Freins avant/arrière disques
Direction à crémaillère, assistée
Pneus P245/45ZR19 (av.) P275/40ZR19 (arr.), option XJ/Supercharged/Supersport P245/40ZR20 (av.) P275/35ZR20 (arr.)

- **DIMENSIONS**
Empattement 3032 mm, **emp. long** 3157 mm
Longueur 5122 mm, **emp. long** 5247 mm
Largeur 2110 mm (avec rétro)
Hauteur 1448 mm
Poids XJ : 1835 kg, **XJL** : 1874 kg
XJ Supercharged 1942 kg,
XJL Supercharged 1961 kg,
XJ Supersport 1942 kg, **XJL Supersport** 1961 kg
Diamètre de braquage emp. court 12,3 m, **emp. long** 12,7 m
Coffre 430 l
Réservoir de carburant 82 l

5330 GTK

NOS MENTIONS

 Modèle recommandé

 Coup de coeur

NOTRE VERDICT

Plaisir au volant	●●●●○
Qualité de finition	●●●●○
Consommation	●○○○○
Rapport qualité/prix	●●●○○
Valeur de revente	Nm

XK

www.jaguar.ca

JAGUAR

N ── ÉVOLUTION ── É

J

97 850 $ à 116 850 $
transport sans préparation: 1350 $

LA COTE VERTE

MOTEUR
V8 DE 5,0 L

- **Consommation (100km):**
coupé 10,9 l
cabrio. 11,3 l
- **Émissions polluantes CO$_2$:**
coupé 5106 kg/an
cabrio. 5290 kg/an
- **Empreinte écologique (nombre d'arbres à planter par année):** 32
- **Indice d'octane:** 91
- **Autre motorisation:** non
- **Coût du carburant moyen par année:**
coupé 2486 $
cabrio. 2576 $
- **Nombre de litres par année:**
coupé 2220 l
cabrio. 2300 l

(SOURCE: ÉnerGuide)

334

FICHE D'IDENTITÉ

- **Versions** Coupé, Cabriolet, XKR Coupé, XKR Cabriolet
- **Roues motrices** arrière
- **Portières** 2 **Nombre de passagers** 2+2
- **Première génération** 1997
- **Génération actuelle** 2010
- **Construction** Coventry, Angleterre
- **Sacs gonflables** 6 (frontaux, rideaux et latéraux avant)
- **Concurrence** Aston Martin Vantage, Chevrolet Corvette, Maserati GT, Mercedes-Benz Classe SL, Porsche 911

2 AU QUOTIDIEN

- **Prime d'assurance**
25 ans: 3700 à 3900 $
40 ans: 2400 à 2600 $
60 ans: 1600 à 1800 $
- **Collision frontale** 5/5
- **Collision latérale** 5/5
- **Ventes du modèle de l'an dernier**
Au Québec 17 Au Canada 123
- **Dépréciation** 54,3%
- **Rappels** (2005 à 2010) 1
- **Cote de fiabilité** 3,5/5

3 GARANTIES... ET PLUS

- **Garantie générale** 4 ans/80 000 km
- **Garantie motopropulseur** 4 ans/80 000 km
- **Perforation** 6 ans/kilométrage illimité
- **Assistance routière** 4 ans/80 000 km
- **Nombre de concessionnaires**
Au Québec 4 Au Canada 29

4 NOUVEAUTÉS EN 2011

- Aucun changement majeur

LA MÉLODIE DU BONHEUR

PAR BENOIT CHARETTE

C'EST SUR LA ROUTE DE QUÉBEC À SHERBROOKE QUE JE SUIS TOMBÉ SOUS LE CHARME DE LA XKR. Comment vous transmettre en des mots ce que j'ai ressenti à la poussée de 510 chevaux. À cette époque de voitures vertes, écolos, électriques qui caressent mère nature dans le bon sens du poil, vous n'avez pas idée (à moins de l'avoir conduite) à quel point on se sent vivant dans une telle voiture. Toute cette puissance enveloppée dans un écrin de cuir fin et savamment étouffée juste ce qu'il faut pour laisser filtrer le sifflement érotique du compresseur, c'est ça la mélodie du bonheur, version automobile.

[CARROSSERIE] Toujours coulée dans un bloc, la XK se décline en coupé et en cabriolet. On pourrait comparer sa stature à celle de James Bond. Peu importe l'endroit ou les circonstances, elle est toujours chic et semble toujours à sa place. Les deux voitures profitent d'une calandre profilée du meilleur effet. La XKR se distingue par des boucliers plus affirmés agrémentés d'insérés chromés et d'une calandre supérieure maillée également chromée. La XKR possède aussi une jupe arrière plus basse peinte à la couleur de la carrosserie et d'une sortie d'échappement redessinée qui rehaussent la sportivité de la voiture.

[HABITACLE] Jusqu'à présent, j'ai toujours été un amateur de Porsche 911 ; cette voiture rassemble toutes les qualités recherchées dans une sportive et peut, de surcroît, être conduite au quotidien par le premier venu. Toutefois, l'intérieur a toujours été un peu chirurgical, propre mais avec un certain manque d'émotion. Comme si vous étiez en salle d'opération. Dans une XK, vous êtes dans un relais et un château. Le charme agit, encore et toujours. Le cuir et le bois se marient à merveille avec les notes de cuir. Les sièges, un peu larges, offrent tout de même un excellent confort, et la console, sortie directement de la XF, demande quelques heures d'apprentissage, mais après deux jours tout allait bien. Un bon mot sur l'écran tactile, facile à utiliser et qui gère la majorité des fonctions de la voiture. Dans la pure tradition Jaguar, les sièges arrière de la version coupé serviront au surplus de bagages et non à inviter des amis.

FORCES · Lignes sculpturales · Boîte de vitesses exemplaire · Grand confort · Excellent comportement · Moteur d'une puissance inavouable (XKR)

FAIBLESSES · Visibilité arrière · Places arrière symboliques · Un peu sur-vireuse · Ai-je besoin de parler de la consommation ?

[MÉCANIQUE] Le bouton-poussoir est devenu un petit gadget à la mode, et la XK n'y échappe pas. Dans le cas de la XKR, on ne parle pas de démarrage, mais de mise à feu. L'échappement actif est doté de clapets pour une sonorité finement travaillée. Le résultat est spectaculaire. Les deux modèles de XK profitent d'un moteur V8 de 5 litres. La version XKR est gavée par un compresseur qui fait bondir la puissance de 385 à 510 chevaux et pas 510 chevaux coréens, ils sont ici tous présents avec, en prime, un couple de 461 livres-pieds; ça déménage vite et tôt. La boîte de vitesses comporte 6 rapports et est forcément automatique. Que le sportif se rassure, il est possible de jongler avec les leviers de sélection placés derrière le volant pour un effet plus sportif.

[COMPORTEMENT] Que vous rouliez à un rythme de sénateur ou de coureur, la XK se montre d'une grande docilité. Elle ronronne sagement à bas régime, sans forcer la cadence. La boîte automatique est ... parfaite. La direction est douce et précise. Un seul avertissement, il faut être prudent en remettant les gaz à la sortie d'une courbe, la forte puissance transmise aux roues arrière vous donnera quelques sueurs froides si la surface n'est pas parfaitement sèche. Comme toutes les générations de XK qui l'ont précédée, on ne voit rien à l'arrière, mais j'oserais presque dire que cela fait partie de son charme. Sur la route, c'est une vraie GT avec laquelle vous avez envie de traverser le Canada tellement elle est confortable et docile. Chaque remise des gaz sur la XKR me tire un petit sourire. Contrôlée, puissante sans être sauvage, une force herculéenne avec une charge

homérique de son V8, le moteur vous propulse dans le fond de votre siège avec élégance.

[CONCLUSION] Une grande GT aux performances inavouables et au potentiel inexploitable sur nos routes, mais incarnant le raffinement et la puissance de manière unique.

2ᵉ OPINION

MICHEL CRÉPAULT Que son propriétaire soit britannique, américain ou désormais indien, la marque n'en finit pas d'étonner. Descendant de la légendaire Type E mais aussi de la moins vénérable XJS, le duo XK / XKR reprend le flambeau Jaguar avec un brio qu'on applaudit à trois mains ! Personne ne peut contester l'élégance sportive de ces obus aristocratiques. Des années durant, les stylistes ont mal jonglé avec la tradition et le modernisme. Cette fois, ils ont trouvé. Le sélecteur de vitesses rotatif, par exemple, réécrit l'histoire. Quant aux performances du V8 et du châssis en aluminium, elles honorent le brillant passé. Plus important encore, ces bolides uniques adoptent l'humeur du moment du conducteur. La Jaguar XK s'exhibe boulevardière ou corsaire, au diapason de votre personnalité. Et, disons-le, à un prix qui devrait faire rougir de honte les Maserati et 911 de ce monde.

⑤ FICHE TECHNIQUE

· **MOTEURS**

· **XK**

V8 5,0 l DACT, 385 ch à 6500 tr/min
Couple 380 lb-pi à 3500 tr/min

Transmission automatique à 6 rapports avec mode manuel

0-100 km/h 5,5 s

Vitesse maximale 250 km/h (bridée)

· **XKR**

V8 5,0 l suralimenté par compresseur volumétrique DACT, 510 ch à 6000 tr/min
Couple 461 lb-pi à 2500 tr/min

Transmission automatique à 6 rapports avec mode manuel

0-100 km/h 4,8 s

Vitesse maximale 250 km/h (bridée)

Consommation (100 km) 11,6 l (octane 91)

Émissions de CO$_2$ 5290 kg/an

Litres par année 2300 l

Coût par an 2576 $

Autre motorisation non

Empreinte écologique 37 arbres

· **AUTRES COMPOSANTES**

Sécurité active freins ABS, répartition électronique de force de freinage, antipatinage

Suspension avant/arrière indépendante

Freins avant/arrière disques ventilés

Direction à crémaillère, assistée

Pneus P245/45ZR19 (av.) P275/35ZR19 (arr.), **XKR** 245/40ZR19 (av.) 275/35ZR19 (arr.), **option XK/XKR** 255/35ZR20 (av.) 285/30ZR20 (arr.)

· **DIMENSIONS**

Empattement 2752 mm

Longueur 4794 mm

Largeur 1892 mm (sans rétro.)

Hauteur coupé 1322 mm, **cabrio.** 1329 mm

Poids XK coupé 1660 kg, **XK cabrio.** 1696 kg, **XKR coupé** 1753 kg, **XKR cabrio.** 1800 kg

Diamètre de braquage 10,9 m

Coffre 330 l, **cabrio** 313 l

Réservoir de carburant 71 l

NOS MENTIONS

☺ Modèle recommandé

♥ Coup de coeur

NOTRE VERDICT

Plaisir au volant	⬡⬡⬡⬡⬡
Qualité de finition	⬡⬡⬡⬡◖
Consommation	⬡⬡⬡◖
Rapport qualité/prix	⬡⬡⬡◖
Valeur de revente	⬡⬡⬡◖

COMMANDER
www.jeep.ca

ÉVOLUTION

44 895 $ à **56 095 $**
transport et préparation: 1400 $

LA COTE VERTE

MOTEUR
V6 DE 3,7 L

- **Consommation (100km):** 12,6 l
- **Émissions polluantes CO$_2$:** 5888 kg/an
- **Empreinte écologique (nombre d'arbres à planter par année):** 36
- **Indice d'octane:** 87
- **Autre motorisation:** non
- **Coût du carburant moyen par année:** 2560 $
- **Nombre de litres par année:** 2560 l

(SOURCE: ÉnerGuide)

---

① FICHE D'IDENTITÉ

- **Versions** Sport, Limited
- **Roues motrices** 4
- **Portières** 5 **Nombre de passagers** 7
- **Première génération** 2006
- **Génération actuelle** 2006
- **Construction** Detroit, Michigan, É.-U.
- **Sacs gonflables** 4 (frontaux, rideaux latéraux)
- **Concurrence**, Ford Explorer, Nissan Pathfinder, Toyota 4Runner

② AU QUOTIDIEN

- **Prime d'assurance**
- **25 ans:** 2500 à 2700 $
- **40 ans:** 1500 à 1700 $
- **60 ans:** 1100 à 1300 $
- **Collision frontale** 5/5
- **Collision latérale** 4/5
- **Ventes du modèle de l'an dernier**
  Au Québec 105 **Au Canada** 627
- **Dépréciation** 63,2 %
- **Rappels** (2005 à 2010) 10
- **Cote de fiabilité** 3/5

③ GARANTIES... ET PLUS

- **Garantie générale** 3 ans/60 000 km
- **Garantie motopropulseur** 5 ans/100 000 km
- **Perforation** 5 ans/160 000 km
- **Assistance routière** 5 ans/100 000 km
- **Nombre de concessionnaires**
  Au Québec 93 **Au Canada** 440

④ NOUVEAUTÉS EN 2011

- Aucun changement majeur

SURVIVRA-T-IL ?

PAR DANIEL RUFIANGE

DE TOUS LES PRODUITS PROPOSÉS PAR JEEP, LE COMMANDER EST PEUT-ÊTRE LE PLUS INTÉRESSANT. Il s'est pointé sur le marché à un bien mauvais moment, un temps de l'histoire où la presse n'était pas très tendre à l'égard des gros VUS énergivores. Pourtant, le Commander regorge de qualités et, pour un produit de la famille Chrysler, il ne fait pas dans la médiocrité. Reste à savoir si le contexte économique actuel et la nouvelle direction de Chrysler décideront de conserver ce mastodonte au catalogue. Un regard du côté des ventes laisse croire à une mort prochaine, mais on a déjà vu des choses plus bizarres dans l'industrie.

[CARROSSERIE] Lors de mon essai du Commander, mes proches l'ont identifié à tout sauf à un Commander. On a cru que je pilotais un Land Rover, un beau compliment en soi. Mais on a aussi cru que je me baladais au volant d'un Hummer, une comparaison plus boiteuse, moins flatteuse. La comparaison avec ces deux produits est attribuable aux lignes très carrées du Commander. On ne peut cependant l'accuser

d'imiter qui que ce soit; la génétique Jeep est très perceptible et très présente. Le Commander est proposé en deux configurations, soit Sport et Limited. Tous les modèles profitent d'une forte présence de chrome visible sur la calandre avant, les moulures latérales ainsi que les montants de toit; un effet de style réussi. Des roues de 17 pouces sont offertes de série sur le modèle Sport, alors que des jantes de 18 pouces, chromées bien entendu, confèrent une allure de m'as-tu-vu à la version Limited.

[HABITACLE] L'habitacle des produits Chrysler souffre depuis des lunes d'une piètre réputation tout à fait justifiée en matière de qualité. L'environnement du Commander surprend à ce chapitre. Sans le comparer à ce que propose certaines marques plus prestigieuses, mentionnons la qualité plus qu'acceptable de l'ensemble. Le Commander compte de l'espace pour sept occupants, et c'est ce qui le distingue surtout du Jeep Grand Cherokee. Par contre, les sixième et septième places sont plus décoratives qu'accueillantes. Par contre, en position rele-

---

FORCES · Aspect vraiment utilitaire: capacité de remorquage et compétence hors route · Confort et douceur de roulement · Moteur HEMI

FAIBLESSES · Prix élevé et faible valeur de revente · Consommation du moteur HEMI · Visibilité arrière · Moteur V6 qui manque de souffle

vée, elles achoppent la visibilité par la lunette; dangereux! Heureusement, l'espace disponible pour les occupants des deux premières rangées est plus généreux. À noter le sentiment de claustrophobie ressenti à bord, résultant d'une surface vitrée restreinte et d'un environnement plus noir que le charbon.

[MÉCANIQUE] Deux moteurs sont proposés pour mouvoir le Commander. Un V6 de 3,7 litres équipe la version Sport qui peut aussi compter sur le moteur V8 HEMI de 5,7 litres, en option. Ce dernier est livré de série sur la version Limited. Il est le plus compétent des deux pour déplacer la masse imposante du Commander. Avec ses 357 chevaux et son impressionnant couple de 389 livres-pieds, rien ne semble à son épreuve. En revanche, les maigres 210 chevaux du moteur V6 rendent les accélérations et les reprises plus laborieuses.

[COMPORTEMENT] Ce qui étonne au volant du Commander, c'est la douceur de roulement, l'aplomb en virage et l'aspect très civilisé de sa conduite. Après tout, ne repose-t-il pas sur un châssis en échelle et n'est-il pas doté d'un essieu rigide à l'arrière? Disons qu'on s'attend à un comportement routier plus rustre. Le travail des amortisseurs nous fait donc oublier cette architecture de camion, mais n'allez pas croire que les capacités robustes du Commander en sont entravées; il se montre tout à fait compétent hors route grâce à ses différents systèmes 4 X 4: Quadra-Trac I, Quadra-Trac II et Quadra-Drive II.

[CONCLUSION] Sans aucun doute, le Commander est un produit intéressant mais méconnu. Ses chiffres de ventes traduisent le désintérêt du public pour ce genre de véhicule. Les amateurs se sont tournés vers les véhicules multisegments, souvent capables de répondre à leurs besoins. Nous verrons bien quel sort sera réservé au Commander au cours de la prochaine année. Je ne parierais pas un petit deux sur une prochaine génération, mais...

2ᵉ OPINION

MICHEL CRÉPAULT Survivra-t-il ou pas? C'est la question qu'on se pose depuis des mois au sujet de ce gros VUS d'une autre époque. Les raisons qui militent pour son maintien gravitent essentiellement autour de la science de l'aventure de Jeep. Le Commander peut passer presque partout et le faire à l'intérieur d'une cabine conçue comme un cocon. Le V8 n'a rien à son épreuve. Et... et c'est tout! On s'étonne encore qu'un si gros véhicule offre si peu d'espace pour les occupants et leurs bagages? On se désole de ne pas avoir droit à un moteur diesel ou à une motorisation hybride, qui chasseraient des données affreuses de consommation. Même l'anémique V6 n'arrive pas à boire convenablement. C'est malheureux parce que, dans son genre, le militaire Commander aurait un avenir... si on le traitait enfin de façon moderne.

⑤ FICHE TECHNIQUE
· MOTEURS
· (SPORT)
V6 3,7 l SACT, 210 ch à 5200 tr/min
Couple 235 lb-pi à 4000 tr/min
Transmission automatique à 5 rapports
0-100 km/h 11,1 s
Vitesse maximale 180 km/h
· (OPTION SPORT, LIMITED)
V8 5,7 l ACC, 357 ch à 5000 tr/min
Couple 389 lb-pi à 4000 tr/min
Transmission automatique à 5 rapports
0-100 km/h 7,9 s
Vitesse maximale 200 km/h
Consommation (100 km) 13,2 l (octane 87)
Émissions de CO₂ 6164 kg/an
Litres par année 2680 l
Coût par an 2680 $
Autre motorisation non
Empreinte écologique 37 arbres
· AUTRES COMPOSANTES
Sécurité active freins ABS, antipatinage, contrôle de stabilité électronique
Suspension avant/arrière indépendante / essieu rigide
Freins avant/arrière disques
Direction à crémaillère, assistée
Pneus P245/65R17 **Option Limited** P245/60R18
· DIMENSIONS
Empattement 2781 mm
Longueur 4787 mm
Largeur 1900 mm
Hauteur 1832 mm
Poids 3,7 l 2175 kg **5,7 l** 2352 kg
Diamètre de braquage 11,8 m
Coffre 212 l, 1940 l (sièges abaissés)
Réservoir de carburant 80 l
Capacité de remorquage 3,7 l 1588 kg **5,7 l** 3266 kg

Pour les émissions de CO₂ : CO_2

337

NOTRE VERDICT

Plaisir au volant	⬡⬡⬡⬡⬡
Qualité de finition	⬡⬡⬡⬡⬡
Consommation	⬡⬡⬡⬡⬡
Rapport qualité/prix	⬡⬡⬡⬡⬡
Valeur de revente	⬡⬡⬡⬡⬡

COMPASS

www.jeep.ca

ÉVOLUTION

N — É
J

20 145 $ à 25 595 $
transport et préparation: 1400 $

Jeep

LA COTE VERTE

MOTEUR
L4 DE 2,0 L

- **Consommation**
(100km):
man . 7,9 l
CVT 8,2 l
- **Émissions
polluantes CO$_2$:**
man. 3680kg/an
CVT 3818 kg
- **Empreinte écologique
(nombre d'arbres à
planter par année):** 24
- **Indice d'octane:** 87
- **Autre
motorisation:** non
- **Coût du carburant
moyen par année:**
man. 1600 $
CVT 1660 $
- **Nombre de
litres par année:**
man. 1600
CVT 1660 l

(SOURCE: ÉnerGuide)

---

① FICHE D'IDENTITÉ

- **Versions** Sport, North, Limited
- **Roues motrices** avant, 4
- **Portières** 5 **Nombre de passagers** 5
- **Première génération** 2007
- **Génération actuelle** 2007
- **Construction** Belvidere, Illinois, É.-U.
- **Sacs gonflables** 4 (frontaux, rideaux latéraux;
latéraux en option)
- **Concurrence** Ford Escape, Honda CR-V,
Hyundai Tucson, Kia Sportage, Nissan Rogue,
Subaru Forester, Suzuki Grand Vitara,
Toyota Rav4

② AU QUOTIDIEN

- **Prime d'assurance**
25 ans : 1500 à 1700 $
40 ans : 1000 à 1200 $
60 ans : 800 à 1000 $
- **Collision frontale** 4/5
- **Collision latérale** 5/5
- **Ventes du modèle de l'an dernier**
Au Québec 1505 **Au Canada** 5176
- **Dépréciation** 56,9%
- **Rappels** (2005 à 2010) 7
- **Cote de fiabilité** 3/5

③ GARANTIES... ET PLUS

- **Garantie générale** 3 ans/60 000 km
- **Garantie motopropulseur** 5 ans/100 000 km
- **Perforation** 5 ans/160 000 km
- **Assistance routière** 5 ans/100 000 km
- **Nombre de concessionnaires**
Au Québec 93 **Au Canada** 440

④ NOUVEAUTÉS EN 2011

- Aucun changement majeur

UN PEU TROP DILUÉ

PAR DANIEL RUFIANGE

CHAQUE ANNÉE, IL SE VEND ENVIRON 1500 COMPASS AU QUÉBEC, PLUS DE 5000 AU CANADA. LES VENTES DE SON JUMEAU, LE PATRIOT, SONT SEMBLABLES, SUPÉRIEURES MÊME CERTAINES ANNÉES. On aura beau vous mentionner que ces véhicules sont mal nés, eux qui reposent sur le châssis de la Caliber, qu'ils sont dotés d'intérieurs de piètre qualité et qu'ils sont incompétents hors des sentiers battus – on parle ici de véhicules portant l'écusson Jeep -, rien n'y fait. Quand un constructeur offre un véhicule dit utilitaire offrant la transmission intégrale, le tout pour moins de 20 000 $, le public, lui, achète, non seulement l'idée, mais aussi le véhicule.

[CARROSSERIE] À l'origine, le Compass devait plutôt plaire aux femmes, alors que les lignes du Patriot devaient séduire une clientèle masculine. Si c'est vrai dans le cas du Patriot, on est plus surpris de constater que la moitié des acheteurs de Compass sont aussi des hommes. Ou bien ils préfèrent les lignes efféminés aux lignes plus masculines ou plus dures du Patriot, ou bien c'est madame qui porte le pantalon! Chose certaine,

les lignes du Compass ne viennent rien titiller en moi. Mais il faut avouer que pour séduire la clientèle féminine, le tout est fait avec goût. On reconnaît aussi la signature Jeep, ce qui aide à sauver la donne. Le Compass est offert en trois versions. La version de base a beau proposer un prix alléchant de 20 145 $, il faut comprendre que, à ce prix, votre Jeep ne comptera que sur la traction et que vous devrez débourser pour obtenir la climatisation. Soyez aux aguets.

[HABITACLE] Quand on monte à bord d'un véhicule dont on fait l'essai, il faut toujours tenir compte de la facture exigée avant de porter un jugement. On ne s'attend pas à retrouver le confort d'une BMW de Série 7 à bord d'un Jeep Compass de moins de 20 000 $. Cependant, si l'on compare des pommes avec des pommes, on réalise que l'offre de Jeep est déficiente. Si la position de conduite est correcte, et si le confort des sièges est passable, comment expliquer une qualité d'assemblage à faire pleurer. Quant à la qualité des matériaux, oui, elle laisse à désirer, mais encore là, il faut tenir compte de la facture exigée

---

FORCES · Prix en version de base · Messieurs, les femmes vous trouveront mignon à son volant · Signature Jeep

FAIBLESSES · Habitacle triste à en mourir · Construit sur les bases d'un Caliber ; faut-il en rajouter ? · Moteurs anémiques et bruyants

pour le produit. Cependant, du côté de Chrysler, on se dit conscient qu'il faut faire mieux. Soit dit en passant, si vous invitez des gens à prendre place à l'arrière, assurez-vous que ce soit de bons amis; une balade à l'arrière n'a rien d'enchanteur.

[MÉCANIQUE] Deux moteurs sont offerts dans le Compass. Ni l'un ni l'autre n'est une référence en matière de technologie. Côté puissance, ça peut aller, mais est-ce que les moteurs se doivent d'émettre des sonorités si désagréables ? Pour ce qui est des boîtes de vitesses, nous vous recommandons la manuelle, bien plus agréable à l'usage que la boîte CVT qui n'arrive tout simplement pas à nous convaincre de son efficacité. Entre le bruit qu'elle émet et la sonorité du moteur en pleine accélération, c'est un véritable concours de chant digne des pires auditions de Star Académie.

[COMPORTEMENT] Du Compass, on apprécie surtout la douceur de roulement, en ligne droite. En virage ou en conduite moindrement dynamique, la suspension montre ses limites. La même règle s'applique au freinage; gardez vos distances. En ce qui a trait au système à quatre roues motrices, il a beau être monté sur un Jeep, ce n'est pas avec une suspension à quatre roues indépendantes et une garde au sol digne d'un roadster que vous irez vous aventurer sans tracas dans le bois. Au mieux, vous pourrez affronter l'hiver avec plus d'assurance.

[CONCLUSION] Le Compass a beau être rempli de lacunes, il faut reconnaître un fait; les consommateurs le chérissent. Ça, c'est un couteau à deux tranchants pour le constructeur. Cela lui confirme qu'il peut fabriquer des produits de piètre qualité et en vendre quand même. Sauf qu'à force de jouer à ce petit jeu, on risque de se brûler, et je pense que, chez Chrysler, on en est aussi conscient que n'importe qui.

2ᵉ OPINION

BENOIT CHARETTE Pour ceux qui ne le savaient pas encore, le Jeep Compass n'est rien d'autre qu'une Dodge Caliber dans une robe différente. Le moteur 2,0 L est le même affreux moteur coiffé de l'horrible boîte CVT. De grâce, ne succombez pas à l'argument du meilleur prix et de la consommation pour aller chercher ce modèle. La seule option valable est le 4-cylindres de 2,4 litres avec boîte de vitesses manuelle. Je le répète et je le souligne en gras trois fois, évitez la boîte CVT, elle est mauvaise. Et la différence de consommation entre les deux moteurs est à peine d'un litre aux 100 kilomètres. Le Compass possède tout de même quelques qualités comme sa bonne manœuvrabilité en ville, un prix concurrentiel et la possibilité d'avoir 4 roues motrices. Mais dans l'ensemble, il ne fait pas le poids face aux Ford Escape, Honda CR-V ou Grand Vitara. Franchement, il faut être un peu mal pris pour aller vers un Compass.

⑤ FICHE TECHNIQUE

· MOTEURS
· L4 2,4 l DACT, 172 ch à 6000 tr/min
Couple 165 lb-pi à 4400 tr/min

Transmission manuelle à 5 rapports, automatique à variation continue avec mode manuel (en option)

0-100 km/h 2RM 10,2 s **4RM** 10,7 s

Vitesse maximale 185 km/h

Consommation (100 km) 2RM man. 8,0l
4RM man. 8,2 l **2RM CVT** 8,9 l **4RM CVT** 9,1 l (octane 87)

Émissions de CO₂ 2RM man. 3726 kg/an
4RM man. 3772 kg/an **2RM CVT** 4094 kg/an
4RM CVT 4232 kg/an (octane 87)

Litres par année 2RM man 1620 l **4RM man.**
1640 l **2RM CVT** 1780 l **4 RM CVT** 1840

Coût par an 2RM man. 1620 $ **4RM man.** 1640 $
2RM CVT 1780 $ **4 RM CVT** 1840 $

Carburant alternatif non

Empreinte écologique 27 arbres

· (EN OPTION SUR SPORT ET NORTH 2RM)
L4 2,0 l DACT, 158 ch à 6400 tr/min
Couple 141 lb-pi à 5000 tr/min

Transmission manuelle à 5 rapports, automatique à variation continue avec mode manuel

0-100 km/h 11,2 s

Vitesse maximale 175 km/h

· AUTRES COMPOSANTES
Sécurité active freins ABS, antipatinage, contrôle de stabilité électronique

Suspension avant/arrière indépendante

Freins avant/arrière disques/tambours,
4RM disques/disques

Direction à crémaillère, assistée

Pneus Sport/North P215/60R17,
option North P215/65R17, **Limited** P215/55R18

· DIMENSIONS
Empattement 2635 mm

Longueur 4404 mm

Largeur 1760 mm

Hauteur 1631 mm

Poids Sport/North 2RM 1394 kg
Sport/North 4RM 1462 kg **Limited 2RM** 1428 kg
Limited 4RM 1500 kg

Diamètre de braquage

pneus 17 pouces 10,8 m

pneus 18 pouces 11,3 m

Coffre 643 l, 1519 l (sièges abaissés)

Réservoir de carburant 2RM 52 l **4RM** 51 l

Capacité de remorquage 907 kg (avec groupe remorquage)

NOTRE VERDICT

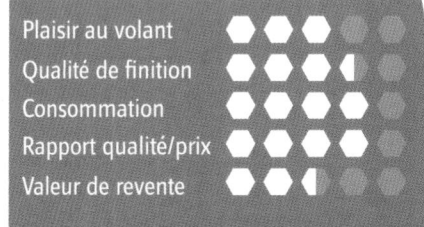

Plaisir au volant	⬡⬡⬡⬡⬡
Qualité de finition	⬡⬡⬡⬡⬡
Consommation	⬡⬡⬡⬡⬡
Rapport qualité/prix	⬡⬡⬡⬡⬡
Valeur de revente	⬡⬡⬡⬡⬡

37 995 à 49 995 $
transport et préparation: 1400 $

Jeep

LA COTE VERTE

MOTEUR
V6 3,6 L

- **Consommation (100km):** 12,4 l
- **Émissions polluantes CO_2 :** nd
- **Empreinte écologique (nombre d'arbres à planter par année):** nd
- **Indice d'octane:** 87
- **Autre motorisation:** non
- **Coût du carburant moyen par année:** nd
- **Nombre de litres par année:** nd

(SOURCE: Jeep)

340

 FICHE D'IDENTITÉ

- **Versions** Laredo, Limited, Overland
- **Roues motrices** 4
- **Portières** 5 **Nombre de passagers** 5
- **Première génération** 1993
- **Génération actuelle** 2011
- **Construction** Détroit, É-U
- **Sacs gonflables** 6
  (frontaux, thorax avant, rideaux latéraux)
- **Concurrence** Ford Explorer, Land Rover LR2, Nissan Pathfinder, Toyota 4Runner

 AU QUOTIDIEN

- **Prime d'assurance**
  25 ans: 2400 à 2600 $
  40 ans: 1400 à 1600 $
  60 ans: 1000 à 1300 $
- **Collision frontale** nm
- **Collision latérale** nm
- **Ventes du modèle de l'an dernier**
  Au Québec 898 **Au Canada** 5285
- **Dépréciation** 64,7%
- **Rappels (2005 à 2010)** 7
- **Cote de fiabilité** nm

 GARANTIES... ET PLUS

- **Garantie générale** 3 ans/60 000 km
- **Garantie motopropulseur** 5 ans/100 000 km
- **Perforation** 5 ans/160 000 km
- **Assistance routière** 5 ans/100 000 km
- **Nombre de concessionnaires**
  Au Québec 93 **Au Canada** 440

 NOUVEAUTÉS EN 2011

- Nouvelle génération, version SRT8 en sursis

MOMENT DE VÉRITÉ

PAR BENOIT CHARETTE

APRÈS UNE LONGUE TRAVERSÉE DU DÉSERT ET UN PEU PLUS DE DEUX ANS DE PRÉPARATION, CHRYSLER NOUS PRÉSENTE POUR 2011 SA QUATRIÈME GÉNÉRATION DU GRAND CHEROKEE, LE VÉHICULE-PHARE DE LA MARQUE. La naissance du nouveau Grand Cherokee aura traversé plusieurs embûches. Le projet, qui a pris naissance avec le groupe Daimler, l'ancien conjoint de fait de Chrysler, a continué sous la gouverne du groupe Cerberus, est passé par le tribunal de la faillite et s'est terminé sous les hospices de Fiat. Pas évident de garder le cap à travers toute cette tourmente. Malgré tout, Jeep nous montre une nouvelle approche qui fera son chemin à travers la gamme des produits Chrysler.

[CARROSSERIE] Au-delà des lignes qui sont toutes nouvelles, le châssis lui-même provient de l'alliance Chrysler-Mercedes (qui existait toujours en 2008) et servira aussi de base à la prochaine génération de Mercedes-Benz ML, l'an prochain. Les produits Jeep ont toujours été fiers de leurs démarches simples, du style

« Américain moyen » de leurs produits. Mais les temps et les goûts changent, et le chef de design du nouveau produit est aussi un Allemand de Mercedes-Benz qui est demeuré chez Chrysler pour terminer son projet Grand Cherokee. Sans être élitiste, ce Grand Cherokee transpire le bon goût. Il conserve une allure générale que tous les amateurs reconnaîtront, mais offre des contours plus sculptés qui font plaisir à l'œil. Il y a plus de profondeur dans le dessin des custodes qui ressemblaient depuis trop longtemps à une brique. Un petit renflement des ailes à la GMC Terrain est également du meilleur effet. Bref, il s'agit toujours d'un Grand Cherokee, mais après un long passage dans un salon d'esthétique. Le résultat est convaincant, sans être exagéré.

[HABITACLE] Comme tous les utilitaires de luxe qui se respectent, vous retrouverez dans le Grand Cherokee toutes les assistances électroniques modernes. De la caméra de recul au volant chauffant en passant par le hayon avec commande à distance jusqu'aux écrans vidéos derrière les appuie-tête sans oublier le toit panoramique dou-

FORCES · Grande amélioration de la direction et de la tenue de route · Excellent V6 · Suspensions *Quadra-Lift*

FAIBLESSES · Boîte automatique à 5 rapports vieillotte · Système de navigation difficile d'utilisation · Oui, un diesel serait apprécié

ble, trois différents systèmes à 4 roues motrices et le démarrage par bouton-poussoir. Pourtant, c'est dans l'approche de l'habitacle et non dans son contenu que le Grand Cherokee marque le plus de points. La nouvelle mouture a fait disparaître de l'habitacle les horribles plastiques gris et dur pour faire place à un plastique plus souple, de meilleure facture, comme sur la dernière génération de camions Ram. Jumelé à de véritables insérés de bois sur les versions haut de gamme, le Grand Cherokee peut maintenant garder la tête haute face à la concurrence. Au chapitre de l'espace, même si le Grand Cherokee n'a pas encore le statut de VUS pleine grandeur, ce dernier profite d'une plateforme allongée de près de 15 centimètres. Cet espace supplémentaire laisse presque 10 centimètres de plus aux passagers arrière.

> **AU-DELÀ DES LIGNES QUI SONT TOUTES NOUVELLES, LE CHÂSSIS LUI-MÊME PROVIENT DE L'ALLIANCE CHRYSLER-MERCEDES ET SERVIRA AUSSI DE BASE À LA PROCHAINE GÉNÉRATION DE MERCEDES-BENZ ML, L'AN PROCHAIN.**

[MÉCANIQUE] La plus importante innovation est sous le capot avec un nouveau V6 de 3,6 litres qui risque de faire école dans plusieurs autres modèles à venir. Portant le nom de code Pentastar, ce moteur, qui symbolise la renaissance du groupe, produit, dans le Grand Cherokee, 290 chevaux avec un rendement sous la barre des 10 litres aux 100 kilomètres. Un sérieux bond en avant par rapport aux 210 chevaux de l'ancien V6 de 3,7 litres. Ce moteur constituera, selon les estimés de Jeep, 50 % des ventes. Les autres 50 % iront au

Grand Cherokee V8 avec son bon vieux moteur HEMI de 5,7 litres de 360 chevaux avec désactivation des cylindres sur demande. La prime demandée pour passer du V6 au V8 sera de 1 700 $. À titre de légende de l'école buissonnière, le Grand Cherokee se devait de conserver intacte sa réputation de grimpeur sans peur et sans reproche. Il est donc possible de choisir trois modes différents de motricité 4 x 4 sur le modèle 2011. Le modèle le plus simple sur la version Laredo se nomme le Quadra-Trac I. Un système à 4 roues motrices permanent comportant un simple boîtier de transfert. Vient ensuite le Quadra-Trac II qui ajoute un boîtier de transfert à deux rapports et la capacité de transférer 100 % de la puissance aux roues avant ou arrière (alors qu'il est bloqué à 50/50 sur le système de base). Enfin, le Quadra-Drive II offre tous ce que vous retrouvez dans le Quadra-Trac II, mais ajoute un différentiel à glissement limité aux deux essieux. Mais attendez, ce n'est pas tout. Une nouvelle suspension pneumatique Quadra-Lift à 4 roues indépendantes permet de faire varier sensiblement la garde au sol et de préserver le confort. À la manière de Land Rover avec son *Terrain Response*, Jeep propose un système baptisé *Selec-Terrain* offrant le choix entre cinq réglages de suspension et d'accélérateur : automatique, sable/boue, sport, neige et rocaille. Ce système est offert sur tous les modèles. Il est conçu pour les illettrés du franchissement et compte 12 différents paramètres de conduite qui contrôlent l'accélérateur, les freins, la boîte de vitesses, le boîtier de transfert et le module de contrôle de descente.

///////////////

HISTORIQUE

Le nom Jeep Cherokee arrive en 1974 sous le règne de la défunte AMC (American Motors Company). Il y a aura des Grand Wagoneer dans les années 80. En 1987, Chrysler reprend les rennes et présente en 1989, le Concept 1, un camion très proche de la première génération de Grand Cherokee qui s'est finalement présenté pour l'année modèle 1993. Depuis, deux générations ont suivi en 1999 et 2005.

CHEROKEE 1963
CHEROKEE 1974
CHEROKEE 1984
GRAND WAGONEER 1984
CONCEPT 1989
GRAND CHEROKEE 1993
GRAND CHEROKEE 2000

| 341

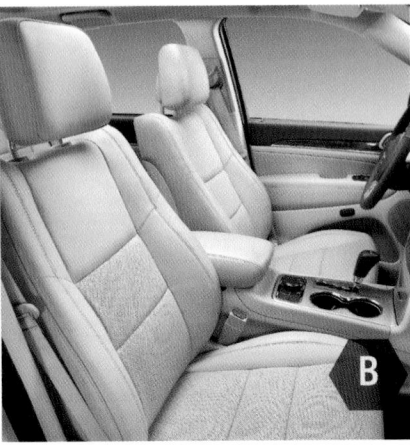

GALERIE

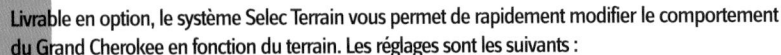

A Livrable en option, le système Selec Terrain vous permet de rapidement modifier le comportement du Grand Cherokee en fonction du terrain. Les réglages sont les suivants :

- Auto – Mode de base pour la conduite de tous les jours;
- Snow (neige) – Minimise le survirage et maximise la motricité;
- Sport – Axé sur les performances pour offrir une sensation de propulsion; intervention réduite de l'antipatinage;
- Sand/Mud (sable/boue) – Maximise la motricité et autorise un certain patinage;
- Rockaille – Peut être engagé au rapport inférieur (4LO) et engage le limiteur de vitesse en descente.

B Dans la version Limited, en plus de la sellerie en cuir Nappa de catégorie supérieure, les sièges avant chauffants et ventilés et les sièges arrière chauffants vous permettent de profiter pleinement des joies de conduire un véhicule de luxe.

C Tous les occupants pourront profiter du premier toit ouvrant panoramique à deux panneaux *CommandView* livrable en option. Il compte deux panneaux en verre teinté qui couvrent les deux rangées de sièges. Le panneau avant s'ouvre et se ferme par la simple pression d'un bouton tandis que celui arrière est fixe.

D Pour 2011, le Jeep Grand Cherokee donne un coffre plat de 1945 L avec les sièges abaissés.

E Le nouveau moteur V6 Pentastar de 3,6 L avec distribution variable des soupapes (VVT) livre 290 chevaux et 260 lb-pi de couple, une augmentation de 38 p. 100 de la puissance et de 11 p. 100 du couple par rapport au moteur qu'il remplace. Silencieux et perfectionné, et aussi plus éconergétique, il affiche une consommation de 8,9 L/100 km (32 mi/gal) sur route et de 13 L/100 km (22 mi/gal) en ville, en plus d'une autonomie de plus de 1 000 kilomètres – supérieure à celle du Jeep Grand Cherokee diesel sortant. Ce V6 de série anime tous les modèles.

GRAND CHEROKEE

JEEP

[CONCLUSION]

À un prix de base de 37 995 $, le Grand Cherokee se place dans une position avantageuse sur le marché. Il n'a rien perdu de sa légendaire capacité à affronter les terrains les plus inhospitaliers, et son nouveau châssis est très flatteur sur la route. Ajoutons à cela un surplus d'espace dans l'habitacle, et nous pouvons affirmer que, si les futurs produits de Chrysler sont à l'image de ce nouveau Grand Cherokee, l'avenir est prometteur.

[COMPORTEMENT] En plus du châssis, Mercedes-Benz a également fourni au Grand Cherokee sa suspension à l'avant et à l'arrière. Ce qui veut dire que l'essieu rigide disparaît pour laisser place à une suspension à 4 roues indépendantes. Inutile de vous dire que, sur la route, nous avons observé une immense amélioration derrière le volant. La tenue de route est, à toutes fins utiles, celle d'une berline, et l'assistance électrique, trop souvent encore imparfaite, ne fait l'objet d'aucun reproche sur ce modèle. La boîte de vitesses automatique à 5 rapports fait du bon travail, mais accuse un léger retard face à la concurrence. Chrysler a souligné qu'elle travaille actuellement à l'élaboration d'une boîte ZF à 8 rapports qui devrait arriver sur le marché en 2012. Le V6 s'est révélé à la hauteur de la situation. Silencieux, assez puissant et capable de tirer 2 269 kilos, il répond très bien aux attentes de la clientèle. Jeep annonce une autonomie de 1000 kilomètres sur un plein du réservoir de 93 litres. Je suis un peu sceptique, mais nous n'avons pu vérifier ces chiffres car notre essai ne comptait que 300 kilomètres. Toutefois, selon une estimation sommaire, en calculant le carburant consommée durant la journée, nous serions plus près de 700 à 800 kilomètres, ce qui est déjà très bien pour un V6 de 290 chevaux. Fidèle à sa réputation, le V8 offre plus de chevaux, plus de capacité de remorquage (3 400 kilos) et une plus grosse facture de carburant. Mais la satisfaction sous le pied droit est toujours au rendez-vous. Sachez que Jeep prépare aussi une future version SRT8, mais pas avant deux années modèles.

SAVIEZ-VOUS QUE ?

Les origines du mot Jeep sont diverses et tout le monde n'est pas d'accord sur sa provenance exacte. Voici une des explications. Le nom Jeep pourrait provenir de la bande dessinée Popeye d'E.C. Segar, où apparaît en mars 1936 un animal imaginaire du nom d'*Eugene the jeep* (Pilou-Pilou en français). « Jeep » est alors une onomatopée habituellement utilisée par les dessinateurs pour imiter le cri d'un oisillon. Habile et possédant des facultés extraordinaires, ce petit animal de la jungle est capable de se sortir de situations difficiles. Ce surnom de « jeep » aurait alors attribué au véhicule en raison de ses caractéristiques exceptionnelles.

5 **FICHE TECHNIQUE**

- **MOTEURS**
- **(Laredo, Limited)**
V6 3,6 l DACT, 290 ch à 6400 tr/min
Couple 260 lb-pi à 4800 tr/min
Transmission automatique à 5 rapports avec mode manuel
0-100 km/h nd
Vitesse maximale nd

- **(option Laredo, option Limited, Overland)**
V8 5,7 l ACC 360 ch à 5150 tr/min
Couple 390 lb-pi à 4250 tr/min
Transmission automatique à 5 rapports avec mode manuel
0-100 km/h 7.4 s
Vitesse maximale 210 km/h
Consommation (100 km) 14,7 l (octane 89)
Émissions de CO_2 6118 kg/an
Litres par année 2660 l
Coût par an 2660 $
Carburant alternatif non
Empreinte écologique 39

- **AUTRES COMPOSANTES**
Sécurité active freins ABS, répartion électronique
de la force de freinage, assistance au freinage, contrôle de stabilité électronique, antipatinage
Suspension avant/arrière indépendante
Freins avant/arrière disques
Direction à crémaillère, assistée
Pneus Laredo P245/70R17 **Overland** P265/50R20
option Laredo, option Overland, Limited P265/60R18

- **DIMENSIONS**
Empattement 2915 mm
Longueur 4822 mm
Largeur 1938 mm (sans rétro)
Hauteur 1761 mm
Poids Laredo V6 2114 kg **Laredo V8** 2278 kg
Limited V6 2201kg **Limited V8** 2336 kg
Overland 2364 kg
Diamètre de braquage 11,3 m
Coffre 994 l, 1945 l (sièges abaissés)
Réservoir de carburant 93,1 l
Capacité de remorquage V6 2269 kg **V8** 3400 kg

343

NOS MENTIONS

 Modèle recommandé

NOTRE VERDICT

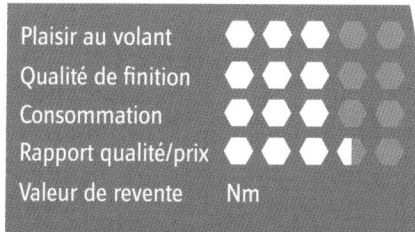

Plaisir au volant	●●●
Qualité de finition	●●●
Consommation	●●
Rapport qualité/prix	●●●◐
Valeur de revente	Nm

ÉVOLUTION
N
J
É

31 195 $ à 35 195 $
transport et préparation: 1400 $

Jeep

1 FICHE D'IDENTITÉ

· **Versions** Sport, North, Renegade, Limited
· **Roues motrices** 4
· **Portières** 5 **Nombre de passagers** 5
· **Première génération** 2002
· **Génération actuelle** 2008
· **Construction** Toledo, Ohio, É.-U.
· **Sacs gonflables** 4 (frontaux, rideaux latéraux)
· **Concurrence** Dodge Nitro, Nissan Xterra,
Toyota FJ Cruiser, Suzuki Grand Vitara, Kia Sorento

2 AU QUOTIDIEN

· **Prime d'assurance**
25 ans: 1900 à 2100 $
40 ans: 1300 à 1500 $
60 ans: 1000 à 1200 $
· **Collision frontale** 5/5
· **Collision latérale** 5/5
· **Ventes du modèle de l'an dernier**
Au Québec 606 **Au Canada** 3824
· **Dépréciation** 58,4 %
· **Rappels** (2005 à 2010) 8
· **Cote de fiabilité** 2,5/5

3 GARANTIES... ET PLUS

· **Garantie générale** 3 ans/60 000 km
· **Garantie motopropulseur** 5 ans/100 000 km
· **Perforation** 5 ans/160 000 km
· **Assistance routière** 5 ans/100 000 km
· **Nombre de concessionnaires**
Au Québec 93 **Au Canada** 440

4 NOUVEAUTÉS EN 2011

· Aucun changement majeur

HORS DES BOIS, HORS-LA-LOI ?

PAR MICHEL CRÉPAULT

ON NE LUI REND PAS LA VIE FACILE, AU PAUVRE LIBERTY. LES PLUS OBJECTIFS D'ENTRE NOUS LUI RECONNAISSENT D'EMBLÉE DES QUALITÉS DE COUREUR DES BOIS MAIS, POUR CE QUI EST DU RESTE, ON LUI TAPE DESSUS SANS MÉNAGEMENT.

[CARROSSERIE] Qui dit Jeep dit carré, et le Liberty ne prend pas de liberté à ce chapitre. Les stylistes l'ont découpé à la tronçonneuse, tandis que la calandre en barreaux de prison identifie la marque. Les phares sont étrangement entre deux : ronds comme il se doit mais encadrés géométriquement. Il n'est pas énorme, partageant en cela la plateforme du Dodge Nitro, et se mesurant à des collègues comme le FJ Cruiser ou le Grand Vitara. Il n'a pas l'air que solide, il l'est, comme le prouve un score parfait dans des tests de collision frontale. Son talon d'Achille se situerait sur les côtés. Les stylistes ont voulu faire original en offrant le Sky Slider, un très long toit ouvrant taillé dans une toile, comme un cabriolet, pour ac-

centuer notre communion avec la nature. En fait, la communion est si totale que tous les bruits, naturels ou pas, réussissent à se frayer un chemin même quand on roule capote fermée.

[HABITACLE] Ce n'est pas l'équipement qui fait défaut au Liberty : de l'entrée sans clef à la radio satellite en passant par la connectivité Bluetooth et le volant inclinable, il nous promène au milieu d'une panoplie qui a d'ordinaire l'heur de plaire. Hélas, la décoration austère et les plastiques durs et vitement assemblés desservent mal les accessoires. La seule bonne note est redevable à la simplicité ergonomique, et je crois que ce n'était même pas réfléchi. Les places assises ont la permutation facile grâce au siège du passager avant qui se replie, tout comme la banquette arrière (60/40) plus ou moins confortable et dont l'accès est entravé par l'empiètement du passage des roues dans les portières. La lunette du hayon se soulève en solo pour accéder rapidement à la soute à bagages, au demeurant généreuse.

FORCES · L'amateur de formes Jeep est servi · Aptitudes hors route indéniables
· Équipement intéressant

FAIBLESSES · V6 et boîte de vitesses à moderniser et ça presse !
· Comportement urbain qui laisse à désirer · Banquette spartiate

[MÉCANIQUE] Pour le moment, le V6 de 3,7 litres à simple arbre à cames en tête de 210 chevaux n'est pas vraiment à la hauteur (Chrysler a mis de côté le diesel lors de la refonte de 2008) en raison de sa rudesse, de sa paresse (rien en bas de 10 secondes) et de sa soif (rien en bas de 12 litres aux 100 kilomètres, malgré un dispositif qui coupe l'arrivée de carburant quand le véhicule décélère). Chrysler, si elle conserve le modèle, devra nous réserver un engin plus contemporain. La boîte de vitesses automatique à 4 rapports n'est pas non plus au pinacle de la modernité. La transmission intégrale : de série, le système Command-Trac utilise un boîtier de transfert qu'on active à la volée afin de choisir entre deux ou quatre roues motrices ou, même, la gamme basse, alors que le dispositif permanent Selec-Trac, offert en option, sélectionne lui-même le type de motricité qui convient dans les circonstances.

[COMPORTEMENT] Le Liberty ne pourrait pas porter l'écusson Jeep s'il se débrouillait mal hors route. Qu'il se rassure, il peut le garder, son badge. Sa construction robuste, sa garde au sol élevée et une transmission peaufinée au fil des ans au sein de la famille Jeep lui permettent de se faufiler dans plusieurs endroits inhospitaliers. Il est même doté d'une assistance au départ en pente et d'un limiteur de vitesse en descente (actif en mode 4LO). Par ailleurs, il n'est pas manchot quand vient le temps de tracter (jusqu'à 2 268 kilos). Amenez-le maintenant sur l'autoroute et au centre-ville et il se transforme comme l'albatros sur la terre ferme. La direction

est balourde, et le moteur, teigneux. Le roulis est prononcé dans les virages. Les places offrent un dégagement satisfaisant, mais leur confort est limité.

[CONCLUSION] On doit donc se rabattre sur les qualités tout-terrains du Liberty. Le problème, c'est que des rivaux les offrent aussi tout en proposant un comportement nettement plus civilisé en ville.

2ᵉ OPINION

FRÉDÉRIC MASSE On entend souvent les critiques décrier le Liberty. Plusieurs ont raison, notamment en ce qui concerne la qualité de finition du modèle, son comportement un peu pataud et sa forte consommation de carburant. Toutefois, ce que ces mêmes critiques ont oublié, c'est que le Liberty est un véritable quatre sur quatre. Dans une catégorie où tout s'est adouci, où les véritables systèmes à quatre roues motrices avec une basse gamme (lo gear) à bon marché n'existent à peu près plus, le Liberty cible une niche : le pas trop bon, mais pas cher ! Actuellement, seul le Nissan Xterra, le Toyota FJ Cruiser et le frère du Liberty, le Jeep Wrangler, peuvent prétendre se rendre aussi loin que lui dans le bois (je les préfère tout de même tous au Liberty !). Comme je le dis souvent, je ne le recommanderai jamais à un citadin qui ne sort jamais de sa ville. Par contre, le chasseur, le pêcheur et l'amateur de plein air y trouveront peut-être leur compte, à condition de payer le carburant, d'endurer les sièges inconfortables et de supporter la fiabilité toujours problématique du modèle. Dans les faits, si vous voulez un Jeep... achetez un Wrangler !

⑤ FICHE TECHNIQUE

- **MOTEUR**
- V6 3,7 l SACT, 210 ch à 5200 tr/min
  Couple 235 lb-pi à 4000 tr/min
  Transmission automatique à 4 rapports
  0-100 km/h 10,2 s
  Vitesse maximale 185 km/h

- **AUTRES COMPOSANTES**
  Sécurité active freins ABS, distribution électronique du freinage, assistance au freinage, antipatinage, contrôle de stabilité électronique
  Suspension avant/arrière indépendante / rigide
  Freins avant/arrière disques
  Direction à crémaillère, assistée
  Pneus Sport P225/75R16 **North** P235/70R16
  Limited P235/65R17, P235/60R18 (en option)

- **DIMENSIONS**
  Empattement 2694 mm
  Longueur 4493 mm
  Largeur 1831 mm
  Hauteur 1781 mm
  Poids 1936 kg
  Diamètre de braquage 10,8 m
  Coffre 714 l, 1724 l (sièges abaissés)
  Réservoir de carburant 74 l
  Capacité de remorquage 907 à 2268 kg

NOTRE VERDICT

Plaisir au volant	●●●◖
Qualité de finition	●●●○○
Consommation	●●○○○
Rapport qualité/prix	●●●○○
Valeur de revente	●●●○○

ÉVOLUTION

N · É
J

20 320 $ à 25 195 $
transport et préparation: 1400 $

Jeep

LA COTE VERTE

MOTEUR
L4 DE 2,0 L

- **Consommation (100km):**
  man. 7,9 l
  CVT. 8,2 l
- **Émissions polluantes CO_2 :**
  man. 3680 kg/an
  CVT. 3818 kg/an
- **Empreinte écologique (nombre d'arbres à planter par année):** 24
- **Indice d'octane:** 87
- **Autre motorisation:** non
- **Coût du carburant moyen par année:**
  man. 1600 $
  CVT. 1660 $
- **Nombre de litres par année:**
  man. 1600 l
  CVT. 1660 l

(SOURCE: ÉnerGuide)

FICHE D'IDENTITÉ

- **Versions** Sport, North, Limited
- **Roues motrices** avant, 4
- **Portières** 5 **Nombre de passagers** 5
- **Première génération** 2007
- **Génération actuelle** 2007
- **Construction** Belvidere, Illinois, É.-U.
- **Sacs gonflables**
  6 (frontaux, latéraux avant, rideaux latéraux)
- **Concurrence** Chevrolet Equinox, Ford Escape, Hyundai Tucson, Honda CR-V, Kia Sportage, Misubishi Outlander, Suzuki Grand Vitara, Toyota RAV4

AU QUOTIDIEN

- **Prime d'assurance**
  25 ans: 1500 à 1700 $
  40 ans: 1000 à 1200 $
  60 ans: 800 à 1000 $
- **Collision frontale** 4/5
- **Collision latérale** 5/5
- **Ventes du modèle de l'an dernier**
  Au Québec 2417 **Au Canada** 8014
- **Dépréciation** 57,3%
- **Rappels** (2005 à 2010) 3
- **Cote de fiabilité** 3/5

GARANTIES... ET PLUS

- **Garantie générale** 3 ans/60 000 km
- **Garantie motopropulseur** 5 ans/100 000 km
- **Perforation** 5 ans/160 000 km
- **Assistance routière** 5 ans/100 000 km
- **Nombre de concessionnaires**
  Au Québec 93 **Au Canada** 440

NOUVEAUTÉS EN 2011

- Aucun changement majeur

ÉTRANGE RÉUSSITE

PAR DANIEL RUFIANGE

LE JEEP PATRIOT EST UN PARADOXE INTÉRES-SANT. PRIS DANS SON ENSEMBLE, IL NE S'AGIT PAS D'UN BON VÉHICULE. POURTANT, IL A CON-NU DU SUCCÈS, surtout si l'on combine ses ventes des dernières années à celles de son jumeau, le Jeep Compass. En réalité, le Patriot présente juste assez de qualités pour se montrer séduisant auprès d'une clientèle. De toute évidence, cette clientèle n'accorde pas trop d'importance à ce que la presse automobile écrit sur ce véhicule. Ou encore, les qualités du Patriot sont telles qu'aucune critique ne peut l'atteindre. Voyons voir...

[CARROSSERIE] Comme homme, les lignes du Patriot me plaisent plus que celles du Compass. C'est probablement la raison pour laquelle trois acheteurs de Patriot sur quatre sont des hommes. Porteur de l'héritage Jeep, spécialement à l'avant, le Patriot affiche des lignes qui ne manquent pas de caractère. On ne peut malheureusement pas en dire autant de ses aptitudes; à ce chapitre, il est moins digne de porter le logo Jeep une fois hors des sentiers battus.

Il est toujours proposé en trois versions : Sport, North Edition et Limited. Personnellement, l'attrait d'un tel véhicule réside d'abord dans son prix. Par conséquent, je ne vois pas l'intérêt ni ne recommande quelque version que ce soit, ni l'ajout de quelques babioles que ce soit susceptibles de faire grimper la facture d'un véhicule qui demeure ordinaire. Magasinez avec retenue.

[HABITACLE] Ce côté ordinaire, il est très visible à l'intérieur du Patriot. La planche de bord est moche à mourir. Seul Jean-Marc Chaput pourrait lui trouver des qualités. Au moins, la qualité des matériaux est en progression. Quant au confort des sièges, il faut aimer la simplicité volontaire pour les apprécier. À l'arrière, une description détaillée de ma part serait vue comme un acharnement sur le sort du Patriot. Tirez-en vos conclusions !

Le principal avantage du Patriot, c'est sa configuration intérieure. Une fois les sièges arrière rabattus, on profite d'un espace de chargement généreux. Il serait malhonnête de le comparer à

FORCES · Prix en version de base · Espace de chargement logeable
· Image JEEP · Boîte manuelle intéressante

FAIBLESSES · Qualité d'assemblage · Confort des sièges, surtout à l'arrière
· Moteurs atroces · Capacités hors routes limitées

celui d'autres véhicules de la catégorie, plus gros et plus spacieux. Dans les faits, cet espace est suffisant pour rendre de précieux services.

[MÉCANIQUE] Si seulement le Patriot profitait d'autres motorisations que les deux proposées. De série, on retrouve un moteur à 4 cylindres de 2,4 litres qui annonce une puissance de 172 chevaux. Sortez vos calculettes, ça sent la tricherie ! Ce moteur est jumelé de série à une boîte de vitesses manuelle à 5 rapports et peut recevoir, en option, une boîte CVT. Un conseil : économisez votre argent ! Chose étrange, c'est un moteur moins puissant qui est offert en option, soit un 4-cylindres de 2 litres qui propose 158 chevaux. Il n'est offert que sur les versions Sport et North Edition à deux roues motrices. Il se marie avec la boîte CVT, ou manuelle à 5 rapports. Hors route, il faut se garder une petite gêne, à moins de profiter de l'ensemble "Freedom Drive II" qui élève la garde au sol et équipe le Patriot pour les sentiers.

[COMPORTEMENT] Ce qu'on apprécie du comportement du Patriot, c'est sa douceur de roulement. Pour le reste, ce véhicule présente des lacunes évidentes. C'est normal car il partage sa plateforme avec la Dodge Caliber. Cela signifie que la tenue de route est moyenne, et que le freinage manque de mordant. La direction montre plus de précision, mais n'est pas d'utilisation très intuitive. Cependant, le fait que le Patriot se conduise comme une voiture plaira à une majorité qui se contente de conduire du point A au point B. C'est quand on

sollicite le Patriot qu'il montre ses faiblesses.

[CONCLUSION] En 2009, les ventes du duo Jeep Compass et Patriot ont chuté d'environ 40 %. On aurait peut-être avantage à ne proposer qu'un seul produit, grandement amélioré, lors d'une prochaine génération. Chose certaine, Jeep a démontré que la demande était très forte pour des véhicules 4 x 4 à moins de 20 000 $. Définitivement, un filon dont l'exploitation doit se poursuivre.

2ᵉ OPINION

MICHEL CRÉPAULT Il a les yeux ronds et la calandre d'un Jeep, mais est-ce bien un pourfendeur de sentiers tordus comme son frère quasiment septuagénaire ? Pas vraiment. Le Patriot est, en réalité, une Dodge Caliber qui roule des mécaniques. Vrai qu'on peut lui conférer la certification *Trail Rated* en cochant les options appropriées, mais il me semble que c'est jouer avec le feu. Demanderions-nous à un patineur artistique de signer un contrat avec le Canadien de Montréal ? Allez donc vous chercher un Wrangler, et on n'en parle plus. Reste donc l'utilisation citadine; des 4-cylindres bruyants, une CVT qui se cherche, une vague tenue de route et un intérieur tout autant approximatif. Consolation : le système de divertissement qui comprend un disque dur et des haut-parleurs pivotant vers l'arrière pour égayer votre pique-nique.

347

(5) FICHE TECHNIQUE

· MOTEURS
· L4 2,4 l DACT, 172 ch à 6000 tr/min
Couple 165 lb-pi à 4400 tr/min

Transmission manuelle à 5 rapports, automatique à variation continue avec mode manuel (en option)

0-100 km/h 2RM 10,2 s **4RM** 10,7 s

Vitesse maximale 185 km/h

Consommation (100 km) 2RM man. 8,0l **4RM man.** 8,2 l **2RM CVT** 8,9 l **4RM CVT** 9,1 l (octane 87)

Émissions de CO₂ 2RM man. 3726 kg/an **4RM man.** 3772 kg/an **2RM CVT** 4094 kg/an **4RM CVT** 4232 kg/an (octane 87)

Litres par année 2RM man 1620 l **4RM man.** 1640 l **2RM CVT** 1780 l **4RM CVT** 1840

Coût par an 2RM man. 1620 $ **4RM man.** 1640 $ **2RM CVT** 1780 $ **4RM CVT** 1840 $

Carburant alternatif non

Empreinte écologique 27 arbres

· (EN OPTION SUR SPORT ET NORTH 2RM)
L4 2,0 l DACT, 158 ch à 6400 tr/min
Couple 141 lb-pi à 5000 tr/min

Transmission manuelle à 5 rapports, automatique à variation continue avec mode manuel

0-100 km/h 11,2 s

Vitesse maximale 175 km/h

· AUTRES COMPOSANTES
Sécurité active freins ABS, assistance au freinage, distribution électronique du freinage, antipatinage, contrôle de stabilité électronique

Suspension avant/arrière indépendante

Freins avant/arrière disques/tambours (disques standard 4RM et Limited, **option** 2RM)

Direction à crémaillère, assistée

Pneus Sport et North P205/70R16 **option North, Limited** P215/60R17, **option** P215/65R17

· DIMENSIONS
Empattement 2635 mm

Longueur 4411 mm

Largeur 1756 mm

Hauteur 1669 mm

Poids Sport 2RM 1413 kg, **Sport 4RM** 1479 kg, **Limited 2RM** 1437 kg, **Limited 4RM** 1504 kg

Diamètre de braquage 10,8 m

Coffre 652 l, 1535 l (sièges abaissés)

Réservoir de carburant 2RM 51,5 l **4RM** 51,1 l

Capacité de remorquage 454 à 907 kg

NOTRE VERDICT

Plaisir au volant	●●●○○
Qualité de finition	●●●●○
Consommation	●●○○○
Rapport qualité/prix	●●●○○
Valeur de revente	●●●○○

WRANGLER

www.jeep.ca

N ÉVOLUTION É

J

21 995 $ à 33 895 $
transport et préparation: 1400 $

Jeep

LA COTE VERTE

MOTEUR
V6 DE 3,8 L

- **Consommation (100km):**
  man. 12,3 l
  auto. 12,5 l
- **Émissions polluantes CO_2 :**
  man. 5704 kg/an
  auto. 5842 kg/an
- **Empreinte écologique (nombre d'arbres à planter par année):** 36
- **Indice d'octane:** 87
- **Autre motorisation:** non
- **Coût du carburant moyen par année:**
  man. 2480 $
  auto. 2540 $
- **Nombre de litres par année:**
  man. 2480 l
  auto. 2540 l

(source: ÉnerGuide)

---

① FICHE D'IDENTITÉ

- **Versions** Sport, Unlimited Sport, Sahara, Unlimited Sahara, Rubicon, Unlimited Rubicon
- **Roues** motrices 4
- **Portières** 2, 4 **Nombre de passagers** 4
- **Première génération** 1987
- **Génération actuelle** 2007
- **Construction** Toledo, Ohio, É.-U.
- **Sacs gonflables** 2 (frontaux; latéraux en option)
- **Concurrence**, Nissan Xterra, Toyota FJ Cruiser

② AU QUOTIDIEN

- **Prime d'assurance**
  25 ans: 1800 à 2000 $
  40 ans: 1200 à 1400 $
  60 ans: 900 à 1100 $
- **Collision frontale** 4/5
- **Collision latérale** nd
- **Ventes du modèle de l'an dernier**
  Au Québec 1487 **Au Canada** 7271
- **Dépréciation** 48,5 %
- **Rappels** (2005 à 2010) 6
- **Cote de fiabilité** 2,5/5

③ GARANTIES... ET PLUS

- **Garantie générale** 3 ans/60 000 km
- **Garantie motopropulseur** 5 ans/100 000 km
- **Perforation** 5 ans/160 000 km
- **Assistance routière** 5 ans/100 000 km
- **Nombre de concessionnaires**
  Au Québec 93 **Au Canada** 440

④ NOUVEAUTÉS EN 2011

- Aucun changement majeur

HÉDONISME ANACHRONIQUE

PAR MICHEL CRÉPAULT

LE WRANGLER SÉDUIT DEUX TYPES DE CLIENTS ET PAS TROIS : l'amateur de sorties en forêt qui recherche l'outil par excellence pour ramper sur des rocs qui décourageraient une chèvre, et le citadin dont le statut social s'exprime mieux avec un véhicule pas comme les autres.

[CARROSSERIE] Un jeep, c'est un Jeep ! Quand ta marque déposée devient un nom générique dans *Le Petit Robert*, c'est que tu traînes un certain pan d'histoire avec toi. Celle du Wrangler remonte au jeep original, le Willys MB de 1941. C'est à partir de l'année modèle 2007 que l'appellation Jeep TJ a cédé sa place au Jeep Wrangler. Du coup, le légendaire véhicule s'est pointé entièrement redessiné. Quelqu'un s'était avisé que Chrysler pouvait rendre l'animal plus gentil sur la route sans pour autant lui ôter ses phénoménales aptitudes hors route. Premier changement majeur : l'étirement de l'empattement. Non seulement donnait-on ainsi au Jeep une meilleure tenue de route, mais on pouvait désormais le percer de quatre portières. Et, depuis ce jour, c'est la principale question que vous devez vous poser au sujet de votre

jouet : 2 ou 4 portières ? Vous pourrez toujours les démonter de la carrosserie, tout comme le pare-brise est rabattable, et que le toit souple (ou rigide) s'enlève (je ne vous dis pas en combien de temps, ce sera une surprise). Après cela, choisissez les couleurs, les roues (de 16 à 18 pouces) et votre ostéopathe.

[HABITACLE] On a essayé de rendre la cabine plus silencieuse, les sièges plus confortables et, ma foi, on a réussi. La banquette arrière, quand on en a une, n'est pas un instrument de torture supplémentaire. On peut même maquiller le Wrangler en véhicule moderne en cochant le changeur de CD, la radio satellite ou les glaces électriques. Ce qui compte vraiment : ça reste lavable au boyau d'arrosage. Pour le modèle 2011, on revoit l'intérieur (couleurs, espaces de rangement, etc.).

[MÉCANIQUE] Un seul V6 de 3,8 litres à soupapes en tête pour toutes les versions. D'une puissance de 202 chevaux et d'un couple de 237 livres-pieds, il est combiné à une boîte de

---

FORCES · Aptitudes hors route égalées seulement par Land Rover et à meilleur prix · Style unique, une manière de vivre

FAIBLESSES · Tenue de route « je-vous-avais-prévenu » · Forte consommation · Quotidien irrationnel

vitesses manuelle à 6 rapports de série ou à une automatique à 4 rapports, en option. Il y aurait, à l'horizon 2012, un V6 de 3,6 litres Pentastar (celui du nouveau Grand Cherokee) qui fournirait à la fois plus de puissance (au moins 280 chevaux) et une meilleure consommation. On parle même d'un Wrangler tout électrique ! On verra. La majorité de nos véhicules pourvus d'un système AWD n'ont rien à cirer d'un boîtier de transfert. Si on en privait le Wrangler, on le rendrait infirme. C'est grâce à ce boîtier (Command-Trac ou Rock-Trac) qu'il bénéficie de rapports de gamme basse qui lui assurent une motricité dans les pires conditions. De surcroît, il compte sur des différentiels à verrouillage électrique pour un surplus d'adhérence et sur des angles d'attaque, de rampe et de surplomb (pour que l'arrière ne frotte pas) suffisamment aigus pour s'inscrire au Monster Show.

[COMPORTEMENT] Avec sa garde au sol élevée et l'articulation de ses roues conçue pour l'impossible, le Wrangler raffole des balades dans la nature revêche. On ne conte plus au coin du feu les exploits dont il est le héros. Allez vous amuser et revenez nous raconter. Pour les autres qui ont choisi de se rendre au boulot et au dépanneur en Wrangler, j'imagine que vous saviez très bien ce que vous faisiez. Un papy dans son fauteuil roulant électrique accélère plus vite. L'oncle Villeneuve court moins de risques de capoter dans un virage aux commandes d'un dromadaire. Montréal complètera son CHUM avant que vous n'installiez votre capote. Mais maudit que vous l'aimez, votre Jeep ! Et pourquoi pas ? Vous brisez la monotonie du paysage urbain avec ce malaxeur

qui a donné naissance aux premiers cas mondiaux de Parkinson.

[CONCLUSION] Les principales améliorations de 2007 ayant porté sur la structure et l'isolation, je serais de mauvaise foi si je n'admettais pas que le Wrangler est devenu plus civilisé. Il demeure unique et, par conséquent, facile à rayer ou à conserver sur sa liste de Noël. Il sera palpitant de voir ce que Fiat réserve comme destin à cette icône.

2e OPINION

BENOIT CHARETTE Quand vient le moment de parler du Wrangler, l'univers se sépare en deux, ceux qui aiment et ceux qui n'aiment pas. Je fais parti du 2e groupe. Je suis capable de comprendre pourquoi on peut aimer ce véhicule, unique et marginal, mais incapable de l'apprécier. Les lignes dessinées à la hache, le châssis qui fait crack et clonk sans arrêt et un moteur qui tire ses origines de l'époque paléolithique, très peu pour moi merci. Je vieillis et mon dos se fragilise, je me tiens loin de ses brasseurs de colonne vertébrale. Pour ceux qui veulent flatter leur égo, à bord du Wrangler, c'est le conducteur qui est Roi et pour l'aider à surmonter des obstacles plus ardus que d'autres, il est possible de bloquer un différentiel, voire de passer en gamme courte. Il n'y a pas meilleur véhicule pour conquérir la planète, mais ce n'est pas mon genre de sport.

⑤ FICHE TECHNIQUE

· MOTEUR
· V6 3,8 l ACC, 202 ch à 5200 tr/min
Couple 237 lb-pi à 4000 tr/min

Transmission manuelle à 6 rapports, automatique à 4 rapports (en option)

0-100 km/h 12,5 s

Vitesse maximale 174 km/h

· AUTRES COMPOSANTES
Sécurité active freins ABS, assistance au freinage, distribution électronique du freinage, antipatinage, contrôle de stabilité électronique

Suspension avant/arrière essieu rigide

Freins avant/arrière disques

Direction à billes, assistée

Pneus Sport P225/75R16 **Sahara** P255/70R18 **option Sport/Unlimited Sport** P255/75R17 **Rubicon** P255/70R17

· DIMENSIONS
Empattement 2424 mm **Unlimited** 2947 mm

Longueur 3881 mm **Unlimited** 4405 mm

Largeur 1873 mm **Unlimited** 1877 mm

Hauteur 1800 mm

Poids Sport man. 1403 kg **Sahara man.** 1475 kg

Rubicon man. 1532 kg

Unlimited Sport man 1848 kg **Sahara man.** 1936 kg

Rubicon man. 1957 kg

Diamètre de braquage 10,6 m **Unlimited** 12,6 m

Coffre 486 l, 1733 l (sièges enlevés)

Unlimited 1315 l, 2456 l (sièges abaissés)

Réservoir de carburant 70,4 l **Unlimited** 85,2 l

Capacité de remorquage 907 kg

Unlimited 1588 kg

NOTRE VERDICT

Plaisir au volant	⬡⬡⬡◯◯
Qualité de finition	⬡⬡⬡◯◯
Consommation	⬡⬡◯◯◯
Rapport qualité/prix	⬡⬡⬡◯◯
Valeur de revente	⬡⬡⬡⬡◯

BORREGO

www.kia.ca

ÉVOLUTION

N

J

É

39 045 $ à 46 045 $
transport et préparation: 1650 $

LA COTE VERTE

MOTEUR
V6 DE 3,8 L

· **Consommation**
(100km): 11,1 l

· **Émissions**
polluantes CO2 :
5152 kg/an

· **Empreinte écologique**
(nombre d'arbres à
planter par année): 33

· **Indice d'octane:** 87

· **Autre**
motorisation: non

· **Coût du carburant**
moyen par année:
2240 $

· **Nombre de**
litres par année:
2240 l

(SOURCE: ÉnerGuide)

 FICHE D'IDENTITÉ

· **Versions** LX-V6, EX-V6, LX-V8, EX-V8
· **Roues motrices** 4
· **Portières** 4 **Nombre de passagers** 7
· **Première génération** 2009
· **Génération actuelle** 2009
· **Construction** Sohari et Hwasung, Corée du Sud
· **Sacs gonflables** 6 (frontaux, latéraux avant, rideaux latéraux)
· **Concurrence** Dodge Durango, Ford Explorer, Honda Pilot, Jeep Grand Cherokee, Nissan Pathfinder, Toyota 4Runner

 AU QUOTIDIEN

· **Prime d'assurance**
25 ans: 2100 à 2300 $
40 ans: 1400 à 1600 $
60 ans: 1100 à 1300 $
· **Collision frontale** 5/5
· **Collision latérale** 5/5
· **Ventes du modèle de l'an dernier**
Au Québec 188 **Au Canada** 528
· **Dépréciation** (1 an) 26,2 %
· **Rappels** (2005 à 2010) 1
· **Cote de fiabilité** 3/5

 GARANTIES... ET PLUS

· **Garantie générale** 5 ans/100 000 km
· **Garantie motopropulseur** 5 ans/100 000 km
· **Perforation** 5 ans/kilométrage illimité
· **Assistance routière** 5 ans/100 000 km
· **Nombre de concessionnaires**
Au Québec 56 **Au Canada** 167

 NOUVEAUTÉS EN 2011

· Aucun changement majeur

MORT-NÉ ?

PAR DANIEL RUFIANGE

LE KIA BORREGO EST APPARU À L'AUTOMNE 2008 AU MOMENT OÙ LA CRISE ÉCONOMIQUE FRAPPAIT L'INDUSTRIE DE L'AUTOMOBILE et le monde entier de plein fouet. Le prix du carburant a entrepris une escalade sans précédent, cependant que la popularité des VUS format Borrego chutait dramatiquement. Kia aurait voulu tuer son utilitaire qu'elle n'aurait pas agi autrement. À sa première année, 47 exemplaires seulement ont trouvé preneur au Québec. Deux ans plus tard, est-il trop tard pour ce véhicule pratiquement mort-né ?

[CARROSSERIE] Le design du Borrego n'est pas sa force. La partie avant semble drapée d'un masque de robot tiré d'un très mauvais film de science-fiction. Heureusement, l'arrière est un peu plus stylisé, mais en toute honnêteté, j'espère qu'on ne croyait pas réveiller les morts avec ce design. Offert en quatre versions, le Borrego se présente comme un utilitaire de luxe. S'il est vrai que, côté équipement, on ne peut rien lui reprocher, et que son intérieur est assemblé avec soin, il faut se questionner sur son prix d'environ

40 000 $. Est-ce que beaucoup d'acheteurs sont prêts à débourser autant pour un utilitaire portant l'écusson Kia ? Il suffit de constater le triste sort réservé à la berline Genesis et à l'utilitaire Veracruz, de Hyundai, pour comprendre que les gens n'associent pas encore prestige et marques coréennes. Ça viendra.

[HABITACLE] Pourtant, l'habitacle du Borrego est riche. Comprenons-nous: il ne s'agit pas d'un intérieur comparable à ceux que propose Lexus ou, encore, Audi avec son Q5, par exemple. Cependant, l'ensemble présenté ne fait pas bon marché. Les sièges en cuir sont confortables et bienveillants, et le toucher de tous les matériaux de la planche de bord ne s'accompagne pas de désagrément. En prime, le Borrego est un véhicule très spacieux offrant sept places bien senties. La possibilité de rabattre tous les sièges derrière le conducteur représente toujours l'une des caractéristiques intéressantes de ce type de produit.

[MÉCANIQUE] Kia propose deux moteurs. Le premier, un V6 de 3,8 litres se révèle une belle

FORCES · Habitacle logeable · Capacité de remorquage avec le V8 · Équipement complet · Confortable sur le bitume

FAIBLESSES · Absence d'un différentiel autobloquant · Consommation des deux moteurs · Lignes quelconques · Fiabilité à prouver

surprise. Il propose des reprises musclées et, pour un usage au quotidien, on ne voit pas l'utilité de profiter de plus de puissance. Cependant, les propriétaires de gros bateaux seront aux anges avec le moteur V8 de 4,6 litres qui livre 337 chevaux et produit un couple de 323 livres-pieds. Il en résulte une capacité de remorquage impressionnante de 3402 kilos ou 7500 livres. Oui, Kia est rendu là ! Des boîtes automatiques à 5 et à 6 rapports, respectivement, accompagnent ces moteurs. Sous sa carcasse, le Borrego profite d'un boîtier de transfert pour une répartition efficace et démultipliée du couple, mais on note l'absence d'un différentiel autobloquant; un défaut à corriger si le Borrego veut être pris au sérieux.

[COMPORTEMENT] La première impression au volant du Borrego concerne sa solidité. On ne sent pas qu'il s'agit d'un utilitaire tape-à-l'œil conçu pour les «yuppies m'as-tu-vu» du Plateau Mont-Royal. À l'inverse, le comportement du Borrego est nettement plus col bleu. Son châssis est rigide, et on le sent capable de travailler. Sa motorisation V8, outre sa capacité de remorquage, offre une puissance qui colle au siège. Soyez toutefois averti que ce moteur a un vif appétit pour l'or noir. Sur la route, sa douceur de roulement en surprendra plusieurs. Sa tenue de route est rassurante, tout comme son aplomb en virage et sa tenue de cap, sans reproche.

[CONCLUSION] Pour ceux qui considèrent l'achat d'un utilitaire de luxe capable de remorquer leur gros bateau ou leur grosse roulotte, Kia vous propose un produit compétent qui a la qualité d'exiger une facture bien inférieure à ce que la concurrence demande pour un produit similaire. Il faut seulement être capable de mettre de côté ses préjugés.

La bonne nouvelle : les ventes du Borrego ont quadruplé au Québec au cours de la dernière année. Il n'est pas encore mort...

2ᵉ OPINION

MICHEL CRÉPAULT Saviez-vous que le Borrego a été lancé aux États-Unis en même temps que chez nous, en 2009, et qu'il est mort là-bas la même année ? Les concessionnaires essaient encore de se débarrasser des modèles 2009... Devrions-nous tirer une leçon du fait que les Américains soient de grands connaisseurs de gros VUS ? En cette ère où les raffinements gagnent même les camionnettes les plus dures à l'ouvrage, nos voisins lui ont sûrement reproché sa vieille architecture à échelle et sa suspension mollassonne. En revanche, ils auraient dû apprécier le robuste V8 fonctionnant sur de l'essence ordinaire et la place pour sept personnes... mais moins aimé l'espace de chargement résiduel limité. Par-dessus tout, ont-ils cru les Coréens incapables de construire un gros utilitaire digne d'eux ? À mon avis : erreur.

⑤ FICHE TECHNIQUE

· MOTEURS

· (LX V6, EX-V6)
V6 3,8 l DACT, 276 ch à 6000 tr/min
Couple 267 lb-pi à 4400 tr/min
Transmission automatique à 5 rapports avec mode manuel
0-100 km/h 9,5 s
Vitesse maximale 180 km/h

· (LX-V8, EX-V8)
V8 4,6 l DACT,
337 ch à 6000 tr/min
Couple 323 lb-pi à 3500 tr/min
Transmission automatique à 6 rapports avec mode manuel
0-100 km/h 7,6 s
Vitesse maximale 190 km/h
Consommation (100 km) 11,3 l (octane 87)
Émissions de CO$_2$ 5428 kg/an
Litres par année 2360 l
Coût par an 2360 $
Carburant alternatif non
Empreinte écologique 36 arbres

· AUTRES COMPOSANTES
Sécurité active freins ABS, répartition électronique de force de freinage, antipatinage, contrôle de stabilité électronique, contrôle de freinage dans les descentes
Suspension avant/arrière indépendante
Freins avant/arrière disques
Direction à crémaillère, assistée
Pneus LX P245/70R17 **EX** P265/60R18

· DIMENSIONS
Empattement 2895 mm
Longueur 4880 mm
Largeur 1915 mm
Hauteur 1810 mm
Poids V6 2023 kg **V8** 2096 kg
Diamètre de braquage 11,1 m
Coffre 350 l, 1370 l (sièges abaissés)
Réservoir de carburant 78 l
Capacité de remorquage V6 2268 kg
V8 3402kg

NOTRE VERDICT

Plaisir au volant	●●●●◐
Qualité de finition	●●●○○
Consommation	●●○○○
Rapport qualité/prix	●●●○○
Valeur de revente	●●●○○

FORTE

www.kia.ca

ÉVOLUTION

17 250 $ à 22 550 $
transport et préparation: 1455 $

LA COTE VERTE

MOTEUR
L4 DE 2,0 L

- **Consommation (100km):**
  man. 7,1 l
  auto. 7,0 l
- **Émissions polluantes CO_2:**
  man. 3312 kg/an
  auto. 3266 kg/an
- **Empreinte écologique (nombre d'arbres à planter par année):** 21
- **Indice d'octane:** 87
- **Autre motorisation:** non
- **Coût du carburant moyen par année:**
  man. 1440 $
  auto. 1420 $
- **Nombre de litres par année:**
  man. 1440 l
  auto. 1420 l

(SOURCE : ÉnerGuide)

 FICHE D'IDENTITÉ

- **Versions** LX, EX, SX
- **Roues motrices** avant
- **Portières** 4 **Nombre de passagers** 4
- **Première génération** 2010
- **Génération actuelle** 2010
- **Construction** Asan Bay, Corée du Sud
- **Sacs gonflables** 6 (frontaux, latéraux avant, rideaux latéraux)
- **Concurrence** Chevrolet Cruze, Ford Focus, Honda Civic, Mazda3, Mitsubishi Lancer, Nissan Sentra, Subaru Impreza, Suzuki SX4, Toyota Corolla, Volkswagen Golf

 AU QUOTIDIEN

- **Prime d'assurance**
  25 ans: 1600 à 1800 $
  40 ans: 900 à 1100 $
  60 ans: 800 à 1000 $
- **Collision frontale** 5/5
- **Collision latérale** 4/5
- **Ventes du modèle de l'an dernier**
  Au Québec 2126 **Au Canada** 5734
- **Dépréciation** (3 ans) nm
- **Rappels** (2005 à 2010) 0
- **Cote de fiabilité** nm

 GARANTIES... ET PLUS

- **Garantie générale** 5 ans/100 000 km
- **Garantie motopropulseur** 5 ans/100 000 km
- **Perforation** 5 ans/kilométrage illimité
- **Assistance routière** 5 ans/100 000 km
- **Nombre de concessionnaires**
  Au Québec 56 **Au Canada** 167

4 NOUVEAUTÉS EN 2011

- Nouvelle version 5 portes

ÉTONNANTE !

PAR CARL NADEAU

NUL N'AURAIT PU PRÉDIRE LA FORMIDABLE ASCENSION DE KIA AU CANADA LORS DE L'INTRODUCTION DU FABRICANT EN 1999. La gamme est maintenant plus complète, la réputation de fiabilité commence à être bien établie, les prix sont souvent alléchants, et le bouche à oreille fait son œuvre en leur faveur. La Forte est d'ailleurs un bon exemple de ce que Kia peut offrir, à prix plus que convenable.

[CARROSSERIE] Soyons francs, la voiture est jolie, mais on ne réinvente pas le genre. À ce compte là, il faut saluer l'audace des lignes de sa sœur, la Koup, et de son frère, le Soul. La partie avant massive de la Forte est tout de même stylisée et donne une belle présence. Les proportions sont pour le moins esthétiques, et le choix de couleurs offertes se marie à la perfection à la voiture. Les phares avant ont fière allure, et les clignotants intégrés dans les miroirs extérieurs ajoutent à la classe et à la sécurité.

[HABITACLE] Plutôt spacieux et confortable, l'habitacle pêche seulement par abus de plastique, un trait trop souvent commun aux véhicules de cette catégorie. Ce qui démarque beaucoup la Forte, c'est la colonne de direction réglable et télescopique, une rareté même dans des véhicules beaucoup plus chers, et la présence de série de glace et de rétroviseurs chauffants électriques, en plus du verrouillage électrique des portes. Le conducteur profite donc d'une excellente position de conduite, et les occupants sont bercés par une chaîne audio assez performante. Le coffre est, quant à lui, de bonnes dimensions, et l'accès en est facile; mais le panneau fait un peu bon marché à l'intérieur. Les plus difficiles pourront ajouter, en option, la sellerie de cuir, les sièges avant chauffants, un climatiseur à régulation automatique et une sono plus puissante, mais la livrée de base avec l'ajout de l'air climatisé satisfera la plupart des clients.

[MÉCANIQUE] Le moteur de 2 litres offert de série fait amplement le travail, qu'il soit accouplé à la boîte de vitesses manuelle à 5 rapports ou à l'automatique à 4 rapports. Le système Steptronic permet d'avoir un meilleur contrôle des

FORCES · Tenue de route · Équipement de série

FAIBLESSES · Intérieur un peu plastique

changements de rapports, mais on est loin d'une DSG de Volkswagen! Le moteur de la version SX passe à 2,4 litres et gagne du même coup 17 chevaux, 24 livres-pieds de couple, et un rapport supplémentaire sur toutes les boîtes de vitesses offertes. La consommation de carburant est légèrement supérieure, mais la voiture gagne en performances. On souhaiterait une boîte à 5 rapports de série et une consommation de carburant légèrement inférieure, mais le couple moteur compense pour ces petits défauts. Le levier de vitesses de la boîte manuelle mériterait un peu d'attention, son guidage est plutôt imprécis, et la sensation de fragilité qu'il dégage n'est pas rassurant, définitivement à revoir.

[COMPORTEMENT] Je n'aurais jamais cru écrire ça un jour, mais la tenue de route de la Forte m'a impressionné. Dans les faits, elle m'a donné un meilleur rendement sur la piste que la Koup, malgré son plus grand confort et ses quatre portes, et ce, avec un empattement identique. La tenue de route est saine, le volant ne transmet pas d'à-coups, contrairement au Soul que j'aime pourtant bien, et elle est confortable sur de longues distance. Kia figure maintenant parmi les meilleures en ce domaine, ce qui devrait faire frémir les constructeurs japonais.

[CONCLUSION] Quoi qu'on en dise, malgré quelques ratées dans le passé, les Coréens savent bâtir de très bonnes voitures, et la stratégie de mise en marché à bas prix fonctionne. La Forte est définitivement une voiture qui mérite plus d'attention et qui en surprendra plusieurs.

Si vous lorgnez du côté des compactes économiques, vous devez ajouter la Forte à votre liste de magasinage.

2ᵉ OPINION

DANIEL RUFIANGE À l'instar de sa grande cousine Hyundai, Kia connaît une croissance très intéressante, ce qui n'a rien de surprenant. Suffit d'observer les progrès réalisés par ce constructeur depuis quelques années pour s'en convaincre. Parmi les nouvelles vedettes, il y a cette Forte, introduite l'an dernier, qui repousse les limites de l'excellente en matière de rapport qualité/prix. Pour moins de 20 000 $, l'acheteur met la main sur une voiture spacieuse, confortable, économique et fiable. En prime, sa silhouette est superbe. Le seul reproche qu'on peut lui adresser a trait à sa mécanique qu'on souhaiterait plus raffinée. En 2011, une boîte automatique à 4 rapports et une boîte manuelle à 5 rapports, ça commence à être dépassé.

⑤ FICHE TECHNIQUE

MOTEURS

(LX, EX)

L4 2,0 l DACT, 156 ch à 6200 tr/min	
Couple 144 lb-pi à 4300 tr/min	
Transmission manuelle à 5 rapports, automatique à 4 rapports avec mode manuel	
0-100 km/h 10,5 s	
Vitesse maximale 190 km/h	

(SX)

L4 2,4 l DACT, 173 ch à 6000 tr/min	
Couple 168 lb-pi à 4000 tr/min	
Transmission manuelle à 6 rapports, automatique à 5 rapports avec mode manuel	
0-100 km/h 9,8 s	
Vitesse maximale 200 km/h	
Consommation (100 km)	
man. 7,8 l, **auto.** 7,7 l (octane 87)	
Émissions de CO_2 3840 kg/an	
Litres par année man. 1580 l, **auto.** 1560 l	
Coût par an man. 1580 $, **auto.** 1560 $	
Autre motorisation non	
Empreinte écologique nd	

AUTRES COMPOSANTES

Sécurité active freins ABS, contrôle électronique de stabilité (EX,SX), antipatinage (EX, SX)	
Suspension avant/arrière indépendante / essieu rigide	
Freins avant/arrière disques	
Direction à pignon et crémaillère, assistée	
Pneus LX P195/65 R15, **EX** P205/55R16, **SX** P215/45 R17	

DIMENSIONS

Empattement 2650 mm	
Longueur 4530 mm	
Largeur 1775 mm	
Hauteur 1460 mm	
Poids LX man. 1228 kg, **EX man.** 1289 kg, **LX auto.** 1243 kg, **EX auto.** 1304 kg, **SX man.** 1294 kg, **SX auto.** 1301 kg	
Capacité de remorquage: 340 kg, 680 kg (avec freins remorque)	
Diamètre de braquage 10,3 m	
Coffre 415 l	
Réservoir de carburant 52 l	

NOS MENTIONS

 Modèle recommandé

NOTRE VERDICT

Plaisir au volant	●●●
Qualité de finition	●●●●
Consommation	●●●
Rapport qualité/prix	●●●●
Valeur de revente	●●●

N ÉVOLUTION É
J

18 495 $ à 22 695 $
transport et préparation: 1455 $

KIA

354

① FICHE D'IDENTITÉ

- **Versions**, EX, SX
- **Roues motrices** avant
- **Portières** 2 **Nombre de passagers** 4
- **Première génération** 2010
- **Génération actuelle** 2010
- **Construction** Hwasung, Corée du Sud
- **Sacs gonflables** 6 (frontaux, latéraux avant, rideaux latéraux)
- **Concurrence** Honda Civic, Volkswagen Golf

② AU QUOTIDIEN

- **Prime d'assurance**
  25 ans : 1600 à 1800 $
  40 ans : 900 à 1100 $
  60 ans : 800 à 1000 $
- **Collision frontale** 5/5
- **Collision latérale** 5/5
- **Ventes du modèle de l'an dernier**
  Au Québec 2126 **Au Canada** 5734 (Forte)
- **Dépréciation** nm
- **Rappels** (2005 à 2010) aucun à ce jour
- **Cote de fiabilité** nm

③ GARANTIES... ET PLUS

- **Garantie générale** 5 ans/100 000 km
- **Garantie motopropulseur** 5 ans/100 000 km
- **Perforation** 5 ans/kilométrage illimité
- **Assistance routière** 5 ans/100 000 km
- **Nombre de concessionnaires**
  Au Québec 56 **Au Canada** 167

④ NOUVEAUTÉS EN 2011

- Aucun changement majeur

BELLE ET BONNE

PAR PHILIPPE LAGÜE

DEPUIS TROIS ANS, KIA S'ÉMANCIPE, QUE DIS-JE, SE DÉVERGONDE! IL Y A D'ABORD EU LA RONDO, PUIS LE BORREGO; L'AN DERNIER, LA DÉFERLANTE S'EST POURSUIVIE AVEC LES FORTE, SOUL ET KOUP. Ça ne s'arrête pas là : les Sorento et Sportage viennent d'être renouvelés.

[CARROSSERIE] La Koup est, en réalité, une version à deux portes de la berline Forte. Or, ceux et celles qui se tournent vers un coupé le font d'abord et avant tout pour des raisons d'esthétique. Ça part bien : la Koup a une sacré gueule qui ne laisse aucunement présager qu'il s'agit d'une petite voiture abordable – encore moins une Kia ! Tant le profil que la partie arrière évoquent l'Audi A5, ce qui est plutôt flatteur. Tiens, quel hasard, le styliste en chef de Kia, Peter Schreyer, arrive d'Audi. La New Beetle, c'est lui, ainsi que l'Audi TT. Respect !

[HABITACLE] Monsieur ne s'est pas contenté de leur donner une jolie carrosserie, il s'est aussi attardé à la décoration intérieure. La finition est soignée, et les matériaux n'ont pas cette texture bon marché qu'on associe aux voitures coréennes. En

réalité, à l'extérieur comme à l'intérieur, la Koup donne l'impression d'une voiture beaucoup plus chère. Son équipement de série aussi : en plus de la climatisation et des accessoires électriques habituels, le système Bluetooth et les sièges chauffants font partie intégrante de la version de base (EX). L'aspect fonctionnel n'a pas été négligé. Les commandes sont simples, faciles d'accès et les espaces de rangement abondent. Et quels sièges ! Bien rembourrés, ils sont confortables et enveloppants, avec un maintien latéral et un soutien lombaire dignes de ce nom. Vraiment, ils n'ont pas lésiné! À l'arrière, c'est plus serré, pour la tête surtout; mais on achète rarement un coupé pour traîner toute la famille.

[MÉCANIQUE] La Koup reprend la plateforme et les motorisations de la Forte. Le 4-cylindres de 2 litres est jumelé à une boîte de vitesses manuelle à 5 rapports, tandis que le 2,4-litres a droit à un rapport supplémentaire, pour mieux gérer la puissance et optimiser la consommation. Le scénario est le même pour les boîtes automatiques : 4 rapports pour le 2-litres, 5 pour le 2,4-litres.

FORCES · Belle comme tout · Habitacle cossu · Équipement de série complet
· Sièges très confortables · Version SX amusante · Marque qui se métamorphose

FAIBLESSES · Boîte manuelle médiocre · Embrayage mou
· Consommation décevante (2,4-L)

La boîte manuelle constitue une grosse déception, au point d'altérer l'agrément de conduite. L'embrayage est mou, la course de la pédale, trop longue, l'étagement des rapports gagnerait à être plus serré, et le guidage du levier est imprécis. C'est d'autant plus dommage que les deux moteurs ne manquent pas de mordant. Plus puissant, le 2,4-litres est volontaire, et la réponse est bonne à tous les régimes. Le raffinement de ce moteur souple et silencieux n'a rien à envier aux meilleurs 4-cylindres japonais qui demeurent la référence. La consommation est cependant décevante avec une moyenne oscillant entre 10 et 11 litres aux 100 kilomètres. Si c'est votre priorité, optez plutôt pour la version EX et sa motorisation moins puissante, donc moins gourmande.

[COMPORTEMENT] Outre la boîte manuelle, on ne peut pas reprocher grand-chose à la Koup. Elle freine bien, tient bien la route, et les trains roulants absorbent bien les trous et les bosses de notre réseau routier du XIXᵉ siècle. La version SX a des prétentions plus sportives : en plus de son moteur plus puissant, elle reçoit une monte pneumatique plus agressive, et l'amortissement de sa suspension a été raffermi. Cette voiture repose sur une plateforme saine et bien rigide. Elle sous-vire très peu et enfile les virages avec un aplomb indéniable. Dans les faits, plus on la pousse dans ses retranchements, plus elle s'accroche. Quant au roulis, il est à peine perceptible. Et on retrouve cette douceur de roulement typiquement asiatique. On s'amuse donc sans souffrir.

[CONCLUSION] La Koup prouve une nouvelle fois que les Kia ont cessé d'être de simples clones des Hyundai. Les deux marques coréennes ont maintenant des modèles distincts qui n'évoluent pas toujours dans les mêmes segments. À l'instar des autres voitures coréennes, elle brille par son rapport qualité-prix, auquel s'ajoute un physique franchement accrocheur et une qualité de construction égale, sinon supérieure, à celle des japonaises. Et sa garantie de base plus longue (5 ans) que celle des autres marques généralistes a de quoi rassurer.

2ᵉ OPINION

ALEXANDRE CRÉPAULT La Kia Forte Koup nous réserve vraiment plein de bonnes surprises. Et ça commence avec les lignes de sa caisse, qui laissent présager de belles choses avant même qu'on ait mis les pieds à l'intérieur de la voiture. Elle est moderne, assez agressive pour nous sortir de l'ennui, mais sans prétention exagérée. On ouvre la porte, et son poids renforce l'impression de qualité que dégagent les matériaux de l'habitacle. Le confort est correct, la puissance du plus gros modèle est amplement suffisante, et les rapports de la boîte à 6 rapports sont bien étagés. Nous n'avons pas affaire à une vraie sportive, c'est certain. La direction pourrait être plus précise, et, dans un parcours de slalom, la servodirection finit par manquer de souffle. Autrement, au quotidien, la Forte Koup brille de partout.

⑤ FICHE TECHNIQUE

• MOTEUR

(EX)

L4 2,0 l DACT, 156 ch à 6200 tr/min
Couple 144 lb-pi à 4300 tr/min

Transmission manuelle à 5 rapports, automatique à 4 rapports avec mode manuel (en option)

0-100 km/h 10,5 s

Vitesse maximale 190 km/h

(SX)

L4 2,4 l DACT, 173 ch à 6000 tr/min
Couple 168 lb-pi à 4000 tr/min

Transmission manuelle à 6 rapports, automatique à 5 rapports avec mode manuel (en option)

0-100 km/h 9,8 s

Vitesse maximale 200 km/h

Consommation (100 km)

man. 7,8l **auto.** 7,7 l (octane 87)

Émissions de CO_2 man 3634 kg/an **auto.** 3588 kg

Litres par année man. 1580 l **auto.** 1560 l

Coût par an man. 1580 $ **auto.** 1560 $

Carburant alternatif non

Empreinte écologique nd

• AUTRES COMPOSANTES

Sécurité active freins ABS, contrôle électronique de stabilité, antipatinage

Suspension avant/arrière indépendante / essieu rigide

Freins avant/arrière disques

Direction crémaillère assistée

Pneus EX P205/55R16 **SX** P215/45R17

• DIMENSIONS

Empattement 2650 mm

Longueur 4480 mm

Largeur 1765 mm

Hauteur 1400 mm

Poids EX man. 1232 kg **SX man.** 1297 kg

EX auto. 1247 kg **SX auto.** 1304 kg

Diamètre de braquage EX 10,3 m **SX** 10,8 m

Coffre 358 l

Réservoir de carburant 52 l

I 355

NOS MENTIONS

 Modèle recommandé

NOTRE VERDICT

Plaisir au volant	●●●●◖
Qualité de finition	●●●○○
Consommation	○●●○○
Rapport qualité/prix	●●●●●
Valeur de revente	●●●◖○

OPTIMA

www.kia.ca

LA COTE VERTE

MOTEUR
L4 DE 2,4 L

- **Consommation (100km):** 7,7 l
- **Émissions polluantes CO_2 :** 3588 kg/an
- **Empreinte écologique (nombre d'arbres à planter par année):** 26
- **Indice d'octane:** 87
- **Autre motorisation:** hybride (à venir)
- **Coût du carburant moyen par année:** 1560 $
- **Nombre de litres par année:** 1560 l

(SOURCE : ÉnerGuide)

356 |

1 FICHE D'IDENTITÉ

- **Versions** LX, EX, SX
- **Roues motrices** avant
- **Portières** 4 **Nombre de passagers** 4
- **Première génération** 2011
- **Génération actuelle** 2011
- **Construction** Asan Bay, Corée du Sud
- **Sacs gonflables** 6 (frontaux, latéraux avant, rideaux latéraux)
- **Concurrence** Chevrolet Malibu, Chrysler Sebring, Ford Fusion, Honda Accord, Hyundai Sonata, Mazda6, Nissan Altima, Subaru Legacy, Toyota Camry,

2 AU QUOTIDIEN

- **Prime d'assurance**
  25 ans: 1600 à 1800 $
  40 ans: 900 à 1100 $
  60 ans: 800 à 1000 $
- **Collision frontale** nm
- **Collision latérale** nm
- **Ventes du modèle de l an dernier**
  Au Québec nm **Au Canada** nm
- **Dépréciation** (3 ans) nm
- **Rappels** (2005 à 2010) 0
- **Cote de fiabilité** nm

3 GARANTIES... ET PLUS

- **Garantie générale** 5 ans/100 000 km
- **Garantie motopropulseur** 5 ans/100 000 km
- **Perforation** 5 ans/kilométrage illimité
- **Assistance routière** 5 ans/100 000 km
- **Nombre de concessionnaires**
  Au Québec 56 **Au Canada** 167

4 NOUVEAUTÉS EN 2011

- Nouveau modèle

ON RECOMMENCE

PAR BENOIT CHARETTE

LA KIA MAGENTIS EST MORTE, VIVE LA KIA OPTIMA! Au Canada, le nom Optima appartenait à GM lorsqu'elle commercialisait la Passport Optima. C'est pourquoi la berline Kia, qui portait l'appellation Optima aux États-Unis et ailleurs dans le monde, s'appelait Magentis au Canada. À l'arrivée du nouveau modèle au printemps 2011, cette nouvelle Kia portera le nom d'Optima. Tout comme le Sportage, cette nouvelle routière abandonne le style fade de sa devancière et affiche des traits plus charismatiques. Kia en fera même sa première hybride sur le marché.

[CARROSSERIE] Pour remplacer la très ordinaire Magentis, Kia est parti d'une feuille blanche. L'Optima est beaucoup plus séduisante et plus imposante. Pour aller de pair avec ce dynamisme, on installera des roues de 17 ou de 18 pouces. Dessinée aux studios de Francfort (Allemagne) et d'Irvine (Californie), la nouvelle Optima se veut plus longue, plus large et plus basse que sa devancière, reposant sur une nouvelle plateforme qui servira de base à plusieurs modèles à venir. Trois versions seront offertes :LX, EX et SX.

La première arbore deux embouts d'échappement chromés, des vitres teintées, des clignotants intégrés aux boîtiers de rétroviseurs et des jantes en acier de 16 pouces. La version EX ajoute de série des phares antibrouillard, des miroirs chauffants et des jantes en alliage de 17 pouces. Enfin, la SX se distingue avec des phares à haute intensité et à nivellement automatique, des feux arrière combinés à diodes électroluminescentes, une calandre unique, un aileron arrière, des seuils latéraux sculptés, des étriers de frein rouges et des jantes en alliage de 18 pouces au fini usiné noir.

[HABITACLE] On reconnaît les racines allemandes de l'équipe de conception de Francfort. Ça sent le travail bien fait. Le tableau de bord est orienté vers le conducteur, les matériaux offrent une excellente qualité de perception. Nous ne sommes pas à bord des Audi que Peter Scheyer a dessinées dans son passé, mais pour une voiture de ce prix, la présentation est vraiment belle. Et Kia, fidèle à son habitude, ne lésine pas sur l'équipement. Vous avez de série un ordinateur de bord, une chaîne AM/FM/CD/MP3, la ra-

FORCES · Lignes superbes · Finition sans reproche · Châssis très rigide · Excellente tenue de route

FAIBLESSES · Commandes de la radio un peu déroutantes

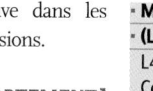

dio satellite SIRIUS (avec abonnement gratuit de trois mois), un port USB, une prise auxiliaire et la téléphonie Bluetooth avec commandes d'activation au volant. Parmi les équipements offerts en option dans les Optima EX et SX, on note un toit ouvrant panoramique, une sellerie en cuir, un siège du conducteur avec mémoire de position, des sièges avant chauffants/ventilés, des sièges arrière chauffants ainsi qu'un volant chauffant. Pour un divertissement supérieur, la chaîne ambiophonique Infinity 5.1, en option, comprend huit haut-parleurs totalisant 500 watts, la radio HD et un système de navigation à commande vocale avec interface tactile de sept pouces.

[MÉCANIQUE] L'offre moteur s'apparente beaucoup à celle du Sportage. Le moteur à 4 cylindres de 2,4 litres à injection directe de carburant (une première chez Kia) développe 200 chevaux et constituera 80 % des ventes de ce modèle selon les prévisions de Kia. La firme ajoute un moteur à 4 cylindres de 2 litres turbocompressé de 274 chevaux qui arrivera au 2e trimestre de 2011. Pour ce qui est du moteur de 2,4 litres, il servira de base à la motorisation de la version hybride plus tard en 2011. La version LX est proposée avec une boîte de vitesses manuelle ou automatique à 6 rapports, alors que

seule l'automatique se retrouve dans les autres versions.

[COMPORTEMENT]
Lors de notre très bref essai en Corée du Sud, seule la version à moteur de 2,4 litres était disponible. Sans être réellement sportive, la puissance est appropriée pour une berline qui n'a pas de vocation sportive. Avec des freins à disque ABS aux quatre roues et des systèmes de contrôle électronique de la stabilité et d'antipatinage à l'accélération, cette traction ne perd pas pied facilement. Sa nouvelle plateforme est saine et favorise d'excellentes réactions du châssis et un confort de roulement supérieur.

[CONCLUSION] Après avoir séduit les automobilistes avec leurs prix inattaquables, dans un premier temps, puis par une finition au-dessus de tout soupçon toujours combinée à des prix bien placés, dans un deuxième temps, Kia entame la troisième partie de sa phase de conquête : celle de la séduction. Non seulement l'Optima est-elle belle, mais elle est moderne, très agréable à conduire, et je meurs d'impatience de faire l'essai du moteur à 4 cylindres de 2 litres turbocompressé de 274 chevaux.

⑤ FICHE TECHNIQUE

MOTEURS

(LX, EX)
L4 2,4 l DACT, 200 ch à 6000 tr/min
Couple nd
Transmission manuelle à 6 rapports (LX), automatique à 6 rapports avec mode manuel (option LX, de série sur EX)
0-100 km/h nd
Vitesse maximale nd

(SX)
L4 2,0 l DACT, 274 ch à 6000 tr/min
Couple 168 lb-pi à 4000 tr/min
Transmission manuelle à 6 rapports, automatique à 6 rapports avec mode manuel
0-100 km/h nd
Vitesse maximale nd
Consommation (100 km) nd

AUTRES COMPOSANTES
Sécurité active freins ABS, contrôle électronique de stabilité, antipatinage
Suspension avant/arrière indépendante
Freins avant/arrière disques
Direction à pignon et crémaillère, assistée
Pneus LX P205/65R16, **EX** P215/55R17, **SX, option EX** P225/45R18

DIMENSIONS
Empattement 2794 mm
Longueur 4844mm
Largeur 1829 mm
Hauteur 1455 mm
Poids nd
Diamètre de braquage nd
Coffre nd
Réservoir de carburant nd

NOS MENTIONS

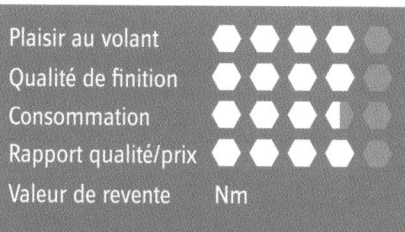

☺ Modèle recommandé

NOTRE VERDICT

Plaisir au volant	●●●●○
Qualité de finition	●⬡⬡⬡⬡
Consommation	●●⬡○○
Rapport qualité/prix	⬡●●●○
Valeur de revente	Nm

N ÉVOLUTION É

J

15 150 $ à **18 685 $**
transport et préparation: 1455 $

KIA

358

① FICHE D'IDENTITÉ

- **Versions Rio** EX, EX Commodité **Rio5** EX, EX
  Commodité, EX Sport
- **Roues motrices** avant
- **Portières** 4/5 **Nombre de passagers** 4
- **Première génération** 2002
- **Génération actuelle** 2006
- **Construction** Sohari, Corée du Sud
- **Sacs gonflables** 2 (frontaux, option latéraux
  sièges avant Rio 5 EX Sport)
- **Concurrence** Chevrolet Aveo, Honda Fit,
  Hyundai Accent, Nissan Versa, Suzuki Swift+,
  Toyota Yaris

② AU QUOTIDIEN

- **Prime d'assurance**
  25 ans: 1200 à 1400 $
  40 ans: 1000 à 1100 $
  60 ans: 800 à 1000 $
- **Collision frontale** 4/5
- **Collision latérale** 3/5
- **Ventes du modèle de l'an dernier**
  Au Québec 4160 **Au Canada** 10 287
- **Dépréciation** 59,1 %
- **Rappels** (2005 à 2010) 1
- **Cote de fiabilité** 3/5

③ GARANTIES... ET PLUS

- **Garantie générale** 5 ans/100 000 km
- **Garantie motopropulseur** 5 ans/100 000 km
- **Perforation** 5 ans/kilométrage illimité
- **Assistance routière** 5 ans/100 000 km
- **Nombre de concessionnaires**
  Au Québec 56 **Au Canada** 167

④ NOUVEAUTÉS EN 2011

- Aucun changement majeur

SANS CÉRÉMONIE

PAR BENOIT CHARETTE

SI VOUS ÊTES DE CEUX QUI ONT BESOIN D'UN
PETIT VÉHICULE SANS FAÇON POUR ALLER
ET REVENIR DU BOULOT ou d'une seconde
voiture pour l'ado à la maison, voici une petite
voiture qui répond parfaitement à ces défini-
tions. Avec une garantie de cinq ans, une gueule
sympathique et une bonne fiabilité, la Rio est
tout ce dont vous avez besoin pour combler vos
déplacements quotidiens.

[CARROSSERIE] Comme tous les autres modèles
de la gamme, la Rio a adopté la calandre en lame de
rasoir cette année. La nouvelle signature maison,
née sous le crayon du styliste Peter Schreyer,
vient s'apposer sur une coréenne jusqu'à présent
très discrète. Cette calandre est couplée à de
nouveaux boucliers. Il n'est pas certain que ce
soit suffisant pour augmenter significativement
les ventes, mais elle harmonise ainsi ses lignes
avec le reste de la famille, le temps d'attendre
une nouvelle génération.

[HABITACLE] La finition intérieure est sans doute
l'endroit où le constructeur coréen a fait les plus

grands progrès. En reculant seulement quelques
années en arrière, la finition des premières Rio
était tout simplement apeurante. Aujourd'hui,
l'ergonomie est plus soignée, et le tableau de
bord, bien agencé. Naturellement, à 15 150 $, le
plastique règne en roi et maître, mais l'assemblage
est de qualité. Une petite critique sur les sièges
que certains trouveront un peu fermes et pas
très confortables, mais c'est souvent le propre
de ces petites sous-compactes. Ceux qui désirent
une finition un peu plus inspirée peuvent se
tourner vers la Rio5 qui offre des sièges colorés et
quelques touches de cuir.

[MÉCANIQUE] Livrée avec un moteur de 1,6 litre
de 110 chevaux, vous avez le choix entre une
boîte de vitesses manuelle à 5 rapports, de loin,
la meilleure option, et la vieille boîte automatique à 4 rapports, qui absorbe une grande
partie de la faible puissance du moteur et émet
des gémissements gênants chaque fois que
vous appuyez fermement sur l'accélérateur. La
consommation de carburant n'est pas exceptionnelle pour une si petite voiture. Kia annonce

+
−

FORCES · Lignes réussies · Excellente garantie · Prix concurrentiel
· Confort général de bon aloi

FAIBLESSES · Suspension, train roulant et mécanique dépassés
· Frein spongieux · Moteur bruyant

environ 7 litres aux 100 kilomètres. Lors de notre essai, c'est plutôt une consommation de 8 litres aux 100 kilomètres que nous avons obtenue. Bref, le moteur est correct, mais ce n'est pas encore à la hauteur des meilleures japonaises en ce qui concerne le raffinement et la consommation.

[COMPORTEMENT] Le mot simplicité traduit le mieux l'expérience de conduite. Simplicité dans la configuration du dessin de la suspension, de la technologie du moteur, de la direction, bref tout sur ce véhicule relève d'une technologie au premier degré. Cela n'a rien de mal, et comme nous le disions plus tôt, pour quelqu'un qui cherche un moyen de transport sans cérémonie qui l'amènera du point A au point B, la Rio est tout indiquée. Mais gardez en tête que la Rio doit se conduire avec de la retenue. Si vous augmentez le rythme ne serait-ce qu'un tantinet, vous découvrirez rapidement les limites de la suspension et des mauvais pneus Kumho d'origine. La boîte manuelle offre un certain agrément de conduite, et le freinage, somme toute assez efficace, est toutefois un peu spongieux et manque de mordant. Et malgré une certaine fermeté des sièges, les longues randonnées ne font pas peur à cette petite voiture. En terminant, si on me demandait de choisir un modèle, j'irais pour la Rio5, pour son côté pratique. Son hayon est simple et pratique, et la banquette se rabat à plat, donnant ainsi beaucoup d'espace de rangement. La berline offre un coffre à l'ouverture trop étroite et une banquette qui n'est pas complètement rabattable, beaucoup moins pratique.

[CONCLUSION] Le créneau des sous-compactes est de plus en plus peuplé. L'arrivée cette année de la formidable Ford Fiesta et de la nouvelle Mazda2 vient redéfinir les normes à suivre dans cette catégorie. Il est clair que la technologie vieillissante de la Rio ne fait plus le poids, mais la qualité est correcte, la fiabilité, bonne, et la garantie, au-dessus de la moyenne. Trois bonnes raisons qui en font encore une voiture recommandable.

2ᵉ OPINION

MICHEL CRÉPAULT Vous êtes à la recherche d'une sous-compacte ? Ça tombe bien, les constructeurs en débordent par les temps qui courent : Fit, Versa, Yaris et les toutes nouvelles Mazda2 et Fiesta. Oh, mais votre budget est vraiment limité... La Rio est sans doute la solution puisqu'elle est proposée par un constructeur qui, d'ordinaire, sait palier les crises budgétaires. Oui et non. Oui parce que le modèle est joli (surtout le bicorps qui devient du coup plus pratique) et que le moteur de 1,6 litre satisfait en ville avec une consommation enviable, et que la tenue de route s'en tire plutôt bien. Non à cause des sièges spartiates et des mauvaises notes au test de collision latérale. Par ailleurs, Kia nous en a toujours donné plus pour notre argent, et la Rio, sur ce plan, a été négligée.

5 FICHE TECHNIQUE

· MOTEUR

· L4 1,6 l DACT, 110 ch à 6000 tr/min
Couple 107 lb-pi à 4500 tr/min
Transmission manuelle à 5 rapports, automatique à 4 rapports (en option)
0-100 km/h 11,8 s
Vitesse maximale 180 km/h

· AUTRES COMPOSANTES

Sécurité active ABS (Rio5 EX Sport)
Suspension avant/arrière Indépendante/essieu rigide
Freins avant/arrière Disques/tambours
Direction à crémaillère, assistée
Pneus P175/70R14
Rio5 EX Sport P195/55R15

· DIMENSIONS

Empattement 2500 mm
Longueur berl. 4240 mm **Rio5** 3990 mm
Largeur 1695 mm
Hauteur 1470 mm
Poids Rio man. 1160 kg **Rio auto.** 1182 kg
Rio5 man. 1170 kg **Rio5 auto.** 1192 kg
Diamètre de braquage 10,1 m
Coffre berl. 337 l **Rio5** 447 l, 1405 l (sièges abaissés)
Réservoir de carburant 45 l

| 359

NOS MENTIONS

 Le choix vert

 Modèle recommandé

NOTRE VERDICT

Plaisir au volant	⬡	⬡	⬡	◖
Qualité de finition	⬡	⬡	⬡	⬡
Consommation	⬡	⬡	⬡	⬡
Rapport qualité/prix	⬡	⬡	⬡	◖
Valeur de revente	⬡	⬡	◖	

RONDO

www.kia.ca

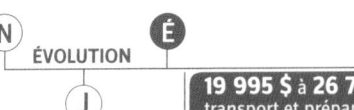

ÉVOLUTION

N É

J

19 995 $ à 26 795 $
transport et préparation: 1650 $

LA COTE VERTE

MOTEUR
L4 DE 2,4 L

- **Consommation**
  (100km): 9,1 l
- **Émissions**
  polluantes CO₂:
  4232 kg/an
- **Empreinte écologique**
  (nombre d'arbres à
  planter par année): 27
- **Indice d'octane:** 87
- **Autre**
  motorisation: non
- **Coût du carburant**
  moyen par année:
  1840 $
- **Nombre de**
  litres par année: 1840l

(SOURCE : ÉnerGuide)

FICHE D'IDENTITÉ

- **Versions** LX, EX, EX Premium,
  EX V6, EX V6 Luxe
- **Roues motrices** avant
- **Portières** 5 **Nombre de passagers** 5 à 7
- **Première génération** 2007
- **Génération actuelle** 2007
- **Construction** Corée du Sud
- **Sacs gonflables** 6 (frontaux, latéraux avant,
  rideaux latéraux)
- **Concurrence** Mazda5, Chevrolet HHR,
  Mercedes-Benz Classe B

AU QUOTIDIEN

- **Prime d'assurance**
  25 ans: 1300 à 1500 $
  40 ans: 1000 à 1200 $
  60 ans: 800 à 900 $
- **Collision frontale** 5/5
- **Collision latérale** 4/5
- **Ventes du modèle de l'an dernier**
  Au Québec 5048 **Au Canada** 9835
- **Dépréciation** 48,4 %
- **Rappels** (2005 à 2010) 2
- **Cote de fiabilité** 4/5

GARANTIES... ET PLUS

- **Garantie générale** 5 ans/100 000 km
- **Garantie motopropulseur** 5 ans/100 000 km
- **Perforation** 5 ans/kilométrage illimité
- **Assistance routière** 5 ans/100 000 km
- **Nombre de concessionnaires**
  Au Québec 56 **Au Canada** 167

NOUVEAUTÉS EN 2011

- Aucun changement majeur

UNE OFFRE RONDEMENT MÛRIE

PAR MICHEL CRÉPAULT

EN EUROPE ET EN ASIE, LE RONDO PERFORME PLUTÔT BIEN SOUS L'APPELLATION CARENS (DEPUIS 1999). Il est heureux que ce nom n'ait pas franchi l'Atlantique car je me verrais mal demander à mon voisin : « Et puis, es-tu satisfait de ta carence ? » S'agit-t-il d'un utilitaire, d'un multisegment ou d'une espèce de minifourgonnette ? Chose certaine, depuis l'arrivée chez nous en 2007 de la 2e génération, le Rondo semble rendre une grande variété de services à ses propriétaires.

[CARROSSERIE] La coque au toit surélevé est percée de généreuses glaces qui auraient donné un autre sens aux contorsions cervicales de Regan dans le film The Exorcist. La position de conduite légèrement haut perchée épaule cette excellente visibilité. La silhouette bulbeuse aurait pu pécher par un certain déséquilibre, mais les stylistes ont eu la bonne idée de se retenir. Ils ont imprégné beaucoup de simplicité aux feuilles de métal, ce qui fait que l'ensemble dégage l'ennui ou le classicisme, c'est selon. Disons que le Rondo n'évoque quand même pas l'apothéose que suggère son nom dans l'univers des symphonies.

[HABITACLE] Il n'en a peut-être pas l'air comme ça, mais le Rondo peut recevoir jusqu'à sept passagers grâce à une troisième banquette, de série avec les versions haut de gamme. Bon, d'accord, on n'y installera pas le demi-défensif des Alouettes, mais sa progéniture, certainement ! On peut en abaisser le dossier à volonté (50/50) et faire de même avec la banquette médiane (60/40), ce qui nous donne au final un espace de chargement quasiment extravagant pour un véhicule de cette taille. Une très bonne note à cette banquette du milieu qui coulisse sur des rails pour nous permettre de modifier le dégagement avant et arrière. Ensuite, une question : les concepteurs du Rondo ont-ils sciemment cherché à inscrire leur nom dans le livre des records ? En effet, il compte pas moins de 10 porte-gobelets ! La livrée de base LX est loin d'être nue surtout si l'on tient compte

FORCES · Bel équipement à partir d'un prix raisonnable · Fonctionnalités qu'appréciera une famille · Banquette du milieu réglable

FAIBLESSES · Allure et tableau de bord qui frôlent l'ennui · Grognement envahissant du 4-cylindres · Aides électroniques intrusives au mauvais moment

des petites pensées comme les prises auxiliaires et USB pour iPod, tandis que les modèles Premium et Luxe comprennent, entre autres, le cuir, même sur le volant et les sièges chauffants. La colonne de direction, par contre, n'est pas télescopique.

[MÉCANIQUE] De votre choix de moteur découle les livrées possibles. Avez-vous le goût du 4-cylindres de 2,4 litres de 175 chevaux ou du V6 de 2,7 litres de 192 chevaux? Vos besoins de remorquage devraient vous aider à trancher. Nulle boîte manuelle au menu mais, en revanche, deux automatiques, l'une à 4 rapports, l'autre à 5 rapports, pour le V6. Toutes deux sont qualifiées de Steptronic parce qu'elles autorisent le conducteur à passer les rapports manuellement. Les jantes auront 16 ou 17 pouces, selon la version choisie.

[COMPORTEMENT] Plus compact qu'une fourgonnette, le Rondo se laisse manier avec aisance, jusqu'à transmettre un sentiment de dextérité à son conducteur. Les deux moteurs fournissent une accélération satisfaisante, le V6 emplissant alors l'habitacle d'un chant moins plaintif. Les dépassements se réalisent sans l'ombre d'une crainte. La charpente élevée induit bien un certain roulis mais absolument rien de dramatique; de toute façon, le contrôle électronique de la stabilité, de série, veille au grain. La direction obéit au doigt et à l'œil. C'est seulement quand le Rondo affronte des routes particulièrement ravagées que sa suspension accuse ses limites. Le véhicule a très bien performé lors des tests de collision fédéraux. L'hiver, sur une surface glacée, l'antipatinage peut

frustrer davantage qu'aider mais, heureusement, le bidule se désactive, et les pneus d'hiver obligatoires ne nuisent pas.

[CONCLUSION]
Quand le scénario d'un film me plaît, j'ai pris l'habitude de dire qu'il est « rond », c'est-à-dire qu'il ne présente pas d'invraisemblances, et que son intrigue a été rondement menée. Sans doute suis-je influencé par le nom du véhicule mais je ne peux m'empêcher de trouver également harmonieuse la proposition globale du Rondo. Il n'est pas ce qu'il ne prétend pas être : un avaleur de bitume ou une carte de mode. Mais il est fonctionnel, pas laid et appuyé par l'excellente garantie qu'on connaît. Bref, au test du rapport qualité-prix, il s'en tire haut la main.

2ᵉ OPINION

BENOIT CHARETTE Difficile de croire que la Rondo est pratiquement devenu le plus vieux produit de la gamme Kia. Les choses bougent tellement vite du côté de ce constructeur coréen qu'il est difficile de suivre. La Rondo était la première tentative de Kia dans le segment des minifourgonnettes, et le fabricant a frappé un grand chelem. Encore aujourd'hui, c'est le meilleur petit véhicule familial sur la route. Silencieux, confortable, très bien aménagé, polyvalent, il offre en plus deux choix de moteurs et deux choix de configurations en 5 ou en 7 passagers. Comme tous les produits Kia, vous avez en plus une longue liste d'équipements de série, et tout cela à un prix de base qui avoisine les 20 000 $. Sans doute l'un des meilleurs rapports qualité/prix sur le marché en ce moment.

⑤ FICHE TECHNIQUE

• MOTEURS
- L4 2,4 l DACT, 175 ch à 6000 tr/min
Couple 169 lb-pi à 4000 tr/min
Transmission automatique 4 rapports avec mode manuel
0-100 km/h 10,2 s
Vitesse maximale 185 km/h

- V6
2,7 l DACT, 192 ch à 6000 tr/min
Couple 184 lb-pi à 4500 tr/min
Transmission automatique 5 rapports avec mode manuel
0-100 km/h 9,8 s
Vitesse maximale 190 km/h
Consommation (100 km) 9,6 l
Émissions de CO₂ 4508 kg/an
Litres par année 1960 l
Coût par an 1960 $
Carburant alternatif non
Empreinte écologique 28 arbres

• AUTRES COMPOSANTES
Sécurité active freins ABS, antipatinage, répartition électronique de la force de freinage, contrôle de stabilité électronique
Suspension avant/arrière indépendante
Freins avant/arrière disques
Direction à crémaillère, assistée
Pneus P205/60R16
Premium et EX V6 Luxe P225/50R17

• DIMENSIONS
Empattement 2700 mm
Longueur 4545 mm
Largeur 1821 mm
Hauteur 1650 mm
Poids 1608 kg à 1686 kg
Diamètre de braquage 16 po 10,8 m, **17 po** 11 m
Coffre 185 l (derrière 3e rangée), 898 l, 2083 l (sièges abaissés)
Réservoir de carburant 60 l

NOS MENTIONS

☺ Modèle recommandé

NOTRE VERDICT

Plaisir au volant	●●●○○
Qualité de finition	●●●○○
Consommation	●●○○○
Rapport qualité/prix	●●●●○
Valeur de revente	●●●○○

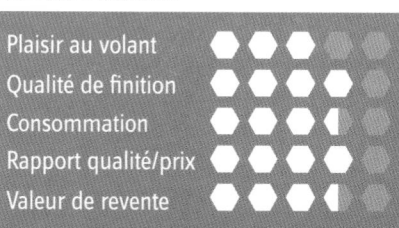

SEDONA

www.kia.ca

ÉVOLUTION

28 695 $ à 40 845 $
transport et préparation: 1650 $

SEDONA

① FICHE D'IDENTITÉ

- **Versions** LX, EX
- **Roues motrices** avant
- **Portières** 4 **Nombre de passagers** 7 ou 8
- **Première génération** 2002
- **Génération actuelle** 2006
- **Construction** Asan, Corée du Sud
- **Sacs gonflables** 6 (frontaux, latéraux avant, rideaux latéraux)
- **Concurrence** Chrysler Town & Country, Dodge Grand Caravan, Honda Odyssey, Nissan Quest, Toyota Sienna, Volkswagen Routan

② AU QUOTIDIEN

- **Prime d'assurance**
  25 ans: 1300 à 1500 $
  40 ans: 1000 à 1200 $
  60 ans: 800 à 1000 $
- **Collision frontale** 5/5
- **Collision latérale** 5/5
- **Ventes du modèle de l'an dernier**
  Au Québec 579 **Au Canada** 2135
- **Dépréciation** 58,0 %
- **Rappels** (2005 à 2010) 5
- **Cote de fiabilité** 3/5

③ GARANTIES... ET PLUS

- **Garantie générale** 5 ans/100 000 km
- **Garantie motopropulseur** 5 ans/100 000 km
- **Perforation** 5 ans/kilométrage illimité
- **Assistance routière** 5 ans/100 000 km
- **Nombre de concessionnaires**
  Au Québec 56 **Au Canada** 167

④ NOUVEAUTÉS EN 2011

- Nouveau moteur V6 3.5
- Retouches à la calandre

TOUJOURS PERTINENTE

PAR PHILIPPE LAGUË

LORS DE SON ARRIVÉE AU CANADA, KIA NOUS A BIEN FAIT RIGOLER. MÉCANIQUE DÉSUÈTE, QUALITÉ GÉNÉRALE VARIANT ENTRE MÉDIOCRE ET RISIBLE, ON SE SERAIT CRU À BORD D'UNE VOITURE CORÉENNE DES ANNÉES 80. Mais dès que les premiers modèles développés sous le régime Hyundai sont apparus, le vent a tourné. Introduite en 2002, la Sedona était la première fourgonnette de la gamme Kia. Pas chère, bien construite et relativement fiable, elle n'a pas tardé à se faire des amis.

[CARROSSERIE] La Sedona de deuxième génération entame sa cinquième année dans sa forme actuelle. Sur le plan esthétique, c'est plutôt banal, mais rien ne ressemble plus à une fourgonnette qu'une autre fourgonnette. Les parents qui achètent ce type de véhicule seront heureux de savoir qu'elle a obtenu la mention 5 étoiles lors des tests de collision de la NHTSA, l'équivalent américain de notre ministère des Transports. Des coussins de sécurité gonflables aux trois rangées de sièges font aussi partie de l'équipement de série. Bref, la marmaille est en sécurité.

[HABITACLE] Comme à l'extérieur, la présentation intérieure n'a rien d'audacieux, mais elle est tout à fait correcte, sobre et irréprochable sur les plans pratique et ergonomique : tout est à la bonne place, d'accès facile, et les commandes sont simples. Les espaces de rangement abondent : vide-poches (immenses) dans les portières, coffre dans la console centrale, panneau amovible entre les deux sièges et pas un, mais deux boîtes à gants. Il y aussi beaucoup de rangement dans la section arrière. Et dans la plus pure tradition coréenne, l'équipement de série est bien garni, même dans la version de base. La finition et la qualité d'assemblage se situent une coche en-dessous des standards japonais. Quoique... Il y a moins de plastique que dans la Toyota Sienna. Cela dit, la qualité des matériaux est correcte, sans plus, et des craquements se font entendre à l'intérieur. Les sièges sont confortables, généreusement rembourrés, mais le maintien latéral est déficient. Comme dans toute bonne fourgonnette, il y a de l'espace partout; même l'accès à la troisième rangée de sièges est aisé. Cette banquette se glisse par

FORCES · Habitacle spacieux, confortable et pratique · Équipement de série bien garni · Moteur vaillant · Douceur de roulement · Sécurité maximale · Prix et garantie

FAIBLESSES · Finition moyenne · Consommation élevée · Roulis en virage · Faible valeur de revente

ailleurs dans le plancher quand on a besoin de plus d'espace. Très pratique.

[MÉCANIQUE] Le principal reproche adressé à la Sedona de première génération était sa consommation élevée. Très élevée, même. Si l'on constate une amélioration, ce n'est rien pour écrire à sa mère non plus. Disons que c'est moins pire... Sinon, ce V6 d'origine Hyundai brille par son rendement. Il est vaillant, généreux en couple, et ses prestations n'ont rien à envier à celle d'une berline intermédiaire, tout comme sa douceur et son silence de roulement. Le rendement de la boîte automatique se place lui aussi à l'abri des reproches, tout comme le freinage.

[COMPORTEMENT] Évidemment, on n'achète pas une fourgonnette pour aller brûler du caoutchouc le week-end sur une piste de course. La Sedona penche en virage, sa direction est un peu floue; si le comportement est une de vos priorités, allez plutôt du côté de Honda. Mais ça va coûter plus cher. Beaucoup plus cher. Bien servies par la longueur de leur empattement, les fourgonnettes proposent un confort royal, comparable sinon supérieur à bien des berlines. Contrairement à ce que vous pourriez penser, j'aime bien conduire ce type de véhicule : je trouve ça reposant. Surtout quand il n'y a pas d'enfant à bord...

[CONCLUSION] Comme la plupart des véhicules coréens, la Sedona respecte à la lettre la philosophie du « beau, bon, pas cher ». Plus fiable que sa rivale américaine (la Grand Caravan), moins chère que les Odyssey et Sienna japonaises, la Sedona offre le meilleur compromis, rehaussé de surcroît par une super garantie de base de 5 ans ou 100 000 kilomètres. Et si vous avez des réticen-ces face aux fourgonnettes, sachez qu'aucun véhicule multisegment ne leur va à la cheville pour le côté pratique. Aucun, j'insiste.

2ᵉ OPINION

MICHEL CRÉPAULT Les experts ne cessent de se demander si l'avenir de la fourgonnette est en péril. Quant à moi, tant que les grandes personnes en mettront des petites au monde, ce genre de véhicule aura sa place. Il faut avoir été parent pour apprécier toutes les qualités d'une fourgonnette ou d'une minifourgonnette. Et la Sedona en compte plusieurs : une tenue de route confortable et rassurante, une cabine silencieuse (du moins quand la marmaille l'a enfin désertée...) et une panoplie d'accessoires qui rendent la proposition entière très alléchante en vertu d'un rapport qualité/prix imbattable. Pour y arriver, Kia a tourné quelques coins ronds, comme des matériaux pas toujours à la hauteur et une configuration des places moins ingénieuses que du côté de la concurrence. Mais, à tout prendre, une merveilleuse fée domestique !

⑤ FICHE TECHNIQUE

MOTEUR
- V6 3,5 l DACT 271 ch à 6300 tr/min
Couple 248 lb-pi à 4500 tr/min
Transmission automatique à 6 rapports avec mode manuel
0-100 km/h 9,1 s
Vitesse maximale 200 km/h

AUTRES COMPOSANTES
Sécurité active freins ABS, antipatinage (option EX), contrôle de stabilité électronique (option EX), répartition électronique du freinage (option EX)
Suspension avant/arrière indépendante
Freins avant/arrière disques
Direction à crémaillère, assistée
Pneus LX P225/70R16 **EX** P235/60R17

DIMENSIONS
Empattement 3020 mm
Longueur 5130 mm
Largeur 1985 mm
Hauteur LX 1760 mm **EX** 1820 mm
Poids 1990 kg à 2107 kg
Diamètre de braquage 12,1 m
Coffre 912 l, 4007 l (sièges abaissés)
Réservoir de carburant 80 l
Capacité de remorquage 1588 kg

| 363

NOS MENTIONS

☺ Modèle recommandé

NOTRE VERDICT

Plaisir au volant	●●●○○
Qualité de finition	●●●○○
Consommation	⬡⬡⬡⬡⬡
Rapport qualité/prix	●●●●○
Valeur de revente	●●●○○

ÉVOLUTION
N
É
J

15 495 $ à 21 895 $
transport et préparation: 1420 $

LA COTE VERTE

MOTEUR
L4 DE 1,6 L

- **Consommation (100km):**
  man. 7,0 l
  auto. 7,2 l
- **Émissions polluantes CO_2:**
  man. 3266 kg/an
  auto. 3312 kg/an
- **Empreinte écologique (nombre d'arbres à planter par année):** 20
- **Indice d'octane:** 87
- **Autre motorisation:** non
- **Coût du carburant moyen par année:**
  man. 1420 $
  auto. 1440 $
- **Nombre de litres par année:**
  man. 1420 l
  auto. 1440 l

(SOURCE: ÉnerGuide)

---

① FICHE D'IDENTITÉ

- **Versions** 1,6L; 2,0L 2u; 2,0L 4u; 2,0L 4u Retro; 2,0L 4u Bolide; 2,0 4u SX
- **Roues motrices** avant
- **Portières** 5 **Nombre de passagers** 5
- **Première génération** 2010
- **Génération actuelle** 2010
- **Construction** Gwangju, Corée du Sud
- **Sacs gonflables** 6 (frontaux, latéraux avant, rideaux latéraux)
- **Concurrence** Nissan Cube, Scion Xb

② AU QUOTIDIEN

- **Prime d'assurance**
  25 ans: 1300 à 1500 $
  40 ans: 1000 à 1200 $
  60 ans: 800 à 900 $
- **Collision frontale** 5/5
- **Collision latérale** 4/5
- **Ventes du modèle de l'an dernier**
  Au Québec 3440 **Au Canada** 8489
- **Dépréciation** nm
- **Rappels (2005 à 2010)** nm
- **Cote de fiabilité** nm

③ GARANTIES... ET PLUS

- **Garantie générale** 5 ans/100 000 km
- **Garantie motopropulseur** 5 ans/100 000 km
- **Perforation** 5 ans/kilométrage illimité
- **Assistance routière** 5 ans/100 000 km
- **Nombre de concessionnaires**
  Au Québec 56 **Au Canada** 167

④ NOUVEAUTÉS EN 2011

- Aucun changement majeur

UNE COMPACTE AVEC UN ESPRIT DE CAMIONNETTE

PAR ALEXANDRE CRÉPAULT

JE SUIS SORTI DU GARAGE KIA CANADA DE MONTRÉAL POUR ME JETER DANS LA CIRCULATION DENSE DE L'AUTOROUTE MÉTROPOLITAINE. Plusieurs automobilistes me pointaient du doigt, souvent d'un air intrigué. « Quel type de voiture est-ce ? », se demandaient-ils sûrement. Félicitations à Kia pour avoir tenté un design aussi audacieux. En effet, la Kia Soul fait encore tourner les têtes depuis son introduction l'an dernier. Après avoir travaillé sur la production de voitures fiables et correctes en matière de design, le fabricant sud-coréen continue son évolution vers la production de véhicules mieux adaptés.

[CARROSSERIE] Au premier regard, les lignes du Soul suscitent la controverse. Contrairement aux véhicules de sa catégorie, le Kia semble anormalement haut. Faux. Il est même moins haut que certains rivaux, le Nissan Cube et le Honda Element, notamment. Vous aurez le choix entre une batterie de versions : de base, 2u, 4u, 4u Retro, 4u Bolide et 4u SX.

[HABITACLE] Il y en a de l'espace. Partout. Le coffre en contient moins, mais une fois la banquette abaissée, on se retrouve avec un maximum d'espace grâce à un cargo nivelé 60/40. C'est à ce moment que la hauteur prend tout son sens car on se croirait dans une camionnette tellement c'est vaste! On sera déçu par le confort limité des sièges mais pas par la position de conduite. Le tableau de bord se révèle très convivial malgré la forme des bouches d'aération jumelées aux haut-parleurs. Toutes les commandes sont faciles à atteindre, y compris le « *Sound Sensitive Mood Lighting*», une bébelle aussi comique que fatigante. Et c'est quoi cet éclairage d'ambiance sensible au son? Des éléments lumineux, dans les haut-parleurs, entre autres, s'illuminent à chaque fréquence musicale, selon une ambiance préprogrammée ou en tout temps, à votre goût.

FORCES · Espace intérieur · Couple à bas régime (moteur de 2 L) · Prix concurrentiel

FAIBLESSES · Allure discutable · Des noms de versions qui portent à confusion · Tenue de route dans les courbes au revêtement endommagé

Kia Soul, on trouve un véhicule extrêmement pratique, plaisant à conduire et sûr. Je crois que KIA a frappé dans le mille et a su séduire son marché cible. Je crois également que le Soul peut s'adapter à d'autres marchés (celui du véhicule commercial ?) grâce à son espace de chargement.

[MÉCANIQUE] Kia vous présentera deux moteurs à 4 cylindres : un 1,6-litre et un 2-litres. Presque à tout coup, c'est avec le 2-litres que les acheteurs repartiront. Et avec raison. Sa puissance de 142 chevaux et son couple de 137 livres-pieds sont beaucoup mieux adaptés au Soul que la version de base. Surtout que seul le 2-litres acceptera la boîte de vitesses automatique à 4 rapports. Sinon, trois pédales et 5 rapports seront de mise.

[COMPORTEMENT] La première impression que nous donne le Kia Soul, c'est le cahot. Toutes les versions sont équipées de suspensions avant MacPherson et à ressorts hélicoïdaux. Le confort, cependant, est probablement compromis à cause de l'empattement court de la voiture. Dans les courbes un peu trop bosselées, le Soul a tendance à danser au point que le système d'antipatinage doit, à la limite, intervenir. Le prix de consolation : une direction ferme et précise. De plus, une panoplie d'éléments de sécurité, comme des coussins gonflables avant et latéraux, des coussins gonflables latéraux du type rideau et des appuie-tête avant à protection traumatique, tous offerts de série, donnent au Kia Soul une cote de sécurité 5 étoiles. Une autre bonne note va à la motorisation (2 litres) qui, malgré son essoufflement à haut régime, produit beaucoup de couple à bas régime. Elle est très agréable pour une conduite dynamique en ville.

[CONCLUSION] Si l'on passe outre mon manque d'enthousiasme concernant le design extérieur du

BENOIT CHARETTE En harmonie avec une génération qui a des casques d'écoutes vissés aux oreilles en permanence, la Soul représente très bien la génération Y. De la silhouette «funky» en passant par le système audio de 315 wats qui irrite les tympans tellement la qualité du son est mauvaise, tout est là. Et en passant si vous avez un I-Phone, il est impossible de la faire fonctionner dans un Soul, ou tout autre produit Kia. Un mot sur la conduite, elle est amusante et différente. En deux mots c'est un véhicule qui paraît bien, qui va relativement bien, mais il faut rester en surface. Si vous vous mettez à gratter, on réalise qu'il s'agit après tout d'un véhicule de 16 000$. Mais c'est probablement le 16 000$ le mieux investi pour avoir l'air branché.

⑤ FICHE TECHNIQUE

· MOTEURS
L4 1,6 l DACT, 122 ch à 6300 tr/min
Couple 115 lb-pi à 4200 tr/min
Transmission manuelle à 5 rapports
0-100 km/h 13,2 s
Vitesse maximale 160 km/h

· L4 2,0 l DACT, 142 ch à 6000 tr/min
Couple 137 lb-pi à 4600 tr/min
Transmission manuelle à 5 rapports, automatique à 4 rapports (option)
0-100 km/h 11,6 s
Vitesse maximale 175 km/h
Consommation (100 km) 7,6
Émissions de CO$_2$ man. 3542 kg/an, **auto.** 3496 kg/an.
Litres par année man. 1540 l, **auto.** 1520 l
Coût par an man. 1540 $, **auto.** 1520 $
Autres motorisation non
Empreinte écologique 22 arbres

· AUTRES COMPOSANTES
Sécurité active freins ABS (sauf 1,6L), contrôle électronique de stabilité (sauf 1,6L), antipatinage (sauf 1,6L), répartition électronique du freinage
Suspension avant/arrière indépendante / essieu rigide
Freins avant/arrière disques
Direction à crémaillère, assistée
Pneus 1,6L P195/65 R15, **2,0 2u** P205/55 R16, **2,0L 4u** P225/45 R18

· DIMENSIONS
Empattement 2550 mm
Longueur 4105 mm
Largeur 1785 mm
Hauteur 1610 mm
Poids 1,6L 1190 kg à 1235 kg
2,0L 1 285 kg à 1 355 kg
Diamètre de braquage 10,5 m
Coffre 546 l, 1511 l (sièges abaissés)
Réservoir de carburant 48 l

365

NOS MENTIONS

☺ Modèle recommandé

NOTRE VERDICT

Plaisir au volant	●●●●○
Qualité de finition	●●●○○
Consommation	●●●○○
Rapport qualité/prix	●●●○○
Valeur de revente	Nm

SORENTO
www.kia.ca

N — NOUVEAUTÉ — É — J

23 995 $ à 39 195 $
transport et préparation: 1650 $

LA COTE VERTE

MOTEUR
L4 DE 2,4 L

- **Consommation (100km):**
  man. 9,0 l
  auto. 8,3 l
  auto. 4RM 8,7 l
- **Émissions polluantes CO_2:**
  man. 3588 kg/an
  auto. 3818 kg/an
  auto. 4RM 3956 kg/an
- **Empreinte écologique (nombre d'arbres à planter par année):** 25
- **Indice d'octane:** 87
- **Autre motorisation:** non
- **Coût du carburant moyen par année:**
  man. 1560$ l
  auto. 1660$
  auto. 4RM 1720$
- **Nombre de litres par année:**
  man. 1560 l
  auto. 1660 l
  auto. 4RM 1720 l

(SOURCE: Kia)

---

① FICHE D'IDENTITÉ

- **Versions** LX, EX, LX-V6, EX-V6, EX-V6 Luxe
- **Roues motrices** avant, 4
- **Portières** 5 **Nombre de passagers** 5, 7
- **Première génération** 2003
- **Génération actuelle** 2011
- **Construction** West Point, Géorgie, É.-U.
- **Sacs gonflables** 6 (frontaux, latéraux avant, rideaux latéraux)
- **Concurrence** Dodge Durango, Ford Explorer, Honda Pilot, Jeep Grand Cherokee, Nissan Pathfinder, Toyota 4Runner

② AU QUOTIDIEN

- **Prime d'assurance**
  25 ans: 2100 à 2300 $
  40 ans: 1400 à 1600 $
  60 ans: 1100 à 1300 $
- **Collision frontale** nm
- **Collision latérale** nm
- **Ventes du modèle de l'an dernier**
  Au Québec 290 Au Canada 879
- **Dépréciation** nm
- **Rappels** (2005 à 2010) 2

③ GARANTIES... ET PLUS

- **Garantie générale** 5 ans/100 000 km
- **Garantie motopropulseur** 5 ans/100 000 km
- **Perforation** 5 ans/kilométrage illimité
- **Assistance routière** 5 ans/100 000 km
- **Nombre de concessionnaires**
  Au Québec 56 Au Canada 167

④ NOUVEAUTÉS EN 2011

- Nouveau modèle

IL FAIT LE BEAU...

PAR MICHEL CRÉPAULT

IL AVAIT PRIS UNE PAUSE DE QUELQUES MOIS, PUIS LE VOILÀ QUI REBONDIT, COMPLÈTEMENT TRANSFORMÉ : la deuxième génération (ou la 3e si l'on compte la refonte partielle de 2007) du Sorento prend la relève de celle qui avait bien performé avant elle mais dans un créneau bien spécifique. Comme nous allons le voir, la stratégie a changé. En bout de ligne, les nombreuses livrées se chargent de combler une clientèle à la recherche d'un véhicule haut sur pattes qui peut satisfaire une famille sans la ruiner.

[CARROSSERIE] Parti d'une carrosserie déposée sur une plateforme (châssis à échelle), comme c'est l'habitude du côté des camions, le nouveau Sorento a pris le pari de se tourner vers une architecture monocoque, le plus sûr moyen d'offrir à ses occupants des balades inspirées d'une berline. Après tout, si la tactique est bonne pour le cousin Santa Fe de Hyundai, pourquoi pas ici ? Ce faisant, l'utilitaire coréen court sans doute le risque de perdre quelques-unes de ses aptitudes hors route, mais qui s'en soucie vraiment ? Qui achète de nos jours un VUS avec des airs de multisegment pour aller s'aventurer dans les bois ? L'allure à l'avant reprend une interprétation du « nez de tigre » (je n'invente rien !) qui orne désormais tous les museaux Kia. Roues de 17 ou de 18 pouces, aileron décoratif sur les modèles haut de gamme, fenestration moderne, lignes fluides, le Sorento nouveau cru, si vous voulez mon avis, a du Lexus dans sa jolie robe.

[HABITACLE] Le tableau de bord n'est pas le plus jojo de l'industrie avec ses plastiques durs, mais l'affichage rouge égaye un peu. Surtout, l'équipement embarqué à bord est fort généreux. D'ailleurs, je constate souvent la chose quand la colonne de direction est à la fois inclinable et télescopique. C'est d'emblée un bon signe. La connectivité Bluetooth, la prise USB, la radio satellite, les sièges chauffants, et j'en passe énormément, s'ajoutent à l'impressionnante liste de série du modèle de base. Vous aurez ensuite à vous frayer un chemin parmi les options comme le cuir, la caméra de recul, le toit panoramique, le système de navigation ou la sono Infinity de qualité supérieure. Les baquets sont invitants, de même que la

FORCES · V6 bien adapté · Dispositif AWD allégé mais toujours efficace · Équipement de série bien garni

FAIBLESSES · 4-cylindres bruyant · Accès à la 3e banquette · Tableau de bord seulement peu inspiré

HISTORIQUE

Ce n'est qu'en 2002, pour l'année modèle 2003, que le Sorento a fait son entrée au Canada. Il s'est inspiré de certains camions qui étaient produits dans les années 90 en Corée. Le prototype KND-4, présenté en 2007, jetait les bases de ce qui allait devenir la 2e génération du Sorento, dévoilée en première mondiale au salon de l'auto de Los Angeles en décembre 2009.

la banquette médiane (60/40) dont le dégagement est surprenant. Fidèle à son habitude de nous en donner pour notre argent, Kia offre désormais une troisième banquette bonne pour deux passagers, et pas nécessairement des enfants, comme à bord du Toyota RAV4. Si l'espace de chargement derrière le hayon vient à manquer, tous les dossiers s'aplatissent pour former le plancher plat d'une volumineuse caverne.

[MÉCANIQUE] Le Sorento nous arrive d'abord équipé d'un 4-cylindres de 2,4 litres de 175 chevaux (celui de la Forte), mais mon petit doigt me dit qu'on se tournera surtout vers le V6 de 3,5 litres de 276 chevaux (un gain appréciable de 84 chevaux par comparaison avec le tout premier V6 et de 14 par rapport au dernier 3,8-litres). Deux boîtes de vitesses à 6 rapports, manuelle ou automatique Steptronic (avec mode manuel), sauf dans le cas du V6 qui ne veut rien savoir d'une boîte qu'on tricote à la mitaine. Encore là, voilà un intéressant rehaussement par rapport aux précédentes versions dont les boîtes ne comptaient que 5 rapports (et même 4 avec l'automatique du tout premier Sorento en 2002). L'utilitaire est proposé en traction ou alors doté de la transmission intégrale permanente dont le différentiel central peut se verrouiller, ce qui est bien pratique pour nous sortir d'une impasse (le ratio du couple entre les essieux est alors

50:50 et le dispositif se désengage vite fait dès qu'on excède 30 km/h). Ce n'est pas tout : le véhicule comprend l'ABS, le contrôle de la stabilité, l'assistance au démarrage en côte (une frousse en moins quand vient le temps de repartir dans une pente avec la boîte manuelle) et le contrôle de la motricité en descente, gadget popularisé par Land Rover et qui gère automatiquement la vitesse du véhicule au moment de descendre une pente escarpée. Si vous en tirez la conclusion que les ingénieurs coréens sont convaincus que la clientèle du Sorento ira traverser des rivières, je n'en serais pas si sûr. Car ils ont aussi choisi d'éliminer la gamme basse du système AWD. Comprenez alors le message : si c'est un percheron que vous cherchez (et à bon prix), jetez un coup d'œil du côté d'un Sorento d'occasion. Son aspect plus primitif comporte néanmoins des aptitudes hors route authentiques et une solide capacité de remorquage (pas loin de 1 600 kilos). À défaut d'être civilisé comme son successeur, il rendra des services plus virils.

[COMPORTEMENT] On aime d'abord et avant tout le VUS pour leur position de conduite élevée. La vie est un long stress, inutile d'en ajouter. La vue imprenable que fournit le Sorento sur cette circulation grouillante et potentiellement dangereuse est une bonne excuse pour l'aimer dès les premiers kilomètres. Pour ne pas surmener davantage nos sens qui sont constamment aux aguets dans la dense circulation, le Sorento offre un environnement contrôlé, quasiment placide. La tenue de route est à ce point douce et silen-

> **LA VUE IMPRENABLE QUE FOURNIT LE SORENTO SUR CETTE CIRCULATION GROUILLANTE ET POTENTIELLEMENT DANGEREUSE EST UNE BONNE EXCUSE POUR L'AIMER DÈS LES PREMIERS KILOMÈTRES.**

KIA CORÉE 2000

KIA SORENTO 2003

KIA SORENTO 2004

KIA SORENTO 2009

CONCEPT KND-4 2007

CONCEPT KND-4 2007

SORENTO CONCEPT 2009

SORENTO 2011

A

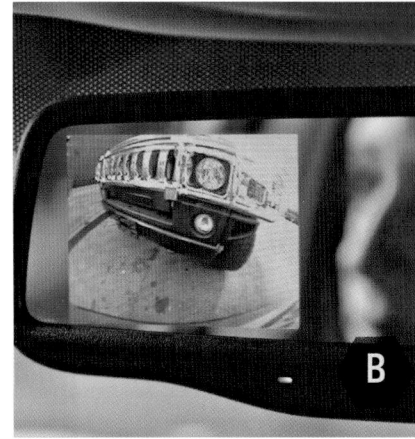

B

C

D

E

GALERIE

A Le Sorento est doté d'une 3ᵉ rangée de sièges en option. Les sièges de la deuxième et de la troisième rangée sont rabattables à plat. Vous avez le choix de prendre jusqu'à 7 passagers pour un petit trajet ou plus de bagages.

B La caméra de recul, offerte en option, inclut un écran d'affichage intégré au rétroviseur qui permet au conducteur de voir ce qui se cache derrière le véhicule, s'il doit passer en marche arrière. Le modèle EX-V6 Luxe, vous permet de voir l'image sur l'écran du navigateur, situé sur la planche de bord, offert de série sur ce modèle.

C Pour les versions haut de gamme, la Sorento est offerte avec un système de navigation en option.

D Grâce à une technologie développée par Microsoft, Kia a développé un nouveau système d'infodivertissement pour la voiture dont le nom, «Uvo», signifie « Votre voix». Ce système permet d'utiliser les fonctions principales de la voiture par commande vocale. Kia a recours à un moteur de reconnaissance vocale que Microsoft inclut dans sa suite Auto, et qui donne le plein contrôle sur les divers éléments qu'on retrouve généralement dans la console centrale : radio, mains libres pour la voiture, ainsi de suite.

E Le luxe d'un démarrage à bouton-poussoir est offert de série sur les Sorento équipés d'une boîte automatique.

cieuse... sauf quand on sollicite le 4-cylindres ! Mais on ne peut pas tout avoir, l'économie de carburant et de décibels. Et n'oubliez que ce Sorento a pris du poids pour mieux vous plaire. Le petit moteur a donc de la difficulté à suivre. Le V6 travaille avec une plus grande souplesse, et son muscle latent vous récompensera d'avoir déboursé davantage. Il pourrait être assoiffé, mais ça dépend surtout de vous et de votre façon de suivre (ou pas) les suggestions du témoin ECO-Minder encastré dans le tableau de bord. Son unique but dans la vie consiste à vous suggérer des habitudes de conduite plus respectueuses de l'environnement et, du coup, de votre portefeuille. Par rapport à de sérieux concurrents comme le Toyota RAV4 et le Honda CR-V, le Sorento est plus spacieux, plus luxueux, plus puissant et moins cher. Votre magasinage devrait inclure une visite chez le frère ennemi Hyundai pour comparer le Santa Fe, sans oublier le surprenant Equinox de Chevrolet.

[CONCLUSION] Depuis que Kia s'est mise en frais de nous offrir des beaux véhicules qui demeurent abordables, on se demande s'il n'y a pas une attrape quelque part. Le nouveau Sorento prouve qu'un constructeur peut améliorer son produit sans plonger davantage dans nos poches ou réduire sa garantie. Il est également bien évident que Kia a décidé de saluer l'inauguration de son usine de West Point, en Géorgie, avec un véhicule qui tombe pile dans les goûts de nos voisins du Sud. En choisissant d'être plus généreux à tous les égards, le Sorento distance les concurrents compacts en flirtant sans vergogne avec la catégorie des intermédiaires.

2ᵉ OPINION

BENOIT CHARETTE Kia continue son grand ménage et prend un virage majeur dans l'approche de tous ses véhicules. Le nouveau Sorento n'a plus rien en commun avec son prédécesseur, si ce n'est le nom. Construit auparavant sur une rustique plateforme avec châssis en échelle et moteur monté longitudinalement, le nouveau Sorento dispose d'une structure monocoque et d'une motorisation placée transversalement, comme dans la majorité des voitures à traction. Une transmission intégrale remplace l'ancien système à quatre roues motrices, et les ingénieurs ont trouvé suffisamment d'espace dans l'habitacle pour y installer une troisième rangée de sièges (que seuls de jeunes enfants jugeront adéquats) et qui est, elle aussi, offerte en option. Désormais construit comme une voiture de tourisme, le Sorento ne conserve de l'utilitaire que ses dehors au parfum d'aventure. Mais au final, il s'agit d'un bien meilleur véhicule.

⑤ FICHE TECHNIQUE

- **MOTEURS**
- **(LX et EX)**
L4 2,4 l DACT, 175 ch à 6000 tr/min
Couple 169 lb-pi à 3750 tr/min
Transmission manuelle à 6 rapports, automatique à 6 rapports avec mode manuel
0-100 km/h 10.1 s
Vitesse maximale 185 km/h

- **(LX ET EX)**
V6 3,5 l DACT, 276 ch à 6300 tr/min
Couple 248 lb-pi à 5000 tr/min
Transmission automatique à 6 rapports avec mode manuel
0-100 km/h 7.5 s
Vitesse maximale 200 km/h
Consommation (100 km) 2RM 9,0 l
4RM 9,5 l (octane 87)
Émissions de CO$_2$ 4140 kg/an
Litres par année 1800 l
Coût par an 1800 $
Autre motorisation non
Empreinte écologique 34

- **AUTRES COMPOSANTES**
Sécurité active freins ABS, répartition électronique de force de freinage, antipatinage, contrôle de stabilité électronique
Suspension avant/arrière indépendante
Freins avant/arrière disques
Direction à crémaillère, assistée
Pneus LX/LX-V6 P235/65R17, EX/EX-V6 P235/60R18

- **DIMENSIONS**
Empattement 2700 mm
Longueur 4671 mm
Largeur 1885 mm
Hauteur 1745 mm (incluant les longerons de toit)
Poids 1620 kg à 1837 kg
Diamètre de braquage 10,9 m
Coffre 258 l **(7 pass.)**, 1047 l **(5 pass.)**, 2052 l (sièges abaissés)
Réservoir de carburant 68 l
Capacité de remorquage 748 kg **(L4)** 1588 kg **(V6)**

NOS MENTIONS

☺ Modèle recommandé

NOTRE VERDICT

Plaisir au volant	⬡⬡⬡⬡⬡
Qualité de finition	⬡⬡⬡⬡⬡
Consommation	⬡⬡⬡⬡⚪
Rapport qualité/prix	⬡⬡⬡⬡⚪
Valeur de revente	Nm

N NOUVEAUTÉ É
J

à partir de **21 995 $**
transport et préparation: Nd

LA COTE VERTE

MOTEUR
L4 DE 2,4 L

- **Consommation (100km):**
  man. 8,2 l
  auto 7,7 l
  auto 4RM 8,5 l
- **Émissions polluantes CO_2 :**
  man. 3818 kg/an
  auto 3588 kg/an
  auto 4RM 3956 kg/an
- **Empreinte écologique (nombre d'arbres à planter par année):** nd
- **Indice d'octane:** 87
- **Autre motorisation:** non
- **Coût du carburant moyen par année:**
  man. 1660 $
  auto 1560 $
  auto 4RM 1720 $
- **Nombre de litres par année:**
  man. 1660 l
  auto 1560 l
  auto 4RM 1720 l

(SOURCE: ÉnerGuide)

370

---

① FICHE D'IDENTITÉ

- **Versions** LX, EX, EX Luxe
- **Roues motrices** avant, 4
- **Portières** 5 **Nombre de passagers** 5
- **Première génération** 2000
- **Génération actuelle** 2011
- **Construction** Ulsan, Corée du Sud
- **Sacs gonflables** 6 (frontaux, latéraux, rideaux)
- **Concurrence** Chevrolet Equinox, Ford Escape, Honda CR-V, Hyundai Tucson, Jeep Liberty, Mitsubishi Outlander, Subaru Forester, Suzuki Grand Vitara, Toyota RAV4

② AU QUOTIDIEN

- **Prime d'assurance**
  25 ans: 1400 à 1600 $
  40 ans: 1000 à 1200 $
  60 ans: 900 à 1100 $
- **Collision frontale** nm
- **Collision latérale** nm
- **Ventes du modèle de l'an dernier**
  Au Québec 1478 **Au Canada** 5060
- **Dépréciation** 49,0 %
- **Rappels** (2005 à 2010) 4
- **Cote de fiabilité** nm

③ GARANTIES... ET PLUS

- **Garantie générale** 5 ans/100 000 km
- **Garantie motopropulseur** 5 ans/100 000 km
- **Perforation** 5 ans/kilométrage illimité
- **Assistance routière** 5 ans/100 000 km
- **Nombre de concessionnaires**
  Au Québec 56 **Au Canada** 167

④ NOUVEAUTÉS EN 2011

- Nouvelle génération

DE MIEUX EN MIEUX

PAR MICHEL CRÉPAULT

LE PREMIER SPORTAGE S'EST POINTÉ EN 1996, SUIVI DE LA DEUXIÈME GÉNÉRATION EN 2004. DÉBARQUE MAINTENANT LA TROISIÈME, CUVÉE 2011, ET FORCE EST D'ADMETTRE QUE L'ÉQUIPE KIA PARAÎT INSPIRÉE, SANS DOUTE CONFORTÉE PAR LA VAGUE DE SUCCÈS SUR LAQUELLE ELLE SURFE DEPUIS DEUX ANS. Cette nouvelle confiance en soi donne naissance à des produits qu'on a hâte de fréquenter.

[CARROSSERIE] Le Sportage est-il un utilitaire ou un multisegment ? Kia parle d'un CUV (*Crossover Utility Vehicle*). Une chose est sûre : il est compact et désormais doté de sa propre plate-forme (qu'il partage avec le Hyundai Tucson). On l'a redessiné en retenant des éléments du prototype Kue (présenté au salon de l'auto de Detroit de 2007) et, surtout, en reflétant la griffe personnelle de Peter Schreyer, le styliste débauché à prix d'or chez Audi et « qui-a » (trop tentant !), depuis son déménagement à Séoul, accouché de beaux véhicules comme le Soul, la Koup et le Sorento. Si vous regardiez, comme moi en ce moment, des images de l'ancien et du nouveau Sportage, vous constateriez la maturité visuelle du modèle 2011. L'avant arbore le faciès qui crée une filiation entre tous les nouveaux modèles, grâce à ce nœud papillon pincé dans la calandre et flanqué de phares en biseau, une signature que Herr Schreyer réinterprète à son goût selon la nature du véhicule. Kia n'a pas conservé le toit tombant à l'extrême du Kue qui aurait pu infliger aux passagers arrière des torticolis, style Acura ZDX. L'allure générale est harmonieuse et moderne. Les glaces héritent de formes pas nécessairement orthodoxes, ce qui d'ordinaire compromet la visibilité des trois quarts. Le dessus noir des ailes fait paraître les roues plus grosses. À l'arrière, les feux de signalisation ont été déplacés dans le pare-chocs, ce qui concourt à l'allure distincte. Dans l'ensemble, le Sportage est plus bas et plus gros de partout mais juste un peu (par exemple, 10 millimètres pour l'empattement). Pour démarquer la version EX de la LX, les cadres de fenêtres et de poignées sont chromés ou noirs.

[HABITACLE] Le modèle LX n'est pas chiche en équipement de série puisqu'il intègre tout de go

---

FORCES · Silhouette modernisée sans excès · Moteur souple et puissant · Intérieur agréable et isolation remarquable · Chargement aisé

FAIBLESSES · Toit panoramique en option qui pourrait engendrer des bruits parasites · Certains interrupteurs qui jouent à cache-cache

des gâteries comme les sièges avant chauffants, le télédéverrouillage, la colonne de direction inclinable, la radio Sirius, la connectivité Bluetooth et les prises AUX et USB. La version EX ajoute le volant télescopique, des gaines de cuir (volant et pommeau), un siège du conducteur à réglages électriques et soutien lombaire. Les sièges avant proposent une assise un peu courte, tandis que les minces corpulences auront plus de chances d'être retenus par la portière que par les soutiens latéraux trop évasés. La banquette, invitante, ne pose aucun souci de dégagement, et on aimera l'accoudoir central équipé d'un porte-gobelet double. La soute à bagages est d'un accès très facile, et son espace de chargement prend soin de nos valises avec l'attention civilisée que procure un plancher recouvert de tapis et peu encombré par des tourelles de suspension discrètes. En jouant d'un levier simple, on rabat les dossiers 60/40 pour augmenter le volume de 740 à 1 547 litres.

LE SOUCI D'ÉCONOMISER DU CARBURANT EXPLIQUE POURQUOI KIA, POUR LA PREMIÈRE FOIS, A EU RECOURS À UNE DIRECTION À ASSISTANCE ÉLECTRIQUE. JE DOIS CEPENDANT AVOUER QUE JE LUI AI TROUVÉ UNE SENSATION POUR LE MOINS ARTIFICIELLE À BASSE VITESSE.

[MÉCANIQUE] On retrouve sous le capot le 4-cylindres Theta II du nouveau Sorento, un 2,4-litres à double arbre à cames en têtes qui produit 176 chevaux, un gain de 36 et de 3 chevaux sur les précédents 2-litres et V6 de 2,7 litres. Seul le Sportage de base se présente équipé d'une boîte de vitesses manuelle à 6 rapports. Les autres préfèrent une boîte automatique à 6 rapports, elle

aussi empruntée au Sorento et qui nous change de l'ancienne boîte à 4 rapports. En fait, Kia a concentré beaucoup de technologie sur cette nouvelle boîte compacte : elle participe à l'amélioration de la consommation moyenne de carburant de 12 % sur la route et de 21 % en ville, une amélioration qui varie selon le type de traction choisie, avant ou intégrale; elle bénéficie de surcroît d'une pression hydraulique qui s'ajuste au fur et à mesure que les engrenages s'usent, question de la garder performante comme à ses premiers kilomètres; elle adapte ses passages au style de conduite du proprio; enfin, Kia lui a intégré un bidule qui empêche l'auto de reculer dans une côte au moment du démarrage (pratique aussi avec la manuelle). D'ailleurs, plusieurs aides électroniques ont été embarquées (ABS, contrôle de la stabilité, antipatinage, freinage assisté et, même, un système de retenue en descente *Hill Descent Control*).

[COMPORTEMENT] En un mot : surprenant ! Sur des routes du Yukon où s'est tenu le lancement canadien, des routes en apparence infinies et désertes, j'ai quelque fois gardé l'accélérateur au plancher, le temps d'un test. Je ne m'attendais pas à atteindre les 240 km/h indiqués par le compteur, mais j'ai quand même dépassé la vitesse maximale prévue par le constructeur (grâce à une légère pente), et j'ai été estomaqué par la solidité du véhicule, sa capacité à rester stoïque comme une brique soudainement douée de mouvement; par l'intelligence de la boîte automatique qui cherche et trouve rapidement le bon rapport; par le souffle du

HISTORIQUE

C'est en 1996 que le Sportage fit son apparition aux Etats-Unis et la même génération arriva au Canada en 2000. La deuxième génération arriva en 2004. C'est en 2007 que Kia présenta le concept KUE qui a largement inspiré la nouvelle génération de Sportage 2011.

SPORTAGE 1995

SPORTAGE 1998

SPORTAGE 2000

SPORTAGE 2005

KIA KUE CONCEPT 2007

KIA KUE CONCEPT 2007

SPORTAGE 2009

SPORTAGE 2011

GALERIE

A **B** Plusieurs technologies sont incluses de série dans chaque modèle, notamment la chaîne audio AM/FM/CD/MP3/Satellite, qui offre un abonnement gratuit de trois mois à la radio satellite SIRIUS®. Les deux versions LX et EX comportent aussi des prises d'entrée audio AUX et USB, permettant de brancher un lecteur MP3, ainsi que la connectivité Bluetooth®1 sans fil et les commandes sur le volant. Vous pouvez également obtenir, moyennant supplément, un système de navigation.

C Dans l'espace arrière, le pilier C extrêmement incliné se dégage derrière les occupants arrière, pour améliorer le profil surbaissé de la voiture sans obstruer leur vue ou l'espace disponible.

D Le hayon avec aileron de toit s'ouvre sur un espace de chargement large et profond, de forme régulière.

E La position de conduite dynamique du nouveau Sportage, déjà suggérée par les épaules élevées et les glaces étroites, est aussi rehaussée par le volant épais de petit diamètre, à trois rayons, et les cadrans renfoncés.

 FICHE TECHNIQUE

· MOTEUR

L4 2,4 l DACT, 176 ch à 6000 tr/min
Couple 168 lb-pi à 4000 tr/min

Transmission manuelle à 6 rapports (LX),
automatique à 6 rapports avec mode manuel
(option LX, de série sur EX)

0-100 km/h nd

Vitesse maximale nd

· AUTRES COMPOSANTES

Sécurité active freins ABS, assistance au
freinage, répartition électronique de la force
de freinage, antipatinage,
contrôle électronique de stabilité

Suspension avant/arrière indépendante

Freins avant/arrière disques

Direction à crémaillère, assistée

Pneus LX P215/70R16 **EX** P225/60R18
EX Luxe P235/55R18

· DIMENSIONS

Empattement 2640 mm

Longueur 4440 mm

Largeur 1855

Hauteur 1645 mm

Poids man. 1432 kg **auto.** 1445 kg

Diamètre de braquage 10,6 m

Coffre 740 l, 1547 l (sièges abaissés)

Réservoir de carburant 55 l

Capacité de remorquage 907 kg
(avec remorque dotée de freins)

2,4-litres, sa facilité à délivrer une puissance linéaire qui s'accorde très bien avec la robustesse du véhicule. Mon seul bémol, vraiment : dans deux véhicules équipés du toit panoramique (une section s'ouvre au-dessus des passagers avant, une autre, fixe, s'étale au-dessus de la banquette), j'ai remarqué des craquements. Une symphonie de rossignols dans l'un et rien qu'une chansonnette dans l'autre. Des collègues à qui j'en ai parlé m'ont dit n'avoir rien entendu... La boîte manuelle m'a aussi plu, même si son pommeau a la discrétion d'une citrouille. Les versions à transmission intégrale jouissent d'un nouveau système baptisé Dynamax, créé en partenariat avec l'équipementier canadien Magna. Il surveille les conditions routières afin d'anticiper les situations potentiellement dangereuses. Les autres dispositifs, dit Kia, se contentent de réagir; le Dynamax, lui, serait devin... À la vitesse où j'ai négocié des courbes, je suis d'accord avec l'ingénieur qui me racontait que Dynamax améliore la stabilité dans les virages en n'envoyant pas de couple inutile aux essieux avant ou arrière, minimisant les risques de survirage ou de sous-virage. Le souci d'économiser du carburant explique pourquoi Kia, pour la première fois, a eu recours à une direction à assistance électrique. Je dois cependant avouer que je lui ai trouvé une sensation pour le moins artificielle à basse vitesse. La résistance fluctue sans raison apparente et le volant ne semble pas retrouver son centre avec une aisance naturelle. Notez que je suis peut-être capricieux, que ce calibrage se règle et que cette sensation disparaît complètement dès que la vitesse augmente.

Cela dit, il faut quand même s'attendre à des sensations étranges quand on sait que c'est un logiciel qui ordonne au moteur électrique d'intervenir légèrement sur le volant afin de ramener le Sportage dans le droit chemin. À quand le pilotage automatique ?

[CONCLUSION] Durant leur présentation, les gens de Kia n'ont guère fait mention du cousin Tucson chez Hyundai. Les deux constructeurs, partageant pourtant le même conglomérat, excellent à s'ignorer. Lequel choisir ? Au plan visuel, le Tucson est plus excentrique, et son modèle de base se contente encore du 2-litres de 165 chevaux couplé à une boîte à 5 rapports et est garni d'un équipement moins élaboré que le moins cher des Sportage. Lequel coûte néanmoins 1 000 $ de plus. Je crois quand même que Kia vient encore de miser juste.

2ᵉ OPINION

BENOIT CHARETTE Tous les spécialistes de l'automobile s'accordent à dire que le Sportage de première génération était l'une des plus mauvais véhicules du moment lorsqu'il est arrivé sur le marché. La présente génération est mieux née, certes, mais n'a pas fait de vagues. La troisième génération, celle que le fabricant a présentée à Genève, séduit. Après le Soul et la Forte, le Sportage confirme que l'embauche du styliste Peter Schreyer donne des ailes à l'entreprise. De quelconques et sans intérêt, les lignes très masculines sont désormais habillées de quelques touches futuristes et comportent des courbes sportives qui rappellent un coupé.

NOS MENTIONS

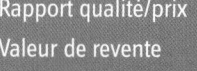 Modèle recommandé

NOTRE VERDICT

Plaisir au volant	●●●●○
Qualité de finition	○○○○○
Consommation	●●○○○
Rapport qualité/prix	●●●●○
Valeur de revente	Nm

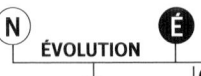

LP 570-4 SUPERLEGGERA

www.lamborghini.ca

N · ÉVOLUTION · É
J

Prix : 238 860 $ à 279 995 $
transport et préparation: 3500 $

LA COTE VERTE

MOTEUR
V10 DE 5,2 L

·**Consommation
(100km):**
man. 15,1 l
robo. 13,6 l

·**Émissions polluantes
CO_2 :**
man. 7130 kg/an
robo. 6348 kg/an

·**Empreinte écologique
(nombre d'arbres à
planter par année):** 45

·**Indice d'octane:** 91

·**Autre
motorisation:** non

·**Coût du carburant
moyen par année:**
man. 3472 $
robo. 3091 $

·**Nombre de litres
par année:**
man. 3100 l
robo. 2760 l

(SOURCE: ÉnerGuide)

---

① FICHE D'IDENTITÉ

· **Versions** LP560-4 coupé/Spyder,
  LP570-4 Superleggera,
· **Roues motrices** 4
· **Portières** 2 **nombre de passagers** 2
· **Première génération** 2004
· **Génération actuelle** 2004
· **Construction** Sant'Agata, Italie
· **Sacs gonflables** 4 (frontaux, latéraux)
· **Concurrence** Aston Martin Vantage, Bentley
  Continental GT, Ferrari 458, Mercedes-Benz SL,
  Porsche 911 Turbo

② AU QUOTIDIEN

· **Prime d'assurance**
  25 ans: 11 500 à 12 000 $
  40 ans: 7400 à 7800 $
  60 ans: 6300 à 6700 $
· **Collision frontale** nd
· **Collision latérale** nd
· **Ventes du modèle de l'an dernier**
  Au Québec nd **Au Canada** nd
· **Dépréciation** nd
· **Rappels** (2005 à 2010) 2
· **Cote de fiabilité** nd

③ GARANTIES... ET PLUS

· **Garantie générale** 2 ans/kilométrage illimité
· **Garantie motopropulseur** 2 ans/kilométrage ill.
· **Perforation** 2 ans/kilométrage illimité
· **Assistance routière** 2 ans/kilométrage illimité
· **Nombre de concessionnaires**
  Au Québec 1 **Au Canada** 3

④ NOUVEAUTÉS EN 2011

· LP-550 retiré du marché

GALLARDO AUX AMPHÉTAMINES

PAR MARK HACKING

SI L'ITALIEN N'EST PAS VOTRE TASSE DE THÉ, SACHEZ QUE LE MOT IMPORTANT À RETENIR DANS LAMBORGHINI LP 570-4 SUPERLEGGERA EST LE DERNIER QUI SE TRADUIT PAR ULTRA LÉGER. Vous avez certainement deviné que le 570 est aussi significatif et indique la puissance du moteur V10 qui crache 10 chevaux de plus que la Gallardo LP 560-4. Tandis que le 4 indique que le véhicule profite d'une transmission à 4 roues motrices. Voyons maintenant tout ce que ces mots et ces chiffres signifient.

[CARROSSERIE] Comme son nom l'indique, cette Lamborghini a subi une sérieuse cure d'amincissement, se débarrassant au passage de 70 kilos de poids superflu. L'utilisation de la fibre de carbone à plusieurs endroits clés a fait le travail. Les ingénieurs de Sant'Agatha ont également amélioré l'aérodynamisme et l'effet de sol avec un fond plat et un diffuseur à l'arrière. Tout cela avec un becquet arrière qui peut, en option, être remplacé par un plus grand. Avec son regard furieux,

ses lignes angulaires et ses roues de 19 pouces, cette Lambo semble prête pour la chasse. Pour la discrétion, il faudra repasser, la police vous repérera à des kilomètres car, même à l'arrêt, cette voiture va vite.

[HABITACLE] Quand on arrive dans le monde des voitures exotiques, on s'attend forcément à avoir des voitures un peu capricieuses et inconfortables qui demandent à leur pilote de faire un peu de gymnastique pour pouvoir s'installer derrière le volant. Ce n'est pas du tout le cas avec la LP 570. C'est une véritable voiture de course, confortable. Prendre place à bord est relativement simple. Le contour des sièges est enveloppant sans être restrictif, le volant réglable tombe dans la main, et les leviers de sélection au volant sont d'accès facile, et rien à redire sur la visibilité. L'intérieur dessiné par les gens d'Audi est à la hauteur de la réputation de la marque. L'alcantara couvre toutes les surfaces qui viennent en contact avec votre corps, et la fibre de carbone, tout le reste. Les

---

FORCES · Moteur prodigieux · Lignes animales · Confort appréciable

FAIBLESSES · Prix élevé pour les quelques surplus · Suspension très sèche
· Absence conplète d'élément pratique

LP 570-4 SUPERLEGGERA

pédales de course en aluminium complètent cet intérieur très inspiré.

[MÉCANIQUE] Alors que la Gallardo « régulière » et la Superleggera sont mues par le même moteur V10 de 5,2 litres, la nouvelle mouture profite d'un système de gestion plus évolué qui produit 10 chevaux de plus et, en prime, diminue les émissions de CO_2. Les estimations du constructeur établissent à 3,4 secondes le fameux 0 à 100 km/h avec la fonction d'aide au départ (*launch control*). La vitesse maximale est évaluée à 325 km/h. Sur la piste d'essai, la Superleggera atteint des vitesses sidérales sans efforts apparents comme très peu de voitures que j'ai conduites. La boîte de vitesse e-gear à 6 rapports suit le rythme, même si les changements de rapports sont assez violents.

[COMPORTEMENT] Le système intégral de la Superleggera distribue la puissance 30/70 avant/arrière. Il y a également un différentiel à glissement limité qui fait en sorte que la puissance envoyé à l'arrière transforme les poussées de l'accélérateur en coup de catapulte et donne la réelle impression de conduire une voiture de course. Les pneus Pirelli Zero Corsa, dessinés pour la voiture, s'accrochent à la route avec hargne, et la direction chirurgicale bonifie d'autant l'expérience de conduite. Le système d'antipatinage à l'accélération offre quatre paliers, de entièrement automatique à « es-tu devenu fou ? ». Avec le réglage Corsa, le juste milieu, vous aurez une amorce de dérapage en courbe avant que le système électronique n'intervienne. Pour un pilote de ma trempe, c'est

parfait. Enfin, un mot sur la suspension très ferme avec des barres antiroulis 20 % plus grosses. Les routes en mauvais état sont à éviter.

[CONCLUSION]

Voiture d'exception, la Superleggera est ce que vous pouvez conduire de plus sportif sans avoir recours à une cage de protection et à une ceinture à 4 points d'ancrage, offertes en option. La seule question est de savoir si votre budget peut absorber une telle dépense.

2ᵉ OPINION

BENOIT CHARETTE Pour ceux qui doutaient encore qu'une guerre de chevaux vapeur se joue à tous les niveaux dans le monde automobile, la Lamborghini LP 570 illustre bien cet exemple. Lors de sa présentation au Salon de Genève en 2003, la Lamborghini Gallardo se pose en concurrente de la Ferrari 360 Modena. Conçue en étroite collaboration avec Audi, propriétaire de la marque depuis 1998, ce taureau de route est un succès immédiat. Il faut dire qu'avec un tarif proche du bolide au cheval cabré, la «Lambo» offre un V10 5,0 litres de 520 chevaux (contre 400 ch pour la Ferrari) et une transmission intégrale. Ferrari a réagi immédiatement en amenant la F430 et quelques versions spéciales qui frisaient les 500 chevaux. Lamborghini est revenu avec la LP 560, une Gallardo de 560 chevaux. Plus tôt cette année, Lamborghini a insisté de nouveau avec sa Gallardo la plus diabolique à ce jour, puissance en hausse et réduction des masses, 570 chevaux de pur bonheur. Quelques mois plus tard, Ferrari introduit la 458 avec …570 chevaux.

⑤ FICHE TECHNIQUE

· MOTEURS

· **(LP560-4)**
V10 5,2 l DACT, 560 ch à 8000 tr/min
Couple 398 lb-pi à 6500 tr/min
Transmission manuelle à 6 rapports, manuelle robotisée à 6 rapports (en option)
0-100 km/h 3,7 s Spyder 4,0 s
Vitesse maximale 325 km/h **Spyder** 324 km/h

· **(LP570-4)**
V10 5,2 l DACT, 570 ch à 8000 tr/min
Couple 398 lb-pi à 6500 tr/min
Transmission manuelle à 6 rapports, manuelle robotisée à 6 rapports (en option)
0-100 km/h 3,4 s
Vitesse maximale 325 km/h
Consommation (100 km)
man. 14,4 l robo. 13,5 l (octane 91)

· AUTRES COMPOSANTES

Sécurité active freins ABS, répartition électronique de force de freinage, assistance au freinage, antipatinage, contrôle de stabilité électronique
Suspension avant/arrière indépendante
Freins avant/arrière disques
Direction à crémaillère, assistée
Pneus P235/35R19 (av.), P295/30R19 (arr.)

· DIMENSIONS

Empattement 2560 mm
Longueur 4345 mm **LP570-4** 4286 mm
Largeur 1900 mm
Hauteur 1165 mm **Spyder** 1184 mm
Poids coupé 1500 kg **Spyder** 1550 kg
LP-570-4 1340 kg
Diamètre de braquage 11,5 m
Coffre 110 l
Réservoir de carburant 90 l **Spyder** 80 l

NOS MENTIONS

 Coup de coeur

NOTRE VERDICT

Plaisir au volant	●●●●●⬡
Qualité de finition	●●●●⬡⬡
Consommation	●⬡⬡⬡⬡⬡
Rapport qualité/prix	●●●●◖⬡
Valeur de revente	Nd

LR2

www.landrover.ca

N ÉVOLUTION É

J

44 900 $ (2010)
transport et préparation: Nd $

LAND-ROVER

MOTEUR
L6 DE 3,2 L

- **Consommation (100km):** 11,6 l
- **Émissions polluantes CO_2 :** 5428 kg/an
- **Empreinte écologique (nombre d'arbres à planter par année):** 32
- **Indice d'octane:** 87
- **Autre motorisation:** non
- **Coût du carburant moyen par année:** 2643 $
- **Nombre de litres par année:** 2360l

(SOURCE: ÉnerGuide)

① FICHE D'IDENTITÉ

- **Versions** HSE
- **Roues motrices** 4
- **Portières** 5 **Nombre de passagers** 5
- **Première génération** 2002 (Freelander)
- **Génération actuelle** 2007
- **Construction** Solihull, Angleterre
- **Sacs gonflables** 7 (frontaux, latéraux avant, rideaux latéraux, genoux conducteur)
- **Concurrence** Acura RDX, BMW X3, Audi Q5, Volvo X60, Mercedes GLK

② AU QUOTIDIEN

- **Prime d'assurance**
  25 ans: 3200 à 3400 $
  40 ans: 1600 à 1800 $
  60 ans: 1400 à 1600 $
- **Collision frontale** 4/5
- **Collision latérale** 4/5
- **Ventes du modèle de l'an dernier**
  Au Québec 110 Au Canada 549
- **Dépréciation** (2 ans) 38,2%
- **Rappels** (2005 à 2010) 1
- **Cote de fiabilité** 2,5/5

③ GARANTIES... ET PLUS

- **Garantie générale** 4 ans/80 000 km
- **Garantie motopropulseur** 4 ans/80 000 km
- **Perforation** 6 ans/kilométrage illimité
- **Assistance routière** 4 ans/80 000 km
- **Nombre de concessionnaires**
  Au Québec 4 Au Canada 23

④ NOUVEAUTÉS EN 2011

- Aucun changement majeur

ENTRE ROUTE ET ROC

PAR MICHEL CRÉPAULT

LES PETITS UTILITAIRES SONT À LA MODE. UNE COMPAGNIE COMME LAND ROVER, SPÉCIALISTE DU TOUT-TERRAIN, NE POUVAIT CERTES PAS REGARDER PASSER LA PARADE SANS VOULOIR Y GLISSER SON CHAR ALLÉGORIQUE. Le LR2 constitue son modèle d'entrée de gamme.

[CARROSSERIE] Le remplaçant du Freelander se remarque d'abord par sa coque rectiligne percée d'une vaste fenestration. Un coup de biseau au milieu des flancs et des ouïes latérales à la Range Rover Sport lui confère un cachet sport et propret. Il ne peut renier un air de famille, et on ne lui reprochera pas d'éviter les airs de multisegment si chers à d'autres : il s'affiche en utilitaire et il s'assume. Vous noterez pour 2011 les modifications au museau qui le rapproche du LR4 et – pour les très observateurs – le logo de la marque qui délaisse la dorure en faveur de l'argent, toujours sur fond vert.

[HABITACLE] L'unique livrée HSE comporte une liste d'accessoires de série intéressante, dont un énorme toit panoramique et des fauteuils en cuir à réglages électriques. Les options incluent notamment le système de navigation et une sono assemblée autour de 14 haut-parleurs. Pour goûter aux plaisirs de la connectivité Bluetooth ou de la radio satellite, il faut louvoyer dans les divers ensembles baptisés Plus, Lux et Sport. Fidèle à la tradition anglaise, l'intérieur reluit d'un noble bois mais beaucoup plus sobrement qu'un Range Rover coûtant deux fois le prix. Dans l'ensemble, le style anguleux de l'extérieur se poursuit à l'intérieur. Heureusement, les baquets n'offrent pas un confort « carré », ni la banquette bonne pour trois et au dégagement en hauteur intéressant pour quiconque aime se coiffer d'un tricorne. L'espace de chargement perd un peu de son volume à cause du plancher élevé, commandé par la garde au sol du même acabit, mais les dossiers 60/40 remédient à la situation.

[MÉCANIQUE] Un seul moteur pour la seule version offerte, soit un 6 cylindres en ligne de 3,2 litres qui produit 230 chevaux et un couple de 234 livres-pieds, desservi par la seule boîte

FORCES · Véhicule qui s'intègre bien au portrait de famille · Sentiment de confiance au volant · Habilité hors route indéniable

FAIBLESSES · Accélération seulement décentes et bruyantes · Roulis sur le pavé · Consommation irritante

de vitesses proposée, c'est-à-dire une boîte automatique à 6 rapports enrichie des modes manuel et sport. Pour l'anecdote, rappelons que cet engin est aussi celui du XC60, un rival direct qui a été, en même temps que le LR2, la propriété de Ford. Bien entendu, la transmission intégrale est standard. L'accélération est décente, beaucoup plus que ne l'est la consommation de carburant, à moins de passer son temps sur la voie de droite d'une autoroute.

[COMPORTEMENT] Le LR2 est, en théorie, capable d'accomplir au moins deux boulots les doigts dans le nez : se promener en ville, grâce à son format compact, et attaquer l'Everest (ou le mont Saint-Bruno, le premier qui pose obstacle). En pratique, le petit Land Rover déambule dans la civilisation avec une légère gaucherie parce qu'il s'efforce tellement (et réussit) à ne rien perdre de ses capacités hors route (même si son 4 x 4 se prive de gamme basse). Or, c'est bien connu, on ne peut pas être un expert sur tous les fronts. Le reporter en poste en Irak risque fort d'être moins à l'aise dans la critique de films. Pareillement, le LR2, muni comme ses grands frères de l'assistance électronique nécessaire pour dominer rocs et rivières (dont le très ingénieux *Terrain Response* qui orchestre les organes du véhicule en fonction de la nature du sol), se retrouve moins rapide en ligne droite et moins agile en virage que ces rivaux immédiats. Cela dit, sa tenue de route au quotidien est très confortable, bien campée. Le freinage est fameux, et la direction, bien qu'un tantinet lourde, facilite les manœuvres serrées. J'ajouterais que sa musculature naturelle

lui permet de mieux absorber les nids-de-poule. Et ce sont ces mêmes concurrents, plus prompts sur l'asphalte, qui diront « mon oncle ! » les premiers si on les amène dans la forêt, le terrain de jeu favori du LR2.

[CONCLUSION] Pour la fierté de posséder un Land Rover, le LR2 se pose en véhicule initiatique. Ses qualités l'emportent sur ses lacunes, surtout si vous allez vraiment jouer hors route, au moins de temps en temps.

OPINION

BENOIT CHARETTE Pendant longtemps, j'ai reproché à Land Rover de fabriquer des voitures bricolés, mal fini et horriblement chère. Heureusement, les choses ont pris du mieux depuis quelques années et la tenue de route, l'exécution et la finition des produits a bien changé. Le LR2 tient la route comme une berline ! Conforme à l'excellence de la marque il ne souffre pas du roulis comme les premiers Freelander. Sous le capot, le six cylindres d'origine Ford fait du bon travail. Mais c'est hors piste que le Land Rover se détache, il peut vous amener là ou les autres de cette catégorie ne poseront pas la roue. La fiabilité demeure encore fragile et le tarif demandé est salé, mais pour sortir de l'ordinaire, vous êtes à la bonne adresse.

⑤ FICHE TECHNIQUE

· **MOTEUR**
· L6 3,2 l DACT, 230 ch à 6300 tr/min
  Couple 234 lb-pi à 3200 tr/min
Transmission automatique à 6 rapports avec mode manuel
0-100 km/h 8,9 s
Vitesse maximale 200 km/h

· **AUTRES COMPOSANTES**
Sécurité active freins ABS, répartition électronique de force de freinage, assistance au freinage, antipatinage, contrôle de stabilité électronique
Suspension avant/arrière indépendante
Freins avant/arrière disques
Direction à crémaillère, assistée
Pneus P235/55R19

· **DIMENSIONS**
Empattement 2660 mm
Longueur 4500 mm
Largeur 1910 mm
Hauteur 1740 mm
Poids 1930 kg
Diamètre de braquage 11,3 m
Coffre 755 l, 1670 l (sièges abaissés)
Réservoir de carburant 70 l
Capacité de remorquage 750 kg à 1585 kg

NOTRE VERDICT

Plaisir au volant ●●●●◖
Qualité de finition ●●●●○
Consommation ●●●◖○
Rapport qualité/prix ●●●○○
Valeur de revente ●●●●◖

LR4

www.landrover.ca

 N ÉVOLUTION É
J

61 260 $ à 72 060 $
transport et préparation: 1495 $

 LAND-ROVER

LA COTE VERTE

MOTEUR
V8 DE 5,0 L

- **Consommation (100km):** 14,4 l
- **Émissions polluantes CO_2 :** 6716 kg/an
- **Empreinte écologique (nombre d'arbres à planter par année):** 43
- **Indice d'octane:** 91
- **Autre motorisation:** non
- **Coût du carburant moyen par année:** 3270 $
- **Nombre de litres par année:** 2920 l

(SOURCE: ÉnerGuide)

CRISE ÉCONOMIQUE? OÙ ÇA?

PAR DANIEL RUFIANGE

MALGRÉ SON RACHAT PAR L'INDIEN RATAN TATA, LAND ROVER CONTINUE DE FONCTIONNER DANS UN UNIVERS PARALLÈLE, UN MONDE UNIQUE OÙ LE GRATIN DE LA SOCIÉTÉ SE RETROUVE, DU MOINS CELUI QUI CARBURE À LA DIFFÉRENCE. Ne voyez aucun sarcasme dans cette remarque. La différence proposée par Land Rover a de quoi séduire. Land Rover est une marque mythique qui séduit sans discrimination, riches ou pauvres. Et le LR4 s'inscrit à merveille dans cette tradition, riche de plus de 60 ans. Mais pourquoi diable a-t-il une si mauvaise réputation?

[CARROSSERIE] Il y a un an, on présentait à la presse le tout nouveau LR4, digne successeur du LR3. Bien malin celui qui différencie les deux générations d'un simple coup d'œil. Les changements apportés à l'esthétique ont été mineurs – calandre et phares, principalement. On a respecté les lignes traditionnelles de l'ancien Discovery. Cela signifie que le toit du LR4 est toujours surélevée en sa partie arrière, que la lunette asymétrique est toujours présente, et que le LR4 a encore et toujours l'apparence d'un véhicule

de brousse. Vive la tradition! Au catalogue, Le LR4 est officiellement offert en version unique. Cependant, on le distingue surtout par ses ensembles d'options HSE et HSE Luxe. Des roues de 19 pouces sont offertes de série, alors que des jantes de 20 pouces sont livrables pour la coquette somme de 2200 $.

[HABITACLE] La différence proposée par Land Rover concerne aussi, et surtout, l'environnement intérieur. Rien n'a été laissé au hasard pour satisfaire les plus précieux. Le degré d'opulence dépend toutefois de l'ensemble d'options choisi. Ceux qui cochent le groupe HSE ont droit au système de navigation tout terrain, à un volant chauffant, à l'assistance au stationnement pour la partie avant du véhicule – l'assistance à l'arrière est de série – et à toutes les prises de branchement possibles pour les appareils audio, y compris la connectivité Bluetooth. Comme si ce n'était pas assez, l'option HSE luxe (10 800 $) offre la possibilité de transporter sept personnes, dote le LR4 d'une utile caméra de recul, de cuirs de revêtement haut de gamme, d'une console

---

① FICHE D'IDENTITÉ

- **Versions** V8, HSE, HSE Luxury
- **Roues motrices** 4
- **Portières** 5 **Nombre de passagers** 7
- **Première génération** 2010
- **Génération actuelle** 2010
- **Construction** Solihull, Angleterre
- **Sacs gonflables** 8 (frontaux, latéraux avant et arrière, rideaux latéraux)
- **Concurrence** Acura MDX, Audi Q7, BMW X5, Cadillac SRX, Infiniti FX, Lexus RX/GX, Mercedes-Benz Classe ML, Porsche Cayenne, Volkswagen Touareg, Volvo XC90

② AU QUOTIDIEN

- **Prime d'assurance**
  25 ans : 3600 à 3800 $
  40 ans : 1900 à 2100 $
  60 ans : 1500 à 1700 $
- **Collision frontale** 5/5
- **Collision latérale** 4/5
- **Ventes du modèle de l'an dernier**
  Au Québec 42 **Au Canada** 327
- **Dépréciation** nd
- **Rappels** (2005 à 2010) 1
- **Cote de fiabilité** 4/5

③ GARANTIES... ET PLUS

- **Garantie générale** 4 ans/80 000 km
- **Garantie motopropulseur** 4 ans/80 000 km
- **Perforation** 6 ans/kilométrage illimité
- **Assistance routière** 4 ans/80 000 km
- **Nombre de concessionnaires**
  Au Québec 4 **Au Canada** 23

④ NOUVEAUTÉS EN 2011

- Aucun changement majeur

FORCES · Qualité de construction · Confort impérial · Chaîne audio divine · Capacités hors route · Image unique et différente

FAIBLESSES · Consommation de carburant · Fiabilité · Réseau de concessionnaires limité · Tenue de route · Prix à nu, mais surtout bien équipé

centrale comprenant un minifrigo et d'une chaîne audio Harmon Kardon à la sonorité pétante; un délice pour l'ouïe. On s'en voudrait de ne pas signaler le confort divin des sièges avant qui offrent un compromis parfait entre le confort et le maintien. Quant à l'insonorité, elle nous permet de chuchoter à l'intérieur.

[MÉCANIQUE] Sous le capot, le LR4 a reçu un tout nouveau moteur, un V8 de 5 litres qui livre une puissance de 375 chevaux et tout autant de couple. Ce moteur est puissant, mais les 2548 kilos du véhicule atténuent cette puissance et empêchent le LR4 d'imiter Usane Bolt. Ce moteur profite de l'injection directe de carburant et du calage variable de la distribution assorti au couple, deux éléments garants d'économies de carburant. Malheureusement, notre essai, réalisé en hiver, nous a fait voir une consommation moyenne de 22 litres aux 100 kilomètres. Ouille! Notez également l'arrivée d'une toute nouvelle boîte de vitesses automatique, dotée de rapports d'engrenage plus grands, mieux adaptée pour gérer le couple du moteur. Enfin, le LR4 reçoit désormais les freins du Range Rover.

[COMPORTEMENT] Le LR4 est la définition même de ce qu'est un véhicule utilitaire. Ce véhicule est pensé en fonction des randonnées loin de toute civilisation. Ce qui est malheureux, c'est que la majorité des propriétaires ne profiteront probablement jamais de ces capacités. Par exemple, au départ, la motricité peut s'ajuster à cinq types de revêtements: le bitume, le sable, le roc, la neige et le gravier ainsi que la boue. Qui

dit mieux? Ajoutez les traditionnels systèmes *Hill Descent* et *Terrain Reponse* et vous pourrez attaquer l'Everest.

[CONCLUSION] Un utilitaire inutile, que ce LR4? Voilà une question pour soulever les débats sur la pertinence de ce type de véhicules. Chose certaine, dans le genre, il ne se fait pas mieux. On doit toujours composer, cependant, avec une facture salée et une fiabilité qui teste la patience. Pourquoi respecte-t-on cette tradition-là?

2ᵉ OPINION

MICHEL CRÉPAULT Du Discovery au LR3 puis à l'actuel LR4, les stylistes n'ont pas chômé. Il faut reconnaître leurs efforts déployés pour civiliser un utilitaire conçu au départ pour le sentier. Dans un premier temps, des fleurs et, même, un gros bouquet à cet intérieur qui ne dépareirait pas un Range Rover. Les tout-terrains de la marque n'ont plus besoin de faire leurs preuves. Aucun rival ne peut suivre le LR4 hors des sentiers battus. D'un autre côté, qui, au juste, a besoin de piloter tous les jours de la semaine un véhicule qui a l'agilité d'une chèvre des montagnes? En conduite normale, il faudra faire bien attention aux virages serrés étant donné le centre de gravité élevé. Et difficile d'échapper à la consommation de carburant élevée du puissant V8. Trop lourd, le LR4, mais point balourd.

⑤ FICHE TECHNIQUE

· MOTEURS

V8 5,0 l DACT 375 ch à 6500 tr/min	
Couple 375 lb-pi à 3500 tr/min	
Transmission automatique à 6 rapports	
0-100 km/h 7,9 s	
Vitesse maximale 195 km/h	

· AUTRES COMPOSANTES

Sécurité active freins ABS, assistance au freinage, répartition électronique de force de freinage, antipatinage, contrôle de stabilité électronique, contrôle de descente en pente
Suspension avant/arrière indépendante
Freins avant/arrière disques
Direction à crémaillère, assistée
Pneus P255/55R19

· DIMENSIONS

Empattement 2885 mm
Longueur 4838 mm
Largeur 1915 mm
Hauteur 1882 mm
Poids 22548 kg
Diamètre de braquage 11,5 m
Coffre 280 l, 2560 l (sièges abaissés)
Réservoir de carburant 86,3 l
Capacité de remorquage 3500 kg

NOTRE VERDICT

Plaisir au volant	⬡⬡⬡⬡⬡
Qualité de finition	⬡⬡⬡⬡⬡
Consommation	⬡⬡⬡⬡⬡
Rapport qualité/prix	⬡⬡⬡⬡⬡
Valeur de revente	⬡⬡⬡⬡⬡

RANGE ROVER

www.landrover.ca

ÉVOLUTION

N

J

É

74 470 $ à 132 660 $
transport et préparation: 1495 $

LAND-ROVER

LA COTE VERTE

MOTEUR
V8 DE 5,0 L

- **Consommation**
  (100km): 14,6 l
- **Émissions polluantes**
  CO_2 : 6808 kg/an
- **Empreinte écologique**
  (nombre d'arbres à
  planter par année): 40
- **Indice d'octane:** 91
- **Autre**
  motorisation: non
- **Coût du carburant**
  moyen par année:
  3315 $
- **Nombre de**
  litres par année:
  2960 l

(SOURCE: Énerguide)

---

① FICHE D'IDENTITÉ

- **Versions** Sport HSE, Sport Supercharged, HSE, HSE Supercharged
- **Roues motrices** 4
- **Portières** 4 **Nombre de passagers** 5
- **Première génération** 1970
- **Génération actuelle** 2010
- **Construction** Solihull, Angleterre
- **Sacs gonflables** 9 (frontaux, thorax, genoux, latéraux avant, rideaux latéraux)
- **Concurrence** Cadillac Escalade, Infiniti QX 56, Lexus LX 570, Lincoln Navigator, Mercedes-Benz Classe G, Porsche Cayenne

② AU QUOTIDIEN

- **Prime d'assurance**
  25 ans: 4400 à 4600 $
  40 ans: 2000 à 2200 $
  60 ans: 1500 à 1700 $
- **Collision frontale** 4/5
- **Collision latérale** 5/5
- **Ventes du modèle de l'an dernier**
  Au Québec 212 **Au Canada** 1130
- **Dépréciation** 47,3%
- **Rappels** (2003 à 2008) 4
- **Cote de fiabilité** 2,5/5

③ GARANTIES... ET PLUS

- **Garantie générale** 4 ans/80 000 km
- **Garantie motopropulseur** 4 ans/80 000 km
- **Perforation** 6 ans/kilométrage illimité
- **Assistance routière** 4 ans/80 000 km
- **Nombre de concessionnaires**
  Au Québec 4 **Au Canada** 23

④ NOUVEAUTÉS EN 2011

- Aucun changement majeur

L'ORIGINAL

PAR MICHEL CRÉPAULT

LE RANGE ROVER HONORE UNE TRADITION DU 4 X 4 OPULENT, ALORS QUE SON COUSIN SPORT REPREND DEPUIS 2006 LES MÊMES VERTUS MAIS DANS UN FORMAT PLUS SVELTE. Le RR a bénéficié d'une pelletée d'améliorations il y a quelques mois, et le Sport poursuit son cycle de première génération.

[CARROSSERIE] En termes d'esthétique, les phares, les feux et les ouïes latérales du RR ont été légèrement retouchés, mais on reconnaît toujours l'utilitaire blindé. Le Sport s'apparente dans le fond davantage au LR4... mais en plus cher !

[HABITACLE] À l'intérieur, le tableau de bord a subi un changement audacieux : les cadrans sont désormais numériques et s'affichent sur le plus long écran à matrice active TFT (*Thin-Film Transistor*) de l'industrie. N'y manquent que les effets 3D d'*Avatar* ! En plus d'améliorer le système de navigation, on a ajouté un régulateur de vitesse intelligent, un détecteur de *qui-ose-s'immiscer-dans-mon-angle-mort ?*, une caméra à 360 degrés pour mieux

garer le monstre et de l'aide au freinage pour le stopper. Le confort serein des gros sièges avant est indiscutable, celui des places arrière s'est amélioré en triomphant de l'exiguïté passée. Contrairement au LR4, la gamme RR accepte un maximum de cinq occupants et, en plus, l'espace de chargement est un peu chiche; et les dossiers rabattus, le plancher n'est point plat. Le fabricant propose, bien sûr, des ensembles et des options mais, d'emblée, le cuir et le bois forment un formidable décor.

[MÉCANIQUE] Les V8 de 4,4 et de 4,2 litres suralimentés ont cédé la place à un seul engin de 5 litres. Sous le capot de la livrée HSE, la puissance est ainsi passée de 305 à 375 chevaux; dans le cas du modèle Supercharged doté du compresseur Eaton, la hausse est encore plus appréciable avec un bond de 400 à 510 chevaux. En partie grâce à l'injection directe de carburant, la consommation est à peu près restée la même. Attention, je ne dis pas qu'elle est raisonnable pour autant. Mettons que des actions d'une pétro-

---

FORCES · Aucune montagne ne lui fait peur · Souple comme une ballerine, rude comme un mineur · Confort inclus

FAIBLESSES · Encombrement du tableau de bord par les nombreuses aides électroniques · Qualités extrêmes mais chères

qui analyse les forces en présence dans un virage et qui déploie sa magie informatisée pour maximiser la tenue de route. Là où le RR agit en rouleau compresseur, le Sport bondit.

lière demeurent une bonne idée de cadeau pour la fête des pères. La transmission intégrale est, bien entendu, permanente, secondée par une garde au sol qui peut hausser la plateforme jusqu'à 28 centimètres.

[COMPORTEMENT] Hors route, le Range Rover n'a pas de rival, sauf peut-être le Jeep Wrangler. Mais ça revient à comparer l'agilité du macaque avec celle du guépard. Tant qu'à rester dans l'analogie zoologique, disons que les ingénieurs de Land Rover ont compris depuis longtemps qu'il y avait moyen de transformer leur utilitaire en chèvre des montagnes. Ce sont eux qui ont inventé le *Terrain Response*, ce magnifique dispositif qui adapte la motricité du véhicule au terrain sur lequel il se déplace. Programmez-le pour du sable, du gravier, du gazon, de la neige, de la boue ou du roc, et voilà sa suspension pneumatique, son V8 et ses bidules électroniques qui se mettent à travailler différemment pour mieux vous servir. Des essieux aussi souples que les pattes d'un crabe autorisent l'alpiniste sur quatre roues à franchir des rocs gros comme une porte de grange sans qu'une seule goutte de martini ne s'échappe du verre que sirotent vos calmes passagers à l'arrière. Un RR peut tirer jusqu'à 3 500 kilos, et cette force herculéenne dispose de nouveaux systèmes qui améliorent la stabilité de la remorque. La solidité générale évoque un char d'assaut endimanché où le roulement crémeux et silencieux a remplacé le croassement des chenilles. Le modèle Sport réagit avec plus d'agilité, d'agressivité même grâce à son format ramassé et au *Dynamic Response*, un dispositif

[CONCLUSION] Demandez à n'importe quel chroniqueur automobile qui vit au Québec, et vous verrez qu'il inclut un Range Rover dans son écurie de rêve. Reste la question de la fiabilité, toujours incertaine, et celle d'un certain gaspillage : il est en effet triste de disposer d'un animal capable d'escalader une paroi en apparence infranchissable et de n'exiger de lui finalement que des sorties au chalet que n'importe quel VUS moins doué peut accomplir.

2ᵉ OPINION

DANIEL RUFIANGE Le Range Rover est un véhicule exceptionnel. Cependant, il est impertinent, et pour deux raisons. Premièrement, un véhicule utilitaire qui se vend 100 000 $ et qui consomme du carburant comme un bébé réclame du lait n'a plus vraiment sa place en 2011. Deuxièmement, Le Land Rover LR4, avec l'option HSE luxe, se révèle tout aussi compétent que le Range Rover hors des sentiers battus, à la différence qu'il se vend 25 000 $ de moins. Qu'est-ce qui peut expliquer la nécessité de posséder un Range Rover plutôt qu'un LR4 si ce n'est le désir de péter de la broue ? Derrière le volant, le Range Rover sait cependant se faire pardonner. Confort, douceur de roulement, degré de luxe impressionnant et capacités hors route qui font l'envie.

⑤ FICHE TECHNIQUE

· MOTEURS

· (Sport HSE, HSE)
V8 5,0 l DACT, 375 ch à 6500 tr/min
Couple 375 lb-pi à 3500 tr/min

Transmission automatique à 6 rapports avec mode manuel

0-100 km/h 7,6 sec	**Vitesse maximale** 210 km/h

· (Sport Supercharged, Supercharged)
V8 5,0 l suralimenté par compresseur volumétrique DACT, 510 ch à 6000 tr/min
Couple 461 lb-pi à 2500 tr/min

Transmission automatique à 6 rapports avec mode manuel

0-100 km/h 6,2 s	**Vitesse maximale** 225 km/h

Consommation (100 km)
RR Sport 14,8 l **RR** 14,9 (octane 91)
Émissions de CO$_2$
RR Sport 6992 kg/an **RR** 7038 kg/an
Litres par année RR Sport 3040 l **RR** 3060 l
Coût par an RR Sport 3405 $ **RR** 3427 $
Carburant alternatif non
Empreinte écologique 43 arbres

· AUTRES COMPOSANTES

Sécurité active freins ABS, assistance au freinage, répartition électronique de force de freinage, anti-patinage, contrôle de stabilité électronique

Suspension avant/arrière indépendante

Freins avant/arrière disques

Direction à crémaillère, assistée

Pneus RR HSE P255/55R19 **RR Sport** P255/50R19
RR Supercharged P255/50R20
RR Sport Supercharged P275/40R20

· DIMENSIONS

Empattement RR Sport 2745 mm **RR** 2880 mm
Longueur RR Sport 4783 mm **RR** 4972 mm
Largeur RR Sport 2158 mm **RR** 2216 mm
Hauteur RR Sport 1817 mm **RR** 1877 mm
Poids RR Sport HSE 2513 kg **RR HSE** 2584 kg
RR Sport Supercharged 2638 kg
RR Supercharged 2672 kg
Diamètre de braquage RR Sport 11,5 m **RR** 12,6 m
Coffre RR Sport 994 l, 2010 l (sièges abaissés)
RR 994 l, 2099 l (sièges abaissés)
Réservoir de carburant RR Sport 88,1 l **RR** 104,5 l
Capacité de remorquage 3500 kg

I 381

NOTRE VERDICT

Plaisir au volant	●●●◖○
Qualité de finition	●●●●○
Consommation	●◖○○○
Rapport qualité/prix	●◖○○○
Valeur de revente	●●●◖○

ES 350

www.lexus.ca

N ÉVOLUTION É

J

41 900 $ à 51 950 $
transport et préparation: 1895 $

LA COTE VERTE

MOTEUR
V6 DE 3,5 L

- **Consommation** (100km) : 9,1 l
- **Émissions polluantes CO$_2$** : 4278 kg/an
- **Empreinte écologique** (nombre d'arbres à planter par année): 27
- **Indice d'octane** : 91
- **Autre motorisation**: non
- **Coût du carburant moyen par année**: 2083 $
- **Nombre de litres par année**: 1860 l

(SOURCE: ÉnerGuide)

1 FICHE D'IDENTITÉ

- **Versions** base, Premium, Premium ultra
- **Roues motrices** avant
- **Portières** 4 **Nombre de passagers** 5
- **Première génération** 1991
- **Génération actuelle** 2007
- **Construction** Tochigi, Japon
- **Sacs gonflables** 10 (frontaux, latéraux avant et arrière, rideaux latéraux, aux genoux à l'avant)
- **Concurrence** Acura TL, Buick LaCrosse, Cadillac CTS, Chrysler 300, Hyundai Genesis, Lincoln MKZ, Nissan Maxima, Toyota Avalon, Volkswagen Passat

2 AU QUOTIDIEN

- **Prime d'assurance**
  25 ans: 2300 à 2500 $
  40 ans: 1200 à 1400 $
  60 ans: 900 à 1100 $
- **Collision frontale** 5/5
- **Collision latérale** 5/5
- **Ventes du modèle de l'an dernier**
  Au Québec 602 **Au Canada** 2999
- **Dépréciation** 39,9 %
- **Rappels** (2005 à 2010) 1
- **Cote de fiabilité** 5/5

3 GARANTIES... ET PLUS

- **Garantie générale** 4 ans/80 000 km
- **Garantie motopropulseur** 6 ans/110 000 km
- **Perforation** 6 ans/kilométrage illimité
- **Assistance routière** 4 ans/kilométrage illimité
- **Nombre de concessionnaires**
  Au Québec 7 **Au Canada** 34

4 NOUVEAUTÉS EN 2011

- Aucun changement majeur

QUAND VOYAGE RIME AVEC SAGE

PAR MICHEL CRÉPAULT

VOILÀ UNE BERLINE ASIATIQUE QUI POURSUIT UNE CARRIÈRE FLEGMATIQUE PLAISANT BEAUCOUP À DES ACHETEURS ARISTOCRATIQUES.

[CARROSSERIE] Une noble silhouette rehaussée par la fluidité des lignes et le lustre d'une splendide peinture. Cet éclat n'en finit jamais de m'épater. À l'instar du colonel Sanders, je soupçonne Lexus d'avoir développé une recette secrète. De leur côté, les stylistes ont eu recours à la supercherie qui consiste à faire passer une berline pour un coupé, comme en témoigne le pavillon fuyant.

[HABITACLE] Ceux et celles qui le connaissent reconnaîtront le style Lexus, paradoxalement à la fois « in your face » et effacé. Le contraste, par exemple, des surfaces sombres et mornes mais rehaussées d'insertions de bois luisant comme une patinoire. Ces clins d'œil opulents contribuent à nous rappeler que nous ne sommes pas à bord d'une Camry. Et pourtant, Dieu sait si le seul ajout de bois laqué n'est pas un gage de luxe harmonieux. Pensez au traitement intérieur d'un Suzuki Grand Vitara, aussi naturel qu'un candélabre de cristal dans un camp de pêche! Chez Lexus, on s'attend à trouver cette richesse et, ce qui ne gâte rien, les stylistes ont développé une signature visuelle commune à tous les membres de la famille. Le tableau de bord pourrait semer la confusion avec ses interrupteurs identiques, mais ils ont été ergonomiquement regroupés par fonction. Le bouton de la ventilation a beau ressembler à celui de la radio, l'un ne joue pas dans le carré de sable de l'autre. Nos doigts peuvent pianoter en toute confiance. Les sièges habillés de tendre cuir pourraient offrir un meilleur maintien latéral et, encore, je me demande ce que le conducteur typique d'une ES 350 en ferait...

[MÉCANIQUE] V6 de 3,5 litres de 272 chevaux, boîte de vitesses automatique à 6 rapports, traction et suspension à 4 roues indépendantes, consommation autour des 10 litres aux 100 kilomètres et tranquillité d'esprit garantie !

FORCES · Matériaux et finition de qualité · Comportement rassurant · Lignes à l'épreuve du temps

FAIBLESSES · Ces mêmes lignes pourraient oser davantage · Ce même comportement pourrait être plus mordant

[COMPORTEMENT] On s'attend à des réactions placides sur la route et on les obtient. L'ES 350 livre un comportement ouaté. Oh, enfoncez le champignon et le V6 répondra, pas de souci, mais ça revient à hurler dans une classe de yoga. Le constructeur a élaboré cette attitude zen à dessein et laisse l'occasion à ses disciples d'embrasser cette philosophie d'une conduite aseptisée. On aime ou on s'enfuit. Je parie que les deux conductrices qui m'ont dépassé hier sur l'autoroute, toutes les deux au volant d'une Golf, subiraient un traitement de canal avant d'acheter une ES 350. Mais pour l'amateur de quiétude et de Nicola Ciccone, c'est le bonheur. Assez pour débourser l'extra par rapport à une Camry? Absolument. Le nom Lexus à lui seul le vaut. Cela dit, l'ES 350 est la deuxième moins chère des Lexus (après l'IS 250). Vous ne pouvez donc pas vous attendre à bénéficier, par exemple, de la même annulation parfaite des bruits parasites qu'à bord d'une LS 460... mais nous n'en sommes pas si loin ! Les piliers A sont épais, mais leur inclinaison dégage notre champ de vision aux bons endroits. La capacité du coffre est satisfaisante, mais seule une trappe à skis relie la cabine. Les infos qui défilent sur l'écran de navigation (en option) restent visibles même avec des lunettes fumées. Le volant mi-cuir, mi-bois demeure l'un de mes préférés, de même que le beau logo Lexus qui a lentement mais sûrement acquis ses lettres de noblesse depuis 1989. Pour briser la monotonie qu'on associe à la marque, le conducteur est invité à garder la clef de l'auto au fond de sa poche et à enfoncer le bouton « Engine » pour démarrer ou éteindre le V6. Quant à moi, allez savoir pourquoi, toute la réputation Lexus se retrouve dans le mécanisme d'ouverture des couvercles peuplant la console. Appuyez dessus et voyez-les s'ouvrir avec une somptueuse lenteur, une langueur assouvie. Il n'y a que les aristocrates pour daigner s'exécuter avec une telle nonchalance.

[CONCLUSION] Par rapport à la Camry, l'ES 350 vous offre une finition, une sophistication et un comportement qui justifient l'écart de prix. Cela dit, des nouveaux joueurs comme Genesis et LaCrosse risquent de lui compliquer la vie.

2ᵉ OPINION

BENOIT CHARETTE Conçue pour plaire aux Américains, la Lexus ES 350 est une grande berline comportant une panoplie d'équipements électroniques pour le confort, la sécurité et la détente. Tout sur cette voiture est rétrograde, sauf l'ambiance et l'équipement. Les sièges un peu larges n'offrent pas le maintien souhaité, la direction est molle à l'image de la suspension. Vous avez l'impression de rouler dans une Buick des années 70, mais avec un système de navigation bien conçu et une présentation plus moderne. Il faut apprécier conduire sur un nuage pour songer à acheter une ES 350. Si vous avez la nostalgie des routières américaines, voilà une voiture pour vous avec, en prime, une excellente fiabilité et une valeur de revente qui auraient fait rougir les Buick et Oldsmobile.

---

⑤ FICHE TECHNIQUE

- **MOTEUR**
- V6 3,5 l DACT, 272 ch à 6200 tr/min
  Couple 254 lb-pi à 4700 tr/min
- **Transmission automatique** à 6 rapports avec mode manuel
- **0-100 km/h** 7,3 s
- **Vitesse maximale** 220 km/h

- **AUTRES COMPOSANTES**
- **Sécurité active** freins ABS, répartition électronique de force de freinage, assistance au freinage, antipatinage, contrôle de stabilité électronique
- **Suspension avant/arrière** indépendante
- **Freins avant/arrière** disques
- **Direction** à crémaillère, assistée
- **Pneus** P215/55R17

- **DIMENSIONS**
- **Empattement** 2775 mm
- **Longueur** 4855 mm
- **Largeur** 1820 mm
- **Hauteur** 1450 mm
- **Poids** 1624 kg
- **Diamètre de braquage** 11,2 m
- **Coffre** 416 l
- **Réservoir de carburant** 70 l

NOS MENTIONS

☺ Modèle recommandé

NOTRE VERDICT

Plaisir au volant	● ● ● ○ ○
Qualité de finition	● ● ● ● ○
Consommation	● ● ● ◐ ○
Rapport qualité/prix	● ● ● ○ ○
Valeur de revente	● ● ● ◐ ○

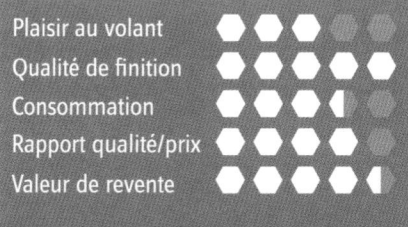

GS

www.lexus.ca

56 395 $ à 73 795 $
transport et préparation: 1895 $

LA COTE VERTE

MOTEUR
V6 DE 3,5 L HYBRIDE

- **Consommation (100km):** 8,3 l
- **Émissions polluantes** CO_2 : 3772 kg/an
- **Empreinte écologique (nombre d'arbres à planter par année):** 24
- **Indice d'octane:** 91
- **Autre motorisation:** Essence
- **Coût du carburant moyen par année:** 1837 $
- **Nombre de litres par année:** 1640 l

(SOURCE: ÉnerGuide)

---

① FICHE D'IDENTITÉ

- **Versions** 350 4RM, 450h
- **Roues motrices** arrière, 4
- **Portières** 4 **Nombre de passagers** 5
- **Première génération** 1993
- **Génération actuelle** 2006
- **Construction** Tahara, Japon
- **Sacs gonflables** 12 (frontaux, latéraux avant, latéraux arrière, rideaux latéraux, au niveau des genoux à l'avant)
- **Concurrence** Acura RL, Audi A6, BMW Série 5, Cadillac STS, Infiniti M, Jaguar XF, Mercedes-Benz Classe E, Volvo S80

② AU QUOTIDIEN

- **Prime d'assurance**
  25 ans: 2700 à 2900 $
  40 ans: 1800 à 2000 $
  60 ans: 1600 à 1800 $
- **Collision frontale** 5/5
- **Collision latérale** 5/5
- **Ventes du modèle de l'an dernier**
  Au Québec 63 **Au Canada** 336
- **Dépréciation** 46,0 %
- **Rappels** (2005 à 2010) 1
- **Cote de fiabilité** 5/5

③ GARANTIES... ET PLUS

- **Garantie générale** 4 ans/80 000 km
- **Garantie motopropulseur** 6 ans/110 000 km
- **Perforation** 6 ans/kilométrage illimité
- **Assistance routière** 4 ans/kilométrage illimité
- **Nombre de concessionnaires**
  Au Québec 7 **Au Canada** 34

④ NOUVEAUTÉS EN 2011

- Abandon de la version du 2RM de la GS350, abandon de la GS460
- Nouvelles couleurs extérieures.

INDIFFÉRENCE

PAR BENOIT CHARETTE

IL S'EST VENDU L'AN DERNIER AU QUÉBEC 63 LEXUS GS. C'EST BIEN PEU. Il s'est vendu pour la même période plus de 900 Acura TL et 750 Infiniti G37. Même les allemandes, plus chères, ont beaucoup mieux fait avec plus de 600 Classe E de Mercedes-Benz et près de 350 Série 5 de BMW. Même la moins populaire des Audi, l'A6, s'est vendue à 161 exemplaires en 2009 au Québec. Qu'est-ce qui fait, chez Lexus, qu'on ignore cette voiture ? Chose certaine, le nombre de ventes a incité le constructeur à réagir. Pour 2011, il ne reste que la version 350 à transmission intégrale et la 450h au catalogue; fini la 350 à traction et la 460. Les Québécois aiment une voiture qui a de la gueule et qui est amusante à conduire; la GS ne possède aucune de ces qualités. Voilà qui explique peut-être pourquoi si peu de gens l'achètent.

[CARROSSERIE] Pour ceux qui se demandaient d'où vient le GS, c'est pour Giugiaro Sedan. C'est en effet la maison de design turinoise qui avait le mandat de dessiner la GS. Difficile de crier au génie en voyant ce véhicule. Si les lignes

respirent le bon goût et le haut de gamme, elles ne dégagent absolument rien pour éveiller les sens. Ses formes rondouillardes lui confèrent l'allure d'un fromage cheddar fondu au soleil. Ce n'est pas laid, c'est beige. En regardant la concurrence qui fait dans les formes sculpturales et les lignes tendues, cette GS ne fait définitivement plus le poids. Ce n'est donc pas physiquement que vous serez attiré par cette Lexus.

[HABITACLE] Le silence de roulement arrive en tête de liste à l'intérieur de la GS. C'est comme si vous mettiez des bouchons dans vos oreilles pour vous isoler du monde extérieur. Lexus offre également toute la gamme imaginable d'aides à la conduite. La liste d'équipements de série est probablement la plus exhaustive de la catégorie : démarrage sans clef "*Smart Key*", volant et sièges à réglage électrique, rétroviseurs photochromes, caméra de recul, GPS à écran tactile, cuir intégral, toit ouvrant électrique, régulateur de vitesse adaptatif et précollision, compteurs Optitron et... quelque 12 coussins gonflables, ce qui ne doit pas être loin d'un record. Dans la ver-

---

FORCES · Silence de roulement · Équipement complet · Confort général

FAIBLESSES · Direction sans vie · Moteur un peu fade · Position du volant difficile à régler

sion 450 hybride, le compte-tours est remplacé par un indicateur de puissance. Deux reproches en terminant, la place pour la tête à l'arrière est limite en raison de la forme du toit et les sièges ne sont pas rabattables, limitant l'espace de chargement qui est ridiculement petit dans la 450h en raison des batteries qui occupent une bonne partie de l'espace.

[MÉCANIQUE] Rien à reprocher à la solide réputation de fiabilité des moteurs Lexus ou Toyota. Plus de V8 en 2011. La GS 350 AWD est équipée d'un V6 de 3,5 litres développant une puissance de 303 chevaux. Ce moteur est jumelé à une boîte de vitesses automatique à 6 rapports comportant un inutile levier de vitesses séquentiel. La 450h part de la même base mécanique qui culmine à 292 chevaux. Lexus ajoute un moteur électrique de 650 volts. En combiné, cela permet au conducteur de pouvoir compter sur une puissance maximale de 340 chevaux sous la gouverne d'une boîte CVT qui, contrairement à bien d'autres, fonctionne très bien.

[COMPORTEMENT] Au-delà du confort, la conduite manque totalement d'inspiration. La direction est lourde et sans vie, la suspension souple pêche par trop de mollesse. Ajoutez à cela un poids significatif et vous avez une voiture qui préfère les longues randonnées tranquilles et la conduite à rythme modéré. Tout se fait sans heurt dans une GS. Même avec toute la puissance de la 450h, il n'y a jamais d'épanchement de violence, tout est contrôlé. La seule bonne nouvelle est la boîte

automatique qui travaille dans une discrétion absolue.

[CONCLUSION]
Sans être mauvaise, la GS nous laisse sur notre appétit. Elle possède les bons ingrédients pour réussir, mais elle manque de charisme.

2ᵉ OPINION

FRÉDÉRIC MASSE On a tendance à oublier la Lexus GS tellement on en voit rarement sur nos routes. Pourquoi une telle rareté ? Parce qu'il se fait mieux ailleurs, c'est tout. Quand on débourse plus de 50 000 $ pour une voiture, on veut ce qu'il y a de mieux. Et, quand on essaie, coup sur coup, une Lexus GS, une Mercedes-Benz Classe E, une BMW Série 5 et une Audi A6, la raison nous ramène à l'ordre. Elle est bonne, mais pas excellente. C'est étrange, on dirait que la GS est sortie des rangs pour se perdre un peu. On ne sait trop... Veut-elle plaire aux gens qui aiment conduire ? Non, elle est trop molle. Veut-elle plaire aux amateurs de grand confort ? Non plus, elle est trop sportive. En réalité, la GS est mi-figue mi-raisin. Même les performances endiablées du moteur de la version hybride sont difficiles à comprendre. Pourtant, il lui aurait suffi de jouer la carte du confort et de l'insonorisation suprême, comme le fait la LS, et j'aurais été le premier à louanger le choix de cette niche pour un produit Lexus.

⑤ FICHE TECHNIQUE

· MOTEURS

· (GS 350 4RM)
V6 3,5 l DACT, 303 ch à 6200 tr/min
Couple 274 lb-pi à 3600 tr/min
Transmission automatique à 6 rapports avec mode manuel
0-100 km/h 7,4 s
Vitesse maximale 235 km/h
Consommation (100 km) 9,8 l (octane 91)
Émissions de CO$_2$ 4600 kg/an
Litres par année 2000 l
Coût par an 2240 $
Carburant alternatif non
Empreinte écologique 29 arbres

· (GS 450h)
V6 3,5 l DACT + 2 moteurs électriques,
292 ch à 6400 tr/min (340 ch au total)
Couple 267 lb-pi à 4800 tr/min
(moteur à essence seul)
Transmission automatique à variation continue avec mode manuel
0-100 km/h 5,8 s
Vitesse maximale 235 km/h

· AUTRES COMPOSANTES
Sécurité active freins ABS,
répartition électronique de la force de freinage, assistance au freinage, antipatinage, contrôle de stabilité électronique
Suspension avant/arrière indépendante
Freins avant/arrière disques ventilés
Direction à crémaillère, assistée
Pneus 350 4RM P225/50R17,
450h P245/40R18

· DIMENSIONS
Empattement 2850 mm
Longueur 4825 mm
Largeur 1820 mm
Hauteur 350 4RM 1435 mm **450h** 1425 mm
Poids 350 4RM 1755 kg **450h** 1875 kg
Diamètre de braquage 11,4 m
Coffre 360 l **450h** 300 l
Réservoir de carburant 71 l **450h** 65 l

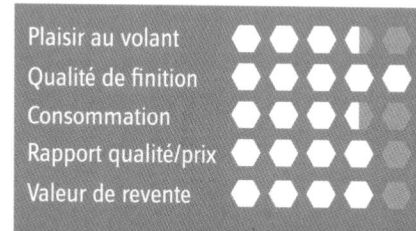

NOS MENTIONS

☺ Modèle recommandé

NOTRE VERDICT

Plaisir au volant	⬡⬡⬡⬡⬡
Qualité de finition	⬡⬡⬡⬡⬡
Consommation	⬡⬡⬡⬡⬡
Rapport qualité/prix	⬡⬡⬡⬡⬡
Valeur de revente	⬡⬡⬡⬡⬡

GX 460

www.lexus.ca

ÉVOLUTION

68 500 $ à 77 500 $
transport et préparation: 1895 $

LA COTE VERTE

MOTEUR
V8 DE 4,6 L

· **Consommation**
(100km): 12,0 l
· **Émissions**
polluantes CO_2:
5566 kg/an
· **Empreinte écologique**
(nombre d'arbres à
planter par année): 39
· **Indice d'octane:** 91
· **Autre**
motorisation: non
· **Coût du carburant**
moyen par année:
2710 $
· **Nombre de**
litres par année:
2420 l

(SOURCE: ÉnerGuide)

① FICHE D'IDENTITÉ

· **Versions** Premium, Ultra Premium
· **Roues motrices** 4
· **Portières** 5 **Nombre de passagers** 7
· **Première génération** 2004
· **Génération actuelle** 2010
· **Construction** Tahara, Japon
· **Sacs gonflables** 6 (frontaux, latéraux avant,
rideaux latéraux)
· **Concurrence** Acura MDX, BMW X5,
Hyundai Veracruz, Land Rover LR4, Lincoln MKX,
Mercedes-Benz ML, Volkswagen Touareg,
Volvo XC90

② AU QUOTIDIEN

· **Prime d'assurance**
25 ans: 3300 à 3500 $
40 ans: 1700 à 1900 $
60 ans: 1600 à 1800 $
· **Collision frontale** 4/5
· **Collision latérale** 4/5
· **Ventes du modèle de l'an dernier**
Au Québec 16 **Au Canada** 198
· **Dépréciation** 47,3%
· **Rappels** (2005 à 2010) 1
· **Cote de fiabilité** 4/5

③ GARANTIES... ET PLUS

· **Garantie générale** 4 ans/80 000 km
· **Garantie motopropulseur** 6 ans/110 000 km
· **Perforation** 6 ans/kilométrage illimité
· **Assistance routière** 4 ans/kilométrage illimité
· **Nombre de concessionnaires**
Au Québec 7 **Au Canada** 34

④ NOUVEAUTÉS EN 2011

· Nouveau modèle d'entrée de gamme

RÉTROGRADE

PAR BENOIT CHARETTE

CELA NE S'ÉTAIT PAS VU DEPUIS 2001 AVEC
LE MITSUBISHI MONTERO. Le magazine
américain Consumer Reports a conclu que le
Lexus GX 460 était un véhicule dangereux,
et que, dans des circonstances particulières,
il pouvait être la cause d'accidents pour des
écarts de comportement routier. Il pourrait se re-
tourner et faire des tonneaux. Il s'est vu donner la
mention « à ne pas acheter ». Toyota a même
arrêté sa production mondiale. Sa conduite
a quelque chose de moyenâgeux. Dans un monde
où les VUS ont maintenant un châssis monocoque, le GX repose toujours sur un châssis
à échelle avec un essieu arrière rigide, une
configuration qui n'est pas étrangère à sa
mauvaise tenue de route.

[CARROSSERIE] Le nouveau GX 460 remplace
le GX 470 et s'inspire largement du 4Runner.
La silhouette est plus robuste, et les lignes, plus
nettes que la première génération. Le style
L-Finesse, qui définit maintenant tous les produits
de la marque, sert dans ce cas-ci à faire en sorte
que le véhicule paraisse plus petit en arrondissant

quelques angles et en étirant quelques lignes.
Sans être très joli, le GX vieillira bien.

[HABITACLE] En prenant place à bord, difficile
de croire que vous êtes dans un 4Runner endimanché. Les matériaux sont dignes des produits
Lexus avec un riche équipement de série. Les
sièges avant chauffants et climatisés sont fortement rembourrés et procurent un bon maintien,
on peut en dire autant de la deuxième rangée de
sièges qui glisse sur plusieurs centimètres pour
augmenter l'espace habitable. Cela se gâte un
peu pour la troisième qui relève plus du banc de
parc que du fauteuil de salon. L'accès est aussi
un peu compliqué et il faut absolument embarquer par la droite du véhicule. Si les trois rangées de sièges sont occupées, il n'y a pratiquement plus d'espace pour les bagages. La porte
arrière s'ouvre à la manière d'un camion de
livraison, du mauvais côté de la rue, exposant la
personne aux véhicules sur la rue. Pour faciliter
l'embarquement des petits paquets, la lunette
s'ouvre séparément grâce à un petit bouton, une
bonne idée.

FORCES · Excellentes capacités tout-terrains · Espace luxueux et généreux ·
Confort de haut calibre

FAIBLESSES · Conception du châssis dépassée · 3e rangée de sièges étroite
et inconfortable · Porte du hayon qui ouvre du mauvais côté · Tenue de route
aléatoire à plus haut régime

(5) FICHE TECHNIQUE

- **MOTEUR**

V8 4,6 l DACT, 301 ch à 5500 tr/min Couple 329 lb-pi à 3400 tr/min	
Transmission automatique à 6 rapports avec mode manuel	
0-100 km/h 8,1 s	
Vitesse maximale 180 km/h	

- **AUTRES COMPOSANTES**

Sécurité active freins ABS, répartition électronique de force de freinage, assistance au freinage, antipatinage, contrôle de stabilité électronique	
Suspension avant/arrière indépendante/essieu rigide	
Freins avant/arrière disques ventilés	
Direction à crémaillère, assistée	
Pneus P265/60R18	

- **DIMENSIONS**

Empattement 2790 mm	
Longueur 4805 mm	
Largeur 1885 mm	
Hauteur 1875 mm	
Poids 2326 kg	
Diamètre de braquage 11,6 m	
Coffre 1833 l (sièges abaissés)	
Réservoir de carburant 87 l	
Capacité de remorquage 2948 kg	

[MÉCANIQUE] Le nouveau GX 460 dépend du même moteur que la camionnette Tundra et la berline LS 460, un V8 de 4,6 litres de 301 chevaux et 329 livres-pieds de couple. Notre essai de la voiture dans des conditions hivernales a démontré une moyenne combinée autour de 13,6 litres aux 100 kilomètres. Le principal avantage d'un V8 est la capacité de remorquage qui se situe à 2 948 kilos (6500 livres). Comme le 4Runner n'est plus offert en V8, le GX devient un modèle intéressant si vous avez plus de 2268 kilos (5000 livres) à remorquer. Le GX 460 est équipé de série d'un système à quatre roues motrices permanentes. Dans la plupart des conditions de conduite, le différentiel TORSEN répartit la puissance à raison de 40 % à l'avant et de 60 % à l'arrière et modifie ce rapport au besoin en fonction des actions du conducteur sur le volant et du patinage des roues.

[COMPORTEMENT] Le châssis à échelle et l'essieu arrière rigide donne l'impression de conduire un camion des années 70. La suspension hydraulique (en option à l'arrière) adoucit un peu la note sur l'autoroute, mais on sent tout de même l'arrière sautiller dès qu'on augmente le rythme. On sent toujours le poids du véhicule, le léger flou dans la direction et la pédale de frein spongieuse que le conducteur doit diriger avec détermination pour avoir les résultats attendus. Autrement dit, la conduite sportive n'est pas conseillée. Par contre, si vous demeurez sage, le confort est au rendez-vous, et la tenue de route, acceptable.

[CONCLUSION] Toyota propose ici un certain paradoxe avec un véhicule gourmand, rétrograde et reflet d'une époque révolue. Si vous n'avez pas à remorquer plus de 2268 kilos, il n'y a aucune raison de faire l'achat d'un GX.

2ᵉ OPINION

FRÉDÉRIC MASSE Rarement ai-je vu un véhicule transformer ma personnalité aussi rapidement que le GX. Je ne sais trop pour quelle raison, mais dès qu'on se trouve à son volant, on se sent riche... Il n'est certes pas donné, mais à 70 000 $, ce n'est évidemment pas le plus cher que j'ai conduit. La qualité des matériaux et de l'assemblage est impressionnante. Mais, c'est probablement cette allure de camion qui figurerait mieux dans les rues de Dubaï que celles de Québec qui arrivent à modifier autant ma perception. Outre ce détail, le GX se veut l'un des camions les plus confortables qu'il m'ait été donné de conduire au cours des dernières années. On pourrait, en réalité, qualifier sa direction d'excessivement légère, sa suspension de trop rebondie et son comportement de complètement déconnecté. Mais, il le fait tellement sans complexe qu'on comprend que c'est son but, rebondir, étirer et ne permettre aucune, mais aucune largesse en matière de conduite.

NOTRE VERDICT

Plaisir au volant	⬡⬡⬡⬡⬢
Qualité de finition	⬡⬡⬡⬡⬢
Consommation	⬡⬡⬢⬢⬢
Rapport qualité/prix	⬡⬡⬡⬢⬢
Valeur de revente	⬡⬡⬢⬢⬢

HS 250h

www.lexus.ca

39 900 $ à 48 750 $
transport et préparation: 1895 $

LA COTE VERTE

MOTEUR
L4 2,4 L

- **Consommation (100km):** 5,6 l
- **Émissions polluantes CO_2:** 2622 kg/an
- **Empreinte écologique (nombre d'arbres à planter par année):** 17
- **Indice d'octane:** 87
- **Autre motorisation** non
- **Coût du carburant moyen par année:** 1140 $
- **Nombre de litres par année:** 1140 l

(SOURCE: ÉnerGuide)

① FICHE D'IDENTITÉ

- **Versions** Premium, Premium de luxe
- **Roues motrices** avant
- **Portières** 4 **Nombre de passagers** 5
- **Première génération** 2010
- **Génération actuelle** 2010
- **Construction** Tuchigi, Japon
- **Sacs gonflables** 10
- **Concurrence** Ford Fusion hybride

② AU QUOTIDIEN

- **Prime d'assurance**
  25 ans : 1800 à 2000 $
  40 ans : 1200 à 1400 $
  60 ans : 900 à 1100 $
- **Collision frontale** 5/5
- **Collision latérale** 5/5
- **Ventes du modèle de l'an dernier**
  Au Québec 41 Au Canada 269
- **Dépréciation** nm
- **Rappels** (2005 à 2010) 1
- **Cote de fiabilité** nm

③ GARANTIES... ET PLUS

- **Garantie générale** 4 ans/80 000 km
- **Garantie motopropulseur** 6 ans/110 000 km
- **Perforation** 6 ans/kilométrage illimité
- **Assistance routière** 4 ans/kilométrage illimité
- **Nombre de concessionnaires**
  Au Québec 7 Au Canada 34

④ NOUVEAUTÉS EN 2011

- Sièges avant chauffants, inserts de bois et de cuir, Option Groupe de luxe retiré

LA GRANDE CLASSE HYBRIDE

PAR ALEXANDRE CRÉPAULT

LA HS 250H EXISTE SURTOUT POUR CEUX QUI VEULENT SE DORLOTER AVEC LE STATUT QUE CONFÈRE LEXUS, TOUT EN AFFICHANT LEUR CÔTÉ VERT AU VOLANT D'UNE VOITURE QUI SE RÉVÈLE QUASIMENT UNE PRIUS DÉGUISÉE.

[CARROSSERIE] Au moins, Lexus a pris la peine de donner à la HS des lignes bien à elle. Pas de partage de panneaux avec sa sœur Toyota. Le coefficient aérodynamique se fait donc un peu moins impressionnant que celui de la Prius. Par contre, la Lexus fait preuve d'ingéniosité, comme son pare-brise acoustique anti-infrarouge qui a pour but de limiter le bruit ainsi que la pénétration des rayons de soleil à l'intérieur de l'habitacle. Ses roues en alliage d'aluminium de 17 pouces (18 en option) sont également conçues pour être aussi belles qu'aérodynamique. À la fin de la journée, il s'agit d'une Lexus, du haut de gamme avec tout le prestige que ça suppose. Et la HS le montre sans fausse modestie, ainsi que ses dimensions, supérieures à celles de la Lexus IS.

[HABITACLE] Tout comme la Prius, la Lexus HS utilise certains plastiques organiques et écologiques. La différence, c'est que ces plastiques au fini peu excitant sont agrémentés de cuir, de faux-bois et d'une couleur plus riche, ce qui se traduit par un habitacle nettement plus agréable. L'équipement de série est décent : sièges chauffants en cuir, huit réglages électriques avec soutien lombaire, commandes au volant, rétroviseur avec atténuation de la lumière et chaîne audio très convenable. Comme dans 99,9 % des voitures de luxe, on peut rehausser l'équipement de la HS, avec l'ensemble d'options Premium de luxe, soit en optant pour la totale de son ensemble d'options Ultra Premium. Par exemple, la commande « Remote Touch », installée au centre de la console centrale, s'utilise comme une souris d'ordinateur. Elle commande diverses fonctions, comme la chaîne audio, le GPS ou la température. Un écran à cristaux liquides escamotable fixé au tableau de bord se charge d'indiquer des renseignements sur la voiture. Des sièges avant ventilés rafraîchissent ou réchauffent les fesses des occupants, une chaîne audio Mark Levinson

---

FORCES • Luxe et technologie • Habitacle agréable • Consommation de carburant

FAIBLESSES • Décibels à l'intérieur de la cabine • Freins difficile à moduler • Direction floue

réjouit nos oreilles, et la liste continue.

[MÉCANIQUE] La HS a reçu plus de muscles que la Prius. La puissance des 187 chevaux provient d'un moteur à essence de 2,4 litres VVT-i à cycle Atkinson jumelé à un moteur électrique à couple élevé. Un second moteur électrique démarrera le moteur à essence lorsque nécessaire. Il peut aussi servir à recharger la batterie à haute tension, une batterie conçue pour durer toute la vie du véhicule et pouvant aussi être rechargée au freinage (comme la Prius).

[COMPORTEMENT] À l'instar de la Prius, la HS démarre grâce à son moteur électrique. Donc, pas besoin d'un démarreur ou d'un alternateur. À basse vitesse, c'est lui qui fait tout le travail. La voiture avance dans un silence absolu puis, après un certain temps sur le mode électricité (ou quand on demande plus de puissance), le moteur à essence prend la relève. Grâce à son plus gros moulin à pétrole, la HS n'a pas à pédaler comme une forcenée pour atteindre sa vitesse de croisière. De là le plus faible niveau de décibels dans l'habitacle que celui de la Prius, bien qu'il soit bien plus élevé que la moyenne pour une Lexus. Dans le trafic ou aux feux de circulation, le système d'arrêt-démarrage du moteur automatique élimine le gaspillage d'énergie. Comme la Prius, les freins se révèlent très difficiles à moduler. La direction est également vague. Au quotidien, ce n'est pas trop dérangeant, pourvu qu'on ne prenne pas un virage sur trois roues.

[CONCLUSION] Le surplus de puissance dont jouit la HS n'est pas nécessaire. Si vous conduisez une voiture hybride, c'est avant tout pour épargner sur le carburant. Je ne vois donc que deux raisons d'acheter une HS 250h: Votre ego souffre à l'idée de rouler à bord d'une Toyota comme le commun des mortels; vous appréciez le luxe et la technologie de la HS à un point tel que payer plus vous semblera normal. Dans les deux cas, la HS devrait combler vos besoins.

2ᵉ OPINION

DANIEL RUFIANGE Toyota a promis que, d'ici 2020, chacun de ses véhicules proposerait une motorisation hybride. La HS 250h s'inscrit dans cette stratégie, mais avec un petit quelque chose de plus ; elle n'offre aucune motorisation à essence uniquement. C'est bien noble, mais je ne crois pas que l'industrie et les consommateurs en sont rendus là. De plus, Lexus vise le marché des berlines de luxe d'entrée de gamme. Franchement, croyez-vous que bien des gens préféreront rouler en HS 250h plutôt qu'en Audi A4 ? Je ne pense pas ! De plus, la silhouette de la HS 250 n'a rien pour l'avantager ; le design est aux limites du mauvais goût. Dommage car, sur la route, la HS 250h tient ses promesses : confort, douceur de roulement et excellente consommation.

⑤ FICHE TECHNIQUE

· MOTEUR
L4 2,4 l DACT + moteur électrique, 187 ch à 6000 tr/min	
Couple 138 lb-pi à 4400 tr/min	
Transmission automatique à variation continue	
0-100 km/h 8,4 s	
Vitesse maximale 180 km/h	

· AUTRES COMPOSANTES
Sécurité active freins ABS, répartition électronique de force de freinage, assistance au freinage, antipatinage et contrôle de stabilité électronique

Suspension avant/arrière indépendante

Freins avant/arrière disques

Direction à crémaillère, assistée

Pneus Premium P215/55R17,
Premium de luxe P225/45R18

· DIMENSIONS
Empattement 2700 mm
Longueur 4695 mm
Largeur 1785 mm
Hauteur 1505 mm
Poids 1670 kg, 1710 kg (Premium de luxe)
Diamètre de braquage 11,4 m
Coffre 343 l
Réservoir de carburant 55 l

NOS MENTIONS

 Le choix vert

NOTRE VERDICT

Plaisir au volant	●●●○○
Qualité de finition	●●●○○
Consommation	●●●●◐
Rapport qualité/prix	●●●●◐
Valeur de revente	Nd

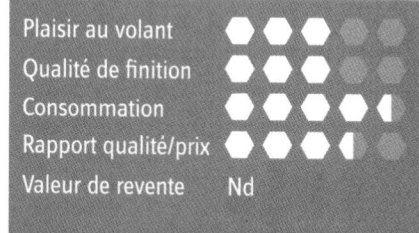

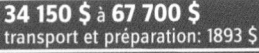 

ÉVOLUTION

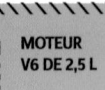

34 150 $ à 67 700 $
transport et préparation: 1893 $

LA COTE VERTE

MOTEUR
V6 DE 2,5 L

- **Consommation (100km):**
  man. 9,6 l
  auto. 4RM 9,1 l
- **Émissions polluantes CO_2:**
  man. 4508 kg/an
  auto. 4RM 4232 kg/an
- **Empreinte écologique (nombre d'arbres à planter par année):** 25
- **Indice d'octane:** 91
- **Autre motorisation:** non
- **Coût du carburant moyen par année:**
  man. 2195 $
  auto. 4RM 2061 $
- **Nombre de litres par année:**
  man. 1960 l
  auto. 4RM 1840 l

(SOURCE: ÉnerGuide)

 FICHE D'IDENTITÉ

- **Versions** 250, 250 4RM, 350, F, 250 C, 350 C
- **Roues motrices** arrière, 4
- **Portières** 2, 4 **Nombre de passagers** 4
- **Première génération** 1999
- **Génération actuelle** 2006
- **Construction** Tochigi, Japon
- **Sacs gonflables** 8 (frontaux, latéraux avant, rideaux latéraux, genoux à l'avant)
- **Concurrence** Acura TSX, Audi A4, BMW Série 3, Cadillac CTS, Infiniti G37, Mercedes-Benz Classe C, Volvo S40

 AU QUOTIDIEN

- **Prime d'assurance**
  25 ans: 2100 à 2300 $
  40 ans: 1300 à 1500 $
  60 ans: 1100 à 1300 $
- **Collision frontale** 4/5
- **Collision latérale** 5/5
- **Ventes du modèle de l'an dernier**
  Au Québec 572 **Au Canada** 2617
- **Dépréciation** 35,0 %
- **Rappels** (2005 à 2010) 4
- **Cote de fiabilité** 5/5

 GARANTIES... ET PLUS

- **Garantie générale** 4 ans/80 000 km
- **Garantie motopropulseur** 6 ans/110 000 km
- **Perforation** 6 ans/kilométrage illimité
- **Assistance routière** 4 ans/kilométrage illimité
- **Nombre de concessionnaires**
  Au Québec 7 **Au Canada** 34

4 NOUVEAUTÉS EN 2011

- Retouches avant et arrière à la carosserie,
- Nouveaux groupes d'options

LE LUXE CAMÉLÉON

PAR MICHEL CRÉPAULT

NE SOUFFRANT D'AUCUN COMPLEXE, LA DIVISION LUXE DE TOYOTA SE MESURE À DE RÉPUTÉES RIVALES QUI CONSTITUENT LA RÉFÉRENCE EN MATIÈRE DE BERLINES INTERMÉDIAIRES DE PRESTIGE.

[CARROSSERIE] Toutes les IS ne naissent pas égales. Elles comportent d'abord un pavillon dur, avec ou sans panneau vitré. La 250 peut délaisser la propulsion en faveur d'une transmission intégrale, mais pas la 350, ni la F. Quand le toit devient escamotable, l'auto perd aussi deux portières. Nonobstant la F, les cabriolets se révèlent les versions les plus coûteuses de la gamme : quelque 20 000 $ séparent l'IS 250 de base d'une IS 350 C bien équipée. L'IS est esthétiquement réussie. Son fuselage sportif attise l'admiration. Ce qui ne gâte rien, Lexus maîtrise l'art de la peinture comme pas un.

[HABITACLE] À l'instar de Mercedes-Benz, que Lexus a toujours eu dans sa mire, le constructeur asiatique offre des intérieurs qui déroutent peu. D'un modèle à l'autre, l'ergonomie et le graphisme se répètent. L'IS se démarque grâce à un revêtement texturé qui ceinture le haut du tableau de bord et les portières. L'accès aux places arrière (oubliez la 3e personne au centre) du cabrio est facilité par le coulissement électrique des sièges avant. Tant que ses occupants évitent le sadisme, le dégagement à l'arrière demeure passable.

[MÉCANIQUE] V6 de 2,5 litres et 204 chevaux, V6 de 3,5 litres et 306 chevaux ou V8 de 5 litres et 416 chevaux, vous avez le choix. Les trois engins privilégient le double arbre à cames en tête et les gestions électroniques à acronymes multiples. Seule la 250 de base reçoit une boîte de vitesses manuelle à 6 rapports, les autres accueillant l'automatique à 6 rapports (8 pour la F) doublés de leviers de sélection au volant.

[COMPORTEMENT] La boîte de vitesses met quelques millisecondes à sortir de sa torpeur, puis le V6 grogne comme un lutteur qui veut effrayer son adversaire. Heureusement, il ne fait pas que des grimaces car nous voilà en train de foncer dans la voie de gauche comme si nous avions le feu au

FORCES • Une allure qui mêle habilement sportivité et élégance • Une palette de puissance et d'options qui comblera plusieurs budgets • Consommation sous contrôle

FAIBLESSES • Capacité de chargement ridicule dans le coffre du cabriolet • Soutien lombaire plus ou moins efficace

[CONCLUSION] Voilà une automobile polyvalente pour séduire une clientèle variée. Que vous soyez amateur de balades ensoleillées, de berline se prenant pour un coupé ou d'une féroce japonaise.

pare-chocs ! La réaction se fait beaucoup moins attendre avec la cavalerie de la F. Le toit disparu, on réalise que l'intégrité structurale de la voiture vient d'être compromise. L'IS ne menace pas de se disloquer au premier nid-de-poule, mais, sans toit pour raffermir le squelette, celui-ci se tord sur nos routes massacrées, particulièrement dans les virages. Une chance, la direction distille une précision adéquate, en tout cas suffisante pour corriger les écarts de conduite. Les pneus taille basse ont tendance à hoqueter lors des braquages lents. Dans une 350 C, j'ai glissé une petite mallette et une petite valise dans le coffre que j'avais deviné petit, la tare habituelle des cabrios, puis j'ai actionné l'interrupteur du toit. Rien. J'inspecte le coffre. Il y a un store qui doit délimiter l'espace réservé aux panneaux du toit. Je le tire par-dessus les bagages et l'insère dans des crochets. Toujours rien. Nouvel examen du coffre. Le store a comme des pattes qui s'enclenchent dans le plancher. Cette fois, bingo ! À moi les volatiles rieurs ! Y'a juste un léger problème : ma petite valise et ma petite mallette sont maintenant sur le chemin ! Le fameux store anéantit à peu près tout espace de chargement fonctionnel. Mes bagages voyageront sur la banquette. L'installation correcte du store est tellement critique qu'elle ne supporte même pas la présence d'un contenant de lave-glace pourtant rangé dans le coin prévu à cet effet. Bref, vous aurez compris que le plaisir de voyager cheveux au vent à bord d'une IS a un prix, celui de voyager très léger. Et durant une séance de magasinage, vous devrez déposer vos paquets sur les sièges, ce qui vous obligera à refermer le toit au prochain arrêt, à moins de vouloir gâter les voleurs.

2ᵉ OPINION

ALEXANDRE CRÉPAULT Sur une échelle de 1 à 10, où 1 représente le confort et 10 les performances, l'IS se situe probablement entre 4 et 5. Elle est simplement trop sage. Elle isole trop le pilote de la route. On n'entend pas le moteur gronder. La direction ne transmet pas assez d'informations. Pourtant, elle a du cœur au ventre, surtout avec le V6 de la 350. À la fin de la journée, par contre, on sort de l'expérience comme d'un show d'Enya et vraiment pas d'AC/DC. Je suppose qu'il n'y a rien de mal là-dedans, pourvu qu'on aime ce genre d'expérience. Ce qui m'amène à proposer d'autres modèles de voitures, peut-être encore moins sportives que l'IS, mais plus poussées côté confort. Si vous ne jurez que par l'IS, cependant, allez-y! Après tout, elle est fiable, confortable et jolie. De plus, elle conserve une valeur de revente incroyable.

5 FICHE TECHNIQUE

· MOTEURS

- **(250, 250 4RM, 250 C)**
V6 2,5 l DACT, 204 ch à 6400 tr/min
Couple 185 lb-pi à 4800 tr/min
Transmission manuelle à 6 rapports, automatique à 6 rapports avec mode manuel (en option, de série sur 250 4RM)
0-100 km/h 8,3 s
Vitesse maximale 225 km/h

- **(350, 350 C)**
V6 3,5 l DACT, 306 ch à 6400 tr/min
Couple 277 lb-pi à 4800 tr/min
Transmission automatique à 6 rapports avec mode manuel
0-100 km/h 5,8 s
Vitesse maximale 240 km/h
Consommation (100 km) 9,7 l
Émissions de CO_2 4554 kg/an
Litres par année 1980 l
Coût par an 2218 $
Empreinte écologique 27 arbres

- **(F)**
V8 5,0 l DACT, 416 ch à 6600 tr/min
Couple 371 lb-pi à 5200 tr/min
Transmission automatique à 8 rapports avec mode manuel
0-100 km/h 4,9 s
Vitesse maximale 250 km/h
Consommation (100 km) 11,2 l (octane 91)
Émissions de CO_2 5060 kg/an
Litres par année 2200 l
Coût par an 2464 $
Empreinte écologique 32 arbres

· AUTRES COMPOSANTES
Sécurité active freins ABS, répartition électronique de force de freinage, assistance au freinage, antipatinage, contrôle de stabilité électronique
Suspension avant/arrière indépendante
Freins avant/arrière disques
Direction à crémaillère, assistée
Pneus 250 P205/55R16; **250 4RM** P225/45R17; **option 250, 350** P225/45R17 (av.), P245/45R17 (arr.); **option 350, 250 C, 350 C** P225/40R18 (av.), P255/40R18 (arr.); **F** P225/40R19 (av), P255/35R19 (ar.)

· DIMENSIONS
Empattement 2730 mm
Longueur 4575 mm, **C** 4635 mm, **F** 4660 mm
Largeur 1800 mm, **F** 1815mm
Hauteur 250, 350 1425 mm, **250 4RM** 1440 mm, **C, F** 1415mm
Poids 250 1567 kg, **250 4RM** 1656 kg, **350** 1600 kg, **250 C** 1742 kg, **350 C** 1760 kg, **F** 1715 kg
Diamètre de braquage 250, 350, F 10,2 m; **250 C, 350 C** 10,9 m
Coffre 378 l, **C** 308 l
Réservoir de carburant 65 l, **F** 64 l

NOS MENTIONS
☺ Modèle recommandé

NOTRE VERDICT

Plaisir au volant	●●●●●
Qualité de finition	●●●●○
Consommation	●●●○○
Rapport qualité/prix	●●●○○
Valeur de revente	●●●●●

LS 460/600h

www.lexus.ca

N ÉVOLUTION É
J

82 900 $ à 119 950 $
transport et préparation: 1895 $

LA COTE VERTE

MOTEUR
V8 DE 5,0 L HYBRIDE

- **Consommation**
  (100 km) 9,9 l
- **Émissions**
  polluantes CO$_2$
  4554 kg/an
- **Empreinte écologique**
  (nombre d'arbres à
  planter par année): 29
- **Indice d'octane** 91
- **Autre motorisation**
  non
- **Nombre de**
  litres par année
  1980 l
- **Coût du carburant**
  moyen par année:
  2218 $

(SOURCE: ÉnerGuide)

 ① FICHE D'IDENTITÉ

- **Versions** 460, 460 4RM,
  460 L, 460 L 4RM, 600h L
- **Roues motrices** arrière, 4RM
- **Portières** 4 **Nombre de passagers** 5
- **Première génération** 1990
- **Génération actuelle** 2007
- **Construction** Tahara, Japon
- **Sacs gonflables** 10 (frontaux, latéraux avant et
  arrière, rideaux latéraux)
- **Concurrence** Audi A8, BMW Série 7,
  Mercedes-Benz Classe S

② AU QUOTIDIEN

- **Prime d'assurance**
  25 ans: 3300 à 3500 $
  40 ans: 2000 à 2200 $
  60 ans: 1800 à 2000 $
- **Collision frontale** nd
- **Collision latérale** nd
- **Ventes du modèle de l'an dernier**
  Au Québec 42 **Au Canada** 256
- **Dépréciation** 43,9%
- **Rappels** (2005 à 2010) 2
- **Cote de fiabilité** 4,5/5

 ③ GARANTIES... ET PLUS

- **Garantie générale** 4 ans/80 000 km
- **Garantie motopropulseur** 6 ans/110 000 km
- **Perforation** 6 ans/kilométrage illimité
- **Assistance routière** 4 ans/kilométrage illimité
- **Nombre de concessionnaires**
  Au Québec 7 **Au Canada** 34

 ④ NOUVEAUTÉS EN 2011

- Nouvelles couleurs extérieures (hybride)

LA DIVINE AUTO

PAR MICHEL CRÉPAULT

MÊME SI CE GENRE D'AUTOMOBILE, A CE GENRE DE PRIX, NE SE VEND PAS TOUS LES JOURS, LA LS 460 DE 4E GÉNÉRATION ET SA COUSINE 600h L S'IMPOSENT PAR LEUR QUALI-TÉ QUI SUINTE DE PARTOUT.

[CARROSSERIE] Si la silhouette prête flanc à la critique, ce serait d'être trop sage (particulièrement le nez qui a l'effervescence d'un ver de terre), mais d'autres diront que la sagesse amène l'humilité, et que l'aisance se passe de néons. Difficile, par contre, de ne pas remarquer l'éclat de la coque : à l'usine de Tahara, un takumi (maître artisan) polit l'auto à la main entre chaque couche de peinture. On peut choisir une 460 à l'empattement allongé (un « L » dans le patronyme) et à transmission intégrale, deux caractéristiques inhérentes au modèle 600h L, qui ajoute, en prime, la motorisation essence-électricité.

[HABITACLE] Les beaux détails convergent vers la perfection. Le tableau de bord d'une Lexus n'affiche pas le design novateur de Milan, mais il s'en dégage néanmoins une exquise élégance.

L'harmonie des bois laqués et des cuirs soyeux nous insère dans un univers duveteux mais aussi ingénieux. Le volant chauffant mi-cuir, mi bois, l'espace quasi indécent à l'arrière dans la version étirée, la glacière, le La-Z-Boy avec massage shiatsu intégré (le truc : huit coussins animés par un compresseur logé dans le coffre), bref, pourquoi s'embarrasser d'un condo quand on possède une LS ?

[MÉCANIQUE] À partir de septembre 2008, Lexus a commencé à offrir la transmission intégrale sur ses 460, imitant en cela la 600h L qui en a été pourvue dès sa naissance. Un différentiel central Torsen se charge de répartir le couple entre les essieux. Si le ratio est d'ordinaire de 60 : 40 en faveur des roues arrière, il peut varier jusqu'à 30 : 70 si les conditions routières l'exigent. Le V8 de 5 litres développe 438 chevaux quand il alimente le système AWD et il est couplé à une boîte à variation continue sophistiquée. La LS 460 atmosphérique, comme son nom le suggère, se contente d'une cylindrée de 4,6 litres, bonne pour 380 chevaux, et utilise

FORCES · L'art d'être zen en mouvement · Élégance raffinée, puissance dormante · Hybride dans la bonne direction...

FAIBLESSES · ... mais qui donne surtout bonne conscience · La-Z-boy à l'arrière qui embête le passager devant

une boîte de vitesses classique à 8 rapports, une première mondiale à l'époque. Les LS sont bardées d'aides électroniques aux acronymes mystérieux (VGRS, AVS, VDIM). Il faudrait la moitié de ce livre pour en dévoiler tous les secrets, mais entendons-nous sur le principal : il faut être idiot pour expédier une LS dans le décor tellement la voiture s'occupe de tout, y compris le stationnement en parallèle. Si le pire se produisait malgré tout, l'auto recèle 10 coussins gonflables !

[COMPORTEMENT] On dit souvent des produits Toyota qu'ils sont aussi excitants qu'un match de boulingrin. Imaginez mon préjugé à l'égard d'une limo comme la LS : j'allais me ramasser avec un lit à baldaquin sur roues ! Pas du tout ! Oui, la tenue de route est onctueuse et apaisante (les mécanos de Lexus écoutent le moteur avec un stéthoscope avant d'y apposer leur sceau), mais on appréciera aussi la docilité alerte de la direction et les réflexes de la suspension pneumatique. Le véhicule a beau annihiler les imperfections de la chaussée, le conducteur ne se sent pas mis au rancart pour autant. Ce n'est pas pour rien qu'il participe au pilotage dès les premières secondes en étant invité à enfoncer le bouton-poussoir qui réveille le gracieux mastodonte. La puissance constamment disponible sous son pied et la surprenante agilité du paquebot convaincront plusieurs propriétaires de souvent donner congé à Firmin.

[CONCLUSION] Les rivales immédiates sont trois allemandes (A8, Série 7, Classe S). Ajoutez-y la LS et vous obtenez un carré d'as. La BMW continue

d'être la plus sportive du quatuor, mais suivie de près par la Audi et la Lexus. Vos goûts personnels trancheront mais si vous ne deviez considérer qu'un seul aspect rationnel, souvenez-vous du haut taux de satisfaction des propriétaires de Lexus et du service après-vente hyper léché.

2ᵉ OPINION

DANIEL RUFIANGE La LS 460, c'est la référence Lexus en matière de luxe. Celle qui doit soutirer des ventes aux Audi A8, Mercedes-Benz Classe S et BMW de Série 7 est bourrée de qualités susceptibles de l'aider à accomplir sa mission, mais il lui manque une carte maîtresse; du caractère. Pourtant, dans le segment, elle est la seule à offrir une version hybride et une fiabilité qui permet aux propriétaires de dormir sur leurs deux oreilles. Sur la route, c'est une Lexus. Cela signifie qu'on a droit à une douceur de roulement exceptionnelle, à un degré de confort impressionnant, mais aussi à un effet chloroformant. Il ne manque que deux choses à la LS pour qu'elle puisse vraiment représenter une menace pour les allemandes. Un design agressif et du chien sur la route.

⑤ FICHE TECHNIQUE

·MOTEURS

·(460, 460L)

V8 4,6 l DACT, 380 ch à 6400 tr/min
(4RM 357 ch à 6400 tr/min)
Couple 367 lb-pi à 4100 tr/min
(4RM 344 lb-pi à 4100 tr/min)

Transmission automatique à 8 rapports avec mode manuel

0-100 km/h 5,7 s

Vitesse maximale 210 km/h (limitée)

Consommation (100km): 2RM 10,6 l **4RM** 11,1 l

Émissions polluantes CO_2 :
2RM 4968 kg/an **4RM** 5198 kg/an

Empreinte écologique (nombre d'arbres à planter par année): 31

Indice d'octane: 91

Carburant alternatif: non

Coût du carburant moyen par année:
2RM 2419 $ **4RM** 2531 $

Nombre de litres par année:
2RM 2160 l **4RM** 2260 l

· (600h L)

V8 5,0 l DACT, 389 ch à 6400 tr/min + 2 moteurs électriques (438 ch avec moteurs électriques)
Couple 385 lb-pi à 4000 tr/min

Transmission automatique à variation continue

0-100 km/h 6,3 s

Vitesse maximale 210 km/h (limitée)

· AUTRES COMPOSANTES

Sécurité active freins ABS, répartition électronique de force de freinage, assistance au freinage, antipatinage, contrôle de stabilité électronique

Suspension avant/arrière indépendante

Freins avant/arrière disques ventilés

Direction à crémaillère, assistée

Pneus P235/50R18 (option hybride), option/hybride P245/45R19

· DIMENSIONS

Empattement 2970 mm **L/Hybride** 3090 mm

Longueur 5030 mm **L** 5150 mm

Largeur 1875 mm

Hauteur 1475 mm **hybride** 1480 mm

Poids 460 1925 kg **460 4RM** 2105 kg

460 L 4RM 2150 kg **hybride** 2290 kg

Diamètre de braquage 10,8 m **L** 11,0 m

Coffre 510 l **hybride** 330 l

Réservoir de carburant 84 l

NOS MENTIONS

☺ Modèle recommandé

NOTRE VERDICT

Plaisir au volant	⬡⬡⬡⬡⬡
Qualité de finition	⬡⬡⬡⬡⬡
Consommation	⬡⬡⬡⬡⬡
Rapport qualité/prix	⬡⬡⬡⬡⬡
Valeur de revente	⬡⬡⬡⬡⬡

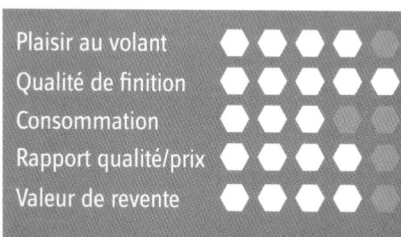

LEXUS

LX 570

www.lexus.ca

N — ÉVOLUTION — É

J

91 645 $
transport et préparation: 1895 $

394

LA COTE VERTE

MOTEUR
V8 de 5,7 L

- **Consommation (100km):** 14,2 l
- **Émissions polluantes CO$_2$:** 6670 kg/an
- **Empreinte écologique (nombre d'arbres à planter par année):** 42
- **Indice d'octane:** 91
- **Autre motorisation:** non
- **Coût du carburant moyen par année:** 3248 $
- **Nombre de litres par année:** 2900 l

(SOURCE: ÉnerGuide)

---

① FICHE D'IDENTITÉ

- **Version** unique
- **Roues motrices** 4
- **Portières** 4 **Nombre de passagers** 8
- **Première génération** 1996
- **Génération actuelle** 2008
- **Construction** Araco, Japon
- **Sacs gonflables** 10 (frontaux, genoux, latéraux avant et arrière, rideaux latéraux)
- **Concurrence** Cadillac Escalade, Infiniti QX56, Land Rover Range Rover, Lincoln Navigator, Mercedes-Benz Classe G

② AU QUOTIDIEN

- **Prime d'assurance**
  25 ans: 3000 à 3200 $
  40 ans: 1700 à 1900 $
  60 ans: 1600 à 1800 $
- **Collision frontale** 5/5
- **Collision latérale** 5/5
- **Ventes du modèle de l'an dernier**
  Au Québec 41 **Au Canada** 255
- **Dépréciation** 52,7 %
- **Rappels (2005 à 2010)** aucun à ce jour
- **Cote de fiabilité** 5/5

③ GARANTIES... ET PLUS

- **Garantie générale** 4 ans/80 000 km
- **Garantie motopropulseur** 6 ans/110 000 km
- **Perforation** 6 ans/kilométrage illimité
- **Assistance routière** 4 ans/kilométrage illimité
- **Nombre de concessionnaires**
  Au Québec 7 **Au Canada** 34

④ NOUVEAUTÉS EN 2011

- Nouvelles couleurs extérieures et intérieures
- Volant chauffant de série.

LE SUMO DE LEXUS

PAR VINCENT AUBÉ

L'ESPÈCE EST EN DÉCLIN ET, POURTANT, QUELQUES CONSTRUCTEURS PERSISTENT À OFFRIR UN VUS ÉLÉPHANTESQUE DE LUXE pour quelques consommateurs qui ne jurent que par ces mastodontes de la route. C'est le cas de Lexus qui, depuis le lancement du nouveau LX 570 en 2008, écoule au compte-gouttes ce Toyota Land Cruiser qu'elle a retravaillé pour notre marché. Sous cette carrosserie élégante se cache un véritable camion robuste, capable de jouer dans la boue même si, dans les faits, très peu de conducteurs osent prendre le risque de se rendre dans le fin fond de la forêt et d'endommager une tôle de leur VUS dont le prix avoisine les 90 000 $.

[CARROSSERIE] Sur le plan du design extérieur, le LX ne révolutionne rien. Toutefois, ses lignes classiques vieilliront très bien au fil des ans, un élément à considérer. D'ailleurs, hormis quelques détails chromés, le LX se fait assez discret dans la circulation urbaine. La partie avant est plutôt bien réussie avec ses phares trapézoïdaux et la calandre chromée, tandis

que le hayon vertical en deux parties à l'arrière est plus simple, malgré la présence de feux à diodes électroluminescentes. Enfin, les jantes de 20 pouces peuvent adopter une finition différente si vous cochez l'ensemble Ultra Premium.

[HABITACLE] Étant au sommet de la gamme des VUS de Lexus, le LX est plutôt bien nanti en termes de volume intérieur et d'espaces de rangement. Plutôt normal, me direz-vous, dans un véhicule à huit places. Les occupants des places avant sont en première classe, tout comme ceux de la deuxième rangée. Par contre, la troisième banquette, qui peut aussi accueillir trois passagers, est moins confortable, mais peut tout de même dépanner quand il y a beaucoup de monde à trimbaler. Le tableau de bord, quant à lui, n'a pas été dessiné pour remporter un prix de design, mais bien pour simplifier la vie des occupants. Les boutons sont gros et bien placés sur la planche de bord. Le système de navigation livré de série est, lui aussi, simple à utiliser, tandis que les caméras de recul sont un

---

FORCES · Finition impeccable · Habitacle logeable · Confortable pour un VUS

FAIBLESSES · Consommation de carburant · Prix encore trop élevé · Un seul ensemble d'options

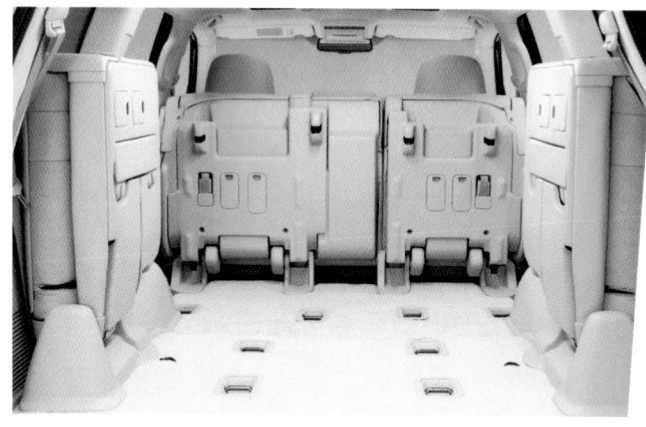

incontournable sur un engin de cette taille. En terminant, les matériaux utilisés sont de très belle facture, et l'assemblage est sans faille.

[MÉCANIQUE] Sous le capot du LX, le même V8 de 5,7 litres revient inchangé en 2011, ce dernier développant toujours 383 chevaux et produisant un couple de 403 livres-pieds. Il est accouplé à une boîte de vitesses automatique à 6 rapports, la seule offerte, qui s'occupe de changer les rapports sans heurt. Évidemment, un VUS de cette trempe retient les services d'une transmission intégrale permanente avec tous les dispositifs nécessaires (contrôle de la stabilité, assistance en pente et en descente, antipatinage à l'accélération et marche lente) pour se sortir du pétrin, le cas échéant. De plus, la suspension peut élever le véhicule si besoin est. Le LX 570 n'est pas seulement bon pour transporter beaucoup de gens à la fois, il peut aussi devenir votre véhicule de choix pour remorquer le bateau ou la roulotte de camping. La capacité de remorquage demeure à 3856 kilos pour 2011.

[COMPORTEMENT] Inutile de le répéter, le LX n'a pas peur des terrains accidentés. Malgré ce caractère robuste, il se révèle un véhicule très confortable sur la route. Le poids titanesque du plus gros des Lexus est rapidement oublié quand le pied droit enfonce l'accélérateur. Le V8 ne bronche même pas. Il ne faut toutefois pas croire que le Lexus est un concurrent direct des VUS sport de ce monde. La direction est légère, et la tenue de route est exemplaire, à con-

dition de respecter les lois de la physique.

[CONCLUSION] Le LX 570 est carrément à l'opposé de la berline HS 250h. Malgré des ventes timides, le VUS extra grand de Lexus continue de trouver preneur, signe qu'il y a encore des consommateurs prêts à débourser une telle somme pour un véhicule qui consomme souvent au-delà de 17 litres aux 100 kilomètres.

2ᵉ OPINION

BENOIT CHARETTE Le LX 570, c'est tout le savoir-faire de Lexus incorporé dans un utilitaire. La suspension adaptative contrôle la hauteur, le roulis et les mouvements de caisse. Limousine surélevée à 8 places, ce Lexus est aussi un parfait franchisseur, avec le *Crawl Control*, qui stabilise la vitesse du véhicule lorsque celui-ci circule hors des sentiers battus. Comme tous les véhicules haut de gamme, il se pare d'une panoplie impressionnante d'équipements *high-tech*, comme une dizaine de coussins gonflables, un système audio Mark Levinson avec disque dur pouvant stoker quelques 2000 chansons et des caméras dans tous les sens pour être sûr de ne rien heurter lors des manoeuvres. Je ne connais personne à ce jour qui a osé se lancer hors-route avec un utilitaire de 90 000$. Mais il sera difficile de trouver mieux pour flatter votre égo.

⑤ FICHE TECHNIQUE

· MOTEUR

V8 5,7 l DACT, 383 ch à 5600 tr/min	
Couple 403 lb-pi à 3600 tr/min	
Transmission automatique à 6 rapports avec mode manuel	
0-100 km/h 8,7 s	
Vitesse maximale 180 km/h	

· AUTRE COMPOSANTES

Sécurité active freins ABS, répartition électronique de force de freinage, assistance au freinage, antipatinage, contrôle de stabilité électronique

Suspension avant/arrière indépendante, essieu rigide

Freins avant/arrière disques ventilés

Direction à crémaillère assistée

Pneus P285/50R20

· DIMENSIONS

Empattement 2850 mm	
Longueur 4990 mm	
Largeur 1970 mm	
Hauteur 1920 mm	
Poids 2660 kg	
Diamètre de braquage 12,8 m	
Coffre 430 l, 2560 l (sièges abaissés)	
Réservoir de carburant 93 l	
Capacité de remorquage 3856 kg	

NOTRE VERDICT

Plaisir au volant	●●●●○
Qualité de finition	●●●●●
Consommation	●○○○○
Rapport qualité/prix	●●●○○
Valeur de revente	●●○○○

RX

www.lexus.ca

48 795 $ à 61 395 $
transport et préparation: 1895 $

MOTEUR
V6 DE 3,5 L HYBRIDE
- **Consommation (100km):** 6,9 l
- **Émissions polluantes** CO_2 : 3128 kg/an
- **Empreinte écologique (nombre d'arbres à planter par année):** 24
- **Indice d'octane:** 91
- **Autre motorisation:** Essence
- **Coût du carburant moyen par année:** 1523 $
- **Nombre de litres par année:** 1360 l

(SOURCE: ÉnerGuide)

1 FICHE D'IDENTITÉ

- **Version** 350, 450h
- **Roues motrices** 4
- **Portières** 5 **Nombre de passagers** 5
- **Première génération** 1998
- **Génération actuelle** 2010
- **Construction** Cambridge, Ontario, Canada
- **Sacs gonflables** 10 (frontaux, latéraux avant, rideaux latéraux, avant/arrière au niveau des genoux)
- **Concurrence** Acura MDX, Audi Q7, BMW X5, Cadillac SRX, Infiniti FX, Land Rover LR4, Mercedes-Benz Classe M, Porsche Cayenne, Volkswagen Touareg, Volvo XC90

2 AU QUOTIDIEN

- **Prime d'assurance**
  25 ans: 4100 à 4300 $
  40 ans: 2800 à 3000 $
  60 ans: 2400 à 2600 $
- **Collision frontale** 5/5
- **Collision latérale** 5/5
- **Ventes du modèle de l'an dernier**
  Au Québec 1488 **Au Canada** 8828
- **Dépréciation** 42,2%
- **Rappels** (2005 à 2010) aucun
- **Cote de fiabilité** 5/5

3 GARANTIES... ET PLUS

- **Garantie générale** 4 ans/80 000 km
- **Garantie motopropulseur** 6 ans/110 000 km
- **Perforation** 6 ans/kilométrage illimité
- **Assistance routière** 4 ans/kilométrage illimité
- **Nombre de concessionnaires**
  Au Québec 7 **Au Canada** 34

4 NOUVEAUTÉS EN 2011

- Nouveau groupe d'options

L'ÉCOLO DU PLATEAU

PAR DANIEL RUFIANGE

LE LEXUS RX EST UN PIONNIER DE LA PREMIÈRE HEURE. VOILÀ DÉJÀ 12 ANS QUE CET UTILITAIRE BCBG A FAIT SA PLACE AU SOLEIL, ET LA TROISIÈME GÉNÉRATION, QUI A VU LE JOUR L'AN DERNIER, EST DE LOIN LA PLUS INTÉRESSANTE. Normal, direz-vous. Pas si vite ! Parfois, les générations plus récentes viennent gâcher la sauce. Dans le cas du RX, c'est que la dernière cuvée amène le véhicule à maturité. À preuve, les ventes du RX sont passées de 895 à 1488 exemplaires au Québec seulement, une hausse de 66 %. La hausse est similaire chez nos voisins canadiens où les ventes ont bondi : de 6221 à 8828 exemplaires, pour une hausse de 42 %.

[CARROSSERIE] Longtemps considéré comme l'utilitaire des femmes, le RX a été revu l'an dernier. On s'est bien assuré de conserver ses lignes plus féminines, mais on s'est aussi garanti de donner à ses lignes un peu de musculature. Comme homme, ce n'est pas suffisant pour titiller mes hormones, mais j'ai moins l'impression de rouler dans un véhicule conçu pour les femmes quand je prends le volant du RX. Ce dernier est toujours offert en version à moteur à essence uniquement, RX 350, et en version hybride, RX 450h. Il revient pratiquement inchangé cette année, mis à part l'ajout d'un nouvel ensemble d'options. En tout, il est possible de configurer 11 versions différentes du RX.

[HABITACLE] L'intérieur du RX a aussi reçu un sérieux coup de crayon. L'environnement des années 2000 a fait place à l'environnement des années 2010. À preuve, il faut maintenant manipuler une souris pour utiliser les fonctions de l'ordinateur de bord. L'écran tactile, merveille de la dernière décennie, n'est déjà plus à la mode. On perçoit aussi dans ce changement technologique le désir de rajeunir une clientèle qui avait l'habitude de magasiner chez Buick ou, pire encore, chez Oldsmobile. Les lignes de la planche de bord, toutes anguleuses, font plus jeunes. Nul doute que madame aimera. En outre, le reste de l'habitacle est très spacieux, et le confort est excellent tant à l'avant qu'à l'arrière. L'insonorité est toujours excellente, et la

FORCES · Comportement routier amélioré · Degré de luxe · Qualité de finition et fiabilité · Version hybride

FAIBLESSES · Peu excitant à conduire · Lignes qui traverseront mal le temps · Prix une fois équipé · Visibilité vers l'arrière

visibilité, toujours un problème quand vient le temps de vérifier ses angles morts.

[MÉCANIQUE] Deux versions, deux moteurs, deux philosophies diamétralement opposées. Ceux qui ont la fibre écolo développée opteront pour la version hybride et son moteur V6 de 3,5 litres auquel sont adjoints deux moteurs électriques et des dispositifs de récupération de chaleur et d'énergie, notamment, visant a améliorer la consommation de carburant. Si l'idée de vous balader au volant d'un modèle hybride n'éveille aucune émotion en vous, vous pouvez vous rabattre sur la version 350, elle aussi mue par le moteur V6 de 3,5 litres. En termes de puissance, on notera le surplus d'énergie généré par la version hybride qui propose 20 chevaux de plus, 295 contre 275. Cependant, son couple étant inférieur, les performances des deux versions sont comparables.

[COMPORTEMENT] Le comportement routier de l'ancienne version du RX était franchement décevant. Outre une excellente douceur de roulement, tout le reste avait de quoi nous faire maudire l'univers des utilitaires tout entier; roulis prononcé, tangage, freinage plongeant, tenue de route très moyenne, etc. À ce chapitre, ce RX de 3e génération montre beaucoup plus d'aplomb, et ce, dans toutes les situationsde conduite. Désormais, on peut prendre les virages avec aplomb et changer de voie rapidement sans avoir l'impression qu'on va se retrouver sur le toit. Mais il ne faudrait pas prendre le RX pour ce qu'il n'est pas. Par exemple, l'option ensemble sport, qui permet de profiter d'une direction plus sportive et d'amortisseurs plus rigides à l'arrière, me semble une excellente façon de jeter son argent par les fenêtres.

[CONCLUSION]

Les ventes du RX prouvent que la refonte de l'an dernier a porté ses fruits. Le RX n'est cependant pas pour tout le monde. Il faut aimer la quiétude, les balades sans histoire et le luxe; il faut également parcourir le manuel du propriétaire pour comprendre comment fonctionne désormais les véhicules d'aujourd'hui.

2ᵉ OPINION

FRÉDÉRIC MASSE Ah, le RX ! J'aime ce camion qui amène quelque chose de différent dans cette catégorie : un comportement doux, raffiné et, à la limite, déconnecté. Et, vous savez quoi ? C'est exactement ce que veulent ses acheteurs. Quand on achète un RX, c'est simple, on cherche du beau, certes, du luxe, certain, de la fiabilité, indispensable, mais encore plus, une tranquillité d'esprit. On sait que, dans un RX, on pourra chantonner en écoutant de la musique sur la chaîne audio Mark Levinson en profitant d'une insonorisation magistrale. On sait qu'on peut respecter l'environnement en se tournant vers une version hybride. On sait même qu'on ne restera jamais (il y a tout de même des exceptions qui confirment la règle) en plan sur le bord de la chaussée avec un problème mécanique. On sait également que le concessionnaire nous traitera aux petits oignons, comme une vedette ou un client VIP. Et avouez-le, si, en ce moment, sous considérez l'achat d'un RX, c'est bien pour toutes ces raisons.

⑤ FICHE TECHNIQUE

· MOTEURS

· (RX 350)
V6 3,5 l DACT 275 ch à 6200 tr/min
Couple 257 lb-pi à 4700 tr/min
Transmission automatique à 6 rapports avec mode manuel
0-100 km/h 7,8 s
Vitesse maximale 200 km/h
Consommation (100 km) 10,1 l (octane 91)
Émissions de CO$_2$ 4646 kg/an
Litres par année 2020 l **Coût par an** 2262 $
Autre motorisation non
Empreinte écologique 32 arbres

· (RX 450h)
V6 3,5 l DACT + 2 moteurs électriques, 245 ch à 6000 tr/min (295 ch avec moteurs électrique)
Couple 234 lb-pi à 4800 tr/min
Transmission automatique à variation continue avec mode manuel
0-100 km/h 7,8 s
Vitesse maximale 200 km/h

· AUTRES COMPOSANTES
Sécurité active freins ABS, répartition électronique de force de freinage, assistance au freinage, antipatinage, contrôle de stabilité électronique
Suspension avant/arrière indépendante
Freins avant/arrière disques
Direction à crémaillère, assistée
Pneus P235/60R18, **option** P235/55R19

· DIMENSIONS
Empattement 2740 mm
Longueur 4770 mm
Largeur 1885 mm
Hauteur 1720 mm
Poids RX350 1970 kg, **RX450h** 2110 kg
Diamètre de braquage
RX350 11,8 m **RX450h** 11,4 m
Coffre 1132 l, 2273 l (sièges abaissés)
Réservoir de carburant RX350 72,5 l
RX450h 65 l
Capacité de remorquage 1587 kg

NOTRE VERDICT

Plaisir au volant	●●●●◖
Qualité de finition	●●●●◖
Consommation	⬡⬡⬡⬡⬡
Rapport qualité/prix	●●●◐○
Valeur de revente	●●●●○

MKS

www.ford.ca

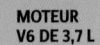

JUMEAU

44 614 $ à **49 654 $**
transport et préparation: 1450 $

LINCOL

LA COTE VERTE

MOTEUR
V6 DE 3,7 L

- **Consommation
  (100km):**
  2RM 10,5 l
  4RM 10,8 l
- **Émissions
  polluantes CO_2:**
  2RM 4922 kg/an
  4RM 5060 kg/an
- **Empreinte
  écologique (nombre
  d'arbres à planter
  par année):** 32
- **Indice d'octane:** 87
- **Autre motorisation:**
  non
- **Coût du carburant
  moyen par année:**
  2RM 2140 $
  4RM 2200 $
- **Nombre de litres
  par année:**
  2RM 2140 l
  4RM 2200 l

(SOURCE: ÉnerGuide)

① FICHE D'IDENTITÉ

- **Versions** 2RM, 4RM, Ecoboost 4RM
- **Roues motrices** avant**,** 4
- **Portières** 4 **Nombre de passagers** 5
- **Première génération** 2009
- **Génération actuelle** 2009
- **Construction** Wayne, Michigan, É.-U.
- **Sacs gonflables** 6
  (frontaux, latéraux avant, rideaux latéraux)
- **Concurrence** Acura TL, Audi A4, BMW Série 3,
  Cadillac CTS, Infiniti G37, Jaguar XF, Lexus IS/ES,
  Mercedes-Benz Classe C,
  Volvo S60

② AU QUOTIDIEN

- **Prime d'assurance**
  25 ans: 2200 à 2400 $
  40 ans: 1300 à 1500 $
  60 ans: 1200 à 1400 $
- **Collision frontale** 5/5
- **Collision latérale** 5/5
- **Ventes du modèle de l'an dernier**
  Au Québec 152 Au Canada 1142
- **Dépréciation** (1 an) 25,7 %
- **Rappels** (2005 à 2010) aucun à ce jour
- **Cote de fiabilité** nm

③ GARANTIES... ET PLUS

- **Garantie générale** 4 ans/80 000 km
- **Garantie motopropulseur** 6 ans/110 000 km
- **Perforation** 5 ans/kilométrage illimité
- **Assistance routière** 6 ans/110 000 km
- **Nombre de concessionnaires**
  Au Québec 77 Au Canada 437

④ NOUVEAUTÉS EN 2011

- Nouvelles couleurs intérieures et extérieures

CURE DE JEUNESSE RÉUSSIE

PAR DANIEL RUFIANGE

LINCOLN EN A MIS DES EFFORTS AFIN DE RAJEUNIR SON IMAGE. FINI LE TEMPS OÙ L'ACHETEUR MOYEN D'UNE LINCOLN ÉTAIT INVARIABLEMENT UN RETRAITÉ. AUJOURD'HUI, HOMMES D'AFFAIRES ET BABY BOOMERS ENCORE ACTIFS SE PAVANENT FIÈREMENT AU VOLANT DES NOUVELLES LINCOLN, DONT LA MKS. Même les plus jeunes montrent leur approbation vis-à-vis le design des produits de la marque. Preuve irréfutable du succès de ce virage jeunesse, tous les modèles de la marque ont connu une hausse de leur vente au cours de la dernière année, même le Navigator!

[CARROSSERIE] Un virage jeunesse, ça passe par une nouvelle image. La MKS possède des lignes qui ne laissent pas indifférentes. Certes, la calandre avant fait jaser, ce que n'a jamais réussi à faire la calandre de l'ancien modèle Town Car. Lincoln ose maintenant, comme l'a fait Cadillac, qu'on aime ou qu'on n'aime pas. Il faut observer la MKS sur la route pour réaliser à quel point cette voiture est massive, comme l'est la Ford Taurus, véhicule avec lequel elle partage ses assises. Voilà

certes une déception; on souhaiterait que la MKS soit un produit unique, elle qui se décline en trois versions : traction avant, traction intégrale et traction intégrale avec moteur EcoBoost.

[HABITACLE] Le cockpit du MKS est résolument moderne. On peut seulement lui reprocher une trop grande ressemblance avec celui de la Ford Taurus, notamment en ce qui a trait à l'utilisation des boutons et des commandes. L'acheteur d'un MKS ne veut pas d'une Ford Taurus! Cependant, la confusion est moins risquée si on s'attarde au niveau de confort et de luxe proposé par la MKS. La chaîne audio sonne juste, le système Sync se laisse utiliser intuitivement et l'insonorité est remarquable. Quant à elle, la position de conduite est excellente et il est possible d'ajuster les sièges à souhait. Ces derniers se montrent très confortables, spécialement sur de très longues distances. À l'arrière, il est presque plus agréable de s'y retrouver tellement le dégagement est généreux. Il faut cependant critiquer la visibilité à bord. Premièrement, la visibilité arrière est abominable. Deuxièmement, la ceinture de caisse élevée,

FORCES • Douceur de roulement • Équipement très complet • Insonorisation qui n'a rien à envier à la concurrence • Qualité générale du produit

FAIBLESSES • Prix déroutant des options • Visibilité arrière et latérale déplorable • Accès au coffre très étroit • C'est une Ford Taurus endimanchée

combinée à la présence de piliers immenses, a pour effet de réduire la surface vitrée ce qui assombrit l'habitacle du MKS. Le choix de matériaux de couleur pâle aura pour effet d'atténuer cette impression.

[MÉCANIQUE] Depuis l'an dernier, la MKS profite du fameux moteur EcoBoost. Si on ne peut reprocher à ce moteur sa puissance et le fait qu'il propose une consommation presque raisonnable – surtout sur l'autoroute —, on peut reprocher aux penseurs de Ford le choix des véhicules désignés pour recevoir ce moteur. Dans le cas du MKS, la présence de ce moteur n'était pas nécessaire puisqu'il profitait déjà d'une motorisation efficace, soit un V6 de 3,7 litres, toujours offert dans les deux livrées de base. Sans compter qu'une version du MKS à moteur EcoBoost dépasse les 60 000 $ avec quelques options. À ce prix, les acheteurs se tournent du côté des voitures allemandes, plus intéressantes à tous points vue sur la route.

[COMPORTEMENT] Car c'est bien là que tout se joue pour le MKS. Il a beau être bien équipé et faire preuve d'ostentation, si son comportement routier n'est pas à la hauteur, les acheteurs le bouderont. Soyez rassurés; le MKS passe le test avec succès. Son comportement routier est feutré, sa tenue de route est solide et son confort, divin. Cependant, Lincoln n'offre pas le plaisir de conduire que proposent les voitures allemandes. Malgré tout, Lincoln peut désormais se comparer très avantageusement à ce que fournissent ses rivales japonaises, notamment Lexus.

[CONCLUSION] Oui, Lincoln l'a réussi, son virage jeunesse. Cependant, cette jeunesse vieillira rapidement et Lincoln devra conserver cette touche vivifiante qu'on retrouve dans ses produits pour poursuivre sur sa lancée. On pourrait même souhaiter, éventuellement, des produits propres à la marque et non des copies endimanchées de produits Ford. Personnellement, ça demeure mon principal irritant.

2ᵉ OPINION

BENOIT CHARETTE Pour 2011, Ford utilise la base de l'excellent moteur hybride de la Fusion pour en faire une version alternative chez Lincoln avec la MKS. Dotée d'un moteur essence 4 cylindres 2,5 l et d'un moteur électrique, délivrant une puissance totale de 191 ch., elle consomme en moyenne 5,74 l/100 km en ville et 6,53 l/100 km sur autoroute. Un deuxième hybride de luxe qui viendra faire la lutte au Lexus HS 250h et tout cela au prix d'une MKS régulière (ou presque). Pour ceux qui préfèrent encore les moteurs à essence, vous avez l'excellent engin EcoBoost qui livre une puissance souple et progressive dans un confort enviable. Bref, une voiture américaine à découvrir qui fera peut-être tomber certains préjugés sur les grandes berlines de nos voisins.

⑤ FICHE TECHNIQUE

- **MOTEURS**
- **(2RM, 4RM)**
V6 3,7 l DACT, 273 ch à 6250 tr/min
Couple 270 lb-pi à 4250 tr/min

Transmission automatique à 6 rapports avec mode manuel

0-100 km/h 8,8 s

Vitesse maximale 200 km/h

- **(Ecoboost 4RM)**
V6 3,5 l biturbo DACT, 355 ch à 5700 tr/min
Couple 350 lb-pi à 3500 tr/min

Transmission automatique à 6 rapports avec mode manuel

0-100 km/h 6,2 s

Vitesse maximale 240 km/h

Consommation (100km): 10,2 l (octane 87)

Émissions CO2 : 5198 kg/an

Empreinte écologique (nombre d'arbres à planter par année): 27

Carburant alternatif: non

Coût par an: 2080 $

Nombre de litres par année: 2080 l

- **AUTRES COMPOSANTES**
Sécurité active Freins ABS, assistance au freinage, antipatinage, contrôle électronique de la stabilité

Suspension avant/arrière Indépendante

Freins avant/arrière Disques

Direction À crémaillère, assistée

Pneus P255/45R19, option P245/45R20

- **DIMENSIONS**
Empattement 2868 mm

Longueur 5184 mm,

Largeur 2172 mm

Hauteur 1565 mm,

Poids 1872 kg, **4RM** 1940 kg.

Diamètre de braquage 12,1 m

Coffre 530 l

Réservoir de carburant 2RM 76 l, 4RM/Ecoboost 4RM 72 l

NOS MENTIONS

☺ Modèle recommandé

NOTRE VERDICT

Plaisir au volant	●●●●○
Qualité de finition	●●●○○
Consommation	●●●○○
Rapport qualité/prix	●●●●○
Valeur de revente	●●●●○

MKT

www.ford.ca

JUMEAU
N É
J

51 400 $ à 54 800 $
transport et préparation: 1450 $

LINCOLN

LA COTE VERTE

MOTEUR
V6 DE 3,7 L

- **Consommation**
(100km): 11,1 l
- **Émissions**
polluantes CO$_2$:
5198 kg/an
- **Empreinte écologique**
(nombre d'arbres à
planter par année): 33
- **Indice d'octane:** 87
- **Autre**
motorisation non
- **Coût du carburant**
moyen par année:
2260 $
- **Nombre de**
litres par année:
2260 l

(SOURCE: ÉnerGuide)

SANS COMPLEXE

PAR PHILIPPE LAGUË

LES VÉHICULES MULTISEGMENTS SE MULTI-PLIENT ET LES CONSTRUCTEURS SE TOUR-NENT ALORS VERS LE CLONAGE, SOLUTION FACILE ET PEU COÛTEUSE. C'EST CE QUE LINCOLN A FAIT AVEC SON MKT.

[CARROSSSERIE] Côté mécanique, le MKT est un Ford Flex, mais ne lui ressemble aucunement. À vrai dire, c'est tout sauf beau et, dans le genre « bling bling », c'est dur à battre. La partie avant, avec sa monstrueuse calandre, vient tout gâcher. Qu'on se le dise : Elvis n'est pas mort.

[HABITACLE] La qualité des matériaux et la rigueur de la finition n'ont rien à envier à ce qui se fait du côté des marques de luxe les plus renommées. Contrairement aux véhicules de luxe allemands, il n'y a rien de compliqué; les commandes sont simples et bien placées. À l'arrière, le dégagement fera le bonheur de joueurs de basketball, et la troisième rangée de sièges est d'accès facile. Le compartiment à bagages est immense.

[MÉCANIQUE] Le V6 de 3,5 litres EcoBoost est la meilleure alternative à un V8. La puissance est

disponible à tous les régimes, avec une réponse immédiate. Le couple est généreux, et la capacité de remorquage peut atteindre 2 041 kilos avec l'ensemble offert en option. Ce moteur suralimenté consomme raisonnablement : entre 10 et 11 l aux 100 km, en moyenne. C'est l'un des meilleurs moteurs de l'histoire de Ford. Un V6 atmosphérique de 3,7 litres est aussi au menu, et seule l'excellente boîte de vitesses automatique à 6 rapports est offerte.

[COMPORTEMENT] La première chose qui frappe, c'est la rigidité du châssis qui confère au MKT un aplomb qui se situe à des années-lumière des Lincoln flottantes d'autrefois. On peut même parler d'agrément de conduite, et la tenue de route n'est plus un concept abstrait. La direction a suivi, avec un dosage de l'assistance moins exacerbé et une plus grande précision.

[CONCLUSION] Le MKT n'a absolument rien à envier à ses concurrents aux écussons prestigieux, allemands ou japonais. Il illustre tout le chemin parcouru par Lincoln.

① FICHE D'IDENTITÉ

- **Versions** 4RM, 4RM EcoBoost
- **Roues motrices** 4
- **Portières** 5 **Nombre de passagers** 7
- **Première génération** 2010
- **Génération actuelle** 2010
- **Construction** Oakville, Ontario, Canada
- **Sacs gonflables** 6 (frontaux, latéraux avant, rideaux latéraux)
- **Concurrence** GMC Acadia, Acura MDX, Cadillac SRX, Infiniti FX, Subaru Tribeca, Lexus GX 460

② AU QUOTIDIEN

- **Prime d'assurance**
25 ans : 1800 à 2000 $
40 ans : 1100 à 1300 $
60 ans : 900 à 1100 $
- **Collision frontale** 5/5
- **Collision latérale** 5/5
- **Ventes du modèle de l'an dernier**
Au Québec 32 **Au Canada** 186
- **Dépréciation** nm
- **Rappels** (2005 à 2010) 1
- **Cote de fiabilité** 4/5

③ GARANTIES... ET PLUS

- **Garantie générale** 4 ans/80 000 km
- **Garantie motopropulseur** 6 ans/110 000 km
- **Perforation** 5 ans/kilométrage illimité
- **Assistance routière** 6 ans/110 000 km
- **Nombre de concessionnaires**
Au Québec 77 **Au Canada** 437

④ NOUVEAUTÉS EN 2011

- 3 nouvelles couleurs

FORCES · Finition impeccable · Habitacle spacieux et luxueux · V6 EcoBoost impressionnant · Réelles qualités routières

FAIBLESSES · Design controversé · Moteur de base un peu juste · Image de marque encore ringarde

INCOLN

JUMEAU

44 450 $
transport et préparation: 1450 $

MOTEUR
V6 DE 3,7 L

**Consommation
(100km):** 10,6 l

**Émissions
polluantes CO_2 :**
4784 kg/an

**Empreinte écologique
(nombre d'arbres à
planter par année):** 33

Indice d'octane: 87

**Autre
motorisation:** non

**Coût du carburant
moyen par année:**
2080 $

**Nombre de
litres par année:**
2080 l

(SOURCE: ÉnerGuide)

|401|

ROCK CHIC

PAR MICHEL CRÉPAULT

IL M'ARRIVE DE NE PAS SAVOIR SI J'AI AFFAIRE À UN UTILITAIRE OU À UN MULTISEGMENT. Ford a réglé la question ici puisque le « X » identifie d'emblée un multisegment. Nous voilà prévenus.

[CARROSSERIE] Hormis la calandre, on ne peut pas dire que la silhouette du MKX soit bouleversante, ni même captivante. Pour tout dire, ce véhicule est une version Lincoln du Ford Edge, et son traitement s'évertue à vous en donner pour les dollars supplémentaires consentis, mais sans verser dans l'excessif. À moins d'opter pour les jantes en aluminium poli de 20 pouces !

[HABITACLE] Bien sûr que l'intérieur est tape-à-l'œil, et que vous pouvez joyeusement pousser la note puisqu'il s'agit d'un Lincoln ! J'adore le volant mi-cuir mi-bois ! Vous retrouverez de série les sièges avant chauffants et climatisés; des options comme l'énorme toit vitré, les phares adaptatifs (ils pivotent dans les courbes) et les écrans à cristaux liquides dans les appuie-tête transforment la cabine en salon privé. Ne cherchez pas une 3e banquette, le volume de chargement na-

turel, déjà constipé, en aurait davantage souffert. Heureusement, les dossiers se couchent.

[MÉCANIQUE] Ce V6 de 3,7 litres de 305 chevaux, couplé à une boîte de vitesses automatique à 6 rapports. Contrairement aux États-Unis, ici, le MKX arrive de série avec la transmission intégrale.

[COMPORTEMENT] Si le silence est d'or, le proprio du MKX est riche. Les balades se déroulent à l'enseigne d'un confort pépère, auréolé des touches de luxe à la Lincoln. Dès que votre humeur le commande, la V6 répond intelligemment à l'appel.

[CONCLUSION] Enveloppé dans son élégant manteau, le MKX fend la circulation avec une dégaine assurée, mais personne ne se retourne sur son passage. À l'école, il serait deuxième de classe. Durant votre magasinage, vous serez donc tenté de faire connaissance avec le premier, tout comme il se peut que le simple fait de fréquenter la famille Lincoln soit pour vous des lettres de noblesse suffisantes.

① FICHE D'IDENTITÉ

- **Version** unique
- **Roues motrices** 4
- **Portières** 4 **Nombre de passagers** 5
- **Première génération** 2007
- **Génération actuelle** 2011
- **Construction** Oakville, Ontario, Canada
- **Sacs gonflables** 6 (frontaux, latéraux avant, rideaux latéraux)
- **Concurrence** Buick Enclave, Ford Edge et Flex, Mazda CX-7 et CX-9, Hyundai Veracruz, Nissan Murano, Subaru Tribeca, Toyota Highlander

② AU QUOTIDIEN

- **Prime d'assurance**
- **25 ans:** 2000 à 2200 $
- **40 ans:** 1000 à 1200 $
- **60 ans:** 900 à 1100 $
- **Collision frontale** 5/5
- **Collision latérale** 5/5
- **Ventes du modèle de l'an dernier**
  Au Québec 300 **Au Canada** 2471
- **Dépréciation** 48,1%
- **Rappels** (2005 à 2010) 2
- **Cote de fiabilité** 4/5

③ GARANTIES... ET PLUS

- **Garantie générale** 4 ans/80 000 km
- **Garantie motopropulseur** 6 ans/110 000 km
- **Perforation** 5 ans/kilométrage illimité
- **Assistance routière** 6 ans/110 000 km
- **Nombre de concessionnaires**
  Au Québec 77 **Au Canada** 437

④ NOUVEAUTÉS EN 2011

- Calandre redessinée, nouvelle motorisation plus puissante (V6 3,7 l), système MyLincoln Touch.

FORCES · Comportement routier sûr et courtois · Cabine où brille (littéralement) la signature Lincoln · Idée de clone défendable

FAIBLESSES · Il lui faudrait encore plus de oumph ! et de gadgets pour mieux se distinguer de l'Edge et des autres rivaux.

MKZ

www.ford.ca

LA COTE VERTE

MOTEUR
L4 DE 2,5 (HYBRIDE)

· **Consommation**
(100km) : 6,1 l
· **Émissions polluantes**
CO_2 :
2300 kg/an
· **Empreinte écologique**
(nombre d'arbres à
planter par année) : 18
· **Indice d'octane** : 87
· **Autre**
motorisation : Essence
· **Coût du carburant**
moyen par année :
1000 $
· **Nombre de**
litres par année :
1000 l

(SOURCE : Ford)

① FICHE D'IDENTITÉ

· **Version** 2RM, 4RM, hybride
· **Roues motrices** avant, 4
· **Portières** 4 **Nombre de passagers** 5
· **Première génération** 2006
· **Génération actuelle** 2010
· **Construction** Hermosillo, Mexique
· **Sacs gonflables** 6 (frontaux, latéraux
avant et arrière) hybride (+genoux)
· **Concurrence** Acura TL, Audi A4, BMW série 3,
Buick Lucerne, Cadillac CTS, Chrysler 300, Infiniti
G37, Lexus ES350, Mercedes-Benz classe C,
Nissan Maxima, Toyota Avalon, VW Passat CC

② AU QUOTIDIEN

· **Prime d'assurance**
25 ans : 2000 à 2200 $
40 ans : 1000 à 1200 $
60 ans : 800 à 1000 $
· **Collision frontale** 4/5
· **Collision latérale** 5/5
· **Ventes du modèle de l'an dernier**
Au Québec 229 **Au Canada** 1508
· **Dépréciation** (2 ans) 41,6%
· **Rappels** (2004 à 2009) aucun à ce jour
· **Cote de fiabilité** 4/5

③ GARANTIES... ET PLUS

· **Garantie générale** 4 ans/80 000 km
· **Garantie motopropulseur** 6 ans/110 000 km
· **Perforation** 5 ans/kilométrage illimité
· **Assistance routière** 6 ans/110 000 km
· **Nombre de concessionnaires**
Au Québec 77 **Au Canada** 437

④ NOUVEAUTÉS EN 2011

· Version hybride
· Nouvelles couleurs de peinture

UN PEU TROP GÉNÉRIQUE

PAR BENOIT CHARETTE

EN RENOUVELANT SA MKZ L'AN DERNIER, LINCOLN AURAIT EU LA CHANCE DE L'ÉLOIGNER UN PEU DE SA SŒUR, LA FORD FUSION. Ford a aussi retapé la Fusion. Pour 2011, Lincoln ajoute une version hybride à la MKZ qui devient une Fusion hybride de luxe. Pas très distinctif tout cela.

[CARROSSERIE] Dans cette catégorie de véhicules, la silhouette est importante, et la MKZ paraît bien. De la calandre en chute d'eau en passant par le style raffiné mais discret (certains diront un peu trop) de la partie arrière, elle dégage une note positive.

[HABITACLE] C'est à l'intérieur que la MKZ se détache vraiment de la Fusion. Du volant aux insérés de bois, en passant par le dessin du tableau de bord plus intime et luxueux, on sent le soin apporté aux détails. Tous les matériaux que les doigts peuvent toucher sont souples, et la console électroluminescente est du plus bel effet. Un bon mot pour le système SYNC et l'ensemble audio THX (en option) qui transporte vos oreilles de bonheur.

[MÉCANIQUE] La mécanique est celle qu'on retrouve dans plusieurs produits Ford, soit un V6 de 3,5 litres de 263 chevaux jumelé à une boîte de vitesses automatique à 6 rapports. Plus tard au cours de l'année, Lincoln ajoutera à son offre une version hybride empruntée directement à la Fusion qui utilisera un 4-cylindres de 2,5 litres avec boîte CVT. Lexus ne sera plus seule avec sa HS 250h.

[COMPORTEMENT] Sur la route, la MKZ est très saine. Son châssis résiste sans broncher à tous les assauts du conducteur. L'ensemble sport avec sa suspension plus ferme et ses pneus de 18 pouces repousse un peu plus loin les limites de l'adhérence. La conduite est franche, la direction, précise. Ce n'est pas une allemande, mais elle tire son épingle du jeu.

[CONCLUSION] Peu de choses à redire de la MKZ, si ce n'est son lien de filiation trop fort avec la Fusion. Les acheteurs ne voient pas pourquoi ils devraient débourser plus pour une voiture qui roule sur les mêmes bases qu'une Fusion.

FORCES · Confort · Finition · Tenue de route

FAIBLESSES · Trop proche de la Fusion · Lignes générales un peu anonymes

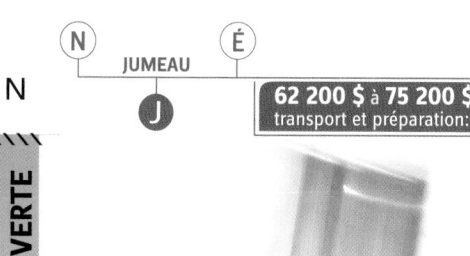

INCOLN

JUMEAU

62 200 $ à 75 200 $
transport et préparation: 1400 $

LA COTE VERTE

MOTEUR
V8 DE 5,4 L

- **Consommation (100km):** 14,6 l
- **Émissions polluantes CO$_2$:** 7104 kg/an
- **Empreinte écologique (nombre d'arbres à planter par année):** 42
- **Indice d'octane:** 87
- **Autre motorisation:** non
- **Coût du carburant moyen par année:** 2960 $
- **Nombre de litres par année:** 2960 l

SOURCE: ÉnerGuide)

YO !

PAR BENOIT CHARETTE

PLUS QUE TOUS LES HUMMERS DE LA PLANÈTE, j'ai toujours cru que le Navigator, plus particulièrement dans sa version L, représentait à lui seul toute la cupidité de Wall Street, le crédit facile et l'endettement profond des Américains. Le vrai véhicule du « m'as-tu-vu ».

[CARROSSERIE] La carrosserie est peinte en noir et comporte deux tonnes de chrome dans la calandre; même les chanteurs de rap seront jaloux. Seul changement en 2011, les roues de 20 pouces chromées sont remplacées par des roues en aluminium brossé.

[HABITACLE] Outre l'espace pour une famille de sept et trois équipements de gardien de but à l'arrière, le Navigator impressionne par son luxe et l'assistance électrique pour à peu près toutes les fonctions du véhicule, des sièges de la 3e banquette en passant par le hayon, c'est la grande classe. Le système de navigation à commande vocale est aussi de série ainsi qu'une prise de courant à 110 volts.

[MÉCANIQUE] Toujours animé par le V8 de 5,4 litres

de 310 chevaux qui boit comme un chameau qui vient de traverser la Sahara, ce Lincoln en a toutefois besoin, et le mariage, même s'il coûte très cher en pétrodollars, est nécessaire pour déplacer avec élégance cette masse de plus de 2,5 tonnes.

[COMPORTEMENT] Je dois admettre que c'est à ce chapitre que le Lincoln a fait le plus de progrès. Les premières générations étaient presque dangereuses tellement la conduite était approximative. Aujourd'hui, les freins beaucoup plus gros et endurants savent stopper ce pachyderme. Non seulement la suspension pneumatique rend-elle la conduite drôlement confortable, mais même chargée, elle stabilise la garde au sol, et vous ne sentez jamais le poids ou le déséquilibre. Et malgré son format XXL, au volant, la direction est précise, et vous n'avez pas l'impression de conduire un autobus.

[CONCLUSION] Si vous voulez vraiment faire savoir à toute la population que vous êtes «Big» dans tous les sens du terme, c'est un Navigator qu'il vous faut.

① FICHE D'IDENTITÉ
- **Versions** Navigator, Navigator L
- **Roues motrices** 4, 2
- **Portières** 5 **Nombre de passagers** 7
- **Première génération** 1998
- **Génération actuelle** 2003
- **Construction** Louisville, Kentucky, É.-U.
- **Sacs gonflables** 6 (frontaux, latéraux avant, rideaux latéraux)
- **Concurrence** Cadillac Escalade, Infiniti QX56, Land Rover Range Rover, Lexus GX/LX, Mercedes-Benz Classe G/Classe GL, Porsche Cayenne

② AU QUOTIDIEN
- **Prime d'assurance**
  25 ans: 2600 à 2800 $
  40 ans: 1400 à 1600 $
  60 ans: 1200 à 1400 $
- **Collision frontale** 5/5
- **Collision latérale** 5/5
- **Ventes du modèle de l'an dernier**
  Au Québec 42 **Au Canada** 414
- **Dépréciation** 56,9 %
- **Rappels (2005 à 2010)** 6
- **Cote de fiabilité** 3,5/5

③ GARANTIES... ET PLUS
- **Garantie générale** 4 ans/80 000 km
- **Garantie motopropulseur** 6 ans/110 000 km
- **Perforation** 5 ans/kilométrage illimité
- **Assistance routière** 6 ans/110 000 km
- **Nombre de concessionnaires**
  Au Québec 77 **Au Canada** 437

④ NOUVEAUTÉS EN 2011
- Prise de courant de 110 V c.a. ajoutée comme équipement de série
- Système audiovisuel à lecteur DVD InvisionMC intégré aux appuie-tête de série
- Système de navigation à commande vocale maintenant de série

+
−

FORCES · Très longue liste d'équipements de série · Conduite forte agréable
· Un haut degré de luxe

FAIBLESSES · Format hors normes · Consommation à donner des maux de tête
· Mise à niveau du moteur et de la boîte de vitesses souhaitable

ELISE

www.lotuscars.ca

LA COTE VERTE

MOTEUR
L4 DE 1,8

- **Consommation (100km):** 10 l
- **Émissions polluantes CO_2:** 3460 kg/an
- **Empreinte écologique (nombre d'arbres à planter par année):** 22
- **Indice d'octane:** 91
- **Autre motorisation:** non
- **Coût du carburant moyen par année:** 2257 $
- **Nombre de litre par année:** 1280 l

(SOURCE: Lotus)

① FICHE D'IDENTITÉ

- **Versions** Elise , Elise SC
- **Roues motrices** arrière
- **Portières** 2 **Nombre de passagers** 2
- **Première génération** 2006
- **Génération actuelle** 2006
- **Construction** Hethel, Angleterre
- **Sacs gonflables** 2 (frontaux)
- **Concurrence** Audi TT, BMW Z4, Mercedes-Benz Classe SLK, Nissan 370Z, Porsche Boxster/Cayman

② AU QUOTIDIEN

- **Prime d'assurance**
  25 ans: 3000 à 3200 $
  40 ans: 2000 à 2200 $
  60 ans: 1500 à 1700 $
- **Collision frontale** nd
- **Collision latérale** nd
- **Ventes du modèle de l'an dernier**
  Au Québec nd **Au Canada** nd
- **Dépréciation** (2 ans) 45,5% (modèle 2009)
- **Rappels** (2005 à 2010) 1
- **Cote de fiabilité** 4/5

③ GARANTIES... ET PLUS

- **Garantie générale** 3 ans/60 000 km
- **Garantie motopropulseur** 3 ans/60 000 km
- **Perforation** 8 ans/kilométrage illimité
- **Assistance routière** 3 ans/60 000 km
- **Nombre de concessionnaires**
  Au Québec 1 **Au Canada** 3

④ NOUVEAUTÉS EN 2011

- Aucun changement majeur

NOUVEAU VISAGE, MÊME CARACTÈRE

PAR ALEXANDRE CRÉPAULT

AU FIL DES ANS, MON HISTOIRE D'AMOUR AVEC L'ELISE A CONTINUÉ DE FLEURIR. QUOIQUE NOUS AYONS RAREMENT L'OCCASION DE NOUS FRÉQUENTER, J'ESSAIE DE VIVRE CHAQUE RENCONTRE COMME S'IL S'AGISSAIT DE LA DERNIÈRE. Entendons-nous sur une chose. Malgré mon jeune âge, mon pif d'adolescent et ma casquette vissée en permanence sur ma tête, ma relation avec Elise n'est pas basée sur un trop-plein de testostérone, mais bien sur la reconnaissance de ses talents, souvent cachés.

[CARROSSERIE] Cette année, ma bien-aimée a subi une chirurgie de fibre de verre. Son appendice nasal a été redessiné et montre un lien de parenté évident avec l'Evora, nouvelle venue dans la famille Lotus. Derrière les nouveaux phares se cachent maintenant des ampoules à diodes électroluminescentes. Le couvercle du compartiment-moteur a été revu, mais conserve ses entrées d'air pour la mécanique. Toutes ces révisions ont aidé Lotus à améliorer de 4 % le coefficient de traînée de sa voiture. C'est très bon pour la performance et la consommation de carburant. Rouge ardent et vert britannique sont les deux seules couleurs offertes de série. Lotus propose également un large éventail de peintures métalliques, Lifestyle ou Limited, moyennant un supplément.

[HABITACLE] L'habitacle demeure sommaire. Le châssis à nu, l'espace restreint, l'insonorisation presque inexistante... c'est ça qui fait son charme. Pour 2000 $ de plus, vous tomberez dans le luxe avec l'ensemble Touring, si on peut appeler ainsi un peu de tapis, un peu de cuir et un toit mieux isolé.

[MÉCANIQUE] En Amérique du Nord, deux moteurs d'origine Toyota nous sont offerts : un 4-cylindres atmosphérique de 1,8 litre et un 4-cylindres muni d'un compresseur volumétrique Eaton E45. Leur puissance respective

FORCES • Outils de piste formidable • Consommation de carburant • Allure toujours aussi exotique

FAIBLESSES • Moteur pas assez généreux en couple • Trop petit pour certains • Trop d'options

de 189 chevaux et de 218 chevaux peut sembler risible, mais considérant que la majorité des Elise vendues en Angleterre roulent grâce à un moteur de 1,6 litre de « seulement » 134 chevaux, c'en dit long sur les capacités du petit roadster d'Amérique. Vous aurez seulement droit à la boîte de vitesses manuelle à 6 rapports. Lotus présente aussi des options intéressantes pour le pilote en herbe, comme l'ensemble Sport, qui comprend des roues en alliage léger chaussées de pneus Yokohama Advan LTS, une suspension plus performante, deux refroidisseurs d'huile, un système d'antipatinage et des sièges sport ProBax. Tout cela avec 9 kilos en moins. Les amateurs d'autocross peuvent aussi se garnir d'un différentiel à glissement limité, également en option.

[COMPORTEMENT] Les opinions diffèrent sur l'Elise. Certains la trouvent trop petite, d'autres qu'elle ne produit pas assez de couple. Tout le monde s'accorde cependant sur la façon dont l'Elise communique avec le pilote. Aucune voiture coûtant dans les cinq chiffres ne permet à son conducteur de s'impliquer autant dans la conduite. Il s'agit d'un outil idéal pour apprendre à piloter et d'une redoutable machine pour courser. Sur la route, malgré quelques irritants, comme l'accès a l'habitacle un peu difficile ou l'absence de servodirection, l'Elise se conduit aussi aisément qu'une Civic.

[CONCLUSION] La Lotus Elise est bien plus qu'un simple kart voué aux pistes de course. Pour s'amuser sur un circuit sans se ruiner, et ce,

dans une vraie voiture sport, elle se révèle l'une des plus économiques sur le marché. Pensez aux composants de votre BMW ou de votre 911, que vous devrez remplacer après chaque visite sur un circuit de course... et pensez à leur prix ! Quant à l'usage au quotidien, on ne roule peut-être pas dans le grand luxe, mais pour les déplacements entre la maison et le bureau, je n'y vois vraiment pas d'inconvénient. Et avec son air de super voiture, les propriétaires qui aiment se faire remarquer en auront pour leur argent !

2ᵉ OPINION

MICHEL CRÉPAULT On n'achète pas une Elise pour le confort car il est impossible de trouver plus tape-cul. On repassera pour l'arsenal des instruments : difficile de trouver un intérieur plus minimaliste, on se sent même chanceux d'avoir droit à un volant et à un pédalier ! Les conducteurs accusant de l'embonpoint se tiendront également loin de l'Elise. Qui peut-elle intéresser ? Les gens qui, lors d'une pratique de karting avec des amis, se sont mis à rêver de quitter l'enclos pour la route, la pédale au fond. Avec, en prime, une carrosserie qui imite celle des autos qu'on dessinait avec ferveur dans la marge de nos cahiers d'écolier. En deux mots, l'Elise, de base ou SC, peu importe, est un coûteux jouet qui égaie la grisaille quotidienne. Par rapport à une Camry, elle est l'Antéchrist.

5 FICHE TECHNIQUE

- **MOTEURS**
- **(Elise)**

L4 1,8 l DACT, 189 ch à 7800 tr/min

Couple 133 lb-pi à 6800 tr/min

Transmission manuelle à 6 rapports

0-100 km/h 5,4 s

Vitesse maximale 222 km/h

- **(Elise SC)**

L4 1,8 l suralimenté par compresseur volumétrique DACT, 218 ch à 8000 tr/min

Couple 156 lb-pi à 5000 tr/min

Transmission manuelle à 6 rapports

0-100 km/h 4,6 s

Vitesse maximale 233 km/h

Consommation (100 km) 9,9 l (octane 91)

Émissions de CO_2 5059 kg/an

Litres par année 2108 l

Coût par an 2361$

Empreinte écologique 30 arbres

- **AUTRES COMPOSANTES**

Sécurité active freins ABS, antipatinage (en option)

Suspension avant/arrière indépendante

Freins avant/arrière disques

Direction à crémaillère, non assistée

Pneus P175/55R16 (av.), P225/45R17 (arr.)

- **DIMENSIONS**

Empattement 2300 mm

Longueur 3785 mm

Largeur 1719 mm

Hauteur 1117 mm

Poids Elise 876 kg, **Elise** R 860 kg **SC** 870 kg

Diamètre de braquage 10,0 m

Coffre 112 l

Réservoir de carburant 44 l

NOS MENTIONS

 Coup de coeur

NOTRE VERDICT

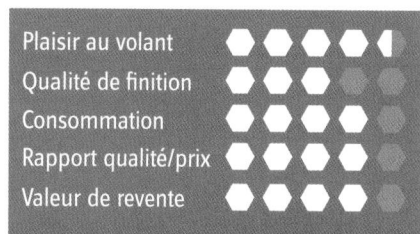

Plaisir au volant	●●●●◖
Qualité de finition	●●●○○
Consommation	●●●○○
Rapport qualité/prix	●●●○○
Valeur de revente	●●●○○

EVORA

www.lotuscars.com

73 000 $
transport et préparation: 1675 $

LA COTE VERTE

MOTEUR
V6 DE 3,5 L

- **Consommation** (100km): 8,7 l
- **Émissions polluantes** CO_2 : 4100 kg/an
- **Empreinte écologique** (nombre d'arbres à planter par année): 23
- **Indice d'octane**: 91
- **Autre motorisation**: non
- **Coût du carburant moyen par année**: 1800 $
- **Nombre de litre par année**: 1800 l

(SOURCE: constructeur)

① FICHE D'IDENTITÉ

- **Versions** Base
- **Roues motrices** arrière
- **Portières** 2 **Nombre de passagers** 2+2
- **Première génération** 2010
- **Génération actuelle** 2010
- **Construction** Ethel, Angleterre
- **Sacs gonflables** 2 (frontaux)
- **Concurrence** Audi TT, BMW Z4, Mercedes-Benz Classe SLK, Nissan 370Z, Porsche Cayman

② AU QUOTIDIEN

- **Prime d'assurance**
  25 ans: 3000 à 3200 $
  40 ans: 2000 à 2200 $
  60 ans: 1500 à 1700 $
- **Collision frontale** nm
- **Collision latérale** nm
- **Ventes du modèle de l'an dernier**
  Au Québec nd **Au Canada** nd
- **Dépréciation** nm
- **Rappels** (2005 à 2010) aucun à ce jour
- **Cote de fiabilité** 3,515

③ GARANTIES... ET PLUS

- **Garantie générale** 3 ans/60 000 km
- **Garantie motopropulseur** 3 ans/60 000 km
- **Perforation** 8 ans/kilométrage illimité
- **Assistance routière** 3 ans/60 000 km
- **Nombre de concessionnaires**
  Au Québec 1 **Au Canada** 3

④ NOUVEAUTÉS EN 2011

- Aucun changement majeur

DU SPORT PRESQUE PARFAIT

PAR MARK HACKING

L'EVORA ESPÈRE AMENER LOTUS AU-DELÀ DE L'IMAGE DE NICHE QUE LE CONSTRUCTEUR S'EST LUI-MÊME CRÉÉE. La voiture vise à séduire les passionnés qui apprécient les performances d'une voiture sport offrant plus qu'un minimum de confort. Et l'Evora cherche aussi à racoler les gens qui estiment que la gamme actuelle de Lotus en Amérique du Nord – l'Elise et l'Exige – est idéale sur piste mais peu convenable pour les balades quotidiennes.

[CARROSSERIE] Sur la route, l'étonnement se lit sur le visage des gens. Plusieurs croient qu'il s'agit d'une voiture de plus de 100 000 $. Les lignes extérieures sont toutes en courbes, mais la voiture possède une allure de *kit car*. Vu de tous les angles, voilà une petite voiture qui capte l'attention. Cependant, le faciès manque de caractère. L'un des avantages du design compact de l'Evora est la visibilité dont on profite à l'avant : fantastique ! Il est facile de deviner où sont les coins en raison de la position de conduite surélevée. Et nous sommes pratiquement assis au-dessus de la roue avant gauche, ce qui a pour effet d'augmenter le degré de communion avec la voiture.

[HABITACLE] En matière de design intérieur, les Lotus se différencient de tout ce qui se fait sur le marché. On a l'impression de revivre les années 70, quand les dessinateurs de l'époque tentaient de créer les voitures des années... 2010 ! Les angles des cadrans d'instrumentation et le métal utilisé pour la console centrale et le tableau de bord sont tout à fait uniques. Alors que l'Evora est classée comme la seule voiture sport 2+2 à moteur central, il faut davantage considérer les places arrière comme un espace de rangement. À la rigueur peut-on y fixer un siège pour enfant, mais c'est à peine s'il y a de l'espace pour les plus petites jambes possible. D'ailleurs, des tablettes de rangement peuvent être fixées à la place des sièges arrière. L'espace pour les pieds du pilote est très restreint, au point où il n'y a même pas de place pour un repose-pied. Nos jambes se trouvent aussi légèrement décentrées par rapport au pédalier, une caractéristique propre aux vraies voitures sport. Même si cela ne semble pas convivial, on s'y acclimate rapidement.

FORCES · Stabilité quasiment surnaturelle, même à grande vitesse · Plus confortable que ses sœurs · Position de conduite spéciale

FAIBLESSES · On pourrait mieux personnaliser son museau · Pas aussi rapide qu'on le croirait · La course des rapports devrait être plus courte

[MÉCANIQUE] L'Evora met à profit un V6 de 3,5 litres signé Toyota. Monté au centre de la voiture et relié à une boîte de vitesses manuelle à 6 rapports, aussi fournie par Toyota, le moteur développe 276 chevaux et 258 livres-pieds de couple, gracieuseté des réglages des ingénieurs de Lotus. Quant à la boîte, elle profite d'un embrayage et d'un volant d'inertie confectionnés par AP Racing. Si les chiffres de puissance ne sont pas astronomiques, il ne faut pas oublier que Lotus fabrique les sportives les plus légères sur le marché. Cependant, malgré la force du moteur, la voiture n'est pas aussi rapide que ce à quoi on s'attend. Les rapports de vitesses sont bien étagés, mais une course plus courte de la boîte conviendrait mieux à la voiture. Selon Lotus, l'Evora efface le 0-100 km/h en 5,1 secondes, mais au volant, ça ne semble pas le cas. Cette impression est peut-être due au système d'échappement de série, beaucoup trop silencieux pour livrer toute impression de vitesse. Un échappement sport est livrable en option.

[COMPORTEMENT] En situation d'accélération, de virage et de freinage, l'Evora colle tellement à la route que c'en est presque incroyable. Le patinage des roues au décollage ? Aucun ! Dérobade ou glissade quand on pousse la voiture ? Même pas ! Quant au freinage, mis à l'épreuve à répétition, zéro faille ! L'Evora est tellement stable à haute vitesse – malgré une direction un peu trop légère en son centre – que cette dernière devient banale. De toute façon, les conducteurs, pour la plupart, ne s'approcheront pas des limites de l'auto.

[CONCLUSION] Une sonorité plus mordante, une boîte manuelle à la course plus courte et un design avant plus agressif, voilà ce qui lui manque pour être parfaite. Sinon, l'Evora est l'une des meilleures sportives du monde, tous prix confondus.

2ᵉ OPINION

BENOIT CHARETTTE Avec l'Evora, Lotus s'éloigne un peu de son fonds de commerce principal: la petite sportive légère. La raison est simple, la petite compagnie veut étendre ses ailes et aller chercher d'autres marchés. Si l'Evora se positionne au niveau d'une Porsche Cayman S par le prix, pour ce qui est des performances, elle se situe plutôt à hauteur d'une Cayman «normale», plus polyvalente ce qui nuit un peu au modèle. Au volant, malgré quelques défauts comme son moteur assez discret et une commande de boîte peu collaboratrice, L'Evora est un vrai régal grâce à un châssis, une direction et des freins d'une efficacité diabolique. Vous êtes aussi assuré d'une plus grande exclusivité que n'importe quel Porsche, mais l'exclusivité, ça se paye.

(5) FICHE TECHNIQUE

MOTEUR

(EVORA)

V6 3,5 l DACT, 276 ch à 6400 tr/min

Couple 258 lb-pi à 4700 tr/min

Transmission manuelle à 6 rapports

Manuelle 6 rapports rapprochés (option)

0-100 km/h 5,1 s

Vitesse maximale 261 km/h

AUTRES COMPOSANTES

Sécurité active freins ABS, antipatinage

Suspension avant/arrière indépendante

Freins avant/arrière disques

Direction à crémaillère, assistée

Pneus P225/40ZR18 (av.) P255/35ZR19 (arr.)

DIMENSIONS

Empattement 2575 mm

Longueur 4342 mm

Largeur 1848 mm

Hauteur 1223 mm

Poids 1382 kg

Diamètre de braquage 10,1 m

Coffre 110 l

Réservoir de carburant 60 l

NOS MENTIONS

♥ Coup de coeur

NOTRE VERDICT

Plaisir au volant	●●●●○
Qualité de finition	⬡⬡⬡⬡⬡
Consommation	●○○○○
Rapport qualité/prix	●●●○○
Valeur de revente	Nd

ÉVOLUTION

N

É

J

84 490 $ à 92 785 $
transport et préparation: 1675 $

LOTUS

LA COTE VERTE

MOTEUR
L4 DE 1,8 L

- **Consommation (100km):** 9,9 l
- **Émissions polluantes CO_2:** 5059 kg/an
- **Empreinte écologique (nombre d'arbres à planter par année):** 30
- **Indice d'octane:** 91
- **Autre motorisation:** non
- **Coût du carburant moyen par année:** 2319 $
- **Nombre de litre par année:** 2108 l

(SOURCE: ÉnerGuide)

FICHE D'IDENTITÉ

- **Versions** Exige S 240, Exige S 260
- **Roues motrices** arrière
- **Portières** 2 **Nombre de passagers** 2
- **Première génération** 2007
- **Génération actuelle** 2007
- **Construction** Angleterre
- **Sacs gonflables** 2 (frontaux)
- **Concurrence** Audi TT, BMW Z4, Mercedes-Benz Classe SLK, Nissan 370Z, Porsche Boxster

AU QUOTIDIEN

- **Prime d'assurance**
  25 ans: 3000 à 3200 $
  40 ans: 2000 à 2200 $
  60 ans: 1500 à 1700 $
- **Collision frontale** nd
- **Collision latérale** nd
- **Ventes du modèle de l'an dernier**
  Au Québec nd **Au Canada** nd
- **Dépréciation** nd
- **Rappels** (2005 à 2010) 1
- **Cote de fiabilité** nm

GARANTIES... ET PLUS

- **Garantie générale** 3 ans/60 000 km
- **Garantie motopropulseur** 3 ans/60 000 km
- **Perforation** 8 ans/kilométrage illimité
- **Assistance routière** 3 ans/60 000 km
- **Nombre de concessionnaires**
  Au Québec 1 **Au Canada** 3

NOUVEAUTÉS EN 2011

Aucun changement majeur

AUCUN COMPROMIS. POINT.

PAR ALEXANDRE CRÉPAULT

LES AMATEURS DE PERFORMANCE EN DEMANDENT TOUJOURS PLUS AUX CONSTRUCTEURS. À CE SUJET, ON DOIT FÉLICITER LOTUS QUI RÉPOND SANS CESSE À CES DEMANDES, ET CE, SANS JAMAIS FAIRE DE COMPROMIS. Par contre, quand vient le temps de sortir son portefeuille, la réalité nous frappe : ai-je vraiment besoin d'un aileron en fibre de carbone ou d'une suspension à réglage illimité ? Souvent, la réponse, c'est non.

[CARROSSERIE] L'Exige ne cache certainement pas son jeu. Tous ses panneaux de carrosserie ont été pensés de façon à minimiser le poids de la voiture, maximiser le refroidissement des éléments chauffants et obtenir un ratio idéal entre le coefficient de traînée et l'appui au sol. L'Exige S260 pousse l'audace jusqu'à utiliser de la fibre de carbone à profusion, notamment sur le toit, les entrées d'air, la bavette avant et l'aileron arrière. La S240 2011 pourra, sans supplément, être recouverte de l'une ou de l'autre des 7 couleurs métallisées. Il faudra cependant sortir vos

sous pour les teintes Lifestyle et Limited. Dans le cas de la S260, la simplicité règne : rouge, noir, gris ou blanc.

[HABITACLE] Spartiate définit parfaitement l'habitacle de l'Exige. On n'y trouve que l'essentiel : dans la S240, les bancs sport Probax acceptent les ceintures à 4 points; dans la S260, les sièges en fibre de carbone et en tissu Alcantara rouge vont jusqu'à offrir l'accès à un dispositif Hans. La fibre de carbone se remarque également sur le tableau de bord de la S260, ainsi qu'un petit volant MOMO en cuir dans les deux modèles. Les seuls accessoires qu'on peut qualifier de luxueux sont le climatiseur et le lecteur de CD Alpine à 4 haut-parleurs.

[MÉCANIQUE] Le cœur de l'Exige est un 4-cylindres de 1,8 litre de marque Toyota. Comme l'indique leur nom, la S240 développe 240 chevaux et la S260, 257 chevaux. Un système d'antipatinage à l'accélération réglable et une

FORCES · Tenue de route exceptionnelle · lignes racées · voiture idéale pour les fins de semaines sur un circuit

FAIBLESSES · Ambiance spartiate · insonorisation déficiente · visibilité arrière nulle

commande de démarrage également réglable équipent de série les deux voitures. Dans la S240, vous obtiendrez en option le différentiel à glissement limité. En contrepartie, la S240 offre maintenant l'ensemble « Track Pack » de série. Toutes les Exige profitent donc de la suspension réglable Öhlins avec réservoir externe. Concernant les freins, on parle d'ABS avec étriers à 4 pistons Lotus/APRacing à l'avant et à 2 pistons Brembo à l'arrière. D'autres détails distinguent la S260, comme l'accumulateur d'huile, qui s'assure en tout temps qu'il y a une pression d'huile suffisante dans le moteur, et sa batterie de haute performance.

[COMPORTEMENT] L'Exige n'est assurément pas le véhicule de promenade le plus pratique en ville. Quoique sa puissance et son couple supplémentaire l'aident à prendre son élan, l'absence de servodirection est encore plus marquée par ses roues plus grosses. De plus, les manœuvres de marche arrière posent un certain défi. En fait, l'Exige se sent vraiment chez elle en piste. Mais encore une fois, attention à ce que vous souhaitez. Avec ses suspensions de course et ses grosses gommes Yokohama A048 LTS, ses limites sont beaucoup plus élevées que celles de l'Elise. Et avant d'atteindre les limites de l'Elise, vous et moi aurons pas mal de croûtes à manger. Si c'est la vitesse de pointe qui vous fait vibrer, sachez qu'en raison de ses 100 livres d'appui aérodynamique, l'Exige peut se révéler moins rapide que l'Elise SC sur une longue ligne droite, comme l'a si bien prouvé notre *Club des 300* (voir p. 23).

[CONCLUSION] Il faut être fin connaisseur et, surtout, posséder beaucoup d'expérience en piste pour profiter pleinement d'une Lotus Exige. Le Gilles Villeneuve en nous trouvera ses atouts de « voiture de course » dès les premiers tours de roues. Toutefois, aussi performante soit-elle, pour le commun des mortels désirant une voiture sportive, économique, sexy et très capable en piste, l'Elise et l'Elise SC font amplement l'affaire.

2ᵉ OPINION

BENOIT CHARETTE Si vous avez déjà la chance de conduire un kart de compétition, de 100 ou de 125 cc, voici la voiture de route qui se rapproche sans doute le plus de cette sensation de frôler la vitesse du son à 2 pouces du sol. L'Exige trouve son origine mécanique dans un modeste 4-cylindres Toyota de 1,8 litre qui est poussé à 240 chevaux. Avec un poids de seulement 942 kilos, il n'en faut pas plus pour pousser cette petite chose à 100 km/h en 4,7 secondes. La réponse du moteur est instantanée, mais il faudra être prêt à faire certains sacrifices pour profiter de cette fougue. L'insonorisation est inexistante, le côté pratique totalement absent, la visibilité arrière, nulle, et il faudra voyager léger, très léger, car le coffre est mi-nus-cu-le. Une voiture à rouler sur un circuit les fins de semaine.

⑤ FICHE TECHNIQUE

MOTEURS

(EXIGE S 240)
L4 1,8 l DACT, 240 ch à 8000 tr/min
Couple 170 lb-pi à 5500 tr/min
Transmission manuelle à 6 rapports
0-100 km/h 4,4 s
Vitesse maximale 260 km/h

(EXIGE S 260)
L4 1,8 l DACT, 257 ch à 8000 tr/min
Couple 174 lb-pi à 6000 tr/min
Transmission manuelle à 6 rapports
0-100 km/h 4,1 s
Vitesse maximale 260 km/h
Consommation (100 km) 10,6 l (octane 91)
Émissions de CO$_2$ 5059 kg/an
Litres par année 2108 l
Coût par an 2360 $
Carburant alternatif non
Empreinte écologique 30 arbres

AUTRES COMPOSANTES
Sécurité active freins ABS, antipatinage (en option)
Suspension avant/arrière indépendante
Freins avant/arrière disques
Direction à crémaillère, assistée
Pneus P195/50R16 (av.), P225/45R17 (arr.)

DIMENSIONS
Empattement 2299 mm
Longueur 3797 mm
Largeur 1727 mm
Hauteur 1158 mm
Poids 942 kg
Diamètre de braquage 10,0 m
Coffre 110 l
Réservoir de carburant 40 l

NOS MENTIONS

♥ Coup de cœur

NOTRE VERDICT

Plaisir au volant	●●●●●
Qualité de finition	●●●○○
Consommation	●●○○○
Rapport qualité/prix	●●●○○
Valeur de revente	●●●○○

GT

www.maserati.com

ÉVOLUTION
N — É
J

Prix: nd (2011)
transport et préparation: nd

MASERATI

LA COTE VERTE

MOTEUR
V8 DE 4,2 L

·Consommation
(100km): 13,6 l
·Émissions
polluantes CO2 :
6578 kg/an
·Empreinte écologique
(nombre d'arbres à
planter par année): 42
·Indice d'octane: 91
·Autre
motorisation: non
·Coût du carburant
moyen par année:
3203 $
·Nombre de
litres par année:
2860 l

(SOURCE: ÉnerGuide)

---

① FICHE D'IDENTITÉ

- **Versions** GranTurismo, GranTurismo S, Cabriolet
- **Roues motrices** arrière
- **Portières** 2 **Nombre de passagers** 2+2
- **Première génération** 2002
- **Génération actuelle** 2008
- **Construction** Modène, Italie
- **Sacs gonflables** 4 (frontaux et latéraux)
- **Concurrence** Aston Martin DB9, Bentley Continental GT, BMW Série 6, Ferrari 458, Jaguar XK, Mercedes-Benz Classe CL et SL, Porsche 911

② AU QUOTIDIEN

- **Prime d'assurance**
  25 ans: 7000 à 7300 $
  40 ans: 4400 à 4700 $
  60 ans: 3500 à 3700 $
- **Collision frontale** nd
- **Collision latérale** nd
- **Ventes du modèle de l'an dernier**
  Au Québec nd **Au Canada** nd
- **Dépréciation** nd
- **Rappels** (2005 à 2010) 2
- **Cote de fiabilité** nd

③ GARANTIES... ET PLUS

- **Garantie générale** 4 ans/80 000 km
- **Garantie motopropulseur** 4 ans/80 000 km
- **Perforation** 4 ans/80 000 km
- **Assistance routière** 4 ans/80 000 km
- **Nombre de concessionnaires**
  Au Québec 1 **Au Canada** 3

④ NOUVEAUTÉS EN 2011

Aucun changement majeur

SPLENDIDE

PAR BENOIT CHARETTE

LES ITALIENS DISENT SIMPLEMENT *AMORE*, C'EST, EN FAIT, UN COUP DE FOUDRE QUI DÉFINIT LE MIEUX LA PREMIÈRE RENCONTRE AVEC UNE MASERATI GT. Autant la première génération était ordinaire tant au chapitre de la silhouette que de sa conduite, autant la plus récente GT séduit littéralement au premier coup d'œil.

[CARROSSERIE] La silhouette relève de l'œuvre d'art, si vous avez la chance d'en voir une sur la route, elles sont assez rares, la réaction de tous les gens est la même : c'est une beauté sensuelle, un objet de désir. Malgré sa taille imposante, il y a beaucoup de trompe-l'œil qui atténuent certains bourrelets, et Maserati utilise cette taille imposante à son avantage pour mettre certains atours en valeur comme la large calandre et les longues ailes qui s'étendent comme les jambes d'un mannequin.

[HABITACLE] L'élégance se poursuit partout à l'intérieur. Fidèle à sa mauvaise réputation, il y a encore çà et là quelques petits bouts de fils qui pendent sans raison apparente, et on sent la fragilité de certains assemblages, mais la qualité des maté-

riaux n'est pas remise en doute. Comme dans la Quattroporte, on respire le bon cuir et le bon goût, la présentation est simple, juste ce qu'il faut de commandes, pas de surenchère électronique. Et si l'allure sans fioritures des versions de base vous semble un peu fade, Maserati se fera un plaisir d'ajouter un intérieur personnalisé si vous y mettez le prix. De la couleur des sièges de cuir aux insérés de fibre de carbone et à l'essence de bois, vous pouvez littéralement transformer votre GT en chat docile ou en tigre.

[MÉCANIQUE] La famille Maserati partage ses organes mécaniques avec la Scuderia de Maranello. Le V8 est assemblé chez Ferrari et partage la même cylindrée que la défunte 430. Il se distingue par un calage à 90° de son vilebrequin pour un couple plus généreux à bas régime. Le 4,7-litres de la Gran Turismo S développe 433 chevaux à 7 000 tours par minute. Maserati a également tiré profit de ses bonnes relations avec Ferrari pour offrir à la Gran Turismo S une boîte de vitesses plus rapide que la boîte automatique ZF pour les acheteurs américains paresseux. Cette boîte-pont robotisée Graziano a été prélevée sur la 599 GTB Fiorano.

FORCES · Lignes sensuelles · Sonorité du moteur envoûtante
· Boîte robotisée (version S)

FAIBLESSES · Certains défauts de finition · Maintien latéral des sièges insuffisant · Surplus d'embonpoint

Résultat, en sélectionnant le mode d'utilisation MC-Shift, avec un régime moteur supérieur à 5 500 tours par minute et une pédale d'accélérateur enfoncée de 80 %, les changements de rapports s'effectuent en seulement 100 millisecondes. Pour être capable de suivre la cadence plus rapide, la version S voit sa suspension raffermie de 10 %, et le diamètre des roues porté de 19 à 20 pouces pour mettre un peu plus de gomme au sol. Le freinage fait aussi l'objet d'une révision avec des disques avant de 360 millimètres pincés par six étriers.

[COMPORTEMENT] Comme chez la plupart des italiennes, cette Maserati offre elle aussi un chant mécanique propre à vous arracher une larme, spécialement la version S qui pousse des vocalises aigües par les tuyaux d'orgues de cathédrale à l'arrière. Cette symphonie m'a hypnotisé durant les premières minutes, et j'en ai presque oublié les défauts. Ceux qui veulent plus de tenue de route auront la bonne idée de choisir l'option de l'amortissement piloté Skyhood réglable en plusieurs positions. Cela dit, la suspension de base offre un bon compromis entre confort et tenue de route. Un petit bémol aux sièges un peu évasifs qui n'offrent pas assez de soutien latéral.

[CONCLUSION] Comme nous nageons ici en plein délire automobile, si vous êtes assez fortuné pour pouvoir vous payer une telle bagnole, allez-y pour une version S, elle possède ce petit supplément d'âme qui fait un peu défaut dans la version de base. Vous l'achèterez pour ses lignes irrésistibles et vous la conserverez pour la sonorité envoûtante de sa mécanique. Mais attention, comme toutes les divas, elle est capricieuse et vous coûtera cher.

2ᵉ OPINION

DANIEL RUFIANGE Voiture d'exception, la Gran Turismo s'inscrit dans une tradition de savoir-faire à l'italienne. Cela signifie que toute expérience au volant se transforme en pur moment de plaisir. Dès qu'on prend place à bord, on se sent accueilli royalement par des sièges moulants au possible. La qualité d'assemblage et de finition se veut un témoignage à la confiance qu'a porté le propriétaire à la marque. Se porter acquéreur d'une Maserati GT, c'est s'offrir un objet de collection. Car, oui, chaque GT est un classique en soi, d'abord en raison d'une production limitée, mais aussi parce qu'on peut personnaliser sa voiture moyennant quelques options. Sur la route, la sonorité du V8 de 4,7 litres est grisante, la direction incisive et les sensations, omniprésentes. Si seulement elle était fiable !

⑤ FICHE TECHNIQUE

· MOTEURS

· (GrandTurismo)
V8 4,2 l DACT, 405 ch à 7100 tr/min
Couple 340 lb-pi à 4750 tr/min

Transmission automatique à 6 rapports avec mode manuel

0-100 km/h 5,2 s

Vitesse maximale 285 km/h

· (GrandTurismo S, Cabriolet)
V8 4,7 l DACT, 433 ch à 7000 tr/min
Couple 361 lb-pi à 4750 tr/min

Transmission manuelle robotisée à 6 rapports, automatique à 6 rapports

0-100 km/h robo. 4,9 s **auto.** 5,0 s

Vitesse maximale 295 km/h

Consommation (100 km) 14,1 l (octane 91)

Émissions de CO_2 6578 kg/an

Litres par année 3000 l

Coût par an 3360 $

Empreinte écologique 47 arbres

· AUTRES COMPOSANTES

Sécurité active freins ABS, assistance au freinage, antipatinage, contrôle de stabilité électronique

Suspension avant/arrière indépendante

Freins avant/arrière disques

Direction à crémaillère, assistée

Pneus P245/40R19 (av.), P285/40R19 (arr.) P245/35R20 (av.), P285/35R20 (arr.) (en option, standard sur S)

· DIMENSIONS

Empattement 2942 mm

Longueur 4881 mm

Largeur 1915 mm **cabrio.** 2056 mm

Hauteur 1353 mm

Poids 1880 kg **cabrio.** 1980 kg

Diamètre de braquage 10,7 m

Coffre 261 l **cabrio.** 172 l

Réservoir de carburant 86 l **cabrio.** 75 l

411

NOS MENTIONS

 Coup de coeur

NOTRE VERDICT

Plaisir au volant	●●●●○
Qualité de finition	●●●●○
Consommation	●●○○○
Rapport qualité/prix	●●○○○
Valeur de revente	●●●○○

QUATTROPORTE
www.maserati.com

ÉVOLUTION

125 100 $ à 134 700 $
transport et préparation: 3500 $

LA COTE VERTE

MOTEUR
V8 DE 4,2 L

- **Consommation (100km):** 14,8 l
- **Émissions polluantes CO$_2$:** 7130 kg/an
- **Empreinte écologique (nombre d'arbres à planter par année):** 45
- **Indice d'octane:** 91
- **Autre motorisation:** non
- **Coût du carburant moyen par année:** 3472 $
- **Nombre de litres par année:** 3100 l

(SOURCE: ÉnerGuide)

① FICHE D'IDENTITÉ

- **Versions** Quattroporte, Quattroporte S, Quattroporte GT S
- **Roues motrices** arrière
- **Portières** 4 **Nombre de passagers** 4
- **Première génération** 2005
- **Génération actuelle** 2005
- **Construction** Modène, Italie
- **Sacs gonflables** 6 (frontaux, latéraux avant, rideaux latéraux)
- **Concurrence** Audi A8, BMW Série 7, Jaguar XJ, Lexus LS, Mercedes-Benz Classe S

② AU QUOTIDIEN

- **Prime d'assurance**
  25 ans: 7000 à 7200 $
  40 ans: 4400 à 4600 $
  60 ans: 3500 à 3700 $
- **Collision frontale** nd
- **Collision latérale** nd
- **Ventes du modèle de l'an dernier**
  Au Québec nd **Au Canada** nd
- **Dépréciation** nd
- **Rappels** (2005 à 2010) 5
- **Cote de fiabilité** 3/5

③ GARANTIES... ET PLUS

- **Garantie générale** 4 ans/80 000 km
- **Garantie motopropulseur** 4 ans/80 000 km
- **Perforation** 4 ans/80 000 km
- **Assistance routière** 4 ans/80 000 km
- **Nombre de concessionnaires**
  Au Québec 1 **Au Canada** 3

④ NOUVEAUTÉS EN 2011

- Aucun changement majeur

SANGUINE

PAR BENOIT CHARETTE

ALORS QUE LES GRANDES BERLINES ALLE-MANDES JOUENT TRÈS SOUVENT DANS LA DISCRÉTION, ET QUE TOUT SE FAIT AVEC UNE GRANDE DOUCEUR DE FONCTIONNEMENT, LA MASERATI FAIT SENTIR SA PRÉSENCE. Son moteur d'origine Ferrari adore pratiquer ses vocalises en montant en régime, et, malgré sa taille, la Quattroporte est toujours prête à affronter les routes les plus tordues avec un plaisir évident. Elle dérange, mais le fait avec style.

[CARROSSERIE] Avez-vous déjà joué au jeu des sept erreurs ? C'est un peu de cette manière qu'il faut procéder pour différencier la Quattroporte de base de la version S. Il y a quelques petites modifications dans le style pour l'intérieur des phares, la calandre, les joints de contour des vitres et la double sortie d'échappement ovale sur la version S. Mais peu importe le modèle choisi, le concept de Pininfarina est d'une éclatante sensualité. On peut regarder cette voiture toute la journée sans se lasser. Elle transpire la richesse et le bon goût. Malgré sa taille, qui dépasse les 5 mètres, elle est bien proportionnée avec des lignes qui ne seront pas démodées dans 50 ans.

[HABITACLE] À l'image d'une enveloppe sensuelle, l'intérieur est charnel. Les matériaux sont agréables au touché. Le cuir des sièges, par exemple, est plus souple que celui de la majorité des berlines allemandes. On laisse également toute la place au style sans avoir une surcharge de quincaillerie électronique qui donne une allure « clinique » à certaines grandes berlines. Ici, c'est le cuir souple odorant, le bois précieux, la fibre de carbone véritable. L'électronique vient sous la forme de deux interfaces multimédia : les systèmes Maserati Multimédia et Bose Multimédia. Ils ont en commun l'ordinateur de bord, le GPS, un disque dur interne (30 et 40 Go), la commande vocale, la connectivité Bluetooth et une prise USB, le système Bose offrant en plus la reconnaissance de formats vidéos et une interface iPod.

[MÉCANIQUE] La Quattroporte de base, offerte depuis 2005, propose un magnifique moteur V8 d'origine Ferrari qui développe 400 chevaux. Depuis deux ans, vous pouvez également obtenir une version S avec un moteur qui passe de

FORCES · Lignes sensuelles · Intérieur sensuel · Sonorité du V8 · Sensations de conduite

FAIBLESSES · Léger embonpoint · Amortissement ferme sur le mode sport · Freins qui manquent un peu d'endurance

· MOTEURS

· (Quattroporte)
V8 4,2 l DACT, 400 ch à 7000 tr/min
Couple 339 lb-pi à 4750 tr/min

Transmission automatique
à 6 rapports avec mode manuel

0-100 km/h 5,6 s

Vitesse maximale 265 km/h

· (Quattroporte S)
V8 4,7 l DACT, 425 ch à 7000 tr/min
Couple 361 lb-pi à 4750 tr/min

Transmission
automatique à 6 rapports avec mode manuel

0-100 km/h 5,3 s

Vitesse maximale 278 km/h

Consommation (100 km) 14,7 l (octane 91)

Émissions de CO_2 6992 kg/an

Litres par année 3040 l

Coût par an 3404 $

Empreinte écologique 47 arbres

· (Quattroporte GT S)
V8 4,7 l DACT, 433 ch à 7100 tr/min
Couple 361 lb-pi à 4750 tr/min

Transmission
automatique à 6 rapports avec mode manuel

0-100 km/h 5,1 s

Vitesse maximale 285 km/h

Consommation (100 km) 16,2 l (octane 91)

Émissions de CO_2 nd

Litres par année nd

Coût par an nd

Empreinte écologique nd

· AUTRES COMPOSANTES

Sécurité active freins ABS, antipatinage, contrôle de stabilité électronique, répartition électronique de force de freinage, assistance au freinage

Suspension avant/arrière indépendante

Freins avant/arrière disques

Direction à crémaillère, assistée

Pneus P245/45R18 (av.), P285/40R18 (arr.) **S** P245/40R19 (av.), P285/35R19 (arr.) **GT S** P245/35R20 (av.), P285/30R20 (arr.)

· DIMENSIONS

Empattement 3064 mm

Longueur 5097 mm

Largeur 1895 mm

Hauteur 1438 mm

Poids 1990 kg **GT S** 1984 kg

Diamètre de braquage 12,3 m

Coffre 450 l

Réservoir de carburant 90 l

[CONCLUSION]

Comme toutes les voitures italiennes qui se respectent, la Maserati Quattroporte mise avant tout sur le plaisir, vos sens seront remplis de bonheur. Dans un monde trop souvent dominé par la crème glacée à la vanille, la Quattroporte est un coup de poing à la morosité.

4,2 à 4,7 litres et une puissance qui augmente à 425 chevaux. Et depuis l'an dernier, on propose même une boîte automatique à 6 rapports. Je sais qu'une telle boîte peut paraître incongrue dans une Maserati, mais il faut regarder la réalité en face : toutes les berlines concurrentes l'offrent, et l'âge moyen élevé des acheteurs de Quattroporte fait en sorte que c'est vers ce genre de boîte qu'ils se tourneront. Mais soyez rassuré, il y a aussi une boîte séquentielle avec leviers de sélection au volant qui permet d'ajouter un zeste de sport dans la formule.

[COMPORTEMENT] Malgré un poids qui frise les deux tonnes, la Quattroporte est surprenante de grâce. Si le poids se fait sentir au décollage, une fois que le régime moteur monte, le chant haut perché des mécaniques italiennes vous envoûte. La boîte automatique procure une douceur au changement de rapports et à la conduite en général qui est moins présente avec la boîte séquentielle. La version S offre le bouton sport. Ce faisant, vous perdrez un peu de confort au profit d'une suspension qui prend de la fermeté. Les passages intermédiaires de rapports restent en haut régime plus longtemps si vous avez à remettre les gaz et, en prime, les rétrogradations s'accompagnent d'un double débrayage automatique, parfaitement synchronisé, petite jouissance garantie. Cela dit, si vous conduisez sur une route tranquille un dimanche après-midi d'été, le confort et le silence de roulement sont à l'égal de ceux de n'importe quelle limousine.

LE SAVIEZ-VOUS ?

Maserati va apporter beaucoup de changements pour 2012. En plus d'une version restylée, les dirigeants de la marque italienne sont enclins à suivre les tendances environnementales même pour les grandes sportives. La future Quattroporte va commencer par perdre du poids : environ 15% selon les déclarations du P-DG de Maserati. Les moteurs utilisés seront des V6 et V8 de plus petites cylindrées, ce qui concourra à l'allègement global de la voiture. Une transmission intégrale est également au programme tout comme les prémices d'une première Maserati hybride à savoir la technologie Stop & Start. Le tout devrait permettre d'abaisser la consommation en essence et les émissions de CO2 de 25% par rapport au modèle actuel. Autre information : la future Quattroporte utilisera une plateforme partagée avec les véhicules les plus haut de gamme du groupe Fiat/Chrysler, dont dépend Maserati.

NOS MENTIONS

 Coup de coeur

NOTRE VERDICT

Plaisir au volant	●●●●○
Qualité de finition	●●●○○
Consommation	●○○○○
Rapport qualité/prix	●●●○○
Valeur de revente	●●●●○

| 413

57 & 62

www.maybachusa.com

ÉVOLUTION

N — É
J

348 000 à 1 380 000
transport et préparation: nd

LA COTE VERTE

MOTEUR
V12 DE 5,5 L

- Consommation
(100km) : 17,0 l
- Émissions
polluantes CO_2 :
8004 kg/an
- Empreinte écologique
(nombre d'arbres à
planter par année) :
50
- Indice d'octane : 91
- Autre
motorisation : non
- Coût du carburant
moyen par année :
3898 $
- Nombre de
litres par année :
3480 l

(SOURCE : ÉnerGuide)

---

(1) FICHE D'IDENTITÉ

- **Versions** 57 et 62 base, S et Zeppelin,
62 Landaulet
- **Roues motrices** arrière
- **Portières** 4 **Nombre de passagers** 4
- **Première génération** 1921
- **Génération actuelle** 2004
- **Construction** Sindelfingen, Allemagne
- **Sacs gonflables** 8 (frontaux, latéraux avant et
arrière, rideaux latéraux)
- **Concurrence** Bentley Mulsanne,
Rolls-Royce Phantom

(2) AU QUOTIDIEN

- **Prime d'assurance**
25 ans: 8000 à 8200 $
40 ans: 6600 à 7000 $
60 ans: 6000 à 6300 $
- **Collision frontale** 5/5
- **Collision latérale** 5/5
- **Ventes du modèle de l'an dernier**
Au Québec 2 **Au Canada** 3
- **Dépréciation** nd
- **Rappels** (2005 à 2010) aucun à ce jour
- **Cote de fiabilité** 3/5

(3) GARANTIES... ET PLUS

- **Garantie générale** 4 ans/80 000 km
- **Garantie motopropulseur** 4 ans/80 000 km
- **Perforation** 4 ans/80 000 km
- **Assistance routière** 4 ans/ kilométrage illimité
- **Nombre de concessionnaires**
Au Québec 1 **Au Canada** 3

(4) NOUVEAUTÉS EN 2011

Redessiné, nouvelles jantes, diodes électroluminescentes intégrées au pare-choc avant
pour éclairage de jour, une nouvelle couleur.

LES TEMPS SONT DURS

PAR BENOIT CHARETTE

**DANS LE MINUSCULE SEGMENT DES LIMOU-
SINES DE TRÈS GRAND LUXE, MAYBACH NE PAR-
VIENT PAS À FAIRE DE L'OMBRE À ROLLS-ROYCE
ET À BENTLEY.** L'an dernier, la marque a vendu à
peine 200 voitures dans le monde, bien loin des
1 000 exemplaires annuels initialement envisagés.
Mais la marque allemande n'abandonne pas et pro-
pose pour 2011 une légère mise à jour de son offre.

[CARROSSERIE] Il ne faut pas s'attendre à une refonte en profondeur. La calandre plus fléchée, les
barrettes plus nombreuses et moins espacées, le
bouclier plus agressif et l'apparition de feux de jour
à diodes électroluminescentes évoquent désormais
davantage la Classe S restylée. Mais dans l'ensemble
la Maybach n'a pas le parfum de nouveauté d'une
Bentley Mulsanne, ni l'exubérance distinguée des
Rolls-Royce Phantom et Ghost. Et en termes techniques, elle commence à accuser le coup, avec son
châssis et sa dotation technologique de Classe S
d'ancienne génération. Les Maybach 57 et 62 apparaissent aujourd'hui moins sophistiquées que les
Classe S, BMW Série 7 et autres Audi A8. Un retard
que le restylage ne suffira pas à combler.

[HABITACLE] Outre le cuir pleine fleur et la mo-
quette en peau d'agneau, c'est à l'arrière qu'on se doit
de vivre dans une Maybach. Pour 2011, la compagnie
a porté à la liste d'équipements de série quelques
éléments qui étaient encore sur la liste des options
l'an dernier. Par exemple, la partie arrière propose un
séparateur, avec écrans vidéo de 19 pouces, qui fait
un véritable mur entre l'avant et l'arrière du véhicule,
plus deux écrans à l'arrière des appuie-tête avant. Cet
intérieur baignera dans une ambiance parfumée
grâce à un atomiseur de parfum électrique unique
au monde. Il est matérialisé par un globe en verre
soufflé à la main à l'arrière de la console centrale. Les
deux fragrances offertes ont été créées uniquement
pour Maybach par le groupe suisse Givaudan. Est-ce
que c'est assez exclusif pour vous? Dans la version
62, la plus longue des deux Maybach, il est aussi possible de commander sa limousine avec une partition
opaque. L'habitacle est ainsi scindé en deux, le chauffeur ignore alors tout de ce qui se passe à l'arrière de
la limousine. Les passagers peuvent d'autant mieux
se couper du monde que des petits rideaux électriques peuvent venir masquer totalement toutes
les vitres arrière. Mais les passagers ne sont pas

FORCES • Exclusivité assurée • Luxe qui dépasse l'entendement
• Silence de roulement souverain • Excellentes mécaniques

FAIBLESSES • Lignes trop semblables à Mercedes-Benz • Prix exorbitant
• Freinage qui manque de conviction

complètement isolés. Une caméra est installée à l'avant de l'auto, et elle retransmet en direct sur l'un des trois écrans arrières.

[MÉCANIQUE] Qui dit prestige dit V12, et le propriétaire a ici deux choix. Le premier moteur est un V12 biturbo de 543 chevaux qui pousse les 2,7 ou 2,8 tonnes des modèles 57 et 62 avec l'aide de l'ancienne boîte automatique à 5 rapports de la précédente génération de Classe S. Rien à redire sur la puissance et l'onctuosité mécanique de l'ensemble. Si vous ne voulez pas faire rire de vous au Yacht Club de Monaco, il vous faut le moteur des versions S et Landaulet, un V12 biturbo qui pousse la cylindrée à 6 litres et produit 604 chevaux. C'est le même moteur que les modèles 65 AMG qui peut sans souffrir déplacer une petite chaîne de montagnes.

[COMPORTEMENT] À bord d'une Maybach, vous avez la même impression que dans une classe affaire d'avion commercial: vous êtes coupé du monde extérieur. Assis derrière, vous n'avez aucune idée de la vitesse à laquelle vous roulez tellement tout est contenu. La suspension est souple, la puissance du moteur sert à déplacer cette cathédrale roulante et non à se taper des 0 à 100 km/h. La structure est solide, et la voiture peut, au besoin, avaler quelques courbes assez tortueuses, mais au risque de briser les verres en cristal à l'arrière.

[CONCLUSION] Mercedes-Benz a le même problème avec Maybach que Toyota avec Lexus. Les gens y voient seulement une Mercedes-Benz de luxe, alors que Bentley et Rolls-Royce sont des marques de grand luxe dédiées. C'est ce qui finira par couler la division Maybach.

2ᵉ OPINION

MICHEL CRÉPAULT Cette limousine a encaissé toutes les injures... De un, discuter goûts, c'est pire que discuter l'échange d'Halak : il y a là des voies impénétrables. De deux, ben coudonc, les gens de Benz ne sont pas cons et ne prennent sûrement pas comme telle la clientèle visée. On crie au parvenu. Pensez-vous que le type qui se promène en Rolls-Royce ne claironne pas l'état de son compte en banque ? Une Maybach, c'est l'opulence à la puissance mille : V12 biturbo, canapés, dispositifs extra-terrestres et, peut-être même, un bain sauna. Et vous payez cher, très cher. Je ne pense pas que le groupe de milliardaires mené par Gates et Buffet, engagés à se départir du gros de leur fortune en faveur de causes caritatives, se promènent en Maybach. Là seulement se trouve l'indécence de ceux qui le font et, encore, qui sommes-nous pour juger ?

⑤ FICHE TECHNIQUE

· **MOTEURS**

· **(57 et 62)**

| V12 5,5 l biturbo SACT, 543 ch à 5250 tr/min |
| Couple 664 lb-pi à 2300 tr/min |
| **Transmission** automatique à 5 rapports |
| **0-100 km/h 57** 5,4 s **62** 5,6 s |
| **Vitesse maximale** 250 km/h (bridée) |

· **(57 S, 62 S et Landaulet)**

| V12 6,0 l biturbo SACT, 604 ch à 4800 tr/min |
| Couple 738 lb-pi à 2000 tr/min |
| **Transmission** automatique à 5 rapports |
| **0-100 km/h 57S** 5,2s **62S** 5,4s |
| **Vitesse maximale** 278 km/h (bridée) |
| **Consommation (100 km)** 17,1 l (octane 91) |
| **Émissions de CO$_2$** 8050 kg/an |
| **Litres par année** 3500 l |
| **Coût par an** 3920 $ |
| **Carburant alternatif** non |
| **Empreinte écologique** 50 arbres |

· **(Zeppelin)**

| V12 6,0 l biturbo SACT, 631 ch à 4800 tr/min |
| Couple 738 lb-pi à 2000 tr/min |
| **Transmission** automatique à 5 rapports |
| **0-100 km/h 57** 5,2 s **62** 5,4 s |
| **Vitesse maximale** 278 km/h (bridée) |
| **Consommation (100 km)** 17,1 l (octane 91) |
| **Émissions de CO$_2$ 57** 8400 kg/an |
| **Litres par année** 3480 l |
| **Coût par an** 3828 $ |
| **Carburant alternatif** non |
| **Empreinte écologique** 50 arbres |

· **AUTRES COMPOSANTES**

| **Sécurité active** freins ABS, assistance au freinage, distribution électronique de force de freinage, antipatinage, contrôle de stabilité électronique |
| **Suspension avant/arrière** indépendante |
| **Freins avant/arrière** disques |
| **Direction** à billes, assistée |
| **Pneus** P275/50R19 **versions S** P275/45R20 |

· **DIMENSIONS**

| **Empattement 57** 3390 mm **62** 3827 mm |
| **Longueur 57** 5728mm **62** 6165 mm |
| **Largeur** 2143 mm (incluant rétroviseurs) |
| **Hauteur** 1573 mm |
| **Poids 57** 2745 kg **62** 2875 kg |
| **Diamètre de braquage** nd |
| **Coffre** 442 l |
| **Réservoir de carburant** 110 l |

NOTRE VERDICT

Plaisir au volant	⬢⬢⬢⬢⬡
Qualité de finition	⬢⬢⬢⬢⬡
Consommation	⬢⬡⬡⬡⬡
Rapport qualité/prix	⬢⬢⬢⬡⬡
Valeur de revente	⬢⬢⬢⬢⬡

LA COTE VERTE

MOTEUR
L4 DE 1,5 L

- **Consommation** (100km): man. 6,4 l auto. 6,6 l
- **Émissions polluantes CO$_2$** : man. 3040 kg/an, auto. 3240 kg/an
- **Empreinte écologique** (nombre d'arbres à planter par année): 18
- **Indice d'octane**: 87
- **Autre motorisation**: non
- **Coût du carburant moyen par année**: man 1260 $
- **Nombre de litres par année**: man : 1260 l

(SOURCE: Mazda)

 FICHE D'IDENTITÉ

- **Versions** GX, GS, Yozora
- **Roues motrices** avant
- **Portières** 5 **Nombre de passagers** 5
- **Première génération** 2011
- **Génération actuelle** 2011
- **Construction** Hiroshima, Japon
- **Sacs gonflables** 6 (frontaux, latéraux, rideaux latéraux)
- **Concurrence** Honda Fit, Ford Fiesta, Hyundai Accent, Kia Rio, Nissan Versa, Scion xD, Suzuki Swift+, Toyota Yaris

 AU QUOTIDIEN

- **Prime d'assurance**
  25 ans: 1400 à 1600 $
  40 ans: 900 à 1100 $
  60 ans: 700 à 900 $
- **Collision frontale** nd
- **Collision latérale** nd
- **Ventes du modèle de l'an dernier**
  Au Québec nm **Au Canada** nm
- **Dépréciation** nm
- **Rappels** (2005 à 2010) nm
- **Cote de fiabilité** nm

 GARANTIES... ET PLUS

- **Garantie générale** 3 ans/80 000 km
- **Garantie motopropulseur** 5 ans/100 000 km
- **Perforation** 5 ans/kilométrage illimité
- **Assistance routière** 3 ans/80 000 km
- **Nombre de concessionnaires**
  Au Québec 60 **Au Canada** 167

 NOUVEAUTÉS EN 2011

- Nouveau modèle

LA PUCE D'HIROSHIMA

PAR MICHEL CRÉPAULT

LA MAZDA2 CIRCULE AILLEURS DANS LE MONDE DEPUIS 2002, MAIS SES ORIGINES REMONTENT À 1996 (TOUJOURS APPELÉE DEMIO AU JAPON). Depuis des lunes que nous harcelions les dirigeants de Mazda Canada pour savoir quand cette fameuse 2 viendrait aguicher la convoitise des Québécois, les plus grands connaisseurs de petites voitures à hayon du continent. Le grand jour est enfin arrivé. Revue et corrigée à mi-chemin de son cycle de vie afin de plaire désormais aux Nord-Américains, cette sous-compacte à 5 portes pose ses roues dans un créneau où les rivales sont plus redoutables les unes que les autres.

[CARROSSERIE] Deux équipes, l'une en Europe, l'autre au Japon, ont redessiné la 2. La moyenne d'âge des personnes qui y ont travaillé frise la vingtaine, ce qui ne surprend guère vu la clientèle recherchée: jeunes acheteurs d'une première voiture. Allait-on leur offrir une auto carrée (comme un Soul), micro-utilitaire (comme une Fit), simplement mignonne (comme une Fiat 500) ou sportive (comme une Golf)? Leur choix final emprunte un peu à tout le monde, sauf au cube.

La règle d'or a été d'enfanter des proportions dynamiques. C'est réussi, ne trouvez-vous pas? À peine le design final scellé, ces jeunes mordus ont concocté des prototypes plus flyés comme les modèles « ActiveSnow » et « Evil » promenés dans divers salons de l'auto, décuplant le magnétisme de la 2 sur les amateurs de tuning. Elle affiche des proportions voisines de la Ford Fiesta, sa cousine, mais on s'est attardé au poids de l'auto au point d'en faire une obsession. La mouture 2011 fait osciller la balance à 1 012 kilos en Europe et à 1 046 kilos chez nous, l'écart s'expliquant par les exigences nord-américaines en matière de confort. Malgré tout, la 2 se révèle la plus légère des nouvelles sous-compactes du segment B, Mazda estimant que, pour chaque gramme éliminé, le plaisir au volant croît d'autant. À force d'ingéniosité, on a donc écrémé la 2 de quelque 100 kilos inutiles, à commencer par un acier à haute résistance, une astuce commune aux Mazda3 et Mazda6. Mais s'attaquer à l'ossature est une stratégie évidente. Le vrai défi a consisté à examiner à la loupe chaque pièce pour en améliorer la fonction tout en l'amaigrissant. Du radiateur

FORCES • Gueule fort sympathique • Comportement routier qui, sans être explosif, dénote un parfait contrôle des organes mécaniques en jeu • Allégement qui rapporte

FAIBLESSES • Accélérations qui se font prier • Boîte automatique qui, bien qu'adaptée à l'auto, laisse un arrière-goût • Dégagement en hauteur à l'arrière un peu juste

aux haut-parleurs en passant par les filtres, tout a été scruté à la loupe. Il en a résulté des morceaux effectivement plus légers mais aussi mieux conçus, comme cette enveloppe du filtre à air qui, désormais, sert aussi à mieux ventiler les processeurs qui gèrent les composants électroniques. La 2 reprend la calandre happy face controversée de la 3 et, pour l'instant, seul le modèle à cinq portes est offert, malgré l'existence d'une berline et d'un modèle à 3 portes.

[HABITACLE] En préparant la venue de la 2 au Canada (aussi bien dire aux États-Unis...), l'équipe de Mazda a prêté l'oreille à ce que les clients potentiels souhaitaient : le climatiseur, le verrouillage central, des porte-gobelet capables d'accepter les maxi-formats vendus par les chaînes de restauration rapide et une console centrale invitante pour les articles comme les lunettes de soleil, l'iPod, les clefs, etc. Le tableau de bord est limpide parce que plutôt simpliste. La prise USB, que j'espérais standard, est offerte en option. Les sièges avant à réglage manuel offrent un bon dégagement, tandis que les occupants de grande taille de la banquette frôlent le plafond. Mazda propose la GX d'entrée de gamme, le climatiseur et l'ensemble Commodités en sus, la GS qui englobe tout ça et 500 exemplaires du modèle Yozora (« ciel nocturne » en Japonais) uniquement

peint en noir et orné de décalques exclusifs (pour 19 280 $). Ne cherchez pas une 2 enjolivée de cuir ou d'une technologie radicale. On a laissé ça à la Ford Fiesta, de peur, j'imagine, de cannibaliser les ventes de Mazda3.

[MÉCANIQUE] Le 4-cylindres de 1,5 litre développe 100 chevaux. C'est le moins puissant du segment, d'où la chasse désespérée aux grammes. On peut le coupler à une boîte de vitesses manuelle à 5 rapports ou à une automatique à 4 rapports (1 100 $), ce qui sonne un peu rétrograde, avouons-le. À la direction électrique, les ingénieurs ont voulu inculquer une sensation aussi naturelle que s'il s'agissait d'un système hydraulique en utilisant les leçons tirées de la RX-8 de manière à éviter des réactions artificielles. Or, il se trouve que la précision de cette direction est l'un des points forts de la 2. Alerte, incisive, elle améliore nos réflexes. Les freins aussi ont goûté à la médecine de la bonne sensation sans nuire à l'efficacité recherchée. Du côté de l'accélérateur, on a tenté de réduire l'effet de couple qui vous tord un volant. Ici encore, mission accomplie, les ingénieurs sont même parvenus à accélérer le temps de réponse qu'il faut au couple pour libérer son plein potentiel.

[COMPORTEMENT] Revenons sur l'accélération. Avec l'automatique, le 0 à 100 km/h nécessite plus de 12 secondes... Je ne vous parle même pas du 80 à 120 km/h quand vient le temps d'attaquer la voie de gauche. Comme le disait

> **LE GRAND JOUR EST ENFIN ARRIVÉ. REVUE ET CORRIGÉE À MI-CHEMIN DE SON CYCLE DE VIE AFIN DE PLAIRE DÉSORMAIS AUX NORD-AMÉRICAINS, CETTE SOUS-COMPACTE À 5 PORTES POSE SES ROUES DANS UN CRÉNEAU OÙ LES RIVALES SONT PLUS REDOUTABLES LES UNES QUE LES AUTRES.**

HISTORIQUE

La première génération de Mazda 2 est commercialisée début 2003. Même si elle est nouvelle chez-nous, la Mazda 2 de deuxième génération a vu le jour en 2007. Une version 3 portes s'est ajoutée en 2008. La Mazda 2 a succédé à la Mazda 121 qui a débuté sa carrière dans les années 70. La 121 ainsi que la Mazda 2 s'appelle la Demio au Japon.

MAZDA 121 1975

MAZDA 212 1988 à 1991

MAZDA 212 1994

MAZDA DEMIO 1996 à 2002

MAZDA 121 1996 à 2000

MAZDA 121 2000 à 2002

MAZDA 2 Berline 2008

MAZDA 2 (3 portes) 2009

A

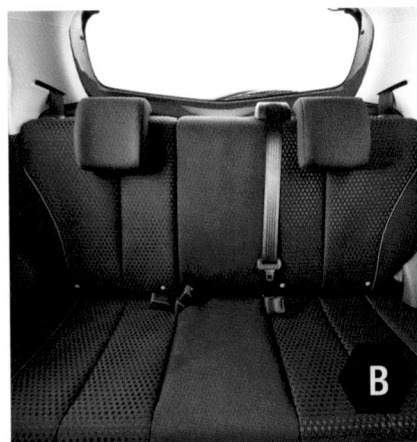

B

C

D

GALERIE

A Le côté pratique de posséder une hayon est en partie gâché par des banquettes qui ne replient pas à plat, diminuant d'autant l'espace cargo utilisable; un peu dommage.

B Bien que l'habitacle se distingue par son allure attrayante et stimulante, qui convient d'ailleurs parfaitement à une voiture sous-compacte, les concepteurs Mazda ont décidé de ne pas utiliser de couleurs brillantes pour la garniture; ils ont plutôt opté pour les couleurs noir et argent, celles-ci créant un fort contraste qui procure une allure sportive et vive.

C Les commandes, quant à elles, se situent principalement sur la partie centrale du tableau de bord; celles qui sont fréquemment utilisées se trouvent à proximité du conducteur.

D En déplaçant la boîte de vitesse dans la console centrale, Mazda libère de l'espace au plancher pour quelques cafés, boissons gazeuses ou autres bébelles de plus en plus nombreuses qui font parti de notre quotidien.

E Exclusivement destinée au marché canadien, la Mazda2 de Série Yozora est offerte à un prix de détail suggéré par le fabricant (PDSF) initial de 19 280 $. Cinq cents unités seulement sont en cours de production et seront en vente dans les concessions Mazda du Canada.

E

un collègue, mieux vaut prendre un rendez-vous quand on souhaite dépasser ! Pour être honnête, je m'attendais à mieux. Je crois que le lavage de cerveau de Mazda, à l'effet que son vroum-vroum accompagne tous ses produits, sans exception, a bien fonctionné dans mon cas. Je vois une 2 aux formes et aux couleurs pimpantes et j'en déduis aussitôt que ses performances seront électrisantes. Ma déception a toutefois rapidement cédé la place à la réalité des 100 menus chevaux qui visent de jeunes acheteurs en quête d'une première voiture jolie, pratique et pas chère : où donc ai-je lu qu'ils recherchaient aussi une petite bombe ? D'ailleurs, parmi les raisons qui les poussent à acheter une sous-compacte, le design et les performances occupent le sous-sol de la liste. Remarquez que ça n'a pas empêché Mazda de consacrer beaucoup d'énergies à ces deux critères, mais c'est parce qu'ils font partie de l'ADN du constructeur d'Hiroshima. Mazda n'a pas d'autre choix que de soigner l'apparence et la vivacité de ses nouveau-nés, c'est son leitmotiv. Seulement, il ne faut pas s'attendre à une Honda S2000 quand on débourse 13 000 $. Ceci bien compris, on se retrouve avec une minivoiture fort honnête. Même la boîte automatique à 4 rapports tire son épingle du jeu, bien que, à mon avis, ça reste une erreur de marketing, surtout quand on la compare à l'automatique à 6 rapports de la Fiesta.

[CONCLUSION] Quand on y pense posément, la Mazda2 étale une proposition défendable. Personne ne contestera la jeunesse harmonieuse de ses rondeurs. L'intérieur met l'accent sur l'ergonomie à défaut de la richesse. J'aurais ap-précié un meilleur dé-gagement crânien pour la banquette, une boîte automatique plus moderne et, tant qu'à faire, l'un des futurs moteurs Sky. Le plus dur pour la 2, aussi décente soit-elle, sera d'évoluer dans un créneau hautement concurrentiel. Aucune de ses rivales n'est considérée comme un « deux de pique », et je craindrais surtout la Ford. Vrai qu'une Fiesta à 5 portes se vend autour de 17 000 $, comme s'est empressé de le souligner Mazda, mais on peut aussi obtenir une 4 portes pour 13 000 $. La partie n'est pas gagnée d'avance.

2ᵉ OPINION

BENOIT CHARETTE Tout nouveau modèle chez nous, la Mazda est, en réalité, un modèle 2008 qui est à sa troisième année de production en Europe, au Japon et en Australie. Il y a donc quelques petits irritants qu'on ne retrouve pas dans les modèles plus récents comme la boîte de vitesses automatique à 4 rapports, un handicap face à la concurrence. Par contre, il est clair que la nouvelle Mazda2 est vouée à un bel avenir. Moderne, amusante et abordable, elle permettra certes à Mazda d'atteindre ses objectifs de vente; et, à mon avis, elle devance déjà toutes les sous-compactes sur le marché à une exception près : la Fiesta de Ford qui a pris la pole dans ce créneau. Cependant, la 2 demeure un excellent choix, surtout avec la boîte manuelle, plus agréable à conduire.

⑤ FICHE TECHNIQUE

· MOTEUR

· L4 1,5 l DACT, 100 ch à 6000 tr/min
Couple 98 lb-pi à 4000 tr/min

Transmission manuelle à 5 rapports, automatique à 4 rapports avec mode manuel (en option)

0-100 km/h 10,5 s

Vitesse maximale 165 km/h

· AUTRES COMPOSANTES

Sécurité active freins ABS, répartition électronique du freinage, système électronique de contrôle de la stabilité, antipatinage

Suspension avant/arrière indépendante/semi-indépendante

Freins avant/arrière disques, tambours

Direction à crémaillère, assistée

Pneus P185/55R15 Yozora P195/45R16

· DIMENSIONS

Empattement 2489 mm

Longueur 3950 mm

Largeur 1694 mm

Hauteur 1476 mm

Poids man. 1043 kg **auto.** 1067 kg

Diamètre de braquage 9,8 m

Coffre 377 l, sièges abaissés 787 l

Réservoir de carburant 42,8 l

NOS MENTIONS

☺ Modèle recommandé

NOTRE VERDICT

Plaisir au volant	●●●●○
Qualité de finition	●●●○○
Consommation	●●●●◐
Rapport qualité/prix	●●●●○
Valeur de revente	Nm

LA COTE VERTE

MOTEUR
L4 DE 2,0 L

- **Consommation** (100km):
  man. 7,0 l
  auto. 7,4 l
- **Émissions polluantes CO_2:**
  man. 3266 kg/an
  auto. 3450 kg/an
- **Empreinte écologique** (nombre d'arbres à planter par année): 21
- **Indice d'octane:** 87
- **Autre motorisation:** non
- **Coût du carburant moyen par année:**
  man. 1420 $
  auto. 1500 $
- **Nombre de litres par année:**
  man. 1420 l
  auto. 1500 l

(SOURCE: ÉnerGuide)

① FICHE D'IDENTITÉ

- **Versions** GX, GS, GT, MazdaSpeed
- **Roues motrices** avant
- **Portières** 4/5 **Nombre de passagers** 5
- **Première génération** 2004
- **Génération actuelle** 2010
- **Construction** Hiroshima, Japon
- **Sacs gonflables** 6 (frontaux, latéraux avant, rideaux latéraux)
- **Concurrence** Chevrolet Cruze, Dodge Caliber, Ford Focus, Honda Civic, Hyundai Elantra, Kia Spectra, Mitsubishi Lancer, Nissan Sentra, Suzuki SX4, Subaru Impreza, Toyota Corolla/Matrix, Volkswagen Golf/Jetta

② AU QUOTIDIEN

- **Prime d'assurance**
  25 ans : 1500 à 1700 $
  40 ans : 1100 à 1300 $
  60 ans : 900 à 1100 $
- **Collision frontale** 5/5
- **Collision latérale** 4/5
- **Ventes du modèle de l'an dernier**
  Au Québec 19 935 **Au Canada** 46 943
- **Dépréciation** 56,2 %
- **Rappels** (2005 à 2010) 3
- **Cote de fiabilité** 5/5

③ GARANTIES... ET PLUS

- **Garantie générale** 3 ans/80 000 km
- **Garantie motopropulseur** 5 ans/100 000 km
- **Perforation** 5 ans/kilométrage illimité
- **Assistance routière** 3 ans/80 000 km
- **Nombre de concessionnaires**
  Au Québec 60 **Au Canada** 167

④ NOUVEAUTÉS EN 2011

- Remaniement des groupes optionnels
- Nouvel équipement standard

CHEF DE FILE

PAR MICHEL CRÉPAULT

DÈS SON INTRODUCTION, À LA FIN DE 2003, LA MAZDA3 A TÔT FAIT DE CONQUÉRIR LE CŒUR ET LE PORTE-MONNAIE DES QUÉBÉCOIS. La compacte avait tout pour elle : une bouille sympa, un équipement déployé dans des versions distinctives et un comportement routier digne du fameux vroum-vroum chuchoté dans les commerciaux. Tout juste revue et améliorée l'an dernier, la 3 nous revient avec 4 ou 5 portes, en livrées GX, GS, GT et Speed.

[CARROSSERIE] La dernière refonte a semé une légère controverse du côté du museau. Désormais et plus que jamais, on y reconnaît une face (trop ?) souriante. La bouche (la généreuse entrée d'air), le nez (le logo), les yeux (les phares bridés), tout y est. Les routes sont désormais envahies par des Smiley mobiles. Certains aiment bien, alors que d'autres trouvent que ça tue le petit côté sportif qu'ils veulent projeter avec leur 3. Les mêmes qui se taperaient des travaux communautaires plutôt que de rouler avec une marguerite accrochée au tableau de bord... Quoiqu'il en soit, le faciès expressif de la calandre s'est répercuté sur le reste de la coque, totalement en mouvement sous l'effet de nombreuses courbes et arêtes. Depuis quelques années, les stylistes de Mazda se sont amusés à dévoiler des prototypes sculptés, disaient-ils, par le vent. De fait, la 3, surtout à hayon, a l'air d'une minitornade prête à soulever l'asphalte. La version Speed ajoute une trappe d'aération sur son capot.

[HABITACLE] Le tableau de bord s'étale de manière intuitive, et la Speed enrobe le tout d'un air techno. Le système de navigation vient avec un écran lilliputien mais, heureusement, des renseignements limpides. L'isolation à bord est remarquable et découle en bonne partie de la solidité et de la qualité du squelette. Le conducteur et son passager héritent de sièges moulants (à coutures rouges dans la Speed), tandis que les occupants de la banquette risquent de la trouver ferme et peu invitante aux étirements matinaux. La facilité d'utilisation du coffre à hayon, y compris le rabat des dossiers asymétriques de la banquette, favorise nettement le modèle bicorps si vous prévoyez souvent transporter des bébelles.

FORCES · Comportement routier athlétique · Design recherché à l'extérieur comme à l'intérieur · Équipement complet

FAIBLESSES · Banquette et coffre un peu justes dans la berline · Visibilité arrière perfectible · Encore un bel appétit à la pompe

[MÉCANIQUE] Le 4 cylindres de 2 litres de 148 chevaux qui équipe le moins cher des modèles à 5 portes dessert aussi les berlines GX et GS. La boîte manuelle, toujours plaisante chez Mazda, continue d'épater. Cela dit, même le modèle de base offre l'automatique à 5 rapports à mode séquentiel. Le deuxième 4-cylindres, un 2,5-litres de 167 chevaux, emprunté à la Mazda6, se marie au choix avec une boîte manuelle à 6 rapports ou l'automatique. Enfin, la MAZDASPEED3 se limite à la manuelle liée à un 2,3-litres turbocompressé, bon pour 263 intrépides chevaux.

[COMPORTEMENT] Autant la conduite d'une Honda Fit surpasse celle des autres sous-compactes, autant celle d'une Mazda3 ressort du lot. Quant à celle que procure la Speed, oh la la! Il faut cependant apprivoiser l'effet de couple qui trahit l'enthousiasme de l'auto. La tenue de route d'une 3 est tout bonnement inspirante – suspension ferme mais point sautillante, direction communicative, accélérations franches – et vous êtes à même de choisir votre degré de sportivité préféré selon la version. Mazda traîne une tache dans son dossier qui l'empêche d'aligner une gamme parfaitement gagnante : des cotes de consommation de carburant décevantes. Les nouvelles boîtes automatiques de la 3 ont amélioré la situation, mais le constructeur d'Hiroshima nous réserve une plus belle surprise avec la venue prochaine d'une famille de moteurs éconergétiques surnommée Sky.

[CONCLUSION] Les Américains auront pris du temps à maîtriser l'art de la compacte – et encore, ils n'ont pas fini d'apprendre – mais ils auraient pu gagner du temps en disséquant une Mazda3, l'une des meilleures compactes sur le marché, si ce n'est pas la meilleure.

2ᵉ OPINION

BENOIT CHARETTE Avec son immense bouche de prédateur surmontée de deux yeux étirés de chaque côté, la Mazda 3 continue de jouer d'audace et les Québécois semblent apprécier. Parfaitement stable dans les grandes courbes, la japonaise se montre également à son aise en ville et sur autoroute. Que vous optiez pour le 2,0 litres de base ou le plus puissant 2,5 litres, les deux mécaniques relancent avec suffisamment de facilité en sortie d'épingles, et permet de doubler en toute sécurité, à condition de rétrograder un rapport, voire deux si la famille est à bord dans la version de base.

5 FICHE TECHNIQUE

· MOTEURS
(GX, GS, Sport GX)
L4 2,0 l DACT, 148 ch à 6500 tr/min
Couple 135 lb-pi à 4500 tr/min
Transmission manuelle à 5 rapports, automatique à 5 rapports avec mode manuel (option)
0-100 km/h 9,4 s
Vitesse maximale 188 km/h (bridée)
· (GT, Sport GS, Sport GT)
L4 2,5 l DACT, 167 ch à 6000 tr/min
Couple 168 lb-pi à 4000 tr/min
Transmission manuelle à 6 rapports, automatique à 5 rapports avec mode manuel (option)

0-100 km/h 9,0 s
Vitesse maximale 200 km/h
Consommation (100 km) man. 8,5 l, **autom.** 8,0 l (octane 87)
Émissions de CO$_2$ man. 3956 kg/an, **auto.** 3726 kg/an
Litres par année man. 1720 l, **auto.** 1620 l
Coût par an man. 1720 $, **auto.** 1620 $
Autre motorisation non
Empreinte écologique 24 arbres

· (MazdaSpeed)
L4 2,3 l turbo DACT, 263 ch à 5500 tr/min
Couple 280 lb-pi à 3000 tr/min
Transmission manuelle à 6 rapports
0-100 km/h 6,1 s
Vitesse maximale 250 km/h
Consommation (100 km) man. 9,5 l (octane 91)
Émissions de CO$_2$ 4554 kg/an,
Litres par année man. 1980 l
Coût par an man. 2218 $
Autre motorisation non
Empreinte écologique 30

· AUTRES COMPOSANTES
Sécurité active freins ABS, répartition électronique de force de freinage, antipatinage (option GS, standard GT), contrôle de la stabilité électronique (option GS, standard GT)
Suspension avant/arrière indépendante
Freins avant/arrière disques
Direction à crémaillère, assistée
Pneus GX/ GS P205/55R16, **GT** P205/50R17

· DIMENSIONS
Empattement 2640 mm
Longueur 2,0L. 4590 mm, **2,5L.** 4595 mm, **Sport 2,0L** 4500 mm, **Sport 2,5L** 4505 mm, **MazdaSpeed** 4510 mm
Largeur 1755 mm, **MazdaSpeed** 1770 mm
Hauteur 1470 mm, **MazdaSpeed** 1460 mm
Poids GX/GS/GT 1295 à 1381 kg, **Sport GS/Sport GS/Sport GT** 1313 à 1399 kg, **MazdaSpeed** 1461 à 1509 kg
Diamètre de braquage 10,4 m, **MazdaSpeed** 11 m
Coffre 335 l, **Sport** 481 l, 1213 l (sièges abaissés)
Réservoir de carburant GS, GX, Sport GX 55 l, **GT, Spostr GS, Sport GT, MazdaSpeed** 60 l

NOS MENTIONS

 Clé d'or de sa catégorie

 Modèle recommandé

 Coup de coeur

NOTRE VERDICT

Plaisir au volant	●	●	●	● ○
Qualité de finition	●	●	●	● ●
Consommation	●	●	○	○ ○
Rapport qualité/prix	●	●	●	○ ○
Valeur de revente	●	●	●	● ○

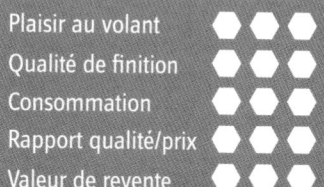

N É J NOUVEAUTÉ

20 995 $ à 23 995 $
transport et préparation: 1595 $

LA COTE VERTE

MOTEUR
L4 DE 2,5 L

- **Consommation** (100km):
  man. 8,5 l
  auto. 8,0 l
- **Émissions polluantes CO_2 :**
  man. 3956 kg/an
  auto. 3726 kg/an
- **Empreinte écologique** (nombre d'arbres à planter par année): 24
- **Indice d'octane:** 87
- **Autre motorisation:** non
- **Coût du carburant moyen par année:**
  man. 1720 $
  auto. 1620$
- **Nombre de litres par année:**
  man. 1720l
  auto. 1620 l

(SOURCE: ÉnerGuide)

422

 FICHE D'IDENTITÉ

- **Versions** GS, GT
- **Roues motrices** avant
- **Portières** 5 **Nombre de passagers** 6
- **Première génération** 2006
- **Génération actuelle** 2010
- **Construction** Hiroshima, Japon
- **Sacs gonflables** 4
  (frontaux, latéraux avant et rideaux latéraux)
- **Concurrence** Kia Rondo, Dodge Journey

② AU QUOTIDIEN

- **Prime d'assurance**
  25 ans: 1500 à 1700 $
  40 ans: 1100 à 1300 $
  60 ans: 900 à 1100 $
- **Collision frontale** 5/5
- **Collision latérale** 4/5
- **Ventes du modèle de l'an dernier**
  Au Québec 3735 **Au Canada** 8638
- **Dépréciation** 47,3 %
- **Rappels** (2005 à 2010) 2
- **Cote de fiabilité** 4/5
- **Garantie générale** 3 ans/80 000 km
- **Garantie motopropulseur** 5 ans/100 000 km

③ GARANTIES... ET PLUS

- **Perforation** 5 ans/kilométrage illimité
- **Assistance routière** 3 ans/80 000 km
- **Nombre de concessionnaires**
  Au Québec 60 **Au Canada** 167

④ NOUVEAUTÉS EN 2011

- Nouveau modèle

QUI DIT MIEUX ?

PAR DANIEL RUFIANGE

LA MAZDA 5 EN EST À SA CINQUIÈME ANNÉE SUR LE MARCHÉ CANADIEN. Si Mazda avait prévu un plan quinquennal pour amener sa fourgonnette à maturité, parions que ce plan aura été réévalué bien avant. En fait, il aura fallu moins de temps pour que la Mazda5 domine son segment. C'est dire à quel point ce véhicule est réussi et répond à un besoin criant; celui d'offrir aux jeunes familles tous les avantages d'une fourgonnette, mais à une fraction du prix. À l'aube d'une nouvelle génération qui verra le jour sous, voyons ce qui a fait le succès de ce petit véhicule bien pensé.

[CARROSSERIE] Avec ses phares bridés, son nez plongeant et son petit sourire moqueur, la Mazda5 se fait coquette. Cela ne signifie pas pour autant qu'il s'agit d'un beau véhicule, ne nous méprenons pas. Sa faible garde au sol l'empêche de ressembler à une fourgonnette, au grand plaisir d'innombrables papas. C'est en partie dû au fait qu'elle repose sur le châssis de la Mazda3, ce qui lui assure du même coup un comportement routier sain. La Mazda5 est toujours offerte en deux versions, soit GS et GT. Les esquisses de la nouvelle génération, publiées déjà depuis quelques mois, montrent un véhicule aux proportions similaires, mais pourvues de lignes beaucoup plus modernes. En fait, le nouveau design s'inspire du concept *Nagare*, mot japonais qui signifie fluidité, et s'inscrit dans la foulée d'autres produits de la marque comme les RX-8 et Mazda6, par exemple.

[HABITACLE] Mazda propose toujours des habitacles fonctionnels, et celui de la Mazda5 n'échappe pas à cette règle. Mais cet intérieur c'est plus que cela. Surtout, on apprécie l'espace libéré quand on rabat les banquettes de deuxième et de troisième rangée. Quant au confort des sièges, il est plus frappant à la deuxième rangée où l'on retrouve des sièges du type fauteuil. À l'avant, à bord de la génération actuelle, les réglages manquent pour nous permettre de trouver une position de conduite idéale. Concernant la deuxième rangée de sièges, mentionnons que la présence de deux portes coulissantes facilite l'accès à bord des occupants ou du matériel. Soulignons aussi l'excellente surface vitrée

FORCES · Rapport qualité/prix · Aspect pratique · Boîte manuelle offerte
· Plaisante à conduire · Nouvelle génération qui arrive sous peu

FAIBLESSES · Troisième rangée de siège décorative · Aucun moteur V6

· **MOTEUR**

L4 2,5 l DACT, 167 ch à 6000 tr/min	
Couple 168 lb-pi à 4000 tr/min	
Transmission manuelle à 6 rapports, automatique à 5 rapports avec mode manuel (option)	
0-100 km/h 9,0 s	
Vitesse maximale 200 km/h	

· **AUTRES COMPOSANTES**

Sécurité active freins ABS, répartition électronique de force de freinage	
Suspension avant/arrière indépendante	
Freins avant/arrière disques	
Direction à crémaillère, assistée	
Pneus GS P205/55R16 **GT** P205/50R17	

· **DIMENSIONS**

Empattement 2750 mm	
Longueur 4620 mm	
Largeur 1755 mm	
Hauteur 1630 mm	
Poids man. 1545 kg **auto.** 1571 kg	
Diamètre de braquage 10,6 m	
Coffre 112 l, 857 l (sièges abaissés)	
Réservoir de carburant 60 l	

dont nous profitons tous azimuts. Cela facilite les changements de voie et les opérations en marche arrière.

[MÉCANIQUE] L'offre mécanique change pour 2011. Le 4-cylindres de 2,3 litres de 153 chevaux est remplacé par un 4 cylindres 2,5 litres. La boîte manuelle passe de cinq à six rapports. Que ceux qui transpirent déjà à l'idée de manipuler une pédale d'embrayage soient rassurés: la Mazda5 est aussi livrable muni d'une boîte automatique à 5 rapports. Il n'y aura pas de différence majeure au chapitre de la conduite car le nombre de chevaux sera sensiblement le même, avec un peu plus de couple à bas régime. Contrairement à la Dodge Journey ou la Kia Rondo, la Mazda5 est la seule à ne pas offrir un moteur V6. En conséquence, une fois bien chargée, elle montre un certain essoufflement.

[COMPORTEMENT] Du fait qu'elle partage sa plateforme avec la Mazda3, la 5 adopte un comportement routier qui se rapproche beaucoup plus de celui d'une voiture que d'un utilitaire, et ce, au grand plaisir de quiconque se trouve derrière le volant. Il ne s'agit pas ici de faire l'apologie de la vitesse et de la performance, surtout en faisant référence à un véhicule familial, mais bien de souligner le plaisir au volant qu'on éprouve au volant de cette minifourgonnette. Seule une insonorisation laissant à désirer fait déchanter un peu. Parions que la prochaine génération fera mieux à ce chapitre.

[CONCLUSION] Succès sur toute la ligne, on ne peut qu'attendre la prochaine génération de la Mazda5 avec impatience. En attendant, la mouture actuelle représente toujours une excellente affaire.

2ᵉ OPINION

FRÉDÉRIC MASSE Construite à partir du châssis de la Mazda3, la 5 possède évidemment une grande partie de ses qualités, comme la qualité des matériaux, une conduite sportive et une belle présentation. Au chapitre de la polyvalence, il y a très peu de voitures pouvant en offrir autant pour ce prix. Avec ses 2 portes coulissantes, ses six places et sa conduite nerveuse, la 5 répond vraiment aux besoins de ceux qui veulent continuer à avoir du plaisir tout en ayant de l'espace. Il est certain qu'avec six personnes à bord, le petit moulin peinera un peu plus et que l'espace cargo devient plus accessoire, mais c'est tout de même fort intéressant pour amener le fiston et les amis du fiston à la pratique de soccer. La 5 est en fait un produit que bien des gens devraient considérer !

NOS MENTIONS

 Modèle recommandé

NOTRE VERDICT

Plaisir au volant	●●●○○
Qualité de finition	●●●○○
Consommation	●●○○○
Rapport qualité/prix	●●●○○
Valeur de revente	Nm

ÉVOLUTION

N É

J

23 195 $ à 36 695 $
transport et préparation: 1595 $

LA COTE VERTE

MOTEUR
L4 DE 2,5 L

- **Consommation (100km):**
  man. 8,7 l
  auto. 8,2 l
- **Émissions polluantes CO_2:**
  man. 4048 kg/an
  auto. 3818 kg/an
- **Empreinte écologique (nombre d'arbres à planter par année): 25**
- **Indice d'octane: 87**
- **Autre motorisation:** non
- **Coût du carburant moyen par année:**
  man. 1760 $
  auto. 1660 $
- **Nombre de litres par année:**
  man. 1760 l
  auto. 1660 l

(SOURCE: ÉnerGuide)

SOUFFRE-DOULEUR

PAR FRANCIS BRIÈRE

POUR ÊTRE EN MESURE DE BIEN ÉVALUER TOUTES LES OFFRES DES CONSTRUCTEURS DANS CETTE CATÉGORIE DE VOITURES, IL FAUDRAIT FAIRE UN MATCH COMPARATIF À PLUS DE DIX CONCURRENTES. La Mazda6 en est à sa troisième année d'existence depuis l'arrivée de la plus récente génération, en 2009. Son succès est discutable en dépit de la qualité de sa conception. Dans cette catégorie, les consommateurs ont le choix, et d'autres constructeurs offrent des produits concurrentiels, comme Hyundai avec sa nouvelle Sonata.

[CARROSSERIE] La silhouette de la génération précédente a plu, mais, bien que celle de la génération actuelle représente une évolution, elle ne semble pas faire tourner les têtes. Pourtant, la Mazda6 est dotée d'une carrosserie aux formes typiquement européennes, modernes et dynamiques. Elle semble bien assise sur ses quatre roues et respecte la philosophie du constructeur japonais en ce qui a trait aux valeurs. Malheureusement, Mazda n'offre qu'un seul modèle, la berline. En revanche, nous savons pertinem-

ment que la familiale n'a plus la cote depuis belle lurette.

[HABITACLE] Ici, la Mazda6 se distingue de la concurrence avec un intérieur bien conçu. La finition est impeccable, et l'ergonomie, bien pensée. Si les Japonais ont tendance à exagérer quand vient le temps de créer des boutons sur la planche de bord ou sur le volant, on sera ravi de constater que cette voiture est modérément « boutonnée ». À noter cependant que le petit écran mince à affichage ambre date un peu et aurait pu être remplacé par autre chose de franchement plus moderne. L'insonorisation est l'une des meilleures de la catégorie, tandis que les sièges offrent du confort, mais manquent de maintien. À l'arrière, c'est encore pire.

[MÉCANIQUE] Tandis que certains constructeurs réduisent la cylindrée des moteurs et optent pour des technologies de pointe comme le turbo, Mazda a préféré augmenter la taille des blocs à 4 cylindres et 6 cylindres pour sa berline intermédiaire. De plus, certains modèles de cette catégorie

 FICHE D'IDENTITÉ

- **Versions** GS, GS V6, GT, GT V6
- **Roues motrices** avant
- **Portières** 4 **Nombre de passagers** 5
- **Première génération** 2004
- **Génération actuelle** 2009
- **Construction** Flat Rock, Michigan, É.-U.
- **Sacs gonflables** 6 (frontaux, latéraux et rideaux latéraux)
- **Concurrence** Chevrolet Malibu, Chrysler Sebring, Honda Accord, Hyundai Sonata, Kia Magentis, Mitsubishi Galant, Nissan Altima, Subaru Legacy, Toyota Camry, Volkswagen Jetta/Passat

② **AU QUOTIDIEN**

- **Prime d'assurance**
  25 ans: 1600 à 1800 $ **40 ans:** 1000 à 1200 $
  60 ans: 900 à 1100 $
- **Collision frontale** 5/5 · **Collision latérale** 5/5
- **Ventes du modèle de l'an dernier**
  Au Québec 2891 **Au Canada** 6614
- **Dépréciation** 57,7%
- **Rappels** (2005 à 2010) 1
- **Cote de fiabilité** 3,5/5

③ **GARANTIES... ET PLUS**

- **Garantie générale** 3 ans/80 000 km
- **Garantie motopropulseur** 5 ans/100 000 km
- **Perforation** 5 ans/kilométrage illimité
- **Assistance routière** 3 ans/80 000 km
- **Nombre de concessionnaires**
- **Au Québec** 60 **Au Canada** 167

 NOUVEAUTÉS EN 2011

· Aucun changement majeur

FORCES · Belle conception · Confort et tenue de route · Choix de motorisation

FAIBLESSES · Moteurs un peu gourmands · Sièges décevants · Modèle familial inexistant

ne sont offerts qu'avec un 4-cylindres. C'est le cas, notamment, de la Hyundai Sonata qui héritera bientôt d'un moteur turbo qui promet des performances brillantes. Si Mazda a opté pour des engins plus gros, le constructeur a également opté pour une soif encore plus féroce. Au cas où le V6 vous intéresserait, il faut compter au moins 13 litres aux 100 kilomètres, surtout si votre trajet quotidien comprend une dose de circulation urbaine. Le 4-cylindres s'en tire mieux, mais il n'est pas frugal non plus.

[COMPORTEMENT] Les voitures intermédiaires (outre les berlines de grand luxe) ne sont pas excitantes à conduire. De fait, la direction se révèle souvent floue, et la suspension, un peu guimauve. La Mazda6 offre l'expérience de conduite la plus sportive de la catégorie. Pour une berline de classe intermédiaire, la voiture se comporte de façon dynamique et précise. Sa tenue de route assure au conducteur un aplomb rappelant le comportement des berlines européennes. N'allez tout de même pas croire que la Mazda6 se compare à une Mercedes-Benz de Classe E ou à une BMW de Série 5. Par contre, il s'agit d'une voiture japonaise confortable pour laquelle le constructeur n'a pas sacrifié son petit côté sportif.

[CONCLUSION] Je n'arrive pas à saisir le manque d'enthousiasme pour cette voiture. Il s'agit de l'une des meilleures offres sur le marché pour un produit de ce gabarit. Parmi les rivales les mieux cotées dans ce marché, il y a la nouvelle Hyundai

Sonata et la Subaru Legacy. Quant à moi, les Honda Accord, Toyota Camry, Nissan Altima et Chevrolet Malibu suivent derrière. La Mazda6 est plus agréable à conduire à un prix comparable. En revanche, le constructeur japonais devra revoir sa motorisation et proposer des solutions mieux adaptées aux besoins du jour. Quand on pense que la Ford Fusion hybride consomme moins de 6 litres aux 100 kilomètres, nous devons admettre que Mazda devra faire ses devoirs rapidement.

2ᵉ OPINION

DANIEL RUFIANGE Plus le temps passe, plus j'adore la Mazda6. Si ses lignes ne m'avaient pas séduit lors de son lancement, la voiture, elle, opère un charme grandissant. C'est simple, cette bagnole fait tout bien. Confort, douceur de roulement, tenue de route, bonne position de conduite, moteurs compétents, bref, il est très difficile de la prendre en défaut. Qui plus est, deux ans après son lancement, elle est encore dans le coup dans le segment et le sera encore pour longtemps et ce, pendant que certaines de ses rivales vieillissent plutôt mal, notamment la Nissan Altima. En prime pour les amateurs de conduite, une version à boîte de vitesses manuelle d'une précision sans pareille. Mazda n'a qu'à polir sa 6 au cours des prochaines années pour la maintenir au sommet.

⑤ FICHE TECHNIQUE

MOTEURS

(GS, GT)

L4 2,5 l DACT, 170 ch à 6000 tr/min
Couple 167 lb-pi à 4000 tr/min

Transmission manuelle à 6 rapports, automatique à 5 rapports avec mode manuel (en option)

0-100 km/h 8,0 s

Vitesse maximale 210 km/h

(GS V6, GT V6)

V6 3,7 l DACT, 272 ch à 6250 tr/min
Couple 269 lb-pi à 4250 tr/min

Transmission automatique à 6 rapports avec mode sport

0-100 km/h 6,7 s

Vitesse maximale 230 km/h

Consommation (100 km) 10,4 l (octane 87)

Émissions de CO_2 4692 kg/an

Litres par année 2040 l

Coût par an 2040 $

Autre motorisation non

Empreinte écologique 30 arbres

AUTRES COMPOSANTES

Sécurité active freins ABS, répartition électronique de force de freinage, antipatinage, contrôle de stabilité électronique

Suspension avant/arrière indépendante

Freins avant/arrière disques

Direction à crémaillère, assistée

Pneus GS P215/55R17 **GT** P235/45R18

DIMENSIONS

Empattement 2790 mm

Longueur 4940 mm

Largeur 1840 mm

Hauteur 1470 mm

Poids L4 1486 kg à 1509 **V6** 1610 kg

Diamètre de braquage 10,8 m

Coffre 469 l

Réservoir de carburant 70 l

NOS MENTIONS

☺ Modèle recommandé

NOTRE VERDICT

Plaisir au volant	●●●○○
Qualité de finition	⬡⬡⬡○○
Consommation	⬡⬡○○○
Rapport qualité/prix	⬡⬡⬡○○
Valeur de revente	⬡●●◖○

CX-7

www.mazda.ca

ÉVOLUTION

N
J
É

27 995 $ à 38 990 $
transport et préparation: 1295 $

LA COTE VERTE

MOTEUR
L4 DE 2,5 L

- **Consommation (100km):**
  8,8 l
- **Émissions polluantes CO$_2$:**
  4140 kg/an
- **Empreinte écologique (nombre d'arbres à planter par année):** 30
- **Indice d'octane:** 87
- **Autre motorisation:** non
- **Coût du carburant moyen par année:**
  1800 $
- **Nombre de litres par année:**
  1800 l

(SOURCE: ÉnerGuide)

① FICHE D'IDENTITÉ

- **Versions** GX (2RM), GS, GT
- **Roues motrices** avant, 4
- **Portières** 5 **Nombre de passagers** 5
- **Première génération** 2007
- **Génération actuelle** 2007
- **Construction** Hiroshima, Japon
- **Sacs gonflables** 6 (frontaux, latéraux avant, rideaux latéraux)
- **Concurrence** Acura RDX, Chevrolet Equinox, Ford Edge, Honda CR-V, Hyundai Santa Fe, Kia Sorento, Mitsubishi Outlander, Subaru Outback, Suzuki Grand Vitara, Toyota RAV4

② AU QUOTIDIEN

- **Prime d'assurance**
  25 ans: 1700 à 1900 $
  40 ans: 1000 à 1100 $
  60 ans: 900 à 1100 $
- **Collision frontale** 5/5
- **Collision latérale** 5/5
- **Ventes du modèle de l'an dernier**
  Au Québec 1311 **Au Canada** 2806
- **Dépréciation** 50,8%
- **Rappels** (2005 à 2010) aucun à ce jour
- **Cote de fiabilité** 3,5/5

③ GARANTIES... ET PLUS

- **Garantie générale** 3 ans/80 000 km
- **Garantie motopropulseur** 5 ans/100 000 km
- **Perforation** 5 ans/kilométrage illimité
- **Assistance routière** 3 ans/80 000 km
- **Nombre de concessionnaires**
  Au Québec 60 **Au Canada** 167

④ NOUVEAUTÉS EN 2011

- Aucun changement majeur

PLUS PERTINENT

PAR BENOIT CHARETTE

UN NOUVEAU SOURIRE ET UNE MÉCANIQUE PLUS SOBRE RÉSUME EN QUELQUES LIGNES CE QUE LE VÉHICULE À TOUT FAIRE DE MAZDA NOUS OFFRE CETTE ANNÉE.

[CARROSSERIE] Alors que le dessin des feux à l'arrière est à peine modifié, la calandre se voit affublée de ces mêmes prises d'air également entrevues sur la nouvelle Mazda3. À ceci près que, dans le cas du CX-7 restylé, les entrées d'air sont encore plus grosses, certains diront qu'on s'approche de la caricature. Dans un monde où tous les véhicules semblent sortir du même programme informatique, certains constructeurs ont décidé d'y mettre une touche personnelle, et j'aime mieux ce Mazda qu'Acura.

[HABITACLE] Mazda a revu son intérieur pour lui offrir une qualité supérieure. Les matériaux qui couvrent le tableau de bord et les accoudoirs offrent un rembourrage souple au toucher. Un nouveau dessin des indicateurs inclut le bloc d'instruments du type « éclipse » qui comprend des cadrans tridimensionnels à éclairage bleu comportant des aiguilles blanches qui rehaussent la qualité perçue du véhicule. Il y a aussi un nouveau volant avec commandes audio, la connectivité Bluetooth et le régulateur de vitesse. Les appareils audio n'étant pas compatibles avec Bluetooth peuvent être branchés à la prise d'entrée auxiliaire comprise de série. Sur les modèles GT, le siège du conducteur reçoit une fonction de mémorisation à trois positions; pour ce qui est du siège du passager, il est réglable électriquement. Un système de surveillance des angles morts, similaire à celui qu'on retrouve sur la Mazda6 et le CX-9, est désormais offert. Enfin, un nouvel affichage multifonction (MID) qui occupe le centre et la droite du tableau de bord face au conducteur, permet à ce dernier d'y faire une consultation facile. Le MID affiche les fonctions de l'ordinateur de voyage et de la caméra arrière (de série sur le GT) ainsi que les données d'entretien.

[MÉCANIQUE] Avec le moteur turbo de 2,3 litres de 244 chevaux, l'offre de Mazda débute à un peu plus de 27 000 $, ce qui n'est pas à la portée de toutes les bourses. En sachant que l'association

FORCES · Conduite · Lignes originales · Confort de roulement · Qualité d'ensemble

FAIBLESSES · Bruits de roulement · Faible visibilité arrière · Coffre un peu juste

faire tout juste sous la barre des 9 litres aux 100 kilomètres avec 80 % d'autoroute, c'est tout de même mieux que les 13 litres aux 100 kilomètres de la version turbo.

Ford-Mazda tire à sa fin, et que, du coup, le modèle Tribute risque de disparaître, Mazda devait préparer le terrain. C'est pourquoi le moteur à 4 cylindres de 2,5 litres se retrouve dans le CX-7. En plus d'être plus économe en carburant, ce CX-7 de base sera uniquement offert en version à deux roues motrices, ce qui permet à Mazda de l'offrir à 27 995 $, sensiblement le même prix que le Tribute; vous profitez par contre d'un modèle plus moderne et plus polyvalent. Ce moteur produit 161 chevaux et est associé à une boîte de vitesses automatique à 5 rapports. Les versions GS et GT du CX-7 2011 sont toujours propulsées par le moteur MZR de 2,3 litres DISI (injection directe à allumage par bougie) à turbocompresseur. Sa puissance reste la même, 244 chevaux à 5 000 tours par minute, et son couple fait 258 livres-pieds à 2 500 tours par minute. Le moteur est associé à une boîte automatique à 6 rapports agrémentée d'une grille de changements de rapports modifiée pour des passages plus efficaces.

[COMPORTEMENT] L'ascendant sportif qui est le propre du CX-7 turbo perd de sa superbe avec le moteur de 2,5 litres. Il est moins prompt à réagir aux sollicitations du pied droit du conducteur. L'agrément de conduite est toujours présent, et le châssis, toujours aussi sain, ne rechigne pas à prendre les montées en régime, si nécessaire. Vous serez plus heureux quand viendra le moment de passer à la pompe car vous maintiendrez, selon Mazda, une moyenne de 10,4 litres aux 100 kilomètres en ville et 7,2 sur la route. Notre semaine d'essai nous a permis de

[CONCLUSION] Ce nouveau CX-7 au profil plus économique risque de trouver une oreille attentive auprès des automobilistes. Il offre le même format pratique, la même tenue de route saine et autant de sécurité à prix moindre. Il faudra sacrifier le « vroum-vroum » qui est laissé au rancart, mais au profit d'une consommation beaucoup plus réaliste.

2e OPINION

DANIEL RUFIANGE Le CX-7 œuvre dans un créneau des plus concurrentiels. Jusqu'ici, il tire bien son épingle du jeu en raison d'une bonne qualité de construction, d'une silhouette attrayante qui, soit dit en passant, séduit beaucoup les femmes, ainsi qu'une expérience de conduite signée Mazda, c'est-à-dire branchée sur l'esprit « vroum-vroum ». Au fait, qu'est-ce que cet esprit ? Un comportement routier nerveux et agile ainsi qu'un plaisir de conduire certain. Cependant, en ce qui me concerne, le principal défaut du CX-7 demeure le prix de certaines versions. Si une livrée de base CX à 27 995 $ peut paraître raisonnable, je trouve Mazda drôlement culottée d'exiger 38 990 $ pour une version GT à quatre roues motrices. Après tout, le CX-7 demeure un utilitaire bien ordinaire, malgré ses qualités.

⑤ FICHE TECHNIQUE

· MOTEURS

· (GX)

L4 2,5 l DACT, 161 ch à 6000 tr/min	
Couple 161 lb-pi à 3500 tr/min	
Transmission automatique à 5 rapports avec mode manuel	
0-100 km/h 8,8 s	
Vitesse maximale 200 km/h	

· (GS/GT)

L4 2,3 l turbo DACT, 244 ch à 5000 tr/min	
Couple 258 lb-pi à 2500 tr/min	
Transmission automatique à 6 rapports avec mode manuel	
0-100 km/h 7,8 s	
Vitesse maximale 200 km/h	
Consommation (100 km) 10,5 l (octane 91)	
Émissions de CO$_2$ 4876 kg/an,	
Litres par année 2120 l	
Coût par an 2374 $	
Autre motorisation : non	
Empreinte écologique 33 arbres	

· AUTRES COMPOSANTES

Sécurité active freins ABS, répartition électronique de force de freinage, assistance au freinage, antipatinage, contrôle de stabilité électronique
Suspension avant/arrière indépendante
Freins avant/arrière disques
Direction à crémaillère, assistée
Pneus GX P215/70R17, **GS** P235/60R18, **GT** P235/55R19

· DIMENSIONS

Empattement 2750 mm
Longueur 4682 mm
Largeur 1872 mm
Hauteur 1645 mm
Poids GX 1588 kg, **GS/GT** 1818 kg
Diamètre de braquage 11,4 m
Coffre 848 l, 1658 l (sièges abaissés)
Réservoir de carburant GX 62 l **GS/GT** 69 l
Capacité de remorquage GX 680 kg
GS/GT 907 kg,

NOS MENTIONS

☺ Modèle recommandé

NOTRE VERDICT

Plaisir au volant	●●●●○
Qualité de finition	●●●●○
Consommation	●●○○○
Rapport qualité/prix	●●●○○
Valeur de revente	●●○○○

CX-9

www.mazda.ca

37 995 $ à 45 695 $
transport et préparation: 1595 $

LA COTE VERTE

MOTEUR
V6 DE 3,7 L

- **Consommation (100km):**
  2RM 10,6 l
  4RM 10,9 l
- **Émissions polluantes CO_2 :**
  2RM 4960 kg/an
  4RM 5100 kg/an
- **Empreinte écologique (nombre d'arbres à planter par année):** 31
- **Indice d'octane:** 87
- **Autre motorisation:** non
- **Coût du carburant moyen par année:**
  2RM 2420 $
  4RM 2480 $
- **Nombre de litres par année:**
  2RM 2160 l
  4RM 2220 l

(SOURCE: Mazda)

OFFRE À REVOIR

PAR DANIEL RUFIANGE

MAZDA ÉCOULE, BON AN MAL AN, ENTRE 500 ET 700 CX-9 AU QUÉBEC. Dans le segment, c'est dans la moyenne. L'an dernier, toutefois, ce chiffre a chuté à 357 exemplaires seulement. La concurrence est à ce point forte qu'on est en droit de se demander si la stratégie adoptée par Mazda pour dominer le segment est la bonne. Le CX-9 est un bon produit, meilleur que ne l'indiquent ses ventes. Pourquoi ?

[CARROSSERIE] Le CX-9 est un autre produit Mazda qui partage son code génétique avec un produit Ford, l'Edge, en l'occurrence. Cependant, et heureusement, on ne peut confondre les lignes des deux véhicules. Si l'Edge présente un style plus masculin, le CX-9, avec ses courbes et ses angles, plaît beaucoup aux femmes. Toutefois, son design discret l'aide à se fondre dans la foule. Même la calandre en forme de sourire se fait réservée et s'harmonise bien avec le reste du design. Le CX-9 se présente sous deux formes, soit en version GS ou GT. Cette dernière est offerte en version à quatre roues motrices, alors que la première vous donne le choix d'opter pour la traction. Pourquoi acheter un véhicule utilitaire à deux roues motrices ?

[HABITACLE] S'il y a une chose qu'on ne peut reprocher au CX-9, c'est de ne pas avoir une liste d'équipements complète. Caméra de recul, chaîne audio de bonne qualité, sièges confortables et réglables à souhait, système de divertissement, bref, on se croirait dans un utilitaire haut de gamme. En réalité, c'est ce que Mazda souhaite nous faire avaler, mais ça ne passe pas. Par exemple, comment expliquer que, sur un véhicule de plus de 50 000 $, les plastiques de la planche de bord puissent facilement être éraflés du bout des ongles ? Si l'ensemble de l'habitacle est de bon goût, c'est cet enchevêtrement de bons et de moins bons matériaux qui gâche la sauce. De plus, un assemblage plus soigné serait de mise sur un véhicule de ce prix. En revanche, il y a de la place à bord pour toute la famille. Même les ados trouveront confort et refuge à la troisième rangée de sièges, surprenante d'accueil.

FICHE D'IDENTITÉ

- **Versions** GS, GS (4RM), GT (4RM)
- **Roues motrices** avant, 4
- **Portières** 5 **nombre de passagers** 7
- **Première génération** 2007
- **Génération actuelle** 2007
- **Construction** Hiroshima, Japon
- **Sacs gonflables** 6 (frontaux, latéraux avant, rideaux latéraux)
- **Concurrence** Ford Flex, GMC Acadia, Honda Pilot, Hyundai Veracruz, Nissan Murano, Subaru Tribeca, Toyota Highlander

AU QUOTIDIEN

- **Prime d'assurance**
  25 ans: 1900 à 2100 $
  40 ans: 1200 à 1400 $
  60 ans: 900 à 1100 $
- **Collision frontale** 5/5
- **Collision latérale** 5/5
- **Ventes du modèle de l'an dernier**
  Au Québec 357 **Au Canada** 1021
- **Dépréciation** 51,8%
- **Rappels (2005 à 2010)** 2
- **Cote de fiabilité** 3,5/5

GARANTIES... ET PLUS

- **Garantie générale** 3 ans/80 000 km
- **Garantie motopropulseur** 5 ans/100 000 km
- **Perforation** 5 ans/kilométrage illimité
- **Assistance routière** 3 ans/80 000 km
- **Nombre de concessionnaires**
- **Au Québec** 60 **Au Canada** 167

NOUVEAUTÉS EN 2011

- Nouveau dessin pour les roues en alliage

FORCES · Design réussi · Position de conduite réglable à souhait · Banquettes arrières faciles à rabattre et à manipuler

FAIBLESSES · Prix, surtout la version GT · Rapport qualité/prix · Visibilité réduite sur les flancs · Coût de remplacement des pneus (18 pouces GS - 20 pouces GT)

[MÉCANIQUE] Toujours qu'un seul moteur au catalogue, soit un V6 de 3,7 litres qui propose 273 chevaux et un couple de 270 livres-pieds. En matière de performance, c'est amplement suffisant. Une boîte de vitesses automatique à 6 rapports, qui assure des changements de rapports tout en douceur, équipe toutes les versions. Désireux de doter le CX-9 d'un comportement routier propre à une voiture sport, les ingénieurs l'ont équipé d'une suspension à 4 roues indépendantes. Autre fait intéressant, on a placé les ressorts hélicoïdaux près du châssis afin de limiter l'intrusion des passages d'ailes en maximisant ainsi l'espace. Enfin, comme tout bon utilitaire, le CX-9 se voit capable de remorquer des charges pouvant atteindre 1588 kilos, le standard non avoué du segment.

[COMPORTEMENT] Après plusieurs heures passées au volant du CX-9, une très bonne impression s'empare de nous. Ce véhicule offre une excellente douceur de roulement à laquelle se marie une très bonne insonorisation. Sur la version GT, des roues de 20 pouces améliorent tout le comportement du CX-9 et pardonnent même certains élans d'enthousiasme. Tout utilisateur apprendra toutefois à ses dépens qu'une utilisation abusive de la pédale d'accélérateur aura de fâcheuses répercussions sur ses finances. Le CX-9 n'est pas très économique à l'usage, même quand on conduit en douceur.

[CONCLUSION] En configurant un CX-9 sur le site de Mazda Canada, nous avons obtenu un prix de 63 275 $ pour une version GT munie d'équipements populaires offerts en option comme un DVD, un marche pied et le système de navigation. Croyez-vous sincèrement que, à ce prix, un acheteur ne se tournera pas du côté d'un Acura MDX par exemple ? Le CX-9 n'est pas un mauvais véhicule, mais en ce qui nous concerne, seule la version de base mérite attention.

2ᵉ OPINION

FRÉDÉRIC MASSE Mazda CX-9, Hyundai Veracruz, Nissan Murano... lequel choisir ? Ici, contrairement à d'autres catégories, la limite n'est pas aussi bien définie. Le CX-9 offre plus de plaisir au volant et un équilibre intéressant entre le confort et la conduite un peu plus sportive (on s'entend, ce ne sera jamais une voiture de course). La visibilité générale est également très bonne, et la qualité de son habitacle est impressionnante. Le tandem moteur boîte de vitesses est également excellent, lui qui procure douceur et puissance à la fois. Mais, le CX-9 n'est pas donné, et son allure extérieure est, sans être laide, très quelconque. Donc, c'est simple, si le confort est votre priorité, cherchez ailleurs. Toutefois, si vous recherchez l'équilibre, vous êtes au bon endroit, le CX-9 comblera vos besoins.

FICHE TECHNIQUE

MOTEUR

V6 3,7 l DACT, 273 ch à 6250 tr/min	
Couple 270 lb-pi à 4250 tr/min	
Transmission automatique à 6 rapports avec mode manuel	
0-100 km/h 8,4 s	
Vitesse maximale 210 km/h	

AUTRES COMPOSANTES

Sécurité active freins ABS, répartition électronique de force de freinage, assistance au freinage, antipatinage, contrôle de stabilité électronique
Suspension avant/arrière indépendante
Freins avant/arrière disques ventilés
Direction à crémaillère, assistée
Pneus GS P245/60R18 **GT** P245/50R20

DIMENSIONS

Empattement 2875 mm	
Longueur 5101 mm	
Largeur 1936 mm	
Hauteur 1728 mm	
Poids 2RM 1935 kg **4RM** 2062 kg	
Diamètre de braquage 12,4 m	
Coffre 487 l, 2851 l (sièges abaissés)	
Réservoir de carburant 76 l	
Capacité de remorquage 1588 kg	

NOS MENTIONS

☺ Modèle recommandé

NOTRE VERDICT

Plaisir au volant	⬡⬡⬡⬡⬡
Qualité de finition	⬡⬡⬡⬡⬡
Consommation	⬡⬡⬡⬡⬡
Rapport qualité/prix	⬡⬡⬡⬡⬡
Valeur de revente	⬡⬡⬡⬡⬡

MX-5

www.mazda.ca

ÉVOLUTION

28 995 $ à 39 995 $
transport et préparation: 1395 $

LA COTE VERTE

MOTEUR
L4 DE 2,0 L

- **Consommation** (100km):
  man. 5 rapports 8,2 l
  auto. 8,7 l
- **Émissions polluantes CO_2:**
  3818 kg/an
  man. 5 rapports
  auto. 4048 kg/an
- **Empreinte écologique (nombre d'arbres à planter par année): 24**
- **Indice d'octane:** 91
- **Autre motorisation:** non
- **Coût du carburant moyen par année:**
  man. 5 rapports 1859 $
  auto. 1971 $
- **Nombre de litres par année:**
  man. 5 rapports 1660 l
  auto. 1760 l

(SOURCE: ÉnerGuide)

---

① FICHE D'IDENTITÉ

- **Versions** GX, GS, GT
- **Roues motrices** arrière
- **Portières** 2 **Nombre de passagers** 2
- **Première génération** 1990
- **Génération actuelle** 2006
- **Construction** Hofu, Japon
- **Sacs gonflables** 2 (frontaux; latéraux sur GT)
- **Concurrence** Mini Cooper Cabrio, Volkswagen New Beetle Cabrio

② AU QUOTIDIEN

- **Prime d'assurance**
  25 ans: 2500 à 2700 $
  40 ans: 1500 à 1700 $
  60 ans: 1200 à 1400 $
- **Collision frontale** 4/5
- **Collision latérale** 4/5
- **Ventes du modèle de l'an dernier**
  Au Québec 357 **Au Canada** 850
- **Dépréciation** 39,0%
- **Rappels** (2005 à 2010) 1
- **Cote de fiabilité** 4/5

③ GARANTIES... ET PLUS

- **Garantie générale** 3 ans/80 000 km
- **Garantie motopropulseur** 5 ans/100 000 km
- **Perforation** 5 ans/kilométrage illimité
- **Assistance routière** 3 ans/80 000 km
- **Nombre de concessionnaires**
  Au Québec 60 **Au Canada** 167

④ NOUVEAUTÉS EN 2011

- Aucun changement majeur

TOUJOURS SOUS LE CHARME

PAR CARL NADEAU

LA RECETTE EST SIMPLE : UN ROADSTER LÉGER, RELATIVEMENT ABORDABLE, FIABLE, QUI PROCURE DES SENSATIONS DE CONDUITE TELLES QU'ON EN REDEMANDE. Pourtant, après plus de vingt ans, la MX-5 demeure la référence dans le domaine.

[CARROSSERIE] Elle ne fait certes pas l'unanimité, plusieurs trouvant ses lignes trop féminines, mais elle a su bien vieillir. La carrosserie traverse les années avec facilité, sa finition étant nettement au-dessus de la moyenne; et l'on retrouve régulièrement de bonnes vieilles Miata de 20 ans en parfait état. L'ajout d'un toit rigide rétractable, en option, est une belle touche; l'allure coupé sport est réussie, mais je demeure fidèle au concept original avec le toit de toile. Je dois aussi ajouter que, malgré son petit format, la MX-5 est extrêmement sûre en cas de collision, ne vous fiez pas aux apparences.

[HABITACLE] Avec les années, la MX-5 s'est parée des commodités modernes comme les commandes audio au volant, sans perdre sa personnalité. Il ne faut pas s'attendre à un confort princier, l'habitacle est bruyant, l'espace, restreint, la suspension, plutôt rigide. Pourtant, pour plusieurs dont je fais partie, cela contribue au charme de la voiture. Une fois au volant, les sièges sont confortables, toutes les commandes nous tombent naturellement dans la main, la visibilité est bonne grâce, en partie, aux rétroviseurs de bonnes dimensions, et le volant est parfait! Si ce n'était de l'accès parfois difficile, puisque la voiture est particulièrement près du sol, j'aurais personnellement bien du mal à critiquer l'intérieur. On a même un coffre suffisamment profond pour accueillir les bagages pour un week-end en amoureux, le bonheur.

[MÉCANIQUE] Les férus de spécifications ronflantes vont rater une belle occasion d'ouvrir leurs horizons. La puissance modeste sur papier est amplement suffisante pour profiter d'une expérience de conduite transcendante, appuyée par une fabuleuse boîte de vitesses manuelle à 5 ou à 6 rapports. Une boîte automatique disposant d'un mode sport est également offerte; elle est

FORCES · Tenue de route · Fiabilité · Toit facile à faire fonctionner

FAIBLESSES · Suspension rigide · Niveau sonore de l'habitacle

d'utilisation plus intuitive que par le passé, ses changements de rapports sont plus rapides, mais ce n'est pas encore le Nirvana. Je privilégie de loin la manuelle, qui possède l'un des meilleurs leviers de vitesses de toute l'industrie.

[COMPORTEMENT] Vous rêvez de vous balader sur un lit de guimauve, dans un silence absolu, en regardant successivement le ciel et la terre grâce aux mouvements de la suspension? Fuyez! La MX-5 s'adresse à une clientèle qui aime conduire, que ce soit pour une escapade en campagne le toit abaissé, pour aller travailler avec le sourire ou, même, pour une journée sur la piste. La direction est un modèle de précision, le châssis fait mentir les vieilles rumeurs qui associent une voiture décapotable à une caisse molle, et la suspension est géniale en virage. Heureusement, elle ne dispose pas de plus de puissance car on pourrait facilement perdre la tête au volant d'une voiture offrant un tel potentiel. Puisque la voiture peut engendrer les passions, les ingénieurs de Mazda ont aussi installé des freins puissants et faciles à moduler, ce qui est plus que souhaitable pour corriger les excès d'enthousiasme. Les amateurs de conduite plus inspirée devraient privilégier le toit souple, pour éviter les 37 kilos supplémentaires du toit rigide. C'est bien peu de surpoids pour un coupé de 1700 kilos, mais pour un poids plume comme la MX-5, la différence est notable.

[CONCLUSION] Il existe, bien sûr, des voitures qui offrent plus de puissance, de rangement, de confort et de performances que la MX-5, mais aucune d'entre elles ne peut en faire autant pour un prix aussi raisonnable. Mazda a créé une légende et continue de la nourrir chaque jour. Merci Mazda de penser aux passionnés, nous avons tous besoin de profiter de la vie, et la MX-5 est née pour nous aider à le faire.

2ᵉ OPINION

ALEXANDRE CRÉPAULT Tout amateur de voitures devrait se payer une MX-5 une fois dans sa vie. Il existe beaucoup de roadsters excitants sur le marché. La MX-5, cependant, se révèle d'une simplicité remarquable, et son prix est relativement raisonnable. Un couple peut s'en servir comme seule voiture si sa situation le permet. Surtout depuis l'arrivée du toit dur rétractable. De toute façon, qu'elle devienne un moyen de transport principal ou un jouet de fin de semaine, la MX-5 plaque un sourire incontrôlable sur le visage de ses occupants. Sa performance se remarque partout : en piste, en plein centre-ville, au beau milieu de la campagne. Elle est fiable, et l'utiliser ne coûte pas trop cher. Je suggérerais même un modèle d'occasion si la facture d'une neuve fait trop mal. Chose certaine, Mazda a accompli des merveilles avec sa Miata/MX-5. Elle a réussi à conserver la nature de son petit roadster année après année. Elle se doit d'en faire autant avec les prochaines générations.

---

⑤ FICHE TECHNIQUE

• MOTEUR

L4 2,0 l DACT, 167 ch à 7000 tr/min.
Auto. 158 ch. à 6700 tr./min.
Couple 140 lb-pi à 5000 tr/min

Transmission manuelle à 5 rapports (GX), manuelle à 6 rapports (GS, GT), automatique à 6 rapports avec mode manuel (en option sur GS, GX, GT)

0-100 km/h man.5 rapports 7,5 s; **man.6 rapports** 7,2 s; **auto.** 8,2 s

Vitesse maximale man. 206 km/h **auto.** 191 km/h

• AUTRES COMPOSANTES

Sécurité active freins ABS, répartition électronique de force de freinage, antipatinage (GS, GT), contrôle de stabilité électronique (GS, GT)

Suspension avant/arrière indépendantes
Freins avant/arrière disques
Direction à crémaillère, assistée
Pneus GX P205/50R16, **GS, GT** P205/45R17

• DIMENSIONS

Empattement 2330 mm
Longueur 4032 mm
Largeur 1720 mm
Hauteur 1245 mm (toit souple), 1255 mm (toit rigide)
Poids man.5 rapports 1130 kg, **man.6 rapports** 1145 kg, **auto.** 1159 kg
Diamètre de braquage 9,4 m
Coffre 150 l
Réservoir de carburant 48 l

NOS MENTIONS

 Modèle recommandé

 Coup de coeur

NOTRE VERDICT

Plaisir au volant	●●●●○
Qualité de finition	●●●○○
Consommation	●●○○○
Rapport qualité/prix	●●●○○
Valeur de revente	●●●●○

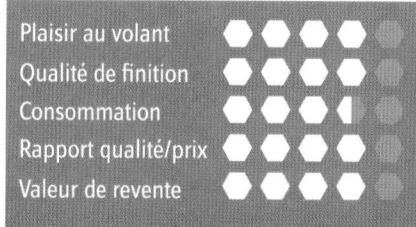

TRIBUTE

www.mazda.ca

23 450 $ à 34 995 $
transport et préparation: 1595 $

LA COTE VERTE
MOTEUR
L4 DE 2,5 L
· **Consommation**
(100 km)
2RM man. 8,2 l
auto. 8,6 l
4RM auto. 9,0 l
· **Émissions de CO₂**
2RM man. 3818 kg/an
auto. 4002 kg/an
4RM auto. 4186 kg/an
· **Empreinte écologique**
30 arbres
· **Indice d'octane** 87
· **Autre motorisation**
non
· **Coût par an**
2RM man. 1660 $
autom. 1740$
4RM auto. 1820 $
· **Litres par année**
2RM man. 1660 l
autom. 1740 l
4RM autom. 1820 l
(SOURCE: ÉnerGuide)

---

① FICHE D'IDENTITÉ

· **Versions** GX, GX V6, GS V6, GT V6
· **Roues motrices** avant , 4RM
· **Portières** 5 **Nombre de passagers** 5
· **Première génération** 2001
· **Génération actuelle** 2001
· **Construction** Kansas City, Missouri, É.-U.; Hybride Claymoco, Missouri, É.-U.
· **Sacs gonflables** 6, frontaux (latéraux avant et rideaux latéraux)
· **Concurrence** Chevrolet Equinox, Honda CR-V, Hyundai Tucson, Jeep Compass/Patriot, Mitsubishi Outlander, Nissan Rogue, Subaru Forester, Suzuki Grand Vitara, Toyota RAV4

② AU QUOTIDIEN

· **Prime d'assurance**
25 ans: 2000 à 2200 $
40 ans: 1300 à 1500 $
60 ans: 1100 à 1300 $
· **Collision frontale** 5/5
· **Collision latérale** 5/5
· **Ventes du modèle de l'an dernier**
Au Québec 2438 **Au Canada** 4852
· **Dépréciation** (2 ans) 41,1 %
· **Rappels** (2005 à 2010) 2
· **Cote de fiabilité** 3/5

③ GARANTIES... ET PLUS

· **Garantie générale** 3 ans/80 000 km
· **Garantie motopropulseur** 5 ans/100 000 km
· **Perforation** 5 ans/kilométrage illimité
· **Assistance routière** 3 ans/80 000 km
· **Nombre de concessionnaires**
Au Québec 60 **Au Canada** 167

④ NOUVEAUTÉS EN 2011

· Nouvelles couleurs

JUMEAU ABANDONNÉ

PAR DANIEL RUFIANGE

ON FAIT SOUVENT RÉFÉRENCE À L'ESPRIT « VROUM VROUM » QUAND ON PARLE DES PRODUITS MAZDA. Cette maxime ne s'applique pas au Tribute pour une simple et bonne raison : il s'agit d'un Ford Escape déguisé. Ceci étant dit, ce n'est pas un véhicule exempt de qualités, mais soyons polis quand on dit qu'il se fait vieux.

[CARROSSERIE] Seuls quelques éléments esthétiques distinguent le Tribute du Ford Escape, comme le logo à l'avant, la calandre, les phares et les feux. Bref, à chacun sa couleur. Le Tribute est offert en trois versions soit GX, GS et GT.

[HABITACLE] C'est à bord que l'âge du Tribute se fait le plus sentir. Remarquez que la remise à niveau esthétique de 2009 aurait pu corriger le tir. Ça n'a pas été le cas. On retrouve donc une planche de bord pas tant archaïque que drapée de matériaux de qualité très moyenne. Heureusement, les sièges se montrent confortables, et, à l'arrière, le dégagement est bon. Une fois les banquettes arrière rabattues, les 1877 litres de chargement obtenus placent le Tribute au milieu de son segment.

[MÉCANIQUE] Résumons simplement la situation. Si vous avez besoin de traîner une petite remorque, c'est le moteur V6 de 3 litres de 240 chevaux qu'il vous faut. Quant au moteur à 4 cylindres de 2,5 litres, les 171 chevaux qu'il livre se montrent suffisants pour un usage au quotidien. Du côté des suspensions, Mazda priorise la souplesse à la fermeté.

[COMPORTEMENT] Il en résulte donc une excellente douceur de roulement, mais, pour ce qui est de l'agilité, on repassera. Le roulis et le tangage font partie du quotidien de la conduite du Tribute. Il faut composer avec. Une boîte de vitesses manuelle à 5 rapports est offerte et rend plus excitante la conduite du Tribute, mais elle n'est proposée que sur la version GX à deux roues motrices et mue par le moteur à 4 cylindres.

[CONCLUSION] Il serait surprenant que Mazda poursuive l'aventure du Tribute encore longtemps, compte tenu du fait que la collaboration avec Ford est chose du passé. En attendant, il y a lieu de négocier.

FORCES · Silhouette agréable à l'œil · Utilitaire compétent · Version à boîte manuelle · Douceur de roulement

FAIBLESSES · Tenue de route · Qualité des matériaux inégale · Présentation intérieur fastidieuse · Pourquoi pas un Ford Escape ?

auto HEBDO

VOUS MET PLUS DE *200 000* VÉHICULES DANS LA POCHE... GRATUITEMENT!

Nouvelle application d'autoHEBDO pour iPhone et BlackBerry: disponible gratuitement!

Principales fonctions de l'application :

- Recherche d'autos, camions et VUS d'occasion
- Comparaison de véhicules pour trouver le meilleur prix
- Recherche des commerçants les plus près, avec carte géographique
- Joindre le vendeur en une touche

Visiter www.autohebdo.net/mobile pour télécharger votre application gratuite.

RX-8

www.mazda.ca

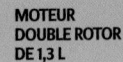

LA COTE VERTE

MOTEUR DOUBLE ROTOR DE 1,3 L

- **Consommation (100km):**
  auto. 11,0 l
  man. 11,1 l
- **Émissions polluantes CO_2:**
  auto. 5152 kg/an
  man. 5198 kg/an
- **Empreinte écologique (nombre d'arbres à planter par année):** 32
- **Indice d'octane:** 91
- **Autre motorisation:** non
- **Coût du carburant moyen par année:**
  man. 2509 $
  auto 2531 $
- **Nombre de litres par année:**
  man. 2240 l
  auto. 2260 l

(SOURCE: ÉnerGuide)

 FICHE D'IDENTITÉ

- **Versions** R3, GT
- **Roues motrices** arrière
- **Portières** 2+2 **Nombre de passagers** 4
- **Première génération** 2004
- **Génération actuelle** 2004
- **Construction** Hiroshima, Japon
- **Sacs gonflables** 6 (frontaux, latéraux, rideaux)
- **Concurrence** Audi TT, BMW Série 3 coupé, Infiniti G37 coupé, Nissan 370Z

 AU QUOTIDIEN

- **Prime d'assurance**
  25 ans: 2300 à 2500 $
  40 ans: 1400 à 1600 $
  60 ans: 1000 à 1200 $
- **Collision frontale** 4/5
- **Collision latérale** 4/5
- **Ventes du modèle de l'an dernier**
  Au Québec 74 **Au Canada** 310
- **Dépréciation** 57,8 %
- **Rappels** (2005 à 2010) 1
- **Cote de fiabilité** 3/5

 GARANTIES... ET PLUS

- **Garantie générale** 3 ans/80 000 km
- **Garantie motopropulseur** 5 ans/100 000 km
- **Perforation** 5 ans/kilométrage illimité
- **Assistance routière** 3 ans/80 000 km
- **Nombre de concessionnaires**
  Au Québec 60 **Au Canada** 167

 NOUVEAUTÉS EN 2011

- Aucun changement majeur

L'ATHLÈTE CARDIAQUE

PAR FRANCIS BRIÈRE

JE VOUS FAIS PART D'UN DE MES PROJETS : ACHETER UNE MAZDA RX-8 ET REMPLACER LE MOTEUR PAR UN V8 ! J'ignore si ce fantasme se réalisera un jour, mais il se manifeste avec véhémence quand je suis au volant de cette voiture. Pour le conducteur qui souhaite piloter une machine qui lui procure une sensation enivrante sans se priver d'aller reconduire les enfants à l'école, la RX-8 est une option abordable. Qui veut bien lui greffer un cœur ?

[CARROSSERIE] La silhouette de la Mazda RX-8 vieillit. En revanche, elle est toujours attrayante. Malheureusement, le constructeur japonais lui a greffé un sourire niais qui gâche la devanture de toute la gamme de modèles. Une version jupée de la carrosserie lui donne des airs de voiture de course. Ikuo Maeda, le grand créateur de cette œuvre d'art, adore la piste et les bolides qui y circulent. Voilà pourquoi il a conçu cette RX-8 en gardant à l'esprit que les pères de famille férus de pilotage apprécieraient conduire leur voiture tous les jours. Les portes antagonistes facilitent drôlement la tâche quand vient le temps de porter bébé à son siège. Notons enfin une particularité de la livrée R3 : de magnifiques roues de 19 pouces !

[HABITACLE] Les sièges de la RX-8 procurent à la fois confort et soutien, surtout pour la GT. Pour la livrée R3, les Recaro se révèlent moins confortables, mais ils vous tiennent bien en place. La planche de bord et son thème circulaire rappelle bien sûr la forme du moteur rotatif. C'est bien joli, mais l'ergonomie y fait défaut. Certaines commandes portent à confusion en raison de la disposition des boutons. Mazda propose une finition qui, somme toute, est d'excellente qualité. La composition de l'habitacle de la RX-8 comprend un choix de matériaux appropriés. En ce qui a trait à l'espace, vous bénéficiez de quatre vraies places. Un adulte peut se glisser à l'arrière sans s'étouffer. Par contre, les personnes de très grande taille y seront à l'étroit.

[MÉCANIQUE] Malheureusement, c'est ici que la RX-8 perd de l'intérêt. J'ai beau chercher des qualités à ce moteur rotatif, je n'arrive

FORCES • Tenue de route spectaculaire • Direction précise • Confort étonnant (GT) • Quatre vraies places

FAIBLESSES • Moteur abominable • Consommation ridicule • Manque de couple décourageant

pas à en trouver. Que de défauts ! Avec un couple de seulement 159 livres-pieds, la voiture manque cruellement d'attaque. Les 232 chevaux ne servent plus à grand-chose, sinon vous faire rager. Et là, je ne parle même pas de la livrée à boîte automatique. À proscrire ! Bien entendu, il s'agit d'une exclusivité. Mazda ne cèdera jamais à la tentation de remplacer son moteur RENESIS par un 4-cylindres turbo économique et performant. En plus de manquer de puissance, cet engin vous vide les poches à la station-service, que vous visiterez trop fréquemment. Si vous sillonnez les zones urbaines, il faut prévoir une consommation de carburant de 17 litres aux 100 kilomètres ! Indécent !

[COMPORTEMENT] Heureusement, c'est ici que la RX-8 nous intéresse. Sa tenue de route vous inspire une conduite incisive et sûre. Que vous rouliez sur l'autoroute ou sur une petite route de campagne, cette sportive vous fera apprécier les virages. La livrée GT procure un brin de confort, tandis que la R3 s'adresse au conducteur qui recherche la tenue de route sans compromis. Enfin, imaginons un peu ce dont la RX-8 serait capable avec une motorisation digne de son talent.

[CONCLUSION] Peu de voitures se comparent à la Mazda RX-8. Il s'agit d'un produit qui ne sacrifie rien de la conduite sportive tout en accommodant celui ou celle qui souhaite conserver un certain côté pratique. Nous pourrions considérer la Porsche 911 qui offre la formule 2 + 2, mais elle est hors de prix et ne dispose

pas vraiment de places arrière confortables. Même chose pour l'Audi TT. En définitive, la RX-8 est une voiture à part qui mériterait que Mazda revoit ce qui constitue le cœur d'une machine : son moteur.

2ᵉ OPINION

DANIEL RUFIANGE Voilà une voiture unique. Bien sûr, c'est dû à son moteur rotatif, le seul produit du genre commercialisé au Canada sur une si grande échelle. Ce moteur offre une douceur inégalée et une sonorité dont l'unicité vaut son pesant d'or. La beauté de la chose, c'est que sa conception – il est plus petit et plus léger – fait en sorte qu'il est possible de le positionner sur le châssis afin d'obtenir une répartition du poids parfaite. Le résultat est spectaculaire. La tenue de route de la RX-8 est celle d'un train. J'ai eu l'occasion de la maltraiter sur un circuit aménagé, et rien n'y fait; elle ne bronche pas. Sachez que ce moteur n'est certes pas le plus économe, un inconvénient des moteurs Wankel (du nom du concepteur).

(5) FICHE TECHNIQUE

· MOTEUR
Double rotor 1,3 l, 232 ch à 8500 tr/min (auto. 212 ch à 7500 tr/min)
Couple 159 lb-pi à 5500 tr/min
Transmission manuelle à 6 rapports, automatique à 6 rapports avec mode manuel (option GT)
0-100 km/h man. 6,1 s **auto.** 8,4 s
Vitesse maximale man. 230 km/h **auto.** 210 km/h

· AUTRES COMPOSANTES
Sécurité active freins ABS, distribution électronique de force de freinage, antipatinage, contrôle de stabilité électronique
Suspension avant/arrière indépendante
Freins avant/arrière disques
Direction à crémaillère, assistée
Pneus GT P225/45R18 **R3** P225/40R19

· DIMENSIONS
Empattement 2700 mm
Longueur 4424 mm
Largeur 1770 mm
Hauteur 1340 mm
Poids man. 1389 kg **auto.** 1404 kg
Diamètre de braquage 10,6 m
Coffre 290 l
Réservoir de carburant 60 l

NOTRE VERDICT

Plaisir au volant	●●●●○○○
Qualité de finition	●●●○○○○
Consommation	●●○○○○○
Rapport qualité/prix	●●●○○○○
Valeur de revente	●●●●○○○

CLASSE B

www.mercedes-benz.ca

ÉVOLUTION

29 900 $ à 32 400 $
transport et préparation: 1995 $

LA COTE VERTE

MOTEUR
L4 DE 2,0 L

- **Consommation** (100km):
  man. 8,0 l
  auto. 8,2 l
- **Émissions polluantes** CO_2:
  man. 3726 kg/an
  auto. 3818 kg/an
- **Empreinte écologique (nombre d'arbres à planter par année):** 23
- **Indice d'octane:** 87
- **Autre motorisation:** non
- **Coût du carburant moyen par année:**
  man. 1814 $
  auto. 1859 $
- **Nombre de litres par année:**
  man. 1620 l
  auto. 1660 l

(SOURCE: ÉnerGuide)

 FICHE D'IDENTITÉ

- **Versions** B 200, B 200 Turbo
- **Roues motrices** avant
- **Portières** 5 **Nombre de passagers** 5
- **Première génération** 2006
- **Génération actuelle** 2006
- **Construction** Stuttgart, Allemagne
- **Sacs gonflables** 6 (frontaux, latéraux, rideaux)
- **Concurrence** Audi A3, Volvo V50

 AU QUOTIDIEN

- **Prime d'assurance**
  25 ans: 1700 $ à 1900 $
  40 ans: 1400 $ à 1600 $
  60 ans: 1100 $ à 1300 $
- **Collision frontale** 4/5
- **Collision latérale** 5/5
- **Ventes du modèle de l'an dernier**
  Au Québec 896 **Au Canada** 2865
- **Dépréciation** 48,8 %
- **Rappels** (2005 à 2010) 1
- **Cote de fiabilité** 4/5

 GARANTIES... ET PLUS

- **Garantie générale** 4 ans/80 000 km
- **Garantie motopropulseur** 4 ans/80 000 km
- **Perforation** 5 ans/kilométrage illimité
- **Assistance routière** 4 ans/illimité
- **Nombre de concessionnaires**
  Au Québec 12 **Au Canada** 53

 NOUVEAUTÉS EN 2011

Dernière année sous sa forme actuelle

BIENVENUE DANS LE CLUB !

PAR MICHEL CRÉPAULT

NOUS L'ATTENDIONS, MAIS NOUS DEVRONS PATIENTER ENCORE UN PEU : LA DEUXIÈME GÉNÉRATION DE LA CLASSE B SE POINTERA PLUS TARD AVEC LE MILLÉSIME 2012. Pour l'année qui vient, le constructeur de Stuttgart continuera à nous proposer les modèles B200 et B200 Turbo en limitant les nouveautés à quelques jongleries au plan des couleurs et des options.

[CARROSSERIE] Pour l'instant, la Classe B se confine à une seule configuration, une espèce de petit utilitaire déguisé en véhicule bicorps. Imaginez une Toyota Matrix gonflée aux hormones. Pensez aussi à une Classe A, réservée à l'Europe, qui aurait subi le même traitement. Des rumeurs courent à l'effet qu'on s'apprêterait à élargir la famille en conservant le modèle bicorps à hayon et en ajoutant au moins une berline et un VUS. On verra bien. L'actuel châssis à double plancher présente deux avantages : en boulonnant une partie du groupe motopropulseur sous les occupants, ces derniers héritent d'un habitacle plus spacieux malgré le gabarit compact du véhicule; et en cas de collision frontale, les organes

mécaniques auront tendance à glisser sous ces mêmes occupants au lieu de les percuter de plein fouet.

[HABITACLE] Pour 2011, l'ensemble Avantgarde Edition inclura les sièges avant chauffants, les roues de 17 pouces, les câbles pour le baladeur musical de votre choix et la boîte de vitesses automatique Autotronic à un prix, promet Benz, fort avantageux. Le panneau de toit ouvrant, composé de lamelles superposées, la radio satellite Sirius et cette même boîte de vitesses sont offerts en option individuelle. Qu'importe votre sélection finale, vous tomberez en amour avec cet intérieur qui respire la qualité et où tout est à portée de la main. Le hayon révèle un espace à bagages plus qu'adéquat qui vire au formidable quand on rabat les dossiers de la confortable banquette arrière.

[MÉCANIQUE] Le 4-cylindres atmosphérique de 2 litres délivre 134 chevaux contre 193 pour le même engin turbocompressé. Les boîtes manuelles offertes ont 5 ou 6 rapports, selon le moteur, alors que l'automatique est une boîte à variation

FORCES · Signature Benz à l'intérieur d'un format pratico-pratique, y compris la qualité de la finition et la satisfaction au volant · Espace de chargement salutaire

FAIBLESSES · Valse des options coûteuses · Colonne de direction quelque peu insensible · Version en mutation

continue avec laquelle les ingénieurs ont simulé un mode manuel pour le conducteur désireux de contrôler le passage de 7 rapports. Vous aurez deviné que des acheteurs de Mercedes-Benz ne s'embarrassent pas souvent d'une boîte manuelle. Benz entend sans doute distribuer la Classe B aux États-Unis quand la nouvelle génération sera prête. Pour appâter nos voisins, le constructeur songerait même à introduire une version à motorisation alternative, possiblement électrique ou à hydrogène.

[COMPORTEMENT] Planification 101 : pendant que la Classe A se cantonne à l'Europe, la Classe B traverse l'Atlantique pour d'abord séduire les Canadiens qui succombent en bon nombre. L'état-major allemand observe et suppute ses chances de succès aux États-Unis. On pourrait croire, à la suite de la récession et des sempiternelles flambées du prix du pétrole, que nos voisins réclameraient à grands cris une Mercedes-Benz qui consomme si peu, mais non, ils n'ont pas encore appris leur leçon. Ils se privent donc d'un charmant et pratique véhicule. Même à 30 000 $, la Classe B procure la sensation de luxe et de compétence dont Benz détient la recette éprouvée. Le choix entre les deux moteurs a le mérite de définir clairement le genre de balade que vous obtiendrez : calme et posée ou plus sportive. Dans les deux cas, le résultat est à la hauteur de nos attentes, et même plus avec le mariage turbo/boîte manuelle qui insuffle au véhicule une intéressante verve, sans pour autant déranger la stabilité dans les virages. On n'a pas droit, cependant, à l'agilité asiatique, disons, d'une *Mazda5*.

La direction communique ce sentiment de pesanteur qui caractérise la conduite Mercedes-Benz.

[CONCLUSION] La Classe B constitue un seuil d'entrée économique dans l'univers du constructeur à l'étoile argentée, à la condition de bien peser le pour et le contre de chaque option, lesquelles font grimper si rapidement la facture qu'il devient péremptoire alors d'inclure d'autres concurrents dans votre liste de magasinage, malgré tout le prestige lié à la marque allemande.

2e OPINION

DANIEL RUFIANGE
La Mercedes-Benz Classe B en est déjà à sa sixième année sur le marché canadien. Elle ne pullule pas sur la route, mais ses ventes sont stables. Elle demeure, pour moins de 30 000 $, l'occasion rêvée pour quiconque de pénétrer dans l'univers de Mercedes-Benz. D'ailleurs, on nous confie chez le fabricant que bien des propriétaires optent pour un autre véhicule de la marque plus luxueux lors du retour de location de leur Classe B. Voilà une stratégie gagnante car, au demeurant, la Classe B demeure un très bon produit. Pratique et polyvalente, elle affiche une conduite qui est celle d'un produit allemand, ce qui signifie que la tenue de route est précise, et que le confort est très appréciable. En prime, vous profitez d'une image de prestige pour une fraction du prix.

(5) FICHE TECHNIQUE

· MOTEURS
· (B200)
L4 2,0 l DACT, 134 ch à 5500 tr/min
Couple 136 lb-pi à 3500 tr/min
Transmission manuelle à 5 rapports, automatique à variation continue (en option)
0-100 km/h man. 10,1 s **CVT** 10,2 s
Vitesse maximale 196 km/h **CVT** 190 km/h

· (B200 Turbo)
L4 2,0 l turbo DACT, 193 ch à 5000 tr/min
Couple 206 lb-pi à 1800 à 4850 tr/min
Transmission manuelle à 6 rapports, automatique à variation continue (en option)
0-100 km/h man. 7,6 s **auto.** 7,4 s
Vitesse maximale 210 km/h (limitée)
Consommation (100 km) man. 8,6 l
auto. 8,5 l (octane 91)
Émissions de CO_2 man. 4002 kg/an
auto. 3956 kg/an
Litres par année man. 1740 l **auto.** 1720 l
Coût par an man. 1949 $ **auto.** 1926 $
Autre motorisation non
Empreinte écologique 25 arbres

· AUTRES COMPOSANTES
Sécurité active freins ABS, répartition électronique de force de freinage, assistance au freinage, antipatinage, contrôle de stabilité électronique
Suspension avant/arrière indépendante / essieu rigide
Freins avant/arrière disques
Direction à crémaillère, assistée
Pneus P215/45R17,

· DIMENSIONS
Empattement 2778 mm
Longueur 4273 mm
Largeur 2040 mm (avec rétro.)
Hauteur 1604 mm
Poids B200 man. 1355 kg **B200 auto.** 1400 kg
B200T man. 1395 kg **B200T auto.** 1430 kg
Diamètre de braquage 11,95 m
Coffre 544 l, 1530 l (sièges abaissés)
Réservoir de carburant 54 l

NOS MENTIONS

 Modèle recommandé

NOTRE VERDICT

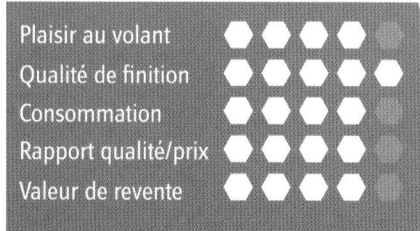

Plaisir au volant	●●●●
Qualité de finition	●●●●●●
Consommation	●●●●
Rapport qualité/prix	●●●●●
Valeur de revente	●●●

CLASSE C

www.mercedes-benz.ca

ÉVOLUTION

N ... É
J

35 900 $ à 63 900 $
transport et préparation: 1995 $

LA COTE VERTE

MOTEUR
V6 DE 2,5 L

- **Consommation (100km):**
auto. 9,5 l
4RM 9,9 l
- **Émissions polluantes CO_2:**
auto. 4462 kg/an
4RM 4646 kg/an
- **Empreinte écologique (nombre d'arbres à planter par année):** 27
- **Indice d'octane:** 91
- **Autre motorisation:** non
- **Coût du carburant moyen par année:**
auto. 2173$
4RM 2262 $
- **Nombre de litres par année:**
auto. 1940 l
4RM 2020 l

(SOURCE : ÉnerGuide)

FICHE D'IDENTITÉ

- **Versions** C250, C250 4Matic, C300, C300 4Matic, C350, C350 4Matic, C63 AMG
- **Roues motrices** arrière, 4
- **Portières** 4 **nombre de passagers** 5
- **Première génération** 1994
- **Génération actuelle** 2008
- **Construction** Sindelfingen/Stuttgart, Allemagne
- **Sacs gonflables** 6 (frontaux, latéraux avant, rideaux latéraux)
- **Concurrence** Acura TL/TSX, Audi A4, BMW Série 3, Cadillac CTS, Infiniti G37, Lexus IS, Lincoln MKZ, Volvo S40

AU QUOTIDIEN

- **Prime d'assurance**
25 ans: 1700 à 1900 $
40 ans: 1400 à 1600 $
60 ans: 1200 à 1400 $
- **Collision frontale** 4/5
- **Collision latérale** 5/5
- **Ventes du modèle de l'an dernier**
Au Québec 2181 **Au Canada** 7589
- **Dépréciation** 45,3 %
- **Rappels (2005 à 2010)** 2

GARANTIES... ET PLUS

- **Garantie générale** 4 ans/80 000 km
- **Garantie motopropulseur** 4 ans/80 000 km
- **Perforation** 5 ans/kilométrage illimité
- **Assistance** routière 4 ans/kilométrage illimité
- **Nombre de concessionnaires**
Au Québec 12 **Au Canada** 53

NOUVEAUTÉS EN 2011

- Éclairage de jour par des diodes électroluminescentes (en option sur C250), interface multimédia du système Comand ajouté au système de navigation des C250 et C300, caméra de recul de série sur la C350 Premium, différentiel à glissement limité de série avec groupe performance AMG, jantes de 19 po en option sur C63.

LA PETITE ARISTOCRATE

PAR FRANCIS BRIÈRE

QUAND ON Y PENSE, IL EST POSSIBLE DE SE PROCURER UNE C250 AVEC BOÎTE DE VITESSES MANUELLE À 35 900 $. Je veux bien croire que la pédale d'embrayage ne plaît pas à tout le monde, mais en ce qui a trait au prix, Mercedes-Benz vous offre de mettre la main sur l'une des meilleures petites berlines compactes qui soient pour une somme abordable. De fait, bien des voitures concurrentes japonaises se vendent plus cher. Le constructeur allemand vous propose un produit d'une solidité incomparable.

[CARROSSERIE] C'est vrai, la silhouette d'une Audi A4 ou d'une BMW de Série 3 risque davantage de vous plaire. La carcasse d'une Classe C se veut plus conservatrice, plus classique dans sa présentation. Mercedes-Benz a opté pour la simplicité : offrir un seul format de caisse, la berline. Ailleurs, vous retrouvez une livrée décapotable et coupé. En revanche, on prétend que le constructeur allemand planche sur une version à deux portières qui pourrait également offrir la déclinaison extrême : la C63 AMG.

[HABITACLE] La sobriété est de mise pour l'intérieur d'une Classe C. La présentation n'a rien de bien extravagant, mais tout est dans l'ordre. En revanche, il s'agit certainement de l'espace intérieur le moins moderne parmi les produits de cette catégorie. Évidemment, cette voiture ne dispose pas d'un habitacle aussi raffiné que celui d'une Classe S, mais on y retrouve des matériaux de qualité et un assemblage rigoureux. Les sièges de la C250 offrent un excellent maintien, ceux de la C63 AMG sont divins ! Non seulement sont-ils confortables, mais ils vous enveloppent comme si vous preniez place dans un vaisseau spatial. Les places arrière de la Classe C fournissent suffisamment d'espace pour accueillir confortablement deux adultes et se comparent à celles des voitures concurrentes.

[MÉCANIQUE] Mercedes-Benz vous propose trois choix de moteurs pour la Classe C. Ces moteurs sont jumelés à une boîte automatique à 7 rapports d'une douceur exceptionnelle. La boîte manuelle n'est offerte qu'avec la C250 à propulsion. Les C250 et C350 peuvent disposer

FORCES · Solidité et rigidité · Tenue de route · Moteur à vous sortir les tripes (C63 AMG)

FAIBLESSES · Aspect émotionnel manquant · Suspension sèche · Silhouette anonyme · Moteur gourmand (3,5 litres)

de la transmission intégrale 4MATIC si vous le désirez. Il s'agit de l'un des meilleurs systèmes à quatre roues motrices que vous apprécierez grandement lors de la saison froide. Le bloc-moteur de 2,5 litres développe 201 chevaux, ce qui est convenable pour le conducteur qui ne cherche pas à tout prix la performance. Quant au V6 de 3,5 litres, il n'est guère plus puissant, mais consomme trop de carburant. La livrée C63 AMG profite d'un engin époustouflant, un V8 de 6,2 litres développant 451 chevaux.

[COMPORTEMENT] Les constructeurs allemands fabriquent des voitures d'une solidité rassurante. Après Porsche, Mercedes-Benz peut se vanter d'offrir les produits les plus rigides sur le marché. Cette caractéristique assure à la Classe C une stabilité et une tenue de cap irréprochables. De plus, il s'agit de la berline allemande la plus maniable de la catégorie. Elle se place à merveille en virage. En revanche, la suspension un peu ferme nous fait détester le réseau routier du Québec. Il s'agit, somme toute, d'une voiture relativement confortable malgré la suspension et qui procure une douceur de roulement semblable à celle qu'on retrouve à bord des autres voitures allemandes de la même catégorie. Du reste, les C250 et C350 ne toucheront pas votre corde sensible d'amateur de conduite sportive.

[CONCLUSION] La Mercedes-Benz de Classe C est une offrande intéressante dans ce marché des petites berlines de luxe. Par contre, on retrouve une voiture plus dynamique et plus sportive chez BMW avec la Série 3 et une A4 confortable et agréable chez Audi. Le consommateur qui désire acheter un produit de cette catégorie devra écouter son cœur et se fier à son expérience de conduite. Celui qui choisira la Classe C se contentera d'un produit sobre, classique et conservateur. Pour les amateurs de pilotage et d'adrénaline, il faudra regarder ailleurs.

⑤ FICHE TECHNIQUE

MOTEURS

(C250)
V6 2,5 l DACT, 201 ch à 6100 tr/min
Couple 181 lb-pi à 2900 tr/min
Transmission manuelle à 6 rapports, automatique à 7 rapports avec mode manuel
0-100 km/h 8,4 s
Vitesse maximale 210 km/h (bridée)

(C300)
V6 3,0 l DACT, 228 ch à 6000 tr/min
Couple 221 lb-pi à 2500 tr/min
Transmission manuelle à 6 rapports, automatique à 7 rapports avec mode manuel
0-100 km/h 7,3 s
Vitesse maximale 210 km/h (limité)
Consommation (100 km) 2RM auto. 9,8 l **4RM auto** 9,9 l
Émissions de CO_2 2RM auto. 4600 kg/an **4RM auto.** 4646 kg/an
Litres par année 2RM auto. 2000 l **4RM auto.** 2020 l
Coût par an 2RM auto. 2240 $ **4RM auto.** 2262 $
Carburant alternatif non
Empreinte écologique 27 arbres

(C350)
V6 3,5 l DACT, 268 ch à 6000 tr/min
Couple 258 lb-pi à 2400 tr/min
Transmission automatique à 7 rapports avec mode manuel
0-100 km/h 6,4 s
Vitesse maximale 210 km/h (bridée)
Consommation (100 km) 2RM 10,1 l **4RM** 10,3 l
Émissions de CO_2 2RM 4738 kg/an **4RM** 4830 kg/an
Litres par année 2RM 2060 l **4RM** 2100 l
Coût par an 2RM 2307 $ **4RM** 2352 $
Carburant alternatif non
Empreinte écologique 30 arbres

(C63 AMG)
V8 6,2 l DACT, 451 ch à 6800 tr/min
Couple 443 lb-pi à 5000 tr/min
Transmission automatique à 7 rapports avec mode manuel
0-100 km/h 4,5 s
Vitesse maximale 250 km/h (bridée)
Consommation (100 km) 13,8 l
Émissions de CO_2 6486 kg/an
Litres par année 2820 l
Coût par an 3158 $
Carburant alternatif non
Empreinte écologique nd

AUTRES COMPOSANTES

Sécurité active freins ABS, répartition électronique de force de freinage, assistance au freinage, antipatinage, contrôle de stabilité électronique
Suspension avant/arrière indépendante
Freins avant/arrière disques
Direction à crémaillère, assistée
Pneus C250 P205/55R16 option
C250/C300 P225/45R17 (av.) P245/40R17 (arr.)
C350 225/40R18 (av.) 255/35R18 (ar.)
C63 P235/40R18 (av.) P255/35/R18 (arr.)
option C63 P235/35R19 (av.) P255/30R19 (arr.)

DIMENSIONS

Empattement 2760 mm **C63** 2765 mm
Longueur C250 4581 mm **C250/C300/C350** 4625 mm **C63** 4726 mm
Largeur 2020 mm (incluant rétroviseurs)
Hauteur C300 1444 mm **C250 4M/C300 4M** 1445 mm **C350** 1448 mm **C350 4M** 1449 mm **C63** 1438 mm
Poids C250 man 1590 kg **C250 4M** 1690 kg **C300 man** 1600 kg **C300 4M** 1695 kg **C350** 1640 kg **C350 4M** 1710 kg **C63** 1780 kg
Diamètre de braquage 10,8 m **C63** 11,8 m
Coffre 354 l
Réservoir de carburant 66 l

NOS MENTIONS

☺ Modèle recommandé

NOTRE VERDICT

Plaisir au volant	●●●●
Qualité de finition	⬡⬡⬡⬡⬡
Consommation	⬡⬡⬡
Rapport qualité/prix	●●●
Valeur de revente	●●⬡

CLASSE CL
www.mercedes-benz.ca

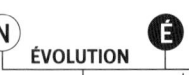

ÉVOLUTION

N

J

É

132 495 $ à 242 995 $
transport et préparation: 1995 $

LA COTE VERTE

MOTEUR
V8 DE 4,7 L

- **Consommation (100km):** 9,4 l
- **Émissions polluantes CO$_2$:** 4370 kg/an
- **Empreinte écologique (nombre d'arbres à planter par année):** 19
- **Indice d'octane:** 91
- **Autre motorisation:** non
- **Coût du carburant moyen par année:** 2128 $
- **Nombre de litres par année:** 1900 l

(SOURCE: ÉnerGuide)

① FICHE D'IDENTITÉ

- **Versions** 550 4MATIC, 600, 63 AMG, 65 AMG
- **Roues motrices** arrière, 4
- **Portières** 2 **Nombre de passagers** 4
- **Première génération** 2007
- **Génération actuelle** 2007
- **Construction** Sindelfingen/Stuttgart, Allemagne
- **Sacs gonflables** gonflables 6 (frontaux, latéraux avant et rideaux latéraux)
- **Concurrence** Bentley Continental GT, Ferrari 612 Scaglietti, Aston Martin DB9

② AU QUOTIDIEN

- **Prime d'assurance**
  25 ans: 7200 à 7400 $
  40 ans: 4500 à 4700 $
  60 ans: 3600 à 3800 $
- **Collision frontale** 5/5
- **Collision latérale** 5/5
- **Ventes du modèle de l'an dernier**
  Au Québec nd Au Canada nd
- **Dépréciation** 40,3%
- **Rappels** (2005 à 2010) 3
- **Cote de fiabilité** 3/5

③ GARANTIES... ET PLUS

- **Garantie générale** 4 ans/80 000 km
- **Garantie motopropulseur** 4 ans/80 000 km
- **Perforation** 5 ans/kilométrage illimité
- **Assistance routière** 4 ans/kilométrage illimité
- **Nombre de concessionnaires**
  Au Québec 12 Au Canada 53

④ NOUVEAUTÉS EN 2011

- Redessinée, nouveaux moteurs biturbo pour CL550 et CL63, groupe AMG de série sur CL550 4M et CL600, trois nouvelles couleurs.

SA MAJESTÉ DE LA ROUTE

PAR BENOIT CHARETTE

À L'EXCEPTION DES BELLES ANGLAISES, PEU DE VOITURES OFFRENT CE SENTIMENT D'OPULENCE DERRIÈRE UN VOLANT. Dès qu'on prend en main le volant d'une Mercedes-Benz CL, on sent toute la richesse de la voiture. Une expérience qui n'a rien de banal. Pour 2011, la CL s'offre un rafraîchissement dans son approche, mais surtout quelques nouveaux moteurs qui respectent les normes plus sévères de consommation.

[CARROSSERIE] Regardons d'abord les quelques modifications de style. Les lignes sont un peu plus marquées. On note de nouveaux boucliers avant et un nouveau dessin des optiques, qui intègrent la technologie à diodes électroluminescentes qui fait le tour de presque tous les produits de la famille Mercedes-Benz cette année. Il y a aussi le capot rayé, qui donne à l'ensemble une allure un peu plus moderne. Les versions AMG (63 et 65) se distinguent de leurs consœurs CL avec un style plus agressif par la grâce d'un avant remodelé, d'une calandre à une seule barrette et de deux doubles sorties d'échappement.

[HABITACLE] Avec son gabarit de plus de 5 mètres de longueur, la CL a toujours su séduire les clients à la recherche d'un véhicule statutaire mais néanmoins sportif. Toujours au sommet de l'équipement en matière de sécurité, la CL reprend notamment le système de vision de nuit, le radar anticollision ou, encore, une version plus aboutie de son système de suspension active ABC (*Active Body Control*) et un équipement antisomnolence. C'est la CL qui sert de laboratoire roulant pour les technologies les plus novatrices de Mercedes-Benz. Le confort des sièges ergonomiques, chauffants et massants est proprement surréaliste. Vous êtes au volant de votre chambre d'insonorisation privée. Le seul hic est encore et toujours le léger manque d'espace derrière.

[MÉCANIQUE] C'est ici que le fabricant germanique a élaboré les plus gros changements cette année. Suivez bien la logique. La version 550 de base passe d'un V8 de 5,5 litres à un V8 biturbo à injection directe de carburant de 4,7 litres. La puissance passe de 382 à 429 chevaux, et le couple, de 391 à 516 livres-pieds. Comme ré-

FORCES • Confort absolu • Lignes élégantes • Moteur onctueux • Boîte exemplaire • Finition sans faute • Sécurité passive

FAIBLESSES • Rapport emcombrement/habitabilité • Prix démesuré • Coût des options • Forte dépréciation à la revente

férence, le 0 à 100 km/h en 4,9 secondes contre 5,4 jusqu'alors. Et malgré ce surplus de puissance, Mercedes-Benz annonce une économie de carburant de 10 % face au moteur de 5,5 litres de l'actuelle génération. Il y a également plus de muscle pour la CL 63 AMG. Le 6,2-litres atmosphérique cède la place à un 5,5 biturbo doté de l'injection directe, affichant 536 chevaux et un couple de 590 livres-pieds de couple. Un gain de 27 chevaux en puissance et de 125 livres-pieds en couple. La puissance de la version 600 ne change pas - V12 biturbo de 510 chevaux alors que le V12 de 6 litres du CL 65 AMG qui coiffe toujours la gamme, pointe maintenant à 620 chevaux contre 603 actuellement. La version 550 profite de la boîte de vitesses 7G-Tronic, alors que la 63 AMG utlise la nouvelle boîte AMG speedshift MCT7 avec mode manuel au volant. Les deux moteurs V12 continuent avec la boîte automatique à 5 rapports.

[COMPORTEMENT] Les prouesses hors du commun des avancées électroniques permettent à Mercedes-Benz de transformer un pachyderme en ballerine. Cet énorme coupé, qui fait plus de 2 tonnes, se conduit avec une facilité déconcertante. Même la version de base donnera beaucoup de fil à retordre à n'importe quelle voiture exotique. Nous n'avons pas encore joué sur le terrain des AMG qui, avec des mécaniques encore puissantes cette année et l'apport de turbos, feront trembler la concurrence. Mais Mercedes-Benz n'a jamais oublié le confort. Vous n'êtes pas ici dans une Corvette ou une Porsche. La suspension ABC (*Active Body Control*) permet de limiter les mouve-

ments de caisse, pour un maintien accru, et ce, sans parler des 4 roues motrices sur la version 550. Même l'ESP ne se met jamais réellement OFF et veille d'un œil à ce que le conducteur n'en fasse pas trop ! La direction donne un bon retour et est agréablement directe.

[CONCLUSION] On dit que posséder une voiture relève du compromis. Le seul que vous ferez ici viendra du prix à débourser, car cette CL sait vraiment tout faire.

⑤ FICHE TECHNIQUE

• MOTEURS
• (CL550 4MATIC)
V8 4,7 l biturbo DACT, 429 ch à 5250 tr/min
Couple 516 lb-pi à 1800 tr/min
Transmission automatique à 7 rapports avec mode manuel
0-100 km/h 4,9 s
Vitesse maximale 250 km/h (bridée)

• (CL600)
V12 6,0 l biturbo SACT, 510 ch à 5000 tr/min
Couple 612 lb-pi à 1800 tr/min
Transmission automatique à 5 rapports avec mode manuel
0-100 km/h 4,6 s
Vitesse maximale 250 km/h (bridée)
Consommation (100 km) 15,1 l (octane 91)
Émissions de CO$_2$ 7084 kg/an
Litres par année 3080 l
Coût par an 3450 $
Carburant alternatif non
Empreinte écologique 45 arbres

• (CL63 AMG)
V8 5,5 l biturbo DACT, 536 ch à 5500 tr/min
Couple 590 lb-pi à 2000 tr/min
Transmission automatique à 7 rapports

avec mode manuel
0-100 km/h 4,5 s
Vitesse maximale 250 km/h (bridée)
Consommation (100 km) 11 l
Émissions de CO$_2$ 4880 kg/an
Litres par année nd
Coût par an nd
Carburant alternatif non
Empreinte écologique 38

• (CL65 AMG)
V12 6,0 l biturbo SACT, 620 ch à 4800 tr/min
Couple 738 lb-pi à 2300 tr/min
Transmission automatique à 5 rapports avec mode manuel
0-100 km/h 4,4 s
Consommation (100 km) 15,5 l (octane 91)
Émissions de CO$_2$ 7268 kg/an
Litres par année 3160 l
Coût par an 3539 $
Carburant alternatif non
Empreinte écologique 45 arbres

• AUTRES COMPOSANTES
Sécurité active freins ABS, répartition électronique de force de freinage, assistance au freinage, antipatinage, contrôle de stabilité électronique
Suspension avant/arrière indépendante
Freins avant/arrière disques
Direction à crémaillère, assistée
Pneus 550 4MATIC P255/40R19
option 500 4MATIC P255/35R20
600 P255/40R19 (av.) 275/40R19 (arr.)
63 AMG/65 AMG P255/35R20 (av.) P275/35/R20 (arr.)
• DIMENSIONS
Empattement 2955 mm
Longueur 5095 mm **63 AMG/65 AMG** 5106 mm
Largeur 2130 mm **63 AMG** 2139 mm (avec rétro.)
Hauteur 1419 mm **63 AMG** 1426 mm **65 AMG** 1428 mm
Poids 550 4MATIC 2120 kg, **600** 2185 kg, **63 AMG** 2135 kg, **65 AMG** 2245 kg
Diamètre de braquage 11,6 m
Coffre 490 l
Réservoir de carburant 90 l **550 4MATIC** 94 l

NOS MENTIONS

 Modèle recommandé

 Coup de coeur

NOTRE VERDICT

Plaisir au volant	●●●●○
Qualité de finition	●●●●○
Consommation	⬡⬡⬢⬡⬡
Rapport qualité/prix	⬢⬢⬡⬡⬡
Valeur de revente	●●●●○

ÉVOLUTION

88 500 $ à 121 300 $
transport et préparation: 1895 $

BB DE 410

LA COTE VERTE

MOTEUR
V8 DE 5,5 L

- **Consommation (100km):** 12,3 l
- **Émissions polluantes CO_2:** 5796 kg/an
- **Empreinte écologique (nombre d'arbres à planter par année):** 36
- **Indice d'octane:** 91
- **Autre motorisation:** non
- **Coût du carburant moyen par année:** 2822 $
- **Nombre de litres par année:** 2520 l

(SOURCE: ÉnerGuide)

442

1 FICHE D'IDENTITÉ

- **Versions** 550, CLS 63 AMG
- **Roues motrices** arrière
- **Portières** 4 **Nombre de passagers** 5
- **Première génération** 2006
- **Génération actuelle** 2006
- **Construction** Sindelfingen/Stuttgart, Allemagne
- **Sacs gonflables** 6 (frontaux, latéraux avant, rideaux latéraux)
- **Concurrence** Audi A6, BMW Série 5, Cadillac STS, Infiniti M

2 AU QUOTIDIEN

- **Prime d'assurance**
  25 ans: 3500 à 3700 $
  40 ans: 2500 à 2700 $
  60 ans: 2300 à 2500 $
- **Collision frontale** 5/5
- **Collision latérale** 5/5
- **Ventes du modèle de l'an dernier**
  Au Québec nd **Au Canada** nd
- **Dépréciation** 53,8 %
- **Rappels** (2005 à 2010) 2
- **Cote de fiabilité** 3,5/5

3 GARANTIES... ET PLUS

- **Garantie générale** 4 ans/80 000 km
- **Garantie motopropulseur** 4 ans/80 000 km
- **Perforation** 5 ans/kilométrage illimité
- **Assistance routière** 4 ans/kilométrage illimité
- **Nombre de concessionnaires**
  Au Québec 12 Au Canada 53

4 NOUVEAUTÉS EN 2011

- Dernière année pour cette génération, jantes de 19 po de série sur 550.

CHIRURGIE MINEURE

PAR DANIEL RUFIANGE

LE MILLÉSIME 2011 SERA LE DERNIER POUR LA GÉNÉRATION ACTUELLE DE LA CLS, LA PRE-MIÈRE POUR CE MODÈLE QUI EST VENU REDÉFINIR LES NORMES, OU PLUTÔT, EN ÉTABLIR DE NOUVELLES. Lors de son lancement, les yeux du monde étaient écarquillés à la vue de cette berline aux allures de coupé. Depuis, la concurrence a repris la chanson. C'est à se demander ce que Mercedes-Benz nous réserve pour l'an prochain. En attendant, il reste une année aux amateurs pour se procurer cette bagnole qui ne manque pas de panache.

[CARROSSERIE] La carrosserie, c'est le pain et le beurre de la CLS. C'est une Mercedes-Benz, alors on s'entend que les standards de qualité en termes de mécanique et de finition intérieure sont nickel. Cependant, c'est grâce à cette enveloppe unique et différente qu'il est possible de se démarquer, de montrer qu'on appartient à une classe différente. Au passage, les gens se tournent pour regarder passer cette voiture. Voilà l'attrait qu'elle exerce sur les sens. Pour ce dernier tour de piste tel quel, on retrouve les mêmes livrées que l'an

dernier, c'est-à-dire une version 550 ainsi qu'une bête portant l'écusson AMG, la CLS 63. Cette année, la CLS 550 ne sera chaussée que de roues de 19 pouces. Elle reçoit des jantes signées AMG, alors que l'AMG voit les siennes redessinées.

[HABITACLE] Ça respire le luxe à l'intérieur de la CLS. Malgré son âge, Mercedes-Benz a su bien rafraîchir l'habitacle afin de le garder au goût du jour. Les sièges offrent un excellent degré de confort, et les réglages possibles permettent de trouver une excellente position de conduite. En matière d'équipement, Mercedes-Benz simplifie l'offre cette année en incluant de série l'ensemble Premium qui comprend les sièges chauffants à l'arrière et le système *Keyless-Go*, notamment. L'observateur en vous qui se questionne sur les places arrière en jetant un coup d'œil à cette ligne de toit plongeante à l'arrière a tout à fait raison de lever le petit doigt. On se sent à l'étroit, un peu trop même à bord d'une voiture de ce prix. Souhaitons que la prochaine génération soit plus bienséante pour ceux condamnés à prendre place à l'arrière.

FORCES · Lignes encore uniques · Douceur de roulement · Version AMG démoniaque · Construction de qualité

FAIBLESSES · Son poids · Son prix, une fois garnie d'options · L'espace arrière restreint

(5) FICHE TECHNIQUE

MOTEURS

CLS550
V8 5,5 l DACT, 382 ch à 6000 tr/min
Couple 391 lb-pi à 2800 tr/min
Transmission automatique à 7 rapports avec mode manuel
0-100 km/h 5,4 s
Vitesse maximale 210 km/h (bridée)

CLS63 AMG
V8 6,2 l DACT, 507 ch à 6800 tr/min
Couple 465 lb-pi à 5200 tr/min
Transmission automatique à 7 rapports avec mode manuel
0-100 km/h 4,5 s
Vitesse maximale 250 km/h (bridée)
Consommation (100 km) 14,5 l (octane 91)
Émissions de CO_2 6808 kg/an
Litres par année 2960 l
Coût par an 3304$
Empreinte écologique 42 arbres

AUTRES COMPOSANTES

Sécurité active freins ABS, répartition électronique de force de freinage, assistance au freinage, antipatinage, contrôle de stabilité électronique
Suspension avant/arrière indépendante
Freins avant/arrière disques ventilés
Direction à crémaillère, assistée
Pneus P255/35R19 (av.), P285/30R19 (arr.)

DIMENSIONS

Empattement 2854 mm
Longueur 4910 mm **63AMG** 4915 mm
Largeur 1873 mm
Hauteur 1414 mm **63AMG** 1389 mm
Poids 1825 kg **63AMG** 1910 kg
Diamètre de braquage 11,2 m **63AMG** 11,5m
Coffre 495 l
Réservoir de carburant 80 l

[MÉCANIQUE] Chaque version de la CLS profite de son propre moteur. La 550 doit se contenter d'un pauvre V8 de 5,5 litres qui ne produit que 382 chevaux et un risible couple de 391 livres-pieds. Les 5,4 secondes nécessaires pour effacer le 0 à 100 km/h semblent éternelles. Pour profiter d'un moteur décent, il faut opter pour la version AMG qui s'accompagne d'une mécanique acceptable. Les 507 chevaux et les 465 livres-pieds permettent de ne pas avoir l'air fou quand le feu passe au vert. Quatre secondes et demie pour attendre 100 km/h, voilà qui est plus raisonnable.

[COMPORTEMENT] Blague à part, on comprend que la demi-mesure n'a pas sa place à bord de la CLS. Une critique, sérieuse, toutefois. La CLS est lourde, très lourde. En conséquence, quand on la malmène sur une route de campagne, elle montre ses limites et donne le mal de mer. Ceux qui souhaitent une conduite exaltante au volant de ce modèle ont tout avantage à se rabattre sur une version AMG. Avec ses leviers de sélection au volant et sa boîte de vitesses à double embrayage, vous passerez les vitesses plus rapidement que Michael Schumacher au volant de sa F1 – surtout depuis son retour – tellement le système est vite comme l'éclair. Enfin, comment passer sous silence l'excellent travail de la boîte automatique 7G-TRONIC ? La douceur des changements de rapports est jouissive.

[CONCLUSION] Mercedes-Benz ne dévoile pas les chiffres de ventes de la CLS au Canada, comme ceux de plusieurs de ses modèles d'ailleurs. Du côté américain, les ventes sont passées de près de 15 000 exemplaires la première année à 2500 en 2009. Considérant qu'il faut souvent diviser par 10 pour le Canada, on comprendra que la nouvelle CLS n'arrivera pas trop tôt.

2ᵉ OPINION

MICHEL CRÉPAULT C'est d'abord la silhouette de la CLS qui fait écarquiller les yeux. Les stylistes de Mercedes-Benz ont réussi un exploit intelligent : dessiner un fuselage si original qu'il interdit aux autres de le copier sous peine de passer pour un pâle pastiche. Je sais bien que l'imitation est une forme de flatterie, mais le consommateur n'est pas dupe à tous les coups. Cette élégante dégaine est depuis 2006 la propriété exclusive d'une berline ayant le mieux joué la carte du coupé. Le prix à payer est néanmoins une banquette exiguë, qui menace les occupants sensibles à la claustrophobie, et une visibilité arrière aléatoire. Le conducteur et son passager avant, eux, baignent dans une ambiance où le confort ouaté n'est rivalisé que par la puissance feutrée de la svelte limousine. Beauté mobile.

NOS MENTIONS

 Coup de coeur

NOTRE VERDICT

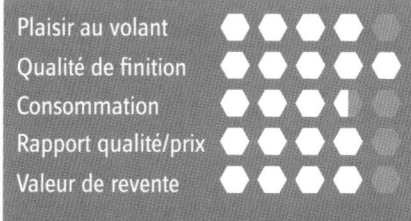

Plaisir au volant	●●●●○
Qualité de finition	●●●●○
Consommation	●●●○○
Rapport qualité/prix	●●●○○
Valeur de revente	●●●●○

CLASSE E

www.mercedes-benz.ca

ÉVOLUTION

N — É

J

62 900 $ à 106 900 $
transport et préparation: 1995 $

444

① FICHE D'IDENTITÉ

· **Versions** 350 4MATIC, 350 4MATIC Familiale, 350 BlueTEC, 550 4MATIC, 63 AMG
· **Roues motrices** arrière, 4
· **Portières** 4/5
· **Nombres de passagers** 5
· **Première génération** 1996
· **Génération actuelle** 2010
· **Construction** Sindelfingen/Stuttgart, Allemagne
· **Sacs gonflables** 8 (frontaux, latéraux avant et arrière, rideaux latéraux)
· **Concurrence** Acura RL, Audi A6, BMW Série 5, Cadillac STS, Infiniti M, Jaguar XF, Lexus GS Saab 9-5, Volvo S80

② AU QUOTIDIEN

· **Prime d'assurance**
25 ans: 2900 à 3100 $
40 ans: 2300 à 2500 $
60 ans: 1500 à 1700 $
· **Collision frontale** 4/5
· **Collision latérale** 5/5
· **Ventes du modèle de l'an dernier**
Au Québec 627 **Au Canada** 2819
· **Dépréciation** 50,4 %
· **Rappels** (2005 à 2010) 3
· **Cote de fiabilité** 2/5

③ GARANTIES... ET PLUS

· **Garantie générale** 4 ans/80 000 km
· **Garantie motopropulseur** 4 ans/80 000 km
· **Perforation** 5 ans/kilométrage illimité
· **Assistance routière** 4 ans/kilométrage illimité
· **Nombre de concessionnaires**
Au Québec 12 **Au Canada** 53

④ NOUVEAUTÉS EN 2011

· Version 350 4MATIC Familiale
· Version 350 BlueTEC pour berline
· Une nouvelle couleur

LA TRADITION SE POURSUIT !

PAR DANIEL RUFIANGE

QUAND L'HISTOIRE D'UNE VOITURE COMPTE SEPT GÉNÉRATIONS DE MODÈLES ÉCHELONNÉES SUR PLUS DE 30 ANS, ON PEUT PARLER D'UNE HISTOIRE À SUCCÈS. En tout, plus de un million et demi de personnes ont fait l'acquisition d'une Classe E, ce fleuron de l'entreprise à l'étoile argenté. La septième génération, lancée l'an dernier, compte déjà plus de 300 000 propriétaires, répartis un peu partout dans le monde. Parions que, avec l'arrivée de nouvelles moutures cette année, le nombre d'acheteurs ne fera que croître. Offerte à un prix de base dépassant les 60 000 $, elle n'est cependant pas à la portée de toutes les bourses; n'est-ce pas là la prérogative d'une vraie Mercedes-Benz ?

[CARROSSERIE] La Classe E présente des lignes spectaculaires. Il s'agit certes de l'une des plus belles berlines offertes par le constructeur. Porteuse de traditions, l'actuelle édition de la Classe E reprend des éléments stylistiques de la fameuse 180 ponton (W121), notamment en ce qui a trait au bosselage sur les flancs. Voilà une façon de réunir le passé et le présent, un exercice au-

quel aime se livrer Mercedes-Benz. Cette année, s'ajoutent au catalogue deux nouvelles versions, soit une familiale et une autre dotée d'une mécanique diesel BlueTEC. Ajoutez à cela les versions berlines E350 et E550, la E63 AMG ainsi que les modèles coupé et cabriolet et vous avez là une gamme des plus complètes.

[HABITACLE] On mentionne souvent que les véhicules sont devenus de véritables laboratoires roulants. On peut aussi affirmer que les habitacles d'aujourd'hui sont devenus de véritables environnements de travail multifonctionnels. À bord de la Classe E, c'est simple, rien ne manque pour satisfaire nos sens. Le confort est impérial, et le degré d'équipement relève de l'imaginaire. Surtout, on note la présence d'une myriade d'éléments de sécurité qui font de la Classe E l'une des voitures les plus sûres. Le système *Pre-Safe*, entre autres, enregistre tous les mouvements du véhicule et, advenant la détection d'une perte de contrôle, entre en fonction pour fermer le toit ouvrant et les fenêtres latérales avant, gonfler les coussinets de rembourrage des sièges et régler

FORCES · Choix de modèles · Degré d'équipement · Moteurs et boîtes de vitesses raffinés · Version familière offerte

FAIBLESSES · Direction peu communicative · Bombardement d'aides à la conduite · Frais d'entretien · Coûts des ensembles d'option

les sièges, afin de minimiser les risques de blessures en cas d'impact. Autre gadget : le dispositif *Attention Assist* qui surveille notre comportement et va jusqu'à nous suggérer des pauses s'il trouve notre conduite erratique. Bienvenue dans le futur !

[MÉCANIQUE] Que dire des moteurs proposés pour la Classe E ? Ils sont tous excellents. Celui de l'E350, par comparaison avec les deux autres, fait figure de parent pauvre avec ses 268 chevaux et son couple de 258 livres-pieds. Pourtant, ses performances sont nettement suffisantes. Quant au V8 de 5,5 litres de l'E550, il s'agit d'une véritable bombe, alors que le V8 de 6,2 litres de l'E63 AMG a plus l'effet d'une bombe... à retardement : 518 chevaux dans une berline de luxe, ça relève de la démence.

[COMPORTEMENT] Le plaisir au volant est présent, peu importe la motorisation qui se trouve sous le capot. Bien sûr, rien n'égale une version AMG, toujours collée à la route. Car, s'il y a un reproche à adresser à la Classe E, c'est que sa direction est surassistée au point où l'on en perd la connexion avec la route. Cependant, quand on réveille les canassons sous le capot et qu'on place la voiture en virage, elle répond brillamment. La Classe E profite aussi d'une flopée de caractéristiques de sécurité. Bientôt, nous n'aurons plus besoin de conduire. À preuve, le système *Distronic Plus*. Il s'agit d'un régulateur de vitesse ultra intelligent qui peut fonctionner entre 0 et 200 km/h. C'est donc dire que le véhicule peut avancer et freiner seul dans la circulation lourde. Les constructeurs, conscients de notre sécurité, commencent-ils à en faire un peu trop ?

[CONCLUSION] La Classe E est la référence technologique dans son segment. Sa conduite n'est toutefois pas celle d'une Audi ou d'une BMW. Néanmoins, il s'agit d'une voiture extraordinaire. Ma préférée : la familiale.

2ᵉ OPINION

MICHEL CRÉPAULT Difficile de ne pas aimer cette nouvelle classe E quand, en plus d'étrenner une silhouette dévastatrice et des manières toujours aussi matures, elle coûte moins cher que par le passé ! Puisque la gamme représente le pain et le beurre du fabricant, ce dernier a déballé les moyens pour nous séduire : luxe, confort mais aussi plus de rigidité pour survivre à nos montées d'adrénaline (sans oublier la terrifiante E63 AMG). Les gadgets axés sur la sécurité pullulent au point de transformer l'auto en labo. Règle générale, la direction demeure engoncée, mais le reste du comportement fait pardonner cette lourdeur. On a cru un instant que la familiale ne se pointerait pas, mais c'était mal présumer de Mercedes-Benz qui tient à faire flèche de tout bois avec cette 7e génération qui n'en finit plus de bien vieillir.

⑤ FICHE TECHNIQUE

· MOTEURS

· 350
V6 3,5 l DACT, 268 ch à 6000 tr/min
Couple 258 lb-pi à 2400 tr/min
Transmission automatique à 7 rapports avec mode manuel
0-100 km/h 6,8 s **Fam.** 7,1 s
Vitesse maximale 210 km/h (limitée)
Consommation (100 km) 10,5 l (octane 91)
Émissions de CO₂ 4922 kg/an
Litres par année 2140 l **Coût par an** 2397 $

Empreinte écologique 39 arbres

· 350 BlueTEC
V6 3,0 l turbodiesel DACT, 210 ch à 3400 tr/min
Couple 400 lb-pi à 1600 tr/min
Transmission automatique à 7 rapports avec mode manuel
0-100 km/h 6,8 s
Vitesse maximale 210 km/h (limitée)

· 550
V8 5,5 l DACT, 382 ch à 6000 tr/min
Couple 391 lb-pi à 2800 tr/min
Transmission automatique à 7 rapports avec mode manuel
0-100 km/h 5,1 s
Vitesse maximale 210 km/h (limitée)
Consommation (100 km) 11,2 l (octane 91)
Émissions de CO₂ 5290 kg/an
Litres par année 2300 l **Coût par an** 2576 $
Empreinte écologique 39 arbres

· 63 AMG
V8 6,2 l DACT, 518 ch à 6800 tr/min
Couple 465 lb-pi à 5200 tr/min
Transmission automatique à 7 rapports avec mode manuel
0-100 km/h 4,5 s
Vitesse maximale 250 km/h (limitée)
Consommation (100 km) 13,4 l (octane 91)
Émissions de CO₂ 6302 kg/an
Litres par année 2740 l **Coût par an** 3069 $
Empreinte écologique 41 arbres

· AUTRES COMPOSANTES
Sécurité active freins ABS, répartition électronique de force de freinage, assistance au freinage, antipatinage, contrôle de stabilité électronique
Suspension avant/arrière indépendante
Freins avant/arrière disques ventilés
Direction à crémaillère, assistée
Pneus P245/40R17
63 AMG P255/35R19 (av.) P285/30R19 (arr.)

· DIMENSIONS
Empattement 2874 mm
Longueur 4868 mm **350 Fam.** 4895 mm
Largeur 2071 mm (incluant rétro.)
Hauteur 1465 mm **350 Fam.** 1514 mm
550 1467 mm **63** 1440 mm
Poids 350 1830 kg **350 Fam.** 1915 kg
350 BlueTEC 1845 kg **550** 1910 kg **63** 1885 kg
Diamètre de braquage 11,3 m
Coffre 540 l **350 Fam** 1950 l (sièges abaissés)
Réservoir de carburant 80 l

NOS MENTIONS

☺ Modèle recommandé

NOTRE VERDICT

Plaisir au volant	●●●●○
Qualité de finition	●●●●○
Consommation	●●○○○
Rapport qualité/prix	●●●○○
Valeur de revente	●●●●○

CLASSE E COUPÉ

www.mercedes-benz.ca

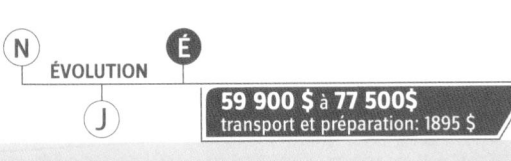

59 900 $ à 77 500$
transport et préparation: 1895 $

LA COTE VERTE

MOTEUR
V6 DE 3,5 L

· **Consommation**
(100km) : 9,8 l
· **Émissions**
polluantes CO_2:
4600 kg/an
· **Empreinte écologique**
(nombre d'arbres à
planter par année) : 33
· **Indice d'octane** : 91
· **Autre**
motorisation : non
· **Coût du carburant**
moyen par année :
2240 $
· **Nombre de**
litres par année :
2000 l

(SOURCE : ÉnerGuide)

---

(1) **FICHE D'IDENTITÉ**

· **Versions** coupé/cabriolet 350, 550
· **Roues motrices** arrière
· **Portières** 2 **Nombre de passagers** 4
· **Première génération** 2010
· **Génération actuelle** 2010
· **Construction** Sindelfingen/Stuttgart, Allemagne
· **Sacs gonflables** 8 (frontaux, latéraux avant et
  arrière, rideaux latéraux)
· **Concurrence** Audi A5, BMW Série 3 coupé, Infiniti
  G37 coupé, Volvo C70

(2) **AU QUOTIDIEN**

· **Prime d'assurance**
  25 ans: 2900 à 3100 $
  40 ans: 2300 à 2500 $
  60 ans: 1500 à 1700 $
· **Collision frontale** 4/5
· **Collision latérale** 5/5
· **Ventes du modèle de l'an dernier**
  Au Québec nd **Au Canada** nd
· **Dépréciation** nm
· **Rappels** (2005 à 2010) aucun à ce jour
· **Cote de fiabilité** nd

(3) **GARANTIES... ET PLUS**

· **Garantie générale** 4 ans/80 000 km
· **Garantie motopropulseur** 4 ans/80 000 km
· **Perforation** 5 ans/kilométrage illimité
· **Assistance routière** 4 ans/kilométrage illimité
· **Nombre de concessionnaires**
  Au Québec 12 **Au Canada** 53

(4) **NOUVEAUTÉS EN 2011**

Version Cabriolet, groupe apparence AMG
de série

LE CONFORT TAILLÉ SUR MESURE

PAR MICHEL CRÉPAULT

LA CLASSE E EST SI IMPORTANTE QUE LE CONS-
TRUCTEUR N'HÉSITE PAS À DÉCLINER LA 4e
GÉNÉRATION EN QUATRE CONFIGURATIONS
POPULAIRES : BERLINE, FAMILIALE, COUPÉ ET
CABRIOLET. Ne manque que la camionnette !
Dans les pages précédentes, mon collègue Daniel
se penche sur le sort des deux premières et j'ai
l'honneur de vous entretenir des deux autres,
lesquelles ont pris la relève de la défunte CLK.

[CARROSSERIE] Me semble qu'il faut faire ex-
près pour rater une décapotable. Me semble que
l'envie des clients de se retrouver cheveux au vent
doit guider les designers qui ressentent dès lors
l'obligation de créer une belle bagnole exprimant
à la fois liberté et nonchalance. Or, mission accomplie. On peut même ajouter le mot élégance
dans le cocktail des vertus obtenues. Par ailleurs, en décrivant le coupé dans *L'Annuel 2010*,
je pariais que la future décapotable opterait pour
un toit souple afin de se distinguer. Bingo ! La
capote se rétracte en quelque 20 secondes et la

voiture, sans couvre-chef, est encore plus belle. À
la rigueur peut-on reprocher à la section arrière
de ne pas être aussi personnalisée que l'avant,
très accrocheur.

[HABITACLE] Le luxe et le bon goût qui dominent
cet intérieur Benz nous dit que « tout va bien, madame la marquise ! », amenez-en des bouchons de
circulation ou des longs trajets, on est équipé pour
veiller tard ! La grande nouveauté de cette Classe E
à capote escamotable s'avère une primeur mondiale : l'Aircap, i.e. un aileron qui jaillit du sommet du pare-brise grâce à un interrupteur logé sur
la console centrale. Le rôle de cette « palette » est
de réduire les turbulences éoliennes qui généralement gâchent le plaisir de rouler le toit baissé :
soit que le vent qui s'engouffre dans l'habitacle
décoiffe les occupants, soit qu'Éole rende pénible
les conversations ; au pire, les deux. L'Aircap minimise ces inconvénients. L'aileron frontal soulève
la masse d'air et s'arrange en quelque sorte pour
la faire circuler au-dessus des têtes. Résultat : des

FORCES · Donne le choix au conducteur de se déplacer dans un type de véhicule se moulant davantage à sa personnalité

FAIBLESSES · Le toit en place, le cabriolet se manoeuvre vers l'arrière avec des
prières · Ces machines sont lourdes et on le ressent

moumoutes qui tiennent en place et des conversations sans crier. L'idée du Aircap s'ajoute à celle du Airscarf (de l'air chaud propulsé sur la nuque des occupants) pour ainsi prolonger l'utilisation d'une décapotable durant l'année. Activez ensemble l'Airscarf , l'Aircap, la chaufferette et les sièges chauffants et vous pourrez baisser le toit en janvier !

[MÉCANIQUE] Coupé et décapotable n'ont pas encore droit aux sorcelleries de la division AMG. On se débrouille donc avec un V6 3,5L de 268 CV et un V8 5,5L de 382 CV, tous les deux couplés à une boîte automatique 7 vitesses prolongée de commandes au volant. Même avec le V6, on parle d'un 0-100 km/h en moins de sept secondes...

[COMPORTEMENT] En théorie, l'heureux propriétaire peut se farcir des sueurs froides dans un virage en épingle ou en anticipant le feu vert. Habitués aux épreuves de l'*autobahn*, ces V6 et V8 viennent facilement à bout de nos limites de vitesse. Mais un sondage a démontré que même les acheteurs du coupé E sont davantage préoccupés de confort que de performances. En ce sens, ils ne seront pas déçus. D'une part, les deux modèles sont truffés d'aides électroniques qui rendent quasiment la conduite secondaire ; d'autre part, tant qu'AMG ne s'en mêlera pas, on continuera à détecter une certaine lourdeur au centre du volant et, ma foi, dans l'ensemble du véhicule, un embourgeoisement qui rend l'agressivité incongrue. C'est encore plus évident dans le cas de la décapotable où les montées d'adrénaline cèdent leur

place aux visées du slogan qui dit tout : *Four seasons, Four people.*

[CONCLUSION]
De fait, les cabriolets qui transportent quatre adultes sans les démembrer ne sont pas légion et aucun n'est doté des gadgets comme l'Aircap et l'Airscarf pour défier les saisons. Quant au coupé, son look seul est certes convaincant mais j'ai hâte de voir la proposition d'AMG, question de rendre justice à l'extraordinaire aérodynamisme (Cx de 0,24) !

2ᵉ OPINION

FRANCIS BRIÈRE Mon essai du coupé Mercedes-Benz Classe E m'a laissé un peu sceptique. Malgré les superbes lignes de cette voiture, son manque de rigidité m'a surpris. En revanche, la livrée berline E350 4MATIC a fait bien meilleure impression. Elle procure un confort remarquable en plus d'offrir une tenue de route digne d'une grande voiture allemande. Une ombre au tableau : la consommation de carburant. Elle est élevée, trop pour une berline propulsée par un V6. Du reste, la rigidité et la solidité du châssis nous font oublier les performances un peu moyennes du moteur. Cette voiture est superbe, agréable à conduire, confortable, solide, luxueuse et spacieuse. L'intérieur n'est pas celui d'une Classe S, mais elle ne se vend pas au même prix.

⑤ FICHE TECHNIQUE

· MOTEURS

· 350

V6 3,5 l DACT, 268 ch à 6000 tr/min
Couple 258 lb-pi de 2400 tr/min

Transmission automatique à 7 rapports avec mode manuel

0-100 km/h 6,4 s **cabrio.** 6,9 s

Vitesse maximale 210 km/h (bridée)

· 550

V8 5,5 l DACT, 382 ch à 6000 tr/min
Couple 391 lb-pi de 2800 tr/min

Transmission automatique à 7 rapports avec mode manuel

0-100 km/h 5,2 s **cabrio.** 5,3 s

Vitesse maximale 210 km/h (bridée)

Consommation (100 km) 11,4 l (octane 91)

Émissions de CO_2 6432 kg/an

Litres par année 2320 l

Coût par an 2598 $

Carburant alternatif non

Empreinte écologique 39

· AUTRES COMPOSANTES

Sécurité active freins ABS, répartition électronique de force de freinage, assistance au freinage, antipatinage, contrôle de stabilité électronique

Suspension avant/arrière indépendante

Freins avant/arrière disques ventilés

Direction à crémaillère, assistée

Pneus P235/40R18 (av.), P255/35R18 (arr.)

· DIMENSIONS

Empattement 2760 mm

Longueur 4698 mm **550 coupé** 4717 mm

Largeur 2028 mm **cabrio.** 2015 mm (incl. rétro.)

Hauteur 1393 mm **cabrio.** 1412 mm

Poids 350 1695 kg **550** 1765 kg

350 cabrio. 1765 kg **550 cabrio.** 1840 kg

Diamètre de braquage
350 10,95 m **550** 11,2 m **cabrio.** 11 m

Coffre 450 l **cabrio.** 390 l

Réservoir de carburant 66 l

| 447

NOS MENTIONS

☺ Modèle recommandé

NOTRE VERDICT

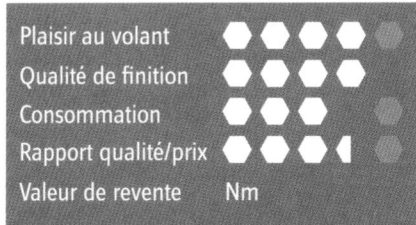

Plaisir au volant	●●●●◖
Qualité de finition	●●●●●
Consommation	⬡⬡⬡⬡⬡
Rapport qualité/prix	●●●◖
Valeur de revente	Nm

MERCEDES-BENZ

CLASSE GL

www.mercedes-benz.ca

ÉVOLUTION

N — É
J

70 500 $ à 88 900 $
transport et préparation: 1995 $

LA COTE VERTE

MOTEUR
V6 DE 3,0 L

· **Consommation (100km):** 10,5 l (diesel)
· **Émissions polluantes CO_2:** 5778 kg/an
· **Empreinte écologique (nombre d'arbres à planter par année):** 32
· **Autre motorisation:** essence
· **Coût du carburant moyen par année:** 1990 $
· **Nombre de litres par année:** 2140 l

(SOURCE: ÉnerGuide)

---

① FICHE D'IDENTITÉ

· **Versions** 350 BlueTEC, 450, 550
· **Roues motrices** 4
· **Portières** 5 **Nombre de passagers** 7
· **Première génération** 2007
· **Génération actuelle** 2007
· **Construction** Huntsville, Alabama, É.-U.
· **Sacs gonflables** 8 (frontaux, latéraux avant et arrière, rideaux latéraux)
· **Concurrence** Cadillac Escalade, Infiniti QX56, Lexus GX/LX, Lincoln Navigator, Land Rover Range Rover

② AU QUOTIDIEN

· **Prime d'assurance**
  25 ans: 3800 à 4000 $
  40 ans: 2300 à 2500 $
  60 ans: 1900 à 2100 $
· **Collision frontale** 5/5
· **Collision latérale** 5/5
· **Ventes du modèle de l'an dernier**
  Au Québec 12 **Au Canada** 53
· **Dépréciation** 39,3 %
· **Rappels** (2005 à 2010) 3
· **Cote de fiabilité** 3/5

③ GARANTIES... ET PLUS

· **Garantie générale** 4 ans/80 000 km
· **Garantie motopropulseur** 4 ans/80 000 km
· **Perforation** 5 ans/kilométrage illimité
· **Assistance routière** 4 ans/kilométrage illimité
· **Nombre de concessionnaires**
  Au Québec 12 **Au Canada** 53

④ NOUVEAUTÉS EN 2011

· Rétroviseurs redessinés, une nouvelle couleur.

MONSTRUEUX MAIS TALENTUEUX

PAR MICHEL CRÉPAULT

LES AMATEURS DE GROS UTILITAIRES ONT L'AVANTAGE DE MAGASINER DES VÉHICULES BIEN TYPÉS DANS LEUR GENRE. COMME LES LEXUS, LINCOLN OU LAND ROVER, LE GL DE MERCEDES-BENZ A PRIS SOIN DE SE TAILLER UNE PLACE SUR MESURE.

[CARROSSERIE] C'est un utilitaire mais pas très loin de passer pour un multisegment avec son allure de familiale gonflée aux stéroïdes. Il est vaste parce qu'il peut transporter jusqu'à sept adultes en tout confort, sans oublier leurs bagages. Il est plutôt « flashy », particulièrement du devant où le logo géant rappelle la tête d'un bélier prêt à tout défoncer. Les roues AMG de 21 pouces, en option, ne font rien non plus pour ne pas attirer l'attention. Cela dit, si on fait bien des farces sur l'allure bling-bling dont les rappeurs aiment assortir leur char d'assaut de ville, Benz laisse le choix au propriétaire du GL de jouer (un peu) la carte de la discrétion ou (beaucoup) de l'ostentatoire. Et peu importe le plumage final, le châssis dessous se réclame d'une vaillante robustesse.

[HABITACLE] Benz maîtrise si bien l'art des options que le préposé aux sous-marins chez Subway ne peut passer que pour un apprenti. Pour 2011, vous pourrez vous faire plaisir en illuminant les seuils de portière ou en profitant de l'ensemble Premium revisité. Le système qui nous avise de la présence d'un intrus dans nos angles morts est désormais de série dans toutes les versions. Ce véhicule brille surtout pour les accommodements qu'il offre aux humains et leurs objets. Son volume de chargement total est légèrement inférieur à celui d'un Cadillac Escalade, mais sa troisième banquette étonne par sa générosité. Quand les valises obtiennent priorité, il suffit d'appuyer sur un bouton pour voir cette banquette disparaître dans le plancher. Quelle classe ! D'ailleurs, le soin général apporté aux détails laisse pantois.

[MÉCANIQUE] Le choix entre trois engins : le V6 diesel BlueTec de 3 litres avec ses 210 chevaux; le V8 de 4,7 litres de 335 chevaux; le V8 de 5,5 litres de 382 chevaux. Tous les trois ont vu leur

---

FORCES · Gros utilitaire qui joue son rôle à la perfection · Menu de motorisations intéressant, surtout pour le diesel · Espace et luxe au rendez-vous

FAIBLESSES · Sauf le 550, la tenue de route flotte un peu · On a intérêt à calculer sa distance de freinage · Et à faire de même avec le coût final des options

vitesse maximale bridée à 210 km/h, ils sont tous jumelés à l'excellente boîte de vitesses automatique à 7 rapports et ils acheminent tous leur généreux couple par l'entremise d'une transmission intégrale permanente 4MATIC. La différence se situe dans des petits à-côtés intéressants pour certains individus, comme le temps qu'il faut pour passer de 0 à 100 km/h. Réponse : 9,5, 6,9 et 6,5 secondes. Pas pressé, très pressé et « on-voit-la-tête-du-bébé ! ».

[COMPORTEMENT] À moins d'avoir un puits de pétrole dans son jardin ou de devoir tirer l'édifice de la Sun Life, je me demande bien ce qui me pousserait à aller du côté des V8. Le BLUETEC propose une consommation tellement plus raisonnable et, grâce à son impressionnant couple de 400 livres-pieds, parvient à tracter jusqu'à 3 400 kilos, soit autant que ses frères animés d'un V8. Le chant du moteur ne sera pas le même mais, de un, il n'est pas du tout intrusif et, de deux, il convient très bien au mastodonte. Comme vous l'avez compris en prenant connaissance des temps d'accélération, le GL ne craint pas les lignes droites, malgré son coefficient de traînée très moyen de 0,38. En revanche, son centre de gravité élevé incite à la prudence dans les virages. S'il vous vient à l'idée d'aller braver des sentiers biscornus, le mammouth dispose d'aides électriques destinées à faciliter la montée et la descente des escarpements. Mais pourquoi se donner tant de trouble quand le GL aime son chrome propre et luisant ?

[CONCLUSION] Inscrivez dans une équation les termes puissance, confort, espace, luxe et le GL en devient le résultat logique. Si le constructeur n'avait pas eu l'intelligence de glisser un diesel dans le trio, on pourrait crier à l'indécence, mais ce n'est pas le cas. Ce véhicule comble des goûts et des besoins particuliers en échange toutefois d'un portefeuille bien garni, même quand on se méfie de la coûteuse valse des options.

2ᵉ OPINION

FRÉDÉRIC MASSE J'ai toujours apprécié le gros GL. Dans une catégorie où tout doit paraître plus gros, il fait office d'une sobriété peu commune. Devant le Cadillac Escalade, l'Infiniti QX et, même, le Land Rover, il passe presque inaperçu. C'est probablement ce qui le rend si populaire ; il a cette capacité à ne pas déclencher la hargne des écolos ou des employés de sa compagnie. Mais, il serait trop simple d'expliquer son succès par cette faculté à conserver un profil bas, car il compte de nombreuses autres qualités : facilité de conduite malgré sa taille, confort princier, boîte de vitesses automatique à 7 rapports, espace dans la troisième rangée de sièges, frugalité de la version diesel et qualité d'exécution générale. Le GL est, en outre, construit sur un châssis monocoque plutôt que sur un châssis à échelle comme le sont les camionnettes ou les véritables VUS.

⑤ FICHE TECHNIQUE

MOTEURS

(350 BlueTEC)
V6 3,0 l turbodiesel DACT, 210 ch à 3400 tr/min
Couple 400 lb-pi à 1600 tr/min
Transmission automatique à 7 rapports avec mode manuel
0-100 km/h 9,5 s
Vitesse maximale 210 km/h (bridée)

(450)
V8 4,7 l DACT, 335 ch à 6000 tr/min
Couple 339 lb-pi à 2700 tr/min
Transmission automatique à 7 rapports avec mode manuel
0-100 km/h 6,9 s
Vitesse maximale 210 km/h (bridée)
Consommation (100 km) 14,1 l (octane 91)
Émissions de CO_2 6578 kg/an
Litres par année 2860 l **Coût par an** 3203 $
Empreinte écologique 39 arbres

(550)
V8 5,5 l DACT, 382 ch à 6000 tr/min
Couple 391 lb-pi à 2800 tr/min
Transmission automatique à 7 rapports avec mode manuel
0-100 km/h 6,5 s
Vitesse maximale 210 km/h (bridée)
Consommation (100 km) 14,5 l (octane 91)
Émissions de CO_2 6808 kg/an
Litres par année 2960 l **Coût par an** 3315 $
Empreinte écologique 42 arbres

AUTRES COMPOSANTES

Sécurité active freins ABS, répartition électronique de force de freinage, assistance au freinage, antipatinage, contrôle de stabilité électronique
Suspension avant/arrière indépendante
Freins avant/arrière disques
Direction à crémaillère, assistée
Pneus 350/450, P275/50R20 **option 350/450** P275/55R19, **550/option 450** P295/40R21

DIMENSIONS

Empattement 3075 mm
Longueur 5088 mm
Largeur 2124 mm
Hauteur 1840 mm
Poids 350 BlueTEC 2460 kg **450** 2425 kg **550** 2515 kg
Diamètre de braquage 12,1 m
Coffre 200 l, 2300 l (sièges abaissés)
Réservoir de carburant 100 l

NOS MENTIONS

☺ Modèle recommandé

NOTRE VERDICT

Plaisir au volant	●●●●◖
Qualité de finition	●●●●●
Consommation	●●●○○
Rapport qualité/prix	●●●○○
Valeur de revente	●●◖○○

CLASSE GLK

www.mercedes-benz.ca

ÉVOLUTION N É J

44 895 $
transport et préparation: 1995 $

450

1 FICHE D'IDENTITÉ

- **Versions** GLK350
- **Roues motrices** 4
- **Portières** 5 **nombre de passagers** 5
- **Première génération** 2009
- **Génération actuelle** 2009
- **Construction** Bremen, Allemagne
- **Sacs gonflables** 6 (frontaux, latéraux et rideaux latéraux)
- **Concurrence** Acura RDX, Audi Q5,Volvo XC60

2 AU QUOTIDIEN

- **Prime d'assurance**
  25 ans: 1700 $ à 1900 $
  40 ans: 1400 $ à 1600 $
  60 ans: 1100 $ à 1300 $
- **Collision frontale** 5/5
- **Collision latérale** 5/5
- **Ventes du modèle de l'an dernier**
  Au Québec 1127 **Au Canada** 5012
- **Dépréciation** nm
- **Rappels** (2005 à 2010) aucun à ce jour
- **Cote de fiabilité** nm

3 GARANTIES... ET PLUS

- **Garantie générale** 4 ans/80 000 km
- **Garantie motopropulseur** 4 ans/80 000 km
- **Perforation** 5 ans/kilométrage illimité
- **Assistance routière** 4 ans/kilométrage illimité
- **Nombre de concessionnaires**
  Au Québec 12 **Au Canada** 53

4 NOUVEAUTÉS EN 2011

- Diodes électroluminescentes pour éclairage de jour inclus avec phares bi-xénon, ensemble Sport AMG, deux nouvelles couleurs.

COMPACT AVEC IMPACT

PAR MICHEL CRÉPAULT

DANS LA FAMILLE DES GELÄNDEWAGEN (VÉHICULE TOUT-TERRAIN EN ALLEMAND) CHEZ MERCEDES-BENZ, IL Y A D'ABORD LE MONSTRUEUX G LUI-MÊME, CONÇU POUR EFFRAYER LES AUTRES AUTOMOBILISTES, PUIS LE JOUFFLU GL, QUI NE LAISSE JAMAIS BEAUCOUP DE PLACE À LA TONDEUSE DANS UN GARAGE. L'ARRIVÉE L'AN DERNIER DU COMPACT GLK A DONC ALLÉGÉ L'ATMOSPHÈRE...

[CARROSSERIE] Aucun rapport visuel avec le G mais tout plein avec le GL, qui a tout simplement rétréci au lavage. Chose certaine, carrés et angles sont à l'honneur. Il reprend la plateforme de la berline Classe C, raccourcie mais surélevée. Les stylistes ont quand même ciselé la coque avec beaucoup d'amour, presque manucuré, puisque la clientèle visée, bien qu'unisexe, peut inclure une proportion de femmes beaucoup plus forte que pour les deux autres utilitaires. L'une des raisons, en tout cas, qui a encouragé le GLK à faire de la figuration sérieuse dans le premier film de la série Sex and the City. Pour 2011, on pourra viriliser cette image avec l'ajout facultatif d'un

ensemble AMG, dont des roues de 20 pouces à cinq raies.

[HABITACLE] Ne croyez pas que l'intérieur du GLK doit être outrageusement féminin parce que Sarh Jessica Parker aime y poser ses fringues griffées. Même que le GLK a plutôt tendance à projeter un intérieur sévère. Dans les faits, ceux qui sont familiers avec le style Benz se sentiront en pays connu, et si vous avez voyagé à bord d'une Classe C, vous n'y verrez que du feu. Tout est à sa place. Les boiseries paraissent mieux lustrées que dans d'autres véhicules. Les roulettes des buses d'aération semblent mieux contrôler le débit d'air. Les interstices ont l'air d'avoir été calculés à l'aide d'un microscope. Bref, la finition et la qualité d'assemblage justifie une bonne partie de la facture finale. Qui lorgne un utilitaire compact, toutefois, devine que l'espace à la banquette et derrière le hayon ne battra pas des records. De fait, les grands passagers, après s'être un peu battus avec l'embrasure de la portière qui souffre de l'empiétement de l'aile, trouveront le dégagement un peu juste pour leurs

FORCES • Gabarit intéressant pour l'explorateur urbain • Coque à l'esthétique songée • Finition sans reproche

FAIBLESSES • Accès serré à l'arrière • Dégagement pour les longues jambes un peu juste sur la banquette • Espace de chargement limité

jambes (alors que la tête s'en tire), tandis que les valises pour la croisière devront être stratégiquement planifiées. On peut, bien sûr, rabattre les dossiers pour agrandir le coffre et appeler un taxi pour les enfants...

[MÉCANIQUE] Le transfert du V6 de 3,5 litres de 268 chevaux s'est fait tout naturellement de la berline C au GLK. Il s'agit de la seule motorisation offerte et elle lui va comme un gant. Nous sommes en droit d'espérer qu'un engin diesel BlueTec finira par se pointer de ce côté-ci de l'Atlantique. Le GLK vendu au Canada vient de série avec une boîte de vitesses automatique à 7 rapports (rehaussée de leviers de sélection au volant avec le nouvel ensemble AMG) et la transmission intégrale 4MATIC de Benz (pas obligatoire aux États-Unis), ce qui fait parfaitement notre affaire.

[COMPORTEMENT] Ce qui frappe d'abord, c'est la robustesse du mini et joli char d'assaut allemand. On perçoit d'emblée la solidité du châssis et, du coup, ça nous met en confiance. Vous trouverez sur le marché des rivaux dont la douceur de roulement est supérieure (le Lexus RX 350 me vient à l'esprit) ou encore dont la dynamique vous incitera à davantage de prouesses derrière le volant (ici, pensez Infitini FX35). Le GLK a tendance à privilégier un comportement plus neutre. C'est quand on en saisit la cohérence qui lie toutes les parties qu'on peut témoigner de la personnalité agréable du véhicule. Grâce à ses formes dépourvues d'excentricités stylistiques, le GLK offre une bonne visibilité dans toutes les

directions, bien que l'assise du siège ne soit pas si haute pour un tout-terrain.

[CONCLUSION] Le constructeur allemand s'est servi de sa science pour nous concocter un véhicule qui se tire bien d'affaire à tous les chapitres. Quand on l'examine dans le détail, il faut admettre que d'autres utilitaires compacts ont développé de meilleurs talents dans tel et tel aspect. Mais considéré en fonction de ses origines et des habitudes de son géniteur, le GLK nous comble.

2ᵉ OPINION

DANIEL RUFIANGE Avec ses lignes tranchées au couteau, le GLK ne passe pas inaperçu. Son allure musclée n'est pas qu'une apparence. Au volant, on a l'impression de conduire un petit char d'assaut. Un aller-retour Montréal-Toronto à son bord m'a permis de découvrir un utilitaire agréable à conduire, confortable au possible, bien insonorisé et doté d'une chaîne audio qui se laisse apprécier. Malgré une consommation raisonnable d'un peu moins de 10 litres aux 100 kilomètres lors de mon périple, j'ai eu le temps de rêver à la présence d'une mécanique BlueTec qui est toujours absente du catalogue pour 2011. Imaginez un peu ce que serait sa popularité, déjà grande au Québec et au Canada, si une version encore plus frugale était proposée. À bon entendeur...

MOTEUR
(GLK 350)
V6 3,5 l DACT, 268 ch à 6000 tr/min
Couple 258 lb-pi à 2400 tr/min
Transmission automatique à 7 rapports avec mode manuel
0-100 km/h 6,7 s
Vitesse maximale 210 km/h (bridée)

AUTRES COMPOSANTES
Sécurité active freins ABS, répartition électronique de force de freinage, assistance au freinage, antipatinage, contrôle de stabilité électronique
Suspension avant/arrière indépendante
Freins avant/arrière disques
Direction à billes, assistée
Pneus P235/45R20 option P235/50R19

DIMENSIONS
Empattement 2755 mm
Longueur 4525 mm
Largeur 2016 mm (incl. mirroir)
Hauteur 1698 mm
Poids 1850 kg
Diamètre de braquage 11,5 m
Coffre 450 l
Réservoir de carburant 66 l
Capacité de remorquage 1588 kg

NOS MENTIONS

☺ Modèle recommandé

NOTRE VERDICT

Plaisir au volant	●●●●○
Qualité de finition	●●●●●
Consommation	●●●○○
Rapport qualité/prix	●●●◐○
Valeur de revente	●●●○○

CLASSE M

www.mercedes-benz.ca

ÉVOLUTION

N · É

J

57 400 $ à 97 500 $
transport et préparation: 1995 $

LA COTE VERTE

MOTEUR
V6 DIESEL 3,0 L

· Consommation (100km) : 9,6 l
· Émissions polluantes CO_2 : 5238 kg/an
· Empreinte écologique (nombre d'arbres à planter par année) : 32
· Indice d'octane : diesel
· Carburant alternatif : essence
· Coût du carburant moyen par année : 1804 $
· Nombre de litres par année : 1940 l

(source : ÉnerGuide)

452

FICHE D'IDENTITÉ

· **Versions** 350 BlueTEC, 350, 550, 63 AMG
· **Roues motrices** 4
· **Portières** 5 **Nombre de passagers** 5
· **Première génération** 1998
· **Génération actuelle** 2006
· **Construction** Tuscaloosa, Alabama, É.-U.
· **Sacs gonflables** 8 (frontaux, latéraux avant et arrières, rideaux latéraux)
· **Concurrence** Acura MDX, Audi Q7, BMW X5, Cadillac SRX, Infiniti FX, Land Rover LR3, Lexus RX, Porsche Cayenne, Volkswagen Touareg, Volvo XC90

AU QUOTIDIEN

· **Prime d'assurance 25 ans** : 3300 à 3500 $
  40 ans : 2300 à 2500 $
  60 ans : 1500 à 1700 $
· **Collision frontale** 5/5
· **Collision latérale** 5/5
· **Ventes du modèle de l'an dernier**
  Au Québec 672 Au Canada 3146
· **Dépréciation** 35,9%
· **Rappels (2005 à 2010)** 6
· **Cote de fiabilité** 3, 5/5

GARANTIES... ET PLUS

· **Garantie générale** 4 ans/80 000 km
· **Garantie motopropulseur** 4 ans/80 000 km
· **Perforation** 5 ans/kilométrage illimité
· **Assistance** routière 4 ans/kilométrage illimité
· **Nombre de concessionnaires**
  Au Québec 12 Au Canada 53

NOUVEAUTÉS EN 2011

Nouveau groupe d'options Avantgarde, réduction globale du nombre d'options, jantes de 19 po de série sur 350.

GUERRE À FINIR

PAR BENOIT CHARETTE

LE ML VIT SA DERNIÈRE ANNÉE SOUS SA FORME ACTUELLE, ET LE FABRICANT ALLEMAND TRAVAILLE DÉJÀ DEPUIS PLUSIEURS MOIS SUR SA VERSION 2012. Nous savons encore peu de choses, mais l'utilitaire devrait conserver le gabarit qu'on lui connaît. Il abandonnera également ses rondeurs pour adopter un style plus dynamique. Côté moteurs, Mercedes-Benz livrera davantage de puissance à ses blocs V6 et V8 à essence et diesel. Pour ce qui est de la version AMG, on parle déjà de 570 chevaux, de quoi rivaliser avec l'ennemi de toujours, le BMW X5, dans sa version M. À noter enfin le projet d'une déclinaison hybride.

[CARROSSERIE] On ne peut reprocher à Mercedes-Benz de s'asseoir sur ses lauriers. Même en cette année de transition, plusieurs petites retouches sont apportées au ML. Le Canada recevra en exclusivité des capots moteur nervurés à sa partie supérieure, signe distinctif et précurseur de certains traits de caractères de la prochaine génération. On retrouve aussi la technologie « Blind Spot Assist » dans les rétroviseurs extérieurs (qui reprennent la forme des modèles de classe C/E et S).

[HABITACLE] Pour souligner le départ de la seconde génération de ML, Mercedes-Benz a concocté deux éditions inédites. Dans un premier temps, les versions 350 et 550 auront droit au « Grand Edition ». Cette version riche en équipements de série se distingue par des couleurs uniques (noir ou blanc), des jantes de 20 pouces, une calandre AMG ainsi que des cuirs noirs aux surpiqués contrastants et aux matériaux spécifiques. Le très populaire 350 BlueTEC profite également de la version Designo, exclusive au Canada. Extérieurement, ce modèle BlueTEC est calqué sur la version 550 avec roues de 21 pouces AMG, un système de suspension pneumatique et des cuirs NAPA à l'intérieur.

[MÉCANIQUE] Vous avez toujours 4 choix au chapitre de la motorisation cette année. La vedette de l'heure est sans conteste le moteur BlueTec, qui est le choix de plus de 80 % des acheteurs. Sa souplesse, son couple généreux et sa con-

---

FORCES · Tenue de route hors pair · Finition et assemblage de qualité · Faible consommation (Blue TEC)

FAIBLESSES · Options nombreuses et coûteuses · Suspension de base sèche sur mauvais revêtements

BMW et Audi arrivent avec des solutions diesel qui offrent le même plaisir de conduire, les mêmes capacités de remorquage et 30 à 35 % d'économie de carburant. Pas surprenant qu'ils soient aussi populaires.

sommation sous la barre des 10 litres aux 100 kilomètres en font un choix quasi incontournable. Le V6 de 3,5 litres à essence est toujours présent, mais fait simplement acte de figurant. Ses ventes sont plus discrètes et, avec un aussi bon diesel, on se demande pourquoi il est encore offert. Viennent ensuite les V8, le 550 et ses 382 chevaux et, enfin, le ludique ML 63 AMG qui crache ses 503 chevaux et vous procure un plaisir interdit qui ramène le gamin en vous à chaque fois que vous prenez le volant.

[COMPORTEMENT] Mercedes-Benz a fait beaucoup de chemin depuis la première génération de ML en 1997. Parmi les enrichissements, la suspension automatique «Airmatic» offre un confort de conduite inégalé. Une option qu'il faut sérieusement considérer sur ce véhicule. Comme toujours avec les Mercedes-Benz, le rayon de braquage étonnamment court facilite les manœuvres. Le diesel est sans doute le meilleur choix non seulement pour sa consommation, mais pour la conduite aussi. Son immense couple de 400 livres-pieds compense largement les 210 chevaux de la mécanique. Les départs comme les reprises sont énergiques. Le seul modèle qui offre plus de plaisir est le 63 AMG qui frôle le délire. J'ai encore souvenir de l'air ahuri d'un propriétaire de Porsche 911 que j'ai doublé sur l'autobahn à plus de 250 km/h au volant de mon ML 63 AMG.

[CONCLUSION] Dans un monde où les véhicules utilitaires de plus grand format sont de moins en moins acceptés, il est agréable de constater que Mercedes-Benz et d'autres constructeurs comme

2ᵉ OPINION

FRÉDÉRIC MASSE Le Mercedes-Benz Classe M est l'un de mes VUS de luxe préférés, avec l'Acura MDX, si l'on recherche un véhicule axé sur le confort et le raffinement. La magie du ML, à l'instar de l'Acura, c'est qu'il propose une suspension souple, sans pour autant être maladroit. Le résultat est impressionnant et permet d'offrir un véhicule facile et agréable à conduire. Si certains qualifient l'habitacle du ML de peu original, j'utiliserais plutôt le mot classique. Même si, personnellement, je préfère quelque chose de plus éclaté, je sais pertinemment qu'un type d'acheteur adorera. Et, je m'en voudrais de ne pas mettre sur un piédestal la version diesel.

5 FICHE TECHNIQUE

· MOTEURS
· (350 BlueTEC)
V6 3,0 l turbodiesel DACT, 210 ch à 3400 tr/min
Couple 400 lb-pi à 1600 tr/min
Transmission automatique à 7 rapports avec mode manuel
0-100 km/h 8,6 s
Vitesse maximale 210 km/h (bridée)

· (350)
V6 3,5 l DACT, 268 ch à 6000 tr/min
Couple 258 lb-pi à 2400 tr/min
Transmission automatique à 7 rapports avec mode manuel
0-100 km/h 8,4 s
Vitesse maximale 210 km/h (bridée)

Consommation (100 km) 12,1 l (octane 91)
Émissions de CO_2 5658 kg/an
Litres par année 2460 l **Coût par an** 2755 $
Carburant alternatif non
Empreinte écologique 36 arbres

· (550)
V8 5,5 l DACT, 382 ch à 6000 tr/min
Couple 391 lb-pi à 2800 tr/min
Transmission automatique à 7 rapports avec mode manuel
0-100 km/h 5,8 s
Vitesse maximale 210 km/h (bridée)
Consommation (100 km) 13,8 l (octane 91)
Émissions de CO_2 6440 kg/an
Litres par année 2800 l **Coût par an** 3136 $
Carburant alternatif non
Empreinte écologique 40 arbres

· (63 AMG)
V8 6,2 l DACT, 503 ch à 6800 tr/min
Couple 465 lb-pi à 5200 tr/min
Transmission automatique à 7 rapports avec mode manuel
0-100 km/h 5,0 s
Vitesse maximale 250 km/h (bridée)
Consommation (100 km) 17,2 l (octane 91)
Émissions de CO_2 8096 kg/an
Litres par année 3520 l **Coût par an** 3942 $
Carburant alternatif non
Empreinte écologique 50 arbres

· AUTRES COMPOSANTES
Sécurité active freins ABS, répartition électronique de force de freinage, assistance au freinage, antipatinage, contrôle de stabilité électronique
Suspension avant/arrière indépendante
Freins avant/arrière disques
Direction à crémaillère, assistée
Pneus 350/350 BlueTEC P255/50R19
option 350 et **350 BlueTEC/550** P265/45R20
63 AMG P295/35R21

· DIMENSIONS
Empattement 2915 mm
Longueur 4781 mm **63 AMG** 4812 mm
Largeur 2124 mm
63 AMG 2127 mm (incluant rétroviseurs)
Hauteur 350 1815 mm
550 1840 mm **63 AMG** 1899 mm
Poids 350 BlueTEC 2255 kg **350** 2145 kg
550 2215 kg **63 AMG** 2370 kg
Diamètre de braquage 12,0 m
Coffre 833 l, 2050 l (sièges abaissés)
Réservoir de carburant 95 l
Capacité de remorquage nd

NOS MENTIONS

 Le choix vert

☺ Modèle recommandé

NOTRE VERDICT

Plaisir au volant	⬢	⬢	⬢	⬡
Qualité de finition	⬢	⬢	⬢	⬢
Consommation	⬡	⬡	⬡	⬡
Rapport qualité/prix	⬢	⬢	⬢	⬡
Valeur de revente	⬢	⬢	⬢	⬡

CLASSE R

www.mercedes-benz.ca

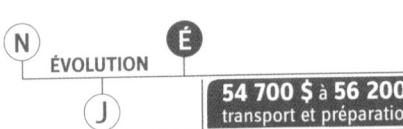

ÉVOLUTION

N
J
É

54 700 $ à 56 200 $
transport et préparation: 1995 $

S·PB 5581

LA COTE VERTE

MOTEUR
V6 DE 3,0 L

· **Consommation (100km):** 9,9 l
· **Émissions polluantes CO_2 :** 5400 kg/an
· **Empreinte écologique (nombre d'arbres à planter par année):** 32
· **Indice d'octane:** diesel
· **Autre motorisation:** diesel
· **Coût du carburant moyen par année:** 1860 $
· **Nombre de litres par année:** 2000 l

(SOURCE: ÉnerGuide)

454

 FICHE D'IDENTITÉ

· **Versions,** R350 4MATIC, R350 BlueTEC 4MATIC
· **Roues motrices** 4
· **Portières** 4 **Nombre de passagers** 8
· **Première génération** 2006
· **Génération actuelle** 2006
· **Construction** Tuscaloosa, Alabama, É.-U.
· **Sacs gonflables** 8 (frontaux, latéraux avant et arrière, rideaux latéraux)
· **Concurrence** Buick Enclave, GMC Acadia, Chevrolet Traverse

 AU QUOTIDIEN

· **Prime d'assurance**
  25 ans: 3000 à 3200 $
  40 ans: 2200 à 2400 $
  60 ans: 1500 à 1700 $
· **Collision frontale** 5/5
· **Collision latérale** 5/5
· **Ventes du modèle de l'an dernier**
  Au Québec 61 **Au Canada** 308
· **Dépréciation** 46,3 %
· **Rappels** (2005 à 2010) 4
· **Cote de fiabilité** 3/5

 GARANTIES... ET PLUS

· **Garantie générale** 4 ans/80 000 km
· **Garantie motopropulseur** 4 ans/80 000 km
· **Perforation** 5 ans/kilométrage illimité
· **Assistance routière** 4 ans/illimité
· **Nombre de concessionnaires**
  Au Québec 12 **Au Canada** 53

 NOUVEAUTÉS EN 2011

· Nouveau groupe d'option sport

UNE SECONDE CHANCE

PAR BENOIT CHARETTE

AVEC SEULEMENT 308 EXEMPLAIRES DE LA MERCEDES-BENZ CLASSE R VENDUES AU CANADA L'AN DERNIER, NOUS AURIONS PU CROIRE QUE DAIMLER LANCERAIT LA SERVIETTE. Il semble que non, la firme allemande accorde une seconde chance à la R, ce modèle atypique, mélange entre une fourgonnette et une familiale surdimensionnée, qui n'a pas su trouver son public depuis sa mise en marché.

[CARROSSERIE] Pour remonter les chiffres de ventes, Mercedes-Benz suit le courant en accordant à sa fourgonnette des lignes qui se rapprochent de l'utilitaire. L'essentiel des changements pour 2011 se trouve à l'avant du véhicule. On note l'abandon des feux rondouillards pour de nouveaux phares au profil plus sportif qui se prolongent sur les ailes. Cela transforme les lignes et la place plus en phase avec les autres modèles de la marque. Le capot moteur reste le même, mais la calandre est de plus grandes dimensions et rehausse le côté statutaire de la voiture. En option, cette

nouvelle calandre peut même recevoir des feux de jour à diodes électroluminescentes et des fonds de projecteurs foncés afin d'accentuer le style plus masculin d'un VUS. De nouvelles jantes également, en 19 ou en 20 pouces, sont offertes avec l'ensemble AMG. L'arrière est, lui aussi, retouché; pour lui donner des épaules plus larges sans toucher à la carrosserie, Mercedes-Benz a réduit la taille des feux tout en leur offrant un nouveau dessin. Les deux sorties d'échappement adoptent une allure trapézoïdale et non plus ronde. Elles sont intégrées à un bouclier arrière qui reçoit l'allure « diffuseur » arrière afin de renforcer l'image sportive...

[HABITACLE] L'intérieur demeure essentiellement le même. Mercedes-Benz a rajeuni l'allure avec des ambiances bicolores qui résultent de l'association d'un coloris de base et d'un coloris contrasté. Elle propose du beige amande/marron moka et du gris alpaga/gris basalte foncé. Avec l'intérieur AMG, la sellerie est réalisée de série en cuir Nappa noir uni. Outre les insérés en aluminium foncé à stries longitudinales

FORCES · Lignes plus attirantes · Moteur diesel fortement conseillé · Tenue de route confortable · Excellente insonorisation

FAIBLESSES · Manque de couple à bas régime · Manque de couple à bas régime (V6 essence) · Rayon de braquage trop grand · Format encombrant en ville

et les insérés décoratifs en chrome argenté, il est possible de commander des boiseries en eucalyptus marron brillant, en ronce de noyer marron brillant ou en peuplier anthracite brillant. Le poste de conduite séduit par un combiné d'instruments redessiné. Les cadrans sont dotés d'un fond blanc et permettent une meilleure consultation grâce à un affichage tridimensionnel. Pour ce qui est de l'habitacle, vous n'aurez aucune difficulté à installer 7 ou 8 adultes en tout confort.

[MÉCANIQUE] Rien de nouveau au chapitre du moteur. La R donne toujours le choix de deux V6 et propose la transmission intégrale 4MATIC. Le V6 BlueTEC de 210 chevaux compte pour plus de 80 % des ventes, et il est facile de comprendre pourquoi. Le couple abondant à bas régime, une sonorité aussi discrète que le moteur à essence et une consommation moyenne de carburant sous la barre des 10 litres aux 100 kilomètres a tout ce qu'il faut pour plaire. Les autres 20 % de la clientèle se penchent vers le V6 de 3,5 litres de 268 chevaux. La consommation est plus proche des 13 litres aux 100 kilomètres, et le couple à bas régime, beaucoup moindre que le diesel. Logiquement, 100 % de la clientèle devrait opter pour le diesel.

[COMPORTEMENT] Tout comme les autres fourgonnettes, la Classe R est avant tout pratique et préfère les grands espaces à la ville. Elle est dans son domaine sur les longues bandes d'asphalte. Il faut donc penser confort, souplesse de la suspension et excellente insonorisation

pour qualifier la conduite de la R. À plus de cinq mètres de longueur, le stationnement en parallèle devient problématique, et son rayon de braquage « camionnesque » n'aide pas la cause. Même sous ses airs plus utilitaires, au volant, vous avez affaire à une fourgonnette qui présente une tenue de route sans pareille pour ce genre de véhicule et un confort digne des produits Mercedes-Benz.

[CONCLUSION] Pour ceux qui cherchent l'ultime fourgonnette et qui ont un compte en banque capable de faire face à une telle dépense, Mercedes-Benz offre LA solution; mais optez pour le diesel, vous serez comblé.

2ᵉ OPINION

DANIEL RUFIANGE En voilà un sur lequel il s'en est dit des railleries depuis son arrivée sur le marché en 2006. De nuisance publique à horreur esthétique en passant par tous les noms de poissons possibles, il est clair que la silhouette de la Classe R a fait jaser. L'année 2011 en est une de retouches esthétiques pour cette baleine domestique. Des phares et des feux à diodes électroluminescentes, une calandre légèrement redessinée et de nouvelles jantes viennent vivifier la Classe R et résume l'essentiel des modifications apportées à la carrosserie. À l'intérieur, un rafraîchissement vient améliorer un ensemble déjà impressionnant. Au volant, malgré ses lignes discutables, la Classe R demeure un char d'assaut roulant sur de l'ouate, et l'expérience de conduite demeure un plaisir pour les sens, qu'on soit seul à bord ou accompagné de 6 personnes.

⑤ **FICHE TECHNIQUE**

- **MOTEURS**
- **(R350 BLUETEC)**
V6 3,0 l turbodiesel DACT, 210 ch à 3400 tr/min Couple 400 lb-pi à 1600 tr/min
Transmission automatique à 7 rapports avec mode manuel
0-100 km/h 8,9 s
Vitesse maximale 210 km/h (bridée)

- **(R350)**
V6 3,5 l DACT, 268 ch à 6000 tr/min Couple 258 lb-pi à 2400 tr/min
Transmission automatique à 7 rapports avec mode manuel
0-100 km/h 8,4 s
Vitesse maximale 210 km/h (bridée)
Consommation (100 km) 12,8 l (octane 91)
Émissions de CO$_2$ 5934 kg/an
Litres par année 2580 l
Coût par an 2890 $
Empreinte écologique 36 arbres

- **AUTRES COMPOSANTES**
Sécurité active Freins ABS, répartition électronique de force de freinage, assistance au freinage, antipatinage, contrôle de stabilité électronique
Suspension avant/arrière indépendante
Freins avant/arrière disques
Direction à crémaillère, assistée
Pneus P255/50R19 option P265/45/20

- **DIMENSIONS**
Empattement 3215 mm
Longueur 5157 mm
Largeur 1922 mm
Hauteur 1678 mm
Poids R350 2230 kg **R350 BLUETEC** 2335 kg
Diamètre de braquage 12,4 m
Coffre R320 295 l, 2385 l (sièges abaissés)
Réservoir de carburant 80 l

NOS MENTIONS

☺ Modèle recommandé

NOTRE VERDICT

Plaisir au volant	●●●●○
Qualité de finition	●●●●●
Consommation	●●●○○
Consommation (diesel)	●●●●○
Rapport qualité/prix	●●○○○
Valeur de revente	●●●●○

MERCEDES-BENZ

CLASSE S
www.mercedes-benz.ca

ÉVOLUTION

105 900 $ à 234 000 $
transport et préparation: 1995 $

456

LA COTE VERTE

MOTEUR
V6 DE 3,5 L HYBRIDE

- **Consommation (100km):** 9,4 l
- **Émissions polluantes CO_2:** 4370 kg/an
- **Empreinte écologique (nombre d'arbres à planter par année):** 19
- **Indice d'octane:** 91
- **Autre motorisation:** essence
- **Coût du carburant moyen par année:** 2128 $
- **Nombre de litres par année:** 1900 l

(SOURCE: ÉnerGuide)

 FICHE D'IDENTITÉ

- **Versions** S400 hybrid, S450 4MATIC, S550 4MATIC, S600, S63 AMG, S65 AMG
- **Roues motrices** arrière, 4
- **Portières** 4 **Nombre de passagers** 5
- **Première génération** 1992
- **Génération actuelle** 2006
- **Construction** Sindelfingen/Stuttgart, Allemagne
- **Sacs gonflables** 8 (frontaux, latéraux avant et arrière, rideaux latéraux)
- **Concurrence** Audi A8, Bentley Flying Spur, BMW Série 7, Jaguar XJ, Lexus LS,

 AU QUOTIDIEN

Maserati Quattroporte
- **Prime d'assurance**
  25 ans: 4100 à 4300 $
  40 ans: 3100 à 3300 $
  60 ans: 2700 à 2900 $
- **Collision frontale** 5
- **Collision latérale** 5/5
- **Ventes du modèle de l'an dernier**
  Au Québec 172 **Au Canada** 748
- **Dépréciation** 64,4 %
- **Rappels** (2005 à 2010) 6

 GARANTIES... ET PLUS

- **Cote de fiabilité** 3/5
- **Garantie générale** 4 ans/80 000 km
- **Garantie motopropulseur** 4 ans/80 000 km
- **Perforation** 5 ans/kilométrage illimité
- **Assistance routière** 4 ans/kilométrage illimité
- **Nombre de concessionnaires**

 NOUVEAUTÉS EN 2011

Au Québec 12 **Au Canada** 53

NOBLE CRÉATURE

PAR FRANCIS BRIÈRE

IL EXISTE DES VOITURES D'EXCEPTION, ET LA CLASSE S DE MERCEDES-BENZ EN EST UNE. Elle n'est pas seule dans son camp : les deux autres grandes allemandes réclament leur part d'attention de même que la berline LS de Lexus. De plus, la Classe S n'est pas la première à proposer une motorisation hybride, cette spécialité étant l'affaire du constructeur japonais. Dorénavant, les heureux propriétaires de cette voiture pourront afficher leur fibre environnementale. Reste que la Classe S de Mercedes-Benz est une voiture d'exception tout en luxe, en prestige, en élégance et en confort.

[CARROSSERIE] La grande berline propose des lignes fluides, une calandre digne de Mercedes-Benz et des embouts d'échappement de forme rhomboïdale. Si cette voiture est splendide sur le plan esthétique, il y en a une qui attire encore plus l'œil dans cette catégorie de voitures, et c'est la BMW de Série 7. Mais la Classe S s'est également adaptée aux exigences du jour en proposant, par exemple, des phares de jour à diodes électroluminescentes (DEL), une calandre plus moderne

et des boucliers qui font plus masculin. Évidemment, pas question de chambarder complètement l'allure de ce vaisseau qui s'adresse à une clientèle conservatrice.

[HABITACLE] C'est dans l'habitacle qu'on apprécie la Classe S. Non seulement les passagers à l'avant bénéficient-ils d'une panoplie de réglages possibles, mais ils peuvent également se faire dorloter avec le vibromassage. Si la voiture négocie un virage serré, un dispositif détecte la force latérale et actionne un renforcement de maintien latéral du siège, question de garder l'occupant bien en place. La finition témoigne d'un souci du détail irréprochable. L'élégance des sièges, des portières et de la planche de bord de même que la noblesse des matériaux font de cet habitacle le plus remarquable dans cette catégorie. Le système de contrôle et de divertissement se pilote grâce à une roulette située dans la console, laquelle est entourée de quelques boutons à commande spécifique. Ce système se révèle plus détestable que celui d'Audi : la navigation met notre patience à rude épreuve. Du reste,

---

FORCES · Confort princier · Habitacle exceptionnel · Prestige assuré · Version hybride

FAIBLESSES · Prix · Consommation (sauf hybride) · Conduite aseptisée

un diplôme d'ingénieur n'est pas requis pour manœuvrer à sa guise dans les méandres des dispositifs électroniques et informatiques. Les voitures allemandes de grand luxe comme la Classe S proposent des habitacles ergonomiques, sobres et bien pensés; la finition est d'une justesse remarquable. Les commandes à bouton n'envahissent ni le volant ni la planche de bord.

[MÉCANIQUE] Comme nous avons fait l'essai de la S400 hybride, mentionnons quelques mots au sujet de la motorisation. Il n'y a pas si longtemps, Mercedes-Benz attaquait ses concurrentes en clamant haut et fort que la technologie hybride n'était que de la poudre aux yeux. Voilà maintenant que la firme allemande se laisse tenter par un essai qu'on pourrait qualifier de timide. En effet, le système hybride rappelle celui de Honda nommé *Integrated Motor Assist*. Le composant électrique vient prêter main-forte au moteur thermique qui se contente habituellement d'une plus petite cylindrée, d'où l'économie en carburant. Dans le cas qui nous occupe, le système d'emmagasinage d'énergie électrique ne possède pas suffisamment de puissance pour permettre la moindre propulsion autonome. Le moteur à essence fonctionne donc à temps plein, sauf à l'arrêt, si la température le permet. Bien entendu, par grand froid, il faut s'attendre à ce que ça tourne sans arrêt. En ce qui a trait à la consommation de carburant, mentionnons que les données recueillies n'impressionnent guère, mais se révèlent tout de même raisonnables. Compte tenu de la taille de la voiture et de son poids, une moyenne de 11 litres aux 100 kilomètres environ a de quoi satisfaire son propriétaire. Si l'environnement vous laisse indifférent, les livrées à moteurs V8 et V12 vous sont toujours offertes.

[COMPORTEMENT] Sur la route, le confort, l'espace et le bien-être priment sur le reste. La Classe S se manie comme une petite voiture quand vient le temps de négocier un virage ou lors d'un trajet urbain. C'est davantage sur la route

qu'on remarque les qualités exceptionnelles de la voiture. La suspension procure aux occupants une grande stabilité sans sacrifier leur quiétude. En revanche, une meilleure insonorisation serait de mise pour une voiture de ce prix, surtout quand on considère le silence qui règne à bord de l'A8 et de la Série 7.

[CONCLUSION] Mercedes-Benz espère séduire une poignée de clients soucieux de l'environnement qui désirent se donner bonne conscience sans sacrifier le luxe princier et le confort douillet en proposant une S400 hybride. Reste qu'elle n'exige aucun compromis en ce qui a trait au plaisir de prendre place à bord d'une Classe S de Mercedes-Benz. On y retrouve le même agrément de conduite, la même douceur de roulement et la même joie derrière le volant. Tout ce qu'elle fait de plus, c'est de brûler moins de litres de pétrole. À vous le choix.

⑤ FICHE TECHNIQUE

· MOTEURS

· (S 400 hybride)
V6 3,5 l DACT + moteur électrique,
295 ch à 6000 tr/min
Couple 284 lb-pi à 2400 tr/min
(puissance et couple totaux)
Transmission automatique à 7 rapports avec mode manuel
0-100 km/h 7,2 s
Vitesse maximale 210 km/h

· (S450 4MATIC)
V8 4,7 l DACT, 335 ch à 6000 tr/min
Couple 339 lb-pi à 2700 tr/min
Transmission automatique à 7 rapports avec mode manuel
0-100 km/h 5,9 s
Vitesse maximale 210 km/h (bridée)
Consommation (100 km) 11,6 l (octane 91)

· (S550 4MATIC)
V8 5,5 l DACT, 382 ch à 6000 tr/min
Couple 391 lb-pi à 2800 tr/min
Transmission automatique à 7 rapports avec mode manuel
0-100 km/h 5,4 s

Vitesse maximale 210 km/h (bridée)
Consommation (100 km) 12,1 l (octane 91)

· (S600)
V12 5,5 l SACT biturbo, 510 ch à 5000 tr/min
Couple 612 lb-pi à 1800 tr/min
Transmission automatique à 5 rapports avec mode manuel
0-100 km/h 4,6 s
Vitesse maximale 210 km/h (bridée)
Consommation (100 km) 15,4 l (octane 91)

· (S63 AMG)
V8 5,5 l biturbo DACT, 536 ch à 5500 tr/min (563 option)
Couple 590 lb-pi à 2000-4500 tr/min (664 option)
Transmission automatique à 7 rapports avec mode manuel
0-100 km/h 4,5 s
Vitesse maximale 250 km/h (bridée)
Consommation (100 km) 15,2 l (octane 91)

· (S65 AMG)
V12 6,0 l biturbo SACT, 603 ch à 4800 tr/min
Couple 738 lb-pi de 2000 à 4000 tr/min
Transmission automatique à 5 rapports avec mode manuel
0-100 km/h 4,4 s
Vitesse maximale 250 km/h (bridée)
Consommation (100 km) 15,7 l (octane 91)

· AUTRES COMPOSANTES

Sécurité active freins ABS, répartition électronique de force de freinage, assistance au freinage, antipatinage, contrôle de stabilité électronique, régulateur de vitesse intelligent, système de détection de la somnolence
Suspension avant/arrière indépendante
Freins avant/arrière disques ventilés
Direction à crémaillère, assistée
Pneus S450/S400 hybride P255/45R18;
S550 4MATIC P255/40R19;
S600 P255/40R19 (av.), P275/40R19 (arr.);
S63AMG/S65AMG P255/35R20 (av.), P275/35R20 (arr)

· Dimensions
Empattement 3165 mm; **S450 4MATIC** 3035 mm
Longueur 5206 mm; **S450 4MATIC** 5076 mm
Largeur 1871 mm; **S450 4MATIC** 1872 mm
Hauteur 1473 mm; **S450 4MATIC,**
S550 4MATIC 1483 mm
Poids S400 hybride 2050 kg,
S450 4MATIC 2050 kg, **S550 4MATIC** 2095 kg,
S600 2250 kg, **S65 AMG** 2300 kg
Diamètre de braquage 12,2 m, **S450** 11,8 m
Coffre 560 l
Réservoir de carburant 90 l

NOS MENTIONS

 Modèle recommandé

NOTRE VERDICT

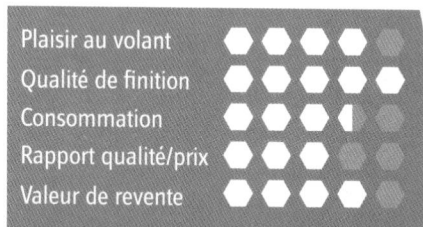

Plaisir au volant	●●●●○
Qualité de finition	○○○○○
Consommation	○○○●○
Rapport qualité/prix	○○○○○
Valeur de revente	○●○○○

CLASSE SL

www.mercedes-benz.ca

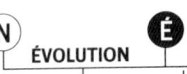 ÉVOLUTION

126 000 $ à 240 100 $
transport et préparation: 1995 $

LA COTE VERTE

MOTEUR
V8 5,5 L

- **Consommation**
(100km): 12,6 l
- **Émissions
polluantes CO_2 :**
5980 kg/an
- **Empreinte écologique
(nombre d'arbres à
planter par année):** 37
- **Indice d'octane:** 91
- **Autre
motorisation:** non
- **Coût du carburant
moyen par année:**
2912 $
- **Nombre de litres par
année:** 2600 l

(SOURCE: ÉnerGuide)

1 FICHE D'IDENTITÉ

- **Versions** 550, 600, 63 AMG, 65 AMG
- **Roues motrices** arrière
- **Portières** 2 **Nombre de passagers** 2
- **Première génération** 1954
- **Génération actuelle** 2006
- **Construction** Bremen, Allemagne
- **Sacs gonflables** 4 (frontaux, latéraux)
- **Concurrence** Aston Martin DB9, Bentley
Continental GTC, BMW Série 6, Porsche 911

2 AU QUOTIDIEN

- **Prime d'assurance**
25 ans: 6500 à 6700 $
40 ans: 4100 à 4300 $
60 ans: 3200 à 3400 $
- **Collision frontale** 5/5
- **Collision latérale** 5/5
- **Ventes du modèle de l'an dernier**
Au Québec 60 **Au Canada** 268
- **Dépréciation** 50,0%
- **Rappels (2005 à 2010)** 2
- **Cote de fiabilité** 3/5

3 GARANTIES... ET PLUS

- **Garantie générale** 4 ans/80 000 km
- **Garantie motopropulseur** 4 ans/80 000 km
- **Perforation** 5 ans/kilométrage illimité
- **Assistance routière** 4 ans/kilométrage illimité
- **Nombre de concessionnaires**
Au Québec 12 **Au Canada** 53

4 NOUVEAUTÉS EN 2011

- Version SL 550 Night Edition limitée à 20
- Exemplaires pour le marché canadien,
- Rétroviseurs latéraux rabattable électroniquement
de série.

LA BAIGNOIRE BIONIQUE

PAR MICHEL CRÉPAULT

LES LÉGENDES SE CONSTRUISENT EN CHANTANT, SI JE PARAPHRASE UN COMPOSIT-EUR POP. DANS LE CAS DE LA SL (POUR *SPORT LEICHT* - LÉGER - EN ALLEMAND), C'EST EN CONDUISANT QUE ÇA SE PASSE. Présente dans le paysage automobile depuis 1954 (oui, vous avez bien lu), la SL est un exemple à suivre, comme la Porsche 911, pour traverser les décennies sans diluer son attrait.

[CARROSSERIE] Deux versions « mononcle/matante », les SL550 et SL600 (qui disparaît du catalogue aux États-Unis), et deux versions diaboliques, les SL63 et SL65 d'AMG. La 550 se farcit même une livrée spéciale baptisée *Night Edition* pour 2011 : une coque d'un noir absolu, jantes AMG à cinq raies exclusives et autres babioles. Mais dépêchez-vous, le Canada n'en recevra que 20 exemplaires. Autre nouveauté : les rétroviseurs extérieurs sont désormais repliables pour l'ensemble du quatuor. Le délicieux toit rétractable réaffirme le talent des ingénieurs et offre la quiétude d'un coupé une fois en place.

[HABITACLE] Prenez votre meilleur fauteuil, confiez-lui une panoplie de réglages électriques, intégrez-lui des éléments chauffants ou refroidissants, coiffez-le d'un appuie-tête capable de diffuser de la chaleur sur votre nuque une fois la bise venue (merci Airscarf) et prenez place. N'ayez pas peur de vous étirer, c'est spacieux. Et puisque vous appréciez votre fauteuil favori avec de vieilles pantoufles, le décor respire à la fois le modernisme et le chez-soi douillet. Savourez le temps qui passe. Vous en aurez besoin pour décrypter les multiples fonctions du système COMAND.

[MÉCANIQUE] La moins puissante exhibe quand même un V8 de 5,5 litres de 382 chevaux. Pauvre elle... La SL600 a refusé si peu et préfère un V12 biturbo de 5,5 litres qui crache 510 chevaux. Passons du côté d'AMG, et la SL63 fournit 8 chevaux de plus grâce à son V8 de 6,2 litres, alors que la SL65 perd tout ce beau monde dans la brume avec son V12 de 6 litres, lui aussi doublement turbocompressé et capable de 603 chevaux. Est-ce qu'un 0 à 100 km/h en 4 secondes

FORCES · Confort absolu · Spectre de puissance qui passe de la jouissance à la débauche · Allure qui provoque des torticolis

FAIBLESSES · Certaines commandes qui gagneraient à être plus conviviales · Inutile d'insister sur la décourageante facture, sans parler des options

et des poussières est assez rapide pour vous ? Un chrono obtenu grâce à une boîte automatique avec mode manuel qui compte 5 ou 7 rapports, selon la version. Puisqu'il s'agit de bolides à l'étoile argentée, ils embarquent toutes les aides électroniques connues de ce côté-ci de la galaxie.

[COMPORTEMENT] La SL est une contradiction en soi : un biplace propulsé, certes, mais auquel on a greffé ce qui se fait de mieux en matière de confort et de technologie automobile. Avec comme résultat qu'on se retrouve avec un roadster lourd, très lourd. Et nous savons tous que le poids est l'ennemi de la performance. Alors ? Alors, au volant d'une des deux décapotables « normales », ces SL dégagent une énorme stabilité mais moins d'agilité. On perçoit la techno et les *gizmos* de luxe, mais on ne recherche pas nécessairement un circuit de slalom. Par contre, un centre-ville pas trop congestionné, une campagne bucolique, la SL se les approprie en nous pavanant dans un monde à part. Maintenant, au volant d'une des deux bêtes signées AMG, là on se cherchera peut-être un défi ou deux. Comme de courser avec un jet ou avec une antilope poursuivie par vingt guépards, la bave aux babines. Parce que plus de 600 chevaux, ça déménage en titi ! Juste d'imaginer ce que ça serait si AMG enlevait le superflu et ne conservait que le strict nécessaire enrobé de fibre de carbone, j'en ai des frissons. Mais ça ne serait plus une SL ! La domination mais sans sacrifier une once de confort, voilà la mission des SL depuis des générations.

[CONCLUSION]

Lourde, cossue, puissante et coûteuse ! Le plaisir de rouler en SL n'est pas pour tout le monde. Encore là, triste à dire, mais si ce n'était pas le cas, ça ne serait pas une SL. Consolation : elle n'est finalement pas une légende urbaine mais presqu'un fruit défendu. Que pourront-ils bien inventer de plus lors de la refonte annoncée pour 2012 ?

2ᵉ OPINION

DANIEL RUFIANGE Je n'achète pas souvent de billets de loterie. Cependant, quand je le fais, il me vient toujours en tête cette semaine passée au volant d'une SL 550. Ce n'est peut-être pas la voiture de rêve qui figure en tête de liste des gagnants de Loto-Québec, mais je peux vous assurer qu'elle est très haute sur la mienne. La raison en est fort simple; cette voiture frise la perfection. Confort, performance, agrément de conduite, gueule d'enfer, tout y est. En prime, ce petit bijou, l'Airscarf, qui réchauffe la nuque la saison froide venue, ce qui permet les balades à toit ouvert en novembre. Et, comme si ce n'était pas suffisant, deux versions gavées de Red Bull n'attendent que votre chéquier : les SL 63 et SL 65 AMG, débordantes de testostérone.

5 FICHE TECHNIQUE

· Moteurs

· (550)
V8 5,5 l DACT, 382 ch à 6000 tr/min
Couple 391 lb-pi à 2800 tr/min
Transmission automatique à 7 rapports avec mode manuel
0-100 km/h 5,4 s
Vitesse maximale 210 km/h (limitée)

· (600)
V12 5,5 l biturbo SACT, 510 ch à 5000 tr/min
Couple 612 lb-pi de 1900 tr/min

Transmission automatique à 5 rapports	
0-100 km/h 4,5 s	
Vitesse maximale 210 km/h (bridée)	
Consommation (100 km) 15,0 l (octane 91)	
Émissions de CO$_2$ 7038 kg/an	
Litres par année 3060 l **Coût par an** 3427 $	
Carburant alternatif non	
Empreinte écologique 44 arbres	

· (63 AMG)
V8 6,2 l DACT, 518 ch à 6800 tr/min
Couple 465 lb-pi à 5200 tr/min
Transmission automatique à 7 rapports avec mode manuel
0-100 km/h 4,6 s
Vitesse maximale 250 km/h (bridée)
Consommation (100 km) 14,3 l (octane 91)
Émissions de CO$_2$ 6716 kg/an
Litres par année 2920 l **Coût par an** 3270 $
Carburant alternatif non
Empreinte écologique 44 arbres

· (65 AMG)
V12 6,0 l biturbo SACT, 603 ch à 4800 tr/min
Couple 738 lb-pi de 2000 tr/min
Transmission automatique à 5 rapports avec mode manuel
0-100 km/h 4,2 s
Vitesse maximale 250 km/h (bridée)
Consommation (100 km) 14,8 l (octane 91)
Émissions de CO$_2$ 6946 kg/an
Litres par année 3020 l **Coût par an** 3382 $
Carburant alternatif non
Empreinte écologique 44 arbres

· Autres composantes
Sécurité active freins ABS, répartition électronique de force de freinage, assistance au freinage, antipatinage, contrôle de stabilité électronique
Suspension avant/arrière indépendante
Freins avant/arrière disques
Direction à crémaillère, assistée
Pneus P255/35R19 (av.) P285/30R19 (arr.)

· Dimensions
Empattement 2560 mm
Longueur 4562 mm **63 AMG/65 AMG** 4605 mm
Largeur 2069 mm **65 AMG** 2033 mm
Hauteur 1295 mm
Poids 550 1915 kg **600** 2040 kg **63 AMG** 1995 kg **65 AMG** 2065 kg
Diamètre de braquage 11,04 m **65 AMG** 11,02 m
Coffre 288 l
Réservoir de carburant 80 l

NOS MENTIONS

 Coup de coeur

NOTRE VERDICT

Plaisir au volant	●●●●●
Qualité de finition	●●●●○
Consommation	●●○○○
Rapport qualité/prix	●●●○○
Valeur de revente	Nm

SLK

www.mercedes-benz.ca

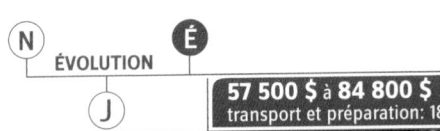

N
ÉVOLUTION
É
J

57 500 $ à 84 800 $
transport et préparation: 1895 $

LA COTE VERTE

MOTEUR
V6 DE 3,0 L

- **Consommation (100km):**
  man. 9,4 l
  auto. 9,2 l
- **Émissions polluantes CO$_2$:**
  man. 4416 kg/an
  auto. 4324 kg/an
- **Empreinte écologique (nombre d'arbres à planter par année): 29**
- **Indice d'octane: 91**
- **Autre motorisation: non**
- **Coût du carburant moyen par année:**
  man. 2106 $
  auto. 2150 $
- **Nombre de litres par année:**
  man. 1880 l
  auto. 1920 l

(SOURCE: ÉnerGuide)

460

 FICHE D'IDENTITÉ

- **Versions** SLK 300, SLK 350
- **Roues motrices** arrière
- **Portières** 2 **Nombre de passagers** 2
- **Première génération** 1996
- **Génération actuelle** 2005
- **Construction** Bremen, Allemagne
- **Sacs gonflables** 6 (frontaux, latéraux, aux genoux)
- **Concurrence** Audi TT Roadster, BMW Z4, Nissan 370Z Roadster, Porsche Boxster

 AU QUOTIDIEN

- **Prime d'assurance**
  25 ans: 3000 à 3200 $
  40 ans: 1900 à 2100 $
  60 ans: 1400 à 1600 $
- **Collision frontale** 5/5
- **Collision latérale** 5/5
- **Ventes du modèle de l'an dernier**
  Au Québec 83 Au Canada 371
- **Dépréciation** 31,1 %
- **Rappels** (2004 à 2009) 2
- **Cote de fiabilité** 4/5

 GARANTIES... ET PLUS

- **Garantie générale** 4 ans/80 000 km
- **Garantie motopropulseur** 4 ans/80 000 km
- **Perforation** 5 ans/kilométrage illimité
- **Assistance routière** 4 ans/kilométrage illimité
- **Nombre de concessionnaires**
  Au Québec 12 Au Canada 53

NOUVEAUTÉS EN 2011

Dernière année pour cette génération, groupe d'options Avantgarde pour 300 et 350, abandon du modèle AMG.

L'APPÉTIT VIENT EN ROULANT !

PAR BENOIT CHARETTE

C'EST LA FIN DE LA PRÉSENTE GÉNÉRATION DE SLK. DÈS 2012, LE FABRICANT ALLEMAND NOUS PROMET UNE NOUVELLE MOUTURE QUI RESSEMBLERA, SELON LES PREMIÈRES PHOTOS ESPIONNÉESS, À LA SLS AVEC UN NEZ PLUS LONG ET UNE CALANDRE PROÉMINENTE. La prochaine génération s'équipera de moteurs à 4 cylindres suralimentés ainsi que de V6 atmosphériques. Certaines rumeurs font également état d'une version AMG, vitaminée par un V6 biturbo d'une cylindrée de 3,5 litres et d'une puissance pouvant avoisiner les 470 chevaux ! Les quelques SLK AMG qui traîneront sur la route en 2011 seront en vérité des modèles 2010. Pour le reste de la gamme, les modèles 2011 sont reconduits sans changement.

[CARROSSERIE] Née en 1996, remaniée en 2000, la SLK a pondu une nouvelle génération en 2005 puis s'est refait une beauté il y a deux ans à peine pour avoir des traits plus proches de la superbe SLR. Mais cette période est déjà terminée, et la prochaine génération en 2012 sera à l'image de la nouvelle SLS. Donc pour ceux qui ont un faible pour les lignes actuelles de ce pur roadster à deux places, faites vite car, l'an prochain, ce sera autre chose. En moins de deux ans, elle a perdu son museau de F1, si caractéristique, pour revenir à un faciès plus classique, proche de celui de la SL. Le capot a renoué avec le double bossage de la première génération de SLK, le toit escamotable est également offert en version vitrée. Bref, la forte concurrence dans segment oblige les constructeurs à bouger constamment.

[HABITACLE] La présente génération a marqué un virage plus sportif pour mieux soutenir la comparaison avec des modèles comme la Z4 de BMW et la Boxster de Porsche. La sellerie de cuir deux tons se marie bien avec les boiseries en noyer ou en frêne. La haute technologie fait toujours partie de l'équipement de série chez Mercedes-Benz. Aménagée dans la boîte à gants, l'interface média permet l'intégration des appareils

FORCES · Lignes vraiment réussies · Équilibre parfait de la voiture · Moteur V6 de 300 chevaux · Toit bien conçu · Finition de qualité

FAIBLESSES · Prix des options · Pas de roue de secours · Modèle de base qui manque un peu de « pep »

audio mobiles comme les iPod. Vous avez en option le système de commande vocale *Linguatronic* qui permet de communiquer avec le système de navigation. Et vous pouvez toujours vous réchauffer le cou quand le temps devient plus frais grâce au « Airscarf ».

[MÉCANIQUE] Officiellement pour 2011, deux motorisations prendront place sous le capot de la SLK. L'offre de base est alimentée par un V6 de 3 litres de 228 chevaux. Si la puissance n'est pas son point fort, la SLK 300 affiche une consommation sous la barre des 10 litres aux 100 kilomètres. Il est accouplé à une boîte de vitesses mécanique à 6 rapports ou à une automatique à 7 rapports avec leviers de sélection au volant. Le modèle le plus populaire et le plus intéressant est la SLK 350 avec son V6 de 3,5 litres de 300 chevaux. La ligne rouge monte à 7 200 tours par minute et offre un rare agrément de conduite. Avec la boîte mécanique à 6 rapports, sa consommation moyenne atteint 9,5 litres aux 100 kilomètres. La boîte automatique à 7 rapports est toutefois la plus populaire. Elle déclenche un double débrayage automatique à la rétrogradation pour une sensation encore plus sportive.

[COMPORTEMENT] Sur la route, vous avez un sentiment de plénitude. Peu importe le régime que vous adopterez, la voiture sera à l'aise. Sur les grands boulevards à 50 km/h ou sur les routes sinueuses à 120, vous aurez un large sourire. La grande rigidité du châssis, combinée à une direction ultra précise et à un V6 de 3,5 litres qui n'est jamais à bout souffle, vous

aurez beaucoup de plaisir. Si, en plus, il fait beau, vous profiterez du soleil sans courant d'air grâce à la paroi antiremous située entre les deux arceaux de sécurité. Et si l'atmosphère se rafraîchit, les sièges chauffants et le système *Airscarf* se charge de vous garder au chaud.

[CONCLUSION] La Mercedes-Benz SLK est sans doute l'une des plus belles expériences de conduite des dernières années. Souhaitons seulement que le fabricant fera aussi bien avec la prochaine génération. On s'en reparle l'an prochain.

FRÉDÉRIC MASSE Comme je l'ai souvent dit à qui voulait bien l'entendre, la SLK se veut l'une des voitures les plus hypocrites du marché. Derrière ses allures de petite dame distinguée se cache une fille tatouée tout à fait capable de vous en donner pour votre argent. Chose merveilleuse, la petite allemande aime dorloter ses occupants avec sa suspension conciliante et ses petits extras, comme son *Airscarf* qui vous caressera le cou d'une brise d'air chaud. Elle devient donc l'alliée parfaite de toute personne aimant rouler longtemps, les cheveux au vent dans des sièges accueillants sans avoir à prendre de rendez-vous chez le chiro. En outre, son tempérament varie tout de même pas mal d'une version à l'autre et même en l'absence d'une 55 AMG cette année, la 350 est tout de même intéressante.

⑤ FICHE TECHNIQUE

· MOTEURS

· SLK 300
V6 3,0 l DACT, 228 ch à 6100 tr/min
Couple 221 lb-pi à 2500 tr/min
Transmission manuelle à 6 rapports, automatique à 7 rapports avec mode manuel
0-100 km/h 6,3 s **auto.** 6,2 s
Vitesse maximale 210 km/h

· SLK 350
V6 3,5 l DACT, 300 ch à 6500 tr/min
Couple 266 lb-pi à 4900 tr/min
Transmission manuelle à 6 rapports, automatique à 7 rapports avec mode manuel
0-100 km/h 5,4 s **Vitesse maximale** 210 km/h
Consommation (100 km) man. 10,3 l
auto. 9,8 l (octane 91)
Émissions de CO_2 man. 4830 kg/an
auto. 4600 kg/an
Litres par année man. 2100 l **auto.** 2000 l
Coût par an man. 2352 $ **auto.** 2240 $
Autre motorisation non
Empreinte écologique 32 arbres

· AUTRES COMPOSANTES
Sécurité active freins ABS, répartition électronique de force de freinage, assistance au freinage, antipatinage, contrôle de stabilité électronique
Suspension avant/arrière indépendante
Freins avant/arrière disques ventilés
Direction à crémaillère, assistée
Pneus 300 P225/45R17 (av.), P245/40R17 (arr.)
350 P225/40R18 (av.), P245/35R18 (arr.)

· DIMENSIONS
Empattement 2430 mm
Longueur 4103 mm
Largeur 2012 mm
Hauteur SLK 300 1296mm **SLK 350** 1298 mm
Poids 300 1470 kg **300 auto.** 1490 kg **350** 1490 kg **350 auto.** 1510 kg
Diamètre de braquage 10,5 m
Coffre 300 l
Réservoir de carburant 70 l

197 |

NOS MENTIONS

♥ Coup de coeur

NOTRE VERDICT

Plaisir au volant	⬡⬡⬡⬡⬡⬢
Qualité de finition	⬡⬡⬡⬡⬢⬢
Consommation	⬡⬡⬡⬢⬢⬢
Rapport qualité/prix	⬡⬡⬡⬢⬢⬢

CLASSE SLS

www.mercedes-benz.ca

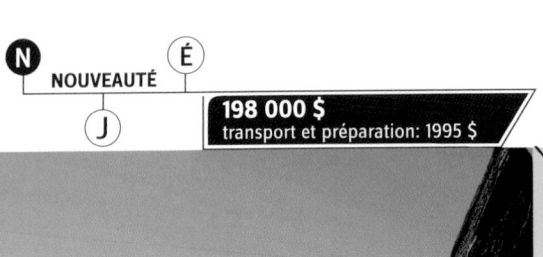

NOUVEAUTÉ

198 000 $
transport et préparation: 1995 $

LA COTE VERTE

MOTEUR
V8 DE 6,2 L

· **Consommation**
(100km): 15,3
· **Émissions**
polluantes CO₂ :
7084 kg/an
· **Empreinte écologique**
(nombre d'arbres à
planter par année): 45
· **Indice d'octane:** 91
· **Autre**
motorisation: non
· **Coût du carburant**
moyen par année:
3388 $
· **Nombre de litre par**
année:
3080 l

(SOURCE: ÉnerGuide)

① FICHE D'IDENTITÉ

· **Versions** AMG
· **Roues motrices** arrière
· **Portières** 2 **Nombre de passagers** 2
· **Première génération** 1954
· **Génération actuelle** 2011
· **Construction** Bremen, Allemagne
· **Sacs gonflables** 8 (frontaux, latéraux, genoux)
· **Concurrence** Aston Martin DB9/V12 Vantage,
Audi R8, Bentley, Continental GT, Chevrolet
Corvette ZR1, Porsche 911 Turbo

② AU QUOTIDIEN

· **Prime d'assurance**
25 ans: nm
40 ans: nm
60 ans: nm
· **Collision frontale** nm
· **Collision latérale** nm
· **Ventes du modèle de l'an dernier**
Au Québec nm **Au Canada** nm
· **Dépréciation** nm
· **Rappels (2005 à 2010)** nm
· **Cote de fiabilité** nm

③ GARANTIES... ET PLUS

· **Garantie générale** 4 ans/80 000 km
· **Garantie motopropulseur** 4 ans/80 000 km
· **Perforation** 5 ans/kilométrage illimité
· **Assistance routière** 4 ans/kilométrage illimité
· **Nombre de concessionnaires**
Au Québec 12 **Au Canada** 53

④ NOUVEAUTÉS EN 2011

· Nouveau modèle

PAPILLON MALÉFIQUE

PAR BENOIT CHARETTE

IL Y A QUELQUES ANNÉES, J'AI EU LE PRIVILÈGE DE CONDUIRE UNE MERCEDES-BENZ 300 SL GULLWING 1954. Une voiture qui sortait directement du musée du fabricant germanique à Stuttgart, et qu'on avait mise à notre disposition pour faire le pont entre la première SL et la plus récente génération. La SL était, à toutes fins utiles, la première voiture sport moderne; même 60 ans après sa mise en marché, elle demeurait remarquablement actuelle dans sa conduite. La SLS se veut le pendant moderne de cette icône. Le constructeur a déployé de gros efforts pour faire un clin d'œil historique à la SL, ne serait-ce que les portes papillon, trait de caractère historique de la première génération de SL. Premier véhicule entièrement conçu par la division AMG, cette SLS respire l'agressivité, et ses 563 chevaux ne sont jamais complètement repus.

[CARROSSERIE] Les points communs avec la SL des années 50 sont évidents, à commencer par le très long capot moteur qui prend toute la place. Il y a suffisamment d'espace devant le moteur V8 de 6,2 litres pour en mettre un second. Pour mieux transmettre l'esprit d'agression de la voiture, AMG a bien tendu et resserré tous les angles. Contrairement aux exotiques italiennes qui jouent la carte du spectaculaire, Mercedes-Benz travaille sur la pérennité. Il faut prendre le temps de regarder une SLS pour apprécier la subtilité du design. Très large (presque 2 mètres), longue de 4,63 mètres et, surtout, très basse (1,2 mètre de hauteur) cela lui confère une silhouette de prédateur prêt à bondir sur sa proie. Après quelques minutes d'observation, le spectaculaire se révèle à nous. Les prises d'air sur les flancs, le bouchon de remplissage en aluminium, l'énorme logo Mercedes-Benz sur la calandre, le déflecteur arrière qui se déplie automatiquement à 120 km/h, la jupe arrière façon diffuseur et les doubles sorties d'échappement chromées trapézoïdales. Impossible de passer sous silence les portes papillon. Chaque fois que vous entrez ou sortez de la voiture, vous créez une commotion autour de vous. En matière de coloris, deux teintes sont proposées de série (noir ou argent); par la suite, on doit allonger un supplément pour obtenir une peinture métallisée (gris ou blanc) ou AMG (rouge, deux gris différents, argent et bleu).

FORCES · Lignes · Performances · Sonorité du moteur · Techniques de pointe
· Présentation/finition · Boîte précise

FAIBLESSES · Options coûteuses · Instrumentation analogique pauvre
· Accès à bord

Vous pouvez aussi choisir la teinte qui vous plaît à la condition de faire un chèque à l'avenant. Deux types de jantes en aluminium sont de série à 5 ou à 7 branches; les dimensions sont de 19 pouces à l'avant et de 20 pouces à l'arrière.

[HABITACLE] Sobriété et élégance sont de mise à l'intérieur. C'est comme être reçu à dîner dans une ambassade; c'est chic et de bon goût. Pour souligner l'aspect sportif de la bête, il y a, dans l'habitacle, utilisation de fibre de carbone et d'aluminium. On trouve également plusieurs références à l'aéronautique, notamment la forme du poste de pilotage ou les aérateurs en forme de tuyère. Une série de boutons-poussoirs, à côté du sélecteur de boîte de vitesses en métal massif comme un levier de commande de poussée sur un jet, complètent l'illusion. Il faut se préparer à être assis au ras les pâquerettes; comme la garde au sol est de 109 millimètres, la position de conduite est typée sport à 369 millimètres du sol. Vous avez vraiment l'impression d'avoir les fesses sur le bitume, et la voiture ne tolère même pas le passage d'un dos d'âne, soyez avisé. Une fois calés dans les sièges, les deux occupants sont séparés par une épaisse et large console centrale en acier massif. Le cuir abonde, des sièges au ciel de toit, il y en a partout. Les commandes sont celles qui nous sont familières chez Mercedes-Benz. L'équipement

> **SUR LES QUELQUES POUSSÉES D'ACCÉLÉRATION QUE J'AI FAITES UNIQUEMENT POUR LES BESOINS DE CE REPORTAGE (SIC), FORCE EST DE CONSTATER QUE ÇA VA VITE, TRÈS VITE, TROP VITE. LA BARRE EST TRÈS HAUTE, ET TRÈS PEU DE VÉHICULES À 4 ROUES PEUVENT SUIVRE.**

technologique embarqué de série est assez impressionnant (à 200 000 $, c'est normal) : Navigation GPS avec écran couleur de 7 pouces, connectivité Bluetooth, commande vocale Linguatronic, démarrage sans clé (Keyless Go), télécommande de portes de garage, pré-équipement téléphone, sièges sport électriques à mémoire entres autres. Il existe, vous l'aurez compris, quelques options à des tarifs prohibitifs comme l'ensemble carbone à l'intérieur (près de 10 000 $), les sièges sport baquets AMG (3 000 $), la chaîne audio Bang & Olufsen (8 500 $), la peinture Designo à 14 500 $ et les freins au carbone à 13 500 $.

[MÉCANIQUE] AMG a amélioré un concept existant. En effet, le moteur fabriqué à la main et signé par l'employé est le même que les autres voitures 63 AMG, mais le concept de sportivité a été poussé à fond avec la SLS. Les concepteurs ont puisé dans le savoir-faire de la concurrence pour insuffler plus de puissance à ce moteur. En utilisant un nouveau système d'admission et en remaniant l'arbre à cames ainsi que la commande des soupapes, il a été possible de pousser la ligne rouge un peu plus loin. L'utilisation de collecteurs tubulaires en acier à débit optimisé et le non-étranglement du système d'échappement ont également permis de porter la puissance à 563 chevaux à 6 800 tours par minute. La nouvelle boîte de vitesses sport à 7 rapports AMG Speedshift DCT gère le transfert de puissance. Cette boîte à double embrayage se caractérise par des changements de rapport rapides (100 millisecondes) sans perte de motric-

HISTORIQUE

Les modèles avec portes en ailes de mouette ont commencé avec la venue de la célèbre 300 SL de 1954. L'année suivante Sterling Moss remporte la célèbre course du Mille Miglia en Italie au volant de la première 300 SLR. Par la suite Mercedes a conservé l'idée à travers divers prototype pour remettre l'idée en marche avec une nouvelle SLR qui est aujourd'hui succédée par la nouvelle SLS.

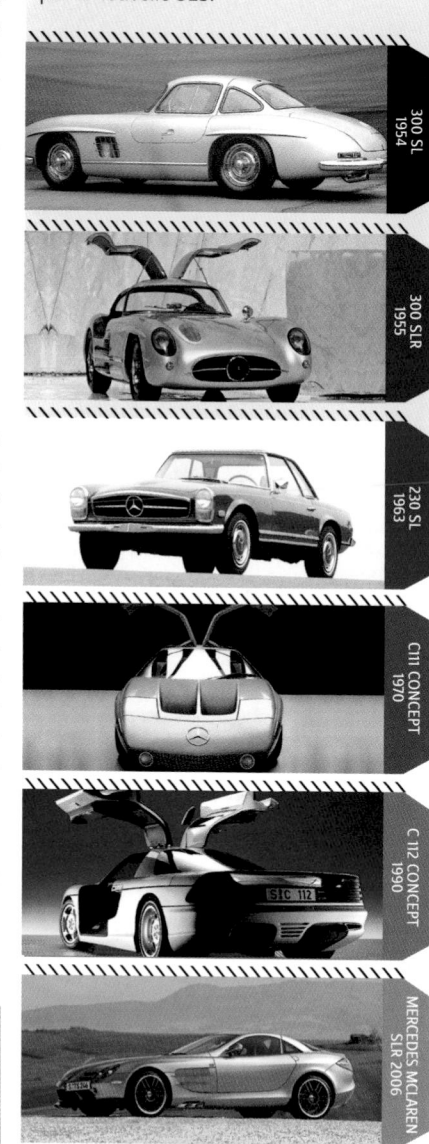

300 SL 1954

300 SLR 1955

230 SL 1963

C111 CONCEPT 1970

C 112 CONCEPT 1990

MERCEDES MCLAREN SLR 2006

CONCEPT SLS 2009

MERCEDES SLS 2011

CLASSE SLS

A

B

C

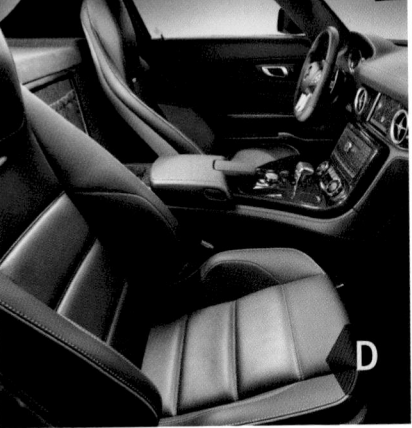

D

GALERIE

A Pour la toute première fois, Mercedes-Benz et AMG ont fabriqué un véhicule doté d'un châssis et d'une carrosserie en aluminium. Cela a permis de réaliser des économies de poids substantielles par rapport à la construction traditionnelle en acier, comme l'illustre le poids à vide de 1 620 kilos (sans conducteur). La nouvelle caisse de carrosserie comprend un cadre de châssis en treillis en aluminium qui pèse 241 kilos.

B C'est la nouvelle boîte de vitesse sport à 7 rapports SPEEDSHIFT DCT AMG, dotée de quatre modes de conduite et de la fonction Race Start, qui gère le transfert de la puissance. Pesant seulement 136 kilos, cette boîte fait appel à un blocage de différentiel mécanique intégré pour garantir une motricité remarquable. Elle autorise des passages de rapports rapides sans interruption de la force motrice.

C Le groupe d'instruments AMG (avec menu principal AMG et chronomètre de course RACETIMER) met en vedette deux cadrans ronds épurés placés dans le champ de vision du conducteur. Le tableau de bord comprend aussi un indicateur de passage au rapport supérieur, qui signale le moment idéal pour changer de rapport grâce à sept diodes électroluminescentes.

D Le système multimédia COMAND APS avec changeur CD/DVD à 6 disques et radio satellite SIRIUS fait partie de l'équipement de série de la SLS AMG. Il regroupe les fonctions navigation, audio et téléphonie et affiche toutes l'information sur un écran couleur central de 7 pouces.

E Le design futuriste et épuré de la SLS AMG tire son inspiration des proportions des voitures de sport Mercedes-Benz classiques. Quand elles s'ouvrent bien grand, les portes papillon accentuent les lignes courbées et élancées du modèle.

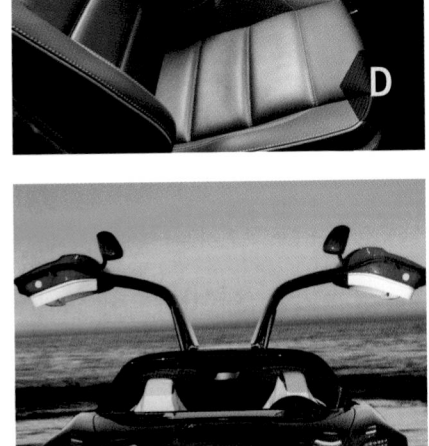

E

ité. Le conducteur a le choix entre quatre modes de conduite : C (Controlled Efficiency), S (Sport), S+ (Sport plus) et M (Manuel), sans oublier la fonction RACE START. Cet ensemble propulseur envoie la SLS AMG à 100 km/h en 3,8 secondes (soit mieux que les SLR de première série), et la vitesse maximale est limitée électroniquement à 317 km/h... Mais il y a aussi la sonorité qui émane directement de l'enfer de cette mécanique qui bondit à la moindre sollicitation de l'accélérateur. C'est proprement démentiel et, même, intimidant pour les premières minutes de conduite.

[COMPORTEMENT] En dépit d'un capot aussi grand que le Nunavut, la SLS est surprenante. Un gros travail a été effectué sur la répartition des masses avec 47 % à l'avant et 53 % à l'arrière. Pour arriver à ce résultat, le V8 est positionné en arrière de l'essieu avant (à la manière de la Honda S2000), et l'ensemble boîte-différentiel est rejeté sur l'essieu arrière, le tout relié par un arbre de transmission reprenant ainsi le système Trans-axle qui a déjà fait ses preuves sur les Porsche à moteur avant. Au volant, la sonorité du moteur et ses poussées d'adrénaline font tourner le sang dans les veines. À bas régime, la SLS siffle, un coup sur l'accélérateur et elle grogne, puis rugit et hurle si vous appuyez très fort. À 120 km/h sur l'autoroute elle ronronne à 2 200 tours par minute. Sur les quelques poussées d'accélération que j'ai faites uniquement pour les besoins de ce reportage (sic), force est de constater que ça va vite, très vite, trop vite. La barre est très haute, et très peu de véhicules à 4 roues peuvent suivre. Les pneumatiques, développés exclusivement pour

la SLS AMG (265/35 R 19 à l'avant et 295/30 R 20 à l'arrière), garantissent des performances optimales. Le mode manuel est intéressant et très progressif; pour ce qui est du mode sport plus, il repousse très loin l'intervention du système de contrôle de la stabilité, on peut donc jouer du train arrière. Une option train de roulement sport AMG, qui raffermit encore l'ensemble, est aussi offerte. Mais, à mon avis, c'est inutile.

[CONCLUSION] Déjà un classique, la SLS redonne ses lettres de noblesse à Mercedes-Benz dans le monde des exotiques après une SLR trop chère et peu convaincante. Une heureuse adaptation d'un classique apprêté à la sauce moderne.

2ᵉ OPINION

MICHEL CRÉPAULT Je ne suis pas prêt d'oublier le lancement de la SLS. Sur le parcours du Seventeen Mile Drive à Pebble Beach, où l'on compte plus de millionnaires que de pissenlits, il est fort difficile d'impressionner les résidents. Pourtant, mon passage à bord d'une SLS de couleur argent a provoqué un émoi. Que dis-je, une procession ! Les badauds s'agglutinaient là où je m'arrêtais, fébriles à l'idée de voir, de toucher et d'entendre cette nouvelle merveille. Les portières papillon arrachaient immanquablement des ah, et les oh suivaient quand je faisais tourner le moteur, même poliment. En plus d'être spectaculaire, la SLS m'a convaincu de ses performances à la suite de tours de piste électrisants sur le circuit de Laguna Seca. La nostalgie ne m'a jamais paru aussi moderne.

⑤ FICHE TECHNIQUE

· MOTEUR

V8 6,2 l DACT, 563 ch à 6800 tr/min
Couple 479 lb-pi à 4750 tr/min

| **Transmission** manuelle robotisée à 7 rapports |
| **0-100 km/h** 3,8 s |
| **Vitesse maximale** 317 km/h (bridée) |

· Autres composantes

| **Sécurité active** freins ABS, répartition électronique de force de freinage, assistance au freinage, antipatinage, contrôle de stabilité électronique |
| **Suspension avant/arrière** indépendante |
| **Freins avant/arrière** disques ventillés |
| **Direction** à crémaillère, assistée |
| **Pneus** P265/35R19 (av.) P295/30R20 (arr.) |

· Dimensions

| **Empattement** 2680 mm |
| **Longueur** 4638 mm |
| **Largeur** 1939 mm |
| **Hauteur** 1262 mm |
| **Poids** 1620 kg |
| **Diamètre de braquage** 11,9 m |
| **Coffre** 176 l |
| **Réservoir de carburant** 85 l |

NOS MENTIONS

♥ Coup de coeur

NOTRE VERDICT

Plaisir au volant	⬢⬢⬢⬢⬢⬡
Qualité de finition	⬢⬢⬢⬢⬢⬡
Consommation	⬢⬢⬢⬡⬡⬡
Rapport qualité/prix	⬢⬢⬢⬢⬡
Valeur de revente	Nm

SPRINTER

www.mercedes-benz.ca

N ÉVOLUTION É

J

50 895 $ à 56 895 $
transport et préparation: 1995 $

LA COTE VERTE

MOTEUR
V6 DE 3,0 L TDI

- **Consommation (100km):** 9.2 l
- **Émissions polluantes** CO_2: 5063 kg/an
- **Empreinte écologique (nombre d'arbres à planter par année):** 30
- **Coût du carburant moyen par année:** 1875 $
- **Nombre de litres par année:** 1875 l

(SOURCE: ÉnerGuide)

AGENT LIBRE SANS RESTRICTIONS

PAR DANIEL RUFIANGE

DE L'UNION ENTRE DAIMLER ET CHRYSLER, PEU D'ÉLÉMENTS POSITIFS SONT VENUS RAYONNER DE CE CÔTÉ-CI DE L'ATLANTIQUE. À bien y penser, les feux d'artifice se font discrets outremer. Du côté des plus, il y avait ce Sprinter qui a permis, le temps d'un mariage raté, à Dodge de proposer le véhicule commercial utilitaire le plus intéressant dont l'Amérique n'avait jamais pu bénéficier. Si Dodge a perdu un morceau important à la suite du divorce, notre continent ne perd rien : le Sprinter est toujours commercialisé, désormais sous la bannière Mercedes-Benz. Une question demeure toutefois; sera-t-il aussi populaire maintenant que son faciès est décoré d'une étoile argentée ?

[CARROSSERIE] Le Sprinter « nouveau » de Mercedes-Benz est proposé en trois configurations : fourgon, combi et châssis-cabine. En tout, il existe 11 configurations différentes pour le Sprinter, dont sept seulement dans la version fourgon. On peut y aller avec une version normale à toit standard ou opter pour des variantes longues et ultra longues à toit surélevé. Les trois longueurs de Sprinter sont aussi livrables avec toit surélevé sous la configuration 3500, plus robuste et munie d'un essieu double à l'arrière. Quant à la version combi, plus accueillante pour les passagers, elle peut être assemblée en version normale à toit standard ou en version allongée à toit surélevé. Enfin, la variante châssis-cabine n'est proposée qu'en configuration 3500 et comprend une cabine simple et le choix d'une plateforme normale ou allongée. Onze configurations, donc, mais aussi onze PDSF différents et aucun sympathique aux petits budgets.

[HABITACLE] À l'intérieur, c'est la joie. Impossible qu'un entrepreneur ne trouve pas la configuration qui lui plaise. Les versions à toit allongé permettent la circulation debout à l'intérieur, un luxe qu'on ne retrouve qu'à bord du petit Transit Connect de Ford. Les versions longues permettent d'entasser une tonne de matériel ou de trans-

1 FICHE D'IDENTITÉ

- **Versions** Combi/Fourgon 2500, Fourgon 3500
- **Roues motrices** arrière
- **Portières** 4 **Nombre de passagers** 7 à 12
- **Première génération** 2004
- **Génération actuelle** 2004
- **Construction** Düsseldorf, Allemagne
- **Sacs gonflables** 2 (frontaux; rideaux latéraux, thorax en option)
- **Concurrence** Chevrolet Express, Ford Série E, GMC Savana

2 AU QUOTIDIEN

- **Prime d'assurance**
  25 ans: 1600 à 1800 $
  40 ans: 1200 à 1400 $
  60 ans: 900 à 1100 $
- **Collision frontale** 5/5
- **Collision latérale** 5/5
- **Ventes du modèle de l'an dernier**
  Au Québec 352 Au Canada 1161
- **Dépréciation** 56,8%
- **Rappels (2005 à 2010)** 1
- **Cote de fiabilité** 4/5

3 GARANTIES... ET PLUS

- **Garantie générale** 4 ans/80 000 km
- **Garantie motopropulseur** 4 ans/80 000 km
- **Perforation** 5 ans/kilométrage illimité
- **Assistance routière** 4 ans/kilométrage illimité
- **Nombre de concessionnaires**
  Au Québec 12 Au Canada 53

4 NOUVEAUTÉS EN 2011

- Aucun changement majeur

FORCES • Choix de modèles et configurations • Conduite à la lune des concurrents • De l'espace, mes amis! • Moteur diesel relativement économique

FAIBLESSES • Version à toit élevée instable par journée de grands vents • Prix pas à la portée de toutes les bourses • Capacité de remorquage limitée

nord-américaine ne profite pas de certaines caractéristiques dont jouit le modèle européen. Citons, entre autres, la transmission intégrale et un impressionnant choix de moteurs.

porter une équipe de soccer au complet. Quant à l'assemblage, on le sent solide, très européen. Cependant, quelques randonnées à bord d'un Sprinter affichant quelques années nous ont laissés entendre de nombreux bruits de roulement. Pour la personne qui s'installe derrière le volant, elle profitera d'un degré de confort notable, mais d'une position de conduite qui demande de s'adapter à un volant qui est fixé dans le béton. À noter que la planche de bord voit sa présentation visuelle rehaussée et affiche désormais des airs de famille avec les autres produits de la marque.

[MÉCANIQUE] À l'avant du Sprinter loge un V6 turbodiesel de 3 litres qui produit 188 chevaux, mais surtout, un couple de 325 livres-pieds. C'est grâce à ce dernier que le Sprinter ne donne pas l'impression d'être sous motorisé quand vient le temps de s'élancer avec le fourgon plein à l'arrière. Dans le cahier d'information sur les modèles 2011 de Mercedes-Benz, l'information à propos du Sprinter est inexistante. Soit qu'on n'a pas eu le temps de l'inscrire au cahier (!), soit qu'on nous prépare des changements. À suivre.

[COMPORTEMENT] Comparer la conduite du Sprinter à celles de concurrents directs comme le Ford Série E ou le duo GMC Savana et Chevrolet Express, c'est l'équivalent d'organiser un combat extrême entre Georges St-Pierre et Maman Dion. Pas de match nul possible. Et, ce qui plaît d'autant plus, c'est la faible consommation requise par le moteur diesel siégeant sous le capot; moins de 10 litres aux 100 kilomètres. Qui dit mieux ? On peut seulement déplorer le fait que le Sprinter version

[CONCLUSION] Le Sprinter est LE fourgon à posséder. Cependant, il faut être prêt à piger dans son portefeuille pour s'en procurer un. Voilà son principal inconvénient. Cependant, il n'a pas d'égal. En Europe, c'est simple, il y en a partout, symbole d'une autre culture automobile. Des Michelins Pilot PS2 spécialement dessinés pour la voiture complète ce portrait discret mais imposant.

2ᵉ OPINION

FRÉDÉRIC MASSE Quelle merveille que ce Sprinter ! Dans le genre, il ne se fait pas mieux. Oui, il est un peu plus cher à l'achat que ses concurrents, mais sa souplesse (version fourgon, combi ou châssis) et sa frugalité le placent dans une classe à part. Son long empattement lui permet d'offrir une capacité de chargement absolument stupéfiante, de trimbaler 12 occupants et de proposer un confort de roulement surprenant ! De plus, quand vient le temps d'utiliser l'espace de chargement ou de faire monter des gens à bord, l'accessibilité est très facile grâce à un seuil bas et à de très grandes portes. Je vous le dis, malgré ses airs de véhicule trop haut sur pattes, le Sprinter arrive à offrir une conduite qui pourrait presque être qualifiée d'agréable et de nerveuse compte tenu de sa taille..

⑤ FICHE TECHNIQUE

· MOTEUR

V6 3,0 l turbodiesel DACT, 188 ch à 3800 tr/min	
Couple 325 lb-pi à 1400 tr/min	
Transmission automatique à 5 rapports	
0-100 km/h 12 s	
Vitesse maximale 170 km/h	

· AUTRES COMPOSANTES

Sécurité active freins ABS, répartition électronique de force de freinage, antipatinage, contrôle de stabilité électronique	
Suspension avant/arrière indépendante/essieu rigide	
Freins avant/arrière disques	
Direction à crémaillère, assistée	
Pneus 2500 P245/75R16 **3500** P215/85R16	

· DIMENSIONS

Empattement 3665 et 4325 mm	
Longueur 5910 et 6945 mm	
Largeur 2024 mm	
Hauteur 2446 à 2731 mm	
Poids 2484 à 2698 kg	
Diamètre de braquage 14,5 à 16,6 m	
Coffre 4000 à 5300 l (passager)	
Réservoir de carburant 100 l	
Capacité de remorquage 2268 kg	

NOS MENTIONS

 Clé d'or de sa catégorie

 Modèle recommandé

NOTRE VERDICT

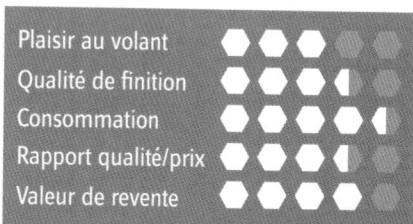

Plaisir au volant	●●●○○
Qualité de finition	●●●●○
Consommation	●●●●○
Rapport qualité/prix	●●●○○
Valeur de revente	●●●●○

COOPER/CLUBMAN

www.mini.ca

ÉVOLUTION

Prix: 24 900 $ à 44 400 $
transport et préparation: 1595 $

LA COTE VERTE

MOTEUR
L4 DE 1,6 L

- **Consommation (100km):**
  man. 6,2 l
  auto. 6,8 l
- **Émissions polluantes CO_2:**
  man. 3024 kg/an
  auto. 3312 kg/an
- **Empreinte écologique (nombre d'arbres à planter par année):** 18
- **Indice d'octane:** 91 (source: constructeur)
- **Carburant alternatif:** non
- **Coût du carburant moyen par année:**
  man. 1386 $
  auto. 1518 $
- **Nombre de litres par année:**
  man. 1260 l
  auto. 1380 l

(source: ÉnerGuide)

1 FICHE D'IDENTITÉ

- **Versions Coupé** Classic
- **Coupé/Cabriolet/Clubman:** Cooper, Cooper S, John Cooper Works
- **Roues motrices** avant
- **Portières** 2, 3, 5
- **Nombre de passagers** 4
- **Première génération** 2002
- **Génération actuelle** 2007
- **Construction** Oxford, Angleterre
- **Sacs gonflables** 6 (frontaux, latéraux, rideaux latéraux)
- **Concurrence** Audi TT, Mercedes-Benz SLK, Nissan 370Z, Porsche Boxster/Cayman

2 AU QUOTIDIEN

- **Prime d'assurance**
  25 ans: 2600 à 2800 $
  40 ans: 1600 à 1800 $
  60 ans: 1400 à 1600 $
- **Collision frontale** 4/5
- **Collision latérale** 4/5
- **Ventes du modèle de l'an dernier**
  Au Québec 1203 **Au Canada** 4251
- **Dépréciation** 38,6%
- **Rappels (2005 à 2010)** 5
- **Cote de fiabilité** 3/5

3 GARANTIES... ET PLUS

- **Garantie générale** 4 ans/80 000 km
- **Garantie motopropulseur** 4 ans/80 000 km
- **Perforation** 12 ans/kilométrage illimité
- **Assistance routière** 4 ans/80 000 km
- **Nombre de concessionnaires**
  Au Québec 4 **Au Canada** 25

4 NOUVEAUTÉS EN 2011

- Modestement redessinée
- Moteurs pour Cooper et Cooper S légèrement plus puissants.

PIED DE NEZ AU CONFORMISME

PAR MICHEL CRÉPAULT

AVEC LA MINI, LES GENS DE BMW ONT RESSUSCITÉ UNE ICÔNE DE L'ÉPOQUE OÙ LES FUTURS BÉBÉ-BOUMEURS POUSSAIENT COMME DES CHAMPIGNONS POUR LE REFILER AVEC SUCCÈS À DES GÉNÉRATIONS QUI N'ONT AUCUNE IDÉE DE QUI ÉTAIT TWIGGY.

[CARROSSERIE] J'ai devant moi l'annonce d'un concessionnaire qui offre quatre MINI d'occasion: une Cooper édition d'hiver, une Cooper tout court, une Cooper Clubman Édition Earl Grey et une Cooper 50 Mayfair SE. Je n'invente rien. Je n'aurais jamais cru qu'un si petit véhicule puisse engendrer une progéniture aussi éclectique! Vrai, il y a beaucoup de marketing là-dedans. On confie à la MINI une couleur un peu spéciale que les spécialistes de la pub lui trouvent aussitôt un nom poétique. Les MINI se déclinent comme les plats d'un menu français, soit avec fanfare. Plus prosaïquement, il y a la MINI de base, la MINI Décapotable, la MINI allongée appelée Clubman et la plus féroce du lot, la MINI S et John Cooper Works. Du moins dans ce texte. Tournez la page et rencontrez la nouvelle venue, la Countryman. Et faites confiance à BMW pour ne pas s'arrêter en si bon chemin...

[HABITACLE] Cool à l'extérieur, cool à l'intérieur. Un peu comme la smart, la cabine d'une MINI s'ingénie à se démarquer. Les cadrans sortent du tableau de bord, les interrupteurs s'inspirent de jouets japonais de Toy'R'Us. Absolument rigolos et, heureusement, solidement construits, mais pas toujours d'utilisation intuitive, la forme primant sur la fonction. Bien entendu, quand on n'a jamais fréquenté une MINI, on craint pour l'habitabilité. À force de soigner chaque millimètre cube, les dessinateurs ont aménagé un espace avant fort décent. À l'arrière, c'est plus corsé et, même, à proscrire aux claustrophobes. Ça s'améliore avec la Clubman (réincarnation de la Morris Mini Traveler des années 60), laquelle facilite aussi l'accès à la banquette grâce à un moignon de 3e portière latérale, côté passager. Cette

FORCES • Carrosseries, grand choix de modèles • Comportement routier sûr, arrogant même (S et JCW) • Décapotable sympathique • Clubman pratique

FAIBLESSES • Suspensions pour jeunes vertèbres • Places arrières étriquées • Commandes pas toujours ergonomiques • Facture exponentielle

banquette, comme les baquets, affiche la fermeté qui rime avec la conduite drue de l'auto. On n'achète pas une MINI pour son confort qui dorlote. Par contre, sa conception toute germanique (même si l'usine bourdonne en Angleterre, tradition oblige) garantit une rigidité qui se traduit par une prise en main confiante de la petite machine. Autrement dit, oui, ça cogne, mais ça fait partie du charme de l'auto.

[MÉCANIQUE] À la multiplication des déclinaisons s'ajoute celle du muscle des moteurs. Sous tous les capots se glisse un 4-cylindres de 1,6 litre, mais, selon qu'il s'agisse d'une Cooper, d'une S ou d'une JCW, le nombre de chevaux atteint respectivement 121, 181 et 208, les deux dernières puissances étant obtenues grâce à l'ajout d'un turbocompresseur. Les boîtes de vitesses manuelle et automatique dénombrent 6 rapports. Une si petite chose se doit de rassurer les acheteurs potentiels en offrant de série les usuelles aides électroniques, des bidules que maîtrisent plutôt bien nos amis de BMW.

[COMPORTEMENT] Il ne faut pas beaucoup d'imagination pour deviner qu'une MINI procure beaucoup de plaisir derrière le volant. Son format lilliputien, son centre de gravité bas et sa robustesse concourent à une tenue de route précise et immédiate, aidée en cela par une direction alerte comme un écureuil sur amphétamines. L'expression « comme un kart » est souvent galvaudée mais résume bien ici la réalité. Les moteurs suralimentés ajoutent des accélérations explosives mais toutefois teintées d'effets de cou-

ple notables (qui pimentent la vie au lieu de l'assombrir).

[CONCLUSION] Pourquoi certaines autos rétro survivent-elles et d'autres pas ? D'abord l'allure. Celle d'une PT ou d'une HRR, trop typée, vient et va; celui d'une MINI accroche toujours un sourire. Trop petite pour être sûre ? Qu'à cela ne tienne, on la construit robuste comme une brique. Glissez-y un moteur dynamique et un décor qui respire la joie de vivre et vous décrochez la recette pour chasser la grisaille du quotidien à chaque chant du coq. Hélas, comme pour n'importe quelle chose bonne pour la santé, physique ou mentale, il faut y mettre le prix...

2ᵉ OPINION

ALEXANDRE CRÉPAULT La MINI est la voiture qui a redéfini le terme go-kart. Peu de véhicules à traction avant, pour ne pas dire aucun, sont capables de livrer une expérience aussi enivrante (GTI mise à part). La Cooper S est évidemment l'arme de choix, quoique le moteur atmosphérique du modèle de base ne rechigne pas à la tâche non plus. Pour les véritables enthousiastes, la version John Cooper Works livre un petit extra en matière de performances qui ne peut faire autrement que plaquer un sourire sur son visage. Un vrai petit bijou ! Le seul bémol avec les Cooper relève de leur cote de fiabilité qui n'a pas toujours été la meilleure sur le marché, bien que les choses semblent s'améliorer au fil des rappels. Le moteur diesel européen serait aussi le bienvenu.

---

⑤ FICHE TECHNIQUE

· MOTEURS

· (Cooper et Clubman)
L4 1,6 l DACT, 121 ch à 6000 tr/min
Couple 114 lb-pi à 4250 tr/min
Transmission manuelle à 6 rapports, automatique à 6 rapports avec mode manuel
0-100 km/h 9,1 s **Clubman** 9,6 s
Vitesse maximale 203 km/h

· (Cooper S)
L4 1,6 l turbocompressé DACT, 181 ch à 5500 tr/min
Couple 177 lb-pi à 1600 tr/min
Transmission manuelle à 6 rapports, automatique à 6 rapports avec mode manuel
0-100 km/h 7,0 s
Vitesse maximale 228 km/h
Consommation (100 km)
man. 6,7 l **auto.** 7,5 l (octane 91)

· (JCW)
L4 1,6 l turbocompressé DACT, 208 ch à 6000 tr/min
Couple 192 lb-pi à 1850 tr/min
Transmission manuelle à 6 rapports
0-100 km/h 6,5 s
Vitesse maximale 238 km/h
Consommation (100 km) 6,8 l (octane 91)

· AUTRES COMPOSANTES
Sécurité active freins ABS, répartition électronique de force de freinage, contrôle des freins en virage, antipatinage, contrôle de stabilité électronique
Suspension avant/arrière indépendante
Freins avant/arrière disques
Direction assistée, à crémaillère
Pneus   **Mini Cooper** P175/65R15
         Mini Cooper S P195/65R16
option   **Cooper S/JCW** P205/45R17

· DIMENSIONS
Empattement 2467 mm
Longueur 3723 mm **Clubman** 3961 mm
JCW 3714 mm
Largeur 1683 mm
Hauteur 1407 mm **JCW** 1407 mm
Cabrio. 1414 mm **Clubman** 1426 mm
Poids   **Cooper man.** 1150 kg,
         Cooper Cabrio. man. 1240 kg
         Cooper Clubman man. 1220 kg
         JCW coupé 1215 kg
Diamètre de braquage 10,7 m
Coffre   **Coupé** 160 l, 680 l (sièges abaissés)
         Cabriolet 125 l, 660 l (sièges abaissés)
         Clubman 260 l, 930 l (sièges abaissés)
Réservoir de carburant 50 l

NOS MENTIONS

 Modèle recommandé

 Coup de coeur

NOTRE VERDICT

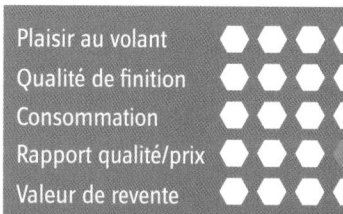

Plaisir au volant	⬢⬢⬢⬢⬢
Qualité de finition	⬢⬢⬢⬡⬡
Consommation	⬢⬢⬢⬡⬡
Rapport qualité/prix	⬢⬢⬢⬡⬡
Valeur de revente	⬢⬢⬢⬡⬡

| 469

N ÉVOLUTION É

J

39 365 $ à 43 690 $
transport et préparation: 1420 $

LA COTE VERTE

MOTEUR
L4 DE 1,6 L

- **Consommation**
(100km):
man. 6,0 l
auto. 7,2 l
- **Émissions**
polluantes CO_2 :
man. 3024 kg/an
autom. 3312 kg/an
- **Empreinte écologique**
(nombre d'arbres à
planter par année): 18
- **Indice d'octane**: 91
- **Carburant alternatif:**
non
- **Coût du carburant
moyen par année:**
man. 1386 $
autom. 1518 $
- **Nombre de
litres par année:**
man. 1260 l
autom. 1380 l

(Source: MINI)

 FICHE D'IDENTITÉ

- **Versions** Cooper Countryman,
Cooper S Countryman, Cooper S Countryman ALL4
- **Roues motrices** avant, 4
- **Portières** 5
- **Nombre de passagers** 5
- **Première génération** 2011
- **Génération actuelle** 2011
- **Construction** Graz, Autriche
- **Sacs gonflables** 6
(frontaux, latéraux, rideaux latéraux)
- **Concurrence** Audi A3, Nissan Juke, Subaru Impreza,
Mitsubishi Lancer Sportback, Suzuki SX4, Volvo V50

 AU QUOTIDIEN

- **Prime d'assurance**
- **25 ans:** 2000 à 2200$
- **40 ans:** 1400 à 1600$
- **60 ans:** 900 à 1100$
- **Collision frontale** nm
- **Collision latérale** nm
- **Ventes du modèle de l'an dernier**
Au Québec nm **Au Canada** nm
- **Dépréciation** nm
- **Rappels (2005 à 2010)** nm
- **Cote de fiabilité** nm

 GARANTIES... ET PLUS

- **Garantie générale** 4 ans/80 000 km
- **Garantie motopropulseur** 4 ans/80 000 km
- **Perforation** 12 ans/kilométrage illimité
- **Assistance routière** 4 ans/80 000 km
- **Nombre de concessionnaires**
Au Québec 4 **Au Canada** 25

 NOUVEAUTÉS EN 2011

- Nouveau modèle

COUPER LES CHEVEUX EN QUATRE

PAR BENOIT CHARETTE

LA COUNTRYMAN POSE UN NOUVEAU JALON POUR MINI QUI OUVRE DES FRONTIÈRES ENCORE INEXPLORÉES. C'est la première MINI qui fait plus de 4 mètres de longueur (4,11 mètres), offre 4 vraies places ainsi que 4 portières et est dotée de 4 roues motrices. Bien des gens se demandent si l'on peut encore appeler cela une MINI. La petite compagnie se doit de diversifier son marché, mais elle est enfermée dans un concept unique. C'est le même principe que les poupées russes. On doit augmenter le volume, mais sans dénaturer le style.

[CARROSSERIE] Quand on place la Countryman tout près des autres membres de la famille, le lien de filiation est immédiat. Pour réussir cet exercice de style, MINI a dû travailler sur plusieurs trompe-l'œil pour tantôt diminuer les proportions et tantôt les augmenter. Par exemple, pour les diminuer, un décrochement a été introduit sur sa ligne après la porte arrière coupant la ligne continue. De même, la répartition deux tiers de tôle et un tiers de vitre a été respectée. À l'inverse, d'autres parties sont conçues pour renforcer l'image de petit utilitaire de la voiture. Ses épaules élargies et, surtout, ses passages de roues agrandis sont là pour accroître le sentiment de sécurité que doit inspirer un tel véhicule.

[HABITACLE] L'ambiance décalée des MINI est aussi le propre de la Countryman. Un immense cadran occupe toute la console centrale et abrite un système de navigation ainsi qu'un programme spécial pour iPod développé par MINI. En branchant votre iPod dans un étui fabriqué sur mesure et intégré à l'accoudoir central, il devient le centre de gestion de plusieurs fonctions comme les stations de radio par satellite. On peut écouter une radio de Montréal n'importe où sur la planète. L'habitabilité marque un sommet pour une MINI. À l'avant comme à l'arrière, grâce aux 4 sièges baquets, l'espace est généreux. On peut même déplacer les sièges arrière

---

FORCES · Excellent rapport compacité/habitabilité · Tenue de route solide
· Bonnes performances (Cooper S)

FAIBLESSES · Direction un peu lourde · Prix des options élevés
· Prix qui risque d'être salé

de 13 centimètres pour sensiblement accroître l'espace pour les jambes (ou les bagages). La garde au toit est surprenante grâce au « toit casqué » ainsi nommé en raison de sa ressemblance avec une casquette de baseball. Sa forme bombée donne un effet de grandeur à l'extérieur et plus d'espace à l'intérieur. Comme les autres MINI, la position de conduite est naturelle, et les commandes sont toujours présentées sous formes d'interrupteurs au centre du tableau de bord.

[MÉCANIQUE] Sous le capot, on retrouve les mêmes moteurs que les autres membres de la famille. L'offre débute avec la MINI Countryman à moteur de 1,6 litre de 122 chevaux à traction et boîte de vitesses automatique ou manuelle à 6 rapports. Vient ensuite la Countryman Cooper S en version à traction ou à 4 roues motrices (Countryman ALL4). Avec 184 chevaux et le choix, là aussi, de deux boîtes à 6 rapports, ce dernier moteur convient beaucoup mieux au format de la voiture.

[COMPORTEMENT] Il est clair que, en raison de son embonpoint, vous ne retrouvez pas dans la MINI Countryman le côté plus extrême de la MINI Cooper S ou de la Cooper Works, mais la Countryman tient ses promesses. La boîte manuelle est prompte à décoller, et le turbo permet d'aller dans les hauts régimes. Le

système ALL4 est une version simplifiée du système intégral qu'on retrouve sur le BMW X3. Il faut que les roues avant patinent pour que l'embrayage piloté du système ALL4 administre du couple au train arrière. Il y a même le mode sport de l'antidérapage qui a comme principales fonctions d'améliorer la motricité sur sol meuble et d'alourdir la direction. Malgré ses quatre roues motrices, la Countryman ne revendique pas le titre de tout-terrain; on se contentera du toutes saisons, mais pour bien des gens, c'est déjà plus qu'il n'en faut.

[CONCLUSION] En bout de piste, MINI a réussi son pari d'offrir un produit à un plus large auditoire en conservant les repères propres à la marque. Il faudra surveiller les prix. C'est au printemps 2011 que le modèle fera son entrée chez les concessionnaires.

5 FICHE TECHNIQUE

· MOTEURS

· (Cooper)
L4 1,6 l DACT, 122 ch à 6000 tr/min
Couple 118 lb-pi à 4250 tr/min
Transmission manuelle à 6 rapports, automatique à 6 rapports avec mode manuel
0-100 km/h 10,5 s
Vitesse maximale 190 km/h

· (Cooper S)
L4 1,6 l turbocompressé DACT, 184 ch à 5500 tr/min
Couple 177 lb-pi à 1600 tr/min
Transmission manuelle à 6 rapports, automatique à 6 rapports avec mode manuel
0-100 km/h 7,6 s
Vitesse maximale 205 km/h
Consommation (100 km) man. 6,1 l **auto.** 7,1 l
4RM man. 6,7 l (octane 91)
Émissions de CO$_2$ man. 3264 kg/an
auto. 3648 kg/an
Litres par année man. 1360 l **auto.** 1520 l
Coût par an man. 1496 $ **autom.** 1672 $
Carburant alternatif non
Empreinte écologique 20 arbres

· AUTRES COMPOSANTES
Sécurité active freins ABS, répartition électronique de force de freinage, contrôle des freins en virage, antipatinage, contrôle de stabilité électronique
Freins avant/arrière disques
Direction assistée, à crémaillère
Pneus P205/45R17
(18 po et 19 po en option au concessionnaire

· DIMENSIONS
Empattement 2595 mm
Longueur 4097 mm 4110 l Cooper S
Largeur 1789 mm
Hauteur 1561 mm
Poids Cooper man. 1265 kg **Cooper auto.** 1295 kg
Cooper S man. 1310 kg **Cooper S auto.** 1335 kg **Cooper S ALL4 man.** 1380 kg
Diamètre de braquage 11,6 m
Coffre 350 l, 1170 l (siège abaissés)
Réservoir de carburant 47 l

NOS MENTIONS

 Modèle recommandé

 Coup de coeur

NOTRE VERDICT

Plaisir au volant	●●●●○
Qualité de finition	⬡⬡⬡⬡⬡
Consommation	●●●○○
Rapport qualité/prix	●●●●○
Valeur de revente	Nm

ECLIPSE

www.mitsubishi-motors.ca

N — ÉVOLUTION — É
J

24 498 $ à 32 298 $
transport et préparation: 1350 $

LA COTE VERTE

MOTEUR
L4 DE 2,4 L

- **Consommation (100km):**
  man. 8,9 l
  auto. 9,1 l
- **Émissions polluantes CO_2 :**
  man. 4320 kg/an
  auto. 4416 kg/an
- **Empreinte écologique (nombre d'arbres à planter par année):** 26
- **Indice d'octane:** 87
- **Autre motorisation:** non
- **Coût du carburant moyen par année:**
  man. 1800 $
  auto. 1840 $
- **Nombre de litres par année:**
  man. 1800 l
  auto. 1840 l

(SOURCE: ÉnerGuide)

 FICHE D'IDENTITÉ

- **Versions** GS, GT-P, Spyder GS, Spyder GT-P
- **Roues motrices** avant
- **Portières** 2 **Nombre de passagers** 4
- **Première génération** 1990
- **Génération actuelle** 2006
- **Construction** Normal, Illinois, É.-U.
- **Sacs gonflables** 4 (frontaux, latéraux avant; rideaux latéraux sur coupé)
- **Concurrence** Chevrolet Camaro, Dodge Challenger, Ford Mustang, Honda Accord Coupé, Mazda RX-8,

 AU QUOTIDIEN

- **Prime d'assurance**
  25 ans: 3000 à 3200 $
  40 ans: 1700 à 1900 $
  60 ans: 1300 à 1500 $
- **Collision frontale** nd
- **Collision latérale** nd
- **Ventes du modèle de l'an dernier**
  Au Québec 283 **Au Canada** 802
- **Dépréciation** (2 ans) 61,9 % (modèle 2009)
- **Rappels** (2005 à 2010) 5
- **Cote de fiabilité** 3/5

 GARANTIES... ET PLUS

- **Garantie générale** 5 ans/100 000 km
- **Garantie motopropulseur** 10 ans/160 000 km
- **Perforation** 5 ans/kilométrage illimité
- **Assistance routière** 5 ans/kilométrage illimité
- **Nombre de concessionnaires**
  Au Québec 26 **Au Canada** 71

 NOUVEAUTÉS EN 2011

Jantes de 18 po de série sur GS, caméra de recul sur GT-P, antipatinage et contrôle de stabilité de série, échappement à double sorties sur GS.

LA MUSTANG JAPONAISE

PAR PHILIPPE LAGUË

L'ECLIPSE A CÉLÉBRÉ SON 20e ANNIVERSAIRE L'ANNÉE DERNIÈRE, MAIS SA NOTORIÉTÉ CHEZ NOUS EST EN PARTIE REDEVABLE À LA SÉRIE DE FILMS RAPIDES ET DANGEREUX (THE FAST AND THE FURIOUS) DONT ELLE ÉTAIT L'UNE DES VEDETTES. Ces blockbusters aux qualités cinématographiques discutables lui ont permis de devenir une voiture-culte auprès des amateurs de voitures modifiées.

[CARROSSERIE] L'apparence et les performances, tels sont les ingrédients de base d'un coupé sport. Côté design, c'est réussi : avec son allure trapue, ses formes rondes et bien sculptées, l'Eclipse a un physique de culturiste. En plus du coupé, une version cabriolet est offerte. Outre le plaisir de rouler à ciel ouvert, l'Eclipse Spyder se distingue en étant la seule décapotable de sa catégorie à avoir quatre places et des roues motrices à l'avant.

[HABITACLE] La finition est sans conteste le maillon faible de l'Eclipse. Non seulement le plastique est-il omniprésent, mais sa qualité est douteuse. Cette impression de construction déficiente

se confirme dès les premiers tours de roues, alors que les bruits de roulement envahissent l'habitacle, mal insonorisé. L'ergonomie est toutefois irréprochable : les commandes sont simples, bien placées et faciles à manipuler. Très bonne, la position de conduite est rehaussée par de superbes baquets, enveloppants et confortables. Les places arrière sont cependant décoratives; au mieux, elles peuvent accueillir des enfants en bas âge. Ou des sacs d'épicerie. Dans les faits, l'Eclipse a les défauts d'une sportive : outre le peu d'espace, la visibilité vers l'arrière est médiocre. Elle n'est pas dénuée de qualités fonctionnelles pour autant : dotée d'un hayon, ce qui est toujours pratique, son coffre est généreux, pour une sportive.

[MÉCANIQUE] Du point faible, on passe au point fort. Le V6 de 3,8 litres a du couple, du couple et encore du couple... Dans les régimes bas et intermédiaires, c'est un régal ! Une belle accélération linéaire, agrémentée d'une sonorité bien ronde, à l'italienne. Les 265 chevaux génèrent de l'effet de couple sur les roues motrices avant, mais rien de dangereux. Un 4-cylindres de 2,4 litres est

FORCES · Geule de sportive · Version cabriolet · Usage quatre saisons · Belle mécanique · Comportement sportif · Voiture culte

FAIBLESSES · Finition risible · Piètre insonorisation · Visibilité arrière médiocre · Énorme rayon de braquage · Pneus médiocres · Usure du temps

également offert mais avec 103 chevaux de moins, disons que ses prestations s'annoncent timides. La boîte de vitesses manuelle à 6 rapports tire la quintessence de ce superbe moteur, bien servie par un embrayage progressif. Le levier est précis, avec une course très courte, ce qui le rend très agréable à manier. Quant au freinage, il est proportionnel aux accélérations, donc puissant. La direction ultra précise répond au quart de tour et place parfaitement la voiture en virage. Toutefois, l'Eclipse reste une traction et, sur un parcours sinueux (ou en slalom), on sent l'effet de lourdeur dans la direction. Son énorme rayon de braquage est cependant son plus gros handicap.

[COMPORTEMENT] L'Eclipse est mal chaussée, et son châssis manque cruellement de rigidité, surtout celui de la décapotable. Un passage dans un trou ou sur une bosse s'accompagne d'un concerto de bruits de caisse. Tout cela laisse craindre le pire en matière de comportement routier et, pourtant, c'est là que l'Eclipse surprend le plus. Même si c'est une traction, le sous-virage ne se manifeste qu'à la limite et encore, la perte d'adhérence est avant tout causée par les pneus qui n'ont aucun mordant. Plus on malmène cette voiture, plus elle s'accroche, comme si elle refusait de céder, portée par l'orgueil. Sur un parcours sinueux, l'Eclipse se défend, et drôlement bien. Imaginez seulement si elle avait de bons pneus, un châssis plus rigide et, même, la transmission intégrale, comme l'Eclipse des années 90... La prochaine génération, peut-être ?

[CONCLUSION]

Comme la Mustang, elle reprend la philosophie du « Bang for the bucks », des performances à prix abordable. Et contrairement à la célèbre sportive américaine, son usage ne se limite pas à trois saisons. Les performances, elles, sont au rendez-vous, à condition d'opter pour la version GT et son V6. Le prix grimpe alors aux environs des 35 000 dollars, et c'est là que ça se gâte : d'une part, le châssis de l'Eclipse commence à trahir son âge; d'autre part, la finition et la qualité d'assemblage ne respectent pas les standards japonais. Heureusement, elle est fiable et protégée par une super garantie.

2ᵉ OPINION

BENOIT CHARETTE Voici un véhicule qui a bien mal vieilli. Sous des dehors tapageurs, l'intérieur et la conduite commence à sérieusement montrer des signes de fatigue. Commençons par l'intérieur, spartiate et technologiquement handicapé. Pourtant le véhicule n'a que cinq ans et aucune mise à jour technologique n'a été faite. C'est long cinq ans dans un monde géré par l'électronique qui change aux trois mois. Au chapitre de la conduite, les sièges manquent de confort et il est très difficile de trouver une position de conduite agréable et avec une colonne de direction qui se déplace uniquement en hauteur, cela complique d'avantage la tâche. Finalement sur ma version décapotable V6 GT, je prenais place au milieu d'une montagne de plastique bon marché, indigne d'une voiture de ce prix. Il y a bien le vieux V6 qui pousse encore quelques soubresauts, mais en général c'est décevant et dépassé.

⑤ FICHE TECHNIQUE

MOTEURS
(GS)
L4 2,4 l SACT, 162 ch à 6000 tr/min
Couple 162 lb-pi à 4000 tr/min
Transmission manuelle à 5 rapports, automatique à 4 rapports avec mode manuel (en option)
0-100 km/h 9,4 s
Vitesse maximale 190 km/h

(GT-P)
V6 3,8 l SACT, 265 ch à 5750 tr/min
Couple 262 lb-pi à 4500 tr/min
Transmission manuelle à 6 rapports, automatique à 5 rapports avec mode manuel (en option)
0-100 km/h 7,2 s
Vitesse maximale 225 km/h
Consommation (100 km) man. 10,6 l **auto.** 10,7 l (octane 91)
Émissions de CO$_2$ man. 5184 kg/an **auto.** 5232 kg/an
Litres par année man. 2160 l **auto.** 2180 l
Coût par an man. 2419 $ **auto.** 2442 $
Empreinte écologique 30 arbres

AUTRES COMPOSANTES
Sécurité active freins ABS, antipatinage, contrôle électronique de stabilité
Suspension avant/arrière indépendante
Freins avant/arrière disques
Direction à crémaillère, assistée
Pneus P235/45R18

DIMENSIONS
Empattement 2575 mm
Longueur 4583 mm
Largeur 1835 mm
Hauteur coupé 1351 mm **Spyder** 1375 mm
Poids coupé GS 1484 kg **GT-P** 1607 kg
Spyder GS 1580 kg **GT-P** 1675 kg
Diamètre de braquage 12,2 m
Coffre coupé 445 l **Spyder** 147 l
Réservoir de carburant 67 l

NOTRE VERDICT

Plaisir au volant	●	●	●	⬡
Qualité de finition	●	⬡	⬡	⬡
Consommation	●	●	⬡	⬡
Rapport qualité/prix	●	⬡	⬡	⬡
Valeur de revente	●	◐	⬡	⬡

LANCER

www.mitsubishi-motors.ca

ÉVOLUTION

N É
J

16 998 $ à 51 798 $
transport et préparation: 1350 $

LA COTE VERTE

MOTEUR
L4 DE 2,0 L

· Consommation
(100km):
man. 8,0 l
AVC 7,8 l
· Émissions
polluantes CO2 :
man. 3726 kg/an
AVC 3634 kg/an
· Empreinte écologique
(nombre d'arbres à
planter par année): 24
· Indice d'octane: 87
· Autre
motorisation: non
· Coût du carburant
moyen par année:
man. 1620 $
AVC 1580 $
· Nombre de
litres par année:
man. 1620 l
AVC 1580 l

(SOURCE: ÉnerGuide)

① FICHE D'IDENTITÉ

· **Versions berline** DE, SE, GTS, Ralliart 4RM, **Evolution 4RM** (GSR, MR) Sportback GTS, Ralliart 4RM
· **Roues motrices** avant, 4
· **Portières** 4, 5 **Nombre de passagers** 5
· **Première génération** 2003
· **Génération actuelle** 2007
· **Construction** Mizushima, Japon
· **Sacs gonflables** 7, frontaux, latéraux et genoux conducteur
· **Concurrence** Chevrolet Cruze, Ford Focus, Honda Civic, Hyundai Elantra, Kia Spectra, Mazda3, Nissan Sentra, Subaru Impreza, Toyota Corolla/Matrix, VW Jetta

② AU QUOTIDIEN

· **Prime d'assurance**
25 ans: 1700 à 1900 $
40 ans: 1000 à 1100 $
60 ans: 700 à 900 $
· **Collision frontale** 4/5
· **Collision latérale** 4/5
· **Ventes du modèle de l'an dernier**
Au Québec 3813 **Au Canada** 9446
· **Dépréciation (2 ans)** 48,8%
· **Rappels (2005 à 2010)** 4
· **Cote de fiabilité** 4/5
· **Garantie générale** 5 ans/100 000 km
· **Garantie motopropulseur** 10 ans/160 000 km

③ GARANTIES... ET PLUS

· **Perforation** 5 ans/kilométrage illimité
· **Assistance routière** 5 ans/kilométrage illimité
· **Nombre de concessionnaires**
Au Québec 26 **Au Canada** 71

④ NOUVEAUTÉS EN 2011

Aucun changement majeur

POUR SE DÉMARQUER

PAR PHILIPPE LAGUË

SI MITSUBISHI A TARDÉ À S'IMPOSER CHEZ NOUS, C'EST TOUT SIMPLEMENT PARCE QUE SES VÉHICULES NE FAISAIENT PAS LE POIDS FACE AUX AUTRES JAPONAISES. La Lancer, par exemple, ne soutenait pas la comparaison avec les Civic, Corolla, Mazda3, Sentra, Impreza... Le modèle actuel, qui entame sa cinquième année, est beaucoup plus concurrentiel et a permis à Mitsubishi de gruger, lentement mais sûrement, des parts de marché.

[CARROSSERIE] Sur le plan esthétique, la Lancer se démarque des autres compactes asiatiques. Son faciès agressif, avec sa calandre massive et ses lignes coupées à la hache lui confèrent ce qui lui manquait le plus : de la gueule. De plus, une nouvelle configuration à cinq portes, la Sportback, est venue s'ajouter l'année dernière.

[HABITACLE] De toute évidence, on a mis tous les efforts sur l'extérieur. Dans l'habitacle, la présentation est tristounette, pour ne pas dire austère. L'abondance de plastique ne rehausse en rien l'apparence des lieux. À défaut d'être joyeusement décoré, c'est simple et efficace, avec zéro lacune ergonomique. Et c'est assemblé avec une rigueur toute japonaise. Les sièges font partie des points forts de l'habitacle; ils se classent même parmi les meilleurs de cette catégorie de véhicules. Les versions sportives gâtent particulièrement leurs occupants, avec des baquets Recaro; mais ceux des autres versions brillent eux aussi par leur confort et leur maintien. Et, chose rare, la banquette arrière est aussi confortable. Ceux qui y prennent place bénéficient par ailleurs d'un bon dégagement pour les jambes; pour la tête, c'est correct, sans plus. Le coffre a une bonne capacité de rangement, mais son ouverture est trop petite dans la partie supérieure. Heureusement, la Lancer Sportback est l'une des rares compactes à avoir un hayon, toujours pratique.

[MÉCANIQUE] L'une des forces des Mitsubishi, ce sont leurs moteurs. De plus, le menu est varié à souhait : des 4-cylindres de 2 ou de 2,4 litres, atmosphériques ou suralimentés. Les berlines DE et SE reçoivent le 2-litres, et la GTS, un 2,4-litres. Les amateurs de sensations fortes se tourneront vers les versions Ralliart ou Evo, avec leurs en-

FORCES · Allure agressive · Choix de versions · Moteurs vaillants · Excellents sièges · Fiabilité · Garantie de 5 ans

FAIBLESSES · Présentation austère · Finition très plastique · Consommation décevante · Moteurs bruyants · Faible notoriété de la marque

gins turbocompressés et leurs quatre roues motrices. Tant le 2-litres que le 2,4-litres ont du caractère, chose rare dans cette catégorie. Et comme les fortes têtes, ils ont leurs travers : ils sont moins onctueux et moins silencieux que leurs homologues japonais. En revanche, ils sont plus nerveux et moins avares de sensations. Au chapitre de la consommation, ils n'impressionnent guère : avec le 2-litres, nous avons obtenu une moyenne de 8,5 litres aux 100 kilomètres (8,8 avec le 2,4-litres).Un sixième rapport réduirait sans doute sa soif, mais les boîtes manuelles de la Lancer n'en ont que cinq. Une boîte automatique à variation continue (CVT) est aussi offerte. Cette boîte peut être munie du mode Sportronic, qui permet de passer les rapports manuellement.

[COMPORTEMENT] Bien servie par la rigidité de leur châssis, les Lancer tiennent bien la route, malgré un roulis prononcé et une propension au sous-virage. La GTS a cependant droit à des réglages de suspension différents et de meilleurs pneus qui rehaussent son comportement. La différence avec les deux autres versions est d'ailleurs assez marquée. Pour la plupart des acheteurs, la douceur de roulement est plus importante que l'agrément de conduite ou la tenue de route. La Lancer ne les décevra pas. Ce qui est plus décevant, cependant, c'est le flou persistant dans la direction, au centre. Encore une fois, si l'on s'en tient à une conduite normale, pas de problème; mais les réactions de la direction auront tôt fait de refroidir les élans d'enthousiasme.

[CONCLUSION] La Lancer a du tempérament et, comme les fortes personnalités, elle a de grosses

qualités... et de gros défauts. Si vous avez un petit côté anticonformiste et si vous n'avez pas envie de conduire ce que tout le monde conduit (Civic, Corolla, Mazda3), la Lancer est pour vous. Ce n'est pas un achat risqué non plus : en bonne japonaise, la Lancer est fiable, en plus d'être protégée par l'une des meilleures garanties de l'industrie. Et en plus, elle a de la gueule.

2ᵉ OPINION

BENOIT CHARETTE Dans ces dix dernières années, la branche automobile de Mitsubishi a failli disparaître, frappée tout d'abord par la crise financière asiatique, puis impliquée dans un scandale de défauts dissimulés et enfin ballottée par le groupe Daimler Chrysler qui en avait pris les commandes avant de s'en séparer très vite. Ayant perdu la majorité de ses ventes, c'est en grande partie grâce à la Lancer que la compagnie a réussi à survivre tant bien que mal depuis quelques années. Avec l'Outlander, ce sont les deux seuls modèles intéressants qui restent dans l'écurie Mitsubishi. De la version de base à la Ralliart en passant par la fabuleuse Evo, la Lancer est une voiture moderne, sportive confortable et fiable. Un produit qui devrait être à l'image de la compagnie qui se porterait peut-être un peu mieux. Une conduite agréable, sportive et confortable, une garantie de 10 ans, il n'y a pas grand chose à redire.

(5) FICHE TECHNIQUE

- **MOTEURS**
- **(Berl. DE, SE)**
L4 2,0 I DACT, 152 ch à 6000 tr/min
Couple 146 lb-pi à 4250 tr/min

(5) FICHE TECHNIQUE

Transmission manuelle à 5 rapports, automatique à variation continue (option)
0-100 km/h 7,9 s
Vitesse maximale 180 km/h

- **(Berl. et Sportback GTS)**
L4 2,4 I DACT 168 ch à 6000 tr/min
Couple 167 lb-pi à 4100 tr/min
Transmission manuelle à 5 rapports, automatique à variation continue (option)
0-100 km/h 7,9 s **Vitesse maximale** 180 km/h
Consommation (100 km) man. 8,8 I **CVT.** 8,4 I (octane 87)
Émissions de CO$_2$ man. 4094 kg/an
AVC 3910 kg/an
Litres par année man. 1780 I **CVT.** 1700 I
Coût par an man. 1780 $ **CVT.** 1700 $
Empreinte écologique 25 arbres

- **(Ralliart)**
L4 2,0 I turbo DACT 237 ch à 6000 tr/min
Couple 253 lb-pi à 2500 tr/min
Transmission manuelle robotisée à 6 rapports
0-100 km/h 6,5 s **Vitesse maximale** 225 km/h
Consommation (100 km) 10,1 I (octane 91)
Émissions de CO$_2$ 4738 kg/an
Carburant alternatif non
Empreinte écologique 27 arbres

- **(EVOLUTION)**
L4 2,0 I turbo DACT 291 ch à 6500 tr/min
Couple 300 lb-pi à 4000 tr/min
Transmission manuelle à 5 rapports, manuelle robotisée à 6 rapports
0-100 km/h 5,2 s
Vitesse maximale 250 km/h

- **AUTRE COMPOSANTES**
Sécurité active freins ABS, distribution électronique du freinage, antipatinage, contrôle électronique de la stabilité
Suspension avant/arrière indépendante
Freins avant/arrière disques
Direction à crémaillère, assistée
Pneus berl. DE, SE P205/60R16
berline et Sportback GTS/ Ralliart P215/45R18 berl. **Evolution** P245/40R18

- **DIMENSIONS**
Empattement 2635 mm
Longueur 4570 mm **Sport** 4585 mm **Evo.** 4495 mm
Largeur 1760 mm **Evo.** 1810 mm
Hauteur 1490 mm **Sport** 1515 mm **Evo.** 1480 mm
Poids berl: DE man. 1320 kg **GTS man.** 1365 kg
Ralliart 1570 kg **Evo. man.** 1595 kg Sport: GTS man. 1405 kg **Ralliart** 1620 kg
Diamètre de braquage 10,0 m Evo. 11,8 m
Coffre berl. 348 I **Sport.** 391 I, 1320 I (sièges abaissés)
Réservoir de carburant 59 I **Ralliart/Evo.** 55 I

NOTRE VERDICT

Plaisir au volant	●●●●○
Qualité de finition	●●●○○
Consommation	●●●○○
Rapport qualité/prix	●●●●○
Valeur de revente	●●○○○

OUTLANDER

www.mitsubishi-motors.ca

ÉVOLUTION

24 498 $ à 34 498 $
transport et préparation: 1450 $

LA COTE VERTE

MOTEUR
L4 DE 2,4 L

· Consommation
(100km):
2RM 8,4 l
4RM 8,9 l

· Émissions
polluantes CO$_2$:
2RM 3910 kg/an
4RM 4140 kg/an

· Empreinte écologique
(nombre d'arbres à
planter par année): 26

· Indice d'octane: 87

· Autre
motorisation: non

· Coût du carburant
moyen par année:
2RM 1700 $
4RM 1800 $

· Nombre de
litres par année:
2RM 1700 l
4RM 1800 l

(SOURCE: ÉnerGuide)

476

 FICHE D'IDENTITÉ

· **Versions** ES, ES 4RM, LS 4RM, XLS 4RM
· **Roues motrices** avant, 4
· **Portières** 4 **Nombre de passagers** 5, 7
· **Première génération** 2003
· **Génération actuelle** 2007
· **Construction** Mizushima, Japon
· **Sacs gonflables** 7 (frontaux, latéraux, rideaux gonflables, genoux conducteur)
· **Concurrence** Chevrolet Equinox, Ford Escape, Honda CR-V, Hyundai Tucson, Jeep Liberty, Nissan Rogue, Subaru Forester, Suzuki Grand Vitara, Toyota RAV4

 AU QUOTIDIEN

· **Prime d'assurance**
25 ans: 1500 à 1700 $
40 ans: 1100 à 1300 $
60 ans: 900 à 1100 $
· **Collision frontale** 5/5
· **Collision latérale** 5/5
· **Ventes du modèle de l'an dernier**
Au Québec 3686 **Au Canada** 8530
· **Dépréciation** (2 ans) 42,3 %
· **Rappels** (2005 à 2010) 3
· **Cote de fiabilité** 5/5

 GARANTIES... ET PLUS

· **Garantie générale** 5 ans/100 000 km
· **Garantie motopropulseur** 10 ans/160 000 km
· **Perforation** 5 ans/kilométrage illimité
· **Assistance routière** 5 ans/kilométrage illimité
· **Nombre de concessionnaires**
Au Québec 26 **Au Canada** 71

(4) **NOUVEAUTÉS EN 2011**

Aucun changement majeur

CLÉOPÂTRE SERAIT JALOUSE

PAR DANIEL RUFIANGE

MITSUBISHI EST L'UN DES PETITS JOUEURS DE L'INDUSTRIE DE L'AUTOMOBILE. CELA NE L'EMPÊCHE PAS DE JOUER GROS AU QUÉBEC OÙ LE FABRICANT FAIT DE BONNES AFFAIRES, NOTAMMENT GRÂCE À LA LANCER ET À L'UTILITAIRE OUTLANDER. Chez nous, ses ventes sont les plus éloquentes au pays. En 2009, il s'est vendu 8530 Outlander au Canada. De ce nombre, 3686 ont trouvé preneur au Québec, soit une proportion de 43 % à l'échelle canadienne. Au début de 2010, Mitsubishi a procédé à de petits changements, question de rafistoler son produit et de le maintenir à la mode. L'année 2011 s'inscrit donc dans la suite logique de ce remodelage.

[CARROSSERIE] Les changements sur l'Outlander sont à la fois importants et subtils. Si l'allure du véhicule semble avoir peu changé, il suffit de garer l'édition actuelle aux côtés de l'ancienne pour constater la teneur et l'importance des changements esthétiques. La partie avant est entièrement nouvelle et comporte désormais une calandre à la Lancer Evo ainsi qu'un capot plus plongeant. Les flancs ont été redessinés, et la partie inférieure de l'arrière a été retouchée. En bref, du nouvel Outlander se dégage nettement plus de caractère et de panache que de ce qui transpirait de l'ancienne génération. L'acheteur a toujours le choix entre trois versions : l'ES, à deux ou à quatre roues motrices, ainsi que les LS et XLS, toutes deux munies de la transmission intégrale.

[HABITACLE] L'Outlander œuvre dans un créneau hautement concurrentiel. Heureusement, son habitacle n'a pas à rougir par rapport à la concurrence. En fait, il s'agit peut-être de l'environnement le plus sportif du segment, une caractéristique du code génétique Mitsubishi. Les sièges avant sont surprenants de confort et de maintien. Cependant, la qualité des matériaux est couci-couça. Cette impression bon marché s'atténue au contact d'une présentation visuelle réussie et d'une ergonomie qui ne fait jamais rager. À l'arrière, les passagers profitent de beaucoup d'espace de dégagement. Quant à la troisième banquette, elle est plus utile rabattue où elle libère du volume de chargement.

FORCES · Calandre avant · Chaque version est livrable avec la transmission intégrale · Conduite solide et rassurante· Système S-AWC efficace

FAIBLESSES · Certains bruits de craquement · Qualité de certains matériaux du tableau de bord · Troisième banquette : pour urgence seulement · Système S-AWC : offert seulement sur la version XLS

[MÉCANIQUE] Mitsubishi respecte la norme non écrite du segment en offrant deux mécaniques, l'une à 4 cylindres, l'autre V6, pour mouvoir son Outlander. Dans la version de base ES, un 4-cylindres de 2,4 litres proposant une puissance de 168 chevaux et un couple de 167 livres-pieds se marie à une boîte de vitesses CVT afin d'offrir une puissance linéaire et sans bavure. Le moteur V6 de 3 litres est livrée sur les versions LS et XLS. Ses 230 chevaux semblent tous avoir trois ans; autrement dit, au sommet de leur forme physique. Les performances sont intéressantes. La grande nouveauté introduite en janvier dernier consiste en ce système All Wheel Control – S-AWC –, dispositif dérivé de celui présent sur la Lancer Evo depuis 2008. Le problème, c'est que, pour profiter de ce petit bijou technologique, il faut se procurer la version XLS.

[COMPORTEMENT] De tous les utilitaires de la catégorie, la conduite de l'Outlander est celle qui me plaît le plus. C'est probablement en raison de son équilibre, résultat d'une garde au sol relativement faible, et de réglages des suspensions qui font la navette admirablement bien entre le confort et la fermeté. Il en résulte une expérience de conduite toujours agréable, qu'on vogue sur l'autoroute au rythme du régulateur de vitesse ou qu'on enchaîne les courbes sur une route de campagne, couteau entre les dents. Quant au système S-AWC, il nous a prouvé toute son efficacité lors d'un événement tenu l'hiver dernier, lui qui est capable de répartir le couple aux roues tous azimuts.

[CONCLUSION] Sans l'Outlander et la Lancer, on ne parlerait même plus de Mitsubishi au Québec. En contrepartie, sans le Québec, parlerait-on encore de Mitsubishi au Canada ? Les Québécois sont souvent amoureux de véhicules différents, porteurs de passion. L'utilitaire proposé par ce constructeur en fait partie. Quiconque souhaite afficher une certaine différence trouvera son compte avec l'Outlander. En prime, une garantie blindée qui permet de dormir tranquille.

2ᵉ OPINION

FRÉDÉRIC MASSE Je dois me confesser. J'oublie souvent le Mitsubishi Outlander lors de mes recommandations. Pourtant, il est loin d'être vilain. Je dirais même qu'il figure parmi les bons produits de la catégorie. Beau à regarder, il propose un habitacle invitant (même si sa finition est couci-couça) et une conduite, somme toute, vivante. Dans les faits, je dirais qu'il est, avec le Subaru Forester, le plus agréable à conduire et celui de la catégorie qui prend les courbes avec le plus d'aplomb. En plus, avec sa garantie béton de 10 ans, il est sécurisant de savoir qu'on n'aura rien à débourser en cas de pépins majeurs. Ajoutez que, selon *Consumer Reports*, sa cote de fiabilité est très bonne. Offrant pas mal d'espace de chargement, il propose en plus une troisième rangée de sièges qui pourra servir de dépannage à l'occasion.

⑤ FICHE TECHNIQUE

- **MOTEURS**
- **(ES)**

L4 2,4 l SACT 168 ch à 6000 tr/min

Couple 167 lb-pi à 4100 tr/min

Transmission automatique à variation continue
0-100 km/h 11,2 s
Vitesse maximale 190 km/h

- **(LS, XLS)**

V6 3,0 l DACT, 230 ch à 6250 tr/min

Couple 215 lb-pi à 3750 tr/min

Transmission automatique à 6 rapports avec mode manuel
0-100 km/h 10 s
Vitesse maximale 190 km/h
Consommation (100 km) 9,7 l (octane 91)
Émissions de CO$_2$ 4508 kg/an
Litres par année 1960 l
Coût par an 2195 $
Carburant alternatif non
Empreinte écologique 30 arbres

- **AUTRE COMPOSANTES**

Sécurité active freins ABS, contrôle électronique de la stabilité, antipatinage
Suspension avant/arrière indépendante
Freins avant/arrière disques
Direction à crémaillère, assistée
Pneus ES/LS P215/70R16 **XLS** P225/55R18

- **DIMENSIONS**

Empattement 2670 mm
Longueur 4665 mm
Largeur 1800 mm
Hauteur 1720 mm
Poids ES 2RM 1535 kg **LS 4RM** 1710 kg **XLS 4RM** 1715 kg
Diamètre de braquage 10,6 m
Coffre 422 l, 2056 l (sièges abaissés)
Réservoir de carburant 2RM 63 l **4RM** 60 l
Capacité de remorquage ES 680 kg **LS** 1588 kg

477

NOTRE VERDICT

Plaisir au volant	⬡⬡⬡⬡⬡
Qualité de finition	⬡⬡⬡⬡⬡
Consommation	⬡⬡⬡⬡⬡
Rapport qualité/prix	⬡⬡⬡⬡⬡
Valeur de revente	⬡⬡⬡⬡⬡

RVR

www.mitsubishi-motors.ca

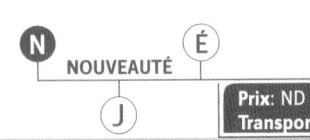

NOUVEAUTÉ

Prix: ND
Transport et préparation: 1450 $

LA COTE VERTE

MOTEUR
L4 DE 2,0L

- **Consommation (100km):**
  man. 8,0 l
  CVT 7,8 l
- **Émissions polluantes CO₂ :**
  man. 3726 kg/an
  CVT 3634 kg/an
- **Empreinte écologique (nombre d'arbres à planter par année):** 24
- **Indice d'octane:** 87
- **Autre motorisation:** non
- **Coût du carburant moyen par année:**
  man. 1620 $
  CVT 1580 $
- **Nombre de litres par année:**
  man. 1620 l
  CVT 1580 l

(SOURCE: ÉnerGuide)

① FICHE D'IDENTITÉ

- **Versions** ES, SE, SE 4RM
- **Roues motrices** avant, 4
- **Portières** 4 **Nombre de passagers** 5
- **Première génération** 2011
- **Génération actuelle** 2011
- **Construction** Mizushima, Japon
- **Sacs gonflables** 7 (frontaux, latéraux, rideaux gonflables, genoux conducteur)
- **Concurrence** Chevrolet Equinox, Ford Escape, Honda CR-V, Jeep Liberty, Kia Sportage, Subaru Forester, Suzuki Grand Vitara, Toyota RAV4

② AU QUOTIDIEN

- **Prime d'assurance**
  25 ans: 1500 à 1700 $
  40 ans: 1100 à 1300 $
  60 ans: 900 à 1100 $
- **Collision frontale** nm
- **Collision latérale** nm
- **Ventes du modèle de l'an dernier**
  Au Québec nm **Au Canada** nm
- **Dépréciation** nm
- **Rappels** (2005 à 2010) nm
- **Cote de fiabilité** nm

③ GARANTIES... ET PLUS

- **Garantie générale** 5 ans/100 000 km
- **Garantie motopropulseur** 10 ans/160 000 km
- **Perforation** 5 ans/kilométrage illimité
- **Assistance routière** 5 ans/kilométrage illimité
- **Nombre de concessionnaires**
  Au Québec 26 **Au Canada** 71

④ NOUVEAUTÉS EN 2011

Nouveau modèle

LE CHAÎNON MANQUANT

PAR JASON CAMMISA

ALORS QUE LES VUS TRADITIONNELS CONTI-NUENT DE SE VOIR REMPLACER PAR DES VÉHI-CULES MULTISEGMENTS CONSTRUITS SUR UNE PLATEFORME DE VOITURE, ce sont les ventes des petits multisegments qui connaissent la plus forte croissance. À l'instar du BMW X1 et du Nissan Juke, on peut s'attendre à une pluie de nouveaux véhicules compacts de ce genre au cours des prochaines années. Mitsubishi prévoit d'ailleurs que le nombre de modèles dans ce segment croîtra de 480 % au cours des deux prochaines années. Comptez d'ailleurs sur ce constructeur pour être présent et reconnu dans ce segment grâce au RVR.

[CARROSSERIE] Nul doute que c'est l'aspect si attirant de la Lancer Evolution qui a permis à Mitsubishi de se garder à flots. La Lancer de base est une bonne voiture, mais c'est son style agressif et distinctif qui la différencie de la con-currence. Tristement, Mitsubishi n'a pas réussi à transposer ce style sur la version à hayon, décidé-ment pourvue d'une apparence bizarroïde. Avec le RVR 2011, Mitsubishi propose une solution de

rechange à ce trou noir stylistique. De plus, en s'immisçant dans un segment hautement popu-laire, cela ne peut qu'aider l'entreprise qui en arrache. Le RVR partage la mécanique de la Lancer, mais, surtout, met à profit de façon im-pressionnante l'espace arrière. Le RVR conserve la belle gueule trapézoïdale de la Lancer et pos-sède une ligne de toit lisse qui se termine par de superbes feux arrière à diodes électrolumines-centes. Le RVR sera nommé ASX en Europe et Outlander Sport aux États-Unis. Cette dernière appellation porte à confusion, car le RVR n'est pas une version sport de l'Outlander. Les deux véhi-cules ont beau partager leur empattement et leur structure de suspension, l'Outlander est plus long de près de 30 centimètres et offre une troisième banquette, alors que le RVR ne peut accueillir que cinq occupants. L'empattement, qui paraît plus long sur le RVR, lui confère plus d'espace intérieur. À preuve, les passagers mesurant 1,80 mètre trouveront leur aise sur la banquette.

[HABITACLE] À bord, le RVR se veut branché, comme le sera la clientèle visée, dont Mitsubishi

FORCES · Design agressif réussi · Espace intérieur accommodant · Consommation intéressante · Segment en pleine croissance

FAIBLESSES · Un seul moteur · Boîte CVT bruyante au possible · Que fait-on avec la Lancer sportback ?

HISTORIQUE

C'est en 2007 au salon de l'auto de Francfort que Mitsubishi dévoilait le concept CX. Ce petit véhicule utilitaire multisegment devait inspirer plus d'un véhicule car le nouvel Outlander a aussi repris cette calandre avant de style avion de chasse. Une chose est certaine, le modèle de production est très proche du concept.

estime l'âge moyen à 42 ans, soit 10 de moins que pour les propriétaires d'Outlander. Ainsi, la connectivité Bluetooth et un port USB trouvent leur place à bord. Pas moins de sept coussins de sécurité gonflables protègent les occupants. Quant à la liste d'options, elle est imposante, à commencer par ses tout nouveaux phares à décharge à haute densité et à diffusion large (S-HID). Selon Mitsubishi, ces derniers procurent 35 % plus de luminosité que les phares à haute densité normale. Le système *Keyless Go* permet l'accès au véhicule sans clef, et les modèles à quatre roues motrices peuvent être équipés de sièges chauffants. À noter qu'aucune sellerie de cuir n'est offerte. Un ensemble Premium est aussi proposé. Il comprend un toit panoramique avec éclairage d'ambiance à diodes électroluminescentes et, pour les plus jeunes acheteurs, une chaîne audio Rockford-Fosgate qui comprend huit haut-parleurs et un caisson de grave. Un système de navigation avec disque dur de 40 gigaoctets, qui peut aussi être partiellement utilisé pour stocker de la musique, affiche les données de circulation en temps réel et comprend une caméra de recul ainsi qu'une prise auxiliaire.

[MÉCANIQUE] Pendant que l'Outlander offre un choix de moteurs (à 4 ou à 6 cylindres), le RVR ne reçoit que le moteur de la berline Lancer, soit un 4-cylindres de 2 litres. Cette populaire mécanique en aluminium profite d'une distribution à programme variable sur les deux arbres à cames et produit 148 vigoureux chevaux à 6000 tours par minute ainsi qu'un couple de 145 livres-pieds à 4200 tours. Malgré cette disponibilité maximale de couple à régime élevé, mentionnons que le moteur produit un couple puissant dans toute la plage de régime. La version de base du RVR s'accompagne d'une boîte manuelle à 5 rapports et de la traction. Toutefois, les acheteurs, pour la plupart, se tourneront probablement vers la boîte CVT, offerte en option, elle qui s'accompagne de leviers de sélection au volant. Les versions à boîte CVT, contrairement aux modèles à boîte manuelle, peuvent être jumelées à la traction et à la transmission intégrale. Le système à quatre roues motrices du RVR demeure le plus simple utilisé par Mitsubishi à l'intérieur de ses produits. Ce dernier peut transférer la puissance entre les essieux, selon ce que la situation exige. Et, comme tous les autres systèmes à quatre roues de Mitsubishi, le conducteur a le loisir de conduire le véhicule sur le mode 2RM, ce qui évite le transfert de couple vers l'arrière et maximise du même coup la consommation de carburant.

[COMPORTEMENT] Le levier de vitesses, particulièrement long, se manie bien, tout comme l'embrayage. Le point de friction se ressent aisément, et il est facile de passer les rapports tout en douceur. En réalité, le RVR est plaisant à conduire. Même s'il ne s'agit pas d'un bolide sport, les accélérations sont surprenantes et

> EN RÉALITÉ, LE RVR EST PLAISANT À CONDUIRE. MÊME S'IL NE S'AGIT PAS D'UN BOLIDE SPORT, LES ACCÉLÉRATIONS SONT SURPRENANTES ET PLUS FORTES QUE CE À QUOI ON S'ATTEND D'UN SI PETIT BLOC-MOTEUR.

CONCEPT CX 2007

CONCEPT CX 2007

CONCEPT CX 2007

CONCEPT CX 2007

CONCEPT CX 2007

CONCEPT CX 2007

RVR 2011

A

B

C

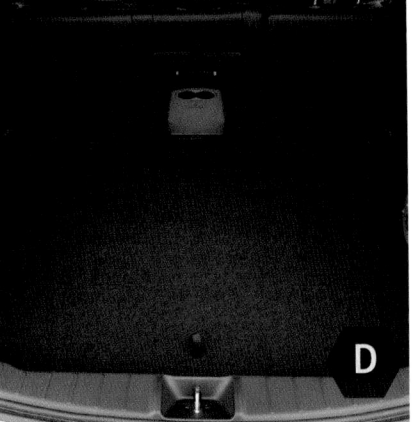

D

E

GALERIE

A L'intérieur manque de gaieté, mais il se révèle ergonomique et bien assemblé. La finition, typiquement japonaise, peut paraître un peu trop «plastique» à un regard européen. Les sièges peuvent être chauffants en option, mais uniquement en tissu, pas de cuir offert dans le RVR.

B Moderne, le RVR offre sous une même enseigne une prise USB, une prise auxiliaire et une prise de 12 volts, question de brancher vos gadgets.

C À l'intérieur, seuls quelques insérés en imitation d'aluminium ou de chrome viennent éclairer un habitacle habillé de noir. Les trois molettes de contrôle du chauffage et le bloc de compte-tours viennent aussi ajouter un soupçon de modernité. Dans tous les cas, la qualité perçue manque de précision, et les matériaux, de consistance.

D Face à la concurrence, ce petit VUS se place bien sur le volume de coffre avec une capacité de 442 litres et peut offrir, une fois les banquettes rabattues, jusqu'à 1 193 litres avec, en prime, une trappe à skis.

E C'est le style du RVR qui va jouer en sa faveur. Des lignes agressives à l'avant, à l'image de l'Outlander et une silhouette arrière est tout aussi incisive avec le même dynamisme dans le dessin des optiques. De profil, le RVR s'assagit avec une large rainure soulignant son côté sport.

plus fortes que ce à quoi on s'attend d'un si petit bloc-moteur. Quant à l'effet de couple, il est admirablement bien contrôlé. À vitesse de croisière, l'habitacle demeure très bien insonorisé. Le mode 4WD, lui, offre l'équilibre entre la consommation et la motricité en favorisant la traction et en envoyant un maximum de 50 % de la puissance aux roues arrière. Quant au mode 4WD Lock, il est plus souple. Il peut envoyer entre 20 et 70 % de la puissance aux roues arrière. Le RVR profite aussi du contrôle de la stabilité, d'une aide au départ en pente et de la répartition électronique de la force de freinage. L'utilisation d'un système à quatre roues motrices plus simple pour le RVR permet d'en réduire le poids. Dans les faits, le RVR affiche 182 kilos de moins que l'Outlander. Grâce à l'utilisation de matériaux légers, comme ce composite de plastique pour les ailes avant, Mitsubishi obtient un poids de 1 383 kilos pour son RVR, soit 45 de moins qu'une berline Lancer. En contrepartie, le jumelage de la transmission intégrale et de la boîte CVT a pour effet de miner les performances du RVR. Et, comme tous les véhicules à moteur à 4 cylindres et à boîte CVT, les passagers ont droit à un concert de bruits peu élogieux en ascension de pente. En matière de consommation, même si Mitsubishi n'a pas encore terminé ses tests, on estime que la consommation du RVR, sur l'autoroute, sera de 7,6 litres aux 100 kilomètres. La combinaison ville-autoroute devrait se solder par une moyenne oscillant autour des 8,4 litres aux 100 kilomètres. La ligne de toit fluide et un coefficient de traînée de 0,32 n'y sont pas étrangers. Pour une première fois, Mitsubishi utilise une servodirection électrique.

[CONCLUSION] Le RVR devrait faire son apparition dans les salles d'exposition cet automne. La concurrence sera forte dans le segment et, ce qui pourrait faire mal à Mitsubishi, c'est le fait de n'offrir qu'une seule motorisation, alors que la clientèle visée, plus jeune, aime bien avoir un peu de puissance sous le pied droit. Heureusement, ces mécaniques existent chez ce constructeur. Rêvons déjà d'une version Ralliart du RVR...

⑤ FICHE TECHNIQUE

· MOTEUR

L4 2,0 l DACT 148 ch à 6000 tr/min
Couple 145 lb-pi à 4200 tr/min

Transmission manuelle à 5 rapports ou automatique à variation continue

0-100 km/h 11,2 s

Vitesse maximale 185 km/h

· AUTRE COMPOSANTES

Sécurité active freins ABS, contrôle électronique de la stabilité, antipatinage, distribution électronique du freinage,

Suspension avant/arrière indépendante

Freins avant/arrière disques

Direction assistance électrique

Pneus   ES : P215/70R16
              SE : P225/55R18

· DIMENSIONS

Empattement 2670 mm

Longueur 4295 mm

Largeur 1770 mm

Hauteur 1631 mm

Poids ES : 1383 kg, **SE** 1415 kg

Diamètre de braquage 10,6 m

Coffre 442 l, 1193 l (sièges abaissés)

Réservoir de carburant 60 l

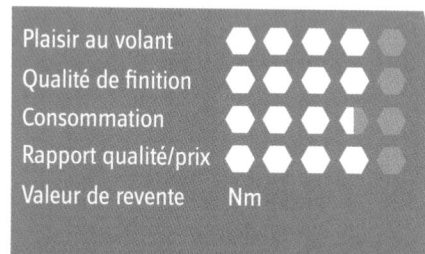

NOTRE VERDICT

Plaisir au volant	⬡⬡⬡⬡⬡
Qualité de finition	⬡⬡⬡⬡⬡
Consommation	⬡⬡⬡⬡⬡
Rapport qualité/prix	⬡⬡⬡⬡⬡
Valeur de revente	Nm

370Z
www.nissan.ca

ÉVOLUTION

N É

J

42 048 $ à 48 548 $
transport et préparation: 1550 $

NISSAN

LA COTE VERTE

MOTEUR
V6 DE 3,7 L

**Consommation
(100km):**
man. 9,7 l
auto. 9,5 l

- **Émissions
polluantes CO2 :**
man. 4752 kg/an
auto 4656 kg/an

- **Empreinte écologique
(nombre d'arbres à
planter par année):**
28

- **Indice d'octane:** 91

- **Autre
motorisation:** non

- **Coût du carburant
moyen par année:**
man. 2218$
auto. 2173$

- **Nombre de
litres par année:**
man. 1980 l
auto. 1940 l

(SOURCE: ÉnerGuide)

SANS CONCESSION

PAR PHILIPPE LAGUË

J'AIME LES VOITURES QUI ONT DE L'HISTOIRE. DES LÉGENDES VIVANTES COMME LA CORVETTE, LA MUSTANG, LA PORSCHE 911, LA MINI COOPER... Du côté des marques japonaises, les classiques sont rares, mais la Nissan Z en fait partie. En 40 ans d'histoire, elle a connu des hauts et des bas, mais depuis sa résurrection, en 2003, elle a retrouvé sa superbe d'antan.

[CARROSSERIE] La 370 Z reprend les grandes lignes de la 350, mais elles sont plus sculptées, plus acérées, avec un faciès plus agressif. La partie arrière, plus bombée, est particulièrement réussie. Et surtout, la silhouette n'a rien perdu de sa grâce : le dessin reste très pur, sans excroissances sur la carrosserie, sinon l'incontournable aileron arrière, heureusement discret. Le cabriolet a autant de gueule que le coupé, mais le bruit du vent à l'intérieur est assourdissant. J'ai dû remonter les fenêtres latérales à plusieurs reprises pour couper le vent.

[HABITACLE] La finition bon marché du modèle précédent était l'une de ses principales lacunes.

Le plastique abondait, et ça craquait de partout. On constate une nette amélioration de la qualité des matériaux, rehaussée par la présence de cuir et de suède. L'insonorisation demeure cependant le maillon faible. Si vous aimez entendre ce que fait votre véhicule, vous allez être servi : le grondement du moteur et les bruits de roulement sont très présents. La présentation intérieure affiche ses couleurs, avec son instrumentation bien garnie et son gros compte-tours en plein centre du tableau du bord : nous sommes bel et bien à bord d'une sportive. Belle ambiance, j'aime ! Toutes les commandes se manipulent aisément et elles brillent par leur simplicité. L'ergonomie est décidément une spécialité japonaise. La position de conduite est idéale, et de longues randonnées m'ont permis d'apprécier les sièges, qui combinent le confort d'une voiture de luxe et le maintien d'un baquet de course.

[MÉCANIQUE] Le V6 de 3,7 litres brille sur tous les plans : bien servi par sa grande plage d'utilisation et sa linéarité, il répond instantanément et il est aussi souple que véloce. Il chante

① FICHE D'IDENTITÉ

- **Versions** Coupé, Coupé Édition 40ième anniversaire, Cabriolet
- **Roues motrices** arrière
- **Portières** 2 **Nombre de passagers** 2
- **Première génération** 1970
- **Génération actuelle** 2009
- **Construction** Tochigi, Japon
- **Sacs gonflables** 6, frontaux et latéraux portières et sièges
- **Concurrence** Audi TT, BMW Z4 et Série 3 coupé, Chevrolet Corvette, Infiniti G37 coupé, Mazda RX-8, Mercedes-Benz SLK, Porsche Boxster / Cayman

② AU QUOTIDIEN

- **Prime d'assurance**
  25 ans: 3000 à 3200 $
  40 ans: 1600 à 1800 $
  60 ans: 1400 à 1600 $
- **Collision frontale** 4/5
- **Collision latérale** 5/5
- **Ventes du modèle de l'an dernier**
  Au Québec 120 Au Canada 567
- **Dépréciation** (1 an) 25,2 %
- **Rappels** (2005 à 2010) aucun à ce jour
- **Cote de fiabilité** 4/5

③ GARANTIES... ET PLUS

- **Garantie générale** 3 ans/60 000 km
- **Garantie motopropulseur** 5 ans/100 000 km
- **Perforation** 5 ans/kilométrage illimité
- **Assistance routière** 3 ans/kilométrage illimité
- **Nombre de concessionnaires**
  Au Québec 50 Au Canada 156

④ NOUVEAUTÉS EN 2011

Une nouvelle couleur, caméra de recul en option avec système de navigation.

FORCES · Modèle qui a un pedigree · Plus belle que jamais · Finition et présentation intérieures · Superbe moteur · Tenue de route athlétique · Moins chères que ses rivales · Et fiable, en plus !

FAIBLESSES · Piètre insonorisation · Bruits de vents à l'intérieur (Roadster) · Boîte manuelle récalcitrante · Roulement très ferme

NISSAN

370Z

fort et juste, avec une voix grave et un brin rauque. Et pour couronner le tout, il consomme de façon très raisonnable. Difficile de lui trouver des défauts.La boîte de vitesses manuelle, par contre, n'est pas parfaite. Le petit levier se manie bien, sa course est courte; mais son guidage imprécis peut occasionner de mauvaises surprises en conduite sportive. Elle peut même être carrément récalcitrante, notamment quand on passe en marche arrière. Une boîte automatique est aussi offerte, avec mode séquentiel et leviers de sélection de chaque côté du volant. Les passages sont ultra rapides et imitent même le pointe-talon, en effectuant la double rétrogradation.

[COMPORTEMENT] Avertissement à ceux qui achètent ce type de voiture juste pour frimer : vous allez souffrir. La 370 Z n'est pas une sportive de salon, mais une véritable athlète et elle fait peu (ou pas) de concessions. Le roulement est ferme, et chaque petite imperfection du revêtement se fait sentir. Si vous voulez plus de confort, optez plutôt pour l'Infiniti G37 en version coupé ou cabriolet. En revanche, la Z est particulièrement douée pour le sport, tant le sprint que le slalom. Tous les ingrédients requis sont là : pas de roulis, une suspension bien ferme et une direction qui l'est tout autant, en plus d'être d'une rare précision. Elle permet d'exploiter au maximum l'agilité de la Z, qui réagit au quart de tour. Dans les virages, son adhérence impressionne, et la caisse reste bien neutre. La Z semble construite toute d'un bloc et, il faut le souligner, le cabriolet perd très peu de sa rigidité.

[CONCLUSION] La Z du XXIᵉ siècle est la plus sportive de l'histoire de ce modèle. Mais c'est une sportive bien de son temps, qui consomme peu et brille par sa fiabilité. Et même si son prix oscille autour des 50 000 dollars, elle demeure une affaire. Comparez avec ses rivales allemandes et vous verrez...

2ᵉ OPINION

DANIEL RUFIANGE À l'exception de la GT-R, bombe roulante pour gens fortunés, la 370Z demeure la sportive par excellence offerte par Nissan et, même, de tout ce qui se fait du côté asiatique. Cette voiture exerce un attrait incroyable partout où elle passe. Il est vrai que ses lignes ne sont rien de moins que spectaculaires. À bord, on a l'impression de prendre place dans un bolide de course, tant en raison de la position de conduite que de la présentation visuelle et de l'instrumentation proposée. Cependant, comme sportive, la Z me laisse sur mon appétit. Cette voiture demeure trop lourde pour être manœuvrée du petit doigt, et son comportement est beaucoup trop sautillant pour être rassurant. Néanmoins, pour le prix, vous mettez la main sur une bagnole qui vous livrera beaucoup de sensations.

⑤ FICHE TECHNIQUE

- **MOTEUR**

V6 3,7 l DACT 332 ch à 7000 tr/min
Couple 270 lb-pi à 5200 tr/min

Transmission manuelle à 6 rapports, automatique à 7 rapports avec mode manuel (option)

0-100 km/h 5,9 s

Vitesse maximale 250 km/h

- **Autres composantes**

Sécurité active freins ABS, antipatinage, contrôle de stabilité électronique,assistance au freinage, distribution électronique de force de freinage
Suspension avant/arrière indépendante

Freins avant/arrière disques

Direction à crémaillère, assistée

Pneus P225/50R18 (av.) P245/45R18 (arr.) option/40ième anni. P245/40R19 (av.) P275/35R19 (arr.)

- **Dimensions**

Empattement 2550 mm

Longueur 4246 mm

Largeur 1848 mm

Hauteur coupé 1315 mm, **cabrio**. 1326 mm

Poids coupé man. 1466 kg coupé auto. 1483 kg **cabrio man.**1586 kg cabrio auto. 1582 kg

Diamètre de braquage jantes 18 po 10,0 m jantes 19 po 10,4 m

Coffre coupé 195 l, **déc.** 116 l

Réservoir de carburant 71,9 l

483

NOS MENTIONS

☺ Modèle recommandé

NOTRE VERDICT

Plaisir au volant	●●●●◖
Qualité de finition	●●●●○
Consommation	●●●○○
Rapport qualité/prix	●●●●○
Valeur de revente	●●●●○

ALTIMA

www.nissan.ca

N ÉVOLUTION É

J

25 298 $ à 34 898 $
transport et préparation: 1500 $

LA COTE VERTE

MOTEUR
L4 DE 2,5 L HYBRIDE

- **Consommation** (100km): 5,8 l
- **Émissions polluantes CO_2 :** 2784 kg/an
- **Empreinte écologique (nombre d'arbres à planter par année):** 16
- **Indice d'octane:** 87
- **Autre motorisation:** non
- **Coût du carburant moyen par année:** 1160 $
- **Nombre de litres par année:** 1160 l

(SOURCE: ÉnerGuide)

 FICHE D'IDENTITÉ

- **Versions** berl. 2.5S, 3.5S, 3.5SR, Hybride coupé 2.5 S, 3.5 SR
- **Portières** 2, 4 **Nombre de passagers** 5
- **Première génération** 1993
- **Génération actuelle** 2007
- **Construction** Canton, Mississippi, Smyrna et Sechard, Tennessee, É.-U.
- **Sacs gonflables** 6 (frontaux, latéraux avant, rideaux latéraux)
- **Concurrence** Chevrolet Malibu, Chrysler Sebring, Honda Accord, Hyundai Sonata, Kia Optima, Mazda6, Subaru Legacy, Toyota Camry, Volkswagen Passat

 AU QUOTIDIEN

- **Prime d'assurance**
  25 ans: 1600 à 1800 $
  40 ans: 1000 à 1100 $
  60 ans: 900 à 1100 $
- **Collision frontale** 4/5
- **Collision latérale** 3/5
- **Ventes du modèle de l'an dernier**
  Au Québec 3375 Au Canada 13 853
- **Dépréciation** 47,9%
- **Rappels** (2005 à 2010) 6
- **Cote de fiabilité** 3/5

 GARANTIES... ET PLUS

- **Garantie générale** 3 ans/60 000 km
- **Garantie motopropulseur** 5 ans/100 000 km
- **Perforation** 5 ans/kilométrage illimité
- **Assistance routière** 3 ans/kilométrage illimité
- **Nombre de concessionnaires**
  Au Québec 50 Au Canada 156

4 NOUVEAUTÉS EN 2011

- Jantes redessinées, calandre de la version Hybride redessinée, nouvelles couleurs
- Caméra de recul avec 2.5 S SL et 3.5 SR groupe cuir

LA CONCURRENCE A PRIS LES DEVANTS

PAR DANIEL RUFIANGE

L'ALTIMA ŒUVRE À L'INTÉRIEUR D'UN CRÉNEAU HAUTEMENT POPULAIRE, CELUI DES BERLINES INTERMÉDIAIRES. Les Honda Accord, Toyota Camry, Ford Fusion, Chevrolet Malibu et Subaru Legacy sont des rivales féroces, compétentes et plus récentes auxquelles doit se mesurer l'Altima. En conséquence, le succès n'est pas assuré. Il faut appliquer la maxime qu'on nous répète sans cesse dans les publicités de Nissan : la recette du gros bon sens. À la lumière des ventes de l'Altima, Nissan semble posséder un bon chef cuisinier. Mais, en vérité, est-ce que l'Altima est toujours dans le coup, même si elle entreprend une cinquième année dans sa configuration actuelle ?

[CARROSSERIE] Certaines voitures vieillissent très rapidement. C'est souvent le cas quand le design est raté. Dans le cas de l'Altima, c'est mi-figue, mi-raisin. L'ensemble me plaît, c'est-à-dire le profil, la forme générale du bolide et ses dimensions. En contrepartie, les phares grim-pants, la tristounette calandre et les passages d'ailes à flanc plat, c'est moins heureux. Quant au coupé, il a fière allure, mais ça s'arrête là! L'Altima est toujours offerte en quatre versions soit 2.5S, 3.5S, 3.5SR et Hybride. Du lot, la 2.5S me semble la meilleure offre qualité/prix. Il est tout à l'honneur de Nissan d'offrir tous ces modèles pour moins de 26 000 $ en configuration de base. L'exception : la version hybride, offerte trop chère pour être rapidement rentable.

[HABITACLE] L'intérieur des produits Nissan a longtemps été le talon d'Achille de l'entreprise. Depuis quelques années, Nissan travaille à améliorer la situation. Ce qui est certain, c'est que le constructeur va dans la bonne direction. Cependant, il reste fort à faire pour en arriver aux standards établis par la concurrence. Surtout, c'est la qualité d'assemblage qui soulève mes craintes. Il n'est pas rare d'entendre des bruits de caisse sur des modèles n'affichant que quelques milliers de kilomètres au compteur. Désolant. Pour

FORCES · Qualité de finition en progression · Consommation de carburant · Agrément de conduite (berline) · Interface audio conviviale · Moteur V6 de 3,5L

FAIBLESSES · Visibilité réduite à bord du coupé · Effet de couple (coupé) · Accès aux places arrière (coupé)

le reste, sur le plan visuel, la présentation est dynamique. Le confort des sièges est très acceptable même si des baquets plus enveloppants seraient de mise. À l'arrière, l'espace est plus restreint. Un très bon mot pour la surface vitrée de l'Altima qui n'exige pas la prise de risques inutiles lors de changements de voies. Une recette à conserver.

[MÉCANIQUE] S'il y a une force sur laquelle Nissan peut tabler, c'est bien celle de ses moteurs. Ça commence avec le moteur à 4 cylindres de 2,5 litres qui siège depuis une éternité à l'intérieur de l'Altima. Frugal, performant, souple, relativement silencieux, on ne peut pas lui reprocher grand-chose, si ce n'est qu'il est jumelé à une boîte de vitesses automatique CVT. Que voulez-vous, ces dernières ne se marient pas bien au type de conduite que j'aime préconiser. Cependant, je reconnais que, pour la consommation de carburant, elles sont sur la coche, comme le dit l'expression québécoise. Heureusement, une boîte manuelle à 6 rapports est également proposée. Puis, il y a l'autre sempiternel moteur qu'on retrouve à bord des produits Nissan, le V6 de 3,5 litres. Ce moteur est un bijou en soi. Sa puissance est impressionnante et transforme l'Altima en petite bombe. Quant à la version hybride, l'emprunt à la technologie Toyota est une solution temporaire qui relève plus des relations publiques qu'autre chose.

[COMPORTEMENT] En version berline, l'Altima offre une conduite plus dynamique qu'une Camry, mais en conduisant ce que propose la concur-

rence, on réalise que l'Altima prend de l'âge. Quant à la version coupé, un aller-retour Montréal-Québec aura tôt fait de me convaincre que cette dernière manque de raffinement. Sa suspension sèche amplifie l'effet ressenti sur chaque cahot, et la visibilité à bord est atroce. Dans le style, l'Accord coupé de Honda est un moindre mal.

[CONCLUSION] Oui à l'Altima hybride, mais en version de base. Pourquoi ? Parce que la concurrence offre des produits plus récents et mieux conçus. Rien n'est perdu pour Nissan, toutefois, car les ventes de son Altima sont excellentes. Cependant, l'arrivée d'une prochaine génération commence à presser.

2ᵉ OPINION

MICHEL CRÉPAULT Modèle-phare comme la Camry ou l'Accord, l'Altima a continuellement d'ailleurs ses deux rivales dans sa mire. Comment s'en démarquer ? Non pas en la déclinant en berline, en coupé et en version hybride puisque la concurrence le fait aussi. L'Altima y parvient surtout en insufflant à sa mécanique un comportement sportif dont se tient loin la Camry et avec lequel se contente de flirter l'Accord. Les autres qualités, essentiellement japonaises (bien que diluées au moment du rapprochement avec Nissan), font plaisir : matériaux choisis, finition méticuleuse, ergonomie songée. Le coupé a de la gueule a défaut d'offrir de l'espace pour les genoux à l'arrière. L'hybride améliore une cote de consommation déjà raisonnable. Et la berline, bien équipée, n'est jamais ennuyeuse. Une valeur sûre.

 FICHE TECHNIQUE

- **MOTEURS**
- **(2.5S)**

L4 2,5 l DACT, 175 ch à 5600 tr/min	
Couple 180 lb-pi à 3900 tr/min	
Transmission manuelle à 6 rapports, CVT (en option)	
0-100 km/h 8,8 s	
Vitesse maximale 190 km/h	
Consommation (100 km)	
man. 7,5 l **CVT.** 7,6 l (octane 87)	

- **(3.5S et SR)**

V6 3,5 l DACT, 270 ch à 6000 tr/min	
Couple 258 lb-pi à 4400 tr/min	
Transmission manuelle à 6 rapports (coupé), automatique à variation continue (en option sur coupé, de série sur berline)	
0-100 km/h 7,4 s	
Vitesse maximale 215 km/h	
Consommation (100 km)	
man. 9,4 l **CVT.** 9,2 l (octane 91)	

- **(Hybride)**

L4 2,5 l DACT, 158 ch à 5200 tr/min	
Couple 162 lb-pi à 2800 tr/min	
(moteur électrique 105 kw et 199 lb-pi)	
Transmission automatique à variation continue	
0-100 km/h 8,0 s	
Vitesse maximale 200 km/h	

- **AUTRES COMPOSANTES**

Sécurité active freins ABS, assistance au freinage, distribution électronique de force de freinage, antipatinage
Suspension avant/arrière indépendante
Freins avant/arrière disques
Direction à crémaillère, assistée
Pneus P215/60R16
3.5SR P215/55R17 **3.5 SR coupé** P235/45R18

- **DIMENSIONS**

Empattement 2776 mm **coupé** 2675 mm
Longueur 4821 mm **coupé** 4636 mm
Largeur 1796 mm
Hauteur 1471 mm **coupé** 1405 mm
Poids 2.5 S man. 1437 kg **2.5 S auto.** 1457 kg
3.5 S 1526 kg **3.5 SR** 1545 kg **Hybrid** 1583 kg
coupé 2.5 S man. 1404 kg
coupé 3.5 SR man. 1496 kg
Diamètre de braquage
S 10,6 m **coupé SE** 11,0 m
Coffre 371 l **coupé** 210 l **hybride** 218 l
Réservoir de carburant 76 l

NOS MENTIONS

 Modèle recommandé

NOTRE VERDICT

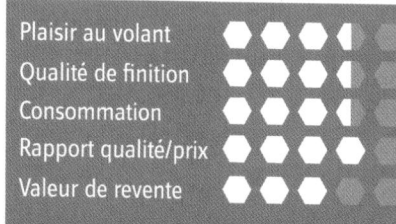

Plaisir au volant	●●●○○
Qualité de finition	●●●●○
Consommation	●●●○○
Rapport qualité/prix	●●●○○
Valeur de revente	●●●○○

ARMADA

www.nissan.ca

ÉVOLUTION

N — É
J

56 988 $
transport et préparation: 1590 $

NISSAN

LA COTE VERTE

MOTEUR
V8 DE 5,6 L

- **Consommation** (100km): 14,4 l
- **Émissions polluantes CO₂ :** 7056 kg/an
- **Empreinte écologique** (nombre d'arbres à planter par année): 45
- **Indice d'octane:** 87
- **Autre motorisation:** non
- **Coût du carburant moyen par année:** 2940 $
- **Nombre de litres par année:** 2940 l

(SOURCE: ÉnerGuide)

---

① FICHE D'IDENTITÉ

- **Versions** Édition Platine
- **Roues motrices** 4
- **Portières** 4 **Nombre de passagers** 7, 8
- **Première génération** 2004
- **Génération actuelle** 2004
- **Construction** Canton, Mississippi, É.-U.
- **Sacs gonflables** 6 (frontaux, latéraux avant, rideaux latéraux)
- **Concurrence** Chevrolet Tahoe/Suburban, Ford Expedition, GMC Yukon/Yukon XL, Toyota Sequoia

② AU QUOTIDIEN

- **Prime d'assurance**
  25 ans: 2300 à 2500 $
  40 ans: 1300 à 1500 $
  60 ans: 1100 à 1300 $
- **Collision frontale** 4/5
- **Collision latérale** 4/5
- **Ventes du modèle de l'an dernier**
  Au Québec 22 Au Canada 196
- **Dépréciation** 50,2%
- **Rappels** (2005 à 2010) 6
- **Cote de fiabilité** 4/5

③ GARANTIES... ET PLUS

- **Garantie générale** 3 ans/60 000 km
- **Garantie motopropulseur** 5 ans/100 000 km
- **Perforation** 5 ans/kilométrage illimité
- **Assistance routière** 3 ans/kilométrage illimité
- **Nombre de concessionnaires**
  Au Québec 50 Au Canada 156

④ NOUVEAUTÉS EN 2011

- Option d'une disposition à 8 passagers
- Une nouvelle couleur.

REMÈDE À LA CLAUSTROPHOBIE

PAR BENOIT CHARETTE

SI J'AVAIS EU À PARIER SUR UN MODÈLE QUI AURAIT ÉTÉ VICTIME DE LA FLAMBÉE DES PRIX DU CARBURANT, L'ARMADA AURAIT FAIT PARTIE DE MA LISTE. Il s'est vendu au Québec en 2008 (année de la plus récente remise à niveau) 12 Armada. Je croyais bien que les carottes étaient cuites. Eh bien non, 22 ventes au Québec en 2009. Comment expliquer ce soudain intérêt ? On en a coupé le prix de presque 10 000 $ pour un modèle complètement équipé. Cela devenait une bonne affaire.

[CARROSSERIE] Le style est un mélange de touches modernes et d'attributs propres aux gros utilitaires. La version Platinum, seul modèle offert au Canada, offre des touches de chrome sur la calandre et les poignées de portes avant. Construit sur le châssis de la camionnette Titan, l'Armada fait osciller l'aiguille de la balance à 2 600 kilos et il peut trimer dur au besoin avec une capacité de remorquage de plus de 4000 kilos. Les concepteurs de Nissan ont bien tenté avec quelques traits un peu maladroits de camoufler le format de l'Armada; on ne peut pas dire que ce soit mission accomplie.

[HABITACLE] Pour environ 55 000 $, vous avez un utilitaire avec tout ce qu'il vous faut. Du système de clé intelligente aux sièges de cuir chauffants avec surpiqué de couleur contrastante, Nissan a pensé à tout. La caméra de recul côtoie le système de connectivité Bluetooth et l'excellente chaîne audio Bose à 11 haut-parleurs. Les sièges de la 3e banquette et le hayon se rabattent électriquement. En fait, il y a une seule option. Pour 3 000 $ de plus, l'ensemble technologie offre un système de navigation avec écran tactile, une mémoire de 9,3 gigaoctets pour votre musique et vos vidéos, un système de reconnaissance vocale et une prise USB. Au chapitre de l'aménagement, il y certains appartements plus petits que cela à Montréal, il y a de l'écho tellement c'est grand.

[MÉCANIQUE] L'Armada tire sa puissance du gros

FORCES · Châssis rigide · Excellente mécanique · Conduite confortable · De l'espace à revendre

FAIBLESSES · Soif de carburant incroyable · Freins sensibles · Trop gros pour la majorité des garages

V8 baptisé « Endurance ». Le 5,6-litres produit 317 chevaux qui passent par une boîte de vitesses automatique à 5 rapports. Au nord du 49e parallèle, seule la version à 4 roues motrices est offerte, et c'est très bien comme cela. Il faut savoir une chose importante avant de faire l'achat d'un Armada. Ce mastodonte boit du pétrole à une vitesse qui donne le vertige. Si vous avez à voyager avec plusieurs passagers ou, pire, à remorquer une charge, vous dépasserez les 20 litres aux 100 kilomètres, soyez prévenu.

[COMPORTEMENT] Grâce à une suspension à double triangulation et au soutien d'une suspension pneumatique à l'arrière, l'Armada est surprenant de confort et assez agile, considérant son format. Inutile de vous dire que le rayon de braquage est pratiquement celui d'un semi-remorque, ce qui rend son utilisation hasardeuse dans les espaces plus restreints. L'accélération est prompte et surprend les premières fois que vous accélérez franchement. Il préfère de loin les longs trajets rectilignes aux balades sinueuses, ce qui évite le mal de mer au passager. Côté freinage, il faut s'habituer, il est sec, un peu trop même. Il n'y a pas de progression, il accroche subitement et rapidement. Cela dit, son efficacité n'est pas remise en cause.

[CONCLUSION] Si vous avez un solide, très solide budget de carburant et si vous êtes en mesure de justifier l'utilisation d'un véhicule qui peut accueillir jusqu'à huit personnes, l'Armada est un bon choix. La tenue de route est bonne, le confort à la hauteur des attentes, et la qualité des matériaux s'est constamment améliorée depuis sa refonte de 2008. De plus la liste d'équipements de série est très complète. Tout cela à meilleur prix qu'avant. Dernier point, et non le moindre, ceux qui souffrent de claustrophobie risquent d'être heureux, l'Armada est vraiment très gros.

2ᵉ OPINION

DANIEL RUFIANGE Incroyable, mais vrai. Les ventes du Nissan Armada ont pratiquement doublé en 2009 par rapport à 2008. Voilà un signe patent que le prix du carburant a une incidence inversement proportionnelle sur les ventes de VUS assoiffés comme l'Armada. Ce VUS titanesque repose sur le châssis de la Nissan Titan, ce qui en fait un utilitaire robuste et capable de tracter les pires charges. À bord, le confort est impérial, et l'espace, incalculable. Sur la route, on a l'impression de piloter un autobus, et quand on fait marche arrière, si ce n'était de la caméra de recul, on aurait besoin de contrôleurs aériens pour garer l'Armada en toute sécurité. La qualité du véhicule n'est pas en cause ici, mais est-ce que chacun des propriétaires d'Armada a besoin d'un aussi gros véhicule ?

⑤ FICHE TECHNIQUE

· MOTEUR
V8 5,6 l DACT, 317 ch à 5200 tr/min
Couple 385 lb-pi à 3400 tr/min
Transmission automatique à 5 rapports
0-100 km/h 7,5 s
Vitesse maximale 180 km/h

· AUTRES COMPOSANTES
Sécurité active freins ABS, assistance au freinage, distribution électronique de force de freinage, contrôle de stabilité, antipatinage
Suspension avant/arrière indépendante
Freins avant/arrière disques
Direction à crémaillère, assistée
Pneus P265/60R20

· DIMENSIONS
Empattement 3130 mm
Longueur 5255 mm
Largeur 2001 mm
Hauteur 1998 mm
Poids 2609 kg
Diamètre de braquage 12,5 m
Coffre 566 l, 2750 l (sièges abaissés)
Réservoir de carburant 105 l
Capacité de remorquage 4082 kg

NOTRE VERDICT

Plaisir au volant	●●●◗○
Qualité de finition	●●●◗○
Consommation	●○○○○
Rapport qualité/prix	●◗○○○
Valeur de revente	●●◗○○

CUBE

www.nissan.ca

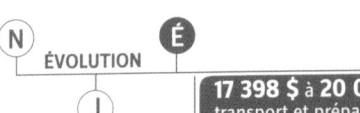

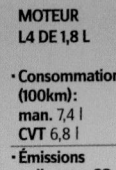

17 398 $ à 20 098 $
transport et préparation: 1385 $

LA COTE VERTE

MOTEUR
L4 DE 1,8 L

- **Consommation (100km):**
man. 7,4 l
CVT 6,8 l
- **Émissions polluantes CO_2:**
man. 3404 kg/an
CVT 3174 kg/an
- **Empreinte écologique (nombre d'arbres à planter par année):** 20
- **Indice d'octane:** 87
- **Autre motorisation:** non
- **Coût du carburant moyen par année:**
man. 1480 $
CVT 1380 $
- **Nombre de litres par année:**
man. 1480 l
CVT 1380 l

(SOURCE: ÉnerGuide)

1 FICHE D'IDENTITÉ

- **Versions** 1.8 S, 1.8 SL, 1.8 Kröm
- **Roues motrices** avant
- **Portières** 5 **Nombre de passagers** 5
- **Première génération** 2009
- **Génération actuelle** 2009
- **Construction** Aguascalientes, Mexique
- **Sacs gonflables** 6, frontaux, latéraux
- **Concurrence** Kia Soul, Scion Xb

2 AU QUOTIDIEN

- **Prime d'assurance**
25 ans : 1900 à 2100 $
40 ans : 1000 à 1100 $
60 ans : 800 à 1000 $
- **Collision frontale** nd
- **Collision latérale** nd
- **Ventes du modèle de l'an dernier**
Au Québec 779 **Au Canada** 2416
- **Dépréciation (1 an)** 31,0 %
- **Rappels (2005 à 2010)** 1
- **Cote de fiabilité** nd

3 GARANTIES... ET PLUS

- **Garantie générale** 3 ans/60 000 km
- **Garantie motopropulseur** 5 ans/100 000 km
- **Perforation** 5 ans/kilométrage illimité
- **Assistance routière** 3 ans/kilométrage illimité
- **Nombre de concessionnaires**
Au Québec 50 **Au Canada** 156

4 NOUVEAUTÉS EN 2011

- Ajout de l'édition Kröm
- Radio Sirius sur la version Kröm

L'INQUIÉTANTE ÉTRANGETÉ

PAR FRANCIS BRIÈRE

NOUS SOMMES À L'ÈRE DES VÉHICULES CUBIQUES. SCION ARRIVE AU PAYS, ET KIA OFFRE LE SOUL DEPUIS QUELQUE TEMPS DÉJÀ. Nissan suit la cadence asiatique avec son Cube, dont la première génération a vu le jour en 1998, au Japon. Le véhicule a sensiblement évolué depuis, et le constructeur japonais propose un produit original qui vaut le détour. Il s'agit d'une bonne offrande sur le marché dans cette catégorie. Évidemment, il faut aimer. C'est peut-être la raison pour laquelle Nissan risque gros avec le Cube.

[CARROSSERIE] Plus petit qu'il n'en a l'air, le Cube est basé sur la plateforme de la Versa. En observant cet objet étrange de l'extérieur, on pourrait jurer qu'il est bien plus gros. Pourtant non, il s'agit bien d'un véhicule dont les dimensions correspondent à celles des sous-compactes. L'arrière asymétrique le distingue des autres produits du genre, de même que ses coins arrondis. La livrée Krom propose des garnitures de carrosserie chromées, des jantes en aluminium de 16 pouces reluisantes et une partie avant plus stylée.

Le Cube devient un objet de curiosité en raison de sa conception audacieuse. En revanche, certains tombent sous le charme de cette silhouette. Autre distinction : l'ouverture du coffre qui s'effectue latéralement. Si cet espace de rangement paraît petit, on a prévu un plancher abaissé pour offrir plus de volume.

[HABITACLE] Aussi particulier que la silhouette, l'intérieur du Cube offre des sièges relativement confortables, une planche de bord tout en courbes et du luxe selon la livrée. Vous obtenez, avec le modèle SL, des options comme les commandes au volant pour la chaîne audio, une prise compatible pour iPod, la climatisation automatique, un volant gainé de cuir et une clé intelligente. La livrée Kröm en offre plus, dont une chaîne audio Rockford Fosgate à six haut-parleurs et caisse d'extrêmes graves à défoncer les tympans, des garnitures intérieures de couleur titane, un éclairage gadget à vingt couleurs pour ajouter un peu d'ambiance à votre expérience de conduite.

FORCES · Silhouette originale · Confort surprenant · Moteur économique · Habitacle généreux

FAIBLESSES · Tenue de route ordinaire · Boîte CVT détestable · Modèle de curiosité

[MÉCANIQUE] Nissan compte sur son petit 4-cylindres de 1,8 litre pour mener le Cube à bon port. Cet engin n'est pas mauvais du tout, il offre des performances correctes et une économie de carburant appréciable. En revanche, la boîte de vitesses manuelle à 6 rapports n'est offerte que sur le modèle S. Vous devrez vous contenter alors de la détestable boîte CVT qui fait bien pour réduire la consommation, mais qui rend la conduite triste à mourir.

[COMPORTEMENT] Si vous comparez le comportement du Cube à celui d'un Kia Soul, la différence saute aux yeux : Nissan propose un véhicule beaucoup plus confortable. On se croirait à bord d'une limousine, alors que la suspension sèche et les sièges durs du Soul rendent la vie pénible aux occupants. Au volant d'un Cube, on n'éprouve guère la passion de conduire, mais on se plaît à manœuvrer le petit véhicule dans les espaces urbains, pour aller faire des courses ou reconduire les enfants à l'école. Si vous prévoyez régulièrement des trajets sur l'autoroute, ce véhicule n'est pas pour vous. Son petit empattement et son centre de gravité trop haut ne vous donneront pas satisfaction. De plus, la direction manque de précision et de fermeté pour une tenue de cap sûre. Il s'agit d'un produit conçu pour les citadins avant tout.

[CONCLUSION] J'ai demandé à un collègue quelle était son appréciation du Nissan Cube. Il m'a répondu « je ne suis pas capable de regarder cette chose. » Si vous partagez son opinion, il y a peu de chances que vous achetiez ce véhicule.

Par contre, d'autres le trouveront tellement laid qu'ils éprouveront une certaine sympathie à son endroit. Peut-être même le trouverez-vous beau? Chose certaine, une silhouette qui plaît a plus de chances d'attirer les acheteurs potentiels. En ce qui concerne le Cube, les avis sont partagés.

2ᵉ OPINION

DANIEL RUFIANGE Ma semaine d'essai au volant d'un Cube demeurera gravée à jamais dans ma mémoire. Non, ce n'est pas pour l'expérience de conduite qui, soit dit en passant, n'a rien de désagréable. C'est plutôt pour l'expérience psychosociale et sensorielle vécue. À certains feux de circulation, on me regardait comme si j'étais atteint d'un débalancement hormonal : « Vous n'avez pas acheté ça pour vrai, Monsieur ? », semblait me chuchoter le regard des curieux. En d'autres moments, j'ai eu l'impression de communiquer avec mes semblables. Car, des amateurs de Cube, il y en a. Ceux qui s'affirment et s'en portent acquéreur clament fièrement leur unicité. Chose certaine, le Cube est différent, tant à l'intérieur qu'à l'extérieur. C'est ce qui fait son charme.

⑤ FICHE TECHNIQUE

· MOTEUR

· (1.8S, 1.8 SL, 1,8 Kröm)
L4 1,8 l DACT 122 ch à 5200 tr/min
Couple 127 lb-pi à 4800 tr/min
Transmission manuelle à 6 rapports, automatique à variation continue (option sur 1,8 S)
0-100 km/h 10,0 s
Vitesse maximale 185 km/h

· AUTRES COMPOSANTES
Sécurité active freins ABS, répartition électronique de force de freinage, assistance au freinage
Suspension avant/arrière indépendante/ essieu rigide
Freins avant/arrière disques/tambours
Direction à crémaillère, assistée
Pneus 1.8 S P195/60R15;
1.8 SL, Kröm P195/55R16

· DIMENSIONS
Empattement 2530 mm
Longueur 3980 mm, **Krom** 4000 mm
Largeur 1695 mm
Hauteur 1650 mm
Poids 1.8 S man. 1270 kg, **1.8 SL** 1291 kg, **Kröm** 1302 kg
Diamètre de braquage 10,0 m
Coffre hayon 323 l, 1645 l (sièges abaissés),
Réservoir de carburant 50 l

NOS MENTIONS

☺ Modèle recommandé

NOTRE VERDICT

Plaisir au volant	⬡⬡⬡⬡⬡
Qualité de finition	⬡⬡⬡⬡⬡
Consommation	⬡⬡⬡⬡⬡
Rapport qualité/prix	⬡⬡⬡⬡⬡
Valeur de revente	⬡⬡⬡⬡⬡

NISSAN

FRONTIER
www.nissan.ca

ÉVOLUTION
N É
J

23 298 $ à 41 098 $
transport et préparation: 1440 $

LA COTE VERTE

MOTEUR
L4 DE 2.5 L

- **Consommation (100km):**
  man. 9,7 l
  auto. 10,9 l
- **Émissions polluantes CO_2 :**
  man. 4508 kg/an
  auto. 5060 kg/an
- **Empreinte écologique (nombre d'arbres à planter par année):** 28
- **Indice d'octane:** 87
- **Autre motorisation:** non
- **Coût du carburant moyen par année:**
  man. 1960 $
  auto. 2200 $
- **Nombre de litres par année:**
  man. 1960 l
  auto. 2200 l

(SOURCE: ÉnerGuide)

490

 FICHE D'IDENTITÉ

- **Versions** S, SV, SV 4RM, SL 4RM (cabine double), PRO-4X 4RM
- **Roues motrices** 2, 4
- **Portières** 4 **Nombre de passagers** 4 ou 5
- **Première génération** 1998
- **Génération actuelle** 2005
- **Construction** Smyrna, É.-U.
- **Sacs gonflables** 6 (frontaux, latéraux avant et rideaux latéraux)
- **Concurrence** Chevrolet Colorado, Dodge Dakota, Ford Ranger, GMC Canyon, Honda Ridgeline, Toyota Tacoma

 AU QUOTIDIEN

- **Prime d'assurance**
  25 ans: 1400 à 1600 $
  40 ans: 1000 à 1200 $
  60 ans: 800 à 1000 $
- **Collision frontale** 4/5
- **Collision latérale** 5/5
- **Ventes du modèle de l'an dernier**
  Au Québec 309 **Au Canada** 1649
- **Dépréciation** 57,1 %
- **Rappels** (2005 à 2010) 8
- **Cote de fiabilité** 4/5

 GARANTIES... ET PLUS

- **Garantie générale** 3 ans/60 000 km
- **Garantie motopropulseur** 5 ans/100 000 km
- **Perforation** 5 ans/kilométrage illimité
- **Assistance routière** 3 ans/kilométrage illimité
- **Nombre de concessionnaires**
  Au Québec 50 **Au Canada** 156

 NOUVEAUTÉS EN 2011

- Nouvelle désignation des versions

LE JUSTE MILIEU

PAR BENOIT CHARETTE

EST-CE LE PRIX DU CARBURANT, LES RABAIS ACCORDÉS À L'ACHAT, LA PERSÉVÉRANCE OU PEUT-ÊTRE UN PEU TOUTES CES RÉPONSES, MAIS LES VENTES DU FRONTIER ONT REPRIS UN PEU DU POIL DE LA BÊTE DEPUIS L'AN DERNIER. Il est vrai que les camions de format plus modeste se font rares, et ceux qui sont mus par un 4-cylindres en guise de motorisation de base, encore plus rares.

[CARROSSERIE] Le design d'un camion laisse très peu de place à l'imagination, il faut dessiner une cabine et une boîte de formats variables; les contraintes sont nombreuses, et le cahier des charges, très rigide. Malgré tout, Nissan est parvenue, en utilisant la même plateforme que le gros Titan, à donner quelques allures de voitures dans les courbes du toit et certains traits d'utilitaire dans les contours de custode. La calandre chromée ajoute une touche de classe. Ce n'est plus la petite camionnette de la fin des années 90, mais le Frontier représente un excellent compromis dans son format.

[HABITACLE] Encore une fois ici, rien de compliqué; la disposition du tableau est inversement proportionnelle à la piètre qualité des matériaux utilisé. L'espace est généreux, surtout sur les versions à cabine double, les commandes sont bien placées et d'utilisation intuitive. Cette camionnette est d'abord conçue pour travailler, et, si vous êtes prêt à pardonner l'ambiance un peu spartiate des lieux, vous trouverez, en revanche, beaucoup d'espaces de rangement bien pensés et des sièges au confort acceptable.

[MÉCANIQUE] Avec le Ford Ranger et le Toyota Tacoma, le Frontier est le seul camion à vous offrir un moteur à 4 cylindres sur le modèle de base. C'est le même 2,5-litres qu'on retrouve dans nombre de produits Nissan. Il offre 152 chevaux qui seront suffisants pour les petits travaux autour de la maison et pour le transport d'objets encombrants. Vous pouvez même choisir une version à deux roues motrices qui ramène la consommation moyenne sous la barre des 10 litres aux 100 kilomètres. Si vous avez du travail un peu plus sérieux, le V6 de 4 litres, qu'on trouve égale-

FORCES • Un style sympathique • Une version à cabine double spacieuse • Un bon moteur V6 • Prés de 3000 kilos de capacité de remorquage

FAIBLESSES • Intérieur bon marché des modèles de base • Manque d'insonorisation • Version avec boîte allongée manquante

ment dans le Xterra et le Pathfinder, vous sera plus utile. Avec ses 261 chevaux, il peut traîner jusqu'à 2950 kilos et vient dans une belle variété de configurations de boîtes et de cabines. Vous avez le choix entre une récalcitrante boîte de vitesses manuelle à 5 rapports pour le 4-cylindres ou à 6 rapports pour le V6. Personnellement, j'irais vers la boîte automatique à 5 rapports qui offre un mariage plus heureux.

[COMPORTEMENT] Depuis sa dernière refonte en 2005, le comportement du Frontier s'est nettement amélioré. Cette bonne tenue est redevable au châssis F-Alpha qui offre une excellente rigidité. La conduite, spécialement sur les modèles à cabine double, est confortable. La suspension est un peu sèche, surtout quand vous roulez léger, mais le tout demeure à l'intérieur des limites du tolérable. Pour ceux qui veulent jouer les aventuriers, la version Pro 4X est équipée pour vous faire passer un mauvais quart d'heure. La suspension Bilstein, le différentiel autobloquant et la protection des organes vitaux sous la camionnette vous assure des heures de plaisir. Il est tout de même conseillé de vous munir d'un câble et d'un treuil à l'avant juste au cas où.

[CONCLUSION] Les Anglais disent : « *What you see is what you get* .» C'est un adage qui s'applique très bien au Frontier. Vous obtenez exactement ce que vous voyez. C'est la camionnette du juste milieu qui, en version à cabine double, offre des atouts proches des camionnettes pleine grandeur; pour ce qui est du modèle format régulier avec cabine simple, elle offrira ce que recherchent

ceux qui veulent un véhicule pratique pour transporter de tout. Le seul problème derrière cette bonne idée est de bien la vendre. Les compromis ont toujours la vie dure, et Nissan cherche encore la bonne formule pour plaire à plusieurs groupes cibles. Le fabricant possède le bon produit, mais pas la bonne approche.

2ᵉ OPINION

DANIEL RUFIANGE Dans le segment des camionnettes intermédiaires, le Nissan Frontier fait figure de parent pauvre. Ses chiffres de ventes ne sont pas très intéressants. C'est dommage car cette petite camionnette est la preuve que Nissan a toute la compétence nécessaire pour produire de bonnes camionnettes. La recette du Frontier est simple : un bon châssis, un bon moteur, un habitacle spacieux et une boîte revêtue d'un enduit protecteur et munie de rails qui facilitent l'arrimage du matériel. Pourquoi alors est-elle boudée par la clientèle ? Pour comprendre, il faut regarder du côté de la concurrence, mais aussi du prix. Une version bien équipée du Frontier vous allégera de 40 000 $. Franchement, à ce prix, pourquoi ne pas opter pour une camionnette pleine grandeur, dites-le moi !

⑤ FICHE TECHNIQUE

- **MOTEURS**

(S)
L4 2,5 l DACT 152 ch à 5200 tr/min
Couple 171 lb-pi à 4400 tr/min
Transmission manuelle à 5 rapports, automatique à 5 rapports (option)
0-100 km/h 10,9 s **Vitesse maximale** 175 km/h

- **(SV, SL, PRO-4X)**
V6 4,0 l DACT 261 ch à 5600 tr/min
Couple 281 lb-pi à 4000 tr/min
Transmission manuelle à 6 rapports, automatique à 5 rapports en option sur **Pro-4X/SV King Cab.** et **SV cab. double** de série pour les autres modèles
0-100 km/h man. 8,6 s **auto** 9,0 s
Vitesse maximale 190 km/h
Consommation (100 km) 2RM auto. 12,0 l
4RM man. 12,1 l **4RM auto.** 12,6 l (octane 87)
Émissions de CO_2 2RM auto. 5658 kg/an
4RM man 5658 kg/an **4RM auto.** 5888 kg/an
Litres par année 2RM auto. 2460
4RM man. 2460 l **4RM auto.** 2560 l
Coût par an 2RM auto. 2460 $
4RM man. 2460 $ **4RM auto.** 2560 $
Empreinte écologique 34 arbres

- **AUTRES COMPOSANTES**
Sécurité active freins ABS, antipatinage (V6), contrôle de stabilité électronique (V6)
Suspension avant/arrière indépendante/essieu rigide
Freins avant/arrière disques
Direction à crémaillère, assistée
Pneus S P235/75R15 option **S/SV** P265/70R16
PRO-4X P265/75R16 **SL** P265/60R18

- **DIMENSIONS**
Empattement 3200 mm
cab. double boîte longue 3554 mm
Longueur 5220 mm
cab. double boîte longue 5574 mm
Largeur 1850 mm
Hauteur 1745 à 1879 mm
Poids 1683 à 2121 kg
Diamètre de braquage auto 13,2 m **man.** 13,3 m
Réservoir de carburant 80 l
Capacité de remorquage 1588 kg à 2950 kg

NOTRE VERDICT

Plaisir au volant	●●●●○
Qualité de finition	⬡⬡⬡⬡○
Consommation	⬡⬡⬡⬡⬡
Rapport qualité/prix	⬡⬡●●●
Valeur de revente	○●●●○

GT-R

www.nissan.ca

ÉVOLUTION

99 500 $ (2011)
transport et préparation: 2200 $

NISSAN

LA COTE VERTE

MOTEUR
V6 DE 3,8 L

- **Consommation**
(100km):
man. 11,7 l
- **Émissions**
polluantes CO_2 :
5474 kg/an
- **Empreinte écologique**
(nombre d'arbres
planter par année): 34
- **Indice d'octane:** 91
- **Autre**
motorisation: non
- **Coût du carburant**
moyen par année:
2666 $
- **Nombre de**
litres par année:
2380 l

(SOURCE: ÉnerGuide)

① FICHE D'IDENTITÉ

- **Versions** Base
- **Roues motrices** 4 **Nombre de passagers** 4
- **Portières** 2
- **Première génération** 1969
- **Génération actuelle** 2009
- **Construction** Tochigi, Japon
- **Sacs gonflables** 4, frontaux et latéraux
- **Concurrence** Chevrolet Corvette, Jaguar XK,
Maserati GT, Mercedes-Benz Classe SL,
Porsche 911

② AU QUOTIDIEN

- **Prime d'assurance**
- **25 ans:** 3500 à 3700 $
- **40 ans:** 2200 à 2400 $
- **60 ans:** 2000 à 2200 $
- **Collision frontale** 4/5
- **Collision latérale** 5/5
- **Ventes du modèle de l'an dernier**
Au Québec 16 Au Canada 133
- **Dépréciation** nd
- **Rappels** (2005 à 2010) aucun à ce jour
- **Cote de fiabilité** nd

③ GARANTIES... ET PLUS

- **Garantie générale** 3 ans/60 000 km
- **Garantie motopropulseur** 5 ans/100 000 km
- **Perforation** 5 ans/kilométrage illimité
- **Assistance routière** 3 ans/kilométrage illimité
- **Nombre de concessionnaires**
Au Québec 50 Au Canada 156

④ NOUVEAUTÉS EN 2011

- Ajout de buses de refroidissement à l'arrière,
suspension recalibrée avec coussinets plus
solides à l'arrière, phares automatiques, essuie-
glaces sensibles à la vitesse, interface Ipod.

UNE FUSÉE SUR LA ROUTE

PAR ALEXANDRE CRÉPAULT

DEPUIS SON INTRODUCTION SUR LE MARCHÉ CANADIEN EN 2008, LA GT-R A HAUSSÉ LA BARRE D'UN CRAN DANS LE SEGMENT DES SPORTIVES DE GROS CALIBRE. Même aujourd'hui, après trois ans sans changements majeurs, elle continue de donner du fil à retordre à ses rivales.

[CARROSSERIE] Je ne pense pas qu'on puisse dire de la GT-R qu'elle est « belle ». Ses formes rectilignes n'ont rien de fluide. On dirait un mélange mal assorti de divers designs. Il faut dire que différents studios de création ont conçu chacun leur partie de la voiture. Par exemple, les Américains ont dessiné l'arrière, les Européens se sont chargés du toit. Chose certaine, les formes de la GT-R ne servent pas qu'à lui donner des airs de robot – quoique Shiro Nakamura, responsable du design de la GT-R, se soit inspiré des robots de la série télévisée nipponne Gundam. En fait, chaque ligne, chaque pli a sa raison d'être et contribue d'une façon ou d'une autre à refroidir les éléments chauffants, à fendre l'air ou à plaquer la GT-R au sol.

[HABITACLE] L'intérieur, comme l'extérieur, insiste sur la fonction avant la forme. Cadrans, boutons, commandes, tous tombent aisément dans la main. Bien ancré dans un siège sport étonnamment confortable, le pilote peut passer des jours à jouer avec l'ordinateur de bord et son écran multifonction : pression des turbos, pression d'huile, angle de braquage, forces G... Il peut même enregistrer ses données et les revoir au moment voulu, question d'améliorer ses performances.

[MÉCANIQUE] Le secret de la GT-R repose avant tout sur l'amalgame de ses éléments mécaniques et électroniques. Commençons avec le moteur V6 biturbo de 3,8 litres à 24 soupapes (VR38DETT), assemblé à la main dans une salle blanche. Un arbre de transmission en fibre de carbone envoie la puissance vers la boîte de vitesses semi-automatique à double embrayage montée à l'arrière de la voiture. Le système ATTESA E-TS décide de la répartition de la puissance, qui va de 100 % aux roues arrière jusqu'à 50 % aux roues avant. Le système VDC-R s'assure, quant à lui, d'optimiser la motricité aux quatre roues.

FORCES · Meilleur rapport prix-performance du monde · Prix relativement bas
· Peut faire du pire pilote un Gilles Villeneuve

FAIBLESSES · Manque de charisme · Confort inexistant sur mauvais revêtement · Places arrière inutiles

[COMPORTEMENT] Ne faisons pas l'autruche. Même l'absence d'un embrayage manuel traditionnel ne transforme pas la GT-R en voiture de grand tourisme. La caisse et les suspensions sont si rigides, la mécanique, si puissante, qu'on dirait que la voiture est sous tension 24 heures sur 24. Mais quand vient le temps de sortir le chat du sac, attention, mes amis ! La GT-R dévore l'asphalte comme un ogre. Écrasez le champignon, et les 485 chevaux de Godzilla vous plaquent contre le siège. Le pilote peut choisir entre trois modes : normal, sport et neige. Le premier fait du mieux qu'il peut pour rendre le monstre civilisé; le deuxième libère la bête et passe les rapports en 0,2 seconde. Si les performances du moteur sont incroyables, le degré de motricité, lui, est ahurissant. Parmi les nombreux composants, on note le système DampTronic de Bilstein, qui communique de façon constante avec le cerveau de la voiture et permet au pilote trois réglages (R, Performance, Confort). La GT-R se manie bien. Difficile à croire considérant son poids élevé. D'un virage à l'autre, les transitions se font sans effort. La servodirection électronique ne semble pas aseptisée, et la pédale de frein montre bien le travail qu'exécutent les immenses disques flottants et les étriers à 6 pistons de marque Brembo à l'avant.

[CONCLUSION] Il suffit d'une simple recherche sur Youtube pour découvrir des dizaines de comparatifs entre la GT-R et ses rivales (Porsche Turbo, GT-2, GT-3, Audi R8, BMW M3, Ferrari F430/458, Corvette Z06, Dodge Viper...). Ces dernières, au prix parfois exorbitant, en arrachent souvent face à la super Nissan. Il n'y a pas de doute,

la GT-R possède le meilleur rapport prix-performance sur le marché. Cependant... pour atteindre de telles performances, elle utilise une pléthore de technologies qui lui donnent quasiment un comportement robotisé. Comme si nous étions dans un jeu vidéo : poussez sur les boutons et regardez vos concurrents disparaître dans le rétroviseur. Ce qui lui manque, c'est le charisme et la passion des européennes et des américaines.

2e OPINION

MICHEL CRÉPAULT Pour un amateur de jeux vidéo, l'allure de la GT-R fascine. Pour ce qui est de la visibilité arrière, par contre, on repassera. Et que dire de l'intérieur où les graphiques les plus colorés transforment le tableau de bord en feux d'artifice. Mais le vrai génie relève des performances ! Elles sont indéniables, grisantes. On a envie de programmer le Launch Control encore et encore et, justement, c'est ce qui est arrivé, au point de forcer Nissan à un rappel. La lourdeur du monstre japonais n'est pas à son meilleur dans les virages, et l'absence d'une boîte de vitesses manuelle irrite les puristes. La séquentielle accomplit des prodiges à l'accélération, mais le bon vieux tricotage a ses adeptes. Bizarre enfin que ce dragon sorti d'un manga émette un rugissement si étouffé, comme s'il était gêné. Sinon, quelle machine !

5 FICHE TECHNIQUE

- **Moteur**

V6 3,8 l biturbo DACT 485 ch à 6400 tr/min	
Couple 430 lb-pi à 5200 tr/min	
Transmission manuelle robotisée à 6 rapports	
0-100 km/h 3,7 s	
Vitesse maximale 311 km/h	

- **Autres composantes**

Sécurité active freins ABS, antipatinage, contrôle de stabilité électronique, assistance au freinage, distribution électronique de force de freinage
Suspension avant/arrière indépendante
Freins avant/arrière disques
Direction à crémaillère, assistée
Pneus P255/40ZR20 (av.), P285/35ZR20 (arr.)

- **Dimensions**

Empattement 2780 mm	
Longueur 4650 mm	
Largeur 1902 mm	
Hauteur 1372 mm	
Poids 1730 kg	
Diamètre de braquage 11,4 m	
Coffre 249 l	
Réservoir de carburant 71 l	

NOS MENTIONS

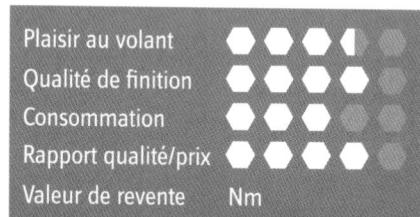

♥ Coup de coeur

NOTRE VERDICT

Plaisir au volant	●●●●◖○
Qualité de finition	●●●○○
Consommation	●●○○○
Rapport qualité/prix	●●●○○
Valeur de revente	Nm

JUKE

www.nissan.ca

19 998 $ à 26 648 $
transport et préparation: ND

NISSAN

LA COTE VERTE

MOTEUR
L4 DE 1,6 L

- **Consommation (100km):**
7,5 l (estimé) ce chiffre vient d'un essai de Motor Trend
- **Émissions polluantes CO2:** nd
- **Empreinte écologique (nombre d'arbres à planter par année):** nd
- **Indice d'octane:** 91
- **Autre motorisation:** non
- **Coût du carburant moyen par année:** nd
- **Nombre de litres par année:** nd

 FICHE D'IDENTITÉ

- **Versions** SV, SL
- **Roues motrices** avant, 4
- **Portières** 5 **Nombre de passagers** 5
- **Première génération** 2011
- **Génération actuelle** 2011
- **Construction** Oppama, Japon
- **Sacs gonflables** 6, frontaux, latéraux
- **Concurrence** Suzuki SX4, Subaru Impreza, Toyota Matrix

 AU QUOTIDIEN

- **Prime d'assurance**
 25 ans: nd
 40 ans: nd
 60 ans: nd
- **Collision frontale** nm
- **Collision latérale** nm
- **Ventes du modèle de l'an dernier**
 Au Québec nm **Au Canada** nm
- **Dépréciation** nm
- **Rappels (2005 à 2010)** nm
- **Cote de fiabilité** nd

 GARANTIES... ET PLUS

- **Garantie générale** 3 ans/60 000 km
- **Garantie motopropulseur** 5 ans/100 000 km
- **Perforation** 5 ans/kilométrage illimité
- **Assistance routière** 3 ans/kilométrage illimité
- **Nombre de concessionnaires**
 Au Québec 50 **Au Canada** 156

 NOUVEAUTÉS EN 2011

Nouveau modèle

LA GRENOUILLE COSMIQUE

PAR MICHEL CRÉPAULT

SOMMES-NOUS CAPABLE D'ÉPINGLER LE JUKE DANS UNE CATÉGORIE ? Ian Forsyth, responsable de la Planification chez Nissan Canada, se risque : « On peut l'inscrire parmi les multisegments mais, en même temps, nous avons affaire à un bicorps sportif. » Dans ses pubs, Nissan parlera sans doute d'un Sport Cross. La concurrence est vague comme le créneau visé – Mazda3, MINI Cooper S, Suzuki SX4 et autres – mais Nissan s'empresse d'ajouter que, dans le fond, le Juke (en anglais, *to juke* signifie se mouvoir avec agilité) n'a pas de rival direct.

[CARROSSERIE] De prime abord, il ressemble à un Infiniti FX ou à un Murano qui aurait rapetissé au lavage. Dans les faits, le Juke est l'incarnation commerciale du prototype Qazana présenté à Genève en 2009. Il utilise la plateforme un tant soit peu jazzée de la Versa et du Cube. En détaillant la chose de plus près, on remarque les feux de position saillants qui s'accrochent aux rebords du capot comme le regard d'un batracien. Des globes oculaires qui s'ajoutent aux phares rondouillards et aux antibrouillards. Trois paires d'yeux ! Si cette

bibitte-là n'est pas nyctalope comme Bob Morane, c'est Bill Ballantine qui avalera son Zat 77 de travers ! On ouvre les portières arrière en agrippant une poignée logée dans le coin supérieur de la glace. À l'arrière, les hanches sont proéminentes comme celles d'une Volvo C30. En perspective, plusieurs discussions animées sur l'esthétique ! Que j'aime ou pas importe peu, c'est ce que vous en pensez qui importera à Nissan.

[HABITACLE] L'allure n'est pas banale. Le levier des vitesses surmonte un îlot de plastique imitant le métal dont la forme rappelle celle d'un réservoir de moto ou, alors, d'une goutte de mercure libérée du thermomètre qu'on vient malencontreusement d'échapper sur le carrelage de la salle de bain... L'indicateur de vitesse et le compte-tours sont immenses, comme si seules ces infos comptaient. L'accès à la banquette arrière se fait précautionneusement parce que l'embrasure aménagée entre l'aile et le pilier B est à ce point étroite. On ne pousse pas derrière ! Une fois installé sur la banquette, bonne pour deux mais pas trois, on apprécie le creusage des dossiers pour plaire aux

FORCES · Une proposition originale à l'intérieur d'un segment aux limites très élastiques · Un petit moteur turbocompressé qui a l'énergie d'un plus gros · Une ergonomie où les yeux ont autant à faire que les doigts

FAIBLESSES · Un design qui suscitera immanquablement la controverse · Une visibilité arrière perfectible. · L'habitacle frise le « bébellisme »

rotules et du plafond pour contenter les crânes. Le modèle de base SV comprendra de série les roues de 17 pouces et l'accessibilité iPod et Bluetooth. Avec le SL, la seconde livrée, on obtient le toit coulissant et le système I-CON (j'y reviens plus loin). Un ensemble hausse le luxe d'un cran en incluant un caisson de graves Rockford Fosgate, des sièges chauffants en cuir et la navigation.

[MÉCANIQUE] Du 4-cylindres de 1,6 litre de base de la Versa, Nissan a tiré plus de 180 chevaux et un couple de 170 livres-pieds en ayant recours à l'injection directe de carburant et à un turbocompresseur. Une manière décente d'obtenir de chaudes performances sans trop boire à la pompe. Cet engin est couplé de série à une boîte de vitesses manuelle à 6 rapports ou en option à variation continue (CVT, pour *Continuously Variable Transmission*), laquelle améliore la consommation mais pas nécessairement le plaisir au volant. Nissan y a pensé en intégrant un mode manuel. Si vous optez pour une vraie de vraie boîte manuelle à 6 rapports, vous ne pouvez obtenir la transmission intégrale qui vient seulement avec la transmission CVT. Car le Juke se meut avec deux roues motrices avant ou la boîte intégrale. Mais pas n'importe laquelle. Nissan l'appelle la *Torque Vectoring AWD*. En plus de répartir équitablement la puissance entre les deux essieux, le dispositif

LE TURBO FAIT AGRÉABLE-MENT SENTIR SA PRÉSENCE SUR L'AUTOROUTE. VOUS N'AUREZ AUCUN MAL À GAGNER LA VOIE DE GAUCHE ET Y DEMEURER SANS GÊNER PERSONNE. DANS DES MONTAGNES TRÈS SINU-EUSES DE LA CALIFORNIE, J'AI SURPRIS LE JUKE AWD À FAIRE CRISSER SES PNEUS !

refile un maximum de couple à la roue arrière présentant la meilleure adhérence. Vous pourriez ainsi disposer de 50 % du couple à l'avant mais seulement de 8 % sur une roue arrière coupable de patinage et le reste (42 %) sur l'autre roue arrière offrant une réelle chance de motricité. Un système que Nissan n'a certes pas inventé mais que le constructeur s'enorgueillit d'offrir pour la première fois dans ce segment (lequel déjà ?) et avec moins de kilos (le système BMW pèse le double). Enfin, le pilote peut s'amuser avec trois modes : Normal, Sport et Eco, tous sélectionnables à partir de l'interface électronique baptisée *Integrated Control* (ou I-CON), de série dans la version SL.

[COMPORTEMENT] Le turbo fait agréablement sentir sa présence sur l'autoroute. Vous n'aurez aucun mal à gagner la voie de gauche et y demeurer sans gêner personne. Dans des montagnes très sinueuses de la Californie, j'ai surpris le Juke AWD à faire crisser ses pneus ! Les bruits dans la cabine sont limités à un niveau décent. Le Juke respecte sa nature de bicorps à hayon en offrant des dossiers arrière rabattables selon la configuration 60/40. Assis à l'avant, dans des sièges moulants mais qui pardonnent, on constate tout de suite l'exiguïté de la cabine. Notre voisin n'est pas loin ! La prise USB se trouve à gauche de la console au plancher, sous le tableau de bord, de sorte que le fil relié à l'iPod risque de s'empêtrer dans le sélecteur de vitesses. Le mode manuel qui agrémente la CVT devrait se contrôler au moyen de leviers de sélection au

HISTORIQUE

Présenté en mars 2009, au salon de l'auto de Genève, le concept Nissan Qazana était assez fou pour qu'on le pense sans avenir. Mais très vite, les responsables de la marque ont annoncé que ce concept aboutirait en modèle de production. Il faut saluer le courage de Nissan qui a pondu un véhicule de production très proche du concept même dans certains détails de style à l'intérieur. Une chose assez rare chez les constructeurs.

QAZANA CONCEPT

QAZANA CONCEPT

QAZANA CONCEPT

QAZANA CONCEPT

QAZANA CONCEPT

QAZANA CONCEPT

JUKE

A

B

C

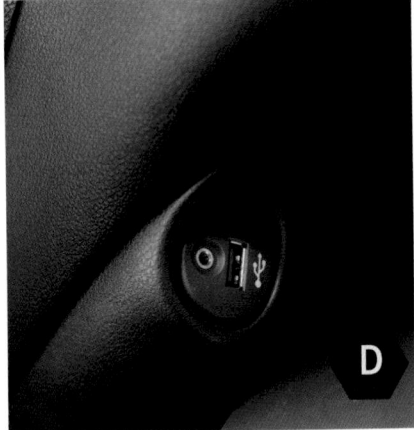

D

E

GALERIE

A On ne peut reprocher à Nissan un style conservateur pour son nouveau Juke. Sans véritablement parler d'élégance, il a le mérite de sortir des sentiers battus et de proposer une silhouette et des angles que l'on voit rarement sur un véhicule. Il est un peu prématuré pour vous parler de beauté.

B À l'arrière, la banquette à dossiers rabattables 60/40 et le plancher droit du coffre à bagages permettent d'accueillir des passagers tout en offrant une bonne capacité de chargement.

C Une autre nouveauté technologique de Nissan a été intégrée au JUKE, soit le système novateur I-CON (Integrated Control). Celui-ci regroupe les commandes de deux fonctions : la régulation automatique de l'air ambiant et la sélection entre trois modes de conduite influant sur la réponse de l'accélérateur, de la boîte de vitesse et de la direction - le mode Normal peut être employé couramment, le mode Sport permet d'exploiter pleinement les caractéristiques de performance du véhicule et le mode Eco maximise la consommation de carburant.

D Il vous faudra regarder un peu pour trouver, mais il y a des prises USB et auxiliaire bien dissumulées dans un petit coin de la console.

E Le JUKE est muni d'un moteur turbo à injection directe de 1,6 litre en alliage d'aluminium développant 180 chevaux. Deux boîtes de vitesses sont offertes : une boîte manuelle à 6 rapports (versions à traction seulement) ou la boîte de vitesses évoluée Xtronic CVT de Nissan sur les modèles dotés du mode de conduite intégrale.

volant au lieu de tapoter le levier au plancher. Au moment de l'essai du Juke par le représentant de L'Annuel, les statistiques officielles n'avaient pas été confirmées, mais Nissan promettait une consommation moyenne oscillant autour de 7,2 litres aux 100 kilomètres avec la CVT. L'utilisation de l'I-CON relève presque du jeu vidéo, ses interrupteurs faisant succéder différents graphiques colorés sur l'écran. Sur le mode Sport, par exemple, on visualise la poussée du turbo; sur le mode Eco, on nous décerne de petites étoiles pour notre conduite frugale. Le tableau pour la consommation permet de consulter nos statistiques quotidiennes ou hebdomadaires. Outre ces jolies images, le choix d'un mode ou de l'autre influe sur la résistance de l'accélérateur, la longueur des reprises et la sensibilité de la direction. Sur l'Eco, la pédale de droite s'alourdit, nous incitant moins à défier les limites de vitesse. La garde au sol généreuse, le poste de commande surélevé, les roues de 17 pouces et la transmission intégrale devraient conférer au Juke de réelles aptitudes l'hiver. M'en servirais-je pour aller chasser l'orignal ? Non. Mais me rendre au chalet, absolument ! De toute façon, si l'AWD peut au moins réduire les risques de sous-virage, on ne se plaindra pas. Un interrupteur permet de bloquer la transmission intégrale. Avec son poids d'environ 1 300 kilos, le Juke n'est toutefois pas équipé pour remorquer.

[CONCLUSION] J'aime bien quand les constructeurs font preuve d'audace avec une allure distincte. C'est un pari risqué, mais quand on le gagne, on attire sur soi les projecteurs, ce qui est bon aussi pour les autres modèles qu'on a à ven-

dre. Que je sache, les PT Cruiser et Chevy HHR n'ont pas nui à leurs géniteurs. Nissan avait déjà récemment brassé la cage avec son rigolo Cube, au tour du Juke de venir animer les conversations. Il est suffisamment puissant, à peine spacieux, certainement frugal et original. En vertu de sa bouille et de son style, il interpellera les gens qui, par exemple, ne sont pas insensibles aux charmes du Kia Soul. Mais Dieu que le marché n'en finit plus de se segmenter !

2e OPINION

VINCENT AUBÉ Au tournant du siècle dernier, Nissan était considéré comme l'un des constructeurs les plus conservateurs sur le plan du design. Avec le Juke, c'est tout le contraire. Le style extérieur tranche radicalement avec presque tout ce qui s'appelle automobile : on aime ou on déteste! La qualité de fabrication à l'intérieur de l'habitacle est en hausse par rapport à la Versa et le Cube, ses cousins de plateforme, et le plaisir de conduite est étonnant pour un multisegment sport compact. La mécanique est amplement suffisante pour la tâche, tandis que le niveau d'équipement est très généreux pour le prix. Les jeunes branchés vont adorer, à condition d'aimer ce museau inusité!

⑤ FICHE TECHNIQUE

MOTEUR
L4 1,6 l turbo DACT 180 ch à nd tr/min
Couple 170 lb-pi à nd tr/min
Transmission manuelle à 6 rapports, automatique à variation continue (option)
0-100 km/h nd
Vitesse maximale nd

AUTRES COMPOSANTES
Sécurité active freins ABS, répartition électronique de force de freinage, assistance au freinage, antipatinage, contrôle de la stabilité électronique
Suspension avant/arrière indépendante/essieu rigide (indépendante à l'arrière avec transmission intégrale)
Freins avant/arrière disques
Direction à crémaillère, assistée
Pneus P215/55R17

DIMENSIONS
Empattement 2530 mm
Longueur 4125 mm
Largeur 1765 mm
Hauteur 1570 mm
Poids 1338 kg à 1452 kg (estimé)
Diamètre de braquage nd
Coffre hayon nd
Réservoir de carburant nd

NOTRE VERDICT

Plaisir au volant	●●●●○
Qualité de finition	●●●○○
Consommation	●●●○○
Rapport qualité/prix	●●●●○
Valeur de revente	Nm

MAXIMA

www.nissan.ca

ÉVOLUTION

N
É
J

39 450 $ à 42 250 $
transport et préparation: 1525 $

NISSAN

LA COTE VERTE

MOTEUR
V6 DE 3,5 L

- **Consommation**
(100km): 9,3 l
- **Émissions**
polluantes CO_2 :
4370 kg/an
- **Empreinte écologique**
(nombre d'arbres à
planter par année): 27
- **Indice d'octane:** 91
- **Autre**
motorisation: non
- **Coût du carburant**
moyen par année:
2128 $
- **Nombre de**
litres par année:
1900 l

(SOURCE: ÉnerGuide)

UN COUSINAGE DANGEREUX

PAR MICHEL CRÉPAULT

REPENSÉE POUR L'ANNÉE-MODÈLE 2009, LA BERLINE DE 7E GÉNÉRATION NOUS REVIENT AVEC UN MINIMUM DE CHANGEMENTS.

[CARROSSERIE] Elle partage la plateforme de l'Altima (et du Murano), mais là s'arrête la comparaison. Dans le cadre de sa plus récente réforme, la Maxima a vu sa longueur écourtée mais ses voies élargies, de sorte que la maniabilité y a gagné au change. La coque a acquis une charpente anguleuse (à la GT-R) plus agressive. Les épaules trapues, le pavillon arqué et le devant fonceur sont reliés par une ligne de caisse qui sculpte la coque tout en beauté... que certains toutefois pourfendent ! La descendante de la Datsun 810, appelée Maxima en 1982 (l'année même où Nissan tassa Datsun), a quant à moi de la gueule.

[HABITACLE] On prend place à bord de l'un des intérieurs les mieux conçus et les mieux finis de l'industrie pour les dollars demandés. On perçoit très bien ici que le constructeur assemble aussi des Infiniti et on finit par croire que les coffres à outils des deux divisions se sont entremêlés.

Prenez la navigation tactile ou encore la connexion iPod, toutes deux aussi belles que faciles à utiliser. L'équipement de série du modèle 3.5 SV, déjà impressionnant, peut s'enrichir de divers ensembles destinés à s'emboîter. Ainsi, l'ensemble Sport, qui comprend notamment une suspension raffermie, un aileron, un volant en cuir chauffant et des baquets à l'arrière, est quasi entièrement inclus dans l'ensemble Privilège, lequel ajoute, entre autres, la caméra arrière et le toit ouvrant vitré (mais ignore les amortisseurs raidis et l'aileron). L'ensemble Technologie, avec navigation et disque dur pour sa discothèque, commande l'ensemble Sport, à moins alors de s'en tenir à l'ensemble Navigation. Compliqué ? Trop. Et la facture pendant ce temps grimpe, grimpe et donne des arguments aux détracteurs de la Maxima, lui reprochant de piétiner les platebandes de modèles plus prestigieux, à commencer par sa propre cousine, l'Infiniti G37.

[MÉCANIQUE] Le V6 de 3,5 litres est aujourd'hui en mesure de livrer 290 fougueux chevaux. Ses ingénieurs le dorlotent et l'améliorent sans cesse.

---

① FICHE D'IDENTITÉ

- **Versions** 3.5 SV, SV Sport, SV Privilège
- **Roues motrices** avant
- **Portières** 4 **Nombre de passagers** 4 ou 5
- **Première génération** 1978
- **Génération actuelle** 2009
- **Construction** Smyrna, Tennessee, É.-U.
- **Sacs gonflables** 6 (frontaux, latéraux avant, rideaux latéraux)
- **Concurrence** Acura TL, Buick LaCrosse, Cadillac CTS, Chrysler 300, Dodge Charger, Hyundai Genesis V6, Kia Amanti, Lexus ES, Lincoln MKZ, Toyota Avalon, Volkswagen Passat

② AU QUOTIDIEN

- **Prime d'assurance**
  25 ans: 1700 à 1900 $
  40 ans: 1000 à 1200 $
  60 ans: 800 à 1000 $
- **Collision frontale** 5/5
- **Collision latérale** 5/5
- **Ventes du modèle de l'an dernier**
  Au Québec 400 **Au Canada** 1642
- **Dépréciation** 53,3 %
- **Rappels** (2005 à 2010) 4
- **Cote de fiabilité** 4/5

③ GARANTIES... ET PLUS

- **Garantie générale** 3 ans/60 000 km
- **Garantie motopropulseur** 5 ans/100 000 km
- **Perforation** 5 ans/kilométrage illimité
- **Assistance routière** 3 ans/kilométrage illimité
- **Nombre de concessionnaires**
  Au Québec 50 **Au Canada** 156

④ NOUVEAUTÉS EN 2011

- Aucun changement majeur

FORCES · V6 qui n'a plus à faire ses preuves · Relents d'Infiniti dans un intérieur luxueux · Comportement routier exemplaire

FAIBLESSES · Aura handicapée par un marketing déficient · Banquette raide · Ensembles qui ne sont pas donnés · Toujours une traction

Depuis 2007, la puissance est expédiée aux roues avant par l'intermédiaire d'une boîte de vitesses à variation continue (CVT). On peut tricher en tapotant le sélecteur au plancher ou en jouant avec les gros leviers de sélection au volant qui simulent 6 rapports sur la plage sans fin.

[COMPORTEMENT] Très bonne accélération, une sonorité jouissive, de la puissance à revendre et, en prime, une consommation de carburant intéressante. Je sais, cette dernière vertu est le propre d'une boîte CVT et, pourtant, j'appréhendais cette technologie dans une berline aux prétentions sportives. Pour des raisons seulement connues des ingénieurs nippons, la subtilité de cette boîte se marie comme un charme au caractère fort du V6. Malgré son poids, cette intermédiaire fait preuve d'un tempérament nettement costaud. La pédale de droite se laisse moduler avec la rapidité du colibri, et la direction communique tout, quoique parfois avec un débordement d'assistance qui frôle l'artificiel. Les sièges avant sont particulièrement seyants, pas trop éloignés d'une qualité Volvo, et les baquets arrière le sont tout autant, en plus de contribuer à la rigidité de l'auto. L'ensemble Sport fournit tout le support nécessaire quand on s'enligne pour négocier les virages serrés avec l'aplomb que confèrent les 19 pouces et la suspension spéciale.

[CONCLUSION] Malgré son nom, qui suggère un summum en matière d'automobile, la Maxima n'impose plus le respect qu'elle mérite. Comme si son charme n'opérait que sur des initiés (en lisant L'Annuel, bonne nouvelle, vous voilà initié!).

Le pire, entretemps, c'est que d'autres constructeurs se sont réveillés. Je pense à Hyundai avec sa Genesis et à Volkswagen avec sa superbe Passat CC, deux excellentes berlines qui, comme la Maxima, évoluent avec des qualités athlétiques qui les font ressortir du lot. Si, par ailleurs, vous vous intéressez à une Maxima équipée jusqu'au bouchon, vous serez alors également en droit de vous pencher sur des modèles d'entrée de gamme plus luxueux comme l'Audi A4, la Lexus IS et, je l'ai dit, l'Infiniti G37. Difficile alors de combattre le prestige par la séniorité.

2ᵉ OPINION

DANIEL RUFIANGE Les voitures tendent à prendre du volume et à s'endimancher à chaque refonte importante. L'exemple le plus patent est la Honda Civic. Elle plaisait aux plus jeunes il y a 20 ans et plaît aux gens plus matures aujourd'hui. Imaginez alors la Maxima ! Elle séduisait les 30 à 40 ans il y a 15 ans. Cela fait d'elle une candidate parfaite pour ceux qui planifient leur retraite. N'allez toutefois pas croire qu'il s'agit d'une critique. La Maxima actuelle me plaît. Il faut, bien sûr, oublier cette voiture jadis sportive et agile pour découvrir une bagnole à la douceur de roulement franchement impressionnante et dont le niveau de luxe n'a rien à envier à une... Infiniti. Voilà d'ailleurs son principal problème; son identité. Ses faibles ventes témoignent d'ailleurs de cette crise identitaire.

⑤ FICHE TECHNIQUE

- **Moteur**

V6 3,5 l DACT, 290 ch à 6400 tr/min	
Couple 261 lb-pi à 4400 tr/min	
Transmission automatique à variation continue avec mode manuel	
0-100 km/h 6,6 s	
Vitesse maximale 230 km/h	

- **Autres composantes**

Sécurité active freins ABS, répartition électronique de force de freinage, antipatinage, contrôle de stabilité électronique	
Suspension avant/arrière indépendante	
Freins avant/arrière disques	
Direction à crémaillère, assistée	
Pneus P245/45R18, option P245/40R19	

- **Dimensions**

Empattement 2776 mm	
Longueur 4841 mm	
Largeur 1859 mm	
Hauteur 1468 mm	
Poids SV 1621 kg	
Diamètre de braquage 11,4 m	
Coffre 402 l	
Réservoir de carburant 76 l	

NOS MENTIONS

☺ Modèle recommandé

NOTRE VERDICT

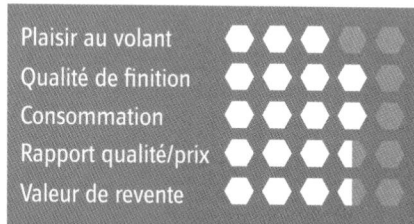

Plaisir au volant	●●●○○
Qualité de finition	●●●○○
Consommation	●●●●○
Rapport qualité/prix	●●●○◐
Valeur de revente	●●●○◐

MURANO

www.nissan.ca

N ÉVOLUTION É

J

38 298 $ à **47 948 $**
transport et préparation: 1560 $

NISSAN

LA COTE VERTE

MOTEUR
V6 DE 3,5 L

- **Consommation (100km):** 10,3 l
- **Émissions polluantes CO_2:** 4784 kg/an
- **Empreinte écologique (nombre d'arbres à planter par année):** 30
- **Indice d'octane:** 91
- **Autre motorisation:** non
- **Coût du carburant moyen par année:** 2330 $
- **Nombre de litres par année:** 2080 l

(SOURCE: ÉnerGuide)

---

① FICHE D'IDENTITÉ

- **Versions** S, SL, LE, SV
- **Roues motrices** 4
- **Portières** 5 **Nombre de passagers** 5
- **Première génération** 2003
- **Génération actuelle** 2009
- **Construction** Kyushu, Japon
- **Sacs gonflables** 6, frontaux, latéraux et rideaux latéraux
- **Concurrence** Ford Edge, GMC Acadia, Honda Pilot, Hyundai Veracruz, Kia Sorento, Mazda CX-9, Subaru Tribeca, Toyota Highlander

② AU QUOTIDIEN

- **Prime d'assurance**
  25 ans: 1900 à 2100 $
  40 ans: 1200 à 1400 $
  60 ans: 900 à 1100 $
- **Collision frontale** 4/5
- **Collision latérale** 5/5
- **Ventes du modèle de l'an dernier**
  Au Québec 833 **Au Canada** 3691
- **Dépréciation** 45,4 %
- **Rappels (2005 à 2010)** 9
- **Cote de fiabilité** 3,5/5

③ GARANTIES... ET PLUS

- **Garantie générale** 3 ans/60 000 km
- **Garantie motopropulseur** 5 ans/100 000 km
- **Perforation** 5 ans/kilométrage illimité
- **Assistance routière** 3 ans/kilométrage illimité
- **Nombre de concessionnaires**
  Au Québec 50 **Au Canada** 156

④ NOUVEAUTÉS EN 2011

- Version SV ajoutée, nouvelle calandre, console centrale redessinée

---

LA TYRANNIE DE LA BEAUTÉ

PAR FRANCIS BRIÈRE

LA PRÉSENTE GÉNÉRATION DU NISSAN MURANO DATE DE 2009. Le constructeur japonais a proposé un remodelage qui rehausse l'apparence du véhicule. Justement, il paraît bien, ce qui aide nécessairement sa cause. Non pas que le Murano est un mauvais véhicule, mais il est assurément ennuyeux et coûte cher. Par ailleurs, il est possible de retrouver un produit comparable chez Hyundai avec le Santa Fe. Malgré un empattement légèrement plus court, le véhicule coréen vous en donnera autant et à meilleur prix.

[CARROSSERIE] La gueule du Murano lui sauve-t-elle la vie? Posons-nous la question, puisque le véhicule intéresse des milliers d'acheteurs canadiens. Sa silhouette semble plaire avec sa calandre profilée et son arrière-train arrondi. Si vous trouvez que de grandes roues rendraient justice à votre futur Murano, optez pour un modèle LE avec jantes de 20 pouces! À près de 50 000 $ l'exemplaire, sans doute serez-vous en mesure de négocier quatre pneus d'hiver...

[HABITACLE] L'intérieur du Murano est une réussite. La planche de bord propose des commandes faciles à consulter, bien placées et présentées de façon ergonomique. On apprécie les sièges revêtus d'un cuir moelleux, dont l'assise est large et confortable. Comme c'est souvent le cas pour les constructeurs japonais, Nissan a installé à bord du Murano des coussins trop courts qui ne conviennent pas à tous les passagers, surtout ceux de grande taille. Du reste, le confort est au rendez-vous, surtout si vous choisissez une livrée SL ou supérieure qui est équipée d'un siège du conducteur aux multiples réglages. Malgré sa carcasse en forme de « Jelly bean », le Murano offre un espace généreux à l'arrière : grand coffre et espace pour les passagers.

[MÉCANIQUE] Le fameux moteur V6 de 3,5 litres de Nissan sert également bien la cause du Murano. De fait, on retrouve cet engin sous le capot de la majorité des véhicules de la gamme. Il s'agit d'une mécanique éprouvée, fiable, performante, mais encore un peu gourmande. Afin de contribuer à réduire cette consommation de

FORCES · Silhouette à la mode · Confort · Douceur de roulement

FAIBLESSES · Direction molle · Prix · Visibilité arrière · Conduite ennuyeuse

carburant, Nissan propose sa boîte de vitesses à variation continue qui, malgré le fait qu'elle soit d'un ennui profond, est efficace et bien adaptée. Même si la vocation tranquille du Murano ne trompe pas, une direction plus précise serait tellement appréciée, question de fournir une « information routière » plus pertinente au conducteur et de le tenir bien en éveil.

[COMPORTEMENT] La témérité du conducteur devra rester à la maison. Le Murano est un véhicule qu'on doit manœuvrer avec douceur, sans trop insister, surtout en virage. En revanche, celui qui sait apprécier sa douceur de roulement et le confort qu'il procure ne regrettera pas son choix. Pas un mot à redire en ce qui concerne le freinage et la suspension, les deux systèmes font du bon boulot. La boîte CVT peut devenir un irritant pour un conducteur qui préfère une boîte automatique en dernier recours. Le mode manuel ne procure pas vraiment une impression de conduite sportive, il donne plutôt le sentiment de consommer du carburant pour rien. De série sur le Murano, on apprécie le système à quatre roues motrices qui peut s'adapter en fonction des besoins en matière de motricité.

[CONCLUSION] Si votre choix s'arrête sur un véhicule utilitaire sport pour une prochaine acquisition, le Nissan Murano demeure une option valable. L'enthousiasme des consommateurs pour ce genre de produits ne semble pas s'estomper à en juger par les efforts que fournissent les constructeurs pour en offrir toujours davantage. L'arrivée du petit Juke peut en témoigner, alors

que le créneau du VUS compact est en plein essor. Quoi qu'il en soit, Nissan propose un Murano intéressant, mais le prix pourrait en décourager quelques-uns qui seront tentés d'aller jeter un œil chez la concurrence. Il y a les Santa Fe et Veracruz de Hyundai, l'Edge de Ford et le CX-9 de Mazda. Mais le Murano demeure une valeur sûre et sans doute celui qui possède la silhouette la plus charmante.

2ᵉ OPINION

FRÉDÉRIC MASSE On n'entend pas assez parler du Murano depuis un moment et c'est bien dommage. En fait, il est l'un des meilleurs VUS du marché, toutes catégories confondues. Son confort de roulement, sa qualité d'assemblage, sa fiabilité, sa valeur de revente élevée et sa faible consommation de carburant obtenue grâce à l'utilisation d'une des, sinon la meilleure, transmissions à rapports continuellement variable (CVT) de l'industrie lui permettent vraiment de tirer son épingle du jeu. Il semble certes un peu plus cher que ses concurrents directs, mais lorsqu'on regarde la qualité de la machine, l'espace offert, l'esprit de luxe qui y règne et les équipements de série, on se rend compte que, dans la plupart des cas, la différence de prix s'amenuise. On peut noter parmi ses défauts une visibilité arrière problématique qui demande l'achat de la caméra de recul presque obligatoirement et le fait qu'il doit rouler sur du Super, ce qui diminue un peu l'avantage de la faible consommation d'essence.

⑤ FICHE TECHNIQUE

- **MOTEUR**
- V6 3,5 l DACT 265 ch à 6000 tr/min
- Couple 248 lb-pi à 4000 tr/min
- **Transmission** automatique à variation continue avec mode manuel
- **0-100 km/h** 8,3 s
- **Vitesse maximale** 200 km/h

- **AUTRES COMPOSANTES**
- **Sécurité active** freins ABS, répartition électronique de force de freinage, assistance au freinage, contrôle de stabilité électronique, antipatinage
- **Suspension avant/arrière** indépendante
- **Freins avant/arrière** disques
- **Direction** à crémaillère, assistée
- **Pneus** P235/65R18, **LE** P235/55R20

- **DIMENSIONS**
- **Empattement** 2825 mm
- **Longueur** 4788 mm
- **Largeur** 1882 mm
- **Hauteur** 1730 mm
- **Poids S** 1830 kg, **SL** 1836 kg, **LE** 1884 kg
- **Diamètre de braquage S/SL** 11,6 m; **LE** 12,0 m
- **Coffre** 895 l, 1813 l (sièges abaissés)
- **Réservoir de carburant** 82 l
- **Capacité de remorquage** 1588 kg

NOS MENTIONS

 Modèle recommandé

NOTRE VERDICT

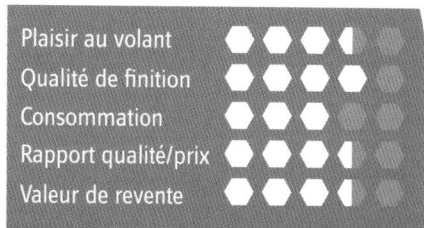

Plaisir au volant	●	●	●	◖
Qualité de finition	●	●	●	●
Consommation	●	●	●	○
Rapport qualité/prix	●	●	●	◖
Valeur de revente	●	●	●	◖

PATHFINDER

www.nissan.ca

39 108 $ à 48 908 $
transport et préparation: 1560 $

LA COTE VERTE

MOTEUR
V6 DE 4,0 L

- **Consommation** (100km): 12,6 l
- **Émissions polluantes CO_2 :** 5888 kg/an
- **Empreinte écologique (nombre d'arbres à planter par année):** 37
- **Indice d'octane:** 91
- **Autre motorisation:** non
- **Coût du carburant moyen par année:** 2867 $
- **Nombre de litres par année:** 2560 l

(SOURCE: ÉnerGuide)

 FICHE D'IDENTITÉ

- **Versions** S, SV, Silver Edition, LE
- **Roues motrices** 4
- **Portières** 5 **Nombre de passagers** 7
- **Première génération** 1986
- **Génération actuelle** 2005
- **Construction** Smyrna, Tennessee, É.-U.
- **Sacs gonflables** 6 (frontaux, latéraux avant en option, rideaux latéraux en option)
- **Concurrence** Ford Explorer, Jeep Grand Cherokee, Kia Sorento, Toyota 4Runner

 AU QUOTIDIEN

- **Prime d'assurance**
  25 ans: 2100 à 2300 $
  40 ans: 1300 à 1500 $
  60 ans: 1100 à 1300 $
- **Collision frontale** 4/5
- **Collision latérale** 5/5
- **Ventes du modèle de l'an dernier**
  Au Québec 157 Au Canada 815
- **Dépréciation** 49,4 %
- **Rappels** (2005 à 2010) 6
- **Cote de fiabilité** 3/5

 GARANTIES... ET PLUS

- **Garantie générale** 3 ans/60 000 km
- **Garantie motopropulseur** 5 ans/100 000 km
- **Perforation** 5 ans/kilométrage illimité
- **Assistance routière** 3 ans/kilométrage illimité
- **Nombre de concessionnaires**
  Au Québec 50 Au Canada 156

 NOUVEAUTÉS EN 2011

- Version Silver Edition commémorant le 25e anniversaire du Pathfinder, une nouvelle couleur.

UN LOURD HÉRITAGE

PAR BENOIT CHARETTE

LORSQUE LE PATHFINDER A FAIT SON APPARITION EN 1986, IL S'AGISSAIT D'UN PETIT CAMION (LE MOT UTILITAIRE N'ÉTAIT PAS ENCORE UTILISÉ) PRATIQUE, SIMPLE, ABORDABLE ET TOUT-TERRAIN. Au fil des générations, le modèle a pris du volume, beaucoup de poids, de la puissance et n'est plus réellement abordable. Un modèle qui doit soutenir une comparaison qui ne tient plus vraiment la route. Plus routier, qu'aventurier, le Pathfinder d'aujourd'hui avec ses trois rangées de sièges, un poste de conduite dominant, un excellent confort et un degré d'équipement tout à fait correct constitue une excellente alternative à la fourgonnette.

[CARROSSERIE] Depuis l'arrivée de l'Armada dans le parc de véhicules de Nissan, le Pathfinder s'inspire de son grand frère sur plusieurs points. Les lignes du véhicule sont imposantes et vont chercher (ou du moins font l'effort) une clientèle plus masculine. Le style, grosse calandre, capot musclé et flancs massifs, fait tout le charme de ce véhicule. Les poignées de portes arrière qui se trouvent à mi-hauteur de la porte, presque

dissimulées dans le pilier, sont l'un des vestiges des anciennes générations que Nissan transportent d'un modèle à l'autre. La seule concession à cette silhouette très camion est le hayon qui rappelle celui d'une fourgonnette. Mais le châssis, lui, ne fait pas de concession, c'est un châssis à échelle robuste et costaud.

[HABITACLE] Les sept sièges sont toujours offerts dans l'habitacle (64 configurations différentes), et quand on les replie, le Pathfinder offre une longueur de chargement de 2,8 mètres, d'autant que le siège passager avant se rabat lui aussi à plat. Cela dit, l'habitacle offre une excellente qualité. Habillages de portes, selleries, insérés : la finition est maintenant plus soignée et se compare très bien aux autres concurrents sur le marché, y compris les allemands. La configuration de série comprend : un siège passager qui se rabat à plat, une deuxième rangée qui se divise 40/20/40 et 50/50 pour la 3e rangée. Vous pouvez aussi mettre un poids de 90 kilos dans le porte-bagages de série sur le toit. Tout le luxe habituel est présent pour un véhicule de ce prix, et vous retrouverez sur la

---

FORCES • Intérieur modulable • Finition de meilleure qualité • Excellent comportement sur et hors route

FAIBLESSES • Consommation • Quelques plastiques un peu bon marché à l'intérieur

liste des options un centre de divertissement avec lecteur de DVD et un écran au plafond à l'arrière ou encore un système de navigation très bien conçu avec écran à effet 3D. À ce chapitre, rien à envier aux fourgonnettes.

[MÉCANIQUE] Ici le choix est simple, un seul moteur peu importe la version. Un V6 de 4 litres qui développe 266 chevaux et qui produit un couple de 288 livres-pieds. Nissan a utilisé la boîte de vitesses automatique à 5 rapports de l'Armada pour faire équipe avec ce V6. Pour affronter les terrains inhospitaliers, Nissan fait appel au système à 4 roues motrices All Mode. On dispose des positions 2WD, et Auto. Un mode Lock permettant une répartition 50-50 entre les deux essieux et qui s'apparente à un blocage de différentiel central, et enfin une position Low avec un boîtier de transfert. Il faut souligner ces deux dernières positions, car ce sont des éléments qui se perdent petit à petit sur les nouveaux 4 x 4...

[COMPORTEMENT] Ici vous avez un heureux mélange de sensations au volant. Les adeptes de camions sont heureux de savoir que ce solide caisson en deux parties peut remorquer jusqu'à 2722 kilos sans problème et affronter autre chose que le gazon trop long. Mais Nissan, qui sait très bien que personne ne lance un camion de ce prix dans la forêt, a aussi doté le Pathfinder d'une suspension à 4 roues indépendantes qui procure un confort que les passagers apprécieront. La boîte automatique est douce, suffisamment rapide et bien étagée. C'est tout ce qu'on lui demande, finalement, non ? Parmi les petits irritants, il faut

souligner que la puissance arrive un peu subitement, et la pédale de frein est parfois récalcitrante. Les capacités hors route, grâce au boîtier de transfert et à la bonne garde au sol, sont bien supérieures à la moyenne.

[CONCLUSION] Excellent véhicule familial, il offre les gènes d'un vrai camion dans un confort que la famille appréciera.

2ᵉ OPINION

DANIEL RUFIANGE En voilà un qui est sur la corde raide. Jadis symbole puissant du monde des utilitaires, le Pathfinder a été remplacé dans le cœur des amateurs par d'autres produits à l'image plus rustre. Au fil des générations, les constructeurs endimanchent leurs véhicules. Quand on transforme un bûcheron en ballerine musclée, on risque de se brûler, et c'est exactement ce qui est arrivé à Nissan avec son Pathfinder. Ajoutez à cela une crise économique et une hausse du prix du carburant importante en 2008, et vous avez là tous les ingrédients responsables du naufrage de cette icône des années 1990. Désormais condamné à un rôle de second plan, il sera intéressant de voir quelle stratégie adoptera Nissan avec son Pathfinder. Triste car, au demeurant, c'est une excellente camionnette.

⑤ FICHE TECHNIQUE

• MOTEUR
V6 4,0 l DACT, 266 ch à 5600 tr/min	
Couple 288 lb-pi à 4000 tr/min	
Transmission automatique à 5 rapports	
0-100 km/h 8,9 s	
Vitesse maximale 190 km/h	

• AUTRES COMPOSANTES
Sécurité active freins ABS, assistance au freinage, répartition électronique de force de freinage, système antipatinage, contrôle de stabilité électronique

Suspension avant/arrière indépendante

Freins avant/arrière disques

Direction à crémaillère, assistée

Pneus P245/75R16 **SV/Silver Edition** P265/65R17 **LE** P265/60R18

• DIMENSIONS
Empattement 2850 mm

Longueur 4884 mm

Largeur 1850 mm

Hauteur 1845 mm

Poids S 2125 kg **SV** 2187 kg **LE** 2236 kg

Diamètre de braquage 11,9 m

Coffre 467 l, 2243 l (sièges abaissés)

Réservoir de carburant 80 l

Capacité de remorquage 2722 kg

NOTRE VERDICT

Plaisir au volant	⬡⬡⬡⬡⬢
Qualité de finition	⬡⬡⬡⬢⬢
Consommation	⬡⬡⬢⬢⬢
Rapport qualité/prix	⬡⬡⬢⬢⬢
Valeur de revente	⬡⬡⬡⬢⬢

ROGUE

www.nissan.ca

N ÉVOLUTION É
J

24 398 $ à 31 298 $
transport et préparation: 1560 $

LA COTE VERTE

MOTEUR
L4 DE 2,5 L

- **Consommation (100km):**
  2RM 8,3 l
  4RM 8,7 l
- **Émissions polluantes CO_2:**
  2RM 3818 kg/an
  4RM 4048 kg/an
- **Empreinte écologique (nombre d'arbres à planter par année):** 24
- **Indice d'octane:** 87
- **Autre motorisation:** non
- **Coût du carburant moyen par année:**
  2RM 1660 $
  4RM 1760 $
- **Nombre de litres par année:**
  2RM 1660 l
  4RM 1760 l

(SOURCE: ÉnerGuide)

 FICHE D'IDENTITÉ

- **Versions** S, SV, SL
- **Roues motrices** avant, 4RM
- **Portières** 5 **Nombre de passagers** 5
- **Première génération** 2008
- **Génération actuelle** 2008
- **Construction** Kyushu, Japon
- **Sacs gonflables** 6 (frontaux, latéraux, rideaux)
- **Concurrence** Chevrolet Equinox, Ford Escape, Honda CR-V, Hyundai Tucson, Jeep Compass, Kia Sportage, Mitsubishi Outlander, Subaru Forester, Suzuki Grand Vitara, Toyota RAV4

 AU QUOTIDIEN

- **Prime d'assurance**
  25 ans: 1400 à 1600 $
  40 ans: 1000 à 1200 $
  60 ans: 900 à 1000 $
- **Collision frontale** 4/5
- **Collision latérale** 5/5
- **Ventes du modèle de l'an dernier**
  Au Québec 3069 **Au Canada** 11 054
- **Dépréciation** (1 an) 23,1%
- **Rappels** (2005 à 2010) 3
- **Cote de fiabilité** 4/5

 GARANTIES... ET PLUS

- **Garantie générale** 3 ans/60 000 km
- **Garantie motopropulseur** 5 ans/100 000 km
- **Perforation** 5 ans/kilométrage illimité
- **Assistance routière** 3 ans/kilométrage illimité
- **Nombre de concessionnaires**
  Au Québec 50 **Au Canada** 156

 NOUVEAUTÉS EN 2011

- Retouches extérieures et intérieures, nouvelles désignations des modèles (SV-SL)

UNE IDÉE MÛRIE À POINT

PAR MICHEL CRÉPAULT

LE ROGUE CONSTITUAIT LA VÉRITABLE RÉPLIQUE DE NISSAN AU SEGMENT EN CROISSANCE DES PETITS UTILITAIRES BASÉS SUR LA PLATEFORME D'UNE AUTOMOBILE. Mais puisque le véhicule n'était pas prêt, le constructeur a fait patienter les Canadiens avec le X-Trail. Deux ans plus tard, ce hors d'œuvre disparaissait du menu pour céder sa place au plat de résistance.

[CARROSSERIE] Afin de lutter contre de solides vendeurs comme le Toyota RAV4 et le Honda CR-V, les designers ont repris le style bulbeux du Murano. Plusieurs produits Nissan et Infiniti modernes se distinguent avec cette allure enveloppante où bondissent ici et là des saillies musclées. Une personnalité à la fois organique et dynamique. Pour 2011, on note le retour des modèles S et SL à traction ou à transmission intégrale et on salue l'arrivée de la version Kröm, plus « tunée », de sorte que les roues de 16 ou 17 pouces ne constitueront plus l'unique différence extérieure entre les livrées.

[HABITACLE] Un judicieux mélange de surfaces agréables et de chrome procure une impression de luxe et de modernisme. On se sent bien plus aux commandes d'une berline que d'un camion. De plus, on dirait que les stylistes se sont livrés à une concurrence interne : qui peut dessiner le plus d'espaces de rangement ? Car le Rogue en déborde, du plus petit recoin (pour la monnaie ou un stylo) à une énorme boîte à gants, sans oublier les essentiels porte-gobelet. Quand on dit que les Japonais aiment passer du temps dans leur auto pour se consoler de leur appartement trop petit, on le croit en voyant les gâteries du Rogue. Cette versatilité se poursuit avec la banquette arrière divisible (60/40) et, même, le siège du passager avant qui s'aplatit (une option) pour transporter les très longs objets. La soute à bagages peut inclure des compartiments secrets et/ou escamotables, des caissons amovibles et lavables, des filets de retenue, etc. Pour le rangement, le Rogue est l'équivalent du couteau suisse.

[MÉCANIQUE] La boîte de vitesses ici est une Xtronic CVT à variation continue. Les tours par

FORCES · Format pratique · Allure contemporaine · Finition attentionnée · Transmission intégrale

FAIBLESSES · Accélérations bruyantes · Visibilité arrière perfectible

minutes augmentent au gré de notre pied droit mais d'une manière très graduelle, sans ressentir les à-coups de la boîte traditionnelle. Pour le conducteur en mal de ces sensations, il cochera les leviers de sélection au volant qui simulent des changements de rapports. Le 4-cylindres de 2,5 litres de 170 chevaux revient à la charge, bien connu sous d'autres capots Nissan. La direction se veut à assistance électrique, mais ne souffre pas de ce « vague au centre » qui afflige parfois ce genre de technologie. L'ABS, l'antipatinage à l'accélération et le contrôle de la stabilité sont de série. On peut commander un Rogue doté de la transmission intégrale, mais ça ne sera pas tant pour aller jouer à la chèvre des montagnes que pour s'assurer des départs sûrs, peu importe la saison. Le système répartit équitablement le couple entre les deux essieux lors d'accélérations sur surfaces glissantes. Une fois la vitesse de croisière atteinte, la puissance du moteur est essentiellement dirigée vers les roues avant. En cas de pépin, le Contrôle Dynamique du Véhicule (CDV), de série, diminue le régime, applique les freins et répartit encore le couple pour optimiser la tenue de route.

[COMPORTEMENT] De plus en plus de consommateurs apprécient ce mélange des genres (multisegment). À un point tel que l'Association des journalistes automobiles du Canada a déjà fait du Rogue le meilleur des utilitaires sous la barre des 35 000 $. On aime bénéficier de l'espace et de la polyvalence attribués à un VUS, mais on l'aime encore plus quand la conduite est aussi conviviale qu'une berline. C'est ce que

nous offre le Rogue, après tout échafaudé sur la plateforme de la Sentra. La suspension à 4 roues indépendantes et une isolation sérieuse fournissent des randonnées sous le signe de la souplesse. C'est seulement quand on requiert du 4-cylindres d'intempestives montées qu'on brise le calme à bord.

[CONCLUSION] Cet élégant et pratique petit véhicule se conduit comme une berline, mais offre tous les avantages d'un camion qui aurait bien tourné. Le Nissan Rogue fait partie de mes véhicules préférés et ce n'est pourtant pas le choix qui manque...

2ᵉ OPINION

DANIEL RUFIANGE Après le segment des voitures compactes, c'est celui des utilitaires compacts qui retient le plus l'attention des consommateurs. Dans ce créneau surpeuplé, il y a le Rogue de Nissan, un produit insipide qui me laisse mi-figue mi-raisin. Comme la plupart des autres, il propose une version à traction et une autre à transmission intégrale. Comme les autres, sa conduite se rapproche d'une voiture, sa tenue de route d'un corbillard. Et, pire que les autres, la visibilité arrière est nulle, inexistante même. Ça donne un bel effet de l'extérieur, mais ce n'est pas très sûr en conduite urbaine. Il me semble que, pour s'imposer dans un segment si concurrentiel, il faut offrir un produit offrant plus de personnalité que le Rogue; une question de gros bon sens!

⑤ FICHE TECHNIQUE

- **MOTEUR**
- L4 2,5 l DACT, 170 ch à 6000 tr/min
  Couple 175 lb-pi à 4400 tr/min
- **Transmission** automatique à variation continue, à variation continue avec mode manuel (option SL)
- **0-100 km/h** 8,7 s
- **Vitesse maximale** 190 km/h

- **AUTRES COMPOSANTES**
- **Sécurité active** freins ABS, antipatinage, distribution électronique de force de freinage, contrôle de la stabilité électronique
- **Suspension avant/arrière** indépendante
- **Freins avant/arrière** disques
- **Direction** à crémaillère, assistée
- **Pneus S** P215/70R16, **SL** P225/60R17

- **DIMENSIONS**
- **Empattement** 2690 mm
- **Longueur** 4645 mm
- **Largeur** 1800 mm
- **Hauteur** 1684 mm
- **Poids S 2RM** 1484 kg, **4RM** 1564kg
- **SL 2RM** 1504 kg, **S 4RM** 1574 kg
- **Diamètre de braquage** 12,2 m
- **Coffre** 818 l, 1640 l (sièges abaissés)
- **Réservoir de carburant** 60 l
- **Capacité de remorquage** 454 kg à 680 kg

NOS MENTIONS

 Modèle recommandé

NOTRE VERDICT

Plaisir au volant	●●●●○
Qualité de finition	●●●○○
Consommation	●●○○○
Rapport qualité/prix	●●●○○
Valeur de revente	●●●●○

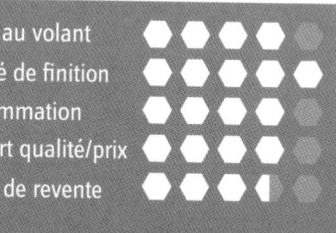

SENTRA

www.nissan.ca

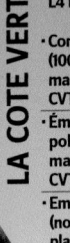

ÉVOLUTION

N · É
J

16 583 $ à 24 583 $
transport et préparation: 1385 $

NISSAN

LA COTE VERTE

MOTEUR
L4 DE 2,0 L

· **Consommation**
(100km):
man. 7,4 l
CVT. 6,7 l

· **Émissions**
polluantes CO_2 :
man. 3450 kg/an,
CVT. 3082 kg/an

· **Empreinte écologique**
(nombre d'arbres à
planter par année): 22

· **Indice d'octane**: 87

· **Autre**
motorisation: non

· **Coût du carburant**
moyen par année:
man. 1500 $
CVT. 1340 $

· **Nombre de**
litres par année:
man. 1500 l
CVT. 1340 l

(SOURCE: ÉnerGuide)

 FICHE D'IDENTITÉ

· **Versions** 2.0, 2.0 S, 2.0 SL, SE-R, SE-R Spec V
· **Roues motrices** avant
· **Portières** 4 **Nombre de passagers** 4
· **Première génération** 1983
· **Génération actuelle** 2007
· **Construction** Aguascalientes, Mexique
· **Sacs gonflables** 6 (frontaux, latéraux avant,
rideaux latéraux)
· **Concurrence** Chevrolet Cruze, Ford Focus, Honda
Civic, Hyundai Elantra, Kia Spectra, Mazda3,
Mitsubishi Lancer, Subaru Impreza, Suzuki SX4,
Toyota Corolla, Volkswagen Golf

 AU QUOTIDIEN

· **Prime d'assurance**
25 ans: 1700 à 1900$
40 ans: 1600 à 1800$
60 ans: 1200 à 1400$
· **Collision frontale** 5/5
· **Collision latérale** 4/5
· **Ventes du modèle de l'an dernier**
Au Québec 5152 **Au Canada** 13 431
· **Dépréciation** 41,4 %
· **Rappels** (2005 à 2010) 6
· **Cote de fiabilité** 3,5/5

 GARANTIES... ET PLUS

· **Garantie générale** 3 ans/60 000 km
· **Garantie motopropulseur** 5 ans/100 000 km
· **Perforation** 5 ans/kilométrage illimité
· **Assistance routière** 3 ans/kilométrage illimité
· **Nombre de concessionnaires**
Au Québec 50 **Au Canada** 156

 NOUVEAUTÉS EN 2011

· Ajout d'un aileron arrière sur les versions 2.0 CVT,
2.0 S, 2.0 SL, sièges chauf-fants de série sur 2.0
S, système de clé intelligente optionnelle sur 2.0 S
avec groupe CVT de luxe.

PAUVRE GRANDE SŒUR...

PAR FRÉDÉRIC MASSE

DANS LA CATÉGORIE DES COMPACTES, COM-
ME DANS BIEN D'AUTRES, POUR AVOIR DU
SUCCÈS, UNE VOITURE DOIT INÉVITABLEMENT
SE DISTINGUER. La Mazda3, par exemple, amène
le plaisir de conduire et la vivacité. La Honda Civic
propose une conduite dynamique ainsi que la fiabilité. La Toyota Corolla devient la parfaite com-
pagne pour celui qui cherche la durabilité et la
valeur de revente. La Volkswagen Golf, quant à elle,
met l'accent sur le raffinement et le comportement
routier. Même la Hyundai Elantra, qui n'est pas ma
préférée, se distingue avec la taille de son habitacle.
Mais, la Sentra, elle, elle comble quels besoins en
particulier ? Fait-elle mieux en réalité que sa petite
sœur, la Versa ? Je n'ai pas encore trouvé...

[CARROSSERIE] La Sentra a reçu en 2010 un
rafraîchissement de mi-cycle, elle demeure donc à
peu de choses près semblable cette année. La petite
berline ne parvient d'ailleurs pas à se distinguer de
la concurrence. Son faciès avant est générique, et la
partie arrière, quelconque. Même dans ses livrées
SE-R et Spec V, elle n'arrive pas à me convaincre,
elle qui ne semble pas imposante du tout, une né-

cessité pour ce type de voiture au comportement
plus sportif. À sa défense pourtant, la Sentra propose l'un des plus longs empattements de la catégorie, ce qui lui permet d'offrir un habitacle grand
et aéré, un avantage dans cette catégorie.

[HABITACLE] Encore là, il n'y a rien pour écrire
à sa mère. Comme le reste, la Sentra ne fait
ni mieux, ni pire que les concurrentes. Il y a
certainement l'espace dans l'habitacle qui est
un plus. On y trouve beaucoup de place pour
la tête, en plus d'y découvrir des sièges relativement confortables. Même les passagers arrière
s'y sentiront assez bien. Il faut aussi souligner
l'équipement de série complet pour le prix
demandé, comme la prise USB, de série sur tous
les modèles. L'insonorisation est correcte, sans
plus, une constante dans cette catégorie. Les commandes sont également simples et d'utilisation
intuitive. La Sentra ne parvient toutefois pas à se
distinguer pour l'originalité de sa présentation,
quelle que soit la version choisie. Il n'y a rien pour
me convaincre non plus en matière de qualité des
matériaux.

FORCES · Intérieur spacieux · Bonne insonorisation · Confort général
· Modèle Spec V

FAIBLESSES · Un style anonyme · Boîte CVT sans intérêt · Pas de freins ABS sur
les versions de base

ment moins cher (environ 2000 $ dans le cas de la Civic et 10 000 $ pour la SPEED. Mais, ne vous attendez pas à une voiture au comportement chirurgical et grisante à conduire comme l'était l'ancienne génération, ce n'est pas le cas.

[MÉCANIQUE] Bon, là, je monte aux barricades pour la petite Sentra. Le petit 4-cylindres de 2 litres travaille bien. Non, ce n'est pas le Klondike, mais il excelle en matière d'efficacité et de consommation de carburant. Le plus petit moteur développe ainsi 140 chevaux... c'est bien. On peut l'accompagner dans les versions traditionnelles (non SE-R et Spec V) d'une boîte de vitesses manuelle à 6 rapports ou d'une boîte à rapport continuellement variable (CVT). Cette dernière est d'ailleurs fort efficace; et comme il s'agit d'un élément de différenciation, il est important de le souligner. Les autres, plus performantes, que sont les SE-R avec la boîte CVT de série, et la Spec V, avec la manuelle à 6 rapports, comptent plutôt sur un 4-cylindres de 2,5 litres qui développe 177 et 200 chevaux respectivement.

[COMPORTEMENT] La Sentra dans ses livrées traditionnelles est fortement axée sur le confort. On le sent dès les premiers tours de roues. La direction surassistée plaira à ceux qui recherchent une voiture facile et qui semble légère à conduire. La suspension conciliante lui permet également de bien supporter notre chaussée dégradée. Mais, gare à ceux qui voudraient s'énerver au volant d'une Sentra, les limites de la suspension sont rapidement atteintes. Est-ce un défaut ? Absolument pas, car la Sentra procure au moins le contraire en offrant du confort. Les versions SE-R et Spec V sont évidemment plus rigides et proposent une conduite plus vivante. Mais, contrairement à l'ancienne génération, elles non plus ne parviennent pas à faire mieux ou à se distinguer comme le ferait une *MAZDASPEED3* ou une Honda Civic Si, nettement plus performantes et poussées comme machine. À sa défense, la Spec V coûte passable-

[CONCLUSION] La Sentra n'est pas une mauvaise voiture, elle est seulement en crise d'identité. Si l'ancienne génération parvenait à s'imposer grâce à son bas prix et à sa fiabilité au-dessus de la moyenne, la nouvelle ne me stimule plus. Il faut dire que la concurrence s'est resserrée avec de nouveaux arrivants solides, et qu'elle est la sœur de la Versa. La Nissan me fait un peu penser à la Corolla, dans le sens où elle n'est pas la plus belle, ni la plus rapide, ni quoi que ce soit de plus que les concurrentes, mais pas mauvaise du tout non plus. Toutefois, contrairement à la Corolla, elle n'est pas une reine en matière de fiabilité, figurant dans la moyenne selon Consumer Reports. Dans ce cas... Pourquoi pas une Versa à hayon ?

2ᵉ OPINION

MICHEL CRÉPAULT J'ai passé du bon temps au volant de la version SE-R. Quelle stabilité et quelle impétuosité des 177 chevaux. Vu le poids, ça équivaut à lui greffer des ailes. Imaginez maintenant la Spec-V dotée de 200 chevaux ! Sinon, on se calme le pompon avec la livrée de base qui se tire très bien d'affaires, mais à un autre registre. Toutefois, il faut vraiment en pincer pour le nom Sentra alors que, dans la même famille, déambule une Versa moins chère et pas piquée des vers. Mais, soyons honnêtes, la grande soeur offre un intérieur moins étriqué tandis que sa silhouette n'est plus anonyme comme à ses débuts. L'atout numéro un de cette compacte, japonaise jusqu'au bout des bielles, s'avère son spectre de modèles capable de combler plusieurs types de conducteurs.

⑤ FICHE TECHNIQUE

· MOTEURS
L4 2,0 l DACT, 140 ch à 5100 tr/min
Couple 147 lb-pi à 4800 tr/min
Transmission manuelle à 6 rapports, automatique à variation continue (option)
0-100 km/h 9,5 s
Vitesse maximale 190 km/h

· (SE-R)
L4 2,5 l DACT, 177 ch à 6000 tr/min
Couple 172 lb-pi à 2800 tr/min
Transmission à variation continue avec commande au volant
0-100 km/h 7,3 s
Vitesse maximale 215 km/h
Consommation (100 km) 7,6 l (octane 87)
Emission de CO$_2$ 3542 kg/an
Litres par année 1540 l
Coût par année 1540 $
Carburant alternatif non
Empreinte écologique 22 arbres

· (SE-R Spec-V)
L4 2,5 l DACT 200 ch à 6600 tr/min
Couple 180 lb-pi à 5200 tr/min
Transmission manuelle à 6 rapports
0-100 km/h 6,8 s
Vitesse maximale 225 km/h
Consommation (100 km) 8,4 l (octane 91)
Emission de CO$_2$ 3910 kg/an
Litres par année 1700 l
Coût par année 1904 $
Empreinte écologique 24 arbres

· Autres composantes
Sécurité active freins ABS, répartition électronique de la force de freinage
Suspension avant/arrière indépendante/essieu rigide
Freins avant/arrière disques/tambours SE-R disques/disques
Direction à crémaillère, assistée
Pneus 2.0 P205/60R15 **2.0 S/2.0 SL** P205/55R16 **SE-R/SE-R Spec V** P225/45R17
· Dimensions
Empattement 2685 mm
Longueur 4567 mm **SE-R** 4575 mm
Largeur 1791 mm
Hauteur 1511 mm **SE-R** 1501 mm
Poids 2.0 man. 1279 kg **2.0 S man.** 1315 kg
2.0 SL 1357 kg
SE-R 1397 kg **SE-R V-Spec** 1387 kg
Diamètre de braquage 10,8 m
Coffre 371 l **SE-R/SE-R Spec V** 340 l
Réservoir de carburant 55 l

NOS MENTIONS

 Modèle recommandé

NOTRE VERDICT

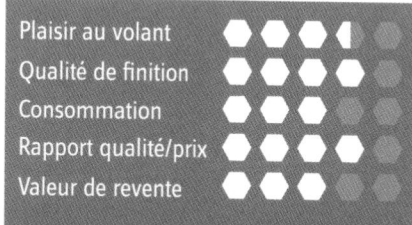

Plaisir au volant ●●●●○
Qualité de finition ●●●○○
Consommation ●●●○○
Rapport qualité/prix ●●●○○
Valeur de revente ●●●○○

TITAN

www.nissan.ca

33 658 $ à 51 658 $
transport et préparation: 1510 $

LA COTE VERTE

MOTEUR
V8 DE 5,6 L

- **Consommation (100km):**
2RM 13,9 l
4RM 14,9 l
- **Émissions polluantes CO_2 :**
2RM 6532 kg/an
4RM 6946 kg/an
- **Empreinte écologique (nombre d'arbres à planter par année):** 42
- **Indice d'octane:** 87
- **Autre motorisation:** non
- **Coût du carburant moyen par année:**
2RM 2840 $
4RM 3020 $
- **Nombre de litres par année:**
2RM 2840 l
4RM 3020 l

(SOURCE: ÉnerGuide)

① FICHE D'IDENTITÉ

- **Versions** S, SV, PRO-4X, SL (King Cab, Crew Cab)
- **Roues motrices** arrière, 4RM
- **Portières** 4 **Nombre de passagers** 5
- **Première génération** 2004
- **Génération actuelle** 2004
- **Construction** Canton, Mississippi, É.-U.
- **Sacs gonflables** 6 (frontaux; latéraux; rideaux)
- **Concurrence** Chevrolet Silverado, Dodge Ram, Ford F-150, GMC Sierra, Toyota Tundra

② AU QUOTIDIEN

- **Prime d'assurance**
25 ans: 3700 à 3900 $
40 ans: 2300 à 2500 $
60 ans: 2000 à 2200 $
- **Collision frontale** 5/5
- **Collision latérale** 4/5
- **Ventes du modèle de l'an dernier**
Au Québec 199 **Au Canada** 1377
- **Dépréciation** 58,8 %
- **Rappels** (2005 à 2010) 9
- **Cote de fiabilité** 3/5

③ GARANTIES... ET PLUS

- **Garantie générale** 3 ans/60 000 km
- **Garantie motopropulseur** 5 ans/100 000 km
- **Perforation** 5 ans/kilométrage illimité
- **Assistance routière** 3 ans/kilométrage illimité
- **Nombre de concessionnaires**
Au Québec 50 **Au Canada** 156

④ NOUVEAUTÉS EN 2011

- Nouvelle désignation des modèles

MANQUE D'AMBITION OU DE MOYENS ?

PAR DANIEL RUFIANGE

SANS FAIRE DE MAUVAIS JEUX DE MOTS, C'EST UNE TÂCHE TITANESQUE QUI ATTEND NISSAN SI L'ENTREPRISE SOUHAITE TOUJOURS FAIRE DE SA CAMIONNETTE L'UNE DES PLUS PRISÉES DU SEGMENT. Les ventes de la Titan ne sont pas seulement faibles, elles sont tristes à consulter. Elles ont subi un recul de 10 % au pays l'an dernier. Seule bonne nouvelle : elles sont en hausse au Québec, comme quoi on fait rarement les choses comme nos voisins canadiens. L'an dernier, le projet d'association avec Dodge avait ravivé les espoirs. Maintenant que cette idée fait partie de l'histoire, que fera Nissan avec sa Titan ?

[CARROSSERIE] Dans le monde des camionnettes, les stylistes tentent de doter leur véhicule de la gueule la plus masculine, la plus agressive. Il en résulte des calandres disproportionnées comme celle de la Ford F-150 ou des exercices de style ratés comme l'avant-dernière génération de Dodge Ram (2002-2008). Chez Nissan, on a trouvé la bonne combinaison. Une calandre

agressive, bien proportionnée et n'abusant pas du chrome. En réalité, c'est probablement la plus belle du segment. Ce n'est donc pas un problème d'esthétique si la Titan croupit dans les bas-fonds du créneau. C'est plus une question de réputation, le genre qui se bâtit sur des décennies. C'est dommage, car la Titan est une bonne camionnette, capable de rendre de précieux services.

[HABITACLE] Nous parlions de réputation. Justement, celle de Nissan, en termes de conception d'habitacles, n'est pas la meilleure. Pourtant, les progrès réalisés au cours des dernières années sont énormes. Si la qualité de l'habitacle d'une Titan ne rejoint pas les standards de Ford et de Dodge, elle peut être mesurée à celle des produits proposés par GM. Cependant, quand on amorce une course en retard, il est difficile de rattraper le temps perdu. Autrement, l'intérieur de la Titan n'a rien à envier aux autres, si ce n'est l'espace arrière. La Titan offre deux

FORCES · Silhouette réussie · Compétence au travail
· Si vous voulez être différent...

FAIBLESSES · Un seul choix de moteur · Pas de cabine d'équipe
· Prix des options qui font grimper la facture · Avenir du modèle ?

types de cabines, allongée ou double, mais pas de cabine d'équipe.

[MÉCANIQUE] Pendant que la concurrence offre une panoplie de moteurs pour mouvoir leurs camionnettes, la Titan limite l'offre à une seule mécanique. C'est un pari risqué qui, de toute évidence, ne remporte pas de succès. Ce n'est toutefois pas en raison de la qualité du bloc qui est fixé aux supports de moteur. Le V8 de 5,6 litres proposé par Nissan est compétent et propose une bonne capacité de remorquage à 4309 kilos. Cependant, il n'est pas frugal et manque de couple à bas régime. Si l'on veut vraiment attirer la clientèle des camionnettes, on ne peut offrir qu'une seule mécanique. Si la Titan est votre choix, la version PRO-4X demeure la plus désignée. Elle profite d'amortisseurs de performance Rancho, de plaques de protection pour le carter d'huile et le boîtier de transfert, un différentiel autobloquant électronique et des pneus BFGoodrich Rugged Trail conçus pour les excursions hors route.

[COMPORTEMENT] Le comportement de la Nissan se compare à celui des autres camionnettes, à l'exception de la Ford F-150, la championne du confort. Nous ne pouvons pas toujours soumettre les camionnettes que nous essayons à rude épreuve, mais le temps passé au volant de la Titan a été concluant; sa robustesse et sa capacité de travail ne font pas de doute et conviennent aux besoins de 90 % des acheteurs. L'ombre au tableau : un seul moteur et un seul rapport de pont (mis à part un ratio différent

pour le boîtier de transfert), donc très peu de souplesse. Si Nissan poursuit l'aventure Titan, il faudra en offrir beaucoup plus.

[CONCLUSION] La Titan n'est pas un mauvais produit, au contraire. Elle tombe juste un peu à court dans toutes les catégories : variété mécanique, habitacle, choix de cabines et de configurations, entre autres. Dans le segment, on estime la fidélité de la clientèle entre 75 et 80 %. Pour voler des parts de marché, un bon produit n'est pas suffisant; il se doit d'être exceptionnel. La Titan n'est pas rendue là.

2ᵉ OPINION

MICHEL CRÉPAULT Pour la subtilité, on repassera : les Japonais séduisent les amateurs nord-américains de grosses camionnettes en leur en offrant une qui s'appelle Titan ! Cette dernière a avantage à être à la hauteur. Et, de fait, le gros V8 et la titanesque puissance de remorquage ont beaucoup d'allure. Sauf que tout cela date maintenant de sept ans. Depuis, les rivales ont renouvelé leur offre et relégué la Nissan à l'arrière du peloton. Rien à redire de la cabine qui déborde d'espace et de petites pensées habituellement réservées aux berlines. Le V8 de 5,6 litres continue de délivrer ses 317 chevaux avec l'enthousiasme d'un gorille en rut. La conduite, malgré le poids, est alerte quoique sèche sur pavé irrégulier. Mais la bête a cruellement besoin d'une cure de jouvence et d'une plus grande variété de configurations.

---

⑤ FICHE TECHNIQUE

- **MOTEUR**

V8 5,6 l DACT, 317 ch à 5200 tr/min	
Couple 385 lb-pi à 3400 tr/min	
Transmission automatique à 5 rapports	
0-100 km/h 9,3 s	
Vitesse maximale 190 km/h	

- **AUTRES COMPOSANTES**

Sécurité active freins ABS, distribution électronique de force de freinage, assistance au freinage

Suspension avant/arrière indépendante/essieu rigide

Freins avant/arrière disques

Direction à crémaillère, assistée

Pneus S, SV P265/70R18 **PRO-4X** P275/70R18 **SL** P275/60R20

- **DIMENSIONS**

Empattement base 3550 mm **allongé** 4050 mm

Longueur base 5704 mm **allongé** 6204 mm

Largeur 2019 mm

Hauteur King Cab 1896 mm à 1953 mm

Poids 2214 à 2562 kg

Diamètre de braquage 13,9 m

Coffre nd

Réservoir de carburant 106 l **allongé** 140 l

Capacité de remorquage 2948 à 4309 kg

NOTRE VERDICT

Plaisir au volant	⬢⬢⬢⬡⬡
Qualité de finition	⬢⬢⬢⬡⬡
Consommation	⬢⬢⬡⬡⬡
Rapport qualité/prix	⬢⬢⬢⬡⬡
Valeur de revente	⬢⬢⬢⬡⬡

VERSA
www.nissan.ca

ÉVOLUTION

12 498 $ à 17 398 $
transport et préparation: 1385 $

510

LA COTE VERTE

MOTEUR
L4 DE 1,6 L

- **Consommation (100km):**
  man. 6,9l l
  auto. 6,8 l
- **Émissions polluantes CO_2:**
  3174 kg/an
- **Empreinte écologique (nombre d'arbres à planter par année):** 18
- **Indice d'octane:** 87
- **Autre motorisation:** non
- **Coût du carburant moyen par année:** man. 1380 $
- **Nombre de litres par année:** 1380 l

(SOURCE: ÉnerGuide)

DE QUELLE COULEUR LA VOULEZ-VOUS ?

PAR FRÉDÉRIC MASSE

1 FICHE D'IDENTITÉ

- **Versions berline** 1.6 **5 portes** 1.8S, 1.8SL
- **Roues motrices** avant
- **Portières** 4,5 **Nombre de passagers** 5
- **Première génération** 2007
- **Génération actuelle** 2007
- **Construction** Aguascalientes, Mexique
- **Sacs gonflables** 6, frontaux, latéraux
- **Concurrence** Chevrolet Aveo, Honda Fit, Hyundai Accent, Kia Rio, Suzuki Swift+, Toyota Yaris

2 AU QUOTIDIEN

- **Prime d'assurance**
  25 ans: 1900 à 2100 $
  40 ans: 1000 à 1100 $
  60 ans: 800 à 1000 $
- **Collision frontale** 4/5
- **Collision latérale** 5/5
- **Ventes du modèle de l'an dernier**
  Au Québec 10 334 **Au Canada** 20 097
- **Dépréciation** 54,9 %
- **Rappels** (2005 à 2010) 3
- **Cote de fiabilité** nd

3 GARANTIES... ET PLUS

- **Garantie générale** 3 ans/60 000 km
- **Garantie motopropulseur** 5 ans/100 000 km
- **Perforation** 5 ans/kilométrage illimité
- **Assistance routière** 3 ans/kilométrage illimité
- **Nombre de concessionnaires**
  Au Québec 50 **Au Canada** 156

4 NOUVEAUTÉS EN 2011

- Aucun changement majeur

IL Y A, DANS CERTAINES CATÉGORIES, DES VOITURES TELLEMENT DOMINANTES QUE JE LES RECOMMANDE À OUTRANCE. Dans ce cas, ma réponse à la fameuse question « Quel véhicule choisirais-tu dans la catégorie des sous-compactes Fred ? » me vient alors spontanément : « À moins que la conduite sportive soit ta prio-rité, de quelle couleur la veux-tu ta Versa. » Pour moi, c'est aussi simple et facile que ça, et je vous expliquerai pourquoi.

[CARROSSERIE] Bon, la Versa n'est pas la plus jolie, j'en conviens, surtout en version berline. La Honda Fit et, surtout, la nouvelle Ford Fiesta déclenchent davantage les passions que la petite « européenne ». Car, oui, il faut le rappeler à celles et à ceux qui ne le savaient pas, la Versa est en réalité une Renault (Nissan appartient à ce groupe). Pour certains, c'est d'ailleurs ce qui la rend désirable. Le design de la Versa est très français, surtout la version à hayon, nettement plus intéressante, d'ailleurs, en raison de son habitacle plus grand.

[HABITACLE] Je me plais souvent à dire que la petite euro-japonaise possède les qualités d'une compacte au prix d'une sous-compacte. Que veux-tu dire par là Frédéric? Eh bien, c'est fort simple. La Versa propose aux passagers de l'espace à revendre pour les épaules et la tête, de la place pour les passagers arrière (une rareté dans cette catégorie) et un équipement qui peut devenir très complet (et aussi trop coûteux). Si la présentation pourra sembler ennuyeuse pour certains, je dis à ces mêmes personnes de porter une attention particulière au choix des matériaux et à la précision de l'assemblage. C'est extrêmement impressionnant pour une voiture de ce prix. Et, il faut aussi porter à votre connaissance le confort des sièges. Encore là, il s'agit d'un standard que je n'avais pas encore vu dans l'industrie dans cette catégorie. Je me demande en fait à quoi peut bien servir la Sentra...

FORCES · Espace dans la version à hayon · Qualité des matériaux · Confort général · Qualité de l'insonorisation

FAIBLESSES · Version berline moins intéressante · Boîte manuelle floue

[MÉCANIQUE] Le petit 4-cylindres de 1,8 litre n'est évidemment pas une bombe. Mais, on ne s'attend pas à cela quand on achète ce type de voiture. On souhaite plutôt une voiture capable de nous déplacer relativement vite du point A au point B, mais, surtout, qu'elle soit économique à l'usage. C'est exactement ce que livre la Versa, surtout avec la boîte de vitesses à rapports continuellement variable (CVT). Bon, comme le moteur développe 122 chevaux, il arrive parfois qu'il soit bruyant quand on le sollicite fortement. Mais, je dois l'avouer, bien que je ne sois pas un fanatique de CVT, celle de la Versa est particulièrement efficace. On peut également choisir, si l'on ne souhaite pas avoir une boîte CVT (et payer moins cher), la transmission automatique à 4 rapports tout de même efficace ou la manuelle à 6 rapports qui l'est, elle, un peu moins. Je dois aussi, comme il est offert, vous parler du moteur de 1,6 litres de la berline, et ce, même si elle est moins intéressante (je vous l'ai dit d'emblée, pour moi Versa rime avec hayon). Avec sa boîte automatique à 5 rapports ou automatique à 4 rapports, ses 107 chevaux n'ont rien de très motivant et me rappellent la sonorité d'un scooter.

[COMPORTEMENT] La Versa (encore celle à hayon) possède un autre avantage de taille dans cette catégorie, soit un comportement routier raffiné. Du côté des sous-compactes, elle est, et de loin, la plus confortable et celle que je choisirais pour effectuer de longues distances. La suspension réagit bien, même sur une chaussée dégradée, et sa bonne insonorisation nous rappelle vraiment ses origines européennes. Dans les faits,

elle roule comme une voiture beaucoup plus chère. Non, avec ses roues de 15 pouces, elle n'est pas une ballerine, et sa fonction n'est vraiment pas de vous permettre de faire de la haute voltige sur les routes sinueuses.

[CONCLUSION] La Versa, dans sa version à hayon, demeure, même en vieillissant, ma sous-compacte préférée. Elle procure beaucoup d'espace pour les passagers, offre une conduite raffinée, un habitacle bien ficelé et une insonorisation au-dessus de la moyenne. Il y a, par contre, un petit hic, la fiabilité du modèle est au mieux dans la moyenne selon *Consumer Reports*.

2ᵉ OPINION

MICHEL CRÉPAULT De goût, je préfère, et de loin, le modèle bicorps à la berline. Mon association d'idées est facile, mais Versa rime pour moi avec versatile, et c'est ce que m'offre le modèle à hayon. La plus belle surprise vient sans nul doute de l'espace disponible sur la banquette arrière. Et le confort des sièges. La suspension a d'ailleurs été calibrée pour appuyer ce rembourrage étonnamment généreux dans un véhicule dit économique. En ce sens, la Versa n'offre pas le plaisir au volant d'une Honda Fit, mais elle compense en facilitant le quotidien à tous les autres points de vue : tenue de route stable, consommation de carburant frugale, espace de chargement pratique et, pour couronner le tout, fiabilité rassurante. Dès qu'on se donne le budget pour l'équiper, les gâteries lui donnent des airs de reine de bal.

⑤ FICHE TECHNIQUE

· MOTEURS

(1.6)
L4 1,6 l DACT 107 ch à 6000 tr/min
couple 111 lb-pi à 4600 tr/min
Transmission manuelle à 5 rapports, automatique à 4 rapports
0-100 km/h 14,0 s
Vitesse maximale 175 km/h

(1.8S, 1.8SL)
L4 1,8 l DACT, 122 ch à 5200 tr/min
Couple 127 lb-pi à 4800 tr/min
Transmission manuelle à 6 rapports, automatique à 4 rapports (option sur 1.8S)
CVT (option sur 1.8SL)
0-100 km/h 13,0 s
Vitesse maximale 185 km/h
Consommation (100 km)
man. 7,1 l **auto.** 7,4 l **CVT** 6,6 l
Émissions de CO$_2$
man. 3312 kg/an **auto.** 3404 kg/an
CVT 3026 kg/an
Litres par année
man. 1440 l **auto.**1480 l **CVT** 1320 l
Coût par an
man. 1440 $ **auto.** 1480 $ **CVT** 1320 $
Empreinte écologique 20 arbres

· AUTRES COMPOSANTES
Sécurité active freins ABS (de série sur 1.8SL, en option sur 1.8S et 1.6), répartition électronique de force de freinage, assistance au freinage
Suspension avant/arrière indépendante/essieu rigide
Freins avant/arrière disques/tambours
Direction à crémaillère, assistée
Pneus 1.6 l P185/65R14 **1.8** l P185/65R15

· DIMENSIONS
Empattement 2600 mm
Longueur berline 4470 mm **5 portes** 4295 mm
Largeur 1695 mm
Hauteur 1535 mm
Poids 1.6 man. 1150 kg **1.6 auto.** 1171 kg
1.8S/1.8SL man. 1222 kg **1.8S auto.** 1235 kg
1.8SL AVC. 1251 kg
Diamètre de braquage 10,4 m
Coffre berline 391l
5 portes 504 l, 1427 l (sièges abaissés)
Réservoir de carburant 50 l

NOS MENTIONS

☺ Modèle recommandé

NOTRE VERDICT

Plaisir au volant	●●●○○
Qualité de finition	●●●●○
Consommation	●●●●○
Rapport qualité/prix	●●●●○
Valeur de revente	●●●○○

511

XTERRA

www.nissan.ca

N ───── ÉVOLUTION ───── É

J

33 698 $ à 37 498 $
transport et préparation: 1560 $

LA COTE VERTE

MOTEUR
V6 DE 4,0 L

- **Consommation
  (100km):**
  man. 11,9 l
  auto. 12,3 l
- **Émissions
  polluantes CO_2 :**
  man. 5520 kg/an
  auto. 5750 kg/an
- **Empreinte écologique
  (nombre d'arbres à
  planter par année):** 35
- **Indice d'octane:** 87
- **Autre
  motorisation:** non
- **Coût du carburant
  moyen par année:**
  man. 2400 $
  auto. 2500 $
- **Nombre de
  litres par année:**
  man. 2400 l
  auto. 2500 l

(SOURCE: ÉnerGuide)

À CONTRE-COURANT

PAR BENOIT CHARETTE

DANS UN MONDE OÙ LES UTILITAIRES SONT DE PLUS EN PLUS CONSTRUITS SUR UN CHÂSSIS MONOCOQUE PROVENANT D'UNE VOITURE, LE XTERRA FAIT FIGURE DE RACE EN VOIE D'EXTINCTION AVEC SON CHÂSSIS À ÉCHELLE PROVENANT D'UN CAMION. Il s'agit de l'un des derniers refuges des véritables amateurs de tout-terrains. Il ne fait pas dans la dentelle, et c'est exactement ce que recherchent les amateurs.

[CARROSSERIE] C'est la plateforme F-Alpha qui sert de base au Xterra. Ce châssis est également utilisé sous la camionnette Titan et le VUS Armada. En termes visuels, il n'y a aucun changement cette année. Seule la dénomination des modèles change. L'ancienne version hors route devient le Pro-4X, et le modèle SE est rebaptisé SV. Vous avez donc trois modèles pour 2011, les Xterra S, PRO-4X et SV. Vous avez également deux nouvelles couleurs de carrosserie, rouge lave et vert sentier.

[HABITACLE] Avez-vous déjà rêvé de laver l'in-

térieur de votre véhicule avec un boyau d'arrosage ? C'est essentiellement ce que vous pouvez faire dans l'espace de chargement du Xterra. Baptisé *Easy Clean*, cet espace est revêtu d'une surface en plastique. Un coup de boyau, quelques coups de chiffon et plus aucune trace de boue. Et elle s'étend jusqu'au dos de la deuxième rangée de sièges. De plus, il y a une aire de chargement cachée en dessous, au cas où vous souhaiteriez séparer votre équipement propre de celui qui est sale. Vous avez en plus dix crochets qui vous permettent d'arrimer à peu près n'importe quoi et un système de rails pour fixer votre équipement de sport ou de plein air. Il ne faut pas oublier les quatre prises de courant à 12 volts et l'audio haut de gamme Rockford Fostgate et ses 380 watts, en option. Le Xterra est véritablement construit pour une utilisation extrême. En prime, le confort est très honnête.

[MÉCANIQUE] Le V6 de 4 litres est toujours au rendez-vous. Avec 261 chevaux et un couple de 281 livres-pieds, il peut remorquer jusqu'à 2 268 kilos (5 000 livres) avec l'équipement

① FICHE D'IDENTITÉ

- **Versions** S, PRO-4X, SV
- **Roues motrices** 4 **Nombre de passagers** 5
- **Portières** 5
- **Première génération** 2000
- **Génération actuelle** 2005
- **Construction** Smyrna et Decherd, Tennessee, É.-U.
- **Sacs gonflables** 6
  (frontaux; latéraux avant et rideaux latéraux)
- **Concurrence** Dodge Nitro, Kia Sorento, Jeep Liberty, Jeep Wrangler, Suzuki Grand Vitara, Toyota FJ Cruiser

② AU QUOTIDIEN

- **Prime d'assurance**
  25 ans: 1800 à 2000 $
  40 ans: 1200 à 1400 $
  60 ans: 1000 à 1200 $
- **Collision frontale** 4/5
- **Collision latérale** 5/5
- **Ventes du modèle de l'an dernier**
  Au Québec 113 **Au Canada** 613
- **Dépréciation** 55,8%
- **Rappels** (2005 à 2010) 9
- **Cote de fiabilité** 4/5

③ GARANTIES... ET PLUS

- **Garantie générale** 3 ans/60 000 km
- **Garantie motopropulseur** 5 ans/100 000 km
- **Perforation** 5 ans/kilométrage illimité
- **Assistance routière** 3 ans/kilométrage illimité
- **Nombre de concessionnaires**
  Au Québec 50 **Au Canada** 156

④ NOUVEAUTÉS EN 2011

- Nouvelles appellations: le modèle tout-terrain devient PRO-4X et la version SE devient SV
- Deux nouvelles couleurs.

FORCES · Sérieux profil d'aventurier · Bonne mécanique
· Confort plus que correct pour ce type de véhicule

FAIBLESSES · Boîte manuelle un peu saccadée · Accès aux places arrière compliqué · Arrière-train sautillant sur mauvais revêtement

appropré. Amplement suffisant pour amener motoneige, motomarine et hors-bord à bon port. Pour ceux qui veulent affronter des routes moins hospitalières, le Xterra offre un système d'entraînement à 4 roues motrices à la demande qui s'engage à la volée. Le boîtier de transfert à deux régimes vous permet de choisir la gamme haute ou la gamme basse, selon les conditions du terrain. Vous pouvez opter pour le différentiel arrière à blocage électronique offert dans certaines versions du Xterra. Avec en plus un différentiel à glissement limité aux quatre roues, un contrôle de l'adhérence en descente et un contrôle dynamique du véhicule, vous serez capable d'aller très loin dans le bois. Si les vrais puristes aiment encore la boîte de vitesses manuelle à 6 rapports offerte dans les versions S et PRO-4X, la plus populaire demeure l'automatique à 5 rapports de série dans la version SV.

[COMPORTEMENT] La tenue de route est surprenante pour un camion, mais attention, vous n'êtes pas dans une berline, l'essieu arrière rigide vous le rappelle rapidement. C'est le compromis qu'on doit accepter pour avoir un véhicule capable de franchir les plus difficiles terrains. Nous le disions plus tôt, c'est le plastique facile d'entretien qui règne à bord, autre compromis de ce style de véhicule. Bref, si vous êtes du style minimaliste qui veut d'abord un camion robuste qui vous amènera partout dans un confort acceptable, le Xterra est pour vous. Si vous voulez quelque chose qui vous amènera moins profondément dans les sentiers oubliés en vous donnant plus de confort et une meilleure finition, allez

voir un Pathfinder.

[CONCLUSION] Vous avez peut-être déjà lu le livre de James Fenimore Cooper, *Le dernier des Mohicans*, qui raconte l'histoire des derniers membres d'une tribu amérindienne durant la Guerre de sept ans. Ces guerriers meurent à la fin du récit. Souhaitons seulement que le sort sera différent pour l'un des derniers véritables 4 x 4 sur nos routes.

2ᵉ OPINION

DANIEL RUFIANGE La compétence de Nissan en matière de fabrication de camions est bien réelle. Les Titan, Pathfinder et Frontier en sont tous de bons exemples. Cependant, aucun ne porte autant la génétique du camion que le Xterra. Sa conduite n'est pas très inspirante. Son habitacle n'est pas le plus raffiné. Toutefois, quand on monte à bord, on s'en balance éperdument, car on se sait en présence d'un véhicule conçu différemment. Autrement dit, il ne se prend pas pour un autre, et c'est ce qui fait son charme. Si vous comptez donc vous lancer à l'aventure avec la petite famille et si vous reluquez un utilitaire capable de vous mener loin dans les sentiers hors route, prenez deux instants pour découvrir le Xterra; la séduction pourrait être instantanée.

⑤ FICHE TECHNIQUE

· MOTEUR

V6 4,0 l DACT, 261 ch à 5600 tr/min	
Couple 281 lb-pi à 4000 tr/min	
Transmission manuelle à 6 rapports, auto. à 5 rapports (en option; de série sur SV)	
0-100 km/h 9,0 s	
Vitesse maximale 190 km/h	

· AUTRES COMPOSANTES

Sécurité active freins ABS, répartition électronique de force de freinage, antipatinage, contrôle de stabilité électronique	
Suspension avant/arrière indépendante/essieu rigide	
Freins avant/arrière disques	
Direction à crémaillère, assistée	
Pneus S P265/70R16	
PRO-4X P265/75R16 **SV** P265/65R17	

· DIMENSIONS

Empattement 2700 mm	
Longueur 4540 mm	
Largeur 1850 mm	
Hauteur 1903 mm	
Poids S auto. 1998 kg	
PRO-4X auto. 2020 kg **SV** 2007 kg	
Diamètre de braquage 11,4 m	
Coffre 991 l, 1869 l (sièges abaissés)	
Réservoir de carburant 80 l	
Capacité de remorquage 2268 kg	

515

NOTRE VERDICT

Plaisir au volant	●●●●◗○
Qualité de finition	●●●◗○○
Consommation	●●◗○○○
Rapport qualité/prix	●●●◗○○
Valeur de revente	●●●◗○○

ÉVOLUTION

N — É
|
J

96 700 $ à 297 000 $
transport et préparation: 2015 $

LA COTE VERTE

**AVEC MOTEUR
H6 DE 3,6 L**

- **Consommation (100km) :**
  man. 9,6l
  auto. 9,3 l
- **Émissions polluantes CO_2 :**
  man. 4324 kg
  auto. 4462 kg
- **Empreinte écologique (nombre d'arbres à planter par année) : 39**
- **Indice d'octane : 91**
- **Autre motorisation :** non
- **Coût du carburant moyen par année :**
  man. 2173 $
  auto. 2105 $
- **Nombre de litres par année :**
  man. 1940 l
  auto. 1880 l

(SOURCE : ÉnerGuide)

514

QUINTESSENCE

PAR PHILIPPE LAGUË

QUINTESSENCE : ESSENCE LA PLUS SUBTILE ET LA PLUS PURE (...); CE QU'IL Y A DE MEILLEUR, D'ESSENTIEL DANS QUELQUE CHOSE (LE PETIT LAROUSSE). Véritable mythe sur roues, légende vivante, classique d'entre les classiques, la Porsche 911 existe depuis 1964 et n'a cessé de s'améliorer depuis. Contrairement à d'autres sportives du même groupe d'âge – pensons à la Mustang et à la Corvette – la 911 a toujours conservé sa forme originale, et sa longue carrière n'a jamais connu de passage à vide. Six générations plus tard, elle est meilleure que jamais.

[CARROSSERIE] Depuis sa naissance, la 911 est une œuvre en devenir : chaque année modèle amène son lot de modifications et d'améliorations, tant mécaniques qu'esthétiques. Aucune autre voiture dans l'industrie de l'automobile n'offre autant de versions : 17 ! Carrera, Carrera S, Carrera 4S, Turbo, GT2, GT3, coupé, cabriolet, Targa... Vous pouvez avoir trois 911 dans votre garage, et elles auront chacune leur personnalité.

[HABITACLE] Contrairement à la plupart des voitures sport, la 911 ne semble pas avoir été conçue uniquement pour les petits formats. Une personne de grande taille sera très à l'aise à l'intérieur – à l'avant, s'entend, puisque les places arrière ne peuvent servir qu'à des enfants. Les baquets méritent une note parfaite en raison de leur rembourrage et de l'excellent maintien qu'ils procurent. L'ergonomie a droit elle aussi à des compliments, tout comme l'instrumentation, ultra complète, avec le compte-tours bien au centre. La seule fausse note concerne certains plastiques d'apparence bon marché, qui n'ont pas leur place dans une voiture de ce rang – et de ce prix !

[MÉCANIQUE] Parlons maintenant des vraies affaires. En matière de mécanique, la tradition est respectée : chaque cure de rajeunissement s'accompagne d'une augmentation de la puissance. L'incontournable 6-cylindres à plat est de la partie, mais sa cylindrée varie selon les versions, tout comme la puissance, qui s'échelonne de 345 à 620 chevaux pour la plus extrême des 911, la GT2 RS. Ce qui frappe en premier lieu

1 FICHE D'IDENTITÉ

- **Versions** Carrera, Carrera S, Carrera 4, Carrera 4S, Targa 4, Targa 4S, Turbo, Turbo S, GT3, GT3 RS, GT2 RS
- **Roues motrices** arrière, 4
- **Portières** 2
- **Première génération** 1964
- **Génération actuelle** 2005
- **Construction** Stuttgart, Allemagne
- **Sacs gonflables** 6 (frontaux [4], latéraux)
- **Concurrence** Aston Martin V8 Vantage/DB9, BMW Série 6, Chevrolet Corvette, Ferrari 458 Italia, Jaguar XK, Lamborghini Gallardo, Maserati Coupé, Mercedes-Benz Classe SL

2 AU QUOTIDIEN

- **Prime d'assurance**
  25 ans: 5700 à 5900 $
  40 ans: 2800 à 3000 $
  60 ans: 2600 à 2800 $
- **Collision frontale** 5/5
- **Collision latérale** 5/5
- **Ventes du modèle de l'an dernier**
  Au Québec 132 Au Canada 495
- **Dépréciation (3 ans)** 39,8 %
- **Rappels (2005 à 2010)** 1
- **Cote de fiabilité** 4/5

3 GARANTIES... ET PLUS

- **Garantie générale** 4 ans/80 000 km
- **Garantie motopropulseur** 4 ans/80 000 km
- **Perforation** 10 ans/kilométrage illimité
- **Assistance routière** 4 ans/80 000 km
- **Nombre de concessionnaires**
  Au Québec 3 Au Canada 12

4 NOUVEAUTÉS EN 2011

- Nouvelles versions Turbo S et GT2 RS

FORCES · Légende vivante · Nombreuses versions · Moteur sublime · Boîte manuelle parfaite · Direction incisive · Comportement exemplaire

FAIBLESSES · Du plastique ici et là · Les options !

de ce moteur atypique, c'est sa grande disponibilité. Peu importe le régime, il répond immédiatement à la moindre sollicitation de l'accélérateur. Sa sonorité rauque, presque métallique, est trompeuse car ce moteur brille par sa souplesse et son élasticité. Il ne craint aucunement les montées en régime – que dis-je, il en raffole ! – et le couple est toujours présent. Franchement, il est parfait ! Idem pour la boîte de vitesses manuelle, précise et superbement étagée. La fermeté de l'embrayage demande une période d'adaptation, mais on s'y fait rapidement. Et quelle direction ! Rapide, nerveuse, précise et ferme; idéale pour ce genre de voiture.

[COMPORTEMENT] Signe des temps, la 911 n'a jamais été autant bardée d'électronique. Les puristes s'en indignent, mais il faut bien reconnaître qu'un conducteur de Porsche ne devient pas automatiquement un pilote de course, et que ces dispositifs d'aide à la conduite peuvent limiter les dégâts. De toute façon, certains d'entre eux sont débrayables. Cela dit, la 911 demeure une référence en matière de conduite sportive. Sa rigidité est exceptionnelle, il n'y a pas d'autre mot : cette voiture semble coulée toute d'un bloc. C'est aussi une véritable GT avec laquelle on enfile les kilomètres sans le moindre inconfort. L'auteur de ces lignes, qui a passé des journées complètes à la conduire, peut en témoigner.

[CONCLUSION] Pardonnez-moi le cliché, mais la 911 est l'un des rares grands crus de l'automobile, qui se bonifie en vieillissant. Chaque génération parvient à surpasser la précédente, de sorte qu'elle demeure la mesure-étalon, celle que tous veulent surpasser ou, à tout le moins, égaler. En outre, elle est fiable, ce qui est l'exception plutôt que la règle dans le créneau des super-sportives.

⑤ FICHE TECHNIQUE

• MOTEURS
• (Carrera, Carrera 4, Targa 4)
H6 3,6 l DACT, 345 ch à 6800 tr/min
Couple 288 lb-pi à 4400tr/min
Transmission manuelle à 6 rapports,
manuelle robotisée à 7 rapports (en option)
0-100 km/h Carrera coupé 4,9 s **cabrio.** 5,0 s
Vitesse maximale
Carrera 289 km/h **Carrera 4** 280 km/h

• (Carrera S, Carrera 4S, Targa 4S)
H6 3,8 l DACT, 385 ch à 6600 tr/min
Couple 310 lb-pi à 4400 tr/min
Transmission manuelle à 6 rapports,
manuelle robotisée à 7 rapports (en option)
0-100 km/h Carrera S coupé 4,8 s **cabrio.** 5,0 s
Carrera 4S coupé/Targa 5,0 s **cabrio.** 5,3 s
Vitesse maximale
Carrera S 293 km/h **Carrera 4S** 288 km/h
Consommation (100 km)
man. 9,7 l **robo.** 9,9 l (octane 91)

• (Turbo)
H6 3,8 l biturbo DACT, 500 ch à 6000 tr/min
Couple 481 lb-pi à 1950 tr/min
Transmission manuelle à 6 rapports,
manuelle robotisée à 7 rapports (en option)
0-100 km/h man. 3,7 s **PDK.** 3,6 s
Vitesse maximale 312 km/h
Consommation (100 km)
man. 10,9 l **PDK.** 11,2 l (octane 91)

• (Turbo S)
H6 3,8 l biturbo DACT, 530 ch à 6250 tr/min
Couple 517 lb-pi à 2100 tr/min
Transmission manuelle à 6 rapports,
manuelle robotisée à 7 rapports (en option)
0-100 km/h man. 3,3 s
Vitesse maximale 315 km/h

Consommation (100 km) 12,7 l (octane 91)

• (GT3)
H6 3,8 l DACT, 435 ch à 7600 tr/min
Couple 317 lb-pi à 6250 tr/min
Transmission manuelle à 6 rapports
0-100 km/h 4,1 s
Vitesse maximale 310 km/h
Consommation (100 km) 12,5 l (octane 91)

• (GT3 RS)
H6 3,8 l DACT, 450 ch à 7900 tr/min
Couple 317 lb-pi à 6750 tr/min
Transmission manuelle à 6 rapports
0-100 km/h 4,1 s
Vitesse maximale 310 km/h
Consommation (100 km) 12,5 l (octane 91)

• (GT2 RS)
H6 3,6 l biturbo DACT, 620 ch à 6500 tr/min
Couple 516 lb-pi à 2250 tr/min
Transmission manuelle à 6 rapports
0-100 km/h 3,5 s **Vitesse maximale** 330 km/h
Consommation (100 km) 11,9 l (octane 91)

• AUTRES COMPOSANTES
Sécurité active freins ABS, répartition électronique de force de freinage, assistance au freinage, antipatinage, contrôle de stabilité électronique
Suspension avant/arrière indépendante
Freins avant/arrière disques
Direction à crémaillère, assistée
Pneus
Carrera/Targa 4 P235/40R18 (av.), P265/40R18 (arr.)
Carrera S/Targa 4S P235/35R19 (av.), P295/30R19 (arr.)
Turbo/ Turbo S/GT3 P235/35ZR19 (av.), P305/30ZR19 (arr.)
GT2 RS P245/35ZR19 (av.), P325/30ZR19 (arr.)

• DIMENSIONS
Empattement 2350 mm **GT3** 2355 mm
Longueur 4435 mm **Turbo/Turbo S** 4450 m
GT3 4465 mm **GT3 RS** 4460 mm
Largeur 1808 mm
Turbo/Turbo S/GT3/GT3 RS 1852 mm
Hauteur Carrera/Targa 4 1310 mm
Carrera S/Targa 4S/Turbo/Turbo S 1300 mm
GT3/GT3 RS 1280 mm
Poids 1375 kg à 1595 kg
Diamètre de braquage 10,6 m
Coffre 125 l **GT3** 105 l
Réservoir de carburant 64 l
Turbo/Turbo S/ GT3/GT3 RS 67 l

NOS MENTIONS

 Modèle recommandé

 Coup de coeur

NOTRE VERDICT

Plaisir au volant	●●●●◐
Qualité de finition	●●●●◐
Consommation	●●○○○
Rapport qualité/prix	●●●○○
Valeur de revente	●●●●○

BOXSTER

www.porsche.com/canada

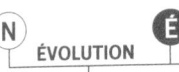

N — ÉVOLUTION — É
J

59 600 $ à 72 900 $
transport et préparation: 1985 $

LA COTE VERTE

MOTEUR
H6 DE 2,9 L

- **Consommation (100km):**
  man. 9,3 l
  robo. 8,5 l
- **Émissions polluantes CO_2 :**
  man. 4370 kg/an
  robo. 3956 kg/an
- **Empreinte écologique (nombre d'arbres à planter par année):** 26
- **Indice d'octane:** 91
- **Autre motorisation:** non
- **Coût du carburant moyen par année:**
  man. 2128 $
  robo. 1926 $
- **Nombre de litres par année:**
  man. 1900 l
  robo. 1720 l

(SOURCE: ÉnerGuide)

1 FICHE D'IDENTITÉ

- **Versions** Base, S, Spyder
- **Roues motrices** arrière
- **Portières** 2 **Nombre de passagers** 2
- **Première génération** 1997
- **Génération actuelle** 2005
- **Construction** Stuttgart, Allemagne
- **Sacs gonflables** 6 (frontaux, latéraux, tête)
- Concurrence BMW Z4, Mercedes-Benz SLK, Nissan 370Z Roadster

2 AU QUOTIDIEN

- **Prime d'assurance**
  25 ans: 4100 à 4300 $
  40 ans: 1800 à 2000 $
  60 ans: 1500 à 1700 $
- **Collision frontale** 5/5
- **Collision latérale** 5/5
- **Ventes du modèle de l'an dernier**
  Au Québec 57 **Au Canada** 208
- **Dépréciation** 38,3 %
- **Rappels** (2005 à 2010) 1
- **Cote de fiabilité** 4/5

3 GARANTIES... ET PLUS

- **Garantie générale** 4 ans/80 000 km
- **Garantie motopropulseur** 4 ans/80 000 km
- **Perforation** 10 ans/kilométrage illimité
- **Assistance routière** 4 ans/80 000 km
- **Nombre de concessionnaires**
  Au Québec 3 **Au Canada** 12

4 NOUVEAUTÉS EN 2011

- Version Spyder

MA VOITURE DE L'ANNÉE

PAR ALEXANDRE CRÉPAULT

UNE NOUVELLE GÉNÉRATION DE PORSCHE BOXSTER SE POINTERA BIENTÔT À L'HORIZON. Qu'importe, le modèle 2011 est en aussi bonne forme qu'il l'était lors de son lancement en 2005.

[CARROSSERIE] Encore aujourd'hui, la Boxster est basée sur le châssis de la 987. Retouché en 2009, le duo Boxster et Boxster S de deuxième génération demeure inchangé sur le plan visuel. La version Spyder, un ajout récent, se révèle plus légère... et considérablement différente. Le toit souple en toile, conçu en deux parties, se défait manuellement. Il faut compter dix bonnes minutes pour l'enlever ou le remettre en place. Sa poupe, en un seul morceau, est bossée à la Carrera GT. Ses roues de 19 pouces sont les plus légères jamais produites par Porsche dans cette taille. La caisse plus basse de 20 millimètres révèle le jeu de la Spyder. Les trois versions de la Boxster se distinguent visuellement à plusieurs égards. Cependant, une liste d'options longue comme mon bras permet d'interchanger, ou de carrément modifier, l'allure de n'importe quelle Boxster.

[HABITACLE] L'habitacle, à la base simple et de haute qualité, n'est pas particulièrement spacieux, mais on ne s'en lasse pas. Ce sera à vous, en ouvrant largement votre portefeuille, de créer l'ambiance qui vous plaît. Ainsi, cinq différents types de sièges sont offerts, du baquet sport en composite (standard dans la Spyder) au siège confort. On peut ajouter du cuir ou du tissu alcantara, du bois, de l'aluminium ou de la fibre de carbone. On peut aussi changer les couleurs des divers matériaux, opter pour une chaîne audio ambiophonique Bose et ainsi de suite. La version Spyder continue son régime minceur en troquant ses poignées pour des petites sangles. Exit aussi les bacs de rangement des portes et le petit pare-soleil au-dessus des compteurs. La radio et le climatiseur brillent également par leur absence, mais peuvent être remis sans surplus.

[MÉCANIQUE] Trois modèles, trois moteurs. Le 6 à plat de 2,9 litres du modèle de base développe 255 chevaux. La S grimpe sa cylindrée à 3,4 litres et peut ainsi envoyer 310 chevaux au vi-

FORCES · Comportement idéal · Qualité irréprochable · Aspect sportif réel

FAIBLESSES · Prix · Très longue liste d'options · Limitée par la présence de la 911

lebrequin. La version Spyder, quant à elle, utilise une mécanique similaire à celle de la « S », mais profite d'une entrée d'air et d'un échappement différent, lui donnant 10 chevaux de plus. Dans un cas comme dans l'autre, la boîte de vitesses manuelle à 6 rapports est livrée de série. La boîte à double embrayage PDK à 7 rapports est en option, tout comme une longue liste d'accessoires aussi coûteux qu'intéressants, comme les freins en composite de céramique, le système de réglage électronique des suspensions « PASM », l'échappement de performance réglable, le différentiel à glissement limité, etc.

[COMPORTEMENT] Si vous recherchez une voiture de tourisme, un roadster ou l'autre saura vous satisfaire. Si votre but consiste à vous impliquer vraiment dans la conduite sportive, la Boxster est l'arme de choix. Avant tout, c'est son châssis et la répartition idéale de sa masse qui en font une voiture si équilibrée. À l'approche d'un virage, les freins ralentissent la voiture avec vigueur, tout en étant faciles à moduler. Le nez plonge à peine. Dès que la voiture est stabilisée, les quatre roues s'accrochent au tarmac comme des ventouses. À la remise des gaz, l'arrière s'agrippe solidement au sol, tandis que l'avant s'allège un tout petit peu. Pendant ce temps, les défauts de la route sont gérés avec brio par cette merveille d'ingénierie. La boîte PDK est exceptionnelle. La manuelle, surtout équipée du réducteur de course, est tout simplement orgasmique. La symphonie du 6 à plat qui chante sans se gêner dans les montées en régime du moteur est enivrante. La vitesse ne grimpe pas aussi rapidement qu'une Turbo ou une GT-R,

mais qu'importe. D'un virage à l'autre, la direction est légère mais précise.

[CONCLUSION] La seule chose vraiment triste, ce sont les limites qu'impose Porsche à sa Boxster. Munie du 3,8-litres de sa grande sœur, la 911 Carrera S, elle, n'en ferait qu'une bouchée, aucun doute là-dessus. Le prix aussi est triste... pour nous. Une fois les options ajoutées, il faut demander une seconde hypothèque. Mais la Boxster en vaut tellement la peine que je n'hésiterais pas une seconde.

2ᵉ OPINION

FRANCIS BRIÈRE La Porsche Boxster est l'une de ces machines qui vous font apprécier la conduite automobile. Vous pouvez aller vous éclater sur la piste avec ce bolide ou, encore, vous promener tranquillement un dimanche après-midi en bonne compagnie. C'est à l'été 2010 que le constructeur allemand a commercialisé une version extrême de la Boxster : la Spyder. Son engin développe quelque 320 chevaux, et les ingénieurs ont trouvé le moyen de diminuer le poids de la voiture à environ 1300 kilos. Elle est dotée d'une capote souple qu'on découvre ou qu'on abaisse manuellement. En revanche, une conduite à plus de 100 km/h avec un toit au-dessus de la tête est une mauvaise idée. Un autre vilain défaut : elle coûte 72 000 $.

⑤ FICHE TECHNIQUE

- **MOTEURS**
- **(Base)**

H6 2,9 l DACT, 255 ch à 6500 tr/min
Couple 214 lb-pi à 4400 tr/min

Transmission manuelle à 6 rapports, boîte PDK à 7 rapports (en option)	
0-100 km/h 5,9 s	
Vitesse maximale 263 km/h	

- **(S)**

H6 3,4 l DACT, 310 ch à 6400 tr/min
Couple 266 lb-pi à 4400 tr/min

Transmission manuelle à 6 rapports, manuelle robotisée à 7 rapports (en option)	
0-100 km/h 5,3 s	
Vitesse maximale 274 km/h	
Consommation (100 km)	
man. 9,3 l **robo.** 8,7 l (octane 91)	
Émissions de CO$_2$	
man. 4370 kg/an **robo.** 4094 kg/an	
Litres par année man. 1900 l **robo.** 1780 l	
Coût par an man. 2128 $ **robo.** 1994 $	
Empreinte écologique 29 arbres	

- **(Spyder)**

H6 3,4 l DACT, 320 ch à 7200 tr/min
Couple 273 lb-pi à 4750 tr/min

Transmission manuelle à 6 rapports, manuelle robotisée à 7 rapports (en option)	
0-100 km/h 5,1 s	
Vitesse maximale 267 km/h	
Consommation (100 km)	
man. 10,7 l **robo.** 10,3 l (octane 91)	
Émissions de CO$_2$ nd	
Litres par année nd	
Coût par an nd	
Empreinte écologique nd	

- **AUTRES COMPOSANTES**

Sécurité active freins ABS, répartition électronique de force de freinage, assistance au freinage, antipatinage, contrôle de stabilité électronique
Suspension avant/arrière indépendante
Freins avant/arrière disques
Direction à crémaillère, assistée
Pneus
Base P205/55R17 (av.), P235/50R17 (arr.),
S P235/40R18 (av.), P265/40R18 (arr.),
Spyder P235/35R19 (av.), P265/35R19 (arr.)

- **DIMENSIONS**

Empattement 2415 mm
Longueur 4342 mm
Largeur 1801 mm
Hauteur 1292 mm **S** 1294 mm **Spyder** 1231 mm
Poids Base 1335 kg, **S** 1355 kg **Spyder** 1275 kg
Diamètre de braquage nd
Coffre 150 l (av.), 130 l (arr.)
Réservoir de carburant 65 l **Spyder** 54 l

NOS MENTIONS

☺ Modèle recommandé

❤ Coup de coeur

NOTRE VERDICT

Plaisir au volant	●●●●○
Qualité de finition	●●●●⬡
Consommation	●●⬡⬡⬡
Rapport qualité/prix	●●●⬡⬡
Valeur de revente	●●●●○

CAYMAN

www.porsche.com/canada

65 300 $ à 77 500 $
transport et préparation: 2015 $

LA COTE VERTE

MOTEUR
H6 DE 2.9 L

- **Consommation (100km):**
  man. 9,3 l
  robo. 8,5 l
- **Émissions polluantes CO_2 :**
  man. 4370 kg/an
  robo. 3956 kg/an
- **Empreinte écologique (nombre d'arbres à planter par année):** 26
- **Indice d'octane:** 91
- **Autre motorisation:** non
- **Coût du carburant moyen par année:**
  man. 2128 $
  robo. 1926 $
- **Nombre de litres par année:**
  man. 1900 l
  robo. 1720 l

(SOURCE: ÉnerGuide)

518

① FICHE D'IDENTITÉ

- **Versions** base, S
- **Roues motrices** arrière
- **Portières** 2 **Nombre de passagers** 2
- **Première génération** 2006
- **Génération actuelle** 2006
- **Construction** Stuttgart, Allemagne
- **Sacs gonflables** 6 (frontaux, latéraux avant)
- **Concurrence** Audi TT, BMW Z4, Mercedes-Benz SLK, Nissan 370Z

② AU QUOTIDIEN

- **Prime d'assurance**
  25 ans 4100 à 4300$
  40 ans 1800 à 2000$
  60 ans 1500 à 1700$
- **Collision frontale** nd
- **Collision latérale** nd
- **Ventes du modèle l'an dernier**
  Au Québec 32 **Au Canada** 154
- **Dépréciation** 41,2 %
- **Rappels** (2004 à 2009) 1
- **Cote de fiabilité** 4/5

③ GARANTIES... ET PLUS

- **Garantie générale** 4 ans/80 000 km
- **Garantie motopropulseur** 4 ans/80 000 km
- **Perforation** 10 ans/kilométrage illimité
- **Assistance routière** 4 ans/80 000 km
- **Nombre de concessionnaires**
  Québec 3 Canada 12

④ NOUVEAUTÉS EN 2011

- Aucun changement majeur

LE DESTRIER DES INITIÉS

PAR MICHEL CRÉPAULT

SI PORSCHE SE DONNE LA PEINE D'APPOSER SON ÉCUSSON SUR UN PRODUIT, C'EST QU'IL EN VAUT LA PEINE. La Cayman est sans doute la malaimée de la famille, mais les connaisseurs savent ce qui échappe aux moins informés.

[CARROSSERIE] La sagesse populaire veut que la Cayman ne soit qu'une Boxster à toit fixe. Vrai et faux. Vrai que toutes deux partagent plusieurs éléments qui ne se limitent pas à l'apparence. Mais examinez la Cayman attentivement et vous apprécierez ses détails originaux : les ouïes arrière plus athlétiques, les ailes musclées et, surtout, surtout, cet arrière-train qui, quant à moi, évoque le dos stylisé d'un saurien. Extérieurement, seules les roues de 18 pouces (au lieu de 17) distinguent la S de la version de base. Optez pour les jantes de 19 pouces et mélangez tout le monde !

[HABITACLE] Il n'y a pas grand-chose à dire car Porsche s'emploie depuis des lunes à mettre en scène le meilleur show devant le pare-brise et non derrière... La présentation de base se limite à l'essentiel et, en plus, elle favorise l'austérité. Les

Allemands ne sont pourtant pas des sans-cœur et ils ont donc concédé des centimètres cubes à un porte-gobelet. Peut-être deux en cherchant bien dans cette cabine finalement plutôt étroite. Ils ne tiennent pas non plus à froisser Steve Jobs et fournissent donc une prise pour votre iPod. Pour être franc, Porsche allonge page après page d'options et, en cochant celles qui vous intéressent, vous entendrez nettement la sonorité de la caisse enregistreuse. Les sièges accomplissent leur rôle de mâchoire tendue de cuir. Mais le meilleur des passagers est sans contredit l'engin qui s'est installé derrière le siège de droite... et qui reste rarement silencieux. Le coffre à bagages sous le capot avant sert à emporter avec soi le strict nécessaire.

[MÉCANIQUE] Le 6-cylindres à plat fait varier sa cylindrée de 2,9 à 3,4 litres selon la version et, conséquemment, la puissance passe de 265 à 320 chevaux. Dans les deux cas, c'est 10 chevaux de plus que les deux livrées de la Boxster. La boîte de vitesses de série compte 6 rapports et est toujours aussi plaisante à tricoter; l'automatique,

FORCES · Silhouette dotée d'une personnalité très sexy
· Mariage de plusieurs qualités qui composent un exceptionnel coursier
FAIBLESSES · On pourrait facilement la rendre encore plus alléchante avec d'autres moteurs · Cabine exiguë · Ses chères options

ou le ciel ouvert de la Porsche n'améliorent pas. Ce serait même le contraire, ces automobiles traînant avec elle leur lot de distractions superflues. La Cayman, pour sa part, est pure.

offerte en option, étant la PDK à 7 rapports que Porsche a eu la bonne idée de mettre au point d'abord pour la 911.

[COMPORTEMENT] Tout en restant sous la barre des 100 000 $, je ne compte pas beaucoup de bolides qui procurent une conduite nerveuse à fleur de macadam. Je citerais la regrettée S2000, les Lotus, la Corvette, par exemple. La Cayman se glisse aisément dans le groupe avec une importante différence : elle rend le bon pilotage si aisé. Sa répartition de poids idéale, son centre de gravité bas, les pneumatiques appropriés, la solidité de la caisse, le souffle de son *boxer*, la netteté de sa direction et la précision de sa boîte concourent tous à aiguiser nos sens tout en pardonnant nos erreurs. On peut en extirper son plein potentiel sur une piste, tout comme on peut l'équiper de disques en céramique, mais sa tenue de route enivrante s'affirme même durant une course jusqu'au dépanneur pour aller chercher du lait. Les arêtes arrière de son pavillon nuisent à la visibilité dans les coins mais, comme je l'ai dit, le plaisir est devant.

[CONCLUSION] Pourquoi choisir une Cayman au lieu d'une 911 ? La raison la plus évidente serait de sauver quelque 30 000 $. Et pourquoi ne pas acquérir plutôt une Boxster ? Parce qu'une décapotable vous laisse indifférent, parce que vous en possédez déjà une ou parce qu'un toit rigide vous garantit une rigidité structurale qui appuiera à la perfection votre recherche du point de corde idéal. La Cayman propose une relation homme/machine que les dollars supplémentaires de la 911

2ᵉ OPINION

FRANCIS BRIÈRE Plus équilibrée et plus facile à conduire que la 911, la Cayman ne se compare à aucune autre voiture de cette catégorie et de ce prix sur le marché. Son châssis est d'une rigidité exceptionnelle, ce qui en fait une voiture de rêve sur la piste. Du reste, vous aurez aussi beaucoup de plaisir à la conduire sur la route, même s'il ne s'agit pas de la voiture la plus confortable qui soit. Plus légère et plus rigide que la Boxster, la Cayman vous offre de la performance et du plaisir derrière le volant. Ses 320 chevaux suffisent à la tâche, mais une base aussi bien conçue s'accommoderait très bien d'une centaine de plus.

---

⑤ FICHE TECHNIQUE

· MOTEURS
· (Base)
H6 2,9 l DACT, 265 ch à 7200 tr/min
Couple 221 lb-pi à 4400 tr/min
Transmission manuelle à 6 rapports, manuelle robotisée à 7 rapports (en option)
0-100 km/h 5,8 s
Vitesse maximale 265 km/h

· (S)
H6 3,4 l DACT, 320 ch à 7200 tr/min
Couple 273 lb-pi à 4750 tr/min
Transmission manuelle à 6 rapports, manuelle robotisée à 7 rapports
0-100 km/h 5,2 s
Vitesse maximale 277 km/h
Consommation (100 km)
man. 9,3 l **robo.** 8,7 l (octane 91)
Émission de CO_2
man. 4370 kg/an **robo.** 4094 kg/an
Litres par année man. 1900 l **robo.** 1780 l
Coût par année man. 2128 $ **robo.** 1994 $
Carburant alternatif non
Empreinte écologique 28 arbres

· AUTRES COMPOSANTES
Sécurité active freins ABS, répartition électronique de force de freinage, assistance au freinage, antipatinage, contrôle de stabilité électronique
Suspension avant/arrière indépendante
Freins avant/arrière disques
Direction à crémaillère, assistée
Pneus base P205/55R17 (av.), P235/50R17 (arr.), S P235/40R18 (av.), P265/40R18 (arr.)

· DIMENSIONS
Empattement 2415 mm
Longueur 4347 mm
Largeur 1801 mm
Hauteur 1306 mm
Poids base 1330 kg, **S** 1350 kg
Diamètre de braquage nd
Coffre 150 l (av.), 260 l (arr.)
Réservoir de carburant 64 l

NOS MENTIONS

 Modèle recommandé

 Coup de coeur

NOTRE VERDICT

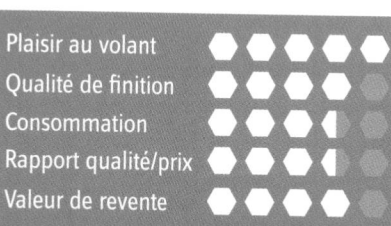

Plaisir au volant	⬡⬡⬡⬡⬡
Qualité de finition	⬡⬡⬡⬡⬡
Consommation	⬡⬡⬡⬡⬡
Rapport qualité/prix	⬡⬡⬡⬡⬡
Valeur de revente	⬡⬡⬡⬡⬡

CAYENNE

www.porsche.com/canada

58 200 $ à 123 900 $
transport et préparation: 2115 $

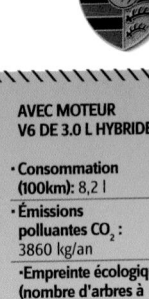

**AVEC MOTEUR
V6 DE 3.0 L HYBRIDE**

- **Consommation
(100km):** 8,2 l
- **Émissions
polluantes CO_2 :**
3860 kg/an
- **Empreinte écologique
(nombre d'arbres à
planter par année):** 18
- **Indice d'octane:** 91
- **Autre
motorisation:** non
- **Coût du carburant
moyen par année:**
2046 $
- **Nombre de
litres par année:**
1860 $

(SOURCE: ÉnerGuide)

---

① FICHE D'IDENTITÉ

- **Versions** Cayenne, Cayenne S, Cayenne Turbo, Cayenne S Hybrid
- **Roues motrices** 4
- **Portières** 5 **Nombre de passagers** 5
- **Première génération** 2003
- **Génération actuelle** 2011
- **Construction** Leipzig, Allemagne
- **Sacs gonflables** 8
(frontaux, latéraux avant et arrière, rideaux latéraux)
- **Concurrence** Acura MDX, Audi Q7, BMW X5, Cadillac SRX, Infiniti FX, Land Rover LR4/Range Rover, Lexus RX/GX, Mercedes-Benz Classe ML, Volkswagen Touareg, Volvo XC90

② AU QUOTIDIEN

- **Prime d'assurance**
  25 ans: 4700 à 4900$
  40 ans: 2500 à 2700$
  60 ans: 2000 à 2200$
- **Collision frontale** nm
- **Collision latérale** nm
- **Ventes du modèle l'an dernier**
  Au Québec 152 **Au Canada** 718
- **Dépréciation (2 ans)** 38,6%
- **Rappels (2005 à 2010)** 1
- **Cote de fiabilité** 3,5/5

③ GARANTIES... ET PLUS

- **Garantie générale** 4 ans/80 000 km
- **Garantie motopropulseur** 4 ans/80 000 km
- **Perforation** 10 ans/kilométrage illimité
- **Assistance routière** 4 ans/80 000 km
- **Nombre de concessionnaires**
  Au Québec 3 **Au Canada** 12

④ NOUVEAUTÉS EN 2011

- Nouvelle génération

UN ANIMAL PLUS FRUGAL

PAR MICHEL CRÉPAULT

LE BUT QUE POURSUIVAIT PORSCHE EN RENOUVELANT LE CAYENNE ÉTAIT DOUBLE : CONSERVER LE GOÛT DES PERFORMANCES QUI DOIT ANIMER CHAQUE VÉHICULE ARBORANT L'ÉCUSSON DE STUTTGART (SINON, À QUOI SERT UNE RÉPUTATION ?) ET RÉDUIRE LA CONSOMMATION DE CARBURANT ET LES ÉMANATIONS TOXIQUES. Autrement dit : exploser et verdoyer. Objectifs contradictoires ? On aurait répondu « mettez-en ! » il y a cinq ans mais plus maintenant alors que, virtuellement, tous les constructeurs se sont fixé les mêmes défis. Les consommateurs le demandent, la planète l'exige. En réalité, Porsche a décidé de jouer la carte à tel point que la nouvelle génération de Cayenne compte un hybride, que nous n'avons malheureusement pas pu tester à temps pour la sortie de cet Annuel mais que nous allons quand même vous présenter statiquement. Les autres modèles de la gamme nouvelle, nous les avons essayés.

[CARROSSERIE] Plus longue hors tout de 4,8 centimètres, tandis que l'empattement a gagné 4 centimètres. Mine de rien, les passagers arrière en bénéficient. Mais l'allure agressive du Cayenne ne souffre pas de ces étirements. Les stylistes ayant conservé les traits qui rappellent les courbes caractéristiques des membres de la famille, on ne peut confondre le Cayenne avec un autre VUS. Personnellement, je lui trouve un petit air de grenouille se prenant pour le fameux bœuf mais à une différence près : le batracien ne rate pas son coup et devient une espèce de saurien capable de tout avaler sur son passage.

[MÉCANIQUE] Le Cayenne de base a recours à un V6 de 3,6 litres de 300 chevaux (une hausse de 10 par rapport à l'ancien); le modèle S utilise un V8 de 4,8 litres de 400 chevaux (gain de 15); enfin, le Cayenne Turbo bénéficie de 500 chevaux grâce au même V8 mais cette fois doté de deux turbos. Porsche a transformé en hybride le modèle médian, le S, en lui aménageant une interaction parallèle entre un V6 de 3 litres d'Audi suralimenté à 333 chevaux et un moteur électrique de 47 chevaux. Les deux travaillent seuls ou en duo. En bout de ligne, les perfor-

---

FORCES · Spectre de puissance bien étalé entre les modèles · Combinaison robustesse/vitesse rarissime · Bonne idée cet hybride !

FAIBLESSES · Trop d'options, pas assez d'équipement standard · Visibilité compromise par les bourrelets de la carrosserie · Lourd !

mances de l'hybride seront semblables à celles du S à V8 atmosphérique, promet Porsche, mais, bien sûr, en consommant et en polluant moins. L'hybride pourra parcourir de courtes distances (environ 2 kilomètres) jusqu'à 60 km/h sans utiliser de pétrole. Ça, tous les hybrides le font. Ce qui fera l'originalité du Cayenne S hybride sera sa capacité de rouler à haute vitesse (dans les faits, jusqu'à 156 km/h) sans l'aide du V6 ! Et voilà votre Cayenne qui file en croisière dans le calme absolu. La nouvelle boîte de vitesses automatique Tiptronic S à 8 rapports apporte sa contribution (on vise 9l/100 km avec l'hybride) dans toute la gamme. Le conducteur peut changer les rapports à l'aide des boutons montés au volant. Un Cayenne se déplace toujours en transmission intégrale, mais les engrenages à basses révolu-

> **À BORD DE LA S, LE PIED AU PLANCHER, LE BOND VERS L'AVANT ACCUSE UN LÉGER DÉLAI. COMME SI LA MACHINE AVAIT BESOIN D'ASSIMILER L'ORDRE REÇU. MAIS AVEC LE TURBO, ÔTEZ-VOUS DE LÀ, ON AVANCE !**

tions ont disparu en faveur de commandes qui, tour à tour, bloquent le différentiel central puis arrière. Les amortisseurs disposent de trois modes – Confort, Normal et Sport –, et la différence dans le comportement de la suspension est parfaitement notable.

[HABITACLE] Les conducteurs claustrophobes auront de la misère avec leur fauteuil désigné. Non pas qu'il soit inconfortable, tout au contraire. C'est la faute à la massive console qui naît devant l'accoudoir central et part à l'assaut du tableau de bord. Elle a la carrure d'un footballeur, exacerbée par des poignées

de retenue plantées de part et d'autre, et elle nous arrive au plexus solaire. On se retrouve donc coincé entre une portière capitonnée, un quintet de cadrans, un volant bardé de commandes, une planche de bord bourrée de renseignements et, enfin, cette console tapissée d'interrupteurs. On ne se sent pas seul une minute. Et bien petit. Cette présentation encombrée s'inspire tout droit de la Panamera. Ça nous donne ce que j'appelle l'allure reptilienne, chaque bouton de droite semblable à celui de gauche, aligné comme des écailles noires bordées de chrome. La banquette assoit agréablement deux adultes, mais rend la place centrale moins invitante, à moins d'avoir un compte à régler avec quelqu'un. Un mot sur les options : Porsche doit en être la reine! À bord du Cayenne S que j'ai conduit, devinez le nombre d'options que le concessionnaire avait embarqué à bord? Allez, dites un chiffre! Pas moins de 32! Et il en manquait! À combien s'élevaient ces extras par rapport au prix de base de 76 000 $? Plus de 60 000 $! Faut dire que ça grimpe vite quand on ajoute une sono Burmester (7 750 $), une suspension pneumatique (5 430 $) ou un plafond habillé d'Alcantara (2 720 $). Par contre, je trouve étrange que des aides à la conduite, comme celle qui détecte les intrus dans vos angles morts ou cette autre qui vous alerte quand vous piétinez la ligne blanche, des technologies de série dans des véhicules moins chers, soient en option chez Porsche. Bref, vous pourrez cocher des cases jusqu'à en avoir mal au poignet mais, pour éviter la tendinite, optez pour le modèle Turbo dont la liste

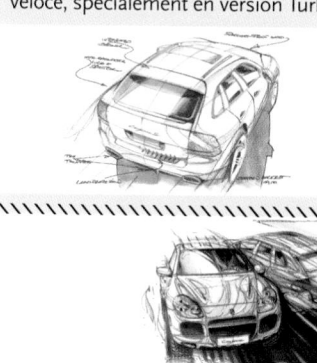

CONCEPT PAPIER 2002

CONCEPT PAPIER 2002

CONCEPT PAPIER 2002

CAYENNE 2003

CAYENNE GTS 2008

CAYENNE HYBRIDE 2009

CAYENNE DIESEL 2009

CAYENNE TURBO 2011

CAYENNE

B

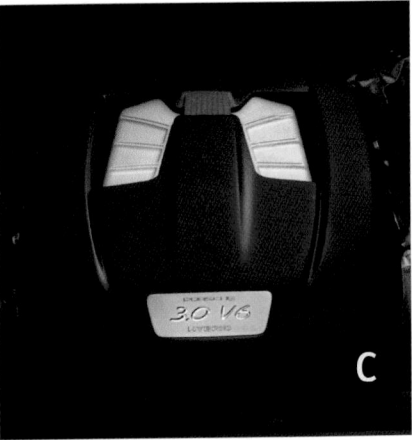

C

D

1. High voltage nickel-metal hydride battery
2. Air supply duct
3. Power electronics
4. Hybrid module
5. 3,0-Liter V6 compressor engine

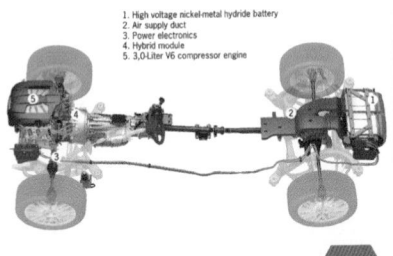

E

GALERIE

A Le nouveau Cayenne profite d'une boîte automatique à 8 rapports. La 1re assure une bonne accélération dès le démarrage. La vitesse de pointe est atteinte dès le 6e rapport. Les deux rapports supplémentaires permettent d'abaisser le régime moteur à vitesse élevée. L'avantage s'en ressent au niveau de la consommation et du confort.

B La banquette arrière offre 2 places séparées (une 3e au milieu). Son design reprend celui des sièges confort ou sport à l'avant. Son montage sur rails, très pratique, permet d'avancer ou de reculer sa position de 160 millimètres. Les trois places sont rabattables séparément (40:20:40). Une fois la place centrale rabattue, vous pouvez facilement transporter des objets longs comme le sac à skis offert en option.

C Le moteur du Cayenne S Hybrid est un V6 de 3 litres à compresseur. Ce moteur pointe à 333 chevaux (comme chez Audi avec la S4). Le moteur-générateur fournit une puissance maximale de 47 chevaux. Ensemble, ces deux moteurs développent une puissance maximale de 380 chevaux.

D Dans le système « Parallel-Full-Hybrid », le moteur-générateur électrique est directement intégré à la chaîne cinématique. Le module hybride est placé entre la boîte de vitesse et le moteur thermique, ce dernier étant relié à la transmission par un embrayage spécialement mis au point.

E La batterie nickel-hydrure de métal haute tension comporte 240 cellules. Elle fournit le courant au moteur-générateur électrique pour permettre une conduite en mode tout à l'électricité sur de courtes distances. Compacte (426 x 925 x 286 mm pour 80 kilos), elle se loge sous le plancher du coffre.

d'équipements standard est plus relevée (comme son prix, toutefois).

[COMPORTEMENT] À bord du S, le pied au plancher, le bond vers l'avant accuse un léger délai. Comme si la machine avait besoin d'assimiler l'ordre reçu. Mais avec le Turbo, ôtez-vous de là, on avance ! C'en est même presque ridicule pour un utilitaire. Enfin, si vous tenez à contribuer fréquemment à la caisse d'entraide des policiers du coin, vous serez servi. Même en haussant le siège au maximum, j'ai eu de la difficulté à jauger les chaînes de trottoir parce que la ceinture de caisse est profonde, et que le capot gonflé fait obstacle. On y va donc au pif. Pour les manœuvres arrière, la caméra de recul est une bénédiction. Selon le modèle, les ingénieurs ont réussi à diminuer la consommation jusqu'à 23 % et les émissions de CO_2 jusqu'à 26 %. Premier truc utilisé : les Cayenne 2011 sont plus légers que leurs prédécesseurs, accusant jusqu'à 185 kilos de moins. Vous savez que la présence de la technologie d'arrêt-démarrage se généralise : on stoppe à un feu rouge, et le moteur se tait aussitôt; dès que vous enlevez le pied du frein, le moteur repart (heureusement !). Cette technologie contribue à sauver des gouttes de pétrole et à moins polluer. Du fait du grondement omniprésent de l'engin, on remarque d'autant plus le silence et l'absence de vibrations qui s'ensuivent quand tout le bataclan se ferme le clapet.

[CONCLUSION] L'acquisition d'un Cayenne se justifie principalement au fait qu'on ait besoin de transporter cinq personnes, ce que même la Panamera ne peut faire, et qu'on souhaite absolument le faire au volant d'un Porsche. Veut, veut pas, ce nom-là est magique. Le Cayenne est conçu pour foncer, tirer, travailler, dépanner et dorloter. Plusieurs autres VUS font pareil et parfois mieux, mais aucun n'y parvient avec l'attitude d'un Cayenne. Pour le statut social et pour les performances au bout du pied, il fait cavalier seul.

2ᵉ OPINION

BENOIT CHARETTE Si le nouveau Cayenne consomme moins, ce n'est certainement pas grâce à son aérodynamisme. Il a toujours l'air d'un réfrigérateur roulant avec quelques courbes. Cela est plutôt dû à l'allègement imposant obtenu par l'utilisation d'aciers légers à haute résistance et à l'aluminium. Son silence à bord est remarquable de même que la conduite qui demeure aussi sportive même avec les modèles d'entrée de gamme. La boîte à huit rapports rend l'expérience de conduite encore plus agréable. À tous points de vue, le nouveau Cayenne a progressé par rapport à son prédécesseur. Plus spacieux, son habitacle est également devenu plus pratique grâce à la banquette arrière coulissante, mais on appréciera surtout les progrès enregistrés en confort et dynamisme.

⑤ FICHE TECHNIQUE

· MOTEURS

· (Cayenne)
V6 3,6 l DACT, 300 ch à 6300 tr/min
Couple 295 lb-pi à 3000 tr/min

Transmission manuelle à 6 rapports, automatique à 8 rapports avec mode manuel (option)	
0-100 km/h 7,5	
Vitesse maximale 230 km/h	
Consommation (100 km)	
man. 11,2 l **auto.** 9,9 l (octane 91)	

(Cayenne S)
V8 4,8 l DACT, 400 ch à 6500 tr/min
Couple 369 lb-pi à 3500 tr/min
Transmission automatique à 8 rapports avec mode manuel
0-100 km/h 5,9 s
Vitesse maximale 258 km/h
Consommation (100 km) 10,5 l (octane 91)

(Cayenne Turbo)
V8 4,8 l birtubo DACT, 500 ch à 6000 tr/min
Couple 516 lb-pi à 2250 tr/min
Transmission automatique à 8 rapports avec mode manuel
0-100 km/h 4,7 s
Vitesse maximale 278 km/h
Consommation (100 km) 12,0 l

(Cayenne Hybrid)
V6 3,0 DACT + moteur électrique,
380 ch à 5500 tr/min
Couple 428 lb-pi à 1000 tr/min
Transmission automatique à 8 rapports avec mode manuel
0-100 km/h 6,5 s
Vitesse maximale 242 km/h

· AUTRES COMPOSANTES
Sécurité active freins ABS, répartition électronique de force de freinage, assistance au freinage, antipatinage, contrôle de stabilité électronique
Suspension avant/arrière indépendante
Freins avant/arrière disques
Direction à crémaillère, assistée
Pneus P255/55R18, **Turbo** P265/50R19

· DIMENSIONS
Empattement 2895 mm
Longueur 4846 mm
Largeur 1939 mm
Hauteur 1705 mm
Poids Cayenne man. 1995 kg/**auto.** 2030 kg,
S 2065 kg, **Turbo** 2170 kg, **Hybride** 2240 kg
Diamètre de braquage nd
Coffre
Cayenne/Cayenne S 670 l, 1780 l (sièges abaissés);
Turbo 670 l, 1705 l (sièges abaissés);
Hybride 580 l, 1690 l (sièges abaissés)
Réservoir de carburant 85 l **Turbo** 100 l
Capacité de remorquage nd

NOS MENTIONS

 ♥ Coup de coeur

NOTRE VERDICT

Plaisir au volant	⬡⬡⬡⬡⬡
Qualité de finition	⬡⬡⬡⬡⬡
Consommation	⬡⬡⬡⬡⬡
Rapport qualité/prix	⬡⬡⬡⬡⬡
Valeur de revente	⬡⬡⬡⬡⬡

PANAMERA

www.porsche.com/canada

LA COTE VERTE

MOTEUR
V6 DE 3,6 L

- **Consommation (100km) :** 12,4 l
- **Émissions polluantes** CO_2**:** 5750 kg/an
- **Empreinte écologique (nombre d'arbres à planter par année) :** 37
- **Indice d'octane :** 91
- **Autre motorisation :** non
- **Coût du carburant moyen par année :** 2750 $
- **Nombre de litres par année :** 2500 l

(SOURCE : ÉnerGuide)

① FICHE D'IDENTITÉ

- **Versions** Base, 4, S, 4S, Turbo
- **Roues motrices** arrière, 4
- **Portières** 4 **Nombre de passagers** 4
- **Première génération** 2010
- **Génération actuelle** 2010
- **Construction** Leipzig, Allemagne
- **Sacs gonflables** 8 (frontaux, latéraux avant et arrière, rideaux latéraux)
- **Concurrence** Aston Martin Rapide, Bentley Flying Spur, Mercedes CLS AMG, BMW M5, Audi S6

② AU QUOTIDIEN

- **Prime d'assurance**
  25 ans: 4900 à 5100$
  40 ans: 2700 à 2900$
  60 ans: 2200 à 2500$
- **Collision frontale** nd
- **Collision latérale** nd
- **Ventes du modèle l'an dernier**
  Au Québec 30 **Au Canada** 114
- **Dépréciation** nm
- **Rappels** (2005 à 2010) 1
- **Cote de fiabilité** nm

③ GARANTIES... ET PLUS

- **Garantie générale** 4 ans/80 000 km
- **Garantie motopropulseur** 4 ans/80 000 km
- **Perforation** 10 ans/kilométrage illimité
- **Assistance routière** 4 ans/80 000 km
- **Nombre de concessionnaires**
  Au Québec 3 **Au Canada** 12

④ NOUVEAUTÉS EN 2011

- Ajout d'un modèle V6 en version 2RM et 4RM

UNE VRAIE PORSCHE

PAR PHILIPPE LAGUË

S'IL Y A DEUX CHOSES QUE JE NE PENSAIS PAS VOIR CHEZ PORSCHE DE MON VIVANT, C'EST BIEN UN 4 X 4 ET UNE BERLINE. ET POURTANT... La rentabilité du Cayenne a convaincu la direction de Porsche d'explorer un nouveau créneau : celui des berlines de prestige.

[CARROSSERIE] Le défi consistait à conserver l'identité visuelle des Porsche. Sur ce plan, c'est réussi : l'air de famille est frappant. Est-ce beau ? Je n'arrive pas à trancher. Mais quelle présence ! Large et musclée, la Panamera en impose. C'est aussi la seule berline de cette catégorie à être dotée d'un hayon, toujours pratique. La ceinture de caisse haute réduit cependant la surface vitrée. Ajoutez à cela une lunette étroite et vous obtenez une visibilité médiocre.

[HABITACLE] La planche de bord semble tout droit sortie d'un avion. On y retrouve l'instrumentation bien garnie des autres modèles de la marque, mais ce qui impressionne, c'est la quantité de commandes dans la console centrale. Et c'est tant mieux : Porsche nous a fait grâce de la molette multifonction qui sévit dans les autres berlines de luxe allemandes et qui complique chaque opération. Au moins, dans la Panamera, il suffit d'appuyer sur un bouton pour avoir ce qu'on veut. La console se prolonge jusqu'à l'arrière où trônent deux baquets identiques à ceux qu'on trouve à l'avant. À l'avant comme à l'arrière, c'est le grand confort. La Panamera respecte les standards germaniques en matière de finition. Les matériaux sont nobles (cuir, fibre de carbone), et la construction, soignée. L'aspect fonctionnel n'a pas été négligé, comme en font foi les nombreux espaces de rangement et le grand compartiment pour les bagages à l'arrière.

[MÉCANIQUE] Le menu peut être épicé, très épicé et explosif... La motorisation d'entrée est un V6, les deux autres, des V8. Puissance respective : 300, 400 et 500 chevaux. Les V8 ont la même cylindrée (4,8 litres), mais ils sont apprêtés différemment : celui des versions S et 4S est atmosphérique, tandis que celui de la Turbo est suralimenté par deux turbocompresseurs. Les trois moteurs ne peuvent s'accoupler qu'à une boîte de vitesses

FORCES · Présentation intérieure spectaculaire · Habitacle ultra-confortable et fonctionnel · Moteurs V8 époustouflants · Comportement athlétique · Direction parfaite · Freinage d'avion
FAIBLESSES · Design discutable · Visibilité arrière médiocre · Boîte PDK mal adaptée à une berline de luxe · Options nombreuses et coûteuses · Version V6 trop chères

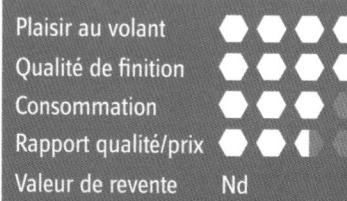

automatique PDK à 7 rapports. En mode séquentiel, il faut pousser sur le bouton au volant pour monter les rapports et le ramener vers l'avant pour rétrograder, ce qui n'est pas instinctif. Pour une marque si étroitement liée à la course automobile, c'est d'ailleurs étonnant. Sur le mode à 100 % automatique, on a déjà vu des passages plus fluides, surtout dans ce créneau haut de gamme. La PDK pèche aussi par sa lenteur, avec un délai entre certains rapports. Il suffit cependant d'appuyer sur les boutons Sport ou Sport Plus pour métamorphoser la bête. Cette fois, nous ne sommes plus dans une berline de luxe, mais dans une berline sport. Nuance. Le régime moteur grimpe aussitôt, le temps de réponse des turbos est éliminé, et les changements de rapports deviennent ultra rapides mais encore plus saccadés... L'exercice permet cependant d'apprécier l'extraordinaire souplesse du V8 turbocompressé. La réponse est instantanée, ce qui est normal, avec 500 chevaux; mais ce qui impressionne, c'est l'élasticité de la plage de puissance de ce moteur. Et ses performances surréalistes, dignes des meilleures GT.

[COMPORTEMENT] Encore une fois, il suffit d'appuyer sur la touche Sport Plus pour métamorphoser la Panamera. Les suspensions s'abaissent, les amortisseurs se raffermissent, et la berline confortable se transforme en voiture de course. Une direction tout simplement parfaite, ultra rapide et ultra précise, permet d'exploiter l'agilité étonnante de cette grosse berline. Sa largeur la sert aussi très bien dans les virages où elle affiche un aplomb exceptionnel. Le roulis

est carrément éliminé, et les gros pneus de 20 pouces s'agrippent au revêtement comme des griffes. La présence d'un chronomètre dans la planche de bord n'est pas usurpée : la Panamera a les compétences requises pour rouler sur circuit.

[CONCLUSION] La Panamera fait une entrée fracassante dans le créneau très select des berlines de prestige, comme l'avait fait avant elle le Cayenne dans le segment des VUS de luxe. Elle se démarque par son tempérament sportif prononcé, conforme, encore une fois, à ce qu'on attend d'une Porsche. Dans les faits, la Panamera est une véritable GT, avec deux portes de plus.

2ᵉ OPINION

FRANCIS BRIÈRE On l'attendait depuis un bon moment, cette Panamera. Elle nous est arrivée en 2010, offerte en quatres livrées : Panamera S, 4S et Turbo ainsi qu'une version de base à moteur V6. L'aspect le plus extraordinaire de cette voiture est sa suspension réglable. Elle se conduit à la fois comme une grande berline, comme une Audi A8 ou un BMW Série 7, ou alors elle se transforme en bête de piste capable de vous faire vivre des sensations extrêmes. De plus, la Panamera possède un habitacle somptueux, des sièges à la fois confortables et rigides, et un éventail technologique à la fine pointe. La livrée Turbo impressionne avec son moteur de 500 chevaux. En revanche, avec un poids de près de 2000 kilogrammes, elle aurait besoin d'une petite cure d'amincissement.

⑤ FICHE TECHNIQUE

· MOTEURS

· (Base)
V6 3,6 DACT, 300 ch à 6200 tr/min
Couple 295 lb-pi à 3750 tr/min
Transmission manuelle robotisée à 7 rapports
0-100 km/h 6,3 s **4RM** 6,1 s
Vitesse maximale 259 km/h **4RM** 257 km/h

· (S)
V8 4,8 l DACT, 400 ch à 6500 tr/min
Couple 369 lb-pi à 3500 tr/min
Transmission manuelle robotisée à 7 rapports
0-100 km/h 5,4 s **4S** 5,0 sec
Vitesse maximale 283 km/h **4S** 282 km/h
Consommation (100 km) 10,6 l (octane 91)
Émission de CO$_2$ 5014 kg/an
Litres par année 2180 l.
Coût par année 2441$
Carburant alternatif non
Empreinte écologique 39 arbres

· (TURBO)
V8 4,8 l biturbo DACT, 500 ch à 6000 tr/min
Couple 516 lb-pi à 2250 tr/min
Transmission manuelle robotisée à 7 rapports
0-100 km/h 4,2 s
Vitesse maximale 303 km/h
Consommation (100 km) 11,4 l (octane 91)
Émission de CO$_2$ 5382 kg/an
Litres par année 2340 l.
Coût par année 2620 $
Carburant alternatif non
Empreinte écologique 42 arbres

· AUTRES COMPOSANTES

Sécurité active freins ABS, répartition électronique de force de freinage, assistance au freinage, antipatinage, contrôle de stabilité électronique
Suspension avant/arrière indépendante
Freins avant/arrière disques
Direction à crémaillère, assistée
Pneus
Base/S P245/50ZR18 (av.), P275/45ZR18 (arr.)
Turbo P255/45ZR19 (av), P285/40R19 (arr.)
Option P251/40ZR20 (av.) P295/35ZR20 (arr.)

· DIMENSIONS

Empattement 2920 mm
Longueur 4970 mm
Largeur 1931 mm
Hauteur 1418 mm
Poids Base 1730 kg **4** 1820 kg **S** 1800 kg,
4S : 1860 kg, **Turbo** 1970 kg
Diamètre de braquage 11,9 m
Coffre 445 l, 1263 l (sièges abaissés)
Turbo 432 l, 1250 l (sièges abaissés)
Réservoir de carburant 80 l **4S/Turbo** 100 l

NOTRE VERDICT

Plaisir au volant	●●●◖
Qualité de finition	●●●●◖
Consommation	●●◖
Rapport qualité/prix	●●●◖
Valeur de revente	Nd

1500

www.dodge.ca

N
ÉVOLUTION
É
J

26 495 $ à 46 690 $
transport et préparation : 1400 $

LA COTE VERTE

MOTEUR
V6 DE 3,7 L

- **Consommation** (100km): 12,4 l
- **Émissions polluantes CO_2 :** 5796 kg/an
- **Empreinte écologique** (nombre d'arbres à planter par année): 36
- **Indice d'octane:** 87
- **Autre motorisation:** E85
- **Coût du carburant moyen par année:** 2520 $
- **Nombre de litres par année:** 2520 l

(SOURCE: ÉnerGuide)

BAD BOY

PAR FRÉDÉRIC MASSE

ILS SONT RARES LES INNOVATIONS ET LES ES-SAIS DANS LE MILIEU DE LA CAMIONNETTE PLEINE GRANDEUR. Le conservatisme y est roi et maître. Même Nissan et Toyota ne s'y sont pas risquées en copiant, du mieux possible, la Dodge Ram et, surtout... la Ford F-150. Eh bien, qu'à cela ne tienne, Dodge l'a tenté. Le constructeur a le mérite d'avoir chamboulé les conventions en modifiant la configuration de la suspension de la Ram. Ça peut sembler mineur, mais croyez-moi, c'est le jour et la nuit. J'adore l'innovation et le changement... ai-je adoré la Ram pour autant ?

[CARROSSERIE] Une chose est certaine, personne ne reste indifférent devant la grosse Ram. Certains la décrient comme un véhicule trop massif, mas-culin et trop gros... c'est absolument vrai. Et, vous savez quoi, c'est exactement ce qu'on souhaitait. Les propriétaires de Ram ne veulent pas passer inaperçus, du moins pour la plupart, ils veulent du trop (tout comme moi, je dois l'avouer). Dans leur fort intérieur, il aime ses grosses roues de 20 pouces offertes en option (qui coûtent pas-sablement cher à changer soit dit en passant), sa

calandre imposante et son allure de guerrier. Les Ram ne font pas dans la dentelle. Et, que c'est pra-tique ces boîtes de rangement appelées *RamBox* pour y ranger ses outils dans la caisse arrière.

[HABITACLE] C'est ici que Dodge m'avait le plus surpris lorsque j'ai essayé la dernière généra-tion. Quel habitacle ! Bien sûr, on m'a fourni un Laramie tout équipé, mais même sur les versions de base, la qualité demeure excellente (surtout aux places avant). Les sièges sont confortables, et, selon le choix de cabine, l'espace est fort gé-néreux. La version Quad Cab essayée avait tout pour elle : belle, bien insonorisée, bien finie et offrant énormément d'espaces de rangement. Il s'agit, en réalité, du produit de Chrysler le plus à point depuis la 300 et, même là, la Ram excède cette dernière en matière de qualité de matériaux. De plus, les sièges sont ultra confortables, et la visibilité, bonne sous tous les angles.

[MÉCANIQUE] On retrouve trois différentes mécaniques dans la Ram 1500. La première, un V6 de 3,7 litres de 215 chevaux. La deuxième,

① FICHE D'IDENTITÉ

- **Versions** ST, SXT, SLT, TRX, R/T, Sport, Laramie
- **Roues motrices** arrière, 4
- **Portières** 2, 4 **Nombre de passagers** 2 à 5
- **Première génération** 1981
- **Génération actuelle** 2009
- **Construction** Warren, Michigan; Fenton, Missouri; St-Louis, Missouri
- **Sacs gonflables** 2 (frontaux; latéraux en option)
- **Concurrence** Chevrolet Silverado, Ford F-150, GMC Sierra, Nissan Titan, Toyota Tundra

② AU QUOTIDIEN

- **Prime d'assurance**
  25 ans: 1700 à 1900 $
  40 ans: 1100 à 1300 $
  60 ans: 900 à 1100 $
- **Collision frontale** 5/5
- **Collision latérale** nd
- **Ventes du modèle de l'an dernier**
  Au Québec 4376 **Au Canada** 30 621
- **Dépréciation** 65,7%
- **Rappels** (2005 à 2010) 8
- **Cote de fiabilité** 3/5

③ GARANTIES... ET PLUS

- **Garantie générale** 3 ans/60 000 km
- **Garantie motopropulseur** 5 ans/100 000 km
- **Perforation** 5 ans/160 000 km
- **Assistance routière** 5 ans/100 000 km
- **Nombre de concessionnaires**
  Au Québec 93 **Au Canada** 440

④ NOUVEAUTÉS EN 2011

- Aucun changement majeur

FORCES · Excellente tenue de route · Moteurs puissants · Gueule d'enfer

FAIBLESSES · Quelques lacunes dans les matériaux · Fiabilité encore fragile · Moins fort que Ford et GM en remorquage

un V8 polycarburant de 4,7 litres qui fait 310 chevaux et 330 livres-pied; ce qui suffit amplement. La dernière, et non la moindre, la plus puissante, soit le Hemi de 5,7 litres. Je dois vous avouer une chose, j'adore ce moteur. J'aime moins sa consommation de carburant, par contre. Sur la route, cet engin désactive toutefois quatre de ses huit cylindres ce qui permet de réduire un peu la consommation.

[CONDUITE] C'est à ce chapitre que Dodge marque le plus de points. La Ram se conduit toute seul (ou presque). Il s'agit d'une grosse camionnette, plaisante à conduire. Grâce à sa configuration de suspension arrière multibras à ressorts hélicoïdaux, elle accepte maintenant sans broncher, et contrairement à ses concurrentes, d'encaisser les planches à laver sans risquer de voir le derrière passer à l'avant. Sur les chemins cahoteux ou en expédition pour une partie de pêche, c'est tout simplement génial. Sa direction, qui peut sembler un peu floue au centre sur la route, se révèle parfaite dans ce type de situations. Sur la route, elle est la plus confortable de la catégorie... point final. Avec le véritable système quatre sur quatre enclenché (elle est également offerte en deux roues motrices), la Ram est aussi capable de vous mener bien loin. En matière de conduite, la Ram a tout pour elle : une bonne capacité de remorquage, la meilleure tenue de route de la catégorie, un moteur Hemi qui gronde et gronde encore et une suspension conciliante et confortable.

[CONCLUSION] La Ram et la F-150 dominent outrageusement la catégorie des camionnettes pleine grandeur. La Ford est préférée pour sa durabilité et sa capa-cité à travailler très fort, mais même avec le V8 Triton, elle manque de pédale. La Ram fait tout le contraire avec le Hemi et se veut la plus agréable à conduire. C'est en réalité un combat de titans que se livrent les deux belligérantes. Et, elles sont pourtant assez faciles à départager, car elles offrent des qualités propres à chacune. C'est un peu comme si Ford était le bon gars et Dodge, le bad boy.

2e OPINION

MICHEL CRÉPAULT D'abord pour sa calandre ! Me semble que rien que la gueule du Ram ferait craquer Darth Vader. Les flancs lisses lui confèrent aussi un aérodynamisme impensable chez un camion il y a quelques années à peine. En fait, c'est ça la recette du nouveau Ram : soigner son apparence sans pour autant sacrifier sa virilité. L'équipe Chrysler nous a mitonné de brillantes idées (comme le RamBox) et des petites attentions (mais oui, un volant chauffant !) sans pour autant efféminer le Hemi de 5,7 litres, aussi puissant qu'assoiffé. La modération ayant meilleur goût, je dis que le plus petit V8 fera aussi bien l'affaire, à moins que vous planifiez de remorquer un viaduc pour atteindre votre camp de pêche. Malgré sa taille et son poids, le Ram se laisse conduire et même stationner avec une facilité déconcertante.

⑤ FICHE TECHNIQUE

· MOTEURS

· V6 3,7 l SACT, 215 ch à 5200 tr/min
Couple 235 lb-pi à 4000 tr/min
Transmission automatique à 4 rapports
0-100 km/h 12,0 s
Vitesse maximale 170 km/h

· V8 4,7 l SACT, 310 ch à 5650 tr/min
Couple 330 lb-pi à 3950 tr/min
Transmission automatique à 5 rapports
0-100 km/h 9,8 s
Vitesse maximale 180 km/h
Consommation (100 km) **2RM** (octane 87)13,2 l
2RM (E85) 20,3 l
Émissions de CO_2 2RM (octane 87) 6210 kg/an,
2RM (E85) 6624 kg/an
Litres par année 2RM (octane 87) 2700 l
2RM (E85) 4140 l
Coût par an 2RM (octane 87) 2700 $
Autre motorisation Éthanol E85
Empreinte écologique 42 arbres; **E85** nd

· V8 5,7 l ACC, 390 ch à 5600 tr/min
Couple 407 lb-pi à 4000 tr/min
Transmission automatique à 5 rapports
0-100 km/h 9,9 s
Vitesse maximale 190 km/h
Consommation (100 km) 2RM 12,8 l;
4RM 13,5 l (octane 87)
Émissions de CO2 2RM 6026 kg/an,
4RM 6348 kg/an
Litres par année 2RM 2620 l,
4RM 2760 l
Coût par an 2RM 2620 $,
4RM 2760 $
Autre motorisation non
Empreinte écologique 41 arbres

· AUTRES COMPOSANTES

Sécurité active freins ABS, antipatinage et contrôle de stabilité électronique (en option)
Suspension avant/arrière indépendante/ semi-indépendante
Freins avant/arrière disques
Direction à crémaillère, assistée
Pneus ST/ SLT P265/70R17 **TRX** P275/70R17, option SLT/Sport/Laramie P275/60R20

· DIMENSIONS

Empattement 3061 à 3569 mm
Longueur 5308 à 5867 mm
Largeur 2017 mm
Hauteur 1894 à 1922 mm
Poids 2239 kg à 2568 kg
Diamètre de braquage 12 m à 13,8 m
Réservoir de carburant boîte courte 98 l
Boîte longue 121
Capacité de remorquage 1542 kg à 4604 kg

NOTRE VERDICT

Plaisir au volant	●●●●○
Qualité de finition	●●●○○
Consommation	●●○○○
Rapport qualité/prix	●●●○○
Valeur de revente	●●○○○

DAKOTA

www.dodge.ca

N — ÉVOLUTION — É
J

27 795 $ à 37 795 $
transport et préparation: 1400 $

LA COTE VERTE

MOTEUR
V6 DE 3,7 L

- **Consommation (100km):**
  2RM 12,1 l
  4RM 13,5 l
- **Émissions polluantes CO₂:**
  2RM 5704 kg/an
  4RM 6302 kg/an
- **Empreinte écologique (nombre d'arbres à planter par année):** 34
- **Indice d'octane:** 87
- **Autre motorisation:** non
- **Coût du carburant moyen par année:**
  2RM 2480 $
  4RM 2740 $
- **Nombre de litres par année:**
  2RM 2480 l
  4RM 2740 l

(SOURCE: ÉnerGuide)

① FICHE D'IDENTITÉ

- **Versions** ST, SXT, SLT
- **Roues motrices** arrière, 4
- **Portières** 4 **Nombre de passagers** 4, 5 ou 6
- **Première génération** 1987
- **Génération actuelle** 2005
- **Construction** Warren, Michigan, É.-U.
- **Sacs gonflables** 2 (frontaux)
- **Concurrence** Chevrolet Colorado, Ford Ranger, GMC Canyon, Nissan Frontier, Toyota Tacoma

② AU QUOTIDIEN

- **Prime d'assurance**
  25 ans: 1400 à 1600 $
  40 ans: 1000 à 1100 $
  60 ans: 800 à 1000 $
- **Collision frontale** 5/5
- **Collision latérale** 5/5
- **Ventes du modèle de l'an dernier**
  Au Québec 633 **Au Canada** 3161
- **Dépréciation** 62,6 %
- **Rappels (2005 à 2010)** 5
- **Cote de fiabilité** 3/5

③ GARANTIES... ET PLUS

- **Garantie générale** 3 ans/60 000 km
- **Garantie motopropulseur** 5 ans/100 000 km
- **Perforation** 5 ans/160 000 km
- **Assistance routière** 5 ans/100 000 km
- **Nombre de concessionnaires**
  Au Québec 94 **Au Canada** 440

④ NOUVEAUTÉS EN 2011

- Aucun changement majeur

LAISSÉE À ELLE-MÊME

PAR DANIEL RUFIANGE

IL Y A 15 ANS, LA DAKOTA RÉGNAIT EN ROI ET MAÎTRE DANS LE SEGMENT DES CAMIONNETTES INTERMÉDIAIRES. Cette camionnette avait de la gueule, était la seul à proposer un puissant moteur V8 et rivalisait avec une concurrence qui ne faisait pas le poids. Les choses allaient rondement. En novembre dernier, la direction de Fiat annonçait que la carrière de la Dakota ne franchirait pas l'année 2011. Aux États-Unis, les ventes de la Dakota ont été, en 2009, dix-sept fois inférieures à ce qu'elles avaient été en 2000. Quand on parle de descente aux enfers...

[CARROSSERIE] En matière de style, la Dakota a retrouvé un peu de dignité depuis le dernier rafraîchissement en 2008. Ses lignes sont désormais dans le ton, tout en étant très masculines. À l'acheteur, Dodge propose trois livrées, soit ST, SXT et SLT. Cependant, les combinaisons de cabines et de boîtes sont limitées. Ainsi, une version ST est livrée avec une cabine allongée et une boîte courte. Les variantes SXT peuvent recevoir les deux types de cabines, mais il est impossible de combiner la longue boîte à la cabine d'équipe; la cabine allongée reçoit la longue boîte, alors que la cabine d'équipe reçoit la petite boîte. Quant au modèle SLT, il n'est offert qu'avec la cabine d'équipe et la boîte courte. Chacune des versions peut être équipée de la propulsion ou d'une transmission 4 x 4.

[HABITACLE] Pour être poli, nous nous contenterions de dire que l'habitacle de la Dakota est fonctionnel. C'est bien vrai, tout y est. Six personnes peuvent y prendre place, et les espaces de rangement sont généreux. La version SLT reçoit la sellerie de cuir et les sièges chauffants, un système de navigation ainsi que des prises auxiliaires, offertes en option, bien entendu. Mais une fois à bord, ça ne passe pas ! L'impression de fabrication bon marché prend le dessus. Au toucher, les matériaux n'arrivent pas à nous convaincre de leur qualité. Quant à la présentation, elle est morose, un peu à l'image de la carrière récente de la Dakota.

FORCES · Moteur V8 · Camionnette robuste · Prix de base · Silhouette réussie

FAIBLESSES · Qualité de l'habitacle · Impossible de jumeler la boîte longue à la cabine d'équipe · Avenir du modèle · Dépréciation phénoménale

[MÉCANIQUE] Sous le capot, c'est mieux. Deux moteurs peuvent y être encastrés. Primo, un V6 de 3,7 litres qui livre une puissance un peu faiblotte de 210 chevaux. Heureusement, le couple, évalué à 235 livres-pieds, vient quelque peu sauver la donne. Secundo, et pour tous gros travaux, le V8 de 4,7 litres ne déçoit pas et offre une puissance qui s'établit à 302 chevaux et un couple de 329 livres-pieds. D'ailleurs, pour les gros travaux, la version SLT est tout désignée car elle se voit équipée d'amortisseurs renforcés, tant à l'avant qu'à l'arrière. Il faut toutefois décrier la présence d'une boîte de vitesses automatique à 4 rapports proposée avec le moteur V6.

[COMPORTEMENT] S'il y a une chose qui n'a pas trop changé au fil des années, c'est le comportement routier du Dakota. On sent vraiment qu'il s'agit d'une camionnette solide. Les puristes aimeront. Si vous vous attendez au grand confort, vous serez déçu, malgré une douceur de roulement fort appréciable sur une surface plane. Par contre, l'effet de sautillement se fait rapidement sentir sur les bosses, fruit d'un train arrière rigide, spécialement sur une version munie d'amortisseurs conçus pour les durs travaux. L'autre élément qui n'a pas trop changé, c'est la consommation de carburant du Dakota. Si on ne s'en formalisait pas trop au début du siècle, c'est une autre histoire aujourd'hui; faites des provisions, surtout avec le V8.

[CONCLUSION] Ça sent la fin pour le Dakota, malheureusement. Avec une nouvelle direction qui doit analyser les profits et les pertes, il est clair qu'un véhicule qui présente des chiffres de ventes en régression année après année ne peut avoir la cote des nouveaux actionnaires. C'est dommage, car il faudrait bien peu de choses pour redonner au Dakota ses lettres de noblesses et d'en faire, à nouveau, le maître dans son créneau.

2ᵉ OPINION

MICHEL CRÉPAULT On ne peut demander à une entreprise qui a échappé de peu à la faillite de corriger toutes ses lacunes d'un seul coup de baguette magique. Il faudra donc s'armer de patience avant de voir le Dakota rivaliser à armes égales avec ses concurrents. Car, depuis le temps, elles ont su dépasser le maître. Au moins, la suspension du Dakota a récemment appris à moins réagir comme celle d'une camionnette, et ça va de pair avec les excellents sièges. La puissance de remorquage du V8 continue d'être un atout principal, tout comme les ingénieux caissons de rangement semés dans la cabine. Mais là s'arrêtent les fleurs. L'habitacle des rivaux fait passer les laids plastiques de la Dakota pour la camionnette de prédilection du joueur de banjo du film *Délivrance*.

⑤ FICHE TECHNIQUE

· **MOTEURS**
· V6 3,7 l SACT, 210 ch à 5200 tr/min
Couple 235 lb-pi à 4000 tr/min
Transmission automatique à 4 rapports
0-100 km/h 9,7 s
Vitesse maximale 175 km/h

· V8 4,7 l SACT, 302 ch à 5650 tr/min
Couple 329 lb-pi à 3950 tr/min
Transmission automatique à 5 rapports
0-100 km/h 8,2 s
Vitesse maximale 180 km/h
Consommation (100 km)
2RM 12,9 l (octane 87) 20,3 l (E85)
4RM 13,2 l (octane 87) 20,3 l (E85)
Émissions de CO$_2$
2RM 6026 kg/an (octane 87) 6432 kg/an (E85)
4RM 6194 kg/an (octane 87) 6592 kg/an (E85)
Litres par année
2RM 2620 l (octane 87) 4020 l (E85)
4RM 2680 l (octane 87) 4120 l (E85)
Coût par an 2RM 2620 $ **4RM** 2680 $ (octane 87)
Carburant alternatif Éthanol E85
Empreinte écologique 21 à 38 arbres

· **AUTRES COMPOSANTES**
Sécurité active freins ABS arrière
(ABS aux 4 roues en option)
Suspension avant/arrière
indépendante/essieu rigide
Freins avant/arrière disques/tambours
Direction à crémaillère, assistée
Pneus P245/70R16 P265/60R18 (SLT)

· **DIMENSIONS**
Empattement 3335 mm
Longueur 5550 mm
Largeur 1822 mm
Hauteur 1741 à 1745 mm
Poids 1894 à 2091 kg
Diamètre de braquage 13,4 m
Coffre 850 l - 1051 l (SXT Crew Cab)
Réservoir de carburant 83 l
Capacité de remorquage 2018 à 3288 kg

NOTRE VERDICT

Plaisir au volant
Qualité de finition
Consommation
Rapport qualité/prix
Valeur de revente

ÉVOLUTION

N É

J

15 000 $ (estimé)
transport et préparation: Nd

LA COTE VERTE

MOTEUR
L4 DE 1,3 L

· **Consommation (100km):**
man. 4,8 l
auto. 5,1

· **Émissions polluantes CO_2 :**
man. 2260 kg/an
auto. 2400 kg/an

· **Empreinte écologique (nombre d'arbres à planter par année): 16**

· **Indice d'octane: 87**

· **Autre motorisation: non**

· **Coût du carburant moyen par année:**
man. 1150 $
auto. 1190 $

· **Nombre de litres par année:**
man. 1150 l
auto. 1190 l

(SOURCE: ÉnerGuide)

530

① FICHE D'IDENTITÉ

· **Versions** base
· **Roues motrices** avant
· **Portières** 2 **Nombre de passagers** 4
· **Première génération** 2011
· **Génération actuelle** 2011
· **Construction** Tsutsumi, Japon
· **Sacs gonflables** 8
(frontaux, latéraux avant, genoux avant, et rideaux latéraux)
· **Concurrence** smart for two

② AU QUOTIDIEN

· **Prime d'assurance**
25 ans: 1200 à 1400$
40 ans: 800 à 1000$
60 ans: 600 à 800$
· **Collision frontale** nm
· **Collision latérale** nm
· **Ventes du modèle de l'an dernier**
Au Québec nm **Au Canada** nm
· **Dépréciation** nm
· **Rappels (2005-2010)** nm
· **Cote de fiabilité** nm

③ GARANTIES... ET PLUS

· **Garantie générale** 3 ans/60 000 km
· **Garantie motopropulseur** 5 ans/100 000 km
· **Perforation** 5 ans/ kilométrage illimité
· **Assistance routière** 3 ans/60 000 km
· **Nombre de concessionnaires**
Au Québec 18 **Au Canada** 45

④ NOUVEAUTÉS EN 2011

· Nouveau modèle

LA SMART N'EST PLUS SEULE

PAR VINCENT AUBÉ

LE MARCHÉ CANADIEN ACCUEILLERA ENFIN SA DEUXIÈME MICROVOITURE EN 2011, LA SCION IQ. Cette puce porte l'écusson Toyota en Europe, mais pour le marché nord-américain, le géant nippon a décidé de la distribuer au sein de la division Scion. La smart a enfin une concurrente directe de taille puisque l'iQ est la plus petite voiture à 4 places du monde. Cette nouveauté changera-t-elle la mentalité des gens face aux microvoitures ? Il est permis de rêver. Au moment d'écrire ces lignes, le lancement de la gamme Scion n'a pas encore eu lieu en territoire canadien. D'ailleurs, la Scion iQ n'apparaîtra qu'au début de 2011 en Amérique. Il a donc fallu se fier aux commentaires de journalistes européens pour en connaître un peu plus sur cette nouveauté.

[CARROSSERIE] L'iQ a beau être membre de la marque Scion, il n'en demeure pas moins qu'elle est à quelques détails près identique à la Toyota iQ vendue ailleurs dans le monde. Mais, c'est justement ces détails qui plairont aux consommateurs canadiens comme les jantes surdimensionnées à multiples branches plus élégantes, un pare-chocs

avant avec des ouvertures plus généreuses, une calandre rectangulaire et j'en passe. À l'arrière, les feux sont les mêmes qu'en Europe, mais ces derniers sont assombris comme les phares à l'avant. La plus petite des Scion a une ceinture de caisse très haute, ce qui accentue l'allure sportive de cette voiture de poche, si sportive elle est !

[HABITACLE] Réussir à insérer quatre places dans une citadine qui ne fait pas 3 mètres de longueur est un exploit digne de mention. Scion parle plutôt d'une configuration 3 + 1. En effet, le siège du conducteur étant plus reculé que celui du passager à cause de la présence du volant, l'espace derrière ce dernier est plus étroit. Du côté droit de la voiture, le siège avant est avancé au possible grâce à l'absence d'une boîte à gants. La banquette arrière est divisible 50/50, et, si l'espace derrière le passager avant est suffisant pour une personne de 6 pieds, le siège arrière de gauche est destiné à un enfant, un animal de compagnie ou un sac d'épicerie. Mentionnons aussi que cette banquette peut se replier entièrement vers l'avant pour donner un véritable coffre

FORCES · Mécanique éprouvée ailleurs dans le monde · Espace intérieur étonnant · Tenue de route satisfaisante

FAIBLESSES · Prix qui risque d'en décourager plus d'un · Accélérations ennuyeuses · Pas de boîte manuelle

capable d'engloutir deux sacs de golf selon Scion. À l'avant, l'utilisation d'un climatiseur très compact et le fait que le moteur soit incliné vers l'avant a permis aux ingénieurs de maximiser l'espace à l'avant. Le tableau de bord rappelle un peu celui de la Yaris en raison des gros boutons au centre, tandis que les principales jauges sont derrière le volant sport. Et pour ceux qui s'inquiètent de l'aspect sécurité dans ce petit espace, sachez que l'iQ est équipée de 10 coussins gonflables, dont le premier au monde logé au-dessus de la lunette.

[MÉCANIQUE] Par rapport à la smart, l'iQ est une traction avec le moteur placé à l'avant, tout le contraire de l'autre. Le moteur, un 4-cylindres de 1,3 litre, produit une puissance de 98 chevaux et un couple de 92 livres-pieds (statistiques européennes). Le petit moteur est accouplé à une boîte CVT ou manuelle à 6 rapports. Selon le réputé magazine britannique CAR, la petite Scion manque un peu de punch au départ, mais se reprend à vitesse de croisière, la puissance et le couple maximal étant atteints à un régime-moteur plus élevé. Au moins, l'iQ consomme l'or noir au compte-gouttes.

[COMPORTEMENT] Si les accélérations risquent de vous laisser sur votre appétit, la direction de la micro-

voiture est, toujours selon nos collègues européens, très vive et permet à l'iQ de tourner presque à plat. Plusieurs journalistes sont d'ailleurs étonnés du rayon de braquage réduit de ce kart urbain. Inutile de vous dire que cette miniScion sera un jeu d'enfant à stationner en plein centre-ville. Étant donné que plusieurs composants de l'iQ sont placés près du sol, le centre de gravité est plus bas, un facteur qui améliore grandement la tenue de route. Enfin, le freinage est assuré par des disques à l'avant et des tambours à l'arrière.

[CONCLUSION] Pour les gens qui demeurent en ville, la petite iQ est une manière simple de sauver des sous à la pompe. De plus, sa taille est clairement un *fashion statement*, un peu comme la smart, mais c'est aussi un avantage dans la circulation urbaine.

⑤ FICHE TECHNIQUE

MOTEUR
L4 1,3 l DACT, 98 ch À 6000 tr/min
Couple 92 lb-pi à 4400 tr/min
Transmission manuelle à 6 rapports, multidrive à 6 rapports avec mode manuel (en option)
0-100 km/h 13,4 s
Vitesse maximale 170 km/h

AUTRES COMPOSANTES
Sécurité active freins ABS et répartition électronique de force de freinage, système de contrôle de stabilité électronique, antipatinage
Suspension avant/arrière indépendante
Freins avant/arrière disques
Direction à crémaillère, assistée
Pneus P175/60R16

DIMENSIONS
Empattement 2000 mm
Longueur 2985 mm
Largeur 1680 mm
Hauteur 1500 mm
Poids man : 925 kg
Diamètre de braquage 7,8 m
Coffre 232 l
Réservoir de carburant 32 l

« MENTIONS ET VERDICTS À VENIR ... QUAND *L'ANNUEL* CONDUIRA L'AUTO !

ÉVOLUTION

N   É
J

Nd $ (2011)
transport et préparation: Nd

SCION

LA COTE VERTE

MOTEUR
L4 DE 2,5 L

· **Consommation** (100km):
man. 8.0 l
auto. 7.7 l

· **Émissions polluantes CO_2:**
man. 3936 kg/an
auto. 3840 kg/an

· **Empreinte écologique** (nombre d'arbres à planter par année): 24

· **Indice d'octane:** 87

· **Autre motorisation:** non

· **Coût du carburant moyen par année:**
man. 1640 $
auto. 1600$

· **Nombre de litres par année:**
man. 1640 l
auto. 1600 l

(SOURCE: ÉnerGuide)

 FICHE D'IDENTITÉ

· **Versions** base
· **Roues motrices** avant
· **Portières** 2 **Nombre de passagers** 5
· **Première génération** 2011 (Canada)
· **Génération actuelle** 2011
· **Construction** Tsutsumi, Japon
· **Sacs gonflables** 8 (frontaux, latéraux avant, genoux avant, et rideaux latéraux)
· **Concurrence**
Honda Civic, Kia Forte Koup, Volkswagen Golf

 AU QUOTIDIEN

· **Prime d'assurance**
25 ans: 1600 à 1800$
40 ans: 900 à 1100$
60 ans: 700 à 900$
· **Collision frontale** 5/5
· **Collision latérale** 4/5
· **Ventes du modèle de l'an dernier**
Au Québec nm **Au Canada** nm
· **Dépréciation** nm
· **Rappels** (2005-2010) nm
· **Cote de fiabilité** nm

 GARANTIES... ET PLUS

· **Garantie générale** 3 ans/60 000 km
· **Garantie motopropulseur** 5 ans/100 000 km
· **Perforation** 5 ans/ kilométrage illimité
· **Assistance routière** 3 ans/60 000 km
· **Nombre de concessionnaires**
Au Québec 18 Au Canada 45

 NOUVEAUTÉS EN 2011

· Nouveau modèle

UN PARFUM DE CELICA

PAR VINCENT AUBÉ

AU MOMENT D'ÉCRIRE CES LIGNES, LA GAMME SCION N'A ENCORE ÉTÉ TESTÉE PAR AUCUN DE NOS JOURNALISTES. Heureusement, nous pouvons nous baser sur les impressions de conduite de nos collègues américains qui conduisent les modèles Scion depuis l'introduction de cette division en 2003 aux États-Unis.

[CARROSSERIE] Le coupé tC viendra jouer dans la cour des coupés Honda Civic, Kia Forte et Ford Focus dans une moindre mesure. La plus sportive des Scion a cependant un avantage de taille par rapport à la concurrence : un hayon. Non seulement, ce dernier améliore la visibilité vers l'arrière, mais il augmente aussi le côté pratique de la compacte de Scion. Les consommateurs d'ici auront droit à la nouvelle mouture de la tC qui présente de nouvelles tôles pour 2011. La partie avant du coupé est plus inclinée et plus agressive que celle du modèle antérieur, tandis que c'est à l'arrière que le coup de crayon fait le plus grand bien, les feux adoptant désormais une coupe plus moderne. Enfin, mentionnons que le pilier C, plus large, s'inspire du concept FUSE de 2006. À la sortie de l'usine, toutes les tC chaussent des jantes de 18 pouces de diamètre, un élément à considérer vu le prix des pneus de nos jours.

[HABITACLE] L'habitacle de cette sportive bon marché est également revu pour 2011, heureusement. On a abandonné l'ancien tableau de bord trop classique et linéaire pour une planche orientée vers le conducteur avec de gros boutons et une chaîne stéréo simple à utiliser, tout le contraire du modèle 2010. Le volant à trois branches est plus gras, et la partie inférieure est aplatie comme dans certaines sportives qui se vendent parfois au double du prix. Les sièges avant sont plus agressifs pour mieux retenir les occupants, celui du passager pouvant se replier presque à plat pour le transport de très longs objets, une planche de surf ou votre nouveau meuble IKEA, par exemple. À l'arrière, la banquette divisible 60/40 a bel et bien trois ceintures de sécurité, mais la forme de l'assise n'est pas idéale pour l'occupant du milieu. En réalité, le coupé tC est plus un 2+2 qu'autre chose. Pour illuminer

---

FORCES · Allure réussie · Coupé pratique · Très bien équipée

FAIBLESSES · Volume du coffre un peu juste · Grandes personnes s'abstenir

l'intérieur, le toit panoramique ouvrant est installé sur tous les coupés tC.

[MÉCANIQUE] Toyota (ou sa division Scion) n'a pas l'habitude de changer les moteurs à chaque refonte. Pourtant, sous le capot du petit coupé, on trouve un tout nouveau moteur à 4 cylindres de 2,5-litres qui développe 19 chevaux de plus que l'ancien 2,4-litres, soit 180 chevaux; de plus, il produit un couple plus généreux de 173 livres-pieds. Malheureusement, il faut faire travailler le levier de vitesses de la nouvelle boîte de vitesses manuelle à 6 rapports pour avoir droit à toute la sauce, la pleine puissance n'étant disponible qu'à haut régime. Une nouvelle boîte automatique, également à 6 rapports, est facultative, cette dernière étant la seule option au tableau. Le caractère dynamique du coupé tC oblige Toyota à installer de série des freins à disque aux quatre roues, de même que le contrôle de la stabilité, l'antipatinage et l'ABS sont tous de série.

[COMPORTEMENT]

Malheureusement, au moment d'écrire ces lignes, le lancement américain (prévu avant celui du Canada) du coupé tC n'avait pas encore eu lieu. Nous allons donc nous fier aux impressions de conduite du modèle 2010 de nos collègues. Même si la voiture est largement transformée

par rapport à 2010, l'expérience de conduite devrait être sensiblement la même. Espérons que le nouveau moteur a plus de « punch » car l'ancien 2,4-litres en manquait un peu selon quelques journalistes américains. Toutefois, le maniement de l'ancienne boîte manuelle à 5 rapports était un plaisir. Il y a de fortes chances que cette caractéristique demeure intacte dans la nouvelle à 6 rapports. La suspension calibrée pour une conduite inspirée risque d'être plus ferme avec l'addition de pneus de 18 pouces. Quant au freinage, le modèle 2010 était bien coté chez nos voisins du sud.

[CONCLUSION] Il est plutôt difficile d'arriver à une conclusion quand personne n'a conduit ce nouveau coupé. Mais, étant donné la réputation des produits Toyota – un peu entachée par les nombreux rappels de 2010 – et l'approche de la division Scion, les jeunes conducteurs ont un choix additionnel sur le marché des coupés pour s'adonner aux plaisirs du tuning.

5 FICHE TECHNIQUE

MOTEUR
L4 2,5 l DACT, 180 ch à 6000 tr/min
Couple 173 lb-pi à 4100 tr/min
Transmission manuelle à 6 rapports, automatique à 6 rapports avec mode manuel (en option)
0-100 km/h nd
Vitesse maximale nd

AUTRES COMPOSANTES
Sécurité active freins ABS et répartition électronique de force de freinage, système de contrôle de stabilité électronique, antipatinage
Suspension avant/arrière indépendante
Freins avant/arrière disques
Direction à crémaillère, assistée
Pneus P225/45R18

DIMENSIONS
Empattement 2700 mm
Longueur 4420 mm
Largeur 1795 mm
Hauteur 1390 mm
Poids nd
Diamètre de braquage 11,0 m
Coffre nd
Réservoir de carburant nd

MENTIONS ET VERDICTS
À VENIR ...
QUAND *L'ANNUEL*
CONDUIRA L'AUTO !

ÉVOLUTION N É J

17 000 $ à 21 000$ (estimé)
transport et préparation: nd $

LA COTE VERTE

MOTEUR
L4 DE 2,4 L

- **Consommation (100km):**
  man. 8,4 l
  auto. 8,5 l
- **Émissions polluantes CO_2:**
  man : 3772 kg/an
  auto : 3726 kg/an
- **Empreinte écologique (nombre d'arbres à planter par année):** 24
- **Indice d'octane:** 87
- **Autre motorisation:** non
- **Coût du carburant moyen par année:**
  man. 1640 $
  auto. 1620$
- **Nombre de litres par année:**
  man. 1640 l
  auto. 1620

(SOURCE: Scion)

① FICHE D'IDENTITÉ

- **Versions** base
- **Roues motrices** avant
- **Portières** 5 **Nombre de passagers** 5
- **Première génération** 2011 (Canada)
- **Génération actuelle** 2011
- **Construction** Iwate et Sagamihara, Japon
- **Sacs gonflables** 6
  frontaux, latéraux avant et rideaux latéraux
- **Concurrence** Chevrolet HHR, Dodge Caliber, Honda Element, Kia Soul, Nissan Cube, Suzuki SX4, Toyota Matrix

② AU QUOTIDIEN

- **Prime d'assurance**
  25 ans: 1500 à 1700$
  40 ans: 1000 à 1200$
  60 ans: 700 à 900 $
- **Collision frontale** 4/5
- **Collision latérale** 5/5
- **Ventes du modèle de l'an dernier**
  Au Québec nm **Au Canada** nm
- **Dépréciation** nm
- **Rappels** (2005 à 2010) nm
- **Cote de fiabilité** nm

③ GARANTIES... ET PLUS

- **Garantie générale** 3 ans/60 000 km
- **Garantie motopropulseur** 5 ans/100 000 km
- **Perforation** 5 ans/ kilométrage illimité
- **Assistance routière** 3 ans/60 000 km
- **Nombre de concessionnaires**
  Au Québec 18 **Au Canada** 45

④ NOUVEAUTÉS EN 2011

- Nouveau modèle

LA BOÎTE ORIGINALE

PAR VINCENT AUBÉ

LA VOICI ENFIN, LA BOÎTE DE SCION, LE SYM-
BOLE DE LA DIVISION DESTINÉE À LA GÉNÉRA-
TION Y. C'est un peu en partie grâce au xB que
le marché local est maintenant peuplé des Nissan
Cube, Honda Element et Kia Soul de ce monde.
D'ailleurs, quelques consommateurs impatients
ont déjà importé via les États-Unis leur propre
exemplaire du xB avant même la venue de Scion
au Canada. Encore une fois, nous devrons nous
fier aux impressions de nos collègues américains
pour vous donner l'heure juste sur ce petit multisegment sympathique.

[CARROSSERIE] Par rapport à la première génération, le nouveau xB n'est pas basé sur la plateforme de la sous-compacte Yaris, mais bien sur
celle de la Corolla/Auris européenne, ce qui
donne un véhicule plus grand dans tous les sens
à l'exception de la hauteur. En d'autres termes,
les dimensions du xB ressemblent étrangement
à celles de la Matrix. Contrairement au premier
xB, le nouveau modèle adopte des lignes plus
trapues, la fenestration étant moins haute. Ce
choix a pour avantage d'améliorer le coefficient

de traînée du xB. Malgré tout, le caractère « cubique » du véhicule est conservé, à commencer
par la partie avant avec cette calandre, ces phares et
ce pare-chocs qui ont tous une forme rectangulaire. À l'arrière, le hayon est toujours aussi vertical.
La plus grosse différence se retrouve à la hauteur
du pilier C très massif. Pour les avides de tuning,
le xB pourra être personnalisé selon les goûts de
l'acheteur (jantes surdimensionnées, suspension
sport, filtre à air moins restrictif, etc.).

[HABITACLE] À l'intérieur, la qualité des matériaux rappelle beaucoup ce qui se fait chez Toyota.
Étant donné le prix du véhicule, le plastique est
roi dans cette boîte sur roues. Le tableau de bord
accueille les jauges d'instrumentation au centre,
comme dans la Yaris. Il faut toutefois affirmer
que le dessinateur a eu la main heureuse car le
tableau de bord est agréable à regarder. Le résultat
est très « techno ». Les sièges n'ont pas été pensés
pour de longues balades, tandis que le tissu fait
un peu trop bon marché. Heureusement, une
boîte, c'est pratique, et les espaces de rangement
ne manquent pas dans le xB. Évidemment, la car-

FORCES · Allure originale (extérieur et intérieur) · Mécanique éprouvée
· Beaucoup d'espace

FAIBLESSES · Boîte de vitesses automatique à 4 rapports seulement
· Qualité du tissu des sièges

rosserie étant carrée au possible, les conducteurs de xB devront s'habituer à ce pare-brise plus vertical que la moyenne.

[MÉCANIQUE] Sur ce plan, Scion fait appel à un groupe motopropulseur déjà connu du public canadien. En effet, le moteur à 4 cylindres de 2,4 litres de cette traction est le même qui équipe la Toyota Matrix et la Corolla. Il développe la même puissance, 158 chevaux, et produit le même couple, 162 livres-pieds. Pour ce qui est de la boîte de vitesses, aucune surprise puisque le consommateur a le choix entre une manuelle à 5 rapports (de série) et une automatique à 4 rapports (la seule option au catalogue). Il est certain que cette configuration a fait ses preuves au fil des ans, mais un 5e rapport sur la boîte automatique serait grandement souhaité.

[COMPORTEMENT] Conduire une boîte demande une certaine vigilance quand il y a de forts vents latéraux, mais outre ce petit détail, le xB devrait se comporter de manière assez identique à la Matrix de Toyota. Après tout, la mécanique est la même, les dimensions sont à quelques millimètres d'être identiques, tandis que le poids de la Scion est à peine plus lourd qu'une Matrix XRS. Selon le magazine américain *Car & Driver*, le xB est facile à conduire, et la

puissance du moteur est appropriée. La suspension a été calibrée principalement pour le confort des occupants. Les plus exigeants pourront toutefois se rabattre sur les amortisseurs sport de la division TRD. En termes de freinage, le xB est équipé de freins à disque aux 4 roues ventilés à l'avant. Toujours selon C&D, la boîte manuelle est celle qui permet de mieux exploiter la mécanique.

[CONCLUSION] La voiture la plus identifiable au groupe Scion, le xB, représente une option intéressante à tous ceux qui désirent se démarquer dans la circulation urbaine. L'exécution est digne des produits Toyota, l'équipement est dans les normes, tandis que la mécanique ne présente aucune surprise. Il reste maintenant à déterminer si vous êtes du type boîte !

5 FICHE TECHNIQUE

· MOTEUR
L4 2,4 l DACT, 158 ch à 6000 tr/min
Couple 162 lb-pi à 4400 tr/min

Transmission manuelle à 5 rapports, automatique à 4 rapports (option)

0-100 km/h nd

Vitesse maximale nd

· AUTRES COMPOSANTES
Sécurité active freins ABS et répartition électronique de force de freinage, système de contrôle de stabilité électronique

Suspension avant/arrière indépendante/semi-indépendante

Freins avant/arrière disques

Direction à crémaillère assistée

Pneus P205/55R16

· DIMENSIONS
Empattement 2600 mm

Longueur 4250 mm

Largeur 1760 mm

Hauteur 1645 mm

Poids man. 1370 kg **auto.** 1399 kg

Diamètre de braquage 11,0 m

Coffre 310 l

Réservoir de carburant 53 l

MENTIONS ET VERDICTS
À VENIR ...
QUAND *L'ANNUEL*
CONDUIRA L'AUTO !

ÉVOLUTION

14 000 $ à 17 000$ (estimé)
transport et préparation: nm

LA COTE VERTE

MOTEUR
L4 DE 1,8 L

· **Consommation** (100km):
man. 6,7 l
auto. 6,8 l

· **Émissions polluantes CO_2:**
man. 3190 kg/an
auto. 3163 kg/an

· **Empreinte écologique** (nombre d'arbres à planter par année): 18

· **Indice d'octane:** 87

· **Autre motorisation:** non

· **Coût du carburant moyen par année:**
man. 1329 $
auto. 1318 $

· **Nombre de litres par année:**
man. 1329 l
auto. 1318 l

(SOURCE: Scion)

① FICHE D'IDENTITÉ

· **Version** base
· **Roues motrices** avant
· **Portières** 5 **Nombre de passagers** 5
· **Première génération** 2011 (Canada)
· **Génération actuelle** 2011
· **Construction** Takaoka, Japon
· **Sacs gonflables** 6
frontaux, latéraux avant et rideaux latéraux
· **Concurrence** Chevrolet Aveo, Ford Fiesta, Honda Fit, Hyundai Accent, Kia Rio, Mazda 2, Nissan Versa, Suzuki Swift +, Toyota Yaris

② AU QUOTIDIEN

· **Prime d'assurance**
25 ans: 1400 à 1600$
40 ans: 1000 à 1200$
60 ans: 600 à 800$
· **Collision frontale** 4/5
· **Collision latérale** 5/5
· **Ventes du modèle de l'an dernier**
Au Québec nm **Au Canada** nm
· **Dépréciation** nm
· **Rappels** (2005-2010) nm
· **Cote de fiabilité** nm

③ GARANTIES... ET PLUS

· **Garantie générale** 3 ans/60 000 km
· **Garantie motopropulseur** 5 ans/100 000 km
· **Perforation** 5 ans/ kilométrage illimité
· **Assistance routière** 3 ans/60 000 km
· **Nombre de concessionnaires**
Au Québec 18 **Au Canada** 45

④ NOUVEAUTÉS EN 2011

· Nouveau modèle

UNE YARIS « SCIONISÉE »

PAR VINCENT AUBÉ

LORSQUE TOYOTA A LANCÉ SCION AUX ÉTATS-UNIS, EN 2003, DEUX MODÈLES FIGURAIENT AU PROGRAMME, LA xB ET LA xA. La xA a été rebaptisée xD en 2008 lors de la refonte de ces deux modèles et a obtenu, en prime, un moteur plus puissant. Pour ce qui est du reste, la xD demeure l'offre de Scion dans la catégorie des sous-compactes. À peine moins cubique que le xB et passablement moins dynamique que la tC, la xD a tout de même quelques caractéristiques qui risquent d'intéresser les premiers acheteurs.

[CARROSSERIE] Contrairement au xB qui a gagné près de 30 centimètres en longueur en changeant de plateforme, la xD est demeurée fidèle à la même plateforme, c'est-à-dire celle de la Yaris. C'est aussi ce qui explique les dimensions similaires entre une Yaris à hayon et une xD. Mais là s'arrêtent les comparaisons puisque Scion s'adresse à un public jeune. Les lignes de la xD sont plus agressives que la Yaris avec ce pli qui se prolonge jusqu'au capot à la hauteur de la haute ceinture de caisse. La partie arrière est verticale, ce qui a pour conséquence d'élargir le pilier C.

De profil, la xD a des lignes presqu'aussi « camionnesques » que le xB. La xD peut aussi être équipée de plusieurs pièces de performance vendue chez le concessionnaire. D'ailleurs, avec des jantes plus imposantes et des bas de caisse plus gras, la xD a de la gueule !

[HABITACLE] Pour différencier la xD de la Yaris, Toyota n'a pas opté pour un tableau de bord avec jauges au centre. Les cadrans se retrouvent derrière le volant dans une console à la forme inhabituelle, tandis que les principales commandes de la voiture sont concentrées au centre. Selon quelques confrères américains, le plastique retenu pour l'habitacle est supérieur en qualité à celui d'une Yaris, tandis que les sièges sont conçus pour de courtes distances. À l'arrière, la banquette escamotable 60/40, qui peut théoriquement asseoir 3 personnes, offre aussi l'option d'avancer l'un ou l'autre des côtés, question d'augmenter quelque peu le volume du coffre. Avec cette dernière complètement repliée, le volume du coffre atteint un peu moins de 1020 litres.

FORCES · Gueule plus musclée · Moteur le plus puissant de la catégorie · Banquette arrière pratique

FAIBLESSES · Boîte automatique à 4 rapports seulement · Conduite peu inspirée

[MÉCANIQUE] En plus du style plus original de la Scion par rapport à la Toyota, la xD obtient du renfort sous le capot pour prendre la tête de la catégorie en matière de puissance et de couple. En effet, la xD est équipée du 4-cylindres de 1,8 litre de la Corolla, mais développe 128 chevaux et produit un couple de 125 livres-pieds. Il faut toutefois souligner le fait que la xD pèse 151 kilos de plus que la plus lourde des Yaris. Le choix des boîtes de vitesses se limite à une manuelle à 5 rapports livrée de série et à une automatique à 4 rapports (la seule option proposée). Le freinage de cette petite est assuré par des freins à disque à l'avant, tandis que des tambours s'occupent de l'essieu arrière, une configuration encore une fois identique à la Yaris.

[COMPORTEMENT] Une fois de plus, il faut se fier aux commentaires de nos homologues au sud de la frontière pour vous livrer des impressions de conduite puisque la gamme Scion n'a pas encore été présentée à la presse canadienne. Le commentaire qui revient souvent a trait au plaisir de conduire qui aurait pâli par rapport à la xA pourtant beaucoup moins puissante. L'embonpoint de la nouvelle xD n'aide pas du tout. La direction serait plus floue qu'auparavant, idem pour la suspension guimauve (si jamais vous craquez pour la

xD, une suspension plus ferme serait à considérer).

[CONCLUSION] Au final, c'est le consommateur qui est gagnant. L'offre n'aura jamais été aussi étoffée dans le segment des petites puces sous-compactes. La xD est une alternative qu'il ne faut pas négliger lors de votre prochain magasinage de voiture. La fiabilité des produits Toyota et le côté pratique et différent de cette Scion pourraient bien être des facteurs de choix. En présentant la xD au marché canadien, Toyota n'est-elle pas en train de cannibaliser sa propre Yaris ? Il faudra surveiller les ventes du constructeur nippon pour le constater.

⑤ FICHE TECHNIQUE

· MOTEUR

L4 1,8 l DACT, 128 ch à 6000 tr/min
Couple 125 lb-pi à 4400 tr/min

Transmission manuelle à 5 rapports, automatique à 4 rapports (option)

0-100 km/h 10 .8 s

Vitesse maximale 180 km/h

· AUTRES COMPOSANTES

Sécurité active freins ABS et répartition électronique de force de freinage, système de contrôle de stabilité électronique.

Suspension avant/arrière indépendante/semi-indépendante

Freins avant/arrière disques/tambours

Direction à crémaillère assistée

Pneus P195/60R16

· DIMENSIONS

Empattement 2460 mm

Longueur 3930 mm

Largeur 1725 mm

Hauteur 1510 mm

Poids man. 1190 kg **auto.** 1210 kg

Diamètre de braquage 11,3 m

Coffre 297 l

Réservoir de carburant 42 l

« MENTIONS ET VERDICTS À VENIR ... QUAND *L'ANNUEL* CONDUIRA L'AUTO ! »

FORTWO

www.thesmart.ca

14 990 $ à 26 195 $
transport et préparation: 1295 $

LA COTE VERTE

MOTEUR
L3 DE 1,0 L

- **Consommation (100km):** 5,4 l
- **Émissions polluantes CO_2:** 2484 kg/an
- **Empreinte écologique (nombre d'arbres à planter par année):** 16
- **Indice d'octane:** 91
- **Autre Motorisation:** non
- **Coût du carburant moyen par année:** 1210 $
- **Nombre de litres par année:** 1080 l

(SOURCE: ÉnerGuide)

---

① FICHE D'IDENTITÉ

- **Versions** Pure coupé, Passion Coupé, Brabus Coupé, Passion Cabriolet, Brabus Cabriolet
- **Roues motrices** arrière
- **Portières** 2 **Nombre de passagers** 2
- **Première génération** 2005
- **Génération actuelle** 2007
- **Construction** Hambach, France
- **Sacs gonflables** 2 (frontaux)
- **Concurrence** Aucune

② AU QUOTIDIEN

- **Prime d'assurance**
  25 ans: 2000 à 2200 $
  40 ans: 1000 à 1200 $
  60 ans: 800 à 1000 $
- **Collision frontale** 3,5/5
- **Collision latérale** 5/5
- **Ventes du modèle de l'an dernier**
  Au Québec 821 **Au Canada** 2667
- **Dépréciation (2 ans)** 39,3 %
- **Rappels (2005 à 2010)** 1
- **Cote de fiabilité** 4/5

③ GARANTIES... ET PLUS

- **Garantie générale** 4 ans/80 000 km
- **Garantie motopropulseur** 4 ans/80 000 km
- **Perforation** 5 ans/kilométrage illimité
- **Assistance routière** 4 ans/kilométrage illimité
- **Nombre de concessionnaires**
  Au Québec 12 **Au Canada** 53

④ NOUVEAUTÉS EN 2011

- Retouches esthétiques

UN OBJET TENDANCE

PAR BENOIT CHARETTE

LA SMART A DÉJÀ CONQUIS LE CŒUR DE BIEN DES CITADINS DANS LE MONDE; ET VOICI QUE, POUR 2011, MERCEDES-BENZ AJOUTERA UNE VERSION À 100 % ÉLECTRIQUE. LA FORTWO ED (POUR ELECTRIC DRIVE) SERA PRODUITE À 1500 EXEMPLAIRES À L'ÉCHELLE PLANÉTAIRE. De ce nombre, 45 sont destinés au marché canadien. Les modèles seront offerts en location seulement pour un montant qui a été fixé à 599 $ par mois (aux États-Unis) pour une période de 48 mois après versement d'un dépôt initial de 2 500 $. Ce qui fait près de 30 000 $ pour une location de quatre ans; un prix prohibitif. Voilà pourquoi 80 % des modèles offerts seront vendus à des entreprises et 20 % à des particuliers. Ce qui revient à dire que quelque 10 véhicules par année seulement seront en fait loués à des particuliers.

[CARROSSERIE] À l'exception de nouvelles jantes et teintes de carrosserie, l'extérieur n'est guère modifié. En revanche, le hayon peut désormais s'ouvrir d'un seul mouvement, alors qu'il fallait faire l'opération en deux mouvements auparavant. Les versions à essence et électrique sont toutes les deux offertes en modèles coupé ou cabriolet. On pourra reconnaître une version électrique à sa teinte bicolore vert et blanc.

[HABITACLE] À l'intérieur, la fortwo s'est surtout attachée à enrichir son équipement. Une nouvelle chaîne audio, un coussin se sécurité gonflable pour les genoux du conducteur et un régulateur de vitesse font désormais leur apparition. Les tissus intérieurs sont également revus. La petite biplace smart est donc mieux armée pour tenir jusqu'à l'arrivée de sa remplaçante, en 2012. Outre le graphisme de la jauge à essence, qui indique la charge de la batterie, on monte à bord de la smart électrique exactement comme dans une version à essence.

[MÉCANIQUE] La smart électrique est animée par un moteur électrique de 30 kilowatts (ou 41 chevaux) avec 88,5 livres-pieds de couple. La voiture revendique une autonomie de 135 kilomètres, affiche 100 km/h en vitesse maximale et 6,5 secondes pour passer de 0 à 60 km/h. Les batteries lithium-ion proviennent de Tesla, et Mer-

---

FORCES · Citadine idéale · Bien construite · Élégante

FAIBLESSES · Boîte de vitesses à revoir · Pas de puissance sous les 2 000 tr/min · Faible visibilité arrière · Suspension sèche

cedes-Benz a précisé que, d'ici 2012, la prochaine smart électrique fonctionnera sur des piles maison qui sont actuellement en développement. Le modèle à essence offre toujours un 3-cylindres de 70 chevaux avec la boîte de vitesses automatique à 5 rapports dite « chaise berceuse » qui donnera rapidement le mal des transports à ceux qui ont le cœur sensible. L'utilisation du mode manuel et les leviers de sélection au volant règlent une partie du problème.

[COMPORTEMENT] J'ai fait 2 610 kilomètres en quatre jours au volant d'une smart en passant au nord du cercle polaire l'hiver dernier. Je dois admettre que la voiture, qui n'est pas construite pour affronter les tempêtes de neige, s'est fort bien tirée d'affaire. Sa véritable place est en ville, mais avec de bons pneus à neige, vous pourrez très bien passer l'hiver sans trop de soucis. De son côté, la version électrique, comme tous les modèles électriques, est prompte à décoller, mais la puissance tombe rapidement à plat. Le problème de va-et-vient de la boîte automatique est inexistant dans la version électrique qui n'a qu'une seule vitesse. En conduite, on sent un peu les 140 kilos supplémentaires liés à l'intégration des batteries lithium-ion, mais elle demeure d'utilisation très intuitive et facile à conduire.

[CONCLUSION] Il faudra attendre 2012 avant de peut-être voir une quantité suffisante de smart électrique sur la route. Le groupe Daimler doit résoudre la difficile équation de son coût de production qui est encore beaucoup trop élevé (la faute aux batteries), mais il faut vraiment qu'il y

parvienne, sinon, cette voiture sera encore une belle utopie en raison de son prix inaccessible. Pour le moment, la version à essence est certes moins tendance, mais son prix est réaliste, et sa consommation, très faible.

2ᵉ OPINION

DANIEL RUFIANGE La smart fortwo est un produit intéressant. Notez l'utilisation du mot produit, car, en ce qui me concerne, il ne s'agit pas d'une voiture au sens propre. Elle est grosse comme une voiturette de golf, n'offre que deux places et ne permet pas le rangement d'une valise digne de ce nom. La fortwo a beau réussir avec succès tous les tests de sécurité, elle ne me procure aucun sentiment de sécurité entre deux camions lourds à 100 km/h sur l'autoroute. Ça, c'est la réalité. Cela fait donc d'elle une petite voiture urbaine toute désignée. Et, cela en surprendra plusieurs, on n'a pas besoin de la remiser l'hiver venu. Elle se montre tout à fait compétente dans la neige et sur la glace. Pas pour les banlieusards, cependant.

⑤ FICHE TECHNIQUE

MOTEUR

L3 1,0l DACT, 70 ch à 5800 tr/min	
Couple 68 lb-pi à 4500 tr/min	
Transmission automatique à 5 rapports avec mode manuel	
0-100 km/h 13,3 s	
Vitesse maximale 145 km/h (limitée)	

AUTRES COMPOSANTES

Sécurité active freins ABS, assistance au freinage, distribution électronique de force de freinage, antipatinage, contrôle de stabilité électronique
Suspension avant/arrière indépendante
Freins avant/arrière disques/tambours
Direction assistée, à crémaillère
Pneus P155/60R15 (av.), P175/55R15 (arr.)
Brabus P175/55R15 (av.), P215/35R17 (arr.)

DIMENSIONS

Empattement 1867 mm	
Longueur 2695 mm	
Largeur 1559 mm	
Hauteur 1542 mm	
Poids 820 kg, **cabrio.** 840 kg	
Diamètre de braquage 8,7 m	
Coffre 220 l à 340 l	
Réservoir de carburant 33 l	

539

NOS MENTIONS

 Le choix vert

 Modèle recommandé

 Coup de coeur

NOTRE VERDICT

Plaisir au volant	⬡⬡⬡⬡⬡
Qualité de finition	⬡⬡⬡⬡⬡
Consommation	⬡⬡⬡⬡⬡
Rapport qualité/prix	⬡⬡⬡⬡⬡
Valeur de revente	⬡⬡⬡⬡⬡

FORESTER

www.subaru.ca

ÉVOLUTION N — É J

27 490 $ à 36 790 $
transport et préparation: 1525 $

LA COTE VERTE

MOTEUR
H4 DE 2,5 L

- **Consommation (100km):** man. 9,1 l auto. 9,1 l
- **Émissions polluantes CO_2 :** 4232 kg/an
- **Empreinte écologique (nombre d'arbres à planter par année):** 26
- **Indice d'octane:** 87
- **Autre motorisation:** non
- **Coût du carburant moyen par année:** 1840 $
- **Nombre de litres par année:** 1840 l

(SOURCE: ÉnerGuide)

 1 FICHE D'IDENTITÉ

- **Versions** 2.5X, PZEV, 2.5XT
- **Roues motrices** 4
- **Portières** 5 **Nombre de passagers** 5
- **Première génération** 1998
- **Génération actuelle** 2009
- **Construction** Gunma, Japon
- **Sacs gonflables** 6 (frontaux, latéraux et rideaux latéraux)
- **Concurrence** Ford Escape, Honda CR-V, Hyundai Tucson, Jeep Compass/ Patriot, Kia Sportage, Mitsubishi Outlander, Nissan Rogue, Suzuki Grand Vitara, Toyota Rav4

 2 AU QUOTIDIEN

- **Prime d'assurance**
  25 ans: 2200 à 2400 $
  40 ans: 1300 à 1500 $
  60 ans: 1000 à 1200 $
- **Collision frontale** 5/5
- **Collision latérale** 5/5
- **Ventes du modèle de l'an dernier** Au Québec 2312 Au Canada 8638
- **Dépréciation** (3 ans) 44,2%
- **Rappels** (2005 à 2010) 3
- **Cote de fiabilité** 4/5

 3 GARANTIES... ET PLUS

- **Garantie générale** 3 ans/60 000 km
- **Garantie motopropulseur** 5 ans/100 000 km
- **Perforation** 5 ans/kilométrage illimité
- **Assistance routière** 3 ans/kilométrage illimité
- **Nombre de concessionnaires** Au Québec 25 Au Canada 86

 4 NOUVEAUTÉS EN 2011

- Aucun changement majeur

P'TIT VITE

PAR FRÉDÉRIC MASSE

IL EST DE PLUS EN PLUS RARE QU'ON AIT DU PLAISIR AU VOLANT D'UN VUS COMPACT. Dans une catégorie où tout s'endort, qui se tourne vers les systèmes d'assistance à la conduite et où la déconnexion avec la route semble faire partie des objectifs, le Forester arrive comme une bouffée d'air frais. Il n'est certes pas le plus gros, ni le plus confortable, mais c'est justement ce qui fait sa force.

[CARROSSERIE] Le Forester est désormais offert en tellement de versions qu'on peut y perdre son latin. Je n'en nomme que quelques-unes: 2,5X, X avec ensemble Limited, PZEV et XT (avec d'autres sous-ensembles). C'est de la souplesse en matière d'équipement ça, monsieur. Le style extérieur du Forester varie tout autant en fonction de la version choisie, soit d'anonyme en modèle de base à tout de même désirable avec les ensembles d'options où les roues passent de 16 à 17 pouces. C'est encore plus vrai avec la XT où l'ouverture sur le capot, notamment, lui donne un air plus vilain.

[HABITACLE] Subaru y est allé avec classicisme pour le Forester. La version essayée, la Sportech, démontrait une belle ergonomie, une bonne visibilité sous tous les angles et une simplicité d'utilisation de la plupart des commandes. Je dis bien la plupart, car il y a une ombre au tableau. Le système de navigation et les commandes de la radio sont définitivement les pires que j'ai eu à utiliser. Ils semblent avoir été ajoutés à la sauvette et fonctionnent très, très mal. Malgré des sièges confortables, j'aurais aussi apprécié un peu plus de maintien et un coussin supportant les jambes un peu plus long. Une meilleure insonorisation aurait également été la bienvenue, surtout que la chaîne stéréo de base n'est pas la meilleure. Pour le reste, il y a de la place à l'arrière pour les passagers et les bagages, la finition est correcte, et le toit ouvrant, offert en option, tout simplement immense et génial. Il faut aussi souligner les bonnes notes de Subaru en matière de tests de collision.

[MÉCANIQUE] Pour 2011, Subaru a revu son moteur à 4 cylindres à plat de 2,5 litres pour y

FORCES · Vivacité · Précision de la direction · Modèle XT · Rapport qualité-prix des versions de base · Transmission intégrale de série

FAIBLESSES · Système de navigation de certaines versions · Qualité de la chaîne stéréo des versions de base · Insonorisation couci-couça

apporter passablement de modifications. Le moteur passe notamment d'un simple à un double arbre à cames en tête. La puissance, elle, demeure la même, quoique le couple soit disponible à plus bas régime. Avec la boîte de vitesses automatique à 4 rapports (une manuelle à 5 rapports est également offerte), je dois avouer qu'il ne traîne pas à l'accélération, quoique les reprises sur l'autoroute demandent une petite période de réflexion. Mais, dans l'ensemble, c'est suffisant. L'autre moteur, l'excitant 2,5 litres turbocompressé demeure le même avec ses 224 chevaux et son couple disponible à très bas régime, soit à 2800 tours par minute. Cette mécanique se veut l'un des bons 4-cylindres turbo de l'industrie. Je dois toutefois souligner que Subaru n'offre guère mieux qu'une boîte automatique à 4 rapports, même si elle est efficace.

[COMPORTEMENT] Le Forester est vif et agréable à conduire, même en version de base. Mais, cela ne signifie pas qu'il n'est pas confortable. C'est là le tour de force. La direction du Subaru est bien dosée et génère une bonne rétroaction. Sur les routes de terre, de gravier ou enneigées, et une fois les chiens de garde désengagés, il se transforme en vrai petit jouet. La transmission intégrale permanente est efficace et permissive si on lui laisse la chance de s'exprimer. Dans le cas contraire, elle vous mènera à bon port sans le moindre problème. Quant aux versions XT, c'est encore plus prononcé, et chaque sortie au dépanneur pourra devenir un petit plaisir. Je vous le confirme, vous ne verrez plus jamais les tempêtes de neige de la même façon !

[CONCLUSION] Le Forester est un excellent choix. Il propose, malgré son empattement relativement court, beaucoup d'espace pour les bagages et les passagers. Toutefois, son insonorisation est défaillante, et la présentation de son habitacle ne concorde plus avec l'image haut de gamme que veut se donner Subaru. Mais, malgré ses petits travers, le Forester demeure l'une de mes machines préférées dans cette catégorie pour quiconque veut conduire quelque chose de sûr, de fiable et, surtout, d'agréable à piloter.

2ᵉ OPINION

MICHEL CRÉPAULT Je me souviens de ma toute première balade en Forester, dans le Maine (en 1998, ouille !). Les gens se retournaient et me posaient des questions. Plus maintenant. Parce que ce segment des VUS déborde de concurrents. Mais si l'on m'en posait encore, des questions, je répondrais : le nouveau Forester est plus spacieux, surtout à l'arrière; ses variantes sont très (trop ?) nombreuses pour satisfaire tous les goûts et tous les budgets, dont la version écolo PZEV; sa suspension s'est ramollie (lire « américanisée »); sa transmission intégrale a perdu son différentiel autobloquant, de sorte que je ne suis pas sûr que Crocodile Dundee, qui avait participé jadis au lancement du Forester, pourrait encore réussir tout ce qu'il accomplissait dans l'Outback australienne. Ah oui ! Et l'automatique à 4 rapports ne fait pas sérieux. Heureusement que le moteur boxer, lui, est toujours au rendez-vous.

⑤ FICHE TECHNIQUE

· MOTEURS

· (X, PZEV)
H4 2,5 l DACT, 170 ch à 6000 tr/min
Couple 170 lb-pi à 4400 tr/min
Transmission manuelle à 5 rapports, automatique à 4 rapports avec mode manuel (option)
0-100 km/h 9,2 s
Vitesse maximale 185 km/h

· (XT)
H4 2,5 l turbo DACT, 224 ch à 5200 tr/min
Couple 226 lb-pi à 2800 tr/min
Transmission automatique à 4 rapports avec mode manuel
0-100 km/h 6,8 s
Vitesse maximale 225 km/h
Consommation (100 km) 9,7 l (octane 91)
Émissions de CO_2 4508 kg/an
Litres par année 1960 l
Coût par an 2195 $
Empreinte écologique 30 arbres

· AUTRES COMPOSANTES
Sécurité active ABS, antipatinage, répartition électronique de force de freinage, contrôle de stabilité électronique
Suspension avant/arrière indépendante
Freins avant/arrière disques
Direction à crémaillère, assistée
Pneus X P215/65R16 **option X, XT** P225/55R17

· DIMENSIONS
Empattement 2615 mm
Longueur 4560 mm
Largeur 2006 mm
Hauteur 1700 mm
Poids X man. 1480 kg,
X auto./PZEV 1500 kg, **XT** 1570 kg
Diamètre de braquage 10,5 m
Coffre X 949 l, 1934 l (sièges abaissés)
XT 872 l, 1784 l (sièges abaissés)
Réservoir de carburant 64 l
Capacité de remorquage 1087 kg avec freins de remorque

NOS MENTIONS

☺ Modèle recommandé

NOTRE VERDICT

Plaisir au volant	●●●●◖
Qualité de finition	●●●○○
Consommation	●●●○○
Rapport qualité/prix	●●●◖○
Valeur de revente	●●●●○

541

IMPREZA

www.subaru.ca

ÉVOLUTION
N É
J

20 995 $ à 45 995 $
transport et préparation: 1525 $

LA COTE VERTE

MOTEUR
H4 DE 2,5 L

· **Consommation (100km):**
man. 9,1 l
auto. 9,1 l
· **Émissions polluantes CO$_2$:**
4232 kg/an
· **Empreinte écologique (nombre d'arbres à planter par année):** 26
· **Indice d'octane:** 87
· **Autre motorisation:** non
· **Coût du carburant moyen par année:**
man. 1840 $
auto. 1840 $
· **Nombre de litres par année:**
man. 1840 l
auto. 1840 l

(SOURCE: ÉnerGuide)

① FICHE D'IDENTITÉ

· **Versions** 2.5i, 2.5i Groupe Sport, 2.5i Groupe Limited, WRX, WRX Groupe Limited, WRX STI
· **Roues motrices** 4
· **Portières** 4, 5 **Nombre de passagers** 5
· **Première génération** 1993
· **Génération actuelle** 2008
· **Construction** Gunma et Yajima, Japon
· **Sacs gonflables** 6 (frontaux, latéraux, rideaux)
· **Concurrence** Acura CSX, Chevrolet Cruze, Ford Focus, Honda Civic, Hyundai Elantra, Kia Spectra, Mazda3, Mitsubishi Lancer, Nissan Sentra, Pontiac Vibe, Suzuki SX4, Toyota Corolla/Matrix, Volkswagen, Golf/Jetta

② AU QUOTIDIEN

· **Prime d'assurance**
25 ans: 1600 à 1800 $
40 ans: 1100 à 1300 $
60 ans: 1000 à 1200 $
· **Collision frontale** 5/5 · **Collision latérale** 4/5
· **Ventes du modèle de l'an dernier**
Au Québec 3517 **Au Canada** 9126
· **Dépréciation** 32,8%
· **Rappels** (2005 à 2010) 3
· **Cote de fiabilité** 4/5

③ GARANTIES... ET PLUS

· **Garantie générale** 3 ans/60 000 km
· **Garantie motopropulseur** 5 ans/100 000 km
· **Perforation** 5 ans/kilométrage illimité
· **Assistance routière** 3 ans/kilométrage illimité
· **Nombre de concessionnaires**
Au Québec 25 **Au Canada** 86

④ NOUVEAUTÉS EN 2011

· La version WRX partage dorénavant les mêmes éléments esthétiques que la WRX STI,
· Berline version STI maintenant disponible avec un système audio intégrant la technologie Bluetooth et une prise pour Ipod, embouts d'échappement plus gros sur la WRX STI

TROIS SAUCES, TROIS SAVEURS

PAR FRÉDÉRIC MASSE

NE VOUS MÉPRENEZ PAS, J'ADORE LES SUBARU. J'ai même suggéré une Outback à mes parents. J'ai moi-même la toute dernière Legacy. C'est peu dire. Dans le cas de l'Impreza, c'est moins évident, du moins pour les modèles de base. Ici, il faut choisir. Puisque nous vivons pratiquement cinq ou six mois par année (j'exagère à peine...) dans la neige et la gadoue, serez-vous capable de payer un peu plus de carburant, un peu plus à l'achat, mais surtout de vivre dans un habitacle plus moribond? D'un autre côté, vous serez récompensés par une voiture solide, fiable, avec une bonne valeur de revente et, dans le cas des WRX et WRX STi, grisantes à conduire. Dilemme à l'horizon.

[CARROSSERIE] Les modèles de base de l'Impreza, hayon ou berline, n'ont jamais fait l'unanimité. Pourtant, à force de les regarder, on s'habitue, et je dois même dire que je commence à les aimer. Pour 2011, les WRX et WRX STi reçoivent une cure de jouvence. Dans le cas de la WRX, notamment, c'était nécessaire. Subaru a ainsi choisi de la rendre plus agressive avec des ailes élargies, un châssis surbaissé et de nouvelles roues à la recette STi, nettement plus réussie sur le plan esthétique. Cette dernière est d'ailleurs maintenant aussi offerte en version berline, marquant la toute première fois où une STi sera offerte en deux types de carrosserie.

[HABITACLE] Bon, comment simplifier les choses ? L'Impreza est offerte en version 2,5i, Sport et Limited. On se doute évidemment que l'équipement de série va de pair avec le prix payé. Chose certaine, il faut aimer être assis très bas pour apprécier la Subaru. Même en réglant les sièges, relativement confortables, on n'arrive pas à s'élever suffisamment pour se sentir en hauteur. L'équipement de série est, par contre, complet et l'extra à l'achat comporte le régulateur de vitesse, les miroirs chauffants et la prise auxiliaire. La finition est bonne, la visibilité, excellente sous tous les angles, l'assemblage, au-dessus de la moyenne, mais certains matériaux font bon marché pour une voiture de ce prix, notamment certains plastiques. Un irritant: cette obligation d'avoir à tourner une petite manette de la chaîne audio pour avancer ou revenir en arrière dans les pièces musicales.

FORCES · Transmission intégrale de série · Versions WRX et STi · Confort des versions de base · Solide et fiable · Valeur de revente

FAIBLESSES · Position de conduite basse · Boîte automatique à 4 rapports désuète · Habitacle terne de certaines versions

IMPREZA

SUBARU

[MÉCANIQUE] Plusieurs puissances, mais une seule base, soit un 4-cylindres boxer de 2,5 litres. Les moins puissants développent 170 chevaux, une cavalerie nécessaire pour permettre des performances acceptables avec la transmission intégrale. Les acheteurs auront le choix entre une très élastique (mais très facile à manier) boîte de vitesses manuelle à 5 rapports ou l'efficace, mais dépassée automatique à 4 rapports. On saute ensuite à la vivifiante WRX et à son moteur turbo qui passe à 265 chevaux jumelée à une seule boîte, soit la manuelle à 5 rapports. Pour environ 7500 $ de plus par rapport à la WRX (une dépense qui en vaut vraiment la chandelle), on obtient une vraie petite bête, soit la WRX STi avec ses 305 chevaux et son couple de 290 livres-pieds.

[COMPORTEMENT] Les versions de base valorisent le confort et laissent de côté maintenant tout côté sportif. La suspension est conciliante, la direction, légère. Tout travaille de pair pour éviter de malmener les vertèbres, même les pneus de 16 pouces, qui sont davantage pensés pour écraser que pour se faire malmener. Je n'ai pas de problèmes avec cela, l'idée est claire. On laisse à Mazda, à Honda et à VW le soin de s'occuper de ceux qui aiment conduire. Ou, mieux encore, on leur offre les WRX et WRX STi améliorées, notamment dans le cas de la STi ou l'on a changé les coussinets, grossi les barres stabilisatrices et augmenté la compression des ressorts de suspension. Je n'ai malheureusement pas pu essayer cette dernière version, mais comme j'ai testé la STi 2010, je sais d'ores et déjà que ces changements étaient nécessaires et qu'ils viendront combler les lacunes apparentes (elle s'était nettement trop embourgeoisée).

[CONCLUSION] Pour moi, c'est simple. Les versions de base de l'Impreza devraient être réservées aux fervents de la transmission intégrale et de confort qui ne trouveront rien ailleurs à ce prix. Pour les versions WRX et WRX STi, c'est une toute autre histoire. Elles se sont certes embourgeoisées, mais leurs dernières livrées 2011 ont été retouchées et améliorées. Elles sont en partie redevenues ce qu'elles étaient, soit de petites rebelles. Je les préfère aux Mitsubishi Lancer Ralliart et Evo si vous cherchez un peu plus de civisme (surtout dans le cas de la seconde).

2ᵉ OPINION

MICHEL CRÉPAULT Le boxer suralimenté de 305 chevaux en feu, la boîte de vitesses manuelle à 6 rapports tricotée par le diable et la transmission intégrale imaginée par les archanges pour nous sauver la vie sont les ingrédients de la version STi 2011, reine des performances illicites. Si Toyota avait une version semblable de sa Corolla, on courrait chercher un prêtre pour tenter l'exorcisme ! Pourtant, l'Impreza cohabite avec cette sage auto dans l'auberge des compactes; mais, fidèle à son habitude, Subaru décline l'auto en un si grand nombre de variantes que les dénominateurs communs entre la livrée de base (pépère) et la STi (furieuse) se limitent au H4 à plat, au châssis robuste, aux quatre roues motrices et au comportement toujours supérieur à la moyenne. À bien y penser, que vous faut-il d'autre ?

⑤ FICHE TECHNIQUE

· MOTEURS

· (2.5i)
H4 2,5 l SACT, 170 ch à 6000 tr/min
Couple 170 lb-pi à 4400 tr/min
Transmission manuelle à 5 rapports, automatique à 4 rapports avec mode manuel (en option)
0-100 km/h 8,8 s **Vitesse maximale** 200 km/h

· (WRX)
H4 2,5 l turbo DACT, 265 ch à 6000 tr/min
Couple 244 lb-pi à 4000 tr/min
Transmission manuelle à 5 rapports
0-100 km/h 5,4 s **Vitesse maximale** 240 km/h
Consommation (100 km) 9,7 l (octane 91)
Émissions de CO$_2$ 4554 kg/an
Litres par année 1980 | **Coût par an** 2218 $
Autre motorisation non
Empreinte écologique 30 arbres

· (WRX STI)
H4 2,5 l turbo DACT, 305 ch à 6000 tr/min
Couple 290 lb-pi à 4000 tr/min
Transmission manuelle à 6 rapports
0-100 km/h 5,0 s **Vitesse maximale** 250 km/h
Consommation (100 km) 10,7 l (octane 91)
Émissions de CO$_2$ 4968 kg/an
Litres par année 2160 | **Coût par an** 2420 $
Autre motorisation non
Empreinte écologique 33 arbres

· AUTRES COMPOSANTES
Sécurité active freins ABS, répartition électronique de force de freinage, assistance au freinage, contrôle de stabilité électronique, antipatinage
Suspension avant/arrière indépendante
Freins avant/arrière disques
Direction à crémaillère, assistée
Pneus 2.5i P205/55R16, **2.5i Limited** 205/50R17, **WRX** P235/45R17, **WRX STI** P245/40R18

· DIMENSIONS
Empattement 2619 mm **WRX/WRX STI** 2625 mm
Longueur 4 p. 4580 mm **5 p.** 4415 mm
Largeur 1740 mm **WRX/WRX STI** 1795 mm
Hauteur 1475 mm **WRX STI** 1470 mm
Poids 2.5i man. 1395 kg **2.5i auto.** 1424 kg
WRX 1455 kg **WRX STI 4 p.** 1535 kg
WRX STI 5 p. 1530 kg
Diamètre de braquage 10,6 m,
WRX/WRX STI 11 m
Coffre 4 p. 320 | **5 p.** 538 l, 1257 l
(sièges abaissés)
Réservoir de carburant 64 l

NOS MENTIONS

☺ Modèle recommandé

NOTRE VERDICT

Plaisir au volant	⬢⬢⬢⬢⬡
Qualité de finition	⬢⬢⬢⬡⬡
Consommation	⬢⬢⬡⬡⬡
Rapport qualité/prix	⬢⬢⬢⬡⬡
Valeur de revente	⬢⬢⬢⬢⬡

543

LEGACY

www.subaru.ca

ÉVOLUTION

N
J
É

23 995 $ à **38 595 $**
transport et préparation: 1525 $

LA COTE VERTE

MOTEUR
H4 DE 2,5 L

- **Consommation (100km):**
man. 9,0 l
CVT. 7,9 l
- **Émissions polluantes CO_2:**
man. 4232 kg/an
CVT. 3680 kg/an
- **Empreinte écologique (nombre d'arbres à planter par année):** 27
- **Indice d'octane:** 87
- **Autre motorisation:** non
- **Coût du carburant moyen par année:**
man. 1840 $
CVT. 1600 $
- **Nombre de litres par année:**
man. 1840 l
CVT. 1600 l

(SOURCE: ÉnerGuide)

① FICHE D'IDENTITÉ

- **Versions** 2.5i, PZEV, 2.5GT, 3.6R
- **Roues motrices** 4
- **Portières** 4 **Nombre de passagers** 5
- **Première génération** 1990
- **Génération actuelle** 2010
- **Construction** Lafayette, Indiana, USA
- **Sacs gonflables** 6 (frontaux, latéraux avant, rideaux latéraux)
- **Concurrence** Chevrolet Malibu, Chrysler Sebring, Ford Fusion, Honda Accord, Hyundai Sonata, Kia Optima, Mazda6, Mitsubishi Galant, Nissan Altima, Toyota Camry

② AU QUOTIDIEN

- **Prime d'assurance**
25 ans: 1800 à 2000 $
40 ans: 1200 à 1400 $
60 ans: 900 à 1100 $
- **Collision frontale** 5/5
- **Collision latérale** 5/5
- **Ventes du modèle de l'an dernier**
Au Québec 1004 **Au Canada** 2612
- **Dépréciation** 42,1 %
- **Rappels** (2005 à 2010) 3
- **Cote de fiabilité** 3,5/5

③ GARANTIES... ET PLUS

- **Garantie générale** 3 ans/60 000 km
- **Garantie motopropulseur** 5 ans/100 000 km
- **Perforation** 5 ans/kilométrage illimité
- **Assistance routière** 3 ans/kilométrage illimité
- **Nombre de concessionnaires**
Au Québec 25 **Au Canada** 86

④ NOUVEAUTÉS EN 2011

- Aucun changement majeur

SUIVRE LA PARADE

PAR MICHEL CRÉPAULT

IL ÉTAIT TEMPS L'AN DERNIER POUR SUBARU DE REVOIR SA LEGACY, ET L'ORIGINAL CONSTRUCTEUR N'A PAS FAIT LES CHOSES À MOITIÉ. Le contraire aurait étonné : on ne lutte pas dans le créneau très populaire des berlines intermédiaires en prenant les défis à la légère. On ne s'attaque pas aux ténors de la catégorie (Camry et Accord) en se contentant de demi-mesures. La nouvelle Legacy se décline donc en quatre versions qui ont le mérite de s'adresser à des clientèles très distinctes. Les amateurs de familiale doivent toutefois se tourner vers l'Outback (voir pages suivantes) puisque la gamme Legacy exclut désormais le break.

[CARROSSERIE] J'ai toujours professé une certaine prudence face au style Subaru: capable du pire et du meilleur. Ça tient sans doute au fait que Subaru cultive la différence, comme si le fait d'utiliser un moteur à plat et la transmission intégrale l'obligeait à érafler les canons d'esthétique. Or, depuis sa refonte, la Legacy s'est embellie. Les stylistes ont fini par admettre que plusieurs amateurs de Toyota et de Honda cultivent, eux,

le conservatisme. La nouvelle Legacy a grossi de partout mais, grâce à des lignes fluides, on pourrait presque la prendre pour un coupé. Enfin pour 2011 : des rétroviseurs pliables !

[HABITACLE] En accroissant ses dimensions extérieures, désormais très voisines d'une Ford Fusion, et particulièrement l'empattement qui a gagné 8 centimètres, la nouvelle Legacy comble les occupants de la banquette arrière. Ils n'ont jamais joui d'un tel dégagement! La même bonne nouvelle concerne le volume du coffre, qui est passé de 323 à 415 litres. Dans la cabine, la présentation des commandes a délaissé son côté kitsch.

[MÉCANIQUE] Pendant que des ingénieurs réglaient le problème de l'espace à bord, d'autres s'attaquaient à celui de la consommation de carburant. Ils partaient de loin puisque l'ancienne Legacy accusait un net retard. Tout a changé grâce à des modifications apportées au 4-cylindres de 2,5 litres à plat. Jumelé à une boîte de vitesses automatique à 6 rapports (un de mieux qu'avant), l'engin conserve ses 170 che-

FORCES ▪ Nouvel habitacle plus spacieux ▪ Déclinaison intelligente de la gamme ▪ Transmission intégrale standard et éprouvée

FAIBLESSES ▪ Certains regrettent toujours le retrait de la familiale ▪ Son de la boîte CVT quand on écrase le champignon

vaux, mais s'en tire avec environ 8 litres aux 100 kilomètres. Subaru a poussé le vert plus loin en développant un 2,5-litres à la sauce PZEV (et couplé à une boîte CVT). S'affublent de cet acronyme (*Partial Zero Emission Vehicle*) les autos capables de rejeter un minimum de déchets dans l'air. Un tel moteur réduit la pollution à peu près autant qu'un hybride. Les ingénieurs obtiennent ce tour de force, notamment, en atteignant une température de combustion optimale et en filtrant les vapeurs toxiques. Pour les « moins verts », il y a la 2.5GT équipée du 4-cylindres turbocompressé de 265 chevaux (243 l'an dernier) emprunté de l'Impreza WRX (oubliez alors la boîte automatique). Enfin, le dernier modèle de la gamme vise le confort en requérant les services du 6-cylindres boxer de 3,6 litres de 256 chevaux (245 l'an dernier) de l'utilitaire Tribeca (cette fois, faites votre deuil de la manuelle).

[COMPORTEMENT] Ici, ce n'est pas parce qu'on conduit un moteur plus écolo que nos déplacements en souffrent. En réalité, si Subaru supprimait les logos PZEV, bien malin qui verrait la différence avec le 2.5i de base. Seul le fonctionnement particulier de la boîte CVT (un sifflement et des montées en régime élevées) trahit le modèle écolo. Et encore, Subaru nous permet de frimer avec des leviers de sélection au volant. La GT déplace de l'air comme il fallait s'y attendre, tandis que la 3.6R nous honore d'un environnement ouaté. Le fait que tous ces modèles bénéficient de la transmission intégrale permanente ajoute grandement à leur valeur, surtout qu'ils profitent déjà d'une direction nette et d'une

suspension agréablement calibrée. Cela dit, force est d'admettre que la Legacy de base, plus volumineuse, s'est aussi légèrement ankylosée.

[CONCLUSION] Subaru, pas folle, s'est jointe à la parade: des véhicules plus spacieux mais moins assoiffés à la pompe. Les efforts PZEV valent qu'on s'y attarde, compte tenu du montant demandé par rapport à l'extra requis pour, par exemple, passer d'un Camry traditionnelle au modèle hybride. Ajoutez-y la réputation de Subaru d'assembler des autos robustes et fiables et une fourchette de prix revue à la baisse!

2ª OPINION

BENOIT CHARETTE La nouvelle Legacy montre cette année deux visages bien différents. Le premier est extérieur et demeure très consensuel; on voit l'évolution du modèle, mais on sait tout de suite que c'est une Legacy. Toutefois, l'intérieur, lui, a beaucoup changé, et je serais curieux de savoir si les amateurs de la marque ont tous apprécié. Personnellement, j'ai trouvé l'adoption de ces formes anguleuses et très modernes un peu choquantes, mais après une semaine, je m'y faisais. Au volant, le moteur à plat est fidèle à lui-même avec sa sonorité caractéristique, l'excellent système de transmission intégrale fait toujours du bon boulot, mais la boîte de vitesses automatique à 5 rapports est désuète et plombe les performances de la berline. Même les américaines ont 6 rapports maintenant. Subaru devra penser à sérieusement moderniser son approche moteur et boîte de vitesses pour espérer remonter la pente au chapitre des ventes.

545

⑤ FICHE TECHNIQUE

· MOTEURS
· (2.5i, PZEV)
H4 2,5 l SACT, 170 ch à 5600 tr/min
Couple 170 lb-pi à 4000 tr/min
Transmission manuelle à 6 rapports, **PZEV, option 2.5i** transmission à variation continue avec mode manuel
0-100 km/h 10,2 s
Vitesse maximale 200 km/h

· (2.5 GT)
H4 2,5 l turbo DACT, 265 ch à 5600 tr/min
Couple 258 lb-pi entre 2000-5200 tr/min
Transmission manuelle à 6 rapports
0-100 km/h 6,2 s
Vitesse maximale 210 km/h
Consommation (100 km) man. 9,8 l (octane 91)
Émissions de CO$_2$ 4554 kg/an
Litres par année 1980 l
Coût par an 2218 $
Autre motorisation non
Empreinte écologique 30 arbres

· (3.6R)
H6 3,6 l DACT, 256 ch à 6000 tr/min
Couple 247 lb-pi à 4400 tr/min
Transmission automatique à 5 rapports avec mode manuel
0-100 km/h 8,0 s
Vitesse maximale 210 km/h
Consommation (100 km) 10,0 l (octane 87)
Émissions de CO$_2$ 4692 kg/an
Litres par année 2040 l **Coût par an** 2040 $
Autre motorisation non
Empreinte écologique 31 arbres

· AUTRES COMPOSANTES
Sécurité active freins ABS, répartition électronique de force de freinage, contrôle de stabilité électronique et antipatinage
Suspension avant/arrière indépendante
Freins avant/arrière disques
Direction à crémaillère, assistée
Pneus Legacy 2.5i/PZEV P205/60R16, **option Legacy 2.5i** P215/50R17, **3.6R** P225/50R17, **2.5GT** 225/45R18

· DIMENSIONS
Empattement 2750 mm
Longueur 4735 mm
Largeur 1820 mm
Hauteur 1505 mm
Poids 2,5i man. 1485 kg, **2.5i auto.** 1534 kg, **Legacy 2,5GT** 1580 kg, **Legacy 3,6R** 1598 kg
Diamètre de braquage 11,2 m
Coffre Legacy 415 l

NOS MENTIONS

 Modèle recommandé

NOTRE VERDICT

Plaisir au volant	●●●●○○○
Qualité de finition	●●●●○○○
Consommation	●●○○○○○
Rapport qualité/prix	●●●○○○○
Valeur de revente	○●●●○○○

OUTBACK

www.subaru.ca

ÉVOLUTION N É J

28 995 $ à **38 495 $**
transport et préparation: 1525 $

LA COTE VERTE

MOTEUR
H4 DE 2,5 L

- **Consommation (100km):**
  man. 9,0 l
  AVC. 8,2 l
- **Émissions polluantes CO_2:**
  man. 4232 kg/an
  AVC. 3864 kg/an
- **Empreinte écologique (nombre d'arbres à planter par année):** 27
- **Indice d'octane:** 87
- **Autre motorisation:** non
- **Coût du carburant moyen par année:**
  man. 1840 $
  AVC. 1680 $
- **Nombre de litres par année:**
  man. 1840 l
  AVC. 1680 l

(SOURCE: ÉnerGuide)

FICHE D'IDENTITÉ

- **Versions** PZEV, 2.5i Sport, 3.6R
- **Roues motrices** 4
- **Portières** 5 **Nombre de passagers** 5
- **Première génération** 1990
- **Génération actuelle** 2010
- **Construction** Lafayette, Indiana, É.-U.
- **Sacs gonflables** 6 (frontaux, latéraux avant, rideaux latéraux)
- **Concurrence** Audi A4, BMW Série 3, Volvo XC70, Volkswagen Passat

AU QUOTIDIEN

- **Prime d'assurance**
  25 ans: 1800 à 2000 $
  40 ans: 1200 à 1400 $
  60 ans: 900 à 1100 $
- **Collision frontale** 5/5
- **Collision latérale** 5/5
- **Ventes du modèle de l'an dernier**
  Au Québec 767 Au Canada 2070
- **Dépréciation** 50,7 %
- **Rappels** (2005 à 2010) 1
- **Cote de fiabilité** 3,5/5

GARANTIES... ET PLUS

- **Garantie générale** 3 ans/60 000 km
- **Garantie motopropulseur** 5 ans/100 000 km
- **Perforation** 5 ans/kilométrage illimité
- **Assistance routière** 3 ans/kilométrage illimité
- **Nombre de concessionnaires**
  Au Québec 25 Au Canada 86

NOUVEAUTÉS EN 2011

- Nouvelle version

POUR AVENTURIERS ASSAGIS

PAR MICHEL CRÉPAULT

LES PROJECTEURS SONT PLUS QUE JAMAIS BRAQUÉS SUR L'OUTBACK DEPUIS QUE SUBARU A RAYÉ LA FAMILIALE DE LA GAMME LEGACY. Et encore, il ne s'agit point d'une familiale au sens traditionnel du terme. Parlons plutôt d'un hybride entre l'ancienne station-wagon et l'utilitaire. Ah bon, tu veux dire un multisegment? Bingo!

[CARROSSERIE] En choisissant le nom qui évoque un désert australien, Subaru a immédiatement dévoilé son jeu : l'Outback viserait les amateurs de grand air, les aventuriers. Quinze ans plus tard, pour sa 4e génération, l'Outback cible encore la même clientèle mais élargie, exactement comme les mensurations de l'auto... et de ses proprios ! À l'instar de la Legacy, qui a pris des centimètres dans toutes les directions, l'Outback a fait de même (sauf en longueur, bien que l'empattement ait gonflé) afin de concéder plus de confort aux passagers de la banquette arrière et plus de logement à leurs bagages. Les stylistes ont aussi mis de côté leurs excentricités usuelles pour nous offrir une coque certes plus rangée mais plus harmonieuse. La garde au sol élevée et le bouclier avant qui se prolongent sur les bas de caisse font perdurer l'image d'un véhicule prêt à se salir.

[HABITACLE] On s'est à peu près contenté de déménager le tableau de bord de la Legacy. Même l'Outback de base s'amène bien équipée: Bluetooth, ingénieuse galerie de toit, régulateur de vitesse, colonne de direction télescopique/inclinable et (enfin !) rétroviseurs qui se plient advenant un choc. Ce détail prouve que Fuji Heavy Industries écoute le bon peuple quand il se plaint. Par contre, Subaru semble rogner sur la qualité de ses matériaux (genre le plastique imite... le plastique !), mais, au moins, l'assemblage reste solide. Pour bien ancrer le sens de l'aventure chez ses usagers, le coffre recèle des compartiments et des crochets. Son beau plancher plat est invitant, et, si les bagages se sentent à l'étroit, les dossiers de la banquette se rabattent (60/40), éliminant du coup ces places arrière désormais plus généreuses mais pas nécessairement plus douillettes (ce dont se fichent éperdument les Indiana Jones).

[MÉCANIQUE] De série, on retrouve le 4-cylindres

FORCES · Fiabilité et sécurité au rendez-vous · Consommation raisonnable · Équipement enrichi sans provoquer une hausse des prix

FAIBLESSES · Boîte CVT remarquable mais... · Comportement routier fonctionnel avant d'être plaisant · Direction lourde

à plat de 2,5 litres bon pour 170 chevaux, mais on peut opter pour le boxer à 6 cylindres de 3,6 litres de 256 chevaux qui accepte le carburant ordinaire (versons une larme en souvenir de l'ancien 4 turbocompressé). Le premier moteur s'accouple au choix à une boîte de vitesses manuelle à 6 rapports ou à une CVT Lineartronic, laquelle assure une faible consommation de carburant mais au prix de montées en régime agaçantes; pour ce qui est du second, il n'accepte qu'une boîte semi-automatique à 5 rapports doublée de leviers de sélection au volant (comme la CVT, d'ailleurs). La transmission intégrale accompagne chaque modèle, mais sa technologie varie selon la boîte de vitesses : plus cette dernière est sophistiquée, plus la répartition du couple l'est également.

[COMPORTEMENT] Si l'on s'en tient à ses dimensions accrues, à sa suspension devenue plus spongieuse et à son coup de volant lourd, l'Outback serait en train de proscrire les sorties en forêt. Comme la majorité des fabricants, Subaru aurait compris que ses conducteurs ne se farciront jamais rien de plus dangereux que le stationnement du centre commercial. Mais on se laisserait berner. L'Outback est bel et bien nantie d'une excellente transmission intégrale, sa garde au sol a augmenté, son plancher est blindé, et sa mécanique n'est pas tuable quand on en prend soin. Bref, si le cœur vous en dit, l'Outback peut toujours vous amener là où d'autres véhicules n'oseront pas poser la jante.

[CONCLUSION] À l'instar du Forester, qui compte un nombre invraisemblable de variantes, Subaru décline la nouvelle Outback de manière à ratisser plus large chez les clients potentiels. Oui, elle s'est embourgeoisée, mais elle n'a pas perdu son instinct de coureur des bois. Le confort l'emporte désormais sur le plaisir au volant, mais la notion d'utilitaire, elle, s'est bonifiée.

2ᵉ OPINION

BENOIT CHARETTE Un peu à l'image de Saab, Subaru a toujours été une marque pour marginaux. Des clients loyaux mais peu nombreux. Avec cette nouvelle mouture moins atypique que ses devancières, l'Outback se veut plus coquette et plus haute sur pattes pour viser le marché plus large des VUS. Son système de transmission intégrale n'a rien perdu de son efficacité, et Subaru s'est efforcée de hausser la note au chapitre de la qualité perçue. Plus soignée dans les détails, plus épurée dans son apparence; les chiffres de ventes prouvent que Subaru a pris la bonne décision. Certainement l'une des meilleures routières toutes saisons de sa catégorie, elle a aussi le mérite de se conduire comme une voiture, et la consommation de son 4-cylindres est devenue plus raisonnable. Peu de choses à redire sur cette voiture.

⑤ FICHE TECHNIQUE

• MOTEURS

(2.5i / PZEV / 2.5i Sport)
H4 2,5 l SACT, 170 ch à 5600 tr/min
Couple 170 lb-pi à 4000 tr/min
Transmission manuelle à 6 rapports, automatique à variation continue (en option)
0-100 km/h 10,8 s
Vitesse maximale 200 km/h

(3.6R)
H6 3,6 l DACT, 256 ch à 6000 tr/min
Couple 247 lb-pi à 4400 tr/min
Transmission automatique à 5 rapports séquentielle
0-100 km/h 8,0 s
Vitesse maximale 210 km/h
Consommation (100 km) 10,0 l (octane 87)
Émissions de CO_2 4692 kg/an
Litres par année 2040 l **Coût par an** 2040 $
Autre motorisation non
Empreinte écologique 29 arbres

• AUTRES COMPOSANTES

Sécurité active freins ABS, répartition électronique de force de freinage, contrôle de stabilité électronique et antipatinage
Suspension avant/arrière indépendante
Freins avant/arrière disques
Direction à crémaillère, assistée
Pneus P225/60R17

• DIMENSIONS

Empattement 2740 mm
Longueur 4780 mm
Largeur 1820 mm (sans rétro.)
Hauteur 1670 mm
Poids 2.5i man. 1536 kg,
2.5i auto. 1604 kg, **3.6R** 1630 kg
Diamètre de braquage 11,2 m
Coffre 972 l, 2019 l (sièges abaissés)
Réservoir de carburant 70 l
Capacité de remorquage 1227 kg

NOS MENTIONS

☺ Modèle recommandé

NOTRE VERDICT

Plaisir au volant	⬡⬡⬡⬡◐
Qualité de finition	⬡⬡⬡⬡◐
Consommation	⬡⬡⬡◐
Rapport qualité/prix	⬡⬡⬡⬡
Valeur de revente	Nm

TRIBECA

www.subaru.ca

ÉVOLUTION

42 690 $ à 50 690 $
transport et préparation: 1495 $

FICHE D'IDENTITÉ

- **Versions** Base, Limited, Optimum
- **Roues motrices** 4
- **Portières** 5 **Nombre de passagers** 7
- **Première génération** 2006
- **Génération actuelle** 2006
- **Construction** Lafayette, Indiana, É.-U.
- **Sacs gonflables** 6 (frontaux, latéraux avant, rideaux latéraux)
- **Concurrence** Ford Flex, GMC Acadia, Honda Pilot, Hyundai Veracruz, Mazda CX-9, Nissan Murano, Toyota Highlander

② AU QUOTIDIEN

- **Prime d'assurance**
25 ans: 2800 à 3000 $
40 ans: 1800 à 2000 $
60 ans: 1200 à 1400 $
- **Collision frontale** 5/5
- **Collision latérale** 5/5
- **Ventes du modèle de l'an dernier**
Au Québec 218 **Au Canada** 588
- **Dépréciation** 58,8 %
- **Rappels** (2005 à 2010) 2
- **Cote de fiabilité** 4/5

③ GARANTIES... ET PLUS

- **Garantie générale** 3 ans/60 000 km
- **Garantie motopropulseur** 5 ans/100 000 km
- **Perforation** 5 ans/kilométrage illimité
- **Assistance routière** 3 ans/ kilométrage illimité
- **Nombre de concessionnaires**
Au Québec 25 **Au Canada** 86

④ NOUVEAUTÉS EN 2011

Aucun changement majeur

TROP BANAL

PAR BENOIT CHARETTE

QUAND, LA DERNIÈRE FOIS, AVEZ-VOUS VU UN SUBARU TRIBECA SUR LA ROUTE ? Avec 218 acheteurs au Québec en 2009, une baisse de 29 % des ventes, on ne peut pas dire qu'il y ait un engouement. Ce véhicule relève plus de la curiosité que de l'intérêt automobile. Sa banalisation en 2008 avec une calandre façon Chrysler n'a certainement pas aidé.

[CARROSSERIE] La calandre des premières générations, qui rappelait un peu celle d'Alfa Romeo, a été reléguée aux oubliettes et remplacée en 2008 par une calandre générique sans éclat, très proche de celles de Chrysler. Depuis, rien, le petit utilitaire conserve les mêmes proportions. Il constitue également un problème pour Subaru; le fabricant se cherche une image qu'elle n'a pas trouvée, et les consommateurs ne s'identifient pas à un produit sans image.

[HABITACLE] Si la présentation extérieure manque d'inspiration, l'intérieur, en revanche, est très bien aménagé. Toujours uniquement offert en version à 7 places, les strapontins à l'arrière serviront à dépanner seulement. En réalité, il s'agit d'un véhicule à 5 places qui possède un excellent coffre. La sellerie de cuir est glissante et manque de soutien; à ce chapitre, je préfère les sièges en tissu. Le tableau de bord est dominé par un écran tactile bien pensé et convivial; son seul problème, il n'est pas à portée de la main, le conducteur doit s'étirer et quitter la route des yeux pour y accéder. Un bon mot aussi pour les nombreux espaces de rangement et l'insonorisation de qualité.

[MÉCANIQUE] Les 6 cylindres sont toujours placés à plat et s'associent uniquement à une boîte de vitesses automatique à 5 rapports. Cette mécanique de 3,6 litres offre 256 chevaux. Vous avez le choix entre trois types de configurations pour la boîte : Normal, Sport et Sportshift. Selon le régime choisi, le moteur restera plus longtemps à haut régime pour une meilleure réaction de la mécanique. Soyez avisé toutefois que ce dernier devient bruyant quand on abuse de son bon caractère à bas régime.

FORCES · Moteur agréable et mélodieux · Habitabilité · Coffre bien aménagé · Équipement complet · Comportement routier · Confort à bord

FAIBLESSES · Consommation importante · Boîte automatique caractérielle · Pédale de frein spongieuse · Direction trop légère · Troisième rangée décorative

[COMPORTEMENT] Au volant, on voit rapidement que le véhicule visait un public d'acheteurs américains. La direction – trop – douce et une pédale de frein très spongieuse ne mettent pas en confiance, d'autant plus que les mouvements de caisse sont assez prononcés. Heureusement, le châssis est très sain, et son comportement routier est étonnamment agile. Parfaitement neutre, il se manipule comme une berline. Et comme c'est une Subaru, la transmission s'effectue aux quatre roues. À noter que, en conditions normales, la majorité du couple est envoyée vers le train arrière et transférée au besoin à l'avant. Mais comme tous les produits Subaru, la tenue de route et son acharnement à coller au bitume demeurent le point fort de la voiture qui peut prendre de front tout ce que mère Nature peut apporter. Le principal hic, en revanche, c'est la boîte automatique qui cherche constamment le bon rapport. Passant automatiquement au rapport suivant quand on lève le pied, elle affiche, de plus, une lenteur assez affligeante quand on l'utilise sur le mode séquentiel. Subaru cherche à économiser du carburant en gardant le véhicule au rapport le plus élevé pour diminuer le régime moteur. Le problème provient du fait que le système est trop sensible, et, dès qu'on lève le pied, le régime moteur diminue. Le seul moyen de contrecarrer la chose sur l'autoroute consiste à mettre le régulateur de vitesse en marche, et la boîte automatique se fait oublier. Et tout ce stratagème n'est pas très efficace, car après notre semaine d'essai, la consommation n'a jamais baissé sous la barre des 15 litres aux 100 kilomètres; vos visites à la pompe seront fréquentes.

[CONCLUSION] Atypique, le Tribeca reste une curiosité dans le monde de l'automobile. Son moteur boxer plus généreux permet une conduite plus coulée mais pas beaucoup plus économique ! Et c'est bien là que se situe la faiblesse majeure du Tribeca : une consommation élevée et un manque d'originalité.

2ᵉ OPINION

DANIEL RUFIANGE Connaissez-vous l'expression « on n'a pas deux chances de faire une première impression » ? Chaque fois que j'aperçois le Tribeca, il me vient le souvenir du premier Tribeca, décoré d'une calandre horripilante, spécialement dessinée pour représenter l'héritage avionique de la compagnie Fuji Heavy Industries, le conglomérat de transport propriétaire de Subaru, sa division automobile. Eh bien, ce nez, même s'il a été revu en 2007, a laissé une impression telle que les Tribeca se font très rares sur la route. C'est dommage, car cet utilitaire, qui profite de la plateforme de la Subaru Legacy, est le seul de sa catégorie à être livré avec la transmission intégrale de série. En outre, on apprécie son confort, son comportement routier et sa transmission intégrale compétente. En voilà un qui mérite une deuxième chance.

⑤ FICHE TECHNIQUE

· MOTEUR

· H6 3,6 l DACT, 256 ch à 6000 tr/min
Couple 247 lb-pi à 4400 tr/min

Transmission automatique à 5 rapports avec mode manuel

0-100 km/h 9,0 s

Vitesse maximale 210 km/h

· AUTRES COMPOSANTES

Sécurité active Freins ABS, répartition électronique de force de freinage, assistance au freinage, antipatinage, contrôle de stabilité électronique

Suspension avant/arrière indépendante

Freins avant/arrière disques

Direction à crémaillère, assistée

Pneus P255/55R18

· DIMENSIONS

Empattement 2749 mm

Longueur 4865 mm

Largeur 1878 mm

Hauteur 1720 mm

Poids base 1914 kg **Limited** 1931 kg

Optimum 1935 kg

Diamètre de braquage 11,4 m

Coffre 235 l, 2106 l (siège abaissés)

Réservoir de carburant 64 l

Capacité de remorquage 453 kg, 906 kg avec freins de remorque (en option), 1587 kg avec freins de remorque et refroidisseur de transmission (en option)

NOS MENTIONS

☺ Modèle recommandé

NOTRE VERDICT

Plaisir au volant	⬡⬡⬡⬡⬡⬡
Qualité de finition	⬡⬡⬡⬡⬡⬡
Consommation	⬡⬡⬡⬡⬡⬡
Rapport qualité/prix	⬡⬡⬡⬡⬡⬡
Valeur de revente	⬡⬡⬡⬡⬡⬡

GRAND VITARA

www.suzuki.ca

ÉVOLUTION
N — É
J

29 590 $ à 34 790 $
transport et préparation: 1595 $

SUZUKI

LA COTE VERTE

MOTEUR
L4 DE 2,4 L

- **Consommation**
  (100km): 9,9 l
- **Émissions**
  polluantes CO₂:
  4600 kg/an
- **Empreinte écologique**
  (nombre d'arbres à
  planter par année): 28
- **Indice d'octane:** 87
- **Autre**
  motorisation: non
- **Coût du carburant**
  moyen par année:
  2000 $
- **Nombre de**
  litres par année:
  2000 l

(SOURCE: ÉnerGuide)

FICHE D'IDENTITÉ

- **Versions** JX, JLX, JLX V6
- **Roues motrices** 4
- **Portières** 5 **Nombre de passagers** 5
- **Première génération** 1999
- **Génération actuelle** 2006
- **Construction** Smyrna, Tennessee, É.-U.
- **Sacs gonflables** 6, frontaux, latéraux et
  rideaux latéraux
- **Concurrence** Chevrolet Equinox, Ford Escape,
  Honda CR-V, Hyundai Tucson, Jeep Patriot/
  Liberty, Kia Sportage, Mitsubishi Outlander,
  Nissan Rogue, Subaru Forester, Toyota RAV4

AU QUOTIDIEN

- **Prime d'assurance**
  25 ans: 2000 à 2200 $
  40 ans: 1000 à 1200 $
  60 ans: 900 à 1100 $
- **Collision frontale** 4/5
- **Collision latérale** 5/5
- **Ventes du modèle de l'an dernier**
  Au Québec 1400 **Au Canada** 3333
- **Dépréciation** (3 ans) 52,1 %
- **Rappels** (2005 à 2010) 2
- **Cote de fiabilité** 3,5/5

GARANTIES... ET PLUS

- **Garantie générale** 3 ans/60 000 km
- **Garantie motopropulseur** 5 ans/100 000 km
- **Perforation** 5 ans/kilométrage illimité
- **Assistance routière** 3 ans/kilométrage illimité
- **Nombre de concessionnaires**
  Au Québec 40 **Au Canada** 90

NOUVEAUTÉS EN 2011

- Aucun changement majeur

ON Y EST PRESQUE!

PAR MICHEL CRÉPAULT

LE CONSTRUCTEUR SUZUKI A BEAU EN ARRACHER EN TERMES DE VENTES SUR LE CONTINENT NORD-AMÉRICAIN (IL PRIE FORT POUR QUE SA NOUVELLE BERLINE KIZASHI RENVERSE LA VAPEUR), IL PERFORME PLUTÔT BIEN DANS DES PAYS ÉMERGENTS (TRÈS POPULAIRE EN INDE, PAR EXEMPLE). Et n'oublions pas que son expertise s'exprime à son meilleur quand il assemble des petits utilitaires. Ça tombe bien : en plein la talle du Grand Vitara!

[CARROSSERIE] Depuis sa dernière refonte esthétique, que des éloges! Mettez-moi ça à côté d'un Honda CR-V ou d'un Toyota RAV4, deux concurrents directs, et le Grand Vitara bombe le torse. Du muscle là où ça impressionne, des détails bien nés, une allure harmonieuse, voilà un coup de crayon heureux. Ce qui l'est moins, par contre, c'est le hayon qui pivote comme la porte d'une clôture. Il est d'abord assez lourdaud, puisqu'il supporte le pneu de secours (recouvert d'une housse rigide aux couleurs de la coque), mais il souffre surtout de s'ouvrir du côté du trottoir. Autrement dit, la portière gêne

quand vous souhaitez charger la soute du côté des piétons et non en risquant votre vie du côté du trafic. Agaçant. Je ne chialerai pas vraiment contre les embrasures exiguës qui mènent à la banquette arrière à cause de l'empiètement de l'aile. C'est le prix à payer pour un véhicule compact.

[HABITACLE] De l'espace à revendre, même à l'arrière où les stylistes ont eu la brillante idée d'excaver le plafond juste au-dessus de nos scalps, ce qui fait que même les grands Jack ne risqueront pas de sabler le pavillon. La qualité des matériaux est agréablement surprenante, et leur finition va dans le même sens. Pas sûr, toutefois, que j'aime le faux-bois grisonnant dans la version haut de gamme. Une fois le damné hayon horizontal ouvert, le volume de chargement déçoit un brin, mais on ne peut pas avoir de l'espace pour les occupants et leurs bagages dans un véhicule dit compact. Faut choisir. Des rangements pratiques comme celui sous le plancher du coffre, j'en aurais pris plus. Pour augmenter la capacité de chargement, on peut rabattre en un tournemain les deux sections (60-40)

FORCES · Allure extérieure et intérieure réussie · Réelles qualités hors route
· Choix et finition des matériaux adaptés aux prix demandés

FAIBLESSES · 4-cylindres qui grogne et V6 qui a soif · Porte arrière qui ne s'ouvre pas du bon côté

de la banquette arrière, mais ça nous donne un plancher en gradins.

[MÉCANIQUE] Au V6 de 3,2 litres de 230 chevaux s'est ajouté récemment le 4-cylindres de 2,4 litres de 166 chevaux. Proposition honnête et qui compense pour l'instant l'incapacité du Grand Vitara d'offrir une consommation vraiment frugale. La boîte de vitesses manuelle a disparu (du moins au Canada) en faveur d'une boîte automatique à 4 ou à 5 rapports, selon le moteur. Un boîtier de transfert, contrôlé par une pratique mollette au tableau de bord, gère manuellement nos besoins en motricité avec divers modes.

[COMPORTEMENT] J'irais pour le quatre si je soigne mon budget et ma consommation de carburant, ce qui revient au même, mais que je sois prévenu qu'il devient grognon quand je le sollicite dans une pente. Un passager n'a pu s'empêcher de noter les plaintes de l'engin quand nous avons pris d'assaut une côte campagnarde. J'irais pour le V6 si j'apprécie un comportement beaucoup plus onctueux et si je planifie de tracter quelque chose. En revanche, j'oublierai les miracles à la pompe. En fait, c'est le contraire, l'aiguille de la jauge de carburant descendant à vue d'œil au fil des kilomètres. À sa décharge, le Grand Vitara est costaud et doté d'une transmission intégrale qui ne l'allège pas. J'ai déjà vérifié les aptitudes hors route du Grand Vitara et je confirme que la science de Suzuki en matière de petit camion capable d'affronter les gros cailloux est authentique. C'est le plus japonais des jeeps! Et quand on

quitte les sentiers tordus pour l'autoroute, le Grand Vitara V6 retrouve son comportement douillet, bien que la boîte automatique prenne parfois du temps à trouver le bon rapport.

[CONCLUSION]

Je l'aime bien, ce Grand Vitara. Il a fière allure. Avec le 4-cylindres, on sacrifie un peu d'onctuosité en faveur de quelques dollars épargnés, à l'achat et au quotidien. Le V6 m'a comblé, sauf à la pompe. J'ai pesté contre le « hayon-qui-ouvre-du-mauvais-bord » mais, comme pour n'importe quoi, on finit par s'y habituer. Au final, je souhaiterais que la modernité du groupe moteur rejoigne celle de la silhouette.

2ᵉ OPINION

BENOIT CHARETTE Avec ses lignes ramassées, jeunes et branchées, le Grand Vitara séduit. Contrairement à ses rivaux, il est un véritable véhicule à 4 roues motrices permanentes. Un mode de transmission qui permet une excellente adhérence sur le terrain ainsi qu'un comportement précis en virage. Certains trouvent la suspension un peu raide, mais je préfère cela à une suspension trop molle. Équipé de tout ce qu'il faut pour partir en escapades loin des sentiers battus, il démontre une efficacité peu commune, bien aidé en cela par sa gamme courte et ses trois différentiels. C'est sans l'ombre d'un doute le produit le plus pertinent que fabrique Suzuki et, même avec le moteur à 4 cylindres, vous aurez du plaisir. Un achat qui combine plaisir, économie, fiabilité, de véritables performances hors route à un prix très concurrentiel, un modèle du genre.

5 FICHE TECHNIQUE	
· MOTEURS	
L4 2.4 l DACT 166 ch à 6000 tr/min	
Couple 162 lb-pi à 4000 tr/min	
Transmission automatique à 4 rapports	
0-100 km/h 10,0 s	
Vitesse maximale 180 km/h	
V6 3,2 l DACT, 230 ch à 6200 tr/min	
Couple 213 lb-pi à 3500 tr/min	
Transmission automatique à 5 rapports	
0-100 km/h 8,3 s	
Vitesse maximale 195 km/h	
Consommation (100 km) 10,6 l (octane 87)	
Émissions de CO$_2$ 4992 kg/an	
Litres par année 2140 l	
Coût par an 2140 $	
Autre motorisation non	
Empreinte écologique 31 arbres	

· AUTRES COMPOSANTES
Sécurité active freins ABS, répartition électronique de force de freinage, antipatinage, contrôle de stabilité électronique
Suspension avant/arrière indépendante
Freins avant/arrière disques
Direction à crémaillère, assistée
Pneus L4 P225/65R17, **V6** P225/60R18

· DIMENSIONS
Empattement 2640 mm
Longueur 4500 mm
Largeur 1810 mm
Hauteur 1695 mm
Poids JX 1656 kg, **JLX** 1671 kg, **JLX V6** 1791 kg
Diamètre de braquage 11,0 m
Coffre 810 l, 2010 l (sièges abaissés);
avec toit ouvrant 750 l, 1880 l (siège abaissés)
Réservoir de carburant 66 l
Capacité de remorquage 1360 kg

NOS MENTIONS

 Modèle recommandé

NOTRE VERDICT

Plaisir au volant	●●●○○
Qualité de finition	●●●●◐
Consommation	●●●○○
Rapport qualité/prix	●●●●○
Valeur de revente	●●●○○

KIZASHI

www.suzuki.ca

NOUVEAUTÉ

À partir de 29 995 $
transport et préparation: 1495 $

SUZUKI

LA COTE VERTE

MOTEUR
L4 DE 2,4 L

- **Consommation (100km):**
8,1 l
- **Émissions polluantes CO$_2$:**
nd
- **Empreinte écologique (nombre d'arbres à planter par année):**
nd
- **Indice d'octane:** 87
- **Autre motorisation:** non
- **Coût du carburant moyen par année:**
nd
- **Nombre de litres par année:**
nd

(SOURCE: Suzuki)

① FICHE D'IDENTITÉ

- **Versions** base, Sport
- **Roues motrices** 4
- **Portières** 4 **Nombre de passagers** 5
- **Première génération** 2011
- **Génération actuelle** 2011
- **Construction** Sagara, Japon
- **Sacs gonflables** 6, frontaux, latéraux et rideaux latéraux
- **Concurrence** Chevrolet Malibu, Chrysler Sebring, Dodge Avenger, Ford Fusion, Hyundai Sonata, Honda Accord, Kia Magentis, Mazda 6, Mitsubishi Galant, Nissan Altima, Subaru Legacy, Toyota Camry, VW Jetta/Passat,

② AU QUOTIDIEN

- **Prime d'assurance**
25 ans: nd
40 ans: nd
60 ans: nd
- **Collision frontale** 5/5
- **Collision latérale** 5/5
- **Ventes du modèle de l'an dernier**
Au Québec nm **Au Canada** nm
- **Dépréciation** nm
- **Rappels (2005 à 2010)** nm
- **Cote de fiabilité** nm

③ GARANTIES... ET PLUS

- **Garantie générale** 3 ans/60 000 km
- **Garantie motopropulseur** 5 ans/100 000 km
- **Perforation** 5 ans/kilométrage illimité
- **Assistance routière** 3 ans/kilométrage illimité
- **Nombre de concessionnaires**
Au Québec 40 **Au Canada** 90

④ NOUVEAUTÉS EN 2011

- Nouveau modèle

PETIT CONSTRUCTEUR, GRANDES AMBITIONS

PAR BENOIT CHARETTE

EN AMÉRIQUE DU NORD, SUZUKI S'EST CANTONNÉE DANS UN RÔLE DE FIGURANTE DEPUIS DES ANNÉES ET EST TROP SOUVENT LAISSÉE POUR COMPTE QUAND VIENT LE MOMENT DE FAIRE SON MAGASINAGE AUTO. Avec l'arrivée de la nouvelle Kizashi (qui signifie librement : « quelque chose de grandiose va se produire ») pour 2011, elle espère bousculer l'ordre établi. Mais la tâche se révèle titanesque. Il sera difficile de trouver une place au soleil quand les Honda Accord, Toyota Camry, Nissan Altima et Mazda6 vous font déjà beaucoup d'ombre. Un grand défi pour un constructeur aux moyens modestes.

[CARROSSERIE] Le concept Kizashi 2, présenté à l'automne 2007, laissait entrevoir une berline des plus excentriques et audacieuses dans un format plus que généreux. Le résultat final est loin d'être aussi convaincant. Considérée par Suzuki comme une berline intermédiaire, la Kizashi est plus courte que ses concurrentes. La calandre revêt le sourire caractéristique des produits Suzuki. Et contrairement à la Swift ou à l'ancienne Verona, qui n'étaient rien de plus que des Daewoo maquillées, cette Kizashi est 100 % Suzuki. L'arrière est de loin la partie de la voiture la plus réussie avec quelques courbes audacieuses et une ligne d'échappement aux allures de Lexus. Bien proportionnée et sympathique résume assez bien l'approche stylistique de la voiture. Suzuki justifie ce format plus petit par les visées mondiales de cette voiture qui sera, à terme, vendue en Europe et en Asie.

[HABITACLE] C'est l'habitacle qui constitue la plus belle surprise pour la Kizashi. En l'offrant seulement en finition cuir, Suzuki n'a pas lésiné sur le contenu. Pas moins de huit coussins gonflables de série et 10 réglages électriques pour le siège du conducteur en plus d'un volant inclinable et d'une colonne télescopique. Il est facile de trouver une position confortable. Si l'intérieur est plus petit que ce que propose la concurrence immédiate, la Kizashi offre tout de même amplement de place

FORCES · Dessin général · Consommation · Bonne qualité d'exécution · Tenue de route

FAIBLESSES · Puissance un peu juste · Pas de V6 offert · Pas de version de base

pour deux passagers à l'arrière. La présentation du tableau de bord est simple, facile à consulter, et les commandes sont d'utilisation intuitive. Suzuki insiste beaucoup sur la qualité de finition de sa Kizashi et, à l'œil, l'effet d'ensemble confirme ses prétentions. On sent à ce chapitre que l'entreprise a travaillé fort pour être concurrentielle sur un futur marché européen où les petites berlines de luxe offrent une finition qui n'a rien à envier aux plus grandes berlines allemandes. Vous aurez aussi droit à un système de démarrage sans clé, une chaîne audio Rockford Fosgate de 425 watts, des essuie-glaces qui démarrent seul quand il pleut et des buses d'aération aux places arrière.

[MÉCANIQUE] Lors de la présentation de presse, les dirigeants nous soulignaient les prétentions sportives de la voiture. D'un strict point de vue mécanique, nous sommes loin du compte. Le 4-cylindres issu du Grand Vitara n'est pas vilain. La puissance de ce 2,4-litres a été portée à 185 chevaux. Notre Kizashi était équipée de la boîte de vitesses à variation continue (CVT) avec leviers de sélection au volant offerte de série. Le moteur donne ce qu'il faut de tonus, mais de là à parler de performances sportives, non. Il faudra donc réfléchir à un moteur plus tonique. Le récent partenariat avec le groupe Volkswagen lui permettrait de mettre la main sur des technologies tur-

SI LA PUISSANCE DU MOTEUR N'IMPRESSIONNE GUÈRE, SON APLOMB SUR LA ROUTE FORCE LE RESPECT. CETTE PETITE SUZUKI S'ACCROCHE FORT AU BITUME, ET CE N'EST PAS SEULEMENT GRÂCE À SES PNEUS DUNLOP SPORT DE 18 POUCES.

bo de pointe ou d'excellents V6. Cela permettrait d'aller chercher plus de chevaux sans trop empiéter sur la consommation. Logiquement, il faudrait le considérer, car presque tous les modèles concurrents (Accord, Camry, Altima, Mazda6) offrent un V6, et Suzuki se met ainsi à dos une grande partie de la clientèle potentielle, surtout du côté du marché américain qui peut faire ou défaire un produit. J'ai aussi un petit conseil pour Suzuki. Vous devriez investir un peu d'argent pour mieux isoler les bruits moteurs de l'habitacle. GM l'a fait pour l'Equinox avec de très bons résultats. En reprise ou en accélération, les cris de mort du moteur sont assez bruyants pour réveiller un enfant qui dort dans la voiture. C'est vrai que les choses se placent une fois qu'on a atteint la vitesse de croisière, mais c'est un moment fort disgracieux à vivre à chaque fois.

[COMPORTEMENT]
Si la puissance du moteur n'impressionne guère, son aplomb sur la route force le respect. Cette petite Suzuki s'accroche fort au bitume, et ce n'est pas seulement grâce à ses pneus Dunlop Sport de 18 pouces. Les amorces vives en virage nous ont agréablement surpris. Les sièges baquets à l'avant offrent également un excellent maintien qui permet d'augmenter la cadence sans craindre de valser d'un côté à l'autre de l'habitacle. La voiture demeure neutre, et le système antidérapage, remarquablement tolérant, invite à une conduite enthousiaste. Nos modèles d'essai étaient en plus équipés d'une transmission intégrale (issue du Grand Vitara) qui peut

HISTORIQUE

Vous connaissez le proverbe qui dit qu'il y a loin de la coupe aux lèvres. Imaginez un peu la surprise et les attentes qu'avait suscité le premier concept Kizachi présenté au salon de l'auto de Francfort en 2007.
La deuxième version du même concept avait suivi quelques semaines plus tard au salon de Tokyo toujours en 2007. C'est finalement au salon de l'auto de New-York en 2008 qui le modèle de production commençait à se préciser. On peut dire que la montagne a finalement accouchée d'une souris.

SUZUKI KIZASHI 2 CONCEPT 2007

SUZUKI KIZASHI 2 CONCEPT 2007

SUZUKI KIZASHI 2 CONCEPT 2007

SUZUKI KIZASHI CONCEPT 2007

SUZUKI KIZASHI CONCEPT 2007

SUZUKI KIZASHI 3 CONCEPT 2008

SUZUKI KIZASHI 3 CONCEPT 2008

KIZASHI

A

B

C

GALERIE

A L'intérieur de la Kizashi est offert en unique finition cuir. Si le ton est flatteur , le prix est aussi à l'avenant à 30 000$. Ce n'est pas donné pour une voiture de ce format. Vous avez aussi le choix entre un cuir noir ou beige. Si vous me demandiez de choisir, j'opterais
B pour le beige qui éclaircit beaucoup l'intérieur et donne aussi une impression d'espace alors que le noir semble au contraire écrasé le volume intérieur.

C La Kizashi arrive en une seule version toute équipée où tout se retrouve de série. De la climatisation automatique à deux zones, à l'ordinateur de bord en passant par le radar de stationnement, le correcteur de stabilité électronique, le dispositif de démarrage sans clé et de la connectivité sans fil pour pouvoir faire la conversation mains libres avec votre cellulaire. Notez aussi qu'il y a des commandes de rappels sur le volant. Rien à redire pour ce qui est de l'équipement.

D Pour ceux qui apprécient la musique avec beaucoup de «bass», Rockford Fosgate propose 425 watts de son pour meubler vos déplacements. Très efficace avec un bon rock.

E Malheureusement, la seule transmission disponible au Canada est une boîte CVT. Les désormais populaires «palettes» se retrouvent au volant et permettent une conduite en mode simili-manuelle. Cela sauve partiellement les meubles, mais ce n'est pas la solution idéale.

D

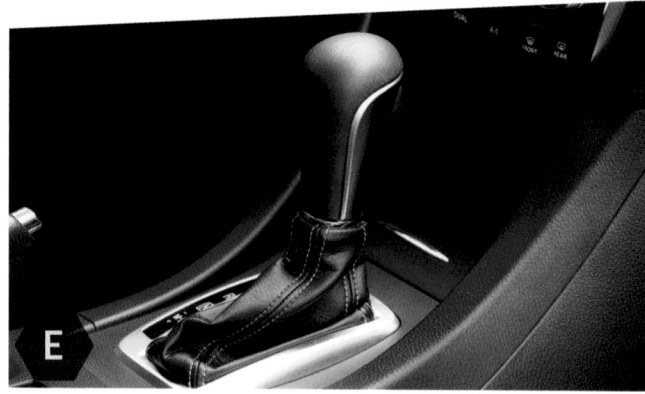

transférer jusqu'à 50 % du couple moteur aux roues arrière; et il le fait de manière proactive, anticipant l'imminence du patinage et redistribuant la puissance pour éviter le patinage avant qu'il ne débute. Question d'obtenir la meilleure consommation de carburant possible, le tandem moteur-CVT, qui tourne joyeusement lors des relances, retombera très rapidement à 1 500 tours par minute une fois la vitesse désirée atteinte, trop rapidement à mon goût dans certains cas. Sur les routes un peu vallonneuses, il faut constamment relancer le moteur pour ne pas avoir l'impression qu'il va « mourir » en ascension. Heureusement, les leviers de sélection au volant sont un excellent remède à cette inertie et permettent d'endiguer cette inertie sur le mode CVT automatique.

[CONCLUSION] En bout de piste, la Kizashi ne viendra pas bousculer l'ordre établi dans le monde des berlines intermédiaires, et la concurrence peut dormir tranquille. C'est un véhicule qui d'adressera d'abord à des gens qui sont déjà des clients de Suzuki et qui veulent un véhicule plus grand et plus cossu. En sa faveur, il faut dire que la Kizashi profite d'un excellent comportement routier avec sa transmission intégrale qui a fait ses preuves et qui est offerte en équipement de série. Les gens de Suzuki ont fait un bon travail et, pour la première fois, ont accouché d'un véhicule capable de tenir tête sans honte à tous les prétendants dans cette catégorie. Mais, car il y a un mais, cette Kizashi ne se démarque en rien de la concurrence, elle fait aussi bien, mais pas mieux. Il sera donc difficile de faire déplacer les gens vers une marque qu'ils

connaissent peu et qui propose un minuscule réseau de concessionnaire avec très peu de moyens financiers. Cela vaut tout de même la peine de s'arrêter et d'aller en faire l'essai.

2ᵉ OPINION

MICHEL CRÉPAULT Le constructeur japonais joue ici son va-tout en Amérique du Nord. Si Suzuki ne triomphe pas avec la Kizashi, sa présence sur le continent pourrait être compromise. Face à cet enjeu d'importance, je me suis dit que la nouvelle berline allait abattre des cartes gagnantes. Verdict : c'est presque cela... La silhouette bulbeuse rehaussée de touches de luxe (calandre, roues, tuyaux d'échappement) passe le test. L'intérieur est réussi, vaste et confortable. Surprise, déception même : pas de V6. Le 4-cylindres se tire d'affaires, mais il affiche aussi ses lacunes. Quant à la suspension, elle n'est pas toujours assez musclée. Le plus dur sera de convaincre le consommateur que Suzuki est à prendre au sérieux dans ce créneau ultra concurrentiel. Les Sud-Coréens ont mis 10 ans à faire leur place. Je doute que Suzuki puisse patienter autant.

KIZASHI

⑤ FICHE TECHNIQUE

MOTEURS
L4 2.4 l DACT 185 ch à 6000 tr/min
Couple 170 lb-pi à 4000 tr/min
Transmission mannuelle à 6 rapports automatique à variation continue
0-100 km/h nd
Vitesse maximale 200 km/h (bridée)

AUTRES COMPOSANTES
Sécurité active freins ABS, répartition électronique de force de freinage, contrôle de stabilité électronique
Suspension avant/arrière indépendante
Freins avant/arrière disques
Direction à crémaillère, assistée
Pneus 235/45R18

DIMENSIONS
Empattement 2700 mm
Longueur 4650 mm
Largeur 1820 mm
Hauteur 1480 mm
Poids 1620 kg
Diamètre de braquage 11,0 m
Coffre 377 l
Réservoir de carburant 63 l

NOS MENTIONS

☺ Modèle recommandé

NOTRE VERDICT

Plaisir au volant	●●●○○
Qualité de finition	●●●○○
Consommation	●●●○○
Rapport qualité/prix	●●●○○
Valeur de revente	●○○○○

SUZUKI

555

SWIFT+

www.suzuki.ca

ÉVOLUTION

N ——— É
|
J

14 715 $
transport et préparation: 1355 $

SUZUKI

LA COTE VERTE

MOTEUR
L4 DE 1,6 L

·**Consommation** (100km):
man. 6,8 l
auto. 7,0 l

·**Émissions polluantes CO_2:**
man. 3082 kg/an
auto. 3266 kg/an

·**Empreinte écologique (nombre d'arbres à planter par année):** 22

·**Indice d'octane:** 87

·**Autre motorisation:** non

·**Coût du carburant moyen par année:**
man. 1380 $
auto. 1420 $

·**Nombre de litres par année:**
man. 1380 l
auto. 1420 l

(SOURCE: ÉnerGuide)

 FICHE D'IDENTITÉ

· **Versions** Base, S
· **Roues motrices** avant
· **Portières** 5 **Nombre de passagers** 5
· **Première génération** 2004
· **Génération actuelle** 2004
· **Construction** Bupyong, Corée du Sud
· **Sacs gonflables** 4, frontaux et latéraux
· **Concurrence** Chevrolet Aveo, Honda Fit, Hyundai Accent, Kia Rio, Nissan Versa, Toyota Yaris

 AU QUOTIDIEN

· **Prime d'assurance**
25 ans: 1200 à 1400 $
40 ans: 900 à 1100 $
60 ans: 600 à 800 $
· **Collision frontale** 5/5
· **Collision latérale** 3/5
· **Ventes du modèle de l'an dernier**
Au Québec 384 **Au Canada** 988
· **Dépréciation** 58,5 %
· **Rappels** (2005 à 2010) Aucun rappel à ce jour
· **Cote de fiabilité** 4/5

 GARANTIES... ET PLUS

· **Garantie générale** 3 ans/60 000 km
· **Garantie motopropulseur** 5 ans/100 000 km
· **Perforation** 5 ans/kilométrage illimité
· **Assistance routière** 3 ans/illimité
· **Nombre de concessionnaires**
Au Québec 40 **Au Canada** 90

 NOUVEAUTÉS EN 2011

· Aucun changement majeur

OUBLIÉE

PAR BENOIT CHARETTE

NOUS AVIONS CRU, À TORT, QUE, AVEC L'ARRIVÉE DE LA SX4, NOUS VERRIONS LA SWIFT+ (QUI N'EXISTE PLUS QUE SUR LE MARCHÉ CANADIEN) DISPARAÎTRE. Même quatre ans après l'introduction de la SX4, la Swift+, qui est, en réalité, une Daewoo Kalos arborant un logo Suzuki, est toujours là. La vraie Swift, fabriquée par Suzuki sur le site d'Esztergom, en Hongrie, se présentera sous un tout nouveau jour au prochain mondial de l'automobile à Paris, en septembre. Beaucoup plus jolie que notre « vieillerie » coréenne, il n'est pas impossible qu'une version de cette Suzuki fabriquée au Japon débarque chez nous en 2012. Ce qui serait souhaitable car, franchement, nous commençons à manquer de vocabulaire pour parler de cette épine dans le pied qui ne veut pas partir.

[CARROSSERIE] À sa huitième année sur le marché, la Swift+ montre son âge; le dessin des lignes est celui d'une autre génération de sous-compactes qui adoptent aujourd'hui une silhouette tout en nuances, alors que la Swift+ est encore de l'époque plus minimaliste.

Cela dit, elle n'est pas laide, mais elle a déjà l'air d'une voiture d'occasion, même neuve. Pourtant le dessin de la carrosserie est issu des ateliers turinois d'Italdesign de Giorgetto Giugiaro. C'est la preuve que tous les concepts, même ceux des grandes maisons prennent de l'âge.

[HABITACLE] La version de base offre en équipement de série une boîte de vitesses manuelle à 5 rapports, un volant réglable et un siège du conducteur réglable en hauteur. Il y a également un lecteur de CD avec quatre haut-parleurs. Dans la version S, le climatiseur est inclus dans l'équipement de série. Ne cherchez de prise iPod, la connectivité Bluetooth ou tous autres attributs modernes, vous n'êtes pas à la bonne adresse. Il faut aussi préciser que les plastiques offrent une qualité douteuse, comme si vous l'aviez achetée au Dollarama. Si vous prenez place à l'avant, le confort obtient la note de passage, mais à l'arrière, vous avez l'impression d'être assis sur un banc de parc. On pourrait croire que la banquette sort du congélateur tellement c'est raide. Le seul point positif est la banquette rabat-

FORCES · Tenue de route correcte · Confort appréciable · Habitacle spacieux

FAIBLESSES · Plastique de qualité douteuse · Pneus de série de piètre qualité · Banquette arrière inconfortable

table qui offre un intéressant surplus d'espace.

[MÉCANIQUE] Animée par un moteur à 4-cylindres de 1,6 litre à 16 soupapes et à double arbre à cames en tête développant 106 chevaux, la Swift+ n'est pas désagréable. Pour tirer le maximum de cette petite cylindrée, vous aurez avantage à opter pour la boîte de vitesses manuelle à 5 rapports, mais l'automatique se tire bien d'affaire en raison du faible poids de la voiture (à peine 1 000 kilos). Le manque flagrant d'insonorisation donne toujours l'impression que le moteur est dans la boîte à gants, surtout quand vous jouez de l'accélérateur.

[COMPORTEMENT] Peu importe le modèle de sous-compacte, le plaisir au volant est rarement au rendez-vous. La Ford Fiesta et la Mazda avec, possiblement, la Honda Fit sont les seules exceptions. Les 106 chevaux vous amènent là où il faut sans problème. La tôle excessivement mince reste un gros défaut, et la très mauvaise qualité des pneus d'origine vous donnera des frissons dans le dos; ne gardez pas ces pneus d'origine ! N'importe quoi sur le marché est mieux que ces pneus Kumho, n'importe quoi; débarrassez-vous de ces cochonneries le plus rapidement possible. Vous aurez l'impression de changer de voiture en installant de bons pneus.

[CONCLUSION] Malgré sa vétusté, la Swift+ s'est montrée solide et fiable au fil des ans. Mais entre vous et moi, vous avez pour le même prix des voitures comme la nouvelle Fiesta de Ford ou la Mazda2. Des voitures beaucoup plus mo-

dernes, mieux construites et combien plus intéressantes à conduire. Suzuki devra un jour se décider à retirer cette relique de la route. Souhaitons simplement qu'elle la remplace par la vraie Suzuki Swift qui est très populaire en Europe et au Japon.

2ᵉ OPINION

FRÉDÉRIC MASSE Il y a de ces voitures qui sont encore sur le marché et on se demande tous pourquoi. Le plus bel exemple est la Swift+ qui résiste encore et toujours. Il s'est vendu 988 Swift+ au pays l'an dernier, une baisse des ventes de 46 %. De ce nombre 384 au Québec, c'est vous dire le peu d'intérêt pour cette voiture moribonde. Suzuki va offrir dès l'automne prochain une toute nouvelle Suzuki Swift de 4ᵉ génération, en sol européen. Un modèle beau, séduisant et entièrement conçu par la firme, Nipponne et non une copie de Daewoo. Si Suzuki veut redevenir concurrentiel dans ce segment, il faudra sérieusement penser à mettre au rancart cette vieillerie pourla remplacer par la vraie Swift, celle qui va rouler en Europe et au Japon.

FICHE TECHNIQUE (5)

MOTEUR
- L4 1,6 l DACT 106 ch à 6400 tr/min
Couple 107 lb-pi à 3400 tr/min
- **Transmission** manuelle à 5 rapports, automatique à 4 rapports (option)
- **0-100 km/h** 11,4 s
- **Vitesse maximale** 170 km/h

AUTRES COMPOSANTES
- **Sécurité active** freins ABS et répartition électronique de force de freinage
- **Suspension avant/arrière** indépendante/essieu rigide
- **Freins avant/arrière** disques/tambours
- **Direction** à crémaillère, assistée
- **Pneus** P185/60R14

DIMENSIONS
- **Empattement** 2480 mm
- **Longueur** 3940 mm
- **Largeur** 1670 mm
- **Hauteur** 1505 mm
- **Poids** 1155 kg, **auto.** 1160 kg
- **Diamètre de braquage** 10,1 m
- **Coffre** 200 l, 1190 l (sièges abaissés)
- **Réservoir de carburant** 45 l

NOTRE VERDICT

Plaisir au volant	●●●◖○
Qualité de finition	●●○○○
Consommation	●●●◖○
Rapport qualité/prix	●●●○○
Valeur de revente	●◖○○○

SX4

www.suzuki.ca

ÉVOLUTION

19 090 $ à 26 090 $
transport et préparation: 1395 $

SUZUKI

LA COTE VERTE

MOTEUR
L4 DE 2,0 L

- **Consommation (100km):**
  man. 7,7 l **CVT.** 7,3 l
  4RM man. 8,0 l
  4RM CVT. 7,9 l
- **Émissions polluantes CO_2 :**
  man. 3588 kg
  AVC. 3404 kg/an
  4RM man. 3726 kg/an
  4RM CVT 3680 kg/an
- **Empreinte écologique (nombre d'arbres à planter par année):** 23,
  4RM man./auto. 24
- **Indice d'octane:** 87
- **Autre motorisation:** non
- **Coût du carburant moyen par année:**
  man. 1560 $
  man. **CVT.** 1480 $
  4RM man. 1620 $
  4RM CVT. 1600 $
- **Nombre de litres par année:**
  man. 1560 $
  AVC. 1480 l
  4RM man. 1620 l
  4RM CVT. 1600 l

(SOURCE: ÉnerGuide)

① FICHE D'IDENTITÉ

- **Versions** 5 portes base, JX, Aero, JLX
  4 portes base, Sport
- **Roues motrices** 2, 4
- **Portières** 4,5 **Nombre de passagers** 4
- **Première génération** 2007
- **Génération actuelle** 2007
- **Construction** Esztergom, Hongrie
- **Sacs gonflables** 6 (frontaux, latéraux avant et rideaux latéraux)
- **Concurrence** Chevrolet HHR, Chrysler PT Cruiser, Dodge Caliber, Ford Focus, Kia Forte, Mazda 3 Sport, Pontiac Vibe, Subaru Impreza, Toyota Matrix, Volkswagen Golf City

② AU QUOTIDIEN

- **Prime d'assurance**
  25 ans: 1200 à 1400 $
  40 ans: 800 à 1000 $
  60 ans: 600 à 800 $
- **Collision frontale** 4/5
- **Collision latérale** 3/5
- **Ventes du modèle de l'an dernier**
  Au Québec 3293 **Au Canada** 7079
- **Dépréciation** 51,4%
- **Rappels** (2004 à 2009) aucun à ce jour
- **Cote de fiabilité** 4/5

③ GARANTIES... ET PLUS

- **Garantie générale** 3 ans/60 000 km
- **Garantie motopropulseur** 5 ans/100 000 km
- **Perforation** 5 ans/kilométrage illimité
- **Assistance routière** 3 ans/kilométrage illimité
- **Nombre de concessionnaires**
  Au Québec 40 **Au Canada** 90

④ NOUVEAUTÉS EN 2011

- Aucun changement majeur

SEULE AU BÂTON

PAR DANIEL RUFIANGE

AVEC L'INTRODUCTION DE LA KIZASHI CETTE ANNÉE, SUZUKI OFFRE MAINTENANT QUATRE MODÈLES AUX CONSOMMATEURS CANADIENS. Dans ce contexte, on comprendra que le fabricant ne peut se permettre d'offrir des navets. Le Grand Vitara se débrouille plutôt bien, on attend une nouvelle Swift +, et le verdict demeure à être rendu dans le cas de la nouvelle Kizashi. Quant à la SX4, elle demeure un choix plus qu'intéressant dans le segment, mais on doit être prêt à payer plus; pas nécessairement la bonne équation dans ce créneau.

[CARROSSERIE] Suzuki propose plusieurs variantes de ses modèles SX4, mais on retiendra surtout que la voiture se décline en deux silhouettes différentes, soit une berline et un modèle bicorps à cinq portes. Les deux versions ont fière allure et proposent des lignes modernes. Pour ceux qui reluquent cette voiture en pensant à la transmission intégrale, il vous faut savoir deux choses : la berline n'offre pas la transmission aux quatre roues, et les variantes à hayon qui l'offrent – JX et JLX – sont les deux modèles les plus chers de la gamme. En réalité, en équipant une version JLX à hayon, la facture peut avoisiner les 30 000 $. C'est trop pour une voiture de cette catégorie.

[HABITACLE] L'habitacle de la SX4 est convivial mais surtout accueillant. C'est normal si l'on considère que les dimensions de la SX4 se situent quelque part entre la sous-compacte et la compacte. La présentation intérieure est jolie, et l'emplacement de toutes les commandes, bien organisé. On profite d'une excellente position de conduite, surélevée de surcroît sur la version à 4RM. En outre, les passagers de grande taille auront le sourire aux lèvres à bord de la SX4. En revanche, il faut décrier l'immensité du pilier A qui nuit sans cesse à notre visibilité lors des virages, plus particulièrement à gauche. De plus, l'absence d'un accoudoir central nous laisse sans espace de repos pour le bras. Des accoudoirs sont bien offerts sur certaines versions, mais ils rendent impossible la manipulation de la boîte de vitesses manuelle. Bref, quelques petits vices de conception nous confirment que Suzuki a encore du travail à faire.

FORCES · Belle gueule, berline et hayon · Bonne position de conduite · Rigidité du châssis · Compétente de l'intégrale · Aspect passe-partout

FAIBLESSES · Système de climatisation (buée fréquente dans les vitres) · Marque peu prestigieuse · Pas d'intégrale pour la berline · Réseau de concessionnaires plus limité

[MÉCANIQUE] Sous le capot, le choix est on ne peut plus simple. Un seul moteur est proposé, soit un 4-cylindres de 2 litres qui livre une puissance de 150 chevaux. De nouvelles boîtes de vitesses sont apparues l'an dernier sur la SX4, ce qui lui a fait le plus grand bien. Une boîte manuelle à 6 rapports ainsi qu'une boîte CVT sont offertes simultanément sur toutes les versions, sauf la JLX à hayon qui ne reçoit que la boîte CVT. Quant à la transmission intégrale, dite intelligente, elle est réglable de l'intérieur sur simple pression d'un bouton. On peut la placer sur le mode automatique, la verrouiller sur le mode 4RM ou, tout simplement, laisser la traction, selon les conditions routières.

[COMPORTEMENT] J'ai eu l'occasion de conduire la SX4 dans toutes les conditions possibles. L'été, c'est sans histoire. Bonne tenue de route, performances adéquates, douceur de roulement, alouette ! L'hiver, c'est là qu'on peut comparer les versions à traction et à quatre roues motrices. Ces dernières ajoutent un petit je-ne-sais-quoi à la SX4. Rares sont les voitures de la catégorie à offrir la transmission intégrale. Celle de la SX4 se montre très efficace et rassure le conducteur quand la chaussée est tapissée de blanc. Si vous n'avez pas de préférences marquées quant au choix d'une boîte de vitesses, sachez que le travail de la CVT est un peu rustre. En conséquence, le choix d'une boîte manuelle nous semble tout désigné.

[CONCLUSION] Oui à la SX4, mais attention à son prix quand on l'équipe de la transmission intégrale. Dans la catégorie, il y a aussi une voiture qu'on appelle Subaru Impreza et qui offre une transmission intégrale des plus compétentes. Suzuki possède un bon produit, mais hors prix pour être vraiment concurrentiel.

2ᵉ OPINION

MICHEL CRÉPAULT Je vais vous confier un secret : la SX4 est ma préférée des Suzuki. Devançant même la nouvelle Kizashi. Le fabricant japonais ne ménage aucun effort pour nous plaire : configuration à 4 ou 5 portes, traction ou transmission intégrale, moteur et boîtes de vitesses honnêtes, intérieur bien pensé et bien construit. Ma préférence personnelle va au modèle bicorps nanti de l'AWD. Son volume de chargement incite bien plus qu'au simple dépannage, et le dégagement pour la tête est parfait. On limitera les accélérations inutiles dont la sonorité plaintive envahit la cabine et envenime une consommation de carburant qui n'est pas d'emblée la plus basse. Au final, Suzuki nous propose une compacte qui se démarque de la concurrence. Comme il s'agit, à l'heure actuelle, de son meilleur produit, aussi bien en profiter.

---

⑤ FICHE TECHNIQUE

· MOTEUR

· L4 2,0 l DACT, 150 ch à 6200 tr/min Couple 140 lb-pi à 3500 tr/min	
Transmission manuelle à 6 rapports, automatique à variation continue (option)	
0-100 km/h 11,0 s	
Vitesse maximale 175 km/h	

· AUTRES COMPOSANTES

Sécurité active freins ABS, antipatinage (option), contrôle de stabilité électronique (option)

Suspension avant/arrière indépendante

Freins avant/arrière disques/tambours, disques (en option)

Direction à crémaillère, assistée

Pneus 5 portes base 195/65R15 **JX/JLX** 205/60R16 **Aero** 205/50R17 **4 portes base** P195/65R15 **Sport** 205/50R17

· DIMENSIONS

Empattement 2500 mm

Longueur 5 portes 4115 mm, 4135 mm (JX, JLX, Aero) **4 portes** 4490 mm (base), 4510 mm (Sport)

Largeur 5 portes 1730 mm, 1755 mm (JX, JLX, Aero) **4 portes** 1730 mm

Hauteur 5 portes 1575 mm, 1605 mm (JX, JLX), 1570 mm (Aero) **4 portes** 1545 mm

Poids 5 portes man. 1246 kg **AVC** 1291 kg **4RM man.** 1316 kg **4 portes man.** 1246 kg **AVC** 1291 kg **4RM man.** 1275 kg

Diamètre de braquage 10,6 m

Coffre 5 portes 283 l, 1529 l (sièges abaissés) **4 portes** 439 l

Réservoir de carburant 45 l

NOTRE VERDICT

Plaisir au volant	●●●○○
Qualité de finition	●●●○○
Consommation	●●○○○
Rapport qualité/prix	●●●○○
Valeur de revente	●●○○○

4RUNNER

www.toyota.ca

ÉVOLUTION N É J

36 800 $ à 49 420 $
transport et préparation: 1560 $

LA COTE VERTE

MOTEUR
V6 DE 4,0 L

- **Consommation (100km):** 10,9 l
- **Émissions polluantes CO_2:** 5106 kg/an
- **Empreinte écologique (nombre d'arbres à planter par année):** 35
- **Indice d'octane:** 87
- **Autre motorisation:** non
- **Coût du carburant moyen par année:** 2220 $
- **Nombre de litres par année:** 2220 l

(SOURCE: ÉnerGuide)

UN VRAI DE VRAI

PAR MICHEL CRÉPAULT

LE 4RUNNER A SES ADEPTES. Pour les courses au dépanneur ou au terrain de soccer, il est sans doute excessif, bien que des mamans diront qu'on n'est jamais trop prudent... Pour les autres qui recherchent un utilitaire capable d'en prendre, bienvenue au royaume du costaud.

[CARROSSERIE] On vient de le remodeler, et c'est réussi. La longue coque de cette 5e génération, davantage ciselée, en impose. Les feux arrière sont si protubérants qu'ils empiètent dans le champ de vision des rétroviseurs. En stationnant le long d'un trottoir, j'en ai oublié le panneau qui signalait une rénovation. Le gros rétroviseur, lui, l'a noté! Sous l'impact, il s'est recroquevillé contre la fenêtre. Le méchant métal n'a même pas éraflé la peinture. Parlez-moi d'un véhicule solide! Et comme le lucide roseau, il sait ployer quand ça compte...

[HABITACLE] Dégagement généreux, gros interrupteurs, cadrans limpides, il n'y a rien à redire, si ce n'est qu'il s'agit d'un centre de commande plutôt chargé quand on pense au rôle premier du

4Runner: franchir l'impossible. Le marchepied est utile tant est haut le siège. J'ai d'ailleurs surpris un passager entonner un « yodel » au moment d'entreprendre son ascension. Par contre, les passagers qui devront se faufiler jusqu'aux strapontins jaillis du plancher de la soute à bagages (mieux que les anciens qu'on rabattait contre les flancs) délaisseront le chant du montagnard suisse pour une série d'expressions plus ecclésiastiques. Il faut presque trois mains pour rabattre le hayon. Un dispositif électrique ne serait pas de trop, au moins dans la version Limited.

[MÉCANIQUE] Quand j'ai reçu le 4Runner en essai, l'indicateur de consommation moyenne indiquait 20,9 litres aux 100 kilomètres! J'ai failli passer mon tour car je ne suis pas propriétaire d'une pétrolière. Puis j'ai appris que le collègue avant moi avait tiré une remorque. Bref, j'ai relevé le défi. En mélangeant autoroute et centre-ville et, surtout, en traitant la pédale d'accélérateur comme une mine antipersonnel, j'ai réussi à ramener la consommation à... 18,9 litres aux 100 kilomètres. Ça reste glouton et très coûteux. Et dire qu'il n'y

---

① FICHE D'IDENTITÉ

- **Versions** SR5, Trail, Limited
- **Roues motrices** 4
- **Portières** 5 **Nombres de passagers** 5, 7
- **Première génération** 1985
- **Génération actuelle** 2010
- **Construction** Toyota City, Japon
- **Sacs gonflables** 6, frontaux, latéraux avant et rideaux latéraux
- **Concurrence** Ford Explorer, Jeep Grand Cherokee, Kia Sorento, Nissan Pathfinder

② AU QUOTIDIEN

- **Prime d'assurance**
  25 ans: 3000 à 3200 $
  40 ans: 1700 à 1900 $
  60 ans: 1300 à 1500 $
- **Collision frontale** 4/5
- **Collision latérale** 5/5
- **Ventes du modèle de l'an dernier**
  Au Québec 117 **Au Canada** 680
- **Dépréciation** 45,9 %
- **Rappels (2005 à 2010)** aucun à ce jour
- **Cote de fiabilité** 5/5

③ GARANTIES... ET PLUS

- **Garantie générale** 3 ans/60 000 km
- **Garantie motopropulseur** 5 ans/100 000 km
- **Perforation** 5 ans/kilométrage illimité
- **Assistance routière** 3 ans/60 000 km
- **Nombre de concessionnaires**
  Au Québec 68 **Au Canada** 243

④ NOUVEAUTÉS EN 2011

- 3e rangée disponible sur la version SR5
- Nouvel intérieur noir (Limited)

FORCES • Construction en apparence indestructible • Comportement routier en mesure de jouer la carte de la douceur et du trompe-la-mort • Habitacle confortable et rassurant

FAIBLESSES • Trop grand appétit du V6 • Quand même pas donné, surtout avec ses options

a plus de V8 sous le capot, Toyota l'ayant remplacé dans les trois versions du 4Runner par un nouveau V6 de 4 litres de 270 chevaux (34 de mieux que le précédent). La boîte de vitesses automatique à 5 rapports fonctionne en super souplesse. En réalité, l'engin et elle travaillent d'une manière si harmonieuse et si discrète, comme tenu de la lourdeur de la bête, que j'ai même réussi à décrocher une contravention! Le boîtier de transfert qui autorise les différents modes 4 x 4 est commandé par une grosse mollette qui nous incite quotidiennement à délaisser les routes faciles pour les sentiers tordus. Sur les modèles SR5 et Trail, le système fonctionne sur demande; sur le Limited, il est permanent. À l'instar de Land Rover, Toyota a développé un arsenal de gadgets électroniques pour dominer n'importe quel sol dans n'importe quelle condition.

[COMPORTEMENT] Si l'on chasse cinq minutes la consommation de notre esprit, force est d'admettre que le 4Runner nous promène dans un confort ouaté. Bien qu'il soit capable de jouer au coureur des bois, il glisse sur le pavé avec la grâce d'une ballerine. Les manœuvres de stationnement sont rendues aisées grâce à une bonne visibilité et à une direction mille fois assistée. Le rayon de braquage est débile, et les longs flancs n'apprécient pas les vents violents. Un livreur ayant remarqué le 4Runner stationné m'a raconté que le sien, cuvée 1999, avait allègrement franchi le cap des 400 000 kilomètres et se portait comme un charme, témoignant à sa façon de la légendaire fiabilité du produit.

[CONCLUSION] Le 4Runner est capable d'extrêmes, les charmantes balades et les rodéos sauvages, à titre d'exemple. C'est un camion maquillé en VUS. Mais je persiste à croire qu'il faut spécifiquement avoir quelque chose à tracter ou des chantiers à visiter ou un chalet à peu près inaccessible pour s'embarrasser d'un tel char d'assaut, aussi endimanché soit-il. Sa consommation de carburant est gênante. Et j'ai surpris dans les yeux des passants qui voyaient le monstre surgir quelque chose entre la réprobation et la peur (« Pourra-t-il freiner ? »). Si parmi les multiples tâches que peut accomplir ce géant s'en trouvent qui vous conviennent, n'hésitez pas. Sinon s'abstenir.

2ᵉ OPINION

ALEXANDRE CRÉPAULT Les véhicules d'aujourd'hui sont conçus avec tellement de compromis qu'on devrait admirer Toyota de nous avoir servi un vrai 4 x 4. Vous savez, comme on les faisait dans le temps : glouton, avec un air de dur à cuir, aussi aérodynamique qu'une planche de contreplaqué et aussi souple qu'un tracteur. Bien sûr, il possède les atouts d'un authentique utilitaire : ses capacités hors route sont bien réelles, il peut tirer un couple d'éléphants, l'ambiance de l'habitacle est robuste et, même, confortable... enfin, jusqu'à ce que le 4Runner s'élance sur les plus belles routes du Québec et brassent ses occupants comme un malaxeur. Bon, le 4Runner n'est peut-être pas pour monsieur et madame Tout-le-monde. En fait, ce n'est vraiment pas un bon véhicule pour 99,9 % d'entre nous. Mais au moins, c'est un vrai 4 x 4...

⑤ FICHE TECHNIQUE

• MOTEUR
• (V6)
V6 4,0 l DACT, 270 ch à 5600 tr/min
Couple 278 lb-pi à 4400 tr/min
Transmission automatique à 5 rapports
0-100 km/h nd
Vitesse maximale nd

• AUTRES COMPOSANTES
Sécurité active freins ABS, répartition électronique de force de freinage, assistance au freinage, antipatinage, contrôle de stabilité électronique
Suspension avant/arrière indépendante/ essieu rigide
Freins avant/arrière disques ventilés
Direction à crémaillère, assistée
Pneus P265/70R17, **option** P245/60R20

• DIMENSIONS
Empattement 2790 mm
Longueur 4820 mm
Largeur 1925 mm
Hauteur 1780 mm
Poids 2111 kg
Diamètre de braquage 11,4 m
Coffre 1311 l, 2515 l (sièges abaissés)
Réservoir de carburant 80 l
Capacité de remorquage 2268 kg

NOS MENTIONS

 Clé d'or de sa catégorie

 Modèle recommandé

NOTRE VERDICT

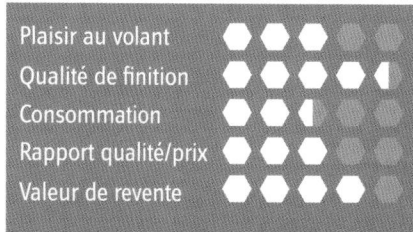

Plaisir au volant	●●●○○
Qualité de finition	●●●●○
Consommation	●●○○○
Rapport qualité/prix	●●●○○
Valeur de revente	●●●●○

AVALON

www.toyota.ca

N
ÉVOLUTION
É

J

41 100 $
transport et préparation: 1490 $

LA COTE VERTE

MOTEUR
V6 DE 3,5 L

- **Consommation (100km):** 8,9 l
- **Émissions polluantes CO_2 :** 4140 kg/an
- **Empreinte écologique (nombre d'arbres à planter par année):** 26
- **Indice d'octane:** 87
- **Autre motorisation:** non
- **Coût du carburant moyen par année:** 1800 $
- **Nombre de litres par année:** 1800 l

(SOURCE: ÉnerGuide)

---

① FICHE D'IDENTITÉ

- **Versions** XLS
- **Roues motrices** avant
- **Portières** 4 **Nombre de passagers** 5
- **Première génération** 1994
- **Génération actuelle** 2005
- **Construction** Georgetown, Kentucky, É.-U.
- **Sacs gonflables** 7
  (frontaux; latéraux avant; rideaux latéraux;
  au niveau des genoux du conducteur)
- **Concurrence** Buick Lucerne, Chevrolet Impala,
  Chrysler 300, Dodge Charger, Ford Taurus

② AU QUOTIDIEN

- **Prime d'assurance**
  25 ans: 1600 à 1800 $
  40 ans: 1200 à 1400 $
  60 ans: 1000 à 1200 $
- **Collision frontale** 5/5
- **Collision latérale** 5/5
- **Ventes du modèle de l'an dernier**
  Au Québec 54 Au Canada 280
- **Dépréciation** 50,9 %
- **Rappels** (2005 à 2010) 3

③ GARANTIES... ET PLUS

- **Cote de fiabilité** 4/5
- **Garantie générale** 3 ans/60 000 km
- **Garantie motopropulseur** 5 ans/100 000 km
- **Perforation** 5 ans/ kilométrage illimité
- **Assistance routière** 3 ans/60 000 km
- **Nombre de concessionnaires**
  Au Québec 68 Au Canada 243

④ NOUVEAUTÉS EN 2011

- Redessinée
- Nouvel écran d'informations
- Système de navigation tactile et caméra de recul
- Une nouvelle couleur.

BERLINE AU GRAND COEUR

PAR FRANCIS BRIÈRE

LE PORTE-PAROLE DE TOYOTA A EU DU MAL À CACHER SON MALAISE QUAND ON LUI A DEMANDÉ COMBIEN D'EXEMPLAIRES DE L'AVALON LE CONSTRUCTEUR JAPONAIS AVAIT VENDU AU CANADA EN 2009. Réponse : 280 ! Aucune donnée n'a été révélée en ce qui a trait aux ventes chez nos voisins du Sud, mais il faut certainement compter quelques poignées de plus. Quoi qu'il en soit, Toyota persiste avec l'Avalon pour 2011, la plus grosse et la plus luxueuse de la gamme.

[CARROSSERIE] La planche à dessin des concepteurs de Toyota n'a guère produit d'idées folles, seulement une silhouette plus fluide avec quelques garnitures de chrome ici et là, une calandre remodelée, de nouveaux phares avec fioritures en prime et des embouts d'échappement doubles. Les dirigeants de Toyota, pour leur part, ont manifesté un tel enthousiasme devant la nouvelle carcasse de l'Avalon qu'ils ont établi un groupe cible tombé des nues : les hommes de 35 à 55 ans. Franchement, on imagine mal un homme de 35 ans courir chez le concession-

naire pour se payer une Avalon. Décrétons plutôt 55 ans à l'infini...

[HABITACLE] On a confectionné de vastes sièges confortables, mais qui manquent cruellement de soutien pour l'anatomie. Assis derrière le volant, le conducteur se croit dans son salon. Il ne manque que les pantoufles et le journal. Et si vous avez le bonheur de prendre place à l'arrière, un confort princier vous attend avec des dossiers inclinables s'il vous plaît ! De l'espace, il y en a, pour les jambes, les bras et le corps entier. L'Avalon bénéficie également d'une insonorisation de qualité supérieure qui procure un roulement feutré. Seuls les bruits de vent empoisonneront l'existence des passagers les plus exigeants. Autrement, les jeunes et les moins jeunet se réjouiront de profiter des dernières technologies comme la connectivité Bluetooth, la prise audio auxiliaire pour iPod, la caméra de recul et la radio satellite.

[MÉCANIQUE Les ingénieurs de Toyota ont décidé de conserver les mêmes composants méca-

---

FORCES · Lignes plus flatteuses · Intérieur luxueux · Douceur de roulement
· Prix alléchant

FAIBLESSES · Direction guimauve · Conduite ennuyeuse

niques pour l'Avalon 2011, soit un moteur V6 de 3,5 litres développant 268 chevaux. Cet engin est jumelé à une boîte de vitesses automatique à 6 rapports. Le tandem produit amplement de puissance pour la voiture qui demande à être manipulée avec soin. De fait, les passages de vitesses s'effectuent sans heurts. Le moteur montre de la souplesse, mais il rugit parfois exagérément si l'accélérateur est enfoncé de façon brutale. Autrefois, on se plaisait à ridiculiser les grosses « minounes » américaines et leur suspension guimauve qui donnait mal au cœur aux passagers. Si l'Avalon se compare aux grandes berlines américaines, les Gravol ne sont plus nécessaires. Chez Toyota, on a réussi à obtenir le bon calibrage pour procurer du confort sans trop compromettre la tenue de route.

[COMPORTEMENT] Pour une conduite en toute tranquillité, vaut mieux avoir le pied léger. La vocation de cette voiture ne cache aucun secret : une grande berline conçue pour le confort de ses occupants. En effet, cette voiture s'apprécie sur la route. Il s'agit d'une excellente routière, douce, silencieuse, confortable et spacieuse. Un trajet à la campagne ne sera pas désagréable non plus, à condition de ne pas pousser la machine à sa limite. Le plus grand défaut de cette grande berline est sans contredit sa direction qui ne rend pas justice à la voiture. Derrière le volant, le conducteur plus dynamique ne manque pas de constater le potentiel de l'Avalon dont la prestation pourrait ressembler à celle d'une automobile européenne. En revanche, c'est mou, trop mou pour l'amateur de conduite incisive qui souhai-

terait ressentir davantage de rétroaction.

[CONCLUSION] Une bonne affaire que cette Avalon. À bien y penser, offrons-nous cette belle berline confortable et douce comme du coton pour une poignée de change de plus. Eh bien, en considérant l'achat d'une Camry XLS, la livrée la plus luxueuse de cette voiture, la facture se situe à environ 3000 dollars près. En effet, le prix de l'Avalon 2011 a été fixé à 41 100 $. Sans affirmer qu'il s'agit d'une aubaine, mentionnons simplement que le montant est honnête compte tenu de la prestation.

2ᵉ OPINION

MICHEL CRÉPAULT Les collègues, en général, en font des gorges chaudes dès qu'on évoque l'Avalon devant eux. À les entendre, il n'y aurait pas de voiture plus soporifique sur le marché. Ils l'associent immédiatement à des conducteurs plus proches de leur grabat que des 24 heures du Mans.
Je conçois très bien que l'Avalon ne symbolise pas la passion automobile, mais, désolé, elle fait très bien ce qu'elle a à faire, c'est-à-dire fournir un moyen de transport spacieux, confortable et élégant à des gens qui, il est sans doute vrai, prêtent peu d'attention aux qualités athlétiques d'un véhicule. Qu'on veuille se déplacer à bord d'une grosse auto plutôt que d'une petite ne devrait pas être un crime, d'autant plus que l'Avalon, avec ses 8,5 litres aux 100 kilomètres, ne massacre pas l'écologie.

⑤ FICHE TECHNIQUE

· MOTEUR
· V6 3,5 l DACT, 268 ch à 6200 tr/min
Couple 248 lb-pi à 4700 tr/min
Transmission automatique à 6 rapports avec mode manuel
0-100 km/h 6,9 s
Vitesse maximale 215 km/h

· AUTRES COMPOSANTES
Sécurité active freins ABS, répartition électronique de force de freinage, assistance au freinage, antipatinage, contrôle de stabilité électronique
Suspension avant/arrière indépendante
Freins avant/arrière disques
Direction à crémaillère, assistée
Pneus P215/55R17

· DIMENSIONS
Empattement 2820 mm
Longueur 5020 mm
Largeur 1850 mm
Hauteur 1470 mm
Poids 1620 kg
Diamètre de braquage 11,24 m
Coffre 408 l
Réservoir de carburant 70 l
Capacté de remorquage 455 kg

NOS MENTIONS

☺ Modèle recommandé

NOTRE VERDICT

Plaisir au volant	●●●○○
Qualité de finition	●●●●○
Consommation	●●○○○
Rapport qualité/prix	●●●○○
Valeur de revente	●●●●○

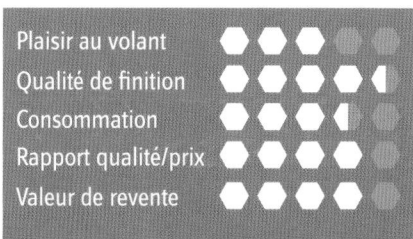

CAMRY

www.toyota.ca

ÉVOLUTION

N — J   É

25 310 $ à 38 340 $
transport et préparation: 1490 $

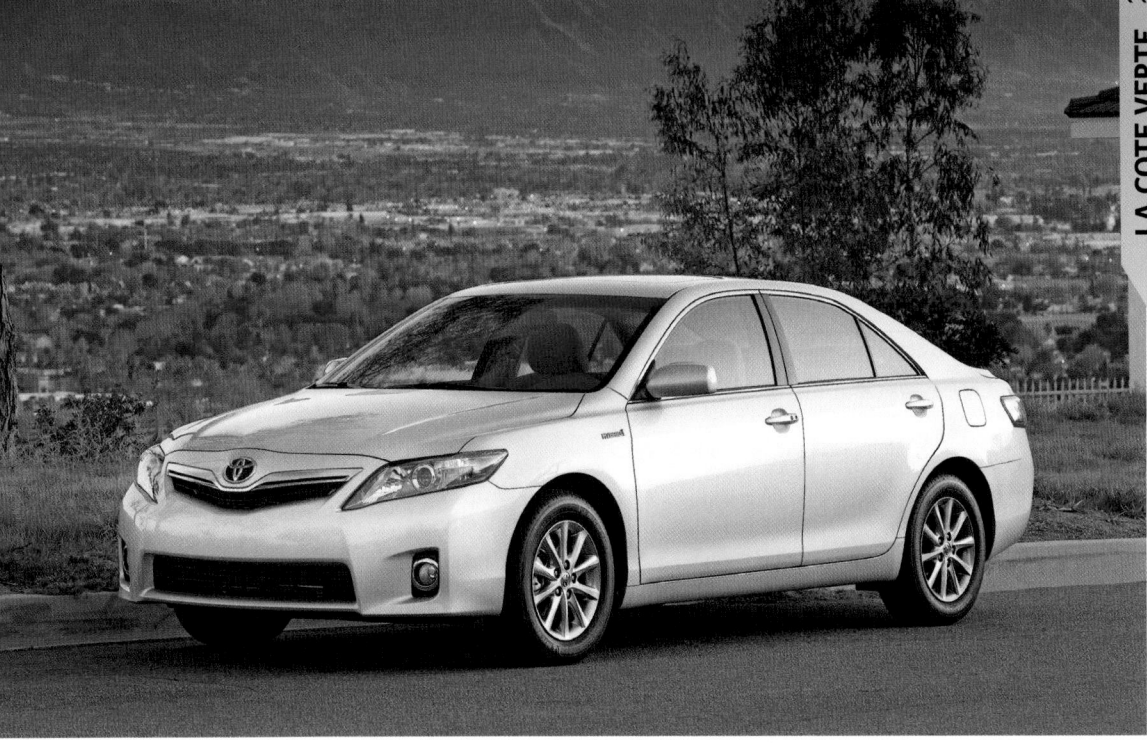

LA COTE VERTE

MOTEUR
L4 DE 2,4 L HYBRIDE

- **Consommation (100km):** 5,7 l
- **Émissions polluantes CO_2:** 2622 kg/an
- **Empreinte écologique (nombre d'arbres à planter par année):** 17
- **Indice d'octane:** 87
- **Autre motorisation:** non
- **Coût du carburant moyen par année:** 1140 $
- **Nombre de litres par année:** 1140 l

(SOURCE: ÉnerGuide)

FICHE D'IDENTITÉ

- **Versions** LE, SE, XLE, Hybride, LE V6, SE V6, XLE V6
- **Roues motrices** avant
- **Portières** 4 **Nombre de passagers** 5
- **Première génération** 1983
- **Génération actuelle** 2007
- **Construction** Georgetown, Kentucky, É.-U.
- **Sacs gonflables** 7 (frontaux, latéraux avant, rideaux latéraux, au niveau des genoux pour le conducteur)
- **Concurrence** Chevrolet Malibu, Ford Fusion, Honda Accord, Hyundai Sonata, Kia Optima, Mazda6, Mitsubishi Galant, Nissan Altima, Subaru Legacy, VW Passat

AU QUOTIDIEN

- **Prime d'assurance**
  25 ans: 1400 à 1600 $
  40 ans: 1000 à 1200 $
  60 ans: 900 à 1100 $
- **Collision frontale** 5/5 · **Collision latérale** 5/5
- **Ventes du modèle de l'an dernier**
  Au Québec 3683 **Au Canada** 15 524
- **Dépréciation** 48,2 %
- **Rappels** (2005 à 2010) 3
- **Cote de fiabilité** 4/5

GARANTIES... ET PLUS

- **Garantie générale** 3 ans/60 000 km
- **Garantie motopropulseur** 5 ans/100 000 km
- **Perforation** 5 ans/ kilométrage illimité
- **Assistance routière** 3 ans/60 000 km
- **Nombre de concessionnaires**
  Au Québec 68 **Au Canada** 243

NOUVEAUTÉS EN 2011

- Abandon de la transmission manuelle
- Deux nouvelles couleurs

UN TAXI FIABLE

PAR ALEXANDRE CRÉPAULT

IL SE VEND TELLEMENT DE CAMRY QU'IL M'EST IMPOSSIBLE DE VOUS DIRE COMBIEN DE FOIS ELLE A ÉTÉ ÉLUE VOITURE LA PLUS VENDUE EN AMÉRIQUE DU NORD. Cela signifie que beaucoup plus de personnes ont besoin d'un moyen de transport spacieux, économique et fiable que d'une bagnole excentrique, amusante et séduisante.

[CARROSSERIE] Je dois admettre que la silhouette de la Camry a pris de jolis plis avec les années. Autrefois, son profil faisait penser à une canne de conserve. Aujourd'hui, la Camry manifeste un peu mieux son désir de séduire. Toyota nous dit que le dessous de la Camry SE a été revu selon la technologie acquise en F1, question d'améliorer le flux d'air. Un peu exagéré, peut-être ? S'il y a deux mots qui ne vont pas ensemble, c'est bien Camry et F1. La version hybride, par contre, profite d'un aérodynamisme repensé, ce qui lui permet d'obtenir un très respectable coefficient de traînée (Cx) de 0,27.

[HABITACLE] Fidèle à sa tradition, Toyota évite de faire des vagues. L'architecture classique de l'habitacle, la simplicité des cadrans et la disposition traditionnelle des commandes s'acharnent à ne pas provoquer d'émotion. C'est fade, mais ç'a de bons côtés : tout est à sa place, et l'utilisation est intuitive. L'ensemble respire la fiabilité, à l'exception des plastiques de la console centrale, qui déçoivent par leur effet bon marché. L'espace et le confort ont droit à la meilleure note. C'est vaste dans la Camry. Quatre adultes y prennent place sans problème, et chacun possède ses rangements nécessaires. La banquette se rabat, sauf dans le modèle hybride, où la batterie placée derrière rend la manœuvre impossible. Le coffre fait concurrence à celui de la Cadillac des mafiosi de Hollywood.

[MOTORISATION] Ce ne sont pas les moteurs qui manquent. Les modèles LE et XLE proposent un 4-cylindres de 2,5 litres qui développe une puissance de 169 chevaux et produit un couple de 167 livres-pieds. Le modèle SE, lui, réussit à extirper 10 chevaux de plus et à produire 4 livres-pieds de couple de plus du même 4-cylindres.

FORCES · Rapport consommation/performances · Spacieuse · Confortable

FAIBLESSES · Banale dans tous les sens · Direction vague · Certains plastiques intérieurs

5 FICHE TECHNIQUE

- **MOTEURS**
- **(LE, SE, XLE)**

L4 2,5 l DACT, 169 ch à 6000 tr/min
(SE 179 ch à 6000 tr/min)
Couple 167 lb-pi à 4100 tr/min
(SE 171 lb-pi à 4100 tr/min)
Transmission automatique à 6 rapports
avec mode manuel
0-100 km/h 9,8 s **Vitesse maximale** 190 km/h
Consommation (100 km) 7,6 l (octane 87)

- **(LE V6, SE V6, XLE V6)**

V6 3,5 l DACT, 268 ch à 6200 tr/min
Couple 248 lb-pi à 4700 tr/min
Transmission automatique à 6 rapports
avec mode manuel
0-100 km/h 7,2 s **Vitesse maximale** 220 km/h
Consommation (100 km) 8,9 l (octane 87)

- **(HYBRIDE)**

L4 2,4 l DACT + moteur électrique,
(187 ch à 6000 tr/min)
Couple 138 lb-pi à 4400 tr/min
(couple moteur à essence seul)
Transmission automatique à variation continue
0-100 km/h 8,9 s **Vitesse maximale** 200 km/h

- **AUTRES COMPOSANTES**

Sécurité active freins ABS, répartition
électronique de force de freinage, assistance
au freinage, antipatinage et contrôle de stabilité
électronique
Suspension avant/arrière indépendante
Freins avant/arrière disques
Direction à crémaillère, assistée
Pneus XLE, LE V6, XLE V6, Hybride P215/60R16
SE, SE V6 P215/55R17

- **DIMENSIONS**

Empattement 2775 mm
Longueur 4805 mm
Largeur 1820 mm
Hauteur 1470 mm, 1460 mm (Hybride)
Poids LE 1500 kg **SE** 1510 kg **XLE V6** 1530 kg
SE V6 1580 kg **XLE V6** 1595 kg **Hybride** 1650 kg
Diamètre de braquage 11,0 m
Coffre 425 l **Hybride** 300 l
Réservoir de carburant 70 l **Hybride** 65 l
Capacité de remorquage 453 kg

| 565

Les plus gourmands en puissance peuvent se tourner vers les modèles LE, SE et XLE V6. Les écolos apprécieront le modèle à 4 cylindres de 2,4 litres associé à deux moteurs électriques. La puissance combinée de cette motorisation fait 187 chevaux. Toutes les Camry sont couplées à une boîte de vitesses automatique à 6 rapports sauf, bien sûr, la version hybride, qui bénéficie des bienfaits d'une boîte CVT.

[COMPORTEMENT] Je ne peux cacher ma stupeur au volant du modèle SE à 4 cylindres. Il se déplace vraiment très correctement. Qu'on s'entende. On ne parle pas de performances à se briser le cou. Mais le rendement moyen de 7 litres aux 100 kilomètres me laisse plus que satisfait. Bien sûr, le V6 a beaucoup plus de punch. Il brûle toutefois 2 litres de plus par tranche de 100 kilomètres. De son côté, le modèle hybride montre des performances un peu plus dynamiques que la version de base, mais il faut pousser la machine. Cela nous empêche de profiter pleinement de la consommation au compte-gouttes dont il est capable. Il est aussi affligé d'un problème de poids à la partie avant, qui n'aide en rien son comportement déjà un peu flou. D'un modèle à l'autre, la direction est vague et ne donne pas l'impression d'être précise. Mais bon, on a affaire à un taxi, pas à une formule 1.

[CONCLUSION] Sur le site Web de Toyota Canada, on décrit la Camry comme suit : « Un style riche en émotions, une puissance grisante et une performance vraiment sensationnelle. » Un instant ! C'est vrai que la Camry est plus attrayante qu'auparavant. On peut aussi dire qu'elle déplace son monde de façon écono-mique, pratique et fiable. Mais ne beurrons pas trop épais, s'il vous plaît...

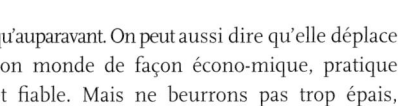

2ᵉ OPINION

DANIEL RUFIANGE Si vous êtes un passionné de conduite, vous trouverez le temps long au volant de la Camry. Cette voiture est ennuyante à conduire. Cependant, son niveau de confort est franchement impressionnant, et à bien y penser, c'est exactement ce que les acheteurs de la Camry recherchent. C'est donc dans un environnement très douillet que se font les déplacements à bord. Même si sa conduite demeure soporifique, la voiture possède un bon châssis et est capable d'en prendre, plus que son allure ne le laisse présager. Les ventes de la Camry ont chuté de façon importante au cours de la dernière année. Est-ce le résultat du progrès de la concurrence, de la crise économique et de ses effets, où est-ce simplement parce que les gens recherchent autre chose qu'une voiture morne? Parions sur les deux premières hypothèses.

NOS MENTIONS

 Modèle recommandé

 Le choix vert (hybride)

NOTRE VERDICT

Plaisir au volant
Qualité de finition
Consommation
Rapport qualité/prix
Valeur de revente

COROLLA

www.toyota.ca

ÉVOLUTION

(N) (É) (J)

16 850 $ à 25 500$
transport et préparation: 1390 $

LA COTE VERTE

MOTEUR
L4 DE 1,8 L

· **Consommation
(100km):**
man. 6,6 l
auto. 6,7 l

· **Émissions
polluantes CO_2 :**
man. 3082 kg/an
autom. 3128 kg/an

· **Empreinte écologique
(nombre d'arbres à
planter par année):** 18

· **Indice d'octane:** 87

· **Autre
motorisation:** non

· **Coût du carburant
moyen par année:**
man. 1340 $
auto. 1360 $

· **Nombre de
litres par année:**
man. 1340 l
auto. 1360 l

(SOURCE: ÉnerGuide)

① FICHE D'IDENTITÉ

· **Versions** CE, LE, S, XRS
· **Roues motrices** avant
· **Portières** 4 **Nombre de passagers** 5
· **Première génération** 1966
· **Génération actuelle** 2009
· **Construction** Cambridge, Ontario, Canada
· **Sacs gonflables** 6, frontaux, latéraux avant
et rideaux latéraux
· **Concurrence** Chevrolet Cruze, Ford Focus, Honda
Civic, Hyundai Elantra, Kia Spectra, Mazda3,
Mitsubishi Lancer, Nissan Sentra, Suzuki SX4,
Subaru Impreza, Volkswagen Golf City

② AU QUOTIDIEN

· **Prime d'assurance**
25 ans : 1300 à 1500 $
40 ans : 1000 à 1100 $
60 ans : 800 à 1000 $
· **Collision frontale** 4/5
· **Collision latérale** 4/5
· **Ventes du modèle de l'an dernier**
Au Québec 18 710 **Au Canada** 53 933
· **Dépréciation** 46,9%
· **Rappels** (2005-2010) 4
· **Cote de fiabilité** 4/5

③ GARANTIES... ET PLUS

· **Garantie générale** 3 ans/60 000 km
· **Garantie motopropulseur** 5 ans/100 000 km
· **Perforation** 5 ans/ kilométrage illimité
· **Assistance routière** 3 ans/60 000 km
· **Nombre de concessionnaires**
Au Québec 68 **Au Canada** 243

④ NOUVEAUTÉS EN 2011

· Aucun changement majeur

BEIGE

PAR FRÉDÉRIC MASSE

VOUS SAVEZ, IL Y A DE CES VOITURES QUI NE
ME DONNENT AUCUN, MAIS AUCUN, FRISSON
SUR LES BRAS. La Corolla en est l'exemple parfait.
Mais, est-elle dépourvue de qualités pour autant ?
Non. Est-elle, par conséquent, l'une des plus inté-
ressantes ? Non plus. C'est simple, on choisira la
Corolla parce qu'elle est fiable et parce qu'elle con-
somme très peu de carburant, pas pour avoir du
plaisir. En réalité, si la Corolla était une couleur, je
dirais tout simplement qu'elle est beige.

[CARROSSERIE] Tout est calculé dans le design
des voitures. Et, la Corolla ne choquera jamais
personne. Elle n'est ni belle, ni laide, donc un peu
sans vie. Il y a toujours la XRS (elle est offerte en
versions CE, LE et S également) avec son ensemble de carrosserie plus « agressif » et ses roues de
17 pouces qui parviennent à égayer le tout. Mais,
là encore, on parle davantage de beige foncé que
de couleurs éclatées. Mais, ce n'est pas parce que
je n'aime pas les voitures sans âme qu'il ne faut
pas de ces voitures passe-partout. Elles ciblent
une clientèle type importante... à preuve, les
ventes annuelles de la Corolla ne démentent

pas. Autre point positif, les notes de la Corolla en
matière de tests de collision.

[HABITACLE] À l'intérieur, ce n'est guère plus
reluisant... encore plus dans les modèles de base
qui sont dénués de toute forme de design original. C'est plat, c'est froid et c'est plastifié. Mais,
dans cette catégorie, les plastiques sont aussi
très communs, alors difficile d'adresser une véritable critique à la Corolla. Par contre, je ne
peux que souligner l'effort de Toyota en matière
d'insonorisation et de confort général. Les bruits
de vent et de la route sont bien camouflés. J'aurais
toutefois aimé plus de contraste, plus de couleurs,
plus de design dans l'habitacle, mais Toyota a préféré la sobriété extrême. Pourtant, Toyota est capable de mieux, on n'a qu'à regarder le Venza et
le 4Runner. Encore là, les modèles plus équipés
et, surtout, la XRS, parviennent à marquer plus
de points avec une présentation plus intéressante;
mais quand on compare à une Mazda3, notamment, on se sent défavorisé.

FORCES · Fiabilité · Confort général · Notes des tests de collision
· Frugalité du 1,8-litre

FAIBLESSES · Ennuyeuse à conduire · Design quelconque · Habitacle terne

[MÉCANIQUE] Sur ce point, Toyota n'a pas à rougir devant la concurrence. Le premier de deux moteurs, un 4-cylindres VVT-i de 1,8 litre, génère une puissance linéaire qui convient parfaitement au comportement de la voiture. Pas d'envolée à la Honda, pas de puissance à la Mazda, mais plutôt une douceur inhérente aux 132 chevaux. Autre point à souligner, la frugalité du moteur, et ce, malgré une boîte de vitesses automatique à 4 rapports (on peut aussi choisir la manuelle à 5 rapports). La deuxième mécanique est plus enlevante et également plus nerveuse. Le 4-cylindres de 2,4 litres est loin du raffinement Civic Si (passablement plus chère aussi) ou, même, d'une Mazda3 Sport, mais tout de même, c'est moins soporifique et plus gratifiant grâce aux 158 chevaux. Toyota a bien beau affirmer que ce dernier transforme la Corolla en « bolide de haute performance » dans son site Internet, je n'embarque pas.

[COMPORTEMENT] Vous présumez probablement déjà les prochaines lignes. Eh oui, la Corolla n'a évidemment rien d'excitant à offrir, mais plutôt une suspension douce et conciliante. Comment pourrais-je qualifier ce type de conduite ? Le mot calme serait, je crois, mon meilleur choix. Mais, à la défense de Toyota, il reste encore peu de voitures dans cette catégorie sans prétentions sportives, et la clientèle, qui recherche ce type de comportement, ne le trouvera pas vraiment ailleurs, si ce n'est peut-être la Hyundai Elantra. Il en faut des véhicules moins vivants, comme je le mentionnais plus haut. Encore là, pour un peu plus d'excitation, on se tournera vers la version

XRS plus rigide et à la direction plus vivante et qui, à un peu plus de 22 000 $, offre un rapport qualité/puissance/performance/fiabilité intéressant.

[CONCLUSION] Comme vous le voyez, je ne suis pas un grand fanatique de la Corolla, j'avoue. Par contre, ne vous méprenez pas, XRS, LE, S ou CE, elle demeure une voiture fort intéressante pour quiconque veut une voiture frugale, solide, fiable et confortable. Quand on met les plus et les moins dans une colonne, sachez que la Corolla compte beaucoup de positif, surtout si l'on cherche une voiture de ce type.

2ᵉ OPINION

MICHEL CRÉPAULT Cette berline abordable fait l'unanimité au sein de la presse automobile : elle distille un profond ennui, mais sa praticabilité et sa fiabilité lui valent des étagères de trophées ! Le premier jugement s'explique par la passion qui anime les experts. Ils aiment se gaver de design audacieux et de performances diaboliques, des critères où la Corolla marque zéro point. Mais leur métier les oblige aussi à se glisser dans les souliers de tous les acheteurs, pas seulement ceux qui chaussent des pilotis. Ils admettent alors que la Corolla se rend du point A au point B avec la compétence d'un employé du mois. Et bravo ! Après avoir écoulé un nombre stratosphérique d'exemplaires depuis plus de 40 ans, nous serions bien mal placés de contredire les goûts d'autant de gens. Ils en redemandent, et Toyota ne les déçoit pas.

⑤ FICHE TECHNIQUE

MOTEURS

(CE, LE, S)
L4 1,8 l DACT, 132 ch à 6000 tr/min
Couple 128 lb-pi à 4400 tr/min
Transmission manuelle à 5 rapports, automatique à 4 rapports (option)
0-100 km/h 10,4 s
Vitesse maximale 185 km/h

(XRS)
L4 2,4 l DACT, 158 ch à 6000 tr/min
Couple 162 lb-pi à 4000 tr/min
Transmission manuelle à 5 rapports, automatique à 5 rapports avec mode manuel (option)
0-100 km/h 9,5 s
Vitesse maximale 190 km/h
Consommation (100 km) man. 8,1 l
auto. 8,0 l (octane 87)
Émissions de CO_2 man. 3772 kg/an
auto. 3726 kg/an
Litres par année man. 1640 l **auto.** 1620 l
Coût par an man. 1640 $ **auto.** 1620 $
Empreinte écologique 24 arbres

AUTRES COMPOSANTES

Sécurité active freins ABS et répartition électronique de force de freinage, système de contrôle de stabilité électronique (option sur CE), antipatinage (option sur CE)
Suspension avant/arrière indépendante/ semi-indépendante
Freins avant/arrière disques/tambours XRS disques
Direction à crémaillère, assistée
Pneus CE P195/65R15 **LE/S** P205/55R16 **XRS** P215/45R17

DIMENSIONS

Empattement 2600 mm
Longueur 4540 mm
Largeur 1760 mm
Hauteur 1465 mm
Poids CE 1235 kg **LE** 1275 kg **S** 1255 kg
XRS 1305 kg
Diamètre de braquage 11,3 m
Coffre 348 l
Réservoir de carburant 50 l

NOS MENTIONS

🍃 Le choix vert

🙂 Modèle recommandé

NOTRE VERDICT

Plaisir au volant
Qualité de finition
Consommation
Rapport qualité/prix
Valeur de revente

FJ CRUISER

www.toyota.ca

ÉVOLUTION

N · É
J

33 460 $
transport et préparation: 1560 $

LA COTE VERTE

MOTEUR
V6 DE 4,0 L

- **Consommation (100km):**
  man. 12,0 l
  auto. 11,1 l
- **Émissions polluantes CO$_2$:**
  man. 5152 kg/an
  auto. 5612 kg/an
- **Empreinte écologique (nombre d'arbres à planter par année):** 36
- **Indice d'octane:** 91
- **Autre motorisation:** non
- **Coût du carburant moyen par année:**
  man. 2733 $
  auto. 2509 $
- **Nombre de litres par année:**
  man. 2440 l
  auto. 2240 l

(SOURCE: ÉnerGuide)

① FICHE D'IDENTITÉ

- **Version** unique
- **Roues motrices** 4
- **Portières** 2 **Nombre de passagers** 5
- **Première génération** 2007
- **Génération actuelle** 2007
- **Construction** Hamura, Japon
- **Sacs gonflables** 6
  (frontaux, latéraux avant, rideaux latéraux)
- **Concurrence** Jeep Wrangler, Land Rover LR2

② AU QUOTIDIEN

- **Prime d'assurance**
  25 ans: 2400 à 2600 $
  40 ans: 1200 à 1400 $
  60 ans: 1000 à 1200 $
- **Collision frontale** 4/5
- **Collision latérale** 5/5
- **Ventes du modèle de l'an dernier**
  Au Québec 226 **Au Canada** 899
- **Dépréciation** 47,0%
- **Rappels** (2005 à 2011)
- **Cote de fiabilité** 4/5

③ GARANTIES... ET PLUS

- **Garantie générale** 3 ans/60 000 km
- **Garantie motopropulseur** 5 ans/100 000 km
- **Perforation** 5 ans/ kilométrage illimité
- **Assistance routière** 3 ans/60 000 km
- **Nombre de concessionnaires**
  Au Québec 68 **Au Canada** 243

④ NOUVEAUTÉS EN 2011

- Système audio de base inclut la technologie Bluetooth,
- Une nouvelle couleur.

LA VRAIE AFFAIRE

PAR PHILIPPE LAGUË

DANS LES ANNÉES 50 ET 60, LE TOYOTA LAND CRUISER ÉTAIT L'ÉQUIVALENT JAPONAIS DU JEEP AMÉRICAIN. Au fil des ans, cet authentique 4 x 4 s'est taillé une réputation enviable grâce à sa robustesse conjuguée à la légendaire fiabilité des Toyota. Ces dernières années, sa vocation a cependant changé, et le tout-terrain est devenu un VUS, au grand dam des purs et durs. Ceux-ci attendaient le FJ Cruiser de pied ferme.

[CARROSSERIE] La carrosserie du FJ Cruiser déclenche des réactions pour le moins polarisées : on adore ou on déteste. Bon, les goûts ne se discutent pas; mais ce qui est plus concret, c'est la piètre visibilité en raison de l'énorme pilier B et du pilier C, encore plus large. La petitesse des vitres n'aide en rien. Ce gros machin carré est par ailleurs sensible au vent latéral.

[HABITACLE] La présentation intérieure risque de provoquer des réactions tout aussi extrêmes. Cette fois, par contre, il n'y a pas eu de sacrifices au nom du design : encore une fois, on aime ou pas, mais c'est bien pensé sur toute la ligne.

Dommage qu'il y ait autant de plastique mais au moins, la qualité d'assemblage est irréprochable. L'ergonomie ne montre aucune faille, et on apprécie particulièrement les énormes boutons et mollettes, tous bien placés et faciles à manipuler. Une boussole au tableau de bord annonce par ailleurs les couleurs de ce 4 x 4. L'habitacle est vaste, aéré et fort bien insonorisé, ce qui constitue une agréable surprise étant donné la vocation résolument utilitaire du FJ Cruiser. Dans la même veine, les sièges avant sont très confortables et proposent un bon maintien latéral et un bon soutien lombaire. L'accès aux places arrière implique quelques contorsions, malgré la présence de portes inversées. Le dégagement pour les jambes est plutôt restreint, ce qui étonne dans un si gros véhicule. Par contre, en hauteur comme en largeur, l'espace ne manque pas, et ce, à l'avant comme à l'arrière. Le compartiment à bagages est tout aussi vaste et muni de nombreux crochets. Hélas, la grande porte arrière s'ouvre latéralement, ce qui n'est jamais évident en ville. De toute façon, le FJ Cruiser n'est pas un citadin.

FORCES · Habitacle bien conçu · Confort et insonorisation étonnants · Bonne mécanique · Réelles capacités hors route · Solidité · Fiabilité

FAIBLESSES · Visibilité médiocre · Sensible au vent · Peu d'espace pour les jambes à l'arrière · Hayon arrière peu pratique · Consommation gargantuesque

FJ CRUISER

(5) FICHE TECHNIQUE

· MOTEUR
· V6 4,0 l DACT, 259 ch à 5600 tr/min
Couple 270 lb-pi à 4400 tr/min

Transmission manuelle à 6 rapports,
automatique à 5 rapports (en option)

0-100 km/h 8,1 s

Vitesse maximale 185 km/h

· AUTRES COMPOSANTES
Sécurité active freins ABS,
répartition électronique de force de freinage,
assistance au freinage, antipatinage,
contrôle de stabilité électronique

Suspension avant/arrière
indépendante, essieu rigide

Freins avant/arrière disques

Direction à crémaillère, assistée

Pneus P265/70R17 **option** P265/75R16

· DIMENSIONS
Empattement 2690 mm

Longueur 4670 mm

Largeur 1905 mm

Hauteur 1830 mm, 2007
(avec amortisseurs Bilstein en option)

Poids 1948 kg **auto.** 1967 kg

Diamètre de braquage 12,4 m

Coffre 790 l, 1890 l (sièges abaissés)

Réservoir de carburant 72 l

Capacité de remorquage 2268 kg

[MÉCANIQUE] Le V6 est un excellent moteur, souple, silencieux et fort comme un bœuf. De plus, ses performances sont étonnantes. Mais il les fait chèrement payer en consommant beaucoup, beaucoup de pétrole. Il faut dire que nous n'avons pas affaire à un poids léger, et ses formes peu aérodynamiques n'aident en rien. La boîte de vitesses automatique à 5 rapports travaille de façon exemplaire : son étagement est irréprochable, et les passages sont fluides. Une boîte manuelle à 6 rapports est offerte en équipement de série. Le freinage est puissant, et la direction, précise, mais son rayon de braquage est directement proportionnel au format du véhicule.

[COMPORTEMENT] Le FJ Cruiser n'a rien à voir avec ces VUS de salon qui pullulent sur nos routes : c'est un véritable tout-terrain, conçu pour aller jouer dans le bois. Tout y est : boîte de vitesses avec prise basse, un deuxième levier pour le mode 4 x 4 et des plaques de protection sous le véhicule. Les gros pneus durs font craindre le pire côté confort, mais l'excellent travail des trains roulants se traduit par une douceur de roulement surprenante. La tenue de route, elle, est correcte, sans surprise – ni bonne, ni mauvaise. Prévisible en tout temps. Le roulis est important, mais ce véhicule, après tout, n'est pas conçu pour la piste de course.

[CONCLUSION] Contrairement à bon nombre de VUS et aux véhicules multisegments qui essaient de les imiter, le FJ Cruiser n'est pas un imposteur. Lui, il est capable de s'aventurer hors route et de franchir des obstacles. C'est un dur, un

vrai; mais sous cette carapace se cache un cœur tendre, qui traite ses passagers avec beaucoup d'égards. Sa fiabilité est aussi sans reproche. Ce que vous sauvez en réparation, vous allez cependant le payer en carburant. Rien n'est parfait.

2ᵉ OPINION

DANIEL RUFIANGE Véritable Tonka des temps modernes, le FJ Cruiser est l'un des très rares produits Toyota porteurs d'émotions. En fait, tout passe par ce design rétro inspiré du Toyota FJ40 Land Cruiser des années 60. Chose certaine, même si le confort et la douceur de roulement sont deux éléments impressionnants de la conduite du FJ, le plaisir est inexistant au volant de ce véhicule ailleurs que dans des sentiers hors route. Alors là, vous découvrirez un véhicule passe-partout qui vous collera le sourire aux lèvres. Soyez avisés, toutefois: le FJ est glouton comme un lutteur Sumo. Si sa binette ne vous revient pas, vous pouvez toujours opter pour le tout nouveau 4Runner qui profite des mêmes assises que le FJ.

NOTRE VERDICT

Plaisir au volant	●●●●◖
Qualité de finition	⬡⬡⬡⬡⬡
Consommation	●◖
Rapport qualité/prix	●●●◖
Valeur de revente	⬡⬡⬡

HIGHLANDER

www.toyota.ca

ÉVOLUTION

32 950 $ à 54 775 $
transport et préparation: 1560 $

RAISON OU PASSION ?

PAR ALEXANDRE CRÉPAULT

DIS-MOI CE QUE TU CONDUIS, JE TE DIRAI QUI TU ES. SACHANT CELA, ON SAIT QUE LE CONDUCTEUR TYPE D'UN HIGHLANDER EST TOUT, SAUF ÉMOTIF.

[CARROSSERIE] Le style du Highlander n'a pas pour but de plaire. Il cherche plutôt à ne pas vexer. Voilà le compromis : pas de caractère, pas de malice non plus. La version hybride essaie de se démarquer avec une garde au sol plus basse, des phares bleuâtres et des roues de 17 pouces exclusives au modèle. Quel que soit le modèle, toutefois, le Highlander passera inaperçu. Toyota apporte quelques retouches de mi-parcours cette année.

[HABITACLE] Personnellement, l'habitacle du Highlander et Céline Dion me font le même effet, c'est-à-dire aucun. Dans un cas comme dans l'autre, cependant, je ne représente pas la majorité. Car en toute objectivité, le Highlander a tout pour plaire, et sans demi-mesure : espace, confort et aspect pratique. L'ensemble respire la qualité, quoique les matériaux de base n'aient rien de très impressionnants.

[MÉCANIQUE] Depuis l'an dernier, Toyota offre un modèle de base muni d'un 4-cylindres à traction, le même 2,7-litres qui motorise la Camry et le Venza. Ce Highlander est le seul à être équipé d'une boîte de vitesses automatique à 6 rapports. Les modèles V6, Sport et Limited utilisent, quant à eux, un moteur de 3,5 litres qui transmet 270 chevaux à un système de transmission intégrale par l'intermédiaire d'une boîte de vitesses automatique à 5 rapports. On trouve également un modèle à motorisation hybride qui combine un moteur V6 à essence de 3,5 litres à un moteur électrique. Ici, c'est une boîte CVT qui transmet la puissance aux quatre roues. Pareillement à la Prius, un mode EV permet de rouler à basse vitesse et sur une très courte distance sur le mode électrique seulement, et un mode ECO limite les révolutions du moteur ainsi que le climatiseur lors des accélérations.

[COMPORTEMENT] On vivra trois expériences différentes selon le moteur choisi. Le plus petit (187 chevaux) surprend par sa façon de déplacer les 1840 kilos du Highlander. Bien entendu, il ne

① FICHE D'IDENTITÉ

· **Versions** base, V6 4RM Sport et 4RM Limited, Hybride, Hybride Limited
· **Roues motrices** avant, 4
· **Portières** 5 **Nombre de passagers** 5 ou 7
· **Première génération** 2001
· **Génération actuelle** 2008
· **Construction** Georgetown, Kentuky, É.-U.
· **Sacs gonflables** 6
(frontaux, latéraux avant, rideaux latéraux)
· **Concurrence** Ford Flex, GMC Acadia, Honda Pilot, Hyundai Santa Fe, Nissan Murano, Subaru Tribeca

② AU QUOTIDIEN

· **Prime d'assurance**
25 ans: 1700 à 1900 $
40 ans: 1200 à 1400 $
60 ans: 1000 à 1200 $
· **Collision frontale** 4/5
· **Collision latérale** 5/5
· **Ventes du modèle de l'an dernier**
Au Québec 676 **Au Canada** 4831
· **Dépréciation** 48,6 %
· **Rappels** (2005 à 2010) 5
· **Cote de fiabilité** 4/5

③ GARANTIES... ET PLUS

· **Garantie générale** 3 ans/60 000 km
· **Garantie motopropulseur** 5 ans/100 000 km
· **Perforation** 5 ans/ kilométrage illimité
· **Assistance routière** 3 ans/60 000 km
· **Nombre de concessionnaires**
Au Québec 68 **Au Canada** 243

④ NOUVEAUTÉS EN 2011

· Retouches extérieures à l'avant et à l'arrière
· Groupe d'équipement inédits pour 4 et 6 cylindres
· Troisième banquette rabattable 50/50
· Moteur V6 3.5 avec version hybride

FORCES · Bon choix de motorisations · Prix de base

FAIBLESSES · Matériaux de base · Manque de passion · Prix une fois équipée

faut pas trop lui en demander; les grandes côtes ou les cargaisons excessives affecteront ses performances. Je ne voterais pas pour lui non plus en situation de remorquage, même si sa fiche technique indique une impressionnante capacité maximale de 1587 kilos. Soulignons aussi la consommation de carburant hyper raisonnable du modèle de base. Les modèles équipés du V6 ont beaucoup plus de cœur au ventre. En conduite normale, ils se déplacent avec la souplesse d'une ballerine. Les changements de rapports s'effectuent en douceur, dans le calme presque absolu de l'habitacle. Ça plaira à ceux qui aiment prendre leur temps, car le Highlander n'aime pas se faire pousser dans le dos. Si l'on devient agressif avec le V6, l'homogénéité quasi parfaite du véhicule disparaît. Le modèle hybride, à l'instar de la Prius, n'émet aucune sonorité lors de la mise à feu. C'est idiot, mais on se demande systématiquement si la voiture est en marche. Une fois qu'on écrase le champignon, cependant, aucun doute possible. Le couple du moteur électrique catapulte le bolide vers les 100 km/h en moins de huit secondes. À ma grande surprise, la consommation de carburant s'est montrée élevée, selon l'usage qu'on fait de la version hybride. Si la façon dont la puissance qui est livrée au sol diffère d'un Highlander à l'autre, le comportement est identique dans toute la famille : douceur et souplesse font du Highlander un véhicule docile et facile à manœuvrer. Sauf qu'on n'éprouve aucun plaisir à le conduire. La communication entre la route et le pilote se révèle aussi inefficace qu'entre les bureaux de Revenu Québec.

[CONCLUSION] Le Highlander est un excellent véhicule. Seulement il n'a aucune personnalité. Il convient aux conducteurs 100 % rationnels menés par la logique. De l'espace à revendre, un choix judicieux de motorisations, mais un style impersonnel, passe-partout.

2ᵉ OPINION

MICHEL CRÉPAULT Un peu de cosmétique devant et derrière a quelque peu personnalisé cet utilitaire maquillé en multisegment (maman, je ne sais plus !) dont la bouille donne dans le très prudent. Pas de faux pas chez Toyota (compte tenu de leurs récents déboires, c'est sans doute une bonne idée). Pour tout dire, le Highlander ne cache pas ses liens serrés avec la Camry. Aussi excitant. Mais avouons que la versatilité de ses sept places et son confort général ont de quoi rassurer et rendre service. Qui se soucie du roulis quand on cultive la sérénité à bord ? Toyota continue de peaufiner la version hybride qui vient corriger la gloutonnerie du V6 traditionnel. Il reste toutefois à s'habituer aux dialogues essence-électricité qui surgissent inopinément et au chant parfois fatigant de la boîte CVT.

⑤ FICHE TECHNIQUE

· MOTEURS

· (base)
L4 2,7 l DACT, 187 ch à 5800 tr/min
Couple 182 lb-pi à 4200 tr/min
Transmission automatique à 6 rapports avec mode manuel
0-100 km/h 10,0 s
Vitesse maximale 190 km/h
Consommation (100 km) 9,0 l (octane 87)

· (V6)
V6 3,5 l DACT, 270 ch à 6200 tr/min
Couple 248 lb-pi à 4700 tr/min
Transmission automatique à 5 rapports avec mode manuel
0-100 km/h 8,0 s
Vitesse maximale 200 km/h
Consommation (100 km) 10,6 l (octane 87)

· (Hybride)
V6 3,5 l DACT + moteur électrique, 295 ch à 6200 tr/min
Couple 212 lb-pi à 3600 tr/min
Transmission automatique à variation continue
0-100 km/h 7,5 s
Vitesse maximale 185 km/h

· AUTRES COMPOSANTES

Sécurité active freins ABS, répartition électronique de force de freinage, assistance au freinage, antipatinage, contrôle de stabilité électronique
Suspension avant/arrière indépendante
Freins avant/arrière disques
Direction à crémaillère, assistée
Pneus L4 P245/55R19, **V6** P245/50R20

· DIMENSIONS

Empattement 2790 mm
Longueur 4785 mm
Largeur 1910 mm
Hauteur 1760 mm
Poids base 1840 kg, **V6** 1935 kg **Hybride** 2045 kg
Diamètre de braquage 11,8 m **Hybride** 11,9 m
Coffre 290 l, 2700 l
Hybride 2660 l (sièges abaissés)
Réservoir de carburant 72,5 l **Hybride** 65 l
Capacité de remorquage base/Hybride 1587 kg
V6 2268 kg

NOS MENTIONS

☺ Modèle recommandé

🍃 Le choix vert (hybride)

NOTRE VERDICT

Plaisir au volant	●●●●○○
Qualité de finition	●●●●●●
Consommation	●●●●○○
Rapport qualité/prix	●●●●○○
Valeur de revente	●●●●◐○

modèle 2010

MATRIX

www.toyota.ca

ÉVOLUTION N É J

18 055 à 29 215 $
transport et préparation: 1390 $

LA COTE VERTE

AVEC MOTEUR L4 DE 1,8 L

- **Consommation (100km):**
  man. 7,0 l
  auto. 7,2 l
- **Émissions polluantes CO_2 :**
  man. 3266 kg/an
  auto. 3312 kg/an
- **Empreinte écologique (nombre d'arbres à planter par année):** 20
- **Indice d'octane:** 87
- **Autre motorisation:** non
- **Coût du carburant moyen par année:**
  man. 1420 $
  auto. 1440 $
- **Nombre de litres par année:**
  man. 1420 l
  auto. 1440 l

(SOURCE: ÉnerGuide)

 FICHE D'IDENTITÉ

- **Versions** base, XR, 4RM, XRS,
- **Roues motrices** avant, 4
- **Portières** 5 **Nombre de passagers** 5
- **Première génération** 2003
- **Génération actuelle** 2009
- **Construction** Cambridge, Ontario, Canada
- **Sacs gonflables** 6, frontaux, latéraux et rideaux latéraux
- **Concurrence** Chevrolet HHR, Dodge Caliber, Ford Focus, Mazda3 Sport, Pontiac Vibe, Subaru Impreza, Suzuki SX4, Volkswagen Golf

 AU QUOTIDIEN

- **Prime d'assurance**
  25 ans : 1600 à 1800 $
  40 ans : 900 à 1100 $
  60 ans : 700 à 900 $
- **Collision frontale** 5/5
- **Collision latérale** 4/5
- **Ventes du modèle de l'an dernier**
  Au Québec 7797 **Au Canada** 22 526
- **Dépréciation** 37,3 %
- **Rappels** (2005 à 2010) 3
- **Cote de fiabilité** 4/5

 GARANTIES... ET PLUS

- **Garantie générale** 3 ans/60 000 km
- **Garantie motopropulseur** 5 ans/100 000 km
- **Perforation** 5 ans/ kilométrage illimité
- **Assistance routière** 3 ans/60 000 km
- **Nombre de concessionnaires**
  Au Québec 68 **Au Canada** 243

 NOUVEAUTÉS EN 2011

- Aucun changement majeur

---

50 / 50

PAR ALEXANDRE CRÉPAULT

LA TOYOTA MATRIX FAIT PARTIE DE CES VOITURES QUE JE PLACE TRÈS HAUT SUR MA LISTE « À SUGGÉRER ». Elle n'est pas parfaite. Vous constaterez même en lisant que le contre est aussi important que le pour. Toutefois, sans vouloir dévoiler le punch de ma conclusion, à la fin de la journée, on en reprendrait, de ce cocktail qui fait du sens.

[CARROSSERIE] La Matrix est née bien avant que le concept de véhicule multisegment n'explose. Pourtant, cette petite compacte montre autant des airs d'utilitaire passé au rouleau compresseur que des airs d'une familiale compacte. Chose certaine, depuis sa refonte, en 2009, sa silhouette est plus facile à digérer.

[HABITACLE] C'est fou ce que la Matrix balance entre le pour et le contre ! Par exemple, la position de conduite est surélevée, procurant ainsi une bonne visibilité par le pare-brise. Cependant, la lunette, trop petite, limite le champ de vision dans les manœuvres à reculons. Les sièges sont bien rembourrés et confortables. Par contre, pas

de soutien lombaire. Les matériaux, comme le tissu des sièges et le plastique du tableau de bord, sont de bonne qualité, mais le morceau de plastique massif peint en argent recouvrant la console centrale n'est pas à la hauteur de nos attentes. La Matrix se fait généreuse dans son espace pour le conducteur et son passager, tant pour les jambes que la tête. À l'arrière, toutefois, elle a grugé du dégagement, et deux adultes s'y tiendront un peu juste. Quant au coffre à hayon, sa capacité de chargement est honnête, surtout quand on rabat la banquette arrière. Mais le fini de son plancher... Le plastique le transforme en véritable patinoire pour les objets qui s'y trouvent. Comme je vous le disais, c'est vraiment du 50/50.

[MÉCANIQUE] La Matrix peut accueillir soit un moteur à 4 cylindres de 1,8 litre à 16 soupapes, ou un plus gros 4-cylindres de 2,4 litres. Une boîte de vitesses manuelle à 5 rapports, transmettant la puissance aux roues avant, accompagnera de série le 1,8-litre. Toyota vous offre également une boîte automatique à 4 rapports pour environ 1000 $ de plus. Le 2,4-litres, lui, fonctionnera

---

FORCES · Position de conduite · Espace intérieur · 4 roues motrices

FAIBLESSES · 4 roues motrices : prix et consommation
· Place arrière un peu juste · Certains finis intérieurs

pratique, confortable et économique. Sans oublier la qualité, presque irréprochable, de Toyota.

avec 2 ou 4 roues motrices, au choix. Les modèles à traction (XR et XRS) proposent encore la manuelle et l'automatique à 5 rapports. Quant à la version à transmission intégrale, elle ne comprend que l'automatique à 4 rapports.

[COMPORTEMENT] La Matrix se conduit comme une petite voiture. Assez agile, elle se faufile aisément dans les petits espaces et se conduit du bout des doigts. La direction est d'ailleurs assez légère, mais communique tout de même les informations de la route au conducteur. Les freins font du bon travail, même s'ils sont rarement mis à l'épreuve. Surtout sur la version de base qui, malgré le vacarme de sa mécanique, n'est pas prompte à déplacer ses 1290 kilos. Les modèles équipés du 4-cylindres de 2,4 litres ont un peu plus de cœur au ventre, mais émettent également des bruits parasites qui envahissent l'habitacle. Ceux qui se laisseront séduire par la version à 4 roues motrices en apprécieront les bienfaits dans la neige. Par contre, ils devront accepter une diminution des performances, en raison du poids supérieur de la voiture, et une consommation pouvant être prise en grippe. Comme c'est souvent le cas sur les Toyota, le système d'antipatinage à l'accélération se révèle un peu trop sensible et intrusif à mon goût. Au moins, il est possible de le désactiver complètement.

[CONCLUSION] Il est évident que Toyota pourrait améliorer la Matrix. Il ne faut pas tourner le dos à cette voiture pour autant. Pour le prix (attention, on parle des modèles de base), elle est

2ᵉ OPINION

MICHEL CRÉPAULT La Matrix veut séduire les jeunes familles. Sa fourchette de prix abordable, son choix de moteurs, de boîtes de vitesses et même de transmissions ainsi que son espace relativement confortable pour cinq personnes lui confèrent une position intéressante quand vient le temps de magasiner le mode de transport qui comblera parents et enfants. J'aime la propension de l'actuelle génération à proposer un extérieur et un intérieur d'allure sportive. Comme si Toyota prenait à cœur de rendre amusante cette période d'une vie où les nouvelles responsabilités s'empilent. Et, de fait, la coque sculptée, l'aileron, le recouvrement coquin des sièges fermes concourent à pimenter le quotidien. Cela dit, la tenue de route, elle, profiterait d'un changement d'épices. Par exemple, je supprimerais l'automatique à 4 rapports et je resserrerais la suspension dans les coins.

(5) FICHE TECHNIQUE

MOTEURS
(BASE)
L4 1,8 l DACT, 132 ch à 6000 tr/min
Couple 128 lb-pi à 4400 tr/min
Transmission manuelle à 5 rapports, automatique à 4 rapports (option)
0-100 km/h 10,5 s
Vitesse maximale 185 km/h

(XR, 4RM, XRS)
L4 2,4 l DACT, 158 ch à 6000 tr/min
Couple 162 lb-pi à 4000 tr/min
Transmission manuelle à 5 rapports, automatique à 5 rapports avec mode manuel (option), automatique à 4 rapports (4RM)
0-100 km/h 9,8 s
Vitesse maximale 200 km/h
Consommation (100 km) **man.** 8,4 l **auto.** 8,3 l **4RM** 9,0 l (octane 87)
Émissions de CO_2 **man.** 3910 kg/an **auto.** 3864 kg/an **4RM** 4186 kg/an
Litres par année man. 1700 l **autom.** 1680 l **4RM** 1820 l
Coût par an man. 1904 $ **auto.** 1808 $ **4RM** 2040 $
Autre motorisation non
Empreinte écologique 25 arbres

AUTRES COMPOSANTES
Sécurité active freins ABS, assistance au freinage, répartition électronique de la force de freinage, contrôle de stabilité (option sur version de base), antipatinage
Suspension avant/arrière indépendante
Freins avant/arrière disques
Direction à crémaillère, assistée
Pneus P205/55R16, option XR, option 4RM P215/45R17, XRS P215/45R18

DIMENSIONS
Empattement 2600 mm
Longueur 4365 mm **XRS** 4395 mm
Largeur 1765 mm
Hauteur 1550 mm **4RM/XRS** 1560 m
Poids base man. 1290 kg **4RM** 1485 kg **XRS man.** 1395 kg
Diamètre de braquage base/XR 11,0 m **4RM** 11,2 m **XRS** 11,6 m
Coffre 569 l, 1399 l (sièges abaissés)
Réservoir de carburant 50 l
Capacité de remorquage 680 kg

NOS MENTIONS

🍃 Le choix vert

☺ Modèle recommandé

NOTRE VERDICT

Plaisir au volant	●●●●○
Qualité de finition	●●●●○
Consommation	●●●○○
Rapport qualité/prix	●●●○○
Valeur de revente	●●●○○

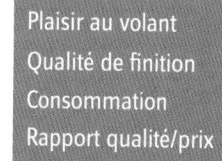

PRIUS

www.toyota.ca

27 500 $ à 36 656 $
transport et préparation: 1490 $

LA COTE VERTE

MOTEUR
L4 DE 1,8 L HYBRIDE

· **Consommation**
(100km): 3,9 l
· **Émissions**
polluantes CO₂ :
1748 kg/an
· **Empreinte écologique**
(nombre d'arbres à
planter par année): 11
· **Indice d'octane:** 87
· **Autre**
motorisation: non
· **Coût du carburant**
moyen par année:
760 $
· **Nombre de**
litres par année:
760 l

(SOURCE: ÉnerGuide)

① FICHE D'IDENTITÉ

· **Versions** Base, Haut de gamme,
Touring, Technologie
· **Roues motrices** avant
· **Portières** 5 **Nombre de Passagers** 5
· **Première génération** 2000
· **Génération actuelle** 2010
· **Construction** Toyota City, Japon
· **Sacs gonflables** 8 frontaux,
sièges latéraux, rideaux.
· **Concurrence,** Ford Fusion Hybride, Honda Civic
Hybride, Honda CRZ, Nissan Altima Hybride,
Toyota Camry Hybride

② AU QUOTIDIEN

· **Prime d'assurance**
25 ans : 1800 à 2000 $
40 ans : 1000 à 1200 $
60 ans : 800 à 1000 $
· **Collision frontale** 4/5
· **Collision latérale** 4/5
· **Ventes du modèle de l'an dernier**
Au Québec 815 **Au Canada** 4610
· **Dépréciation** 43,6 %
· **Rappels** (2005 à 2010) 3
· **Cote de fiabilité** 5/5

③ GARANTIES... ET PLUS

· **Garantie générale** 3 ans/60 000 km
· **Garantie motopropulseur** 5 ans/100 000 km
· **Perforation** 5 ans/kilométrage illimité
· **Assistance routière** 3 ans/60 000 km
· **Nombre de concessionnaires**
Au Québec 68 **Au Canada** 243

④ NOUVEAUTÉS EN 2011

· Aucun changement majeur

ENCORE PLUS PROPRE

PAR ALEXANDRE CRÉPAULT

**AUCUN DOUTE, TOYOTA EST L'INSTIGATRICE DE
LA VOITURE HYBRIDE AVEC SA PRIUS.** Et malgré
une concurrence de plus en plus sérieuse, elle
demeure le chef de file dans son segment.

[CARROSSERIE] En dessinant la nouvelle Prius,
les ingénieurs de Toyota n'avaient qu'une idée
en tête : produire le meilleur coefficient aérodynamique possible. Rien n'a été laissé au hasard.
La forme et le dessous de la voiture, le design
des roues et, même, l'intérieur des ailes ont été
sculptés de façon à trancher l'air comme le
sabre d'un samouraï. La Prius a passé plus
d'heures dans une soufflerie aérodynamique
que n'importe quelle autre Toyota, et le résultat
est là : rien de moins qu'un coefficient de 0,25, le
plus bas du monde pour une voiture de
production de masse.

[HABITACLE] Un mélange d'amertume et de
nouveauté. Ce sont les premiers sentiments
que suscite l'habitacle. D'un côté la forme de
la planche de bord est futuriste. De l'autre,
les matériaux font bon marché. Le sélecteur

de vitesses est un peu dérisoire, et il peut être
difficile de lire les données du tableau de bord.
Quant aux sièges... quel maintien? Par contre, c'est vert. Plus vert qu'Al Gore. Plusieurs
morceaux de plastique peuvent se targuer d'être
écologiques, ayant été moulés par injection à
base de plantes. Les panneaux solaires, en option, permettent de rafraîchir l'habitacle sans
que le moteur n'ait à tourner. Le climatiseur
fonctionne strictement sur la puissance de la
batterie; il ne sollicite donc pas la mécanique non
plus. Plusieurs accessoires au goût du jour sont
compris parmi les quatre ensembles d'options
offerts, dont le régulateur de vitesse avec radar,
le GPS et la chaîne audio de marque JBL.

[MOTORISATION] Actuellement, la Prius
affiche la meilleure consommation de carburant en Amérique du Nord. Voilà ! Je viens de
révéler l'argumentaire de vente de mon vendeur
local. Grâce à son petit moteur de 1,8 litre de
98 chevaux jumelé à un moteur électrique de
80 chevaux, pour une puissance combinée de
134 chevaux, la Prius peut (sur le papier) garder

PLUS · Consommation de carburant · Puissance raisonnable
· Espace intérieur décent

MOINS · Bruits parasites · Manque de sensation dans le volant
· Freins difficiles à moduler

une consommation moyenne de 3,9 litres aux 100 kilomètres. Pour obtenir de si bons résultats, Toyota innove sur le plan technique : absence de courroies, pompe à eau électrique, système de démarrage/arrêt automatique du moteur, etc. Le tout couplé à une boîte CVT qui envoie toute sa puissance aux roues avant.

[COMPORTEMENT] Il faut s'habituer à la conduite de la Prius. Pour commencer, éliminons de l'équation la notion de performance et acceptons l'idée qu'on veut à tout prix diminuer sa consommation de carburant. On démarre la voiture, qui n'émet pas la moindre sonorité (sauf un petit « bib » que vous n'entendrez probablement pas). Toyota nous donne le choix de trois modes de conduite : EV, ECO, POWER. Pour rouler dans le trafic de Montréal, le mode POWER s'impose. Le mode ECO limite trop l'accélération de la voiture, et le mode EV (100 % électrique) peut intervenir seulement sous les 48 km/h. On appuie doucement sur l'accélérateur. Les premiers tours de roues se font dans un silence complet. On enfonce un peu plus, en quête de puissance, et le moteur à essence prend la relève. Bien que ce dernier mène tout un vacarme, l'indicateur de vitesse prend un saint temps à grimper. Vient le temps de tourner. Encore une fois, il faut s'habituer. Le volant, imperméable à toute sensation, rend les manœuvres un peu plus délicates, surtout dans les virages à plus haute vitesse. Vient le temps de freiner. Après une semaine d'essai, j'ai encore du mal à moduler les freins. Si personne ne tient un café à la main, personne ne sera en danger. Vous subirez un léger inconfort, c'est tout.

[CONCLUSION] Rendons à César ce qui est à César. La Prius est relativement belle, aérodynamique, spacieuse, confortable et consomme au compte-gouttes. Par-dessus le marché, elle se conduit assez bien pour être considérée comme une voiture « normale ». Si l'envie et le besoin vous démangent de vous afficher comme un citoyen faisant sa part pour l'environnement, et si la consommation de carburant est un point essentiel dans vos critères d'achat, la Prius est assurément pour vous.

2ᵉ OPINION

MICHEL CRÉPAULT Pendant que les stratégies pour consommer moins se multiplient comme autant de bonnes nouvelles, la Prius poursuit sa tranquille domination. La troisième génération honore sa mission écolo en misant, entre autres, sur un aérodynamisme ahurissant (Cx de 0,25), un moteur plus puissant sans être plus vorace et des gadgets dernier cri (comme la ventilation à capteurs solaires). Surtout, en 10 ans d'existence, la Prius communique enfin un relatif plaisir au volant. Disons en tous les cas qu'on frôle la normalité... De toute façon, l'heureux proprio intéressé à obtenir la bienheureuse cote de consommation promise par Toyota devra s'engager à modifier son style de conduite et, donc, se préparer à subir les klaxons et autres impatiences d'une poignée de citoyens pour qui l'éthique écologique est une maladie honteuse.

⑤ FICHE TECHNIQUE

· MOTEUR

· L4 1,8 l cycle Atkinson DACT + moteur électrique, 134 ch
Couple 105 lb-pi à 4000 tr/min
(puissance et couple totaux)

Transmission automatique à variation continue	
0-100 km/h 10,3 s	
Vitesse maximale 185 km/h	

· AUTRES COMPOSANTES

Sécurité active freins ABS, distribution électronique de force de freinage, assistance au freinage, antipatinage et contrôle de stabilité électronique (en option)
Suspension avant/arrière indépendante / semi-indépendante
Freins avant/arrière disques
Direction à crémaillère, assistée
Pneus P195/65R15 **option** P215/45R17

· DIMENSIONS

Empattement 2700 mm	
Longueur 4460 mm	
Largeur 1745 mm	
Hauteur 1480 mm	
Poids 1380 kg	
Diamètre de braquage 10,4 m	
Coffre 445 l	
Réservoir de carburant 45 l	

NOS MENTIONS

 Le choix vert

 Modèle recommandé

NOTRE VERDICT

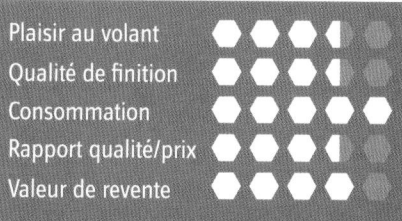

Plaisir au volant	●●●●○
Qualité de finition	○○○○○
Consommation	●●●●●
Rapport qualité/prix	●●●○○
Valeur de revente	●●●●○

RAV4

www.toyota.ca

LA COTE VERTE

MOTEUR
L4 DE 2,5 L

- **Consommation (100km):**
2RM 8,2 l
4RM 8,5 l
- **Émissions polluantes CO_2:**
2RM 3818 kg/an
4RM 3956 kg/an
- **Empreinte écologique (nombre d'arbres à planter par année):** 25
- **Indice d'octane:** 87
- **Autre motorisation:** non
- **Coût du carburant moyen par année:**
2RM 1660 $
4RM 1720 $
- **Nombre de litres par année:**
2RM 1660 l
4RM 1720 $

(SOURCE: ÉnerGuide)

① FICHE D'IDENTITÉ

- **Versions** L4,V6 Base, Sport, Limited
- **Roues motrices** 4
- **Portières** 5 **Nombre de passagers** 5
- **Première génération** 1997
- **Génération actuelle** 2006
- **Construction** Woodstock, Ontario, Canada
- **Sacs gonflables** 6, frontaux, (latéraux avant et rideaux latéraux en option sur Limited V6)
- **Concurrence** Chevrolet Equinox, Ford Escape, Honda CR-V, Hyundai Tucson, Kia Sportage, Jeep Patriot/Liberty, Mazda CX-7, Mitsubishi Outlander, Nissan Rogue, Subaru Forester, Suzuki Grand Vitara

② AU QUOTIDIEN

- **Prime d'assurance**
25 ans: 1500 à 1700 $
40 ans: 1100 à 1300 $
60 ans: 900 à 1100 $
- **Collision frontale** 5/5
- **Collision latérale** 5/5
- **Ventes du modèle de l'an dernier**
Au Québec 5065 Au Canada 25 784
- **Dépréciation** 37,9%
- **Rappels** (2005 à 2010) 1
- **Cote de fiabilité** 5/5

③ GARANTIES... ET PLUS

- **Garantie générale** 3 ans/60 000 km
- **Garantie motopropulseur** 5 ans/100 000 km
- **Perforation** 5 ans/kilométrage illimité
- **Assistance routière** 3 ans/60 000 km
- **Nombre de concessionnaires**
Au Québec 68 Au Canada 243

④ NOUVEAUTÉS EN 2011

- Modèle V6 2 roues motrices retiré

COMME LE BON VIN

PAR DANIEL RUFIANGE

VOILÀ DÉJÀ CINQ ANS QUE TOYOTA NOUS PROPOSE LE RAV4 DANS SA CONFIGURATION ACTUELLE. On pourrait s'attendre à ce que des véhicules plus récents offerts par la concurrence lui soient supérieurs, mais non, le RAV4 continue de tenir le haut du pavé, tout simplement parce qu'il fait tout bien, à quelques exceptions près. À l'approche d'une nouvelle génération, Toyota n'a qu'à se concentrer à le rendre meilleur pour assurer son hégémonie.

[CARROSSERIE] En règle générale, les produits Toyota présentent des designs soporifiques, sans saveur et sans véritable caractère, une tendance stylistique gênante pour la haute direction qui tente d'ailleurs de remédier à la situation. Parmi toute la gamme de modèles Toyota, le RAV4 est probablement celui dont on pourrait s'inspirer le plus pour insuffler de la personnalité aux autres modèles. En comptant toutes les combinaisons possibles, ce sont 9 versions différentes du RAV4 qui vous sont offertes, allant du simple modèle de base à deux roues motrices et à moteur à 4 cylindres, à la version Limited à moteur V6 et à transmission intégrale. Disons qu'il y en a pour tous les goûts, tous les besoins et, surtout, toutes les bourses. Un conseil ici : dans les petits pots, les meilleurs onguents.

[HABITACLE] On ne se mentira pas, l'habitacle du RAV4 n'a rien d'extraordinaire. Même que la qualité des matériaux laisse à désirer. Heureusement, la qualité de leur assemblage est sans reproche. L'habitacle est axé sur la fonctionnalité, et c'est exactement ce que tout propriétaire souhaite. La présentation est jolie, le conducteur jouit d'une bonne position de conduite, et le confort des sièges est adéquat. Les places arrière sont assez accueillantes, et, une fois les banquettes rabattues, il est possible d'entasser jusqu'à 2074 litres de matériel; ça place le RAV4 avantageusement dans le segment. Une troisième banquette est offerte en option, mais elle jette de la poudre aux yeux. Pour ceux dont les 6e et 7e places sont une nécessité, vous devriez considérer un véhicule de plus gros gabarit.

FORCES · Il vieillit très bien · Design sympathique · Moteur V6 intéressant · Fiabilité

FAIBLESSES · Direction imprécise et trop assistée · Qualité générale des matériaux de l'habitacle · Présence d'une boîte automatique à 4 rapports

[MÉCANIQUE] Quiconque a la chance de conduire une version équipée du moteur V6 sort comblé de son expérience. Ce moteur possède beaucoup de souffle, et on se surprend à le solliciter sans retenue. Par contre, à moins d'avoir à tirer des charges, le moteur à 4 cylindres se veut le choix le plus logique, surtout qu'il livre une puissance bien adéquate pour mouvoir le RAV4. La déception en matière de mécanique a trait aux boîtes de vitesses. D'abord, aucune boîte manuelle n'est proposée. Ensuite, une boîte automatique à 4 rapports seulement est offerte avec le moteur à 4 cylindres. Il me semble que, en 2011, une boîte automatique ne devrait jamais compter moins de 5 rapports, idéalement 6. Après tout, les constructeurs ne travaillent-ils pas à réduire la consommation de carburant de leurs véhicules ? Élément auquel contribue grandement l'ajout d'un ou de deux rapports sur une boîte de vitesses.

[COMPORTEMENT] Le comportement routier du RAV4 n'a rien d'excitant, ni de trop décevant non plus. On note une bonne tenue de cap et une bonne tenue de route, résultat d'une caisse qui réagit bien quand elle est mise à l'épreuve. La suspension profiterait de plus de fermeté, surtout quand on s'énerve au volant d'une version à moteur V6. Néanmoins, on apprécie le RAV4 pour sa douceur de roulement. L'irritant principal vient de la direction qui manque de précision et se montre peu communicative. Côté consommation, une moyenne de 8,8 litres aux

100 kilomètres m'a semblé très raisonnable lors de mon essai.

[CONCLUSION] Le segment des utilitaires compacts est l'un des plus populaires de l'industrie. Jetez un regard dans la page de gauche et comptez le nombre de concurrents; vous en serez convaincu. Malgré son âge relatif, le RAV4 est encore dans le coup et agit même comme chef de file dans la catégorie. Toyota possède un joyau entre ses mains. Souhaitons qu'elle ne l'américanise pas trop lors de la prochaine refonte.

2ᵉ OPINION

MICHEL CRÉPAULT Cet utilitaire compact, aux panneaux simplistes mais totalisant une silhouette très équilibrée, ce VUS fabriqué au Canada qui donne envie à bien du monde (et pas juste aux garçons!) de jouer avec un petit camion, continue d'épater grâce à son confort (le meilleur empattement de sa niche), l'ergonomie de ses commandes et la vélocité de son V6. On lui reprochera du bout des lèvres l'épaisseur des piliers arrière qui gênent la visibilité et le fait que Toyota tarde à ajouter un 5ᵉ rapport à la boîte automatique qui accompagne le 4-cylindres. Le V6, lui, a droit à ces 5 rapports. J'apprécie le fait que la banquette arrière soit réglable de manière à améliorer le confort de ses occupants, mais, en revanche, une 3e banquette me semble superflue pour un VUS de ce gabarit. Dans les faits, méfiez-vous des coûteuses options.

⑤ FICHE TECHNIQUE

· MOTEURS

· (base, Sport, Limited)
L4 2,5 l DACT, 179 ch à 6000 tr/min
Couple 172 lb-pi à 4000 tr/min
Transmission automatique à 4 rapports
0-100 km/h 9,9 s
Vitesse maximale 180 km/h

· (V6, LIMITED V6, SPORT V6)
V6 3,5 l DACT, 269 ch à 6200 tr/min
Couple 246 lb-pi à 4700 tr/min
Transmission automatique à 5 rapports
0-100 km/h 7,7 s
Vitesse maximale 210 km/h
Consommation (100 km)
2RM 9,1 l **4RM** 9,4 l (octane 87)
Émissions de CO₂
2RM 4232 kg/an **4RM** 4416 kg/an
Litres par année 2RM 1840 l **4RM** 1920 l
Coût par an 2RM 1840 $ **4RM** 1920 $
Empreinte écologique 27 arbres

· AUTRES COMPOSANTES

Sécurité active freins ABS, répartition électronique de force de freinage, assistance au freinage, antipatinage, contrôle de stabilité électronique, assistance au démarrage en pente, assistance en descente
Suspension avant/arrière indépendante
Freins avant/arrière disques
Direction à crémaillère, assistée
Pneus base 2RM P215/70R16
base 4RM/Limited P225/65R17 **Sport** P235/55R18

· DIMENSIONS

Empattement 2660 mm
Longueur 4620 mm
Largeur 1815 mm **Sport/Limited** 1855 mm
Hauteur 1685 mm **Sport/Limited** 1745 mm
Poids 2RM : base 1524 kg **Limited** 1560 kg
4RM : base 1579 kg
V6 : 1658 kg, **Limited** 1668 kg, **Sport** 1672 kg
Diamètre de braquage L4 11,4 m **V6** 12 m
Coffre 1015 l, 2074 l (sièges abaissés), 338 l (avec banquette de 3e rangée)
Réservoir de carburant 60 l
Capacité de remorquage L4 680 kg **V6** 1587 kg

577

NOS MENTIONS

☺ Modèle recommandé

NOTRE VERDICT

Plaisir au volant	●●●●
Qualité de finition	●●●●
Consommation	●●●
Rapport qualité/prix	●●●
Valeur de revente	●●●●

SEQUOIA

www.toyota.ca

ÉVOLUTION

N — É
J

50 380 $ à 67 535 $
transport et préparation: 1560 $

LA COTE VERTE

MOTEUR
V8 DE 4,6 L

- **Consommation** (100km): 13,6 l
- **Émissions polluantes CO$_2$:** 6348 kg/an
- **Empreinte écologique** (nombre d'arbres à planter par année): 42
- **Indice d'octane:** 87
- **Autre motorisation:** non
- **Coût du carburant moyen par année:** 2760 $
- **Nombre de litres par année:** 2760 l

(SOURCE: ÉnerGuide)

① FICHE D'IDENTITÉ

- **Versions** SR5, Limited, Platinum
- **Roues motrices** 4
- **Portières** 5 **Nombre de passagers** 7 (Platinum), 8
- **Première génération** 2001
- **Génération actuelle** 2009
- **Construction** Princeton, Indiana, É.-U.
- **Sacs gonflables** 6 (frontaux, latéraux avant, rideaux latéraux)
- **Concurrence** Chevrolet Tahoe, Ford Expedition, GMC Yukon, Nissan Armada

② AU QUOTIDIEN

- **Prime d'assurance**
  25 ans: 2600 à 2800 $
  40 ans: 1400 à 1600 $
  60 ans: 1200 à 1400 $
- **Collision frontale** 5/5
- **Collision latérale** 5/5
- **Ventes du modèle de l'an dernier**
  Au Québec 84 **Au Canada** 800
- **Dépréciation** 60,6 %
- **Rappels** (2005 à 2010) 3
- **Cote de fiabilité** 5/5

③ GARANTIES... ET PLUS

- **Garantie générale** 3 ans/60 000 km
- **Garantie motopropulseur** 5 ans/100 000 km
- **Perforation** 5 ans/ kilométrage illimité
- **Assistance routière** 3 ans/60 000 km
- **Nombre de concessionnaires**
  Au Québec 68 **Au Canada** 243

④ NOUVEAUTÉS EN 2011

- Aucun changement majeur

C'EST ÇA, L'IMAGE VERTE DE TOYOTA ?

PAR VINCENT AUBÉ

IL EST DIFFICILE DE CROIRE QU'IL EXISTE ENCORE UN MARCHÉ POUR UNE PRESQU'ÎLE DE LA TAILLE DU SEQUOIA. Si, au pays, les Sequoia se font aussi rares que certaines sportives allemandes, le marché en dessous du nôtre est encore intéressé par ce genre d'autobus grand public à transmission intégrale. Basé sur la plateforme de la camionnette Tundra, le Sequoia est heureusement plus confortable que son frère conçu pour les entrepreneurs de ce monde. Avec la popularité des gros VUS en baisse depuis quelques années, il est normal que Toyota ait désormais moins de concurrents à affronter. Cependant, il y a un facteur qui pourrait carrément anéantir cette catégorie un jour ou l'autre : le prix du carburant.

[CARROSSERIE] Revu de fond en comble pour l'année-modèle 2009, le nouveau Sequoia est bien plus sérieux dans sa présentation extérieure par rapport à l'ancienne génération sans saveur.

La partie avant inspirée de celle de la Tundra ne cache pas les intentions du véhicule : c'est bel et bien un authentique camion ! Les passages de roues légèrement gonflés contribuent aussi à rehausser les lignes somme toute traditionnelle. À l'arrière, les feux s'intègrent mieux au design par rapport à la première génération. Quant à l'aileron qui surplombe le hayon, il ajoute une touche sport à ce pachyderme, mais n'est toutefois par offert sur le modèle SR5. En terminant, les jantes de 20 pouces offertes sur les versions Limited et Platinum sont parfaites pour l'image du véhicule, encore faut-il prévoir un budget pour l'acquisition de pneumatiques lorsqu'elles devront être changées.

[HABITACLE] Un gabarit imposant veut aussi dire que l'habitacle est vaste. La finition Platinum permet d'asseoir 7 occupants dans le grand luxe, les autres modèles moins luxueux étant équipés d'un huitième siège. La qualité d'assemblage est

FORCES · Douceur de roulement · Qualité d'assemblage · Espace intérieur

FAIBLESSES · Consommation de carburant à améliorer · Encombrement urbain

toujours au rendez-vous, même que, à cet échelon, la ligne est plutôt fine entre un produit Lexus et un Toyota hautement équipé. Les espaces de rangement ne manquent pas non plus, une caractéristique plutôt importante pour transporter plusieurs personnes à la fois. En ce qui concerne le volume du coffre, il atteint 800 litres derrière la troisième banquette, 2250 litres quand la troisième rangée est dissimulée dans le plancher et 3420 litres quand les deux banquettes arrière sont abaissées dans le plancher.

[MÉCANIQUE] Pour faire avancer son gros VUS, Toyota a retenu les mêmes moteurs qu'on retrouve dans la Tundra. Le V8 de 4,6 litres livré avec le modèle SR5 offre une puissance de 310 chevaux et un couple de 327 livres-pieds, ce qui est un peu juste si le camion est bien rempli. Ce dernier affiche une consommation moyenne de carburant de 13,8 litres aux 100 kilomètres, selon Toyota. Pour les livrées supérieures, c'est le V8 de 5,7 litres qui s'occupe de déplacer le Sequoia avec beaucoup plus d'aisance. Le gros moteur développe 381 chevaux, tandis que le couple maximal est de 401 livres-pieds. Les deux moteurs sont accouplés à une boîte de vitesses automatique à 6 rapports. Avec le 5,7-litres, le Sequoia consomme l'or noir presque aussi rapidement puisque Toyota annonce une consommation moyenne de 14 litres aux 100 kilomètres.

[COMPORTEMENT] Ce gros VUS n'est certainement pas aussi agile qu'une MINI, mais sa direction légère et la fenestration généreuse permettent de bien anticiper les manœuvres des automobilistes autour de soi. Le plus gros moteur permet des accélérations dans la moyenne, la boîte automatique effectuant du bon boulot. La suspension est calibrée avant tout pour le confort, ce qui veut dire qu'il ne faut pas trop brasser le Sequoia. Quant à l'insonorisation de l'habitacle, le Sequoia n'a absolument rien à envier à la concurrence.

[CONCLUSION] Avec la nouvelle réalité environnementale, un tel camion est devenu un objet de discussion plus qu'autre chose. Au moins, la carrosserie du Sequoia est moins criarde que le mal-aimé Hummer.

2ᵉ OPINION

DANIEL RUFIANGE Le Sequoia est utile à l'univers de l'automobile comme Sean Avery l'est à la Ligue nationale de hockey. Ce monstre sur quatre roues consomme de l'or noir comme un alcoolique et prouve jusqu'à quel point une entreprise comme Toyota, reconnue historiquement comme une firme consciente de ses choix environnementaux, est prête à tout pour séduire un marché lucratif comme celui des États-Unis où ce genre de véhicule est adulé. Le Sequoia offre de l'espace pour huit occupants ou pour transporter les effectifs d'un appartement quatre et demi. Son confort est sans reproche, sa douceur de roulement, exemplaire. Sa conduite : moche. Ne croyez pas que cette salve contre le Sequoia s'adresse à tous les utilitaires. Seulement à ceux de ce format ignoble. Pourquoi pas une camionnette pour la moitié du prix ?

⑤ FICHE TECHNIQUE

· MOTEURS

· (SR5)
V8 4,6 l DACT, 310 ch à 5600 tr/min
Couple 327 lb-pi à 3400 tr/min

Transmission automatique à 6 rapports avec mode manuel

0-100 km/h 8,6 s

Vitesse maximale 190 km/h

· (LIMITED, PLATINUM)
V8 5,7 l DACT, 381 ch à 5600 tr/min
Couple 401 lb-pi à 3600 tr/min

Transmission automatique à 6 rapports avec mode manuel

0-100 km/h 8,0 s

Vitesse maximale 200 km/h

Consommation (100 km) 13,8 l (octane 87)

Émissions de CO$_2$ 6440 kg/an

Litres par année 2800 l

Coût par an 2800 $

Autre motorisation non

Empreinte écologique 40

AUTRES COMPOSANTES

Sécurité active
freins ABS, répartition électronique de force de freinage, assistance au freinage, antipatinage, contrôle de stabilité électronique

Suspension avant/arrière indépendante

Freins avant/arrière disques ventilés

Direction à crémaillère, assistée

Pneus 4,6 l P275/65R18 **5,7 l** P275/55R20

· DIMENSIONS

Empattement 3100 mm

Longueur 5210 mm

Largeur 2030 mm

Hauteur 1955 mm

Poids SR5 2707kg **Limited** 2714 kg **Platinum** 2721 kg

Diamètre de braquage 12,5 m

Coffre 800 l, 3420 l (sièges abaissés)

Réservoir de carburant 100 l

Capacité de remorquage
V8 4,6 l 3175 kg
V8 5,7 l Limited 4125 kg
V8 5,7 l Platinum 3990 kg

NOS MENTIONS

☺ Modèle recommandé

NOTRE VERDICT

Plaisir au volant	●●●●○
Qualité de finition	●●●●○
Consommation	●●○○○
Rapport qualité/prix	●●●○○
Valeur de revente	●●●○○

SIENNA

www.toyota.ca

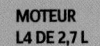

29 460 $ à 50 660 $
transport et préparation: 1560 $

LA COTE VERTE

MOTEUR
L4 DE 2,7 L

- **Consommation (100km):** 9,1 l
- **Émissions polluantes CO_2:** 4140 kg/an
- **Empreinte écologique (nombre d'arbres à planter par année):** 27
- **Indice d'octane:** 87
- **Autre motorisation:** non
- **Coût du carburant moyen par année:** 2060 $
- **Nombre de litres par année:** 2060 l

(SOURCE: ÉnerGuide)

 FICHE D'IDENTITÉ

- **Versions :** LE L4, base V6, LE V6 (2RM/4RM), SE V6, XLE V6, Limited V6
- **Roues motrices** avant, 4
- **Portières** 4 **Nombre de passagers** 7, 8 (LE V6,SE V6)
- **Première génération** 1998
- **Génération actuelle** 2011
- **Construction** Georgetown, Kentucky, É.-U.
- **Sacs gonflables** 9 (frontaux, latéraux, rideaux latéraux, sièges avant, genoux conducteur)
- **Concurrence** Chrysler Town & Country, Dodge Grand Caravan, Honda Odyssey, Kia Sedona

 AU QUOTIDIEN

- **Prime d'assurance**
  25 ans : 1300 à 1500 $
  40 ans : 1000 à 1200 $
  60 ans : 800 à 1000 $
- **Collision frontale** nm
- **Collision latérale** nm
- **Ventes du modèle de l'an dernier**
  Au Québec 1042 Au Canada 6345
- **Dépréciation** 46,4 %
- **Rappels** (2005 à 2010) 2
- **Cote de fiabilité** nm

 GARANTIES... ET PLUS

- **Garantie générale** 3 ans/60 000 km
- **Garantie motopropulseur** 5 ans/100 000 km
- **Perforation** 5 ans/ kilométrage illimité
- **Assistance routière** 3 ans/60 000 km
- **Nombre de concessionnaires**
  Au Québec 68 Au Canada 243

 NOUVEAUTÉS EN 2011

- Nouvelle génération

MAINTENANT DANS LE COUP

PAR DANIEL RUFIANGE

LE CRÉNEAU DES FOURGONNETTES PLEINE GRANDEUR EST EN PERTE DE VITESSE. Les véhicules multisegments gagnent en popularité chaque année. C'est à se demander pendant combien de temps les fabricants poursuivront l'aventure. Chez Toyota, on ne croit pas à la mort prochaine de ce type de véhicule, bien au contraire. En dévoilant la troisième génération de sa Sienna, Toyota hausse la barre et s'attaque sérieusement à la Honda Odyssey – dont on attend la prochaine génération –, la référence dans la catégorie. Mais attention; Toyota a aussi une nouvelle cible dans sa mire. Un indice : c'est une américaine.

[CARROSSERIE] Le design des produits Toyota ne remportera jamais de concours d'élégance. Néanmoins, il faut souligner l'effort des stylistes de Toyota qui ont réussi à donner un certain caractère à la Sienna. D'abord en redessinant la calandre avant, maintenant moins générique. Ensuite en proposant une version sport, l'une des huit au catalogue 2011. Cette dernière profite d'une suspension légèrement abaissée et de roues de 19 pouces qui détonnent. Parmi

les huit versions proposées, mentionnons l'arrivée d'une toute nouvelle mouture équipée d'un moteur à 4 cylindres. Nul doute que cette dernière, offerte à 27 900 $, vise la clientèle de la Dodge Grand Caravan. Reste à voir si la stratégie fonctionnera. Et, bien sûr, toujours offertes au catalogue et exclusives à Toyota : deux livrées à transmission intégrale.

[HABITACLE] À bord, Toyota rehausse son offre, mais pèche aussi par excès de confiance. Le hic, c'est la qualité des plastiques qui tapissent le tableau de bord. C'est comme si on voyait où Toyota avait coupé dans la qualité pour respecter ses prix. Cette réalité nous a été confirmée par Sheldon Brown, directeur de programme au Centre technique de Toyota. Toyota promet de corriger le tir. En contrepartie, la présentation visuelle est de bon goût. C'est moderne. L'équipement est généreux, mais varie selon les versions, il va sans dire. Comme il est de mise à l'intérieur de toute fourgonnette, les espaces de rangement sont nombreux et bien placés, même à la poupe du véhicule. Parlant de cet endroit, mentionnons le confort adéquat

FORCES · Comportement routier grandement amélioré · Habitabilité · Banquette de deuxième rangée inclinable · Choix de modèles · Version à moteur à 4 cylindres

FAIBLESSES · Prix une fois équipée · Qualité douteuse de certains plastiques · Segment en perte de vitesse

de la troisième banquette qui plaira cependant plus aux plus jeunes. La grande nouveauté côté équipement est cet écran DVD divisible en deux parties. Ça permet à chacun d'écouter son émission préférée, mais aussi de visionner un film en format panoramique. Est-ce vraiment important pour les acheteurs?

[MÉCANIQUE] Toutes les versions de la Sienna profitent du même moteur, sauf une! La version L est la seule à être équipée du moteur à 4 cylindres de 2,7 litres, le même qui motorise le Venza. On a simplement ajusté le couple de ce dernier afin de mieux l'adapter à la Sienna. Les autres versions jouissent d'un moteur V6 de 3,5 litres qui propose 266 chevaux, suffisamment pour fournir de bonnes reprises. Fait cocasse; une fois sollicité, c'est le moteur à 4 cylindres qui propose la sonorité la plus intéressante.

[COMPORTEMENT] On a demandé aux ingénieurs qui ont conçu la nouvelle Sienna de lui donner un comportement routier sportif. Sans parler d'un nouveau roadster à 8 places, mentionnons que les résultats sont intéressants. La conduite de la Sienna est désormais plus rassurante, et on éprouve un certain plaisir à la conduire. La conduite d'un modèle d'ancienne génération avait un effet chloroformant. Sur la nouvelle version sport, on s'est même risqué à abaisser la suspension pour offrir une expérience plus branchée. Tout pour séduire les jeunes pères.

[CONCLUSION] Toyota a fait ses devoirs. La Sienna est maintenant dans le coup sur toute la ligne.

Cependant, c'est peut-être une génération trop tard, surtout considérant la popularité des véhicules multi-segment, comme le Venza, justement. Il sera intéressant de voir la réaction du public avant de tirer quelques conclusions que ce soit. Chose certaine, le produit est à la hauteur et, malgré tous les déboires vécus par Toyota l'an dernier, la fiabilité devrait toujours être au rendez-vous.

2ᵉ OPINION

MICHEL CRÉPAULT Voilà à peu près le summum en matière de fourgonnette (j'entends, bien sûr, les gens de Honda s'objecter!). En ne la lançant qu'en 1998, Toyota s'est assurée de doter la Sienna des qualités que recherchent les amateurs de ce genre de véhicule. De la place pour huit occupants, si nécessaire, l'option d'une transmission intégrale toujours la bienvenue au Québec, des sièges avant qui tiennent davantage du fauteuil, un V6 onctueux et une finition exemplaire. Des qualités réunies pour d'abord séduire nos voisins du Sud. Certes, des vertus qui ne sont pas gratuites, comme en fait foi la fourchette de prix, mais si votre famille est nombreuse et si vous souhaitez la gâter, la Sienna comblera tout le monde. Elle arborerait le logo Lexus que personne ne s'en offusquerait.

5 FICHE TECHNIQUE

MOTEURS

(LE L4)
L4 2,7 l DACT, 187 ch à 5800 tr/min
Couple 186 lb-pi à 4100 tr/min
Transmission automatique à 6 rapports avec mode manuel
0-100 km/h 10,0 s
Vitesse maximale 180 km/h
Consommation (100 km) 9,1 l (octane 87)

(V6)
V6 3,5 l DACT 266 ch à 6200 tr/min
Couple 245 lb-pi à 4700 tr/min
Transmission automatique à 6 rapports avec mode manuel
0-100 km/h 8,3 s
Vitesse maximale 185 km/h
Consommation (100 km)
2RM 10,0 l; **4RM** 11,1 (octane 87)
Émissions de CO_2:
2RM 4646 kg/an **4RM** 5336 kg/an
Litres par année
2RM 2020 l **4RM** 2320 l
Coût par an 2RM 2020 $ **4RM** 2320 $
Empreinte écologique 30

AUTRES COMPOSANTES
Sécurité active freins ABS, assistance au freinage, distribution électronique de force de freinage, antipatinage, contrôle de stabilité électronique
Suspension avant/arrière Indépendante, essieu rigide
Freins avant/arrière disques
Direction à crémaillère, assistée
Pneus LE L4/base V6/LE V6 P235/60R17; **option XLE, SE** P235/50R19; **XLE, LE 4RM, Limited 4RM** P235/55R18

DIMENSIONS
Empattement 3030 mm
Longueur 5086 mm
Largeur 1985 mm
Hauteur 1811 mm
Poids LE L4 1900 kg, **base V6** 1960 kg, **LE V6 4RM** 2145 kg
Diamètre de braquage 11,2 m
Coffre 1110 l, 4250 l (sièges abaissés)
Réservoir de carburant 79 l
Capacité de remorquage 1585 kg

NOS MENTIONS

☺ Modèle recommandé

NOTRE VERDICT

Plaisir au volant	●	●	●	◐	○
Qualité de finition	⬡	⬡	⬡	⬡	◖
Consommation	●	●	⬡	⬡	◖
Rapport qualité/prix	●	●	⬡	◖	○
Valeur de revente	Nm				

TACOMA

www.toyota.ca

ÉVOLUTION

N É
J

22 915 $ à 34 175 $
transport et préparation: 1560 $

LA COTE VERTE

MOTEUR
L4 DE 2,7 L

- **Consommation (100km):**
  2RM man. 9,2 l
  auto. 9,5 l
- **Émissions polluantes CO_2 :**
  2RM man. 4278 kg/an
  auto. 4416 kg/an
- **Empreinte écologique (nombre d'arbres à planter par année):** 27
- **Indice d'octane:** 87
- **Autre motorisation:** non
- **Coût du carburant moyen par année:**
  2RM man. 1860 $
  auto. 1920 $
- **Nombre de litres par année:**
  2RM man. 1860 l
  auto. 1920 l

(SOURCE: ÉnerGuide)

① FICHE D'IDENTITÉ

- **Versions** cabine Accès 4x2, cabine Accès 4x4, cabine Accès 4x4 V6, cabine Double 4x4 V6
- **Roues motrices** arrière, 4
- **Portières** 4 **Nombre de passagers** 4 ou 5
- **Première génération** 1995
- **Génération actuelle** 2005
- **Construction** San Antonio, Texas, É-U; Baja California, Mexique.
- **Sacs gonflables** 4 (frontaux et latéraux)
- **Concurrence** Chevrolet Colorado, Dodge Dakota, Ford Ranger, GMC Canyon, Nissan Frontier

② AU QUOTIDIEN

- **Prime d'assurance**
  25 ans: 1400 à 1600 $
  40 ans: 1000 à 1200 $
  60 ans: 700 à 900 $
- **Collision frontale** 5/5
- **Collision latérale** 5/5
- **Ventes du modèle de l'an dernier**
  Au Québec 1733 Au Canada 9082
- **Dépréciation** 41,3%
- **Rappels** (2005 à 2010) 4
- **Cote de fiabilité** 4/5

③ GARANTIES... ET PLUS

- **Garantie générale** 3 ans/60 000 km
- **Garantie motopropulseur** 5 ans/100 000 km
- **Perforation** 5 ans/kilométrage illimité
- **Assistance routière** 3 ans/60 000 km
- **Nombre de concessionnaires**
  Au Québec 68 Au Canada 243

④ NOUVEAUTÉS EN 2011

- Aucun changement majeur

DISCRÈTEMENT EFFICACE

PAR DANIEL RUFIANGE

TOYOTA A DÉPLOYÉ DES EFFORTS ET DES SOMMES CONSIDÉRABLES POUR DÉMONTRER À L'AMÉRIQUE QUE SA CAMIONNETTE PLEINE GRANDEUR, LA TUNDRA, AVAIT TOUT POUR RIVALISER AVEC LES TROIS CAMIONNETTES AMÉRICAINES. Malgré un certain engouement, l'exercice n'a pas été couronné de succès. Pendant qu'elle travaille toujours à la réalisation de cet exploit, son autre camionnette, la Tacoma, est discrètement devenue la référence dans son segment. Preuve que la modération peut être tout aussi efficace que la flamboyance.

[CARROSSERIE] Sur le plan stylistique, la Tacoma affiche des lignes très masculines : capot rainuré, passages d'aile bombés et calandre avant qui impose le respect. Il n'y a aucun doute, il s'agit d'une camionnette ! Comme c'est la tradition dans cet univers, on retrouve la Tacoma en deux configurations principales, soit à cabine allongée ou à cabine double. La plus intéressante demeure la seconde, elle qui se montre plus spacieuse et plus accueillante, surtout si vous prévoyez faire monter des passagers à l'arrière. Quant à la

boîte, elle est enduite d'un revêtement qui protège la peinture contre les éraflures. Des points d'ancrage amovibles, placés sur les longerons, permettent d'attacher de façon sûre tout type de chargement.

[HABITACLE] À l'intérieur, on a droit à la qualité Toyota, avec ce que ça comporte de qualités et de défauts. Cependant, dans le cas de la Tacoma, les points positifs outrepassent les négatifs. Pour ce qui est de la qualité, c'est aussi du Toyota, une très bonne chose. La présentation visuelle n'est pas tape-à-l'oeil, mais l'ensemble est d'une fonctionnalité exemplaire, comme ces gros boutons qui servent à contrôler la climatisation; ils se manipulent les deux yeux fermés avec des gants de boxe. Le Tacoma compte, de série, sur de nombreux espaces de rangement. Des compartiments, installés sous les sièges arrière, permettent le rangement de matériel. De plus, sur les modèles à cabine double, des récipients dissimulés à l'arrière des sièges arrière rabattables amplifient l'espace où déposer objets et outils. Le Tacoma profite même d'une caméra de recul

FORCES · Lignes réussies · Moteur V6 performant · Consommation de carburant raisonnable · Douceur de roulement

FAIBLESSES · Prix d'une version à cabine double 4 x 4 V6 · Version de base inutile... ou presque · Options nombreuses et coûteuses

dont le moniteur est ingénieusement positionné dans le rétroviseur. Elle se révèle très utile quand la boîte est chargée au point de rendre la visibilité arrière nulle.

[MÉCANIQUE] Sous le capot de la Tacoma peut reposer deux moteurs : un 4-cylindres de 2,7 litres qui ne fournit que 159 chevaux ou un V6 de 4 litres qui montre des chiffres plus respectables : 236 chevaux et un couple de 266 livres-pieds. En version à deux roues motrices, c'est le moteur à 4 cylindres qu'on vous boulonne sous le capot. Tenez-vous-le pour dit ! Il est possible d'obtenir une version à quatre roues motrices munie de ce moteur. Cette dernière compte sur une boîte de vitesses manuelle à 5 rapports de série, mais pour 2011, Toyota offre aussi une boîte automatique à 4 rapports pour cette version. Quant aux versions équipées du moteur V6, on peut leur greffer une boîte automatique à 5 rapports ou une manuelle comptant 6 rapports. À noter que les versions à quatre roues motrices profitent d'amortisseurs Bilstein, tant à l'avant qu'à l'arrière.

[COMPORTEMENT] À vide, le comportement de la Tacoma trahit sa vocation. Le comportement routier à vide est plus rudimentaire, mais le degré de confort de la Tacoma n'est pas compromis pour autant, à condition qu'on circule sur des routes pas trop amochées, un défi de taille au Québec. À pleine charge, le confort est supérieur. Pour ce qui est des performances, le V6 se montre très vigoureux à vide, mais une fois la boîte chargée, il se contente de faire le travail. Le moteur à

4 cylindres demeure le champion de la consommation de carburant, mais il ne faut pas avoir à faire travailler sa Tacoma trop durement pour l'apprécier.

[CONCLUSION] Les ventes de la Tacoma vont bien au Québec où elles sont en progression depuis quelques années. La recette est simple : une belle gueule, un habitacle solide, une bonne capacité au travail et de la fiabilité. Cette fois, Toyota l'emporte avec la simplicité.

2ᵉ OPINION

BENOIT CHARETTE Le Tacoma, c'est la voie du compromis. Il offre tout ce qu'il vous faut dans un emballage bon marché. Comme tous les produits Toyota, chaque élément pratique et dans certains cas quasi indispensable se retrouvent sur la liste des options. Il faudra donc être prêt à débourser un montant substantiel pour obtenir un Tacoma bien équipé. Même si le véhicule est reconnu pour sa fiabilité, plusieurs propriétaires ont connu de fréquents problèmes mécaniques et les puristes lui reprochent (comme au Tundra) de ne pas être à la hauteur quand vient le moment de réellement se mettre au travail. Chose certaine, il demeure le plus pratique et confortable camion de classe intermédiaire sur le marché. Le V6 de 4,0 litres fournit un couple généreux et une puissance adéquate pour tirer une charge respectable. En revanche, ne comptez pas sur le 4-cylindres pour les travaux autres que jardiniers.

⑤ FICHE TECHNIQUE

- **MOTEURS**
- **(CABINE ACCÈS 4X2 ET 4X4)**

L4 2,7 l DACT, 159 ch à 5200 tr/min
Couple 180 lb-pi à 3800 tr/min
Transmission manuelle à 5 rapports, automatique à 4 rapports (en option)
0-100 km/h 11,5 s
Vitesse maximale 165 km/h

- **(4X4, V6)**

V6 4,0 l DACT, 236 ch à 5200 tr/min
Couple 266 lb-pi à 4000 tr/min
Transmission manuelle à 6 rapports, automatique à 5 rapports (en option)
0-100 km/h 9,9 s
Vitesse maximale 175 km/h
Consommation (100 km)
man. 13,2 l **auto.** 11,8 l (octane 87)
Émissions de CO_2
man. 6164 kg/an **auto.** 5474 kg/an
Litres par année man. 2680 l **auto.** 2380 l
Coût par an man. 2680 $ **auto.** 2380 $
Autre motorisation non
Empreinte écologique 35 arbres

- **AUTRES COMPOSANTES**

Sécurité active freins ABS, répartition électronique de force de freinage, assistance au freinage, contrôle de stabilité (4x4), antipatinage (4x4)
Suspension avant/arrière indépendante/essieu rigide
Freins avant/arrière disques/tambours
Direction à crémaillère, assistée
Pneus Cabine
Accès 2RM P215/70R15 **4RM** P245/75R16
option **4x4 V6 Cabine Accès** P265/70R16
option **4x4 V6 Cabine Double** P265/65R17

- **DIMENSIONS**

Empattement 4x2/4x4 cab. Accès 3246 mm
4x4 cab. Double boîte long. 3570 mm
Longueur 5621 mm
4x2/4x4 cab. Double boîte courte 5286 mm
Largeur 1895 mm **4x2** 1835mm
Hauteur 4x2 1670 **4x4 cab. Accès** 1775 mm
4x4 cab. double 1781 mm
Poids 1583 à 1880 kg
Diamètre de braquage
4x4 cab. accès/4x4 cab. double boîte courte 13,2 m
4x2 13,6 **4x4 cab. double boîte long.** 14,2 m
Réservoir de carburant 80 l
Capacité de remorquage L4 1587 kg **V6** 2268 kg

NOS MENTIONS

☺ Modèle recommandé

NOTRE VERDICT

Plaisir au volant	●●●●
Qualité de finition	●●●
Consommation	●●●
Rapport qualité/prix	●●●●
Valeur de revente	●●●●●

TUNDRA

www.toyota.ca

ÉVOLUTION

N — É
J

26 870 $ à 52 985 $
transport et préparation: 1490 $

584 |

LA COTE VERTE

MOTEUR
V8 DE 4,6 L

- **Consommation (100km):**
  2RM 12,0 l
  4RM 12,7 l
- **Émissions polluantes CO_2 :**
  2RM 5566 kg/an
  4RM 5934 kg/an
- **Empreinte écologique (nombre d'arbres à planter par année):** 28
- **Indice d'octane:** 87
- **Autre motorisation:** non
- **Coût du carburant moyen par année:**
  2RM 2420 $
  4RM 2580$
- **Nombre de litres par année:**
  2RM 2420 l
  4RM 2580 l

(SOURCE: ÉnerGuide)

---

1 FICHE D'IDENTITÉ

- **Versions** 11 modèles, 3 cabines (Régulière, Double, Crewmax)
- **Roues motrices** arrière, 4
- **Portières** 2, 4 **Nombre de passagers** 3, 5, 6
- **Première génération** 1999
- **Génération actuelle** 2007
- **Construction** Indiana, É.-U.
- **Sacs gonflables** 2 (frontaux)
- **Concurrence** Chevrolet Silverado, Dodge Ram, Ford F-150, GMC Sierra, Honda Ridgeline, Nissan Titan

2 AU QUOTIDIEN

- **Prime d'assurance**
  25 ans: 1900 à 2100 $
  40 ans: 1100 à 1300 $
  60 ans: 900 à 1100 $
- **Collision frontale** 4/5
- **Collision latérale** 5/5
- **Ventes du modèle de l'an dernier**
  Au Québec 1528 **Au Canada** 7637
- **Dépréciation** 37,2 %
- **Rappels** (2005 à 2010) 5
- **Cote de fiabilité** 1/5

3 GARANTIES... ET PLUS

- **Garantie générale** 3 ans/60 000 km
- **Garantie motopropulseur** 5 ans/100 000 km
- **Perforation** 5 ans/kilométrage illimité
- **Assistance routière** 3 ans/60 000 km
- **Nombre de concessionnaires**
  Au Québec 68 **Au Canada** 243

4 NOUVEAUTÉS EN 2011

- Abandon de certaines versions 2RM (cab. rég. 4,6/5,7/4,6 boîte long., Crewmax SR5, Crewmax Limited), deux nouvelles couleurs.

LENTEMENT MAIS PAS SÛREMENT

DANIEL RUFIANGE

LE RÊVE DE TOYOTA D'ÉBRANLER LE TRIUMVIRAT AMÉRICAIN RESPONSABLE DE LA VENTE DE LA TRÈS GRANDE MAJORITÉ DES CAMIONNETTES EN AMÉRIQUE DU NORD N'EST PAS PRÊT DE SE RÉALISER. Malgré des efforts herculéens, Toyota n'a pas réussi à s'implanter comme elle l'aurait souhaité. Malgré une hausse notable de ses ventes de camionnettes, les gens continuent de faire confiance, majoritairement, à des camionnettes portant une signature américaine. Dans ce segment où environ 80 % de la clientèle se montre fidèle à une marque en particulier, le défi que s'était lancé Toyota était-il irréaliste ?

[CARROSSERIE] En matière d'esthétique, la Tundra est réussie sur toute la ligne. Les concepteurs voulaient lui donner une allure masculine lui permettant de rivaliser avec les ténors américains; mission accomplie. Surtout, ils n'ont pas voulu trop en faire. L'autre truc pour rendre sa camionnette concurrentielle consiste à l'offrir en plusieurs versions. Encore là, avec onze variantes,

Toyota vise juste. Trois types de cabines peuvent être sélectionnés : régulière, double ou Crewmax. À cela s'ajoutent deux choix de moteurs. Bien évidemment, des transmissions à deux ou à quatre roues motrices peuvent être sélectionnées.

[HABITACLE] En offrant trois types de cabines, Toyota fait mouche. Ils seront peu nombreux à choisir la cabine régulière, toutefois. Les ventes se partagent plutôt entre la cabine double et la Crewmax. Tout dépend de vos besoins. Pour accueillir des passagers sur une base régulière, la deuxième est toute désignée. Cependant, si l'espace arrière représente pour vous un fourre-tout, la double suffira. Pour ce qui est de la présentation intérieure, c'est du Toyota. Cela signifie que c'est ultra fonctionnel, et que l'ergonomie est irréprochable. À preuve, ces gros boutons qu'on doit manipuler avec de gros gants, qui trônent au centre de la console centrale. En termes visuels, la présentation a le mérite d'être différente, mais je préfère de loin ce que Ford et Dodge proposent. Par contre, on

---

FORCES · Choix de modèles · Silhouette réussie · Puissance du moteur V8 de 5,7 litres · Boîte automatique à 6 rapports efficace

FAIBLESSES · Encore des choses à prouver · Aucune boîte manuelle au catalogue · Est-ce que les rappels sont terminés ?

ne peut rien reprocher au constructeur nippon quant à la qualité d'assemblage.

[MÉCANIQUE] Contrairement à ce que proposent ses rivales, l'offre mécanique de la Tundra est plutôt simple. Il faut dire que le fabricant ne propose pas de série 2500 ou 3500, souvent détentrices de motorisations diesel. Ce sont deux moteurs V8 qu'on retrouve sous le capot de la Tundra. Même si l'offre de base d'une cylindrée de 4,6 litres effectue du bon travail, il faut prioriser le moteur de 5,7 litres et ses 381 chevaux pour obtenir des résultats probants. Ce qui est intéressant à propos de ces moteurs, c'est leur raffinement mécanique. D'ailleurs, les dernières retouches des ingénieurs donnent plus de puissance et une consommation de carburant réduite : une formule gagnante.

[COMPORTEMENT] La Tundra en est à sa cinquième année sous sa gouverne actuelle. On peut donc commencer à dresser un bilan de sa solidité et de sa robustesse après ces quelques années. L'exercice n'est pas simple car, bien franchement, on entend toutes sortes d'histoires. Celle qui revient le plus souvent a trait à la rigidité du châssis qui ne montrerait pas la même solidité que les produits américains. Les nombreux rappels qui ont touché la Tundra – souvent causés par des problèmes de sous-traitance – représentent aussi des taches à son dossier. Néanmoins, elle compte sur de nombreux propriétaires satisfaits qui n'ont que des éloges à adresser à leur grosse camionnette japonaise. Sur la route, et pour la très grande majorité des tâches qui lui sont demandées, la Tundra est une camionnette qui n'a pas à rougir face à la concurrence. Son confort figure parmi les meilleurs, et la poussée du plus puissant de ses V8 est franchement impressionnante. En réalité, il s'agit d'une Toyota qu'on aime conduire.

[CONCLUSION] La Tundra a-t-elle tout pour réussir ? Oui et non. Sur papier, rien ne laisse présager la moindre faiblesse. Pourtant, au volant, je penche encore pour une F-150 qui offre ce petit côté rassurant qui manque à la Tundra. Elle entretient encore des doutes, et seules de nombreuses années et une feuille de route irréprochable sauront rassurer les indécis.

2ᵉ OPINION

FRÉDÉRIC MASSE Je ne vous dis pas que la Tundra n'est pas une bonne camionnette, elle est même très bonne. Mais, la Ram et la F-150 sont tellement à point qu'il est difficile pour la Tundra de les surpasser. La Toyota possède évidemment des armes enviables : très maniable, très belle à regarder, confortable, un tandem moteur-boîte de vitesses vraiment au point et une grande capacité de remorquage. Par contre, son châssis montre des signes d'essoufflement quand on le malmène (c'est à savoir pour ceux qui travailleront fort). J'aime également moins la qualité des matériaux utilisés et, même, la finition qui, encore une fois, est supérieure chez Ford et Dodge. Et, comme la fiabilité du modèle est moyenne selon *Consumer Reports*, Toyota perd l'une de ses armes de choix pour convaincre le consommateur.

(5) FICHE TECHNIQUE

• MOTEURS

• (2RM cabine double, 4RM cabine double)
V8 4,6 l DACT, 310 ch à 5600 tr/min
Couple 327 lb-pi à 3400 tr/min

Transmission automatique à 6 rapports avec mode manuel

0-100 km/h 9,0 s

Vitesse maximale 185 km/h

• (AUTRES MODÈLES)
V8 5,7 l DACT, 381 ch à 5600 tr/min
Couple 401 lb-pi à 3600 tr/min

Transmission automatique à 6 rapports avec mode manuel

0-100 km/h 8,0 s

Vitesse maximale 200 km/h

Consommation (100 km) 2RM 13,1 l
4RM 14,4 l (octane 87)

Émissions de CO$_2$ 2RM 6384 kg/an
4RM 7006 kg/an

Litres par année 2RM 2660 l **4RM** 2880 l

Coût par an 2RM 2660 $ **4RM** 2880 $

Autre motorisation non

Empreinte écologique 39 arbres

• AUTRES COMPOSANTES

Sécurité active freins ABS, distribution électronique du freinage, assistance au freinage, contrôle électronique de la stabilité, antipatinage.

Suspension avant/arrière indépendante/ essieu rigide

Freins avant/arrière disques ventilés

Direction à crémaillère, assistée

Pneus 2RM/4RM P255/70R18 **option 2RM/2RM cab. Double 5,7 boîte long./4RM Crewmax SR5 5,7** P275/65R18 **Limited/Platinum** P275/55R20

• DIMENSIONS

Empattement 3220 à 4180 mm

Longueur 5329 à 6290 mm

Largeur 2030 mm

Hauteur 1925 à 1940 mm

Poids 2226 à 2567 kg

Diamètre de braquage 12,0 à 14,92 m

Réservoir de carburant 100 l

Capacité de remorquage 3760 à 4895 kg

NOS MENTIONS

☺ Modèle recommandé

NOTRE VERDICT

Plaisir au volant	●●●●◖
Qualité de finition	●●●◌◌
Consommation	●●◌◌◌
Rapport qualité/prix	●●●◌◌
Valeur de revente	●●●●◌

VENZA

www.toyota.ca

ÉVOLUTION

N É
J

30 870 $ à 33 810 $
transport et préparation: 1560 $

LA COTE VERTE

MOTEUR
L4 DE 2,7 L

- **Consommation (100km):**
  2RM 8,4 l
  4RM 8,7 l
- **Émissions polluantes CO_2:**
  2RM 3190 kg/an
  4RM 4048 kg/an
- **Empreinte écologique (nombre d'arbres à planter par année):** 23
- **Indice d'octane:** 87
- **Autre motorisation:** non
- **Coût du carburant moyen par année:**
  2RM 1700 $
  4RM 1760 $
- **Nombre de litres par année:**
  2RM 1700 l
  4RM 1760 l

(SOURCE: ÉnerGuide)

---

1 FICHE D'IDENTITÉ

- **Versions** base, base 4RM, V6, V6 4RM
- **Roues motrices** avant, 4
- **Portières** 5 **Nombre de passagers** 5
- **Première génération** 2009
- **Génération actuelle** 2009
- **Construction** Georgetown, Kentucky, É.-U.
- **Sacs gonflables** 7 (frontaux, latéraux avant, rideaux latéraux, au niveau des genoux pour le conducteur)
- **Concurrence** Ford Flex, Honda Pilot, Hyundai Santa Fe, Mazda CX-9, Nissan Murano, Subaru Tribeca, Suzuki XL7

2 AU QUOTIDIEN

- **Prime d'assurance**
  25 ans: 1400 à 1600 $
  40 ans: 1000 à 1200 $
  60 ans: 900 à 1100 $
- **Collision frontale** 5/5
- **Collision latérale** 5/5
- **Ventes du modèle de l'an dernier**
  Au Québec 2552 **Au Canada** 12 375
- **Dépréciation** (1 an) 23,2 %
- **Rappels** (2005 à 2010) 1
- **Cote de fiabilité** 4/5

3 GARANTIES... ET PLUS

- **Garantie générale** 3 ans/60 000 km
- **Garantie motopropulseur** 5 ans/100 000 km
- **Perforation** 5 ans/kilométrage illimité
- **Assistance routière** 3 ans/60 000 km
- **Nombre de concessionnaires**
  Au Québec 68 **Au Canada** 243

4 NOUVEAUTÉS EN 2011

- Groupe d'option Touring

CECI N'EST PAS UN VUS !

PAR PHILIPPE LAGUË

LES FAMILIALES, CES BONNES VIEILLES STATION-WAGONS DE MON ENFANCE, SONT EN VOIE D'EXTINCTION. Elles ont été remplacées, dans un premier temps, par les véhicules utilitaires sport; ensuite, par les véhicules multisegments. La recette est simple : on prend une automobile, on la déguise plus ou moins en VUS, mais en prenant bien soin de préciser que ce n'est pas un VUS, justement... De là à dire que le Venza est une Camry déguisée, il n'y a qu'un pas, que je franchis allègrement.

[CARROSSERIE] Ça faisait longtemps que je n'avais pas regardé une Toyota sans grimacer. Le Venza adopte un design très à la mode, avec une ligne de toit surbaissée et une ceinture de caisse haute. L'envers de la médaille, c'est que la visibilité en souffre, en raison de la largeur du pilier C et de l'étroitesse de la lunette. Songez à cocher la caméra de recul dans la liste des (nombreuses) options.

[HABITACLE] Le plastique abonde : même le similibois, dans les versions plus cossues, est en plastique, et sa texture fait vraiment bon marché. De plus, on a entendu des craquements dans nos deux véhicules d'essai. Voilà le genre de choses qu'on ne voyait (ou n'entendait) pas dans une Toyota. Ces irritants sont d'autant plus regrettables que, pour le reste, la tradition Toyota est respectée, avec une ergonomie sans faille, des commandes simples et accessibles ainsi que des espaces de rangement aussi nombreux que bien placés. De plus, la décoration des lieux est beaucoup moins austère que dans les Toyota des décennies précédentes. Les sièges sont confortables, bien rembourrés mais n'offrent aucun maintien latéral. Côté habitabilité, le Venza impressionne, notamment à l'arrière, où les passagers bénéficient d'un grand dégagement pour la tête et les jambes. Le hic, c'est que cet espace a été grugé dans le compartiment à bagages qui, lui, n'a rien d'impressionnant. Si on part avec deux enfants, on risque de s'ennuyer de la fourgonnette...

[MÉCANIQUE] Châssis, moteurs, boîte de vitesses, tout vient de la Camry. Le 4-cylindres de 2,7 litres (182 chevaux) et le V6 de 3,5 litres (268 chevaux)

FORCES · Habitacle spacieux et fonctionnel · Très bons moteurs · Douceur de roulement · Direction améliorée · Toujours fiable, quoiqu'on en dise
FAIBLESSES · Visibilité arrière médiocre · Trop de plastique à l'intérieur · Qualité d'assemblage à la baisse · Capacité de chargement décevante · Pas de version hybride

sont tous deux jumelés à une boîte automatique à 6 rapports. Celle-ci est sensée améliorer la consommation, mais le résultat n'a rien de renversant : avec le V6, la moyenne, pour un combiné ville-route, oscillait entre 12 et 12,5 litres aux 100 kilomètres. C'est cependant le seul reproche qu'on peut faire à ce V6, onctueux et silencieux comme le sont ceux de Toyota. Si la consommation est votre priorité, optez pour le 4-cylindres qui n'est rien de moins qu'un des meilleurs de l'industrie de l'automobile. Sa puissance est plus qu'adéquate et, cette fois, la combinaison avec la boîte à 6 rapports donne les résultats espérés en matière de consommation. Une version hybride ferait encore mieux, mais elle se fait toujours attendre.

[COMPORTEMENT] Si vous avez déjà conduit une Camry, vous ne serez pas dépaysé. La même douceur de roulement, le même silence... Et comme une Camry, ce n'est pas très excitant à conduire. Une amélioration digne de mention : la direction est moins engourdie, et son assistance est mieux dosée. C'était une maladie chronique des Toyota, qui contribuait à miner l'agrément de conduite. La tenue de route est très correcte, comparable à celle d'une berline. Le roulis ne se manifeste que si on prend les courbes de façon agressive, mais la conduite d'une Venza n'inspire guère à ce genre de loisir. La clientèle cible veut un véhicule spacieux, confortable et silencieux; c'est exactement ce que propose le Venza.

[CONCLUSION] Le Venza n'est rien d'autre qu'une Camry familiale, avec un nom différent. Est-ce un reproche ? Pas le moins du monde, puisque cette voiture demeure l'une des meilleures de l'industrie de l'automobile. Il faut juste s'assurer qu'il n'y ait pas erreur sur la personne, car le déguisement est trompeur : ce n'est pas un VUS. Si vous faites partie de la minorité qui aime aller jouer dans le bois avec son véhicule, vous n'êtes pas à la bonne adresse. Voyez plutôt le Venza comme une alternative au VUS ou à la fourgonnette.

2ᵉ OPINION

FRANCIS BRIÈRE Sans réinventer la roue, il suffisait aux concepteurs d'imaginer une silhouette bouffie qu'on édifierait sur une base de Camry. Puis, l'idée d'y greffer de grosses roues de 19 pouces a fait surface. Bravo ! Comme par enchantement, les spectateurs se sont levés et ont applaudi. Du reste, il s'agit bien d'une Camry à bord de laquelle on se sent en hauteur. Pourquoi choisirait-on le Venza ? Pour deux mots seulement : confort et douceur. En effet, à bord du Venza, tout se déroule dans le calme et la volupté. Si des envies de conduite sportive vous prenaient, elles ne pourraient s'apparenter à autre chose qu'un fantasme. Mieux vaut se tenir tranquille derrière le volant, apprécier le paysage et se laisser bercer confortablement assis sur les sièges tout cuir provenant d'une vache aussi douce que du coton.

⑤ FICHE TECHNIQUE

· MOTEURS
· (base, base 4RM)
L4 2,7 l DACT, 182 ch à 5800 tr/min
Couple 182 lb-pi à 4200 tr/min
Transmission automatique à 6 rapports avec mode manuel
0-100 km/h 9,8 s
Vitesse maximale 190 km/h

· (V6, V6 4RM)
V6 3,5 l DACT, 268 ch à 6200 tr/min
Couple 246 lb-pi à 4700 tr/min
Transmission automatique à 6 rapports avec mode manuel
0-100 km/h 7,2 s
Vitesse maximale 220 km/h
Consommation (100 km) 2RM 9,3 l; **4RM** 9,7 l (octane 87)
Émissions de CO_2 2RM 4370 kg/an, **4RM** 4554 kg/an
Litres par année 2RM 1900 l, **4RM** 1980 l
Coût par an 2RM 1900 $, **4RM** 1980 $
Empreinte écologique 27 arbres

· AUTRES COMPOSANTES
Sécurité active freins ABS, répartition électronique de force de freinage, assistance au freinage, antipatinage et contrôle de stabilité électronique
Suspension avant/arrière indépendante
Freins avant/arrière disques
Direction à crémaillère, assistée
Pneus L4 P245/55R19, **V6** P245/50R20

· DIMENSIONS
Empattement 2775 mm
Longueur 4800 mm
Largeur 1905 mm
Hauteur 1610 mm
Poids base 1705 kg, **base 4RM** 1790 kg, **V6** 1755 kg
V6 4RM 1835 kg
Diamètre de braquage 11,9 m
Coffre 870 l, 1990 l (sièges abaissés)
Réservoir de carburant 67 l
Capacité de remorquage L4 1134 kg, **V6** 1587 kg

587

NOS MENTIONS

☺ Modèle recommandé

NOTRE VERDICT

Plaisir au volant	⬢⬢⬢◖
Qualité de finition	⬢⬢⬢⬢◖
Consommation	⬢⬢⬢⬡
Rapport qualité/prix	⬢⬢⬢◖
Valeur de revente	⬢⬢⬢⬢

YARIS

www.toyota.ca

ÉVOLUTION

N É

J

15 255 $ à 20 905 $
transport et préparation: 1420 $

LA COTE VERTE

MOTEUR
L4 DE 1,5 L

· **Consommation**
(100km):
man. 6,2 l
auto. 6,3 l
· **Émissions**
polluantes CO$_2$:
man. 2852 kg/an
auto. 2944 kg/an
· **Empreinte écologique**
(nombre d'arbres à
planter par année): 18
· **Indice d'octane:** 87
· **Autre**
motorisation: non
· **Coût du carburant**
moyen par année:
man. 1240 $
auto. 1280 $
· **Nombre de**
litres par année:
man. 1240 l
auto. 1280 l

(SOURCE: ÉnerGuide)

588

 FICHE D'IDENTITÉ

· **Versions** 3 portes CE berline base, 5 portes LE, RS
· **Roues motrices** avant
· **Portières** 3, 4, 5 **Nombre de passagers** 5
· **Première génération** 2000 (Echo)
· **Génération actuelle** 2006
· **Construction** Nagakasa, Japon
· **Sacs gonflables** 2
(frontaux; rideaux latéraux standard sur berline
et 5 portes RS)
· **Concurrence** Honda Fit, Ford Fiesta, Hyundai
Accent, Kia Rio, Mazda2, Nissan Versa, Scion xD

 AU QUOTIDIEN

· **Prime d'assurance**
25 ans: 1200 à 1400 $
40 ans: 800 à 1000 $
60 ans: 700 à 900 $
· **Collision frontale** 4/5
· **Collision latérale** 3/5
· **Ventes du modèle de l'an dernier**
Au Québec 13 537 **Au Canada** 23 773
· **Dépréciation** 48,6%
· **Rappels** (2005 à 2010) 1
· **Cote de fiabilité** 5/5

 GARANTIES... ET PLUS

· **Garantie générale** 3 ans/60 000 km
· **Garantie motopropulseur** 5 ans/100 000 km
· **Perforation** 5 ans/kilométrage illimité
· **Assistance routière** 3 ans/60 000 km
· **Nombre de concessionnaires**
Au Québec 68 **Au Canada** 243

 NOUVEAUTÉS EN 2011

· Système de contrôle de stabilité venant avec
le modèle 3 portes CE et 5 portes LE,
· Dispositif d'assistance au freinage avec 5 portes LE
· Nouveau dessin d'enjoliveurs pour la berline.

L'ÉTAU SE RESSERRE...

PAR VINCENT AUBÉ

VOUS VOULEZ LA PREUVE QUE LE TEMPS
PASSE, ET QUE L'AUTOMOBILE ÉVOLUE ?
PRENEZ LA YARIS, PAR EXEMPLE, UNE SOUS-
COMPACTE QUI A ÉTÉ ACCLAMÉE PAR LA CRI-
TIQUE DÈS SA SORTIE EN 2006. La petite sous-
compacte a poursuivi son bonhomme de chemin
au fil des ans en continuant de bien se vendre.
Le problème, surtout au Québec, c'est que la catégorie des sous-compactes est très populaire, une
chose que les autres constructeurs ont enfin compris. Pour ajouter l'insulte à l'injure, l'année 2011
marquera l'arrivée de trois nouvelles représen-
tantes, la Ford Fiesta et la Mazda2, qui promettent
de secouer le segment, mais aussi la Scion xD.
Oui, les temps changent !

[CARROSSERIE] La Yaris a l'avantage d'offrir deux
types de carrosseries : berline et hayon (à 3 ou à
5 portes). De toute évidence, la version à hayon
a une bouille plus sympathique que la berline qui
peut facilement être confondue pour une petite
Toyota Camry. Les stylistes ont au moins fait l'effort
de proposer deux museaux différents entre les
deux configurations. Pour ajouter un peu de piquant, la Yaris RS (à hayon à 5 portes seulement)
comprend aussi des bas de caisse plus agressifs et
des jantes. Dommage que le RS ne soit pas synonyme d'un gain de puissance sous le capot !

[HABITACLE] Là encore, un effort de différenciation est notable puisque la partie centrale du tableau de bord diffère quelque peu entre le modèle
bicorps et la berline. Les différents cadrans se
retrouvent toujours au centre, ce qui autorise trois
boîtes à gants dans le tableau de bord. D'ailleurs,
malgré un assemblage ficelé, il ne faut pas
s'attendre à des matériaux riches. Le plastique est
à l'honneur dans la Yaris. Les sièges avant sont
appropriés pour de cours trajets, leur assise étant
trop courte pour les longues balades. Quant
à l'arrière, la banquette peut accueillir deux personnes aisément, mais de grâce, n'imposez
pas un Montréal-Québec à un troisième occupant, il ne vous le pardonnera jamais! Enfin,
la berline l'emporte face à la version à hayon
au chapitre du volume du coffre. Il est à noter
que ce ne sont pas toutes les versions qui ont droit
à une banquette arrière divisible 60/40.

FORCES · Faible consommation de carburant · Maniabilité exemplaire
· Mécanique éprouvée

FAIBLESSES · Option coûteuses · Confort des sièges avant
· Refonte du modèle souhaitée

[MÉCANIQUE] Sous le capot, c'est toujours le même 4-cylindres de 1,5-litre qui s'occupe de déplacer la plus petite des Toyota. Il développe la même puissance qu'auparavant, soit 106 chevaux, et produit un couple de 103 livres-pieds. Les conducteurs à la recherche d'accélérations fulgurantes devront évidemment regarder dans une autre catégorie, mais ceux qui n'ont cure de cette caractéristique seront satisfaits avec la puissance du groupe motopropulseur. Au sujet des deux boîtes offertes, la manuelle à 5 rapports est non seulement plus plaisante à manœuvrer, mais elle permet aussi de mieux exploiter la plage de puissance. L'automatique à 4 rapports accomplit du bon boulot, mais fait paraître le petit 1,5-litre un peu plus rugueux. De toute manière, le but de la Yaris et de sa minuscule mécanique est de sauver des sous à son conducteur quand vient le temps de s'arrêter à la station-service et non de battre des records de vitesse. D'ailleurs, en ne ménageant pas la petite voiture, j'ai obtenu une consommation moyenne de 7,3 litres aux 100 kilomètres.

[COMPORTEMENT]

La Yaris à hayon se présente comme une petite sous-compacte plus dynamique, et c'est exactement ce qu'elle est par rapport à la berline qui manque de piquant. En milieu urbain, sa taille réduite est un atout non négligeable. Stationner une Yaris à hayon est un jeu d'enfant. Pour ce qui est de la conduite, la Yaris se manie aisément, la direction étant légère, et la suspension demeure confortable. À haute vitesse, les vents latéraux peuvent malheureusement nuire à la petite sous-compacte.

[CONCLUSION] La Yaris est encore une sous-compacte intéressante malgré la concurrence féroce. Toutefois, il faut faire attention aux options qui peuvent faire rapidement grimper la facture. La Yaris n'est plus une première de classe, mais elle n'est pas en fin de peloton non plus... pour le moment !

2ᵉ OPINION

DANIEL RUFIANGE La Toyota Yaris prend de l'âge. Néanmoins, elle demeure l'une des voitures les plus vendues en raison de sa fiabilité et de sa faible consommation de carburant, deux arguments massue avec lesquels Toyota peut mener une campagne de marketing sur le radar. Dans le segment, l'arrivée des nouvelles Ford Fiesta et Mazda2, de même que la prochaine Spark de Chevrolet (2012) devrait affecter les ventes de la Yaris, en théorie. La prochaine génération n'arrivera pas trop tôt. Pendant ce temps, Toyota continue d'offrir un produit très honnête et doté d'une fiabilité qui fait toujours l'envie, nonobstant les problèmes vécus par le constructeur au cours de la dernière année. La seule vraie ombre au tableau : le prix de la Yaris, beaucoup trop élevé.

⑤ FICHE TECHNIQUE

· MOTEUR
L4 1,5 l DACT, 106 ch à 6000 tr/min
Couple 103 lb-pi à 4200 tr/min
Transmission manuelle à 5 rapports, automatique à 4 rapports (en option)
0-100 km/h 11,1 s
Vitesse maximale 180 km/h

· AUTRES COMPOSANTES
Sécurité active freins ABS (en option), contrôle électronique de la stabilité (en option), distribution électronique de la force de freinage (en option, standard sur berline).
Suspension avant/arrière indépendante/essieu rigide
Freins avant/arrière disques/tambours
Direction à crémaillère, assistée
Pneus P185/60R15

· DIMENSIONS
Empattement hatch. 2460 mm **berl.** 2550 mm
Longueur hatch. 3825 mm **berl.** 4300 mm
Largeur hatch. 1695 mm **berl.** 1690 mm
Hauteur hatch. 1525 mm **berl.** 1460 mm
Poids berl. 1050 kg **3p. CE** 1040 kg
5p. LE 1050 kg **5p. RS** 1055 kg
Diamètre de braquage hatch. 9,4 m **berl.** 10,4 m
Capacité de remorquage 318 kg
Coffre hatch. 265 l **berl.** 388 l
Réservoir de carburant 42 l

NOS MENTIONS

☺ Modèle recommandé

NOTRE VERDICT

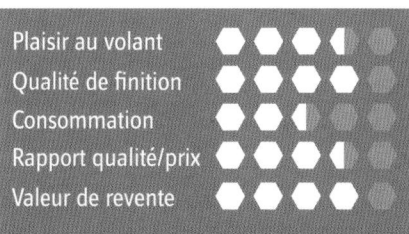

Plaisir au volant	⬡⬡⬡⬡◗
Qualité de finition	⬡⬡⬡⬡⬡
Consommation	◗⬡⬡⬡⬡
Rapport qualité/prix	⬡⬡⬡⬡⬡
Valeur de revente	⬡⬡⬡⬡⬡

EOS

www.vw.ca

ÉVOLUTION

N — É
J

37 940 $ à 44 740 $
transport et préparation: 1365 $

LA COTE VERTE

MOTEUR
L4 DE 2,0 L

· **Consommation** (100km):
man. 8,3 l
robo. 7,9 l

· **Émissions polluantes CO_2:**
man. 3910 kg/an
robo. 3680 kg/an

· **Empreinte écologique** (nombre d'arbres à planter par année): 25

· **Indice d'octane:** 91

· **Autre motorisation:** non

· **Coût du carburant moyen par année:**
man. 1904 $
robo. 1792 $

· **Nombre de litres par année:**
man. 1700 l
robo. 1600 l

(SOURCE: ÉnerGuide)

① FICHE D'IDENTITÉ

· **Version** 2.0T (Highline, Comfortline)
· **Roues motrices** avant
· **Portières** 2 **Nombre de passagers** 2+2
· **Première génération** 2007
· **Génération actuelle** 2007
· **Construction** Setubal, Portugal
· **Sacs gonflables** 6 (frontaux, latéraux avant, rideaux latéraux)
· **Concurrence** Mitsubishi Eclipse Spyder, Volvo C70

② AU QUOTIDIEN

· **Prime d'assurance**
25 ans: 2200 à 2400 $
40 ans: 1200 à 1400 $
60 ans: 1000 à 1200 $
· **Collision frontale** 5/5
· **Collision latérale** 5/5
· **Ventes du modèle l'an dernier**
Au Québec 381 Au Canada 802
· **Dépréciation** 35,5 %
· **Rappels** (2005 à 2010) 1
· **Cote de fiabilité** 3,5/5

③ GARANTIES... ET PLUS

· **Garantie générale** 4 ans/80 000 km
· **Garantie motopropulseur** 5 ans/100 000 km
· **Perforation** 12 ans/kilométrage illimité
· **Assistance routière** 4 ans/kilométrage illimité
· **Nombre de concessionnaires**
Au Québec 41 Au Canada 131

④ NOUVEAUTÉS EN 2011

· Nouveau système audio, nouveaux coloris

DIGNE SUCCESSEUR DE LA GOLF CABRIO

PAR BENOIT CHARETTE

DEPUIS QUE LA GOLF CABRIO A DISPARU DE LA CIRCULATION, BEAUCOUP SE DEMANDENT CE QUI LA REMPLACE CAR, MÊME À SA QUATRIÈME ANNÉE SUR LE MARCHÉ, BIEN PEU DE GENS CONNAISSENT L'EOS. C'est pourtant une voiture très bien ciblée pour toutes celles qui appréciaient la Golf Cabrio. Comme elle, l'EOS offre quatre vraies places, un excellent confort et un toit rigide qui la transforme en coupé pour la froide saison ou les jours de pluie. Il est vrai que le prix n'est plus le même, mais la technologie est beaucoup plus avancée.

[CARROSSERIE] Inchangée sous nos cieux depuis son lancement en 2007, l'Eos européenne est déjà passée au bistouri. La grande verticale, signe de l'ancienne approche Volkswagen qui est toujours de mise chez nous, a laissé place à une calandre plus horizontale et à des feux plus effilés pour l'Europe. La mouture européenne gagne en agressivité et évoque davantage les nouvelles générations de VW alors que, chez nous, l'EOS com-

mence un peu à montrer son âge. Pourquoi ne pas avoir fait la même chose chez nous? Les chiffres de ventes ne justifient pas l'investissement tout simplement. Pour 2011, l'Eos se contente de deux changements de couleurs extérieurs, c'est tout.

[HABITACLE] Les amateurs de Volkswagen ne seront pas dépaysés à l'intérieur. L'approche est la même pour tous les produits de la gamme. Cela demeure toujours un peu sinistre comme ambiance, mais l'aménagement fait un sans-faute, et tout est au bon endroit. Parmi les petites nouveautés en 2011, une nouvelle chaîne audio de meilleure qualité avec huit haut-parleurs de série sur la version Comfortline ainsi que la radio par satellite Sirius. Il y a également (enfin diront certains) la connectivité Bluetooth pour les téléphones portables avec commande vocale au volant de série sur la version Highline. Pour le reste, la voiture demeure l'une des rares véritable quatre-places de sa catégorie. Les passagers à l'arrière seront un

FORCES · Confort · Insonorisation · Belle mécanique · Véritable quatre-places · Utilisation quatre saisons

FAIBLESSES · Visibilité arrière pauvre · Habitacle un peu austère · Prix un peu élevé

peu au coude à coude, mais suffisamment à l'aise pour une bonne randonnée.

[MÉCANIQUE] Le 2-litres turbo à essence de première génération est toujours de service sous le capot de l'EOS. Pas de diesel comme en Europe ou de nouvelle génération du 2.0T à 211 chevaux. Les 200 chevaux de la première génération font tout de même du bon travail. En raison du poids de la voiture, on note une légère inertie au départ, mais rien de majeur. Cette mécanique s'est montrée à la hauteur et elle est secondée par une excellente boîte de vitesses DSG ou manuelle à 6 rapports. Ce moteur souple et silencieux convient parfaitement bien au caractère de la voiture. Bien plein à tous les régimes, ce moteur monte facilement dans les tours tout en restant remarquablement silencieux.

[COMPORTEMENT] Toit ouvert ou fermé, l'insonorisation est remarquable. La direction est très précise et informative, et offre un bon rendement quelque soit le type de route rencontrée. Quant au châssis, il sait se montrer joueur si on le provoque un peu, tout en restant sain et progressif. L'électro-stabilisateur programmé (ESP), livré de série, permet de garder la voiture dans le droit chemin. Et contrairement à bien des cabriolets qui perdent une partie de leur rigidité avec l'ablation du toit, l'Eos même découverte conserve tout son aplomb. Le seul petit reproche à la visibilité arrière plutôt limitée quand le toit est en place. La puissance ne fait pas défaut, vous pouvez vous permettre quelques écarts de conduite sportive quand la route s'y prête sans avoir d'arrière-pensée.

[CONCLUSION] À un prix de base de 37 000 $, c'est vrai que la note est assez salée. Mais voyons cela d'un autre œil, une Volvo C70 qui n'a rien de plus qu'une Eos commence à 52 000 $. L'Eos est un très charmant cabriolet, utilisable en famille toute l'année. Agréable à conduire et confortable! Un achat passion donc, mais aussi raison. Il faut juste prendre un peu plus de temps pour mettre ses sous de côté.

2ᵉ OPINION

MICHEL CRÉPAULT L'un des mes cabriolets préférés ! Parce qu'il peut asseoir dans un confort presque total quatre personnes, et ce, peu importe la saison. Parce que son toit rigide rétractable nous permet d'être tour à tour isolés des intempéries ou, alors, libres d'accueillir à bras ouverts le vent et l'azur. Bien que l'Eos soit d'abord et avant tout une voiture portée sur les balades nonchalantes et insouciantes, elle ne peut pas complètement renier ses origines allemandes et offre donc une tenue de route posée, sans toutefois être musclée. Juste un peu plus généreuses, les places arrière seraient parfaites. Juste un peu plus rigide, la charpente éliminerait ces occasionnels craquements. Mais pour s'abreuver de soleil à bord d'une automobile agréable à l'année, l'Eos fait mouche.

⑤ FICHE TECHNIQUE

· MOTEUR

L4 2,0 l turbo DACT, 200 ch à 5100 tr/min
Couple 207 lb-pi à 1700 tr/min

Transmission manuelle à 6 rapports, automatique robotisée à 6 rapports (en option)

0-100 km/h 7,8 s, **robo.** 8,1

Vitesse maximale 209 km/h (limitée)

· AUTRES COMPOSANTES

Sécurité active freins ABS, répartition électronique de force de freinage, antipatinage, contrôle de stabilité électronique

Suspension avant/arrière indépendante

Freins avant/arrière disques

Direction à crémaillère, assistée

Pneus P235/45R17, P235/40R18 (en option)

· DIMENSIONS

Empattement 2578 mm

Longueur 4410 mm

Largeur 1791 mm

Hauteur 1443 mm

Poids man. 1576 kg **robo.** 1595 kg

Diamètre de braquage 10,9 m

Coffre 290 l, 180 l (toit abaissé)

Réservoir de carburant 55 l

NOS MENTIONS

☺ Modèle recommandé

NOTRE VERDICT

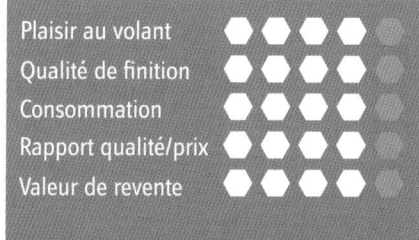

Plaisir au volant	●●●●○
Qualité de finition	●●●●○
Consommation	●●●○○
Rapport qualité/prix	●●●○○
Valeur de revente	●●●○○

GOLF

www.vw.ca

ÉVOLUTION

N É

J

20 175 $ à 30 475 $
transport et préparation: 1365 $

LA COTE VERTE

MOTEUR
L4 DE 2,0 L TDI

- **Consommation**
  (100km): 5,7 l
- **Émissions
  polluantes CO_2 :**
  3132 kg/an
- **Empreinte écologique
  (nombre d'arbres à
  planter par année):** 19
- **Indice
  d'octane:** Diesel
- **Autre
  motorisation:** Essence
- **Coût du carburant
  moyen par année:**
  1079 $
- **Nombre de
  litres par année:**
  1160 l

(SOURCE: ÉnerGuide)

---

① FICHE D'IDENTITÉ

- **Version 3 portes** (Trendline, Sportline),
  5 portes (Trendline, Confortline, Highline),
  5 portes familiale (Trendline, Confort, Highline)
- **Roues motrices** avant
- **Portières** 3, 5 **Nombre de passagers** 5
- **Première génération** 1976
- **Génération actuelle** 2010
- **Construction** Wolfsburg, Allemagne
- **Sacs gonflables** 6 (frontaux, latéraux avant,
  rideaux latéraux) latéraux arrière en option
  sur 5 portes)
- **Concurrence** Acura CSX, Toyota Corolla/Matrix
  Ford Focus, Honda Civic, Hyundai Elantra, Kia
  Spectra, Mazda 3, Mitsubishi Lancer, Suzuki SX4,
  Nissan Sentra, Subaru Impreza, Chevrolet Cruze.

② AU QUOTIDIEN

- **Prime d'assurance**
  25 ans : 1400 à 1600 $
  40 ans : 1000 à 1200 $
  60 ans : 800 à 1000 $
- **Collision frontale** 4/5
- **Collision latérale** 5/5
- **Ventes du modèle l'an dernier**
  Au Québec 5206 **Au Canada** 12 725
- **Dépréciation** 40,0 %
- **Rappels** (2005 à 2010) 2
- **Cote de fiabilité** 4/5

③ GARANTIES... ET PLUS

- **Garantie générale** 4 ans/80 000 km
- **Garantie motopropulseur** 5 ans/100 000 km
- **Perforation** 12 ans/kilométrage illimité
- **Assistance routière** 4 ans/kilométrage illimité
- **Nombre de concessionnaires**
  Au Québec 41 **Au Canada** 131

④ NOUVEAUTÉS EN 2011

- Nouveau système audio, système de contrôle
  de stabilité de série sur tous les modèles

LA MINI AUDI

PAR PHILIPPE LAGUË

SI VOLKSWAGEN NE RÉUSSIT PAS AUSSI BIEN EN AMÉRIQUE DU NORD QU'EN EUROPE (OÙ ELLE DOMINE LE MARCHÉ), CE N'EST PAS SÛREMENT PAS À CAUSE DU QUÉBEC ! Chez nous, la marque a ses fidèles, que dis-je, ses adorateurs, qui passent outre les caprices mécaniques et électroniques de leur voiture. Leur fidélité et leur patience ont cependant été récompensées, puisque la fiabilité semble à nouveau faire partie du vocabulaire de la maison.

[CARROSSERIE] Apparue en 1974, la Golf en est déjà à sa sixième génération. D'une à l'autre, il y a toujours une filiation, de sorte qu'une Golf ressemble toujours à une Golf. Jolie, elle ne ressort pas du peloton non plus; il est vrai que ce type de carrosserie ne permet guère de latitude. Aux versions à 3 et à 5 portes s'est ajoutée, l'année dernière, une familiale.

[HABITACLE] On pourrait facilement se croire dans une Audi, tant les matériaux sont de qualité. L'assemblage est rigoureux, et il y a beaucoup moins de plastique que dans les compactes améri-

caines et asiatiques. L'ergonomie est, elle aussi, exemplaire : contrairement aux autres marques allemandes, les commandes sont simples, parfaitement situées et faciles à manipuler. Les sièges brillent par leur confort et leur maintien latéral. Celui-ci fait cependant cruellement défaut à la banquette arrière qui est aussi plus ferme. Ceux qui y prennent place bénéficient toutefois d'un dégagement appréciable pour la tête et les jambes. Les deux configurations de la Golf brillent aussi par leur côté pratique, gracieuseté de leur hayon arrière. Si la qualité de construction et la finition ne surprennent guère, l'insonorisation, elle, a fait l'objet d'un soin particulier. Les Volkswagen n'ont jamais été aussi bien insonorisées, et la Golf VI le confirme. Ceci permet d'apprécier le rendement de la chaîne stéréo, supérieur à la plupart des autres véhicules de cette catégorie.

[MÉCANIQUE] Le 5-cylindres de 2,5 litres de la génération précédente a été reconduit, mais le grondement sonore qui le caractérise a été réduit. Sa consommation est cependant plus élevée que celle d'un 4-cylindres. Sachez-le. Pour battre des

---

FORCES · Gamme étoffée · Finition et qualité d'assemblage · Superbe moteur TDI
· Agrément de conduite incomparable dans cette catégorie
· Plus confortable et plus silencieuse que jamais · Fiabilité en progrès
FAIBLESSES · Banquette arrière spartiate · Consommation décevante (2.5)
· Délai dans la boîte automatique · Pneus médiocres (2.5) · Confiance à rebâtir

records dans ce domaine, il y a le 4-cylindres turbodiesel à injection directe de carburant (TDI), un moteur exceptionnel, capable de rivaliser avec des voitures hybrides, quand elle ne les surpasse pas; capable aussi de supplanter la plupart des ses rivales utilisant un moteur à essence régulier pour les performances, grâce à son généreux couple et sa grande plage d'utilisation. Le moteur à essence hérite d'une transmission manuelle à 5 rapports alors que celle du moteur diesel reçoit un rapport de plus. Leur rendement est irréprochable, si ce n'est que l'automatique prend une fraction de seconde avant de réagir. À moins que ce ne soit la faute de l'accélérateur électronique ?

[COMPORTEMENT] Pour comprendre l'amour inconditionnel des Québécois envers les « Volks », il suffit d'en conduire une. La Golf fait tout bien : elle accélère bien, freine bien (oh que oui !), tourne bien, tient bien la route.... Un mot pour résumer tout cela : aplomb. N'allez surtout pas croire que le confort en souffre : la douceur de roulement de la Golf VI la place dans le peloton de tête. Comme toujours chez Volkswagen, l'amortissement est souple, avec un débattement important qui permet toutefois d'absorber les imperfections de notre légendaire réseau routier avec doigté. Certes, la caisse penche en virage, mais cela n'affecte nullement la motricité... Ou si peu, mais ce sont les médiocres pneus Hankook de la version de base qu'il faut pointer du doigt.

[CONCLUSION] La Golf fait la preuve qu'il n'est pas nécessaire de s'acheter une Porsche pour avoir du plaisir à conduire une voiture. Pas besoin non

plus d'opter pour une GTI : l'agrément de conduite fait partie de l'ADN de la Golf. Dieu merci, il en existe encore, des comme ça ! L'attrait de cette voiture ne se limite pas à cela : avec ses trois configurations, sa version diesel et la sportive GTI, elle s'adresse à une clientèle élargie. Si elle continue d'être fiable, en plus, la Golf pourrait bien constituer à nouveau une sérieuse menace pour les compactes asiatiques, qui dominent toujours ce créneau en Amérique.

2ᵉ OPINION

FRÉDÉRIC MASSE N'eût été des problèmes de fiabilité qu'éprouvaient les VW dans le passé, la Golf demeurait l'une de mes voitures compactes préférées. Oui, elle coûte plus cher, mais elle offre aussi davantage. Davantage de confort, de raffinement, bref, de qualités autant routières qu'esthétiques. Ce n'est pas vrai qu'une Golf se compare à une Civic ou à une Corolla, elle est plus luxueuse et plus raffinée. Ça se voit, ça se sent et ça se touche. En version diesel notamment, elle consomme si peu qu'elle détrône bien des hybrides à un prix inférieur dans bien des cas. Je dois dire que j'ai toujours aimé Volkswagen... j'en ai même eu une à un certain moment de ma vie. Mais, pour quiconque veut de la qualité sans grossir la coquille, il faut vraiment aller voir du côté du constructeur allemand. De plus, sa cote de fiabilité prend vraiment du mieux... Que dire de plus ?

⑤ FICHE TECHNIQUE

· MOTEURS
· (5 portes, 5 portes familiale)
L4 2,0 l turbodiesel SACT, 140 ch à 4000 tr/min
Couple 236 lb-pi à 1750 tr/min
Transmission manuelle à 6 rapports, manuelle robotisée à 6 rapports (option)
0-100 km/h nd **Vitesse maximale** 209 km/h

· (3 portes, 5 portes, 5 portes familiale)
L5 2,5 l DACT, 170 ch à 5700 tr/min
Couple 177 lb-pi à 4250 tr/min
Transmission manuelle à 5 rapports, automatique à 6 rapports avec mode manuel (en option)
0-100 km/h man. 8,0s. **auto.** 8,3s.
Vitesse maximale 209 km/h (limitée)
Consommation (100 km)
man. 8,7 l, **auto.** 8,1 l (octane 87)

· AUTRES COMPOSANTES
Sécurité active freins ABS, répartition électronique de force de freinage, assistance au freinage, antipatinage, contrôle de stabilité électronique
Suspension avant/arrière indépendante
Freins avant/arrière disques
Direction à crémaillère, assistée
Pneus P195/65R15,
option 5 portes/5 portes familiale P205/55R16,
option 3 portes P225/45/17

· DIMENSIONS
Empattement 2578 mm
Longueur 4201 mm **familiale** 4556 mm
Largeur 1779 mm **familiale** 1781 mm
Hauteur 1479 mm **familiale** 1504 mm
Poids : 1346 à 1511 kg
Diamètre de braquage 10,9 m
Coffre 3 portes 420 l, 1310 l (sièges abaissés)
5 portes 420 l, 1300 l (sièges abaissés)
Familiale 930 l, 1890 l (sièges abaissés)
Réservoir de carburant 55 l

NOS MENTIONS

Le choix vert

Modèle recommandé

Coup de coeur

NOTRE VERDICT

Plaisir au volant	⬡	⬡	⬡	⬡	⬡
Qualité de finition	⬡	⬡	⬡	⬡	⬡
Consommation	⬡	⬡	⬡	⬡	⬡
Rapport qualité/prix	⬡	⬡	⬡	⬡	⬡
Valeur de revente	⬡	⬡	⬡	⬡	⬡

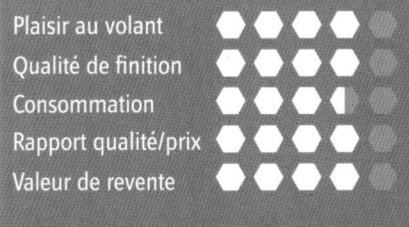

GOLF GTI

www.vw.ca

ÉVOLUTION

30 040 $ à **31 040 $**
transport et préparation: 1365 $

LA COTE VERTE

MOTEUR
L4 DE 2,0 L TURBO

- **Consommation (100km):**
  man. 8,3 l
  robo. 7,5 l
- **Émissions polluantes CO_2:**
  man. 3910 kg/an
  robo. 3496 kg/an
- **Empreinte écologique (nombre d'arbres à planter par année):** 24
- **Indice d'octane:** 91
- **Autre motorisation:** non
- **Coût du carburant moyen par année:**
  man. 1904 $
  robo. 1702 $
- **Nombre de litres par année:**
  man. 1700 l
  robo. 1520 l

(SOURCE: ÉnerGuide)

 FICHE D'IDENTITÉ

- **Versions** unique
- **Roues motrices** avant
- **Portières** 3, 5 **Nombre de passagers** 5
- **Première génération** 1976
- **Génération actuelle** 2010
- **Construction** Wolfsburg, Allemagne
- **Sacs gonflables** 6
  frontaux, latéraux avant et rideaux latéraux, (latéraux arrière en option sur 5 portes)
- **Concurrence** Acura CSX, MazdaSpeed3, Mitsubishi Lancer Evo, Nissan Sentra SE-R, Subaru Impreza WRX, MINI Cooper S

 AU QUOTIDIEN

- **Prime d'assurance**
  25 ans: 1400 à 1600 $
  40 ans: 1000 à 1200 $
  60 ans: 800 à 1000 $
- **Collision frontale** 5/5
- **Collision latérale** 4/5
- **Ventes du modèle de l'an dernier**
  Au Québec 305 **Au Canada** 1045
- **Dépréciation** 42,8%
- **Rappels** (2005 à 2010) aucun rappel
- **Cote de fiabilité** 3/5

 GARANTIES... ET PLUS

- **Garantie générale** 4 ans/80 000 km
- **Garantie motopropulseur** 5 ans/100 000 km
- **Perforation** 12 ans/kilométrage illimité
- **Assistance routière** 4 ans/kilométrage illimité
- **Nombre de concessionnaires**
  Au Québec 41 **Au Canada** 131

 NOUVEAUTÉS EN 2011

- Aucun changement majeur

BOURGEOISE MAIS TOUJOURS REBELLE

PAR PHILIPPE LAGUË

GTI : TROIS LETTRES, TROIS PETITES LETTRES COMBIEN ÉVOCATRICES QUI ONT FAIT RÊVER DES GÉNÉRATIONS DE JEUNES CONDUCTEURS DEPUIS 35 ANS ET QUI ONT FAIT DE CETTE VARIANTE D'UNE POPULAIRE PETITE VOITURE UN CLASSIQUE DE LA MARQUE VOLKSWAGEN, TOUT EN CRÉANT UN NOUVEAU CRÉNEAU : CELUI DES COMPACTES SPORTIVES. Née en 1976, la Golf GTI en est à sa sixième génération et elle se bonifie avec l'âge.

[CARROSSERIE] La dernière refonte date de l'année dernière et, disons-le, elle frise le copier-coller, outre le fait que la GTI semble plus petite que sa devancière. Illusion : c'est kif-kif ou presque. Elle est toujours offerte en deux configurations (à 3 et à 5 portes). Comme ses ancêtres, son allure sportive est sobre et discrète; ailerons surdimensionnés et autres protubérances, très peu pour elle. Les roues en alliage (superbes !) et le petit aileron sur le dessus du hayon lui sont exclusifs, tout comme la

petite bande rouge dans la calandre.

[HABITACLE] La tradition GTI est respectée à l'intérieur, avec le tissu à motif tartan au centre des sièges et les coutures rouges. L'aluminium est également très présent. Sinon, tout est noir et, réjouissons-nous, le plastique se fait rare. Une belle finition, donc; on aimerait en dire autant de l'assemblage, mais, dans notre véhicule d'essai, un bruit de vent persistant émanait de la portière. Des irritants du même genre nous ont été rapportés par des propriétaires de GTI. Les commandes sont bien placées, faciles à utiliser et, contrairement aux autres marques allemandes, Volkswagen a su garder cela simple : pas de molette multifonction ou autres gadgets inutiles et compliqués. Autre bon point, les espaces de rangement, qui ne sont pas là uniquement pour décorer. Mais l'amélioration la plus frappante, c'est l'insonorisation qui atteint des sommets dans une GTI (comme dans les autres Golf, d'ailleurs). L'habitabilité fait aussi partie de la

FORCES · Pas d'excroissances sur la carrosserie · Finition à la fois sportive et cossue · Insonorisation · Superbe mécanique · Fiabilité en progrès · Compromis confort/performances/tenue de route imbattable
FAIBLESSES · Refonte timide · Qualité d'assemblage variable · Suspension spongieuse · L'une des plus chères de ce segment

liste des points forts. Le dégagement pour la tête impressionne; pour les jambes, l'espace est plus compté, mais cela n'empêche pas deux adultes de pouvoir s'installer à l'arrière. La banquette est cependant moins moelleuse et procure moins de maintien que les sièges avant, moins fermes et plus confortables que dans les GTI d'antan.

[MÉCANIQUE] Le 4-cylindres turbo est un moteur exceptionnel, l'un des meilleurs de l'industrie de l'automobile. Très souple, très élastique aussi, il offre une grande plage d'utilisation; peu importe le régime, la puissance est là, et la réponse, instantanée. Encore une fois, l'injection directe fait des miracles en maintenant la consommation de carburant à un niveau plus que raisonnable, même quand le rythme est plus soutenu. En conduite normale, sa consommation est même inférieure à celle du 5-cylindres de la Golf régulière. Deux boîtes de vitesses à 6 rapports sont au menu : une manuelle et la boîte DSG à double embrayage. Son rendement est impressionnant : les passages sont fluides et ultra rapides. Mais le puriste (ou le nostalgique, c'est selon) préférera la boîte manuelle, d'autant plus que celle de la GTI est un régal à utiliser; la course du levier est courte, les passages, précis.

[COMPORTEMENT] Dans ce créneau, la GTI propose le meilleur équilibre entre le confort et l'agrément de conduite. Ses bonnes manières ont-elles altéré son tempérament sportif ? De prime abord, c'est ce que laissent croire la souplesse des amortisseurs et le roulis en virage; mais ceux et celles qui sont familiers avec les Volkswagen savent que c'est typique... et trompeur, car dans les virages, la GTI penche, mais elle s'écrase et s'accroche, bien plantée sur ses quatre roues. La direction, un modèle de dosage et de précision, fait le reste : cette voiture est agile et se conduit du bout des doigts. Bref, c'est une allemande.

[CONCLUSION] Au fil des renouvellements, la petite rebelle a pris du poids et développé le goût du luxe. Mais elle n'a pas renié complètement ses idéaux : elle offre toujours une bonne dose de plaisir mais dans un environnement plus confortable et plus cossu. Évidemment, la fiabilité demeure une question délicate chez ce constructeur, mais depuis deux ans, l'amélioration promise s'est concrétisée.

2ᵉ OPINION

DANIEL RUFIANGE La GTI, c'est l'enfant rebelle par excellence. En matière d'esthétique, la voiture a bien peu changé au fil des années, si ce n'est que pour s'embellir. Son allure respire l'agressivité, mais demeure sobre. Quand on s'installe au volant, la position de conduite qui frôle la perfection nous incite à la délinquance. C'est simple, on a envie de mettre le pied au fond et filer vers la liberté. Mon bémol va à la version à boîte de vitesses automatique. Si les changements de rapports se font sans crier gare, c'est au départ qu'on reste sur notre appétit; la voiture met du temps à réagir quand on enfonce l'accélérateur. Néanmoins, la GTI demeure un outil d'évasion taillé sur mesure pour tous ceux qui refusent de vieillir. Un joyau que Volkswagen a su très bien polir.

⑤ FICHE TECHNIQUE

▪ MOTEUR
L4 2,0 l turbo DACT, 200 ch à 5100 tr/min
Couple 207 lb-pi à 1700 tr/min
Transmission manuelle à 6 rapports, manuelle robotisée à 6 rapports
0-100 km/h man. 7,1 s, **robo.** 6,9 s
Vitesse maximale 209 km/h (bridée)

▪ AUTRES COMPOSANTES
Sécurité active freins ABS, répartition électronique de force de freinage, assistance au freinage, antipatinage, contrôle de stabilité électronique
Suspension avant/arrière indépendante
Freins avant/arrière disques
Direction à crémaillère, assistée
Pneus P225/45R17 **option** P225/40R18

▪ DIMENSIONS
Empattement 2578 mm
Longueur 4213 mm
Largeur 1779 mm **5 portes** 1786 mm
Hauteur 1469 mm
Poids man. 1389 kg, **robo.** 1410 kg
Diamètre de braquage 10,9 m
Coffre 3 portes 420 l, 1310 (sièges abaissés)
5 portes 410 l, 1300 l (sièges abaissés)
Réservoir de carburant 55 l

NOS MENTIONS

☺ Modèle recommandé

NOTRE VERDICT

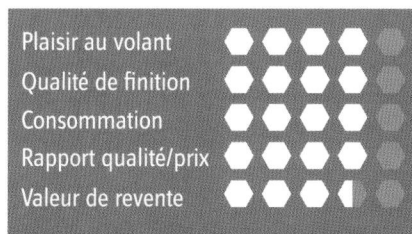

Plaisir au volant
Qualité de finition
Consommation
Rapport qualité/prix
Valeur de revente

JETTA

www.vw.ca

NOUVEAUTÉ

15 875 $ à 28 055 $
Transport et préparation: 1365 $

LA COTE VERTE

MOTEUR
L4 DE 2,0 L TDI

- **Consommation (100km): man.** 5,8 l **auto.** 5,9 l
- **Émissions polluantes CO2 : man.** 3186 kg/an **auto.** 3210 kg/an
- **Empreinte écologique (nombre d'arbres à planter par année):** 19
- **Indice d'octane:** Diesel
- **Carburant alternatif:** Essence
- **Coût du carburant moyen par année: man.** 1180 $ **auto.** 1200 $
- **Nombre de litres par année: man.** 1180 l **auto.** 1200 l

(SOURCE: ÉnerGuide)

---

① FICHE D'IDENTITÉ

- **Versions** Trendline, Trendline +, Comfortline, Sportline, Highline
- **Roues motrices** avant
- **Portières** 4 **Nombre de passagers** 5
- **Première génération** 1981
- **Génération actuelle** 2011
- **Construction** Puebla, Mexique
- **Sacs gonflables** 6, frontaux, latéraux et rideaux latéraux
- **Concurrence** Acura CSX, Chrysler Sebring, Ford Fusion, Honda Accord, Hyundai Sonata, Kia Optima, Mazda6, Nissan Altima, Subaru Impreza/Legacy, Toyota Camry

② AU QUOTIDIEN

- **Prime d'assurance**
  25 ans: de 2000 à 2200 $
  40 ans: de 1000 à 1200 $
  60 ans: de 800 à 1000 $
- **Collision frontale** nm
- **Collision latérale** nm
- **Ventes du modèle l'an dernier**
  Au Québec 4256 **Au Canada** 13 970
- **Dépréciation** 46,3 %
- **Rappels** (de 2005 à 2010) 7
- **Cote de fiabilité** nm

③ GARANTIES... ET PLUS

- **Garantie générale** 4 ans/80 000 km
- **Garantie motopropulseur** 5 ans/100 000 km
- **Perforation** 12 ans/kilométrage illimité
- **Assistance routière** 4 ans/kilométrage illimité
- **Nombre de concessionnaires**
  Au Québec 41 **Au Canada** 131

④ NOUVEAUTÉS EN 2011

Nouvelle génération

STRATÉGIE POPULISTE

PAR MICHEL CRÉPAULT

VOLKSWAGEN VEND BEAUCOUP DE BER-
LINES JETTA DANS LE MONDE MAIS NULLE
PART AILLEURS AUTANT QU'AUX ÉTATS-UNIS
(110 000 EXEMPLAIRES ANNUELLEMENT).
Comme VW entend hausser là-bas ses ventes to-
tales à 800 000 d'ici 2018 et, en passant, devenir
le constructeur numéro un mondial (n'oubliez
pas que le groupe contrôle également les
destinées d'Audi, de Seat, de Lamborghini, de
Bentley, de Porsche, de Skoda et de Bugatti), on
comprend dès lors que cette nouvelle Jetta soit au
cœur de ses visées expansionnistes.

[CARROSSERIE] Pour tomber davantage dans
l'œil de la clientèle américaine, quoi de mieux
que de lui offrir la Jetta la plus spacieuse jamais
construite ? La nouveauté s'est donc allongée de
7,4 centimètres et saute sur l'occasion pour
induire à sa silhouette un nouvel envol inspiré en
partie du prototype NCC (New Coupe Concept).
Vous y verriez aussi une influence Audi que je ne
vous contesterais pas deux secondes. Les surfaces
sont davantage ciselées, plus musclées, particulièrement aux ailes qui semblent servir de garde

du corps aux roues de 15, 16 ou de 17 pouces. La
calandre signale la nouvelle génération. Les
phares et les antibrouillards donnent dans le sportif. Les rétroviseurs fuselés, avec rappel de clignotant intégré, contribuent au coefficient de traînée
de 0,30. Les feux arrière, délaissant le design circulaire, empiètent sur le coffre à bagages. Le chef
du design de VW, Walter de Silva, a coupé tout
lien de surface avec la Golf et, même, en dessous,
puisque la Jetta dispose désormais de sa propre
plateforme (technologiquement, par contre, le
coffre à outils reste communautaire). Et pour ceux
qui se poseraient la question : pas de familiale à
l'horizon, du moins sans télescope Hubble.

[HABITACLE] Fabriquée au Mexique, la Jetta
bénéficiera d'un marketing distinct au pays de
l'oncle Sam (livrées S, SE, SEL, TDI et GLI là-
bas). Le Canada, lui, se met au diapason inter-
national avec les versions Trendline, Sportline,
Comfortline et Highline. Mais la grosse nouvelle
revient au prix de départ fixé à 15 875 $. Cela si-
gnifie que la Jetta enlève à la Golf le titre de modèle
VW le moins cher au pays. Le tableau de bord est

FORCES · Nouvelle fourchette de prix alléchante · Habitacle et coffre à bagages
très spacieux · Livrées habilement habillées selon votre budget
· Version TDI compacte

FAIBLESSES · 2-litres de 115 chevaux à 100 ans · Plastiques austères
· Banquette fermée · L'auto s'américanise

minimaliste et d'utilisation intuitive, plongé dans un décor épuré. Les plastiques sont durs, mais les formes sont harmonieuses. Autour de l'écran tactile multifonction de 5 pouces du modèle haut de gamme gravitent des cadrans cerclés de chrome qui rappellent la Passat CC. Comme les Allemands savent à quel point les Américains chérissent leur porte-gobelet, le levier de frein à main a été déplacé pour agrandir les réceptacles à Coke format maxi... La longueur accrue de la Jetta s'est traduite par un gain pour les occupants des trois places arrière, dont les jambes bénéficient tout à coup de 6,7 centimètres supplémentaires (8 centimètres de mieux que la Honda Civic). Malgré la ligne de toit plus fuyante, l'espace pour la tête n'a pas été affecté et demeure excellent. Le coffre, déjà bien servi par ses incroyables 440 litres, peut prendre de l'expansion grâce aux dossiers asymétriques (60/40) rabattables (les leviers sont dans le coffre) et d'une trappe à skis offerte en option. Alléluia ! J'ai fini par trouver le câble USB caché dans un recoin de la boîte à gants.

[MÉCANIQUE] La gamme de moteur s'étendra sur la planète de 105 à 200 chevaux, mais, à l'instar des Américains, nous aurons droit à trois moteurs à essence et un diesel : l'increvable 4-cylindres de 2 litres de 115 chevaux, le 5-cylindres de 2,5 litres de 170 chevaux et le 2-litres TDI de 140 chevaux. Le 4-cylindres de

> **LA DIRECTION VOLKSWAGEN COMPORTE CETTE SIGNATURE BIEN PARTICULIÈRE, COMME SI UN ÉLASTIQUE VOULAIT TOUJOURS RAMENER LE VOLANT AU CENTRE.**

2 litre TSI suralimenté se retrouvera sous le capot du modèle GLI quand il débarquera au Québec au printemps 2011. Une boîte de vitesses manuelle à 5 ou à 6 rapports (TDI et future TSI) et une automatique Tiptronic à 6 rapports livrable sur toute la gamme (les TDI et TSI pourront être dotées de la version DSG à 6 rapports à passage direct et à double embrayage, pour le moment une exclusivité nord-américaine à la Jetta 2011). Le contrôle de la stabilité électronique est désormais de série non seulement dans toutes les Jetta mais dans tous les produits VW. L'utilisation d'une poutre de torsion à l'arrière a permis de rogner quelque 10 kilos au poids de l'auto ; la GLI, elle, aura recours à des multibras, et son châssis sport aura été abaissé d'un poil de souris (15 millimètres).

[COMPORTEMENT]
Tout d'abord, maintenant que nous avons fait connaissance avec les livrées et les moteurs, examinons les conjugaisons possibles. Avec le 2-litres de base, on peut passer de la version Trendline, la moins chère (sans air climatisé et nantie de tambours à l'arrière, ce qui est aussi le cas des Civic, Corolla et 3 de base – pardon, cette dernière possède des disques), à la Trendline + (vous l'aurez deviné, avec *AC*, moyennant 1 400 $ d'extra) et à la Comfortline (19 075 $), qui ajoute un tas de bébelles allant des roues en alliage au régulateur de vitesse en passant par l'accoudoir central. Cette même version sert de tremplin à la Jetta de 2,5 litres chaussée de roues de 16 pouces et soudainement plus chromée, qu'on peut aussi préférer en habit Sportline (23 300 $), lequel multiplie les clins d'œil sportifs (sièges, suspension, disques à l'arrière,

La toute première génération fut dévoilée à Francfort en 1979. La deuxième génération fut lancée en 1984 en Europe et en 1985 aux États-Unis. En 1992, à la troisième génération, le nom Jetta fut changé pour celui de Vento en Europe. Aux États-Unis et au Canada, le nom Jetta fut conservé en raison de son succès commercial. En 1998, la quatrième génération fut lancée suivi de la cinquième génération en 2005.

JETTA 1979

JETTA 1982

JETTA 1985-1988

JETTA 1992

JETTA 1996-1998

JETTA 2004

JETTA 2006

JETTA 2011

GALERIE

A Si la carcasse est toute nouvelle, les moteurs eux demeurent en place. La version de base utilisera les bons services du vieux moteur de 2 litres de 115 chevaux qui sévit déjà depuis plusieurs générations chez Volks. L'autre moteur, notre photo, est un 5-cylindres en ligne de 2,5 litres et le moteur diesel de 2 litres de 140 chevaux, le plus populaire va aussi revenir. Un moteur de 2 litres turbo va se retrouver sous le capot d'une version GLI, l'an prochain.

B Dans les versions haut de gamme, il est possible d'avoir un système de navigation avec écran tactile,

C L'espace intérieur est un peu plus généreux avec une voiture qui est plus longue de 7 centimètres. Cela fait de cette Jetta la plus spacieuse des voitures compactes.

D Volkswagen a dû faire un certain nombre de compromis pour offrir la Jetta à bas prix, et, parmi ceux-ci, il faut mentionner la qualité des plastiques qui offrent un aspect et une texture bon marché. Pour le reste, nous sommes à peu de choses près à bord d'une Golf. La présentation de la planche de bord est la même.

E Les lignes extérieures, plutôt réussies, font penser au concept *New Compact Coupe* que Volkswagen a dévoilé au début de l'année à Detroit. C'est Walter de Silva, celui qui est derrière les plus récentes réussites d'Audi, qui s'est penché sur l'aspect extérieur de la voiture.

soutien lombaire, antibrouillards, cuir sur le volant, le pommeau et le frein à main), ou Highline (23 980 $), comportant notamment du similicuir, un ordi de bord, des interfaces média, la connectivité Bluetooth, un toit ouvrant et un démarrage par bouton-poussoir. Vous me suivez toujours ? Enfin, la Jetta diesel accepte les livrées Comfortline (23 875 $) et Highline (26 655 $). Je rappelle que la GLI se pointera en mars prochain, et on verra alors ce qu'elle aura dans le ventre. Mais, à mon avis, ce ne sera pas une GTI. D'ailleurs, toute la nouvelle famille Jetta défend une conduite coulée et sans mauvaise surprise. La direction Volkswagen comporte cette signature bien particulière, comme si un élastique voulait toujours ramener le volant au centre. Or, l'assistance hydraulique a été calibrée de manière à garantir une plus grande aisance à basse vitesse. Non pas un caprice des ingénieurs mais bel et bien une demande des consommateurs sondés. Une direction électromécanique est cependant livrable sur toute la gamme, y compris la future GLI. La consommation est à son zénith avec le 2-litres Clean Diesel turbo, notamment depuis l'arrivée de l'injection directe à rampe commune : 4,6 litres aux 100 kilomètres sur la route et 6,7 litres aux 100 kilomètres en ville, des résultats que n'affecte pas le choix de la boîte de vitesses. Et un 0 à 100 km/h inférieur à 9 secondes. Mais la vraie statistique qui compte : avec un seul réservoir plein, la TDI peut parcourir 1 190 kilomètres ! Qu'ils sont loin les diesels balourds, bruyants et nauséabonds !

[CONCLUSION] Alors, branle-bas de combat chez

VW : plus jolie, plus spacieuse, un équipement mieux ventilé dans les diverses versions et, surtout, un prix plancher qui bat toute la concurrence, sauf la Toyota Corolla à moteur de 1,8 litre. On parle aussi de la seule berline compacte sur le marché à offrir la technologie diesel. Les arguments sont de taille, comme les ambitions de VW. Bref, difficile désormais d'ignorer la Jetta 2011.

2ᵉ OPINION

BENOIT CHARETTE La nouvelle Jetta offre une voiture intéressante pour le prix demandé. Il faut garder en tête qu'elle est maintenant une grande voiture compacte qui offre plus d'espace que quiconque dans cette catégorie. C'est aussi la seule compacte à offrir une motorisation diesel, de loin le meilleur choix parmi les modèles offerts. La Jetta sera aussi offerte en version hybride à partir de 2013 et j'ai bien hâte de voir la GLI qui promet une belle expérience de conduite. Cette Jetta devient, du coup, la voiture la plus importante de Volkswagen sur le sol nord-américain en ce qui concerne l'image et le volume de ventes. La décision de changer de créneau est audacieuse mais justifiée si Volkswagen veut aller chercher un plus grand volume de ventes et atteindre son objectif de devenir le plus grand constructeur d'automobiles de la planète en 2018.

5 FICHE TECHNIQUE

MOTEURS

(Trendline, Trendline +, Comfortline)
L4 2,0 l SACT, 115 ch à 5200 tr/min
Couple 125 lb-pi à 4000 tr/min
Transmission manuelle à 5 rapports,
automatique à 6 rapports avec mode manuel
0-100 km/h man. 10,1 s **auto.** 11,3 s
Vitesse maximale 195 km/h
Consommation (100 km) man. 8,6 l
auto. 8,3 l (octane 87)
Émission de CO$_2$ 4128 kg/an
Litres par année 1720 l
Coût par année 1720 $
Autre motorisation non
Empreinte écologique 24

(Comfortline, Sportline, Highline)
L5 2,5 l DACT, 170 ch à 5700 tr/min
Couple 177 lb-pi à 4250 tr/min
Transmission manuelle à 5 rapports,
automatique à 6 rapports avec mode manuel
0-100 km/h man. 8,5 s **auto.** 8,8 s
Vitesse maximale 209 km/h (bridée)
Consommation (100 km) man. 8,1 l
auto. 7,8 l (octane 87)
Émission de CO$_2$ man. 4272 kg/an
auto. 4224 kg/an
Litres par année man. 1800 l **auto.** 1800 l
Coût par année man. 1800 $ **auto.** 1800 $
Carburant alternatif non
Empreinte écologique 25 arbres

(TDI)
L4 2,0 l turbo SACT 140 ch à 4000 tr/min
Couple 236 lb-pi à 1750 tr/min
Transmission manuelle à 6 rapports,
manuelle robotisée à 6 rapports (option)
0-100 km/h 9,0 s
Vitesse maximale 209 km/h (bridée)

AUTRES COMPOSANTES
Sécurité active freins ABS, répartition électronique de force de freinage, antipatinage, contrôle de stabilité électronique
Suspension avant/arrière indépendante/semi-indépendante
Freins avant/arrière disques/tambours
Sportline, Highline 2.5, TDI disques
Direction à crémaillère, assistée
Pneus 2,0 P195/65R15; **Comfortline 2,5 et 2,0 TDI** P205/55R16 **Sportline/Highline 2,0 TDI** P225/45R17

DIMENSIONS
Empattement 2651 mm
Longueur 4628 mm
Largeur 1778 mm
Hauteur 1453 mm
Poids 2,0 man 1289 kg **2,0 auto.** 1325 kg
2,5 man. 1381 kg **2,5 auto.** 1410 kg **2,0 TDI man.** 1434 kg **2,0 TDI robo.** 1456 kg
Diamètre de braquage 11,1 m
Coffre 440 l **Réservoir de carburant** 55 l

NOTRE VERDICT

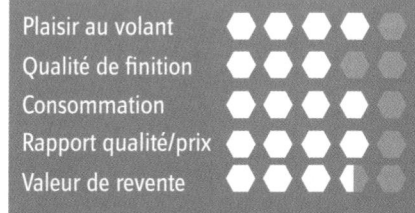

Plaisir au volant
Qualité de finition
Consommation
Rapport qualité/prix
Valeur de revente

PASSAT CC

www.vw.ca

ÉVOLUTION

34 440 $ à 47 240 $
transport et préparation: 1365 $

WOB·VI 3

LA COTE VERTE

MOTEUR
L4 DE 2.0 L TURBO

· **Consommation**
(100km):
man. 8,3 l
robo. 8,1 l

· **Émissions**
polluantes CO_2 :
man. 3818 kg/an
robo. 3910 kg/an

· **Empreinte écologique**
(nombre d'arbres à
planter par année): 24

· **Indice d'octane: 91**

· **Autre**
motorisation: non

· **Coût du carburant**
moyen par année:
man. 1904 $
robo. 1859 $

· **Nombre de litres**
par année:
man. 1700 l
robo. 1660 l

(SOURCE: ÉnerGuide)

① FICHE D'IDENTITÉ

· **Versions** Sportline, Highline, Highline V6 4MOTION
· **Roues motrices** avant, 4
· **Portières** 4 **Nombre de passagers** 4
· **Première génération** 1990 (Canada)
· **Génération actuelle** 2009 (Passat CC)
· **Construction** Emden, Allemagne
· **Sacs gonflables** 8 (frontaux, latéraux avant, rideaux latéraux; latéraux arrière)
· **Concurrence** Chevrolet Malibu, Chrysler Sebring, Ford Fusion, Honda Accord, Hyundai Sonata, Kia Optima, Mazda6, Nissan Altima, Subaru Legacy, Toyota Camry

② AU QUOTIDIEN

· **Prime d'assurance**
25 ans: 2200 à 2400 $
40 ans: 1200 à 1400 $
60 ans: 1000 à 1200 $
· **Collision frontale** 4/5
· **Collision latérale** 5/5
· **Ventes du modèle l'an dernier (Passat)**
Au Québec 1147 **Au Canada** 3136
· **Dépréciation** (3 ans) 46,2 %
· **Rappels** (2005 à 2010) 1
· **Cote de fiabilité** 3/5

③ GARANTIES... ET PLUS

· **Garantie générale** 4 ans/80 000 km
· **Garantie motopropulseur** 5 ans/100 000 km
· **Perforation** 12 ans/kilométrage illimité
· **Assistance routière** 4 ans/ kilométrage illimité
· **Nombre de concessionnaires**
Au Québec 41 **Au Canada** 131

④ NOUVEAUTÉS EN 2011

· Abandon de la version régulière de la Passat au profit de la CC, groupe R-Line optionnel sur modèle Highline.

COUP DE CHAPEAU À VW

PAR FRÉDÉRIC MASSE

**LES DERNIÈRES VOLKSWAGEN QUE J'AI CON-
DUITES M'ONT TOUTES PLU... C'EN EST QUA-
SIMENT GÊNANT.** Qu'il s'agisse de la GTI, de la Golf diesel, du Tiguan, vraiment, le fabricant allemand m'a impressionné. C'est encore plus vrai pour la Passat CC, une version dynamisée de la berline du même nom.

[CARROSSERIE] Sincèrement, je trouve la CC particulièrement jolie. Elle transpire le haut de gamme à un prix de base tout de même fort raisonnable. Pour les versions, c'est assez simple : les acheteurs ont le choix entre la version 2.0T Sportline ou Highline, ou la 3,6 à transmission intégrale Highline. Pour 2011, le fabricant allemand lui apporte quelques petites modifications comme de nouvelles roues de 17 pouces pour la version de base et l'ajout du R-Line, un ensemble rendant la voiture plus agressive. Je tiens également à souligner que la CC a reçu la plus haute distinction en matière de normes de collision dès sa sortie.

[HABITACLE] Dès qu'on ouvre la portière d'une Passat CC, on sent la qualité. Les cuirs, l'assemblage, le choix des matériaux, tout transpire le bon goût, au point où l'on se croirait dans une berline... de luxe. À ce propos, la version V6 demande aussi un prix de voiture de luxe... ça, c'est moins excitant. À l'arrière, certains seront surpris de ne trouver que deux places. Les passagers qui les occuperont apprécieront toutefois le confort de ces deux baquets, à moins qu'ils ne mesurent plus de six pieds auquel cas ils pesteront sur l'espace pour la tête. Comptez aussi sur un grand coffre et une excellente chaîne audio. Mais, ne comptez pas sur une insonorisation ou une visibilité impeccable. Rien de dramatique, mais assez pour être souligné.

[MÉCANIQUE] Deux moteurs, deux boîtes de vitesses, deux types de tractions... c'est ce qu'offre la CC. Les versions de base comptent notamment sur le 4-cylindres turbo qu'elles partagent avec Audi. Dans cette forme, les propriétaires pourront choisir entre une boîte manuelle à 6 rapports ou la boîte à double embrayage DSG Tiptronic. Je préconise évidem-

FORCES · Inspire le luxe · Conduite vivante · Habitacle fort réussi · Bon rapport qualité/prix de la version 4-cylindres.

FAIBLESSES · Prix du modèle V6 · Son du 4-cylindres à froid

[CONCLUSION] La CC est, à mon avis, la meilleure Volkswagen de la gamme. Pour un peu plus de 34 000 $, il n'existe pratiquement pas de berline familiale aussi solide. Je considère toutefois beaucoup moins la version V6, nettement trop chère dans la catégorie malgré toutes ses qualités. En plus, pour ceux qui se posaient la question... la fiabilité de la CC semble très encourageante !

ment cette dernière pour sa redoutable efficacité. Chose très intéressante, le 2-litres est frugal avec une consommation moyenne de moins de 8 litres aux 100 kilomètres, malgré ses 200 chevaux bien comptés. Mais, il y a un mais, elle demande du Super, ce qui annule une partie de l'économie. À l'autre bout, on retrouve le V6 de 3,6 litres de 280 chevaux, une boîte automatique à 6 rapports et la transmission intégrale. Ici, si l'écusson et la valeur de revente plus faible ne vous affecte pas, vous serez choyé. Sachez toutefois que des constructeurs plus prestigieux, comme Audi, BMW ou Mercedes-Benz offrent des voitures plus petites, certes, mais nettement plus vivantes et prestigieuses, au même prix. Et, si impressionnante soit la CC, dans cette catégorie, l'automobile est très souvent plus une question d'image et de prestance que de rationnel.

[COMPORTEMENT] C'est sur ce plan que la CC m'a le plus impressionné. Évidemment, comme on parle de produits allemands, on dénote tout de suite une solidité peu commune. Sans exagérer, il s'agit certainement de l'une des berlines à traction les plus abouties que j'ai conduites. Aucun effet de couple, une stabilité impressionnante en virage, un freinage très satisfaisant, vraiment, c'est impressionnant. Elle offre un tel équilibre entre le confort et la tenue de route sportive qu'on se demande comment une voiture au prix de base d'environ 34 000 $ peut être aussi impressionnante ? Je donne aussi une note quasi parfaite à la direction qui procure une bonne rétroaction. Ai-je l'air impressionné ? Oui... et je l'ai été.

2ᵉ OPINION

BENOIT CHARETTE Avant même de monter dans la voiture, vous serez charmé par la ligne générale du véhicule. Les concepteurs de Volkswagen ont vraiment pondu une oeuvre d'art avec cette CC. Un genre d'élégance que l'on voit habituellement sur les berlines beaucoup plus dispendieuses. Vous avez le côté pratique de la berline et le style attachant d'un coupé. Une fois à l'intérieur, l'ergonomie est bonne, l'espace intérieur est ample, les instruments parfaitement lisibles. On se sent dans une voiture de luxe. Et que dire des moteurs 4 cylindres turbo et V6 d'une grande douceur. Cette voiture a tout pour plaire, mais se situe entre deux chaises sur le marché c'est mieux que les berlines domestiques, mais pas encore au niveau des BMW Série 3, Audi A4 ou Mercedes-Benz Classe C, mais un 4 cylindres turbo à un peu plus de 34 000$ est vraiment un bon achat.

⑤ FICHE TECHNIQUE

MOTEURS
(Sportline, Highline)
L4 2,0 l turbo DACT, 200 ch à 5100 tr/min
Couple 207 lb-pi à 1700 tr/min
Transmission manuelle à 6 rapports, manuelle robotisée à 6 rapports (en option)
0-100 km/h 7,5 s **robo.** 7,8 s.
Vitesse maximale 209 km/h (bridée)

(Highline V6 4MOTION)
V6 3,6 l DACT, 280 ch à 6200 tr/min
Couple 265 lb-pi à 2750 tr/min
Transmission automatique à 6 rapports avec mode manuel
0-100 km/h 6,6 s
Vitesse maximale 209 km/h (bridée)
Consommation (100 km) 10,5 l (octane 91)
Émission de CO_2 4922 kg/an
Litres par année 2140 l
Coût par année 2397 $
Autre motorisation non
Empreinte écologique nd

AUTRES COMPOSANTES
Sécurité active freins ABS, répartition électronique de force de freinage, assistance au freinage, antipatinage, contrôle de stabilité électronique
Suspension avant/arrière indépendante
Freins avant/arrière disques
Direction à crémaillère, assistée
Pneus P235/45R17
Highline/Highline V6 P235/40R18

DIMENSIONS
Empattement 2710 mm
Longueur 4796 mm
Largeur 1856 mm
Hauteur 1422 mm
Poids
L4 man. 1510 kg **L4 robo.** 1532 kg
V6 4 Motion 1748 kg
Diamètre de braquage 10,9 m
Coffre 400 l
Réservoir de carburant 70 l

NOS MENTIONS

☺ Modèle recommandé

NOTRE VERDICT

Plaisir au volant	●●●●○
Qualité de finition	●●●●○
Consommation	●●●○○
Rapport qualité/prix	●●●○○
Valeur de revente	○●●●○

ROUTAN

www.vw.ca

ÉVOLUTION

29 550 $ à 51 550 $
transport et préparation: 1575 $

LA COTE VERTE

MOTEUR
V6 DE 4,0 L

- **Consommation** (100km): 10,1 l
- **Émissions polluantes CO_2 :** 4738 kg/an
- **Empreinte écologique (nombre d'arbres à planter par année):** 32
- **Indice d'octane:** 87
- **Autre motorisation:** non
- **Coût du carburant moyen par année:** 2060 $
- **Nombre de litres par année:** 2060 l

(SOURCE: ÉnerGuide)

1 FICHE D'IDENTITÉ

- **Versions** Trendline, Comfortline, Highline, Execline
- **Roues motrices** avant
- **Portières** 5 **Nombre de passagers** 7
- **Première génération** 2009
- **Génération actuelle** 2009
- **Construction** St. Louis, Missouri, É.-U.; Windsor, Ontario, Canada
- **Sacs gonflables** 4 (frontaux, rideaux latéraux)
- **Concurrence** Honda Odyssey, Dodge Grand Caravan, Chrysler Town & Country Kia Sedona, Nissan Quest, Toyota Sienna

2 AU QUOTIDIEN

- **Prime d'assurance**
  25 ans: 1400 à 1600 $
  40 ans: 900 à 1100 $
  60 ans: 700 à 900 $
- **Collision frontale** 5/5
- **Collision latérale** 5/5
- **Ventes du modèle l'an dernier**
  Au Québec 297 Au Canada 1489
- **Dépréciation** (1 an) 25,6 %
- **Rappels** (2005 à 2010) 2
- **Cote de fiabilité** 3/5

3 GARANTIES... ET PLUS

- **Garantie générale** 4 ans/80 000 km
- **Garantie motopropulseur** 5 ans/100 000 km
- **Perforation** 12 ans/kilométrage illimité
- **Assistance routière** 4 ans/kilométrage illimité
- **Nombre de concessionnaires**
  Au Québec 41 Au Canada 131

4 NOUVEAUTÉS EN 2011

- Nouveau moteur
- Retouches intérieures et extérieures

À LA SAUCE ALLEMANDE

PAR MICHEL CRÉPAULT

LA STRATÉGIE ÉTAIT CLAIRE MAIS POINT GAGNÉE D'AVANCE : VOLKSWAGEN UTILISE-RAIT LA PLATEFORME CHRYSLER POUR NOUS SERVIR SA PROPRE VERSION DE LA FOURGON-NETTE CONTEMPORAINE. À une époque où ce genre de véhicule a moins la cote, au point où des constructeurs comme Ford et GM ont abandonné le créneau, et en acceptant de se mesurer à des concurrentes coriaces comme la Honda Odys-sey et la Toyota Sienna, c'est tout un contrat que VW s'est donné là !

[CARROSSERIE] On crédite Chrysler d'avoir in-venté l'Autobeaucoup en 1984, mais VW a com-mercialisé bien avant le légendaire Microbus, de-venue la roulotte des marginaux. Le Microbus a été suivi de la Vanagon et de l'Eurovan, retirée du marché en 2003, mais ces produits n'ont jamais séduit les soccer moms comme Chrysler a pu le faire. Ces produits excellaient plutôt sur un ter-rain de camping. Enfin, après une éclipse de plu-sieurs années, voilà VW qui réintègre le marché en utilisant plusieurs panneaux de la Dodge Grand Caravan et de la Chrysler Town & Country,

quoique les stylistes ont tenté d'insuffler ici et là leur touche germanique. On reconnaît ainsi les phares, la calandre et les feux arrière propres à la marque allemande.

[HABITACLE] Les Allemands n'allaient pas s'arrêter en si bon chemin puisque l'intérieur fait lui aussi appel à plusieurs composants du duo américain. VW s'en est relativement distancée grâce, par exemple, à l'éclairage rouge et bleu des cadrans, caractéristique de la marque. Chrysler a refusé de tout partager, comme la banquette mé-diane Stow'n Go qui disparaît dans le plancher en claquant des doigts ou l'astuce Swivel'n Go qui fait pivoter les sièges autour de la table of-ferte en option pour mieux jouer au bridge ! La banquette centrale de la Routan n'exécute aucun tour de magie du genre, mais on doit reconnaî-tre que VW y a mis le paquet pour la rendre plus confortable. Et elle s'enlève en entier si besoin est. La troisième banquette, elle, se dissimule à volonté dans le plancher pour augmenter l'espace de chargement. La Routan, bonne pour sept pas-sagers, est offerte en quatre versions : Trendline,

FORCES · Moteur V6 à la hauteur · Confort indéniable, supérieur à celui de Chrysler · Touches européennes de bon aloi

FAIBLESSES · Cette manière d'apprêter à la sauce VW a un prix: options pour op-tions, la Routan coûte toujours plus cher, d'où sans doute les ventes confidentielles.

Comfortline, Highline et Execline. À mesure que vous graduez, les accessoires s'empilent, le prix grimpe, jusqu'à dépasser les 50 000 $.

[MÉCANIQUE] Les entrailles de la Routan sont aussi celles des cousins yankees. Le marché canadien emploie seulement le V6 de 4 litres de 251 chevaux, alors que nos voisins du Sud ont aussi droit au V6 de 3,8 litres de 197 chevaux. Qu'importe le V6, il est relié à une boîte de vitesses automatique à 6 rapports avec mode de changement de rapports manuel. C'est quand même une chance de se retrouver avec le plus gros engin car, bien qu'il fournisse une meilleure accélération, il boit moins grâce à la modernité de sa conception. L'ABS et le contrôle de la stabilité sont standard.

[COMPORTEMENT] À partir d'organes mécaniques communs, les ingénieurs savent créer des différences au plan, entre autres, de la puissance et du calibrage de la suspension. C'est ce que les ingénieurs de VW se sont employés à faire afin de procurer à la Routan une tenue de route plus européenne qu'américaine. On retrouve donc, avec plaisir, la direction musclée et précise qui caractérise les véhicules VW. Les amortisseurs travaillent en mode plus ferme. Ça nous donne une traction au comportement routier on ne peut plus décent, autant à l'aise sur l'autoroute que dans les lacets de campagne. Le 4-litres s'acquitte très bien de sa tâche. Puisque, au moins, la moitié du charme d'une minifourgonnette relève du temps qu'on passe à l'intérieur, j'aurais aimé y découvrir des interrupteurs au design plus audacieux et plus

cossu. Nenni. J'aurais aimé expérimenter à bord des gadgets avant-gardistes. Nenni itou.

[CONCLUSION] La Routan est le parfait exemple d'une commande venue du département de marketing. À la question « Le monde a-t-il besoin d'une autre fourgonnette ? », une équipe de sondeurs et de publicitaires a répondu par l'affirmative. A-t-elle eu raison ? Si vous avez besoin d'une fourgonnette (d'abord et avant tout !) et si vous appréciez la sauce VW, vous aimerez la Routan. Mais en raison de sa fourchette de prix élevée, vous irez aussi magasiner chez Kia (Sedona), Toyota et Honda. Sans oublier Chrysler...

2ᵉ OPINION

BENOIT CHARETTE Au moment d'écrire ces lignes, nous ne savons toujours pas si le Routan va se refaire une beauté d'ici la fin de l'année ou quitter la route sans autre forme de cérémonie. Le géniteur du Routan, le Grand Caravan de Chrysler va changer de moteur, de panneaux de carrosserie et d'intérieur pour 2011. Comme le Routan est fabriqué à partir du Grand Caravan, il devrait suivre les mêmes transformations. Mais les ventes, très discrètes, depuis son lancement ont jeté VW dans le doute concernant son avenir. Au chapitre de la conduite, disons simplement que si vous avez déjà conduit un produit Chrysler vous ne serez pas dépaysé. L'ambiance est la même, la conduite aussi. Il faut être un vrai fanatique de Volkswagen pour prendre possession d'un Routan.

5 FICHE TECHNIQUE

• MOTEUR

V6 4,0 l ACC, 251 ch à 6000 tr/min	
Couple 259 lb-pi à 4100 tr/min	
Transmission automatique à 6 rapports	
0-100 km/h 9 s	
Vitesse maximale 180 km/h	

• AUTRES COMPOSANTES

Sécurité active freins ABS, contrôle de stabilité électronique, répartition de freinage électronique, antipatinage
Suspension avant/arrière indépendante/ essieu rigide
Freins avant/arrière disques
Direction à crémaillère, assistée
Pneus P225/65R16, P225/65R17 (en option)

• DIMENSIONS

Empattement 3078 mm	
Longueur 5143 mm	
Largeur 1953 mm	
Hauteur 1750 mm	
Poids 2096 kg	
Diamètre de braquage 11,6 m	
Coffre 930 l, 2400 l (sièges abaissés)	
Réservoir de carburant 77,6 l	
Capacité de remorquage 1633 kg	

NOTRE VERDICT

Plaisir au volant	●●●●○
Qualité de finition	⬡⬡⬡⬡⬡
Consommation	●●●○○
Rapport qualité/prix	⬡⬡⬡⬡⬡
Valeur de revente	●●●○○

TIGUAN

www.vw.ca

ÉVOLUTION

N É
J

27 875 $ à 37 775 $
transport et préparation: 1580 $

LA COTE VERTE

MOTEUR
L4 DE 2,0 L TURBO

· **Consommation**
(100km):
man. 9,4 l
auto. 9,8 l

· **Émissions polluantes**
CO_2:
man. 4416 kg/an
auto. 4554 kg/an

· **Empreinte écologique**
(nombre d'arbres à
planter par année): 27

· **Indice d'octane: 91**

· **Autre**
motorisation: non

· **Coût du carburant**
moyen par année:
man. 2150 $
auto. 2218 $

· **Nombre de**
litres par année:
man. 1920 l
auto. 1980 l

(SOURCE: ÉnerGuide)

604 |

---

① FICHE D'IDENTITÉ

· **Version** Trendline, Comfortline, Highline,
Trendline 4Motion, Comfortline 4Motion,
Highline 4Motion
· **Roues motrices** avant, 4
· **Portières** 4 **Nombre de passagers** 5
· **Première génération** 2009
· **Génération actuelle** 2009
· **Construction** Wolfsburg, Allemagne
· **Sacs gonflables** 6, frontaux, latéraux et
rideaux latéraux.
· **Concurrence** Ford Escape, Honda CR-V, Hyundai
Tucson, Jeep Compass/Patriot, Kia Sportage,
Nissan Rogue, Suzuki Grand Vitara, Toyota RAV4

② AU QUOTIDIEN

· **Prime d'assurance**
25 ans: de 2000 à 2200 $
40 ans: de 1000 à 1200 $
60 ans: de 800 à 1000 $
· **Collision frontale** 4/5
· **Collision latérale** 5/5
· **Ventes du modèle l'an dernier**
Au Québec 1707 **Au Canada** 5075
· **Dépréciation** (1 an) 25,7 %
· **Rappels** (de 2005 à 2010) aucun à ce jour
· **Cote de fiabilité** 4/5

③ GARANTIES... ET PLUS

· **Garantie générale** 4 ans/80 000 km
· **Garantie motopropulseur** 5 ans/100 000 km
· **Perforation** 12 ans/kilométrage illimité
· **Assistance routière** 4 ans/Kilométrage illimité
· **Nombre de concessionnaires**
Au Québec 41 **Au Canada** 131

④ NOUVEAUTÉS EN 2011

· Nouveau système audio, connectivité Bluetooth
améliorée, traction avant disponible avec
Trendline et Confortline

AVENTURIER URBAIN

PAR ALEXANDRE CRÉPAULT

**LA JEUNE CARRIÈRE DU TIGUAN CONTINUE
D'ALLER BON TRAIN, MÊME SI VOLKSWAGEN
NE LE DONNE PAS.** Ce petit véhicule multisegment demeure exclusif à certains chanceux qui
vivent le délice de le manœuvrer au quotidien.

[CARROSSERIE] Le Tiguan partage son châssis
avec la Golf et la GTI. Il est compact, mais ça
ne l'empêche pas d'être plus grand et plus large
qu'elles de quelques millimètres. Pour éviter qu'il
ne ressemble à une GTI sur échasses, on lui a donné des traits du Touareg. Trois versions du Tiguan
sont offertes au Canada : Trendline, Comfortline
et Highline. Visuellement, on les différencie
par de petits détails comme le toit panoramique
(de série) sur la Comfortline, ou le contour chromé des vitres sur la version Highline seulement.
Des couleurs riches sont proposées, dont le nouveau « Night Blue Metallic » et le fameux « Candy
White » de la GTI.

[HABITACLE] S'il fut un temps où on comparait
l'habitacle d'une VW à un bol de toilette, impossible d'en dire autant aujourd'hui. Le Tiguan se

révèle particulièrement agréable à l'œil et au
toucher grâce à des matériaux de bonne qualité
comme le caoutchouc souple du tableau de bord.
Les sièges avant à huit réglages et au soutien
lombaire réglable font un bon compromis entre
soutien et confort. Le siège du passager se rabat à
plat, dévoilant ainsi un espace de rangement d'un
bout à l'autre de l'habitacle. Malgré cela, le format compact du Tiguan n'en fait pas un chef de
file dans sa catégorie en matière d'espace. Deux
adultes seront assis correctement en arrière, mais
l'espace de cargaison est limité. Sur ce point, le
Honda CR-V, entre autres, sera assurément plus
intéressant. Concernant l'équipement de série, la
facture soumise par VW n'est pas représentative.
Par exemple, vous ne trouverez pas le nouveau
système Bluetooth dans la version de base, et
vous l'aurez en option sur le modèle Comfortline.
Même chose pour la radio Sirius. Conduire un
Tiguan bien habillé de cuir, bien équipé du système de climatisation à double zone et d'un GPS
(ensemble technologie comprenant une caméra
de recul) sera possible pour presque 50 000 $
avec les taxes. Ayoye !

FORCES · Dynamisme exceptionnel pour un petit véhicule multisegment
· Intérieur luxueux · Allure sexy

FAIBLESSES · Pas de moteur diesel offert · Plus petit que la concurrence
· Options coûteuses

[MÉCANIQUE] Le 4-cylindres de 2 litres turbo TSFI est le seul moteur offert dans le Tiguan roulant en sol nord-américain. Le modèle à traction comprend de série une boîte de vitesses manuelle à 6 rapports. Une boîte automatique Tiptronic à 6 rapports est aussi offerte en option, mais de série sur les Tiguan pourvus de la transmission intégrale 4Motion.

[COMPORTEMENT] La GTI est probablement l'une des voitures les plus amusantes sur le marché. Considérant que le Tiguan en reprend la plateforme et l'artillerie, il n'est pas surprenant qu'il se conduise avec un dynamisme hors du commun pour sa catégorie. Son châssis rigide et ses bonnes suspensions jumelées à une direction vive et précise y sont pour beaucoup. Le roulis est minimal, le point faible des véhicules hauts sur pattes. Le petit 2-litres turbo montre qu'il ne faut pas nécessairement une grosse cylindrée pour produire puissance et couple. Avec un 0 à 100 km/h à presque huit secondes, les accélérations sont franches et sans trop de délais, malgré l'utilisation d'un petit escargot. Mais comme on ne peut pas tout avoir... Un châssis sport n'est pas fait pour tirer, comme le prouve la charge maximale de remorquage de 998 kilos. Quant à la consommation de carburant, ça fait pitié. Durant nos essais, la consommation réelle s'est maintenue en moyenne au-dessus des 10 litres aux 100 kilomètres. Pire encore, il faut remplir le Tiguan de Super. Vous imaginez la facture!

[CONCLUSION] Le Tiguan est un petit véhicule multisegment exceptionnel. Il est à la fois sportif, sexy et luxueux (une fois équipé). Cependant, il coûte cher, encore plus en carburant, et n'offre pas autant d'espace que certains concurrents.

2ᵉ OPINION

FRANCIS BRIÈRE Le Volkswagen Tiguan est édifié sur la base d'une Golf. S'il s'agit d'un plat fort appétissant, les acheteurs devront se montrer sérieux pour débourser une somme aussi importante. En effet, le prix d'une livrée Highline du Tiguan atteint presque les 45 000 $. Imaginons un seul instant le choix qui s'étale soudainement devant nous quand on déploie un tel budget : le magasinage peut se révéler divertissant à souhait. Du reste, le cœur a ses raisons de choisir le Tiguan, il s'agit d'une machine bien conçue, et dont la coquille plaira aux consommateurs qui suivent la tendance. La question la plus importante qu'on peut se poser est la suivante : combien sommes-nous prêts à payer pour acheter un tel véhicule ? À bien y penser, le Tiguan n'offre guère plus d'espace qu'une Golf familiale.

⑤ FICHE TECHNIQUE

· MOTEUR
· (2.0T)
L4 2,0 l turbo DACT, 200 ch de 5100 à 6000 tr/min
Couple 207 lb-pi de 1700 à 5000 tr/min
Transmission manuelle à 6 rapports, automatique à 6 rapports avec mode manuel (option 2RM, de série 4Motion)
0-100 km/h 8,1 s
Vitesse maximale 215 km/h

· AUTRES COMPOSANTES
Sécurité active freins ABS, répartition électronique de force de freinage, antipatinage, contrôle de stabilité électronique
Suspension avant/arrière indépendante
Freins avant/arrière disques
Direction à crémaillère, assistée
Pneus Trendline P215/65R16, **Comforline/Highline** P235/55R17, **option Comfortline/Highline** P235/50R18

· DIMENSIONS
Empattement 2604 mm
Longueur 4427 mm
Largeur 1809 mm
Hauteur 1683 mm
Poids man. 1541 kg, **auto.** 1557 kg, **4Motion** 1647 kg
Diamètre de braquage 12,0 m
Coffre 700 l, 1600 l (sièges abaissés)
Réservoir de carburant 63,5 l
Capacité de remorquage 998 kg

NOS MENTIONS

☺ Modèle recommandé

❤ Coup de cœur

NOTRE VERDICT

Plaisir au volant	⬡⬡⬡⬡⬡
Qualité de finition	⬡⬡⬡⬡⬡
Consommation	⬡⬡⬡⬡⬡
Rapport qualité/prix	⬡⬡⬡⬡⬡
Valeur de revente	⬡⬡⬡⬡⬡

TOUAREG

www.vw.ca

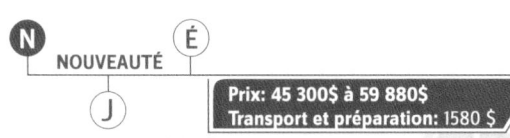

N NOUVEAUTÉ É
J

Prix: 45 300$ à 59 880$
Transport et préparation: 1580 $

LA COTE VERTE

MOTEUR
V6 DE 3,0 L
TURBODIESEL

- **Consommation (100km):** 7,4 l
- **Émissions polluantes** CO_2 : 5508 kg/an
- **Empreinte écologique (nombre d'arbres à planter par année):** 30
- **Indice d'octane:** Diesel
- **Coût du carburant moyen par année:** 2040 $
- **Nombre de litres par année:** 2040 l

(SOURCE: EnerGuide)

---

1 FICHE D'IDENTITÉ

- **Versions** Comfortline, Highline, Execline, Hybride
- **Roues motrices** 4
- **Portières** 5 **Nombre de passagers** 5
- **Première génération** 2004
- **Génération actuelle** 2011
- **Construction** Bratislava, Slovaquie
- **Sacs gonflables** 6 (frontaux, latéraux avant, rideaux latéraux)
- **Concurrence** Acura MDX, Audi Q7, BMW X5, Cadillac SRX, Infiniti FX, Land Rover LR4, Lexus RX, Mercedes-Benz Classe M, Porsche Cayenne, Volvo XC90

2 AU QUOTIDIEN

- **Prime d'assurance** **25 ans :** 2600 à 2800 $ **40 ans :** 1400 à 1600 $ **60 ans :** 1200 à 1400 $
- **Collision frontale** nm
- **Collision latérale** nm
- **Ventes du modèle de l'an dernier** Au Québec 230 **Au Canada** 880
- **Dépréciation (2 ans)** 37,1 %
- **Rappels** (2005 à 2010) 3
- **Cote de fiabilité** 3,5/5

3 GARANTIES... ET PLUS

- **Garantie générale** 4 ans/80 000 km
- **Garantie motopropulseur** 5 ans/100 000 km
- **Perforation** 12 ans/kilométrage illimité
- **Assistance routière** 4 ans/kilométrage illimité
- **Nombre de concessionnaires** Au Québec 42 **Au Canada** 129

4 NOUVEAUTÉS EN 2011

Nouvelle génération

LAISSER ENTRER LES LOUPS DANS LA BERGERIE

PAR BENOIT CHARETTE

DEPUIS 2002, VOLKSWAGEN, UN CONS-TRUCTEUR GÉNÉRALISTE, A FAIT LE PARI DE PRODUIRE UN VÉHICULE HAUT DE GAMME ET RÉUSSIR À EN FAIRE UN SUCCÈS COMMERCIAL. Un jeu qui aurait pu se révéler délicat, dangereux, même, pour d'autres produits de la famille. Mais le défi a été relevé avec brio. La firme allemande a vendu pas moins de 500 000 exemplaires de la première génération du Touareg. Pour la nouvelle mouture, Volkswagen quitte l'approche pure et dure du véhicule tout-terrain pour s'approcher plus de la berline. La transmission intégrale est encore une priorité, mais il n'est pas impossible de voir dans un avenir pas si lointain un Touareg à deux roues motrices.

[CARROSSERIE] En matière d'esthétique, on reconnaît immédiatement la silhouette du Touareg. Volks l'a retravaillée, au même titre que les autres nouveautés de la famille. Elle gagne en finesse et en élégance, délaissant un peu le style mal dégrossi de la première génération pour présenter doucement des lignes plus fluides de la berline. À l'avant, le VUS reprend le regard typique des derniers modèles VW avec la calandre et les optiques en mitraillette qui font un clin d'œil à Audi, tandis que les lignes arrière sont plus douces. L'image générale gagne un peu en dynamisme en raison de la hauteur réduite de 2 centimètres et d'une garde au sol plus faible. La longueur totale gagne 4 centimètres qui vont directement à l'empattement pour donner plus d'espace aux passagers arrière. En éliminant le boîtier de transfert et en remplaçant les deux différentiels autobloquants par un différentiel central du type Torsen, le Touareg perd aussi plus de 70 kilos. On a également éliminé plus de 130 autres kilos grâce à l'utilisation plus intensive d'aluminium et d'acier léger et en installant des suspensions en aluminium. En tout, pas moins de 208 kilos en moins pour cette nouvelle mouture.

[HABITACLE] Le Touareg est sans conteste le

FORCES · Boîte de vitesses automatique · Confort · Finition et roulement · Version TDI

FAIBLESSES · Plusieurs gadgets électroniques ne traverseront pas l'Atlantique · Moins coureur des bois que la première génération · Sensation désagréable dans la pédale de frein · Tarif très élevé (hybride)

produit le plus haut de gamme de la famille. L'habitacle respire bon le savoir-faire germanique. Le dessin de la planche de bord est minutieux et abrite un écran GPS de 6,5 pouces. La qualité des matériaux, tout comme les réglages, semble tout droit sortie d'Audi. Le Touareg récupère au passage plusieurs technologies provenant de l'A8, comme le régulateur de vitesse adaptatif, les projecteurs au xénon dont l'intensité diminue quand la voiture en croise une autre afin de ne pas éblouir son conducteur, l'attelage escamotable électriquement ou le système de reconnaissance de l'environnement sur l'écran central, qui ne traversera probablement pas en Amérique du Nord. L'habitabilité arrière a légèrement progressé grâce à un empattement supérieur de 4 centimètres. Mais plus important encore, la modularité a monté d'un cran. La banquette arrière se déplace sur 16 centimètres et se rabat automatiquement d'une simple pression sur un bouton. Il est aussi possible de régler le dossier en trois inclinaisons différentes. Du long de ses 4,80 mètres, le Touareg peut accueillir entre 580 et 1642 litres de bagages dans le coffre. Un seul bémol: même si Volks annonce 5 places, la place centrale arrière sera une punition, elle est petite et peu confortable; pour dépanner dans le meilleur des cas.

[MÉCANIQUE] La nouvelle vedette de la gamme

> **LA BOÎTE AUTOMATIQUE À 8 RAPPORTS, QU'ON TROUVE SUR TOUTES LES VERSIONS, EST UNE PETITE MERVEILLE. ELLE DISTILLE TOUTE LA PUISSANCE SANS EFFORT APPARENT ET NE POUSSE PAS DE COMPLAINTES DISGRACIEUSES PROPRES AUX BOÎTES CVT.**

combinera le V6 de 3 litres turbocompressé de l'Audi S4, qui développe 333 chevaux, à un ensemble électrique compact pesant 55 kilos sous le plancher de l'espace de chargement, le tout accouplé à une boîte de vitesses automatique à 8 rapports. Quand les deux groupes motopropulseurs fonctionnent simultanément, le Touareg hybride dispose donc d'une puissance de 379 chevaux et d'un couple de 429 livres-pieds. Il peut également ne fonctionner que sur le mode électricité jusqu'à 50 km/h, mais pour à peine un kilomètre. Il fait, bien sûr, appel à un système d'arrêt-démarrage et à la récupération d'énergie au freinage. Vous pouvez donc boucler un 0 à 100 km/h en 6,5 secondes et obtenir une consommation moyenne de 8,2 litres aux 100 kilomètres, si vous avez vraiment le pied vert. Lors de notre essai qui se déroulait moitié-moitié sur l'autoroute et dans la ville de Florence, nous avons à peine descendu sous la barre des 12 litres aux 100 kilomètres. Hormis la version V6 hybride, le Touareg sera aussi offert en version de base avec le même V6 de 3,6 litres de 280 chevaux que l'an dernier. Le V6 de 3 litres TDI de 221 chevaux (affichant désormais un maigre 7,4 litres aux 100 kilomètres) demeurera le modèle le plus populaire. Il constituait l'an dernier 96 % des ventes de Touareg au Canada. Il est à noter que les modèles à essence et diesel feront leur entrée en octobre 2010. Il faudra attendre 12 à 18 mois avant de voir l'hybride sur la route. Les prix ne sont pas encore dévoilés pour le Canada, mais il se vend plus de 84 000 euros où il roule déjà en Europe, un prix proprement prohibitif. Notons que le moteur V8 de 4,2 litres a disparu du catalogue pour 2011.

HISTORIQUE

Le Touareg a été le premier modèle 4x4 de luxe produit par le groupe Volkswagen en 2002. En mars 2007, il reçoit un léger restylage aux blocs optiques, bas de carrosserie et à quelques éléments intérieurs. Volks a rapidement élaboré des concepts de compétition et en a fait son camion de rallye en l'inscrivant au Rallye de Dakar, au Baja 1000 et au Pikes Peak avec succès.

TOUAREG 2006

CONCEPT RALLYE

RALLYE DAKAR 2006

TOUAREG BAJA

PIKES PEAK 2007

CONCEPT 2e GÉNÉRATION

CONCEPT 2e GÉNÉRATION

TOUAREG 2011

GALERIE

A À l'intérieur, la planche de bord fait toujours aussi robuste avec des sièges de cuir dans des tons riches et sa large console centrale. Placé entre les quatre cadrans du compteur de vitesse, du compte-tours, de la température moteur et du témoin de carburant, l'écran couleur multifonctions.

B Les Touareg V6 FSI et V6 TDI sont équipés d'un écran 5x3, également nouveau. Sur le Touareg Hybride, l'écran couleur sert également pour l'affichage du flux d'énergie.

C Les phares bi-xénon à système *Dynamic Light Assist* règlent l'éclairage en position feux de route de manière à ne pas éblouir les automobilistes roulant en sens contraire.

D Sur la version hybride, au moment du freinage, le moteur électrique situé sous le plancher du coffre est utilisé comme alternateur afin de récupérer l'énergie cinétique, stockée ensuite dans la batterie haute tension (NiMH). Le tout est associé à un système Start-Stop intégré au moteur, réduisant encore la consommation.

E En diesel, le V6 TDI risque de voler la vedette. En plus de posséder toute la puissance nécessaire, Volkswagen annonce une consommation moyenne de 7,4 l/100 km, soit 1,9 l de moins que son prédécesseur.

[COMPORTEMENT] Lors de notre première rencontre avec le véhicule sur l'Autostrada italienne, où la vitesse maximale est limitée à 130 km/h, nous avons franchi sans même nous en rendre compte cette limite en moins de deux. C'est la version hybride qui se montre la plus puissante. La boîte automatique à 8 rapports qu'on trouve sur toutes les versions est une petite merveille. Elle distille toute la puissance sans effort apparent et ne pousse pas de complaintes disgracieuses propres aux boîtes CVT. Toutefois, nous avons constaté une suspension que certains trouveront un peu ferme, ainsi qu'une désagréable sensation provenant de la pédale de frein sur le modèle hybride. Le mordant trop prononcé arrive, de surcroît, avec un léger décalage, rendant le dosage imprécis. Un problème probablement dû au système de récupération de l'énergie cinétique vers la batterie, puisque nous ne l'avons pas rencontré sur les autres modèles. La boîte automatique permet également au futur modèle hybride de tirer de lourdes charges, chose impossible avec une boîte CVT. L'insonorisation, qui a aussi été améliorée, rend l'habitacle complètement silencieux, même dans la version à moteur diesel qu'on pourrait facilement confondre avec un modèle à essence. Quand vous arrêtez à un feu de circulation, le moteur s'arrête et se remet en marche dès que vous remettez le pied sur l'accélérateur, ce qui permet d'économiser le carburant.

[CONCLUSION] Pour cette deuxième génération, VW a donc adopté une approche plus « soft ». Le modèle à double différentiel autobloquant et suspension pneumatique (qui sera toujours offert en Europe) a disparu de nos routes pour faire place à un véhicule plus citadin qui sera encore capable d'affronter les pires conditions météo mais pas de grimper l'Himalaya en marche arrière.

Si je devais m'en procurer un, j'irais sans hésiter vers la version diesel qui constitue le meilleur achat. Mon choix irait ensuite vers l'hybride pour sa conduite ainsi que pour le surplus de puissance sans la culpabilité qui y est associée. Il reste encore le V6 à essence; mais franchement, avec un aussi bon diesel, je ne vois pas pourquoi ce modèle serait encore à considérer, sauf pour le prix.

2e OPINION

DANIEL RUFIANGE Quand je regarde le Touareg, j'ai une pensée pour tous ceux qui ont fait l'acquisition de ce véhicule lors de ses premières années de commercialisation. Un petit retour en arrière nous fait réaliser que ce dernier se vendait bien plus cher qu'aujourd'hui. Une version à moteur V10 en 2005 valait 85 000 $. Une blague. Soyons clairs: le Touareg n'est pas un mauvais produit, loin de là. Mais, même aujourd'hui, sa facture est trop élevée, surtout quand on le drape d'options. Heureusement, sa douceur de roulement, son comportement routier solide et ses capacités hors route viennent mettre un baume sur tout cela. L'arrivée de la version diesel l'an dernier semble être l'ultime tentative pour le sauver. Un regard du côté des chiffres de ventes vaut mille mots.

 ⑤ FICHE TECHNIQUE

· MOTEURS

· (option Comfortline, Highline, Execline)
V6 3,0 l turbodiesel, 225 ch à 4000 tr/min
Couple 406 lb-pi à 1750 tr/min
Transmission automatique à 8 rapports avec mode manuel
0-100 km/h 7,8 s
Vitesse maximale 218 km/h

· (Comfortline, Highline, Execline)
V6 3,6 l DACT, 280 ch à 6200 tr/min
Couple 265 lb-pi à 2500 tr/min
Transmission automatique à 8 rapports avec mode manuel
0-100 km/h 8.4 s
Vitesse maximale 210 km/h
Consommation (100 km) 11,2 l
Émissions de CO2 6144 kg/an
Litres par année 2560 l
Coût par an 2816 $
Carburant alternatif non
Empreinte écologique 36 arbres

· (Hybride)
V6 3,0 l suralimenté par compresseur volumétrique DACT, 328 ch à 5500 tr/min (274 ch avec moteur électrique)
Couple 325 lb-pi à 3000 tr/min (428 lb-pi avec moteur électrique)
Transmission automatique à 8 rapports avec mode manuel
0-100 km/h 6,5 s
Vitesse maximale 240 km/h
Consommation (100 km) 8,2 l (octane 91)

· Autres composantes

Sécurité active freins ABS, répartition électronique de force de freinage, assistance au freinage, antipatinage, contrôle de stabilité électronique
Suspension avant/arrière indépendante
Freins avant/arrière disques
Direction à crémaillère, assistée
Pneus base : P235/65R17
P255/55R18, Execline 19 po option 20 po

· Dimensions

Empattement 2893 mm
Longueur 4795 mm
Largeur 1940 mm
Hauteur 1709 mm
Poids diesel 2104 kg, hybride 2240 kg
Diamètre de braquage 11,9 m
Coffre 580 l, 1642 l (sièges abaissés) hybride 493 l, 1555 l (sièges abaissés)
Réservoir de carburant 85 l
Capacité de remorquage 3500 kg

NOTRE VERDICT

Plaisir au volant	●●●●◐
Qualité de finition	●●●●○
Consommation	●●●○○
Rapport qualité/prix	●●●○○
Valeur de revente	●●●●◐

C30

www.volvocanada.com

ÉVOLUTION

N É

J

30 995 $ à 39 995 $
transport et préparation: 1615 $

JNL 765

LA COTE VERTE

MOTEUR
L5 DE 2,5 L

- **Consommation (100km):** 8,5 l
- **Émissions polluantes CO_2:** 4002 kg/an
- **Empreinte écologique (nombre d'arbres à planter par année):** 26
- **Indice d'octane:** 87
- **Autre motorisation:** non
- **Coût du carburant moyen par année:** 1740$
- **Nombre de litres par année:** 1740 l

(SOURCE: ÉnerGuide)

 1 FICHE D'IDENTITÉ

- **Versions** T5 (Intro, Level 1, Level 2, R-Design)
- **Roues motrices** 2
- **Portières** 3 **Nombre de passagers** 4
- **Première génération** 2007
- **Génération actuelle** 2007
- **Construction** Gand, Belgique
- **Sacs gonflables** 6 (frontaux avec protection aux genoux, latéraux avant, rideaux latéraux)
- **Concurrence** Acura CSX, Audi A3, Mercedes-Benz classe B, Mini Cooper, VW Golf

2 AU QUOTIDIEN

- **Prime d'assurance**
  25 ans : 1900 à 2100 $
  40 ans : 1200 à 1400 $
  60 ans : 1000 à 1200 $
- **Collision frontale** 5/5
- **Collision latérale** 5/5
- **Ventes du modèle de l'an dernier**
  Au Québec 239 **Au Canada** 906
- **Dépréciation** 46,6 %
- **Rappels (2005 à 2010)** 3
- **Cote de fiabilité** 3,5/5

 3 GARANTIES... ET PLUS

- **Garantie générale** 4 ans/80 000 km
- **Garantie motopropulseur** 4 ans/80 000 km
- **Perforation** 12 ans/kilométrage illimité
- **Assistance routière** 4 ans/kilométrage illimité
- **Nombre de concessionnaires**
  Au Québec 11 **Au Canada** 30

 4 NOUVEAUTÉS EN 2011

- Redessinée
- Abandon du L5 de 2,4l.

JEUNESSE DEMANDÉE

PAR MICHEL CRÉPAULT

AVEC LA C30, VOLVO S'EST MISE EN TÊTE DE CONQUÉRIR LE CŒUR ET LE PORTEFEUILLE DES JEUNES CONDUCTEURS DE MOINS DE 30 ANS.

[CARROSSERIE] Elle est fort jolie, mais ça, c'est peut-être seulement moi. Voiture compacte à deux portières et à hayon très distinctif emprunté à la P1800 ES de 1972, elle intègre les signatures visuelles modernes de la famille, comme les hanches proéminentes, tout en se prévalant d'une forte originalité. La plateforme provient de la S40, elle-même dérivée de la Mazda3. Rappelons- nous que Ford a été le proprio de Volvo pendant 10 ans, jusqu'à ce qu'elle cède l'entreprise au chinois Geely, et qu'elle entretient depuis longtemps des liens privilégiés avec Mazda, d'où le croisement des genres et des coffres à outils. Mais les dirigeants de Ford, s'ils ont refilé des composants à leurs amis de Volvo, ont eu l'intelligence de laisser toute la latitude aux Suédois pour le design, tant extérieur qu'intérieur. Or, pour ce qui est du coup de crayon, les Scandinaves ne sont pas manchots. Ni les Québécois, d'ailleurs,

puisque c'est un p'tit gars de chez nous, Simon Lamarre, qui a orchestré l'allure de la C30.

[HABITACLE] L'intérieur est aussi réussi que l'extérieur. La planche de bord centrale flottante, devenue l'une des marques de commerce de Volvo, est mise en valeur par des commandes et des interrupteurs brillamment sculptés. On n'a plus à vanter le confort des sièges suédois, et ceux de la C30 ne font pas exception. Ce modèle bicorps ne rechigne pas quand vient le moment de transporter certains articles grâce aux dossiers arrière qui se rabattent (50/50) et malgré l'embrasure alambiquée du coffre. L'accès aux deux baquets arrière très moulants exige, par contre, des contorsions savantes, notamment pour déjouer la ceinture de sécurité des sièges avant. Une fois installé, on est agréablement récompensé par le dégagement, à condition que l'occupant devant n'exagère pas avec ses réglages.

[MÉCANIQUE] Alors que l'Europe a droit à une panoplie de moteurs, dont trois diesels, on

FORCES · Designs extérieur et intérieur novateurs · Version turbo rapide
· Baquets confortables

FAIBLESSES · Présence quelconque dans les virages · Accès aux places arrière ardu · Fourchette de prix élevée

doit se débrouiller avec un seul 5-cylindres en ligne qu'affectionne tant Volvo. Le 2,4-litres, qui développait 168 chevaux est retiré en 2011. Le turbocompressé, de 2,5 litres, totalise 227 chevaux. La boîte de vitesses manuelle à 6 rapports est standard, tandis qu'une automatique à 5 rapports, à changement manuel Geartronic, est offerte en option.

[COMPORTEMENT] Le muscle du turbo est acheminé aux roues avant de manière souple et linéaire. C'est déjà ça, à défaut de ressentir l'effet coup de poing espéré. Volvo gagnerait à s'inspirer d'une philosophie comme celle du vroum-vroum de Mazda. La suspension vise la souplesse et l'obtient. En ligne droite, c'est le confort total; dans les coins, le châssis a tendance à ployer, le nez pique. La direction lourde ne fait rien pour arranger le portrait. En bref, la Golf GTI ou la MINI n'ont rien à craindre du point de vue de la vivacité, quand il s'agit d'enfiler les virages serrés. En revanche, le turbo permet un 0 à 100 km/h imposant, comme en fait foi le chrono de 7 secondes (manuelle), contre 6,9 et 7,1 secondes respectivement pour la GTI et la MINI Cooper S. On aurait pu croire que la visibilité arrière serait problématique, mais l'immense glace du hayon sauve la mise.

[CONCLUSION] J'aime beaucoup l'allure de la C30 (et ce n'est pas seulement parce qu'un Québécois en est responsable !). Si l'auto est indéniablement rapide, j'aurais aimé qu'elle soit plus amusante à conduire. Peut-être revient-on toujours au dilemme cornélien de Volvo : comment est-ce

qu'une entreprise qui a édifié sa réputation sur une sécurité exacerbée peut promouvoir des véhicules au comportement débridé? Je ne dis pas que ça ne se fait pas, mais c'est assurément un compromis, un équilibre délicat à atteindre. La C30 n'a pas suffisamment repoussé les limites du plaisir au volant, mais reste désirable grâce à l'originalité de sa conception et à la qualité de sa fabrication. Dernière remarque : plus de 40 000 $ pour une T5 R-Design, ça commence à faire du bidou.

2ᵉ OPINION

BENOIT CHARETTE Sans faire de bruit, la C30 arrive à sa cinquième année de commercialisation, et Volvo, qui vit en pleine transition avec ses nouveaux patrons chinois, ne pouvait se permettre une toute nouvelle mouture; ils ont donc fait ce que bien d'autres font, une petite chirurgie esthétique. On a redessiné la partie frontale pour qu'elle soit plus en harmonie avec la XC60 qui représente le nouveau visage de Volvo. Indéniable voiture coup de cœur, la C30 relève plus de la passion que de la raison. Difficile de ne pas fondre devant les courbes sexy et des contours bien tournés. Certains diront que c'est trop cher payé pour une voiture qui partage son châssis avec une Mazda, je ne suis pas d'accord.

---

⑤ FICHE TECHNIQUE

▪ MOTEUR

▪ (T5)

L5 2,5 l turbo DACT, 227 ch à 5000 tr/min
Couple 236 lb-pi à 1500 tr/min

Transmission manuelle à 6 rapports, automatique à 5 rapports avec mode manuel (en option)

0-100 km/h 7,0 s

Vitesse maximale 225 km/h

▪ AUTRES COMPOSANTES

Sécurité active freins ABS, répartition électronique de force de freinage, assistance au freinage, antipatinage, contrôle de stabilité électronique

Suspension avant/arrière indépendante

Freins avant/arrière disques

Direction à crémaillère, assistée

Pneus Level 1 205/55R16,

Intro/Level 2 205/50R17, **R-Design** 215/45R18

▪ DIMENSIONS

Empattement 2640 mm

Longueur 4266 mm

Largeur 2039 mm (rétro. inclus)

Hauteur 1447 mm

Poids 1470 kg

Diamètre de braquage 10,6 m, **R-Design** 11,6 m

Coffre 433 l, 1534 l (sièges abaissés)

Réservoir de carburant 60 l

JNL 765

NOTRE VERDICT

Plaisir au volant	●●●◖○
Qualité de finition	●●●●◖
Consommation	●●●○○
Rapport qualité/prix	●●●○○
Valeur de revente	●●●●○

VOLVO

C70

www.volvocanada.ca

ÉVOLUTION

N

É

J

54 495 $
transport et préparation: 1715 $

LA COTE VERTE

MOTEUR
L5 DE 2,5 L

- **Consommation**
(100km):
man. 9,0 l
auto. 9,3 l
- **Émissions**
polluantes CO_2 :
man. 4002 kg/an
auto. 4002 kg/an
- **Empreinte écologique**
(nombre d'arbres à
planter par année): 27
- **Indice d'octane:** 91
- **Autre**
motorisation: non
- **Coût du carburant**
moyen par année:
man. 1740 $
auto. 1840 $
- **Nombre de**
litres par année:
man. 1740 l
auto. 1840 l

(SOURCE: ÉnerGuide)

 FICHE D'IDENTITÉ

- **Versions** T5
- **Roues motrices** avant
- **Portières** 2 **Nombre de passagers** 4
- **Première génération** Gand, Belgique
- **Génération actuelle** 2006
- **Construction** Gand, Belgique
- **Sacs gonflables** 4
(frontaux, latéraux avant)
- **Concurrence** Audi A5 Cabriolet, BMW Série 3
Cabriolet, Volkswagen EOS

 AU QUOTIDIEN

- **Prime d'assurance**
25 ans: 2400 à 2600 $
40 ans: 1200 à 1400 $
60 ans: 1000 à 1200 $
- **Collision frontale** 5/5
- **Collision latérale** 5/5
- **Ventes du modèle de l'an dernier**
Au Québec 42 Au Canada 125
- **Dépréciation** 58,3 %
- **Rappels** (2005 à 2010) 4
- **Cote de fiabilité** 3/5

 GARANTIES... ET PLUS

- **Garantie générale** 4 ans/80 000 km
- **Garantie motopropulseur** 4 ans/80 000 km
- **Perforation** 12 ans/kilométrage illimité
- **Assistance routière** 4 ans/kilométrage illimité
- **Nombre de concessionnaires**
Au Québec 11 Au Canada 30

 NOUVEAUTÉS EN 2011

- Jantes de 18 pouces en option.
- Remodelage de la partie avant

PETITE CURE DE JOUVENCE

PAR BENOIT CHARETTE

JE PERSISTE À DIRE QUE LA C70 EST L'UNE DES BONNES IDÉES DE VOLVO ET UNE VOITURE TRÈS AGRÉABLE À CONDUIRE, MAIS, À LA LUMIÈRE DES CHIFFRES DE VENTES, IL SEMBLE QUE LA POPULATION EN GÉNÉRAL N'AIT PAS LA MÊME OPINION. Au dernier salon de l'auto de Francfort, en 2009, Volvo a procédé à une mise à jour de sa C70 qui la rend un peu plus attrayante.

[CARROSSERIE] Un peu comme les chirurgiens qui coupent derrière les oreilles pour tirer la peau, les gens de Volvo semblent avoir tiré tout l'avant de la voiture vers les rétroviseurs. Les feux en amande plus saillants s'inspirent directement de la XC60 ou de la récente S60. La calandre de plus grand format présente un logo Volvo grand format. À l'arrière, c'est le statu quo. La voiture semble toujours aussi bien campée sur ses larges roues, on notera juste un nouveau bouclier et l'intégration de feux à diodes électroluminescentes (DEL).

[HABITACLE] Le tableau de bord a été redessiné, offrant un aspect plus large et plus élancé, et la surface du tableau dispose maintenant d'une nouvelle texture de matériel de meilleure qualité. Il faut aussi souligner que la planche de bord est maintenant exclusive à la C70. Les sièges sont garnis d'un nouveau type de cuir souple, et la finition est mieux détaillée. Il faut toujours 30 secondes pour ouvrir ou fermer le toit. Et soucieuse de la sécurité, Volvo a ajouté à sa C70 des arceaux métalliques solides qui se hissent derrière les passagers du siège arrière pour créer un espace protecteur additionnel advenant un capotage. Ces arceaux, qui font partie du système de protection antiretournement de Volvo (ROPS), sont activés par un gyrocapteur. Vu que le cabriolet Volvo C70 a une vitre arrière en verre, les arceaux sont munis de petites pointes qui brisent la vitre pour garantir le fonctionnement approprié quand le toit est fermé.

[MÉCANIQUE] Pas de changement en matière de mécanique. C'est toujours le 5-cylindres turbo qui se charge de la motorisation. Les 227 chevaux font le travail. Sans être sportive, les performances sont correctes. La puissance est livrée

FORCES · Moteur doux et généreux en couple · Agrément de la boîte GearTronic · Insonorisation soignée · Châssis sain

FAIBLESSES · Rapport poids-puissance décevant · Coffre étriqué · Manque d'agilité · Consommation élevée

aux roues avant par l'entremise d'une boîte de vitesses automatique à 5 rapports qui se révèle douce et sans accroc.

[COMPORTEMENT] Une C70 s'apprécie d'abord pour ses bonnes manières. Doux, musical et docile, le moteur de 2,5 litres fait patte de velours et s'accorde bien avec la boîte de vitesses. Confortable, la Volvo l'est assurément, se dotant de tous les ingrédients nécessaires pour parfaire le bien-être de ses passagers. Dans la plus pure tradition Volvo, les sièges sont vraiment excellents, tant au chapitre du maintien que du confort de l'assise. La position de conduite est idéale, et l'habitabilité est largement suffisant pour quatre. Le châssis préfère, lui, le calme à la conduite sport. Son poids, ou devrais-je dire son surplus de poids, l'empêche de jouer les olympiens. Bref, mieux vaut rouler tranquille en profitant de l'insonorisation soignée et de l'excellente chaîne audio. Vitres remontées et filet antiremous (offert en option) en place, les occupants des places avant sont bien à l'abri des turbulences. Vous avez donc un bel agrément de conduite et de l'espace pour quatre adultes, chose assez rare du côté des cabriolets. Le seul regret si vous roulez le toit abaissé avec des invités est l'absence d'espace dans le coffre qui offrira à peine plus de 150 litres. Il faudra se déplacer léger.

[CONCLUSION] Très agréable pour les promenades calmes, la C70 offre un confort absolu à défaut d'un comportement routier de voiture de rallye. Elle n'est pas réellement économique à la pompe, mais son prix, en revanche, est con-

currentiel quand on la compare à une Audi A4, qui n'offre que deux places, ou une BMW Série 3, plus petite.

2ᵉ OPINION

FRÉDÉRIC MASSE Arrivé sur nos routes en 2006, j'ai tout de suite aimé la C70, jeune, confortable et plaisante à conduire. Elaboré sur la plate-forme de la berline S40, la C70 dispose d'un abaissement du châssis de 10 mm à l'avant et de 15 mm à l'arrière et de trains roulants adaptés pour une touche plus sportive derrière le volant. Vrai cabriolet 4 places, elle abandonne la capote en toile pour s'en remettre à un toit rigide escamotable. Celui-ci est en 3 parties, pour préserver la ligne. Il a été mis au point par Webasto. Unique en son genre, il permet, contrairement à bien d'autres véhicules avec toit rétractable rigide, de par son format de petite taille d'exiger peu d'espace de rangement. Les concepteurs n'ont pas à allonger inutilement l'espace à l'arrière pour contenir le toit et garde ainsi de belles proportions à la voiture. Conçue pour rouler relax par un beau samedi après-midi, la C70 vous permettra aussi de vous déplacer même à -30, un beau compromis.

⑤ FICHE TECHNIQUE

· MOTEUR

· (T5)

L5 2,5 l turbo DACT, 227 ch à 5000 tr/min Couple 236 lb-pi à 1500 tr/min	
Transmission automatique à 5 rapports avec mode manuel	
0-100 km/h 7,4 s	
Vitesse maximale 240 km/h (bridée)	

· AUTRES COMPOSANTES

Sécurité active freins ABS, répartition électronique de force de freinage, assistance au freinage, antipatinage, contrôle de stabilité électronique	
Suspension avant/arrière indépendante	
Freins avant/arrière disques	
Direction à crémaillère, assistée	
Pneus P235/45R17 **option** P235/40R18	

· DIMENSIONS

Empattement 2640 mm	
Longueur 4615 mm	
Largeur 1836 mm	
Hauteur 1400 mm	
Poids 1744 kg	
Diamètre de braquage 11,8 m	
Coffre 362 l, 170 l (toit abaissé)	
Réservoir de carburant 60 l	

NOTRE VERDICT

Plaisir au volant	⬡⬡⬡⬡◖
Qualité de finition	⬡⬡⬡⬡⬡
Consommation	⬡⬡⬡
Rapport qualité/prix	⬡⬡⬡⬡
Valeur de revente	⬡⬡⬡

LA COTE VERTE

MOTEUR
L5 DE 2,5 L TURBO

· **Consommation
(100km):** 8,5 l
· **Émissions
polluantes CO₂ :**
4002 kg/an
· **Empreinte écologique
(nombre d'arbres à
planter par année):** 25
· **Indice d'octane:** 87
· **Autre
motorisation:** non
· **Coût du carburant
moyen par année:**
1740 $
· **Nombre de
litres par année:**
1740 l

(SOURCE: ÉnerGuide)

① **FICHE D'IDENTITÉ**

· **Versions** T5, T5 R-Design
· **Roues motrices** avant
· **Portières** 4, 5 **Nombre de passagers** 5
· **Première génération** 2000
· **Génération actuelle** 2005
· **Construction** Gand, Belgique
· **Sacs gonflables** 6
(frontaux, latéraux avant, rideaux latéraux)
· **Concurrence** Acura TSX, Audi A3/A4, BMW
Série 3, Lexus IS, Mercedes-Benz Classe B et
Classe C, Volkswagen Jetta

② **AU QUOTIDIEN**

· **Prime d'assurance**
25 ans: 1900 à 2100 $
40 ans: 1200 à 1400 $
60 ans: 1000 à 1200 $
· **Collision frontale** 5/5
· **Collision latérale** 5/5
· **Ventes du modèle de l'an dernier**
Au Québec 292 **Au Canada** 1022
· **Dépréciation** 45,5 %
· **Rappels** (2005 à 2010) 7
· **Cote de fiabilité** 3/5

③ **GARANTIES... ET PLUS**

· **Garantie générale** 4 ans/80 000 km
· **Garantie motopropulseur** 4 ans/80 000 km
· **Perforation** 12 ans/kilométrage illimité
· **Assistance routière** 4 ans/kilométrage illimité
· **Nombre de concessionnaires**
Au Québec 11 **Au Canada** 30

④ **NOUVEAUTÉS EN 2011**

· Abandon du L5 de 2,4 l,
· Abandon du rouage intégral,
· Abandon de la boîte manuelle.

DUO EN ATTENTE

PAR MICHEL CRÉPAULT

SOUS LA GOUVERNE DE FORD, VOLVO A
VOULU DÉMOCRATISER SA MARQUE EN NOUS
OFFRANT UNE BERLINE ET UNE FAMILIALE
D'ALLURE AGRÉABLE, PAS GROSSES ET ABOR-
DABLES. ENFIN, PRESQUE... Elles affrontent
tout de même une pléiade d'adversaires dont
les propres prix forment un graphique plutôt irrégulier. Difficile de se concentrer sur une Jetta
quand on a aussi des Audi et des BMW dans
son collimateur.

[CARROSSERIE] Ces deux jolis modèles compacts ont sonné la charge du changement stylistique chez Volvo en 2000. En nous proposant
ces silhouettes bien galbées, le constructeur se
découvrait une sensualité et un modernisme que
même les plus fanatiques de la marque n'avaient
jamais soupçonnés.

[HABITACLE] L'équipement de base varie au gré
des livrées, lesquelles vous feront saliver pour le
toit ouvrant, les antibrouillards, les réglages électriques du siège du conducteur, le climatiseur
électronique à deux zones ou la très bonne sono

à huit huit-parleurs, pour autant que vous accep-
tiez d'y mettre le prix. La connotation R-Design
donne de beaux résultats au plan de l'ambiance,
les coutures des sièges gagnant, par exemple,
une jolie proéminence. En fait, comptez sur les
Suédois pour nous régaler d'un intérieur
non seulement étoffé mais épicé de touches
d'originalité. Des espaces de rangement ont été
prévus en nombre suffisant. La banquette des
S40/V50 ne brille toutefois pas par son accom-
modement raisonnable pour les longs membres.
Côté coffre, la familiale l'emporte évidemment
haut la main. C'est même là son unique avantage
par rapport à la berline, bien que les dossiers arrière de cette dernière se replient (60/40) eux
aussi sur commande.

[MÉCANIQUE] Volvo a fait l'impasse sur le moteur de base de 2,4 litres cette année pour laisser la seule version T5. Ce moteur de base était à
mon avis un peu juste au chapitre de la puissance
moteur et peu représentatif de la gamme Volvo.
La version restante, le T5, offre un 2,5-litres, avec
une puissance de 227 chevaux grâce à la présence

FORCES · Format urbain convivial · Habitacle cossu pour des compactes
· Moteur T5 amusant

FAIBLESSES · Factures finales (options) élevées · Places arrières étriquées

d'un turbocompresseur. On sent immédiatement le muscle extra, lequel s'en prend aussitôt à notre facture. La boîte manuelle à elle aussi été retirée, tandis que la boîte automatique facultative qui dénombre 5 rapports avec un mode manuel est maintenant la seule disponible. Il n'est plus possible, enfin, de cocher une T5 dotée de la transmission intégrale, ayant elle aussi été retirée du catalogue 2011.

[COMPORTEMENT] On s'entend tout de suite sur le confort des baquets. Aaaahhh... Malgré la console centrale qui « flotte », on sent l'omniprésence de la cabine. Ses surfaces bombées et ses gros boutons projettent une impression de capitonnage. Est-ce notre imagination qui nous joue des tours, influencée par la réputation de la marque, mais toujours est-il qu'on se sent d'emblée en confiance, comme protégé dans un cocon. Et l'ensemble dégage en plus beaucoup de bon goût novateur. Les performances du 2,4-étaient plutôt modeste et nous acceptons avec plaisir que la version T5 soit maintenant la seule au rendez-vous. Il faut toutefois accepter de vivre avec son délai de réaction et à un coût qui nous force à affûter notre portefeuille et, dès lors, s'apercevoir que la T5 n'est pas seule dans la course. Avec la T5, le raffermissement de la suspension resserre la comparaison avec BMW.

[CONCLUSION] Le seul défaut majeur du tandem S40/V50, finalement, serait d'être trop cher. Bien sûr que la facture est censé refléter la réputation du constructeur suédois mais, justement, elle n'est pas clairement définie, cette répu-

tation. Au moment où le marketing aurait pu venir à bout de nous faire comprendre que le temps des tracteurs carrés était révolu en faveur de véhicules avant-gardistes mais toujours sûrs, la récession et le souhait de Ford de se débarrasser de Volvo ont refroidi l'enthousiasme naissant. Il faut espérer que le nouveau propriétaire chinois reprendra l'élan au vol et fera ce qu'il faut pour valoriser ces deux véhicules qui jonglent avec tout plein de belles qualités.

2ᵉ OPINION

DANIEL RUFIANGE Mais que se passe-t-il donc chez Volvo ? Est-ce que le constructeur fait toujours des affaires ? Il me semble qu'on n'entend plus parler de l'entreprise suédoise, qu'elle se fait bien trop discrète, considérant le fait qu'elle a besoin de vendre des véhicules pour se sortir d'une situation financière précaire. La S60 fait peau neuve cette année, c'est cela de gagné. Quant à la S40 et à sa consœur familiale V50, elles entreprennent une sixième année. Sans parler d'un vieillissement prématuré, ces voitures n'ont plus le même attrait auprès d'une clientèle bombardée de nouveautés. C'est triste, car ce duo demeure excellent. Volvo devra aussi réajuster ses prix. La facture exigée pour ces deux voitures, spécialement garnies d'options, a de quoi faire tourner les talons aux plus fortunés.

⑤ FICHE TECHNIQUE

• MOTEUR
L5 2,5 l turbo DACT, 227 ch à 5000 tr/min
Couple 236 lb-pi à 1500 tr/min
Transmission automatique à 5 rapports avec mode manuel
0-100 km/h 6,8 s
Vitesse maximale 209 km/h (bridée)

• AUTRES COMPOSANTES
Sécurité active freins ABS, répartition électronique de force de freinage, assistance au freinage, antipatinage, contrôle de stabilité électronique
Suspension avant/arrière indépendante
Freins avant/arrière disques
Direction à crémaillère, assistée
Pneus P205/50R17 **option R-Design** P215/45R18

• DIMENSIONS
Empattement 2640 mm
Longueur S40 4476 mm **V50** 4522 mm
Largeur 1770 mm **V50 R-Design** 1499 mm
Hauteur S40 1454 mm **V50** 1457 mm
Poids S40 1525 kg **V50** 1619 kg
Diamètre de braquage 10,6 m
Coffre S40 357 l, 883 l (sièges abaissés)
V50 776 l, 1773 l (sièges abaissés)
Capacité de remorquage 910 kg
Réservoir de carburant 60,2 l

NOTRE VERDICT

Plaisir au volant	⬡⬡⬡◀
Qualité de finition	⬡⬡⬡⬡
Consommation	⬡⬡◀
Rapport qualité/prix	⬡⬡◀
Valeur de revente	⬡⬡⬡◀

 NOUVEAUTÉ

45 450 $
transport et préparation: 1715 $

GOE 334

LA COTE VERTE

MOTEUR
L6 DE 3,0

- **Consommation (100km):**
9,9 l
- **Émissions polluantes CO_2:**
4620 kg/an
- **Empreinte écologique (nombre d'arbres à planter par année):** 29
- **Indice d'octane:** 91
- **Autre motorisation** non
- **Coût du carburant moyen par année:**
2248$
- **Nombre de litres par année:**
2000 l

(SOURCE: Volvo)

 FICHE D'IDENTITÉ

- **Versions** T6 4RM
- **Roues motrices** 4
- **Portières** 4 **Nombre de passagers** 5
- **Première génération** 1993 (850)
- **Génération actuelle** 2011
- **Construction** Gand, Belgique
- **Sacs gonflables** 8 (frontaux, latéraux avant et arrière, rideaux latéraux)
- **Concurrence** Acura TL, Audi A4, BMW Série 3, Cadillac CTS, Infiniti G37, Mercedes-Benz Classe C, Subaru Legacy, Volkswagen Passat

 AU QUOTIDIEN

- **Prime d'assurance**
25 ans: 2600 à 2800$
40 ans: 1500 à 1700$
60 ans: 1200 à 1400$
- **Collision frontale** 5/5
- **Collision latérale** 5/5
- **Ventes du modèle de l'an dernier**
Au Québec 44 **Au Canada** 145 (modèle 2009)
- **Dépréciation** (3 ans) nm
- **Rappels** (2005 à 2010) 3
- **Cote de fiabilité** nm

 GARANTIES... ET PLUS

- **Garantie générale** 4 ans/80 000 km
- **Garantie motopropulseur** 4 ans/80 000 km
- **Perforation** 12 ans/kilométrage illimité
- **Assistance routière** 4 ans/kilométrage illimité
- **Nombre de concessionnaires**
Au Québec 11 **Au Canada** 30

 NOUVEAUTÉS EN 2011

- Nouvelle génération

BONNE AUTO, MÉCHANTES RIVALES

PAR MICHEL CRÉPAULT

VOLVO MISE BEAUCOUP SUR SA NOUVELLE S60. Elle représente le fer de lance du carnet de commandes. Elle est la première à s'exhiber devant le monde entier depuis l'entrée de son fabricant suédois dans le giron du constructeur chinois Geely, après 10 ans passés dans celui de Ford. Enfin, la S60 bataille dans le populaire mais très concurrentiel segment des intermédiaires de luxe.

[CARROSSERIE] Selon Volvo, ses stylistes n'ont jamais dessiné une auto qui appelle autant l'autoroute à fond la caisse. Vœu pieu ou réalité? Le patron du Design, Peter Horbury, a certes donné à la berline une allure de coupé, mais pas au point, comme il le prétend, d'être étonné que l'auto compte quatre portières. Il a utilisé les astuces visuelles habituelles, comme les piliers C qui s'empressent de rejoindre les feux arrière, et le pavillon sensuellement arqué. Les flancs sont creusés pour donner à l'horizontalité de l'acier l'allure d'un muscle bandé. L'enrobage de la calandre initie une signature hardie qu'on retrou-

vera sur les futures Volvo. Mais la véritable histoire concerne les châssis. Oui, au pluriel, car il y en a trois. Le premier est axé sur la sportivité, le deuxième met l'accent sur le confort, et le troisième, j'y reviendrai... Les différences entre les deux premiers relèvent essentiellement du calibrage de la suspension. Lors de la présentation internationale de la S60 aux scribes réunis au Portugal, les ingénieurs suédois ont expliqué que le châssis dit dynamique serait celui des Européens, alors que le châssis cajoleur (*Touring*) serait le lot des Nord-Américains et des Asiatiques. En réalité, nous apprenions plus tard que les Américains (et, par association, les Canadiens) recevraient le châssis sportif, alors que des contrées comme le Brésil auraient la version calmante. Mais, attention, si ça ne vous convient pas, vous pouvez demander au concessionnaire de vous refiler l'autre châssis, sans extra. Et le troisième? Déjà connu sous l'appellation Four-C, il s'agit d'une suspension adaptative offerte en option. Ses trois modes comprennent le comportement pointu du 1er

---

+ −

FORCES · Design extérieur habilement renouvelé · Nouvelles prétentions sportives bien réelles et appuyées par un renfort de sécurité active

FAIBLESSES · Trop d'engins ne traversent pas l'Atlantique · Choix de châssis inutilement complexe · Ceinture de caisse élevée

châssis, la tenue de route relaxante du 2e, tandis que le 3e programme (*Advanced*) rehausse la sportivité. À vous de choisir. Et je donnerais cher pour voir comment le représentant des ventes s'y prendra pour vous faire comprendre ce que les experts cherchent encore à démêler...

[HABITACLE] Lors du lancement du XC60, Volvo avait innové en matière de sécurité en nous présentant le *City Safety*, un dispositif qui freine automatiquement le véhicule si son conducteur est trop distrait pour le faire lui-même. Suffisamment efficace pour éviter d'emboutir l'auto devant tant que la nôtre ne roule pas à plus de 30 km/h. Au-delà, à défaut d'empêcher l'accident, le dispositif réduit au moins le coût des réparations... Deux ans plus tard, Volvo nous présente la suite logique à *City Safety*, soit un système de détection de piétons. On pouvait déjà freiner l'auto avant d'esquinter un pare-chocs; désormais, on pourra sauver des rotules et autres articulations si pratiques aux bipèdes. Le système détecte les passants qui flirtent d'un peu trop près avec l'auto et avertit le conducteur de leur présence (bips sonores et signaux lumineux). Si ça ne suffit pas, l'auto se charge elle-même d'appliquer les freins. Et pas à moitié ! Non, en utilisant la capacité de freinage maximale. Ça devrait éviter le contact chair-métal tant que l'auto ne roule pas à plus de 35 km/h. Plus vite, le piéton risque quand

> **SELON VOLVO, SES STYLISTES N'ONT JAMAIS DESSINÉ UNE AUTO QUI APPELLE AUTANT L'AUTOROUTE À FOND LA CAISSE.**

même d'atterrir sur une table d'opération mais victime de blessures moins graves. En ce qui concerne l'intérieur comme tel, on dit avec raison du design scandinave qu'il est épuré. Celui de la S60 conserve cette vertu, tout en s'égayant (un peu) avec des formes et des matériaux repensés. Quant à moi, ça reste massif et dépouillé, seules des insertions au design géométrique venant briser la contemporaine monotonie. La banquette est toujours bonne pour trois occupants, mais les genoux jouissent dorénavant de trois gros centimètres supplémentaires grâce à l'empattement allongé d'autant. Les dossiers sont rabattables 40/60, et l'embrasure a gagné en largeur (10,7 centimètres), offrant une pratique ouverture béante.

En matière de renseignements et de divertissement, toutes les infos utiles convergent vers l'écran couleur central de 7 pouces. Il y a quatre chaînes audio offertes, le haut de gamme Premium Sound disposant de la technologie suédoise MultEQ censée enrayer les distorsions.

[MÉCANIQUE] En théorie, Volvo offre une pléiade de moteurs à essence et diesel dont la puissance varie entre 115 et 300 chevaux ! Mais, vous vous en doutiez, l'Amérique du Nord n'en accueillera qu'un seul. Il s'agit du T6 de 3 litres, un 6-cylindres en ligne extirpé du XC60 et gonflé à 300 chevaux. Il ne profite pas toutefois de l'injection directe, au contraire des nouveaux moteurs à essence, tous des 4-cylindres, dont deux turbos (240 ch (T5) et 203 ch). Mais à quoi bon tourner le fer dans la plaie ? Nous ne les aurons

La remplaçante de la Volvo S60 s'est fait attendre. Commercialisée depuis 2000, cette berline commençait sérieusement à accuser le poids des ans. Il aura fallu attendre le salon de l'auto de Détroit en 2009 pour voir le concept S60 qui donnait une idée de la prochaine génération.. Sans être aussi radicale, on constate que le modèle de production s'inspire avec beaucoup de style du concept.

VOLVO S60 2000

CONCEPT S60 2008

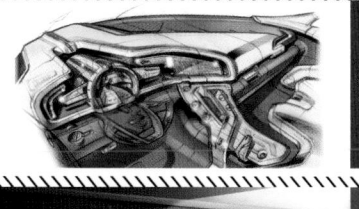

CONCEPT S60 2008

CONCEPT S60 2009

CONCEPT S60 2009

CONCEPT S60 2009

CONCEPT S60 2009

VOLVO S60 201

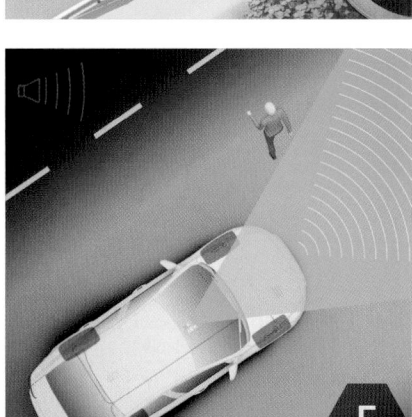

GALERIE

A À l'arrière, le dégagement aux genoux a augmenté de 30 mm par rapport à la S60 de génération précédente. Le siège arrière est à répartition 40/60 et l'ouverture du coffre a été élargie de 107 mm par rapport à la S60 de génération précédente.

B Sur la généreuse liste d'options, vous pouvez vous procurer des écrans vidéo adossés aux appuie-tête des sièges avant.

C La nouvelle S60 peut recevoir des capteurs avant et arrière d'aide au stationnement et une caméra de recul à l'arrière. Une caméra intégrée à la calandre, offrant un champ de vision de 180°, constitue une nouvelle fonctionnalité Volvo disponible en accessoire.

D La nouvelle Volvo S60 est aussi équipée d'un limiteur de vitesse, dispositif qui empêche le conducteur de dépasser une vitesse maxi donnée, comme par exemple la limitation de vitesse en vigueur. Il contrôle en plus la distance à conserver entre les véhicules.

E Le dispositif de détection des piétons avec application complète des freins offre une solution technologique révolutionnaire. Il est capable de détecter les piétons qui s'élancent sur la route devant la voiture, pour avertir le conducteur, et - si jamais le conducteur ne réagit pas à temps - appliquer automatiquement les freins à fond.

pas, ni les deux 1,6 l (150 ch (T3) et 180 chevaux (T4)), ni les deux 5-cylindres en ligne diesel biturbos, ni le DRIVEe, un 1.6 diesel ne dévorant que 4,3 l aux 100 km. Le T6 affiche pour sa part une cote mixte de 9,9 l aux 100 km, une amélioration de 10 %. La boîte automatique Geartronic à 6 rapports envoie d'emblée la puissance aux roues avant, mais n'oublions pas que la transmission intégrale vient de série, un dispositif AWD revu pour prêter main-forte aux nouvelles prétentions sportives de la S60.

[COMPORTEMENT] Trois châssis, autant de tenues de route distinctes ? Comme la princesse aux petits pois, une sensibilité exacerbée aide à noter les différences. Vrai cependant que la direction et la suspension du squelette athlétique procurent une réelle efficacité. Le T6 ne se traîne pas les pieds, et les quatre roues motrices collent au sol. Comment en serait-il autrement ? On ne peut imaginer Volvo pondre une voiture rapide sans accroître proportionnellement les éléments de sécurité active. D'où l'intégration, par exemple, d'un nouveau capteur d'angle de roulis au système DSTC (contrôle électronique de la stabilité) qui a pour mission d'intervenir plus tôt s'il détecte que l'enthousiasme accru du pilote vient aussi d'augmenter les risques de perte du contrôle. On s'est également soucié de réduire le sous-virage dans les courbes en ralentissant la roue motrice intérieure, mais en augmentant le couple destiné à la roue extérieure. Enfin, cette S60 veille à réduire les distances de freinage. Dans la vraie vie, cette Volvo joue donc avec le feu mais intelligemment : vive si nécessaire, dispensatrice

d'adrénaline, elle n'en néglige pas moins le confort et la sécurité qui sont intrinsèques à sa réputation.

[CONCLUSION]
Le prix de base de 45 450 $ pour la S60 T6 me semblait raisonnable jusqu'à ce que je le compare avec la facture de 37 700 $ US de la Volvo américaine. Au taux de change en vigueur (0,97) au moment d'écrire ces lignes, ça donne moins de 39 000 $ canadiens. De plus, nos copains du Sud obtiennent le programme *Safe & Secure* couvrant l'entretien pendant 5 ans ! Ajoutez à cela les 4 500 $ supplémentaires pour obtenir l'ensemble d'aide à la conduite qui inclut le système de détection de piétons, l'avertisseur d'angles morts, l'aide au stationnement et le régulateur de vitesse intelligent. Compte tenu des dangereuses rivales (Audi A4, BMW Série 3 et Mercedes-Benz Classe C, entre autres), je m'interroge sur la stratégie de marketing de Volvo pour la S60 en sol canadien. Bien sûr, les « volvoïstes » patentés n'en auront cure et, d'une certaine manière, c'est ce qui compte.

SAVIEZ-VOUS QUE

La Volvo S60 est l'une des premières voitures au monde à offrir la technologie MultEQ des laboratoires Audyssey, la norme mondiale d'égalisation sonore ambiante à la maison et sur le marché professionnel. La technologie MultEQ élimine la distorsion causée par l'acoustique de l'habitacle, produisant un son clair et pur et un environnement acoustique amélioré pour tous les occupants.

⑤ FICHE TECHNIQUE

MOTEUR

(T6 4RM)
L6 3,0 l turbo DACT, 300 ch à 5600 tr/min
Couple 325 lb-pi à 2100 tr/min
Transmission automatique à 6 rapports avec mode manuel
0-100 km/h 6,5 s
Vitesse maximale 250 km/h

AUTRES COMPOSANTES
Sécurité active freins ABS, répartition électronique de force de freinage, assistance au freinage, antipatinage, contrôle de stabilité électronique
Suspension avant/arrière indépendante
Freins avant/arrière disques
Direction à crémaillère, assistée
Pneus P235/45R17 **option** P235/40R18

DIMENSIONS
Empattement 2776 mm
Longueur 4628 mm
Largeur 1865 mm (sans rétro.)
Hauteur 1484 mm
Poids 1771 kg
Diamètre de braquage 11,3 m
Coffre 388 l
Réservoir de carburant 67,5 l
Capacité de remorquage 1800 kg

NOS MENTIONS

☺ Modèle recommandé

NOTRE VERDICT

Plaisir au volant	●●●●○
Qualité de finition	●●●○○
Consommation	⬡⬡⬡○○
Rapport qualité/prix	●●●●○
Valeur de revente	Nm

S80

www.volvocanada.ca

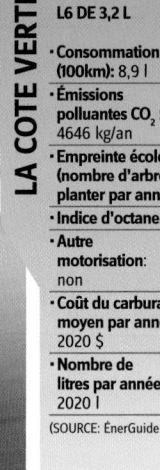

ÉVOLUTION

N É
J

46 995 $ à **59 995 $**
transport et préparation: 1095 $

LA COTE VERTE

MOTEUR
L6 DE 3,2 L

- **Consommation (100km):** 8,9 l
- **Émissions polluantes CO$_2$:** 4646 kg/an
- **Empreinte écologique (nombre d'arbres à planter par année):** 31
- **Indice d'octane:** 87
- **Autre motorisation:** non
- **Coût du carburant moyen par année:** 2020 $
- **Nombre de litres par année:** 2020 l

(SOURCE: ÉnerGuide)

620

① FICHE D'IDENTITÉ

- **Versions** 3.2, T6 4RM
- **Roues motrices** avant, 4
- **Portières** 4 **Nombre de passagers** 5
- **Première génération** 1999
- **Génération actuelle** 2007
- **Construction** Torslanda, Suède
- **Sacs gonflables** 6 (frontaux, latéraux avant, rideaux latéraux)
- **Concurrence** Acura RL, Audi A6, BMW Série 5, Infiniti M, Jaguar XF, Lincoln MKS, Mercedes-Benz Classe E

② AU QUOTIDIEN

- **Prime d'assurance**
  25 ans: 2800 à 3000 $
  40 ans: 1600 à 1800 $
  60 ans: 1400 à 1600 $
- **Collision frontale** 5/5
- **Collision latérale** 5/5
- **Ventes du modèle de l'an dernier**
  Au Québec 81 Au Canada 250
- **Dépréciation** 58,1 %
- **Rappels** (2005 à 2010) 6
- **Cote de fiabilité** 2/5

③ GARANTIES... ET PLUS

- **Garantie générale** 4 ans/80 000 km
- **Garantie motopropulseur** 4 ans/80 000 km
- **Perforation** 12 ans/kilométrage illimité
- **Assistance routière** 4 ans/kilométrage illimité
- **Nombre de concessionnaires**
  Au Québec 11 Au Canada 30

④ NOUVEAUTÉS EN 2011

- Moteurs L6 plus puissants, abandon du V8

ENTRE DEUX EAUX

PAR MICHEL CRÉPAULT

REVUE EN 2007 À L'OCCASION DE SA 2^E MÉTAMORPHOSE, LA S80 POURSUIT SON PETIT BONHOMME DE CHEMIN EN 2011 SANS COUP D'ÉCLAT ET AVEC UN MOTEUR V8 EN MOINS. En plus de concentrer ses efforts sur la nouvelle S60, le constructeur doit aussi encaisser une transition entre Ford, son ancien maître, et le chinois Zhejiang Geely Holding Group, son nouveau.

[CARROSSERIE] Le lancement de la première génération en 1999 a célébré le départ des formes bêtement rectangulaires pour embrasser un design résolument moderne. Pour Volvo, c'était une révolution totale. Par rapport à la concurrence, c'était enfin se mettre un peu à niveau. En termes de gabarit comparable, songez à une Acura RL.

[HABITACLE] On s'extasie toujours sur le confort des sièges de Volvo. Ils offrent un agréable cocktail de soutien et de chaleur, les effets douillets, sportifs et thérapeutiques conjugués ensemble. Le cuir, les phares au xénon, les nobles incrustations de bois rare et une climatisation à

double zone sont de série. Les options concernent de jolies gâteries comme les systèmes de navigation, de communication et de divertissement, toujours spectaculaires dans leur efficace sobriété (hormis la navigation, d'utilisation pas si intuitive qu'on le souhaiterait).

[MÉCANIQUE] Deux versions, deux engins. D'abord un 6-cylindres en ligne de 3,2 litres de 240 chevaux. Le deuxième, toujours en ligne, mais de 3 litres et turbocompressé (T6) bon pour 300 chevaux. Bien que la majorité des concurrents directs privilégient la propulsion, la S80 persiste et signe en restant une traction. Pour les plus sceptiques (et les acheteurs des modèles T6), la transmission intégrale est standard. Les deux engins utilisent une boîte de vitesses automatique Geartronic à 6 rapports, tandis que la suspension adaptive Four-C, qui procure au pilote un choix de calibrage pour les amortisseurs, est facultative.

[COMPORTEMENT] Des concurrentes comme l'Audi A6 et la BMW Série 5 éclipsent, et de

FORCES · Possiblement la berline la plus sûre sur le marché · Des efforts de design qui font honneur à l'imagination scandinave · Confort des sièges

FAIBLESSES · Pour s'éclater sur un chemin de campagne sinueux, on repassera · Moteur de 3,2 litres intrusif en accélération · Système de navigation qui manque de fluidité

loin, la S80 quand on compare le plaisir au volant. Par contre, elles coûtent plus cher que la suédoise. En réalité, dans un créneau fort disputé, la S80 a acquis ses lettres de noblesse en misant sur deux atouts en particulier: la sécurité et un équipement sophistiqué. Non pas que les Suédois dédaignent la performance et le style. Leur maîtrise du turbocompresseur et du design stylisé est éloquente à cet égard. Dans les faits, plus précisément, la S80 équipée du moteur turbocompressé peut quand même boucler le 0 à 100 km/h en 6,7 secondes (et atteindre 250 km/h). Mais le souci de sauver des vies, à commencer par celles du conducteur et de ses passagers, fait passer la sécurité en premier. Et puisqu'il convient de garder les occupants en bonne santé, aussi bien leur donner du bon temps dans l'habitacle. D'où le soin maniaque qu'apportent les Scandinaves à intégrer des accessoires qui rendent l'information, le divertissement et le confort aussi importants, sinon plus, que la puissance. Et voilà pourquoi l'auto détecte pour vous les intrus dans vos angles morts, les zigzags sur la ligne blanche, la fatigue insidieuse et les risques imminents de collision. Sans oublier mon préféré, le PCC (*Personal Car Communicator*), un capteur qui vous avertit si, par inadvertance, vous avez oublié quelqu'un dans l'auto verrouillée. À la condition toutefois que son cœur batte encore...

[CONCLUSION] Le prix de la S80 plaide en sa faveur quand on le compare à celui de ses rivales européennes et asiatiques. Elle distille une tenue de route confortable, mais sa peur maladive des accidents l'empêche d'être une vraie sportive.

Et puis, bien qu'il en émane un luxe évident, il y a comme un léger décalage quelque part. Souvenez-vous des vieilles Volvo pas tuables. Elles avaient dans les tripes de l'huile de tracteur. Les Volvo modernes ont incroyablement progressé, mais on ne passe pas de terrien à citadin en criant ciseau.

2ᵉ OPINION

BENOIT CHARETTE La S80, c'est la reine des berlines suédoises, celle qui doit tenir tête aux Mercedes-Benz Classe E, BMW Série 5 et Audi A6. En regardant la fiche technique, la comparaison tient la route. Mais un fois au volant, après avoir constaté l'incroyable confort des sièges et le silence de roulement, vous aurez l'impression d'être au volant d'une Buick. Les suspensions excessivement souples avalent toutes les déformations de la route, même les dos d'âne, sans que vous ayez besoin de ralentir. La voiture se couche à la plus petite courbe. Il faut absolument choisir, en option, des suspensions à réglage électronique appelées Four-C qui offrent trois modes de conduite : Comfort, Sport et Advanced où la suspension sport abaissée pour avoir un brin de plaisir. Et gare à la fiabilité qui est encore précaire sur cette voiture.

⑤ FICHE TECHNIQUE

▪ MOTEURS

▪ (3.2)
L6 3,2 l DACT, 240 ch à 6400 tr/min
Couple 236 lb-pi à 3200 tr/min
Transmission automatique à 6 rapports avec mode manuel
0-100 km/h 7,9 s
Vitesse maximale 209 km/h (bridée)

▪ (T6 4RM)
L6 3,0 l turbo DACT, 300 ch à 5600 tr/min
Couple 325 lb-pi à 2100 tr/min
Transmission automatique à 6 rapports avec mode manuel
0-100 km/h 6,7 s
Vitesse maximale 250 km/h (bridée)
Consommation (100 km) 9,9 l (octane 91)
Émissions de CO_2 nd
Litres par année nd **Coût par an** nd
Carburant alternatif non
Empreinte écologique nd

▪ AUTRES COMPOSANTES
Sécurité active freins ABS, répartition électronique de force de freinage, assistance au freinage, antipatinage, contrôle de stabilité électronique
Suspension avant/arrière indépendante
Freins avant/arrière disques
Direction à crémaillère, assistée
Pneus P/225/50R17 **T6** 245/40R18

▪ DIMENSIONS
Empattement 2835 mm
Longueur 4851 mm
Largeur 1861 mm
Hauteur 1493 mm
Poids 3.2 1735 kg **T6** 1824 kg
Diamètre de braquage 11,2 m
Coffre 422 l
Réservoir de carburant 70 l
Capacité de remorquage 1496 kg

NOTRE VERDICT

Plaisir au volant	●●●◖○
Qualité de finition	●●●●◖
Consommation	●●○○○
Rapport qualité/prix	●●●◖○
Valeur de revente	●●●◖○

VOLVO

XC60

www.volvocanada.ca

ÉVOLUTION

39 995 $ à 49 995 $
transport et préparation: 1715 $

LA COTE VERTE

MOTEUR
L6 DE 3,2 L

- **Consommation** (100km): 9,9 l
- **Émissions polluantes CO_2:** 4646 kg/an
- **Empreinte écologique** (nombre d'arbres à planter par année): 32
- **Indice d'octane:** 91
- **Autre motorisation** non
- **Coût du carburant moyen par année:** 2225 $
- **Nombre de litres par année:** 2020 l

(SOURCE: énerguide)

622

 FICHE D'IDENTITÉ

- **Versions** 3.2 2RM, 3.2 4RM, T6 4RM
- **Roues motrices** avant, 4
- **Portières** 5 **Nombre de passagers** 5
- **Première génération** 2009
- **Génération actuelle** 2009
- **Construction** Gand, Belgique
- **Sacs gonflables** 8 (frontaux, latéraux avant et arrière, rideaux latéraux)
- **Concurrence** Acura RDX, Audi Q5, BMW X3, Infiniti EX35, Land Rover LR2, Mercedes-Benz Classe GLK

 AU QUOTIDIEN

- **Prime d'assurance**
  25 ans: 3200 à 3400 $
  40 ans: 1600 à 1800 $
  60 ans: 1400 à 1600 $
- **Collision frontale** 5/5
- **Collision latérale** 5/5
- **Ventes du modèle de l'an dernier**
  Au Québec 389 **Au Canada** 1211
- **Dépréciation** nm
- **Rappels** (2010) 3
- **Cote de fiabilité** nm

 GARANTIES... ET PLUS

- **Garantie générale** 4 ans/80 000 km
- **Garantie motopropulseur** 4 ans/80 000 km
- **Perforation** 12 ans/kilométrage illimité
- **Assistance routière** 4 ans/kilométrage illimité
- **Nombre de concessionnaires**
  Au Québec 11 **Au Canada** 30

 NOUVEAUTÉS EN 2011

- Moteurs plus puissants, ajout du groupe d'options R-Design

OPÉRATION SÉDUCTION

PAR ALEXANDRE CRÉPAULT

VOLVO EST ARRIVÉE UN PEU TARD DANS LA BATAILLE DES VÉHICULES MULTISEGMENTS COMPACTS DE LUXE. Cela dit, ce qu'elle a perdu en temps, elle le gagne maintenant grâce à un produit réellement excitant.

[CARROSSERIE] Le XC60. L'une des plus belles Volvo jamais mises en production et l'un des plus beaux véhicules multisegments sur le marché. Mi-familial, mi-utilitaire, il dévoile des courbes à la fois souples et musclées. Malgré sa garde au sol de 9 pouces, il ne nous donne pas l'impression d'être suspendu dans les airs. Au contraire, ses hanches sont larges et sa ceinture, bien haute. Son air se fait résolument moderne, mais le XC60 est composé d'éléments typiques à la marque suédoise, comme les feux arrière tout le long du pilier D. L'édition ultime R-Design rend le XC60 encore plus athlétique grâce à des roues de 18 pouces en aluminium avec chrome ici et là.

[HABITACLE] C'est un luxe d'être aux commandes d'un XC60. L'habitacle, riche et moderne, a tout pour plaire. La position de conduite se trouve sans

mal grâce à une panoplie de réglages. Les sièges n'ont pas volé leur réputation de confort. La console centrale, construite tout en minceur et légèrement axée vers le conducteur, incorpore une interface d'utilisation tellement intuitive qu'un enfant de quatre ans s'y retrouverait. L'éclairage de nuit et le joli fini des matériaux contribuent à l'auréole du XC60. Tout comme les couleurs, qui peuvent être aussi classiques qu'originales, expresso et beige ou vert lime et noir, notamment. À l'arrière, l'espace pour deux est à la limite raisonnable. Les dimensions du coffre sont correctes pour le segment. Pour de l'espace en double, on rabat la banquette arrière 60/40 qui, malheureusement, ne se couche pas tout à fait à plat.

[MÉCANIQUE] Les modèles 3.2 FWD et 3.2 AWD ont obtenu le 6-cylindres transversal de 3,2 litres développant 235 chevaux et produisant un couple de 236 livres-pieds. On l'imagine, le 3.2 FWD met en jeu les roues avant motrices seulement, tandis que le 3.2 AWD utilise le système à 4 roues motrices de quatrième génération de Haldex. Plus de puissance sera possible avec les modèles T6 AWD

FORCES · Sécurité au sommet · Habitacle confortable · Finition irréprochable · Comportement agile et précis · Moteur très performant · Habitabilité, modularité du coffre · Esthétique élégante et racée

FAIBLESSES · Sécurité parfois intrusive · Quelques détails d'ergonomie · Rapports de boîte trop longs · Consommation élevée · Manque de soutien des sièges avant

et T6 AWD R-Design, mais vous ne pourrez vous sauver de l'indésirable hausse de consommation de carburant. Tous deux accueillent le moteur de 3 litres turbocompressé de 281 chevaux et dont le couple fait 295 livres-pieds, jumelé à la transmission intégrale. Tous les XC60 offrent de série une boîte de vitesses automatique à 6 rapports.

[COMPORTEMENT] Le XC60 n'est pas le véhicule multisegment le plus lourd sur le marché, mais il n'est pas le plus léger non plus. Le moteur le plus petit doit travailler assez fort pour déplacer les quelque 1900 kilos. Encore un bouh! pour la consommation engendrée. Sans parler des performances en ligne droite, qui n'ont rien d'extraordinaire. Le modèle turbo est beaucoup plus enthousiaste avec son sprint de 0 à 100 km/h en 7,5 secondes. Le turbo prend une fraction de seconde avant d'entrer en action, mais j'ai vu pire. Pas un mot à dire sur la boîte de vitesses, qui travaille toujours en douceur. Le mode manuel permet d'allonger les rapports lors des dépassements plus frénétiques. La direction assistée électroniquement a été dosée de façon à envoyer assez d'information au conducteur. Le XC60 travaille en dissimulant un véritable arsenal : de multiples systèmes de sécurité qui font que Volvo le considère comme l'un des véhicules les plus sûrs du monde. Le plus impressionnant est sans l'ombre d'un doute le système de prévention des collisions. Quand il anticipe une collision à une vitesse de 30 km/h, le XC60 utilise automatiquement jusqu'à 50 % de la puissance des freins et avertit le conducteur qu'il serait temps de réagir. Sous les 15 km/h, il peut même, au besoin,

s'immobiliser complètement. J'apprécie les avantages d'un tel système, bien que j'aie failli mourir d'une crise cardiaque la première fois que la fanfare s'est déclenchée à cause d'une fausse alerte. Et les fausses alertes, elles ont été nombreuses durant ma semaine d'essais.

[CONCLUSION] J'adore le XC60. J'en aurais un demain... si mon salaire augmentait du double. En effet, après avoir parcouru la liste d'options et ajouté les taxes, j'ai obtenu dans les 60 000 $. Quand on sait que les Volvo V70 et XC70 offrent plus d'espace intérieur pour sensiblement le même prix...

2ᵉ OPINION

DANIEL RUFIANGE Entendez-vous parler de Volvo par les temps qui courent? Comme un enfant qui vient de faire les 100 coups, le fabricant se fait discret au possible. Les ventes sont en chute libre, les nouveautés ne suscitent plus l'intérêt d'antan – attendiez-vous la nouvelle S60 avec impatience cette année? – et l'avenir de l'entreprise semble incertain depuis quelques années. C'est franchement dommage, car on ne peut pas dire que les produits de la marque sont dénués d'intérêt. Nous pourrions pointer du doigt le réseau de concessionnaires, mais ce serait trop facile; ces derniers ne peuvent être responsables de tout. Ah oui, le XC60, un utilitaire compétent, possédant une belle mine et offrant une douceur de roulement exceptionnelle. Son principal défaut: son prix, comme plusieurs produits Volvo. Triste !

(5) FICHE TECHNIQUE

- **MOTEURS**
- **(3.2)**
  L6 3,2 l DACT, 243 ch à 6200 tr/min
  Couple 236 lb-pi à 3200 tr/min
  Transmission automatique à 6 rapports avec mode manuel
  0-100 km/h 2RM 9,6 s 4RM 9,9 s
  Vitesse maximale 210 km/h (bridée)

- **(T6)**
  L6 3,0 l turbo DACT, 304 ch à 5600 tr/min
  Couple 325 lb-pi à 2100 tr/min
  Transmission automatique à 6 rapports avec mode manuel
  0-100 km/h 7,3 s
  Vitesse maximale 210 km/h (limitée)
  Consommation (100 km) 10,7 l (octane 91)
  Émissions de CO$_2$ 5152 kg/an
  Litres par année 2240 l
  Coût par an 2510 $
  Autre motorisation non
  Empreinte écologique 34 arbres

- **AUTRES COMPOSANTES**
  Sécurité active freins ABS, répartition électronique de force de freinage, assistance au freinage, antipatinage, contrôle de stabilité électronique
  Suspension avant/arrière indépendante
  Freins avant/arrière disques
  Direction à crémaillère, assistée
  Pneus 3.2 P235/65R17 **R-DESIGN** p255/45R20
  TG- 3.2 (option) P235-60R18

- **DIMENSIONS**
  Empattement 2774 mm
  Longueur 4627 mm
  Largeur 1891 mm
  Hauteur 1713 mm
  Poids 1710 kg à 1843 kg
  Diamètre de braquage 11,7 m
  Coffre 873 l , 1907 l (sièges abaissés)
  Réservoir de carburant 70 l
  Capacité de remorquage 1800 kg

NOS MENTIONS

 ☺ Modèle recommandé

 ❤ Coup de coeur

NOTRE VERDICT

Plaisir au volant	⬡⬡⬡⬡⬡
Qualité de finition	⬡⬡⬡⬡⬡
Consommation	⬡⬡⬡⬡⬡
Rapport qualité/prix	⬡⬡⬡⬡⬡
Valeur de revente	Nm

XC70

www.volvocanada.com

ÉVOLUTION

45 090 $ à 57 090 $
transport et préparation: 1715 $

LA COTE VERTE

MOTEUR
L6 DE 3,2 L

- **Consommation (100km):** 10,1 l
- **Émissions polluantes CO$_2$:** 5336 kg/an
- **Empreinte écologique (nombre d'arbres à planter par année):** 33
- **Indice d'octane:** 87
- **Autre motorisation:** non
- **Coût du carburant moyen par année:** 2320 $
- **Nombre de litres par année:** 2320 l

(SOURCE: ÉnerGuide)

 FICHE D'IDENTITÉ

- **Versions** 3.2 2RM, 3.2 4RM, T6 4RM
- **Roues motrices** 2, 4
- **Portières** 5 **Nombre de passagers** 5
- **Première génération** 1993 (850)
- **Génération actuelle** 2008
- **Construction** Torslanda, Suède
- **Sacs gonflables** 6 (frontaux, latéraux avant, rideaux latéraux)
- **Concurrence** Acura TL, Audi A4, BMW Série 3, Cadillac CTS, Infiniti G37, Mercedes-Benz Classe C, Subaru Legacy, Volkswagen Passat

 AU QUOTIDIEN

- **Prime d'assurance**
  25 ans : 2600 à 2800 $
  40 ans : 1400 à 1600 $
  60 ans : 1200 à 1400 $
- **Collision frontale** nm
- **Collision latérale** nm
- **Ventes du modèle de l'an dernier**
  Au Québec 468 **Au Canada** 1287
- **Dépréciation** 60,5 %
- **Rappels** (2005 à 2010) 6
- **Cote de fiabilité** nm

 GARANTIES... ET PLUS

- **Garantie générale** 4 ans/80 000 km
- **Garantie motopropulseur** 4 ans/80 000 km
- **Perforation** 12 ans/kilométrage illimité
- **Assistance routière** 4 ans/kilométrage illimité
- **Nombre de concessionnaires**
- **Au Québec** 11 **Au Canada** 30

 NOUVEAUTÉS EN 2011

- V70 remplacée par une version à traction de la XC70, moteurs L6 plus puissants.

FAMILIALE PASSE-PARTOUT

PAR MICHEL CRÉPAULT

DANS LA PRÉCÉDENTE ÉDITION DE L'ANNUEL, VOUS EN APPRENIEZ LONG SUR LA V70 ET LE XC70 EN MÊME TEMPS. Pas ici puisque Volvo a décidé de ne pas reconduire la V70 en 2011. Et dire qu'autrefois Volvo était réputée pour ses familiales qui hantent encore les montagnes du Vermont ! Quant au XC70, sa plus récente révision datant à peine de 2008, on le retrouve inchangé.

[CARROSSERIE] Dans le fond, le XC70 est à la V70 ce qu'est l'Outback à la Legacy de Subaru ou l'allroad chez Audi. Rappelez-vous d'ailleurs que le XC70 a vu le jour en 1998 sous l'appellation V70 Cross Country (d'où l'acronyme XC). Prenez une familiale, élevez-en la garde au sol (disons de 6,8 centimètres...) et blindez son plancher, munissez-là de boucliers aux extrémités et d'une carapace sur les bas de caisse, remplacez sa traction par une transmission intégrale et bingo, vous obtenez un XC70, mais moins utilitaire que ses cousins XC60 et XC90. En optant pour le modèle T6, vous pourrez vous promener avec de plus grosses roues et deux embouts

d'échappement au lieu d'un seul. Pour compléter le portrait de l'aventurier, le pavillon du XC70 comporte toujours une galerie de toit.

[HABITACLE] Nous ne sommes pas à pied à bord de cette terreur des centres commerciaux. Connectivité Bluetooth, sono de base à huit haut-parleurs et climatisation électronique à double zone figurent parmi les gâteries de série. Avec le T6, le graphisme du tableau de bord se modernise. Parmi les options : le cuir, la navigation (un écran qui jaillit au-dessus du tableau de bord), un système de divertissement DVD pour les passagers et la radio satellite. Et d'autres, à vocation plus sûre, comme il se doit quand on parle de Volvo : les machins qui beuglent quand un angle mort est envahi, quand on piétine les lignes blanches ou qu'on suit un véhicule de trop près. Un bidule appliquera même les freins malgré notre distraction si une collision s'annonce. Je n'ai plus besoin de défendre les sièges, forts de leur réputation de sanctuaire pour squelettes endoloris, tandis que le volume de chargement derrière le hayon est

FORCES • T6 plus entousiasmant • Sièges parfaits • Espace de chargement qui contente • Allure différente

FAIBLESSES • 3,2-litres un peu juste • Consommation à améliorer

spacieux puis vire au caverneux quand on rabat les dossiers de la banquette (40/20/40).

[MÉCANIQUE] Un premier 6-cylindres en ligne de 3,2 litres de 240 chevaux ou un second mais de 3 litres et, cette fois-ci, turbocompressé (d'où son surnom de T6), qu'est-ce qui vous branche le plus ? Les deux expédient un couple suffisant aux quatre roues motrices par l'entremise d'une boîte de vitesses automatique Geartronic à 6 rapports.

[COMPORTEMENT] Prenons une famille traditionnelle de bon ton. Quels sont ses besoins vitaux en matière de transport ? Fiabilité, sécurité et espace de chargement. Or, si vous l'entretenez bien, un Volvo vous enterrera; question de sécurité, Volvo a en réécrit les critères, et la transmission intégrale de série se révèle un excellent point de départ; enfin, pour enfourner les valises, les skis et les sacs d'épicerie, un format comme celui du XC70 est idéal. Épicez le tout d'un soupçon de luxe et, même, d'une grosse poignée, et le XC70 a tout pour plaire à cette tribu bon chic, bon genre. Si elle choisit le 6-cylindres de base, c'est qu'elle n'est pas pressée ou consciente de son budget. La version T6 correspond à un style de vie plus actif. Le site de Volvo Canada ne se donne même pas la peine de révéler le o à 100 km/h du moteur de 3,2 litres, mais ne se gêne pas pour le T6 : 7,4 secondes. Il faudrait maintenant que le véhicule puisse scorer des points du côté de la consommation et, même, de l'écologie, ce qui n'est pas encore le cas. Un Ford Flex, par exemple, boit moins.

[CONCLUSION] Vous n'aimez pas les utilitaires, le XC70 est pour vous. Si vous avez Volvo tatoué sur le cœur, on discute alors seulement de la couleur. Mais s'il vous reste un gramme d'objectivité, vous serez bien obligé d'admettre que le XC70 dispense autant de plaisir au volant qu'un examen colorectal, et que le 3,2-litres nous rappelle ses origines agricoles. Espérons que le nouveau proprio de Volvo resserrera et la conduite et la consommation...

2ᵉ OPINION

FRÉDÉRIC MASSE Volvo fabrique des véhicules solides et sûrs. On le sait déjà. Mais, à quel point les gens savent-ils que le XC70 est tout simplement une merveille dans le genre ? Je ne le sais pas. Absolument seul dans sa catégorie, malgré les efforts de certains concurrents, il offre un raffinement peu commun et une douceur de roulement hallucinante. De plus, grâce à sa bonne garde au sol et à sa transmission intégrale efficace, il peut aller dans le bois sans risquer de tout casser (faut rester poli tout de même). Si l'on compte en plus l'espace de chargement, il devient le choix des je-veux-du-luxe-et-de-l'espace-sans-avoir-un-VUS. Oui, il n'est pas donné, c'est certain, mais au-delà de la marque, il demeure l'outil numéro un en matière de souplesse.

---

⑤ FICHE TECHNIQUE

· MOTEURS

· (3.2)
L6 3,2 l DACT, 240 ch à 6400 tr/min
Couple 236 lb-pi à 3200 tr/min
Transmission automatique à 6 rapports avec mode manuel
0-100 km/h 2RM 8,8 s **4RM** 9,0 s
Vitesse maximale 2RM 209 km/h (bridé)

· (T6 4RM)
L6 3,0 l turbo DACT, 300 ch à 5600 tr/min
Couple 325 lb-pi à 2100 tr/min
Transmission automatique à 6 rapports avec mode manuel
0-100 km/h 7,4 s
Vitesse maximale 209 km/h (bridé)
Consommation (100 km) 10,6 l (octane 91)
Émissions de CO$_2$ 5152 kg/an
Litres par année 2240 l
Coût par an 2464$
Carburant alternatif non
Empreinte écologique 34 arbres

· AUTRES COMPOSANTES
Sécurité active freins ABS, répartition électronique de force de freinage, assistance au freinage, antipatinage, contrôle de stabilité électronique
Suspension avant/arrière indépendante
Freins avant/arrière disques
Direction à crémaillère, assistée
Pneus P215/65R16 **T6** P235/50R18

· DIMENSIONS
Empattement 2815 mm
Longueur 4838 mm
Largeur 1876 mm
Hauteur 1603 mm
Poids 1807 kg à 1940 kg
Diamètre de braquage 11,5 m
Coffre 944 l, 2042 (sièges abaissés)
Réservoir de carburant 70 l
Capacité de remorquage 1496 kg

| 625

NOS MENTIONS

 ☺ Modèle recommandé

 ❤ Coup de cœur

NOTRE VERDICT

Plaisir au volant	●●●●○
Qualité de finition	●●●●○
Consommation	●●○○○
Rapport qualité/prix	●●●○○
Valeur de revente	●●●●○

XC90

www.volvocanada.ca

Ⓝ
ⓔ ÉVOLUTION É
Ⓙ

51 995 $ à 69 995 $
transport et préparation: 1715 $

LA COTE VERTE

MOTEUR
L6 DE 3,2 L

- **Consommation (100km):** 11,4 l
- **Émissions polluantes CO_2 :** 6192 kg-an
- **Empreinte écologique (nombre d'arbres à planter par année):** 37
- **Indice d'octane:** 87
- **Autre motorisation:** non
- **Coût du carburant moyen par année:** 2500$
- **Nombre de litres par année:** 2500 l

(SOURCE: Volvo)

626 |

FICHE D'IDENTITÉ

- **Versions** 3.2, 3.2 RDESIGN, V8 AWD
- **Roues motrices** 2, 4
- **Portières** 5 **Nombre de passagers** 7
- **Première génération** 2003
- **Génération actuelle** 2003
- **Construction** Torslanda, Suède
- **Sacs gonflables** 8 (frontaux, latéraux avant et arrière, rideaux latéraux)
- **Concurrence** Acura MDX, Audi Q7, BMW X5, Cadillac SRX, Infiniti FX, Land Rover LR3, Lexus RX, Mercedes-Benz Classe ML, Volkswagen Touareg

AU QUOTIDIEN

- **Prime d'assurance**
  25 ans: 2600 à 2800 $
  40 ans: 1500 à 1700 $
  60 ans: 1200 à 1400 $
- **Collision frontale** 5/5
- **Collision latérale** 5/5
- **Ventes du modèle de l'an dernier**
  Au Québec 293 **Au Canada** 1456
- **Dépréciation** 62,3 %
- **Rappels** (2005 à 2010) 8
- **Cote de fiabilité** 2/5

③ GARANTIES... ET PLUS

- **Garantie générale** 4 ans/80 000 km
- **Garantie motopropulseur** 4 ans/80 000 km
- **Perforation** 12 ans/kilométrage illimité
- **Assistance routière** 4 ans/kilométrage illimité
- **Nombre de concessionnaires**
  Au Québec 11 **Au Canada** 30

④ NOUVEAUTÉS EN 2011

- Moteur L6 plus puissant, ajout du groupe d'options R-Design

EN ATTENDANT JOUVENCE

PAR MICHEL CRÉPAULT

LE XC90 EST UN UTILITAIRE INTERMÉDIAIRE QUI A TOUJOURS EU LES COMPÉTENCES D'UN MULTISEGMENT TELLEMENT SON COMPORTEMENT ROUTIER LE TIENT LOIN DU CAMION. Assez spacieux pour sept occupants, il a effectué ses premiers tours de roues en 2003.

[CARROSSERIE] La carrosserie a l'intelligence d'afficher des lignes qui ne se démodent pas comme un rappeur mal fagoté. On y détecte l'ADN de la famille dès le premier regard et on sait à l'avance que la visibilité sera bonne parce que la fenestration est ultra généreuse.

[HABITACLE] Le modèle de base 3.2 peut recevoir une livrée Luxe ou R-Design, tandis que le V8 haut de gamme s'éclate en version dite Executive. J'aime bien les efforts R-Design pour personnaliser un véhicule autrement austère. Quand les Suédois s'y mettent, ils nous concoctent des textures et des motifs assez déjantés. Certains, en réalité trop flyés, ne traversent même pas l'Atlantique. Attestation de son âge, le XC90 ne met pas en vedette le panneau « flottant » qui caractérise les modèles plus récents. L'écran du système de navigation jaillit au sommet du tableau de bord. La 3e banquette (offerte en option sur le 3.2, standard avec le V8) existe surtout pour démarquer le XC90 du XC60. Son accès et son confort décourageront la plupart des humains normalement constitués.

[MÉCANIQUE] Si vous connaissez la berline S80, vous connaissez les moteurs du XC90: le 3,2-litres et le V8. Le premier, un 6-cylindres en ligne de 240 chevaux, est vendu de série sur les modèles à traction. Le second, le tout premier V8 du fabricant, développe 311 chevaux. Il n'est pas balourd avec un 0 à 100 km/h chronométré à 6,9 secondes (pas mal compte tenu des 2 tonnes) et une vitesse maxi de 210 km/h. La transmission intégrale est standard dans son cas, tandis que la boîte de vitesses automatique Geartronic à 6 rapports avec leviers de sélection au volant est commune aux deux engins.

FORCES · Équipement de sécurité et de divertissement dernier cri · Silhouette qui vieillit bien · Comportement routier axé sur le confort et la tranquillité

FAIBLESSES · Consommation de carburant qui laisse à désirer · Sentiment de déjà-vu qui appelle une cure de Jouvence

[COMPORTEMENT] On conduit souvent un utilitaire pour le sentiment de sécurité qu'il procure. Imaginez maintenant quand cette sécurité a été pensée par les ingénieurs de Volvo! À titre d'exemple, on apprécie la bonne visibilité qu'on a de notre trône en cuir plus élevé que le commun des mortels. Mais cette élévation vient avec un centre de gravité lui aussi haussé et, du coup, les risques d'effectuer un tonneau augmentent (et encore, je l'écris sans trop y croire car il y a quelque chose qui me dit que le vrai amateur de Volvo n'est pas cascadeur à ses heures). Enfin, si jamais le danger menaçait dans un virage négocié bizarrement, le système de contrôle de la stabilité du XC90 ferait tout son possible pour garder le véhicule ancré au sol. Bravo aussi au BLIS (*Blind Spot Information System*), une caméra intégrée dans chacun des miroirs extérieurs qui active un signal lumineux dès qu'elle détecte un automobiliste dans notre angle mort. Volvo a été le premier fabricant à solutionner cette horreur et, depuis, plusieurs constructeurs de luxe l'ont imité. En gros, la conduite du XC90 se qualifie de lourde, silencieuse et tranquille. Le fait de disposer des quatre roues motrices ajoute indéniablement à la tranquillité d'esprit. En ville, le V8 accuse une soif qui descend rarement en deçà des 16 litres aux 100 kilomètres. Le 3,2-litres ne fait guère mieux avec 15 litres aux 100 kilomètres.

[CONCLUSION] Il existe des utilitaires plus luxueux, plus caverneux et plus fougueux, mais ils coûteront plus cher que le XC90. Et aucun ne se balade avec un tel armement d'accessoires de sécurité. Quand Volvo aura stabilisé sa situation financière, grâce à l'injection de fonds projetée par son nouveau propriétaire, le chinois Geely, il sera plus que temps de procéder à une révision sérieuse du XC90. En attendant, il se débrouille encore bien. Si l'univers Volvo concentré dans en cocon de cuir haut sur pattes vous séduit, le XC90 scande votre nom.

2e OPINION

BENOIT CHARETTE Voici un véhicule qui avait tout pour réussir, mais qui n'est jamais vraiment arrivé à livrer la marchandise. C'est vrai, le véhicule est très confortable et sûr, offre un espace correct. C'est au chapitre de la fiabilité que les choses se gâtent. De la qualité du cuir qui s'abîme rapidement aux bruits de caisse qui apparaissent çà et là après un an sur la route, les propriétaires qui en ont possédé un en rachètent rarement un second. Et ici, je ne parle pas de problèmes endémiques qui n'ont jamais fait l'objet d'un rappel et qui sont aux frais du propriétaire comme les roulements à billes ou le liquide de freins. Bref, c'est un bon véhicule qui n'est pas fiable. Alors si vous aimez votre garagiste, le Volvo XC90 est pour vous, sinon, vous serez très déçu.

---

⑤ FICHE TECHNIQUE

- **MOTEURS**
- **(3.2)**
L6 3,2 l DACT, 240 ch à 6400 tr/min
Couple 236 lb-pi à 3200 tr/min
Transmission automatique à 6 rapports avec mode manuel
0-100 km/h 8,7 s
Vitesse maximale 190 km/h

- **(V8)**
V8 4,4 l DACT, 311 ch à 5850 tr/min
Couple 325 lb-pi à 3900 tr/min
Transmission automatique à 6 rapports avec mode manuel
0-100 km/h 6,9 s
Vitesse maximale 210 km/h
Consommation (100 km) 13,4 l (octane 87)
Émissions de CO$_2$ 6302 kg/an
Litres par année 2740 l
Coût par an 2740 $
Autre motorisation: non
Empreinte écologique 39 arbres

- **AUTRES COMPOSANTES**
Sécurité active freins ABS, répartition électronique de force de freinage, assistance au freinage, antipatinage, contrôle de stabilité électronique
Suspension avant/arrière indépendante
Freins avant/arrière disques
Direction à crémaillère, assistée
Pneus 3.2, V8 P235/60R18
R-DESIGN, V8 option P255/50R19
RDESIGN option P255/45R20

- **DIMENSIONS**
Empattement 2860 mm
Longueur 4807 mm
Largeur 1898 mm
Hauteur 1784 mm
Poids 2155 kg à 2193 kg
Diamètre de braquage 12,2 m
Coffre 817 l, 2409 l (sièges abaissés)
Réservoir de carburant 80 l
Capacité de remorquage
V8 2250 kg **3.2** 1800 kg

NOTRE VERDICT

Plaisir au volant	●●●●○
Qualité de finition	●●○○○
Consommation	●●○○○
Rapport qualité/prix	●●●○○
Valeur de revente	●●●○○

LA REMISE DES CLÉS D'OR

L'Annuel de l'automobile 2011 a répertorié 23 catégories de véhicules offerts sur le territoire canadien. Pour toutes ces catégories, une seule question : « Quelle auto est la meilleure ? »

Ces catégories regroupent des véhicules tous susceptibles de se retrouver sur votre liste d'achat.

Chaque auteur a réfléchi à ses choix sans en discuter avec ses collègues, donc dans le plus grand secret. Nous avons ensuite compilé les résultats.

Nous avons aussi une 24e et une 25e catégorie. La première désigne le véhicule «le plus vert»! Nous prenons en considération la consommation moyenne mais aussi des facteurs comme pourcentage recyclable des pièces de l'auto et les technologies énergétiques montées à bord.

Le Coup de cœur « toutes catégories » prime le véhicule qui, à notre avis, rendrait heureux n'importe quel conducteur ! En d'autres mots, il s'agit de notre « Voiture de l'année 2011 », l'honneur suprême !

Dans chaque catégorie, les modèles surlignés en jaune sont très récents. Si récents, en fait, qu'il arrive que les membres de l'équipe éditoriale de *L'Annuel* n'aient pas tous pu les essayer. Ces véhicules peuvent dès lors difficilement gagner dans leur catégorie respective, mais nous les soulignons avec la mention « À surveiller ».

Sans plus attendre, voici la remise des Clés d'or de *L'Annuel de l'automobile 2011*.

L'équipe de rédaction

+ PS : Si, en conduisant votre propre véhicule, vous remarquez au quotidien des qualités et des défauts qui nous auraient échappés, faites-le nous savoir de l'une des deux façons suivantes :
+ Télécopieur : (450) 308-0742
+ Poste : L'Annuel de l'automobile 2011, att. : Palmarès, CP 930, Coteau-du-Lac (Qc) J0P 1B0

LISTE DES VOITURES EN COMPÉTITION

VOITURES SOUS-COMPACTES

Chevrolet Aveo
Ford Fiesta
Honda Fit
Hyundai Accent
Kia Rio
Mazda2
Nissan Versa
Scion iQ
Suzuki Swift+
smart fortwo
Toyota Yaris

VOITURES COMPACTES

Chevrolet Cruze
Chevrolet HHR
Dodge Caliber
Ford Focus
Honda Civic
Hyundai Elantra
Kia Forte
Kia Soul
Mazda3
Mitsubishi Lancer

Nissan Cube
Nissan Sentra
Scion xD
Subaru Impreza
Suzuki SX4
Toyota Corolla
Toyota Matrix
Volkswagen Golf
Volkswagen Jetta

VOITURES INTERMÉDIAIRES

Buick Allure
Buick Regal
Chevrolet Malibu
Chrysler Sebring
Dodge Avenger
Ford Fusion
Honda Accord
Honda Crosstour
Hyundai Sonata
Mazda6
Nissan Altima
Subaru Legacy
Suzuki Kizashi
Toyota Camry

VOITURES PLEINE GRANDEUR

Buick Lucerne
Chevrolet Impala
Chrysler 300
Dodge Charger
Ford Taurus
Nissan Maxima
Toyota Avalon

VOITURES DE LUXE (MOINS DE 50 000 $)

Acura TSX
Audi A3
Audi A4
BMW Série 1
BMW Série 3
Cadillac CTS
Infiniti G37
Lexus ES
Lexus IS
Lincoln MKZ
Mercedes-Benz Classe C
Volvo S40/V50

VOITURES DE LUXE (ENTRE 50 000 $ ET 100 000 $)

Acura TL
Acura RL
Audi A6
BMW Série 5
BMW Série 5 GT
Hyundai Equus
Hyundai Genesis
Infiniti M
Jaguar XF
Lexus GS
Mercedes-Benz CLS
Mercedes-Benz Classe E
Volvo S60

VOITURES DE LUXE (PLUS DE 100 000 $)

Aston Martin Rapide
Audi A8
BMW Série 7
Cadillac DTS
Cadillac STS
Jaguar XJ
Lexus LS 460
Maserati Quattroporte
Porsche Panamera
Mercedes-Benz Classe S
Volvo S80

VOITURES SPORT (MOINS DE 50 000 $)

Chevrolet Camaro
Dodge Challenger
Ford Mustang
Hyundai Genesis (coupé)
Kia Koup
Mazda MX-5
Mazda RX-8
Mini Cooper
Mitsubishi Eclipse
Mitsubishi Lancer Evolution
Nissan 370Z
Scion tC
Volvo C30
VW EOS
VW Golf GTI

VOITURES SPORT (ENTRE 50 000 ET 100 000 $)

Audi TT
Audi A5
BMW M3
BMW Z4
Chevrolet Corvette
Infiniti G37 (coupé)
Lotus Elise/Exige/Evora
Mercedes-Benz Classe E (coupé)
Mercedes-Benz SLK
Nissan GT-R
Porsche Boxster
Porsche Cayman

VOITURES SPORT (PLUS DE 100 000 $)

Aston Martin V8 Vantage
Audi R8
BMW Série 6
Chevrolet Corvette ZR1
Dodge Viper
Jaguar XK
Lamborghini LP 560
Mercedes-Benz CL
Mercedes-Benz SL
Porsche 911

SPORT EXOTIQUES

Aston Martin DB9
Aston Martin DBS
Bentley Continental GT
Bugatti Veyron Grand Sport
Ferrari California
Ferrari 458
Ferrari 599
Ferrari 612
Lamborghini LP 560/570
Maserati Granturismo
Mercedes-Benz SLS AMG

UTILITAIRES SPORT COMPACTS

Chevrolet Equinox
Dodge Journey
Dodge Nitro
Ford Escape
GMC Terrain
Honda CR-V
Honda Element
Hyundai Tucson
Jeep Compass
Jeep Liberty
Jeep Patriot
Kia Sorento
Kia Sportage
Mitsubishi Outlander
Nissan Juke
Nissan Rogue
Scion xB
Subaru Forester
Suzuki Grand Vitara
Toyota RAV4
Volkswagen Tiguan

UTILITAIRES DE LUXE COMPACTS

Acura RDX
Audi Q5
BMW X3
Cadillac SRX
Infiniti FX35/50
Lexus RX 350
Land Rover LR2
Mercedes-Benz GLK

MULTISEGMENTS (CROSSOVER)

Buick Enclave
Chevrolet Traverse
Ford Edge
Ford Flex/Lincoln MKT
Honda Pilot
GMC Acadia
Hyundai Santa Fe
Mazda CX-7 et CX-9
Nissan Murano
Subaru Tribeca
Toyota Highlander

UTILITAIRES SPORT INTERMÉDIAIRES

Dodge Durango
Ford Explorer
Jeep Commander
Jeep Grand Cherokee
Jeep Wrangler
Nissan Pathfinder
Nissan Xterra
Toyota FJ Cruiser
Toyota 4Runner

UTILITAIRES SPORT DE LUXE INTERMÉDIAIRES

Acura MDX
Acura ZDX
BMW X5
BMW X6
Hyundai Veracruz
Land Rover LR4
Land Rover Range Rover
Lexus GX 470
Lincoln MKX
Mercedes-Benz ML
Porsche Cayenne
Volkswagen Touareg
Volvo XC90

UTILITAIRES PLEINE GRANDEUR

Chevrolet Suburban
Chevrolet Tahoe
Ford Expedition
GMC Yukon
Kia Borrego
Nissan Armada
Toyota Sequoia

UTILITAIRE DE LUXE PLEINE GRANDEUR

Audi Q7
Cadillac Escalade
Infiniti QX56
Lexus LX 570
Lincoln Navigator
Mercedes-Benz Classe GL

CAMIONNETTES COMPACTES

Chevrolet Colorado
Ford Ranger
GMC Canyon

CAMIONNETTES INTERMÉDIAIRES

Honda Ridgeline
Nissan Frontier
Ram Dakota
Toyota Tacoma

CAMIONNETTES PLEINE GRANDEUR

Cadillac Escalade EXT
Chevrolet Avalanche
Chevrolet Silverado
Ford Série F
GMC Sierra
Nissan Titan
Ram 1500
Toyota Tundra

FOURGONNETTES

Chrysler Town& Country
Dodge Grand Caravan
Honda Odyssey
Kia Rondo
Kia Sedona
Mazda5
Mercedes-Benz Classe R
Mitsubishi RVR
Toyota Sienna
Volkswagen Routan

FOURGONS À VOCATION COMMERCIALE

Chevrolet Express
Ford Série E
Ford Transit Connect
GMC Savana
Mercedes-Benz Sprinter

LE VÉHICULE LE « PLUS VERT » 2010

Chevrolet Volt
Honda CR-Z
Honda Civic hybride
Honda Insight
Ford Escape hybride
Ford Fusion hybride
Lexus HS 250
Nissan Altima hybride
Toyota Camry hybride
Toyota Prius

LA VOITURE DE L'ANNÉE 2011

Choisie parmi les gagnants de catégorie

VOITURES SOUS-COMPACTES

LA GAGNANTE ››

FORD FIESTA

« C'est tout simplement la meilleure voiture que Ford a fabriquée au cours des 10 dernières années. » - Benoit

« La Fiesta est la sous-compacte la plus amusante à conduire, et de loin. C'est aussi la plus belle, ce qui ne gâche rien. » - Philippe

LA FINALISTE › MAZDA2

« Une petite compacte très homogène qui fait tout bien. » - Francis

HONDA FIT

À surveiller : la Scion iQ

VOITURES COMPACTES

LA GAGNANTE ››

MAZDA3

« La plus agréable à conduire, point final. Mais attention à la prochaine génération de la Ford Focus. » - Daniel

« La 3 réunit, pour le même prix, les qualités de ses deux principales rivales, soit la Civic et la Golf. » - Frédéric

LA FINALISTE › VOLKSWAGEN GOLF

« Une finition digne d'une berline intermédiaire et une tenue de route sans reproche, que demander de plus ? » - Vincent

L'AN DERNIER › MAZDA3

À surveiller : Volkswagen Jetta, rendue très accessible

VOITURES INTERMÉDIAIRES

Hyundai Sonata

Subaru Legacy

LES GAGNANTES ››››››››››››››››››››››››››››››››››››››

HYUNDAI SONATA
SUBARU LEGACY

« La Sonata a fait beaucoup de chemin, au point de menacer tous les ténors de la catégorie. Et ce n'est même pas terminé ! » - Vincent

« J'ai tellement aimé la Legacy que j'en ai acheté une ! » - Frédéric

LA FINALISTE › FORD FUSION

« Fiabilité sans tache depuis son introduction en 2006 et une version hybride nettement supérieure à la moyenne. » - Philippe

L'AN DERNIER › FORD FUSION

À surveiller : Buick Regal

VOITURES PLEINE GRANDEUR

Ford Taurus

Nissan Maxima

LES GAGNANTES »»»»»»»»»»»»»»»»»»»»»»»»»»»»»

FORD TAURUS

NISSAN MAXIMA

« En renouvelant sa Taurus, Ford a redonné ses lettres de noblesse à ce modèle, comme à l'époque où elle dominait ce créneau. » - Philippe

« La Nissan Maxima est une Infiniti qui s'ignore ! » - Daniel

L'AN DERNIER › NISSAN MAXIMA

VOITURES DE LUXE (MOINS DE 50 000 $)

LA GAGNANTE »»»»»»»»»»»»»»»»»»»»»»»»»»»»»

BMW SÉRIE 3

« Pour l'ensemble de son œuvre et le choix de modèles et de motorisations. » - Daniel

« Dans ce segment, il n'y a qu'une voiture que tout le monde essaie d'imiter et c'est la Série 3. » - Vincent

LA FINALISTE › AUDI A4

« Belle, solide, précise. » - Michel

L'AN DERNIER › BMW SÉRIE 3

VOITURES DE LUXE (ENTRE 50 000 $ ET 100 000 $)

LA GAGNANTE»»»»»»»»»»»»»»»»»»»»»»»»»»»»»

BMW SÉRIE 5

« La Série 5 de nouvelle génération a replacé la barre très haut, trop haut pour les autres en ce moment. » - Benoit

« La BMW Série 5 redéfinit toujours les standards. » - Daniel

LA FINALISTE › ACURA TL

« Elle est rapide, confortable et très fiable. Tout cela en étant moins cher que ses rivales, à puissance et équipement comparable. Si elle était belle, elle serait parfaite ! » - Philippe

L'AN DERNIER › BMW SÉRIE 5 › HYUNDAI GENESIS

À surveiller : Hyundai Equus

VOITURES DE LUXE (PLUS DE 100 000 $)

LA GAGNANTE ››

AUDI A8

«Je persiste à dire que si j'avais une seule voiture, c'est l'Audi A8 qui serait dans mon garage, et la nouvelle mouture est encore meilleure.» - Benoit

LA FINALISTE › PORSHE PANAMERA

«La nouvelle Audi A8 et la Porsche Panamera sont deux voitures exceptionnelles, mais je choisis la Porsche parce que c'est une vraie Porsche, même si elle a quatre portes.» - Philippe

L'AN DERNIER › AUDI A8

632

VOITURES SPORT (MOINS DE 50 000 $)

Ford Mustang

Mazda MX-5

LES GAGNANTES ›››››››››››››››››››››››››››››››››››››››

FORD MUSTANG

MAZDA MX-5

«Avec la cuvée 2011, Ford prend littéralement une longueur d'avance sur ses plus proches concurrentes. À eux seuls, les deux nouveaux moteurs valent un essai routier.» - Vincent

«Mazda MX-5 : au diable la virilité!» - Frédéric

LA FINALISTE › DODGE CHALLENGER

«Pour son allure, d'abord et avant tout, mais aussi pour son charme dévastateur.» - Daniel

L'AN DERNIER › MAZDA MX-5

VOITURES SPORT (ENTRE 50 000 ET 100 000 $)

LA GAGNANTE ››

PORSCHE BOXSTER

«Toutes les vertus recherchées dans une auto sport s'expriment dans une Boxster.» - Michel

«Elle est quasiment parfaite.» - Frédéric

L'AN DERNIER › PORSCHE BOXSTER / CAYMAN

VOITURES SPORT (PLUS DE 100 000 $)

LA GAGNANTE »»»»»»»»»»»»»»»»»»»»»»»»»»»»»»»»»

AUDI R8

«Elle me fait verser des larmes de bonheur. C'est rare.» - Benoit

«C'est comme sortir avec une diva... qui ne sait pas qu'elle est belle!» - Frédéric

LA FINALISTE › PORSHE 911

«Une création évolutive, constamment modifiée, améliorée, peaufinée... Voilà pourquoi la 911 est encore la meilleure, après toutes ces années!» - Philippe

L'AN DERNIER › AUDI R8 › PORSHE 911

SPORT EXOTIQUES

LA GAGNANTE »»»»»»»»»»»»»»»»»»»»»»»»»»»»»»»»

MERCEDES-BENZ SLS AMG

«L'art de conjuguer la tradition au futur et de pomper l'adrénaline en toute sécurité.» - Michel

«Rien qu'à la regarder, les portières ouvertes, on craque.» - Alexandre

L'AN DERNIER › FERRARI CALIFORNIA

UTILITAIRES SPORT COMPACTS

Hyundai Tucson

Mitsubishi Outlander

LES GAGNANTS »»»»»»»»»»»»»»»»»»»»»»»»»»»»»»»

HYUNDAI TUCSON
MITSUBISHI OUTLANDER

«Le Tucson pour l'innovation, l'audace et le plaisir derrière le volant.» - Benoit

«Le plus intéressant du groupe et le plus agréable à conduire.» - Daniel

LE FINALISTE › KIA SORENTO

«C'est la première fois que je vote pour un Kia pour une Clé d'or. Le Sorento le mérite.» - Frédéric

L'AN DERNIER › VOLKSWAGEN TIGUAN

À surveiller: Kia Sportage et Nissan Juke

UTILITAIRES DE LUXE COMPACTS

634

LE GAGNANT »»»»»»»»»»»»»»»»»»»»»»»»»»»»»»»»»»

AUDI Q5

«Avec l'ajout d'un 2.0T, le Q5 a presque toutes les qualités requises d'un petit utilitaire de luxe.» - Benoit

«Le Q5 est tout simplement dominant.» - Frédéric

LE FINALISTE › BMW X3

«Un char d'assaut en temps de paix.» - Daniel

L'AN DERNIER › AUDI Q5 · MERCEDES-BENZ GLK

MULTISEGMENTS (CROSSOVER)

LE GAGNANT »»»»»»»»»»»»»»»»»»»»»»»»»»»»»»»»»»

FORD FLEX

«Le Flex pour sa différence, son degré de confort et son espace.» - Daniel

«Son confort et sa motorisation sont à l'image de son allure: gagnants!» - Michel

LE FINALISTE › CHEVROLET TRAVERSE

«Le Chevrolet Traverse offre le plus d'espace au plus petit prix; la meilleure alternative à une fourgonnette.» - Benoit

L'AN DERNIER › FORD FLEX

UTILITAIRES SPORT INTERMÉDIAIRES

LE GAGNANT »»»»»»»»»»»»»»»»»»»»»»»»»»»»»»»»»»

TOYOTA 4RUNNER

«Le 4Runner est le meilleurs des vrais VUS...» - Frédéric

« L'ancienne version a gagné l'an dernier. La nouvelle est encore meilleure!» - Daniel

LE FINALISTE › TOYOTA FJ CRUISER

«Le FJ Cruiser est une référence au plan de la fiabilité, en bon Toyota qu'il est. Quant à ses qualités utilitaires, elles sont bien réelles.» - Philippe

L'AN DERNIER › TOYOTA 4RUNNER

À surveiller: Jeep Grand Cherokee

UTILITAIRES SPORT DE LUXE INTERMÉDIAIRES

LE GAGNANT »»

ACURA MDX

« Malgré un design extérieur qui ne fait pas l'unanimité, cet utilitaire est un charme à conduire tous les jours. » - Vincent

« Avec le Mercedes-Benz ML pas très loin, le MDX offre ce qu'il y a de meilleur dans la catégorie. » - Frédéric

LE FINALISTE › VOLKSWAGEN TOUAREG

« Le nouveau est moins extrême, plus léger et plus urbain. Il va conquérir un plus large marché. » - Benoit

L'AN DERNIER › ACURA MDX

UTILITAIRES PLEINE GRANDEUR

Chevrolet Tahoe

LES GAGNANTS»»»»»»»»»»»»»»»»»»»»»»»»»»»»»»»»»»»»»»»

CHEVROLET TAHOE
GMC YUKON

« Le Tahoe représente encore le meilleur rapport qualité/prix dans ce segment. » - Benoit

« Ces véhicules ont leur raison d'être, du moins pour ceux qui en ont vraiment besoin. J'opte pour le Chevrolet parce qu'il se fait en version hybride. » - Philippe

LE FINALISTE › FORD EXPEDITION

« À mon avis, c'est encore lui le meilleur ! » - Daniel

L'AN DERNIER › CHEVROLET TAHOE › GMC YUKON

GMC Yukon

UTILITAIRE DE LUXE PLEINE GRANDEUR

LE GAGNANT »»»

AUDI Q7

« Je persiste et je signe : le Q7 est encore le véhicule à battre dans cette catégorie. » - Benoit

« Élégant, spacieux, puissant et confortable. Une quintessence. » - Michel

LE FINALISTE › MERCEDES-BENZ GL

« Il est gros mais, ne le lui dites pas, il ne le sait pas. » - Frédéric

L'AN DERNIER › AUDI Q7

CAMIONNETTES COMPACTES

LA GAGNANTE»»»»»»»»»»»»»»»»»»»»»»»»»»»»»»»»»»»»

FORD RANGER

« La Ford Ranger est près de la retraite, mais elle est toujours aussi appréciée. » - Vincent

« Pour son dernier tour de piste, il faut lui rendre hommage. De toute manière, les deux autres sont trop chères. » - Daniel

LA FINALISTE › GMC CANYON

« Elle se vend maintenant presque au prix de la Ranger mais avec une technologie plus récente de 15 ans ! » - Frédéric

L'AN DERNIER › FORD RANGER › GMC CANYON

CAMIONNETTES INTERMÉDIAIRES

LA GAGNANTE »»»»»»»»»»»»»»»»»»»»»»»»»»»»»»»»»»»»

TOYOTA TACOMA

« Même si elle n'est pas parfaite, la Tacoma est celle qui offre le plus de qualités dans cette catégorie. » - Benoit

« Je choisis la Tacoma car, bien que la Ridgeline soit intéressante, ce n'est pas une vraie camionnette ! » - Daniel

LA FINALISTE › HONDA RIDGELINE

« La preuve que, dans certains cas, la véritable beauté est intérieure... » - Frédéric

L'AN DERNIER › HONDA RIDGELINE

CAMIONNETTES PLEINE GRANDEUR

LA GAGNANTE›››

FORD F-150

« Ford améliore constamment son offre et les nouveaux moteurs replacent la F-150 en avant du peloton. » - Benoit

« La Ram lui fait la vie dure mais, pour du solide, il ne se fait pas mieux. » - Frédéric

LA FINALISTE › RAM 1500 / 2500

« La Ram grâce à sa finition et sa qualité de construction. Comme quoi chez Chrysler, quand on se donne la peine... » - Philippe

L'AN DERNIER › DODGE RAM › FORD F-150

FOURGONNETTES

LA GAGNANTE›››

DODGE GRAND CARAVAN

« En considérant son prix de vente, elle est impossible à battre. » - Frédéric

« La Grand Caravan est encore et toujours celle qui offre le plus à plus petit prix. » - Benoit

LA FINALISTE › KIA RONDO

« Tout ce qu'une famille peut souhaiter, l'Odyssey l'offre. » - Michel

L'AN DERNIER › DODGE GRAND CARAVAN HONDA ODYSSEY

À surveiller: Nissan Quest

| 637

FOURGONS À VOCATION COMMERCIALE

LE GAGNANT ››
MERCEDES-BENZ SPRINTER

«Notre gagnant depuis le début est retourné chez sa mère, mais n'a rien perdu de ses capacités et de ses qualités routières.» - Benoit

«Le Transit Connect n'est pas assez gros pour lui faire peur.» - Daniel

LE FINALISTE › FORD TRANSIT CONNECT

«Un excellent véhicule à tout faire dans un format passe-partout.» - Alexandre

L'AN DERNIER › DODGE SPRINTER

LE VÉHICULE LE « PLUS VERT »

LA GAGNANTE ›››
FORD FUSION HYBRIDE

«Elle est pratique, confortable et économique à rouler. Que demander de mieux?» - Frédéric

« Ford a concocté l'hybride la plus réussie qu'il m'ait été donné de conduire à ce jour. Moins ésotérique qu'une Prius ou une Insight, aussi confortable – sinon plus – et aussi économique, le constructeur envoie un message fort avec cette voiture.» - Philippe

LE FINALISTE › TOYOTA PRIUS

«Dans son genre, elle est une pionnière et une avant-gardiste incontestable.» - Michel

L'AN DERNIER › TOYOTA PRIUS

\\\

À surveiller: Honda CR-Z

LA GAGNANTE >>>

FORD FIESTA

«Abordable, plaisante à conduire, novatrice et belle à mourir, la Fiesta est le seul choix logique.» - Benoit

«Le grand retour de la sous-compacte chez les constructeurs américains. Il était temps!» - Philippe

«L'offre est impressionnante pour le prix. Il y aura bientôt de la couleur sur nos routes...» - Francis

«Le monde recherche la bonne affaire et la petite dernière de Ford répond à ce besoin sans lésiner sur la qualité.» - Michel

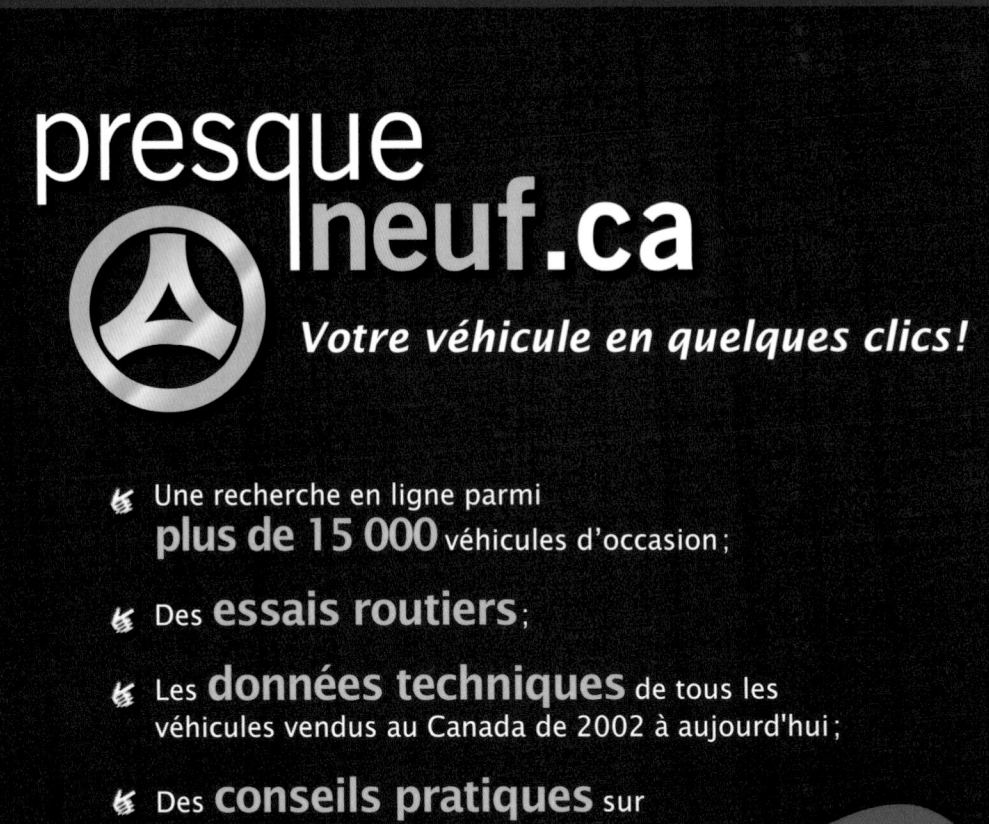

GUIDE DES PRIX DU NEUF
///

MODÈLES 2011

Cette liste ayant été compilée à la veille de l'impression de L'Annuel de l'Automobile 2011, les prix qu'elle contient sont les plus récents de l'ensemble de cet ouvrage au moment d'aller sous presse. Toutefois, au moment d'aller sous presse, certains prix 2011 n'avaient pas encore été annoncés. Le cas échéant, en guise de référence, nous avons choisi d'indiquer les prix des modèles 2010 et de les identifier par un astérisque. Dans tous les cas, ces prix ont été obtenus des fabricants et ils étaient en vigueur le 19 août 2010. Ces prix ne comprennent ni les frais de transport et de préparation du véhicule, ni les taxes qui s'appliquent à la vente ou à la location.

\\

LÉGENDES

4RM = 4 roues motrices / C.L. = caisse longue / cab. all.= cabine allongée / t. = tonne / emp. all. = empattement long

> Tous les prix inscrits avec un astérisque* identifient des modèles 2010.
> Mise-à-jour des données faites le 19 août 2010 – PR

\\

ACURA

CSX*	27 490 $
CSX Tech*	28 790 $
CSX Type-S*	29 990 $
RL*	63 900 $
RL Elite*	69 500 $
TL*	39 990 $
TL Tech*	43 490 $
TL SH-AWD*	44 490 $
TL A-Spec*	51 290$
TSX*	32 900 $
TSX Premium*	36 290$
TSX Tech*	39 290 $

ACURA · Camions

MDX*	51 900 $
MDX Tech*	57 290 $
MDX Elite*	61 990 $
RDX	39 990 $
RDX Tech	41 990 $
ZDX*	55 990$
ZDX Tech*	59 590$

ASTON MARTIN

DBS	306 495$
DBS Volante	323 195$
DB9	206 765$
DB9 Volante	224 465 $
V8 Vantage	137 495 $
V8 Vantage Roadster	152 795$
Rapide	215 000$

AUDI

A3 2.0T	32 300 $
A3 2.0 TDI	35 300$
A3 2.0T quattro	36 900$
A4 2.0T	37 800 $
A4 2.0T quattro	39 700 $
A4 2.0T Avant quattro	42 800 $
A5 2.0T	46 200$
A5 cabriolet	58 400$
A6 3.0 quattro	64 200 $
A6 3.0 Avant	68 200 $
A6 4.2	75 900 $
A8 4.2	99 200 $
A8 L 4.2	106 200 $
R8 4.2	144 000$
R8 5.2	173 000$
R8 5.2 cabriolet	187 000$
S4	52 500 $
S5	59 900$
S5 cabriolet	68 300$
S6	99 500$
TTS 2.0T quattro	57 900$
TTS 2.0T roadster quattro	62 200$

AUDI · Camions

Q5 2.0	41 200$
Q5 3.2	45 500$
Q7 3.0	53 900$
Q7 3.0 Sport	69 200$
Q7 TDI	58 900$

BENTLEY

Azure*	399 990 $
Brooklands*	374 990$
Continental GT*	201 100 $
Continental Supersports	293 700$
Continental Supersports cabriolet	308 400$
Continental GTC	226 200 $
Continental GTC Speed	259 700 $
Continental Flying Spur	199 300 $
Continental Flying Spur Speed	227 300$
Mulsanne	313 500 $

BMW

128i coupé	35 800$
135i coupé	43 000$
128i cabriolet	41 200$
135i cabriolet	48 500$
323i	34 900 $
328i	41 500$
328i xDrive	44 100 $
335i	51 400 $
335d	49 900$
335i xDrive	52 100 $
328i coupé	44 300 $
328i xDrive coupé	46 800 $
335i coupé	53 400 $
335is coupé	58 800 $
335i xDrive coupé	54 100$
328i cabriolet	57 300 $
335i cabriolet	68 900 $
335is cabriolet	74 300 $
328i xDrive Touring	45 700 $
528i	53 900 $
535i	62 300 $
550i	73 300 $
550i Gran Turismo*	79 600 $
650i coupé	95 500 $
650i cabriolet	105 500 $
750i xDrive	108 600 $
750 Li xDrive	116 600 $
M3	69 900$
M3 coupé	71 300 $
M3 cabriolet	81 900 $
M6 coupé	123 900 $
M6 cabriolet	132 000 $
Z4 sDrive 30i	54 300 $
Z4 sDrive 35i	63 900$
Z4 sDrive 35is	77 900$

BMW · Camions

X3	ND
X5 35i xDrive	59 990 $
X5 35d xDrive	62 800$
X5 50i xDrive	74 300 $
X5 M	97 900$
X6 35i xDrive	65 700 $
X6 50i xDrive	81 000$
X6 M	99 900$
X6 ActiveHybrid	99 900$

BUGATTI

Veyron*	1 800 000 $

BUICK

LaCrosse CX	31 645 $
LaCrosse CXL	34 795 $
LaCrosse CXL 4RM	38 870$
LaCrosse CXS	41 870 $
Lucerne CX	33 870 $
Lucerne CXL	36 610 $
Lucerne Super V8	55 150 $
Regal CXL	31 990$

BUICK · Camions

Enclave CX	43 520 $
Enclave CXL	48 490 $
Enclave CX 4RM	46 520 $
Enclave CXL 4RM	51 490 $

CADILLAC

CTS Coupe	47 450$
CTS-V Coupe	71 250$
CTS 3.0L	40 455 $
CTS 3.6L	48 785 $
CTS 3.0L 4RM	44 780 $
CTS 3.6L 4RM	51 410$
CTS-V	72 565$
CTS 3.0L familiale	44 130$
CTS 3.6L familiale	50 760$
CTS 3.0L 4RM familiale	46 755$
CTS 3.6L 4RM familiale	53 795$
DTS	56 540 $
DTS Platinum	74 680$

STS V6	61 135 $
STS V6 4RM	64 305 $
CADILLAC · Camions	
Escalade 4RM	84 645 $
Escalade Hybride	94 790$
Escalade EXT 4RM	79 645 $
Escalade ESV 4RM	88 345 $
SRX V6	41 780 $
SRX V6 4RM	45 080 $
SRX Premium 4RM	62 775$

CHEVROLET

Aveo LS	14 150 $
Aveo LT	16 850 $
Aveo5 LS	13 950 $
Aveo5 LT	15 100 $
Camaro LS	26 995$
Camaro LT	28 065$
Camaro SS	37 065$
Corvette coupé	67 135 $
Corvette Grand Sport coupé	74 960$
Corvette cabriolet	77 040$
Corvette Grand Sport cabriolet	83 740$
Corvette Z06	95 705 $
Corvette ZR1	128 600$
Cruze LS	14 995$
Cruze LT Turbo	19 495$
Cruze LTZ Turbo	24 780$
Impala LS	27 235 $
Impala LT	28 215 $
Impala LTZ	30 565 $
Malibu LS	23 995 $
Malibu LT	26 135$
Malibu LT Platinum Edition	27 895$
Malibu LTZ	32 750 $
Volt	ND
CHEVROLET · Camions	
Avalanche LS	42 310 $
Avalanche LT	43 835 $
Avalanche LS 4RM	45 555 $
Avalanche LT 4RM	47 080 $
Avalanche LTZ 4RM	58 320 $
Colorado LT	23 875 $
Colorado LT cab. all.	25 945 $
Colorado LT Crew Cab	31 490 $
Colorado LT 4RM	27 680 $
Colorado LT cab. all. 4RM	29 750 $
Colorado LT Crew Cab 4RM	36 490 $
Equinox LS	25 995 $
Equinox LT	27 725 $
Equinox LTZ	33 650$
Equinox LS 4RM	27 605 $
Equinox LT 4RM	29 335 $
Equinox LTZ 4RM	35 260$
Express 1500 LS Passagers	39 100 $
Express 1500 LT Passagers	43 705$
Express 1500 LS Passagers 4RM	42 160 $
Express 1500 LT Passagers 4RM	46 665 $
Express 2500 LS Passagers	39 400 $
Express 2500 LT Passagers	43 655 $
Express 3500 LS Passagers	39 830 $
Express 3500 LT Passagers	43 540$
Express 3500 LS Passagers emp. long	42 640 $
Express 3500 LT Passagers emp. long	45 425 $
Express 1500 Cargo	31 695 $
Express 1500 Cargo 4RM	36 695$
Express 2500 Cargo	33 380 $
Express 2500 Cargo emp. long	34 720 $

Express 3500 Cargo	33 860 $
Express 3500 Cargo emp. long	34 945 $
HHR LS	20 395 $
HHR LT	22 040 $
HHR LS Panel	20 545$
Silverado 1500 WT	26 260 $
Silverado 1500 WT C.L	26 560 $
Silverado 1500 LT	30 225 $
Silverado 1500 LT C.L.	30 525 $
Silverado 1500 WT cab. All.	29 485 $
Silverado 1500 WT cab. all C.L.	32 160 $
Silverado 1500 LT cab. All	32 950 $
Silverado 1500 LT cab. all C.L.	33 445 $
Silverado 1500 LTZ cab. All	42 510 $
Silverado 1500 LTZ cab. all C.L.	42 650 $
Silverado 1500 WT Crew Cab	31 845 $
Silverado 1500 LS Crew Cab	34 440 $
Silverado 1500 LT Crew Cab	35 425 $
Silverado 1500 LTZ Crew Cab	43 665 $
Silverado 1500 Hybride Crew Cab	47 505$
Silverado 1500 4RM WT	29 860 $
Silverado 1500 4RM WT C.L.	30 160 $
Silverado 1500 4RM LT C.L	34 675 $
Silverado 1500 4RM WT cab. All.	34 010 $
Silverado 1500 4RM WT cab. all C.L.	35 695 $
Silverado 1500 4RM LT cab. All	37 910 $
Silverado 1500 4RM LT cab. all C.L.	39 595 $
Silverado 1500 4RM LTZ cab. All	46 710 $
Silverado 1500 4RM LTZ cab. all C.L.	46 800 $
Silverado 1500 4RM LS Crew Cab	38 040 $
Silverado 1500 4RM LT Crew Cab	39 575 $
Silverado 1500 4RM LTZ Crew Cab	48 025 $
Silverado 1500 4RM Hybride Crew Cab	51 655 $
Suburban 1500 LS	52 015 $
Suburban 1500 LT	57 515 $
Suburban 1500 LS 4RM	55 465 $
Suburban 1500 LT 4RM	60 965 $
Suburban 1500 LTZ 4RM	72 275 $
Suburban 2500 LS	53 745 $
Suburban 2500 LT	59 245 $
Suburban 2500 LS 4RM	57 185 $
Suburban 2500 LT 4RM	62 685 $
Tahoe LS	49 365 $
Tahoe LT	54 370 $
Tahoe LT Hybride	68 625$
Tahoe LS 4RM	53 825 $
Tahoe LT 4RM	58 825 $
Tahoe LTZ 4RM	69 175 $
Tahoe LT Hybride 4RM	71 610$
Traverse LS	35 715$
Traverse LT	38 375$
Traverse LTZ	47 540$
Traverse LS 4RM	38 715$
Traverse LT 4RM	41 375$
Traverse LTZ 4RM	50 540$

CHRYSLER

300 Touring*	32 995 $
300 Touring 4RM*	37 295$
300 Limited*	36 645 $
300 Limited 4RM*	40 945$
300c*	46 745 $
300c 4RM*	50 295 $
300c SRT8*	54 845 $
Pt Cruiser*	24 495 $
Sebring LX*	23 695$
Sebring Touring*	26 995 $
Sebring LX décapotable*	30 665 $

Sebring Touring décapotable*	35 465 $
Sebring Limited décapotable*	44 070$
CHRYSLER · Camions	
Town & Country Touring*	37 745 $
Town & Country Limited*	43 745 $

DODGE

Avenger SE*	22 995$
Avenger SXT*	24 795$
Caliber SE*	13 995 $
Caliber Sxt*	19 145 $
Challenger SE*	25 995$
Challenger SXT*	27 695$
Challenger R/T*	35 395$
Challenger SRT8*	46 995$
Charger Se*	29 945 $
Charger SXT*	31 695$
Charger R/t*	40 595 $
Charger SXT 4RM*	35 945 $
Charger R/t 4RM*	42 695$
Charger Srt8*	47 445 $
DODGE · Camions	
Grand Caravan CV Cargo*	27 945$
Grand Caravan SE*	27 445$
Grand Caravan Sxt*	32 595$
Journey SE*	19 995$
Journey SXT*	25 595$
Journey R/T 4RM*	29 595$
Journey R/T 4RM*	29 595$
Nitro Sxt 4RM*	31 695$

FERRARI

F458 Italia	279 000$
612 Scaglietti F1	399 000$
599 GTB Fiorano F1	399 000$
California	259 000$

FIAT

500	ND

FORD

Fiesta SE Hatchback	16 799$
Fiesta SES Hatchback	18 899$
Fiesta S sedan	12 999$
Fiesta SE sedan	16 099$
Fiesta SEL sedan	18 199$
Focus S	13 999$
Focus SE	17 999$
Focus SES	20 499$
Focus SEL	20 999$
Fusion S	19 999$
Fusion SE	23 199$
Fusion SEL	26 199$
Fusion SEL V6	29 199$
Fusion SEL V6 4RM	31 199$
Fusion Sport V6 4RM	35 299$
Fusion Hybride	34 199$
Mustang V6 Value	22 999$
Mustang V6	26 999$
Mustang V6 cabriolet	31 999$
Mustang GT	38 499$
Mustang GT cabriolet	42 899$
Mustang Shelby GT 500	58 999$
Mustang Shelby GT 500 cabriolet	63 699$
Taurus SE	27 999$
Taurus SEL	32 499$
Taurus SEL 4RM	34 999$

Taurus Limited 4RM	40 999$
Taurus SHO 4RM	48 199$
FORD · Camions	
E-150 fourgon	31 549 $
E-250 fourgon	32 849$
E-350 Super Duty fourgon	34 149$
E-150 passagers XL	36 399 $
E-150 passagers XLT	38 499 $
E-350 Super Duty passagers XL	39 099$
E-350 Super Duty passagers XLT	41 399$
Edge SE	27 999$
Edge SEL	33 999$
Edge Limited	37 799$
Edge SEL 4RM	35 999$
Edge Limited 4RM	39 799$
Edge Sport 4RM	43 499$
Escape XLT trans. manuelle	19 999$
Escape XLT	25 599$
Escape XLT 4RM	27 999$
Escape XLT V6	27 199$
Escape XLT V6 4RM	29 599$
Escape Limited 4RM	33 549$
Escape Limited V6 4RM	35 149$
Escape Hybride	38 999$
Escape Hybride Limited	43 399$
Escape Hybride 4RM	40 799$
Escape Hybride Limited 4RM	45 799$
Expedition XLT	46999$
Expedition Limited	58 499$
Expedition MAX Limited	60 999$
Explorer 2.0L	ND
Explorer XLT V6*	37 499$
Explorer Eddie Bauer V6*	43 899$
F-150 XL*	24 599$
F-150 XLT*	28 699$
F-150 XL 4RM*	29 899$
F-150 XLT 4RM*	33 899$
F-150 SuperCab XL emp. Long*	31 299$
F-150 SuperCab STX*	32 399$
F-150 SuperCab XLT*	33 199$
F-150 SuperCab XL 4RM*	35 499$
F-150 SuperCab XLT 4RM*	37 399$
F-150 SuperCab SVT Raptor 4RM*	48 299$
F-150 SuperCrew XLT*	34 999$
F-150 SuperCrew XLT 4RM*	39 299$
F-150 SuperCrew Lariat*	48 299$
F-150 SuperCrew Lariat King Ranch 4RM*	52 599$
F-150 SuperCrew Lariat Platinum 4RM*	56 799$
Flex SE	29 999$
Flex SEL	35 999$
Flex Limited	41 199$
Flex SEL 4RM	37 999$
Flex Limited 4RM	43 199$
Flex Limited EcoBoost 4RM	46 599$
Flex Titanium 4RM	49 599$
Ranger XL 2.3L	11 199$
Ranger XL 4.0L	13 999$
Ranger SuperCab XL 2.3L	14 999$
Ranger SuperCab Sport 4.0L	19 999$
Ranger SuperCab Sport 4RM	24 199$
Ranger SuperCab XLT 4RM	26 699$
Transit Connect fourgon XLT	26 799$
Transit Connect tourisme XLT	28 499$

GMC

Acadia SLE	37 945$
Acadia SLT	46 200$
Acadia SLE 4RM	40 945$

642

Acadia SLT 4RM	49 200$
Acadia Denali 4RM	57 840$
Canyon SLE	23 875 $
Canyon SLE cab. all.	25 945 $
Canyon SLE Crew Cab	31 490 $
Canyon SLE 4RM	27 680 $
Canyon SLE cab. all. 4RM	29 750 $
Canyon SLE Crew Cab 4RM	36 490 $
Savana 1500 SL	39 100 $
Savana 1500 SLE	43 705 $
Savana 1500 SL 4RM	42 160 $
Savana 1500 SLE 4RM	46 665 $
Savana 1500 fourgon	31 695$
Savana 1500 fourgon 4RM	36 695 $
Savana 2500 SL	39 400 $
Savana 2500 SLE	43 655 $
Savana 2500 fourgon	33 380 $
Savana 2500 fourgon emp. long	34 720$
Savana 3500 SL	39 830$
Savana 3500 SLE	43 540 $
Savana 3500 SL emp. long	42 640 $
Savana 3500 SLE emp. long	45 425 $
Savana 3500 fourgon	33 860 $
Savana 3500 fourgon emp. long	34 945 $
Terrain SLE	27 465$
Terrain SLE V6	31 865$
Terrain SLT	31 440$
Terrain SLT V6	33 490$
Terrain SLE 4RM	29 075$
Terrain SLE V6 4RM	33 475$
Terrain SLT 4RM	32 795$
Terrain SLT V6 4RM	34 845$
Sierra 1500 WT	26 260 $
Sierra 1500 WT C.L...	26 560 $
Sierra 1500 SLE	30 225 $
Sierra 1500 SLE C.L.	30 525 $
Sierra 1500 WT cab. All.	29 485 $
Sierra 1500 WT cab. all C.L.	32 160 $
Sierra 1500 SL cab. All.	32 950$
Sierra 1500 SLE cab. All	33 760 $
Sierra 1500 SLE cab. all C.L.	35 445 $
Sierra 1500 SLT cab. All	42 510 $
Sierra 1500 SLT cab. all C.L.	42 650 $
Sierra 1500 WT Crew Cab	32 160 $
Sierra 1500 SL Crew Cab	34 440 $
Sierra 1500 SLE Crew Cab	35 425 $
Sierra 1500 SLT Crew Cab	43 665 $
Sierra 1500 Hybride Crew Cab	47 505$
Sierra 1500 4RM WT	29 860 $
Sierra 1500 4RM WT C.L.	30 160 $
Sierra 1500 4RM SLE	34 375 $
Sierra 1500 4RM SLE C.L	34 675 $
Sierra 1500 4RM WT cab. All.	34 010 $
Sierra 1500 4RM WT cab. all C.L.	35 695 $
Sierra 1500 4RM SL cab. all	36 550$
Sierra 1500 4RM SLE cab. All	37 910 $
Sierra 1500 4RM SLE cab. all C.L.	39 595 $
Sierra 1500 4RM SLT cab. All	46 710 $
Sierra 1500 4RM SLT cab. all C.L.	46 800 $
Sierra 1500 4RM WT Crew Cab	35 605$
Sierra 1500 4RM SL Crew Cab	38 040 $
Sierra 1500 4RM SLE Crew Cab	39 575 $
Sierra 1500 4RM SLT Crew Cab	48 025 $
Sierra 1500 4RM Denali Crew Cab	56 605$
Sierra 1500 4RM Hybride Crew Cab	51 655$
Yukon SLE	49 365 $
Yukon SLT	54 370 $
Yukon SLT Hybride	68 625$

Yukon SLE 4RM	53 825 $
Yukon SLT 4RM	58 825 $
Yukon SLT Hybride 4RM	71 610$
Yukon Denali	72 610$
Yukon Denali Hybride 4RM	80 300$
Yukon XL 1500 SLE	52 015 $
Yukon XL 1500 SLT	57 515 $
Yukon XL 1500 SLE 4RM	55 465 $
Yukon XL 1500 SLT 4RM	60 965 $
Yukon XL 1500 Denali 4RM	76 295 $
Yukon XL 2500 SLE	53 745 $
Yukon XL 2500 SLT	59 245 $
Yukon XL 2500 SLE 4RM	57 185 $
Yukon XL 2500 SLT 4RM	62 685 $

HONDA

Accord LX*	24 790 $
Accord EX*	28 490 $
Accord EX-L*	30 790 $
Accord EX-L NAVI*	32 790$
Accord EX V6*	31 190 $
Accord EX-L V6*	34 390 $
Accord EX-L V6 NAVI*	36 390$
Accord coupé EX*	27 790 $
Accord coupé EX-L*	30 090 $
Accord coupé EX-L NAVI*	32 090$
Accord coupé EX-L V6*	34 890 $
Accord coupé EX-L V6 NAVI*	36 890$
Civic DX*	15 990 $
Civic DX-A*	17 290$
Civic DX-G*	18 580 $
Civic Sport*	20 780 $
Civic EX-L*	23 880 $
Civic Si*	25 880$
Civic coupé DX*	16 190 $
Civic coupé DX-A*	17 490$
Civic coupé DX-G*	18 880 $
Civic coupé LX *	20 780 $
Civic coupé EX-L*	22 980$
Civic coupé Si*	25 880 $
CR-Z Hybride	23 490$
Fit DX*	14 480 $
Fit LX*	16 880 $
Fit Sport*	18 780 $
Insight LX*	23 900$
Insight EX*	27 500$

HONDA · Camions

CR-V LX 2RM*	26 290 $
CR-V LX*	28 290$
CR-V EX*	29 490 $
CR-V EX-L*	33 490 $
CR-V EX-L NAVI*	35 590$
Element LX*	26 990 $
Element EX 4RM*	32 090 $
Element SC*	31 690$
Odyssey DX*	31 490 $
Odyssey SE*	37 790$
Odyssey EX-L*	41 390$
Odyssey EX-L RES*	43 290$
Odyssey Touring*	49 690 $
Pilot LX 2RM	34 820$
Pilot LX	37 820$
Pilot EX	40 720$
Pilot EX-L	43 020$
Pilot EX-L RES	44 620$
Pilot Touring	48 420$
Ridgeline DX*	34 490 $
Ridgeline VP*	36 690$

Ridgeline EX-L*	41 490 $
Ridgeline EX-L NAVI*	43 690 $

HYUNDAI

Accent L	14 299 $
Accent GL	15 749 $
Accent GLS	18 999 $
Accent 3p L	13 599 $
Accent 3p GL	15 299$
Accent 3p GL Sport	16 999 $
Elantra L*	15 849 $
Elantra GL*	18 099 $
Elantra GL Sport*	21 499 $
Elantra GLS*	20 999 $
Elantra Limited*	23 799 $
Elantra Touring L	14 999$
Elantra Touring GL	17 399$
Elantra Touring GLS	19 799$
Elantra Touring GLS Sport	22 049$
Equus	ND
Genesis Coupe 2.0T*	24 495$
Genesis Coupe 3.8*	32 995$
Genesis Coupe GT 3.8*	36 495$
Genesis 3.8	38 999$
Genesis 3.8 Technology	46 499$
Genesis 4.6 Technology	49 999$
Sonata GL	22 649$
Sonata GLS	26 249$
Sonata Limited	28 999$
Sonata Limited (Navi)	30 999$

HYUNDAI · Camions

Santa Fe GL 2.7L*	25 999$
Santa Fe GL 3.5L*	28 999 $
Santa Fe GL Sport 3.5L*	31 299$
Santa Fe GL 3.5L 4RM*	30 999 $
Santa Fe GL Sport 3.5L 4RM*	33 299 $
Santa Fe Limited 3.5L 4RM*	35 799 $
Tucson L 2.0L	20 999 $
Tucson GL 2.0L	22 799$
Tucson GL 2.4L	22 999 $
Tucson GL 4RM	26 299 $
Tucson GLS	26 799$
Tucson GLS 4RM	28 799$
Tucson Limited 4RM	32 249$
Veracruz GL	32 499$
Veracruz GL Premium	34 999$
Veracruz GLS 4RM	39 999$
Veracruz Limited 4RM	44 999$

INFINITI

G25	36 390$
G37*	38 690 $
G37x Luxury 4RM*	42 550 $
G37x Sport 4RM *	47 640 $
G37 coupé Premium*	46 300 $
G37 coupé Sport*	48 800 $
G37x coupé 4RM*	48 800$
G37 Cabriolet*	58 300$
M37	52 400 $
M37x 4RM	54 900$
M37 Sport	63 400$
M56 Premium	66 200$
M56 Sport	73 400 $
M56x 4RM Premium	68 700 $

INFINITI · Camions

EX35*	41 250$
FX35*	52 300$

FX50*	64 050$
QX56	73 000$

JAGUAR

XF Luxury	62 800$
XF Premium Luxury	68 300$
XFR	85 300$
XJ	88 000 $
XJL	95 500$
XJ Supercharged	104 000$
XJL Supercharged	107 000$
XJ Supersports	128 000$
XJL Supersports	131 000$
XK	96 500 $
XKR	107 000 $
XK cabriolet	103 200$
XKR cabriolet	114 000 $
XKR 175 Limited cabriolet	115 500$

JEEP

Compass Sport*	18 795$
Compass Sport 4RM*	20 995$
Compass North*	21 795 $
Compass Limited*	24 195$
Compass Limited 4RM*	26 395$

JEEP · Camions

Commander Sport*	43 495$
Commander Limited*	54 695$
Grand Cherokee Laredo	37 995$
Grand Cherokee Limited	46 995$
Grand Cherokee Overland	49 495$
Liberty Sport	30 195$
Liberty Renegade	33 185$
Liberty Limited	34 195$
Patriot Sport*	17 795$
Patriot Sport 4RM*	19 995$
Patriot North*	20 795$
Patriot North 4RM*	22995$
Patriot Limited*	23 795$
Patriot Limited 4RM*	25 995$
Wrangler Sport*	20 595$
Wrangler Sahara*	27 495$
Wrangler Rubicon*	30 495$
Wrangler Unlimited Sport*	25 995$
Wrangler Unlimited Rubicon*	32 495$

KIA

Forte Koup EX 2.0L*	18 495$
Forte Koup SX 2.4L*	21 495$
Forte LX 2.0L*	15 695$
Forte EX 2.0L*	17 995$
Forte SX 2.4L*	20 995$
Optima	ND
Rio EX	13 695$
Rio EX Commodité	15 895$
Rio5 EX	14 095 $
Rio5 EX Commodité	16 495 $
Rio5 EX Sport	18 795$
Rondo LX	19 995$
Rondo EX	22 795$
Rondo EX Premium	25 095$
Rondo EX V6	23 895$
Rondo EX V6 Luxury	27 195$
Soul 1.6L	15 995$
Soul 2.0L 2u	18 595$
Soul 2.0L 4u	20 595$
Soul 2.0L 4u SX	22 395$

KIA · Camions

Borrego LX V6	38 895$
Borrego LX V8	41 295$
Borrego EX V6 Luxury	43 495$
Borrego EX V8 Luxury	46 095$
Sedona LX	27 995 $
Sedona EX	34 195 $
Sorento LX	23 995 $
Sorento LX V6	29 095 $
Sorento EX	29 795 $
Sorento EX V6	31 795$
Sorento LX 4RM	28 495 $
Sorento LX V6 4RM	30 995$
Sorento EX 4RM	31 695$
Sorento EX V6 4RM	33 695$
Sorento EX V6 Luxury 4RM	37 995$
Sportage LX	21 995$
Sportage LX 4RM	26 695$
Sportage EX	26 995$
Sportage EX 4RM	29 395$
Sportage EX Luxury 4RM	32 895 $

LAMBORGHINI

LP560-4*	198 000 $
Spyder LP560-4*	221 000 $
LP570-4	238 000 $
LP570-4 cab.	268 850 $

LAND ROVER

LR2	44 950$
LR4 V8	59 990$
Range Rover Sport HSE	73 200$
Range Rover Sport Compresseur	88 980$
Range Rover HSE	94 290 $
Range Rover Compresseur	112 280 $

LEXUS

CT 200h	ND
ES 350*	41 950$
HS 250h Premium*	39 900$
IS 250*	34 400$
IS 250 4RM*	40 550$
IS 250C cabriolet*	52 100$
IS 350*	45 900$
IS 350C cabriolet*	60 400$
IS F*	68 000$
GS 350 4RM	54 650$
GS 450h	71 750$
LFA	ND
LS 460*	82 900$
LS 460 4RM*	88 000$
LS 460L 4RM*	103 150$
LS 600h L*	119 950$

LEXUS · Camions

GX 490 Premium*	68 500 $
LX 570*	89 750 $
RX 350*	46 900$
RX 450h*	59 500$

LINCOLN

MKZ	38 400 $
MKZ 4RM	42 200 $
MKZ Hybride	42 200$
MKS	47 400 $
MKS 4RM	49 600$
MKS EcoBoost	53 000$

LINCOLN · Camions

MKX	46 500$
MKT	49 950$
MKT EcoBoost	53 350$
Navigator Ultimate	73 100$
Navigator Ultimate L	73 100 $

LOTUS

Elise*	57 575$
Exige S 240	84 490$
Exige S 260 Sport	92 785$
Evora*	85 880$

MASERATI

GranTurismo	118 500$
GranTurismo cabriolet	135 800$
Quattroporte	125 150$
Quattroporte S	126 750$
Quattroporte Sport GTS	134 700$

MAYBACH

57 Zeppelin*	455 500$
62* Zeppelin*	506 500$

MAZDA

Mazda2 GX	13 995$
Mazda2 GS	18 195$
Mazda3 GX*	15 995 $
Mazda3 GS*	19 395 $
Mazda3 GT*	22 995 $
Mazda3 Sport GX*	16 995$
Mazda3 Sport GS*	20 895$
Mazda3 Sport GT*	23 995 $
MazdaSpeed3*	32 995$
Mazda5 GS*	20 245 $
Mazda5 GT*	23 995$
Mazda6 GS*	23 195 $
Mazda6 GT*	28 695 $
Mazda6 GS V6*	30 195 $
Mazda6 GT V6*	36 695 $
MX-5 GX*	28 995 $
MX-5 GS*	33 495 $
MX-5 GT*	41 195 $
RX-8 R3*	41 995$
RX-8 GT*	43 795$

MAZDA · Camions

CX-7 GX 2RM*	27 995 $
CX-7 GS 4RM*	32 295$
CX-7 GT 4RM*	38 990$
CX-9 GS 2RM*	36 995$
CX-9 GS 4RM*	38 995$
CX-9 GT 4RM *	47 450$
Série B SE 4.0 L 4RM cab plus*.	24 395 $
Tribute GX*	23 450 $
Tribute GX V6*	26 345 $
Tribute GS V6*	27 900 $
Tribute 4RM GX*	27 145 $
Tribute 4RM GX V6*	28 745 $
Tribute 4RM GS V6*	30 300 $
Tribute 4RM GT V6*	34 995 $

MCLAREN

Mp4-12c	ND

MERCEDES-BENZ

B200	29 900 $
B200T turbo	32 400 $
C250	35 900 $
C250 4MATIC	39 900 $
C300	41 600 $
C300 4MATIC	44 900 $
C350	48 600 $
C350 4MATIC	50 600 $
C63 AMG	63 900 $
CL550 4MATIC*	130 500 $
CL63 AMG*	159 000 $
CL600*	189 500 $
CL65 AMG*	241 000 $
CLS550	91 200 $
CLS63 AMG	126 700 $
E350 4MATIC	62 900$
E550 4MATIC	73 200$
E350 4MATIC familiale	66 900$
E350 Coupe	59 900$
E550 Coupe	69 900$
E63 AMG	105 900$
E350 cabriolet	67 900$
E550 cabriolet	77 500$
S400 Hybride*	105 900$
S450 4MATIC*	108 000$
S550 4MATIC*	123 500 $
S600*	187 000 $
S63 AMG*	150 000$
S65 AMG*	234 000$
SL550	126 000 $
SL600	176 300 $
SL63 AMG	152 600$
SL65 AMG	240 100 $
SLK300	59 900 $
SLK350	66 500 $
SLK55 AMG*	84 800 $
SLS AMG	198 000 $

MERCEDES-BENZ · Camions

G550*	114 400 $
G55 AMG*	154 950 $
GLK350	43 500$
GL350 BlueTec*	69 000$
GL450*	79 900 $
GL550*	88 600$
ML350 BlueTec*	58 900 $
ML350*	57 400 $
ML550	69 700 $
ML63 AMG*	97 500 $
R350*	54 700$
R350 BlueTec*	56 200$
Sprinter 2500 fourgon *	42 900 $
Sprinter 3500 fourgon *	48 800 $
Sprinter 2500 passagers *	47 900 $

MINI

Cooper Classic	22 800 $
Cooper	24 800 $
Cooper S	29 900 $
Cooper John Cooper Works	38 390$
Cooper Clubman	26 400$
Cooper S Clubman	31 500$
Cooper John Cooper Works Clubman	39 990$
Cooper cabriolet	29 950 $
Cooper S cabriolet	36 350 $
Cooper John Cooper Works cabriolet	44 400$
Cooper Countryman	ND

MITSUBISHI

Eclipse GS	24 498 $
Eclipse GT-P	33 298 $
Eclipse Spyder GS	30 498 $
Eclipse Spyder GT-P	35 998 $
Galant ES*	23 998 $
Lancer DE*	16 998 $
Lancer SE*	20 298 $
Lancer GTS*	23 598 $
Lancer Ralliart*	33 198$
Lancer Sportback GTS*	24 098 $
Lancer Sportback Ralliart*	33 698$
Lancer Evolution*	41 998 $
Lancer Evolution MR*	51 798$

MITSUBISHI · Camions

Endeavor 4RM SE*	36 998 $
Outlander ES*	25 498 $
Outlander ES 4RM*	27 998 $
Outlander LS 4RM*	29 498 $
Outlander XLS 4RM*	34 498 $
RVR	ND

NISSAN

370Z*	40 498 $
370Z Roadster*	46 998$
Altima coupé 2.5 S*	27 348 $
Altima coupé 3.5 S*	34 698 $
Altima 2.5 S *	23 798 $
Altima 3.5 S*	28 298 $
Altima 3.5 SR*	31 898$
Altima Hybride*	33 398$
Cube 1.8S*	17 398$
Cube 1.8SL*	20 898$
GT-R	99 500$
Leaf	ND
Maxima 3.5 SV*.	39 450 $
Sentra 2.0*	15 198 $
Sentra 2.0S*	18 198 $
Sentra 2.0 SL*	23 098 $
Sentra 2.5 SE-R*	21 798 $
Sentra 2.5 SE-R Spec V*	23 198 $
Versa hatchback 1.8 S	14 348 $
Versa hatchback 1.8 SL	17 548 $
Versa sedan 1.6 S	12 698$

NISSAN · Camions

Armada Platine*	55 398 $
Frontier XE King Cab*	24 098 $
Frontier SE V6 King Cab*	26 048 $
Frontier SE Crew Cab*	31 848 $
Frontier SE V6 King Cab 4RM*	38 048 $
Frontier SE V6 Crew Cab 4RM*	30 048 $
Frontier LE V6 Crew Cab 4RM*	41 098 $
Juke SV	19 998$
Juke SL	23 548$
Juke SV 4RM	23 098$
Juke SL 4RM	26 648$
Murano S*	38 298 $
Murano SL*	39 998 $
Murano LE*	47 948 $
NV	ND
Pathfinder S*	37 548 $
Pathfinder SE*	41 948 $
Pathfinder LE*	47 348 $
Rogue S*	23 198 $
Rogue SL*	25 798 $
Rogue S 4RM*	25 998 $
Rogue SL 4RM*	27 798 $
Titan King Cab XE*	33 298 $
Titan King Cab SE*	37 048 $
Titan King Cab SE 4RM*	40 298 $

Titan King Cab PRO 4X 4RM*	42 498$
Titan King Cab LE 4RM*	46 298 $
Titan Crew Cab XE 4RM*	39 298 $
Titan Crew Cab SE 4RM*	43 198 $
Titan Crew Cab PRO 4X 4RM*	45 198$
Titan Crew Cab LE 4RM*	49 898 $
Xterra S*	33 598 $
Xterra Tout-terrain*	36 098 $
Xterra SE*	37 398 $

PORSCHE

Boxster	58 000 $
Boxster S	70 600 $
Boxster Spyder	72 900 $
Cayman	62 800 $
Cayman S	75 000 $
Panamera	88 000$
Panamera 4	92 800 $
Panamera S	115 100$
Panamera 4S	120 300$
Panamera Turbo	155 000$
911 Carrera	94 100 $
911 Carrera 4	101 400 $
911 Carrera S	109 300 $
911 Carrera 4S	116 800 $
911 Carrera cabriolet	107 300 $
911 Carrera 4 cabriolet	114 700 $
911 Carrera S cabriolet	122 300 $
911 Carrera 4S cabriolet	129 900 $
911 GT3	142 400 $
911 GT3 RS	166 300$
911 Targa 4	111 100 $
911 Targa 4S	126 400 $
911 Turbo	167 900$
911 Turbo S	200 000$
911 Turbo cabriolet	181 500 $
911 Turbo S cabriolet	213 200$

PORSCHE · Camions

Cayenne V6	58 200 $
Cayenne S	76 000 $
Cayenne S Hybride	80 800$
Cayenne Turbo	123 900 $

RAM

RAM · Camions

Dakota SXt	29 495 $
Dakota Crew Cab SXt	31 995 $
Dakota Crew Cab SLt	34 595 $
Dakota St 4RM	32 415 $
Dakota SXT 4RM	33 095 $
Dakota Crew Cab SXt 4RM	35 695 $
Dakota Crew Cab SLt 4RM	38 295 $
Ram 1500 St	26 495 $
Ram 1500 St emp. Long	26 795 $
Ram 1500 Slt	29 495 $
Ram 1500 Slt emp. Long	29 795 $
Ram 1500 St 4RM	30 845 $
Ram 1500 St 4RM emp. Long	31 145 $
Ram 1500 R/T	35 615$
Ram 1500 Slt 4RM	32 945 $
Ram 1500 Slt 4RM emp. Long	33 245 $
Ram 1500 Quad Cab St	30 795 $
Ram 1500 Quad Cab St 4RM	35 145 $
Ram 1500 Quad Cab Slt	33 795 $
Ram 1500 Quad Cab Slt 4RM	37 245 $
Ram 1500 Quad Cab Laramie	41 470 $
Ram 1500 Quad Cab Laramie 4RM	44 920 $

Ram 1500 Crew Cab Slt	35 290$
Ram 1500 Crew Cab Slt 4rm	38 740$
Ram 1500 Crew Cab Laramie	42 695$
Ram 1500 Crew Cab Laramie 4RM	46 415$

ROLLS-ROYCE

Ghost	ND
Phantom*	380 000 $
Phantom Coupe*	408 000$
Phantom LWB*	450 000$
Phantom Drophead Coupé*	443 000$

SAAB

9-3	ND
9-4X	ND
9-5	ND

SCION

tC	ND
xB	ND
xD	ND
iQ	ND

SMART

Fortwo pure*	14 990 $
Fortwo passion*	18 250 $
Fortwo Brabus*	21 900*
Fortwo cabriolet passion*	21 250 $
Fortwo cabriolet Brabus*	24 900$

SUBARU

Impreza 2.5i	20 995 $
Impreza 2.5i Sport	24 695 $
Impreza 2.5i Limited	26 695$
Impreza 2.5i 5 portes	22 895$
Impreza 2.5i Sport 5 portes	25 595$
Impreza 2.5i Limited 5 portes	27 595$
Impreza WRX	32 495 $
Impreza WRX Limited	35 495$
Impreza WRX 5 portes	33 395$
Impreza WRX Limited 5 portes	36 395$
Impreza WRX STI	38 895 $
Impreza WRX STI Sport-Tech	42 495$
Legacy 2.5i	23 995 $
Legacy PZEV	27 095$
Legacy 2.5i Limited	31 995 $
Legacy 2.5 GT	38 595$
Legacy 3.6R	31 895$
Legacy 3.6R Limited	34 695$
Outback PZEV 2.5i	30 895$
Outback 2.5i Sport	31 795$
Outback 2.5i Limited	35 795$
Outback 3.6R	35 695$
Outback 3.6R Limited	38 495$

SUBARU · Camions

Forester 2.5X*	25 995 $
Forester 2.5X Touring*	28 695$
Forester 2.5X Limited*	32 795 $
Forester 2.5XT Limited*	35 295$
Tribeca*	40 995 $
Tribeca Limited*.	46 495$
Tribeca Optimum*	49 195 $

SUZUKI

Kizashi SX	29 995$
Swift+*	14 715 $
Swift+ AC*	15 935 $

SX4*	17 695 $
SX4 JX*	20 295 $
SX4 Aero*	22 195$
SX4 JX 4RM*	22 695 $
SX4 JLX 4RM*	24 695 $
SX4 berline*	17 695$
SX4 Sport berline*	19 695$

SUZUKI · Camions

Equator JX V6 4RM*	34 995$
Grand Vitara JX*	27 995 $
Grand Vitara JLX*	29 495 $
Grand Vitara JLX V6*	32 195 $

TESLA

Roadster 2.5*	125 000$

TOYOTA

Avalon XLS	41 100 $
Camry LE	25 310 $
Camry LE V6	29 020 $
Camry SE	27 755$
Camry SE V6	34 255 $
Camry XLE	31 235 $
Camry XLE V6	36 410$
Camry Hybride	31 310 $
Corolla CE*	15 460 $
Corolla S*	20 285 $
Corolla LE*	20 425 $
Corolla XRS*	22 550 $
Matrix*	16 640 $
Matrix XR*	20 550 $
Matrix XRS*	26 650 $
Matrix 4RM*	23 695 $
Prius*	27 800 $
Prius groupe Technologie*	36 565$
Yaris Hatchback CE 3p*	13 905 $
Yaris Hatchback LE 5p*	15 195 $
Yaris Hatchback RS 5p*	19 555 $

TOYOTA · Camions

4Runner SR5 V6*	36 800$
FJ Cruiser*	31 900 $
Highlander 4 cyl 2RM*.	33 250$
Highlander V6*	37 870 $
Highlander V6 Sport*	42 810 $
Highlander Limited	46 510$
Highlander Hybride *	43 025 $
Highlander Hybride Limited*	55 075 $
RAV4 2RM*	24 595 $
RAV4 Sport 2RM*	28 345$
RAV4 Limited 2RM*	30 185$
RAV4 V6 Limited 2RM*	32 440$
RAV4*	27 230$
RAV4 Sport*	30 540$
RAV4 Limited*	32 385 $
RAV4 V6*	29 845 $
RAV4 V6 Sport*	32 295 $
RAV4 V6 Limited*	34 640 $
Sequoia SR5*	48 820 $
Sequoia Limited*	57 735 $
Sequoia Platinum*	65 975$
Sienna LE	27 900 $
Sienna V6	28 900 $
Sienna LE V6	32 500$
Sienna SE V6	36 600$
Sienna XLE V6	38 700$
Sienna 4RM LE	35 350 $
Sienna 4RM Limited	49 100 $

Tacoma Access Cab	21 895 $
Tacoma Access Cab 4RM	25 995$
Tacoma Access Cab V6 4RM	28 380 $
Tacoma Doublecab V6 4RM	31 845 $
Tacoma Doublecab V6 SR5 4RM	32 645 $
Tundra 4.6L*	25 310 $
Tundra 5.7L*	28 975$
Tundra Double Cab SR5 4.6L*	32 040 $
Tundra Double Cab 5.7L*	36 015$
Tundra CrewMax*	37 630$
Tundra 4RM 4.6L*	29 895$
Tundra 4RM 5.7L*	33 040$
Tundra 4RM Double Cab SR5 4.6L*	36 105 $
Tundra 4RM Double Cab SR5 5.7L*	37 205 $
Tundra 4RM Double Cab Limited 5.7L*	48 275$
Tundra 4RM CrewMax*	41 745 $
Tundra 4RM CrewMax Platinum*	52 020 $
Venza*	29 310$
Venza 4RM*	30 760$
Venza V6*	38 800$
Venza V6 4RM*	32 250$

VOLKSWAGEN

Eos	36 975 $
Golf 2.5L	20 475$
Golf 2.0 TDI	25 275$
Golf 2.5L familiale	22 975$
Golf 2.0 TDI familiale	26 875$
GTI 3p	28 875$
GTI 5p	29 875$
Jetta 2.0L	15 875$
Jetta 2.5L	21 175 $
Jetta 2.0L TDI	23 875 $
Jetta 2.0T	ND
Passat CC	33 375$
Passat CC V6 4Motion	46 375$

VOLKSWAGEN · Camions

Routan*	27 975$
Tiguan	27 875$
Tiguan 4Motion	31 275$
Touareg2 V6*	45 300 $
Touareg2 TDI*	49 300 $

VOLVO

C30 T5	30 995$
C30 T5 R-Design	39 995$
C70 T5	54 495 $
S40 T5	33 995 $
S40 T5 R-Design	39 995$
S60 T6	45 450$
S80	49 995 $
S80 T6 4RM	59 995$
S80 V8 4RM*	69 995$
V50 T5	35 495 $
V50 T5 4RM*	44 495$
V70 3.2*	42 495 $
V70 3.2 Premium*	48 495$
XC70	43 995 $
XC70 T6	49 995$

VOLVO · Camions

XC60 3.2 2RM	39 995$
XC60 3.2	44 495$
XC60 T6	49 995$
XC90 3.2	51 995$
XC90 3.2 R-Design	59 995$
XC90 V8 Executive*	69 995 $

ACURA

Description	R.m.	Tr.	L	Prix
2010 CSX				**20 000 km**
4p berline i-Tech	2	M	2	“23,500”
4p berline i-Tech	2	A	2	“24,600”
4p berline Type-S	2	M	2	“25,600”
2009 CSX				**40 000 km**
4p berline base	2	M	2	“19,300”
4p berline base	2	A	2	“20,200”
4p berline Tech (Navi)	2	M	2	“20,600”
4p berline Tech (Navi)	2	A	2	“21,600”
4p berline Type-S	2	M	2	“22,100”
2008 CSX				**60 000 km**
4p berline base	2	M	2	“16,700”
4p berline base	2	A	2	“17,000”
4p berline Tech (Navi)	2	M	2	“17,300”
4p berline Tech (Navi)	2	A	2	“17,800”
4p berline Type-S	2	M	2	“18,500”
2007 CSX				**80 000 km**
4p berline base	2	M	2	“13,900”
4p berline base	2	A	2	“14,400”
4p berline Premium (cuir)	2	M	2	“14,400”
4p berline Premium (cuir)	2	A	2	“14,800”
4p berline Navi	2	A	2	“15,400”
4p berline Type-S	2	M	2	
2006 CSX				**100 000 km**
4p berline Touring	2	M	2	“11,000”
4p berline Touring	2	A	2	“11,800”
4p berline Premium (cuir)	2	M	2	“12,300”
4p berline Premium (cuir)	2	A	2	“12,400”
4p berline Navi	2	M	2	“12,700”
4p berline Navi	2	A	2	“13,000”
2010 MDX				**20 000 km**
4p base	A	A	3.7	“46,300”
4p Tech	A	A	3.7	“51,000”
4p Elite	A	A	3.7	“55,200”
2009 MDX				**40 000 km**
4p base	A	A	3.7	“38,100”
4p Tech	A	A	3.7	“41,900”
4p Elite	A	A	3.7	“44,700”
2008 MDX				**60 000 km**
4p base	A	A	3.7	“32,700”
4p base 20e Ann. Edition	A	A	3.7	“37,000”
4p Tech	A	A	3.7	“36,100”
4p Tech 20e Ann. Edition	A	A	3.7	“39,500”
4p Elite	A	A	3.7	“38,700”
4p Elite 20e Ann. Edition	A	A	3.7	“42,000”
2007 MDX				**80 000 km**
4p base	A	A	3.7	“28,700”
4p Tech	A	A	3.7	“31,700”
4p Elite	A	A	3.7	“33,000”
2006 MDX				**100 000 km**
4p base	A	A	3.5	“24,500”
4p Touring	A	A	3.5	“25,300”
4p Ens.Technologique	A	A	3.5	“26,600”
2010 RDX				**20 000 km**
4p 2.3L Base	2	A	2.3	“36,100”
4p 2.3L Tech	2	A	2.3	“38,800”
2009 RDX				**40 000 km**
4p 2.3L Base	2	A	2.3	“31,300”
4p 2.3L Tech	2	A	2.3	“33,700”
2008 RDX				**60 000 km**
4p 2.3L Base	2	A	2.3	“29,300”
4p 2.3L Tech	2	A	2.3	“30,600”
2007 RDX				**80 000 km**
4p 2.3L Base	2	A	2.3	“24,200”
4p 2.3L Tech	2	A	2.3	“25,600”
2010 RL				**20 000 km**
4p berline 3.7L base	A	A	3.7	“55,000”
4p berline 3.7L Elite	A	A	3.7	“57,400”
2009 RL				**40 000 km**
4p berline 3.7L base	A	A	3.7	“47,500”
4p berline 3.7L Elite	A	A	3.7	“48,700”
2008 RL				**60 000 km**
4p berline 3.5L base	A	A	3.5	“41,400”
4p berline 3.5L A-Spec Ensemble	A	A	3.5	“44,100”
4p berline 3.5L Elite	A	A	3.5	“43,600”
4p berline 3.5L A-Spec Ensemble	A	A	3.5	“45,400”
2007 RL				**80 000 km**
4p berline 3.5L base	A	A	3.5	“35,700”

Description	R.m.	Tr.	L	Prix
4p berline 3.5L Elite	A	A	3.5	“36,800”
2006 RL				**100 000 km**
4p berline 3.5L	A	A	3.5	“25,900”
2006 RSX				**100 000 km**
2p coupé Premium	2	M	2	“16,400”
2p coupé Premium	2	A	2	“17,300”
2p coupé Premium (cuir)	2	M	2	“17,600”
2p coupé Premium (cuir)	2	A	2	“18,000”
2p coupé Type-S (cuir)	2	M	2	“19,100”
2010 TL				**20 000 km**
4p berline 3.5L	2	A	3.5	“36,000”
4p berline 3.5L Tech	2	A	3.5	“39,100”
4p berline 3.7L SH-AWD	A	A	3.7	“40,500”
4p berline 3.7L SH-AWD Tech	A	M	3.7	“42,700”
4p berline 3.7L SH-AWD Tech	A	A	3.7	“42,700”
4p berline 3.7L SH-AWD A-Spec	A	M	3.7	“44,700”
4p berline 3.7L SH-AWD A-Spec	A	A	3.7	“44,700”
2009 TL				**40 000 km**
4p berline 3.5L	2	A	3.5	“31,200”
4p berline 3.5L Tech	2	A	3.5	“34,000”
4p berline 3.7L SH-AWD	A	A	3.7	“34,900”
4p berline 3.7L SH-AWD Tech	A	A	3.7	“37,000”
2008 TL				**60 000 km**
4p berline 3.2L	2	A	3.2	“27,900”
4p berline 3.2L ensemble NAVI	2	A	3.2	“30,000”
4p berline 3.2L Type-S	2	M	3.5	“30,700”
4p berline 3.2L Type-S	2	A	3.5	“31,000”
2007 TL				**80 000 km**
4p berline 3.2L	2	A	3.2	“24,200”
4p berline 3.2L ensemble NAVI	2	A	3.2	“25,200”
4p berline 3.2L Type-S	2	M	3.5	“25,100”
4p berline 3.2L Type-S	2	A	3.5	“25,500”
2006 TL				**100 000 km**
4p berline 3.2L	2	A	3.2	“20,000”
4p berline 3.2L ensemble NAVI	2	A	3.2	“20,700”
4p berline 3.2L ens Dynamic	2	A	3.2	“20,600”
4p berline 3.2L ens Dyna/NAVI	2	M	3.2	“20,900”
2010 TSX				**20 000 km**
4p berline 2.4L	2	M	2.4	“29,700”
4p berline 2.4L	2	A	2.4	“30,900”
4p berline 2.4L Premium	2	A	2.4	“32,700”
4p berline 2.4L Tech	2	A	2.4	“36,500”
4p berline 3.5L V6	2	A	3.5	“35,800”
4p berline 3.5L V6 Tech	2	A	3.5	“38,500”
2009 TSX				**40 000 km**
4p berline 2.4L	2	M	2.4	“26,300”
4p berline 2.4L	2	A	2.4	“27,500”
4p berline 2.4L ensemble Premium	2	A	2.4	“29,600”
4p berline 2.4L ensemble Tech	2	A	2.4	“31,200”
2008 TSX				**60 000 km**
4p berline 2.4L	2	M	2.4	“23,100”
4p berline 2.4L	2	A	2.4	“24,200”
4p berline 2.4L ensemble NAVI	2	M	2.4	“24,600”
4p berline 2.4L ensemble NAVI	2	A	2.4	“25,000”
2007 TSX				**80 000 km**
4p berline 2.4L	2	M	2.4	“18,800”
4p berline 2.4L	2	A	2.4	“19,600”
4p berline 2.4L ensemble NAVI	2	M	2.4	“19,800”
4p berline 2.4L ensemble NAVI	2	A	2.4	“20,500”
2006 TSX				**100 000 km**
4p berline 2.4L	2	M	2.4	“17,600”
4p berline 2.4L	2	A	2.4	“18,500”
4p berline 2.4L ensemble NAVI	2	M	2.4	“18,900”
4p berline 2.4L ensemble NAVI	2	A	2.4	“19,100”
2010 ZDX				**20 000 km**
4p base	A	A	3.7	“49,800”
4p Tech	A	A	3.7	“53,000”

AUDI

Description	R.m.	Tr.	L	Prix
2010 A3				**20 000 km**
4p hayon 2.0 T	2	M	2	“29,100”
4p hayon 2.0 T Premium	2	M	2	“31,500”
4p hayon 2.0 T TDI	2	A	2	“32,000”
4p hayon 2.0 T TDI Premium	2	A	2	“34,200”
4p hayon Quattro 2.0 T	A	A	2	“33,200”
4p hayon Quattro 2.0 T Premium	A	A	2	“36,000”
2009 A3				**40 000 km**
4p hayon Front Trak 2.0 T	2	M	2	“27,200”
4p hayon Quattro 2.0 T	A	A	2	“31,600”
4p hayon Quattro 3.2 S-Line (cuir)	A	A	3.2	“35,200”

Description	R.m.	Tr.	L	Prix
2008 A3				**60 000 km**
4p hayon Front Trak 2.0 T	2	M	2	“25,300”
4p hayon Front Trak 2.0 T Titanium	2	M	2	“27,000”
4p hayon Front Trak 2.0 T S-Line	2	M	2	“26,800”
4p hayon Quattro 3.2 S-Line (cuir)	A	A	3.2	“28,900”
2007 A3				**80 000 km**
4p hayon Front Trak 2.0 T	2	M	2	“21,800”
4p hayon Front Trak 2.0 T Prem	2	M	2	“23,400”
4p hayon Front Trak 2.0 T S-Line	2	M	2	“24,100”
4p hayon Quattro 3.2 S-Line (cuir)	A	A	3.2	“25,400”
2006 A3				**100 000 km**
4p hayon Front Trak 2.0 T	2	M	2	“16,400”
4p hayon Front Trak 2.0 T Sport	2	M	2	“18,200”
4p hayon Front Trak 2.0 T Prem	2	M	2	“18,500”
4p hayon Quattro 3.2 S-Line (cuir)	A	A	3.2	“19,100”
2010 A4				**20 000 km**
4p berline 2.0 T	2	A	2	“34,500”
4p berline Quattro 2.0 T	A	M	2	“35,700”
4p berline Quattro 2.0 T Premium	A	M	2	“39,500”
4p berline S4 Quattro	A	M	3	“47,200”
4p berline S4 Quattro Premium	A	M	3	“51,500”
4p familiale Quattro 2.0 T	A	A	2	“38,400”
4p familiale Quattro 2.0 T Premium	A	A	2	“42,400”
2009 A4				**40 000 km**
4p berline Front Trak 2.0 T (cuir)	2	A	2	“28,700”
4p berline Quattro 2.0 T (cuir)	A	A	2	“31,300”
4p ber Quattro 3.2 (cuir)	A	A	3.2	“36,200”
4p familiale Quattro 2.0 T (cuir)	A	A	2	“32,100”
2p décap. Front Track 2.0 T (cuir)	2	A	2	“40,000”
2p décap. Quattro 2.0 T (cuir)	A	A	2	“42,300”
2p décapotable Quattro 3.2 (cuir)	A	A	3.2	“46,200”
2p décapotable S4 Quattro	A	M	4.2	“57,100”
2008 A4				**60 000 km**
4p berline Front Trak 2.0 T (cuir)	2	M	2	“24,200”
4p berline Quattro 2.0 T (cuir)	A	M	2	“28,100”
4p ber Quattro 3.2 S-Line (cuir)	A	M	3.2	“32,200”
4p berline S4 Quattro	A	M	4.2	“49,300”
4p berline RS4 Quattro	A	M	4.2	“67,300”
4p familiale Quattro 2.0 T (cuir)	A	M	2	“29,100”
4p fam Quattro 3.2 S-Line (cuir)	A	M	3.2	“33,300”
4p familiale S4 Quattro	A	M	4.2	“50,200”
2p déc Front Track 2.0 T (cuir)	2	A	2	“37,000”
2p déc Quattro 2.0 T (cuir)	A	A	2	“38,900”
2p décapotable Quattro 3.2 (cuir)	A	A	3.2	“43,000”
2p décapotable S4 Quattro	A	M	4.2	“55,100”
2007 A4				**80 000 km**
4p berline Front Trak 2.0 T	2	M	2	“21,300”
4p berline Front Trak 2.0 T S-Line	2	M	2	“24,000”
4p berline Quattro 2.0 T (cuir)	A	M	2	“25,000”
4p berline Quattro 2.0 T S-Line	A	M	2	“27,600”
4p berline Quattro 3.2 (cuir)	A	M	3.2	“29,700”
4p berline Quattro 3.2 S-Line	A	M	3.2	“30,600”
4p berline S4 Quattro	A	M	4.2	“40,900”
4p berline RS4 Quattro	A	M	4.2	“52,000”
4p familiale Quattro 2.0 T (cuir)	A	M	2	“25,900”
4p familiale Quattro 2.0 T S-Line	A	M	2	“28,500”
4p familiale Quattro 3.2 (cuir)	A	M	3.2	“30,600”
4p familiale Quattro 3.2 S-Line	A	M	3.2	“31,400”
4p familiale S4 Quattro	A	M	4.2	“41,900”
2p déc Front Track 2.0 T (cuir)	2	A	2	“34,300”
2p déc Front Track 2.0T S-Line	2	A	2	“35,600”
2p déc Quattro 2.0 T (cuir)	A	A	2	“34,500”
2p déc Quattro 2.0 T S-Line	A	A	2	“35,700”
2p décapotable Quattro 3.2 (cuir)	A	A	3.2	“38,000”
2p décapotable Quattro 3.2 S-Line	A	A	3.2	“38,500”
2p décapotable S4 Quattro	A	M	4.2	“46,100”
2006 A4				**100 000 km**
4p berline Front Trak 2.0 T	2	M	2	“17,500”
4p berline Quattro 2.0 T (cuir)	A	M	2	“20,600”
4p berline Quattro 3.2 (cuir)	A	M	3.2	“23,900”
4p berline S4 Quattro	A	M	4.2	“33,900”
4p familiale Quattro 2.0 T (cuir)	A	M	2	“21,500”
4p familiale Quattro 3.2 (cuir)	A	M	3.2	“24,800”
4p familiale S4 Quattro	A	M	4.2	“34,800”
2p déc Front Track 1.8 T (cuir)	2	A	1.8	“26,200”
2p déc Front Track 1.8 T S-Line	2	A	1.8	“27,700”
2p décapotable Quattro 3.0 (cuir)	A	A	3	“29,100”
2p décapotable Quattro 3.0 S-Line	A	A	3	“30,500”
2p décapotable S4 Quattro	A	A	4.2	“37,700”
2010 A5				**20 000 km**
2p coupé Quattro 2.0T	A	M	2	“39,700”
2p coupé Quattro 2.0T Premium	A	M	2	“41,600”
2p coupé Quattro 3.2	A	A	3.2	“48,000”
2p coupé Quattro S5	A	M	4.2	“59,300”
2p décapotable Quattro 2.0T	A	A	2	“50,700”
2p déc. Quattro 2.0T Premium	A	A	2	“52,500”
2p décapotable S5 Quattro	A	A	3	“61,500”
2p déc. S5 Quattro Premium	A	A	3	“64,800”

Description	R.m.	Tr.	L	Prix
2009 A5				**40 000 km**
2p coupé Quattro 3.2	A	M	3.2	“42,800”
2p coupé Quattro 3.2 S-Line	A	M	3.2	“46,100”
2p coupé S5 Quattro	A	M	4.2	“54,400”
2008 A5				**60 000 km**
2p coupé Quattro 3.2	A	M	3.2	“38,000”
2p coupé Quattro 3.2 S-Line	A	M	3.2	“41,000”
2p coupé S5 Quattro	A	M	4.2	“49,000”
2010 A6				**20 000 km**
4p berline 3.2	2	A	3.2	“47,600”
4p berline Quattro	A	A	3	“56,400”
4p berline Quattro Special Edition	A	A	3	“57,000”
4p berline Quattro Premium	A	A	3	“60,200”
4p berline Quattro V8	A	A	4.2	“68,300”
4p berline Quattro S6	A	A	5.2	“89,500”
4p familiale Avant Quattro	A	A	3	“60,000”
2009 A6				**40 000 km**
4p berline Front Trak	2	A	3.2	“43,100”
4p berline Quattro	A	A	3	“51,500”
4p berline Quattro V8	A	A	4.2	“62,300”
4p berline Quattro S6	A	A	5.2	“76,000”
4p familiale Avant Quattro	A	A	3.2	“54,800”
2008 A6				**60 000 km**
4p berline Quattro	A	A	3.2	“37,900”
4p berline Quattro S-Line	A	A	3.2	“39,100”
4p berline Quattro V8	A	A	4.2	“46,100”
4p berline Quattro V8 S-Line	A	A	4.2	“48,300”
4p berline Quattro S6	A	A	5.2	“55,000”
4p familiale Avant Quattro	A	A	3.2	“39,900”
4p familiale Avant Quattro S-Line	A	A	3.2	“42,200”
2007 A6				**80 000 km**
4p berline Quattro	A	A	3.2	“29,000”
4p berline Quattro S-Line	A	A	3.2	“30,200”
4p berline Quattro V8	A	A	4.2	“34,800”
4p berline Quattro V8 S-Line	A	A	4.2	“36,700”
4p berline Quattro S6	A	A	5.2	“43,900”
4p familiale Avant Quattro	A	A	3.2	“31,100”
4p familiale Avant Quattro S-Line	A	A	3.2	“32,400”
2006 A6				**100 000 km**
4p berline Quattro	A	A	3.2	“26,000”
4p berline Quattro ens. Prem (toit)	A	A	3.2	“28,300”
4p berline Quattro	A	A	4.2	“30,700”
4p berline Quattro S-Line	A	A	4.2	“31,500”
4p familiale Avant Quattro	A	A	3.2	“28,200”
2010 A8				**20 000 km**
4p berline Quattro	A	A	4.2	“81,200”
4p berline L Quattro	A	A	4.2	“85,500”
2009 A8				**40 000 km**
4p berline Quattro	A	A	4.2	“67,400”
4p berline L Quattro	A	A	4.2	“70,900”
4p berline S8 Quattro	A	A	5.2	“84,700”
4p berline W12 Quattro	A	A	6	“97,900”
2008 A8				**60 000 km**
4p berline Quattro	A	A	4.2	“56,900”
4p berline L Quattro	A	A	4.2	“60,200”
4p berline S8 Quattro	A	A	5.2	“67,700”
4p berline W12 Quattro	A	A	6	“75,800”
2007 A8				**80 000 km**
4p berline Quattro	A	A	4.2	“43,700”
4p berline L Quattro	A	A	4.2	“45,500”
4p berline S8 Quattro	A	A	5.2	“51,800”
4p berline W12 Quattro	A	A	6	“58,600”
2006 A8				**100 000 km**
4p berline Quattro	A	A	4.2	“32,400”
4p berline L Quattro	A	A	4.2	“33,700”
4p berline W12 Quattro	A	A	6	“39,700”
2010 Q5				**20 000 km**
4p 3.2	A	A	3.2	“39,100”
4P 3.2 Premium	A	A	3.2	“42,400”
2009 Q5				**40 000 km**
4p 3.2	A	A	3.2	“35,600”
4P 3.2 Premium	A	A	3.2	“38,600”
2010 Q7				**20 000 km**
4p 3.6	A	A	3.6	“48,800”
4p 3.6 Premium	A	A	3.6	“53,400”
4p 3.0 TDI	A	A	3	“51,900”
4p 3.0 TDI Premium	A	A	3	“56,500”
4p 4.2	A	A	4.2	“65,700”
2009 Q7				**40 000 km**
4p 3.6	A	A	3.6	“44,800”
4p 3.0 TDI	A	A	3	“46,700”
4p 4.2	A	A	4.2	“56,600”

Description	R.m.	Tr.	L	Prix
2008 Q7				**60 000 km**
4p 3.6 Premium	A	A	3.6	"38,800"
4p 3.6 Premium S-Line	A	A	3.6	"40,300"
4p 4.2 Premium (toit)	A	A	4.2	"43,400"
4p 4.2 Premium S-Line	A	A	4.2	"45,700"
2007 Q7				**80 000 km**
4p 3.6 base	A	A	3.6	"31,900"
4p 3.6 Premium	A	A	3.6	"35,700"
4p 3.6 Premium S-Line	A	A	3.6	"36,500"
4p 4.2 base	A	A	4.2	"37,100"
4p 4.2 Premium (toit)	A	A	4.2	"37,300"
4p 4.2 Premium S-Line	A	A	4.2	"38,700"
2010 TT				**20 000 km**
2p coupé Quattro 2.0T	2	A	2	"44,400"
2p coupé Quattro 2.0T TTS	2	A	2	"51,800"
2p décapotable Quattro 2.0T	A	A	2	"47,100"
2p décapotable Quattro 2.0T TTS	A	A	2	"55,700"
2009 TT				**40 000 km**
2p coupé Front Trac 2.0T	2	A	2	"39,600"
2p coupé Quattro 2.0T	2	A	2	"41,600"
2p coupé Front Trac 2.0T TTS	2	A	2	"48,300"
2p coupé Quattro 3.2L	A	M	3.2	"46,900"
2p décapotable Front Trac 2.0T	2	A	2	"42,100"
2p déc Quattro 2.0T	2	A	2	"44,100"
2p déc Quattro 2.0T TTS	2	A	2	"52,100"
2p décapotable Quattro 3.2L	A	M	3.2	"50,400"
2008 TT				**60 000 km**
2p coupé Front Trac 2.0T	2	A	2	"33,400"
2p coupé Front Trac 2.0T Prem	2	A	2	"35,200"
2p coupé Front Trac 2.0T S-Line	2	A	2	"38,000"
2p coupé Quattro 3.2L	A	M	3.2	"39,900"
2p coupé Quattro 3.2L S-Line	A	M	3.2	"42,600"
2p décapotable Front Trac 2.0T	2	A	2	"35,800"
2p déc Front Trac 2.0T Premium	2	A	2	"38,600"
2p déc Front Trac 2.0T S-Line	2	A	2	"41,200"
2p décapotable Quattro 3.2L	A	M	3.2	"43,000"
2p déc Quattro 3.2L S-Line	A	M	3.2	"45,900"
2006 TT				**80 000 km**
2p coupé Quattro turbo	A	M	1.8	"29,000"
2p coupé Quattro	A	A	3.2	"31,500"
2p décapotable Quattro turbo	A	M	1.8	"31,400"
2p décapotable Quattro	A	A	3.2	"33,100"

BMW

Description	R.m.	Tr.	L	Prix
2010 SERIE 1				**20 000 km**
2p coupé 128i	2	M	3	"30,800"
2p coupé 135i	2	M	3	"37,900"
2p décapotable 128i	2	M	3	"36,300"
2p décapotable 135i	2	M	3	"43,000"
2009 SERIE 1				**40 000 km**
2p coupé 128i	2	M	3	"26,800"
2p coupé 135i	2	M	3	"33,300"
2p décapotable 128i	2	M	3	"31,700"
2p décapotable 135i	2	M	3	"37,800"
2008 SERIE 1				**60 000 km**
2p coupé 128i	2	M	3	"23,400"
2p coupé 135i	2	M	3	"27,800"
2p décapotable 128i	2	M	3	"27,600"
2p décapotable 135i	2	M	3	"31,500"
2010 SERIE 3				**20 000 km**
2p coupé 328i	2	M	3	"38,800"
2p coupé 328xDrive	A	M	3	"41,000"
2p coupé 335i	2	M	3	"46,000"
2p coupé 335xDrive	A	M	3	"48,300"
2p coupé M3 (cuir)	2	M	4	"64,900"
2p coupé M3 (cuir) (Séq.)	2	A	4	"65,000"
4p berline 323i	2	M	2.5	"31,800"
4p berline 328i	2	M	3	"36,300"
4p berline 328xDrive	A	M	3	"38,700"
4p berline 335i	2	M	3	"44,500"
4p berline 335xDrive	A	M	3	"46,900"
4p berline M3 (cuir)	2	M	4	"63,600"
4p berline M3 (cuir) (Séquentielle)	2	A	4	"64,500"
4p familiale 328xDrive Touring	A	M	3	"40,100"
2p décapotable 328i	2	M	3	"50,600"
2p décapotable 335i (cuir)	2	M	3	"59,700"
2p décapotable M3 (cuir)	2	M	4	"73,800"
2p décapotable M3 (cuir) (Séq.)	2	A	4	"74,200"
2009 SERIE 3				**40 000 km**
2p coupé 328i	2	M	3	"35,200"
2p coupé 328xDrive	A	M	3	"38,600"
2p coupé 335i	2	M	3	"41,800"
2p coupé 335xDrive	A	M	3	"43,900"
2p coupé M3 (cuir)	2	M	4	"58,900"
2p coupé M3 (cuir) (Séq.)	2	A	4	"59,600"
4p berline 323i	2	M	2.5	"28,900"
4p berline 328i	2	M	3	"33,000"
4p berline 328xDrive	A	M	3	"35,100"
4p berline 335i	2	M	3	"40,400"
4p berline 335xDrive	A	M	3	"42,600"
4p berline M3 (cuir)	2	M	4	"57,800"
4p berline M3 (cuir) (Séquentielle)	2	A	4	"58,600"
4p familiale 328xDrive Touring	A	M	3	"36,500"
2p décapotable 328i	2	M	3	"42,800"
2p décapotable 335i (cuir)	2	M	3	"50,400"
2p décapotable M3 (cuir)	2	M	4	"63,000"
2p décapotable M3 (cuir) (Séq.)	2	A	4	"63,300"
2008 SERIE 3				**60 000 km**
2p coupé 328i	2	M	3	"31,200"
2p coupé 328xi	A	M	3	"33,200"
2p coupé 335i	2	M	3	"37,500"
2p coupé 335xi	A	M	3	"39,600"
2p coupé M3 (cuir)	2	M	4	"52,800"
2p coupé M3 (cuir) (Séq.)	2	A	4	"53,300"
4p berline 323i	2	M	2.5	"25,100"
4p berline 328i	2	M	3	"29,200"
4p berline 328xi	A	M	3	"31,200"
4p berline 335i	2	M	3	"36,200"
4p berline 335xi	A	M	3	"38,300"
4p berline M3 (cuir)	2	M	4	"51,000"
4p berline M3 (cuir) (Séquentielle)	2	A	4	"52,400"
4p familiale 328xi Touring	A	M	3	"32,400"
2p décapotable 328i	2	M	3	"38,600"
2p décapotable 335i (cuir)	2	M	3	"46,000"
2p décapotable M3 (cuir)	2	M	4	"55,900"
2p décapotable M3 (cuir) (Séq.)	2	A	4	"65,300"
2007 SERIE 3				**80 000 km**
2p coupé 328i	2	M	3	"26,400"
2p coupé 328xi	A	M	3	"28,200"
2p coupé 335i	2	M	3	"30,500"
4p berline 323i	2	M	2.5	"18,900"
4p berline 328i	2	M	3	"22,800"
4p berline 328xi	A	M	3	"24,700"
4p berline 335i	2	M	3	"29,400"
4p berline 335xi	A	M	3	"31,400"
4p familiale 328xi Touring	A	M	3	"25,900"
2p décapotable 328Ci	2	M	3	"32,800"
2p décapotable 335Ci (cuir)	2	M	3	"40,600"
2006 SERIE 3				**100 000 km**
2p coupé 325Ci	2	M	2.5	"23,700"
2p coupé 325Ci M Sport Edition	2	M	2.5	"27,300"
2p coupé 330Ci	2	M	3	"27,800"
2p coupé 330Ci (Séquentielle)	2	A	3	"29,100"
2p coupé M3 (cuir)	2	M	3.2	"37,800"
2p coupé M3 (cuir) (Séquentielle)	2	A	3.2	"38,900"
4p berline 323i	2	M	2.5	"19,300"
4p berline 325i	2	M	3	"19,500"
4p berline 330i	2	M	3	"22,500"
4p berline 325xi	A	M	3	"22,100"
4p berline 330xi	A	M	3	"22,600"
4p familiale 325xiT	A	M	3	"23,200"
2p décapotable 325Ci	2	M	2.5	"29,200"
2p déc 325Ci Exclusive Ed	2	M	2.5	"32,700"
2p décapotable 330Ci (cuir)	2	M	3	"36,800"
2p déc 330Ci (cuir) (Séquent.)	2	A	3	"38,000"
2p déc 330Ci (cuir) M Perform.	2	M	3	"39,200"
2p décapotable M3 (cuir)	2	M	3.2	"39,400"
2p déc M3 (cuir) (Séquentielle)	2	A	3.2	"40,800"
2010 SERIE 5				**20 000 km**
4p berline 528i	2	M	3	"51,100"
4p berline 528xDrive	A	M	3	"53,500"
4p berline 535xDrive	A	M	3	"62,700"
4p berline 550i	2	M	4.8	"73,200"
4p hayon 550i Gran Turismo	2	A	4.4	"72,200"
4p berline M5	2	M	5	"97,300"
4p berline M5	2	A	5	"99,300"
4p familiale 535xDrive Touring	A	M	3	"64,600"
2009 SERIE 5				**40 000 km**
4p berline 528i	2	M	3	"46,400"
4p berline 528xDrive	A	M	3	"48,700"
4p berline 535xDrive	A	M	3	"57,400"
4p berline 550i	2	M	4.8	"67,400"
4p berline M5	2	M	5	"85,800"
4p berline M5	2	A	5	"87,600"
4p familiale 535xDrive Touring	A	M	3	"59,300"
2008 SERIE 5				**60 000 km**
4p berline 528i	2	M	3	"40,800"
4p berline 528xi	A	M	3	"41,000"
4p berline 535i	2	M	3	"47,200"
4p berline 535xi	A	M	3	"49,200"
4p berline 550i	2	M	4.8	"57,300"
4p berline M5	2	M	5	"69,800"
4p berline M5	2	A	5	"71,300"
4p familiale 535xi Touring	A	M	3	"50,600"
2007 SERIE 5				**80 000 km**
4p berline 525i	2	M	3	"34,200"
4p berline 525xi	A	M	3	"34,400"
4p berline 530i	2	M	3	"40,900"
4p berline 530xi	A	M	3	"43,100"
4p berline 550i	2	M	4.8	"48,800"
4p berline M5	2	M	5	"60,100"
4p berline M5	2	A	5	"61,400"
4p familiale 530xi Touring	A	M	3	"44,600"
2006 SERIE 5				**100 000 km**
4p berline 525i	2	M	3	"27,900"
4p berline 525xi	A	M	3	"28,100"
4p berline 530i	2	M	3	"34,800"
4p berline 530i Séquentielle	2	M	3	"34,800"
4p berline 530xi	A	M	3	"35,800"
4p berline 550i	2	M	4.8	"42,300"
4p berline M5	2	A	5	"43,400"
4p familiale 530xi Touring	A	M	3	"37,500"
2010 SERIE 6				**20 000 km**
2p coupé 650i	2	M	4.8	"85,900"
2p coupé 650i Steptronic	2	A	4.8	"85,900"
2p coupé M6	2	M	5	"109,200"
2p coupé M6 Sequential	2	A	5	"111,100"
2p décapotable 650i	2	M	4.8	"94,900"
2p décapotable 650i Steptronic	2	A	4.8	"94,900"
2p décapotable M6	2	M	5	"118,200"
2p décapotable M6 Sequential	2	A	5	"120,100"
2009 SERIE 6				**40 000 km**
2p coupé 650i	2	M	4.8	"72,700"
2p coupé 650i Steptronic	2	A	4.8	"72,700"
2p coupé M6	2	M	5	"92,400"
2p coupé M6 Sequential	2	A	5	"92,400"
2p décapotable 650i	2	M	4.8	"80,400"
2p décapotable 650i Steptronic	2	A	4.8	"80,400"
2p décapotable M6	2	M	5	"100,000"
2p décapotable M6 Sequential	2	A	5	"101,700"
2008 SERIE 6				**60 000 km**
2p coupé 650i	2	M	4.8	"67,200"
2p coupé 650i Steptronic	2	A	4.8	"67,200"
2p coupé M6	2	M	5	"80,400"
2p coupé M6 Sequential	2	A	5	"82,100"
2p décapotable 650i	2	M	4.8	"74,800"
2p décapotable 650i Steptronic	2	A	4.8	"74,800"
2p décapotable M6	2	M	5	"87,300"
2p décapotable M6 Sequential	2	A	5	"88,900"
2007 SERIE 6				**80 000 km**
2p coupé 650i	2	M	4.8	"51,400"
2p coupé 650i Steptronic	2	A	4.8	"51,400"
2p coupé M6	2	M	5	"60,000"
2p coupé M6	2	A	5	"61,300"
2p décapotable 650i	2	M	4.8	"58,000"
2p décapotable 650i Steptronic	2	A	4.8	"58,000"
2p décapotable M6	2	M	5	"64,900"
2p décapotable M6	2	A	5	"66,000"
2006 SERIE 6				**100 000 km**
2p coupé 650i	2	M	4.8	"49,600"
2p coupé 650i Steptronic	2	A	4.8	"49,600"
2p coupé M6	2	A	5	"55,900"
2p décapotable 650i	2	M	4.8	"54,200"
2p décapotable 650i Steptronic	2	A	4.8	"54,200"
2010 SERIE 7				**20 000 km**
4p berline 750i	2	A	4.4	"94,400"
4p berline 750i xDrive	A	A	4.4	"97,400"
4p berline 750Li	2	A	4.4	"101,600"
4p berline 750Li xDrive	A	A	4.4	"104,600"
2009 SERIE 7				**40 000 km**
4p berline 750i	2	A	4.4	"72,500"
4p berline 750Li	2	A	4.4	"74,100"
2008 SERIE 7				**60 000 km**
4p berline 750i	2	A	4.8	"60,900"
4p berline 750Li	2	A	4.8	"64,800"
4p berline 760Li	2	A	6	"76,200"
2007 SERIE 7				**80 000 km**
4p berline 750i	2	A	4.8	"43,900"
4p berline 750Li	2	A	4.8	"46,400"
4p berline ALPINA B7	2	A	4.4	"53,400"
4p berline 760Li	2	A	6	"55,200"
2006 SERIE 7				**100 000 km**
4p berline 750i	2	A	4.8	"36,200"
4p berline 750i Executive pkg	2	A	4.8	"39,900"
4p berline 750Li	2	A	4.8	"38,300"
4p berline 750Li Executive pkg	2	A	4.8	"41,200"
4p berline 760Li	2	A	6	"45,000"
2010 SERIE X3				**20 000 km**
4p X3 28i xDrive	A	A	3	"36,700"
4p X3 30i xDrive	A	A	3	"42,200"
2009 SERIE X3				**40 000 km**
4p X3 3.0xDrive	A	A	3	"35,500"
2008 SERIE X3				**60 000 km**
4p X3 3.0i	A	M	3	"33,900"
4p X3 3.0i	A	A	3	"33,900"
4p X3 3.0si	A	M	3	"37,400"
4p X3 3.0si	A	A	3	"37,400"
2007 SERIE X3				**80 000 km**
4p X3 3.0i	A	M	3	"29,300"
4p X3 3.0i	A	A	3	"29,300"
4p X3 3.0si	A	M	3	"32,200"
4p X3 3.0si	A	A	3	"32,200"
2006 SERIE X3				**100 000 km**
4p X3 2.5i	A	M	2.5	"23,200"
4p X3 2.5i	A	A	2.5	"23,200"
4p X3 3.0i	A	M	3	"27,700"
4p X3 3.0i	A	A	3	"27,700"
2010 SERIE X5				**20 000 km**
4p X5 30i xDrive	A	A	3	"53,000"
4p X5 35d xDrive	A	A	3	"56,600"
4p X5 48i xDrive	A	A	4.8	"65,100"
4p X5 M	A	A	4.4	"89,100"
2009 SERIE X5				**40 000 km**
4p X5 30i xDrive	A	A	3	"47,400"
4p X5 35d xDrive	A	A	3	"50,000"
4p X5 48i xDrive	A	A	4.8	"55,700"
2008 SERIE X5				**60 000 km**
4p X5 3.0si	A	A	3	"42,300"
4p X5 4.8i	A	A	4.8	"46,100"
2007 SERIE X5				**80 000 km**
4p X5 3.0si	A	A	3	"35,000"
4p X5 4.8i	A	A	4.8	"38,900"
2006 SERIE X5				**100 000 km**
4p X5 3.0i	A	M	3	"31,400"
4p X5 3.0i	A	A	3	"31,400"
4p X5 3.0i Executive (cuir -toit)	A	A	3	"35,700"
4p X5 4.4i (cuir)	A	A	4.4	"36,000"
4p X5 4.4i Executive (cuir -toit)	A	A	4.4	"36,400"
4p X5 4.8is (cuir)	A	A	4.8	"37,300"
2010 SERIE X6				**20 000 km**
4p X6 xDrive 35i	A	A	3	"58,100"
4p X6 xDrive 50i	A	A	4.4	"71,100"
4p X6 ActiveHybrid	A	A	4.4	"85,600"
4p X6 M	A	A	4.4	"85,600"
2009 SERIE X6				**40 000 km**
4p X6 xDrive 35i	A	A	3	"56,900"
4p X6 xDrive 50i	A	A	4.4	"66,200"
2008 SERIE X6				**60 000 km**
4p X6 xDrive 35i	A	A	3	"49,200"
2010 SERIE Z4				**20 000 km**
2p décapotable Z4 30i	2	M	3	"49,000"
2p décapotable Z4 35i	2	M	3	"56,300"
2009 SERIE Z4				**40 000 km**
2p décapotable Z4 30i	2	M	3	"42,700"
2p décapotable Z4 35i	2	M	3	"49,700"
2008 SERIE Z4				**60 000 km**
2p décapotable Z4 3.0Si	2	M	3	"34,800"
2p décapotable M Roadster	2	M	3.2	"38,000"
2p coupé M	2	M	3.2	"37,200"
2007 SERIE Z4				**80 000 km**
2p décapotable Z4 3.0i	2	M	3	"29,200"
2p décapotable Z4 3.0Si (cuir)	2	M	3	"32,700"
2p décapotable M Roadster	2	M	3.2	"36,000"
2p coupé M	2	M	3.2	"35,500"
2006 SERIE Z4				**100 000 km**
2p décapotable Z4 3.0i	2	M	3	"25,300"
2p décapotable Z4 3.0Si (cuir)	2	M	3	"28,100"
2p décapotable M Roadster	2	M	3.2	"36,400"
2p coupé M	2	M	3.2	"36,100"

BUICK

Description	R.m.	Tr.	L	Prix
2009 ALLURE				**40 000 km**
4p berline CX	2	A	3.8	"17,400"
4p berline CXL	2	A	3.8	"19,000"
4p berline CXL Lux. 6 pass. (cuir)	2	A	3.8	"20,600"
4p berline Super (cuir)	2	A	5.3	"23,400"

Description	R.m.	Tr.	L	Prix
2008 ALLURE				**60 000 km**
4p berline CX	2	A	3.8	"15,400"
4p berline CXL	2	A	3.8	"17,200"
4p berline CXL Lux. 6 pass. (cuir)	2	A	3.8	"17,400"
4p berline Super (cuir)	2	A	5.3	"18,500"
2007 ALLURE				**80 000 km**
4p berline CX	2	A	3.8	"12,400"
4p berline CXL	2	A	3.8	"13,700"
4p berline CXS (cuir)	2	A	3.6	"14,600"
2006 ALLURE				**100 000 km**
4p berline CX	2	A	3.8	"9,500"
4p berline CXL	2	A	3.8	"11,000"
4p berline CXS (cuir)	2	A	3.6	"12,100"
2010 ENCLAVE				**20 000 km**
4p CX	2	A	3.6	"39,200"
4p CXL (cuir)	2	A	3.6	"43,600"
4p CX AWD	A	A	3.6	"41,900"
4p CXL AWD (cuir)	A	A	3.6	"46,300"
2009 ENCLAVE				**40 000 km**
4p CX	2	A	3.6	"34,900"
4p CXL (cuir)	2	A	3.6	"37,700"
4p CX AWD	A	A	3.6	"37,300"
4p CXL AWD (cuir)	A	A	3.6	"40,000"
2008 ENCLAVE				**60 000 km**
4p CX	2	A	3.6	"32,100"
4p CXL (cuir)	2	A	3.6	"35,500"
4p CX AWD	A	A	3.6	"34,100"
4p CXL AWD (cuir)	A	A	3.6	"37,500"
2010 LACROSSE				**20 000 km**
4p berline CX	2	A	3	"28,900"
4p berline CXL	2	A	3	"30,600"
4p berline CXL AWD	A	A	3	"33,700"
4p berline CXS (cuir)	2	A	3.6	"35,900"
2010 LUCERNE				**20 000 km**
4p berline CX	2	A	3.9	"26,000"
4p berline CXL (cuir)	2	A	3.9	"28,400"
4p berline Super (cuir)	2	A	4.6	"37,600"
2009 LUCERNE				**40 000 km**
4p berline CX	2	A	3.9	"20,000"
4p berline CXL (cuir)	2	A	3.9	"21,500"
4p berline Super (cuir)	2	A	4.6	"23,400"
2008 LUCERNE				**60 000 km**
4p berline CX	2	A	3.8	"17,900"
4p berline CXL (cuir)	2	A	3.8	"19,600"
4p berline CXS V8 (cuir)	2	A	4.6	"20,500"
4p berline Super (cuir)	2	A	4.6	"21,200"
2007 LUCERNE				**80 000 km**
4p berline CX	2	A	3.8	"15,300"
4p berline CXL (cuir)	2	A	3.8	"16,400"
4p berline CXL V8 (cuir)	2	A	4.6	"17,600"
4p berline CXS (cuir)	2	A	4.6	"17,900"
2006 LUCERNE				**100 000 km**
4p berline CX	2	A	3.8	"11,400"
4p berline CXL (cuir)	2	A	3.8	"13,100"
4p berline CXL V8 (cuir)	2	A	4.6	"13,900"
4p berline CXS (cuir)	2	A	4.6	"14,200"
2007 RAINIER				**80 000 km**
4p CXL	A	A	4.2	"19,900"
4p CXL V8	A	A	5.3	"20,100"
2006 RAINIER				**100 000 km**
4p CXL	A	A	4.2	"17,600"
4p CXL V8	A	A	5.3	"17,900"
2007 RENDEZVOUS				**80 000 km**
4p CX	2	A	3.5	"11,300"
4p CX Plus	2	A	3.5	"12,100"
4p CXL (cuir)	2	A	3.5	"14,600"
4p CXL Plus (cuir)	2	A	3.5	"15,400"
2006 RENDEZVOUS				**100 000 km**
4p CX	2	A	3.5	"8,100"
4p CX Plus	2	A	3.5	"9,700"
4p CXL (cuir)	2	A	3.5	"10,900"
4p CXL 3.6L (cuir)	2	A	3.6	"11,000"
4p CXL Plus (cuir)	2	A	3.6	"11,000"
4p CX	A	A	3.5	"8,400"
4p CX Plus	A	A	3.5	"9,200"
4p CXL (cuir)	A	A	3.5	"10,900"
4p CXL 3.6L (cuir)	A	A	3.6	"11,400"
4p CXL Plus (cuir)	A	A	3.6	"11,900"
2007 TERRAZA				**80 000 km**
4p CX	2	A	3.9	"13,000"
4p CXL (cuir)	2	A	3.9	"14,500"
2006 TERRAZA				**100 000 km**
4p CX	2	A	3.5	"10,400"
4p CXL (cuir)	2	A	3.9	"12,000"
4p CX	A	A	3.5	"11,900"
4p CXL (cuir)	A	A	3.5	"12,700"

CADILLAC

Description	R.m.	Tr.	L	Prix
2010 CTS				**20 000 km**
4p berline 3.0 L	2	M	3	"35,800"
4p berline 3.6 L	2	M	3.6	"41,400"
4p berline 3.0 L AWD	A	M	3	"39,600"
4p berline 3.6 L AWD	A	A	3.6	"45,200"
4p berline CTS-V	2	M	6.2	"63,400"
4p familiale 3.0L	2	A	3	"39,000"
4p familiale 3.6L	2	A	3.6	"44,200"
4p familiale 3.0L AWD	A	A	3	"41,200"
4p familiale 3.6L AWD	A	A	3.6	"48,200"
2009 CTS				**40 000 km**
4p berline 3.6 L	2	M	3.6	"30,200"
4p berline 3.6 L Injection directe	2	M	3.6	"32,600"
4p berline 3.6 L AWD	A	A	3.6	"33,700"
4p berline 3.6 L Inj directe AWD	A	A	3.6	"36,100"
4p berline CTS-V	2	M	6.2	"53,500"
2008 CTS				**60 000 km**
4p berline 3.6 L	2	M	3.6	"26,800"
4p berline 3.6 L Injection directe	2	M	3.6	"28,500"
4p berline 3.6 L AWD	A	A	3.6	"29,900"
4p berline 3.6 L Inj directe AWD	A	A	3.6	"31,600"
2007 CTS				**80 000 km**
4p berline 2.8 L	2	M	2.8	"21,500"
4p berline 3.6 L	2	M	3.6	"23,400"
4p berline 3.6 L Sport	2	M	3.6	"25,500"
4p berline CTS-V	2	M	6	"33,100"
2006 CTS				**100 000 km**
4p berline 2.8 L	2	M	2.8	"17,800"
4p berline 3.6 L	2	M	3.6	"19,000"
4p berline 3.6 L Sport	2	M	3.6	"21,700"
4p berline CTS-V	2	M	6	"26,100"
2010 DTS				**20 000 km**
4p berline base	2	A	4.6	"49,700"
4p berline Platinum	2	A	4.6	"61,800"
2009 DTS				**40 000 km**
4p berline base	2	A	4.6	"36,500"
4p berline Performance	2	A	4.6	"41,700"
2008 DTS				**60 000 km**
4p berline Deluxe	2	A	4.6	"30,400"
4p berline Performance	2	A	4.6	"34,600"
2007 DTS				**80 000 km**
4p berline Deluxe	2	A	4.6	"24,900"
4p berline Performance	2	A	4.6	"27,200"
2006 DTS				**100 000 km**
4p berline Deluxe	2	A	4.6	"18,900"
4p berline Performance	2	A	4.6	"20,800"
2010 ESCALADE				**20 000 km**
4p base	A	A	6.2	"70,900"
4p Platinum	A	A	6.2	"82,600"
4p ESV	A	A	6.2	"74,100"
4p ESV Platinum	A	A	6.2	"87,500"
4p EXT	A	A	6.2	"66,800"
4p Hybride	A	A	6	"80,100"
4p Hybride Platinum	A	A	6	"87,400"
2009 ESCALADE				**40 000 km**
4p base	A	A	6.2	"58,400"
4p ESV	A	A	6.2	"61,100"
4p EXT	A	A	6.2	"55,000"
4p Hybride	A	A	6	"65,100"
2008 ESCALADE				**60 000 km**
4p base	A	A	6.2	"48,100"
4p ESV	A	A	6.2	"50,400"
4p EXT	A	A	6.2	"45,100"
2007 ESCALADE				**80 000 km**
4p base	A	A	6.2	"36,600"
4p ESV	A	A	6.2	"37,500"
4p EXT	A	A	6.2	"34,100"
2006 ESCALADE				**100 000 km**
4p base	A	A	6	"25,800"
4p ESV	A	A	6	"27,300"
4p ESV Platinum	A	A	6	"28,000"
4p EXT	A	A	6	"23,100"
2010 SRX				**20 000 km**
4p base	2	A	3	"37,000"
4p Luxury	2	A	3	"39,700"
4p base AWD	A	A	3	"39,900"
4p Luxury AWD	A	A	3	"42,300"
4p Performance 2.8L AWD	A	A	2.8	"49,700"
4p Premium 2.8L AWD	A	A	2.8	"55,900"
2009 SRX				**40 000 km**
4p V6	2	A	3.6	"32,600"
4p V8	2	A	4.6	"37,600"
4p V6 AWD	A	A	3.6	"34,200"
4p V6 AWD Sport	A	A	3.6	"37,200"
4p V8 AWD	A	A	4.6	"39,100"
4p V8 AWD Sport	A	A	4.6	"40,700"
2008 SRX				**60 000 km**
4p V6	2	A	3.6	"25,600"
4p V8	2	A	4.6	"30,200"
4p V6 AWD	A	A	3.6	"27,200"
4p V6 AWD Sport	A	A	3.6	"29,800"
4p V8 AWD	A	A	4.6	"31,400"
4p V8 AWD Sport	A	A	4.6	"32,800"
2007 SRX				**80 000 km**
4p V6	2	A	3.6	"21,200"
4p V8	2	A	4.6	"23,100"
4p V6 AWD	A	A	3.6	"22,500"
4p V8 AWD	A	A	4.6	"23,500"
2006 SRX				**100 000 km**
4p V6	2	A	3.6	"17,700"
4p V8	2	A	4.6	"20,300"
4p V6 AWD	A	A	3.6	"19,600"
4p V8 AWD	A	A	4.6	"20,400"
2010 STS				**20 000 km**
4p berline V6	2	A	3.6	"54,400"
4p berline V6 STS4 AWD	A	A	3.6	"57,200"
4p berline V8	2	A	4.6	"60,800"
4p berline V8 STS4 AWD	A	A	4.6	"64,600"
2009 STS				**40 000 km**
4p berline V6	2	A	3.6	"39,900"
4p berline V6 STS4 AWD	A	A	3.6	"42,000"
4p berline V8	2	A	4.6	"46,500"
4p berline V8 STS4 AWD	A	A	4.6	"53,900"
4p berline STS-V	2	A	4.4	"60,500"
2008 STS				**60 000 km**
4p berline V6	2	A	3.6	"28,000"
4p berline V6 STS4 AWD	A	A	3.6	"29,000"
4p berline V8	2	A	4.6	"33,000"
4p berline V8 STS4 AWD	A	A	4.6	"36,200"
4p berline STS-V	2	A	4.4	"48,600"
2007 STS				**80 000 km**
4p berline V6	2	A	3.6	"25,800"
4p berline V6 STS4 AWD	A	A	3.6	"27,200"
4p berline V8	2	A	4.6	"32,400"
4p berline V8 STS4 AWD	A	A	4.6	"33,800"
4p berline STS-V	2	A	4.4	"40,300"
2006 STS				**100 000 km**
4p berline V6	2	A	3.6	"21,400"
4p berline V6 STS4 AWD	A	A	3.6	"21,700"
4p berline V8	2	A	4.6	"23,000"
4p berline V8 STS4 AWD	A	A	4.6	"25,300"
4p berline STS-V	2	A	4.4	"32,200"
2009 XLR				**40 000 km**
2p décapotable Platinum Edition	2	A	4.6	"60,700"
2p décapotable XLR-V	2	A	4.4	"64,800"
2008 XLR				**60 000 km**
2p décapotable base	2	A	4.6	"44,600"
2p décapotable Platinum Edition	2	A	4.6	"45,600"
2p décapotable XLR-V	2	A	4.4	"48,800"
2007 XLR				**80 000 km**
2p décapotable base	2	A	4.6	"43,700"
2p décapotable XLR-V	2	A	4.4	"47,100"
2006 XLR				**100 000 km**
2p décapotable base	2	A	4.6	"38,800"
2p décapotable XLR-V	2	A	4.4	"41,800"

CHEVROLET

Description	R.m.	Tr.	L	Prix
2010 AVALANCHE				**20 000 km**
4p 1500 LS	2	A	5.3	"36,300"
4p 1500 LT	2	A	5.3	"37,600"
4p 1500 LS	A	A	5.3	"39,100"
4p 1500 LT	A	A	5.3	"40,400"
4p 1500 LTZ (cuir)	A	A	5.3	"50,100"
2009 AVALANCHE				**40 000 km**
4p 1500 LS	2	A	5.3	"26,300"
4p 1500 LT	2	A	5.3	"27,400"
4p 1500 LT 6.0L	2	A	6	"29,200"
4p 1500 LS	A	A	5.3	"28,400"
4p 1500 LT	A	A	5.3	"29,400"
4p 1500 LT 6.0L	A	A	6	"32,200"
4p 1500 LTZ (cuir)	A	A	5.3	"35,800"
4p 1500 LTZ 6.0L (cuir)	A	A	6	"36,700"
2008 AVALANCHE				**60 000 km**
4p 1500 LS	2	A	5.3	"23,200"
4p 1500 LT	2	A	5.3	"24,000"
4p 1500 LT 6.0L	2	A	6	"24,800"
4p 1500 LS	A	A	5.3	"24,800"
4p 1500 LT	A	A	5.3	"25,600"
4p 1500 LT 6.0L	A	A	6	"26,400"
4p 1500 LTZ (cuir)	A	A	5.3	"27,900"
4p 1500 LTZ 6.0L (cuir)	A	A	6	"28,800"
2007 AVALANCHE				**80 000 km**
4p 1500 LS	2	A	5.3	"18,200"
4p 1500 LT	2	A	5.3	"19,300"
4p 1500 LT 6.0L	2	A	6	"19,600"
4p 1500 LS	A	A	5.3	"20,100"
4p 1500 LT	A	A	5.3	"20,900"
4p 1500 LT 6.0L	A	A	6	"21,500"
4p 1500 LTZ (cuir)	A	A	5.3	"22,300"
4p 1500 LTZ 6.0L (cuir)	A	A	6	"23,200"
2006 AVALANCHE				**100 000 km**
4p 1500 LS	2	A	5.3	"15,800"
4p 1500 Z66	2	A	5.3	"16,400"
4p 1500 LT (cuir)	2	A	5.3	"18,600"
4p 1500 LS	A	A	5.3	"17,700"
4p 1500 Z71	A	A	5.3	"18,600"
4p 1500 LT (cuir)	A	A	5.3	"19,100"
4p 2500 LS	A	A	8.1	"19,000"
4p 2500 LT (cuir)	A	A	8.1	"19,600"
2010 AVEO				**20 000 km**
4p hayon Aveo 5 LS	2	M	1.6	"12,300"
4p hayon Aveo 5 LT	2	M	1.6	"14,700"
4p berline LS	2	M	1.6	"12,500"
4p berline LT	2	M	1.6	"14,800"
2009 AVEO				**40 000 km**
4p hayon Aveo 5 LS	2	M	1.6	"9,800"
4p hayon Aveo 5 LT	2	M	1.6	"11,600"
4p berline LS	2	M	1.6	"9,800"
4p berline LT	2	M	1.6	"11,600"
2008 AVEO				**60 000 km**
4p hayon Aveo 5 LS	2	M	1.6	"7,900"
4p hayon Aveo 5 LT	2	M	1.6	"9,300"
4p berline LS	2	M	1.6	"7,900"
4p berline LT	2	M	1.6	"9,300"
2007 AVEO				**80 000 km**
4p hayon Aveo 5 LS	2	M	1.6	"6,800"
4p hayon Aveo 5 LT	2	M	1.6	"8,200"
4p berline LS	2	M	1.6	"6,800"
4p berline LT	2	M	1.6	"8,200"
2006 AVEO				**100 000 km**
4p hayon Aveo 5 LS	2	M	1.6	"5,500"
4p hayon Aveo 5 LT	2	M	1.6	"6,500"
4p berline LS	2	M	1.6	"5,500"
4p berline LT	2	M	1.6	"6,500"
2010 1500 SILVERADO				**20 000 km**
cab. rég. WT	2	A	4.3	"21,800"
cab. rég. WT	2	A	4.8	"22,700"
cab. rég. LT	2	A	4.8	"25,200"
cab. rég. LT	2	A	5.3	"26,400"
cab. all. WT	2	A	4.3	"24,600"
cab. all. LS	2	A	4.8	"27,500"
cab. all. LT	2	A	4.8	"28,100"
cab. all. LT	2	A	5.3	"29,300"
cab. all. LT	2	A	6.2	"30,700"
cab. all. LTZ (cuir)	2	A	5.3	"35,200"
cab. all. LTZ (cuir)	2	A	6.2	"36,800"
crew cab. WT	2	A	4.8	"26,600"
crew cab. WT	2	A	5.3	"27,700"
crew cab. LT	2	A	4.8	"29,600"
crew cab. LT	2	A	5.3	"30,700"
crew cab. LT	2	A	6.2	"34,000"
crew cab. LTZ (cuir)	2	A	5.3	"36,500"
crew cab. LTZ (cuir)	2	A	6.2	"37,900"
crew cab. Hybride	2	A	6	"39,700"
cab. rég. WT	4	A	4.3	"24,900"
cab. rég. WT	4	A	4.8	"25,700"
cab. rég. LT	4	A	4.8	"28,700"
cab. all. WT	4	A	4.8	"28,300"
cab. all. LT	4	A	4.8	"31,600"
cab. all. LT	4	A	6.2	"36,000"
cab. all. LTZ (cuir)	4	A	5.3	"38,700"
cab. all. LTZ(cuir)	4	A	6.2	"40,200"

Description	R.m.	Tr.	L	Prix
2009 1500 SILVERADO				**40 000 km**
cab. rég. WT	2	A	4.3	"15,300"
cab. rég. WT	2	A	4.8	"16,100"
cab. rég. WT	2	A	5.3	"17,200"
cab. rég. LT	2	A	4.8	"19,000"
cab. rég. LT	2	A	5.3	"19,800"
cab. all. WT	2	A	4.3	"18,200"
cab. all. LT	2	A	4.8	"21,200"
cab. all. LT	2	A	5.3	"22,300"
cab. all. LT	2	A	6	"23,100"
cab. all. LTZ (cuir)	2	A	5.3	"26,400"
cab. all. LTZ (cuir)	2	A	6	"27,400"
crew cab. WT	2	A	4.8	"20,000"
crew cab. WT	2	A	5.3	"20,900"
crew cab. LT	2	A	4.8	"22,300"
crew cab. LT	2	A	5.3	"23,200"
crew cab. LT	2	A	6	"24,200"
crew cab. LTZ (cuir)	2	A	5.3	"27,600"
crew cab. LTZ (cuir)	2	A	6	"28,400"
cab. rég. WT	4	A	4.3	"17,500"
cab. rég. WT	4	A	4.8	"18,600"
cab. rég. LT	4	A	4.8	"21,700"
cab. all. WT	4	A	4.8	"21,300"
cab. all. LT	4	A	4.8	"23,900"
cab. all. LT	4	A	6	"25,800"
cab. all. LTZ (cuir)	4	A	5.3	"29,100"
cab. all. LTZ(cuir)	4	A	6	"30,200"
crew cab. WT	4	A	4.8	"22,300"
crew cab. LT	4	A	4.8	"24,900"
crew cab. LT	4	A	5.3	"26,000"
crew cab. LT	4	A	6	"27,000"
crew cab. LTZ (cuir)	4	A	5.3	"30,400"
crew cab. LTZ (cuir)	4	A	6	"31,100"
2008 1500 SILVERADO				**60 000 km**
cab. rég. WT	2	A	4.3	"12,100"
cab. rég. WT	2	A	4.8	"12,700"
cab. rég. WT	2	A	5.3	"13,200"
cab. rég. LT	2	A	4.8	"15,200"
cab. rég. LT	2	A	5.3	"15,800"
cab. all. WT	2	A	4.3	"14,500"
cab. all. LT	2	A	4.8	"17,300"
cab. all. LT	2	A	5.3	"17,800"
cab. all. LT	2	A	6	"18,600"
cab. all. LTZ (cuir)	2	A	5.3	"21,300"
cab. all. LTZ (cuir)	2	A	6	"22,100"
crew cab. WT	2	A	4.8	"15,900"
crew cab. WT	2	A	5.3	"16,500"
crew cab. LT	2	A	4.8	"18,100"
crew cab. LT	2	A	5.3	"18,700"
crew cab. LT	2	A	6	"19,600"
crew cab. LTZ (cuir)	2	A	5.3	"22,100"
crew cab. LTZ (cuir)	2	A	6	"23,100"
cab. rég. WT	4	A	4.3	"14,000"
cab. rég. WT	4	A	4.8	"14,500"
cab. rég. LT	4	A	4.8	"17,500"
cab. all. WT	4	A	4.8	"17,000"
cab. all. LT	4	A	4.8	"19,400"
cab. all. LT	4	A	6	"21,000"
cab. all. LTZ (cuir)	4	A	5.3	"23,600"
cab. all. LTZ(cuir)	4	A	6	"24,300"
crew cab. WT	4	A	4.8	"17,900"
crew cab. LT	4	A	4.8	"20,400"
crew cab. LT	4	A	5.3	"21,100"
crew cab. LT	4	A	6	"21,900"
crew cab. LTZ (cuir)	4	A	5.3	"24,500"
crew cab. LTZ (cuir)	4	A	6	"25,300"
2007 1500 NEW SILVERADO				**80 000 km**
cab. rég. WT	2	A	4.3	"8,100"
cab. rég. WT	2	A	4.8	"8,600"
cab. rég. WT	2	A	5.3	"8,900"
cab. rég. LT	2	A	4.8	"10,300"
cab. rég. LT	2	A	5.3	"10,700"
cab. all. WT	2	A	4.3	"9,800"
cab. all. LT	2	A	4.8	"10,200"
cab. all. LT	2	A	5.3	"12,100"
cab. all. LT	2	A	6	"12,600"
cab. all. LTZ (cuir)	2	A	5.3	"14,400"
cab. all. LTZ (cuir)	2	A	6	"15,000"
crew cab. WT	2	A	4.8	"10,800"
crew cab. WT	2	A	5.3	"11,100"
crew cab. LT	2	A	4.8	"12,200"
crew cab. LT	2	A	5.3	"12,700"
crew cab. LTZ (cuir)	2	A	5.3	"15,100"
crew cab. LTZ (cuir)	2	A	6	"15,800"
cab. rég. WT	4	A	4.3	"9,400"
cab. rég. LT	4	A	4.8	"9,800"
cab. all. WT	4	A	4.8	"11,500"
cab. all. LT	4	A	4.8	"13,000"
cab. all. LTZ (cuir)	4	A	5.3	"16,100"
cab. all. LTZ(cuir)	4	A	6	"16,700"
crew cab. WT	4	A	4.8	"12,100"
crew cab. LT	4	A	4.8	"13,800"
crew cab. LT	4	A	5.3	"14,300"
crew cab. LT	4	A	6	"14,800"
crew cab. LTZ (cuir)	4	A	5.3	"16,900"
crew cab. LTZ (cuir)	4	A	6	"17,300"
2007 1500 SILVERADO CLASSIC				**80 000 km**
cab. rég. Ensemble Valeur	2	M	4.3	"7,100"
cab. rég. base	2	M	4.3	"9,400"
cab. rég. base	2	A	4.8	"10,300"
cab. rég. base	2	A	5.3	"10,700"
cab. rég. LS	2	A	4.8	"11,000"
cab. rég. LS	2	A	5.3	"11,600"
cab. all. base	2	A	4.3	"10,800"
cab. all. LS	2	A	4.8	"12,300"
cab. all. LS Hybride	2	A	5.3	"13,800"
cab. all. LS Performance édition	2	A	6	"14,100"
cab. all. LT (cuir)	2	A	5.3	"15,000"
cab. all. SS (cuir)	2	A	6	"16,000"
cab. all. LT Performance édition	2	A	6	"16,600"
crew cab. Cheyenne Edition	2	A	4.8	"12,800"
crew cab. LS	2	A	5.3	"13,500"
crew cab. LT (cuir)	2	A	5.3	"15,800"
crew cab. LS HD	2	A	6	"14,000"
crew cab. LT (cuir) HD	2	A	6	"16,500"
cab. rég. Ensemble Valeur	4	M	4.3	"8,500"
cab. rég. base	4	M	4.3	"10,800"
cab. rég. LS	4	A	4.8	"12,300"
cab. all. base	4	A	4.8	"12,300"
cab. all. LS	4	A	4.8	"13,900"
cab. all. LS Hybrid	4	A	5.3	"15,500"
cab. all. LS Max Performance	4	A	6	"15,600"
cab. all. LT (cuir)	4	A	5.3	"16,900"
cab. all. LT (cuir) Max Perform.	4	A	6	"17,900"
crew cab. Cheyenne Edition	4	A	4.8	"14,200"
crew cab. LS	4	A	5.3	"15,000"
crew cab. LS Max Performance	4	A	6	"16,200"
crew cab. LT (cuir)	4	A	5.3	"17,400"
crew cab. LT (cuir) Max Perform.	4	A	6	"18,500"
crew cab. LS HD	4	A	6	"15,500"
crew cab. LT HD (cuir)	4	A	6	"17,700"
2006 1500 SILVERADO				**100 000 km**
cab. rég. Ensemble Valeur	2	M	4.3	"6,000"
cab. rég. base	2	M	4.3	"7,800"
cab. rég. base	2	M	4.8	"8,500"
cab. rég. base	2	A	5.3	"10,000"
cab. rég. LS	2	A	4.8	"10,400"
cab. rég. LS	2	A	5.3	"10,700"
cab. all. base	2	A	4.3	"10,100"
cab. all. LS	2	A	4.8	"12,000"
cab. all. LS Hybrid	2	A	5.3	"12,000"
cab. all. LT (cuir)	2	A	5.3	"15,000"
crew cab. Cheyenne Edition	2	A	4.8	"12,100"
crew cab. LS	2	A	5.3	"13,100"
crew cab. LT (cuir)	2	A	5.3	"15,700"
crew cab. LS HD	2	A	6	"13,700"
crew cab. LT (cuir) HD	2	A	6	"16,400"
cab. rég. Ensemble Valeur	4	M	4.3	"7,600"
cab. rég. base	4	M	4.3	"10,300"
cab. rég. base	4	A	4.8	"10,600"
cab. rég. LS	4	A	4.8	"12,100"
cab. all. base	4	A	4.8	"12,100"
cab. all. LS	4	A	4.8	"13,700"
cab. all. LS Hybrid	4	A	5.3	"13,700"
cab. all. LT (cuir)	4	A	5.3	"16,900"
cab. all. SS (cuir)	4	A	6	"16,000"
crew cab. Cheyenne Edition	4	A	4.8	"13,800"
crew cab. LS	4	A	5.3	"15,000"
crew cab. LT (cuir)	4	A	5.3	"17,700"
crew cab. LS HD	4	A	6	"15,000"
crew cab. LT HD (cuir)	4	A	6	"18,200"
2010 2500 SILVERADO				**20 000 km**
cab. rég. WT HD	2	A	6	"30,100"
cab. rég. LT HD	2	A	6	"33,100"
cab. all. WT HD	2	A	6	"32,800"
cab. all. LT HD	2	A	6	"35,500"
cab. all. LTZ HD (cuir)	2	A	6	"41,200"
crew cab. WT HD	2	A	6	"34,400"
crew cab. LT HD	2	A	6	"37,000"
crew cab. LTZ HD (cuir)	2	A	6	"43,000"
cab. rég. WT HD benne all.	4	A	6	"33,100"
cab. rég. LT HD benne all.	4	A	6	"36,000"
cab. all. WT HD	4	A	6	"35,800"
cab. all. LT HD	4	A	6	"38,400"
cab. all. LTZ HD (cuir)	4	A	6	"44,100"
crew cab. WT HD	4	A	6	"37,400"
crew cab. LT HD	4	A	6	"39,900"
crew cab. LTZ HD (cuir)	4	A	6	"45,800"
2009 2500 SILVERADO				**40 000 km**
cab. rég. WT HD	2	A	6	"21,600"
cab. rég. LT HD	2	A	6	"24,700"
cab. all. WT HD	2	A	6	"24,600"
cab. all. LT HD	2	A	6	"26,600"
cab. all. LTZ HD (cuir)	2	A	6	"30,900"
crew cab. WT HD	2	A	6	"25,700"
crew cab. LT HD	2	A	6	"27,600"
crew cab. LTZ HD (cuir)	2	A	6	"32,300"
cab. rég. WT HD benne all.	4	A	6	"23,900"
cab. rég. LT HD benne all.	4	A	6	"27,000"
cab. all. WT HD	4	A	6	"26,900"
cab. all. LT HD	4	A	6	"28,900"
cab. all. LTZ HD (cuir)	4	A	6	"33,300"
crew cab. WT HD	4	A	6	"28,100"
crew cab. LT HD	4	A	6	"30,100"
crew cab. LTZ HD (cuir)	4	A	6	"34,600"
2008 2500 SILVERADO				**60 000 km**
cab. rég. WT HD	2	A	6	"15,700"
cab. rég. LT HD	2	A	6	"18,200"
cab. all. WT HD	2	A	6	"17,800"
cab. all. LT HD	2	A	6	"19,400"
cab. all. LTZ HD (cuir)	2	A	6	"22,800"
crew cab. WT HD	2	A	6	"18,700"
crew cab. LT HD	2	A	6	"20,300"
crew cab. LTZ HD (cuir)	2	A	6	"23,700"
cab. rég. WT HD benne all.	4	A	6	"17,400"
cab. rég. LT HD benne all.	4	A	6	"19,800"
cab. all. WT HD	4	A	6	"19,400"
cab. all. LT HD	4	A	6	"21,300"
cab. all. LTZ HD (cuir)	4	A	6	"24,700"
crew cab. WT HD	4	A	6	"20,300"
crew cab. LT HD	4	A	6	"22,000"
crew cab. LTZ HD (cuir)	4	A	6	"25,600"
2007 2500 NEW SILVERADO				**80 000 km**
cab. rég. WT HD	2	A	6	"13,000"
cab. rég. LT HD	2	A	6	"15,000"
cab. all. WT HD	2	A	6	"14,700"
cab. all. LT HD	2	A	6	"16,400"
cab. all. LTZ HD (cuir)	2	A	6	"19,200"
crew cab. WT HD	2	A	6	"15,500"
crew cab. LT HD	2	A	6	"16,900"
crew cab. LTZ HD (cuir)	2	A	6	"19,900"
cab. rég. WT HD benne all.	4	A	6	"14,300"
cab. rég. LT HD benne all.	4	A	6	"16,600"
cab. all. WT HD	4	A	6	"16,300"
cab. all. LT HD	4	A	6	"17,700"
cab. all. LTZ HD (cuir)	4	A	6	"20,600"
crew cab. WT HD	4	A	6	"16,900"
crew cab. LT HD	4	A	6	"18,500"
crew cab. LTZ HD (cuir)	4	A	6	"21,500"
2007 2500 SILVERADO CLASSIC				**80 000 km**
cab. rég. base HD	2	M	6	"11,700"
cab. rég. LS HD	2	M	6	"13,500"
cab. all. base HD	2	M	6	"13,600"
cab. all. LS HD	2	M	6	"14,700"
cab. all. LT HD (cuir)	2	A	6	"17,700"
cab. all. LT HD (cuir) benne all.	2	A	6	"17,900"
crew cab. base HD	2	M	6	"13,800"
crew cab. LS HD	2	M	6	"15,500"
crew cab. LT HD (cuir)	2	A	6	"22,200"
cab. rég. base HD benne all.	4	M	6	"13,000"
cab. rég. LS HD benne all.	4	M	6	"14,800"
cab. all. base HD	4	M	6	"14,700"
cab. all. LS HD	4	M	6	"16,300"
cab. all. LT HD (cuir)	4	A	6	"19,400"
crew cab. base HD	4	M	6	"14,800"
crew cab. LS HD	4	M	6	"16,900"
crew cab. LT HD (cuir)	4	A	6	"20,000"
2006 2500 SILVERADO				**100 000 km**
cab. rég. base HD	2	M	6	"10,400"
cab. rég. LS HD	2	M	6	"12,200"
cab. rég. LS HD Diesel	2	A	6.6	"15,300"
cab. all. base HD	2	M	6	"12,200"
crew cab. base HD	2	M	6	"12,500"
crew cab. base HD	2	M	8.1	"13,200"
cab. rég. base HD benne all.	4	M	6	"11,700"
cab. all. base HD	4	M	6	"14,000"
cab. all. LS HD	4	M	6	"15,500"
cab. all. LT HD (cuir)	4	A	6	"19,000"
crew cab. base HD	4	M	6	"14,100"
crew cab. LS HD	4	M	6	"16,300"
crew cab. LT HD (cuir)	4	A	6	"19,900"
2010 3500 SILVERADO				**20 000 km**
cab. all. WT benne all.	2	A	6	"34,400"
cab. all. LT benne all.	2	A	6	"37,100"
cab. all. LTZ (cuir) benne all.	2	A	6	"41,900"
crew cab. WT benne all.	2	A	6	"36,000"
crew cab. LT benne all.	2	A	6	"38,500"
crew cab. LTZ (cuir) benne all.	2	A	6	"43,900"
cab. rég. WT benne all.	4	A	6	"34,400"
cab. rég. LT benne all.	4	A	6	"37,400"
cab. all. WT benne all.	4	A	6	"37,400"
cab. all. LT benne all.	4	A	6	"39,900"
cab. all. LTZ (cuir) benne all.	4	A	6	"44,900"
crew cab. WT benne all.	4	A	6	"39,000"
crew cab. LT benne all.	4	A	6	"41,400"
crew cab. LTZ (cuir) benne all.	4	A	6	"46,900"
2009 3500 SILVERADO				**40 000 km**
cab. all. WT benne all.	2	A	6	"25,700"
cab. all. LT benne all.	2	A	6	"27,800"
cab. all. LTZ (cuir) benne all.	2	A	6	"31,500"
crew cab. WT benne all.	2	A	6	"27,000"
crew cab. LT benne all.	2	A	6	"29,000"
crew cab. LTZ (cuir) benne all.	2	A	6	"33,100"
cab. rég. WT benne all.	4	A	6	"24,800"
cab. rég. LT benne all.	4	A	6	"28,100"
cab. all. WT benne all.	4	A	6	"28,300"
cab. all. LT benne all.	4	A	6	"30,100"
cab. all. LTZ (cuir) benne all.	4	A	6	"33,800"
crew cab. WT benne all.	4	A	6	"29,200"
crew cab. LT benne all.	4	A	6	"31,100"
crew cab. LTZ (cuir) benne all.	4	A	6	"35,500"
2008 3500 SILVERADO				**60 000 km**
cab. all. WT benne all.	2	A	6	"18,200"
cab. all. LT benne all.	2	A	6	"19,900"
cab. all. LTZ (cuir) benne all.	2	A	6	"22,700"
crew cab. WT benne all.	2	A	6	"19,000"
crew cab. LT benne all.	2	A	6	"20,700"
crew cab. LTZ (cuir) benne all.	2	A	6	"23,700"
cab. rég. WT benne all.	4	A	6	"17,600"
cab. rég. LT benne all.	4	A	6	"20,000"
cab. all. WT benne all.	4	A	6	"19,800"
cab. all. LT benne all.	4	A	6	"21,700"
cab. all. LTZ (cuir) benne all.	4	A	6	"24,500"
crew cab. WT benne all.	4	A	6	"20,700"
crew cab. LT benne all.	4	A	6	"22,200"
crew cab. LTZ (cuir) benne all.	4	A	6	"25,400"
2007 3500 NEW SILVERADO				**80 000 km**
cab. all. WT benne all.	2	A	6	"15,600"
cab. all. LT benne all.	2	A	6	"17,000"
cab. all. LTZ (cuir) benne all.	2	A	6	"19,500"
crew cab. WT benne all.	2	A	6	"16,300"
crew cab. LT benne all.	2	A	6	"17,600"
crew cab. LTZ (cuir) benne all.	2	A	6	"20,200"
cab. rég. WT benne all.	4	A	6	"14,900"
cab. rég. LT benne all.	4	A	6	"17,000"
cab. all. WT benne all.	4	A	6	"17,200"
cab. all. LT benne all.	4	A	6	"18,500"
cab. all. LTZ (cuir) benne all.	4	A	6	"20,900"
crew cab. WT benne all.	4	A	6	"17,700"
crew cab. LT benne all.	4	A	6	"19,200"
crew cab. LTZ (cuir) benne all.	4	A	6	"21,900"
2007 3500 SILVERADO CLASSIC				**80 000 km**
cab. all. base benne all.	2	M	6	"13,400"
cab. all. LS benne all.	2	M	6	"14,300"
cab. all. LT (cuir) benne all.	2	A	6	"17,000"
crew cab. base benne all.	2	M	6	"13,600"
crew cab. LS benne all.	2	M	6	"15,000"
crew cab. LT (cuir) benne all.	2	A	6	"17,800"
cab. rég. base benne all.	4	M	6	"12,800"
cab. rég. LS benne all.	4	M	6	"14,300"
cab. all. base benne all.	4	M	6	"14,600"
cab. all. LS benne all.	4	M	6	"15,900"
cab. all. LT (cuir) benne all.	4	A	6	"18,500"
crew cab. base benne all.	4	M	6	"14,700"
crew cab. LS benne all.	4	M	6	"16,600"
crew cab. LT (cuir) benne all.	4	A	6	"19,400"
2006 3500 SILVERADO				**100 000 km**
cab. all. base benne all.	2	M	6	"12,300"
cab. all. LS benne all.	2	M	6	"13,600"
cab. all. LT (cuir) benne all.	2	A	6	"16,400"
crew cab. base benne all.	2	M	6	"12,400"
crew cab. LS benne all.	2	M	6	"14,200"
crew cab. LT (cuir) benne all.	2	A	6	"17,500"
cab. rég. base benne all.	4	M	6	"11,700"
cab. rég. LS benne all.	4	M	6	"13,700"
cab. all. base benne all.	4	M	6	"13,800"
cab. all. LS benne all.	4	M	6	"15,300"
cab. all. LT (cuir) benne all.	4	A	6	"18,300"
crew cab. base benne all.	4	M	6	"13,800"
crew cab. LS benne all.	4	M	6	"16,100"
crew cab. LT (cuir) benne all.	4	A	6	"19,300"
2010 CAMARO				**20 000 km**
2p coupé LS	2	M	3.6	"23,800"
2p coupé LT	2	M	3.6	"24,700"
2p coupé SS	2	M	6.2	"32,600"
2010 COBALT				**20 000 km**
2p coupé LS	2	M	2.2	"13,600"
2p coupé LT	2	M	2.2	"16,200"
2p coupé SS Turbo	2	M	2	"24,600"
4p berline LS	2	M	2.2	"13,600"
4p berline LT	2	M	2.2	"16,200"

Description	R.m.	Tr.	L	Prix
2009 COBALT				**40 000 km**
2p coupé LS	2	M	2.2	“9,500”
2p coupé LT	2	M	2.2	“11,600”
2p coupé SS Turbo	2	M	2	“15,900”
4p berline LS	2	M	2.2	“9,500”
4p berline LT	2	M	2.2	“11,600”
4p berline SS Turbo	2	M	2	“16,900”
2008 COBALT				**60 000 km**
2p coupé LS	2	M	2.2	“7,300”
2p coupé LT	2	M	2.2	“8,800”
2p coupé Sport	2	M	2.4	“11,300”
2p coupé SS Turbo	2	M	2	“12,700”
4p berline LS	2	M	2.2	“7,300”
4p berline LT	2	M	2.2	“8,800”
4p berline Sport	2	M	2.4	“11,300”
2007 COBALT				**80 000 km**
2p coupé LS	2	M	2.2	“5,700”
2p coupé LT	2	M	2.2	“7,300”
2p coupé SS	2	M	2.4	“9,600”
2p coupé SS Supercharged (cuir)	2	M	2	“11,400”
4p berline LS	2	M	2.2	“5,700”
4p berline LT	2	M	2.2	“7,300”
4p berline LTZ (cuir)	2	A	2.2	“10,600”
4p berline SS	2	M	2.4	“10,500”
2006 COBALT				**100 000 km**
2p coupé LS	2	M	2.2	“4,500”
2p coupé LT	2	M	2.2	“6,800”
2p coupé SS	2	M	2.4	“7,500”
2p coupé SS Supercharged (cuir)	2	M	2	“9,000”
4p berline LS	2	M	2.2	“4,500”
4p berline LT	2	M	2.2	“6,800”
4p berline LTZ (cuir)	2	A	2.2	“8,000”
4p berline SS	2	M	2.4	“7,900”
2010 COLORADO				**20 000 km**
cab. rég. LT	2	M	2.9	“20,500”
cab. rég. LT	2	A	3.7	“23,600”
cab. all. LT	2	M	2.9	“22,300”
cab. all. LT	2	A	3.7	“25,500”
cab. all. LT V8	2	A	5.3	“27,000”
crew cab. LT	2	A	2.9	“26,900”
crew cab. LT	2	A	3.7	“27,900”
crew cab. LT V8	2	A	5.3	“29,400”
cab. rég. LT	4	M	2.9	“23,800”
cab. rég. LT	4	A	3.7	“26,000”
cab. all. LT	4	M	2.9	“25,600”
cab. all. LT	4	A	3.7	“27,800”
cab. all. LT V8	4	A	5.3	“30,200”
crew cab. LT	4	A	3.7	“31,200”
crew cab. LT V8	4	A	5.3	“32,700”
2009 COLORADO				**40 000 km**
cab. rég. LT	2	M	2.9	“16,000”
cab. rég. LT	2	A	3.7	“18,400”
cab. all. LT	2	M	2.9	“17,300”
cab. all. LT	2	A	3.7	“19,800”
cab. all. LT V8	2	A	5.3	“22,800”
crew cab. LT	2	A	2.9	“21,000”
crew cab. LT	2	A	3.7	“21,800”
cab. rég. LT	4	M	2.9	“18,500”
cab. rég. LT	4	A	3.7	“20,900”
cab. all. LT	4	M	2.9	“19,900”
cab. all. LT	4	A	3.7	“21,700”
cab. all. LT V8	4	A	5.3	“25,800”
crew cab. LT	4	A	3.7	“24,300”
crew cab. LT V8	4	A	5.3	“27,700”
2008 COLORADO				**60 000 km**
cab. rég. LS	2	M	2.9	“11,400”
cab. rég. LS	2	A	3.7	“12,700”
cab. rég. LT	2	M	2.9	“12,500”
cab. rég. LT	2	A	3.7	“13,900”
cab. all. LS	2	M	2.9	“12,500”
cab. all. LS	2	A	3.7	“14,000”
cab. all. LT	2	M	2.9	“13,600”
cab. all. LT	2	A	3.7	“15,000”
crew cab. LT	2	A	2.9	“15,800”
crew cab. LT	2	A	3.7	“16,400”
cab. rég. LS	4	M	2.9	“13,500”
cab. rég. LS	4	A	3.7	“14,900”
cab. rég. LT	4	M	2.9	“14,500”
cab. rég. LT	4	A	3.7	“15,900”
cab. all. LS	4	M	2.9	“14,800”
cab. all. LS	4	A	3.7	“16,000”
cab. all. LT	4	M	2.9	“15,700”
cab. all. LT	4	A	3.7	“17,000”
crew cab. LT	4	A	3.7	“18,500”
2007 COLORADO				**80 000 km**
cab. rég. LS	2	M	2.9	“9,600”
cab. rég. LS	2	A	3.7	“10,700”
cab. rég. LT	2	M	2.9	“10,200”
cab. rég. LT	2	A	3.7	“10,900”
cab. all. LS	2	M	2.9	“10,400”

Description	R.m.	Tr.	L	Prix
cab. all. LS	2	A	3.7	“11,200”
cab. all. LT	2	M	2.9	“11,400”
cab. all. LT	2	A	3.7	“11,800”
crew cab. LT	2	M	2.9	“11,900”
crew cab. LT	2	A	3.7	“13,200”
cab. rég. LS	4	M	2.9	“11,400”
cab. rég. LS	4	A	3.7	“11,800”
cab. rég. LT	4	M	2.9	“11,600”
cab. rég. LT	4	A	3.7	“12,700”
cab. all. LS	4	M	2.9	“11,600”
cab. all. LS	4	A	3.7	“13,000”
cab. all. LT	4	M	2.9	“12,400”
cab. all. LT	4	A	3.7	“13,500”
crew cab. LT	4	A	3.7	“14,900”
2006 COLORADO				**100 000 km**
cab. rég. base	2	M	2.8	“7,000”
cab. rég. LS	2	M	2.8	“8,500”
cab. all. base	2	M	2.8	“8,200”
cab. all. LS	2	M	2.8	“9,500”
crew cab. LS	2	M	2.8	“10,200”
cab. rég. base	4	M	2.8	“9,000”
cab. rég. LS	4	M	2.8	“9,800”
cab. all. base	4	M	2.8	“9,500”
cab. all. LS	4	M	2.8	“10,800”
crew cab. LS	4	M	2.8	“12,100”
2010 CORVETTE				**20 000 km**
2p coupé base	2	M	6.2	“59,000”
2p coupé Grand Sport	2	M	6.2	“65,900”
2p coupé Z06	2	M	7	“84,100”
2p coupé ZR1	2	M	6.2	“113,100”
2p décapotable base	2	M	6.2	“67,700”
2p décapotable Grand Sport	2	M	6.2	“73,600”
2009 CORVETTE				**40 000 km**
2p coupé base	2	M	6.2	“45,500”
2p coupé Z06	2	M	7	“66,900”
2p coupé ZR1	2	M	6.2	“91,200”
2p décapotable base	2	M	6.2	“54,800”
2008 CORVETTE				**60 000 km**
2p coupé base	2	M	6	“40,400”
2p coupé Z06	2	M	7	“55,700”
2p décapotable base	2	M	6.2	“48,300”
2007 CORVETTE				**80 000 km**
2p coupé base	2	M	6	“39,400”
2p coupé Z06	2	M	7	“52,300”
2p décapotable base	2	M	6	“44,600”
2006 CORVETTE				**100 000 km**
2p coupé base	2	M	6	“36,000”
2p coupé Z06	2	M	7	“47,800”
2p décapotable base	2	M	6	“40,500”
2006 EPICA				**100 000 km**
4p berline LTZ	2	A	2.5	“7,900”
2010 EQUINOX				**20 000 km**
4p LS	2	A	2.4	“22,400”
4p LT	2	A	2.4	“23,800”
4p LTZ	2	A	2.4	“28,800”
4p LS	A	A	2.4	“23,700”
4p LT	A	A	2.4	“25,200”
4p LTZ	A	A	2.4	“30,200”
2009 EQUINOX				**40 000 km**
4p LS	2	A	3.4	“18,900”
4p LT	2	A	3.4	“20,900”
4p Sport 3.6L	2	A	3.6	“23,300”
4p LS	A	A	3.4	“20,900”
4p LT	A	A	3.4	“22,700”
4p Sport 3.6L	A	A	3.6	“25,100”
2008 EQUINOX				**60 000 km**
4p LS	2	A	3.4	“14,700”
4p LT	2	A	3.4	“16,300”
4p Sport 3.6L	2	A	3.6	“17,400”
4p LS	A	A	3.4	“16,300”
4p LT	A	A	3.4	“17,100”
4p Sport 3.6L	A	A	3.6	“18,900”
2007 EQUINOX				**80 000 km**
4p LS	2	A	3.4	“12,800”
4p LT	2	A	3.4	“14,200”
4p LS	A	A	3.4	“14,200”
4p LT	A	A	3.4	“14,800”
2006 EQUINOX				**100 000 km**
4p LS	2	A	3.4	“11,200”
4p LT	2	A	3.4	“12,600”
4p LS	A	A	3.4	“12,600”
4p LT	A	A	3.4	“13,700”
2010 G10				**20 000 km**
3p Express LS	2	A	5.3	“33,400”

Description	R.m.	Tr.	L	Prix
3p Express LT	2	A	5.3	“37,200”
3p Express LS AWD	A	A	5.3	“36,000”
3p Express LT AWD	A	A	5.3	“39,700”
2009 G10				**40 000 km**
3p Express LS	2	A	5.3	“24,500”
3p Express LT	2	A	5.3	“27,000”
3p Express LS AWD	A	A	5.3	“26,500”
3p Express LT AWD	A	A	5.3	“28,900”
2008 G10				**60 000 km**
3p Express LS	2	A	5.3	“18,900”
3p Express LT	2	A	5.3	“20,700”
3p Express LS AWD	A	A	5.3	“20,400”
3p Express LT AWD	A	A	5.3	“22,200”
2007 G10				**80 000 km**
3p Express LS	2	A	5.3	“15,300”
3p Express LT	2	A	5.3	“16,700”
3p Express LS AWD	A	A	5.3	“16,000”
3p Express LT AWD	A	A	5.3	“18,000”
2006 G10				**100 000 km**
3p Express base	2	A	4.3	“12,100”
3p Express LS	2	A	4.3	“13,200”
3p Express base	A	A	5.3	“12,500”
3p Express LS	A	A	5.3	“14,900”
2010 G20				**20 000 km**
3p Express LS	2	A	6	“33,600”
3p Express LT	2	A	6	“37,100”
2009 G20				**40 000 km**
3p Express LS	2	A	6	“24,500”
3p Express LT	2	A	6	“26,700”
2008 G20				**60 000 km**
3p Express LS	2	A	6	“19,000”
3p Express LT	2	A	6	“20,700”
2007 G20				**80 000 km**
3p Express LS	2	A	4.8	“15,400”
3p Express LT	2	A	4.8	“16,800”
2006 G20				**100 000 km**
3p Express base	2	A	4.8	“13,100”
3p Express LS	2	A	4.8	“14,200”
2010 G30				**20 000 km**
3p Express LS	2	A	6	“34,000”
3p allongé Express LS	2	A	6	“36,400”
3p Express LT	2	A	6	“37,000”
3p allongé Express LT	2	A	6	“38,600”
2009 G30				**40 000 km**
3p Express LS	2	A	6	“24,900”
3p allongé Express LS	2	A	6	“26,700”
3p Express LT	2	A	6	“26,600”
3p allongé Express LT	2	A	6	“27,800”
2008 G30				**60 000 km**
3p Express LS	2	A	6	“19,300”
3p allongé Express LS	2	A	6	“20,800”
3p Express LT	2	A	6	“20,700”
3p allongé Express LT	2	A	6	“21,400”
2007 G30				**80 000 km**
3p Express LS	2	A	6	“15,400”
3p allongé Express LS	2	A	6	“16,600”
3p Express LT	2	A	6	“16,400”
3p allongé Express LT	2	A	6	“17,400”
2006 G30				**100 000 km**
3p Express base	2	A	6	“14,000”
3p allongé Express base	2	A	6	“15,500”
3p Express LS	2	A	6	“14,800”
3p allongé Express LS	2	A	6	“16,200”
2010 HHR				**20 000 km**
4p LS	2	M	2.2	“17,900”
4p LT	2	M	2.2	“19,400”
4p SS	2	M	2	“27,200”
2p cargo LS Panel	2	M	2.2	“18,100”
2009 HHR				**40 000 km**
4p LS	2	M	2.2	“13,300”
4p LT	2	M	2.2	“14,100”
4p SS	2	M	2	“16,700”
2p cargo LS Panel	2	M	2.2	“13,300”
2p cargo LT Panel	2	M	2.2	“14,100”
2p cargo SS Panel	2	M	2	“17,900”
2008 HHR				**60 000 km**
4p LS	2	M	2.2	“11,700”
4p LT	2	M	2.2	“12,400”
4p SS	2	M	2	“15,200”
2p cargo LS Panel	2	M	2.2	“11,700”

Description	R.m.	Tr.	L	Prix
2p cargo LT Panel	2	M	2.2	“12,400”
2007 HHR				**80 000 km**
4p LS	2	M	2.2	“9,100”
4p LT	2	M	2.4	“10,500”
2p cargo LS Panel	2	M	2.2	“9,200”
2p cargo LT Panel	2	M	2.4	“11,000”
2006 HHR				**100 000 km**
4p LS	2	M	2.2	“8,100”
4p LT	2	M	2.4	“9,200”
2010 IMPALA				**20 000 km**
4p berline LS	2	A	3.5	“23,700”
4p berline LS Sport	2	A	3.5	“24,800”
4p berline LT	2	A	3.5	“24,500”
4p berline LTZ	2	A	3.9	“26,900”
2009 IMPALA				**40 000 km**
4p berline LS	2	A	3.5	“15,100”
4p berline LS Sport	2	A	3.5	“15,900”
4p berline LT	2	A	3.5	“16,100”
4p berline LTZ	2	A	3.9	“17,500”
4p berline SS (cuir)	2	A	5.3	“20,800”
2008 IMPALA				**60 000 km**
4p berline LS	2	A	3.5	“13,000”
4p berline LT	2	A	3.5	“14,000”
4p berline LT 50e Ann. (cuir)	2	A	3.5	“16,100”
4p berline LTZ	2	A	3.9	“16,000”
4p berline SS (cuir)	2	A	5.3	“16,900”
2007 IMPALA				**80 000 km**
4p berline LS	2	A	3.5	“10,500”
4p berline LT	2	A	3.5	“11,200”
4p berline LTZ	2	A	3.9	“13,000”
4p berline SS (cuir)	2	A	5.3	“13,400”
2006 IMPALA				**100 000 km**
4p berline LS	2	A	3.5	“9,100”
4p berline LT	2	A	3.5	“10,000”
4p berline LTZ	2	A	3.9	“11,000”
4p berline SS	2	A	5.3	“12,700”
2010 MALIBU				**20 000 km**
4p berline LS	2	A	2.4	“20,400”
4p berline LT	2	A	2.4	“22,000”
4p berline LT Platine	2	A	2.4	“23,600”
4p berline LT V6 Platine	2	A	3.6	“26,200”
4p berline LTZ (cuir)	2	A	2.4	“27,500”
4p berline LTZ V6 (cuir)	2	A	3.6	“29,600”
2009 MALIBU				**40 000 km**
4p berline LS	2	A	2.4	“13,500”
4p berline 1LT	2	A	2.4	“14,400”
4p berline 2LT (suede)	2	A	2.4	“15,500”
4p berline 2LT V6 Performance	2	A	3.6	“17,300”
4p berline LTZ (cuir)	2	A	2.4	“18,500”
4p berline LTZ V6 (cuir)	2	A	3.6	“20,100”
4p berline Hybride	2	A	2.4	“16,200”
2008 MALIBU				**60 000 km**
4p berline LS	2	A	2.4	“11,000”
4p berline 1LT	2	A	2.4	“12,300”
4p berline 2LT (suede)	2	A	2.4	“12,900”
4p berline 2LT V6 Performance	2	A	3.6	“14,200”
4p berline LTZ (cuir)	2	A	2.4	“14,600”
4p berline LTZ V6 (cuir)	2	A	3.6	“15,600”
4p berline Hybride	2	A	2.4	“13,600”
2007 MALIBU				**80 000 km**
4p berline LS	2	A	2.2	“7,700”
4p berline LT	2	A	2.2	“9,200”
4p berline LT V6	2	A	3.5	“10,300”
4p berline LTZ (cuir)	2	A	3.5	“10,800”
4p berline SS	2	A	3.9	“10,900”
4p hayon MAXX LT	2	A	3.5	“10,700”
4p hayon MAXX LTZ (cuir)	2	A	3.5	“11,400”
4p hayon MAXX SS	2	A	3.9	“11,600”
2006 MALIBU				**100 000 km**
4p berline LS	2	A	2.2	“6,400”
4p berline LT	2	A	2.2	“7,900”
4p berline LT V6	2	A	3.5	“8,400”
4p berline LTZ (cuir)	2	A	3.5	“8,600”
4p berline SS	2	A	3.9	“8,600”
4p hayon MAXX LT	2	A	3.5	“8,200”
4p hayon MAXX LTZ (cuir)	2	A	3.5	“8,900”
4p hayon MAXX SS	2	A	3.9	“9,200”
2007 MONTE CARLO				**80 000 km**
2p coupé LS	2	A	3.5	“10,800”
2p coupé LT	2	A	3.5	“12,700”
2p coupé SS (cuir)	2	A	5.3	“14,300”
2006 MONTE CARLO				**100 000 km**
2p coupé LS	2	A	3.5	“9,500”

Description	R.m.	Tr.	L	Prix
2p coupé LT	2	A	3.5	"10,100"
2p coupé LTZ	2	A	3.9	"11,500"
2p coupé SS	2	A	5.3	"13,200"
2007 OPTRA				**80 000 km**
4p hayon Optra 5 LS	2	M	2	"7,200"
4p hayon Optra 5 LT	2	M	2	"8,200"
4p familiale LS	2	M	2	"7,600"
4p familiale LT	2	M	2	"8,400"
2006 OPTRA				**100 000 km**
4p hayon Optra 5 LS	2	M	2	"6,000"
4p hayon Optra 5 LT	2	M	2	"7,000"
4p familiale LS	2	M	2	"6,600"
4p familiale LT	2	M	2	"7,700"
2010 SUBURBAN				**20 000 km**
4p 1500 LS	2	A	5.3	"44,600"
4p 1500 LT	2	A	5.3	"49,300"
4p 2500 LS	2	A	6	"46,100"
4p 2500 LT	2	A	6	"50,800"
4p 1500 LS	A	A	5.3	"47,600"
4p 1500 LT	A	A	5.3	"52,300"
4p 1500 LTZ (cuir)	A	A	5.3	"62,000"
4p 2500 LS	A	A	6	"49,100"
4p 2500 LT	A	A	6	"53,800"
2009 SUBURBAN				**40 000 km**
4p 1500 LS	2	A	5.3	"34,400"
4p 1500 LT	2	A	5.3	"35,600"
4p 1500 LT 6.0L	2	A	6	"43,500"
4p 2500 LS	2	A	6	"35,900"
4p 2500 LT	2	A	6	"37,000"
4p 1500 LS	A	A	5.3	"37,000"
4p 1500 LT	A	A	5.3	"38,500"
4p 1500 LT 6.0L	A	A	6	"45,500"
4p 1500 LTZ (cuir)	A	A	5.3	"48,100"
4p 1500 LTZ 6.0L (cuir)	A	A	6	"49,000"
4p 2500 LS	A	A	6	"38,200"
4p 2500 LT	A	A	6	"39,300"
2008 SUBURBAN				**60 000 km**
4p 1500 LS	2	A	5.3	"25,300"
4p 1500 LT	2	A	5.3	"26,300"
4p 1500 LT 6.0L	2	A	6	"27,600"
4p 2500 LS	2	A	6	"26,300"
4p 2500 LT	2	A	6	"27,200"
4p 1500 LS	A	A	5.3	"27,400"
4p 1500 LT	A	A	5.3	"28,300"
4p 1500 LT 6.0L	A	A	6	"29,100"
4p 1500 LTZ (cuir)	A	A	5.3	"33,500"
4p 1500 LTZ 6.0L (cuir)	A	A	6	"34,000"
4p 2500 LS	A	A	6	"27,900"
4p 2500 LT	A	A	6	"28,900"
2007 SUBURBAN				**80 000 km**
4p 1500 LS	2	A	5.3	"20,900"
4p 1500 LT	2	A	5.3	"21,500"
4p 1500 LT 6.0L	2	A	6	"22,100"
4p 2500 LS	2	A	6	"21,000"
4p 2500 LT	2	A	6	"21,700"
4p 1500 LS	A	A	5.3	"22,300"
4p 1500 LT	A	A	5.3	"23,000"
4p 1500 LT 6.0L	A	A	6	"23,600"
4p 1500 LTZ (cuir)	A	A	5.3	"26,800"
4p 1500 LTZ 6.0L (cuir)	A	A	6	"27,500"
4p 2500 LS	A	A	6	"22,500"
4p 2500 LT	A	A	6	"23,000"
2006 SUBURBAN				**100 000 km**
4p 1500 LS	2	A	5.3	"15,300"
4p 1500 LT (cuir)	2	A	5.3	"17,500"
4p 2500 LS	2	A	6	"16,000"
4p 2500 LS	2	A	8.1	"16,600"
4p 2500 LT (cuir)	2	A	6	"17,800"
4p 2500 LT (cuir)	2	A	8.1	"18,600"
4p 1500 LS	A	A	5.3	"16,600"
4p 1500 LT (cuir)	A	A	5.3	"18,800"
4p 1500 Off Road Z71 (cuir)	A	A	5.3	"18,400"
4p 1500 LTZ (cuir)	A	A	6	"19,600"
4p 2500 LS	A	A	6	"17,400"
4p 2500 LS	A	A	8.1	"18,000"
4p 2500 LT (cuir)	A	A	6	"19,200"
4p 2500 LT (cuir)	A	A	8.1	"19,800"
2010 TAHOE				**20 000 km**
4p LS	2	A	5.3	"42,400"
4p LT	2	A	5.3	"46,700"
4p LT Hybride	2	A	6	"59,000"
4p LS AWD	A	A	5.3	"46,200"
4p LT Hybride AWD	A	A	6	"61,600"
4p LT AWD	A	A	5.3	"50,500"
4p LTZ AWD (cuir)	A	A	5.3	"59,400"
2009 TAHOE				**40 000 km**
4p LS	2	A	5.3	"32,400"

Description	R.m.	Tr.	L	Prix
4p LT	2	A	5.3	"33,500"
4p LT Hybride	2	A	6	"45,900"
4p LS AWD	A	A	5.3	"35,100"
4p LT AWD	A	A	5.3	"36,300"
4p LT Hybride AWD	A	A	6	"48,000"
4p LTZ AWD (cuir)	A	A	5.3	"45,900"
2008 TAHOE				**60 000 km**
4p LS	2	A	5.3	"23,900"
4p LT	2	A	5.3	"24,700"
4p Hybride	2	A	6	"31,200"
4p LS AWD	A	A	5.3	"25,800"
4p LT AWD	A	A	5.3	"25,900"
4p Hybride AWD	A	A	6	"32,100"
4p LTZ AWD (cuir)	A	A	5.3	"30,600"
2007 TAHOE				**80 000 km**
4p LS	2	A	4.8	"21,100"
4p LS	2	A	5.3	"21,800"
4p LT	2	A	5.3	"22,400"
4p LS	A	A	5.3	"23,300"
4p LT	A	A	5.3	"22,900"
4p LTZ (cuir)	A	A	5.3	"27,200"
2006 TAHOE				**100 000 km**
4p LS	2	A	4.8	"16,600"
4p LS	2	A	5.3	"17,000"
4p LT (cuir)	2	A	5.3	"20,400"
4p LS	A	A	5.3	"18,600"
4p LT (cuir)	A	A	5.3	"20,800"
4p LT Off Road (cuir)	A	A	5.3	"20,400"
2009 TRAILBLAZER				**40 000 km**
4p LT1	4	A	4.2	"28,200"
4p LT3 (cuir)	4	A	4.2	"31,600"
4p SS (cuir)	A	A	6	"37,300"
2008 TRAILBLAZER				**60 000 km**
4p LT1	4	A	4.2	"21,800"
4p LT1 V8	4	A	5.3	"23,600"
4p LT3 (cuir)	4	A	4.2	"24,600"
4p LT3 V8 (cuir)	4	A	5.3	"26,200"
4p SS (cuir)	A	A	6	"27,500"
2007 TRAILBLAZER				**80 000 km**
4p LS	2	A	4.2	"15,300"
4p LT	2	A	4.2	"16,500"
4p SS (cuir)	2	A	6	"21,800"
4p LS	A	A	4.2	"18,200"
4p LT	A	A	4.2	"20,400"
4p SS (cuir)	A	A	6	"24,600"
2006 TRAILBLAZER				**100 000 km**
4p LS	2	A	4.2	"9,800"
4p LT	2	A	4.2	"10,700"
4p SS	2	A	6	"16,400"
4p LS	A	A	4.2	"14,200"
4p LT	A	A	4.2	"16,000"
4p SS	A	A	6	"19,800"
2006 TRAILBLAZER EXT				**100 000 km**
4p LS	2	A	4.2	"12,900"
4p LT	2	A	4.2	"13,900"
4p LS	A	A	4.2	"17,500"
4p LT	A	A	4.2	"18,400"
2010 TRAVERSE				**20 000 km**
4p LS	2	A	3.6	"30,700"
4p LT 1	2	A	3.6	"33,000"
4p LTZ	2	A	3.6	"40,900"
4p 4RM LS	A	A	3.6	"33,300"
4p 4RM LT 1	A	A	3.6	"35,600"
4p 4RM LTZ	A	A	3.6	"43,500"
2009 TRAVERSE				**40 000 km**
4p LS	2	A	3.6	"29,200"
4p LT 1	2	A	3.6	"31,300"
4p LTZ	2	A	3.6	"41,500"
4p 4RM LS	A	A	3.6	"31,600"
4p 4RM LT 1	A	A	3.6	"33,700"
4p 4RM LTZ	A	A	3.6	"44,000"
2009 UPLANDER				**40 000 km**
4p LS	2	A	3.9	"12,900"
4p LT 1	2	A	3.9	"14,100"
4p LT 2	2	A	3.9	"15,600"
4p allongé LS	2	A	3.9	"14,500"
4p allongé LT 1	2	A	3.9	"15,200"
4p allongé LT 2	2	A	3.9	"17,300"
2008 UPLANDER				**60 000 km**
4p LS	2	A	3.9	"10,900"
4p LT 1	2	A	3.9	"11,700"
4p LT 2	2	A	3.9	"12,000"
4p allongé LS	2	A	3.9	"11,700"
4p allongé LT 1	2	A	3.9	"12,200"

Description	R.m.	Tr.	L	Prix
4p allongé LT 2	2	A	3.9	"12,700"
2007 UPLANDER				**80 000 km**
4p LS	2	A	3.9	"10,200"
4p LT 1	2	A	3.9	"11,100"
4p LT 2	2	A	3.9	"11,500"
4p allongé LS	2	A	3.9	"11,400"
4p allongé LT 1	2	A	3.9	"11,800"
4p allongé LT 2	2	A	3.9	"11,900"
2006 UPLANDER				**100 000 km**
4p LS	2	A	3.5	"7,600"
4p LT 1	2	A	3.5	"8,100"
4p LT 2	2	A	3.5	"9,400"
4p allongé LS	2	A	3.5	"9,100"
4p allongé LT 1	2	A	3.5	"9,200"
4p allongé LT 2	2	A	3.5	"10,100"
4p allongé LT 2 (3.9L)	2	A	3.9	"10,300"
4p allongé LT 2 tr.intégrale	A	A	3.5	"10,600"

CHRYSLER

Description	R.m.	Tr.	L	Prix
2010 300				**20 000 km**
4p berline 300 Touring	2	A	3.5	"25,600"
4p berline 300 Limited (cuir)	2	A	3.5	"28,800"
4p berline 300C (cuir)	2	A	5.7	"36,400"
4p berline 300C Heritage (cuir)	2	A	5.7	"37,600"
4p berline 300C SRT8	2	A	6.1	"42,700"
4p berline 300 Touring AWD	A	A	3.5	"29,000"
4p berline 300 Limited (cuir) AWD	A	A	3.5	"32,100"
4p berline 300C (cuir) AWD	A	A	5.7	"39,200"
2009 300				**40 000 km**
4p berline 300 Touring	2	A	3.5	"19,100"
4p berline 300 Limited (cuir)	2	A	3.5	"21,200"
4p berline 300C (cuir)	2	A	5.7	"26,700"
4p berline 300C Heritage (cuir)	2	A	5.7	"27,600"
4p berline 300C SRT8	2	A	6.1	"36,400"
4p berline 300 Touring AWD	A	A	3.5	"21,700"
4p berline 300 Limited (cuir) AWD	A	A	3.5	"23,400"
4p berline 300C (cuir) AWD	A	A	5.7	"28,700"
2008 300				**60 000 km**
4p berline 300 Touring	2	A	3.5	"15,700"
4p berline 300 Limited (cuir)	2	A	3.5	"18,000"
4p berline 300C (cuir)	2	A	5.7	"20,100"
4p berline 300C Heritage (cuir)	2	A	5.7	"21,000"
4p berline 300C SRT8	2	A	6.1	"34,200"
4p berline 300 Touring AWD	A	A	3.5	"17,700"
4p berline 300 Limited (cuir) AWD	A	A	3.5	"19,400"
4p berline 300C (cuir) AWD	A	A	5.7	"21,600"
2007 300				**80 000 km**
4p berline 300	2	A	3.5	"15,000"
4p berline 300 Touring (cuir)	2	A	3.5	"16,000"
4p berline 300 Limited (cuir)	2	A	3.5	"17,800"
4p berline 300C (cuir)	2	A	5.7	"18,300"
4p berline 300C SRT8	2	A	6.1	"29,700"
4p berline 300 AWD	A	A	3.5	"17,100"
4p berline 300 Touring (cuir) AWD	A	A	3.5	"17,800"
4p berline 300 Limited (cuir) AWD	A	A	3.5	"18,400"
4p berline 300C (cuir) AWD	A	A	5.7	"18,600"
2006 300				**100 000 km**
4p berline 300	2	A	3.5	"12,400"
4p berline 300 Touring (cuir)	2	A	3.5	"13,400"
4p berline 300 Limited (cuir)	2	A	3.5	"14,400"
4p berline 300C (cuir)	2	A	5.7	"15,000"
4p berline 300C SRT8	2	A	6.1	"24,100"
4p berline 300 AWD	A	A	3.5	"14,500"
4p berline 300 Touring (cuir) AWD	A	A	3.5	"14,900"
4p berline 300 Limited (cuir) AWD	A	A	3.5	"14,800"
4p berline 300C (cuir) AWD	A	A	5.7	"16,000"
2009 ASPEN				**40 000 km**
4p Limited	A	A	5.7	"34,600"
4p Limited Hybride HEV	A	A	5.7	"36,100"
2008 ASPEN				**60 000 km**
4p Limited	A	A	5.7	"32,400"
2007 ASPEN				**80 000 km**
4p Limited	A	A	5.7	"28,200"
2008 CROSSFIRE				**60 000 km**
2p coupé Limited (cuir)	2	M	3.2	"24,000"
2p décapotable Limited (cuir)	2	M	3.2	"26,600"
2007 CROSSFIRE				**80 000 km**
2p coupé base	2	M	3.2	"17,300"
2p coupé Limited (cuir)	2	M	3.2	"21,200"
2p décapotable Limited (cuir)	2	M	3.2	"22,100"
2006 CROSSFIRE				**100 000 km**
2p coupé base	2	M	3.2	"14,100"
2p coupé Limited (cuir)	2	M	3.2	"17,800"
2p coupé SRT6 (cuir)	2	A	3.2	"19,800"

Description	R.m.	Tr.	L	Prix
2p décapotable Limited (cuir)	2	M	3.2	"18,900"
2p décapotable SRT6 (cuir)	2	A	3.2	"21,000"
2008 PACIFICA				**60 000 km**
4p base	2	A	3.8	"16,300"
4p Touring	2	A	4	"17,500"
4p Touring (cuir)	A	A	4	"18,000"
4p Limited (cuir / toit)	A	A	4	"18,600"
2007 PACIFICA				**80 000 km**
4p base	2	A	3.8	"13,500"
4p Touring	2	A	4	"13,900"
4p Touring (cuir)	A	A	4	"14,600"
4p Limited (cuir / toit)	A	A	4	"15,000"
2006 PACIFICA				**100 000 km**
4p base	2	A	3.5	"12,700"
4p Touring	2	A	3.5	"13,700"
4p Touring (cuir)	A	A	3.5	"13,900"
4p Limited (cuir)	A	A	3.5	"14,000"
2010 PT CRUISER				**20 000 km**
4p LX	2	M	2.4	"14,400"
2009 PT CRUISER				**40 000 km**
4p LX	2	M	2.4	"10,700"
2008 PT CRUISER				**60 000 km**
4p LX	2	M	2.4	"8,400"
4p Touring	2	M	2.4	"10,600"
4p Touring Turbo	2	A	2.4	"11,600"
2p décapotable Touring	2	M	2.4	"12,500"
2p décapotable Touring Turbo	2	A	2.4	"14,200"
2007 PT CRUISER				**80 000 km**
4p base	2	M	2.4	"7,000"
4p Classic	2	M	2.4	"7,500"
4p Touring	2	M	2.4	"8,700"
4p Touring turbo	2	A	2.4	"9,900"
4p GT turbo (cuir)	2	M	2.4	"11,000"
2p décapotable Touring	2	M	2.4	"10,700"
2p décapotable Touring turbo	2	A	2.4	"11,200"
2p décapotable GT turbo (cuir)	2	M	2.4	"12,100"
2006 PT CRUISER				**100 000 km**
4p base	2	M	2.4	"5,600"
4p Classic	2	M	2.4	"6,300"
4p Classic turbo	2	A	2.4	"7,500"
4p Touring	2	M	2.4	"8,300"
4p Touring turbo	2	A	2.4	"8,900"
4p GT turbo (cuir)	2	M	2.4	"9,800"
2p décapotable Touring	2	M	2.4	"8,400"
2p décapotable Touring turbo	2	A	2.4	"9,200"
2p décapotable GT turbo (cuir)	2	M	2.4	"9,900"
2010 SEBRING				**20 000 km**
4p berline LX	2	A	2.4	"18,700"
4p berline Touring	2	A	2.7	"21,000"
4p berline Limited 3.5L (cuir)	2	A	3.5	"22,000"
2p décapotable LX	2	A	2.4	"23,900"
2p décapotable Touring	2	A	2.7	"27,600"
2p décapotable Limited (cuir)	2	A	3.5	"31,100"
2009 SEBRING				**40 000 km**
4p berline LX	2	A	2.4	"13,100"
4p berline Touring	2	A	2.7	"15,100"
4p berline Limited (cuir)	2	A	2.7	"15,900"
4p berline Limited 3.5L (cuir)	2	A	3.5	"16,700"
2p décapotable LX	2	A	2.4	"17,200"
2p décapotable Touring	2	A	2.7	"19,700"
2p décapotable Limited (cuir)	2	A	3.5	"21,000"
2008 SEBRING				**60 000 km**
4p berline LX	2	A	2.4	"10,400"
4p berline Touring	2	A	2.7	"11,700"
4p berline Touring 3.5L	2	A	3.5	"12,300"
4p berline Limited (cuir)	2	A	2.7	"12,500"
4p berline Limited 3.5L (cuir)	2	A	3.5	"12,500"
4p berline Limited 3.5L AWD (cuir)	A	A	3.5	"13,500"
2p décapotable LX	2	A	2.4	"13,800"
2p décapotable Touring	2	A	2.7	"15,600"
2p décapotable Limited (cuir)	2	A	3.5	"17,000"
2007 SEBRING				**80 000 km**
4p berline berline	2	A	2.4	"9,300"
4p berline Touring	2	A	2.7	"9,900"
4p berline Touring 3.5L	2	A	3.5	"10,400"
4p berline Limited (cuir)	2	A	3.5	"10,900"
2006 SEBRING				**100 000 km**
4p berline berline	2	A	2.4	"7,300"
4p berline Touring	2	A	2.7	"8,000"
2p décapotable base	2	A	2.7	"10,100"
2p décapotable Touring (cuir)	2	A	2.7	"10,300"
2p décapotable Limited (cuir)	2	A	2.7	"11,700"

Description	R.m.	Tr.	L	Prix
2010 TOWN & COUNTRY				**20 000 km**
4p Touring	2	A	4	"29,400"
4p Touring Luxury (cuir)	2	A	4	"32,000"
4p Limited (cuir)	2	A	4	"34,100"
2009 TOWN & COUNTRY				**40 000 km**
4p Touring	2	A	4	"20,900"
4p Touring Luxury (cuir)	2	A	4	"22,700"
4p Limited (cuir)	2	A	4	"24,200"
2008 TOWN & COUNTRY				**60 000 km**
4p Touring	2	A	3.8	"17,500"
4p Touring Luxury (cuir)	2	A	3.8	"18,000"
4p Limited (cuir)	2	A	4	"20,000"
2007 TOWN & COUNTRY				**80 000 km**
4p Touring	2	A	3.8	"15,900"
4p Limited	2	A	3.8	"16,300"
2006 TOWN & COUNTRY				**100 000 km**
4p Touring	2	A	3.8	"13,600"
4p Limited	2	A	3.8	"14,700"

DODGE

Description	R.m.	Tr.	L	Prix
2010 AVENGER				**20 000 km**
4p berline SE	2	A	2.4	"17,500"
4p berline SXT	2	A	2.4	"18,900"
4p berline R/T (cuir)	2	A	3.5	"20,800"
2009 AVENGER				**40 000 km**
4p berline SE	2	A	2.4	"12,300"
4p berline SXT	2	A	2.4	"13,700"
4p berline SXT V6	2	A	2.7	"14,600"
4p berline R/T (cuir)	2	A	3.5	"16,800"
2008 AVENGER				**60 000 km**
4p berline SE	2	A	2.4	"10,300"
4p berline SXT	2	A	2.4	"11,300"
4p berline SXT V6	2	A	2.7	"11,400"
4p berline R/T (cuir)	2	A	3.5	"12,200"
4p berline R/T AWD (cuir)	A	A	3.5	"12,800"
2010 CALIBER				**20 000 km**
4p hayon Valeur Plus	2	M	2	"11,800"
4p hayon Valeur Plus (CVT)	2	A	2	"12,800"
4p hayon SE Plus	2	M	2	"13,600"
4p hayon SE Plus (CVT)	2	A	2	"14,700"
4p hayon SXT	2	M	2	"15,600"
4p hayon SXT (CVT)	2	A	2	"16,500"
4p hayon SXT Sport Plus	2	M	2	"16,900"
4p hayon SXT Sport Plus (CVT)	2	A	2	"18,000"
2009 CALIBER				**40 000 km**
4p hayon SE	2	M	1.8	"10,300"
4p hayon SE (CVT)	2	A	2	"11,100"
4p hayon SXT	2	M	1.8	"11,700"
4p hayon SXT (CVT)	2	A	2	"12,500"
4p hayon SXT Sport Plus	2	M	1.8	"12,700"
4p hayon SXT Sport Plus (CVT)	2	A	2	"13,600"
4p hayon SRT4	2	M	2.4	"17,900"
2008 CALIBER				**60 000 km**
4p hayon SE	2	M	1.8	"8,500"
4p hayon SE (CVT)	2	A	2	"9,100"
4p hayon SXT	2	M	1.8	"9,600"
4p hayon SXT (CVT)	2	A	2	"10,300"
4p hayon SXT Sport	2	M	1.8	"10,100"
4p hayon SXT Sport (CVT)	2	A	2	"10,800"
4p hayon R/T	2	M	2.4	"11,500"
4p hayon R/T (CVT)	2	A	2.4	"12,200"
4p hayon R/T AWD (CVT)	A	A	2.4	"13,000"
4p hayon SRT4	2	M	2.4	"16,400"
2007 CALIBER				**80 000 km**
4p hayon SE	2	M	1.8	"6,800"
4p hayon SE (CVT)	2	A	2	"7,100"
4p hayon SXT	2	M	1.8	"7,200"
4p hayon SXT (CVT)	2	A	2	"7,900"
4p hayon SXT Sport	2	M	1.8	"7,600"
4p hayon R/T	2	M	2.4	"8,200"
4p hayon R/T (CVT)	2	A	2.4	"9,300"
4p hayon R/T AWD (CVT)	A	A	2.4	"10,300"
2007 CARAVAN				**80 000 km**
4p Ensemble Valeur Plus	2	A	3.3	"5,900"
4p base	2	A	3.3	"8,900"
4p SXT	2	A	3.3	"8,900"
2006 CARAVAN				**100 000 km**
4p Ensemble Valeur Plus	2	A	3.3	"5,000"
4p base	2	A	3.3	"7,800"
4p SE	2	A	3.3	"7,900"
4p SXT	2	A	3.3	"8,000"
2010 GRAND CARAVAN				**20 000 km**
4p SE Valeur Plus	2	A	3.3	"23,200"
4p SE Stow N Go	2	A	3.3	"25,200"

Description	R.m.	Tr.	L	Prix
4p SXT	2	A	3.3	"27,600"
4p SXT 4.0L	2	A	4	"29,000"
2009 GRAND CARAVAN				**40 000 km**
4p Valeur Plus	2	A	3.3	"16,400"
4p SE Stow N Go	2	A	3.3	"17,700"
4p SXT	2	A	3.3	"19,200"
4p SXT 4.0L	2	A	4	"19,900"
2008 GRAND CARAVAN				**60 000 km**
4p Valeur Plus	2	A	3.3	"15,400"
4p SE Stow N Go	2	A	3.3	"16,100"
4p SXT	2	A	3.3	"16,300"
4p SXT 3.8L (25H)	2	A	3.8	"16,600"
2007 GRAND CARAVAN				**80 000 km**
4p base	2	A	3.3	"12,600"
4p SXT	2	A	3.8	"12,800"
4p SXT Premium (cuir)	2	A	3.8	"12,900"
2006 GRAND CARAVAN				**100 000 km**
4p base	2	A	3.3	"9,900"
4p SE	2	A	3.3	"10,000"
4p SE gr. équip.populaire	2	A	3.3	"10,500"
4p SXT	2	A	3.8	"10,700"
4p SXT Premium (cuir)	2	A	3.8	"10,800"
2010 CHALLENGER				**20 000 km**
2p coupé SE	2	A	3.5	"22,900"
2p coupé SXT	2	A	3.5	"24,400"
2p coupé R/T	2	A	5.7	"32,900"
2p coupé R/T Classic	2	A	5.7	"34,700"
2p coupé SRT8	2	A	6.1	"43,100"
2009 CHALLENGER				**40 000 km**
2p coupé SE	2	A	3.5	"20,800"
2p coupé SXT	2	A	3.5	"22,600"
2p coupé R/T	2	A	5.7	"30,900"
2p coupé SRT8	2	A	6.1	"40,100"
2008 CHALLENGER				**60 000 km**
2p coupé SRT8 500	2	A	6.1	"36,100"
2010 CHARGER				**20 000 km**
4p berline SE	2	A	2.7	"26,400"
4p berline SXT	2	A	3.5	"28,000"
4p berline R/T (cuir)	2	A	5.7	"35,700"
4p berline SRT8	2	A	6.1	"41,800"
4p berline SXT AWD	A	A	3.5	"31,600"
4p berline R/T (cuir) AWD	A	A	5.7	"37,600"
2009 CHARGER				**40 000 km**
4p berline SE	2	A	2.7	"15,200"
4p berline SXT	2	A	3.5	"17,200"
4p berline R/T (cuir)	2	A	5.7	"23,400"
4p berline R/T Daytona	2	A	5.7	"25,700"
4p berline SRT8	2	A	6.1	"20,700"
4p berline SXT AWD	A	A	3.5	"24,700"
4p berline R/T (cuir) AWD	A	A	5.7	
2008 CHARGER				**60 000 km**
4p berline SE	2	A	2.7	"11,200"
4p berline SXT	2	A	3.5	"12,300"
4p berline R/T (cuir)	2	A	5.7	"18,500"
4p berline R/T Daytona	2	A	5.7	"20,300"
4p berline SRT8	2	A	6.1	"30,000"
4p berline SXT AWD	A	A	3.5	"15,600"
4p berline R/T (cuir) AWD	A	A	5.7	"19,500"
2007 CHARGER				**80 000 km**
4p berline SE	2	A	2.7	"9,700"
4p berline SXT	2	A	3.5	"10,500"
4p berline R/T (cuir)	2	A	5.7	"17,800"
4p berline R/T Daytona	2	A	5.7	"17,900"
4p berline SRT8	2	A	6.1	"28,900"
4p berline SE AWD	A	A	3.5	"14,600"
4p berline SXT AWD	A	A	3.5	"15,700"
4p berline R/T (cuir) AWD	A	A	5.7	"18,000"
2006 CHARGER				**100 000 km**
4p berline SE	2	A	2.7	"8,600"
4p berline SXT	2	A	3.5	"9,600"
4p berline R/T	2	A	5.7	"14,900"
4p berline R/T Daytona	2	A	5.7	"16,400"
4p berline SRT8	2	A	6.1	"25,500"
2010 DAKOTA				**20 000 km**
cab.all. ST	2	A	3.7	"23,900"
cab.all.. SXT	2	A	3.7	"24,900"
crew cab. SXT	2	A	3.7	"27,100"
crew cab. SLT	2	A	3.7	"29,300"
crew cab. SLT	2	A	4.7	"30,200"
cab.all. ST	4	A	3.7	"27,000"
cab.all.. SXT	4	A	3.7	"28,000"
crew cab. SXT	4	A	3.7	"30,300"
crew cab. SLT	4	A	3.7	"32,500"
crew cab. SLT	4	A	4.7	"33,400"

Description	R.m.	Tr.	L	Prix
2009 DAKOTA				**40 000 km**
club cab. ST	2	M	3.7	"16,000"
club cab. SXT	2	M	3.7	"17,600"
Quad cab. SLT	2	M	3.7	"20,900"
Quad cab. SLT	2	A	4.7	"21,500"
Quad cab SXT	2	M	3.7	"19,300"
club cab. ST	4	M	3.7	"18,100"
club cab. SXT	4	M	3.7	"19,900"
club cab. SLT	4	M	3.7	"23,100"
Quad cab. SXT	4	M	3.7	"21,500"
Quad cab. SLT	4	A	3.7	"23,100"
Quad cab. SLT	4	A	4.7	"23,700"
2008 DAKOTA				**60 000 km**
club cab. ST	2	M	3.7	"13,400"
club cab. SXT	2	M	3.7	"14,100"
club cab. SLT	2	M	3.7	"15,400"
club cab. SLT	2	A	4.7	"16,500"
Quad cab. ST	2	M	3.7	"14,600"
Quad cab. SXT	2	M	3.7	"15,400"
Quad cab. SLT	2	A	3.7	"17,300"
Quad cab. SLT	2	A	4.7	"17,900"
club cab. ST	4	M	3.7	"15,300"
club cab. SXT	4	M	3.7	"16,100"
club cab. SLT	4	M	3.7	"17,400"
club cab. SLT	4	A	4.7	"18,600"
Quad cab. ST	4	M	3.7	"16,600"
Quad cab. SXT	4	M	3.7	"17,500"
Quad cab. SLT	4	A	3.7	"19,300"
Quad cab. SLT	4	A	4.7	"19,800"
2007 DAKOTA				**80 000 km**
club cab. ST	2	M	3.7	"9,900"
club cab. SLT	2	M	3.7	"10,800"
Quad cab. ST	2	A	3.7	"11,100"
Quad cab. SLT	2	M	3.7	"11,900"
club cab. ST	4	M	3.7	"11,300"
club cab. SLT	4	M	3.7	"12,800"
Quad cab. ST	4	M	3.7	"12,600"
Quad cab. SLT	4	M	3.7	"14,000"
2006 DAKOTA				**100 000 km**
club cab. ST	2	M	3.7	"8,900"
club cab. ST plus	2	M	3.7	"9,400"
club cab. SLT	2	M	3.7	"10,000"
club cab. SLT plus	2	M	3.7	"10,800"
Quad cab. ST	2	M	3.7	"10,100"
Quad cab. ST plus	2	M	3.7	"10,600"
Quad cab. SLT	2	M	3.7	"11,100"
Quad cab. SLT plus	2	M	3.7	"11,900"
club cab. ST	4	M	3.7	"10,800"
club cab. ST plus	4	M	3.7	"10,900"
club cab. SLT	4	M	3.7	"11,800"
club cab. SLT plus	4	M	3.7	"12,500"
Quad cab. ST	4	M	3.7	"11,900"
Quad cab. ST plus	4	M	3.7	"12,100"
Quad cab. SLT	4	M	3.7	"12,800"
Quad cab. SLT plus	4	M	3.7	"13,500"
2009 DURANGO				**40 000 km**
4p SLT	4	A	4.7	"25,200"
4p SLT	4	A	5.7	"25,900"
4p SLT Ens. Technologie II	4	A	4.7	"26,800"
4p SLT Ens. Technologie II	4	A	5.7	"27,300"
4p SLT Plus (cuir)	4	A	4.7	"26,100"
4p SLT Plus (cuir)	4	A	5.7	"27,000"
4p SLT Plus (cuir) Techn. II	4	A	4.7	"27,500"
4p SLT Plus (cuir) Techn. II	4	A	5.7	"28,400"
2008 DURANGO				**60 000 km**
4p SLT	4	A	4.7	"22,300"
4p SLT	4	A	5.7	"22,800"
4p SLT Ens. Technologie II	4	A	4.7	"23,800"
4p SLT Ens. Technologie II	4	A	5.7	"23,900"
4p SLT Plus (cuir)	4	A	4.7	"23,300"
4p SLT Plus (cuir)	4	A	5.7	"23,900"
4p SLT Plus (cuir) Techn. II	4	A	4.7	"24,300"
4p SLT Plus (cuir) Techn. II	4	A	5.7	"24,600"
2007 DURANGO				**80 000 km**
4p SLT	4	A	4.7	"18,500"
4p SLT	4	A	5.7	"19,000"
4p Adventurer	4	A	4.7	"18,900"
4p Adventurer	4	A	5.7	"19,700"
4p SLT Plus (cuir)	4	A	4.7	"19,500"
4p SLT Plus (cuir)	4	A	5.7	"19,800"
4p Limited (cuir)	4	A	5.7	"20,300"
2006 DURANGO				**100 000 km**
4p SLT	4	A	4.7	"16,200"
4p SLT	4	A	5.7	"16,400"
4p Adventurer	4	A	4.7	"17,100"
4p SLT Plus (cuir)	4	A	4.7	"17,100"
4p Limited	4	A	5.7	"18,300"

Description	R.m.	Tr.	L	Prix
2010 JOURNEY				**20 000 km**
4p SE	2	A	2.4	"17,600"
4p SE Plus	2	A	2.4	"19,400"
4p SXT	2	A	3.5	"22,700"
4p R/T 4RM (cuir)	A	A	3.5	"26,300"
2009 JOURNEY				**40 000 km**
4p SE	2	A	2.4	"13,000"
4p SXT	2	A	2.4	"15,700"
4p R/T (cuir)	2	A	3.5	"17,500"
4p SXT 4RM	A	A	3.5	"17,200"
4p R/T 4RM (cuir)	A	A	3.5	"18,800"
2008 MAGNUM				**60 000 km**
4p familiale SE	2	A	2.7	"11,500"
4p familiale SXT	2	A	3.5	"12,600"
4p familiale R/T (cuir)	2	A	5.7	"19,200"
4p familiale SRT8	2	A	6.1	"30,000"
4p familiale SXT AWD	A	A	3.5	"18,700"
4p familiale R/T (cuir) AWD	A	A	5.7	"20,500"
2007 MAGNUM				**80 000 km**
4p familiale SE	2	A	2.7	"9,800"
4p familiale SXT	2	A	3.5	"10,600"
4p familiale R/T (cuir)	2	A	5.7	"16,500"
4p familiale SRT8	2	A	6.1	"28,100"
4p familiale SXT	A	A	3.5	"15,200"
4p familiale R/T (cuir)	A	A	5.7	"17,800"
2006 MAGNUM				**100 000 km**
4p familiale SE	2	A	2.7	"8,800"
4p familiale SXT	2	A	3.5	"9,500"
4p familiale R/T (cuir)	2	A	5.7	"13,700"
4p familiale SRT8	2	A	6.1	"27,100"
4p familiale SXT	A	A	3.5	"13,700"
4p familiale R/T (cuir)	A	A	5.7	"14,800"
2010 NITRO				**20 000 km**
4p SXT	4	A	3.7	"25,800"
4p SXT 4.0L	4	A	4	"28,000"
2009 NITRO				**40 000 km**
4p SE	2	A	3.7	"16,100"
4p SXT	2	A	3.7	"18,300"
4p SE	4	A	3.7	"18,100"
4p SXT	4	A	3.7	"19,100"
4p SLT	4	A	3.7	"19,600"
4p R/T	A	A	4	"20,400"
2008 NITRO				**60 000 km**
4p SE	2	M	3.7	"13,100"
4p SXT	2	M	3.7	"14,000"
4p SE	4	M	3.7	"14,700"
4p SXT	4	M	3.7	"15,600"
4p SLT	4	A	3.7	"17,000"
4p R/T	A	A	4	"17,400"
2007 NITRO				**80 000 km**
4p SE	2	M	3.7	"10,500"
4p SXT	2	M	3.7	"11,300"
4p SE	4	M	3.7	"12,000"
4p SXT	4	M	3.7	"12,600"
4p SLT	4	A	3.7	"13,700"
4p R/T	A	A	4	"14,300"
2010 RAM 1500				**20 000 km**
cab. rég. ST	2	A	3.7	"22,000"
cab. rég. ST	2	A	4.7	"22,800"
cab. rég. SLT	2	A	4.7	"24,400"
cab. rég. Sport	2	A	5.7	"31,100"
quad cab. ST	2	A	3.7	"25,600"
quad cab. ST	2	A	4.7	"26,300"
quad cab. SLT	2	A	4.7	"28,000"
quad cab. Sport	2	A	5.7	"31,800"
quad cab. Laramie (cuir)	2	A	5.7	"34,600"
crew cab. ST	2	A	4.7	"27,500"
crew cab. Laramie (cuir)	2	A	5.7	"35,900"
cab. rég. ST	4	A	4.7	"25,600"
cab. rég. SLT	4	A	4.7	"27,300"
cab. rég. Sport	4	A	5.7	"31,100"
quad cab. ST	4	A	4.7	"29,200"
quad cab. SLT	4	A	4.7	"30,800"
quad cab. Sport	4	A	5.7	"34,700"
quad cab. Laramie (cuir)	4	A	5.7	"37,500"
crew cab. ST	4	A	4.7	"35,900"
crew cab. Laramie (cuir)	4	A	5.7	"38,800"
2009 RAM 1500				**40 000 km**
cab. rég. ST	2	A	3.7	"17,000"
cab. rég. ST	2	A	4.7	"17,600"
cab. rég. SLT	2	A	4.7	"18,500"
cab. rég. Sport	2	A	5.7	"21,400"
quad cab. ST	2	A	3.7	"19,700"
quad cab. ST	2	A	4.7	"20,300"
quad cab. SLT	2	A	4.7	"21,200"
quad cab. Sport	2	A	5.7	"24,300"
quad cab. Laramie (cuir)	2	A	5.7	"26,500"

Description	R.m.	Tr.	L	Prix
crew cab. ST	2	A	4.7	"21,500"
crew cab. Laramie (cuir)	2	A	5.7	"27,900"
cab. rég. ST	4	A	4.7	"19,800"
cab. rég. SLT	4	A	4.7	"20,800"
cab. rég. Sport	4	A	5.7	"23,800"
quad cab. ST	4	A	4.7	"22,600"
quad cab. SLT	4	A	4.7	"23,600"
quad cab. Sport	4	A	5.7	"26,600"
quad cab. Laramie (cuir)	4	A	5.7	"28,700"
crew cab. ST	4	A	4.7	"23,900"
crew cab. Laramie (cuir)	4	A	5.7	"30,200"

2008 RAM 1500 — 60 000 km

Description	R.m.	Tr.	L	Prix
cab. rég. ST	2	M	3.7	"12,600"
cab. rég. ST	2	M	4.7	"13,700"
cab. rég. SLT	2	M	4.7	"14,400"
cab. rég. Sport	2	A	5.7	"16,300"
quad cab. ST	2	M	3.7	"14,300"
quad cab. ST	2	M	4.7	"14,600"
quad cab. SLT	2	M	4.7	"16,600"
quad cab. Sport	2	A	5.7	"18,500"
quad cab. Laramie (cuir)	2	A	5.7	"20,500"
mega cab. SLT	2	A	5.7	"16,100"
mega cab. Laramie (cuir)	2	A	5.7	"20,500"
cab. rég. ST	4	M	4.7	"14,700"
cab. rég. SLT	4	M	4.7	"16,100"
cab. rég. Sport	4	A	5.7	"18,000"
quad cab. ST	4	M	4.7	"16,400"
quad cab. SLT	4	M	4.7	"18,200"
quad cab. Sport	4	A	5.7	"20,200"
quad cab. Laramie (cuir)	4	A	5.7	"22,200"
mega cab. SLT	4	A	5.7	

2007 RAM 1500 — 80 000 km

Description	R.m.	Tr.	L	Prix
cab. rég. ST	2	M	3.7	"10,300"
cab. rég. ST	2	M	4.7	"10,700"
cab. rég. SLT	2	M	4.7	"11,600"
cab. rég. Sport	2	A	5.7	"13,600"
quad cab. ST	2	M	3.7	"11,800"
quad cab. ST	2	M	4.7	"12,100"
quad cab. SLT	2	M	4.7	"13,400"
quad cab. Sport	2	A	5.7	"15,400"
quad cab. Laramie (cuir)	2	A	5.7	"16,100"
mega cab. SLT	2	A	5.7	"14,700"
mega cab. Laramie (cuir)	2	A	5.7	"16,800"
cab. rég. ST	4	M	4.7	"12,200"
cab. rég. SLT	4	M	4.7	"13,200"
quad cab. ST	4	M	4.7	"13,600"
quad cab. SLT	4	M	4.7	"14,700"
quad cab. Sport	4	A	5.7	"17,000"
quad cab. Laramie (cuir)	4	A	5.7	"17,700"
mega cab. SLT	4	A	5.7	"16,300"
mega cab. Laramie (cuir)	4	A	5.7	"18,500"

2006 RAM 1500 — 100 000 km

Description	R.m.	Tr.	L	Prix
cab. rég. ST	2	M	3.7	"9,200"
cab. rég. ST	2	M	4.7	"9,600"
cab. rég. SLT	2	M	4.7	"10,700"
cab. rég. Laramie (cuir)	2	A	4.7	"13,200"
cab. rég. SRT-10 (cuir)	2	M	8.3	"25,600"
quad cab. ST	2	M	3.7	"10,900"
quad cab. ST	2	M	4.7	"11,200"
quad cab. SLT	2	M	4.7	"12,600"
quad cab. Laramie (cuir)	2	A	4.7	"14,700"
quad cab. SRT-10 (cuir)	2	A	8.3	"28,400"
mega cab. SLT	2	A	5.7	"13,800"
mega cab. Laramie (cuir)	2	A	5.7	"16,100"
cab. rég. ST	4	M	4.7	"11,300"
cab. rég. SLT	4	M	4.7	"12,500"
cab. rég. Laramie (cuir)	4	A	4.7	"14,800"
quad cab. ST	4	M	4.7	"12,800"
quad cab. SLT	4	M	4.7	"14,200"
quad cab. Laramie (cuir)	4	A	4.7	"16,600"
mega cab. SLT	4	A	5.7	"15,500"
mega cab. Laramie (cuir)	4	A	5.7	"17,900"

2010 RAM 2500 — 20 000 km

Description	R.m.	Tr.	L	Prix
cab. rég. ST	2	A	5.7	"28,200"
cab. rég. SLT	2	A	5.7	"29,900"
crew cab. ST	2	A	5.7	"33,300"
crew cab. SLT	2	A	5.7	"35,000"
crew cab. Laramie (cuir)	2	A	5.7	"40,400"
mega cab. SLT	2	A	5.7	"36,500"
mega cab. Laramie (cuir)	2	A	5.7	"49,500"
cab. rég. ST	4	A	5.7	"32,900"
cab. rég. SLT	4	A	5.7	"34,500"
crew cab. ST	4	A	5.7	"36,200"
crew cab. SLT	4	A	5.7	"37,800"
crew cab. Power Wagon	4	A	5.7	"42,000"
crew cab. Laramie (cuir)	4	A	5.7	"50,900"
mega cab. SLT	4	A	5.7	"39,300"
mega cab. Laramie (cuir)	4	A	5.7	"44,700"

2009 RAM 2500 — 40 000 km

Description	R.m.	Tr.	L	Prix
cab. rég. ST	2	M	5.7	"21,600"
cab. rég. SLT	2	M	5.7	"23,400"
quad cab. ST	2	M	5.7	"23,900"
quad cab. SLT	2	M	5.7	"26,100"
quad cab. Laramie (cuir)	2	A	5.7	"30,300"
mega cab. SLT	2	A	5.7	"27,100"
mega cab. Laramie (cuir)	2	A	5.7	"30,700"
cab. rég. ST	4	M	5.7	"23,900"
cab. rég. SLT	4	M	5.7	"26,700"
quad cab. ST	4	M	5.7	"26,000"
quad cab. SLT	4	M	5.7	"29,100"
quad cab. Power Wagon	4	M	5.7	"31,400"
quad cab. Laramie (cuir)	4	A	5.7	"32,500"
mega cab. SLT	4	A	5.7	"29,500"
mega cab. Laramie (cuir)	4	A	5.7	"33,100"

2008 RAM 2500 — 60 000 km

Description	R.m.	Tr.	L	Prix
cab. rég. ST	2	M	5.7	"16,700"
cab. rég. SLT	2	M	5.7	"18,000"
quad cab. ST	2	M	5.7	"18,300"
quad cab. SLT	2	M	5.7	"19,800"
quad cab. Laramie (cuir)	2	A	5.7	"22,800"
mega cab. SLT	2	A	5.7	"21,000"
mega cab. Laramie (cuir)	2	A	5.7	"23,300"
cab. rég. ST	4	M	5.7	"18,200"
cab. rég. SLT	4	M	5.7	"19,600"
quad cab. ST	4	M	5.7	"19,900"
quad cab. SLT	4	M	5.7	"21,400"
quad cab. Power Wagon	4	M	5.7	"23,800"
quad cab. Laramie (cuir)	4	A	5.7	"24,500"
mega cab. SLT	4	A	5.7	"22,700"
mega cab. Laramie (cuir)	4	A	5.7	"24,900"

2007 RAM 2500 — 80 000 km

Description	R.m.	Tr.	L	Prix
cab. rég. ST	2	M	5.7	"14,900"
cab. rég. SLT	2	M	5.7	"16,000"
quad cab. ST	2	M	5.7	"16,400"
quad cab. SLT	2	M	5.7	"17,600"
quad cab. Laramie (cuir)	2	A	5.7	"19,300"
mega cab. SLT	2	A	5.7	"18,500"
mega cab. Laramie (cuir)	2	A	5.7	"20,300"
cab. rég. ST	4	M	5.7	"16,400"
cab. rég. SLT	4	M	5.7	"17,600"
quad cab. ST	4	M	5.7	"17,800"
quad cab. SLT	4	M	5.7	"19,000"
quad cab. Laramie (cuir)	4	A	5.7	"20,800"
mega cab. SLT	4	A	5.7	"20,000"
mega cab. Laramie (cuir)	4	A	5.7	"21,900"

2006 RAM 2500 — 100 000 km

Description	R.m.	Tr.	L	Prix
cab. rég. ST	2	M	5.7	"13,000"
cab. rég. SLT	2	M	5.7	"14,200"
cab. rég. Laramie (cuir)	2	A	5.7	"15,600"
quad cab. ST	2	M	5.7	"14,500"
quad cab. SLT	2	M	5.7	"15,600"
quad cab. Laramie (cuir)	2	M	5.7	"17,000"
mega cab. SLT	2	A	5.7	"15,600"
mega cab. Laramie (cuir)	2	A	5.7	"18,700"
cab. rég. ST	4	M	5.7	"14,500"
cab. rég. SLT	4	M	5.7	"17,300"
cab. rég. Laramie (cuir)	4	M	5.7	"17,200"
quad cab. ST	4	M	5.7	"16,100"
quad cab. SLT	4	M	5.7	"17,300"
quad cab. Laramie (cuir)	4	M	5.7	"18,500"
mega cab. SLT	4	A	5.7	"18,400"
mega cab. Laramie (cuir)	4	A	5.7	"20,500"

2010 RAM 3500 — 20 000 km

Description	R.m.	Tr.	L	Prix
cab. rég. ST TDiesel	2	M	6.7	"38,600"
cab. rég. SLT TDiesel	2	M	6.7	"40,300"
crew cab. ST TDiesel	2	M	6.7	"41,100"
crew cab. SLT TDiesel	2	M	6.7	"42,800"
crew cab. Laramie (cuir) TDiesel	2	M	6.7	"48,200"
mega cab. SLT TDiesel	2	M	6.7	"45,100"
mega cab. Laramie (cuir) TDiesel	2	M	6.7	"50,500"
cab. rég. ST TDiesel	4	M	6.7	"41,500"
cab. rég. SLT TDiesel	4	M	6.7	"43,200"
crew cab. ST TDiesel	4	M	6.7	"44,000"
crew cab. SLT TDiesel	4	M	6.7	"45,600"
crew cab. Laramie (cuir) TDiesel	4	M	6.7	"51,000"
mega cab. SLT TDiesel	4	M	6.7	"48,000"
mega cab. Laramie (cuir) TDiesel	4	M	6.7	"53,400"

2009 RAM 3500 — 40 000 km

Description	R.m.	Tr.	L	Prix
cab. rég. ST TDiesel	2	M	6.7	"28,900"
cab. rég. SLT TDiesel	2	M	6.7	"30,400"
quad cab. ST TDiesel	2	M	6.7	"31,000"
quad cab. SLT TDiesel	2	M	6.7	"32,900"
quad cab. Laramie (cuir) TDiesel	2	M	6.7	"35,900"
mega cab. SLT TDiesel	2	M	6.7	"34,000"
mega cab. Laramie (cuir) TDiesel	2	M	6.7	"37,300"
cab. rég. ST TDiesel	4	M	6.7	"31,400"
cab. rég. SLT TDiesel	4	M	6.7	"33,000"
quad cab. ST TDiesel	4	M	6.7	"33,700"
quad cab. SLT TDiesel	4	M	6.7	"35,700"
quad cab. Laramie (cuir) TDiesel	4	M	6.7	"38,500"
mega cab. SLT TDiesel	4	M	6.7	"36,700"
mega cab. Laramie (cuir) TDiesel	4	M	6.7	"40,100"
quad cab.& cha ST	4	M	5.7	"25,900"
quad cab.& cha ST TDiesel	4	M	6.7	"30,700"
quad cab.& cha SLT	4	M	5.7	"27,500"
quad cab.& cha SLT TDiesel	4	M	6.7	"32,200"
quad cab.& cha Laramie (cuir)	4	M	5.7	"30,800"
quad cab.& cha Laramie (cuir) TD	4	A	6.7	"35,700"

2008 RAM 3500 — 60 000 km

Description	R.m.	Tr.	L	Prix
cab. rég. ST	2	M	5.7	"18,300"
cab. rég. ST TDiesel	2	M	6.7	"22,900"
cab. rég. SLT	2	M	5.7	"19,500"
cab. rég. SLT TDiesel	2	M	6.7	"23,800"
quad cab. ST benne allongée	2	M	5.7	"20,100"
quad cab. ST TDiesel	2	M	6.7	"24,300"
quad cab. SLT benne allongée	2	M	5.7	"21,400"
quad cab. SLT TDiesel	2	M	6.7	"25,700"
quad cab. Laramie (cuir) b. all.	2	M	5.7	"23,400"
quad cab. Laramie (cuir) TDiesel	2	M	6.7	"28,100"
mega cab. SLT TDiesel	2	M	6.7	"26,800"
mega cab. Laramie (cuir) TDiesel	2	M	6.7	"29,000"
cab. rég. ST	4	M	5.7	"20,200"
cab. rég. ST TDiesel	4	M	6.7	"24,600"
cab. rég. SLT	4	M	5.7	"21,300"
cab. rég. SLT TDiesel	4	M	6.7	"25,800"
quad cab. ST benne allongée	4	M	5.7	"22,000"
quad cab. ST TDiesel	4	M	6.7	"26,200"
quad cab. SLT benne allongée	4	M	5.7	"23,300"
quad cab. SLT TDiesel	4	M	6.7	"27,600"
quad cab. Laramie (cuir) b. all.	4	M	5.7	"25,500"
quad cab. Laramie (cuir) TDiesel	4	M	6.7	"29,900"
mega cab. SLT TDiesel	4	M	6.7	"28,400"
mega cab. Laramie (cuir) TDiesel	4	M	6.7	"31,000"
cab. rég. & cha ST	2	M	5.7	"16,400"
cab. rég. & cha ST TDiesel	2	M	6.7	"19,800"
cab. rég. & cha SLT	2	M	5.7	"17,800"
cab. rég. & cha SLT TDiesel	2	M	6.7	"21,300"
quad cab.& cha ST	2	M	5.7	"18,200"
quad cab.& cha ST TDiesel	2	M	6.7	"21,700"
quad cab.& cha SLT	2	M	5.7	"19,700"
quad cab.& cha SLT TDiesel	2	M	6.7	"21,800"
quad cab.& cha Laramie (cuir)	2	M	5.7	"21,900"
quad cab.& cha Laramie (cuir) TD	2	M	6.7	"25,300"
cab. rég.ST	4	M	5.7	"18,100"
cab. rég. ST TDiesel	4	M	6.7	"21,500"
cab. rég. SLT	4	M	5.7	"19,600"
cab. rég. SLT TDiesel	4	M	6.7	"23,100"
quad cab.& cha ST	4	M	5.7	"20,000"
quad cab.& cha ST TDiesel	4	M	6.7	"23,400"
quad cab.& cha SLT	4	M	5.7	"21,400"
quad cab.& cha SLT TDiesel	4	M	6.7	"24,900"
quad cab.& cha Laramie (cuir)	4	M	5.7	"23,500"
quad cab.& cha Laramie (cuir) TD	4	A	6.7	"27,100"

2007 RAM 3500 — 80 000 km

Description	R.m.	Tr.	L	Prix
cab. rég. ST	2	M	5.7	"15,700"
cab. rég. ST TDiesel	2	M	6.7	"19,600"
cab. rég. SLT	2	M	5.7	"16,700"
cab. rég. SLT TDiesel	2	M	6.7	"19,400"
quad cab. ST benne allongée	2	M	5.7	"17,100"
quad cab. ST TDiesel	2	M	6.7	"20,100"
quad cab. SLT benne allongée	2	M	5.7	"17,900"
quad cab. SLT TDiesel	2	M	6.7	"21,000"
quad cab. Laramie (cuir) b. all.	2	M	5.7	"19,300"
quad cab. Laramie (cuir) TDiesel	2	M	6.7	"22,200"
mega cab. SLT TDiesel	2	M	6.7	"22,000"
mega cab. Laramie (cuir) TDiesel	2	M	6.7	"23,800"
cab. rég. ST	4	M	5.7	"17,200"
cab. rég. ST TDiesel	4	M	6.7	"21,200"
cab. rég. SLT	4	M	5.7	"18,100"
cab. rég. SLT TDiesel	4	M	6.7	"21,100"
quad cab. ST benne allongée	4	M	5.7	"19,000"
quad cab. ST TDiesel	4	M	6.7	"21,700"
quad cab. SLT benne allongée	4	M	5.7	"19,900"
quad cab. SLT TDiesel	4	M	6.7	"22,700"
quad cab. Laramie (cuir) b. all.	4	M	5.7	"21,100"
quad cab. Laramie (cuir) TDiesel	4	M	6.7	"23,900"
mega cab. SLT TDiesel	4	M	6.7	"23,700"
mega cab. Laramie (cuir) TDiesel	4	M	6.7	"25,500"
cab. rég. & cha ST	2	M	5.7	"12,700"
cab. rég. & cha ST TDiesel	2	M	6.7	"16,800"
cab. rég. & cha SLT	2	M	5.7	"14,900"
cab. rég. & cha SLT TDiesel	2	M	6.7	"17,900"
quad cab.& cha ST	2	M	5.7	"15,600"
quad cab.& cha ST TDiesel	2	M	6.7	"16,800"
quad cab.& cha SLT	2	M	5.7	"14,900"
quad cab.& cha SLT TDiesel	2	M	6.7	"16,900"
quad cab.& cha Laramie (cuir)	2	M	5.7	"18,800"
quad cab.& cha Laramie (cuir) TD	2	M	6.7	"21,700"
cab. rég. ST	4	M	5.7	"15,500"
cab. rég. ST TDiesel	4	M	6.7	"18,500"
cab. rég. SLT	4	M	5.7	"16,900"
cab. rég. SLT TDiesel	4	M	6.7	"19,900"
quad cab.& cha ST	4	M	5.7	"17,000"
quad cab.& cha ST TDiesel	4	M	6.7	"20,100"
quad cab.& cha SLT	4	M	5.7	"18,500"
quad cab.& cha SLT TDiesel	4	M	6.7	"21,300"
quad cab.& cha Laramie (cuir)	4	M	5.7	"20,400"
quad cab.& cha Laramie (cuir) TD	4	A	6.7	"23,500"

2006 RAM 3500 — 100 000 km

Description	R.m.	Tr.	L	Prix
cab. rég. ST	2	M	5.7	"13,300"
cab. rég. ST TDiesel	2	M	5.9	"16,400"
cab. rég. SLT	2	M	5.7	"14,300"
cab. rég. SLT TDiesel	2	M	5.9	"17,500"
cab. rég. Laramie (cuir)	2	M	5.7	"15,600"
cab. rég. Laramie (cuir) TDiesel	2	M	5.9	"18,900"
quad cab. ST TDiesel	2	M	5.9	"17,800"
quad cab. SLT TDiesel	2	M	5.9	"19,000"
quad cab. Laramie (cuir) TDiesel	2	M	5.9	"20,400"
mega cab. SLT TDiesel	2	M	5.9	"19,400"
mega cab. Laramie (cuir) TDiesel	2	M	5.9	"21,400"
cab. rég. ST	4	M	5.7	"15,100"
cab. rég. ST TDiesel	4	M	5.9	"18,100"
cab. rég. SLT	4	M	5.7	"16,100"
cab. rég. SLT TDiesel	4	M	5.9	"19,200"
cab. rég. Laramie (cuir)	4	M	5.7	"17,500"
quad cab. ST TDiesel	4	M	5.9	"19,700"
quad cab. SLT TDiesel	4	M	5.9	"20,800"
quad cab. Laramie (cuir) TDiesel	4	M	5.9	"22,100"
mega cab. SLT TDiesel	4	M	5.9	"21,100"
mega cab. Laramie (cuir) TDiesel	4	M	5.9	"23,300"

2010 VIPER — 5 000 km

Description	R.m.	Tr.	L	Prix
2p coupé SRT 10	2	M	8.4	"87,900"
2p coupé SRT 10 ACR	2	M	8.4	"98,600"
2p décapotable SRT 10	2	M	8.4	"87,000"

2009 VIPER — 10 000 km

Description	R.m.	Tr.	L	Prix
2p coupé SRT 10	2	M	8.4	"78,300"
2p coupé SRT 10 ACR	2	M	8.4	"87,700"
2p décapotable SRT 10	2	M	8.4	"77,400"

2008 VIPER — 15 000 km

Description	R.m.	Tr.	L	Prix
2p coupé SRT 10	2	M	8.4	"67,300"
2p décapotable SRT 10	2	M	8.4	"66,800"

2006 VIPER — 20 000 km

Description	R.m.	Tr.	L	Prix
2p coupé SRT 10	2	M	8.3	"62,100"
2p décapotable SRT 10	2	M	8.3	"61,100"

FORD

2009 CROWN VICTORIA — 40 000 km

Description	R.m.	Tr.	L	Prix
4p berline LX	2	A	4.6	"20,800"

2008 CROWN VICTORIA — 60 000 km

Description	R.m.	Tr.	L	Prix
4p berline base	2	A	4.6	"15,400"
4p berline LX	2	A	4.6	"16,700"

2007 CROWN VICTORIA — 80 000 km

Description	R.m.	Tr.	L	Prix
4p berline base	2	A	4.6	"12,200"
4p berline LX	2	A	4.6	"13,100"

2006 CROWN VICTORIA — 100 000 km

Description	R.m.	Tr.	L	Prix
4p berline base	2	A	4.6	"10,200"
4p berline LX	2	A	4.6	"10,500"

2010 EDGE — 20 000 km

Description	R.m.	Tr.	L	Prix
4p SE	2	A	3.5	"27,800"
4p SEL	2	A	3.5	"30,900"
4p Limited (cuir)	2	A	3.5	"34,000"
4p SEL AWD	A	A	3.5	"32,700"
4p Limited AWD (cuir)	A	A	3.5	"35,800"
4p Sport AWD	A	A	3.5	"36,800"

2009 EDGE — 40 000 km

Description	R.m.	Tr.	L	Prix
4p SEL	2	A	3.5	"23,800"
4p Limited (cuir)	2	A	3.5	"26,200"
4p SEL AWD	A	A	3.5	"25,300"
4p Limited AWD (cuir)	A	A	3.5	"27,500"
4p Sport AWD	A	A	3.5	"27,500"

2008 EDGE — 60 000 km

Description	R.m.	Tr.	L	Prix
4p SEL	2	A	3.5	"22,500"
4p Limited (cuir)	2	A	3.5	"24,700"
4p SEL AWD	A	A	3.5	"23,700"
4p Limited AWD (cuir)	A	A	3.5	"24,900"

2007 EDGE — 80 000 km

Description	R.m.	Tr.	L	Prix
4p SE	2	A	3.5	"19,300"
4p SEL (cuir)	2	A	3.5	"21,200"
4p SE AWD	A	A	3.5	"20,500"
4p SEL AWD (cuir)	A	A	3.5	"21,200"

2010 ESCAPE — 20 000 km

Description	R.m.	Tr.	L	Prix
4p XLT	2	A	2.5	"21,100"
4p XLT V6	2	A	3	"23,400"
4p Hybride	2	A	2.5	"30,000"
4p XLT AWD	A	A	2.5	"24,100"
4p XLT V6 AWD	A	A	3	"25,500"

Description	R.m.	Tr.	L	Prix
4p Limited V6 AWD (cuir)	A	A	3	"28,300"
4p Hybride AWD	A	A	2.5	"32,100"

2009 ESCAPE				40 000 km
4p XLT	2	A	2.3	"16,100"
4p XLT V6	2	A	3	"18,000"
4p Hybride	2	A	2.3	"23,100"
4p XLT AWD	A	A	2.3	"18,400"
4p XLT V6 AWD	A	A	3	"19,600"
4p Limited V6 AWD (cuir)	A	A	3	"23,600"
4p Hybride AWD	A	A	2.3	"24,800"

2008 ESCAPE				60 000 km
4p XLS	2	A	2.3	"14,700"
4p XLT	2	A	2.3	"15,500"
4p XLT V6	2	A	3	"16,200"
4p Hybride	2	A	2.3	"19,100"
4p XLT AWD	A	A	2.3	"16,800"
4p XLT V6 AWD	A	A	3	"17,600"
4p Limited V6 AWD (cuir)	A	A	3	"20,900"
4p Hybride AWD	A	A	2.3	"20,500"

2007 ESCAPE				80 000 km
4p XLS	2	M	2.3	"12,400"
4p XLS	2	A	2.3	"13,700"
4p XLT	2	A	3	"15,300"
4p XLT Sport	2	A	3	"15,900"
4p Hybride	2	A	2.3	"17,600"
4p XLS	A	A	2.3	"15,200"
4p XLT	A	A	3	"16,900"
4p XLT Sport	A	A	3	"17,300"
4p Limited (cuir)	A	A	3	"18,700"
4p Hybride	A	A	2.3	"18,600"

2006 ESCAPE				100 000 km
4p XLS	2	M	2.3	"11,000"
4p XLS	2	A	2.3	"12,400"
4p XLT	2	A	3	"13,100"
4p XLT Sport	2	A	3	"13,300"
4p Hybride	2	A	2.3	"14,800"
4p XLS	A	A	2.3	"13,000"
4p XLT	A	A	3	"13,900"
4p XLT Sport	A	A	3	"14,400"
4p Limited (cuir)	A	A	3	"15,700"
4p Hybride	A	A	2.3	"15,600"

2010 EXPEDITION				20 000 km
4p XLT	4	A	5.4	"39,100"
4p Eddie Bauer (cuir)	4	A	5.4	"46,700"
4p Limited (cuir)	4	A	5.4	"50,200"
4p King Ranch (cuir)	4	A	5.4	"53,200"
4p MAX Eddie Bauer (cuir)	4	A	5.4	"48,800"
4p MAX Limited (cuir)	4	A	5.4	"52,300"
4p MAX King Ranch (cuir)	4	A	5.4	"55,400"

2009 EXPEDITION				40 000 km
4p XLT	4	A	5.4	"28,800"
4p Eddie Bauer (cuir)	4	A	5.4	"34,500"
4p Limited (cuir)	4	A	5.4	"37,200"
4p King Ranch (cuir)	4	A	5.4	"38,500"
4p MAX Eddie Bauer (cuir)	4	A	5.4	"36,300"
4p MAX Limited (cuir)	4	A	5.4	"37,800"
4p MAX King Ranch (cuir)	4	A	5.4	"39,200"

2008 EXPEDITION				60 000 km
4p XLT	4	A	5.4	"22,800"
4p Eddie Bauer (cuir)	4	A	5.4	"27,100"
4p Limited (cuir)	4	A	5.4	"28,700"
4p King Ranch (cuir)	4	A	5.4	"30,700"
4p MAX Eddie Bauer (cuir)	4	A	5.4	"28,500"
4p MAX Limited (cuir)	4	A	5.4	"30,100"
4p MAX King Ranch (cuir)	4	A	5.4	"31,300"

2007 EXPEDITION				80 000 km
4p XLT	4	A	5.4	"20,000"
4p Eddie Bauer (cuir)	4	A	5.4	"22,600"
4p Limited (cuir)	4	A	5.4	"24,100"
4p MAX Eddie Bauer (cuir)	4	A	5.4	"23,900"
4p MAX Limited (cuir)	4	A	5.4	"24,900"

2006 EXPEDITION				100 000 km
4p XLT (parc)	A	A	5.4	"16,100"
4p XLT	A	A	5.4	"17,300"
4p XLT Sport	A	A	5.4	"17,600"
4p Eddie Bauer (cuir)	A	A	5.4	"18,900"
4p Limited (cuir)	A	A	5.4	"20,100"
4p King Ranch (cuir)	A	A	5.4	"20,900"

2010 EXPLORER				20 000 km
4p Sport Trac XLT	4	A	4	"30,700"
4p Sport Trac XLT V8	4	A	4.6	"32,000"
4p Sport Trac Adrenalin V8	4	A	4.6	"36,400"
4p XLT	4	A	4	"32,200"
4p Eddie Bauer (cuir)	4	A	4	"37,800"
4p Eddie Bauer V8 (cuir)	4	A	4.6	"39,000"
4p Limited AWD (cuir)	A	A	4.6	"42,800"

2009 EXPLORER				40 000 km
4p Sport Trac XLT	2	A	4	"20,900"
4p Sport Trac XLT V8	2	A	4.6	"21,900"
4p Sport Trac Limited	2	A	4	"23,800"
4p Sport Trac Limited V8	2	A	4.6	"24,800"
4p Sport Trac XLT	4	A	4	"23,000"
4p Sport Trac XLT V8	4	A	4.6	"24,000"
4p Sport Trac Limited	4	A	4	"25,800"
4p Sport Trac Limited V8	4	A	4.6	"26,800"
4p Sport Trac Adrenalin V8 AWD	A	A	4.6	"27,800"
4p XLT	4	A	4	"23,500"
4p XLT V8	4	A	4.6	"24,400"
4p Eddie Bauer (cuir)	4	A	4	"27,600"
4p Eddie Bauer V8 (cuir)	4	A	4.6	"28,700"
4p Limited AWD (cuir)	A	A	4.6	"31,500"

2008 EXPLORER				60 000 km
4p Sport Trac XLT	2	A	4	"20,500"
4p Sport Trac XLT V8	2	A	4.6	"21,700"
4p Sport Trac Limited	2	A	4	"23,500"
4p Sport Trac Limited V8	2	A	4.6	"24,400"
4p Sport Trac XLT	4	A	4	"20,600"
4p Sport Trac XLT V8	4	A	4.6	"21,000"
4p Sport Trac Limited	4	A	4	"22,100"
4p Sport Trac Limited V8	4	A	4.6	"23,400"
4p Sport Trac Limited V8 AWD	A	A	4.6	"23,000"
4p XLT	4	A	4	"20,900"
4p XLT V8	4	A	4.6	"21,900"
4p Eddie Bauer (cuir)	4	A	4	"24,300"
4p Eddie Bauer V8 (cuir)	4	A	4.6	"25,300"
4p Limited AWD (cuir)	A	A	4.6	"26,000"

2007 EXPLORER				80 000 km
4p Sport Trac XLT	2	A	4	"16,300"
4p Sport Trac XLT V8	2	A	4.6	"17,300"
4p Sport Trac Limited	2	A	4	"18,300"
4p Sport Trac Limited V8	2	A	4.6	"19,300"
4p Sport Trac XLT	4	A	4	"18,300"
4p Sport Trac XLT V8	4	A	4.6	"19,300"
4p Sport Trac Limited	4	A	4	"20,400"
4p Sport Trac Limited V8	4	A	4.6	"20,300"
4p XLT	4	A	4	"20,500"
4p XLT V8	4	A	4.6	"21,300"
4p Eddie Bauer (cuir)	4	A	4	"20,500"
4p Eddie Bauer V8 (cuir)	4	A	4.6	"21,300"
4p Limited (cuir)	4	A	4.6	"22,200"

2006 EXPLORER				100 000 km
4p XLT	4	A	4	"17,300"
4p XLT V8	4	A	4.6	"17,600"
4p Eddie Bauer (cuir)	4	A	4	"17,900"
4p Eddie Bauer V8 (cuir)	4	A	4.6	"18,400"
4p Limited (cuir)	4	A	4.6	"18,800"

2010 F-150				20 000 km
cab. rég. XL Styleside	2	A	4.6	"19,800"
cab. rég. XLT Styleside	2	A	4.6	"23,100"
sup cab. XL Styleside benne 6.5	2	A	4.6	"25,200"
super cab. XLT Styleside benne 8	2	A	5.4	"28,300"
S Crew Cab XLT Style. ben 5.5	2	A	5.4	"28,100"
S Crew Cab Lariat Style. ben 5.5	2	A	5.4	"35,500"
S Crew Cab King Ranch ben 5.5	2	A	5.4	"38,900"
S Crew Cab H-Davidson ben 5.5	2	A	5.4	"40,900"
S Crew Cab Platinum b. 5.5	2	A	5.4	"42,400"
cab. rég. XL Styleside	4	A	4.6	"24,100"
cab. rég. XLT Styleside	4	A	4.6	"27,300"
sup cab. XL Styleside benne 6.5	4	A	4.6	"28,600"
sup cab. STX Styleside ben 6.5	4	A	4.6	"29,500"
sup cab. XLT Styleside benne 6.5	4	A	4.6	"30,100"
sup cab. FX4 Styleside benne 6.5	4	A	5.4	"34,700"
sup cab. Lariat Styleside ben 6.5	4	A	5.4	"37,700"
sup cab. SVT Raptor benne 5.5	4	A	5.4	"38,900"
S Crew Cab XLT Styleside b. 6.5	4	A	4.6	"31,600"
S Crew Cab FX4 Styleside b. 6.5	4	A	5.4	"35,700"
S Crew C Lariat Styleside b. 6.5	4	A	5.4	"38,900"
S Crew Cab King Ranch ben 6.5	4	A	5.4	"42,300"
S Crew Cab Platinum b. 6.5	4	A	5.4	"45,700"

2009 F-150				40 000 km
cab. rég. XL Styleside	2	M	4.2	"15,800"
cab. rég. XLT Styleside	2	M	4.2	"17,300"
sup cab. XL Styleside benne 6.5	2	A	4.6	"19,100"
sup cab. XL Styleside benne 8	2	A	5.4	"20,300"
sup cab. STX Styleside benne 5.5	2	A	4.6	"19,700"
sup cab. XLT Styleside benne 5.5	2	A	4.6	"20,200"
super cab. XLT Styleside benne 8	2	A	5.4	"20,400"
sup cab. Lariat Styleside ben 5.5	2	A	5.4	"26,000"
Sup Crew Cab XLT Style. ben 5.5	2	A	4.6	"21,300"
S Crew Cab Lariat Style. ben 5.5	2	A	5.4	"26,900"
S Crew Cab King Ranch ben 5.5	2	A	5.4	"29,200"
Sup Crew Cab Platinum b. 5.5	2	A	5.4	"32,300"
cab. rég. XL Styleside	4	A	4.6	"19,300"
cab. rég. XLT Styleside	4	A	4.6	"20,500"
sup cab. XL Styleside benne 6.5	4	A	4.6	"21,800"
sup cab. XL Styleside benne 8	4	A	5.4	"22,900"
sup cab. STX Styleside ben 6.5	4	A	4.6	"22,300"
sup cab. XLT Styleside benne 6.5	4	A	4.6	"22,900"
super cab. XLT Styleside ben 8	4	A	5.4	"24,000"
sup cab. FX4 Styleside benne 6.5	4	A	5.4	"25,900"
sup cab. Lariat Styleside ben 6.5	4	A	5.4	"28,700"
S Crew Cab XLT Styleside b. 6.5	4	A	4.6	"24,000"
S Crew Cab FX4 Styleside b. 6.5	4	A	5.4	"26,600"
S Crew C Lariat Styleside b. 6.5	4	A	5.4	"29,500"
S Crew Cab King Ranch ben 6.5	4	A	5.4	"31,800"
S Crew Cab Platinum b. 5.5	4	A	5.4	"34,800"

2008 F-150				60 000 km
cab. rég. XL Styleside	2	M	4.2	"11,800"
cab. rég. STX Styleside	2	M	4.2	"12,600"
cab. rég. XLT Styleside	2	M	4.2	"13,400"
cab. rég. STX Flareside	2	A	4.2	"14,400"
cab. rég. XLT Flareside	2	A	4.2	"15,000"
sup cab. XL Styleside benne 6.5	2	A	4.6	"15,600"
sup cab. XL Styleside benne 8	2	A	5.4	"16,500"
sup cab. STX Styleside benne 5.5	2	A	4.6	"16,200"
sup cab. XLT Styleside benne 5.5	2	A	4.6	"17,400"
super cab. XLT Styleside benne 8	2	A	5.4	"18,300"
sup cab. Lariat Styleside ben 5.5	2	A	5.4	"21,500"
sup cab. STX Flareside ben 6.5	2	A	4.6	"16,800"
sup cab. XLT Flareside ben 6.5	2	A	4.6	"17,800"
Sup Crew Cab XLT Style. ben 5.5	2	A	4.6	"18,000"
S Crew Cab Lariat Style. ben 5.5	2	A	5.4	"22,000"
S Crew Cab King Ranch ben 5.5	2	A	5.4	"24,400"
Sup Crew Cab Harley-Dav b. 5.5	2	A	5.4	"24,900"
Sup Crew Cab XLT Flareside 6.5	2	A	4.6	"18,500"
cab. rég. XL Styleside	4	A	4.6	"15,600"
cab. rég. STX Styleside	4	A	4.6	"16,200"
cab. rég. XLT Styleside	4	A	4.6	"17,000"
cab. rég. FX4 Styleside	4	A	5.4	"19,900"
cab. rég. STX Flareside	4	A	4.6	"16,700"
cab. rég. XLT Flareside	4	A	4.6	"18,100"
cab. rég. FX4 Flareside	4	A	5.4	"19,900"
sup cab. XL Styleside benne 6.5	4	A	4.6	"17,800"
sup cab. XL Styleside benne 8	4	A	5.4	"19,100"
sup cab. STX Styleside ben 6.5	4	A	4.6	"18,600"
sup cab. XLT Styleside benne 6.5	4	A	4.6	"19,600"
super cab. XLT Styleside ben 8	4	A	5.4	"20,700"
sup cab. FX4 Styleside benne 6.5	4	A	5.4	"21,800"
sup cab. Lariat Styleside ben 6.5	4	A	5.4	"23,800"
sup cab. STX Flareside benne 6.5	4	A	4.6	"19,100"
sup cab. XLT Flareside benne 6.5	4	A	4.6	"20,100"
sup cab. FX4 Flareside ben 6.5	4	A	5.4	"22,600"
S Crew Cab XLT Styleside b. 6.5	4	A	4.6	"20,500"
S Crew Cab FX4 Styleside b. 6.5	4	A	5.4	"22,600"
S Crew C Lariat Styleside b. 6.5	4	A	5.4	"24,500"
S Crew Cab King Ranch ben 6.5	4	A	5.4	"26,700"
S Crew Cab Harley-Dav b. 5.5	4	A	5.4	"27,300"
S Crew Cab XLT Flareside b. 6.5	4	A	4.6	"21,000"
S Crew Cab FX4 Flareside b. 6.5	4	A	5.4	"23,300"

2007 F-150				80 000 km
cab. rég. XL Styleside	2	M	4.2	"11,200"
cab. rég. STX Styleside	2	M	4.2	"11,700"
cab. rég. XLT Styleside	2	M	4.2	"12,400"
cab. rég. STX Flareside	2	A	4.2	"13,500"
cab. rég. XLT Flareside	2	A	4.2	"14,100"
super cab. XL Styleside ben 6.5	2	A	4.6	"14,600"
super cab. XL Styleside ben 8	2	A	5.4	"15,700"
super cab. STX Styleside ben 5.5	2	A	4.6	"15,300"
super cab. XLT Styleside ben 5.5	2	A	4.6	"16,200"
super cab. XLT Styleside ben 8	2	A	5.4	"17,400"
sup cab. Lariat Styleside ben 5.5	2	A	5.4	"20,100"
sup cab. STX Flareside ben 6.5	2	A	4.6	"15,700"
sup cab. XLT Flareside ben 6.5	2	A	4.6	"16,700"
S Crew Cab XLT Styleside b. 5.5	2	A	4.6	"17,000"
S Crew Cab Lariat Stylesi b. 5.5	2	A	5.4	"20,800"
S Crew Cab King Ranch ben 5.5	2	A	5.4	"23,000"
S Crew Cab Harley-David b. 5.5	2	A	5.4	"23,500"
S Crew Cab XLT Styleside b. 6.5	2	A	4.6	"17,500"
S Crew Cab Lariat Styles b. 6.5	2	A	5.4	"20,800"
S Crew Cab King Ranch ben 6.5	2	A	5.4	"23,000"
cab. rég. XL Styleside	4	A	4.6	"14,500"
cab. rég. STX Styleside	4	A	4.6	"15,200"
cab. rég. XLT Styleside	4	A	4.6	"15,900"
cab. rég. FX4 Styleside	4	A	5.4	"17,900"
cab. rég. STX Flareside	4	A	4.6	"15,600"
cab. rég. XLT Flareside	4	A	4.6	"17,100"
cab. rég. FX4 Flareside	4	A	5.4	"18,500"
super cab. XL Styleside benne 6.5	4	A	4.6	"17,000"
super cab. XL Styleside benne 8	4	A	5.4	"17,900"
s cab. STX Styleside benne 5.5	4	A	4.6	"17,500"
s cab. XLT Styleside benne 5.5	4	A	4.6	"18,500"
s cab. XLT Styleside benne 8	4	A	5.4	"19,500"
s cab. FX4 Styleside benne 5.5	4	A	5.4	"20,700"
s cab. Lariat Styleside benne 5.5	4	A	5.4	"22,400"
s cab. STX Flareside benne 6.5	4	A	4.6	"17,900"
s cab. FX4 Flareside benne 6.5	4	A	5.4	"21,100"
S Crew Cab XLT Styleside b. 5.5	4	A	4.6	"19,200"
S Crew Cab FX4 Styleside b. 5.5	4	A	5.4	"21,100"
S Crew Cab Lariat Stylesid b. 5.5	4	A	5.4	"23,000"
S Crew Cab King Ranch b. 5.5	4	A	5.4	"25,200"
S Crew Cab Harley-David b. 5.5	4	A	5.4	"25,700"
S Crew Cab XLT Styleside b. 6.5	4	A	4.6	"19,200"
S Crew Cab FX4 Styleside b. 6.5	4	A	5.4	"21,100"
S Crew Cab Lariat Stylesi b. 6.5	4	A	5.4	"23,000"
S Crew Cab King Ranch b. 6.5	4	A	5.4	"25,100"

2006 F-150				100 000 km
cab. rég. XL Styleside	2	M	4.2	"9,500"
cab. rég. STX Styleside	2	M	4.2	"9,900"
cab. rég. XLT Styleside	2	M	4.2	"10,800"
cab. rég. STX Flareside	2	A	4.2	"10,800"
cab. rég. XLT Flareside	2	A	4.2	"12,200"
sup cab. XL Styleside benne 6.5	2	A	4.6	"13,200"
sup cab. XL Styleside benne 8	2	A	5.4	"14,100"
sup cab. STX Styleside ben 5.5	2	A	4.6	"13,700"
sup cab. XLT Styleside ben 5.5	2	A	4.6	"14,900"
sup cab. XLT Styleside benne 8	2	A	5.4	"15,900"
sup cab. Lariat Styleside ben 5.5	2	A	5.4	"18,100"
sup cab. Lariat Harley-David 6.5	2	A	5.4	"19,700"
sup cab. STX Flareside ben 6.5	2	A	4.6	"14,000"
sup cab. XLT Flareside ben 6.5	2	A	4.6	"15,300"
S Crew Cab XLT Styleside b 5.5	2	A	4.6	"15,700"
S Crew Cab Lariat Stylesid b. 5.5	2	A	5.4	"19,200"
S Crew Cab Lariat King R. b. 5.5	2	A	5.4	"20,400"
S Crew Cab XLT Styleside b 6.5	2	A	4.6	"15,700"
S Crew Cab Lariat Styles b. 6.5	2	A	5.4	"19,500"
S Crew Cab Lariat King R. b. 6.5	2	A	5.4	"20,200"
cab. rég. XL Styleside	4	A	4.6	"13,100"
cab. rég. STX Styleside	4	A	4.6	"13,600"
cab. rég. FX4 Styleside	4	A	5.4	"16,100"
cab. rég. STX Flareside	4	A	4.6	"13,900"
cab. rég. XLT Flareside	4	A	4.6	"14,900"
cab. rég. FX4 Flareside	4	A	5.4	"16,800"
s cab. XL Styleside benne 6.5	4	A	4.6	"15,300"
super cab. XL Styleside benne 8	4	A	5.4	"16,500"
s cab. STX Styleside benne 5.5	4	A	4.6	"15,900"
s cab. XLT Styleside benne 5.5	4	A	4.6	"17,100"
s cab. XLT Styleside benne 5.5	4	A	5.4	"17,800"
s cab. XLT Styleside benne 6.5	4	A	4.6	"17,000"
s cab. XLT Styleside benne 8	4	A	5.4	"18,100"
s cab. FX4 Styleside benne 5.5	4	A	5.4	"18,700"
s cab. Lariat Styleside benne 5.5	4	A	5.4	"20,300"
s cab. Lariat Harley-David. 6.5	4	A	5.4	"21,900"
s cab. STX Flareside benne 6.5	4	A	4.6	"16,400"
s cab. XLT Flareside benne 6.5	4	A	4.6	"17,400"
s cab. FX4 Flareside benne 6.5	4	A	5.4	"19,500"
S Crew Cab XLT Styleside b 5.5	4	A	4.6	"18,000"
S Crew Cab FX4 Styleside b. 5.5	4	A	5.4	"19,800"
S Crew Cab Lariat Styles b. 5.5	4	A	5.4	"21,500"
S Crew Cab Lariat King R. b. 5.5	4	A	5.4	"22,600"
S Crew Cab XLT Styleside b. 6.5	4	A	4.6	"18,000"
S Crew Cab FX4 Styleside b. 6.5	4	A	5.4	"19,800"
S Crew Cab Lariat Styles b. 6.5	4	A	5.4	"21,500"
S Crew Cab Lariat King R. b. 6.5	4	A	5.4	"22,600"

2010 F-250				20 000 km
cab. rég. XL HD	2	A	5.4	"27,500"
cab. rég. XLT HD	2	A	5.4	"30,700"
super cab. XL HD	2	A	5.4	"30,000"
super cab. XLT HD	2	A	5.4	"33,500"
super cab. Lariat HD (cuir)	2	A	5.4	"39,400"
crew cab. XL HD	2	A	5.4	"31,100"
crew cab. XLT HD	2	A	5.4	"34,900"
crew cab. Lariat HD (cuir)	2	A	5.4	"41,100"
crew cab. King Ranch HD (cuir)	2	A	5.4	"45,300"
cab. rég. XL HD	4	A	5.4	"30,200"
cab. rég. XLT HD	4	A	5.4	"33,500"
super cab. XL HD	4	A	5.4	"32,700"
super cab. XLT HD	4	A	5.4	"36,400"
super cab. Lariat HD (cuir)	4	A	5.4	"42,200"
crew cab. XL HD	4	A	5.4	"33,900"
crew cab. XLT HD	4	A	5.4	"37,700"
crew cab. Cabela's HD	4	A	5.4	"43,400"
crew cab. Lariat HD (cuir)	4	A	5.4	"43,800"
crew cab. King Ranch HD (cuir)	4	A	5.4	"48,000"
c cab. Harley-Davidson HD (cuir)	4	A	6.8	"49,600"

2009 F-250				40 000 km
cab. rég. XL HD	2	M	5.4	"18,500"
cab. rég. XLT HD	2	M	5.4	"21,000"
super cab. XL HD	2	M	5.4	"20,400"
super cab. XLT HD	2	M	5.4	"23,200"
super cab. Lariat HD (cuir)	2	M	5.4	"29,200"
crew cab. XL HD	2	M	5.4	"21,500"
crew cab. XLT HD	2	M	5.4	"24,300"
crew cab. Lariat HD (cuir)	2	M	5.4	"30,500"
crew cab. King Ranch HD (cuir)	2	A	5.4	"34,100"
cab. rég. XL HD	4	M	5.4	"20,600"
cab. rég. XLT HD	4	M	5.4	"23,200"
super cab. XL HD	4	M	5.4	"22,700"
super cab. XLT HD	4	M	5.4	"25,500"
super cab. FX4 HD	4	M	5.4	"27,900"
super cab. Lariat HD (cuir)	4	M	5.4	"31,300"
crew cab. XL HD	4	M	5.4	"23,500"

Description	R.m.	Tr.	L	Prix
crew cab. XLT HD	4	M	5.4	26,500
crew cab. FX4 HD	4	M	5.4	29,100
crew cab. Lariat HD (cuir)	4	M	5.4	32,600
crew cab. King Ranch HD (cuir)	4	A	5.4	36,100
c cab. Harley-Davidson HD (cuir)	4	A	6.8	37,300
2008 F-250				**60 000 km**
cab. rég. XL HD	2	M	5.4	15,600
cab. rég. XLT HD	2	M	5.4	17,600
super cab. XL HD	2	M	5.4	18,400
super cab. XLT HD	2	M	5.4	19,600
super cab. Lariat HD (cuir)	2	M	5.4	23,000
crew cab. XL HD	2	M	5.4	18,300
crew cab. XLT HD	2	M	5.4	20,600
crew cab. Lariat HD (cuir)	2	M	5.4	24,100
crew cab. King Ranch HD (cuir)	2	A	5.4	27,800
cab. rég. XL HD	4	M	5.4	17,600
cab. rég. XLT HD	4	M	5.4	19,600
super cab. XL HD	4	M	5.4	19,300
super cab. XLT HD	4	M	5.4	21,600
super cab. FX4 HD	4	M	5.4	27,900
super cab. Lariat HD (cuir)	4	M	5.4	24,800
crew cab. XL HD	4	M	5.4	20,100
crew cab. XLT HD	4	M	5.4	22,500
crew cab. FX4 HD	4	M	5.4	24,000
crew cab. Lariat HD (cuir)	4	M	5.4	26,100
crew cab. King Ranch HD (cuir)	4	A	5.4	29,900
c cab. Harley-Davidson HD (cuir)	4	A	6.8	35,900
2007 F-250				**80 000 km**
cab. rég. XL HD	2	M	5.4	13,600
cab. rég. XLT HD	2	M	5.4	15,900
super cab. XL HD	2	M	5.4	15,200
super cab. XLT HD	2	M	5.4	17,600
super cab. Lariat HD (cuir)	2	M	5.4	20,800
crew cab. XL HD	2	M	5.4	15,900
crew cab. XLT HD	2	M	5.4	18,500
crew cab. Lariat HD (cuir)	2	M	5.4	20,800
cab. rég. XL HD	4	M	5.4	15,400
cab. rég. XLT HD	4	M	5.4	17,600
super cab. XL HD	4	M	5.4	16,900
super cab. XLT HD	4	M	5.4	19,400
super cab. Lariat HD (cuir)	4	M	5.4	21,500
crew cab. XL HD	4	M	5.4	17,600
crew cab. XLT HD	4	M	5.4	20,300
crew cab. Lariat HD (cuir)	4	M	5.4	22,600
2006 F-250				**100 000 km**
cab. rég. XL HD	2	M	5.4	10,800
cab. rég. XLT HD	2	M	5.4	13,300
super cab. XL HD	2	M	5.4	12,400
super cab. XLT HD	2	M	5.4	15,300
super cab. Lariat HD (cuir)	2	M	5.4	17,500
crew cab. XL HD	2	M	5.4	13,200
crew cab. XLT HD	2	M	5.4	16,000
crew cab. Lariat HD (cuir)	2	M	5.4	18,600
crew cab. XL HD benne all.	2	M	5.4	13,600
crew cab. XLT HD benne all.	2	M	5.4	16,400
crew cab. Lariat HD b. all. (cuir)	2	M	5.4	19,000
cab. rég. XL HD	4	M	5.4	12,600
cab. rég. XLT HD	4	M	5.4	15,300
super cab. XL HD	4	M	5.4	14,400
super cab. XLT HD	4	M	5.4	17,400
super cab. Lariat HD (cuir)	4	M	5.4	19,400
crew cab. XL HD	4	M	5.4	15,000
crew cab. XLT HD	4	M	5.4	18,100
crew cab. Lariat HD (cuir)	4	M	5.4	20,700
2010 F-350				**20 000 km**
cab. rég. XL HD	2	M	5.4	28,600
cab. rég. XL RD HD	2	M	5.4	30,300
cab. rég. XLT HD	2	M	5.4	31,700
cab. rég. XLT RD HD	2	M	5.4	33,000
super cab. XL HD	2	M	5.4	30,700
super cab. XL RD HD benne all.	2	M	5.4	32,900
super cab. XLT HD	2	M	5.4	34,000
super cab. XLT RD HD benne all.	2	M	5.4	35,800
super cab. Lariat HD (cuir)	2	M	5.4	40,400
s cab. Lariat RD HD b. all. (cuir)	2	M	5.4	42,100
crew cab. XL HD	2	M	5.4	32,100
crew cab. XL RD HD D	2	M	6.4	40,800
crew cab. XLT HD	2	M	5.4	35,800
crew cab. XLT RD HD D	2	M	6.4	44,200
crew cab. Lariat HD (cuir)	2	M	5.4	42,100
crew cab. Lariat RD HD (cuir) D	2	M	6.4	50,700
crew cab. King Ranch HD (cuir)	2	A	5.4	46,300
cab. rég. XL HD	4	M	5.4	31,600
cab. rég. XL RD HD	4	M	5.4	33,300
cab. rég. XLT HD	4	M	5.4	34,900
cab. rég. XLT RD HD	4	M	5.4	36,200
super cab. XL HD	4	M	5.4	33,800
super cab. XL RD HD benne all.	4	M	5.4	35,800
super cab. XLT HD	4	M	5.4	34,900
super cab. XLT RD HD benne all.	4	M	5.4	39,100
super cab. Lariat HD (cuir)	4	M	5.4	43,600

Description	R.m.	Tr.	L	Prix
s cab. Lariat RD HD b. all. (cuir)	4	M	5.4	45,200
crew cab. XL HD	4	M	5.4	35,100
crew cab. XL RD HD D	4	M	6.4	43,600
crew cab. XLT HD	4	M	5.4	38,700
crew cab. XLT RD HD D	4	M	6.4	47,400
crew cab. Cabela's HD	4	M	5.4	44,600
crew cab. Lariat HD (cuir)	4	M	5.4	45,200
crew cab. Lariat RD HD (cuir) D	4	M	6.4	53,700
crew cab. King Ranch HD (cuir)	4	A	5.4	49,300
crew cab. King R. RD HD (cuir)	4	A	6.4	57,900
crew cab. Harley-Dav. HD D (cuir)	4	A	6.4	50,800
2009 F-350				**40 000 km**
cab. rég. XL HD	2	M	5.4	19,500
cab. rég. XL RD HD	2	M	5.4	20,600
cab. rég. XLT HD	2	M	5.4	22,100
cab. rég. XLT RD HD	2	M	5.4	22,900
super cab. XL HD	2	M	5.4	21,100
super cab. XL RD HD benne all.	2	M	5.4	22,800
super cab. XLT HD	2	M	5.4	23,800
super cab. XLT RD HD benne all.	2	M	5.4	25,200
super cab. Lariat HD (cuir)	2	M	5.4	30,000
s cab. Lariat RD HD b. all. (cuir)	2	M	5.4	31,000
crew cab. XL HD	2	M	5.4	22,200
crew cab. XL RD HD D	2	M	6.4	28,800
crew cab. XLT HD	2	M	5.4	25,100
crew cab. XLT RD HD D	2	M	6.4	31,300
crew cab. Lariat HD (cuir)	2	M	5.4	31,200
crew cab. Lariat RD HD (cuir) D	2	M	6.4	37,200
crew cab. King Ranch HD (cuir)	2	A	5.4	34,800
cab. rég. XL HD	4	M	5.4	21,800
cab. rég. XL RD HD	4	M	5.4	26,900
cab. rég. XLT HD	4	M	5.4	24,600
cab. rég. XLT RD HD	4	M	5.4	25,300
super cab. XL HD	4	M	5.4	23,400
super cab. XL RD HD benne all.	4	M	5.4	25,300
super cab. XLT HD	4	M	5.4	26,500
super cab. XLT RD HD benne all.	4	M	5.4	27,800
super cab. FX4 HD	4	M	5.4	29,100
sup cab. FX4 RD HD ben. all. D	4	M	6.4	35,700
super cab. Lariat HD (cuir)	4	M	5.4	32,600
s cab. Lariat RD HD b. all. (cuir)	4	M	5.4	33,700
crew cab. XL HD	4	M	5.4	24,900
crew cab. XL RD HD D	4	M	6.4	31,200
crew cab. XLT HD	4	M	5.4	27,700
crew cab. XLT RD HD D	4	M	6.4	34,200
crew cab. FX4 HD	4	M	5.4	30,200
crew cab. FX4 RD HD D	4	M	6.4	36,300
crew cab. Lariat HD (cuir)	4	M	5.4	34,000
crew cab. Lariat RD HD (cuir) D	4	M	6.4	39,500
crew cab. King Ranch HD (cuir)	4	A	5.4	37,200
crew cab. King R. RD HD (cuir)	4	A	6.4	43,000
crew cab. Harley-Dav. HD D (cuir)	4	A	6.4	38,300
2008 F-350				**60 000 km**
cab. rég. XL HD	2	M	5.4	16,600
cab. rég. XL RD HD	2	M	5.4	17,500
cab. rég. XLT HD	2	M	5.4	18,500
cab. rég. XLT RD HD	2	M	5.4	19,300
super cab. XL HD	2	M	5.4	18,000
super cab. XL RD HD benne all.	2	M	5.4	19,400
super cab. XLT HD	2	M	5.4	20,200
super cab. XLT RD HD benne all.	2	M	5.4	21,200
super cab. Lariat HD (cuir)	2	M	5.4	23,600
s cab. Lariat RD HD b. all. (cuir)	2	M	5.4	24,600
crew cab. XL HD	2	M	5.4	19,000
crew cab. XL RD HD D	2	M	6.4	24,300
crew cab. XLT HD	2	M	5.4	21,100
crew cab. XLT RD HD D	2	M	6.4	26,600
crew cab. Lariat HD (cuir)	2	M	5.4	24,800
crew cab. Lariat RD HD (cuir) D	2	M	6.4	30,100
crew cab. King Ranch HD (cuir)	2	A	5.4	28,600
cab. rég. XL HD	4	M	5.4	18,500
cab. rég. XL RD HD	4	M	5.4	19,700
cab. rég. XLT HD	4	M	5.4	20,800
cab. rég. XLT RD HD	4	M	5.4	21,500
super cab. XL HD	4	M	5.4	20,100
super cab. XL RD HD benne all.	4	M	5.4	21,500
super cab. XLT HD	4	M	5.4	22,200
super cab. XLT RD HD benne all.	4	M	5.4	23,600
super cab. FX4 HD	4	M	5.4	23,700
sup cab. FX4 RD HD ben. all. D	4	M	6.4	30,100
super cab. Lariat HD (cuir)	4	M	5.4	25,900
s cab. Lariat RD HD b. all. (cuir)	4	M	5.4	26,800
crew cab. XL HD	4	M	5.4	21,000
crew cab. XL RD HD D	4	M	6.4	26,600
crew cab. XLT HD	4	M	5.4	23,400
crew cab. XLT RD HD D	4	M	6.4	28,800
crew cab. FX4 HD	4	M	5.4	24,800
crew cab. FX4 RD HD D	4	M	6.4	30,300
crew cab. Lariat HD (cuir)	4	M	5.4	27,000
crew cab. Lariat RD HD (cuir) D	4	M	6.4	32,200
crew cab. King Ranch HD (cuir)	4	A	5.4	30,600
crew cab. King R. RD HD (cuir)	4	A	6.4	36,300
crew cab. Harley-Dav. HD D (cuir)	4	A	6.4	32,900

Description	R.m.	Tr.	L	Prix
2007 F-350				**80 000 km**
cab. rég. XL HD	2	M	5.4	14,700
cab. rég. XL RD HD	2	M	5.4	15,500
cab. rég. XLT HD	2	M	5.4	17,200
cab. rég. XLT RD HD	2	M	5.4	17,600
super cab. XL HD	2	M	5.4	16,100
super cab. XL RD HD benne all.	2	M	5.4	17,300
super cab. XLT HD	2	M	5.4	18,700
super cab. XLT RD HD benne all.	2	M	5.4	19,500
super cab. Lariat HD (cuir)	2	M	5.4	21,100
s cab. Lariat RD HD ben all. (cuir)	2	M	5.4	21,800
crew cab. XL HD	2	M	5.4	17,000
crew cab. XL RD HD D	2	M	6	21,300
crew cab. XL RD HD benne all. D	2	M	6	21,800
crew cab. XLT HD	2	M	5.4	19,500
crew cab. XLT RD HD D	2	M	6	23,800
crew cab. Lariat HD (cuir)	2	M	5.4	22,200
crew cab. King Ranch HD (cuir)	2	A	5.4	26,000
crew cab. Lariat RD HD (cuir) D	2	M	6	22,300
cab. rég. XL HD	4	M	5.4	16,800
cab. rég. XL RD HD	4	M	5.4	17,600
cab. rég. XLT HD	4	M	5.4	19,300
cab. rég. XLT RD HD	4	M	5.4	19,800
super cab. XL HD	4	M	5.4	18,000
super cab. XL RD HD benne all.	4	M	5.4	19,300
super cab. XLT HD	4	M	5.4	20,800
super cab. XLT RD HD benne all.	4	M	5.4	21,700
super cab. Lariat HD (cuir)	4	M	5.4	23,200
s cab. Lariat HD ben all. (cuir) D	4	M	6	23,800
s cab. Lariat RD HD ben all. (cuir)	4	M	5.4	24,000
crew cab. XL HD	4	M	5.4	19,100
crew cab. XL RD HD D	4	M	6	23,200
crew cab. XLT HD	4	M	5.4	21,800
crew cab. XLT RD HD D	4	M	6	26,000
crew cab. Lariat HD (cuir)	4	M	5.4	24,400
crew cab. King Ranch HD (cuir)	4	A	5.4	27,900
crew cab. Harley-Dav. HD D (cuir)	4	A	6	33,100
crew cab. Lariat RD HD (cuir) D	4	M	6	29,100
2006 F-350				**100 000 km**
cab. rég. XL HD	2	M	5.4	12,600
cab. rég. XL RD HD	2	M	5.4	13,500
cab. rég. XLT HD	2	M	5.4	15,100
cab. rég. XLT RD HD	2	M	5.4	15,600
super cab. XL HD	2	M	5.4	14,000
super cab. XL RD HD benne all.	2	M	5.4	15,100
super cab. XLT HD	2	M	5.4	16,700
super cab. XLT RD HD ben all.	2	M	5.4	17,400
super cab. Lariat HD (cuir)	2	M	5.4	19,200
s cab. Lariat RD HD ben all. (cuir)	2	M	5.4	20,000
crew cab. XL HD	2	M	5.4	14,800
crew cab. XL RD HD D	2	M	6	19,300
crew cab. XLT HD	2	M	5.4	17,500
crew cab. XLT RD HD D	2	M	6	21,900
crew cab. Lariat HD (cuir)	2	M	5.4	20,200
crew cab. King Ranch HD (cuir)	2	A	5.4	22,900
crew cab. Lariat RD HD (cuir) D	2	M	6	24,200
cab. rég. XL HD	4	M	5.4	14,600
cab. rég. XL RD HD	4	M	5.4	15,500
cab. rég. XLT HD	4	M	5.4	17,100
cab. rég. XLT RD HD	4	M	5.4	17,600
super cab. XL HD	4	M	5.4	16,000
super cab. XL RD HD benne all.	4	M	5.4	17,200
super cab. XLT HD	4	M	5.4	18,500
super cab. XLT RD HD benne all.	4	M	5.4	19,700
super cab. Lariat HD (cuir)	4	M	5.4	21,100
s cab. Lariat HD ben all. (cuir) D	4	A	6	25,400
s cab. Lariat RD HD ben all. (cuir)	4	M	5.4	21,900
crew cab. XL HD	4	M	5.4	17,000
crew cab. XL RD HD D	4	M	6	21,400
crew cab. XLT HD	4	M	5.4	19,700
crew cab. XLT RD HD D	4	M	6	23,700
crew cab. Lariat HD (cuir)	4	M	5.4	22,100
crew cab. King Ranch HD (cuir)	4	A	5.4	23,400
crew cab. Harley-Dav. HD D (cuir)	4	A	6	27,600
crew cab. Lariat RD HD (cuir) D	4	M	6	24,500
2007 FIVE HUNDRED				**80 000 km**
4p berline SEL	2	A	3	11,900
4p berline Limited (cuir)	2	A	3	13,000
4p berline SEL AWD	A	A	3	12,900
4p berline Limited (cuir) AWD	A	A	3	13,200
2006 FIVE HUNDRED				**100 000 km**
4p berline SE	2	A	3	8,900
4p berline SEL	2	A	3	10,200
4p berline Limited (cuir)	2	A	3	10,500
4p berline SE AWD	A	A	3	10,300
4p berline SEL AWD	A	A	3	10,300
4p berline Limited (cuir) AWD	A	A	3	10,800
2010 FLEX				**20 000 km**
4p SE	2	A	3.5	28,800
4p SEL	2	A	3.5	31,700
4p Limited (cuir)	2	A	3.5	36,300

Description	R.m.	Tr.	L	Prix
4p SEL 4RM	A	A	3.5	33,400
4p Limited (cuir) 4RM	A	A	3.5	38,000
4p Limited (cuir) EcoBoost 4RM	A	A	3.5	41,000
2009 FLEX				**40 000 km**
4p SEL	2	A	3.5	24,000
4p Limited (cuir)	2	A	3.5	25,400
4p SEL 4RM	A	A	3.5	24,400
4p Limited (cuir) 4RM	A	A	3.5	25,500
2010 FOCUS				**20 000 km**
2p coupe SE	2	M	2	14,800
2p coupe SES	2	M	2	16,800
4p berline S	2	M	2	12,400
4p berline SE	2	M	2	14,600
4p berline SEL	2	M	2	16,400
4p berline SES	2	M	2	17,100
2009 FOCUS				**40 000 km**
2p coupe SE	2	M	2	11,400
2p coupe SES	2	M	2	13,000
4p berline S	2	M	2	10,400
4p berline SE	2	M	2	11,300
4p berline SEL	2	M	2	12,800
4p berline SES	2	M	2	13,100
2008 FOCUS				**60 000 km**
2p coupe S	2	M	2	8,400
2p coupe SE	2	M	2	9,200
2p coupe SES	2	M	2	10,200
2p coupe Sport	2	M	2	11,200
4p berline S	2	M	2	8,400
4p berline SE	2	M	2	9,200
4p berline SES	2	M	2	10,200
4p berline Sport	2	M	2	11,300
2007 FOCUS				**80 000 km**
2p hayon ZX3 S	2	M	2	7,300
2p hayon ZX3 SE	2	M	2	7,900
2p hayon ZX3 SE GFX	2	M	2	8,500
4p hayon ZX5 SES	2	M	2	9,000
4p berline ZX4 S	2	M	2	7,300
4p berline ZX4 SE	2	M	2	7,900
4p berline ZX4 SE GFX	2	M	2	8,500
4p berline ZX4 SES	2	M	2	9,000
4p berline ZX4 ST	2	M	2.3	9,500
4p familiale ZXW SE	2	M	2	8,400
4p familiale ZXW SES	2	M	2	9,200
2006 FOCUS				**100 000 km**
2p hayon ZX3 S	2	M	2	6,200
2p hayon ZX3 SE	2	M	2	7,000
2p hayon ZX3 SE GFX	2	M	2	7,700
4p hayon ZX5 SES	2	M	2	7,800
4p berline ZX4 S	2	M	2	5,800
4p berline ZX4 SE	2	M	2	6,700
4p berline ZX4 SE GFX	2	M	2	7,300
4p berline ZX4 SES	2	M	2	7,800
4p berline ZX4 ST	2	M	2.3	8,400
4p familiale ZXW SE	2	M	2	7,200
4p familiale ZXW SES	2	M	2	8,200
2007 FREESTAR				**80 000 km**
4p S	2	A	4.2	8,300
4p SE	2	A	4.2	9,300
4p Sport	2	A	4.2	9,900
4p SEL	2	A	4.2	10,200
4p Limited (cuir)	2	A	4.2	10,400
2006 FREESTAR				**100 000 km**
4p S	2	A	4.2	7,700
4p SE	2	A	4.2	8,200
4p Sport	2	A	4.2	9,000
4p SEL	2	A	4.2	9,200
4p Limited (cuir)	2	A	4.2	9,200
2007 FREESTYLE				**80 000 km**
4p familiale SEL	2	A	3	12,400
4p familiale Limited (cuir)	2	A	3	14,000
4p familiale SEL	A	A	3	13,600
4p familiale Limited (cuir)	A	A	3	14,400
2006 FREESTYLE				**100 000 km**
4p familiale SE	2	A	3	9,300
4p familiale SEL	2	A	3	10,600
4p familiale SE	A	A	3	10,800
4p familiale SEL	A	A	3	11,100
4p familiale Limited (cuir)	A	A	3	11,200
2010 FUSION				**20 000 km**
4p berline S	2	M	2.5	18,900
4p berline SE	2	M	2.5	20,100
4p berline SEL	2	M	2.5	22,700
4p berline SEL V6	2	A	3	25,300
4p berline Hybride	2	A	2.5	27,300
4p berline SEL AWD	A	A	3	26,300

Description	R.m.	Tr.	L	Prix
4p berline Sport AWD	A	A	3.5	“29,300”
2009 FUSION				**40 000 km**
4p berline SE	2	M	2.3	“16,000”
4p berline SEL	2	M	2.3	“17,900”
4p berline SEL V6	2	A	3	“19,800”
4p berline SEL AWD	A	A	3	“21,400”
2008 FUSION				**60 000 km**
4p berline SE	2	M	2.3	“12,400”
4p berline SEL	2	M	2.3	“13,700”
4p berline SEL V6	2	A	3	“14,700”
4p berline SEL AWD	A	A	3	“14,700”
2007 FUSION				**80 000 km**
4p berline SE	2	M	2.3	“10,600”
4p berline SE V6	2	A	3	“11,900”
4p berline SEL	2	M	2.3	“11,700”
4p berline SEL V6	2	A	3	“11,900”
4p berline SE AWD	A	A	3	“12,100”
4p berline SEL AWD	A	A	3	“12,200”
2006 FUSION				**100 000 km**
4p berline SE	2	M	2.3	“8,500”
4p berline SE V6	2	A	3	“9,000”
4p berline SEL	2	M	2.3	“8,900”
4p berline SEL V6	2	A	3	“9,500”
2010 MUSTANG				**20 000 km**
2p coupé V6	2	M	4	“21,100”
2p coupé GT	2	M	4.6	“32,200”
2p coupé Shelby GT500	2	M	5.4	“49,000”
2p décapotable V6	2	M	4	“26,000”
2p décapotable GT	2	M	4.6	“35,900”
2p décapotable Shelby GT500	2	M	5.4	“52,600”
2009 MUSTANG				**40 000 km**
2p coupé V6	2	M	4	“17,200”
2p coupé GT	2	M	4.6	“23,500”
2p coupé GT California Special	2	M	4.6	“25,300”
2p coupé Shelby GT500	2	M	5.4	“37,600”
2p décapotable V6	2	M	4	“20,000”
2p décapotable GT	2	M	4.6	“26,400”
2p déc GT California Special	2	M	4.6	“28,300”
2p décapotable Shelby GT500	2	M	5.4	“40,500”
2008 MUSTANG				**60 000 km**
2p coupé V6	2	M	4	“15,600”
2p coupé GT	2	M	4.6	“21,200”
2p coupé GT California Special	2	M	4.6	“22,600”
2p coupé GT Bullitt	2	M	4.6	“23,900”
2p coupé Shelby GT500	2	M	5.4	“34,800”
2p décapotable V6	2	M	4	“18,000”
2p décapotable GT	2	M	4.6	“23,700”
2p déc GT California Special	2	M	4.6	“25,100”
2p décapotable Shelby GT500	2	M	5.4	“3,600”
2007 MUSTANG				**80 000 km**
2p coupé V6	2	M	4	“13,800”
2p coupé GT	2	M	4.6	“19,700”
2p coupé GT California Special	2	M	4.6	“20,700”
2p coupé Shelby GT500	2	M	5.4	“31,000”
2p décapotable V6	2	M	4	“16,500”
2p décapotable GT	2	M	4.6	“21,500”
2p déc GT California Special	2	M	4.6	“22,800”
2p décapotable Shelby GT500	2	M	5.4	“33,600”
2006 MUSTANG				**100 000 km**
2p coupé V6	2	M	4	“13,200”
2p coupé GT	2	M	4.6	“19,100”
2p décapotable V6	2	M	4	“15,800”
2p décapotable GT	2	M	4.6	“21,000”
2010 RANGER				**20 000 km**
cab. rég. XL	2	M	2.3	“14,400”
super cab. XL	2	M	2.3	“14,600”
super cab. XL	2	M	4	“15,300”
super cab. Sport	2	M	4	“15,900”
super cab. XLT	2	M	4	“19,200”
super cab. XL	4	M	4	“17,400”
super cab. Sport	4	M	4	“19,600”
super cab. XLT	4	M	4	“21,600”
super cab. FX4/Off-Road	4	M	4	“21,900”
2009 RANGER				**40 000 km**
cab. rég. XL	2	M	2.3	“11,300”
cab. rég. XL	2	M	4	“11,900”
cab. rég. XL benne allongée	2	A	4	“11,900”
super cab. XL	2	A	4	“12,100”
super cab. Sport	2	M	4	“12,600”
super cab. XLT	2	M	4	“15,400”
super cab. XL	4	M	4	“14,100”
super cab. Sport	4	M	4	“15,700”
super cab. XLT	4	M	4	“17,600”
super cab. FX4/Off-Road	4	M	4	“18,100”

Description	R.m.	Tr.	L	Prix
2008 RANGER				**60 000 km**
cab. rég. XL	2	M	2.3	“8,900”
cab. rég. XL	2	M	3	“9,600”
cab. rég. XL benne allongée	2	M	3	“10,000”
cab. rég. XL benne allongée	2	A	4	“11,400”
super cab. XL	2	M	3	“10,300”
super cab. XL	2	A	4	“11,600”
super cab. Sport	2	M	3	“10,700”
super cab. Sport	2	M	4	“11,600”
super cab. XLT	2	M	3	“13,400”
super cab. XLT	2	M	4	“13,900”
super cab. XL	4	M	4	“12,300”
super cab. Sport	4	M	4	“13,700”
super cab. XLT	4	M	4	“15,300”
super cab. FX4/Off-Road	4	M	4	“15,800”
2007 RANGER				**80 000 km**
cab. rég. XL	2	M	2.3	“7,900”
cab. rég. XL	2	M	3	“8,700”
cab. rég. XL benne allongée	2	M	3	“9,200”
cab. rég. XL benne allongée	2	A	4	“10,300”
super cab. XL	2	M	3	“9,900”
super cab. XL	2	A	4	“11,100”
super cab. Sport	2	M	3	“10,300”
super cab. Sport	2	M	4	“10,800”
super cab. STX	2	M	3	“10,600”
super cab. STX	2	M	4	“11,300”
super cab. XLT	2	M	3	“11,200”
super cab. XLT	2	M	4	“11,700”
super cab. XL	4	M	4	“12,300”
super cab. Sport	4	M	4	“13,600”
super cab. XLT	4	M	4	“13,600”
super cab. FX4/Off-Road	4	M	4	“14,100”
super cab. FX4 Level II	4	M	4	“16,100”
2006 RANGER				**100 000 km**
cab. rég. XL	2	M	2.3	“6,400”
cab. rég. XL	2	M	3	“6,900”
cab. rég. SXT	2	M	3	“8,200”
cab. rég. XL benne allongée	2	M	3	“7,500”
cab. rég. XL benne allongée	2	A	4	“8,800”
cab. rég. Sport	2	M	3	“8,300”
cab. rég. XLT	2	M	3	“8,700”
cab. rég. XLT benne allongée	2	M	3	“9,000”
cab. rég. XLT benne allongée	2	A	4	“10,200”
super cab. XL	2	M	3	“8,300”
super cab. XL	2	A	4	“9,700”
super cab. Sport	2	M	3	“8,900”
super cab. Sport	2	M	4	“9,400”
super cab. SXT	2	M	3	“9,100”
super cab. SXT	2	M	4	“9,800”
super cab. XLT	2	M	3	“9,800”
super cab. XLT	2	M	4	“10,100”
cab. rég. XLT	4	M	4	“11,400”
cab. rég. XLT benne allongée	4	M	4	“11,600”
super cab. XL	4	M	4	“11,200”
super cab. Sport	4	M	4	“12,500”
super cab. XLT	4	M	4	“12,600”
super cab. FX4/Off-Road	4	M	4	“13,000”
super cab. FX4 Level II	4	M	4	“14,100”
2010 TAURUS				**20 000 km**
4p berline SE	2	A	3.5	“24,800”
4p berline SEL	2	A	3.5	“26,700”
4p berline SEL AWD	A	A	3.5	“28,800”
4p berline Limited AWD (cuir)	A	A	3.5	“33,700”
4p berline SHO AWD (cuir)	A	A	3.5	“39,900”
2009 TAURUS				**40 000 km**
4p berline SEL	2	A	3.5	“18,500”
4p berline SEL AWD	A	A	3.5	“20,000”
4p berline Limited AWD (cuir)	A	A	3.5	“23,300”
2008 TAURUS				**60 000 km**
4p berline SEL	2	A	3.5	“12,900”
4p berline Limited (cuir)	2	A	3.5	“15,000”
4p berline SEL AWD	A	A	3.5	“13,800”
4p berline Limited AWD (cuir)	A	A	3.5	“15,800”
2007 TAURUS				**80 000 km**
4p berline SE	2	A	3	“10,100”
4p berline SEL (toit ouvrant)	2	A	3	“10,800”
2006 TAURUS				**100 000 km**
4p berline SE	2	A	3	“7,600”
4p berline SE Premium	2	A	3	“8,300”
4p berline SEL	2	A	3	“9,000”
4p berline SEL Premium (cuir)	2	A	3	“9,300”
2009 TAURUS X				**40 000 km**
4p familiale SEL	2	A	3.5	“19,600”
4p familiale Limited (cuir)	2	A	3.5	“22,500”
4p familiale SEL AWD	A	A	3.5	“20,600”
4p familiale Limited AWD (cuir)	A	A	3.5	“23,800”

Description	R.m.	Tr.	L	Prix
2008 TAURUS X				**60 000 km**
4p familiale SEL	2	A	3.5	“16,700”
4p familiale Limited (cuir)	2	A	3.5	“18,200”
4p familiale SEL AWD	A	A	3.5	“17,400”
4p familiale Limited AWD (cuir)	A	A	3.5	“19,100”

GMC

Description	R.m.	Tr.	L	Prix
2010 ACADIA				**20 000 km**
4p SLE	2	A	3.6	“32,600”
4p SLT (cuir)	2	A	3.6	“39,700”
4p SLT (cuir) 1SC (roues 19)	2	A	3.6	“43,600”
4p SLE AWD	A	A	3.6	“35,200”
4p SLT AWD (cuir)	A	A	3.6	“42,300”
4p SLT AWD (cuir) 1SC (19)	A	A	3.6	“46,200”
2009 ACADIA				**40 000 km**
4p SLE	2	A	3.6	“28,200”
4p SLT (cuir)	2	A	3.6	“31,500”
4p SLT (cuir) 1SC (roues 19)	2	A	3.6	“34,500”
4p SLE AWD	A	A	3.6	“30,000”
4p SLT AWD (cuir)	A	A	3.6	“33,800”
4p SLT AWD (cuir) 1SC (19)	A	A	3.6	“35,700”
2008 ACADIA				**60 000 km**
4p SLE	2	A	3.6	“26,900”
4p SLT (cuir)	2	A	3.6	“30,000”
4p SLT (cuir) 1SC (roues 19)	2	A	3.6	“32,900”
4p SLE AWD	A	A	3.6	“29,200”
4p SLT AWD (cuir)	A	A	3.6	“32,000”
4p SLT AWD (cuir) 1SC (19)	A	A	3.6	“32,900”
2007 ACADIA				**80 000 km**
4p SLE	2	A	3.6	“24,500”
4p SLT (cuir)	2	A	3.6	“26,500”
4p SLT (cuir) 1SC (roues 19)	2	A	3.6	“27,300”
4p SLE AWD	A	A	3.6	“24,400”
4p SLT AWD (cuir)	A	A	3.6	“26,900”
4p SLT AWD (cuir) 1SC (19)	A	A	3.6	“27,800”
2010 1500 SIERRA				**20 000 km**
cab. rég. WT	2	A	4.3	“21,800”
cab. rég. WT	2	A	4.8	“22,600”
cab. rég. SLE	2	A	4.8	“25,100”
cab. all. WT	2	A	4.3	“24,500”
cab. all. WT	2	A	4.8	“25,400”
cab. all. SLE	2	A	4.8	“28,000”
cab. all. SLT (cuir)	2	A	5.3	“35,000”
crew cab WT	2	A	4.8	“26,400”
crew cab SLE	2	A	4.8	“29,400”
crew cab SLT (cuir)	2	A	5.3	“36,200”
crew cab Hybride	2	A	6	“38,400”
cab. rég. WT	4	A	4.3	“24,800”
cab. rég. WT	4	A	4.8	“25,600”
cab. rég. SLE	4	A	4.8	“28,500”
cab. all. WT	4	A	4.8	“28,200”
cab. all. SLE	4	A	4.8	“31,500”
cab. all. SLT (cuir)	4	A	5.3	“38,500”
crew cab WT	4	A	4.8	“29,600”
crew cab SLE	4	A	4.8	“32,800”
crew cab SLT (cuir)	4	A	5.3	“39,800”
crew cab Hybride	4	A	6	“41,000”
crew cab Denali (cuir)	A	A	6.2	“47,000”
2009 1500 SIERRA				**40 000 km**
cab. rég. WT	2	A	4.3	“15,300”
cab. rég. WT	2	A	4.8	“16,100”
cab. rég. SLE	2	A	4.8	“19,000”
cab. all. WT	2	A	4.3	“18,200”
cab. all. WT	2	A	4.8	“19,100”
cab. all. SLE	2	A	4.8	“21,200”
cab. all. SLE Vortec Max	2	A	6	“23,100”
cab. all. SLT (cuir)	2	A	5.3	“26,400”
cab. all. SLT Vortec Max (cuir)	2	A	6	“27,400”
crew cab WT	2	A	4.8	“20,000”
crew cab SLE	2	A	4.8	“22,300”
crew cab SLE Vortec Max	2	A	6	“24,200”
crew cab SLT (cuir)	2	A	5.3	“27,600”
crew cab SLT Vortec Max (cuir)	2	A	6	“28,400”
cab. rég. WT	4	A	4.3	“17,500”
cab. rég. WT	4	A	4.8	“18,600”
cab. rég. SLE	4	A	4.8	“21,700”
cab. all. WT	4	A	4.8	“21,300”
cab. all. SLE	4	A	4.8	“23,900”
cab. all. SLE Vortec Max	4	A	6	“25,800”
cab. all. SLT (cuir)	4	A	5.3	“29,100”
cab. all. SLT Vortec Max (cuir)	4	A	6	“30,200”
crew cab WT	4	A	4.8	“22,300”
crew cab SLE	4	A	4.8	“24,900”
crew cab SLE Vortec Max	4	A	6	“27,000”
crew cab SLT (cuir)	4	A	5.3	“30,400”
crew cab SLT Vortec Max (cuir)	4	A	6	“31,100”
crew cab Denali (cuir)	A	A	6.2	“34,700”

Description	R.m.	Tr.	L	Prix
2008 1500 SIERRA				**60 000 km**
cab. rég. WT	2	A	4.3	“12,100”
cab. rég. WT	2	A	4.8	“12,800”
cab. rég. SLE	2	A	4.8	“15,200”
cab. all. WT	2	A	4.3	“14,600”
cab. all. WT	2	A	4.8	“15,100”
cab. all. SLE	2	A	4.8	“17,300”
cab. all. SLE Vortec Max	2	A	6	“19,500”
cab. all. SLT (cuir)	2	A	5.3	“21,300”
cab. all. SLT Vortec Max (cuir)	2	A	6	“22,500”
crew cab WT	2	A	4.8	“16,000”
crew cab SLE	2	A	4.8	“18,100”
crew cab SLE Vortec Max	2	A	6	“20,100”
crew cab SLT (cuir)	2	A	5.3	“22,200”
crew cab SLT Vortec Max (cuir)	2	A	6	“23,300”
cab. rég. WT	4	A	4.3	“14,000”
cab. rég. WT	4	A	4.8	“14,600”
cab. rég. SLE	4	A	4.8	“17,500”
cab. all. WT	4	A	4.8	“17,100”
cab. all. SLE	4	A	4.8	“19,400”
cab. all. SLE Vortec Max	4	A	6	“21,800”
cab. all. SLT (cuir)	4	A	5.3	“23,600”
cab. all. SLT Vortec Max (cuir)	4	A	6	“24,800”
crew cab WT	4	A	4.8	“17,800”
crew cab SLE	4	A	4.8	“20,400”
crew cab SLE Vortec Max	4	A	6	“22,900”
crew cab SLT (cuir)	4	A	5.3	“24,700”
crew cab SLT Vortec Max (cuir)	4	A	6	“25,300”
crew cab Denali (cuir)	A	A	6.2	“28,100”
2007 1500 SIERRA				**80 000 km**
cab. rég. Ens. Valeur	2	M	4.3	“8,000”
cab. rég. WT	2	A	4.3	“10,000”
cab. rég. WT	2	A	4.8	“10,600”
cab. rég. SLE	2	A	4.3	“12,800”
cab. all. WT	2	A	4.3	“12,300”
cab. all. WT	2	A	4.8	“12,600”
cab. all. SLE	2	A	6	“14,500”
cab. all. SLE Vortec Max	2	A	5.3	“15,800”
cab. all. SLT (cuir)	2	A	6	“18,000”
cab. all. SLT Vortec Max (cuir)	2	A	4.8	“18,800”
crew cab WT	2	A	4.8	“13,600”
crew cab SLE	2	A	6	“15,200”
crew cab SLE Vortec Max	2	A	5.3	“16,500”
crew cab SLT (cuir)	2	A	6	“19,000”
crew cab SLT Vortec Max (cuir)	2	A	4.3	“19,700”
cab. rég. WT	4	A	4.3	“11,700”
cab. rég. WT	4	A	4.8	“12,300”
cab. rég. SLE	4	A	4.8	“14,900”
cab. all. WT	4	A	4.8	“14,400”
cab. all. SLE	4	A	6	“16,400”
cab. all. SLE Vortec Max	4	A	5.3	“17,700”
cab. all. SLT (cuir)	4	A	6	“20,000”
cab. all. SLT Vortec Max (cuir)	4	A	4.8	“20,800”
crew cab WT	4	A	4.8	“15,100”
crew cab SLE	4	A	6	“17,500”
crew cab SLE Vortec Max	4	A	5.3	“18,700”
crew cab SLT (cuir)	4	A	6	“21,800”
crew cab SLT Vortec Max (cuir)	4	A	6.2	“24,100”
crew cab Denali (cuir)	A	A	6.2	“25,200”
2006 1500 SIERRA				**100 000 km**
cab. rég. Ens. Valeur	2	M	4.3	“6,400”
cab. rég. SL	2	M	4.8	“7,600”
cab. rég. SLE	2	A	4.3	“10,500”
cab. all. SL	2	A	4.8	“10,300”
cab. all. SLE	2	A	5.3	“12,100”
cab. all. SLE Hybride	2	A	5.3	“12,700”
cab. all. SLT (cuir)	2	A	4.8	“15,100”
crew cab Wrangler	2	A	5.3	“11,300”
crew cab SLT (cuir)	2	A	6	“16,000”
crew cab SLT (cuir) HD	2	A	4.3	“16,700”
cab. rég. SL	4	M	4.8	“9,200”
cab. rég. SLE	4	A	4.8	“12,300”
cab. all. SL	4	A	4.8	“12,200”
cab. all. SLE	4	A	5.3	“13,800”
cab. all. SLE Hybride	4	A	5.3	“14,400”
cab. all. SLT (cuir)	4	A	4.8	“16,900”
crew cab Wrangler	4	A	5.3	“12,800”
crew cab SLE	4	A	6	“15,400”
crew cab SLE HD	4	A	5.3	“15,800”
crew cab SLT (cuir)	4	A	6	“18,000”
crew cab SLT (cuir) HD	4	A	6	“18,400”
crew cab Denali (cuir)	A	A	6	“21,300”
2010 2500 SIERRA				**20 000 km**
cab. rég. WT HD	2	A	6	“30,100”
cab. rég. SLE HD	2	A	6	“33,100”
cab. all. WT HD	2	A	6	“32,800”
cab. all. SLE HD	2	A	6	“35,500”
cab. all. SLT HD (cuir)	2	A	6	“41,200”
crew cab. WT HD	2	A	6	“34,400”
crew cab. SLE HD	2	A	6	“36,900”
crew cab. SLT HD (cuir)	2	A	6	“42,800”
cab. rég. WT HD	4	A	6	“33,100”

Description	R.m.	Tr.	L	Prix
cab. rég. SLE HD	4	A	6	“36,900”
cab. all. WT HD	4	A	6	“35,800”
cab. all. SLE HD	4	A	6	“38,400”
cab. all. SLT HD (cuir)	4	A	6	“44,100”
crew cab. WT HD	4	A	6	“37,400”
crew cab. SLE HD	4	A	6	“39,900”
crew cab. SLT HD (cuir)	4	A	6	“45,800”

2009 2500 SIERRA				**40 000 km**
cab. rég. WT HD	2	A	6	“21,600”
cab. rég. SLE HD	2	A	6	“24,700”
cab. all. WT HD	2	A	6	“24,700”
cab. all. SLE HD	2	A	6	“26,600”
cab. all. SLT HD (cuir)	2	A	6	“30,900”
crew cab. WT HD	2	A	6	“25,700”
crew cab. SLE HD	2	A	6	“27,700”
crew cab. SLT HD (cuir)	2	A	6	“32,400”
cab. rég. WT HD	4	A	6	“23,900”
cab. rég. SLE HD	4	A	6	“27,000”
cab. all. WT HD	4	A	6	“26,800”
cab. all. SLE HD	4	A	6	“28,900”
cab. all. SLT HD (cuir)	4	A	6	“33,300”
crew cab. WT HD	4	A	6	“28,200”
crew cab. SLE HD	4	A	6	“30,100”
crew cab. SLT HD (cuir)	4	A	6	“34,600”

2008 2500 SIERRA				**60 000 km**
cab. rég. WT HD	2	A	6	“15,700”
cab. rég. SLE HD	2	A	6	“18,200”
cab. all. WT HD	2	A	6	“17,800”
cab. all. SLE HD	2	A	6	“19,400”
cab. all. SLT HD (cuir)	2	A	6	“22,900”
crew cab. WT HD	2	A	6	“18,700”
crew cab. SLE HD	2	A	6	“20,400”
crew cab. SLT HD (cuir)	2	A	6	“23,700”
cab. rég. WT HD	4	A	6	“17,400”
cab. rég. SLE HD	4	A	6	“19,900”
cab. all. WT HD	4	A	6	“19,400”
cab. all. SLE HD	4	A	6	“21,300”
cab. all. SLT HD (cuir)	4	A	6	“24,700”
crew cab. WT HD	4	A	6	“20,400”
crew cab. SLE HD	4	A	6	“22,000”
crew cab. SLT HD (cuir)	4	A	6	“25,600”

2007 2500 NEW SIERRA				**80 000 km**
cab. rég. WT HD	2	A	6	“14,000”
cab. rég. SLE HD	2	A	6	“16,300”
cab. all. WT HD	2	A	6	“15,900”
cab. all. SLE HD	2	A	6	“17,600”
cab. all. SLT HD (cuir)	2	A	6	“20,600”
crew cab. WT HD	2	A	6	“16,600”
crew cab. SLE HD	2	A	6	“18,100”
crew cab. SLT HD (cuir)	2	A	6	“21,400”
cab. rég. WT HD	4	A	6	“15,500”
cab. rég. SLE HD	4	A	6	“17,800”
cab. all. WT HD	4	A	6	“17,500”
cab. all. SLE HD	4	A	6	“19,000”
cab. all. SLT HD (cuir)	4	A	6	“22,100”
crew cab. WT HD	4	A	6	“18,100”
crew cab. SLE HD	4	A	6	“19,800”
crew cab. SLT HD (cuir)	4	A	6	“23,300”

2007 2500 SIERRA CLASSIC				**80 000 km**
cab. rég. SL HD	2	M	6	“12,300”
cab. rég. SLE HD	2	M	6	“14,300”
cab. all. SL HD	2	M	6	“14,500”
cab. all. SLE HD	2	M	6	“15,700”
cab. all. SLT HD (cuir)	2	A	6	“18,700”
crew cab. SL HD	2	M	6	“14,500”
crew cab. SLE HD	2	M	6	“16,400”
crew cab. SLT HD (cuir)	2	A	6	“19,700”
cab. rég. SL HD	4	M	6	“13,800”
cab. rég. SLE HD	4	M	6	“15,900”
cab. all. SL HD	4	M	6	“15,700”
cab. all. SLE HD	4	M	6	“17,500”
cab. all. SLT HD (cuir)	4	A	6	“20,500”
crew cab. SL HD	4	M	6	“15,900”
crew cab. SLE HD	4	M	6	“18,000”
crew cab. SLT HD (cuir)	4	A	6	“21,100”

2006 2500 SIERRA				**100 000 km**
cab. rég. SL HD	2	M	6	“9,700”
cab. rég. SLE HD	2	M	6	“11,700”
cab. all. SL HD	2	M	6	“11,800”
cab. all. SLE HD	2	M	6	“13,200”
cab. all. SLT HD (cuir)	2	A	6	“16,500”
crew cab. SL HD	2	M	6	“11,800”
crew cab. SLE HD	2	M	6	“14,100”
crew cab. SLT HD (cuir)	2	A	6	“17,300”
cab. rég. SL HD	4	M	6	“11,300”
cab. rég. SLE HD	4	M	6	“13,500”
cab. all. SL HD	4	M	6	“13,200”
cab. all. SLE HD	4	M	6	“14,700”
cab. all. SLT HD (cuir)	4	A	6	“18,100”
crew cab. SL HD	4	M	6	“13,500”

Description	R.m.	Tr.	L	Prix
crew cab. SLE HD	4	M	6	“15,600”
crew cab. SLT HD (cuir)	4	A	6	“19,000”

2010 3500 SIERRA				**20 000 km**
cab. all. WT	2	A	6	“34,400”
cab. all. SLE	2	A	6	“37,100”
cab. all. SLT (cuir)	2	A	6	“41,900”
crew cab. WT	2	A	6	“36,000”
crew cab. SLE	2	A	6	“38,500”
crew cab. SLT (cuir)	2	A	6	“43,900”
cab. rég. WT	4	A	6	“34,400”
cab. rég. SLE	4	A	6	“37,400”
cab. all. WT	4	A	6	“37,400”
cab. all. SLE	4	A	6	“39,900”
cab. all. SLT (cuir)	4	A	6	“44,900”
crew cab. WT	4	A	6	“39,000”
crew cab. SLE	4	A	6	“41,400”
crew cab. SLT (cuir)	4	A	6	“46,900”

2009 3500 SIERRA				**40 000 km**
cab. all. WT	2	A	6	“25,700”
cab. all. SLE	2	A	6	“27,800”
cab. all. SLT (cuir)	2	A	6	“31,500”
crew cab. WT	2	A	6	“27,000”
crew cab. SLE	2	A	6	“29,000”
crew cab. SLT (cuir)	2	A	6	“33,100”
cab. rég. WT	4	A	6	“24,800”
cab. rég. SLE	4	A	6	“28,100”
cab. all. WT	4	A	6	“28,200”
cab. all. SLE	4	A	6	“30,100”
cab. all. SLT (cuir)	4	A	6	“33,800”
crew cab. WT	4	A	6	“29,200”
crew cab. SLE	4	A	6	“31,100”
crew cab. SLT (cuir)	4	A	6	“35,500”

2008 3500 SIERRA				**60 000 km**
cab. all. WT	2	A	6	“19,900”
cab. all. SLE	2	A	6	“21,700”
cab. all. SLT (cuir)	2	A	6	“24,900”
crew cab. WT	2	A	6	“20,600”
crew cab. SLE	2	A	6	“22,500”
crew cab. SLT (cuir)	2	A	6	“25,800”
cab. rég. WT	4	A	6	“19,100”
cab. rég. SLE	4	A	6	“21,900”
cab. all. WT	4	A	6	“21,700”
cab. all. SLE	4	A	6	“23,500”
cab. all. SLT (cuir)	4	A	6	“26,600”
crew cab. WT	4	A	6	“22,500”
crew cab. SLE	4	A	6	“24,200”
crew cab. SLT (cuir)	4	A	6	“27,600”

2007 3500 NEW SIERRA				**80 000 km**
cab. all. WT	2	A	6	“15,900”
cab. all. SLE	2	A	6	“17,400”
cab. all. SLT (cuir)	2	A	6	“19,000”
crew cab. WT	2	A	6	“16,600”
crew cab. SLE	2	A	6	“18,000”
crew cab. SLT (cuir)	2	A	6	“20,900”
cab. rég. WT	4	A	6	“15,300”
cab. rég. SLE	4	A	6	“17,500”
cab. all. WT	4	A	6	“17,600”
cab. all. SLE	4	A	6	“18,900”
cab. all. SLT (cuir)	4	A	6	“21,400”
crew cab. WT	4	A	6	“18,000”
crew cab. SLE	4	A	6	“19,500”
crew cab. SLT (cuir)	4	A		“22,300”

2007 3500 SIERRA CLASSIC				**80 000 km**
cab. all. SL	2	M	6	“14,300”
cab. all. SLE	2	M	6	“15,600”
cab. all. SLT (cuir)	2	A	6	“18,200”
crew cab. SL	2	M	6	“14,400”
crew cab. SLE	2	M	6	“16,300”
crew cab. SLT (cuir)	2	A	6	“18,200”
cab. rég. SL	4	M	6	“13,800”
cab. rég. SLE	4	M	6	“15,600”
cab. all. SL	4	M	6	“15,800”
cab. all. SLE	4	M	6	“17,000”
cab. all. SLT (cuir)	4	A	6	“19,900”
crew cab. SL	4	M	6	“15,900”
crew cab. SLE	4	M	6	“17,800”
crew cab. SLT (cuir)	4	A	6	“20,800”

2006 3500 SIERRA				**100 000 km**
cab. all. SL	2	M	6	“11,900”
cab. all. SLE	2	M	6	“13,300”
cab. all. SLT (cuir)	2	A	6	“13,900”
crew cab. SL	2	M	6	“12,100”
crew cab. SLE	2	M	6	“13,900”
crew cab. SLT (cuir)	2	A	6	“14,700”
cab. rég. SL	4	M	6	“11,400”
cab. rég. SLE	4	M	6	“13,400”
cab. all. SL	4	M	6	“13,400”
cab. all. SLE	4	M	6	“14,800”
cab. all. SLT (cuir)	4	A	6	“15,600”
crew cab. SL	4	M	6	“13,600”

Description	R.m.	Tr.	L	Prix
crew cab. SLE	4	M	6	“15,700”
crew cab. SLT (cuir)	4	A	6	“18,700”

2010 CANYON				**20 000 km**
cab. rég. SLE	2	A	2.9	“20,500”
cab. rég. SLE	2	A	3.7	“23,600”
cab. all. SLE	2	A	2.9	“22,300”
cab. all. SLE	2	A	3.7	“25,500”
cab. all. SLE V8	2	A	5.3	“27,000”
crew cab. SLE	2	A	2.9	“26,900”
crew cab. SLE	2	A	3.7	“27,900”
crew cab. SLE V8	2	A	5.3	“29,400”
cab. rég. SLE	4	A	2.9	“23,800”
cab. rég. SLE	4	A	3.7	“26,000”
cab. all. SLE	4	A	2.9	“25,600”
cab. all. SLE	4	A	3.7	“27,800”
cab. all. SLE V8	4	A	5.3	“30,200”
crew cab. SLE	4	A	3.7	“31,200”
crew cab. SLE V8	4	A	5.3	“32,700”

2009 CANYON				**40 000 km**
cab. rég. SLE	2	M	2.9	“16,200”
cab. rég. SLE	2	A	3.7	“18,700”
cab. all. SLE	2	M	2.9	“17,600”
cab. all. SLE	2	A	3.7	“20,200”
crew cab. SLE	2	A	2.9	“21,300”
crew cab. SLE	2	A	3.7	“22,200”
cab. rég. SLE	4	M	2.9	“18,800”
cab. rég. SLE	4	A	3.7	“20,800”
cab. all. SLE	4	M	2.9	“20,300”
cab. all. SLE	4	A	3.7	“21,300”
crew cab. SLE	4	A	3.7	“24,800”
crew cab. SLE V8	4	A	5.3	“28,200”

2008 CANYON				**60 000 km**
cab. rég. SL	2	M	2.9	“11,500”
cab. rég. SL	2	A	3.7	“12,800”
cab. rég. SLE	2	M	2.9	“12,600”
cab. rég. SLE	2	A	3.7	“14,000”
cab. all. SL	2	M	2.9	“12,600”
cab. all. SL	2	A	3.7	“14,100”
cab. all. SLE	2	M	2.9	“13,700”
cab. all. SLE	2	A	3.7	“15,100”
crew cab. SLE	2	A	2.9	“15,800”
crew cab. SLE	2	A	3.7	“16,500”
cab. rég. SL	4	M	2.9	“13,600”
cab. rég. SL	4	A	3.7	“14,900”
cab. rég. SLE	4	M	2.9	“14,700”
cab. rég. SLE	4	A	3.7	“16,000”
cab. all. SL	4	M	2.9	“14,700”
cab. all. SL	4	A	3.7	“16,100”
cab. all. SLE	4	M	2.9	“15,700”
cab. all. SLE	4	A	3.7	“17,100”
crew cab. SLE	4	A	3.7	“18,600”

2007 CANYON				**80 000 km**
cab. rég. SL	2	M	2.9	“9,600”
cab. rég. SL	2	A	3.7	“10,800”
cab. rég. SLE	2	M	2.9	“10,300”
cab. rég. SLE	2	A	3.7	“11,100”
cab. all. SL	2	M	2.9	“10,600”
cab. all. SL	2	A	3.7	“11,400”
cab. all. SLE	2	M	2.9	“11,500”
cab. all. SLE	2	A	3.7	“12,100”
crew cab. SLE	2	M	2.9	“12,000”
crew cab. SLE	2	A	3.7	“13,200”
cab. rég. SL	4	M	2.9	“11,500”
cab. rég. SL	4	A	3.7	“12,100”
cab. rég. SLE	4	M	2.9	“11,600”
cab. rég. SLE	4	A	3.7	“13,000”
cab. all. SL	4	M	2.9	“11,800”
cab. all. SL	4	A	3.7	“13,300”
cab. all. SLE	4	M	2.9	“12,700”
cab. all. SLE	4	A	3.7	“14,000”
crew cab. SLE	4	A	3.7	“15,300”

2006 CANYON				**100 000 km**
cab. rég. SL	2	M	2.8	“6,500”
cab. rég. SL	2	M	3.5	“7,200”
cab. rég. SLE	2	M	2.8	“8,000”
cab. rég. SLE	2	M	3.5	“8,500”
cab. all. SL	2	M	2.8	“7,800”
cab. all. SL	2	M	3.5	“8,200”
cab. all. SLE	2	M	2.8	“8,900”
cab. all. SLE	2	M	3.5	“9,100”
crew cab. SLE	2	M	2.8	“9,700”
crew cab. SLE	2	A	3.5	“10,400”
cab. rég. SL	4	M	2.8	“9,500”
cab. rég. SL	4	M	3.5	“10,200”
cab. rég. SLE	4	M	2.8	“10,200”
cab. rég. SLE	4	M	3.5	“11,000”
cab. all. SL	4	M	2.8	“9,500”
cab. all. SL	4	M	3.5	“10,100”
cab. all. SLE	4	M	2.8	“10,200”
cab. all. SLE	4	M	3.5	“10,900”

Description	R.m.	Tr.	L	Prix
crew cab. SLE	4	M	2.8	“11,600”
crew cab. SLE	4	A	3.5	“12,900”

2009 ENVOY				**40 000 km**
4p SLE	4	A	4.2	“28,900”
4p SLT (cuir)	4	A	4.2	“30,400”
4p Denali (cuir)	4	A	5.3	“33,500”

2008 ENVOY				**60 000 km**
4p SLE	4	A	4.2	“22,200”
4p SLT (cuir)	4	A	4.2	“23,600”
4p Denali (cuir)	4	A	5.3	“24,000”

2007 ENVOY				**80 000 km**
4p SLE	2	A	4.2	“14,500”
4p SLT (cuir)	2	A	4.2	“16,700”
4p Denali (cuir)	2	A	5.3	“18,900”
4p SLE	4	A	4.2	“17,400”
4p SLT (cuir)	4	A	4.2	“19,500”
4p Denali (cuir)	4	A	5.3	“21,000”

2006 ENVOY				**100 000 km**
4p SLE	2	A	4.2	“10,600”
4p SLT (cuir)	2	A	4.2	“12,600”
4p Denali (cuir)	2	A	5.3	“15,700”
4p SLE	4	A	4.2	“15,000”
4p SLT (cuir)	4	A	4.2	“16,200”
4p Denali (cuir)	4	A	5.3	“17,300”

2006 ENVOY XL				**100 000 km**
4p SLE	2	A	4.2	“11,000”
4p SLT (cuir)	2	A	4.2	“13,800”
4P Denali	2	A	5.3	“17,600”
4p SLE	4	A	4.2	“16,800”
4p SLT (cuir)	4	A	4.2	“17,700”
4p Denali	4	A	5.3	“18,200”

2010 G1500 SAVANA				**20 000 km**
3p SL	2	A	5.3	“33,400”
3p SLE	2	A	5.3	“37,200”
3p SL	A	A	5.3	“36,000”
3p SLE	A	A	5.3	“37,900”

2009 G1500 SAVANA				**40 000 km**
3p SL	2	A	5.3	“24,700”
3p SLE	2	A	5.3	“27,100”
3p SL	A	A	5.3	“26,600”
3p SLE	A	A	5.3	“29,000”

2008 G1500 SAVANA				**60 000 km**
3p SL	2	A	5.3	“18,900”
3p SLE	2	A	5.3	“20,700”
3p SL	A	A	5.3	“20,400”
3p SLE	A	A	5.3	“22,200”

2007 G1500 SAVANA				**80 000 km**
3p SL	2	A	5.3	“14,300”
3p SLE	2	A	5.3	“15,600”
3p SL	A	A	5.3	“15,500”
3p SLE	A	A	5.3	“16,900”

2006 G1500 SAVANA				**100 000 km**
3p SL	2	A	4.3	“11,900”
3p SLE	2	A	4.3	“13,000”
3p SL	A	A	5.3	“13,700”
3p SLE	A	A	5.3	“14,500”

2010 G2500 SAVANA				**20 000 km**
3p SL	2	A	6	“33,600”
3p SLE	2	A	6	“37,100”

2009 G2500 SAVANA				**40 000 km**
3p SL	2	A	6	“24,700”
3p SLE	2	A	6	“26,900”

2008 G2500 SAVANA				**60 000 km**
3p SL	2	A	6	“17,100”
3p SLE	2	A	6	“18,600”

2007 G2500 SAVANA				**80 000 km**
3p SL	2	A	4.8	“15,400”
3p SL	2	A	6	“16,000”
3p SLE	2	A	4.8	“16,800”
3p SLE	2	A	6	“17,500”

2006 G2500 SAVANA				**100 000 km**
3p SL	2	A	4.8	“13,500”
3p SL	2	A	6	“14,000”
3p SLE	2	A	4.8	“14,500”
3p SLE	2	A	6	“15,000”

2010 G3500 SAVANA				**20 000 km**
3p SL	2	A	6	“34,000”
3p allongé SL	2	A	6	“36,400”
3p SLE	2	A	6	“37,000”
3p allongé SLE	2	A	6	“38,600”

2009 G3500 SAVANA — 40 000 km

Description	R.m.	Tr.	L	Prix
3p SL	2	A	6	"25,000"
3p allongé SL	2	A	6	"26,800"
3p SLE	2	A	6	"26,800"
3p allongé SLE	2	A	6	"27,900"

2008 G3500 SAVANA — 60 000 km

Description	R.m.	Tr.	L	Prix
3p SL	2	A	6	"19,300"
3p allongé SL	2	A	6	"20,800"
3p SLE	2	A	6	"20,700"
3p allongé SLE	2	A	6	"21,400"

2007 G3500 SAVANA — 80 000 km

Description	R.m.	Tr.	L	Prix
3p SL	2	A	6	"16,400"
3p allongé SL	2	A	6	"17,700"
3p SLE	2	A	6	"17,700"
3p allongé SLE	2	A	6	"18,400"

2006 G3500 SAVANA — 100 000 km

Description	R.m.	Tr.	L	Prix
3p SL	2	A	6	"14,000"
3p allongé SL	2	A	6	"15,300"
3p SLE	2	A	6	"14,800"
3p allongé SLE	2	A	6	"16,200"

2010 TERRAIN — 20 000 km

Description	R.m.	Tr.	L	Prix
4p SLE	2	A	2.4	"23,600"
4p SLE V6	2	A	3	"27,100"
4p SLT	2	A	2.4	"27,000"
4p SLT V6	2	A	3	"28,500"
4p SLE AWD	A	A	2.4	"25,000"
4p SLE V6 AWD	A	A	3	"28,500"
4p SLT AWD	A	A	2.4	"28,200"
4p SLT V6 AWD	A	A	3	"29,700"

2010 YUKON — 20 000 km

Description	R.m.	Tr.	L	Prix
4p SLE	2	A	5.3	"42,400"
4p SLT (cuir)	2	A	5.3	"46,700"
4p Hybride	2	A	6	"59,000"
4p SLE AWD	4	A	5.3	"46,200"
4p SLT AWD (cuir)	4	A	5.3	"50,500"
4p Denali AWD (cuir)	A	A	6.2	"62,400"
4p Hybride	4	A	6	"61,900"

2009 YUKON — 40 000 km

Description	R.m.	Tr.	L	Prix
4p SLE	2	A	5.3	"32,700"
4p SLT (cuir)	2	A	5.3	"36,700"
4p Hybride	2	A	6	"44,900"
4p SLE AWD	4	A	5.3	"35,700"
4p SLT AWD (cuir)	4	A	5.3	"39,800"
4p Denali AWD (cuir)	A	A	6.2	"46,600"
4p Hybride	4	A	6	"46,900"

2008 YUKON — 60 000 km

Description	R.m.	Tr.	L	Prix
4p SLE	2	A	5.3	"21,700"
4p SLT (cuir)	2	A	5.3	"24,500"
4p Hybride	2	A	6	"28,100"
4p SLE AWD	4	A	5.3	"23,600"
4p SLT AWD (cuir)	4	A	5.3	"25,200"
4p Denali AWD (cuir)	A	A	6.2	"28,100"
4p Hybride	4	A	6	"29,500"

2007 YUKON — 80 000 km

Description	R.m.	Tr.	L	Prix
4p SLE	2	A	5.3	"17,800"
4p SLT (cuir)	2	A	5.3	"20,200"
4p SLE	4	A	5.3	"19,100"
4p SLT (cuir)	4	A	5.3	"20,700"
4p Denali (cuir)	A	A	6.2	"22,400"

2006 YUKON — 100 000 km

Description	R.m.	Tr.	L	Prix
4p SLE	2	A	4.8	"15,300"
4p SLE	2	A	5.3	"15,800"
4p SLT (cuir)	2	A	5.3	"18,900"
4p SLE	4	A	5.3	"17,300"
4p SLT (cuir)	4	A	5.3	"19,300"
4p Denali (cuir)	A	A	6	"21,000"

2010 YUKON XL — 20 000 km

Description	R.m.	Tr.	L	Prix
4p SLE 1500	2	A	5.3	"44,600"
4p SLT 1500 (cuir)	2	A	5.3	"49,300"
4p SLE 2500	2	A	6	"46,100"
4p SLT 2500 (cuir)	2	A	6	"50,800"
4p SLE 1500	4	A	5.3	"47,600"
4p SLT 1500 (cuir)	4	A	5.3	"52,300"
4p Denali 1500 (cuir)	A	A	6.2	"65,500"
4p SLE 2500	4	A	6	"49,100"
4p SLT 2500 (cuir)	4	A	6	"53,800"

2009 YUKON XL — 40 000 km

Description	R.m.	Tr.	L	Prix
4p SLE 1500	2	A	5.3	"34,700"
4p SLT 1500 (cuir)	2	A	5.3	"38,800"
4p SLT 1500 (cuir)	2	A	6	"41,400"
4p SLE 2500	2	A	6	"36,300"
4p SLT 2500 (cuir)	2	A	6	"40,300"
4p SLE 1500	4	A	5.3	"37,600"
4p SLT 1500 (cuir)	4	A	5.3	"41,900"
4p SLT 1500 (cuir)	4	A	6	"43,800"
4p Denali 1500 (cuir)	A	A	6.2	"49,000"
4p SLE 2500	4	A	6	"38,500"
4p SLT 2500 (cuir)	4	A	6	"42,500"

2008 YUKON XL — 60 000 km

Description	R.m.	Tr.	L	Prix
4p SLE 1500	2	A	5.3	"23,100"
4p SLT 1500 (cuir)	2	A	5.3	"25,900"
4p SLT 1500 (cuir)	2	A	6	"27,100"
4p SLE 2500	2	A	6	"24,100"
4p SLT 2500 (cuir)	2	A	6	"26,700"
4p SLE 1500	4	A	5.3	"25,000"
4p SLT 1500 (cuir)	4	A	5.3	"26,500"
4p SLT 1500 (cuir)	4	A	6	"27,100"
4p Denali 1500 (cuir)	A	A	6.2	"29,200"
4p SLE 2500	4	A	6	"25,500"
4p SLT 2500 (cuir)	4	A	6	"28,500"

2007 YUKON XL — 80 000 km

Description	R.m.	Tr.	L	Prix
4p SLE 1500	2	A	5.3	"20,500"
4p SLT 1500 (cuir)	2	A	5.3	"23,400"
4p SLT 1500 (cuir)	2	A	6	"24,000"
4p SLE 2500	2	A	6	"20,900"
4p SLT 2500 (cuir)	2	A	6	"23,400"
4p SLE 1500	4	A	5.3	"21,500"
4p SLT 1500 (cuir)	4	A	5.3	"24,500"
4p SLT 1500 (cuir)	4	A	6	"23,000"
4p Denali 1500 (cuir)	A	A	6.2	"26,200"
4p SLE 2500	4	A	6	"21,600"
4p SLT 2500 (cuir)	4	A	6	"24,600"

2006 YUKON XL — 100 000 km

Description	R.m.	Tr.	L	Prix
4p SLE 1500	2	A	5.3	"16,800"
4p SLT 1500 (cuir)	2	A	5.3	"19,000"
4p SLE 2500	2	A	6	"17,500"
4p SLE 2500	2	A	8.1	"18,500"
4p SLT 2500 (cuir)	2	A	6	"19,300"
4p SLT 2500 (cuir)	2	A	8.1	"19,900"
4p SLE 1500	4	A	5.3	"19,000"
4p SLT 1500 (cuir)	4	A	5.3	"20,300"
4p Denali (cuir)	A	A	6	"21,100"
4p SLE 2500	4	A	6	"18,700"
4p SLE 2500	4	A	8.1	"19,300"
4p SLT 2500 (cuir)	4	A	6	"20,700"
4p SLT 2500 (cuir)	4	A	8.1	"21,300"

HONDA

2010 ACCORD — 20 000 km

Description	R.m.	Tr.	L	Prix
2p coupé EX	2	M	2.4	"24,900"
2p coupé EX	2	A	2.4	"26,000"
2p coupé EX-L (cuir)	2	M	2.4	"26,900"
2p coupé EX-L (cuir)	2	A	2.4	"28,000"
2p coupé EX-L V6 (cuir)	2	M	3.5	"31,600"
2p coupé EX-L V6 (cuir)	2	A	3.5	"31,600"
4p berline LX	2	M	2.4	"22,300"
4p berline LX	2	A	2.4	"23,300"
4p berline EX	2	A	2.4	"25,500"
4p berline EX-L (cuir)	2	A	2.4	"31,100"
4p berline EX V6	2	A	3.5	"28,300"
4p berline EX-L V6 (cuir)	2	A	3.5	"31,100"
4p hayon Crosstour EX-L	2	A	3.5	"30,600"
4p hayon Crosstour EX-L AWD	A	A	3.5	"32,600"

2009 ACCORD — 40 000 km

Description	R.m.	Tr.	L	Prix
2p coupé EX	2	M	2.4	"23,700"
2p coupé EX	2	A	2.4	"24,500"
2p coupé EX-L (cuir)	2	M	2.4	"25,300"
2p coupé EX-L (cuir)	2	A	2.4	"26,300"
2p coupé EX-L NAVI (cuir)	2	A	2.4	"26,800"
2p coupé EX-L NAVI (cuir)	2	M	2.4	"27,500"
2p coupé EX-L V6 (cuir)	2	M	3.5	"28,900"
2p coupé EX-L V6 (cuir)	2	A	3.5	"28,900"
2p coupé EX-L V6 NAVI (cuir)	2	M	3.5	"30,200"
2p coupé EX-L V6 NAVI (cuir)	2	A	3.5	"30,200"
4p berline LX	2	M	2.4	"21,700"
4p berline LX	2	A	2.4	"22,600"
4p berline EX	2	M	2.4	"23,400"
4p berline EX	2	A	2.4	"24,200"
4p berline EX-L (cuir)	2	M	2.4	"25,100"
4p berline EX-L (cuir)	2	A	2.4	"25,800"
4p berline EX-L NAVI (cuir)	2	M	2.4	"26,300"
4p berline EX-L NAVI (cuir)	2	A	2.4	"27,200"
4p berline EX V6	2	A	3.5	"26,300"
4p berline EX-L V6 (cuir)	2	A	3.5	"28,600"
4p berline EX-L V6 NAVI (cuir)	2	A	3.5	"30,000"

2008 ACCORD — 60 000 km

Description	R.m.	Tr.	L	Prix
2p coupé EX	2	M	2.4	"20,400"
2p coupé EX	2	A	2.4	"21,200"
2p coupé EX-L (cuir)	2	M	2.4	"21,200"
2p coupé EX-L (cuir)	2	A	2.4	"21,900"
2p coupé EX-L NAVI (cuir)	2	A	2.4	"22,900"
2p coupé EX-L NAVI (cuir)	2	M	2.4	"23,600"
2p coupé EX-L V6 (cuir)	2	M	3.5	"23,600"
2p coupé EX-L V6 (cuir)	2	A	3.5	"23,600"
2p coupé EX-L V6 NAVI (cuir)	2	M	3.5	"24,300"
2p coupé EX-L V6 NAVI (cuir)	2	A	3.5	"24,300"
4p berline LX	2	M	2.4	"18,600"
4p berline LX	2	A	2.4	"19,300"
4p berline EX	2	M	2.4	"20,100"
4p berline EX	2	A	2.4	"21,000"
4p berline EX-L (cuir)	2	M	2.4	"21,700"
4p berline EX-L (cuir)	2	A	2.4	"21,700"
4p berline EX-L NAVI (cuir)	2	M	2.4	"22,700"
4p berline EX-L NAVI (cuir)	2	A	2.4	"23,300"
4p berline EX V6	2	A	3.5	"21,900"
4p berline EX-L V6 (cuir)	2	A	3.5	"23,100"
4p berline EX-L V6 NAVI (cuir)	2	A	3.5	"24,100"

2007 ACCORD — 80 000 km

Description	R.m.	Tr.	L	Prix
2p coupé SE	2	M	2.4	"14,400"
2p coupé SE	2	A	2.4	"15,100"
2p coupé EX-L NAVI (cuir)	2	M	2.4	"16,300"
2p coupé EX-L NAVI (cuir)	2	A	2.4	"16,700"
2p coupé EX V6 (cuir)	2	A	3	"17,100"
2p coupé EX V6 (cuir)	2	M	3	"17,400"
4p berline DX-G	2	M	2.4	"13,500"
4p berline DX-G	2	A	2.4	"14,200"
4p berline SE	2	M	2.4	"14,400"
4p berline SE	2	A	2.4	"15,200"
4p berline SE V6	2	A	3	"16,400"
4p berline EX-L (cuir)	2	M	2.4	"16,400"
4p berline EX-L (cuir)	2	A	2.4	"17,300"
4p berline EX V6 (cuir)	2	M	3	"17,500"
4p berline EX V6 (cuir)	2	A	3	"17,500"
4p berline EX V6 NAVI (cuir)	2	A	3	"17,800"
4p berline Hybride (cuir)	2	A	3	"18,000"
4p berline Hybride NAVI (cuir)	2	A	3	"18,600"

2006 ACCORD — 100 000 km

Description	R.m.	Tr.	L	Prix
2p coupé LX-G	2	M	2.4	"13,200"
2p coupé LX-G	2	A	2.4	"13,900"
2p coupé EX-L (cuir)	2	M	2.4	"14,900"
2p coupé EX-L (cuir)	2	A	2.4	"15,200"
2p coupé EX V6 (cuir)	2	A	3	"15,400"
2p coupé EX V6 (cuir)	2	M	3	"15,900"
4p berline DX-G	2	M	2.4	"12,400"
4p berline DX-G	2	A	2.4	"13,000"
4p berline SE	2	M	2.4	"13,200"
4p berline SE	2	A	2.4	"13,900"
4p berline SE V6	2	A	3	"15,400"
4p berline EX-L (cuir)	2	M	2.4	"14,900"
4p berline EX-L (cuir)	2	A	2.4	"15,200"
4p berline EX V6 (cuir)	2	A	3	"15,800"
4p berline EX V6 NAVI (cuir)	2	A	3	"16,200"
4p berline Hybride (cuir)	2	A	3	"16,300"
4p berline Hybride NAVI (cuir)	2	A	3	"16,600"

2010 CIVIC — 20 000 km

Description	R.m.	Tr.	L	Prix
2p coupé DX	2	M	1.8	"15,100"
2p coupé DX	2	A	1.8	"16,200"
2p coupé DX (climatiseur)	2	M	1.8	"16,300"
2p coupé DX (climatiseur)	2	A	1.8	"17,300"
2p coupé DX-G	2	M	1.8	"17,500"
2p coupé DX-G	2	A	1.8	"18,500"
2p coupé LX (toit ouvrant)	2	M	1.8	"19,200"
2p coupé LX (toit ouvrant)	2	A	1.8	"20,200"
2p coupé EX-L (cuir)	2	M	1.8	"21,100"
2p coupé EX-L (cuir)	2	A	1.8	"22,200"
2p coupé Si	2	M	2	"23,700"
4p berline DX	2	M	1.8	"15,000"
4p berline DX	2	A	1.8	"16,000"
4p berline DX (climatiseur)	2	M	1.8	"16,100"
4p berline DX (climatiseur)	2	A	1.8	"17,200"
4p berline DX-G	2	M	1.8	"17,200"
4p berline DX-G	2	A	1.8	"18,300"
4p berline Sport (toit)	2	M	1.8	"19,200"
4p berline Sport (toit)	2	A	1.8	"20,200"
4p berline EX-L (cuir)	2	M	1.8	"20,800"
4p berline EX-L (cuir)	2	A	1.8	"21,900"
4p berline Si	2	M	2	"23,700"

2009 CIVIC — 40 000 km

Description	R.m.	Tr.	L	Prix
2p coupé DX	2	M	1.8	"13,400"
2p coupé DX	2	A	1.8	"14,200"
2p coupé DX (climatiseur)	2	M	1.8	"14,300"
2p coupé DX (climatiseur)	2	A	1.8	"15,100"
2p coupé DX-G	2	M	1.8	"15,200"
2p coupé DX-G	2	A	1.8	"16,000"
2p coupé LX (toit ouvrant)	2	M	1.8	"16,400"
2p coupé LX (toit ouvrant)	2	A	1.8	"17,200"
2p coupé EX-L (cuir)	2	M	1.8	"17,900"
2p coupé EX-L (cuir)	2	A	1.8	"18,600"
2p coupé Si	2	M	2	"19,800"
4p berline DX	2	M	1.8	"13,300"
4p berline DX	2	A	1.8	"14,000"
4p berline DX (climatiseur)	2	M	1.8	"14,100"
4p berline DX (climatiseur)	2	A	1.8	"15,000"
4p berline DX-G	2	M	1.8	"15,000"
4p berline DX-G	2	A	1.8	"15,800"
4p berline Sport (toit)	2	M	1.8	"16,400"
4p berline Sport (toit)	2	A	1.8	"17,200"
4p berline EX-L (cuir)	2	M	1.8	"17,600"
4p berline EX-L (cuir)	2	A	1.8	"18,400"
4p berline Si	2	M	2	"19,800"
4p berline Hybride	2	A	1.3	"19,600"

2008 CIVIC — 60 000 km

Description	R.m.	Tr.	L	Prix
2p coupé DX	2	M	1.8	"10,400"
2p coupé DX	2	A	1.8	"11,200"
2p coupé DX (climatiseur)	2	M	1.8	"11,200"
2p coupé DX (climatiseur)	2	A	1.8	"11,900"
2p coupé DX-G	2	M	1.8	"12,000"
2p coupé DX-G	2	A	1.8	"12,600"
2p coupé LX	2	M	1.8	"12,900"
2p coupé LX	2	A	1.8	"13,600"
2p coupé LX (toit ouvrant)	2	M	1.8	"13,500"
2p coupé LX (toit ouvrant)	2	A	1.8	"14,200"
2p coupé EX-L (cuir)	2	M	1.8	"14,300"
2p coupé EX-L (cuir)	2	A	1.8	"14,800"
2p coupé Si	2	M	2	"15,200"
4p berline DX	2	M	1.8	"10,400"
4p berline DX	2	A	1.8	"11,100"
4p berline DX (climatiseur)	2	M	1.8	"11,100"
4p berline DX (climatiseur)	2	A	1.8	"11,800"
4p berline DX-G	2	M	1.8	"11,800"
4p berline DX-G	2	A	1.8	"12,500"
4p berline LX	2	M	1.8	"12,600"
4p berline LX	2	A	1.8	"13,500"
4p berline LX (toit ouvrant)	2	M	1.8	"13,300"
4p berline LX (toit ouvrant)	2	A	1.8	"14,000"
4p berline EX-L (cuir)	2	M	1.8	"14,200"
4p berline EX-L (cuir)	2	A	1.8	"14,600"
4p berline Si	2	M	2	"15,200"
4p berline Hybride	2	A	1.3	"15,000"

2007 CIVIC — 80 000 km

Description	R.m.	Tr.	L	Prix
2p coupé DX	2	M	1.8	"9,600"
2p coupé DX	2	A	1.8	"10,100"
2p coupé DX-G (climatiseur)	2	M	1.8	"10,800"
2p coupé DX-G (climatiseur)	2	A	1.8	"11,200"
2p coupé LX	2	M	1.8	"11,500"
2p coupé LX	2	A	1.8	"12,100"
2p coupé EX (toit ouv.)	2	M	1.8	"12,600"
2p coupé EX (toit ouv.)	2	A	1.8	"13,100"
2p coupé Si	2	M	2	"13,800"
4p berline DX	2	M	1.8	"9,500"
4p berline DX	2	A	1.8	"9,900"
4p berline DX-G (climatiseur)	2	M	1.8	"10,700"
4p berline DX-G (climatiseur)	2	A	1.8	"11,200"
4p berline LX	2	M	1.8	"11,200"
4p berline LX	2	A	1.8	"11,900"
4p berline EX (toit ouv.)	2	M	1.8	"12,300"
4p berline EX (toit ouv.)	2	A	1.8	"13,000"
4p berline Hybride	2	A	1.3	"13,700"

2006 CIVIC — 100 000 km

Description	R.m.	Tr.	L	Prix
2p coupé DX	2	M	1.8	"8,800"
2p coupé DX	2	A	1.8	"9,500"
2p coupé DX-G	2	M	1.8	"9,700"
2p coupé DX-G	2	A	1.8	"10,200"
2p coupé LX	2	M	1.8	"10,700"
2p coupé LX	2	A	1.8	"11,000"
2p coupé EX	2	M	1.8	"11,200"
2p coupé EX	2	A	1.8	"11,800"
2p coupé Si	2	M	2	"12,500"
4p berline DX	2	M	1.8	"8,600"
4p berline DX	2	A	1.8	"9,400"
4p berline DX-G	2	M	1.8	"9,600"
4p berline DX-G	2	A	1.8	"10,200"
4p berline LX	2	M	1.8	"10,500"
4p berline LX	2	A	1.8	"10,900"
4p berline EX	2	M	1.8	"11,000"
4p berline EX	2	A	1.8	"11,700"
4p berline Hybride	2	A	1.3	"12,000"

2010 CR-V — 20 000 km

Description	R.m.	Tr.	L	Prix
4p LX	2	A	2.4	"25,300"
4p LX	A	A	2.4	"27,100"
4p EX (toit)	A	A	2.4	"30,000"
4p EX-L (cuir)	A	A	2.4	"31,800"
4p EX-L NAVI (cuir)	A	A	2.4	"33,800"

2009 CR-V — 40 000 km

Description	R.m.	Tr.	L	Prix
4p LX	2	A	2.4	"21,200"
4p LX	A	A	2.4	"22,600"
4p EX (toit)	A	A	2.4	"24,800"
4p EX-L (cuir)	A	A	2.4	"25,600"
4p EX-L NAVI (cuir)	A	A	2.4	"27,000"

2008 CR-V — 60 000 km

Description	R.m.	Tr.	L	Prix
4p LX	2	A	2.4	"19,800"
4p LX	A	A	2.4	"21,000"
4p EX (toit)	A	A	2.4	"21,300"
4p EX-L (cuir)	A	A	2.4	"22,200"

Description	R.m.	Tr.	L	Prix
4p EX-L NAVI (cuir)	A	A	2.4	"23,600"
2007 CR-V				**80 000 km**
4p LX	2	A	2.4	"18,900"
4p LX	A	A	2.4	"19,500"
4p EX (toit)	A	A	2.4	"19,800"
4p EX-L (cuir)	A	A	2.4	"20,700"
4p EX-L NAVI (cuir)	A	A	2.4	"21,500"
2006 CR-V				**100 000 km**
4p SE	A	M	2.4	"17,500"
4p SE	A	A	2.4	"18,200"
4p EX	A	M	2.4	"18,400"
4p EX	A	A	2.4	"18,900"
4p EX-L (cuir)	A	A	2.4	"19,500"
2010 ELEMENT				**20 000 km**
4p LX	2	A	2.4	"21,500"
4p SC	2	A	2.4	"25,200"
4p EX AWD	A	A	2.4	"25,500"
2009 ELEMENT				**40 000 km**
4p LX	2	A	2.4	"18,500"
4p SC	2	A	2.4	"21,300"
4p EX AWD	A	A	2.4	"21,400"
2008 ELEMENT				**60 000 km**
4p LX	2	M	2.4	"17,500"
4p LX	2	A	2.4	"18,200"
4p EX	2	M	2.4	"19,100"
4p EX	2	A	2.4	"19,900"
4p SC	2	M	2.4	"20,300"
4p SC	2	A	2.4	"21,000"
4p EX AWD	A	M	2.4	"20,600"
4p EX AWD	A	A	2.4	"21,200"
2007 ELEMENT				**80 000 km**
4p LX	2	M	2.4	"14,000"
4p LX	2	A	2.4	"14,700"
4p EX	2	M	2.4	"15,600"
4p EX	2	A	2.4	"15,900"
4p SC	2	M	2.4	"16,300"
4p SC	2	A	2.4	"17,100"
4p EX AWD	A	M	2.4	"16,500"
4p EX AWD	A	A	2.4	"17,200"
2006 ELEMENT				**100 000 km**
4p base	2	M	2.4	"12,100"
4p base	2	A	2.4	"12,700"
4p Y-Package	2	M	2.4	"13,600"
4p Y-Package	2	A	2.4	"13,800"
4p Y-Package AWD	A	M	2.4	"13,900"
4p Y-Package AWD	A	A	2.4	"14,100"
2010 FIT				**20 000 km**
4p hayon DX	2	M	1.5	"12,700"
4p hayon DX	2	A	1.5	"13,800"
4p hayon LX (a/c)	2	M	1.5	"14,900"
4p hayon LX (a/c)	2	A	1.5	"15,900"
4p hayon Sport	2	M	1.5	"16,500"
4p hayon Sport	2	A	1.5	"17,600"
2009 FIT				**40 000 km**
4p hayon DX	2	M	1.5	"10,700"
4p hayon DX	2	A	1.5	"11,600"
4p hayon LX (a/c)	2	M	1.5	"12,400"
4p hayon LX (a/c)	2	A	1.5	"13,300"
4p hayon Sport	2	M	1.5	"13,800"
4p hayon Sport	2	A	1.5	"14,700"
2008 FIT				**60 000 km**
4p hayon DX	2	M	1.5	"9,000"
4p hayon DX	2	A	1.5	"9,800"
4p hayon LX (a/c)	2	M	1.5	"10,500"
4p hayon LX (a/c)	2	A	1.5	"11,200"
4p hayon Sport	2	M	1.5	"11,500"
4p hayon Sport	2	A	1.5	"11,800"
2007 FIT				**80 000 km**
4p hayon DX	2	M	1.5	"8,800"
4p hayon DX	2	A	1.5	"9,500"
4p hayon LX (a/c)	2	M	1.5	"10,200"
4p hayon LX (a/c)	2	A	1.5	"10,500"
4p hayon Sport	2	M	1.5	"10,800"
4p hayon Sport	2	A	1.5	"11,000"
2010 INSIGHT				**20 000 km**
4p hayon LX	2	M	1.3	"19,800"
4p hayon EX	2	M	1.3	"22,800"
2006 INSIGHT				**100 000 km**
2p hayon base	2	M	1	"8,900"
2010 ODYSSEY				**20 000 km**
4p DX	2	A	3.5	"27,900"
4p SE	2	A	3.5	"33,300"
4p EX-L (cuir)	2	A	3.5	"36,400"

Description	R.m.	Tr.	L	Prix
4p EX-L RES (cuir+DVD)	2	A	3.5	"38,100"
4p Touring (cuir)	2	A	3.5	"43,700"
2009 ODYSSEY				**40 000 km**
4p DX	2	A	3.5	"25,100"
4p LX	2	A	3.5	"26,700"
4p EX	2	A	3.5	"29,400"
4p EX-L (cuir)	2	A	3.5	"30,800"
4p EX-L RES (cuir+DVD)	2	A	3.5	"32,400"
4p Touring (cuir)	2	A	3.5	"35,300"
2008 ODYSSEY				**60 000 km**
4p DX	2	A	3.5	"22,800"
4p LX	2	A	3.5	"24,000"
4p EX	2	A	3.5	"26,300"
4p EX-L (cuir)	2	A	3.5	"26,600"
4p EX-L RES (cuir+DVD)	2	A	3.5	"27,300"
4p Touring (cuir)	2	A	3.5	"28,400"
2007 ODYSSEY				**80 000 km**
4p LX	2	A	3.5	"20,700"
4p EX	2	A	3.5	"22,800"
4p EX-L (cuir)	2	A	3.5	"23,600"
4p EX-L RES (cuir+DVD)	2	A	3.5	"24,400"
4p EX Touring (cuir)	2	A	3.5	"25,400"
2006 ODYSSEY				**100 000 km**
4p LX	2	A	3.5	"18,700"
4p EX	2	A	3.5	"19,700"
4p EX-L (cuir)	2	A	3.5	"20,500"
4p EX-L RES (cuir+DVD)	2	A	3.5	"21,500"
4p Touring (cuir)	2	A	3.5	"22,500"
2010 PILOT				**20 000 km**
4p LX	2	A	3.5	"33,900"
4p LX	A	A	3.5	"36,500"
4p EX	A	A	3.5	"39,100"
4p EX-L (cuir / toit)	A	A	3.5	"41,100"
4p EX-L Touring	A	A	3.5	"45,900"
2009 PILOT				**40 000 km**
4p LX	2	A	3.5	"31,300"
4p LX	A	A	3.5	"33,400"
4p EX	A	A	3.5	"33,600"
4p EX-L (cuir / toit)	A	A	3.5	"34,100"
4p EX-L Touring	A	A	3.5	"36,200"
2008 PILOT				**60 000 km**
4p LX	2	A	3.5	"28,300"
4p LX	A	A	3.5	"30,500"
4p SE (toit)	A	A	3.5	"30,700"
4p SE-L (cuir / toit)	A	A	3.5	"31,500"
4p EX-L NAVI	A	A	3.5	"32,400"
2007 PILOT				**80 000 km**
4p LX	2	A	3.5	"24,400"
4p LX	A	A	3.5	"26,400"
4p EX	A	A	3.5	"26,800"
4p EX-L (cuir / toit)	A	A	3.5	"27,500"
4p EX-L RES (DVD)	A	A	3.5	"28,100"
4p EX-L NAVI	A	A	3.5	"28,300"
2006 PILOT				**100 000 km**
4p LX	A	A	3.5	"22,900"
4p EX	A	A	3.5	"24,500"
4p EX-L (cuir / toit)	A	A	3.5	"25,200"
4 EX-L RES (DVD)	A	A	3.5	"25,400"
4p EX-L NAVI	A	A	3.5	"25,700"
2010 RIDGELINE				**20 000 km**
4p DX	4	A	3.5	"31,800"
4p VP	4	A	3.5	"33,300"
4p EX-L (toit /cuir)	4	A	3.5	"37,500"
4p EX-L NAVI	4	A	3.5	"39,400"
2009 RIDGELINE				**40 000 km**
4p DX	4	A	3.5	"30,400"
4p VP	4	A	3.5	"31,400"
4p EX-L (toit /cuir)	4	A	3.5	"34,100"
4p EX-L NAVI	4	A	3.5	"35,600"
2008 RIDGELINE				**60 000 km**
4p LX	4	A	3.5	"26,200"
4p EX-L (cuir)	4	A	3.5	"27,200"
4p EX-L SR (toit /cuir)	4	A	3.5	"28,100"
4p EX-L NAVI	4	A	3.5	"29,300"
2007 RIDGELINE				**80 000 km**
4p LX	4	A	3.5	"22,100"
4p EX-L (cuir)	4	A	3.5	"23,700"
4p EX-L (toit /cuir)	4	A	3.5	"24,400"
4p EX-L NAVI	4	A	3.5	"25,300"
2006 RIDGELINE				**100 000 km**
4p LX	4	A	3.5	"18,900"
4p EX-L (cuir)	4	A	3.5	"20,200"

Description	R.m.	Tr.	L	Prix
4p EX-L (toit /cuir)	4	A	3.5	"20,700"
4p EX-L NAVI	4	A	3.5	"21,400"
2009 S-2000				**40 000 km**
2p décapotable base	2	M	2.2	"38,200"
2008 S-2000				**60 000 km**
2p décapotable base	2	M	2.2	"34,100"
2007 S-2000				**80 000 km**
2p décapotable base	2	M	2.2	"30,300"
2006 S-2000				**100 000 km**
2p décapotable base	2	M	2.2	"27,800"

HUMMER

Description	R.m.	Tr.	L	Prix
2009 HUMMER				**20 000 km**
4p H2 SUV	A	A	6.2	"37,000"
4p H2 SUV Adventure	A	A	6.2	"38,800"
4p H2 SUV Luxury	A	A	6.2	"42,700"
4p H2 SUT	A	A	6.2	"36,200"
4p H2 SUT Adventure	A	A	6.2	"38,000"
4p H2 SUT Luxury	A	A	6.2	"41,300"
4p H3 SUV	A	M	3.7	"20,000"
4p H3 SUV	A	A	3.7	"20,900"
4p H3 SUV Alpha V8 (cuir)	A	A	5.3	"25,400"
4p H3T	A	A	3.7	"27,300"
4p H3T Alpha V8 (cuir)	A	A	5.3	"27,900"
2008 HUMMER				**30 000 km**
4p H2 SUV	A	A	6.2	"32,500"
4p H2 SUV Adventure	A	A	6.2	"33,900"
4p H2 SUV LUX	A	A	6.2	"36,600"
4p H2 SUV Special Edition	A	A	6.2	"38,100"
4p H2 SUT	A	A	6.2	"31,600"
4p H2 SUT Adventure	A	A	6.2	"33,100"
4p H2 SUT Special Edition	A	A	6.2	"37,000"
4p H3 SUV	A	M	3.7	"18,100"
4p H3 SUV	A	A	3.7	"18,700"
4p H3 SUV Alpha V8 (cuir)	A	A	5.3	"22,700"
4p H3X SUV (cuir)	A	A	3.7	"24,500"
4p H3X SUV Alpha V8 (cuir)	A	A	5.3	"25,600"
2007 HUMMER				**40 000 km**
4p H2 SUV	A	A	6	"30,300"
4p H2 SUV Adventure	A	A	6	"32,200"
4p H2 SUV LUX	A	A	6	"33,400"
4p H2 SUV Édition Spéciale	A	A	6	"35,200"
4p H2 SUT	A	A	6	"30,300"
4p H2 SUT Adventure	A	A	6	"32,100"
4p H2 SUT LUX	A	A	6	"33,200"
4p H3 SUV	A	M	3.7	"17,800"
4p H3 SUV Adventure	A	M	3.7	"19,400"
4p H3X SUV	A	A	3.7	"25,700"
2006 HUMMER				**50 000 km**
4p H2 SUV	A	A	6	"25,200"
4p H2 SUV Adventure	A	A	6	"27,100"
4p H2 SUV LUX	A	A	6	"27,800"
4p H2 SUV Édition Spéciale	A	A	6	"29,300"
4p H2 SUT	A	A	6	"25,200"
4p H2 SUT Adventure	A	A	6	"27,000"
4p H2 SUT LUX	A	A	6	"27,800"
4p H3 SUV	A	M	3.5	"14,300"
4p H3 SUV Adventure	A	M	3.5	"15,600"
4p H3 SUV LUX	A	M	3.5	"17,000"

HYUNDAI

Description	R.m.	Tr.	L	Prix
2010 ACCENT				**20 000 km**
2p hayon L	2	M	1.6	"11,400"
2p hayon GL	2	M	1.6	"12,800"
2p hayon GL Sport	2	M	1.6	"14,200"
4p berline L	2	M	1.6	"12,000"
4p berline GL	2	M	1.6	"13,200"
4p berline GLS	2	A	1.6	"15,900"
2009 ACCENT				**40 000 km**
2p hayon L	2	M	1.6	"8,400"
2p hayon GL	2	M	1.6	"9,400"
2p hayon GL Sport	2	M	1.6	"10,500"
4p berline L	2	M	1.6	"8,700"
4p berline GL	2	M	1.6	"9,700"
4p berline GLS	2	A	1.6	"11,400"
2008 ACCENT				**60 000 km**
2p hayon L	2	M	1.6	"7,400"
2p hayon GL	2	M	1.6	"8,400"
2p hayon GL Sport	2	M	1.6	"8,900"
4p berline L	2	M	1.6	"7,800"
4p berline GL	2	M	1.6	"8,800"
4p berline GLS	2	A	1.6	"9,900"
2007 ACCENT				**80 000 km**
2p hayon GS	2	M	1.6	"6,000"

Description	R.m.	Tr.	L	Prix
2p hayon GS Groupe confort	2	M	1.6	"7,100"
2p hayon GS Sport	2	M	1.6	"7,800"
2p hayon GS Premium	2	M	1.6	"7,900"
2p hayon SR	2	M	1.6	"7,800"
4p berline GL	2	M	1.6	"7,200"
4p berline GL Groupe confort	2	M	1.6	"7,800"
4p berline GLS	2	M	1.6	"8,000"
2006 ACCENT				**100 000 km**
2p hayon GS	2	M	1.6	"5,200"
2p hayon GS gr. confort	2	M	1.6	"6,200"
2p hayon GSi	2	M	1.6	"6,400"
4p hayon Accent5	2	M	1.6	"6,000"
4p hayon Accent5 gr. confort	2	M	1.6	"6,800"
4p berline GL	2	M	1.6	"5,900"
4p berline GL gr. confort	2	M	1.6	"6,800"
4p berline GLS	2	M	1.6	"7,200"
2009 AZERA				**40 000 km**
4p berline	2	A	3.8	"24,500"
2008 AZERA				**60 000 km**
4p berline GLS	2	A	3.8	"19,200"
4p berline Premium	2	A	3.8	"20,300"
2007 AZERA				**80 000 km**
4p berline GLS	2	A	3.8	"17,300"
4p berline Premium	2	A	3.8	"18,300"
2006 AZERA				**100 000 km**
4p berline base	2	A	3.8	"15,200"
4p berline Premium	2	A	3.8	"15,600"
2010 ELANTRA				**20 000 km**
4p berline L	2	M	2	"13,600"
4p berline GL	2	M	2	"15,600"
4p berline GLS	2	A	2	"18,100"
4p berline GL Sport	2	M	2	"18,500"
4p berline Limited (cuir)	2	A	2	"20,500"
4p hayon Touring L	2	M	2	"12,900"
4p hayon Touring GL	2	M	2	"15,000"
4p hayon Touring GL Sport	2	M	2	"16,000"
4p hayon Touring GLS Sport	2	M	2	"18,700"
2009 ELANTRA				**40 000 km**
4p berline L	2	M	2	"10,200"
4p berline GL	2	M	2	"11,400"
4p berline GLS	2	A	2	"13,100"
4p berline GL Sport	2	M	2	"13,500"
4p berline Limited (cuir)	2	A	2	"15,000"
4p hayon Touring L	2	M	2	"9,600"
4p hayon Touring GL	2	M	2	"12,000"
4p hayon Touring GL Sport	2	M	2	"13,200"
2008 ELANTRA				**60 000 km**
4p berline L	2	M	2	"8,400"
4p berline GL	2	M	2	"9,700"
4p berline GLS	2	A	2	"11,200"
4p berline GLS Sport	2	M	2	"11,500"
4p berline Limited (cuir)	2	A	2	"12,300"
2007 ELANTRA				**80 000 km**
4p berline GL	2	M	2	"7,100"
4p berline GL Confort Plus	2	M	2	"9,200"
4p berline GL Sport (toit ouvrant)	2	M	2	"10,400"
4p berline GLS (cuir)	2	A	2	"11,400"
2006 ELANTRA				**100 000 km**
4p berline GL	2	M	2	"6,900"
4p berline VE	2	M	2	"8,300"
4p berline SE	2	A	2	"9,400"
4p hayon GL	2	M	2	"7,100"
4p hayon VE	2	M	2	"8,500"
4p hayon GT	2	M	2	"9,000"
2008 ENTOURAGE				**60 000 km**
4p L	2	A	3.8	"13,100"
4p GL	2	A	3.8	"13,600"
4p GLS	2	A	3.8	"14,000"
4p Limited (cuir)	2	A	3.8	"14,500"
2007 ENTOURAGE				**80 000 km**
4p GL	2	A	3.8	"11,900"
4p GL Confort	2	A	3.8	"12,400"
4p GLS	2	A	3.8	"12,600"
4p GLS (cuir)	2	A	3.8	"12,800"
2010 GENESIS				**20 000 km**
2p coupe 2.0T	2	M	2	"21,600"
2p coupe 3.8	2	M	3.8	"29,000"
4p 3.8L	2	A	3.8	"34,100"
4p 4.6L	2	A	4.6	"40,100"
2009 GENESIS				**40 000 km**
4p 3.8L	2	A	3.8	"29,300"
4p 4.6L	2	A	4.6	"32,400"

Description	R.m.	Tr.	L	Prix
2010 SANTA FE				**20 000 km**
4p 5 pass. GL 2.4L	2	M	2.4	"22,900"
4p 5 pass. GL	2	A	3.5	"25,500"
4p 5 pass. GL Sport	2	A	3.5	"27,500"
4p 5 pass. GL	A	A	3.5	"27,300"
4p 5 pass. GL Sport (cuir)	A	A	3.5	"29,300"
4p 5 pass. Limited (cuir)	A	A	3.5	"31,500"
2009 SANTA FE				**40 000 km**
4p 5 pass. GL 2.7L	2	M	2.7	"18,000"
4p 5 pass. GL	2	A	3.3	"19,600"
4p 5 pass. GLS	2	A	3.3	"20,200"
4p 5 pass. GL	A	A	3.3	"20,100"
4p 5 pass. GLS (cuir)	A	A	3.3	"20,900"
4p 5 pass. Limited (cuir)	A	A	3.3	"21,400"
2008 SANTA FE				**60 000 km**
4p 5 pass. GL 2.7L	2	M	2.7	"16,400"
4p 5 pass. GL 2.7L	2	A	2.7	"17,500"
4p 5 pass. GLS 2.7L	2	A	2.7	"19,000"
4p 5 pass. GL	2	A	3.3	"18,000"
4p 5 pass. GLS	2	A	3.3	"19,400"
4p 5 pass. GL	A	A	3.3	"18,700"
4p 5 pass. GLS (cuir)	A	A	3.3	"19,700"
4p 5 pass. Limited (cuir)	A	A	3.3	"19,800"
4p 7 pass. Limited (cuir)	A	A	3.3	"19,900"
2007 SANTA FE				**80 000 km**
4p 5 pass. GL 2.7L	2	M	2.7	"13,000"
4p 5 pass. GL 2.7L	2	A	2.7	"13,900"
4p 5 pass. GL	2	A	3.3	"14,400"
4p 7 pass. GL Premium	2	A	3.3	"15,400"
4p 5 pass. GL	A	A	3.3	"14,600"
4p 7 pass. GL Premium	A	A	3.3	"15,300"
4p 5 pass. GLS (cuir)	A	A	3.3	"15,900"
4p 7 pass. GLS (cuir)	A	A	3.3	"16,100"
2006 SANTA FE				**100 000 km**
4p GL	2	M	2.4	"11,900"
4p GL (a/c)	2	M	2.4	"13,100"
4p GL V6	2	A	2.7	"13,700"
4p GL	A	A	2.7	"13,600"
4p GLS (cuir)	A	A	2.7	"14,100"
4p GLS 3.5L (cuir)	A	A	3.5	"14,000"
2010 SONATA				**20 000 km**
4p berline GL	2	M	2.4	"19,000"
4p berline GL	2	A	2.4	"20,300"
4p berline GL Sport	2	A	2.4	"22,000"
4p berline Limited (cuir)	2	A	2.4	"24,100"
4p berline GL V6	2	A	3.3	"25,300"
4p berline GLS V6 Limited (cuir)	2	A	3.3	"27,800"
2009 SONATA				**40 000 km**
4p berline GL	2	M	2.4	"13,600"
4p berline GL	2	A	2.4	"14,700"
4p berline GL Sport	2	A	2.4	"16,100"
4p berline Limited (cuir)	2	A	2.4	"17,100"
4p berline GL V6	2	A	3.3	"17,300"
4p berline GL Sport V6	2	A	3.3	"17,500"
4p berline GLS V6 Limited (cuir)	2	A	3.3	"18,500"
2008 SONATA				**60 000 km**
4p berline GL	2	M	2.4	"12,300"
4p berline GL	2	A	2.4	"13,500"
4p berline GL Premium	2	A	2.4	"14,400"
4p berline GLS (cuir)	2	A	2.4	"15,300"
4p berline GL V6	2	A	3.3	"14,800"
4p berline GLS V6 (cuir)	2	A	3.3	"15,300"
4p berline GLS V6 Limited (cuir)	2	A	3.3	"15,600"
2007 SONATA				**80 000 km**
4p berline GL	2	M	2.4	"10,500"
4p berline GL	2	A	2.4	"11,100"
4p berline GL (ABS - toit)	2	A	2.4	"11,800"
4p berline GLS (cuir)	2	A	2.4	"12,000"
4p berline GL V6	2	A	3.3	"11,600"
4p berline GL V6 (toit)	2	A	3.3	"12,000"
4p berline GLS V6 (cuir)	2	A	3.3	"12,300"
4p berline GLS V6 Premium	2	A	3.3	"13,500"
2006 SONATA				**100 000 km**
4p berline GL	2	M	2.4	"8,400"
4p berline GL	2	A	2.4	"8,900"
4p berline GL (ABS - toit)	2	A	2.4	"9,500"
4p berline GL V6	2	A	3.3	"9,600"
4p berline GL V6 (toit)	2	A	3.3	"9,700"
4p berline GLS V6 (cuir)	2	A	3.3	"10,000"
4p berline GLS V6 Premium	2	A	3.3	"10,200"
2008 TIBURON				**60 000 km**
2p hayon GS	2	M	2	"9,100"
2p hayon GS Sport (toit)	2	M	2	"10,400"
2p hayon GS Sport (toit)	2	A	2	"10,800"
2p hayon GT	2	M	2.7	"12,100"

Description	R.m.	Tr.	L	Prix
2p hayon GT	2	A	2.7	"12,700"
2p hayon GTP (cuir) 6 vitesses	2	M	2.7	"13,000"
2p hayon GTP (cuir)	2	A	2.7	"12,800"
2007 TIBURON				**80 000 km**
2p hayon GS	2	M	2	"8,600"
2p hayon GS Sport (toit)	2	M	2	"9,800"
2p hayon GS Sport (toit)	2	A	2	"10,300"
2p hayon GT	2	M	2.7	"10,800"
2p hayon GT Limited (cuir) 6 vit	2	M	2.7	"11,300"
2p hayon GT	2	A	2.7	"11,000"
2p hayon GT Limited (cuir)	2	A	2.7	"11,100"
2006 TIBURON				**100 000 km**
2p hayon base	2	M	2	"8,000"
2p hayon SE (cuir)	2	M	2	"8,900"
2p hayon SE (cuir)	2	A	2	"3,000"
2p hayon Tuscani (cuir)	2	M	2.7	"10,500"
2p hayon Tuscani (cuir)	2	A	2.7	"10,400"
2010 TUCSON				**20 000 km**
4p GL	2	M	2.4	"19,400"
4p GL	2	A	2.4	"20,500"
4p GLS	2	A	2.4	"22,700"
4p GL AWD	A	A	2.4	"22,600"
4p GLS AWD	A	A	2.4	"24,500"
4p Limited AWD (cuir)	A	A	2.4	"27,500"
2009 TUCSON				**40 000 km**
4p L	2	M	2	"15,700"
4p GL (a/c)	2	M	2	"16,800"
4p GL (a/c)	2	A	2	"17,800"
4p Édition 25e Ann.	2	A	2	"18,500"
4p GL V6	2	A	2.7	"19,000"
4p Limited V6 (cuir)	2	A	2.7	"19,100"
4p GL V6 AWD	A	A	2.7	"19,200"
4p Limited V6 AWD (cuir)	A	A	2.7	"20,000"
2008 TUCSON				**60 000 km**
4p L	2	M	2	"13,800"
4p GL (a/c)	2	M	2	"15,100"
4p GL (a/c)	2	A	2	"16,100"
4p GLS (cuir)	2	A	2	"16,800"
4p GL V6	2	A	2.7	"16,600"
4p Limited V6 (cuir)	2	A	2.7	"16,800"
4p GL V6 AWD	A	A	2.7	"16,900"
4p Limited V6 AWD (cuir)	A	A	2.7	"17,500"
2007 TUCSON				**80 000 km**
4p GL	2	M	2	"12,900"
4p GL (a/c)	2	M	2	"14,000"
4p GL (a/c)	2	A	2	"14,300"
4p GL V6	2	A	2.7	"14,600"
4p GL V6 (cuir)	2	A	2.7	"14,700"
4p GL V6 AWD	A	A	2.7	"14,900"
4p GLS V6 AWD (cuir)	A	A	2.7	"15,600"
2006 TUCSON				**100 000 km**
4p GL	2	M	2	"11,000"
4p GL (a/c)	2	M	2	"12,000"
4p GL (a/c)	2	A	2	"12,900"
4p GL V6	2	A	2.7	"13,000"
4p GL V6 (cuir)	2	A	2.7	"13,200"
4p GL AWD	A	M	2	"13,100"
4p GL V6 AWD	A	A	2.7	"13,400"
4p GLS V6 (cuir) AWD	A	A	2.7	"13,600"
2010 VERACRUZ				**20 000 km**
4p GL	2	A	3.8	"31,800"
4p GLS	A	A	3.8	"35,300"
4p Limited	A	A	3.8	"40,700"
2009 VERACRUZ				**40 000 km**
4p GL	2	A	3.8	"25,800"
4p GLS	A	A	3.8	"27,600"
4p Limited	A	A	3.8	"30,500"
2008 VERACRUZ				**60 000 km**
4p GL	2	A	3.8	"21,800"
4p GLS	A	A	3.8	"22,200"
4p Limited	A	A	3.8	"23,400"
2007 VERACRUZ				**80 000 km**
4p GLS	A	A	3.8	"18,800"
4p Limited	A	A	3.8	"19,700"
INFINITI				
2010 EX				**20 000 km**
4p EX35	A	A	3.5	"35,500"
4p EX35 Premium	A	A	3.5	"40,400"
2009 EX				**40 000 km**
4p EX35	A	A	3.5	"30,600"
4p EX35 Premium	A	A	3.5	"32,400"

Description	R.m.	Tr.	L	Prix
2008 EX				**60 000 km**
4p EX35	A	A	3.5	"27,300"
4p EX35 Premium	A	A	3.5	"29,600"
2010 FX				**20 000 km**
4p FX35	A	A	3.5	"45,000"
4p FX35 Tech. Pkg	A	A	3.5	"53,000"
4p FX50	A	A	5	"55,100"
4p FX50 Tech. Pkg	A	A	5	"60,000"
4p FX50 Sport Pkg	A	A	5	"62,200"
2009 FX				**40 000 km**
4p FX35	A	A	3.5	"37,300"
4p FX35 Tech. Pkg	A	A	3.5	"40,100"
4p FX50	A	A	5	"41,300"
4p FX50 Tech. Pkg	A	A	5	"43,800"
2008 FX				**60 000 km**
4p FX35	A	A	3.5	"33,900"
4p FX35 Tech. Pkg	A	A	3.5	"36,700"
4p FX45	A	A	4.5	"37,500"
4p FX45 Tech. Pkg	A	A	4.5	"38,100"
2007 FX				**80 000 km**
4p FX35	A	A	3.5	"29,200"
4p FX35 Tech. Pkg	A	A	3.5	"30,300"
4p FX45	A	A	4.5	"32,300"
4p FX45 Tech. Pkg	A	A	4.5	"33,400"
2006 FX				**100 000 km**
4p FX35	A	A	3.5	"25,800"
4p FX35 Tech. Pkg	A	A	3.5	"27,600"
4p FX45	A	A	4.5	"27,800"
4p FX45 Tech. Pkg	A	A	4.5	"29,400"
2010 G37				**20 000 km**
2p coupé G37 base	2	A	3.7	"40,700"
2p coupé G37 Sport	2	A	3.7	"42,900"
2p coupé G37 Sport M6	2	M	3.7	"42,900"
4p berline G37 base	2	A	3.7	"32,900"
4p berline G37 Sport M6	2	M	3.7	"39,700"
4p berline G37x AWD	A	A	3.7	"42,900"
4p berline G37x Sport AWD	A	A	3.7	"41,900"
2p décapot. G37 Sport	2	A	3.7	"52,500"
2p décapot. G37 Premier	2	A	3.7	"54,800"
2009 G37				**40 000 km**
2p coupé G37 base	2	A	3.7	"35,200"
2p coupé G37 Sport	2	A	3.7	"35,900"
2p coupé G37 Sport M6	2	M	3.7	"35,900"
4p berline G37 base	2	A	3.7	"28,900"
4p berline G37 Sport M6	2	M	3.7	"33,700"
4p berline G37x AWD	A	A	3.7	"35,900"
4p berline G37x Sport AWD	A	A	3.7	"36,900"
2p décapot. G37 Sport	2	A	3.7	"43,500"
2p décapot. G37 Premier	2	A	3.7	"45,200"
2008 G35 / G37				**60 000 km**
2p coupé G37 base	2	A	3.7	"30,200"
2p coupé G37 Sport	2	A	3.7	"31,800"
2p coupé G37 Sport M6	2	M	3.7	"31,800"
4p berline G35 base	2	A	3.5	"27,800"
4p berline G35 Sport M6	2	M	3.5	"29,500"
4p berline G35x AWD	A	A	3.5	"26,900"
4p berline G35x Sport AWD	A	A	3.5	"31,200"
2007 G35				**80 000 km**
2p coupé base	2	A	3.5	"27,500"
2p coupé Sport	2	A	3.5	"28,600"
2p coupé Sport M6	2	M	3.5	"28,600"
4p berline base	2	A	3.5	"22,500"
4p berline Sport	2	A	3.5	"27,100"
4p berline Sport 6M	2	M	3.5	"27,100"
4p berline G35x AWD	A	A	3.5	"24,600"
2006 G35				**100 000 km**
2p coupé base	2	A	3.5	"24,200"
2p coupé Performance	2	A	3.5	"24,800"
2p coupé Sport M6	2	M	3.5	"25,600"
2p coupé Sport	2	A	3.5	"25,600"
4p berline Luxury	2	A	3.5	"18,700"
4p berline Premium	2	A	3.5	"20,800"
4p berline Premium Aero	2	A	3.5	"22,000"
4p berline Premium Aero M6	2	M	3.5	"22,000"
4p berline G35x Luxury	A	A	3.5	"20,500"
4p berline G35x Premium	A	A	3.5	"22,600"
2010 M				**20 000 km**
4p berline M35x AWD	A	A	3.5	"47,700"
4p berline M35x Techn	A	A	3.5	"54,200"
4p ber M35x Prem (Navi) AWD	A	A	3.5	"54,800"
4p berline M45x AWD	A	A	4.5	"59,800"
4p berline M45 Sport	2	A	4.5	"60,000"
2009 M				**40 000 km**
4p berline M35x AWD	A	A	3.5	"37,200"

Description	R.m.	Tr.	L	Prix
4p berline M35x Techn	A	A	3.5	"42,500"
4p ber M35x Prem (Navi) AWD	A	A	3.5	"43,100"
4p berline M45x AWD	A	A	4.5	"47,000"
4p berline M45 Sport	2	A	4.5	"47,100"
2008 M				**60 000 km**
4p berline M35	2	A	3.5	"31,700"
4p berline M35 Technology	2	A	3.5	"35,200"
4p berline M35x AWD	A	A	3.5	"34,100"
4p ber M35x Prem (Navi) AWD	A	A	3.5	"35,500"
4p berline M45x AWD	A	A	4.5	"39,200"
4p berline M45 Sport	2	A	4.5	"39,200"
2007 M				**80 000 km**
4p berline M35 Luxury	2	A	3.5	"30,000"
4p berline M35 Technology	2	A	3.5	"33,000"
4p berline M35x AWD	A	A	3.5	"32,400"
4p berline M35x Premium AWD	A	A	3.5	"34,800"
4p berline M45	2	A	4.5	"33,800"
4p berline M45 Ultra Premium	2	A	4.5	"35,900"
4p berline M45 Sport	2	A	4.5	"36,700"
2006 M				**100 000 km**
4p berline M35	2	A	3.5	"25,100"
4p berline M35 Technology	2	A	3.5	"28,900"
4p berline M35x AWD	A	A	3.5	"27,200"
4p berline M35x Premium AWD	A	A	3.5	"29,900"
4p berline M45	2	A	4.5	"29,900"
4p berline M45 Ultra Premium	2	A	4.5	"30,500"
4p berline M45 Sport	2	A	4.5	"31,100"
2010 QX56				**20 000 km**
4p 7 pass. base	A	A	5.6	"61,800"
4p 8 pass. base	A	A	5.6	"61,800"
2009 QX56				**40 000 km**
4p 7 pass. base	A	A	5.6	"44,800"
4p 8 pass. base	A	A	5.6	"44,800"
2008 QX56				**60 000 km**
4p 7 pass. base	A	A	5.6	"36,800"
4p 8 pass. base	A	A	5.6	"36,800"
2007 QX56				**80 000 km**
4p 7 pass. base	A	A	5.6	"33,200"
4p 8 pass. base	A	A	5.6	"33,200"
2006 QX56				**100 000 km**
4p 7 pass. base	A	A	5.6	"28,500"
4p 8 pass. base	A	A	5.6	"28,500"
JAGUAR				
2008 S-TYPE				**60 000 km**
4p berline S-Type	2	A	3	"24,300"
4p berline S-Type	2	A	4.2	"28,400"
4p berline S-Type R	2	A	4.2	"29,800"
4p berline S-Type R Luxury	2	A	4.2	"31,000"
2007 S-TYPE				**80 000 km**
4p berline S-Type	2	A	3	"21,800"
4p berline S-Type	2	A	4.2	"24,400"
4p berline S-Type R (navi)	2	A	4.2	"26,500"
2006 S-TYPE				**100 000 km**
4p berline S-Type	2	A	3	"17,700"
4p berline S-Type	2	A	4.2	"19,700"
4p berline S-Type VDP Edition	2	A	4.2	"20,600"
4p berline S-Type R (navi)	2	A	4.2	"22,200"
2008 X-TYPE				**60 000 km**
4p berline X-Type 3.0L	A	A	3	"24,300"
4p berline X-Type 3.0L Luxury	A	A	3	"25,500"
4p fam X-Type 3.0L Sportwagon	A	A	3	"25,600"
2007 X-TYPE				**80 000 km**
4p berline X-Type 3.0L	A	A	3	"19,900"
4p berline X-Type 3.0L Luxury	A	A	3	"20,800"
4p fam X-Type 3.0L Sportwagon Lux.	A	A	3	"21,100"
2006 X-TYPE				**100 000 km**
4p berline X-Type 3.0L	A	M	3	"15,200"
4p berline X-Type 3.0L	A	A	3	"15,200"
4p berline X-Type 3.0L Luxury	A	A	3	"16,800"
4p berline X-Type 3.0L Sport	A	A	3	"18,000"
4p familiale X-Type 3.0L Luxury	A	A	3	"18,000"
2010 XF				**20 000 km**
4p berline Luxury	2	A	4.2	"53,100"
4p berline Premium Luxury	2	A	5	"58,700"
4p berline XFR	2	A	5	"70,500"
2009 XF				**40 000 km**
4p berline Luxury	2	A	4.2	"46,000"
4p berline Supercharged	2	A	4.2	"57,600"

Description	R.m.	Tr.	L	Prix
2009 XJ				**40 000 km**
4p berline XJ8	2	A	4.2	“53,600”
4p berline XJ8 Vanden Plas	2	A	4.2	“59,800”
4p berline XJR	2	A	4.2	“63,000”
4p berline XJR Super V8	2	A	4.2	“70,500”
2008 XJ				**60 000 km**
4p berline XJ8	2	A	4.2	“50,000”
4p berline XJ8 Vanden Plas	2	A	4.2	“54,500”
4p berline XJR	2	A	4.2	“57,300”
4p berline XJR Super V8	2	A	4.2	“61,100”
2007 XJ				**80 000 km**
4p berline XJ8	2	A	4.2	“41,700”
4p berline XJ8 Vanden Plas	2	A	4.2	“45,600”
4p berline XJR	2	A	4.2	“46,700”
4p berline XJR Portfolio	2	A	4.2	“50,100”
4p berline XJR Super V8	2	A	4.2	“52,000”
2006 XJ				**100 000 km**
4p berline XJ8	2	A	4.2	“32,000”
4p berline XJ8 L	2	A	4.2	“33,700”
4p berline XJ8 Vanden Plas	2	A	4.2	“35,000”
4p berline XJR	2	A	4.2	“36,100”
4p berline XJR Super V8	2	A	4.2	“37,500”
4p berline XJR Super V8 Portfolio	2	A	4.2	“42,900”
2010 XK				**20 000 km**
2p coupé XK	2	A	5	“83,000”
2p coupé XKR	2	A	5	“92,000”
2p décapotable XK	2	A	5	“88,800”
2p décapotable XKR	2	A	5	“94,100”
2009 XK				**40 000 km**
2p coupé XK	2	A	4.2	“66,200”
2p coupé XKR	2	A	4.2	“74,600”
2p décapotable XK	2	A	4.2	“71,000”
2p décapotable XKR	2	A	4.2	“76,600”
2008 XK				**60 000 km**
2p coupé XK	2	A	4.2	“53,500”
2p coupé XKR	2	A	4.2	“61,200”
2p coupé XKR Portfolio	2	A	4.2	“61,200”
2p décapotable XK	2	A	4.2	“58,900”
2p décapotable XKR	2	A	4.2	“62,000”
2p décapotable XKR Portfolio	2	A	4.2	“64,000”
2007 XK				**80 000 km**
2p coupé XK	2	A	4.2	“44,800”
2p coupé XKR	2	A	4.2	“46,400”
2p décapotable XK	2	A	4.2	“47,800”
2p décapotable XKR	2	A	4.2	“50,000”
2006 XK				**100 000 km**
2p coupé XK8	2	A	4.2	“35,100”
2p coupé XKR	2	A	4.2	“40,100”
2p décapotable XK8	2	A	4.2	“38,800”
2p décapotable XKR	2	A	4.2	“42,200”

JEEP

Description	R.m.	Tr.	L	Prix
2010 GRAND CHEROKEE				**20 000 km**
4p North	4	A	3.7	“35,800”
4p North	4	A	5.7	“37,300”
4p Limited (cuir)	4	A	4.7	“44,300”
4p S Limited (cuir)	4	A	5.7	“47,300”
4p SRT8 (cuir)	4	A	6.1	“49,400”
2009 GRAND CHEROKEE				**40 000 km**
4p Laredo	4	A	3.7	“25,200”
4p Laredo	4	A	4.7	“26,300”
4p Laredo Diesel (cuir)	4	A	3	“26,400”
4p Limited (cuir)	4	A	4.7	“32,400”
4p Limited (cuir)	4	A	5.7	“32,400”
4p Limited Diesel (cuir)	4	A	3	“32,900”
4p Overland (cuir)	4	A	5.7	“33,900”
4p Overland Diesel (cuir)	4	A	3	“34,900”
4p SRT8 (cuir)	4	A	6.1	“43,900”
2008 GRAND CHEROKEE				**60 000 km**
4p Laredo	4	A	3.7	“22,400”
4p Laredo	4	A	4.7	“23,200”
4p Laredo Diesel (cuir)	4	A	3	“26,300”
4p Limited (cuir)	4	A	4.7	“28,900”
4p Limited (cuir)	4	A	5.7	“29,200”
4p Limited Diesel (cuir)	4	A	3	“30,100”
4p Overland (cuir)	4	A	5.7	“31,300”
4p Overland Diesel (cuir)	4	A	3	“32,200”
4p SRT8 (cuir)	4	A	6.1	“41,200”
2007 GRAND CHEROKEE				**80 000 km**
4p Laredo	4	A	3.7	“17,400”
4p Laredo	4	A	4.7	“18,100”
4p Laredo Diesel (cuir)	4	A	3	“20,300”
4p Limited (cuir)	4	A	4.7	“21,900”
4p Limited (cuir)	4	A	5.7	“22,400”

Description	R.m.	Tr.	L	Prix
4p Limited Diesel (cuir)	4	A	3	“23,500”
4p Overland (cuir)	4	A	5.7	“23,800”
4p Overland Diesel (cuir)	4	A	3	“25,100”
4p SRT8 (cuir)	4	A	6.1	“34,300”
2006 GRAND CHEROKEE				**100 000 km**
4p Laredo	4	A	3.7	“14,900”
4p Laredo	4	A	4.7	“15,300”
4p Limited (cuir)	4	A	4.7	“18,500”
4p Limited (cuir)	4	A	5.7	“19,100”
4p Overland (cuir)	4	A	5.7	“20,100”
4p SRT8 (cuir)	4	A	6.1	“31,900”
2010 COMMANDER				**20 000 km**
4p Sport	4	A	3.7	“35,200”
4p Sport	4	A	5.7	“36,600”
4p Limited (cuir - toit)	4	A	5.7	“44,200”
2009 COMMANDER				**40 000 km**
4p Sport	4	A	3.7	“27,400”
4p Sport	4	A	4.7	“28,200”
4p Limited (cuir - toit)	4	A	4.7	“33,400”
4p Limited (cuir - toit)	4	A	5.7	“34,000”
2008 COMMANDER				**60 000 km**
4p Sport	4	A	3.7	“23,600”
4p Sport	4	A	4.7	“24,600”
4p Limited (cuir - toit)	4	A	4.7	“25,600”
4p Limited (cuir - toit)	4	A	5.7	“26,200”
2007 COMMANDER				**80 000 km**
4p Sport	4	A	3.7	“19,300”
4p Sport	4	A	4.7	“19,900”
4p Limited (cuir - toit)	4	A	4.7	“21,300”
4p Limited (cuir - toit)	4	A	5.7	“21,700”
2006 COMMANDER				**100 000 km**
4p base	4	A	3.7	“15,900”
4p base	4	A	4.7	“16,600”
4p Limited (cuir - toit)	4	A	4.7	“17,700”
4p Limited (cuir - toit)	4	A	5.7	“18,600”
2010 COMPASS				**20 000 km**
4p Sport	2	M	2.4	“15,700”
4p North (groupe électrique)	2	M	2.4	“18,100”
4p Limited (cuir)	2	M	2.4	“20,200”
4p Sport AWD	A	M	2.4	“17,600”
4p North AWD (gr.électrique)	A	M	2.4	“20,000”
4p Limited AWD (cuir)	A	M	2.4	“20,200”
2009 COMPASS				**40 000 km**
4p Sport	2	M	2.4	“12,500”
4p North (groupe électrique)	2	M	2.4	“14,400”
4p Limited (cuir)	2	M	2.4	“16,000”
4p Sport AWD	A	M	2.4	“13,900”
4p North AWD (gr.électrique)	A	M	2.4	“15,800”
4p Limited AWD (cuir)	A	M	2.4	“17,900”
2008 COMPASS				**60 000 km**
4p Sport	2	M	2.4	“10,800”
4p North (groupe électrique)	2	M	2.4	“12,400”
4p Limited (cuir)	2	M	2.4	“13,500”
4p Sport AWD	A	M	2.4	“12,000”
4p North AWD (gr.électrique)	A	M	2.4	“13,500”
4p Limited AWD (cuir)	A	M	2.4	“15,700”
2007 COMPASS				**80 000 km**
4p Sport	2	M	2.4	“9,800”
4p North (groupe électrique)	2	M	2.4	“10,900”
4p Limited (cuir)	2	M	2.4	“12,200”
4p Sport AWD	A	M	2.4	“11,700”
4p North AWD (gr.électrique)	A	M	2.4	“12,700”
4p Limited AWD (cuir)	A	M	2.4	“14,900”
2010 LIBERTY				**20 000 km**
4p Sport	4	M	3.7	“25,600”
4p North	4	M	3.7	“26,500”
4p Limited (cuir)	4	A	3.7	“29,100”
2009 LIBERTY				**40 000 km**
4p Sport	4	M	3.7	“18,600”
4p North	4	M	3.7	“19,100”
4p Limited (cuir)	4	A	3.7	“21,100”
2008 LIBERTY				**60 000 km**
4p Sport	4	M	3.7	“15,800”
4p North	4	M	3.7	“16,500”
4p Limited (cuir)	4	A	3.7	“18,000”
2007 LIBERTY				**80 000 km**
4p Sport	4	M	3.7	“14,100”
4p Sport	4	A	3.7	“14,900”
4p Limited	4	A	3.7	“15,400”
2006 LIBERTY				**100 000 km**
4p Sport	4	M	3.7	“12,100”
4p Sport	4	A	3.7	“12,600”

Description	R.m.	Tr.	L	Prix
4p Sport turbo diesel	4	A	2.8	“14,400”
4p Renegade	4	M	3.7	“13,100”
4p Renegade	4	A	3.7	“13,300”
4p Limited (ensemble 28F)	4	A	3.7	“13,400”
4p Limited (ens.28G cuir)	4	A	3.7	“13,900”
4p Limited turbo diesel	4	A	2.8	“15,000”
2010 PATRIOT				**20 000 km**
4p Sport	2	M	2.4	“14,800”
4p North (groupe électrique)	2	M	2.4	“17,400”
4p Limited (cuir)	2	M	2.4	“19,900”
4p Sport AWD	A	M	2.4	“16,700”
4p North AWD (groupe élec)	A	M	2.4	“19,200”
4p Limited AWD (cuir)	A	M	2.4	“22,700”
2009 PATRIOT				**40 000 km**
4p Sport	2	M	2.4	“12,300”
4p North (groupe électrique)	2	M	2.4	“14,200”
4p Limited (cuir)	2	M	2.4	“15,800”
4p Sport AWD	A	M	2.4	“13,800”
4p North AWD (groupe élec)	A	M	2.4	“15,600”
4p Limited AWD (cuir)	A	M	2.4	“17,700”
2008 PATRIOT				**60 000 km**
4p Sport	2	M	2.4	“11,100”
4p North (groupe électrique)	2	M	2.4	“13,200”
4p Limited (cuir)	2	M	2.4	“14,500”
4p Sport AWD	A	M	2.4	“13,000”
4p North AWD (groupe élec)	A	M	2.4	“14,100”
4p Limited AWD (cuir)	A	M	2.4	“16,400”
2007 PATRIOT				**80 000 km**
4p Sport	2	M	2.4	“10,200”
4p North (groupe électrique)	2	M	2.4	“11,800”
4p Limited (cuir)	2	M	2.4	“13,300”
4p Sport AWD	A	M	2.4	“12,200”
4p North AWD (groupe élec)	A	M	2.4	“13,200”
4p Limited AWD (cuir)	A	M	2.4	“15,400”
2010 WRANGLER				**20 000 km**
2p Sport	4	M	3.8	“17,700”
2p Sahara	4	M	3.8	“23,600”
2p Rubicon	4	M	3.8	“26,200”
4p Unlimited Sport	4	M	3.8	“22,400”
4p Unlimited Sahara	4	M	3.8	“25,400”
4p Unlimited Rubicon	4	M	3.8	“27,900”
2009 WRANGLER				**40 000 km**
2p X	4	M	3.8	“14,200”
2p Sahara	4	M	3.8	“19,300”
2p Rubicon	4	M	3.8	“21,500”
4p Unlimited X	4	M	3.8	“18,200”
4p Unlimited Sahara	4	M	3.8	“20,700”
4p Unlimited Rubicon	4	M	3.8	“24,000”
2008 WRANGLER				**60 000 km**
2p X	4	M	3.8	“13,100”
2p Sahara	4	M	3.8	“17,800”
2p Rubicon	4	M	3.8	“19,000”
4p Unlimited X	4	M	3.8	“16,600”
4p Unlimited Sahara	4	M	3.8	“19,300”
4p Unlimited Rubicon	4	M	3.8	“22,400”
2007 WRANGLER				**80 000 km**
2p X	4	M	3.8	“12,800”
2p Sahara	4	M	3.8	“15,400”
2p Rubicon	4	M	3.8	“17,100”
4p Unlimited X	4	M	3.8	“14,000”
4p Unlimited Sahara	4	M	3.8	“16,600”
4p Unlimited Rubicon	4	M	3.8	“17,500”
2006 TJ				**100 000 km**
2p SE	4	M	2.4	“11,200”
2p Sport	4	M	4	“14,200”
2p Rubicon	4	M	4	“15,500”
2p allongé Unlimited	4	M	4	“15,100”
2p allongé Unlimited Rubicon	4	M	4	“16,100”

KIA

Description	R.m.	Tr.	L	Prix
2009 AMANTI				**40 000 km**
4p berline base	2	A	3.8	“21,700”
4p berline Luxury	2	A	3.8	“24,000”
2008 AMANTI				**60 000 km**
4p berline base	2	A	3.8	“18,500”
2007 AMANTI				**80 000 km**
4p berline base	2	A	3.8	“17,800”
2006 AMANTI				**100 000 km**
4p berline base	2	A	3.5	“12,400”
4p berline Groupe Cuir	2	A	3.5	“13,000”
4p berline Groupe Luxe	2	A	3.5	“13,300”
2010 BORREGO				**20 000 km**
4p 3.8 LX	4	A	3.8	“32,200”

Description	R.m.	Tr.	L	Prix
4p 3.8 EX (cuir)	A	A	3.8	“35,600”
4p 4.6 LX	4	A	4.6	“34,300”
4p 4.6 EX (cuir)	A	A	4.6	“38,200”
2009 BORREGO				**40 000 km**
4p 3.8 LX	4	A	3.8	“29,400”
4p 3.8 EX (cuir)	A	A	3.8	“32,500”
4p 4.6 LX	4	A	4.6	“31,400”
4p 4.6 EX (cuir)	A	A	4.6	“34,500”
2010 FORTE				**20 000 km**
2p coupe Koup 2.0L EX	2	M	2	“16,300”
2p coupe Koup 2.4L SX	2	M	2.4	“18,900”
4p berline 2.0L LX (a/c)	2	M	2	“13,800”
4p berline 2.0L EX	2	M	2	“15,800”
4p berline 2.4L SX	2	M	2.4	“19,500”
2010 MAGENTIS				**20 000 km**
4p berline LX	2	M	2.4	“18,900”
4p berline LX	2	A	2.4	“19,900”
4p berline LX Premium (toit)	2	A	2.4	“21,800”
4p berline SX (cuir)	2	A	2.4	“25,400”
4p berline LX V6	2	A	2.7	“20,900”
4p berline SX V6 Luxury (cuir)	2	A	2.7	“26,500”
2009 MAGENTIS				**40 000 km**
4p berline LX	2	M	2.4	“14,500”
4p berline LX	2	A	2.4	“15,400”
4p berline LX Premium (toit)	2	A	2.4	“16,800”
4p berline LX (cuir)	2	A	2.4	“17,200”
4p berline LX V6	2	A	2.7	“16,100”
4p berline LX V6 Luxury (cuir)	2	A	2.7	“17,700”
2008 MAGENTIS				**60 000 km**
4p berline LX	2	M	2.4	“12,600”
4p berline LX	2	A	2.4	“13,200”
4p berline LX Premium (toit)	2	A	2.4	“14,200”
4p berline LX (cuir)	2	A	2.4	“15,100”
4p berline LX V6	2	A	2.7	“13,600”
4p berline LX V6 Luxury (cuir)	2	A	2.7	“15,500”
2007 MAGENTIS				**80 000 km**
4p berline LX	2	M	2.4	“10,700”
4p berline LX	2	A	2.4	“11,300”
4p berline LX Premium (toit)	2	A	2.4	“11,800”
4p berline SX (toit)	2	A	2.4	“11,900”
4p berline LX V6	2	A	2.7	“11,300”
4p berline LX Premium (cuir)	2	A	2.4	“12,500”
4p berline LX V6 Luxury (cuir)	2	A	2.7	“12,900”
2006 MAGENTIS				**100 000 km**
4p berline LX	2	M	2.4	“9,600”
4p berline LX	2	A	2.4	“10,100”
4p berline LX V6	2	A	2.7	“10,400”
4p berline EX V6 (cuir)	2	A	2.7	“11,200”
2010 RIO				**20 000 km**
4p berline EX	2	M	1.6	“11,400”
4p berline EX Commodité (a/c)	2	M	1.6	“13,200”
4p hayon Rio5 EX	2	M	1.6	“11,700”
4p hayon Rio5 EX Com(a/c)	2	M	1.6	“13,700”
4p hayon Rio5 EX Sport	2	M	1.6	“15,600”
2009 RIO				**40 000 km**
4p berline EX	2	M	1.6	“8,300”
4p berline EX Commodité (a/c)	2	M	1.6	“9,500”
4p hayon Rio5 EX	2	M	1.6	“8,600”
4p hayon Rio5 EX Com(a/c)	2	M	1.6	“10,000”
4p hayon Rio5 EX Sport	2	M	1.6	“11,100”
2008 RIO				**60 000 km**
4p berline EX	2	M	1.6	“7,400”
4p berline EX Commodité (a/c)	2	M	1.6	“8,800”
4p hayon Rio5 EX	2	M	1.6	“7,800”
4p hayon Rio5 EX Com(a/c)	2	M	1.6	“9,300”
4p hayon Rio5 EX Sport	2	M	1.6	“10,600”
2007 RIO				**80 000 km**
4p berline EX	2	M	1.6	“6,400”
4p berline EX Commodité (a/c)	2	M	1.6	“7,900”
4p berline EX Premium (abs)	2	A	1.6	“9,000”
4p hayon Rio5 EX	2	M	1.6	“7,800”
4p hayon Rio5 EX Com (a/c)	2	M	1.6	“8,400”
4p hayon Rio5 EX Sport	2	M	1.6	“9,700”
2006 RIO				**100 000 km**
4p berline EX	2	M	1.6	“5,200”
4p berline EX Commodité (a/c)	2	M	1.6	“6,500”
4p hayon Rio5 EX	2	M	1.6	“5,400”
4p hayon Rio5 EX Com (a/c)	2	M	1.6	“6,400”
4p hayon Rio5 EX Sport	2	M	1.6	“6,800”
2010 RONDO				**20 000 km**
4p 5 pass. LX (a/c)	2	A	2.4	“18,100”
4p 5 pass. EX	2	A	2.4	“19,400”
4p 7 pass. EX	2	A	2.4	“20,200”

Description	R.m.	Tr.	L	Prix
4p 7 pass. EX Premium (cuir)	2	A	2.4	“21,300”
4p 5 pass. EX V6	2	A	2.7	“20,300”
4p 7 pass. EX V6	2	A	2.7	“21,100”
4p 7 pass. EX V6 Luxury (cuir)	2	A	2.7	“23,000”
2009 RONDO				**40 000 km**
4p 5 pass. LX	2	A	2.4	“14,700”
4p 5 pass. EX	2	A	2.4	“16,700”
4p 7 pass. EX	2	A	2.4	“17,100”
4p 7 pass. EX Premium (cuir)	2	A	2.4	“18,100”
4p 5 pass. EX V6	2	A	2.7	“17,200”
4p 7 pass. EX V6	2	A	2.7	“17,900”
4p 7 pass. EX V6 Luxury (cuir)	2	A	2.7	“19,600”
2008 RONDO				**60 000 km**
4p 5 pass. LX	2	A	2.4	“12,600”
4p 5 pass. EX	2	A	2.4	“14,100”
4p 7 pass. EX	2	A	2.4	“14,600”
4p 7 pass. EX Premium (cuir)	2	A	2.4	“15,300”
4p 5 pass. EX V6	2	A	2.7	“14,800”
4p 7 pass. EX V6	2	A	2.7	“15,100”
4p 7 pass. EX V6 Luxury (cuir)	2	A	2.7	“16,500”
2007 RONDO				**80 000 km**
4p 5 pass. LX	2	A	2.4	“10,600”
4p 5 pass. EX	2	A	2.4	“11,800”
4p 7 pass. EX Premium (cuir)	2	A	2.4	“12,100”
4p 5 pass. EX V6	2	A	2.7	“11,900”
4p 7 pass. EX V6 Luxury (cuir)	2	A	2.7	“12,100”
2010 SEDONA				**20 000 km**
4p LX	2	A	3.8	“21,900”
4p EX	2	A	3.8	“26,900”
4p EX Gr. électrique	2	A	3.8	“28,800”
4p EX Gr. Luxe (cuir)	2	A	3.8	“31,700”
2009 SEDONA				**40 000 km**
4p LX	2	A	3.8	“16,500”
4p EX	2	A	3.8	“19,700”
4p EX Gr. électrique	2	A	3.8	“20,200”
4p EX Gr. Luxe (cuir)	2	A	3.8	“22,500”
2008 SEDONA				**60 000 km**
4p LX	2	A	3.8	“15,900”
4p EX	2	A	3.8	“16,800”
4p EX Gr. électrique	2	A	3.8	“17,400”
4p EX Gr. Luxe (cuir)	2	A	3.8	“18,300”
2007 SEDONA				**80 000 km**
4p LX	2	A	3.8	“13,800”
4p EX	2	A	3.8	“15,200”
4p EX Gr. électrique	2	A	3.8	“15,600”
4p EX Gr. Luxe (cuir)	2	A	3.8	“15,900”
2006 SEDONA				**100 000 km**
4p LX	2	A	3.8	“11,700”
4p EX	2	A	3.8	“12,600”
4p EX Gr. électrique	2	A	3.8	“13,000”
4p EX Gr. Luxe (cuir)	2	A	3.8	“13,600”
2009 SORENTO				**40 000 km**
4p L	4	A	3.3	“22,600”
4p LX	4	A	3.3	“24,700”
4p LX Luxe 3.3L (cuir)	4	A	3.3	“26,100”
4p LX Luxe 3.8L (cuir)	A	A	3.8	“28,400”
2008 SORENTO				**60 000 km**
4p LX	4	A	3.3	“19,400”
4p LX Luxe 3.3L (cuir)	4	A	3.3	“21,100”
4p LX Luxe 3.8L (cuir)	A	A	3.8	“22,200”
2007 SORENTO				**80 000 km**
4p SX	4	A	3.8	“18,000”
4p LX Luxe (cuir)	A	A	3.8	“19,200”
2006 SORENTO				**100 000 km**
4p LX	2	M	3.5	“14,800”
4p LX gr. Sécurité (abs)	2	A	3.5	“16,200”
4p LX	4	M	3.5	“16,200”
4p LX	4	A	3.5	“16,500”
4p LX Premium (cuir)	A	A	3.5	“17,500”
4p EX	4	A	3.5	“17,000”
4p EX Luxe (cuir)	A	A	3.5	“19,300”
2010 SOUL				**20 000 km**
4p hayon 1.6L	2	M	1.6	“13,600”
4p hayon 2.0L 2u	2	M	2	“15,800”
4p hayon 2.0L 4u	2	M	2	“17,600”
4p hayon 2.0L 4u Burner	2	M	2	“18,500”
2009 SPECTRA				**40 000 km**
4p berline LX	2	M	2	“9,300”
4p berline LX Commodité (a/c)	2	M	2	“10,600”
4p berline LX Premium (abs)	2	A	2	“12,000”
5p hayon Spectra5 LX	2	M	2	“9,600”
5p hayon Spectra5 LX Com	2	M	2	“11,000”
5p hayon Spectra5 SX	2	M	2	“12,800”

Description	R.m.	Tr.	L	Prix
2008 SPECTRA				**60 000 km**
4p berline LX	2	M	2	“8,000”
4p berline LX Commodité (a/c)	2	M	2	“9,500”
4p berline LX Premium (abs)	2	A	2	“10,900”
5p hayon Spectra5 LX	2	M	2	“8,400”
5p hayon Spectra5 LX Com	2	M	2	“9,900”
5p hayon Spectra5 SX	2	M	2	“11,700”
2007 SPECTRA				**80 000 km**
4p berline LX	2	M	2	“7,700”
4p berline LX Commodité (a/c)	2	M	2	“8,700”
4p berline LX Premium (abs)	2	A	2	“10,400”
5p hayon Spectra5 LX	2	M	2	“7,700”
5p hayon Spectra5 LX Com	2	M	2	“9,100”
5p hayon Spectra5 SX	2	M	2	“10,900”
2006 SPECTRA				**100 000 km**
4p berline LX	2	M	2	“6,300”
4p berline LX Commodité (a/c)	2	M	2	“7,400”
4p berline EX (abs)	2	A	2	“8,900”
5p hayon Spectra5	2	M	2	“6,800”
5p hayon Spectra5 EX Com	2	M	2	“7,900”
5p hayon Spectra5 EX Sport	2	M	2	“8,800”
2010 SPORTAGE				**20 000 km**
4p LX	2	M	2	“18,700”
4p LX Commodité	2	M	2	“20,600”
4p LX Commodité	2	A	2	“21,600”
4p LX-V6	2	A	2.7	“23,500”
4p LX commodité	4	M	2	“22,300”
4p LX-V6	4	A	2.7	“25,200”
4p LX-V6 Luxe (cuir)	4	A	2.7	“26,600”
2009 SPORTAGE				**40 000 km**
4p LX	2	M	2	“15,900”
4p LX Commodité	2	M	2	“17,500”
4p LX Commodité	2	A	2	“18,300”
4p LX-V6	2	A	2.7	“19,200”
4p LX commodité	4	M	2	“18,900”
4p LX-V6	4	A	2.7	“20,600”
4p LX-V6 Luxe (cuir)	4	A	2.7	“21,600”
2008 SPORTAGE				**60 000 km**
4p LX	2	M	2	“13,700”
4p LX Commodité	2	M	2	“15,400”
4p LX Commodité	2	A	2	“16,200”
4p LX-V6	2	A	2.7	“16,300”
4p LX commodité	4	M	2	“16,100”
4p LX-V6	4	A	2.7	“16,500”
4p LX-V6 Luxe (cuir)	4	A	2.7	“16,900”
2007 SPORTAGE				**80 000 km**
4p LX	2	M	2	“12,400”
4p LX Commodité	2	M	2	“13,800”
4p LX Commodité	2	A	2	“14,400”
4p LX-V6	2	A	2.7	“14,500”
4p LX commodité	4	M	2	“14,300”
4p LX-V6	4	A	2.7	“14,800”
4p SX V6 (cuir)	4	A	2.7	“14,900”
4p LX-V6 Luxe (cuir)	4	A	2.7	“15,400”
2006 SPORTAGE				**100 000 km**
4p LX	2	M	2	“10,000”
4p LX Commodité	2	M	2	“11,100”
4p LX Commodité	2	A	2	“11,700”
4p LX-V6	2	A	2.7	“11,900”
4p LX commodité	4	M	2	“11,700”
4p LX-V6	4	A	2.7	“12,000”
4p LX-V6 Luxe (cuir)	4	A	2.7	“12,300”

LAND ROVER

Description	R.m.	Tr.	L	Prix
2010 LR2				**20 000 km**
4p HSE	A	A	3.2	“39,600”
4p HSE Luxury	A	A	3.2	“44,200”
2009 LR2				**40 000 km**
4p HSE	A	A	3.2	“33,200”
4p HSE Navigation	A	A	3.2	“34,900”
2008 LR2				**60 000 km**
4p HSE	A	A	3.2	“27,000”
4p HSE Navigation	A	A	3.2	“28,700”
2010 LR3				**20 000 km**
4p SE	4	A	4	“44,400”
4p SE V8	4	A	4.4	“47,900”
4p HSE V8 (navigation)	4	A	4.4	“49,800”
4p HSE V8 Luxury (navigation)	4	A	4.4	“50,400”
2009 LR3				**40 000 km**
4p SE	4	A	4	“40,400”
4p SE V8	4	A	4.4	“43,900”
4p HSE V8 (navigation)	4	A	4.4	“45,700”
4p HSE V8 Luxury (navigation)	4	A	4.4	“46,700”
2008 LR3				**60 000 km**
4p SE	4	A	4	“35,800”
4p SE V8	4	A	4.4	“39,600”
4p HSE V8 (navigation)	4	A	4.4	“41,000”
4p HSE V8 Luxury (navigation)	4	A	4.4	“41,800”
2007 LR3				**80 000 km**
4p SE	4	A	4	“27,900”
4P SE V8	4	A	4.4	“30,300”
4p HSE V8	4	A	4.4	“31,700”
2006 LR3				**100 000 km**
4p SE	4	A	4	“24,300”
4p SE Luxury (cuir)	4	A	4	“25,000”
4P SE V8	4	A	4.4	“26,100”
4p HSE V8	4	A	4.4	“27,100”
2010 LR4				**20 000 km**
4p V8	4	A	5	“52,800”
4p V8 HSE	4	A	5	“56,100”
4p V8 HSE LUX	4	A	5	“62,300”
2010 RANGE ROVER				**20 000 km**
4p Sport HSE	4	A	5	“64,400”
4p Sport HSE Luxury	4	A	5	“68,800”
4p Sport Supercharged	4	A	5	“76,900”
4p HSE	4	A	5	“79,300”
4p Supercharged	4	A	5	“98,500”
2009 RANGE ROVER				**40 000 km**
4p Sport HSE	4	A	4.4	“55,400”
4p Sport Supercharged	4	A	4.2	“61,100”
4p Sport Superch.HST	4	A	4.2	“68,800”
4p HSE	4	A	4.4	“65,000”
4p Supercharged	4	A	4.2	“78,300”
2008 RANGE ROVER				**60 000 km**
4p Sport HSE	4	A	4.4	“46,900”
4p Sport Supercharged	4	A	4.2	“50,700”
4p Sport Superch. Limited Ed.	4	A	4.2	“56,900”
4p HSE	4	A	4.4	“53,900”
4p Supercharged	4	A	4.2	“64,300”
2007 RANGE ROVER				**80 000 km**
4p Sport HSE	4	A	4.4	“41,600”
4p Sport Supercharged	4	A	4.2	“43,300”
4p HSE	4	A	4.4	“43,700”
4p Supercharged	4	A	4.2	“46,000”
2006 RANGE ROVER				**100 000 km**
4p Sport HSE	4	A	4.4	“35,500”
4p Sport Supercharged	4	A	4.2	“37,700”
4p HSE	4	A	4.4	“38,100”
4p Supercharged	4	A	4.2	“39,100”

LEXUS

Description	R.m.	Tr.	L	Prix
2010 ES				**20 000 km**
4p berline ES 350	2	A	3.5	“38,100”
4p berline ES 350 Premium	2	A	3.5	“44,700”
4p berline ES 350 Ultra Premium	2	A	3.5	“47,300”
2009 ES				**40 000 km**
4p berline ES 350	2	A	3.5	“32,700”
4p berline ES 350 Premium	2	A	3.5	“35,300”
4p berline ES 350 Ultra Premium	2	A	3.5	“37,800”
2008 ES				**60 000 km**
4p berline ES 350	2	A	3.5	“28,500”
4p berline ES 350 Premium	2	A	3.5	“29,000”
4p berline ES 350 Ultra Premium	2	A	3.5	“30,800”
2007 ES				**80 000 km**
4p berline ES 350	2	A	3.5	“25,200”
4p berline ES 350 Ultra Premium	2	A	3.5	“26,100”
2006 ES				**100 000 km**
4p berline ES 330	2	A	3.3	“24,500”
4p berline ES 330 Premium	2	A	3.3	“24,900”
2010 GS				**20 000 km**
4p berline GS 350	2	A	3.5	“47,500”
4p berline GS 350 AWD	A	A	3.5	“49,300”
4p berline GS 450h Hybrid	2	A	3.5	“65,200”
4p berline GS 460	2	A	4.6	“60,800”
2009 GS				**40 000 km**
4p berline GS 350	2	A	3.5	“37,400”
4p berline GS 350 AWD	A	A	3.5	“39,000”
4p berline GS 450h Hybrid	2	A	3.5	“43,900”
4p berline GS 460	2	A	4.6	“44,500”
2008 GS				**60 000 km**
4p berline GS 350	2	A	3.5	“34,100”
4p berline GS 350 AWD	A	A	3.5	“35,000”
4p berline GS 450h Hybrid	2	A	3.5	“37,900”

Description	R.m.	Tr.	L	Prix
4p berline GS 460	2	A	4.6	“38,700”
2007 GS				**80 000 km**
4p berline GS 350	2	A	3.5	“31,000”
4p berline GS 350 AWD	A	A	3.5	“32,700”
4p berline GS 430	2	A	4.3	“32,900”
4p berline GS 450h Hybrid	2	A	3.5	“34,000”
2006 GS				**100 000 km**
4p berline GS 300	2	A	3	“25,400”
4p berline GS 300 AWD	A	A	3	“26,600”
4p berline GS 430	2	A	4.3	“26,800”
2010 GX				**20 000 km**
4p GX 460	A	A	4.6	“58,500”
4p GX 460 Ultra Premium	A	A	4.6	“62,100”
2009 GX				**40 000 km**
4p GX 470	A	A	4.7	“49,200”
4p GX 470 Ultra Premium	A	A	4.7	“50,900”
2008 GX				**60 000 km**
4p GX 470	A	A	4.7	“45,800”
2007 GX				**80 000 km**
4p GX 470	A	A	4.7	“42,600”
4p GX 470 Ultra Premium	A	A	4.7	“43,100”
2006 GX				**100 000 km**
4p GX 470	A	A	4.7	“38,000”
4p GX 470 Ultra Premium	A	A	4.7	“38,600”
2010 HS				**20 000 km**
4p berline HS 250h Premium	2	A	2.4	“36,300”
4p berline HS 250h Ultra	2	A	2.4	“44,400”
2010 IS				**20 000 km**
4p berline IS 250	2	M	2.5	“31,100”
4p berline IS 250	2	A	2.5	“32,500”
4p berline IS 250 AWD	A	A	2.5	“36,700”
4p berline IS 350 (cuir)	2	A	3.5	“41,500”
4p berline IS F (cuir)	2	A	5	“61,600”
2p décapotable IS 250 C	2	A	2.5	“48,900”
2p décapotable IS 350 C	2	A	3.5	“55,000”
2009 IS				**40 000 km**
4p berline IS 250	2	M	2.5	“28,400”
4p berline IS 250	2	A	2.5	“29,800”
4p berline IS 250 AWD	A	A	2.5	“33,800”
4p berline IS 350 (cuir)	2	A	3.5	“37,400”
4p berline IS F (cuir)	2	A	5	“53,900”
2008 IS				**60 000 km**
4p berline IS 250	2	M	2.5	“25,200”
4p berline IS 250	2	A	2.5	“26,300”
4p berline IS 250 AWD	A	A	2.5	“27,800”
4p berline IS 350 (cuir)	2	A	3.5	“30,400”
4p berline IS F (cuir)	2	A	5	“43,100”
2007 IS				**80 000 km**
4p berline IS 250	2	M	2.5	“24,200”
4p berline IS 250	2	A	2.5	“25,300”
4p berline IS 250 AWD	A	A	2.5	“28,700”
4p berline IS 350 (cuir)	2	A	3.5	“28,600”
2006 IS				**100 000 km**
4p berline IS 250	2	M	2.5	“22,000”
4p berline IS 250	2	A	2.5	“22,700”
4p berline IS 250 AWD	A	A	2.5	“23,200”
4p berline IS 350	2	A	3.5	“24,900”
2010 LS				**20 000 km**
4p berline LS 460	2	A	4.6	“75,400”
4p berline LS 460 Technology	2	A	4.6	“84,300”
4p berline LS 460 Sport	2	A	4.6	“86,000”
4p ber LS 460 4RM	A	A	4.6	“80,100”
4p berline LS 460L Executive	A	A	4.6	“102,300”
4p berline LS 600h L Hybride	A	A	5	“105,300”
4p ber LS 600h L Hybride PremEx	A	A	5	“125,300”
2009 LS				**40 000 km**
4p berline LS 460	2	A	4.6	“63,200”
4p berline LS 460 Technology	2	A	4.6	“77,500”
4p berline LS 460L	2	A	4.6	“81,100”
4p ber LS 460 4RM	A	A	4.6	“67,500”
4p berline LS 460L Executive	A	A	4.6	“94,300”
4p berline LS 600h L Hybride	A	A	5	“97,400”
4p ber LS 600h L Hybride PremEx	A	A	5	“114,800”
2008 LS				**60 000 km**
4p berline LS 460	2	A	4.6	“54,200”
4p berline LS 460 Technology	2	A	4.6	“63,600”
4p berline LS 460L	2	A	4.6	“62,400”
4p ber LS 460L Prem Gr. Touring	2	A	4.6	“65,100”
4p berline LS 460L Technology	2	A	4.6	“67,100”
4p berline LS 460L Executive	2	A	4.6	“67,400”

Description	R.m.	Tr.	L	Prix
4p berline LS 600h L Hybride	A	A	5	"70,700"
4p ber LS 600h L Hybride PremEx	A	A	5	"83,800"
2007 LS				**80 000 km**
4p berline LS 460	2	A	4.6	"45,100"
4p berline LS 460 Premium	2	A	4.6	"47,900"
4p berline LS 460 Technology	2	A	4.6	"52,700"
4p berline LS 460L	2	A	4.6	"52,200"
4p ber LS 460L Prem.Gr. Touring	2	A	4.6	"54,500"
4p berline LS 460L Technology	2	A	4.6	"56,600"
4p berline LS 460L Executive	2	A	4.6	"58,800"
2006 LS				**100 000 km**
4p berline LS 430	2	A	4.3	"40,300"
2010 LX				**20 000 km**
4p LX 570	A	A	5.7	"81,200"
4p LX 570 Ultra Premium	A	A	5.7	"90,800"
2009 LX				**40 000 km**
4p LX 570	A	A	5.7	"64,600"
4p LX 570 Ultra Premium	A	A	5.7	"73,200"
2008 LX				**60 000 km**
4p LX 570	A	A	5.7	"57,500"
4p LX 570 Ultra Premium	A	A	5.7	"61,400"
2007 LX				**80 000 km**
4p LX 470	A	A	4.7	"48,400"
2006 LX				**100 000 km**
4p LX 470	A	A	4.7	"39,800"
2010 RX				**20 000 km**
4p RX 350	A	A	3.5	"42,700"
4p RX 450h Hybrid	A	A	3.5	"47,600"
2009 RX				**40 000 km**
4p RX 350	A	A	3.5	"37,400"
4p RX 350 Premium	A	A	3.5	"41,700"
4p RX 350 Touring (navi.)	A	A	3.5	"45,700"
4p RX 350 Ultra (navi.)	A	A	3.5	"48,200"
4p RX 400h Hybrid	A	A	3.3	"38,400"
4p RX 400h Hybrid Ultra (navi.)	A	A	3.3	"41,500"
2008 RX				**60 000 km**
4p RX 350	A	A	3.5	"32,900"
4p RX 350 Luxury	A	A	3.5	"34,900"
4p RX 350 Premium	A	A	3.5	"35,400"
4p RX 350 Touring (navi.)	A	A	3.5	"36,100"
4p RX 350 Ultra (navi.)	A	A	3.5	"38,000"
4p RX 400h Hybrid	A	A	3.3	"33,700"
4p RX 400h Hybrid Ultra (navi.)	A	A	3.3	"36,500"
2007 RX				**80 000 km**
4p RX 350	A	A	3.5	"30,800"
4p RX 350 Premium	A	A	3.5	"34,100"
4p RX 350 Ultra (navigation)	A	A	3.5	"35,500"
4p RX 400h Hybrid	A	A	3.3	"33,700"
4p RX 400h Hybrid Ultra (navi.)	A	A	3.3	"35,900"
2006 RX				**100 000 km**
4p RX 330	A	A	3.3	"29,400"
4p RX 330 Premium	A	A	3.3	"32,900"
4p RX 330 Ultra (navigation)	A	A	3.3	"33,100"
4p RX 400h Hybrid	A	A	3.3	"32,400"
4p RX 400h Hybrid Ultra (navi.)	A	A	3.3	"33,500"
2010 SC				**20 000 km**
2p décapotable SC 430	2	A	4.3	"71,600"
2009 SC				**40 000 km**
2p décapotable SC 430	2	A	4.3	"67,800"
2p déc SC 430 Peeble Beach Ed.	2	A	4.3	"68,900"
2008 SC				**60 000 km**
2p décapotable SC 430	2	A	4.3	"54,100"
2p déc SC 430 Peeble Beach Ed.	2	A	4.3	"55,500"
2007 SC				**80 000 km**
2p décapotable SC 430	2	A	4.3	"42,800"
2p déc SC 430 Peeble Beach Ed.	2	A	4.3	"44,400"
2006 SC				**100 000 km**
2p décapotable SC 430	2	A	4.3	"37,500"
2p déc SC 430 Pebble Beach Ed.	2	A	4.3	"38,600"

LINCOLN

Description	R.m.	Tr.	L	Prix
2006 LS				**100 000 km**
4p berline V8 Sport	2	A	3.9	"14,900"
4p berline V8 Ultimate	2	A	3.9	"15,900"
2008 MARK LT				**60 000 km**
4p base	4	A	5.4	"32,800"
4p base benne allongée	4	A	5.4	"32,800"
2007 MARK LT				**80 000 km**
4p base	4	A	5.4	"26,700"
4p base benne allongée	4	A	5.4	"26,700"
2006 MARK LT				**100 000 km**
4p base	2	A	5.4	"20,800"
4p base	4	A	5.4	"21,700"
2010 MKS				**20 000 km**
4p berline base	2	A	3.7	"41,700"
4p berline 4RM	A	A	3.7	"43,600"
4p berline GTDI 4RM	A	A	3.5	"46,600"
2009 MKS				**40 000 km**
4p berline base	2	A	3.7	"37,300"
4p berline 4RM	A	A	3.7	"39,100"
2009 MKT				**40 000 km**
4p 3.7L	A	A	3.7	"44,000"
4p 3.5L EcoBoost	A	A	3.5	"46,900"
2010 MKX				**20 000 km**
4p base AWD	A	A	3.5	"37,800"
4p Limited Edition AWD	A	A	3.5	"39,000"
2009 MKX				**40 000 km**
4p base AWD	A	A	3.5	"32,800"
4p Limited Edition AWD	A	A	3.5	"33,700"
2008 MKX				**60 000 km**
4p base	2	A	3.5	"27,000"
4p Limited Edition	2	A	3.5	"27,800"
4p base AWD	A	A	3.5	"28,300"
4p Limited Edition AWD	A	A	3.5	"29,100"
2007 MKX				**80 000 km**
4p base	2	A	3.5	"24,100"
4p base AWD	A	A	3.5	"25,300"
2010 MKZ				**20 000 km**
4p berline base	2	A	3.5	"33,800"
4p berline AWD	A	A	3.5	"39,200"
2009 MKZ				**40 000 km**
4p berline base	2	A	3.5	"28,400"
4p berline AWD	A	A	3.5	"31,300"
2008 MKZ				**60 000 km**
4p berline base	2	A	3.5	"24,100"
4p berline AWD	A	A	3.5	"26,800"
2007 MKZ				**80 000 km**
4p berline base	2	A	3.5	"21,000"
4p berline AWD	A	A	3.5	"22,300"
2010 NAVIGATOR				**20 000 km**
4p Ultimate	4	A	5.4	"62,300"
4p Ultimate L	4	A	5.4	"64,900"
4p Limousine (conversion)	2	A	5.4	"53,800"
2009 NAVIGATOR				**40 000 km**
4p Ultimate	4	A	5.4	"44,600"
4p Ultimate L	4	A	5.4	"46,800"
4p Limousine (conversion)	2	A	5.4	"37,800"
2008 NAVIGATOR				**60 000 km**
4p Ultimate	4	A	5.4	"39,900"
4p Ultimate L	4	A	5.4	"42,000"
4p Limousine (conversion)	2	A	5.4	"34,200"
2007 NAVIGATOR				**80 000 km**
4p Ultimate	4	A	5.4	"36,100"
4p Limousine (conversion)	2	A	5.4	"27,200"
2006 NAVIGATOR				**100 000 km**
4p Ultimate	4	A	5.4	"28,200"
4p Limousine (conversion)	2	A	5.4	"21,500"
2008 TOWN CAR				**60 000 km**
4p berline Signature Limited	2	A	4.6	"24,200"
4p berline Signature L	2	A	4.6	"25,400"
2007 TOWN CAR				**80 000 km**
4p berline Signature Limited	2	A	4.6	"21,100"
4p berline Designer Series	2	A	4.6	"22,100"
4p berline Signature L	2	A	4.6	"23,000"
2006 TOWN CAR				**100 000 km**
4p berline Executive	2	A	4.6	"19,400"
4p berline Executive L	2	A	4.6	"20,900"
4p berline Signature Limited	2	A	4.6	"20,300"
4p berline Designer Series	2	A	4.6	"20,600"
4p berline Signature L	2	A	4.6	"20,900"
2006 ZEPHYR				**100 000 km**
4p berline base	2	A	3	"14,400"

MAZDA

Description	R.m.	Tr.	L	Prix
2010 B2300				**20 000 km**
cab. rég. SX	2	M	2.3	"14,700"
cab. Plus SX	2	M	2.3	"17,500"
2009 B2300				**40 000 km**
cab. rég. SX	2	M	2.3	"13,400"
2008 B2300				**60 000 km**
cab. rég. SX	2	M	2.3	"12,700"
2007 B2300				**80 000 km**
cab. rég. SX	2	M	2.3	"11,600"
2006 B2300				**100 000 km**
cab. rég. SX	2	M	2.3	"10,000"
2008 B3000				**60 000 km**
cab. Plus Dual Sport	2	M	3	"13,800"
2007 B3000				**80 000 km**
cab. Plus Dual Sport	2	M	3	"12,600"
2006 B3000				**100 000 km**
cab. Plus Dual Sport	2	M	3	"10,700"
2010 B4000				**20 000 km**
cab. Plus SE	4	M	4	"22,400"
2009 B4000				**40 000 km**
cab. Plus DS Dual Sport	2	A	4	"16,700"
cab. Plus SE	4	M	4	"18,100"
2008 B4000				**60 000 km**
cab. Plus DS Dual Sport	2	A	4	"15,800"
cab. Plus SE	4	M	4	"15,100"
2007 B4000				**80 000 km**
cab. Plus DS Dual Sport	2	A	4	"14,500"
cab. Plus SE	4	M	4	"14,700"
2006 B4000				**100 000 km**
cab. Plus DS Dual Sport	2	A	4	"13,100"
cab. Plus SE	4	M	4	"13,400"
2010 CX				**20 000 km**
4p CX-7 GX	2	A	2.5	"23,900"
4p CX-7 GS AWD	A	A	2.3	"27,500"
4p CX-7 GT AWD (cuir)	A	A	2.3	"33,300"
4p 7 pass. CX-9 GS	2	A	3.7	"32,400"
4p 7 pass. CX-9 GS AWD	A	A	3.7	"34,100"
4p 7 pass. CX-9 GT AWD (cuir)	A	A	3.7	"39,000"
2009 CX				**40 000 km**
4p CX-7 GS	2	A	2.3	"21,300"
4p CX-7 GS AWD	A	A	2.3	"22,700"
4p CX-7 GT AWD (cuir)	A	A	2.3	"25,300"
4p 7 pass. CX-9 GS	2	A	3.7	"26,100"
4p 7 pass. CX-9 GS AWD	A	A	3.7	"27,500"
4p 7 pass. CX-9 GT AWD (cuir)	A	A	3.7	"31,500"
2008 CX				**60 000 km**
4p CX-7 GS	2	A	2.3	"18,700"
4p CX-7 GT (cuir)	2	A	2.3	"20,700"
4p CX-7 GS AWD	A	A	2.3	"20,000"
4p CX-7 GT AWD (cuir)	A	A	2.3	"21,800"
4p 7 pass. CX-9 GS	2	A	3.7	"22,800"
4p 7 pass. CX-9 GS AWD	A	A	3.7	"23,100"
4p 7 pass. CX-9 GT AWD (cuir)	A	A	3.7	"24,500"
2007 CX				**80 000 km**
4p CX-7 GS	2	A	2.3	"17,700"
4p CX-7 GT (cuir)	2	A	2.3	"19,000"
4p CX-7 GS AWD	A	A	2.3	"18,600"
4p CX-7 GT AWD (cuir)	A	A	2.3	"20,100"
4p 7 pass. CX-9 GS	2	A	3.5	"20,100"
4p 7 pass. CX-9 GT (cuir)	2	A	3.5	"20,900"
4p 7 pass. CX-9 GS AWD	A	A	3.5	"20,900"
4p 7 pass. CX-9 GT AWD (cuir)	A	A	3.5	"21,800"
2010 MAZDA3				**20 000 km**
4p berline GX	2	M	2	"13,500"
4p berline GS	2	M	2	"16,400"
4p berline GT	2	M	2.3	"19,400"
4p hayon GX Sport	2	M	2	"14,400"
4p hayon GS Sport	2	M	2.3	"17,700"
4p hayon GT Sport	2	M	2.3	"20,300"
4p hayon MazdaSpeed 3	2	M	2.3	"27,800"
2009 MAZDA3				**40 000 km**
4p berline GX	2	M	2	"10,800"
4p berline GS	2	M	2	"13,000"
4p berline GT	2	M	2.3	"15,100"
4p hayon GX Sport	2	M	2	"11,400"
4p hayon GS Sport	2	M	2.3	"14,600"
4p hayon GT Sport	2	M	2.3	"15,500"

Description	R.m.	Tr.	L	Prix
4p hayon MazdaSpeed 3	2	M	2.3	"21,100"
2008 MAZDA3				**60 000 km**
4p berline GX	2	M	2	"8,500"
4p berline GS	2	M	2	"10,400"
4p berline GT	2	M	2.3	"11,800"
4p hayon GX Sport	2	M	2	"9,100"
4p hayon GS Sport	2	M	2.3	"11,400"
4p hayon GT Sport	2	M	2.3	"12,000"
4p hayon MazdaSpeed 3	2	M	2.3	"16,000"
2007 MAZDA3				**80 000 km**
4p berline GX	2	M	2	"7,900"
4p berline GS	2	M	2	"9,900"
4p berline GT	2	M	2.3	"11,000"
4p hayon GS Sport	2	M	2.3	"10,600"
4p hayon GT Sport	2	M	2.3	"11,000"
4p hayon MazdaSpeed 3	2	M	2.3	"14,000"
2006 MAZDA3				**100 000 km**
4p berline GX	2	M	2	"7,000"
4p berline GS	2	M	2	"8,900"
4p berline GT	2	M	2.3	"9,900"
4p hayon GS Sport	2	M	2.3	"10,000"
4p hayon GT Sport	2	M	2.3	"10,200"
2010 MAZDA5				**20 000 km**
4p GS	2	M	2.3	"18,000"
4p GT	2	M	2.3	"21,100"
2009 MAZDA5				**40 000 km**
4p GS	2	M	2.3	"15,500"
4p GT	2	M	2.3	"18,100"
2008 MAZDA5				**60 000 km**
4p GS	2	M	2.3	"14,000"
4p GT	2	M	2.3	"15,700"
2007 MAZDA5				**80 000 km**
4p GS	2	M	2.3	"11,900"
4p GT	2	M	2.3	"13,100"
2006 MAZDA5				**100 000 km**
4p GS	2	M	2.3	"9,700"
4p GT	2	M	2.3	"10,500"
2010 MAZDA6				**20 000 km**
4p berline GS-I4	2	M	2.5	"20,400"
4p berline GT-I4 (cuir)	2	M	2.5	"25,300"
4p berline GS-V6	2	M	3.7	"26,600"
4p berline GT-V6 (cuir)	2	M	3.7	"32,300"
2009 MAZDA6				**40 000 km**
4p berline GS-I4	2	M	2.5	"15,800"
4p berline GT-I4 (cuir)	2	M	2.5	"19,200"
4p berline GS-V6	2	M	3.7	"19,400"
4p berline GT-V6 (cuir)	2	M	3.7	"23,400"
2008 MAZDA6				**60 000 km**
4p berline GS-I4	2	M	2.3	"13,900"
4p berline GT-I4 (cuir)	2	M	2.3	"16,000"
4p berline GS-V6	2	M	3	"15,100"
4p berline GT-V6 (cuir)	2	M	3	"16,600"
4p hayon GS-I4 Sport	2	M	2.3	"14,700"
4p hayon GT-I4 Sport (cuir)	2	M	2.3	"16,400"
4p hayon GS-V6 Sport	2	M	3	"15,900"
4p hayon GT-V6 Sport (cuir)	2	M	3	"16,900"
2007 MAZDA6				**80 000 km**
4p berline GS-I4	2	M	2.3	"11,500"
4p berline GT-I4 (cuir)	2	M	2.3	"13,200"
4p berline GS-V6	2	M	3	"12,800"
4p berline GT-V6 (cuir)	2	M	3	"14,500"
4p berline MazdaSpeed 6	A	M	2.3	"15,800"
4p hayon GS-I4 Sport	2	M	2.3	"12,400"
4p hayon GT-I4 Sport (cuir)	2	M	2.3	"14,400"
4p hayon GS-V6 Sport	2	M	3	"13,500"
4p hayon GT-V6 Sport (cuir)	2	M	3	"14,800"
4p familiale GS-V6	2	M	3	"13,100"
4p familiale GT-V6 (cuir)	2	M	3	"14,800"
2006 MAZDA6				**100 000 km**
4p berline GS-I4	2	M	2.3	"9,700"
4p berline GS-I4 gr. Sport	2	M	2.3	"10,500"
4p berline GT-I4 (cuir)	2	M	2.3	"11,800"
4p berline GS-V6	2	M	3	"10,600"
4p berline GS-V6 gr. Sport	2	M	3	"11,300"
4p berline GT-V6 (cuir)	2	M	3	"12,400"
4p berline MazdaSpeed 6	A	M	2.3	"13,600"
4p hayon GS-I4 Sport	2	M	2.3	"10,500"
4p hayon GS-I4 Sport gr.GFX	2	M	2.3	"11,000"
4p hayon GT-I4 Sport (cuir)	2	M	2.3	"12,000"
4p hayon GS-V6 Sport	2	M	3	"11,700"
4p hayon GS-V6 Sport gr.GFX	2	M	3	"12,000"
4p hayon GT-V6 Sport (cuir)	2	M	3	"12,500"
4p familiale GS-V6	2	M	3	"11,100"

Description	R.m.	Tr.	L	Prix
4p familiale GS-V6 gr.Sport	2	M	3	"11,400"
4p familiale GS-V6 gr.GFX	2	M	3	"12,000"
4p familiale GT-V6 (cuir)	2	M	3	"11,800"
4p familiale GT-V6 gr.GFX	2	M	3	"12,800"
2006 MPV				**100 000 km**
4p GX	2	A	3	"8,800"
4p GS	2	A	3	"9,600"
4p GS groupe Sport	2	A	3	"10,100"
4p GT (cuir)	2	A	3	"10,500"
2010 MX-5				**20 000 km**
2p décapotable GX	2	M	2	"25,500"
2p décapotable GS	2	M	2	"29,500"
2p déc GS Toit rétractable (a/c)	2	M	2	"32,600"
2p déc GT Toit rétractable (cuir)	2	M	2	"35,200"
2009 MX-5				**40 000 km**
2p décapotable GX	2	M	2	"20,600"
2p décapotable GS	2	M	2	"24,000"
2p déc GS Toit rétractable (a/c)	2	M	2	"26,400"
2p déc GT Toit rétractable (cuir)	2	M	2	"28,600"
2008 MX-5				**60 000 km**
2p décapotable GX	2	M	2	"17,500"
2p déc GX Toit rétrac (a/c)	2	M	2	"19,600"
2p décapotable GS	2	M	2	"19,500"
2p déc GS Toit rétractable (a/c)	2	M	2	"20,600"
2p décapotable GT (cuir - a/c)	2	M	2	"20,700"
2p déc GT Toit rétractable (cuir)	2	M	2	"22,000"
2007 MX-5				**80 000 km**
2p décapotable GX	2	M	2	"16,500"
2p décapotable GX	2	A	2	"17,200"
2p décapotable GS	2	M	2	"18,200"
2p décapotable GT (cuir - a/c)	2	M	2	"19,300"
2p décapotable GT (cuir - a/c)	2	A	2	"20,000"
2006 MX-5				**100 000 km**
2p décapotable GX	2	M	2	"14,700"
2p décapotable GX	2	A	2	"15,300"
2p décapotable GS	2	M	2	"15,800"
2p décapotable GT (cuir - a/c)	2	M	2	"17,800"
2p décapotable GT (cuir - a/c)	2	A	2	"18,400"
2p déc 3e Génération édition	2	M	2	"17,900"
2010 RX-8				**20 000 km**
4p coupé R3	2	A	1.3	"33,800"
4p coupé GT (cuir)	2	M	1.3	"35,100"
4p coupé GT (cuir)	2	A	1.3	"35,100"
2009 RX-8				**40 000 km**
4p coupé GS	2	M	1.3	"23,200"
4p coupé R3	2	A	1.3	"25,400"
4p coupé GT (cuir)	2	M	1.3	"26,400"
4p coupé GT (cuir)	2	A	1.3	"26,400"
2008 RX-8				**60 000 km**
4p coupé GS	2	M	1.3	"19,600"
4p coupé GS	2	A	1.3	"19,600"
4p coupé GT (cuir)	2	M	1.3	"21,300"
4p coupé GT (cuir)	2	A	1.3	"21,300"
2007 RX-8				**80 000 km**
4p coupé GS	2	M	1.3	"17,400"
4p coupé GS	2	A	1.3	"17,400"
4p coupé GT (cuir)	2	M	1.3	"18,700"
4p coupé GT (cuir)	2	A	1.3	"18,700"
2006 RX-8				**100 000 km**
4p coupé GS	2	M	1.3	"14,700"
4p coupé GS	2	A	1.3	"14,700"
4p coupé GT (cuir)	2	M	1.3	"16,100"
4p coupé GT (cuir)	2	A	1.3	"16,100"
4p coupé édition Spéciale (toit)	2	M	1.3	"16,400"
2010 TRIBUTE				**20 000 km**
4p GX	2	M	2.5	"20,200"
4p GX	2	A	2.5	"21,300"
4p GX V6	2	A	3	"22,700"
4p GS V6	2	A	3	"24,000"
4p GX	A	A	2.5	"23,300"
4p GX V6	A	A	3	"24,700"
4p GS V6	A	A	3	"26,100"
4p GT V6 (cuir)	A	A	3	"30,100"
2009 TRIBUTE				**40 000 km**
4p GX	2	M	2.5	"16,400"
4p GX	2	A	2.5	"17,400"
4p GX V6	2	A	3	"18,600"
4p GS V6	2	A	3	"19,800"
4p GX	A	A	2.5	"19,100"
4p GX V6	A	A	3	"20,300"
4p GS V6	A	A	3	"21,500"
4p GT V6 (cuir)	A	A	3	"23,500"

Description	R.m.	Tr.	L	Prix
2008 TRIBUTE				**60 000 km**
4p GX	2	M	2.3	"15,000"
4p GX	2	A	2.3	"15,500"
4p GX V6	2	A	3	"16,500"
4p GS V6	2	A	3	"17,400"
4p GX	A	A	2.3	"17,400"
4p GX V6	A	A	3	"17,900"
4p GS V6	A	A	3	"18,600"
4p GT V6 (cuir)	A	A	3	"20,300"
2006 TRIBUTE				**100 000 km**
4p GX	2	M	2.3	"11,800"
4p GX V6	2	A	3	"12,500"
4p GS V6	2	A	3	"12,900"
4p GX	A	M	2.3	"12,900"
4p GX V6	A	A	3	"13,200"
4p GS V6	A	A	3	"14,100"
4p GT V6 (cuir)	A	A	3	"14,600"

MERCEDES-BENZ

Description	R.m.	Tr.	L	Prix
2010 CLASSE B				**20 000 km**
4p hayon B200	2	M	2	"27,200"
4p hayon B200 Turbo	2	M	2	"29,500"
2009 CLASSE B				**40 000 km**
4p hayon B200	2	M	2	"24,100"
4p hayon B200 Turbo	2	M	2	"26,700"
2008 CLASSE B				**60 000 km**
4p hayon B200	2	M	2	"21,600"
4p hayon B200 Turbo	2	M	2	"22,100"
2007 CLASSE B				**80 000 km**
4p hayon B200	2	M	2	"17,300"
4p hayon B200 Turbo	2	M	2	"18,300"
2006 CLASSE B				**100 000 km**
4p hayon B200	2	M	2	"14,400"
4p hayon B200 Turbo	2	M	2	"15,200"
2010 CLASSE C				**20 000 km**
4p berline C250	2	M	2.5	"32,600"
4p berline C300	2	M	3	"37,500"
4p berline C300	2	A	3	"38,900"
4p berline C350	2	A	3.5	"43,900"
4p berline C63 AMG	2	A	6.3	"57,800"
4p berline C250 4MATIC	A	A	2.5	"35,900"
4p berline C300 4MATIC	A	A	3	"40,900"
4p berline C350 4MATIC	A	A	3.5	"45,900"
2009 CLASSE C				**40 000 km**
4p berline C230	2	M	2.5	"28,900"
4p berline C300	2	M	3	"33,300"
4p berline C300	2	A	3	"34,500"
4p berline C350	2	A	3.5	"39,000"
4p berline C63 AMG	2	A	6.3	"51,400"
4p berline C230 4MATIC	A	A	2.5	"32,000"
4p berline C300 4MATIC	A	A	3	"36,400"
4p berline C350 4MATIC	A	A	3.5	"40,800"
2008 CLASSE C				**60 000 km**
4p berline C230	2	M	2.5	"25,700"
4p berline C300	2	M	3	"30,200"
4p berline C300	2	A	3	"31,300"
4p berline C350	2	A	3.5	"35,400"
4p berline C63 AMG	2	A	6.3	"45,400"
4p berline C230 4MATIC	A	A	2.5	"28,600"
4p berline C300 4MATIC	A	A	3	"32,900"
4p berline C350 4MATIC	A	A	3.5	"37,000"
2007 CLASSE C				**80 000 km**
4p berline C230	2	M	2.5	"21,800"
4p berline C230	2	A	2.5	"22,800"
4p berline C280	2	A	3	"24,500"
4p berline C280 Avant Garde ƒd	2	A	3	"24,800"
4p berline C350	2	M	3.5	"29,000"
4p berline C350	2	A	3.5	"30,000"
4p berline C280 4MATIC	A	A	3	"25,900"
4p berline C280 4MATIC Avant G	A	A	3	"26,200"
4p berline C350 4MATIC	A	A	3.5	"30,500"
2006 CLASSE C				**100 000 km**
2p coupé C230 Sport	2	M	2.5	"18,600"
4p berline C230	2	M	2.5	"19,700"
4p berline C230 Sport	2	M	2.5	"23,100"
4p berline C280	2	A	3	"22,200"
4p berline C280 Elegance	2	A	3	"25,000"
4p berline C350 Sport	2	M	3.5	"27,600"
4p berline C55 AMG	2	A	5.5	"36,000"
4p berline C280 4MATIC	A	A	3	"24,000"
4p berline C280 4MATIC Ele.	A	A	3	"26,100"
4p berline C350 4MATIC	A	A	3.5	"28,800"
2009 CLASSE CLK				**40 000 km**
2p coupé CLK 350	2	A	3.5	"54,800"

Description	R.m.	Tr.	L	Prix
2p coupé CLK 550	2	A	5.5	"65,000"
2p décapotable CLK 350	2	A	3.5	"61,900"
2p décapotable CLK 550	2	A	5.5	"72,100"
2p décapotable CLK 63 AMG	2	A	6.2	"87,300"
2008 CLASSE CLK				**60 000 km**
2p coupé CLK 350	2	A	3.5	"42,100"
2p coupé CLK 550	2	A	5.5	"47,800"
2p décapotable CLK 350	2	A	3.5	"47,500"
2p décapotable CLK 550	2	A	5.5	"53,100"
2p décapotable CLK 63 AMG	2	A	6.2	"68,400"
2007 CLASSE CLK				**80 000 km**
2p coupé CLK 350	2	A	3.5	"36,700"
2p coupé CLK 550	2	A	5.5	"40,800"
2p décapotable CLK 350	2	A	3.5	"40,600"
2p décapotable CLK 550	2	A	5.5	"44,300"
2p décapotable CLK 63 AMG	2	A	6.2	"58,600"
2006 CLASSE CLK				**100 000 km**
2p coupé CLK 350	2	A	3.5	"30,800"
2p coupé CLK 500	2	A	5	"34,500"
2p décapotable CLK 350	2	A	3.5	"35,500"
2p décapotable CLK 500	2	A	5	"37,600"
2p décapotable CLK 55 AMG	2	A	5.5	"44,400"
2010 CLASSE CLS				**20 000 km**
4p berline CLS 550	2	A	5.5	"80,500"
4p berline CLS 63 AMG	2	A	6.2	"107,100"
2009 CLASSE CLS				**40 000 km**
4p berline CLS 550	2	A	5.5	"66,500"
4p berline CLS 63 AMG	2	A	6.2	"83,300"
2008 CLASSE CLS				**60 000 km**
4p berline CLS 550	2	A	5.5	"51,300"
4p berline CLS 63 AMG	2	A	6.2	"64,100"
2007 CLASSE CLS				**80 000 km**
4p berline CLS 550	2	A	5.5	"42,800"
4p berline CLS 63 AMG	2	A	6.2	"50,900"
2006 CLASSE CLS				**100 000 km**
4p berline CLS 500	2	A	5	"36,700"
4p berline CLS 55 AMG	2	A	5.5	"41,400"
2010 CLASSE E				**20 000 km**
2p coupé E350	2	A	3.5	"54,500"
2p coupé E550	2	A	5.5	"63,400"
4p berline E350 4MATIC	A	A	3.5	"58,500"
4p berline E550 4MATIC	A	A	5.5	"68,100"
4p berline E63 AMG	2	A	6.2	"99,400"
2009 CLASSE E				**40 000 km**
4p berline E320 BLUETEC	2	A	3	"50,000"
4p berline E63 AMG	2	A	6.2	"83,600"
4p berline E300 4MATIC	A	A	3	"48,300"
4p berline E350 4MATIC	A	A	3.5	"54,600"
4p berline E550 4MATIC	A	A	5.5	"60,700"
4p familiale E350 4MATIC	A	A	3.5	"56,700"
2008 CLASSE E				**60 000 km**
4p berline E320 BLUETEC	2	A	3	"43,100"
4p berline E63 AMG	2	A	6.2	"65,500"
4p berline E300 4MATIC	A	A	3	"41,600"
4p berline E350 4MATIC	A	A	3.5	"47,200"
4p berline E550 4MATIC	A	A	5.5	"52,500"
4p familiale E350 4MATIC	A	A	3.5	"49,000"
2007 CLASSE E				**80 000 km**
4p berline E320 BLUETEC	2	A	3	"34,100"
4p berline E63 AMG	2	A	6.2	"50,200"
4p berline E280 4MATIC	A	A	3	"32,900"
4p berline E350 4MATIC	A	A	3.5	"37,500"
4p berline E550 4MATIC	A	A	5.5	"41,700"
4p familiale E350 4MATIC	A	A	3.5	"39,000"
2006 CLASSE E				**100 000 km**
4p berline E350	2	A	3.5	"27,600"
4p berline E320 CDI	2	A	3.2	"28,000"
4p berline E500	2	A	5	"30,800"
4p berline E55 AMG	2	A	5.5	"34,500"
4p berline E350 4MATIC	A	A	3.5	"29,300"
4p berline E500 4MATIC	A	A	5	"32,300"
4p familiale E350 4MATIC	A	A	3.5	"29,400"
4p familiale E500 4MATIC	A	A	5	"32,900"
4p familiale E55 AMG	2	A	5.5	"35,800"
2008 CLASSE G				**60 000 km**
4p G500	A	A	5	"78,000"
4p G55 AMG	A	A	5.5	"99,100"
2007 CLASSE G				**80 000 km**
4p G500	A	A	5	"72,200"
4p G55 AMG	A	A	5.5	"92,000"

Description	R.m.	Tr.	L	Prix
2006 CLASSE G				**100 000 km**
4p G500	A	A	5	"63,400"
4p G55 AMG	A	A	5.5	"77,800"
2010 CLASSE GL				**20 000 km**
4p GL350 BlueTec	A	A	3	"64,200"
4p GL450 (cuir)	A	A	4.6	"74,300"
4p GL550 (cuir)	A	A	5.5	"82,400"
2009 CLASSE GL				**40 000 km**
4p GL320 BlueTec	A	A	3	"59,900"
4p GL450 (cuir)	A	A	4.6	"69,100"
4p GL550 (cuir)	A	A	5.5	"76,200"
2008 CLASSE GL				**60 000 km**
4p GL320 CDI	A	A	3	"52,200"
4p GL450 (cuir)	A	A	4.6	"59,300"
4p GL550 (cuir)	A	A	5.5	"65,700"
2007 CLASSE GL				**80 000 km**
4p GL320 CDI	A	A	3	"44,000"
4p GL450	A	A	4.6	"47,000"
2010 CLASSE GLK				**20 000 km**
4p base	A	A	3.5	"36,800"
2010 CLASSE M				**20 000 km**
4p ML350	A	A	3.5	"53,400"
4p ML350 BlueTec	A	A	3	"54,800"
4p ML550 (cuir)	A	A	5.5	"64,800"
4p ML63 AMG (cuir)	A	A	6.2	"90,700"
2009 CLASSE M				**40 000 km**
4p ML350	A	A	3.5	"50,200"
4p ML320 BlueTec	A	A	3	"51,400"
4p ML550 (cuir)	A	A	5.5	"63,100"
4p ML63 AMG (cuir)	A	A	6.2	"81,600"
2008 CLASSE M				**60 000 km**
4p ML350	A	A	3.5	"44,000"
4p ML320 CDI	A	A	3	"45,100"
4p ML550 (cuir)	A	A	5.5	"52,100"
4p ML63 AMG (cuir)	A	A	6.2	"58,800"
2007 CLASSE M				**80 000 km**
4p ML350	A	A	3.5	"39,000"
4p ML320 CDI	A	A	3	"40,000"
4p ML500 (cuir)	A	A	5	"46,500"
4p ML63 AMG (cuir)	A	A	6.2	"53,700"
2006 CLASSE M				**100 000 km**
4p ML350	A	A	3.5	"30,000"
4p ML350 Premium (cuir+toit)	A	A	3.5	"31,900"
4p ML500 (cuir)	A	A	5	"35,000"
4p ML500 Premium (cuir+toit)	A	A	5	"36,900"
2010 CLASSE R				**20 000 km**
4p R350	A	A	3.5	"50,900"
4p R350 BlueTec	A	A	3	"52,300"
2009 CLASSE R				**40 000 km**
4p R350	A	A	3.5	"42,900"
4p R320 BlueTec	A	A	3	"44,100"
2008 CLASSE R				**60 000 km**
4p R350	A	A	3.5	"35,300"
4p R320 CDI	A	A	3	"36,000"
4p R550 (cuir)	A	A	5.5	"37,400"
2007 CLASSE R				**80 000 km**
4p R350	A	A	3.5	"31,000"
4p R320 CDI	A	A	3	"31,800"
4p R500 (cuir)	A	A	5	"34,500"
4p R63 AMG (cuir)	A	A	6.2	"38,100"
2006 CLASSE R				**100 000 km**
4p R350	A	A	3.5	"25,800"
4p R500	A	A	5	"29,200"
2010 CLASSE S / CL				**20 000 km**
2p coupé CL550	2	A	5.5	"121,400"
2p coupé CL600	2	A	5.5	"176,200"
2p coupé CL63 AMG	2	A	6.2	"147,900"
2p coupé CL65 AMG	2	A	6	"224,100"
4p berline S400 Hybride	2	A	3.5	"98,500"
4p berline S600	2	A	5.5	"173,900"
4p berline S63 AMG	2	A	6.2	"139,500"
4p berline S65 AMG	2	A	6	"217,600"
4p berline S450 4MATIC	A	A	4.6	"100,400"
4p berline S550 4MATIC	A	A	5.5	"114,900"
2009 CLASSE S / CL				**40 000 km**
2p coupé CL550	2	A	5.5	"95,800"
2p coupé CL600	2	A	5.5	"139,200"
2p coupé CL63 AMG	2	A	6.2	"116,800"
2p coupé CL65 AMG	2	A	6	"177,200"
4p berline S600	2	A	5.5	"129,300"

Description	R.m.	Tr.	L	Prix
4p berline S63 AMG	2	A	6.2	"110,200"
4p berline S65 AMG	2	A	6	"171,900"
4p berline S450 4MATIC	2	A	4.6	"74,600"
4p berline S550 4MATIC	A	A	5.5	"85,000"
2008 CLASSE S / CL				**60 000 km**
2p coupé CL550	2	A	5.5	"80,500"
2p coupé CL600	2	A	5.5	"112,900"
2p coupé CL63 AMG	2	A	6.2	"96,500"
2p coupé CL65 AMG	2	A	6	"144,500"
4p berline S600	2	A	5.5	"105,100"
4p berline S63 AMG	2	A	6.2	"91,300"
4p berline S65 AMG	2	A	6	"140,200"
4p berline S450 4MATIC	2	A	4.6	"62,100"
4p berline S550 4MATIC	A	A	5.5	"70,700"
2007 CLASSE S / CL				**80 000 km**
2p coupé CL550	2	A	5.5	"65,200"
2p coupé CL600	2	A	5.5	"76,800"
4p berline S550	2	A	5.5	"49,600"
4p berline S600	2	A	5.5	"66,900"
4p berline S65 AMG	2	A	6	"96,500"
4p berline S550 4MATIC	A	A	5.5	"57,900"
2006 CLASSE S / CL				**100 000 km**
2p coupé CL500	2	A	5	"52,900"
2p coupé CL600	2	A	5.5	"66,500"
2p coupé CL55 AMG	2	A	5.5	"64,100"
2p coupé CL65 AMG	2	A	6	"80,800"
4p berline S500	2	A	5	"41,400"
4p berline S55 AMG	2	A	5.5	"63,300"
4p berline S600	2	A	5.5	"61,100"
4p berline S65 AMG	2	A	6	"70,800"
4p berline S430 4MATIC	A	A	4.3	"31,200"
4p berline S430 4MATIC all	A	A	4.3	"35,400"
4p berline S500 4MATIC	A	A	5	"45,700"
2010 CLASSE SL				**20 000 km**
2p décapotable SL550	2	A	5.5	"116,200"
2p décapotable SL600	2	A	5.5	"162,700"
2p décapotable SL55 AMG	2	A	5.5	"140,900"
2p décapotable SL65 AMG	2	A	6	"221,800"
2009 CLASSE SL				**40 000 km**
2p décapotable SL550	2	A	5.5	"94,700"
2p décapotable SL600	2	A	5.5	"125,900"
2p décapotable SL55 AMG	2	A	5.5	"114,800"
2p décapotable SL65 AMG	2	A	6	"180,600"
2008 CLASSE SL				**60 000 km**
2p décapotable SL550	2	A	5.5	"73,700"
2p décapotable SL600	2	A	5.5	"97,900"
2p décapotable SL55 AMG	2	A	5.5	"96,600"
2p décapotable SL65 AMG	2	A	6	"113,500"
2007 CLASSE SL				**80 000 km**
2p décapotable SL550	2	A	5.5	"65,900"
2p décapotable SL600	2	A	5.5	"89,000"
2p décapotable SL55 AMG	2	A	5.5	"87,000"
2p décapotable SL65 AMG	2	A	6	"104,000"
2006 CLASSE SL				**100 000 km**
2p décapotable SL500	2	A	5	"53,000"
2p décapotable SL600	2	A	5.5	"71,700"
2p décapotable SL55 AMG	2	A	5.5	"69,000"
2p décapotable SL65 AMG	2	A	6	"88,600"
2010 CLASSE SLK				**20 000 km**
2p décapotable SLK300	2	M	3	"53,500"
2p décapotable SLK350	2	M	3.5	"59,100"
2p décapotable SLK55 AMG	2	A	5.5	"78,900"
2009 CLASSE SLK				**40 000 km**
2p décapotable SLK300	2	M	3	"47,100"
2p décapotable SLK350	2	M	3.5	"52,000"
2p décapotable SLK55 AMG	2	A	5.5	"69,600"
2008 CLASSE SLK				**60 000 km**
2p décapotable SLK280	2	M	3	"44,300"
2p décapotable SLK350	2	M	3.5	"46,500"
2p décapotable SLK55 AMG	2	A	5.5	"59,700"
2007 CLASSE SLK				**80 000 km**
2p décapotable SLK280	2	M	3	"39,100"
2p décapotable SLK350	2	M	3.5	"40,400"
2p décapotable SLK55 AMG	2	A	5.5	"50,100"
2006 CLASSE SLK				**100 000 km**
2p décapotable SLK280	2	M	3	"35,900"
2p décapotable SLK350	2	M	3.5	"37,400"
2p décapotable SLK55 AMG	2	A	5.5	"44,500"

MERCURY

Description	R.m.	Tr.	L	Prix
2009 GRAND MARQUIS				**40 000 km**
4p berline LS Ultimate	2	A	4.6	"19,500"
2008 GRAND MARQUIS				**60 000 km**
4p berline LS Ultimate	2	A	4.6	"16,800"
2007 GRAND MARQUIS				**80 000 km**
4p berline LS Ultimate	2	A	4.6	"14,600"
2006 GRAND MARQUIS				**100 000 km**
4p berline GS	2	A	4.6	"10,700"
4p berline LS Premium	2	A	4.6	"11,100"
4p berline LS Premium (Ed. Lim)	2	A	4.6	"11,400"
4p berline LSE (cuir)	2	A	4.6	"11,600"
4p berline LS Ultimate	2	A	4.6	"11,800"

MINI

Description	R.m.	Tr.	L	Prix
2010 COOPER				**20 000 km**
2p hayon Classic	2	M	1.6	"21,400"
2p hayon Cooper	2	M	1.6	"23,400"
2p hayon S	2	M	1.6	"28,100"
2p hayon John Cooper Works	2	M	1.6	"34,400"
3p Clubman	2	M	1.6	"24,900"
3p Clubman S	2	M	1.6	"29,600"
3p Clubman J Cooper Works	2	M	1.6	"36,100"
2p décapotable Cooper	2	M	1.6	"28,200"
2p décapotable S	2	M	1.6	"34,200"
2p déc S John Cooper Works	2	M	1.6	"39,900"
2009 COOPER				**40 000 km**
2p hayon Classic	2	M	1.6	"18,900"
2p hayon Cooper	2	M	1.6	"20,600"
2p hayon S	2	M	1.6	"24,800"
2p hayon John Cooper Works	2	M	1.6	"31,890"
3p Clubman	2	M	1.6	"21,900"
3p Clubman S	2	M	1.6	"26,200"
3p Clubman J Cooper Works	2	M	1.6	"33,200"
2p décapotable Cooper	2	M	1.6	"25,200"
2p décapotable S	2	M	1.6	"31,100"
2p déc S John Cooper Works	2	M	1.6	"36,000"
2008 COOPER				**60 000 km**
2p hayon Classic	2	M	1.6	"16,700"
2p hayon Cooper	2	M	1.6	"18,000"
2p hayon S	2	M	1.6	"21,800"
3p Clubman	2	M	1.6	"19,100"
3p Clubman S	2	M	1.6	"22,900"
2p décapotable Cooper	2	M	1.6	"22,900"
2p décapotable S	2	M	1.6	"26,600"
2p déc S Sidewalk (cuir)	2	M	1.6	"29,400"
2p déc S John Cooper Works	2	M	1.6	"31,000"
2007 COOPER				**80 000 km**
2p hayon Classic	2	M	1.6	"15,600"
2p hayon Cooper	2	M	1.6	"17,300"
2p hayon S	2	M	1.6	"20,400"
2p décapotable Cooper	2	M	1.6	"21,200"
2p décapotable S	2	M	1.6	"24,400"
2p déc S Sidewalk (cuir)	2	M	1.6	"27,100"
2p déc S John Cooper Works	2	M	1.6	"28,500"
2006 COOPER				**100 000 km**
2p hayon Classic	2	M	1.6	"13,700"
2p hayon Cooper	2	M	1.6	"15,400"
2p hayon S	2	M	1.6	"16,800"
2p décapotable Cooper	2	M	1.6	"17,800"
2p décapotable S	2	M	1.6	"19,700"

MITSUBISHI

Description	R.m.	Tr.	L	Prix
2009 ECLIPSE				**40 000 km**
2p hayon GS	2	M	2.4	"14,900"
2p hayon GT-P (cuir)	2	M	3.8	"19,600"
2p décapotable GS Spyder	2	M	2.4	"18,300"
2p déc GT-P Spyder (cuir)	2	M	3.8	"21,200"
2008 ECLIPSE				**60 000 km**
2p hayon GS	2	M	2.4	"12,100"
2p hayon GT-P (cuir)	2	M	3.8	"16,100"
2p décapotable GS Spyder	2	M	2.4	"15,500"
2p déc GT-P Spyder (cuir)	2	M	3.8	"17,600"
2007 ECLIPSE				**80 000 km**
2p hayon GS	2	M	2.4	"10,300"
2p hayon GT-P (cuir)	2	M	3.8	"13,600"
2p décapotable GS Spyder	2	M	2.4	"13,000"
2p déc GT-P Spyder (cuir)	2	M	3.8	"14,900"
2006 ECLIPSE				**100 000 km**
2p hayon GS	2	M	2.4	"9,700"
2p hayon GT	2	M	3.8	"12,300"
2p hayon GT Premium (cuir)	2	M	3.8	"13,600"
2010 ENDEAVOR				**20 000 km**
4p SE	2	A	3.8	"32,600"
2009 ENDEAVOR				**40 000 km**
4p SE	A	A	3.8	"25,500"
2008 ENDEAVOR				**60 000 km**
4p SE	2	A	3.8	"18,200"
4p SE	A	A	3.8	"20,200"
4p Limited (cuir)	A	A	3.8	"20,900"
2007 ENDEAVOR				**80 000 km**
4p SE	2	A	3.8	"17,000"
4p SE	A	A	3.8	"17,500"
4p Limited (cuir)	A	A	3.8	"18,200"
2006 ENDEAVOR				**100 000 km**
4p LS	2	A	3.8	"16,700"
4p LS	A	A	3.8	"17,300"
4p Limited (toit)	A	A	3.8	"17,800"
2010 GALANT				**20 000 km**
4p berline ES	2	A	2.4	"21,100"
2009 GALANT				**40 000 km**
4p berline ES	2	A	2.4	"14,700"
4p berline GT V6	2	A	3.8	"17,200"
4p berline Ralliart V6 (cuir)	2	A	3.8	"20,400"
2007 GALANT				**80 000 km**
4p berline ES	2	A	2.4	"13,900"
4p berline ES Diamond	2	A	2.4	"16,000"
4p berline LS V6	2	A	3.8	"16,200"
4p berline Ralliart V6 (cuir)	2	A	3.8	"18,000"
2006 GALANT				**100 000 km**
4p berline DE	2	A	2.4	"11,300"
4p berline ES	2	A	2.4	"12,400"
4p berline LS V6	2	A	3.8	"12,700"
4p berline GTS V6 (cuir)	2	A	3.8	"13,200"
2010 LANCER				**20 000 km**
4p berline DE	2	M	2	"15,500"
4p berline SE	2	M	2	"18,500"
4p berline GTS	2	M	2.4	"21,500"
4p berline Ralliart	A	M	2	"30,200"
4p berline Evolution GSR	A	A	2	"37,000"
4p berline Evolution MR	A	A	2	"45,600"
4p famil. Sportback GTS	2	A	2.4	"22,000"
4p famil. Sportback Ralliart	A	A	2	"30,700"
2009 LANCER				**40 000 km**
4p berline DE	2	M	2	"12,300"
4p berline SE	2	M	2	"14,700"
4p berline GT	2	M	2	"16,200"
4p berline GTS	2	M	2.4	"17,000"
4p berline Ralliart	A	M	2	"22,200"
4p berline Evolution RS	A	M	2	"26,100"
4p berline Evolution GSR	A	A	2	"29,500"
4p berline Evolution MR	A	A	2	"35,500"
4p famil. Sportback GTS	2	A	2.4	"17,100"
4p famil. Sportback Ralliart	A	A	2	"22,300"
2008 LANCER				**60 000 km**
4p berline DE	2	M	2	"9,900"
4p berline ES	2	M	2	"11,600"
4p berline SE	2	M	2	"12,300"
4p berline GTS	2	M	2	"13,000"
4p berline Evolution GSR	A	M	2	"26,000"
4p berline Evolution MR	A	A	2	"29,700"
4p berline Evolution MR Premium	A	A	2	"32,300"
2006 LANCER				**100 000 km**
4p berline ES	2	M	2	"7,500"
4p berline O-Z rally	2	M	2	"10,400"
4p berline Ralliart	2	M	2.4	"11,400"
4p familiale Sportback LS	2	A	2.4	"10,500"
4p familiale Sportback Ralliart	2	A	2.4	"11,700"
2006 MONTERO				**100 000 km**
4p Limited (cuir)	A	A	3.8	"20,400"
2010 OUTLANDER				**20 000 km**
4p ES	2	A	2.4	"21,900"
4p ES	A	A	2.4	"24,100"
4p LS	A	A	3	"25,400"
4p XLS (cuir / toit)	A	A	3	"29,700"
2009 OUTLANDER				**40 000 km**
4p ES	2	A	2.4	"17,700"
4p ES	A	A	2.4	"19,100"
4p LS	A	A	3	"19,900"
4p XLS (cuir / toit)	A	A	3	"22,800"
2008 OUTLANDER				**60 000 km**
4p ES	2	A	2.4	"16,200"
4p ES	A	A	2.4	"17,500"
4p LS	A	A	3	"17,900"
4p LS (7 passagers)	A	A	3	"18,000"
4p XLS (cuir / toit)	A	A	3	"18,900"
2007 OUTLANDER				**80 000 km**
4p LS	2	A	3	"14,500"
4p LS	A	A	3	"15,300"
4p XLS (cuir)	A	A	3	"16,500"
2006 OUTLANDER				**100 000 km**
4p LS	2	M	2.4	"13,500"
4p LS	A	M	2.4	"15,100"
4p SE	A	A	2.4	"15,700"
4p Limited (cuir)	A	A	2.4	"15,800"

NISSAN

Description	R.m.	Tr.	L	Prix
2010 370Z				**20 000 km**
2p hayon Touring M6	2	M	3.7	"37,100"
2p hayon Touring A7	2	A	3.7	"38,500"
2p Roadster Gr. Touring M6	2	M	3.5	"43,500"
2p Roadster Gr. Touring A5	2	A	3.5	"45,200"
2009 370Z / 350Z				**40 000 km**
2p hayon 370Z Touring M6	2	M	3.7	"34,100"
2p hayon 370Z Touring A7	2	A	3.7	"35,400"
2p déc Roadster Gr. Touring M6	2	M	3.5	"41,400"
2p déc Roadster Gr. Touring A5	2	A	3.5	"42,300"
2008 350Z				**60 000 km**
2p hayon Grand Touring M6	2	M	3.5	"29,800"
2p hayon Grand Touring A5	2	A	3.5	"29,800"
2p déc Roadster Gr. Touring M6	2	M	3.5	"34,900"
2p déc Roadster Gr. Touring A5	2	A	3.5	"34,900"
2007 350Z				**80 000 km**
2p hayon Grand Touring M6	2	M	3.5	"25,100"
2p hayon Grand Touring A5	2	A	3.5	"25,100"
2p décapotable Roadster M6	2	M	3.5	"29,400"
2p décapotable Roadster A5	2	A	3.5	"29,400"
2p déc Roadster Gr. Touring M6	2	M	3.5	"29,500"
2p déc Roadster Gr. Touring A5	2	A	3.5	"29,500"
2006 350Z				**100 000 km**
2p hayon Performance M6	2	M	3.5	"23,200"
2p hayon Performance A5	2	A	3.5	"23,200"
2p décapotable Roadster M6	2	M	3.5	"26,200"
2p décapotable Roadster A5	2	A	3.5	"26,300"
2010 ALTIMA				**20 000 km**
2p coupé 2.5 S	2	M	2.5	"22,900"
2p coupé 3.5 SE	2	M	3.5	"29,000"
4p berline 2.5 S	2	M	2.5	"19,900"
4p berline 3.5 S	2	A	3.5	"23,700"
4p berline 3.5 SR	2	M	3.5	"26,700"
4p berline Hybride	2	A	2.5	"27,900"
2009 ALTIMA				**40 000 km**
2p coupé 2.5 S	2	M	2.5	"19,200"
2p coupé 3.5 SE	2	M	3.5	"22,000"
4p berline 2.5 S	2	M	2.5	"16,800"
4p berline 3.5 S	2	A	3.5	"20,200"
4p berline 3.5 SE	2	M	3.5	"21,800"
4p berline Hybride	2	A	2.5	"23,900"
2008 ALTIMA				**60 000 km**
2p coupé 2.5 S	2	M	2.5	"16,400"
2p coupé 3.5 SE	2	M	3.5	"18,500"
4p berline 2.5 S	2	M	2.5	"13,900"
4p berline 3.5 S	2	A	3.5	"16,900"
4p berline 3.5 SE	2	M	3.5	"17,800"
4p berline Hybride	2	A	2.5	"20,200"
2007 ALTIMA				**80 000 km**
4p berline S	2	M	2.5	"13,500"
4p berline SL (toit+cuir)	2	A	2.5	"16,800"
4p berline S V6	2	A	3.5	"16,200"
4p berline SE	2	M	3.5	"16,500"
4p berline Hybride	2	A	2.5	"17,800"
2006 ALTIMA				**100 000 km**
4p berline S	2	M	2.5	"10,900"
4p berline S Édition Spéciale	2	A	2.5	"11,800"
4p berline SL (toit+cuir)	2	A	2.5	"12,900"
4p berline S	2	A	3.5	"12,300"
4p berline SE	2	M	3.5	"13,000"
4p berline SE-R (cuir)	2	M	3.5	"15,000"
2010 ARMADA				**20 000 km**
4p 7 pass. Platinum	4	A	5.6	"48,700"
2009 ARMADA				**40 000 km**
4p 7 pass. LE	4	A	5.6	"43,500"
2008 ARMADA				**60 000 km**
4p 7 pass. LE	4	A	5.6	"36,300"
2007 ARMADA				**80 000 km**
4p 7 pass. LE	4	A	5.6	"30,500"
2006 ARMADA				**100 000 km**
4p SE	4	A	5.6	"26,400"
4p 7 pass. LE (cuir)	4	A	5.6	"27,400"

Description	R.m.	Tr.	L	Prix
4p 8 pass. LE (cuir)	4	A	5.6	"28,700"
2010 CUBE				**20 000 km**
4p 1.8S	2	M	1.8	"15,000"
4p 1.8SL	2	A	1.8	"18,200"
4p 1.8S Krom	2	A	1.8	"20,100"
2009 CUBE				**40 000 km**
4p 1.8S	2	M	1.8	"12,900"
4p 1.8SL	2	A	1.8	"15,700"
2010 FRONTIER				**20 000 km**
King cab. XE	2	M	2.5	"19,700"
King cab. XE	2	A	2.5	"20,700"
King cab. SE-V6	2	A	4	"22,800"
crew cab. SE-V6	2	A	4	"26,000"
King cab. SE-V6	4	M	4	"24,400"
King cab. SE-V6	4	A	4	"25,400"
King cab. PRO-4X	4	M	4	"27,500"
King cab. PRO-4X	4	A	4	"29,300"
crew cab. SE-V6	4	M	4	"27,600"
crew cab. SE-V6	4	A	4	"28,800"
crew cab. LE-V6	4	A	4	"32,700"
crew cab. PRO-4X	4	A	4	"34,800"
2009 FRONTIER				**40 000 km**
King cab. XE	2	M	2.5	"13,100"
King cab. XE	2	A	2.5	"13,800"
King cab. SE-V6	2	A	4	"15,400"
crew cab. SE-V6	2	A	4	"17,600"
King cab. SE-V6	4	M	4	"16,400"
King cab. SE-V6	4	A	4	"17,200"
King cab. PRO-4X	4	M	4	"18,700"
King cab. PRO-4X	4	A	4	"19,900"
crew cab. SE-V6	4	M	4	"19,000"
crew cab. SE-V6	4	A	4	"19,700"
crew cab. LE-V6	4	A	4	"23,200"
crew cab. PRO-4X	4	A	4	"22,500"
2008 FRONTIER				**60 000 km**
King cab. XE	2	M	2.5	"12,100"
King cab. XE	2	A	2.5	"12,300"
King cab. SE-V6	2	A	4	"13,200"
crew cab. SE-V6	2	A	4	"15,200"
King cab. SE-V6	4	M	4	"14,200"
King cab. SE-V6	4	A	4	"15,000"
King cab. NISMO	4	M	4	"16,100"
King cab. NISMO	4	A	4	"17,000"
crew cab. SE-V6	4	M	4	"16,300"
crew cab. SE-V6	4	A	4	"16,700"
crew cab. LE-V6	4	A	4	"19,600"
crew cab. NISMO	4	A	4	"19,200"
2007 FRONTIER				**80 000 km**
King cab. XE	2	M	2.5	"11,600"
King cab. XE	2	A	2.5	"11,700"
King cab. SE-V6	2	A	4	"12,800"
crew cab. SE-V6	2	A	4	"14,700"
King cab. SE-V6	4	M	4	"13,700"
King cab. SE-V6	4	A	4	"14,400"
King cab. NISMO	4	M	4	"15,400"
King cab. NISMO	4	A	4	"16,200"
crew cab. SE-V6	4	M	4	"15,600"
crew cab. SE-V6	4	A	4	"16,100"
crew cab. LE-V6	4	A	4	"18,600"
crew cab. NISMO	4	A	4	"18,300"
2006 FRONTIER				**100 000 km**
King cab. XE	2	M	2.5	"11,100"
King cab. SE-V6	2	M	4	"11,500"
crew cab. SE-V6	2	A	4	"12,500"
King cab. SE-V6	4	M	4	"13,600"
King cab. LE-V6	4	A	4	"14,100"
King cab. NISMO	4	M	4	"14,300"
crew cab. SE-V6	4	M	4	"14,300"
crew cab. LE-V6	4	A	4	"16,100"
crew cab. NISMO	4	A	4	"15,200"
2010 GT-R				**20 000 km**
2p coupé	A	A	3.8	"87,000"
2009 GT-R				**40 000 km**
2p coupé	A	A	3.8	"77,500"
2010 MAXIMA				**20 000 km**
4p berline SV	2	A	3.5	"34,700"
4p berline SV Premium	2	A	3.5	"37,200"
2009 MAXIMA				**40 000 km**
4p berline SV	2	A	3.5	"26,500"
4p berline SV Premium	2	A	3.5	"28,800"
2008 MAXIMA				**60 000 km**
4p berline SE	2	A	3.5	"22,000"
4p berline SE (Ens. Cuir / Toit)	2	A	3.5	"25,000"
4p berline SL (cuir)	2	A	3.5	"24,600"

Description	R.m.	Tr.	L	Prix
2007 MAXIMA				**80 000 km**
4p berline SE 5 places	2	A	3.5	"20,100"
4p berline SE 5 places (cuir)	2	A	3.5	"21,500"
4p berline SE 4 places (cuir)	2	A	3.5	"22,200"
4p berline SL (cuir)	2	A	3.5	"21,700"
2006 MAXIMA				**100 000 km**
4p berline SE 5 places	2	M	3.5	"14,100"
4p berline SE 5 places (cuir)	2	M	3.5	"16,100"
4p berline SE 4 places (cuir)	2	M	3.5	"16,200"
4p berline SL (cuir)	2	A	3.5	"16,300"
2010 MURANO				**20 000 km**
4p S	2	A	3.5	"33,700"
4p SL	A	A	3.5	"35,200"
4p LE (cuir - toit)	A	A	3.5	"42,200"
2009 MURANO				**40 000 km**
4p S	2	A	3.5	"26,900"
4p SL	A	A	3.5	"28,100"
4p LE (cuir - toit)	A	A	3.5	"32,500"
2007 MURANO				**80 000 km**
4p SL	2	A	3.5	"21,800"
4p SL	A	A	3.5	"22,900"
4p SE (cuir - toit)	A	A	3.5	"23,300"
2006 MURANO				**100 000 km**
4p SL	2	A	3.5	"18,900"
4p SL	A	A	3.5	"19,500"
4p SE (cuir - toit)	A	A	3.5	"20,300"
2010 PATHFINDER				**20 000 km**
4p S	4	A	4	"33,000"
4p SE	4	A	4	"36,900"
4p LE (cuir)	A	A	4	"41,700"
2009 PATHFINDER				**40 000 km**
4p S	4	A	4	"27,800"
4p SE	4	A	4	"31,200"
4p LE (cuir)	A	A	4	"35,400"
2008 PATHFINDER				**60 000 km**
4p S	4	A	4	"23,600"
4p SE	4	A	4	"25,300"
4p LE V8 (cuir)	A	A	5.6	"28,100"
2007 PATHFINDER				**80 000 km**
4p S	4	A	4	"20,100"
4p SE	4	A	4	"21,500"
4p SE Premium	4	A	4	"22,400"
4p LE (cuir)	A	A	4	"23,600"
2006 PATHFINDER				**100 000 km**
4p S	4	A	4	"16,400"
4p SE	4	A	4	"18,200"
4p SE Premium	4	A	4	"18,700"
4p SE Off-Road	4	A	4	"18,100"
4p SE Off-Road (cuir)	4	A	4	"18,700"
4p LE (cuir)	A	A	4	"19,200"
2009 QUEST				**40 000 km**
4p S	2	A	3.5	"21,400"
4p SL	2	A	3.5	"26,900"
4p SE (cuir)	2	A	3.5	"30,400"
2008 QUEST				**60 000 km**
4p S	2	A	3.5	"20,400"
4p SL	2	A	3.5	"21,800"
4p SE (cuir)	2	A	3.5	"23,800"
2007 QUEST				**80 000 km**
4p S	2	A	3.5	"15,800"
4p SL	2	A	3.5	"17,900"
4p SE (cuir)	2	A	3.5	"18,400"
2006 QUEST				**100 000 km**
4p S	2	A	3.5	"13,400"
4p S Édition Spéciale	2	A	3.5	"14,400"
4p SL	2	A	3.5	"14,900"
4p SL Édition Spéciale	2	A	3.5	"15,000"
4p SE (cuir)	2	A	3.5	"15,900"
2010 ROGUE				**20 000 km**
4p S	2	A	2.5	"21,100"
4p SL	2	A	2.5	"23,300"
4p SL Premium	2	A	2.5	"25,300"
4p S AWD	A	A	2.5	"23,400"
4p SL AWD	A	A	2.5	"25,000"
4p SL AWD Premium	A	A	2.5	"26,900"
2009 ROGUE				**40 000 km**
4p S	2	A	2.5	"16,900"
4p SL	2	A	2.5	"18,700"
4p SL Premium	2	A	2.5	"20,400"
4p S AWD	A	A	2.5	"18,900"
4p SL AWD	A	A	2.5	"20,200"

Description	R.m.	Tr.	L	Prix
4p SL AWD Premium	A	A	2.5	"21,600"
2008 ROGUE				**60 000 km**
4p S	2	A	2.5	"14,800"
4p SL	2	A	2.5	"15,800"
4p SL Premium	2	A	2.5	"17,400"
4p S AWD	A	A	2.5	"16,000"
4p SL AWD	A	A	2.5	"17,300"
4p SL AWD Premium	A	A	2.5	"19,000"
2010 SENTRA				**20 000 km**
4p berline 2.0	2	M	2	"12,800"
4p berline 2.0 S	2	M	2	"15,400"
4p berline 2.0 SL (cuir)	2	M	2	"19,500"
4p berline 2.5 SE-R	2	A	2.5	"18,400"
4p berline 2.5 SE-R Spec V	2	M	2.5	"19,600"
2009 SENTRA				**40 000 km**
4p berline 2.0	2	M	2	"11,800"
4p berline 2.0 S	2	M	2	"13,700"
4p berline 2.0 SL (cuir)	2	M	2	"17,500"
4p berline 2.5 SE-R	2	A	2.5	"16,500"
4p berline 2.5 SE-R Spec V	2	M	2.5	"17,400"
2008 SENTRA				**60 000 km**
4p berline 2.0	2	M	2	"10,500"
4p berline 2.0 S	2	M	2	"12,400"
4p berline 2.0 SL (cuir)	2	M	2	"14,700"
4p berline 2.5 SE-R	2	A	2.5	"13,800"
4p berline 2.5 SE-R Spec V	2	M	2.5	"15,000"
2007 SENTRA				**80 000 km**
4p berline 2.0	2	M	2	"8,900"
4p berline 2.0 S	2	M	2	"10,500"
4p berline 2.0 SL (cuir)	2	M	2	"12,500"
4p berline 2.5 SE-R	2	A	2.5	"11,600"
4p berline 2.5 SE-R Spec V	2	M	2.5	"12,600"
2006 SENTRA				**100 000 km**
4p berline 1.8	2	M	1.8	"7,000"
4p berline 1.8 Édition Spéciale	2	M	1.8	"7,300"
4p berline 1.8S	2	M	1.8	"7,800"
4p berline 1.8S ens. Sécurité	2	M	1.8	"8,500"
4p berline SE-R	2	A	2.5	"9,200"
4p berline SE-R ens. Sécurité	2	A	2.5	"9,900"
4p berline SE-R Sport	2	A	2.5	"10,200"
4p berline SE-R Spec V	2	M	2.5	"9,400"
4p berline SE-R Spec V Brembo	2	M	2.5	"10,500"
4p berline SE-R Spec V Sport	2	M	2.5	"10,600"
2010 TITAN				**20 000 km**
King cab. XE	2	A	5.6	"28,400"
King cab. SE	2	A	5.6	"31,600"
King cab. SE	4	A	5.6	"34,600"
King cab. PRO-4X	4	A	5.6	"36,300"
King cab. LE (cuir)	4	A	5.6	"40,600"
Crew Cab XE	4	A	5.6	"33,700"
Crew Cab SE	4	A	5.6	"37,000"
Crew Cab PRO-4X	4	A	5.6	"38,700"
Crew Cab LE (cuir)	4	A	5.6	"43,800"
2009 TITAN				**40 000 km**
King cab. XE	2	A	5.6	"20,100"
King cab. SE	2	A	5.6	"22,500"
King cab. SE	4	A	5.6	"24,600"
King cab. PRO-4X	4	A	5.6	"25,900"
King cab. LE (cuir)	4	A	5.6	"28,900"
Crew Cab XE	4	A	5.6	"23,900"
Crew Cab SE	4	A	5.6	"26,400"
Crew Cab PRO-4X	4	A	5.6	"27,600"
Crew Cab LE (cuir)	4	A	5.6	"31,400"
2008 TITAN				**60 000 km**
King cab. XE	2	A	5.6	"17,000"
King cab. SE	2	A	5.6	"18,700"
King cab. SE	4	A	5.6	"20,400"
King cab. PRO-4X	4	A	5.6	"21,500"
King cab. LE (cuir)	4	A	5.6	"23,100"
Crew Cab XE	4	A	5.6	"20,400"
Crew Cab SE	4	A	5.6	"22,000"
Crew Cab PRO-4X	4	A	5.6	"23,000"
Crew Cab LE (cuir)	4	A	5.6	"24,400"
2007 TITAN				**80 000 km**
King cab. XE	2	A	5.6	"14,900"
King cab. SE	2	A	5.6	"16,600"
King cab. SE	4	A	5.6	"18,700"
King cab. SE Off-Road	4	A	5.6	"20,600"
King cab. LE (cuir)	4	A	5.6	"20,600"
Crew Cab XE	4	A	5.6	"18,200"
Crew Cab XE Off-Road	4	A	5.6	"19,700"
Crew Cab SE	4	A	5.6	"21,000"
Crew Cab SE Off-Road	4	A	5.6	"21,000"
Crew Cab LE (cuir)	4	A	5.6	"22,600"

Description	R.m.	Tr.	L	Prix
2006 TITAN				**100 000 km**
King cab. XE	2	A	5.6	"13,800"
King cab. SE	2	A	5.6	"15,400"
King cab. SE Ens.Remorquage	2	A	5.6	"16,300"
King cab. SE	4	A	5.6	"17,300"
King cab. SE Ens.Remorquage	4	A	5.6	"17,100"
King cab. SE Off-Road / Ens.Rem.	4	A	5.6	"17,800"
King cab. LE (cuir)	4	A	5.6	"18,900"
Crew Cab XE	4	A	5.6	"17,100"
Crew Cab XE Off-Road	4	A	5.6	"17,400"
Crew Cab SE	4	A	5.6	"17,900"
Crew Cab SE Off-Road	4	A	5.6	"18,800"
Crew Cab LE (cuir)	4	A	5.6	"19,500"
2010 VERSA				**20 000 km**
4p hayon 1.8S	2	M	1.8	"11,700"
4p hayon 1.8SL (a/c)	2	M	1.8	"14,400"
4p berline 1.6S	2	M	1.6	"10,400"
2009 VERSA				**40 000 km**
4p hayon 1.8S	2	M	1.8	"9,500"
4p hayon 1.8SL (a/c)	2	M	1.8	"11,400"
4p berline 1.6S	2	M	1.6	"8,500"
2008 VERSA				**60 000 km**
4p hayon 1.8S	2	M	1.8	"7,800"
4p hayon 1.8SL (a/c)	2	M	1.8	"9,100"
4p berline 1.8S	2	M	1.8	"8,000"
4p berline 1.8SL (a/c)	2	M	1.8	"9,300"
2007 VERSA				**80 000 km**
4p hayon 1.8S	2	M	1.8	"6,700"
4p hayon 1.8SL (a/c)	2	M	1.8	"7,900"
4p berline 1.8S	2	M	1.8	"7,100"
4p berline 1.8SL (a/c)	2	M	1.8	"8,000"
2006 X-TRAIL				**100 000 km**
4p XE	2	A	2.5	"13,300"
4p SE	2	A	2.5	"14,600"
4p XE	A	M	2.5	"14,000"
4p XE	A	A	2.5	"14,600"
4p SE	A	M	2.5	"14,900"
4p SE	A	A	2.5	"15,200"
4p LE (cuir)	A	A	2.5	"15,300"
2010 XTERRA				**20 000 km**
4p S	4	M	4	"29,700"
4p Tout-Terrain	4	M	4	"31,900"
4p SE	4	A	4	"33,000"
2009 XTERRA				**40 000 km**
4p S	4	M	4	"22,400"
4p Tout-Terrain	4	M	4	"24,200"
4p SE	4	A	4	"24,900"
2008 XTERRA				**60 000 km**
4p S	4	M	4	"18,300"
4p Tout-Terrain	4	M	4	"19,700"
4p SE	4	A	4	"20,200"
2007 XTERRA				**80 000 km**
4p S	4	M	4	"15,700"
4p Tout-Terrain	4	M	4	"16,900"
4p SE	4	A	4	"17,800"
2006 XTERRA				**100 000 km**
4p S	4	M	4	"14,400"
4p Tout-Terrain	4	M	4	"15,200"
4p SE	4	A	4	"15,700"

PONTIAC

Description	R.m.	Tr.	L	Prix
2009 G5				**40 000 km**
2p coupé base	2	M	2.2	"8,800"
2p coupé SE	2	M	2.2	"10,100"
2p coupé GT Sport	2	M	2.2	"11,800"
4p berline base	2	M	2.2	"12,400"
4p berline SE	2	M	2.2	"8,800"
2008 G5				**60 000 km**
2p coupé base	2	M	2.2	"7,000"
2p coupé SE	2	M	2.2	"8,300"
2p coupé GT	2	M	2.4	"10,100"
4p berline base	2	M	2.2	"7,000"
4p berline SE	2	M	2.2	"8,300"
4p berline GT	2	M	2.4	"10,100"
2007 G5				**80 000 km**
2p coupé base	2	M	2.2	"5,200"
2p coupé SE	2	M	2.2	"6,300"
2p coupé GT	2	M	2.4	"8,100"
4p berline base	2	M	2.2	"5,200"
4p berline SE	2	M	2.2	"6,300"
4p berline GT	2	M	2.4	"8,100"

Description	R.m.	Tr.	L	Prix
2006 G5 PURSUIT				**100 000 km**
2p coupé base	2	M	2.2	“3,900”
2p coupé SE	2	M	2.2	“6,000”
2p coupé GT	2	M	2.4	“7,000”
4p berline base	2	M	2.2	“4,000”
4p berline SE	2	M	2.2	“6,000”
4p berline GT	2	M	2.4	“7,000”
2009 G6				**40 000 km**
2p coupe GT	2	A	3.5	“14,300”
2p coupe GXP (cuir)	2	A	3.6	“18,600”
4p berline base	2	A	2.4	“12,100”
4p berline SE	2	A	2.4	“13,500”
4p berline GT	2	A	3.5	“14,300”
4p berline GXP	2	A	3.6	“18,600”
2p décapotable GT	2	A	3.5	“18,600”
2p décapotable GT Performance	2	A	3.9	“20,000”
2008 G6				**60 000 km**
2p coupe GT	2	A	3.5	“13,400”
2p coupe GT Sport	2	A	3.5	“15,700”
2p coupe GXP (cuir)	2	A	3.6	“18,500”
4p berline base	2	A	2.4	“10,700”
4p berline SE	2	A	2.4	“11,100”
4p berline SE Performance	2	A	3.5	“12,000”
4p berline GT	2	A	3.5	“13,800”
4p berline GT Sport	2	A	3.5	“15,700”
4p berline GXP	2	A	3.6	“18,500”
2p décapotable GT	2	A	3.5	“20,400”
2p décapotable GT Performance	2	A	3.9	“22,000”
2007 G6				**80 000 km**
2p coupe GT	2	A	3.5	“10,600”
2p coupe GT Performance	2	A	3.9	“11,100”
2p coupe GTP	2	A	3.6	“12,600”
4p berline base	2	A	2.4	“7,700”
4p berline SE	2	A	2.4	“7,900”
4p berline SE Performance	2	A	3.5	“8,700”
4p berline GT	2	A	3.5	“10,600”
4p berline GT Performance	2	A	3.9	“11,100”
4p berline GTP	2	A	3.6	“12,600”
2p décapotable GT	2	A	3.5	“15,800”
2p déc. GT Performance (cuir)	2	A	3.9	“17,400”
2006 G6				**100 000 km**
2p coupe GT	2	A	3.5	“8,400”
2p coupe GTP	2	M	3.9	“9,000”
2p coupe GTP	2	A	3.9	“9,100”
4p berline base	2	A	2.4	“6,800”
4p berline base V6	2	A	3.5	“7,500”
4p berline GT	2	A	3.5	“8,400”
4p berline GTP	2	M	3.9	“9,000”
4p berline GTP	2	A	3.9	“9,100”
2p décapotable GT	2	A	3.5	“14,400”
2p décapotable GTP	2	A	3.9	“15,100”
2009 G8				**40 000 km**
4p berline base	2	A	3.6	“21,400”
4p berline GT	2	A	6	“24,300”
2008 GRAND PRIX				**60 000 km**
4p berline base	2	A	3.8	“12,700”
4p berline GXP V8	2	A	5.3	“16,330”
2007 GRAND PRIX				**80 000 km**
4p berline base	2	A	3.8	“10,800”
4p berline GT	2	A	3.8	“11,900”
4p berline GXP V8	2	A	5.3	“13,700”
2006 GRAND PRIX				**100 000 km**
4p berline base	2	A	3.8	“9,000”
4p berline GT	2	A	3.8	“10,000”
4p berline GXP V8	2	A	5.3	“10,600”
2009 MONTANA SV6				**40 000 km**
4p groupe 1SA	2	A	3.9	“12,800”
4p groupe 1SB	2	A	3.9	“13,500”
4p groupe 1SC	2	A	3.9	“14,900”
4p allongé groupe 1SA	2	A	3.9	“14,100”
4p allongé groupe 1SB	2	A	3.9	“14,500”
4p allongé groupe 1SC	2	A	3.9	“16,300”
2008 MONTANA SV6				**60 000 km**
4p groupe 1SA	2	A	3.9	“10,100”
4p groupe 1SB	2	A	3.9	“10,900”
4p groupe 1SC	2	A	3.9	“12,100”
4p allongé groupe 1SA	2	A	3.9	“11,500”
4p allongé groupe 1SB	2	A	3.9	“12,000”
4p allongé groupe 1SC	2	A	3.9	“12,700”
2007 MONTANA SV6				**80 000 km**
4p groupe 1SA	2	A	3.9	“8,900”
4p groupe 1SB	2	A	3.9	“9,300”
4p groupe 1SC	2	A	3.9	“9,700”
4p allongé groupe 1SA	2	A	3.9	“9,500”
4p allongé groupe 1SB	2	A	3.9	“9,900”
4p allongé groupe 1SC	2	A	3.9	“10,900”
2006 MONTANA SV6				**100 000 km**
4p groupe 1SA	2	A	3.5	“7,800”
4p groupe 1SB	2	A	3.5	“8,200”
4p groupe 1SC	2	A	3.5	“8,800”
4p allongé groupe 1SA	2	A	3.5	“8,700”
4p allongé groupe 1SB	2	A	3.5	“8,800”
4p allongé groupe 1SC	2	A	3.5	“9,000”
4p allongé Trac. intégrale	A	A	3.5	“9,300”
2009 SOLSTICE				**40 000 km**
2p décapotable base	2	M	2.4	“21,300”
2p décapotable GXP	2	M	2	“25,700”
2p coupé GXP	2	M	2	“29,600”
2008 SOLSTICE				**60 000 km**
2p décapotable base	2	M	2.4	“18,900”
2p décapotable GXP	2	M	2	“21,400”
2007 SOLSTICE				**80 000 km**
2p décapotable base	2	M	2.4	“17,400”
2p décapotable GXP	2	M	2	“19,900”
2006 SOLSTICE				**100 000 km**
2p décapotable base	2	M	2.4	“16,300”
2009 TORRENT				**40 000 km**
4p base	2	A	3.4	“17,600”
4p GT	2	A	3.4	“19,300”
4p GXP	2	A	3.6	“21,500”
4p base AWD	A	A	3.4	“19,400”
4p GT AWD	A	A	3.4	“21,100”
4p GXP AWD	A	A	3.6	“23,200”
2008 TORRENT				**60 000 km**
4p base	2	A	3.4	“14,600”
4p Podium Edition	2	A	3.4	“16,000”
4p GT	2	A	3.4	“16,100”
4p GXP	2	A	3.6	“17,100”
4p base AWD	A	A	3.4	“16,200”
4p Podium Edition AWD	A	A	3.4	“17,000”
4p GT AWD	A	A	3.4	“17,200”
4p GXP AWD	A	A	3.6	“17,600”
2007 TORRENT				**80 000 km**
4p base	2	A	3.4	“14,100”
4p Sport	2	A	3.4	“15,000”
4p base	A	A	3.4	“15,100”
4p Sport	A	A	3.4	“16,200”
2006 TORRENT				**100 000 km**
4p base	2	A	3.4	“10,100”
4p Sport	2	A	3.4	“11,600”
4p base	A	A	3.4	“11,800”
4p Sport	A	A	3.4	“12,300”
2010 VIBE				**20 000 km**
4p hayon base	2	M	1.8	“15,300”
4p hayon SE	2	M	2.4	“17,600”
4p hayon GT	2	M	2.4	“23,000”
4p hayon base (tr.intégrale)	A	M	2.4	“19,700”
2009 VIBE				**40 000 km**
4p hayon base	2	M	1.8	“12,200”
4p hayon SE	2	M	2.4	“16,000”
4p hayon GT	2	M	2.4	“19,000”
4p hayon base (tr.intégrale)	A	M	2.4	“16,200”
2008 VIBE				**60 000 km**
4p hayon base	2	M	1.8	“14,500”
2007 VIBE				**80 000 km**
4p hayon base	2	M	1.8	“13,300”
2006 VIBE				**100 000 km**
4p hayon base	2	M	1.8	“11,700”
4p hayon GT	2	M	1.8	“13,800”
4p hayon base (tr.intégrale)	A	A	1.8	“13,200”
2009 G3 WAVE				**40 000 km**
4p berline base	2	M	1.6	“9,800”
4p berline SE	2	M	1.6	“11,700”
4p hayon Wave 5 base	2	M	1.6	“9,700”
4p hayon Wave 5 SE	2	M	1.6	“11,600”
2008 WAVE				**60 000 km**
4p berline base	2	M	1.6	“8,100”
4p berline SE	2	M	1.6	“10,100”
4p hayon Wave 5 base	2	M	1.6	“8,100”
4p hayon Wave 5 SE	2	M	1.6	“10,100”
2007 WAVE				**80 000 km**
4p berline base	2	M	1.6	“7,300”
4p berline SE	2	M	1.6	“8,800”
4p hayon Wave 5 base	2	M	1.6	“7,300”
4p hayon Wave 5 SE	2	M	1.6	“8,800”
2006 WAVE				**100 000 km**
4p berline base	2	M	1.6	“6,200”
4p berline Uplevel	2	M	1.6	“7,200”
4p hayon Wave 5 base	2	M	1.6	“6,300”
4p hayon Wave 5 Uplevel	2	M	1.6	“7,300”

PORSCHE

Description	R.m.	Tr.	L	Prix
2010 911				**20 000 km**
2p coupé Carrera	2	M	3.6	“88,000”
2p coupé Carrera	2	A	3.6	“93,100”
2p coupé Carrera S	2	M	3.8	“100,000”
2p coupé Carrera S	2	A	3.8	“105,100”
2p coupé GT3	2	M	3.6	“124,000”
2p coupé Carrera 4	A	M	3.6	“94,600”
2p coupé Carrera 4	A	A	3.6	“99,700”
2p coupé Carrera 4S	A	M	3.8	“106,700”
2p coupé Carrera 4S	A	A	3.8	“111,800”
2p coupé Targa 4	A	M	3.6	“103,500”
2p coupé Targa 4	A	A	3.6	“108,500”
2p coupé Targa 4S	A	M	3.8	“115,600”
2p coupé Targa 4S	A	A	3.8	“120,600”
2p coupé Turbo	A	M	3.6	“150,400”
2p coupé Turbo	A	A	3.6	“156,100”
2p décapotable Carrera	2	M	3.6	“100,000”
2p décapotable Carrera	2	A	3.6	“105,100”
2p décapotable Carrera S	2	M	3.8	“111,800”
2p décapotable Carrera S	2	A	3.8	“116,900”
2p décapotable Carrera 4	A	M	3.6	“106,700”
2p décapotable Carrera 4	A	A	3.6	“111,800”
2p décapotable Carrera 4S	A	M	3.8	“118,800”
2p décapotable Carrera 4S	A	A	3.8	“123,800”
2p décapotable Turbo	A	M	3.6	“162,300”
2p décapotable Turbo	A	A	3.6	“168,000”
2009 911				**40 000 km**
2p coupé Carrera	2	M	3.6	“78,300”
2p coupé Carrera	2	A	3.6	“82,900”
2p coupé Carrera S	2	M	3.8	“88,800”
2p coupé Carrera S	2	A	3.8	“93,500”
2p coupé GT2 Turbo	2	M	3.6	“195,400”
2p coupé GT3	2	M	3.6	“110,000”
2p coupé Carrera 4	A	M	3.6	“84,300”
2p coupé Carrera 4	A	A	3.6	“88,900”
2p coupé Carrera 4S	A	M	3.8	“95,000”
2p coupé Carrera 4S	A	A	3.8	“99,600”
2p coupé Targa 4	A	M	3.6	“91,800”
2p coupé Targa 4	A	A	3.6	“95,400”
2p coupé Targa 4S	A	M	3.8	“101,300”
2p coupé Targa 4S	A	A	3.8	“104,900”
2p coupé Turbo	A	M	3.6	“133,600”
2p coupé Turbo	A	A	3.6	“137,400”
2p décapotable Carrera	2	M	3.6	“88,800”
2p décapotable Carrera	2	A	3.6	“93,500”
2p décapotable Carrera S	2	M	3.8	“99,400”
2p décapotable Carrera S	2	A	3.8	“104,000”
2p décapotable Carrera 4	A	M	3.6	“95,000”
2p décapotable Carrera 4	A	A	3.6	“99,600”
2p décapotable Carrera 4S	A	M	3.8	“105,500”
2p décapotable Carrera 4S	A	A	3.8	“110,200”
2p décapotable Turbo	A	M	3.6	“144,300”
2p décapotable Turbo	A	A	3.6	“148,100”
2008 911				**60 000 km**
2p coupé Carrera	2	M	3.6	“69,900”
2p coupé Carrera	2	A	3.6	“73,500”
2p coupé Carrera S	2	M	3.8	“79,300”
2p coupé Carrera S	2	A	3.8	“82,900”
2p coupé GT2 Turbo	2	M	3.6	“176,300”
2p coupé GT3	2	M	3.6	“100,300”
2p coupé GT3 RS	2	M	3.6	“116,100”
2p coupé Carrera 4	A	M	3.6	“75,300”
2p coupé Carrera 4	A	A	3.6	“78,900”
2p coupé Carrera 4S	A	M	3.8	“84,800”
2p coupé Carrera 4S	A	A	3.8	“88,400”
2p coupé Targa 4	A	M	3.6	“82,200”
2p coupé Targa 4	A	A	3.6	“85,700”
2p coupé Targa 4S	A	M	3.8	“91,700”
2p coupé Targa 4S	A	A	3.8	“95,300”
2p coupé Turbo	A	M	3.6	“118,000”
2p coupé Turbo	A	A	3.6	“128,500”
2p décapotable Carrera	2	M	3.6	“79,300”
2p décapotable Carrera	2	A	3.6	“82,900”
2p décapotable Carrera S	2	M	3.8	“88,700”
2p décapotable Carrera S	2	A	3.8	“92,300”
2p décapotable Carrera 4	A	M	3.6	“84,800”
2p décapotable Carrera 4	A	A	3.6	“88,400”
2p décapotable Carrera 4S	A	M	3.8	“94,200”
2p décapotable Carrera 4S	A	A	3.8	“97,800”
2p décapotable Turbo	A	M	3.6	“128,100”
2p décapotable Turbo	A	A	3.6	“131,800”
2007 911				**80 000 km**
2p coupé Carrera	2	M	3.6	“62,100”
2p coupé Carrera	2	A	3.6	“63,300”
2p coupé Carrera S	2	M	3.8	“69,300”
2p coupé Carrera S	2	A	3.8	“72,200”
2p coupé GT3	2	M	3.6	“89,900”
2p coupé GT3 RS	2	M	3.6	“105,200”
2p coupé Carrera 4	A	M	3.6	“65,400”
2p coupé Carrera 4	A	A	3.6	“68,400”
2p coupé Carrera 4S	A	M	3.8	“74,400”
2p coupé Carrera 4S	A	A	3.8	“77,500”
2p coupé Targa 4	A	M	3.6	“72,000”
2p coupé Targa 4	A	A	3.6	“75,500”
2p coupé Targa 4S	A	M	3.8	“80,900”
2p coupé Targa 4S	A	A	3.8	“90,900”
2p coupé Turbo	A	M	3.6	“94,600”
2p coupé Turbo	A	A	3.6	“97,400”
2p décapotable Carrera	2	M	3.6	“69,300”
2p décapotable Carrera	2	A	3.6	“72,200”
2p décapotable Carrera S	2	M	3.8	“78,300”
2p décapotable Carrera S	2	A	3.8	“81,200”
2p décapotable Carrera 4	A	M	3.6	“74,400”
2p décapotable Carrera 4	A	A	3.6	“77,500”
2p décapotable Carrera 4S	A	M	3.8	“83,300”
2p décapotable Carrera 4S	A	A	3.8	“86,400”
2006 911				**100 000 km**
2p coupé Carrera	2	M	3.6	“57,300”
2p coupé Carrera	2	A	3.6	“60,200”
2p coupé Carrera S	2	M	3.8	“66,400”
2p coupé Carrera S	2	A	3.8	“69,400”
2p coupé Carrera 4	A	M	3.6	“61,600”
2p coupé Carrera 4	A	A	3.6	“64,700”
2p coupé Carrera 4S	A	M	3.8	“71,600”
2p coupé Carrera 4S	A	A	3.8	“74,700”
2p décapotable Carrera	2	M	3.6	“66,400”
2p décapotable Carrera	2	A	3.6	“69,400”
2p décapotable Carrera S	2	M	3.8	“75,600”
2p décapotable Carrera S	2	A	3.8	“78,500”
2p décapotable Carrera 4	A	M	3.6	“72,200”
2p décapotable Carrera 4	A	A	3.6	“73,700”
2p décapotable Carrera 4S	A	M	3.8	“80,800”
2p décapotable Carrera 4S	A	A	3.8	“83,900”
2010 BOXSTER				**20 000 km**
2p décapotable base	2	M	2.7	“54,200”
2p décapotable base	2	A	2.7	“58,500”
2p décapotable S	2	A	3.4	“65,700”
2p décapotable S	2	M	3.4	“69,900”
2009 BOXSTER				**40 000 km**
2p décapotable base	2	M	2.7	“45,500”
2p décapotable base	2	A	2.7	“49,100”
2p décapotable S	2	A	3.4	“54,900”
2p décapotable S	2	M	3.4	“58,600”
2008 BOXSTER				**60 000 km**
2p décapotable base	2	M	2.7	“40,700”
2p décapotable base	2	A	2.7	“43,700”
2p décapotable Limited Edition	2	M	2.7	“43,100”
2p décapotable Limited Edition	2	A	2.7	“46,200”
2p décapotable S	2	A	3.4	“48,900”
2p décapotable S	2	M	3.4	“52,100”
2p décapotable S Limited Edition	2	M	3.4	“51,400”
2p décapotable S Limited Edition	2	A	3.4	“54,400”
2p décapotable RS 60 Spyder	2	M	3.4	“56,000”
2p décapotable RS 60 Spyder	2	A	3.4	“58,300”
2007 BOXSTER				**80 000 km**
2p décapotable base	2	M	2.7	“38,700”
2p décapotable base	2	A	2.7	“41,800”
2p décapotable S	2	M	3.4	“47,000”
2p décapotable S	2	A	3.4	“50,200”
2006 BOXSTER				**100 000 km**
2p décapotable base	2	M	2.7	“35,600”
2p décapotable base	2	A	2.7	“38,500”
2p décapotable S	2	M	3.2	“43,900”
2p décapotable S	2	A	3.2	“45,600”
2010 CAYENNE				**20 000 km**
4p V6	A	M	3.6	“51,600”
4p V6	A	A	3.6	“55,300”
4p S	A	A	4.8	“67,400”
4p Transsyberia	A	A	4.8	“83,100”
4p GTS	A	M	4.8	“80,100”
4p GTS	A	A	4.8	“83,800”
4p Turbo	A	A	4.8	“109,500”
4p Turbo S	A	A	4.8	“138,500”
2009 CAYENNE				**40 000 km**
4p V6	A	M	3.6	“42,500”
4p V6	A	A	3.6	“45,700”
4p S	A	A	4.8	“55,500”
4p GTS	A	M	4.8	“65,900”
4p GTS	A	A	4.8	“69,100”
4p Turbo	A	A	4.8	“90,200”

Description	R.m.	Tr.	L	Prix
4p Turbo S	A	A	4.8	"105,000"
2008 CAYENNE				**60 000 km**
4p V6	A	M	3.6	"35,600"
4p V6	A	A	3.6	"38,800"
4p S	A	A	4.8	"47,900"
4p GTS	A	M	4.8	"57,900"
4p GTS	A	A	4.8	"57,900"
4p Turbo	A	A	4.8	"69,700"
2006 CAYENNE				**100 000 km**
4p V6	A	M	3.2	"31,300"
4p V6	A	A	3.2	"34,100"
4p S	A	A	4.5	"35,900"
4p S Titanium Edition	A	A	4.5	"41,400"
4p Turbo	A	A	4.5	"44,600"
4p Turbo S	A	A	4.5	"55,500"
2010 CAYMAN				**20 000 km**
2p coupé Base	2	M	2.7	"59,400"
2p coupé Base	2	A	2.7	"63,700"
2p coupé S	2	M	3.4	"70,500"
2p coupé S	2	A	3.4	"74,800"
2009 CAYMAN				**40 000 km**
2p coupé Base	2	M	2.7	"52,400"
2p coupé Base	2	A	2.7	"56,300"
2p coupé S	2	M	3.4	"62,200"
2p coupé S	2	A	3.4	"66,100"
2008 CAYMAN				**60 000 km**
2p coupé Base	2	M	2.7	"45,100"
2p coupé Base	2	A	2.7	"48,600"
2p coupé S	2	M	3.4	"54,100"
2p coupé S	2	A	3.4	"57,600"
2p coupé S Porsche Design Ed.1	2	M	3.4	"64,600"
2p coupé S Porsche Design Ed.1	2	A	3.4	"68,100"
2007 CAYMAN				**80 000 km**
2p coupé Base	2	M	2.7	"41,200"
2p coupé Base	2	A	2.7	"44,800"
2p coupé S	2	M	3.4	"50,500"
2p coupé S	2	A	3.4	"53,900"
2006 CAYMAN				**100 000 km**
2p coupé S	2	M	3.4	"45,000"
2p coupé S	2	A	3.4	"47,000"

SAAB

Description	R.m.	Tr.	L	Prix
2006 SERIE 9-2X				**100 000 km**
4p familiale Linear	A	M	2.5	"11,500"
4p familiale Linear Premium (cuir)	A	M	2.5	"12,200"
2009 SERIE 9-3				**40 000 km**
4p berline Sport	2	M	2	"20,000"
4p berline Sport AWD	A	A	2	"21,400"
4p berline Sport Aero (toit ouv)	2	M	2.8	"24,500"
4p berline Sport AeroAWD	A	A	2.8	"26,300"
4p familiale Combi Sport	2	M	2	"21,000"
4p famil. Combi Sport AWD	A	A	2	"22,300"
4p fam Combi Sport Aero (toit)	2	M	2.8	"26,400"
4p fam Combi Sport Aero AWD	A	A	2.8	"27,000"
2p décapotable base	2	M	2	"30,300"
2p décapotable base	2	A	2	"31,200"
2p décapotable Aero	2	M	2.8	"33,000"
2p décapotable Aero	2	A	2.8	"33,700"
2008 SERIE 9-3				**60 000 km**
4p berline Sport	2	M	2	"16,300"
4p berline Sport	2	A	2	"17,100"
4p berline Sport Aero (toit ouv)	2	M	2.8	"20,100"
4p berline Turbo X	2	M	2.8	"20,900"
4p familiale Combi Sport	2	M	2	"17,100"
4p familiale Combi Sport	2	A	2	"17,800"
4p fam Combi Sport Aero (toit)	2	M	2.8	"21,000"
4p fam Combi Sport Aero (toit)	2	A	2.8	"21,400"
2p décapotable base	2	M	2	"24,900"
2p décapotable base	2	A	2	"25,700"
2p décapotable Aero	2	M	2.8	"27,000"
2p décapotable Aero	2	A	2.8	"27,600"
2007 SERIE 9-3				**80 000 km**
4p berline Sport	2	M	2	"13,700"
4p berline Sport	2	A	2	"14,300"
4p berline Sport Aero (toit ouv)	2	M	2.8	"16,800"
4p berline Sport Aero (toit ouv)	2	A	2.8	"17,500"
4p familiale Combi Sport	2	M	2	"14,300"
4p familiale Combi Sport	2	A	2	"14,900"
4p fam Combi Sport Aero (toit)	2	M	2.8	"17,500"
4p fam Combi Sport Aero (toit)	2	A	2.8	"18,100"
2p décapotable base	2	M	2	"20,500"
2p décapotable base	2	A	2	"21,100"
2p décapotable Aero	2	M	2.8	"23,100"
2p décapotable Aero	2	A	2.8	"23,100"
2006 SERIE 9-3				**100 000 km**
4p berline Sport	2	M	2	"11,800"
4p berline Sport	2	A	2	"11,900"
4p berline Sport Aero	2	M	2.8	"12,800"
4p berline Sport Aero	2	A	2.8	"13,300"
4p familiale Combi Sport	2	M	2	"11,900"
4p familiale Combi Sport	2	A	2	"12,500"
4p familiale Combi Sport Aero	2	M	2.8	"13,300"
4p familiale Combi Sport Aero	2	A	2.8	"13,900"
2p décapotable base	2	M	2	"17,200"
2p décapotable base	2	A	2	"17,800"
2p décapotable Aero	2	M	2.8	"17,800"
2p décapotable Aero	2	A	2.8	"18,000"
2009 SERIE 9-5				**40 000 km**
4p berline turbo	2	M	2.3	"25,500"
4p berline Aero turbo	2	A	2.3	"26,000"
4p familiale Combi Sport turbo	2	M	2.3	"26,400"
4p familiale Combi Aero turbo	2	A	2.3	"26,900"
2008 SERIE 9-5				**60 000 km**
4p berline turbo	2	M	2.3	"20,000"
4p berline turbo	2	A	2.3	"20,700"
4p familiale Combi Sport turbo	2	M	2.3	"20,700"
4p familiale Combi Sport turbo	2	A	2.3	"21,500"
2007 SERIE 9-5				**80 000 km**
4p berline turbo	2	M	2.3	"16,400"
4p berline turbo	2	A	2.3	"17,100"
4p familiale Combi Sport turbo	2	M	2.3	"17,200"
4p familiale Combi Sport turbo	2	A	2.3	"17,700"
2006 SERIE 9-5				**100 000 km**
4p berline turbo	2	M	2.3	"13,000"
4p berline turbo	2	A	2.3	"13,700"
4p familiale Combi Sport turbo	2	M	2.3	"13,700"
4p familiale Combi Sport turbo	2	A	2.3	"14,300"
2009 SERIE 9-7 X				**40 000 km**
4p base	4	A	4.2	"27,600"
4p V8	4	A	5.3	"29,600"
4p V8 Aero	4	A	6	"30,900"
2008 SERIE 9-7 X				**60 000 km**
4p base	4	A	4.2	"20,700"
4p V8	4	A	5.3	"22,100"
4p V8 Aero	4	A	6	"23,000"
2007 SERIE 9-7 X				**80 000 km**
4p base	4	A	4.2	"18,600"
4p V8	4	A	5.3	"19,600"
2006 SERIE 9-7 X				**100 000 km**
4p base	4	A	4.2	"17,400"
4p V8	4	A	5.3	"17,500"

SATURN

Description	R.m.	Tr.	L	Prix
2009 ASTRA				**40 000 km**
2p hayon XR	2	M	1.8	"14,600"
4p hayon XE	2	M	1.8	"12,300"
4p hayon XR	2	M	1.8	"14,100"
2008 ASTRA				**60 000 km**
2p hayon XR	2	M	1.8	"12,200"
4p hayon XE	2	M	1.8	"10,500"
4p hayon XR	2	M	1.8	"11,800"
2009 AURA				**40 000 km**
4p berline XE	2	A	2.4	"16,400"
4p berline XR-4	2	A	2.4	"18,100"
4p berline XR-6	2	A	3.6	"21,100"
4p berline (Hybride)	2	A	2.4	"18,400"
2008 AURA				**60 000 km**
4p berline XE	2	A	2.4	"12,500"
4p berline XE	2	A	3.5	"13,300"
4p berline XR	2	A	3.6	"13,900"
4p berline Green Line (Hybride)	2	A	2.4	"13,700"
2007 AURA				**80 000 km**
4p berline XE	2	A	3.5	"9,400"
4p berline XR	2	A	3.6	"9,900"
4p berline Green Line (Hybride)	2	A	2.4	"9,700"
2007 ION				**80 000 km**
4p coupé Quad 2 base	2	M	2.2	"6,000"
4p coupé Quad 2 base	2	A	2.2	"6,400"
4p coupé Quad 2 midlevel	2	M	2.2	"6,500"
4p coupé Quad 2 midlevel	2	A	2.2	"6,800"
4p coupé Quad 3 uplevel	2	M	2.4	"6,800"
4p coupé Quad 3 uplevel	2	A	2.4	"7,400"
4p coupé Quad Red Line	2	M	2	"8,400"
4p berline 2 base	2	M	2.2	"6,000"
4p berline 2 base	2	A	2.2	"6,400"
4p berline 2 midlevel	2	M	2.2	"6,500"
4p berline 2 midlevel	2	A	2.2	"6,800"
4p berline 3 uplevel	2	M	2.4	"6,800"
4p berline 3 uplevel	2	A	2.4	"7,400"
2006 ION				**100 000 km**
4p coupé Quad niveau 1	2	M	2.2	"4,900"
4p coupé Quad niveau 1	2	A	2.2	"5,400"
4p coupé Quad niveau 2	2	M	2.2	"5,200"
4p coupé Quad niveau 2	2	A	2.2	"5,200"
4p coupé Quad niveau 3	2	M	2.4	"5,300"
4p coupé Quad niveau 3	2	A	2.4	"5,300"
4p coupé Quad Red Line	2	M	2	"6,300"
4p berline niveau 1	2	M	2.2	"5,000"
4p berline niveau 1	2	A	2.2	"5,100"
4p berline niveau 2	2	M	2.2	"5,500"
4p berline niveau 2	2	A	2.2	"5,600"
4p berline niveau 3	2	M	2.4	"6,000"
4p berline niveau 3	2	A	2.4	"6,200"
2009 OUTLOOK				**40 000 km**
4p XE	2	A	3.6	"26,600"
4p XR	2	A	3.6	"28,600"
4p XE AWD	A	A	3.6	"26,700"
4p XR AWD	A	A	3.6	"29,400"
2008 OUTLOOK				**60 000 km**
4p XE	2	A	3.6	"25,900"
4p XR	2	A	3.6	"27,200"
4p XE AWD	A	A	3.6	"25,000"
4p XR AWD	A	A	3.6	"27,200"
2007 OUTLOOK				**80 000 km**
4p XE	2	A	3.6	"21,900"
4p XR	2	A	3.6	"23,700"
4p XE AWD	A	A	3.6	"21,800"
4p XR AWD	A	A	3.6	"24,100"
2007 RELAY				**80 000 km**
4p 1	2	A	3.9	"10,100"
4p 2	2	A	3.9	"10,800"
4p Valeur Plus	2	A	3.9	"10,900"
4p 3	2	A	3.9	"11,300"
2006 RELAY				**100 000 km**
4p base niveau 2	2	A	3.5	"8,300"
4p Valeur Plus	2	A	3.5	"8,600"
4p De Luxe niv. 3	2	A	3.5	"8,800"
4p De Luxe niv. 3 3.9L	2	A	3.9	"8,800"
4p De Luxe niv. 3 tr.intégrale	A	A	3.9	"9,200"
2009 SKY				**40 000 km**
2p décapotable base	2	M	2.4	"23,400"
2p décapotable Red Line	2	M	2	"27,700"
2008 SKY				**60 000 km**
2p décapotable base	2	M	2.4	"21,200"
2p décapotable Red Line	2	M	2	"23,800"
2007 SKY				**80 000 km**
2p décapotable base	2	M	2.4	"19,100"
2p décapotable Red Line	2	M	2	"21,400"
2009 VUE				**40 000 km**
4p XE	2	A	2.4	"16,300"
4p XR	2	A	2.4	"17,700"
4p XR V6	2	A	3.6	"19,100"
4p Hybride	2	A	2.4	"18,900"
4p Red Line (cuir)	2	A	3.6	"21,800"
4p XE AWD	A	A	3.5	"19,100"
4p XR AWD	A	A	3.6	"20,600"
4p Red Line AWD (cuir)	A	A	3.6	"23,500"
2008 VUE				**60 000 km**
4p XE	2	A	2.4	"12,800"
4p XR	2	A	3.6	"15,000"
4p Green Line (Hybride)	2	A	2.4	"14,600"
4p Red Line (cuir)	2	A	3.6	"16,400"
4p XE AWD	A	A	3.5	"15,000"
4p XR AWD	A	A	3.6	"16,400"
4p Red Line AWD (cuir)	A	A	3.6	"17,700"
2007 VUE				**80 000 km**
4p base	2	M	2.2	"9,900"
4p base	2	A	2.2	"10,800"
4p base V6	2	A	3.5	"12,300"
4p Green Line (Hybride)	2	A	2.4	"12,500"
4p Red Line	2	A	3.5	"13,900"
4p base V6	A	A	3.5	"13,500"
4p Red Line	A	A	3.5	"14,500"
2006 VUE				**100 000 km**
4p base	2	M	2.2	"8,300"
4p base	2	A	2.2	"9,100"
4p base V6	2	A	3.5	"10,700"
4p Red Line	2	A	3.5	"11,800"
4p base V6	A	A	3.5	"11,700"
4p Red Line	A	A	3.5	"12,600"

SMART

Description	R.m.	Tr.	L	Prix
2010 FORTWO				**20 000 km**
2p coupé Pure	2	A	1	"12,900"
2p coupé Passion	2	A	1	"15,800"
2p coupé Brabus	2	A	1	"18,000"
2p cabriolet Passion	2	A	1	"17,400"
2p cabriolet Brabus	2	A	1	"20,400"
2009 FORTWO				**40 000 km**
2p coupé Pure	2	A	1	"11,000"
2p coupé Passion	2	A	1	"13,300"
2p coupé Brabus	2	A	1	"15,300"
2p cabriolet Passion	2	A	1	"14,800"
2p cabriolet Brabus	2	A	1	"17,300"
2008 FORTWO				**60 000 km**
2p coupé Pure	2	A	1	"8,700"
2p coupé Passion	2	A	1	"10,200"
2p cabriolet Passion	2	A	1	"11,200"
2006 FORTWO				**100 000 km**
2p coupé Pure	2	A	0.8	"6,200"
2p coupé Pulse	2	A	0.8	"6,800"
2p coupé Passion	2	A	0.8	"7,200"
2p cabriolet Pure	2	A	0.8	"7,200"
2p cabriolet Pulse	2	A	0.8	"7,700"
2p cabriolet Passion	2	A	0.8	"8,100"

SUBARU

Description	R.m.	Tr.	L	Prix
2010 FORESTER				**20 000 km**
4p 2.5X / Outdoor	A	M	2.5	"22,900"
4p PZEV	A	A	2.5	"24,700"
4p 2.5X Touring	A	M	2.5	"25,300"
4p 2.5X Limited	A	A	2.5	"27,500"
4p 2.5XT Limited	A	A	2.5	"29,500"
2009 FORESTER				**40 000 km**
4p 2.5X	A	M	2.5	"19,000"
4p Touring	A	M	2.5	"20,600"
4p Limited	A	A	2.5	"22,700"
4p 2.5XT Limited	A	A	2.5	"24,400"
2008 FORESTER				**60 000 km**
4p 2.5X	A	M	2.5	"17,300"
4p Édition Anniversaire	A	M	2.5	"18,500"
4p XS	A	M	2.5	"20,000"
4p XS Premium (cuir+toit)	A	M	2.5	"20,700"
4p XT turbo	A	M	2.5	"22,000"
2007 FORESTER				**80 000 km**
4p 2.5X	A	M	2.5	"15,500"
4p Columbia Édition	A	M	2.5	"16,700"
4p XS	A	M	2.5	"17,300"
4p XS Premium (cuir+toit)	A	M	2.5	"18,100"
4p XT turbo	A	M	2.5	"19,800"
2006 FORESTER				**100 000 km**
4p 2.5X	A	M	2.5	"13,900"
4p XS	A	M	2.5	"16,000"
4p XS Premium (cuir+toit)	A	M	2.5	"17,200"
4p XT turbo	A	M	2.5	"17,500"
4p XT turbo Premium (cuir)	A	M	2.5	"17,900"
2010 IMPREZA				**20 000 km**
4p berline 2.5 i	A	M	2.5	"18,500"
4p berline 2.5 i Sport	A	M	2.5	"21,700"
4p berline 2.5 i Limited	A	M	2.5	"23,500"
4p berline WRX turbo	A	M	2.5	"28,600"
4p berline WRX Limited	A	M	2.5	"31,200"
4p hayon 2.5 i	A	M	2.5	"19,300"
4p hayon 2.5 i Sport	A	M	2.5	"22,500"
4p hayon 2.5 i Limited	A	M	2.5	"24,300"
4p hayon WRX turbo	A	M	2.5	"29,400"
4p hayon WRX Limited	A	M	2.5	"32,000"
4p hayon WRX STi turbo	A	M	2.5	"35,200"
4p hayon WRX STi Sport-t	A	M	2.5	"40,500"
2009 IMPREZA				**40 000 km**
4p berline 2.5 i	A	M	2.5	"16,700"
4p berline 2.5 i Sport	A	M	2.5	"19,600"
4p berline WRX turbo	A	M	2.5	"24,600"
4p berline WRX265 turbo	A	M	2.5	"26,900"
4p hayon 2.5 i	A	M	2.5	"17,300"
4p hayon 2.5 i Sport	A	M	2.5	"20,200"
4p hayon WRX turbo	A	M	2.5	"25,300"
4p hayon WRX265 turbo	A	M	2.5	"27,600"
4p hayon WRX STi turbo	A	M	2.5	"31,700"
4p hayon WRX STi Sport-t	A	M	2.5	"36,500"
2008 IMPREZA				**60 000 km**
4p berline 2.5 i	A	M	2.5	"15,700"
4p berline 2.5 i Sport	A	M	2.5	"17,700"
4p berline WRX turbo	A	M	2.5	"25,300"
4p hayon 2.5 i	A	M	2.5	"16,400"

Description	R.m.	Tr.	L	Prix
4p hayon 2.5 i Sport	A	M	2.5	"19,000"
4p hayon WRX turbo	A	M	2.5	"26,100"
4p hayon WRX STi turbo	A	M	2.5	"34,200"

2007 IMPREZA — 80 000 km

Description	R.m.	Tr.	L	Prix
4p berline 2.5 i	A	M	2.5	"13,900"
4p berline 2.5 i SE	A	M	2.5	"15,200"
4p berline WRX turbo	A	M	2.5	"22,500"
4p berline WRX STi turbo	A	M	2.5	"28,500"
4p familiale 2.5 i	A	M	2.5	"14,600"
4p familiale 2.5 i SE	A	M	2.5	"15,700"
4p familiale WRX turbo	A	M	2.5	"22,500"

2006 IMPREZA — 100 000 km

Description	R.m.	Tr.	L	Prix
4p berline 2.5 i	A	M	2.5	"12,600"
4p berline WRX turbo	A	M	2.5	"18,300"
4p berline WRX turbo (toit ouv)	A	M	2.5	"18,800"
4p berline WRX STi turbo	A	M	2.5	"25,700"
4p familiale 2.5 i Sport	A	M	2.5	"13,200"
4p familiale WRX turbo	A	M	2.5	"18,300"
4p familiale WRX turbo (t-ouvrant)	A	M	2.5	"18,800"
4p familiale Outback Sport	A	M	2.5	"15,700"

2010 LEGACY — 20 000 km

Description	R.m.	Tr.	L	Prix
4p berline 2.5 i	A	M	2.5	"21,100"
4p berline PZEV	A	A	2.5	"23,200"
4p berline 2.5 i Limited	A	M	2.5	"28,200"
4p berline 3.6 R	A	M	3.6	"28,100"
4p berline 3.6 R Limited (cuir)	A	M	3.6	"30,500"
4p berline 2.5 GT (cuir)	A	M	2.5	"33,800"
4p familiale Outback PZEV	A	M	2.5	"25,500"
4p familiale Outback 2.5 i Sport	A	M	2.5	"28,000"
4p familiale Outback 2.5 i LTD	A	A	2.5	"31,500"
4p familiale Outback 3.6R	A	A	3.6	"31,400"
4p fam. Outback 3.6R Limited (cuir)	A	A	3.6	"33,900"

2009 LEGACY — 40 000 km

Description	R.m.	Tr.	L	Prix
4p berline PZEV	A	M	2.5	"18,100"
4p berline 2.5 i Touring	A	M	2.5	"19,900"
4p berline 3.0 R Limited (cuir)	A	A	3	"24,900"
4p berline 2.5 GT Spec.B (cuir)	A	M	2.5	"28,300"
4p familiale PZEV	A	M	2.5	"18,900"
4p familiale 2.5 i Touring	A	M	2.5	"20,500"
4p familiale Outback 2.5 i	A	M	2.5	"20,900"
4p familiale Outback PZEV	A	M	2.5	"23,000"
4p familiale Outback Limited (cuir)	A	A	2.5	"26,400"
4p fam Outback 3.0 R Prem (cuir)	A	A	3	"29,400"

2008 LEGACY — 60 000 km

Description	R.m.	Tr.	L	Prix
4p berline 2.5 i	A	M	2.5	"16,500"
4p berline 2.5 i Touring	A	M	2.5	"18,700"
4p berline 2.5 i Limited (cuir)	A	A	2.5	"21,100"
4p berline 2.5 GT (cuir)	A	M	2.5	"24,700"
4p berline 2.5 GT Spec.B (cuir)	A	M	2.5	"26,800"
4p familiale 2.5 i	A	M	2.5	"18,000"
4p familiale 2.5 i Touring	A	M	2.5	"19,500"
4p familiale 2.5 GT (cuir)	A	M	2.5	"24,900"
4p familiale Outback 2.5 i	A	M	2.5	"19,900"
4p familiale Outback 2.5i Touring	A	M	2.5	"21,600"
4p familiale Outback Limited (cuir)	A	A	2.5	"24,300"
4p familiale Outback 2.5 XT (cuir)	A	M	2.5	"25,700"
4p familiale Outback 3.0 R	A	A	3	"24,300"
4p fam Outback 3.0 R Prem (cuir)	A	A	3	"27,500"

2007 LEGACY — 80 000 km

Description	R.m.	Tr.	L	Prix
4p berline 2.5 i	A	M	2.5	"14,700"
4p berline 2.5 i Touring	A	M	2.5	"15,900"
4p berline 2.5 i Limited (cuir)	A	A	2.5	"19,000"
4p berline 2.5 GT (cuir)	A	M	2.5	"20,800"
4p berline 2.5 GT Spec.B (cuir)	A	M	2.5	"22,600"
4p familiale 2.5 i	A	M	2.5	"15,400"
4p familiale 2.5 i Touring	A	M	2.5	"16,600"
4p familiale 2.5 i Limited (cuir)	A	M	2.5	"20,000"
4p familiale 2.5 GT (cuir)	A	M	2.5	"21,400"
4p familiale Outback 2.5 i	A	M	2.5	"17,200"
4p familiale Outback 2.5i Touring	A	M	2.5	"18,700"
4p familiale Outback Limited (cuir)	A	A	2.5	"21,300"
4p familiale Outback 2.5 XT (cuir)	A	M	2.5	"22,300"
4p familiale Outback 3.0 R	A	A	3	"21,300"
4p fam Outback 3.0 R Prem (cuir)	A	A	3	"23,100"

2006 LEGACY — 100 000 km

Description	R.m.	Tr.	L	Prix
4p berline 2.5 i	A	M	2.5	"13,100"
4p berline 2.5 i Special Ed (toit)	A	M	2.5	"13,400"
4p berline 2.5 i Limited (cuir)	A	A	2.5	"15,600"
4p berline 2.5 GT	A	M	2.5	"16,400"
4p berline 2.5 GT Limited (cuir)	A	M	2.5	"17,200"
4p familiale 2.5 i	A	M	2.5	"13,600"
4p familiale 2.5 i Special Ed (toit)	A	M	2.5	"14,100"
4p familiale 2.5 i Limited (cuir)	A	M	2.5	"16,500"
4p familiale 2.5 GT Limited (cuir)	A	M	2.5	"18,600"
4p familiale Outback 2.5 i	A	M	2.5	"15,700"
4p fam Outback 2.5i Spec Ed.(toit)	A	M	2.5	"16,100"
4p familiale Outback Limited (cuir)	A	A	2.5	"16,800"
4p familiale Outback 2.5 XT	A	M	2.5	"18,500"

Description	R.m.	Tr.	L	Prix
4p familiale Outback 3.0 R	A	A	3	"17,100"
4p fam Outback 3.0 R VDC (cuir)	A	A	3	"19,600"
4p Baja Sport	A	M	2.5	"12,800"

2010 TRIBECA — 20 000 km

Description	R.m.	Tr.	L	Prix
4p 7 pass. base	4	A	3.6	"35,300"
4p 5 pass. Limited	4	A	3.6	"40,000"
4p 7 pass. Premier (Navigation)	4	A	3.6	"42,300"

2009 TRIBECA — 40 000 km

Description	R.m.	Tr.	L	Prix
4p 5 pass. base	4	A	3.6	"25,800"
4p 5 pass. Limited	4	A	3.6	"29,200"
4p 7 pass. Premier (Navigation)	4	A	3.6	"31,000"

2008 TRIBECA — 60 000 km

Description	R.m.	Tr.	L	Prix
4p 5 pass. base	4	A	3.6	"20,500"
4p 5 pass. Limited	4	A	3.6	"22,200"
4p 7 pass. Premier (Navigation)	4	A	3.6	"22,700"

2007 B9 TRIBECA — 80 000 km

Description	R.m.	Tr.	L	Prix
4p 5 pass. base	4	A	3	"17,300"
4p 5 pass. Limited	4	A	3	"18,900"
4p 5 pass. Limited Navigation	4	A	3	"19,100"
4p 7 pass. DVD + Navigation	4	A	3	"19,600"

2006 B9 TRIBECA — 100 000 km

Description	R.m.	Tr.	L	Prix
4p 5 pass. base	4	A	3	"15,600"
4p 5 pass. Limited	4	A	3	"17,000"
4p 7 pass. base	4	A	3	"16,600"
4p 7 pass. Limited	4	A	3	"17,100"
4p 7 pass. DVD + Navigation	4	A	3	"17,700"

SUZUKI

2007 AERIO — 80 000 km

Description	R.m.	Tr.	L	Prix
4p berline base	2	M	2.3	"8,300"
4p berline base	2	A	2.3	"9,000"

2006 AERIO — 100 000 km

Description	R.m.	Tr.	L	Prix
4p berline base	2	M	2.3	"7,000"
5p hayon SE Fastback	2	M	2.3	"5,100"
5p hayon SX Fastback	2	M	2.3	"7,600"
5p hayon SX Fastback AWD	A	A	2.3	"8,000"

2010 EQUATOR — 20 000 km

Description	R.m.	Tr.	L	Prix
crew cab JX	4	A		"30,100"

2009 EQUATOR — 40 000 km

Description	R.m.	Tr.	L	Prix
crew cab JX	4	A		"26,300"

2009 SWIFT PLUS — 40 000 km

Description	R.m.	Tr.	L	Prix
4p hayon base	2	M	1.6	"10,100"

2008 SWIFT PLUS — 60 000 km

Description	R.m.	Tr.	L	Prix
4p hayon base	2	M	1.6	"7,800"
4p hayon S	2	M	1.6	"8,800"

2007 SWIFT PLUS — 80 000 km

Description	R.m.	Tr.	L	Prix
4p hayon base	2	M	1.6	"6,700"
4p hayon S	2	M	1.6	"7,400"

2006 SWIFT PLUS — 100 000 km

Description	R.m.	Tr.	L	Prix
4p hayon base	2	M	1.6	"6,000"
4p hayon S	2	M	1.6	"6,300"

2010 SX4 — 20 000 km

Description	R.m.	Tr.	L	Prix
4p hayon base	2	M	2	"14,600"
4p hayon JX	2	A	2	"16,800"
4p hayon Aero	2	A	2	"18,300"
4p hayon JX AWD	A	M	2	"17,900"
4p hayon JLX AWD	A	A	2	"20,400"
4p berline base	2	M	2	"14,600"
4p berline Sport	2	M	2	"16,200"

2009 SX4 — 40 000 km

Description	R.m.	Tr.	L	Prix
4p hayon base	2	M	2	"12,200"
4p hayon JX	2	A	2	"14,100"
4p hayon JX AWD	A	M	2	"15,000"
4p hayon JLX AWD	A	M	2	"16,500"
4p berline base	2	M	2	"12,200"
4p berline Sport	2	M	2	"13,700"

2008 SX4 — 60 000 km

Description	R.m.	Tr.	L	Prix
4p hayon base	2	M	2	"11,300"
4p hayon JX	2	M	2	"12,200"
4p hayon JX AWD	A	M	2	"12,800"
4p hayon JLX AWD	A	M	2	"14,000"
4p berline base	2	M	2	"11,300"
4p berline Sport	2	M	2	"11,900"

2007 SX4 — 80 000 km

Description	R.m.	Tr.	L	Prix
4p hayon base	2	M	2	"9,700"
4p hayon JX	2	M	2	"10,700"
4p hayon JX AWD	A	M	2	"11,200"
4p hayon JLX AWD	A	M	2	"11,900"

2006 VERONA — 100 000 km

Description	R.m.	Tr.	L	Prix
4p berline GL	2	A	2.5	"8,400"
4p berline GLX (cuir)	2	A	2.5	"8,600"

2010 GRAND VITARA — 20 000 km

Description	R.m.	Tr.	L	Prix
4p Grand Vitara JX	4	A	2.4	"24,100"
4p Grand Vitara JLX	4	A	2.4	"25,400"
4p Grand Vitara JLX-L	4	A	2.4	"26,200"
4p Grand Vitara JLX V6	4	A	3.2	"27,700"
4p Grand Vitara JLX-L V6	4	A	3.2	"28,500"

2009 GRAND VITARA — 40 000 km

Description	R.m.	Tr.	L	Prix
4p Grand Vitara JA	4	M	2.4	"18,000"
4p Grand Vitara JX	4	A	2.4	"19,500"
4p Grand Vitara JLX	4	A	2.4	"20,200"
4p Grand Vitara JLX-L	4	A	2.4	"20,300"
4p Grand Vitara JLX V6	4	A	3.2	"21,200"
4p Grand Vitara JLX-L V6	4	A	3.2	"22,000"

2008 GRAND VITARA — 60 000 km

Description	R.m.	Tr.	L	Prix
4p Grand Vitara JA	4	M	2.7	"17,000"
4p Grand Vitara JA	4	A	2.7	"17,900"
4p Grand Vitara JX	4	M	2.7	"18,000"
4p Grand Vitara JX	4	A	2.7	"18,400"
4p Grand Vitara JLX	4	A	2.7	"18,600"
4p Grand Vitara JLX (cuir)	4	A	2.7	"19,400"

2007 GRAND VITARA — 80 000 km

Description	R.m.	Tr.	L	Prix
4p Grand Vitara JA	4	M	2.7	"16,000"
4p Grand Vitara JA	4	A	2.7	"16,700"
4p Grand Vitara JX	4	M	2.7	"16,800"
4p Grand Vitara JX	4	A	2.7	"17,200"
4p Grand Vitara JLX	4	A	2.7	"17,300"
4p Grand Vitara JLX (cuir)	4	A	2.7	"17,500"

2006 GRAND VITARA — 100 000 km

Description	R.m.	Tr.	L	Prix
4p Grand Vitara JA	4	M	2.7	"13,300"
4p Grand Vitara JA	4	A	2.7	"14,200"
4p Grand Vitara JX	4	M	2.7	"14,000"
4p Grand Vitara JX	4	A	2.7	"14,500"
4p Grand Vitara JLX	4	A	2.7	"15,100"
4p Grand Vitara JLX (cuir)	4	A	2.7	"15,300"

2009 XL-7 — 40 000 km

Description	R.m.	Tr.	L	Prix
4p 7 pass. JLX AWD (cuir)	A	A	3.6	"22,200"

2008 XL-7 — 60 000 km

Description	R.m.	Tr.	L	Prix
4p 7 pass. JX	2	A	3.6	"17,800"
4p 7 pass. JLX (cuir)	2	A	3.6	"20,100"
4p 7 pass. JX AWD	A	A	3.6	"19,600"
4p 7 pass. JLX AWD (cuir)	A	A	3.6	"20,200"

2007 XL-7 — 80 000 km

Description	R.m.	Tr.	L	Prix
4p 7 pass. JX	2	A	3.6	"14,500"
4p 7 pass. JLX (cuir)	2	A	3.6	"16,100"
4p 7 pass. JX AWD	A	A	3.6	"15,500"
4p 7 pass. JLX AWD (cuir)	A	A	3.6	"15,900"
4p 7 pass. JLX AWD DVD (cuir)	A	A	3.6	"16,000"
4p 7 pass. JLX AWD NAVI (cuir)	A	A	3.6	"16,500"

2006 XL-7 — 100 000 km

Description	R.m.	Tr.	L	Prix
4p 5 pass. JX	4	A	2.7	"13,600"
4p 5 pass. JLX	4	A	2.7	"15,200"
4p 7 pass. JX PLUS	4	A	2.7	"14,100"
4p 7 pass. JLX PLUS	4	A	2.7	"15,700"
4p 7 pass. JLX PLUS (cuir)	4	A	2.7	"16,400"

TOYOTA

2010 4RUNNER — 20 000 km

Description	R.m.	Tr.	L	Prix
4p SR-5 V6	4	A	4	"31,600"
4p SR-5 V6 Upgrade	4	A	4	"35,700"
4p SR-5 V6 Trail Edition	4	A	4	"37,900"
4p Limited V6 (cuir)	4	A	4	"41,100"

2009 4RUNNER — 40 000 km

Description	R.m.	Tr.	L	Prix
4p SR-5 V6	4	A	4	"28,000"
4p SR-5 V6 Sport	4	A	4	"31,300"
4p Limited V6 (cuir)	4	A	4	"32,200"
4p Limited V8 (cuir)	A	A	4.7	"33,500"

2008 4RUNNER — 60 000 km

Description	R.m.	Tr.	L	Prix
4p SR-5 V6	4	A	4	"24,600"
4p SR-5 V6 Sport	4	A	4	"27,800"
4p Limited V6 (cuir)	4	A	4	"28,800"
4p Limited V8 (cuir)	A	A	4.7	"30,200"

2007 4RUNNER — 80 000 km

Description	R.m.	Tr.	L	Prix
4p SR-5 V6	4	A	4	"23,600"
4p SR-5 V6 Sport	4	A	4	"26,200"
4p SR-5 V8	A	A	4.7	"27,000"
4p Limited V6 (cuir)	4	A	4	"27,300"
4p Limited V8 (cuir)	A	A	4.7	"28,500"

2006 4RUNNER — 100 000 km

Description	R.m.	Tr.	L	Prix
4p SR-5 V6	4	A	4	"21,300"
4p SR-5 V6 Sport	4	A	4	"23,100"
4p SR-5 V8	4	A	4.7	"22,800"
4p SR-5 V8 Sport	4	A	4.7	"23,700"
4p Limited V6 (cuir)	A	A	4	"24,400"
4p Limited V8 (cuir)	A	A	4.7	"25,200"

2010 AVALON — 20 000 km

Description	R.m.	Tr.	L	Prix
4p berline XLS	2	A	3.5	"34,600"
4p berline XLS Premium (navig)	2	A	3.5	"40,300"

2009 AVALON — 40 000 km

Description	R.m.	Tr.	L	Prix
4p berline XLS	2	A	3.5	"27,000"
4p berline XLS Premium	2	A	3.5	"29,500"
4p berline XLS Premium (navig)	2	A	3.5	"32,200"

2008 AVALON — 60 000 km

Description	R.m.	Tr.	L	Prix
4p berline XLS	2	A	3.5	"23,300"
4p berline XLS Premium	2	A	3.5	"24,700"
4p berline XLS Premium (navig)	2	A	3.5	"25,100"

2007 AVALON — 80 000 km

Description	R.m.	Tr.	L	Prix
4p berline XLS	2	A	3.5	"21,100"
4p berline XLS Premium	2	A	3.5	"21,800"
4p berline XLS Premium (navig)	2	A	3.5	"21,900"

2006 AVALON — 100 000 km

Description	R.m.	Tr.	L	Prix
4p berline XLS	2	A	3.5	"18,000"
4p berline XLS gr.B (rég.traction)	2	A	3.5	"18,300"
4p berline XLS gr.C (Navi)	2	A	3.5	"18,200"
4p berline Touring	2	A	3.5	"18,300"

2010 CAMRY — 20 000 km

Description	R.m.	Tr.	L	Prix
4p berline LE	2	A	2.5	"21,900"
4p berline LE V6	2	A	3.5	"24,900"
4p berline SE	2	M	2.5	"23,100"
4p berline SE	2	A	2.5	"24,300"
4p berline SE V6 (cuir)	2	A	3.5	"27,800"
4p berline XLE	2	A	2.5	"27,200"
4p berline XLE V6	2	A	3.5	"31,700"
4p berline Hybride	2	A	2.4	"27,200"

2009 CAMRY — 40 000 km

Description	R.m.	Tr.	L	Prix
4p berline LE	2	A	2.4	"15,700"
4p berline LE V6	2	A	3.5	"19,100"
4p berline SE	2	M	2.4	"17,200"
4p berline SE	2	A	2.4	"18,000"
4p berline SE V6 (cuir)	2	A	3.5	"21,400"
4p berline XLE V6	2	A	3.5	"23,800"
4p berline Hybride	2	A	2.4	"20,900"

2008 CAMRY — 60 000 km

Description	R.m.	Tr.	L	Prix
4p berline LE	2	A	2.4	"13,500"
4p berline LE V6	2	A	3.5	"14,700"
4p berline SE	2	M	2.4	"13,600"
4p berline SE	2	A	2.4	"14,200"
4p berline SE V6 (cuir)	2	A	3.5	"16,100"
4p berline XLE V6	2	A	3.5	"17,900"
4p berline Hybride	2	A	2.4	"16,000"

2007 CAMRY — 80 000 km

Description	R.m.	Tr.	L	Prix
4p berline LE	2	A	2.4	"12,200"
4p berline LE V6	2	A	3.5	"15,100"
4p berline SE	2	M	2.4	"14,000"
4p berline SE	2	A	2.4	"14,600"
4p berline SE V6 (cuir)	2	A	3.5	"15,900"
4p berline XLE V6	2	A	3.5	"17,100"
4p berline Hybride	2	A	2.4	"15,800"

2006 CAMRY — 100 000 km

Description	R.m.	Tr.	L	Prix
4p berline LE	2	A	2.4	"11,200"
4p berline LE V6	2	A	3	"12,400"
4p berline SE	2	M	2.4	"11,400"
4p berline SE	2	A	2.4	"12,200"
4p berline SE V6 (cuir)	2	A	3.3	"12,900"
4p berline XLE V6	2	A	3	"13,100"

2010 COROLLA — 20 000 km

Description	R.m.	Tr.	L	Prix
4p berline CE	2	M	1.8	"12,700"
4p berline S	2	M	1.8	"16,800"
4p berline LE	2	A	1.8	"17,500"
4p berline XRS	2	M	2.4	"18,700"

2009 COROLLA — 40 000 km

Description	R.m.	Tr.	L	Prix
4p berline CE	2	M	1.8	"9,600"
4p berline S	2	M	1.8	"12,300"
4p berline LE	2	A	1.8	"12,800"
4p berline XRS	2	M	2.4	"13,200"

2008 COROLLA — 60 000 km

Description	R.m.	Tr.	L	Prix
4p berline CE	2	M	1.8	"8,500"
4p berline CE Éd 20e (toit ouv)	2	M	1.8	"10,200"
4p berline Sport	2	M	1.8	"11,000"
4p berline LE	2	A	1.8	"11,200"

2007 COROLLA — 80 000 km

Description	R.m.	Tr.	L	Prix
4p berline CE	2	M	1.8	"7,900"

Description	R.m.	Tr.	L	Prix
4p berline CE éd spéciale (toit)	2	M	1.8	“9,500”
4p berline Sport	2	M	1.8	“10,000”
4p berline LE	2	A	1.8	“10,000”
2006 COROLLA				**100 000 km**
4p berline CE	2	M	1.8	“6,900”
4p berline CE édition spéciale	2	M	1.8	“8,400”
4p berline Sport	2	M	1.8	“9,100”
4p berline Sport groupe sport	2	M	1.8	“9,700”
4p berline LE	2	A	1.8	“9,500”
4p berline XRS	2	M	1.8	“9,900”
2010 FJ CRUISER				**20 000 km**
4p base	A	M	4	“27,700”
4p Groupe Off Road	A	M	4	“31,700”
4p Groupe Aventure	A	M	4	“32,700”
2009 FJ CRUISER				**40 000 km**
4p base	A	M	4	“22,700”
4p Groupe Off Road	A	M	4	“25,800”
4p Groupe Aventure	A	M	4	“26,400”
2008 FJ CRUISER				**60 000 km**
4p base	A	M	4	“19,200”
4p Groupe Off Road	A	M	4	“22,100”
4p Groupe C (changeur cd)	A	M	4	“22,500”
4p édition Trail Teams	A	M	4	“23,800”
2007 FJ CRUISER				**80 000 km**
4p base	A	M	4	“17,400”
4p Groupe B (rég.vitesse)	A	M	4	“19,000”
4p Groupe C (couss.latéraux)	A	M	4	“20,400”
2010 HIGHLANDER				**20 000 km**
4p base	2	A	2.7	“25,600”
4p V6	A	A	3.5	“29,200”
4p V6 Sport	A	A	3.5	“33,100”
4p Limited (cuir)	A	A	3.5	“35,800”
4p Hybride	A	A	3.3	“33,200”
4p Hybride Confort	A	A	3.3	“36,700”
4p Hybride Limited (cuir)	A	A	3.3	“42,500”
2009 HIGHLANDER				**40 000 km**
4p base	2	A	2.7	“22,400”
4p V6	A	A	3.5	“26,800”
4p V6 Sport	A	A	3.5	“30,300”
4p Limited (cuir)	A	A	3.5	“32,700”
4p Hybride	A	A	3.3	“29,600”
4p Hybride Confort	A	A	3.3	“33,100”
4p Hybride Limited (cuir)	A	A	3.3	“38,100”
2008 HIGHLANDER				**60 000 km**
4p V6	A	A	3.5	“20,900”
4p V6 SR5	A	A	3.5	“22,200”
4p V6 Sport	A	A	3.5	“24,700”
4p Limited (cuir)	A	A	3.5	“25,400”
4p Limited Navigation (cuir)	A	A	3.5	“26,100”
4p Hybride	A	A	3.3	“23,400”
4p Hybride Confort	A	A	3.3	“25,400”
4p Hybride Limited (cuir)	A	A	3.3	“27,300”
2007 HIGHLANDER				**80 000 km**
4p V6	A	A	3.3	“19,500”
4p V6 7 passagers	A	A	3.3	“20,000”
4p Limited (cuir)	A	A	3.3	“21,300”
4p Hybride	A	A	3.3	“21,500”
4p Hybride Limited (cuir)	A	A	3.3	“22,000”
2006 HIGHLANDER				**100 000 km**
4p V6	A	A	3.3	“18,700”
4p V6 7 passagers	A	A	3.3	“19,300”
4p Limited (cuir)	A	A	3.3	“20,600”
4p Hybride	A	A	3.3	“19,700”
4p Hybride Limited (cuir)	A	A	3.3	“20,400”
2010 MATRIX				**20 000 km**
4p hayon base	2	M	1.8	“14,500”
4p hayon base (a/c)	2	M	1.8	“16,700”
4p hayon Touring	2	M	1.8	“18,200”
4p hayon XR	2	M	2.4	“17,900”
4p hayon XRS	2	M	2.4	“22,900”
4p hayon base AWD	A	A	2.4	“20,700”
4p hayon XR AWD	A	A	2.4	“22,500”
4p hayon XR Sport AWD	A	A	2.4	“25,500”
2009 MATRIX				**40 000 km**
4p hayon base	2	M	1.8	“12,600”
4p hayon base Gr.B (a/c)	2	M	1.8	“14,600”
4p hayon Touring	2	M	1.8	“15,600”
4p hayon XR	2	M	2.4	“15,300”
4p hayon XRS	2	M	2.4	“20,000”
4p hayon base AWD	A	A	2.4	“17,700”
4p hayon XR AWD	A	A	2.4	“19,800”
2008 MATRIX				**60 000 km**
4p hayon base	2	M	1.8	“11,800”

Description	R.m.	Tr.	L	Prix
4p hayon base Gr.B (a/c)	2	M	1.8	“13,300”
4p hayon édition TRD	2	M	1.8	“15,300”
4p hayon XR	2	M	1.8	“15,300”
4p hayon XR Gr.B (abs/toit)	2	M	1.8	“16,800”
2007 MATRIX				**80 000 km**
4p hayon base	2	M	1.8	“10,500”
4p hayon base Gr.B (a/c)	2	M	1.8	“12,300”
4p hayon édition TRD	2	M	1.8	“12,900”
4p hayon XR	2	M	1.8	“12,300”
4p hayon XR Gr.B (abs/toit)	2	M	1.8	“13,900”
2006 MATRIX				**100 000 km**
4p hayon base	2	M	1.8	“9,600”
4p hayon base Gr.B (a/c)	2	M	1.8	“11,200”
4p hayon édition TRD	2	M	1.8	“11,400”
4p hayon XR	2	M	1.8	“11,600”
4p hayon XR Gr.B (abs/toit)	2	M	1.8	“12,600”
4p hayon XRS	2	M	1.8	“15,100”
4p hayon base	A	A	1.8	“13,200”
4p hayon XR	A	A	1.8	“14,400”
4p hayon XR Groupe B (toit)	A	A	1.8	“15,300”
2010 PRIUS				**20 000 km**
4p hayon base	2	A	1.5	“24,200”
4p hayon Premium	2	A	1.5	“26,100”
4p hayon Touring	2	A	1.5	“27,600”
4p hayon Techno (Navigation)	2	A	1.5	“32,200”
2009 PRIUS				**40 000 km**
4p hayon base	2	A	1.5	“19,800”
4p hayon Premium	2	A	1.5	“21,600”
4p hayon Premium (Navigation)	2	A	1.5	“22,200”
2008 PRIUS				**60 000 km**
4p hayon base	2	A	1.5	“18,600”
4p hayon Premium Edition	2	A	1.5	“19,500”
4p hayon Premium (Navigation)	2	A	1.5	“20,000”
2007 PRIUS				**80 000 km**
4p hayon base	2	A	1.5	“17,500”
4p hayon Groupe B	2	A	1.5	“18,400”
4p hayon Groupe C (navigation)	2	A	1.5	“18,600”
2006 PRIUS				**100 000 km**
4p hayon base	2	A	1.5	“16,000”
4p hayon Groupe B	2	A	1.5	“16,400”
4p hayon Groupe C (navigation)	2	A	1.5	“16,600”
2010 RAV4				**20 000 km**
4p base 2.5L	2	A	2.5	“21,400”
4p Sport 2.5L	2	A	2.5	“24,700”
4p Limited 2.5L	2	A	2.5	“26,300”
4p Sport V6	2	A	3.5	“26,300”
4p Limited V6	2	A	3.5	“28,300”
4p base 2.5L AWD	A	A	2.5	“23,700”
4p Sport 2.5L AWD	A	A	2.5	“26,700”
4p Limited 2.5L AWD	A	A	2.5	“28,300”
4p base V6 AWD	A	A	3.5	“26,000”
4p Sport V6 AWD	A	A	3.5	“28,200”
4p Limited V6 AWD	A	A	3.5	“30,300”
2009 RAV4				**40 000 km**
4p base 2.5L	2	A	2.5	“18,700”
4p Sport 2.5L	2	A	2.5	“21,600”
4p Limited 2.5L	2	A	2.5	“23,600”
4p Sport V6	2	A	3.5	“23,800”
4p Limited V6	2	A	3.5	“25,400”
4p base 2.5L AWD	A	A	2.5	“20,700”
4p Sport 2.5L AWD	A	A	2.5	“23,700”
4p Limited 2.5L AWD	A	A	2.5	“24,900”
4p base V6 AWD	A	A	3.5	“22,800”
4p Sport V6 AWD	A	A	3.5	“25,200”
4p Limited V6 AWD	A	A	3.5	“26,800”
2008 RAV4				**60 000 km**
4p base 2.4L	A	A	2.4	“17,700”
4p Sport 2.4L	A	A	2.4	“20,100”
4p Limited 2.4L	A	A	2.4	“20,400”
4p base V6	A	A	3.5	“19,400”
4p Sport V6	A	A	3.5	“20,700”
4p Limited V6	A	A	3.5	“22,200”
2007 RAV4				**80 000 km**
4p base 2.4L	A	A	2.4	“16,600”
4p Limited 2.4L	A	A	2.4	“17,900”
4p base V6	A	A	3.5	“17,100”
4p Sport V6	A	A	3.5	“18,200”
4p Limited V6	A	A	3.5	“18,400”
2006 RAV4				**100 000 km**
4p base 2.4L	A	A	2.4	“14,400”
4p Limited 2.4L	A	A	2.4	“16,000”
4p base V6	A	A	3.5	“15,900”
4p Sport V6	A	A	3.5	“15,900”
4p Limited V6	A	A	3.5	“16,600”

Description	R.m.	Tr.	L	Prix
4p Limited Groupe B (cuir)	A	A	3.5	“16,600”
2010 SEQUOIA				**20 000 km**
4p SR5 4.6L	4	A	4.6	“42,000”
4p Limited 5.7L	4	A	5.7	“49,800”
4p Limited Tech	4	A	5.7	“53,500”
4p Platinum	4	A	5.7	“57,000”
2009 SEQUOIA				**40 000 km**
4p SR5 4.7L	4	A	4.7	“36,700”
4p SR5 5.7L	4	A	5.7	“41,600”
4p Limited	4	A	5.7	“43,600”
4p Platinum	4	A	5.7	“49,400”
2008 SEQUOIA				**60 000 km**
4p SR5 4.7L	4	A	4.7	“32,000”
4p Limited	4	A	5.7	“34,900”
4p Limited Technology (DVD)	4	A	5.7	“35,800”
4p Platinum	4	A	5.7	“36,700”
2007 SEQUOIA				**80 000 km**
4p Limited (cuir)	4	A	4.7	“28,200”
2006 SEQUOIA				**100 000 km**
4p SR-5	4	A	4.7	“27,500”
4p Limited (cuir)	4	A	4.7	“25,600”
2010 SIENNA				**20 000 km**
4p 7 pass. CE	2	A	3.5	“25,700”
4p 8 pass. CE	2	A	3.5	“26,400”
4p 7 pass. LE	2	A	3.5	“29,600”
4p 7 pass. LE (cuir)	2	A	3.5	“31,400”
4p 8 pass. LE	2	A	3.5	“29,900”
4p 7 pass. CE AWD	A	A	3.5	“30,000”
4p 7 pass. LE AWD	A	A	3.5	“33,100”
4p 7 pass. Limited AWD	A	A	3.5	“42,100”
2009 SIENNA				**40 000 km**
4p 7 pass. CE	2	A	3.5	“22,100”
4p 8 pass. CE	2	A	3.5	“22,800”
4p 7 pass. LE	2	A	3.5	“25,700”
4p 7 pass. LE (cuir)	2	A	3.5	“27,400”
4p 8 pass. LE	2	A	3.5	“26,100”
4p 7 pass. CE AWD	A	A	3.5	“26,300”
4p 7 pass. LE AWD	A	A	3.5	“28,900”
4p 7 pass. Limited AWD	A	A	3.5	“37,300”
2008 SIENNA				**60 000 km**
4p 7 pass. CE	2	A	3.5	“19,900”
4p 8 pass. CE	2	A	3.5	“20,800”
4p 7 pass. LE	2	A	3.5	“23,700”
4p 7 pass. LE (cuir)	2	A	3.5	“23,900”
4p 8 pass. LE	2	A	3.5	“22,800”
4p 7 pass. CE AWD	A	A	3.5	“22,400”
4p 7 pass. LE AWD	A	A	3.5	“24,100”
4p 7 pass. XLE AWD (cuir)	A	A	3.5	“26,200”
2007 SIENNA				**80 000 km**
4p 7 pass. CE	2	A	3.5	“16,400”
4p 8 pass. CE	2	A	3.5	“17,100”
4p 7 pass. LE	2	A	3.5	“19,600”
4p 7 pass. LE (cuir)	2	A	3.5	“20,600”
4p 8 pass. LE	2	A	3.5	“19,900”
4p 7 pass. CE AWD	A	A	3.5	“19,800”
4p 7 pass. LE AWD	A	A	3.5	“21,400”
4p 7 pass. XLE AWD (cuir)	A	A	3.5	“22,200”
2006 SIENNA				**100 000 km**
4p 7 pass. CE	2	A	3.3	“15,700”
4p 8 pass. CE	2	A	3.3	“16,300”
4p 7 pass. LE	2	A	3.3	“18,700”
4p 7 pass. LE (cuir)	2	A	3.3	“19,200”
4p 8 pass. LE	2	A	3.3	“18,900”
4p 7 pass. XLE (cuir)	2	A	3.3	“19,700”
4p 7 pass. XLE Limited (cuir)	2	A	3.3	“19,600”
4p 7 pass. CE	A	A	3.3	“18,900”
4p 7 pass. LE	A	A	3.3	“19,500”
4p 7 pass. XLE (cuir)	A	A	3.3	“20,700”
2008 SOLARA				**60 000 km**
2p coupé SLE V6	2	A	3.3	“18,300”
2p décapotable SLE V6	2	A	3.3	“19,900”
2007 SOLARA				**80 000 km**
2p coupé SE	2	A	2.4	“17,800”
2p coupé Sport V6	2	A	3.3	“20,100”
2p coupé SLE V6 (cuir)	2	A	3.3	“20,600”
2p décapotable Sport V6	2	A	3.3	“20,800”
2p décapotable SLE V6 (cuir)	2	A	3.3	“21,400”
2006 SOLARA				**100 000 km**
2p coupé SE	2	A	2.4	“16,700”
2p coupé SE V6	2	A	3.3	“18,900”
2p coupé SLE V6 (cuir)	2	A	3.3	“19,100”
2p décapotable SE V6	2	A	3.3	“20,200”
2p décapotable SLE V6 (cuir)	2	A	3.3	“20,600”

Description	R.m.	Tr.	L	Prix
2010 TACOMA				**20 000 km**
Access Cab base	2	M	2.7	“19,000”
Access Cab SR5	2	M	2.7	“21,700”
Access Cab base	4	M	2.7	“23,200”
Access Cab SR5	4	M	2.7	“25,200”
Access Cab V6	4	M	4	“25,300”
Access Cab V6 SR5	4	M	4	“27,400”
Access Cab V6 Off Road TRD	4	M	4	“31,000”
Double Cab V6	4	M	4	“29,100”
Double Cab V6 benne all.	4	A	4	“28,500”
Double Cab V6 SR5 benne all	4	A	4	“30,800”
Double Cab V6 Sport TRD	4	M	4	“31,800”
Double Cab V6 Sport TRD b all.	4	A	4	“33,300”
2009 TACOMA				**40 000 km**
Access Cab base	2	M	2.7	“16,700”
Access Cab SR5	2	M	2.7	“19,000”
Access Cab X-Runner V6	2	M	4	“24,600”
Access Cab base	4	M	2.7	“20,500”
Access Cab SR5	4	M	2.7	“22,200”
Access Cab V6	4	M	4	“22,500”
Access Cab V6 SR5	4	M	4	“24,200”
Access Cab V6 Off Road TRD	4	M	4	“27,500”
Double Cab V6	4	M	4	“26,000”
Double Cab V6 benne all.	4	A	4	“25,400”
Double Cab V6 SR5 benne all	4	A	4	“27,400”
Double Cab V6 Sport TRD	4	M	4	“28,200”
Double Cab V6 Sport TRD b all.	4	A	4	“29,600”
2008 TACOMA				**60 000 km**
Access Cab base	2	M	2.7	“14,400”
Access Cab SR5	2	M	2.7	“16,700”
Access Cab X-Runner V6	2	M	4	“20,800”
Access Cab V6	4	M	4	“19,300”
Access Cab V6 SR5	4	M	4	“21,200”
Access Cab V6 Off Road TRD	4	M	4	“23,300”
Double Cab V6	4	M	4	“22,500”
Double Cab V6 benne all.	4	A	4	“22,400”
Double Cab V6 SR5 benne all	4	A	4	“25,400”
Double Cab V6 Sport TRD	4	M	4	“24,800”
Double Cab V6 Sport TRD b all.	4	A	4	“25,900”
2007 TACOMA				**80 000 km**
Access Cab base	2	M	2.7	“12,800”
Access Cab SR5	2	M	2.7	“14,600”
Access Cab X-Runner V6	2	M	4	“17,800”
Access Cab V6	4	M	4	“16,700”
Access Cab V6 SR5	4	M	4	“18,200”
Access Cab V6 Off Road TRD	4	M	4	“19,900”
Double Cab V6	4	M	4	“18,200”
Double Cab V6 benne all.	4	A	4	“19,200”
Double Cab V6 SR5	4	M	4	“19,300”
Double Cab V6 SR5 benne all	4	A	4	“20,200”
Double Cab V6 Sport TRD	4	M	4	“21,000”
Double Cab V6 Sport TRD b all.	4	A	4	“22,100”
2006 TACOMA				**100 000 km**
Access Cab base	2	M	2.7	“11,500”
Access Cab SR5 (a/c)	2	M	2.7	“13,300”
Access Cab X-Runner V6	2	M	4	“16,500”
Double Cab PreRunner V6	2	A	4	“16,400”
Double Cab PreRunner V6 Sport	2	A	4	“18,500”
Access Cab V6	4	M	4	“15,200”
Access Cab V6 SR5	4	M	4	“16,600”
Access Cab V6 Off Road TRD	4	M	4	“18,300”
Double Cab V6	4	M	4	“16,600”
Double Cab V6 benne all.	4	A	4	“17,600”
Double Cab V6 SR5	4	M	4	“17,800”
Double Cab V6 SR5 benne all	4	A	4	“18,700”
Double Cab V6 Sport TRD	4	M	4	“19,300”
Double Cab V6 Sport TRD b all.	4	A	4	“20,200”
2010 TUNDRA				**20 000 km**
cab. rég. base 4.6L	2	A	4.6	“22,500”
cab. rég. base	2	A	5.7	“25,800”
Double Cab SR5	2	A	4.6	“28,600”
Double Cab SR5 (benne all.)	2	A	5.7	“32,100”
CrewMax SR5	2	A	5.7	“33,600”
cab. rég. base 4.6L (benne all.)	4	A	4.6	“25,600”
cab. rég. base (benne all.)	4	A	5.7	“26,600”
Double Cab SR5 4.6L	4	A	4.6	“32,200”
Double Cab SR5	4	A	5.7	“33,200”
Double Cab SR5 (benne all.)	4	A	5.7	“35,800”
Double Cab Limited (cuir)	4	A	5.7	“43,200”
CrewMax SR5	4	A	5.7	“37,300”
CrewMax Platinum	4	A	5.7	“46,500”
2009 TUNDRA				**40 000 km**
cab. rég. base	2	A	4.7	“19,300”
cab. rég. base	2	A	5.7	“22,800”
Double Cab SR5	2	A	4.7	“24,700”
Double Cab SR5 (benne all.)	2	A	5.7	“28,200”
CrewMax SR5	2	A	5.7	“29,300”
CrewMax Limited (cuir)	2	A	5.7	“37,300”
cab. rég. base (benne all.)	4	A	4.7	“22,100”

Description	R.m.	Tr.	L	Prix
cab. rég. base (benne all.)	4	A	5.7	"23,400"
Double Cab SR5	4	A	4.7	"28,000"
Double Cab SR5	4	A	5.7	"29,200"
Double Cab SR5 (benne all.)	4	A	5.7	"31,300"
Double Cab Limited (cuir)	4	A	5.7	"37,100"
CrewMax SR5	4	A	5.7	"31,200"
CrewMax Limited (cuir)	4	A	5.7	"40,600"

2008 TUNDRA — 60 000 km

Description	R.m.	Tr.	L	Prix
cab. rég. base	2	A	4.7	"16,600"
cab. rég. base	2	A	5.7	"19,900"
Double Cab base	2	A	4.7	"21,600"
Double Cab base (benne all.)	2	A	5.7	"24,400"
CrewMax base	2	A	5.7	"25,500"
CrewMax Limited (cuir)	2	A	5.7	"32,600"
cab. rég. base (benne all.)	4	A	4.7	"19,400"
cab. rég. base (benne all.)	4	A	5.7	"22,600"
Double Cab base	4	A	4.7	"24,400"
Double Cab base	4	A	5.7	"25,500"
Double Cab base (benne all.)	4	A	5.7	"25,900"
Double Cab Limited (cuir)	4	A	4.7	"31,300"
Double Cab Limited (cuir)	4	A	5.7	"32,500"
CrewMax base	4	A	5.7	"28,500"
CrewMax Limited (cuir)	4	A	5.7	"35,400"

2007 TUNDRA — 80 000 km

Description	R.m.	Tr.	L	Prix
cab. rég. base	2	A	4.7	"14,300"
cab. rég. base	2	A	5.7	"15,600"
Double Cab base	2	A	4.7	"21,800"
Double Cab base (benne all.)	2	A	5.7	"20,900"
CrewMax base	2	A	5.7	"21,400"
CrewMax Limited (cuir)	2	A	5.7	"27,600"
cab. rég. base (benne all.)	4	A	4.7	"16,500"
cab. rég. base (benne all.)	4	A	5.7	"19,300"
Double Cab base	4	A	4.7	"20,900"
Double Cab base	4	A	5.7	"21,700"
Double Cab base (benne all.)	4	A	4.7	"20,900"
Double Cab base (benne all.)	4	A	5.7	"23,400"
Double Cab Limited (cuir)	4	A	4.7	"26,800"
Double Cab Limited (cuir)	4	A	5.7	"27,500"
CrewMax base	4	A	5.7	"24,000"
CrewMax Limited (cuir)	4	A	5.7	"30,400"

2006 TUNDRA — 100 000 km

Description	R.m.	Tr.	L	Prix
cab. rég. base	2	A	4	"13,200"
Double Cab base	2	A	4.7	"17,900"
cab. rég. base	4	A	4.7	"14,000"
Access cab. base	4	A	4.7	"17,000"
Access cab. Off Road	4	A	4.7	"22,500"
Access cab. édition TRD Yamaha	4	A	4.7	"23,600"
Access cab. Limited (cuir)	4	A	4.7	"24,200"
Double Cab base	4	A	4.7	"22,500"
Double Cab Off Road	4	A	4.7	"24,500"
Double Cab édition TRD Yamaha	4	A	4.7	"24,800"
Double Cab Limited (cuir)	4	A	4.7	"26,000"

2010 VENZA — 20 000 km

Description	R.m.	Tr.	L	Prix
4p base	2	A	2.7	"26,000"
4p V6	2	A	3.5	"27,500"
4p base 4RM	A	A	2.7	"27,300"
4p V6 4RM	A	A	3.5	"28,800"

2009 VENZA — 40 000 km

Description	R.m.	Tr.	L	Prix
4p base	2	A	2.7	"23,300"
4p V6	2	A	3.5	"24,700"
4p base 4RM	A	A	2.7	"24,500"
4p V6 4RM	A	A	3.5	"25,900"

2010 YARIS — 20 000 km

Description	R.m.	Tr.	L	Prix
2p hayon CE	2	M	1.5	"12,300"
4p hayon LE	2	M	1.5	"13,400"
4p hayon RS	2	M	1.5	"17,600"
4p berline base	2	M	1.5	"13,300"

2009 YARIS — 40 000 km

Description	R.m.	Tr.	L	Prix
2p hayon CE	2	M	1.5	"9,600"
2p hayon RS	2	M	1.5	"13,200"
4p hayon LE	2	M	1.5	"10,500"
4p hayon RS	2	M	1.5	"13,500"
4p berline base	2	M	1.5	"10,200"

2008 YARIS — 60 000 km

Description	R.m.	Tr.	L	Prix
2p hayon CE	2	M	1.5	"7,400"
2p hayon RS	2	M	1.5	"10,400"
4p hayon LE	2	M	1.5	"8,300"
4p hayon RS	2	M	1.5	"10,700"
4p berline base	2	M	1.5	"8,000"

2007 YARIS — 80 000 km

Description	R.m.	Tr.	L	Prix
2p hayon CE	2	M	1.5	"6,900"
2p hayon RS	2	M	1.5	"8,700"
4p hayon LE	2	M	1.5	"7,600"
4p hayon RS	2	M	1.5	"9,000"
4p berline base	2	M	1.5	"7,300"

2006 YARIS — 100 000 km

Description	R.m.	Tr.	L	Prix
2p hayon CE	2	M	1.5	"5,800"
2p hayon RS	2	M	1.5	"7,200"
4p hayon LE	2	M	1.5	"6,800"
4p hayon RS	2	M	1.5	"7,600"

VOLKSWAGEN

2010 EOS — 20 000 km

Description	R.m.	Tr.	L	Prix
2p décapotable Confortline (Cuir)	2	M	2	"32,900"
2p décapotable Highline (Cuir)	2	M	2	"37,800"

2009 EOS — 40 000 km

Description	R.m.	Tr.	L	Prix
2p décapotable Trendline	2	M	2	"30,400"
2p décapotable Confortline (Cuir)	2	M	2	"34,100"

2008 EOS — 60 000 km

Description	R.m.	Tr.	L	Prix
2p décapotable base	2	M	2	"29,200"
2p décapotable Confortline (Cuir)	2	M	2	"31,500"

2007 EOS — 80 000 km

Description	R.m.	Tr.	L	Prix
2p décapotable base	2	M	2	"23,700"
2p décapotable Cuir Sport	2	M	2	"24,800"

2010 GOLF CITY — 20 000 km

Description	R.m.	Tr.	L	Prix
4p hayon City	2	M	2	"13,800"

2009 GOLF CITY — 40 000 km

Description	R.m.	Tr.	L	Prix
4p hayon City	2	M	2	"12,000"

2008 GOLF CITY — 60 000 km

Description	R.m.	Tr.	L	Prix
4p hayon City	2	M	2	"11,000"

2007 GOLF CITY — 80 000 km

Description	R.m.	Tr.	L	Prix
4p hayon City	2	M	2	"10,400"

2010 GOLF — 20 000 km

Description	R.m.	Tr.	L	Prix
2p hayon 2.5 Trendline	2	M	2.5	"18,200"
2p hayon 2.5 Sportline	2	M	2.5	"21,500"
4p hayon 2.5 Trendline	2	M	2.5	"19,100"
4p hayon 2.5 Confortline	2	M	2.5	"20,300"
4p hayon 2.5 Highline	2	M	2.5	"23,800"
4p hayon TDI Confortline	2	M	2	"22,500"
4p hayon TDI Highline	2	M	2	"25,900"
2p hayon GTI 2.0T	2	M	2	"25,800"
4p hayon GTI 2.0T	2	M	2	"26,700"
4p familiale 2.5 Trendline	2	M	2.5	"20,400"
4p familiale 2.5 Confortline	2	M	2.5	"21,700"
4p familiale TDI Confortline	2	M	2	"24,200"
4p familiale TDI Highline	2	M	2	"27,400"

2006 GOLF — 100 000 km

Description	R.m.	Tr.	L	Prix
4p hayon CL	2	M	2	"7,800"
4p hayon GL	2	M	2	"8,900"
4p hayon GL TDI	2	M	1.9	"10,700"
4p hayon GLS	2	M	2	"9,900"
4p hayon GLS TDI	2	M	1.9	"11,300"
2p hayon GTI 1.8T turbo	2	M	1.8	"10,800"

2009 GTI — 40 000 km

Description	R.m.	Tr.	L	Prix
2p hayon 2.0T	2	M	2	"23,700"
4p hayon 2.0T	2	M	2	"24,500"

2008 GTI — 60 000 km

Description	R.m.	Tr.	L	Prix
2p hayon 2.0T	2	M	2	"20,500"
4p hayon 2.0T	2	M	2	"21,300"

2007 GTI — 80 000 km

Description	R.m.	Tr.	L	Prix
2p hayon 2.0T	2	M	2	"17,500"
2p hayon 2.0T Fahrenheit (cuir)	2	A	2	"19,800"
4p hayon 2.0T	2	M	2	"18,000"

2009 JETTA CITY — 40 000 km

Description	R.m.	Tr.	L	Prix
4p berline City	2	M	2	"13,500"

2008 JETTA CITY — 60 000 km

Description	R.m.	Tr.	L	Prix
4p berline City	2	M	2	"11,500"

2007 JETTA CITY — 80 000 km

Description	R.m.	Tr.	L	Prix
4p berline City	2	M	2	"10,300"

2010 JETTA — 20 000 km

Description	R.m.	Tr.	L	Prix
4p berline 2.5 Trendline	2	M	2.5	"20,000"
4p berline 2.5 Confortline	2	M	2.5	"22,400"
4p berline TDI Trendline	2	M	2	"22,000"
4p berline TDI Confortline	2	M	2	"24,500"
4p berline TDI Highline	2	M	2	"27,800"
4p berline 2.0T Highline	2	M	2	"26,200"
4p berline 2.0T Wolfsburg	2	M	2	"24,500"

2009 JETTA — 40 000 km

Description	R.m.	Tr.	L	Prix
4p berline 2.5 Trendline	2	M	2.5	"14,800"
4p berline TDI	2	M	2	"16,500"
4p berline 2.0T	2	M	2	"18,600"
4p berline GLI	2	M	2	"20,100"
4p familiale 2.5	2	M	2.5	"15,900"
4p familiale TDI	2	M	2	"17,300"

2008 JETTA — 60 000 km

Description	R.m.	Tr.	L	Prix
4p berline 2.5	2	M	2.5	"12,300"
4p berline 2.5 Confortline	2	M	2.5	"13,700"
4p berline 2.5 Highline (cuir / toit)	2	M	2.5	"15,500"
4p berline 2.0T	2	M	2	"16,100"
4p berline 2.0T Confortline (toit)	2	M	2	"17,800"
4p berline 2.0T Highline (cuir / toit)	2	M	2	"18,700"
4p berline GLI	2	M	2	"16,900"
4p berline GLI Cuir Deluxe	2	M	2	"17,900"

2007 JETTA — 80 000 km

Description	R.m.	Tr.	L	Prix
4p berline 2.5	2	M	2.5	"11,800"
4p berline 2.5 Deluxe (toit)	2	M	2.5	"12,600"
4p berline 2.5 Cuir Deluxe	2	M	2.5	"13,800"
4p berline 2.5 Premium (cuir)	2	M	2.5	"14,800"
4p berline 2.0T	2	M	2	"13,400"
4p berline 2.0T Deluxe (toit)	2	M	2	"14,600"
4p berline 2.0T Cuir Deluxe	2	M	2	"15,300"
4p berline 2.0T Premium (cuir)	2	M	2	"16,200"
4p berline GLI	2	M	2	"15,500"
4p berline GLI (toit ouvrant)	2	M	2	"16,200"
4p berline GLI Cuir Deluxe	2	M	2	"16,800"

2006 JETTA — 100 000 km

Description	R.m.	Tr.	L	Prix
4p berline 2.5	2	M	2.5	"11,000"
4p berline 2.5 Deluxe (toit)	2	M	2.5	"12,000"
4p berline 2.5 Cuir Deluxe	2	M	2.5	"12,700"
4p berline 2.5 Premium (cuir)	2	M	2.5	"13,400"
4p berline TDI	2	M	1.9	"11,800"
4p berline TDI Deluxe (toit)	2	M	1.9	"13,000"
4p berline TDI Cuir Deluxe	2	M	1.9	"13,300"
4p berline TDI Premium (cuir)	2	M	1.9	"13,600"
4p berline 2.0T	2	M	2	"12,400"
4p berline 2.0T Deluxe (toit)	2	M	2	"13,400"
4p berline 2.0T Cuir Deluxe	2	M	2	"13,600"
4p berline 2.0T Premium (cuir)	2	M	2	"14,100"
4p familiale GLS TDI	2	M	1.9	"12,400"

2010 NEW BEETLE — 20 000 km

Description	R.m.	Tr.	L	Prix
2p hayon 2.5 Confortline	2	M	2.5	"21,800"
2p décapotable 2.5 Confortline	2	M	2.5	"26,300"

2009 NEW BEETLE — 40 000 km

Description	R.m.	Tr.	L	Prix
2p hayon 2.5	2	M	2.5	"15,700"
2p hayon 2.5 Confortline (toit)	2	M	2.5	"16,700"
2p hayon 2.5 Highline (Cuir / toit)	2	M	2.5	"17,800"
2p décapotable 2.5	2	M	2.5	"19,100"
2p décapotable 2.5 Confortline	2	M	2.5	"20,200"
2p décapotable 2.5 Highline (Cuir)	2	M	2.5	"21,300"

2008 NEW BEETLE — 60 000 km

Description	R.m.	Tr.	L	Prix
2p hayon 2.5	2	M	2.5	"13,500"
2p hayon 2.5 Confortline (toit)	2	M	2.5	"14,600"
2p hayon 2.5 Highline (Cuir / toit)	2	M	2.5	"15,600"
2p décapotable 2.5	2	M	2.5	"16,600"
2p décapotable 2.5 Confortline	2	M	2.5	"17,700"
2p décapotable 2.5 Highline (Cuir)	2	M	2.5	"18,500"

2007 NEW BEETLE — 80 000 km

Description	R.m.	Tr.	L	Prix
2p hayon 2.5	2	M	2.5	"11,700"
2p hayon 2.5 Deluxe (toit)	2	M	2.5	"12,900"
2p hayon 2.5 Cuir Deluxe	2	M	2.5	"13,600"
2p décapotable 2.5	2	M	2.5	"14,800"
2p décapotable 2.5 Deluxe	2	M	2.5	"15,800"
2p décapotable 2.5 Cuir Deluxe	2	M	2.5	"16,400"
2p déc 2.5 Triple White édition	2	A	2.5	"17,300"

2006 NEW BEETLE — 100 000 km

Description	R.m.	Tr.	L	Prix
2p hayon 2.5	2	M	2.5	"10,400"
2p hayon 2.5 Deluxe (toit)	2	M	2.5	"11,300"
2p hayon 2.5 Cuir Deluxe	2	M	2.5	"12,000"
2p hayon TDI	2	M	1.9	"11,200"
2p hayon TDI Deluxe (toit)	2	M	1.9	"12,100"
2p hayon TDI Cuir Deluxe	2	M	1.9	"12,500"
2p décapotable 2.5	2	M	2.5	"15,800"
2p décapotable 2.5 Deluxe	2	M	2.5	"16,200"
2p décapotable 2.5 Cuir Deluxe	2	M	2.5	"16,400"

2010 PASSAT / CC — 20 000 km

Description	R.m.	Tr.	L	Prix
4p berline 2.0T	2	M	2	"25,000"
4p berline 2.0T Confortline	2	M	2	"28,000"
4p berline 2.0T Highline (Cuir/toit)	2	M	2	"33,100"
4p berline CC 2.0T	2	M	2	"29,800"
4p berline CC 3.6 4Motion	A	M	3.6	"41,300"
4p familiale 2.0T	2	M	2	"26,300"
4p familiale 2.0T Confortline	2	M	2	"29,300"
4p familiale 2.0T Highline (Cuir)	2	M	2	"34,400"
4p fam 3.6 4Mot Highline (Cuir)	A	A	3.6	"46,900"

2009 PASSAT / CC — 40 000 km

Description	R.m.	Tr.	L	Prix
4p berline 2.0T	2	M	2	"18,500"
4p berline 2.0T Confortline	2	M	2	"20,200"
4p berline 2.0T Highline (Cuir/toit)	2	M	2	"23,700"
4p berline CC 2.0T	2	M	2	"21,600"
4p berline CC 3.64Motion	A	M	3.6	"30,600"
4p familiale 2.0T	2	M	2	"19,600"
4p familiale 2.0T Confortline	2	M	2	"21,300"
4p familiale 2.0T Highline (Cuir)	2	M	2	"24,700"
4p familiale 3.6 4Motion	A	A	3.6	"30,300"
4p fam 3.6 4Mot Highline (Cuir)	A	A	3.6	"32,500"

2008 PASSAT — 60 000 km

Description	R.m.	Tr.	L	Prix
4p berline 2.0T	2	M	2	"15,600"
4p berline 2.0T Confortline	2	M	2	"16,300"
4p berline 2.0T Highline (Cuir/toit)	2	M	2	"19,900"
4p berline 3.6 4Motion	A	A	3.6	"24,300"
4p berline 3.6 4M Highline (Cuir)	A	A	3.6	"26,000"
4p familiale 2.0T	2	M	2	"16,200"
4p familiale 2.0T Confortline	2	M	2	"17,500"
4p familiale 2.0T Highline (Cuir)	2	M	2	"20,500"
4p familiale 3.6 4Motion	A	A	3.6	"25,100"
4p fam 3.6 4Mot Highline (Cuir)	A	A	3.6	"27,000"

2007 PASSAT — 80 000 km

Description	R.m.	Tr.	L	Prix
4p berline 2.0T	2	M	2	"13,900"
4p berline 2.0T Deluxe (toit)	2	M	2	"15,900"
4p berline 2.0T Cuir Deluxe	2	M	2	"17,000"
4p berline 3.6	2	A	3.6	"20,000"
4p berline 3.6 Sport Cuir	2	A	3.6	"21,400"
4p berline 3.6 4Motion	A	A	3.6	"21,300"
4p berline 3.6 4Motion Sport Cuir	A	A	3.6	"23,000"
4p familiale 2.0T	2	M	2	"14,600"
4p familiale 2.0T Deluxe (toit)	2	M	2	"16,300"
4p familiale 2.0T Cuir Deluxe	2	M	2	"17,700"
4p familiale 3.6	2	A	3.6	"20,700"
4p familiale 3.6 Sport Cuir	2	A	3.6	"22,300"
4p familiale 3.6 4Motion	A	A	3.6	"22,000"
4p familiale 3.6 4Motion Sport Cuir	A	A	3.6	"23,900"

2006 PASSAT — 100 000 km

Description	R.m.	Tr.	L	Prix
4p berline 2.0T	2	M	2	"12,300"
4p berline 2.0T Deluxe (toit)	2	M	2	"12,800"
4p berline 2.0T Cuir Deluxe	2	M	2	"13,400"
4p berline 3.6	2	A	3.6	"14,800"
4p berline 3.6 Sport Cuir	2	A	3.6	"15,500"
4p berline 3.6 4Motion	A	A	3.6	"15,000"
4p berline 3.6 4Motion Sport Cuir	A	A	3.6	"15,600"

2006 PHAETON — 100 000 km

Description	R.m.	Tr.	L	Prix
4p berline 5 pass. V8	A	A	4.2	"28,700"
4p berline 4 pass. V8	A	A	4.2	"32,000"
4p berline 5 pass. W12	A	A	6	"34,300"
4p berline 4 pass. W12	A	A	6	"36,800"

2009 RABBIT — 40 000 km

Description	R.m.	Tr.	L	Prix
2p hayon 2.5	2	M	2.5	"14,800"
2p hayon 2.5	2	A	2.5	"15,800"
4p hayon 2.5	2	M	2.5	"15,500"
4p hayon 2.5	2	A	2.5	"16,200"

2008 RABBIT — 60 000 km

Description	R.m.	Tr.	L	Prix
2p hayon 2.5	2	M	2.5	"13,600"
2p hayon 2.5	2	A	2.5	"14,200"
4p hayon 2.5	2	M	2.5	"13,900"
4p hayon 2.5	2	A	2.5	"14,900"

2007 RABBIT — 80 000 km

Description	R.m.	Tr.	L	Prix
2p hayon 2.5	2	M	2.5	"12,500"
2p hayon 2.5	2	A	2.5	"13,700"
4p hayon 2.5	2	M	2.5	"13,400"
4p hayon 2.5	2	A	2.5	"14,300"

2010 ROUTAN — 20 000 km

Description	R.m.	Tr.	L	Prix
4p Trendline	2	A	4	"25,300"
4p Execline (cuir)	2	A	4	"42,800"

2009 ROUTAN — 40 000 km

Description	R.m.	Tr.	L	Prix
4p Trendline	2	A	4	"21,100"
4p Execline (cuir)	2	A	4	"35,400"

2010 TIGUAN — 20 000 km

Description	R.m.	Tr.	L	Prix
4p 2.0T Trendline	2	A	2	"25,100"
4p 2.0T Trendline 4Motion	A	A	2	"28,100"
4p 2.0T Highline 4Motion	A	A	2	"34,000"

2009 TIGUAN — 40 000 km

Description	R.m.	Tr.	L	Prix
4p 2.0T Trendline	2	A	2	"21,900"
4p 2.0T Trendline 4Motion	A	A	2	"24,600"
4p 2.0T Highline 4Motion	A	A	2	"29,600"

2010 TOUAREG — 20 000 km

Description	R.m.	Tr.	L	Prix
4p V6	A	A	3.6	"40,800"
4P V6 Highline (cuir)	A	A	3.6	"48,900"
4p TDI	A	A	3	"44,400"
4p TDI Highline	A	A	3	"52,500"

2009 TOUAREG 2 — 40 000 km

Description	R.m.	Tr.	L	Prix
4p V6	A	A	3.6	"33,000"
4P V6 Highline (cuir)	A	A	3.6	"39,500"
4p V6 Execline (air-susp.)	A	A	3.6	"40,700"

Description	R.m.	Tr.	L	Prix
4p TDI	A	A	3	"34,700"
4p TDI Highline	A	A	3	"40,400"
4p V8 (cuir)	A	A	4.2	"41,200"
4p V8 Excline (air-susp.)	A	A	4.2	"45,100"
2008 TOUAREG 2				**60 000 km**
4p V6	A	A	3.6	"27,900"
4P V6 Highline (cuir)	A	A	3.6	"33,100"
4p V6 Excline (air-susp.)	A	A	3.6	"34,300"
4p V8 (cuir)	A	A	4.2	"34,900"
4p V8 Excline (air-susp.)	A	A	4.2	"35,200"
2007 TOUAREG				**80 000 km**
4p V6	A	A	3.6	"25,400"
4P V6 Luxury (cuir)	A	A	3.6	"28,700"
4p V6 Luxury Plus (air-susp.)	A	A	3.6	"29,900"
4p V6 Premium (air-susp+NAVI)	A	A	3.6	"31,400"
4p V8 (cuir)	A	A	4.2	"30,600"
4p V8 Luxury (NAVI)	A	A	4.2	"31,000"
4p V8 Lux Plus (air-susp+NAVI)	A	A	4.2	"31,800"
2006 TOUAREG				**100 000 km**
4p V6	A	A	3.2	"21,500"
4P V6 Luxury (cuir)	A	A	3.2	"23,200"
4p V6 Luxury Plus (air-susp.)	A	A	3.2	"23,900"
4p V6 Premium (air-susp+NAVI)	A	A	3.2	"25,000"
4p V8 (cuir)	A	A	4.2	"24,300"
4p V8 Luxury (NAVI)	A	A	4.2	"24,800"
4p V8 Lux Plus (air-susp+NAVI)	A	A	4.2	"25,600"

VOLVO

Description	R.m.	Tr.	L	Prix
2010 30				**20 000 km**
2p hayon C 2.4i	2	M	2.4	"24,100"
2p hayon C 2.4i R-Design	2	M	2.4	"31,700"
2p hayon C T5	2	M	2.5	"32,200"
2p hayon C T5 R-Design	2	M	2.5	"35,400"
2009 30				**40 000 km**
2p hayon C 2.4i	2	M	2.4	"20,200"
2p hayon C T5	2	M	2.5	"22,100"
2008 30				**60 000 km**
2p hayon C 2.4i	2	M	2.4	"19,400"
2p hayon C 2.4i Sport	2	M	2.4	"20,900"
2p hayon C T5	2	M	2.5	"21,600"
2p hayon C T5 Sport	2	M	2.5	"22,600"
2007 30				**80 000 km**
2p hayon C 2.4i	2	M	2.4	"17,300"
2p hayon C 2.4i Sport	2	M	2.4	"18,400"
2p hayon C T5	2	M	2.5	"19,000"
2p hayon C T5 Sport	2	M	2.5	"21,000"
2010 40				**20 000 km**
4p berline S base	2	M	2.4	"25,500"
4p berline S R-Design	2	M	2.4	"35,600"
4p berline S T5 AWD	A	M	2.5	"37,800"
4p berline S T5 AWD R-Design	A	M	2.5	"41,100"
2009 40				**40 000 km**
4p berline S base	2	M	2.4	"22,200"
4p berline S T5	2	M	2.5	"26,500"
4p berline S T5 AWD	A	M	2.5	"28,300"
2008 40				**60 000 km**
4p berline S base	2	M	2.4	"19,300"
4p berline S T5	2	M	2.5	"21,700"
4p berline S T5 AWD	A	M	2.5	"23,200"
2007 40				**80 000 km**
4p berline S base	2	M	2.4	"16,800"
4p berline S T5	2	M	2.5	"18,400"
4p berline S T5 AWD	A	M	2.5	"19,900"
2006 40				**100 000 km**
4p berline S base	2	M	2.4	"15,400"
4p berline S T5	2	M	2.5	"16,600"
4p berline S T5 AWD	A	M	2.5	"17,200"
2010 50				**20 000 km**
4p familiale V base	2	M	2.4	"26,800"
4p familiale V R-Design	2	M	2.4	"37,000"
4p familiale V T5 AWD	A	M	2.5	"39,200"
4p familiale V T5 AWD R-Design	A	M	2.5	"42,400"
2009 50,				**40 000 km**
4p familiale V base	2	M	2.4	"23,100"
4p familiale V T5	2	M	2.5	"27,600"
4p familiale V T5 AWD	A	M	2.5	"29,500"
2008 50				**60 000 km**
4p familiale V base	2	M	2.4	"20,200"

Description	R.m.	Tr.	L	Prix
4p familiale V T5	2	M	2.5	"22,400"
4p familiale V T5 AWD	A	M	2.5	"23,800"
2007 50				**80 000 km**
4p familiale V base	2	M	2.4	"17,100"
4p familiale V T5	2	M	2.5	"19,100"
4p familiale V T5 AWD	A	M	2.5	"20,600"
2006 50				**100 000 km**
4p familiale V base	2	M	2.4	"15,300"
4p familiale V T5	2	M	2.5	"17,100"
4p familiale V T5 AWD	A	M	2.5	"17,700"
2009 60				**40 000 km**
4p berline S turbo	2	A	2.5	"26,400"
4p berline S turbo Luxury	2	A	2.5	"30,700"
4p berline S T5 turbo AWD	A	A	2.5	"30,100"
4p berline S turbo AWD Lux	A	A	2.5	"34,100"
2008 60				**60 000 km**
4p berline S turbo base	2	A	2.5	"21,600"
4p berline S T5 turbo	2	M	2.4	"23,900"
4p berline S T5 turbo	2	A	2.4	"24,700"
4p berline S turbo AWD	A	A	2.5	"23,000"
2007 60				**80 000 km**
4p berline S turbo base	2	A	2.5	"16,400"
4p berline S T5 turbo	2	A	2.4	"20,100"
4p berline S turbo AWD	A	A	2.5	"18,700"
4p berline S R turbo (cuir)	A	M	2.5	"21,200"
2006 60				**100 000 km**
4p berline S turbo base	2	A	2.5	"12,300"
4p berline S T5 turbo	2	M	2.4	"14,900"
4p berline S turbo AWD	A	A	2.5	"14,300"
4p berline S turbo Spe Edn (cuir)	A	A	2.5	"15,900"
4p berline S R turbo (cuir)	A	M	2.5	"17,900"
2010 70				**20 000 km**
2p décapotable C T5	2	M	2.5	"46,600"
2p décapotable C T5	2	A	2.5	"48,000"
4p familiale V base	2	A	3.2	"37,400"
4p familiale V R-Design	2	A	3.2	"46,200"
4p familiale XC AWD	A	A	3.2	"44,000"
4p familiale XC T6 AWD	A	A	3.2	"49,300"
2009 70				**40 000 km**
2p décapotable C T5	2	M	2.5	"37,300"
2p décapotable C T5	2	A	2.5	"38,400"
4p familiale V base	2	A	3.2	"30,000"
4p familiale XC AWD	A	A	3.2	"31,200"
4p familiale XC T6 AWD	A	A	3.2	"36,800"
2008 70				**60 000 km**
2p décapotable C T5	2	M	2.5	"30,900"
2p décapotable C T5	2	A	2.5	"31,600"
4p familiale V base	2	A	3.2	"24,000"
4p familiale XC AWD	A	A	3.2	"25,400"
2007 70				**80 000 km**
2p décapotable C T5	2	M	2.5	"25,800"
4p familiale V base	2	M	2.4	"18,300"
4p familiale V turbo	2	A	2.5	"19,900"
4p familiale V turbo AWD	A	A	2.5	"22,000"
4p familiale R turbo (cuir)	A	M	2.5	"26,700"
4p fam V XC C-Country turbo	A	A	2.5	"20,800"
2006 70				**100 000 km**
2p décapotable C T5	2	M	2.5	"18,400"
4p familiale V base	2	M	2.4	"14,100"
4p familiale V turbo	2	A	2.5	"15,500"
4p familiale V T5 turbo (cuir)	2	M	2.4	"19,100"
4p familiale V turbo	A	A	2.5	"17,900"
4p fam V turbo Special Ed (cuir)	A	A	2.5	"20,000"
4p familiale R turbo (cuir)	A	M	2.5	"20,800"
4p familiale V XC C-Country turbo	A	A	2.5	"17,200"
2010 80				**20 000 km**
4p berline S 3.2	2	A	3.2	"41,400"
4p berline S 3.2 Premium	2	A	3.2	"44,000"
4p berline S T6 AWD	A	A	3	"52,800"
4p berline S T6 Tech AWD	A	A	3	"56,300"
4p berline S V8 AWD	A	A	4.4	"61,600"
2009 80				**40 000 km**
4p berline S 3.2	2	A	3.2	"36,000"
4p berline S 3.2 Luxury	2	A	3.2	"41,200"
4p berline S 3.2 AWD	A	A	3.2	"40,800"
4p berline S 3.2 AWD Security	A	A	3.2	"46,000"
4p berline S 3.2 AWD Luxury	A	A	3.2	"43,400"
4p berline S T6 AWD	A	A	3	"42,800"
4p berline S V8 AWD	A	A	4.4	"47,100"

Description	R.m.	Tr.	L	Prix
4p berline S V8 AWD Luxury	A	A	4.4	"48,800"
4p berline S V8 AWD Security	A	A	4.4	"49,300"
2008 80				**60 000 km**
4p berline S 3.2 AWD	A	A	3.2	"31,700"
4p berline S 3.2 AWD Security	A	A	3.2	"33,500"
4p berline S 3.2 AWD Luxury	A	A	3.2	"33,700"
4p berline S V8 AWD	A	A	4.4	"35,100"
4p berline S V8 AWD Luxury	A	A	4.4	"36,400"
4p berline S V8 AWD Security	A	A	4.4	"37,000"
2007 80				**80 000 km**
4p berline S 3.2 AWD	A	A	3.2	"23,800"
4p berline S 3.2 AWD Security	A	A	3.2	"25,300"
4p berline S 3.2 AWD Luxury	A	A	3.2	"26,100"
4p berline S V8 AWD	A	A	4.4	"27,100"
4p berline S V8 AWD Security	A	A	4.4	"28,800"
4p berline S V8 AWD Luxury	A	A	4.4	"28,900"
2006 80				**100 000 km**
4p berline S AWD	A	A	2.5	"18,600"
4p berline S AWD Luxury	A	A	2.5	"19,700"
2010 XC 60				**20 000 km**
4p XC 3.2	2	A	3.2	"35,200"
4p XC AWD	A	A	3.2	"39,200"
4p XC T6	A	A	3	"44,000"
2010 XC 90				**20 000 km**
4p XC 3.2	A	A	3.2	"45,800"
4p XC 3.2 Luxury	A	A	3.2	"51,900"
4p XC 3.2 R-Design	A	A	3.2	"54,600"
4p XC V8 Executive	A	A	4.4	"61,600"
2009 XC 90				**40 000 km**
4p XC 3.2	A	A	3.2	"33,400"
4p XC 3.2 7sièges (cuir)	A	A	3.2	"37,700"
4p XC 3.2 R (cuir)	A	A	3.2	"39,300"
4p XC 3.2 R 7sièges (cuir)	A	A	3.2	"41,000"
4p XC V8 (cuir)	A	A	4.4	"44,300"
4p XC V8 7 sièges (cuir)	A	A	4.4	"46,000"
4p XC V8 Sport (cuir)	A	A	4.4	"47,800"
4p XC V8 Sport 7 sièges (cuir)	A	A	4.4	"49,400"
2008 XC 90				**60 000 km**
4p XC 3.2	A	A	3.2	"28,800"
4p XC 3.2 7sièges (cuir)	A	A	3.2	"31,900"
4p XC 3.2 Sport (cuir)	A	A	3.2	"32,500"
4p XC 3.2 Sport 7sièges (cuir)	A	A	3.2	"33,800"
4p XC V8 (cuir)	A	A	4.4	"34,000"
4p XC V8 7 sièges (cuir)	A	A	4.4	"34,200"
4p XC V8 Sport (cuir)	A	A	4.4	"34,600"
4p XC V8 Sport 7 sièges (cuir)	A	A	4.4	"35,700"
2007 XC 90				**80 000 km**
4p XC 3.2	A	A	3.2	"24,400"
4p XC 3.2 7sièges (cuir)	A	A	3.2	"26,200"
4p XC V8 (cuir)	A	A	4.4	"26,900"
4p XC V8 7 sièges (cuir)	A	A	4.4	"27,900"
4p XC V8 Sport (cuir)	A	A	4.4	"28,600"
4p XC V8 Sport 7 sièges (cuir)	A	A	4.4	"29,500"
2006 XC 90				**100 000 km**
4p XC 2.5 turbo	A	A	2.5	"21,400"
4p XC 2.5 turbo (cuir)	A	A	2.5	"22,500"
4p XC 2.5 turbo 7sièges (cuir)	A	A	2.5	"23,000"
4p XC V8 5 sièges (cuir)	A	A	4.4	"23,400"
4p XC V8 7 sièges (cuir)	A	A	4.4	"24,500"

Description	R.m.	Tr.	L	Prix